W9-CMC-498

UN LIVRE *branché* SUR VOTRE RÉUSSITE!

ÉDITION EN LIGNE

Consultez le manuel dans sa version intégrale depuis n'importe quel accès internet sans téléchargement!

Recherchez des notions efficacement grâce au puissant moteur de recherche intégré.

Personnalisez votre manuel avec les outils de surlignement, d'annotations ou des marqueurs de favoris.

Accédez à du matériel pédagogique complémentaire, notamment:

- les questionnaires sur les situations cliniques
- les grilles d'exécution des procédures en format PDF
- les procédures associées au chapitre sur l'hygiène
- des mots croisés interactifs
- le glossaire

CODE D'ACCÈS DE L'ÉTUDIANT

ÉDITION EN LIGNE

❶ Rendez-vous à l'adresse de connexion de l'Édition en ligne: **http://enligne.erpi.com/kozier/2e**
❷ Cliquez sur «S'inscrire» et suivez les instructions à l'écran.
❸ Vous pouvez retourner en tout temps à l'adresse de connexion pour consulter l'Édition en ligne.

Afin d'éviter une désactivation de votre code d'accès causée par une inscription incomplète ou erronée, consultez la capsule vidéo d'information sur le site **http://assistance.pearsonerpi.com**

L'accès est valide pendant 48 MOIS à compter de la date de votre inscription.

Code d'accès étudiant
ÉDITION EN LIGNE ▶   TP48ST-BLINK-MEDIC-ARRAN-CABBY-CHARD

AVERTISSEMENT: Ce livre NE PEUT ÊTRE RETOURNÉ
si la case ci-dessus est découverte.

Besoin d'aide?: http://assistance.pearsonerpi.com

CODE D'ACCÈS DE L'ENSEIGNANT

Du matériel complémentaire à l'usage exclusif de l'enseignant est offert sur adoption de l'ouvrage.
Certaines conditions s'appliquent. **Demandez votre code d'accès à information@erpi.com**

W20587 (A35000)

1

SOINS INFIRMIERS

Théorie et pratique

2e ÉDITION

ERPI COMPÉTENCES INFIRMIÈRES

1

SOINS INFIRMIERS

Théorie et pratique

2e ÉDITION

Barbara Kozier
Glenora Erb
Audrey Berman
Shirlee Snyder

PEARSON

Montréal   Toronto   Boston   Columbus   Indianapolis   New York   San Francisco   Upper Saddle River
Amsterdam   Le Cap   Dubaï   Londres   Madrid   Milan   Munich   Paris
Delhi   México   São Paulo   Sydney   Hong-Kong   Séoul   Singapour   Taipei   Tōkyō

Supervision éditoriale
Sylvie Chapleau

Révision linguistique
Michel Boyer et Véra Pollak

Correction d'épreuves
Odile Dallaserra

Recherche iconographique
Marie-Chantal Masson

Direction artistique
Hélène Cousineau

Coordination aux réalisations graphiques
Muriel Normand

**Conception graphique de l'intérieur
et de la couverture**
Benoit Pitre

Édition électronique
Infographie DN

Dans cet ouvrage, les termes désignant les professionnels de la santé ont valeur de générique et s'appliquent aux personnes des deux sexes.

Les auteurs et l'éditeur ont pris soin de vérifier l'information présentée dans ce manuel. Ils se sont également assurés que la posologie des médicaments est exacte et respecte les recommandations et les pratiques en vigueur au moment de la publication de ce manuel. Cependant, étant donné l'évolution constante des recherches, des modifications dans les traitements et l'utilisation des médicaments deviennent nécessaires. Nous vous prions de vérifier l'étiquette-fiche de chaque médicament et les instructions de chaque appareil avant de procéder à une intervention. Cela est particulièrement important dans le cas de nouveaux médicaments, de médicaments peu utilisés et de techniques peu courantes. Les auteurs et l'éditeur déclinent toute responsabilité pour les pertes, les lésions ou les dommages entraînés, directement ou indirectement, par la mise en application de l'information contenue dans ce manuel.

5757, rue Cypihot
Saint-Laurent (Québec) H4S 1R3
CANADA
Téléphone : 514 334-2690
Télécopieur : 514 334-4720
info@pearsonerpi.com
http://pearsonerpi.com

Dépôt légal – Bibliothèque et Archives nationales du Québec, 2012
Dépôt légal – Bibliothèque et Archives Canada, 2012

Imprimé au Canada
20587 ISBN 978-2-7613-3969-8 (volume 1)
20605 ISBN 978-2-7613-4017-5 (volume 2)
20588 ISBN 978-2-7613-3970-4 (Introduction aux méthodes de soins)
30334 ISBN 978-2-7613-3891-2 (ensemble)

1234567890 II 15 14 13 12
20587 BCD   SM9

Préface

De nos jours, l'infirmière doit constamment évoluer et se perfectionner pour être en adéquation avec les exigences d'un système de santé qui connaît de profonds bouleversements. L'infirmière doit avoir des compétences théoriques, pratiques et relationnelles afin de participer efficacement aux activités d'une équipe de professionnels de la santé, dont le travail repose sur la collaboration. Elle doit recourir à la pensée critique et faire preuve de créativité pour appliquer des stratégies pertinentes à des personnes ayant différents antécédents culturels, et ce, dans des contextes de plus en plus diversifiés. Elle se doit aussi d'être enseignante, leader et gestionnaire. L'infirmière doit savoir gérer le changement, et être prête à prodiguer des soins dans des milieux divers, à des personnes de tous âges, notamment à un nombre croissant de personnes âgées. Elle doit comprendre les approches complémentaires et parallèles en santé, sans pour autant perdre de vue son rôle unique — une combinaison de dévouement, de sensibilité, de caring, d'empathie, d'engagement et de compétences — qui repose sur des connaissances scientifiques et des résultats probants.

Soins infirmiers – Théorie et pratique est divisé en deux volumes. Le premier aborde les fondements de la pratique infirmière. Le second est davantage orienté vers les questions cliniques.

Dans son ensemble, l'ouvrage rend compte des recherches les plus récentes et de l'importance croissante du vieillissement, du bien-être et des soins à domicile. Nous avons élaboré le texte de telle manière qu'il puisse convenir à une grande variété de théories et de modèles conceptuels.

Organisation du manuel

Le sommaire présenté en page deux de couverture permet une consultation et un repérage rapides des chapitres. La table des matières détaillée qui se trouve au début du manuel est claire et facile à suivre. L'ouvrage se divise en neuf parties. La partie 1, *Nature des soins infirmiers*, regroupe cinq chapitres présentant de façon complète les concepts préliminaires des soins infirmiers. Ces chapitres ont été adaptés en profondeur afin, notamment, de présenter les nombreux et récents changements survenus dans les aspects juridiques de la profession d'infirmière. On traite également de l'organisation des soins de santé au Québec, un enjeu de société aujourd'hui. Les cinq chapitres de la partie 2, *Soins de santé contemporains*, reflètent les changements du système de distribution des soins de santé, des soins communautaires, de la promotion de la santé et des soins à domicile. Dans la partie 3, *Croyances et pratiques en matière de santé*, quatre chapitres présentent les croyances et les pratiques en matière de santé de personnes et de familles ayant des antécédents culturels différents. La partie 4, *Démarche de soins infirmiers*, expose ce modèle important. Chaque chapitre est consacré à une étape spécifique de la démarche. Le chapitre 14 associe pensée critique et pratique infirmière. Une étude de cas aidera les étudiantes à appliquer le contenu de cette partie à toutes

les étapes de la démarche, soit : chapitre 15, *Collecte des données* ; chapitre 16, *Analyse et interprétation des données* ; chapitre 17, *Planification* ; chapitre 18, *Interventions infirmières et évaluation*. Dans cette partie, nous explorons le modèle McGill et nous analysons le plan thérapeutique infirmier. Le caring, la compassion, le réconfort, la communication, l'enseignement, la délégation des tâches, la gestion et le leadership sont abordés dans la partie 5, *Aspects essentiels du rôle de l'infirmière*. Il s'agit là d'éléments indispensables pour offrir des soins infirmiers pertinents et efficaces. La partie 6, *Promotion de la santé psychosociale*, comprend cinq chapitres exposant un vaste éventail d'éléments qui influent sur la santé, notamment la perception sensorielle, le concept de soi, la sexualité, le stress et l'adaptation, et la perte, le deuil et la mort. L'infirmière doit tenir compte de tous ces aspects pour donner des soins adaptés. Le volume deux débute avec la partie 7, *Évaluation de la santé*, qui couvre les signes vitaux et l'examen physique dans deux chapitres distincts, de sorte que les novices comprendront les résultats normaux de la collecte des données avant de découvrir ce que sont des résultats anormaux. Dans la partie 8, *Composantes essentielles des soins cliniques*, les auteurs mettent l'accent sur les aspects universels des soins, à savoir asepsie, sécurité, hygiène, examens paracliniques, administration des médicaments, intégrité de la peau et soins des plaies, et soins infirmiers périopératoires. La partie 9, *Promotion de la santé physique*, présente plusieurs concepts physiologiques qui constituent la pierre angulaire des soins infirmiers, notamment activité et exercice, sommeil et repos, soulagement de la douleur, nutrition et alimentation, élimination intestinale, élimination urinaire, oxygénation, circulation, et équilibre hydrique, électrolytique et acidobasique.

Les procédés qu'on trouvait dans la première édition ont été supprimés. Les méthodes de soins se trouvent maintenant dans l'ouvrage compagnon : *Introduction aux méthodes de soins*. Le volume 2 comporte des renvois aux méthodes de soins à tous les endroits où il est pertinent que l'étudiante consulte *Introduction aux méthodes de soins*.

Matériel complémentaire

L'Édition en ligne permet d'accéder au manuel et à l'ouvrage compagnon, *Introduction aux méthodes de soins*, ainsi qu'à leur matériel complémentaire. L'étudiante y trouvera des grilles à utiliser lorsqu'elle s'exerce à l'application des méthodes de soins. Ces grilles font ressortir les étapes clés de chaque méthode de soins. La section accessible aux étudiantes comprend également trois méthodes de soins sur l'hygiène, les questionnaires associés aux situations cliniques du manuel et des mots croisés interactifs.

L'Édition en ligne offre en outre une section réservée aux professeures qui utilisent l'ouvrage dans leur enseignement ; on y présente les grilles d'exécution des méthodes de soins en format modifiable, les réponses aux situations cliniques ainsi que les figures et tableaux du manuel.

Adaptation française

La version française a été réalisée par une équipe chevronnée de professeurs et de cliniciens du Québec. Tous ont eu le souci de mettre à jour les notions contenues dans l'édition américaine en adaptant, chaque fois que c'était pertinent, le contenu à la réalité québécoise, et ce, en utilisant toujours le vocabulaire le plus précis et actualisé possible. Parmi les très nombreux ajouts, notons les suivants :

- Texte modifié selon les Principes pour le déplacement sécuritaire des bénéficiaires au chapitre 37
- Ajout de schémas des bruits respiratoires au chapitre 29
- Ajout du « Guide de référence rapide » de l'Association canadienne du soin des plaies (de pression) et du Formulaire de suivi des plaies du CHU McGill ; modifications pour tenir compte de la nouvelle classification des plaies de pression (ajout des LTPS, par exemple) dans le chapitre 35
- Mise à jour des renseignements sur le système sociosanitaire (GMF, CSSS) au chapitre 6
- Intégration du PTI et du modèle McGill dans la partie 4
- Ajout du Protocole d'immunisation du Québec au chapitre 30
- Etc.

Remerciements

Un tel travail d'adaptation nécessite la collaboration de nombreuses personnes. Nous tenons à souligner le travail remarquable fait par les adaptateurs qui ont eu non seulement le souci de mettre à jour les informations américaines, mais qui ont de plus fait un travail de recherche impressionnant afin de s'assurer de l'adéquation avec la réalité québécoise.

Adaptation

Cet ouvrage a été adapté par

Mario Bilodeau, inf.
Certificat en santé mentale, certificat en soins critiques
Enseignant, Programme de soins infirmiers
Collège François-Xavier-Garneau

Solange Boucher, inf., M.Sc.
Conseillère clinique spécialisée en soins de première ligne
Unité de médecine familiale (UMF) et
Groupe de médecine de famille (GMF)
CSSS de Laval, installation Cité de la santé de Laval
Chargée d'enseignement clinique
Département de médecine familiale et d'urgence
Université de Montréal

Ivone Aguiar Coelho, inf., M.Sc.
Infirmière praticienne spécialisée en néphrologie
Unité de suppléance rénale
CSSSSL, Centre Hospitalier Pierre-Le Gardeur

Martine Cormier, inf., M.Sc.
Coordonnatrice au développement, à la formation et
    au soutien clinique
Direction des soins infirmiers
CSSS du Sud de Lanaudière

Alexandrine Côté, inf., avocate

Michèle Côté, inf., Ph.D.
Professeure, Département des sciences infirmières
Directrice, Comité de programmes de deuxième cycle
    en sciences infirmières
Université du Québec à Trois-Rivières

Marie-Ève Desaulniers, inf., B.Sc.
Enseignante en soins infirmiers
Cégep régional de Lanaudière à Joliette

Bruno Désorcy, B.Sc., M.A. (sociologie)

Sylvie Dubois, inf., Ph.D.
Professeure adjointe, Faculté des sciences infirmières
Université de Montréal
Adjointe à la recherche à la direction des soins infirmiers
Centre hospitalier de l'Université de Montréal (CHUM)
Chercheuse du CRCHUM, CIFI et GRIISIQ

Philippe Éthier, inf., B.Sc.
Chargé de cours, Département des sciences infirmières
Université du Québec à Trois-Rivières
Conseiller clinicien en soins infirmiers
CSSS du Sud de Lanaudière

Josée Feiter, inf., M.Sc.
Gestionnaire des risques et de la sécurité
CSSS du Sud de Lanaudière

Kathleen Garneau, inf., B.Sc.
Conseillère en prévention et contrôle des infections
CSSS Sud de Lanaudière

Christine Gervais, inf., Ph.D. (c)
Chercheuse associée
Centre d'Étude et de Recherche en Intervention
    Familiale (CERIF)
Coordonnatrice, Initiative Ami des Pères au sein
    des familles (IAP)
Infirmière clinicienne, CHU Sainte-Justine
Chargée de cours, Université du Québec en Outaouais

Lya Gingras, inf., B.Sc.
Consultante en gestion organisationnelle
et maître formateur en PDSB (Suisse)

Alain Huot, B.Sc. inf., M.Éd., Ph.D. (c)
Chargé de cours
Université du Québec à Rimouski

Blandine Jardon, Ph.D. (neurosciences)
Journaliste scientifique

Caroline Longpré, inf., M.Sc.
Enseignante en soins infirmiers
Cégep régional de Lanaudière à Joliette

Daniel Milhomme, inf., M.Sc., Ph.D. (c)
Professeur, Département des sciences infirmières
Université du Québec à Rimouski

Manon Paquin, inf., B.Sc.
Stomothérapeute
Spécialiste en soins de plaies et de stomies

Sarah Pelletier, inf., B.Sc., IPAC
Candidate M.SC., CSP©

Hélène Perron, inf., M.Sc.
Conseillère clinicienne spécialisée en santé mentale
CSSS du Sud de Lanaudière

Suzie Rivard, inf., B.Sc.
Enseignante, Programme de soins infirmiers
Collège de Trois-Rivières

Chantal Saint-Pierre, inf., Ph.D.
Responsable des programmes de deuxième cycle
en sciences infirmières
Directrice du module des sciences de la santé
Université du Québec en Outaouais

Liette St-Pierre, inf., Ph.D.
Professeure, Département des sciences infirmières
Université du Québec à Trois-Rivières

Johanne Turcotte, B.Sc., inf., M.A.
Anciennement:
Directrice des soins infirmiers, de la qualité, de l'éthique
et de la santé physique
CSSS de Matane
Enseignante et coordonnatrice de programme en Soins
infirmiers
Cégep de Matane

Nathalie Villeneuve, inf., B.Sc.
Conseillère clinicienne en soins infirmiers
CSSS du Sud de Lanaudière

et, pour la réalisation des situations cliniques,

Isabelle Breton, inf., B.Sc.

Isabelle Carbonneau, inf., B.Sc.

Danny Lachance, inf., B.Sc.

Martine Robillard, inf.

Édith Roy, inf., B.Sc.

Enseignantes en soins infirmiers
Cégep de Sherbrooke

Chapitre 28 — Signes vitaux

Adaptation française:
Marie-Ève Desaulniers, inf., B.Sc.
Enseignante en soins infirmiers
Cégep régional de Lanaudière à Joliette

Les **signes vitaux**, ou **paramètres fondamentaux**, sont la température corporelle, le pouls, la respiration et la pression artérielle. On mesure souvent la sphygmooxymétrie (saturométrie) en même temps que les signes vitaux habituels. Les signes vitaux doivent être analysés dans une perspective globale afin d'évaluer l'homéostasie de l'organisme; ils peuvent révéler des modifications homéostasiques qui ne seraient pas perceptibles autrement. Il ne faut pas prendre ces mesures de façon automatique ou systématique; elles doivent être le fruit d'une démarche scientifique et rigoureuse. On évalue les signes vitaux en fonction de l'état de santé actuel et antérieur du client; on les compare ensuite aux valeurs habituelles chez cette personne (si elles sont connues) et aux valeurs normales (tableau 28-1).

Il revient à l'infirmière d'exercer son jugement pour déterminer quand et à quelle fréquence il faut évaluer les signes vitaux d'une personne, en fonction de son état de santé. Ce faisant, elle doit tenir compte des règles en vigueur dans son établissement concernant l'évaluation des signes vitaux et du fait que le médecin peut ordonner de mesurer un signe vital en particulier (par exemple, pression artérielle toutes les 2 h). Les évaluations prescrites par le médecin devraient cependant être considérées comme un minimum; l'infirmière mesurera les signes vitaux aussi souvent que l'état de santé de la personne l'exige. L'encadré 28-1 donne quelques exemples de situations où l'infirmière est appelée à mesurer les signes vitaux.

Quelquefois, c'est un autre membre de l'équipe de soins qui prend les signes vitaux. L'infirmière doit cependant se rappeler qu'avant de confier cette tâche à une infirmière auxiliaire, elle doit avoir évalué le client et s'être assurée que son état est stable ou, s'il est atteint d'une affection chronique, que son état n'est pas précaire et que la mesure des signes vitaux fait donc partie des soins usuels. Dans ces circonstances, l'infirmière auxiliaire peut mesurer les signes vitaux, les noter et transmettre les résultats, mais c'est à l'infirmière qu'il incombe d'interpréter ces résultats en utilisant son jugement clinique.

Température corporelle

OBJECTIFS D'APPRENTISSAGE

Après avoir étudié ce chapitre, vous pourrez:

- Énumérer les facteurs qui influent sur les signes vitaux.
- Décrire les facteurs qui peuvent avoir des effets sur la fiabilité de la mesure des signes vitaux.
- Indiquer quelles sont les limites de la normale pour chacun des signes vitaux.
- Expliquer les variations normales des signes vitaux qui sont liées à l'âge.
- Exposer les facteurs qui influent sur la thermorégulation.
- Comparer les différentes méthodes utilisées pour mesurer la température corporelle: buccale, tympanique, rectale et axillaire.
- Présenter les interventions infirmières nécessaires, si la température corporelle est anormale.
- Désigner les endroits du corps où on peut mesurer le pouls, et expliquer l'utilité de chacune de ces mesures.
- Nommer les caractéristiques qu'on doit observer lors de l'examen du pouls.
- Expliquer comment évaluer le pouls apexien et le pouls apexien-radial.
- Décrire la physiologie de la respiration et les mécanismes de sa régulation.
- Nommer les éléments qui font partie de l'évaluation de la respiration.
- Établir la différence entre la pression systolique et la pression diastolique.
- Décrire les diverses méthodes utilisées pour mesurer la pression artérielle et indiquer quels sont les endroits du corps où on peut la mesurer.
- Expliquer comment on mesure l'oxygénation du sang à l'aide d'un sphygmooxymètre.
- Expliquer à quel moment il est approprié de confier la prise des signes vitaux à une infirmière auxiliaire.

Objectifs d'apprentissage

Points les plus importants que l'étudiante devrait comprendre après avoir étudié le chapitre.

Diagnostics infirmiers, résultats de soins infirmiers et interventions

Ces guides pour l'établissement des diagnostics infirmiers, des résultats de soins infirmiers et des interventions présentent une collecte des données ainsi que les résultats de soins infirmiers et les interventions et activités associées aux diagnostics infirmiers dont on traite dans le chapitre.

DIAGNOSTICS INFIRMIERS, RÉSULTATS DE SOINS INFIRMIERS ET INTERVENTIONS

RISQUE D'INFECTION

Diagnostic infirmier: *Définition*	Exemple de résultat de soins infirmiers: *Définition*	Indicateurs	Intervention choisie: *Définition*	Exemples d'activités
Risque d'infection: Risque de contamination par des organismes pathogènes.	Connaissance: contrôle de l'infection: *Niveau de compréhension de la prévention et du contrôle de l'infection.*	■ Description des méthodes de transmission des infections. ■ Description des mesures destinées à augmenter la résistance aux infections. ■ L'échelle d'évaluation employée s'étend de *Aucun* (1) à *Total* (5).	Contrôle de l'infection: *Réduction des risques de contamination et de transmission d'agents infectieux.*	■ Enseigner à la personne les techniques pour le lavage approprié des mains. ■ Favoriser un apport nutritionnel approprié. ■ Administrer les antibiotiques, si nécessaire.

Évaluation pour les soins à domicile

Dans le contexte du virage ambulatoire, toutes les infirmières doivent être en mesure de participer à la planification et au suivi des soins à domicile. Dans les chapitres cliniques, la rubrique *Évaluation pour les soins à domicile* guide l'infirmière et l'incite à évaluer: (1) la personne: autonomie, niveau de connaissance, besoin d'aides techniques et ainsi de suite; (2) la famille / les proches aidants: réactions et capacités d'aider la personne; (3) les ressources communautaires, notamment les organismes qui prodiguent des soins à domicile, les groupes de soutien et les entreprises de fournitures et d'équipement.

ÉVALUATION POUR LES SOINS À DOMICILE

INFECTION

Personne et environnement

- Capacité d'autonomie en matière de soin des plaies: rassembler et utiliser les fournitures nécessaires à l'application d'une technique propre ou aseptique pour changer les pansements ou soigner une plaie.
- Capacité d'autonomie en matière d'hygiène et de soins personnels: assurer le confinement de matières potentiellement infectieuses, comme les substances provenant de la toux ou des éternuements et les liquides organiques (urine, fèces, exsudats); se laver les mains et appliquer toute mesure de protection requise.
- Capacité d'autonomie en matière de prise de médicaments: faire preuve d'une dextérité suffisante pour prendre des pilules, administrer des antibiotiques par voie intraveineuse et entreposer les médicaments de façon sécuritaire.
- Équipement: présence d'eau courante et d'une salle de bain permettant le soin des plaies; présence de poubelles et d'un système d'élimination des déchets permettant le confinement des matières potentiellement infectieuses.

Famille

- Disponibilité, habiletés et réactions de personnes capables d'aider [...] les médicaments et à faire les [...] dans ses activités; présence [...] comprendre les mesures de lutte [...] pas d'anxiété excessive.
- Proches sensibles à l'infection [...] enfants, des personnes âgées ou [...] un risque élevé de contracter l'in[...]

Communauté

- Ressources: être au courant d[...] financière, approvisionnement [...] familiale.

Enseignement

Les étudiantes trouveront dans ces encadrés les concepts et les outils dont elles ont besoin pour aider les personnes qu'elles soignent et leurs proches aidants à faire preuve d'autonomie, à résoudre leurs problèmes, à comprendre les effets des médicaments, à observer les traitements prescrits et à modifier leurs habitudes de vie.

2+2 ENSEIGNEMENT

PRÉVENIR ET MAÎTRISER L'INFECTION

Aménagement du milieu

- Discuter des changements à apporter au domicile afin de prévenir les lésions tissulaires (par exemple, rembourrage, rampes d'escalier, objets présentant un danger).
- Examiner les moyens de régler la température ambiante et la circulation d'air (surtout si la personne héberge un agent pathogène transmissible par voie aérienne).
- Déterminer s'il est approprié que des visiteurs et des membres de la famille s'approchent de la personne.
- Décrire la façon de faire l'entretien du lit et de la chambre ainsi que le mode d'utilisation de l'équipement ménager en général.

Prévention de la contagion

- Enseigner à tous les membres de la famille la technique adéquate de lavage des mains et les autres mesures d'hygiène appropriées.
- Discuter de l'emploi de savon antimicrobien et de désinfectants efficaces.
- S'assurer que les proches aidants ont des gants et les autres dispositifs de protection requis par le type d'infection ou de risque, et qu'ils savent s'en servir correctement.
- Expliquer le cycle infectieux en faisant ressortir les relations qui existent entre l'hygiène, le repos, l'activité et la nutrition.
- Enseigner la façon appropriée d'administrer les médicaments.
- Enseigner la façon appropriée de nettoyer l'équipement et les fournitures réutilisables.

Lutte contre l'infection

- Enseigner à la personne et aux membres de la famille les signes et les symptômes de l'infection. Leur préciser les situations dans lesquelles il faut communiquer avec un professionnel de la santé.
- Enseigner à la personne et aux membres de la famille comment se prémunir contre l'infection.
- Suggérer des techniques sécuritaires de préparation et de conservation des aliments.
- Insister sur la nécessité que tous les membres de la famille reçoivent les vaccins appropriés.

Soin des plaies

- Enseigner à la personne et à sa famille les signes de guérison et les signes d'infection d'une plaie.
- Expliquer la technique appropriée pour changer un pansement et jeter un pansement souillé.
- Passer en revue les facteurs qui favorisent la guérison d'une plaie.

Autres ressources

- Fournir l'information appropriée sur les ressources communautaires, les organismes de soins à domicile, les sources d'approvisionnement en fournitures et les centres de vaccination.

Conseils pratiques

Ici, les étudiantes ont instantanément accès à des résumés de ce qu'il faut et ne faut pas faire en matière clinique. Les novices y découvriront des conseils d'une grande sagesse et des rappels alors qu'elles se préparent à vivre leurs premières expériences cliniques.

CONSEILS PRATIQUES

MARCHE À SUIVRE EN CAS D'EXPOSITION AU SANG ET AUX AUTRES LIQUIDES ORGANIQUES TEINTÉS DE SANG

- Signaler immédiatement l'accident à la personne désignée comme responsable dans l'établissement de soins.
- Remplir un formulaire de compte rendu de blessure (inscription au Registre des accidents du travail).
- Recueillir les informations de base permettant de déterminer s'il s'agit d'une exposition significative et de faciliter l'évaluation du risque de transmission de l'infection :
  - Date, heure, lieu de l'exposition, tâche précise qui était effectuée au moment de l'exposition.
  - Description de l'exposition : type de liquide et estimation de la quantité ; type d'exposition ; partie du corps exposée, description de la blessure. Préciser : état de la peau, surface touchée et durée du contact ; s'il y a lieu, description détaillée de l'objet ou de l'instrument souillé qui est en cause.

- Identification et coordonnées des personnes concernées, dont l'individu source (dans la mesure du possible et si la loi le permet, collecte de renseignements sur ce dernier).
  - Dans la mesure du possible et si l'individu y consent : vérifier si ce dernier est atteint de l'hépatite B, de l'hépatite C ou du VIH.
  - Transmission des résultats des tests aux personnes qui prodiguent des soins à l'individu.
  - Si l'infirmière exposée y consent : tests de dépistage d'anticorps anti-hépatite B, anti-hépatite C et anti-VIH.
- En cas de lésion punctiforme ou de lacération (coupures, piqûres, égratignures) :
  - Favoriser le saignement de la plaie, en évitant les traumas sur le pourtour immédiat.

Les âges de la vie

Ces encadrés présentent des soins infirmiers adaptés aux nourrissons, aux enfants, aux adolescents et aux personnes âgées.

LES ÂGES DE LA VIE

EXAMEN PHYSIQUE DU CŒUR ET DES VAISSEAUX CENTRAUX

Nourrissons
- Un dédoublement du deuxième bruit du cœur peut être perçu lorsque le bébé respire profondément et que la valvule de l'aorte se ferme juste avant la valvule du tronc pulmonaire. S'il est perçu aussi durant la respiration normale, le dédoublement est anormal et il peut indiquer une communication interauriculaire.
- L'arythmie sinusale liée à la respiration est normale chez le nourrisson. Les battements du cœur ralentissent durant l'expiration et s'accélèrent durant l'inspiration.
- Il arrive qu'on perçoive des murmures chez le nouveau-né, car certaines structures de la circulation fœtale, en particulier le conduit artériel, ne sont pas complètement fermées.

Enfants
- Les bruits du cœur sont plus forts parce que la paroi thoracique est plus mince.
- Un troisième bruit du cœur, mieux perçu à l'apex, est présent chez le tiers des enfants environ.
- Chez les enfants de moins de huit ans, le choc de pointe se [...] et plus sur le côté.

[...] est atteinte d'aucune affection, la taille de son [...] même tout au long de sa vie.

[...]que et la force de contraction diminuent avec [...]uit la tolérance à l'effort.

[...]fréquence cardiaque revient à sa valeur de repos [...] chez les personnes âgées que chez les personnes [...]

[...] chez la majorité des personnes.

[...]extrasystoles est fréquente ; mais, lorsqu'elles [...] de 10 et plus par minute, elles sont considérées [...]

[...]ques et émotionnels soudains peuvent entraîner [...] de l'insuffisance cardiaque.

Soins à domicile

On explique à l'infirmière les modifications à apporter aux soins lorsqu'ils sont prodigués à domicile. On y trouve également les informations dont l'infirmière a besoin pour faire son enseignement avant le congé.

SOINS À DOMICILE

TEMPÉRATURE
- Montrer à la personne comment utiliser correctement le thermomètre et comment lire le résultat. Examiner le thermomètre qu'elle utilise à la maison pour s'assurer qu'il est sûr et qu'il fonctionne bien. Observer la personne et le proche aidant pour s'assurer qu'ils savent comment prendre la température et lire le résultat. Expliquer qu'il est important de noter le type de température mesurée (rectale, buccale, axillaire ou tympanique) et le type de thermomètre utilisé. Expliquer également pourquoi il faut utiliser toujours le même thermomètre.
- Expliquer à la personne comment entretenir le thermomètre (le laver avec du savon et de l'eau tiède) et comment prévenir la contamination croisée.
- S'assurer que la personne dispose de lubrifiant si elle utilise la méthode rectale.
- Demander à la personne ou à un membre de son entourage de prendre contact avec un professionnel de la santé si la température est de 38,5 °C ou plus.
- Lorsque l'infirmière effectue une visite à domicile, elle doit avoir un thermomètre avec elle au cas où celui de la personne ne fonctionnerait pas bien.
- S'assurer que la personne sait comment noter sa température.
- Expliquer les mesures à prendre pour maintenir un milieu ambiant adéquat pendant la maladie et lorsque les conditions climatiques sont extrêmes (chauffage, air climatisé, vêtements et literie appropriés, etc.).

Recherche en sciences infirmières

Ces encadrés mettent en lumière les recherches en soins infirmiers et des pratiques fondées sur des résultats probants appliqués à la pratique infirmière. À maintes reprises, des recherches typiquement québécoises ont été ajoutées.

RECHERCHE EN SCIENCES INFIRMIÈRES

PEUT-ON PRÉVENIR LES ERREURS DANS L'ADMINISTRATION DES MÉDICAMENTS EN MODIFIANT LA FAÇON DE PROCÉDER DANS LES ÉTABLISSEMENTS DE SOINS ?

L'unité de soins est un milieu de travail complexe où les infirmières sont souvent pressées, et où les distractions et les interruptions sont nombreuses lors de l'administration des médicaments. Un des volets du présent projet d'amélioration des méthodes de travail visait à réduire les distractions dans les unités de soins. À cet effet, on a institué un programme comprenant l'installation de panneaux avec la mention « Ne pas déranger ! » sur les chariots et les machines de distribution des médicaments. On a aussi préparé à l'intention des infirmières une fiche de contrôle du protocole d'administration des médicaments qu'on a placée sur les chariots. Enfin, on a demandé aux infirmières d'éviter les conversations et de ne pas se laisser distraire pendant qu'elles donnaient les médicaments.

Les chercheurs ont observé l'administration des médicaments entre 7 h et 19 h les jours de semaine. Ils ont constaté une diminution

des moments de distraction, une amélioration de l'attention durant l'administration de la médication et une réduction du nombre d'erreurs signalées. Ils ont noté que les interruptions par d'autres infirmières ou d'autres membres du personnel, les conversations et les bruits forts étaient les causes les plus [...]

Implications : Les panneaux [...]
les fiches de contrôle du proto[...]
simple et peu coûteuse qui p[...]
aide les infirmières à fixer leu[...]
médicaments. L'application d[...]
le client, dont la sécurité se tr[...]

Source : Pape, T. M., et al. (2005). [...]
distractions during medication adm[...]
in Nursing, 36(3), 108-116. Copyrigh[...]

Entrevue d'évaluation

Ces encadrés proposent une série de questions relatives à un problème de santé particulier. Ils guident l'infirmière dans le choix des questions à poser afin de recueillir les données subjectives nécessaires à l'élaboration de l'anamnèse.

ENTREVUE D'ÉVALUATION

ACTIVITÉ ET EXERCICE

Niveau quotidien d'activité
- Quelles sont vos activités quotidiennes ?
- Pouvez-vous effectuer les tâches suivantes de façon autonome ?
  1. Manger.
  2. Vous vêtir ; vous raser ; vous maquiller ; vous brosser les dents.
  3. Prendre un bain.
  4. Utiliser les toilettes.
  5. Vous déplacer.
  6. Utiliser un fauteuil roulant.
  7. Vous coucher et vous lever ; entrer dans la baignoire et en sortir ; monter en voiture et en descendre.
  8. Cuisiner.
  9. Entretenir votre domicile.
  10. Faire vos courses.
- *Dans le cas où le client a des problèmes à accomplir ces tâches :*
  1. Diriez-vous que vous êtes partiellement ou totalement dépendant ?
  2. De quelle façon ces tâches sont-elles effectuées (par un membre de la famille, un ami, le personnel d'un organisme ou avec du matériel spécialisé) ?

Tolérance à l'activité
- Quelles activités vous fatiguent ? Vous fatiguent-elles toujours, souvent ou seulement à l'occasion ?
- Avez-vous parfois des étourdissements ? Manquez-vous de souffle ? Constatez-vous une augmentation marquée de la vitesse

de votre respiration ? D'autres problèmes surviennent-ils à la suite d'une activité d'intensité légère à modérée ?

Exercice
- Quel type d'exercice faites-vous pour améliorer votre condition physique ?
- Quelles sont la fréquence et la durée de vos séances d'exercice ?
- Pensez-vous que l'exercice est bénéfique pour votre santé ? Expliquez.

Facteurs relatifs à la mobilité
- *Facteurs environnementaux.* La présence d'escaliers, l'absence de rampe ou d'autres aides techniques ou encore le manque de sécurité dans votre quartier freinent-ils votre mobilité ou vous empêchent-ils de faire vos exercices ?
- *Problèmes de santé.* Votre force ou votre endurance musculaire sont-elles diminuées par un des problèmes de santé suivants : maladie cardiaque, maladie pulmonaire, accident vasculaire cérébral, cancer, troubles neuromusculaires, troubles musculosquelettiques, déficience visuelle ou mentale, traumatisme ou douleur ?
- *Facteurs pécuniaires.* Avez-vous les moyens de vous procurer l'équipement ou les autres aides dont vous avez besoin pour améliorer votre mobilité ?

PLAN DE SOINS ET DE TRAITEMENTS INFIRMIERS

SOMMEIL ET REPOS

Collecte des données		Diagnostic infirmier	Résultat de soins infirmiers et indicateurs*
Anamnèse Jacques Hébert, 36 ans, est policier dans un quartier présentant un taux élevé de criminalité. Il a été victime la semaine précédente d'un traumatisme par balle au bras. Il se présente aujourd'hui au service des consultations externes pour faire changer son pansement. Tout en discutant avec l'infirmière, M. Hébert mentionne qu'il vient d'être promu au poste d'enquêteur et qu'il a donc de toutes nouvelles responsabilités. Depuis cette promotion, il éprouve certaines difficultés à s'endormir. Il lui arrive même de se réveiller la nuit. M. Hébert s'inquiète du danger que représente son travail et souhaite ardemment faire bonne impression à son nouveau poste, ce qui constitue pour lui une source supplémentaire de stress. M. Hébert dit aussi qu'il se réveille fatigué et irritable.	**Examen physique** Taille : 1,85 m (6 pi 2 po) Poids : 86 kg (190 lb) Température : 37,0 °C Pouls : 80 battements/minute Respirations : 18/minute Pression artérielle : 136/84 mm Hg Teint pâle, traits tirés, cernes noirs sous les yeux **Examens paracliniques** Formule sanguine complète dans les valeurs normales ; radiographie du bras gauche : traces d'une lésion superficielle des tissus mous	Habitudes de sommeil perturbées, reliées à l'anxiété, ainsi qu'en témoignent la difficulté à s'endormir et à rester endormi, la fatigue, l'irritabilité, les traits tirés, les cernes noirs sous les yeux.	Sommeil, manifesté par : ■ La personne décrit un ou deux facteurs susceptibles de l'empêcher de dormir ou de nuire à son sommeil. ■ La personne adopte des méthodes visant à provoquer l'endormissement. ■ Au plus tard le 21ᵉ jour, la personne se dit moins irritable et affirme se sentir mieux. ■ Au plus tard le 7ᵉ jour, la personne peut décrire ses mécanismes d'adaptation. ■ Au plus tard le 10ᵉ jour, la personne peut décrire stratégies d'adaptation les

Interventions infirmières et activités choisies*	Justifications scientifiques
Amélioration du sommeil ■ Déterminer le profil du cycle veille-sommeil de la personne. ■ Encourager M. Hébert à établir un rituel du coucher pour faciliter l'endormissement. ■ Aider M. Hébert à éliminer de ses pensées les situations stressantes avant le coucher. ■ Renseigner M. Hébert et ses proches au sujet des facteurs qui concourent aux perturbations du sommeil (encadré 38-2). ■ Discuter avec M. Hébert et sa famille des mesures pour assurer le bien-être, des techniques pour favoriser le sommeil et des changements de mode de vie qui peuvent contribuer à optimiser le sommeil. ■ Vérifier parmi les aliments et les boissons pris à l'heure du coucher ceux qui favorisent ou gênent le sommeil. **Amélioration du sentiment de sécurité** ■ Discuter des situations précises qui menacent M. Hébert. ■ Aider M. Hébert et sa famille à déterminer les facteurs qui augmentent leur sentiment de sécurité.	La quantité de sommeil dont ... mode de vie, de son état de s... Les habitudes et les rituels p... risent donc le sommeil. Le stress nuit à la détente, au... En établissant la cause des p... mencer à prendre des mesur... afin de retrouver un meilleur s... Si elle connaît les facteurs qu... de son sommeil, la personne ... tions voulues à son mode de ... du coucher. Le lait et les protéines contien... de la sérotonine qui favorisera... À l'inverse, les excitants doive... le sommeil. Toute situation angoissante p... en parle. Par ailleurs, reconna... peut aider la personne c... La nervosité et l'anxiété augmentent le risque de maladies causées ou aggravées par le stress. Si la personne ne peut pas éliminer les facteurs de stress de son environnement, l'infirmière peut à tout le moins lui indiquer d'autres manières d'y réagir.

Plan de soins et de traitements infirmiers
Ces plans se trouvent dans certains chapitres cliniques et fournissent une collecte des données, des diagnostics infirmiers, des résultats escomptés et des interventions infirmières propres à un scénario clinique spécifique. Ils aident l'étudiante à aborder les soins et les traitements sous l'angle de la démarche de soins infirmiers.

PLAN DE SOINS ET DE TRAITEMENTS INFIRMIERS (suite)

SOMMEIL ET REPOS

Interventions infirmières et activités choisies*	Justifications scientifiques
■ Aider M. Hébert à utiliser les stratégies d'adaptation qui ont prouvé leur efficacité dans le passé.	Si elle définit des moyens qu'elle a déjà utilisés avec succès pour aborder les situations angoissantes ou terrifiantes, la personne se sent plus en sécurité.
Diminution de l'anxiété ■ Créer un climat qui favorise la confiance. ■ Chercher à comprendre le point de vue de M. Hébert dans une situation stressante.	La confiance constitue la base de toute relation thérapeutique. L'anxiété est suscitée par un vague sentiment de menace. L'infirmière doit comprendre la manière dont la personne définit les situations stressantes et les vit afin d'envisager une approche ciblée pour réduire son anxiété.
■ Encourager M. Hébert à exprimer ses sentiments, ses perceptions et ses craintes.	L'expression libre des émotions permet aussi de mieux les cerner et de mieux les comprendre, par exemple : colère, désespoir, distorsion de la réalité, peurs irréalistes, etc.
■ Aider M. Hébert à reconnaître les situations qui provoquent son anxiété.	En dressant le bilan de ce qu'elle vit et ressent avant ses épisodes d'anxiété et la liste des événements qui sont associés à ces crises, la personne sera mieux outillée pour les prévenir ou, à tout le moins, en prendre conscience au moment opportun afin de mieux les aborder.
■ Déterminer sa capacité à prendre des décisions.	L'inadéquation des mécanismes d'adaptation se caractérise par une incapacité à prendre des décisions.

ÉVALUATION

Le résultat escompté a été obtenu. M. Hébert reconnaît que son insomnie est l'expression somatique de l'anxiété qu'il éprouve par rapport à sa promotion et de sa crainte de l'échec. Il dit qu'il s'est entretenu avec le conseiller du service de police et que cette rencontre lui a été très profitable. Il applique ses techniques de relaxation tous les soirs et dort en moyenne sept heures par nuit. M. Hébert dit se sentir mieux.

* Les résultats, interventions et activités présentés ici sont simplement des exemples. Ils doivent être personnalisés en fonction de chaque cas.

Cheminement clinique
Plan de soins en collaboration portant sur le traitement des plaies. Définit la collecte des données, les interventions, les traitements et les résultats escomptés qu'on désire atteindre en une période prédéterminée.

Considérations culturelles
Ces encadrés orientés vers la pratique proposent des réponses à la question suivante : qu'est-ce que l'infirmière doit faire différemment pour tenir compte des antécédents culturels de la personne qu'elle soigne ?

CONSIDÉRATIONS CULTURELLES

DOULEUR

L'infirmière se trouve dans une position de pouvoir lorsqu'elle a à décider de croire ou non la description subjective que la personne fait de sa douleur. Par conséquent, il est important qu'elle établisse une relation efficace et constructive avec cette personne. Pour ce faire, l'infirmière doit adopter les comportements suivants :

■ Respecter l'individualité de la personne :
  – en admettant qu'elle peut avoir des croyances différentes en matière de douleur ;
  – en s'informant de ses croyances et de ses moyens de soulager la douleur.
■ Respecter la réaction de la personne à la douleur :
  – en lui reconnaissant le droit de manifester la réaction à la douleur qu'elle a apprise dans sa culture ;
  – en gardant à l'esprit que les manières d'exprimer la douleur varient considérablement et qu'aucune n'est bonne ou mauvaise.
■ Éviter d'adhérer aux stéréotypes culturels, car l'expression de la douleur varie entre les cultures et aussi au sein d'une même culture.

Source : Andrews, M. M., et Boyle, J. S. (2003). *Transcultural concepts in nursing care* (4ᵉ éd.) (p. 409-411). Philadelphie, PA : Lippincott Williams & Wilkins.

CHEMINEMENT CLINIQUE

TRAITEMENT DES PLAIES

COLLECTE DES DONNÉES

Jean Alary est un ouvrier du bâtiment âgé de 42 ans. Il s'est blessé au travail lorsqu'il a été heurté par une brouette pleine de ciment et propulsé en bas d'un échafaudage d'une hauteur de 2 m. Il a souffert de plusieurs ecchymoses et d'une lacération de 9 cm sur la face antérieure de la jambe gauche. Sur le lieu de l'accident, les ambulanciers ont couvert la lacération d'un pansement de compression stérile. Avant l'irrigation et le nettoyage de la plaie avec du peroxyde et du soluté physiologique, on avait trouvé des particules de ciment et des saletés. Sa plaie a été suturée à l'aide d'un fil de soie et il a obtenu son congé. M. Alary doit se présenter au service de consultation externe dans 10 jours pour faire retirer ses points de suture.

Il a demandé à l'infirmière s'il pouvait appliquer une crème à l'aloès sur la plaie et boire une tisane que prépare sa femme.

EXAMEN PHYSIQUE
Taille : 1,78 m (5 pi 10 po)
Poids : 72,6 kg (160 lb)
Température : 37 °C
Pouls : 88 bpm
Fréquence respiratoire : 24/min
Pression artérielle : 136/90 mm Hg
Durée prévue du traitement : de 7 à 10 jours

DURÉE PRÉVUE DU TRAITEMENT : de 7 à 10 jours

Résultats escomptés	Le client exprime sa compréhension de ce qu'on lui enseigne, notamment des soins à apporter à la plaie, des signes et des symptômes à signaler, ainsi que du suivi à assurer.		Au moment du retrait des points de suture : ■ Le client est afébrile. ■ Il a une plaie sèche et propre dont les bords sont bien fermés ; cicatrisation par première intention.
	Date _____ Consultation externe		Date _____ Activités quotidiennes de la personne pendant 10 jours
Connaissances insuffisantes	Fournir des directives simples et brèves au sujet de la plaie et du traitement. Inciter le client à poser des questions et à demander de l'aide. Évaluer les connaissances du client sur les soins que nécessite une plaie. Revoir avec le client les directives écrites relatives aux soins que nécessite une plaie et lui en remettre une copie.		Observer les indications écrites sur les soins à apporter à une plaie et sur le changement du pansement. Téléphoner à l'infirmière pour tout problème ou question et revenir à la clinique dans 10 jours pour faire retirer les points de suture.

Amélioré

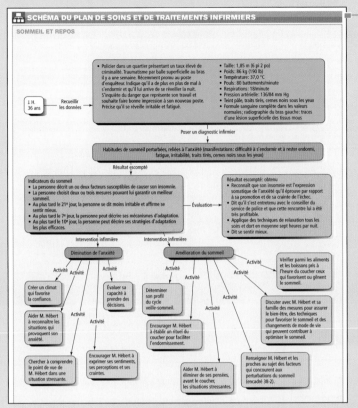

SCHÉMA DU PLAN DE SOINS ET DE TRAITEMENTS INFIRMIERS

SOMMEIL ET REPOS

J. H.
36 ans — Recueillir les données

- Policier dans un quartier présentant un taux élevé de criminalité. Traumatisme par balle superficielle au bras il y a une semaine. Récemment promu au poste d'enquêteur. Indique qu'il a de plus en plus de mal à s'endormir et qu'il lui arrive de se réveiller la nuit. S'inquiète du danger que représente son travail et souhaite faire bonne impression à son nouveau poste. Précise qu'il se réveille irritable et fatigué.

- Taille : 1,85 m (6 pi 2 po)
- Poids : 86 kg (190 lb)
- Température : 37,0 °C
- Pouls : 80 battements/minute
- Respirations : 18/minute
- Pression artérielle : 136/84 mm Hg
- Teint pâle, traits tirés, cernes noirs sous les yeux
- Formule sanguine complète dans les valeurs normales; radiographie du bras gauche: traces d'une lésion superficielle des tissus mous

Poser un diagnostic infirmier

Habitudes de sommeil perturbées, reliées à l'anxiété (manifestations: difficulté à s'endormir et à rester endormi, fatigue, irritabilité, traits tirés, cernes noirs sous les yeux)

Résultat escompté

Indicateurs du sommeil
- La personne décrit un ou deux facteurs susceptibles de causer son insomnie.
- La personne choisit deux ou trois mesures pouvant lui garantir un meilleur sommeil.
- Au plus tard le 21e jour, la personne se dit moins irritable et affirme se sentir mieux.
- Au plus tard le 7e jour, la personne peut décrire ses mécanismes d'adaptation.
- Au plus tard le 10e jour, la personne peut décrire ses stratégies d'adaptation les plus efficaces.

Évaluation

Résultat escompté: obtenu
- Reconnaît que son insomnie est l'expression somatique de l'anxiété qu'il éprouve par rapport à sa promotion et sa crainte de l'échec.
- Dit qu'il s'est entretenu avec le conseiller du service de police et que cette rencontre lui a été très profitable.
- Applique des techniques de relaxation tous les soirs et dort en moyenne sept heures par nuit.
- Dit se sentir mieux.

Intervention infirmière — Diminution de l'anxiété

Intervention infirmière — Amélioration du sommeil

Activité — Créer un climat qui favorise la confiance.

Activité — Évaluer sa capacité à prendre des décisions.

Activité — Déterminer son profil du cycle veille-sommeil.

Activité — Vérifier parmi les aliments et les boissons pris à l'heure du coucher ceux qui favorisent ou gênent le sommeil.

Activité — Aider M. Hébert à reconnaître les situations qui provoquent son anxiété.

Activité — Encourager M. Hébert à établir un rituel du coucher pour faciliter l'endormissement.

Activité — Discuter avec M. Hébert et sa famille des mesures pour assurer le bien-être, des techniques pour favoriser le sommeil et des changements de mode de vie qui peuvent contribuer à optimiser le sommeil.

Activité — Chercher à comprendre le point de vue de M. Hébert dans une situation stressante.

Activité — Encourager M. Hébert à exprimer ses sentiments, ses perceptions et ses craintes.

Activité — Aider M. Hébert à éliminer de ses pensées, avant le coucher, les situations stressantes.

Activité — Renseigner M. Hébert et les proches au sujet des facteurs qui concourent aux perturbations du sommeil (encadré 38-2).

Schéma du plan de soins et de traitements infirmiers

Un schéma du plan de soins et de traitements infirmiers suit chaque plan de soins et de traitements infirmiers. Ces schémas représentent le plan de soins et de traitements de la personne en mettant l'accent sur le processus de prise de décision. La présentation visuelle met en lumière les priorités du plan pour les novices.

Alerte clinique

Ces alertes mettent en évidence des informations particulièrement importantes pour l'infirmière, notamment en matière de sécurité.

ALERTE CLINIQUE • La palpation profonde doit être faite avec prudence, en douceur et sans brusquerie, afin de ne pas provoquer ou exacerber inutilement une douleur abdominale. •

Nouvelles rubriques

Rappel d'anatomie et de physiologie

Brève révision des notions d'anatomie et de physiologie relatives au contenu du chapitre. Cette rubrique comporte des questions dont les réponses sont données à la fin du chapitre.

Pharmacologie

Ces encadrés présentent brièvement des informations utiles sur un médicament, en mettant l'accent sur les responsabilités de l'infirmière et sur ce qu'elle doit enseigner au client.

PHARMACOLOGIE

GLUCOCORTICOÏDES

par inhalation: *béclométhasone* (Beclovent)
par voie orale: *prednisone*

On donne des glucocorticoïdes pour réduire l'inflammation chez les personnes qui ont des problèmes d'oxygénation. On les administre par inhalation, par voie orale ou par voie intraveineuse, selon la gravité de l'état du client et sa réaction au médicament. Les glucocorticoïdes (qui font partie des corticostéroïdes) sont bien absorbés par le système respiratoire. C'est pourquoi on les donne souvent par inhalation. Ils atténuent la réaction inflammatoire des voies aériennes en freinant la synthèse et la libération des médiateurs de l'inflammation, en diminuant l'activité des cellules inflammatoires et en favorisant la résorption de l'œdème.

Responsabilités de l'infirmière

- On utilise les glucocorticoïdes à titre préventif. Ils ne sont pas destinés à traiter les crises une fois que celles-ci sont déclenchées.
- Si on a prescrit un sympathomimétique au client, on peut améliorer la pénétration du glucocorticoïde dans les voies respiratoires en administrant d'abord le sympathomimétique (soit de trois à cinq minutes au préalable).
- Lorsqu'on administre un glucocorticoïde, il est très important de surveiller l'état respiratoire de la personne, entre autres la fréquence de la respiration, les bruits respiratoires, la saturation en oxygène et les symptômes subjectifs.
- Administrer ces médicaments avec prudence, voire ne pas les donner du tout, si la personne a des allergies ou une infection systémique, ou si le client est une femme enceinte ou allaitante.

- Être à l'affût des effets secondaires courants tels [que] de la fréquence cardiaque (due à la stimulation s[ympathique du] cœur) et les tremblements.
- Être à l'affût d'autres effets secondaires, le plus s[ouvent à la] surdose, tels que la stimulation du système nerv[eux central,] troubles digestifs, l'hypertension et la transpira[tion.]

Enseignement à la personne et à sa famille

- Indiquer à la personne de prendre seulement la quan[tité stricte]ment nécessaire pour procurer le soulagement le pl[us marqué,] ainsi les effets indésirables. Pour limiter l'inhibition [de l'activité] surrénalienne, on recommande parfois de prendre [le médicament] un jour sur deux.
- Le client doit bien comprendre qu'il NE faut PAS util[iser ce médica]ment en cas de crise. Le traitement est stricteme[nt préventif.]
- Enseigner à la personne et (ou) à sa famille la faço[n d'employer] le médicament. La plupart du temps, ce sera par [un] inhalateur à poudre ou atomiseur.
- Conseiller à la personne de signaler les effets i[ndésirables tels] que le mal de gorge, l'enrouement et les mycoses [ou infections] du larynx.
- Apprendre à la personne à noter la fréquence et [la gravité des] symptômes.

Note: Avant d'administrer un médicament, vérifier tous les ass[ociés par sa con]sation dans un répertoire de médicaments ou une autre réfé[rence.]

RAPPEL D'ANATOMIE ET DE PHYSIOLOGIE

MUSCLES DU PLANCHER PELVIEN

Les muscles du plancher pelvien sont des muscles volontaires qui jouent un rôle important dans le contrôle de la miction (continence). Ils peuvent être affaiblis par la grossesse et l'accouchement, la constipation chronique, la diminution de la production d'œstrogènes (ménopause), le surpoids, le vieillissement et la mauvaise condition physique.
Examinez les illustrations et trouvez les muscles du plancher pelvien.

QUESTIONS (voir les réponses à la page 1257)
1. À votre avis, peut-on renforcer les muscles du plancher pelvien? Justifiez votre réponse.
2. Expliquez comment on peut améliorer la continence urinaire par des exercices qui affermissent la musculature du plancher pelvien.

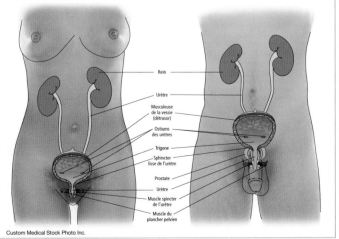

Rein
Urètre
Musculeuse de la vessie (détrusor)
Ostiums des urètres
Trigone
Sphincter lisse de l'urètre
Prostate
Urètre
Muscle spincter de l'urètre
Muscle du plancher pelvien

Custom Medical Stock Photo Inc.

Nouveau

représentent un indicateur essentiel de l'état de santé de la personne et guident un très grand nombre d'interventions infirmières et médicales. Parmi les raisons qui peuvent expliquer les erreurs de mesure de la pression artérielle, mentionnons une mesure que l'infirmière prend à la hâte et des attentes inconscientes. Par exemple, une infirmière peut se laisser influencer par les antécédents du client (il peut s'agir d'un diagnostic ou d'une mesure antérieure) et «entendre» une valeur compatible avec ses attentes. Il est également fréquent de constater que, malheureusement, bien des professionnels de la santé arrondissent les valeurs de la pression artérielle à 0 ou à 5, alors que l'écart ne devrait pas dépasser 2 mm Hg (Vanasse et al., 1997). Le tableau 28-4 énumère les effets de certaines erreurs de mesure.

⇒ Voir la MÉTHODE DE SOINS 2-5 : **Mesure de la pression artérielle.**

Renvois aux méthodes de soins

Chaque fois que le contenu du manuel s'y prête, l'étudiante trouvera un renvoi à la méthodes de soins pertinente dans *Introduction aux méthodes de soins.*

Situation clinique

Mises en situation qui décrivent l'état d'une personne. L'étudiante les lira avant de répondre aux questions sur cette situation qui se trouvent dans l'Édition en ligne.

▣ SITUATION CLINIQUE

ASEPSIE

Mme Beaudoin, âgée de 74 ans, se présente à l'unité pour rendre visite à son mari. Il est hospitalisé pour une infection respiratoire d'origine grippale. Les signes et les symptômes sont la tachypnée et une toux avec des expectorations verdâtres.

Selon le protocole de l'établissement, on a effectué à l'admission les tests de dépistage des entérocoques résistant à la vancomycine (ERV) et de *Staphylococcus aureus* résistant à la méthicilline (SARM). Les résultats, reçus ce matin, montrent que M. Beaudoin est porteur de SARM. Il a donc été placé immédiatement en isolement respiratoire.

En sortant de la chambre de M. Beaudoin, vous croisez son épouse. Elle vous dit qu'elle a hâte d'aller embrasser son mari. Vous constatez qu'elle ne semble pas avoir remarqué l'affiche qui a été placée sur la porte de la chambre. Cette affiche concernant les précautions relatives à l'isolement explique qu'il faut se laver les mains, mettre un masque et revêtir une blouse à manches longues avant d'entrer dans la chambre.

Les questions relatives à cette situation clinique sont à la disposition de tous dans l'Édition en ligne. Les enseignants y trouveront également leurs réponses.

Retour sur le chapitre

Révision du chapitre

MOTS CLÉS

Acuité visuelle, **703**	Diastole, **732**	Matité franche, **692**	Stapès, **712**
Alopécie, **699**	Discrimination tactile, **742**	Méat acoustique externe, **710**	Stéréognosie, **742**
Angle sternal (angle de Louis), **728**	Durée, **693**	Mydriase, **705**	Submatité, **692**
Anthélix, **710**	Érythème, **695**	Myopie, **703**	Surdité de perception (perte neurosensorielle), **712**
Aphasie, **739**	Exophtalmie, **702**	Myosis, **705**	Surdité de transmission (perte conductive), **712**
Astigmatisme, **703**	Extinction, **742**	Nystagmus, **709**	Surdité mixte, **712**
Auricule, **710**	Fasciculations, **738**	Œdème, **695**	Systole, **732**
Auscultation, **692**	Fosse triangulaire, **711**	Orgelet, **704**	Tartre dentaire, **718**
B₁, **732**	Frémissement, **733**	Osselets de l'ouïe, **712**	Temps de remplissage capillaire, **700**
B₂, **732**	Gingivite, **718**	Otoscope, **710**	Tonalité (fréquence), **693**
Bruits surajoutés (adventices), **730**	Glaucome, **704**	Pâleur, **695**	Tragus, **710**
Canaux semi-circulaires, **712**	Glossite, **718**	Palpation, **688**	Tremblement d'attitude, **738**
Carie, **718**	Hélix, **710**	Parodontite, **718**	Tremblement de repos, **738**
Cataracte, **704**	Hernie, **746**	Parotidite, **718**	Tremblement intentionnel, **738**
Cérumen, **711**	Hippocratisme digital, **700**	Percussion, **692**	Tremblements, **738**
Champs visuels, **703**	Hypermétropie, **703**	Plaque dentaire, **718**	Trompe auditive, **712**
Choc de pointe, **732**	Hypersonorité, **692**	Plessimètre, **692**	Tympan (ou membrane tympanique), **712**
Cochlée, **712**	Ictère, **695**	Presbytie, **703**	Tympanisme, **692**
Conjonctivite, **703**	Incus, **712**	Processus mastoïde, **711**	Vestibule, **712**
Corps du sternum, **728**	Inspection, **688**	Propriocepteurs, **741**	Vitiligo, **695**
Crépitants, **730**	Intensité, **693**	Qualité, **693**	
Cyanose, **695**	Irrigation sanguine, **734**	Réflexe, **740**	
Dacryocystite, **704**	Lobule, **710**	Sonorité, **692**	
	Malléus, **712**	Souffle, **733**	
	Manubrium, **728**		

Mots clés

Termes relatifs aux notions fondamentales du chapitre, qui apparaissent en caractères gras à la page indiquée.

CONCEPTS CLÉS

■ L'examen physique sert à évaluer la fonction et l'intégrité des différentes parties du corps.

■ L'examen physique peut être complet ou se limiter à certaines fonctions de l'organisme.

■ L'examen physique se déroule méthodiquement et de façon à occasionner le moins de changements de position possible.

■ Les données recueillies au cours de l'examen physique complètent, confirment ou réfutent les données recueillies au cours de l'anamnèse.

■ Les données de l'anamnèse déterminent la forme et l'étendue de l'examen physique.

■ Les données recueillies durant l'examen physique aident l'infirmière à poser des diagnostics infirmiers, à planifier les soins et les traitements, et à évaluer les résultats escomptés.

■ La collecte des données fournit des valeurs initiales sur les capacités fonctionnelles du client ; ces valeurs peuvent ensuite être comparées avec les résultats des examens qui seront effectués par la suite.

■ L'examen physique nécessite la connaissance des techniques d'inspection, de palpation, de percussion et d'auscultation ; l'infirmière utilise ces techniques dans cet ordre durant tout l'examen physique, sauf pour l'examen de l'abdomen, où l'auscultation se fait après l'inspection et avant la percussion et la palpation.

■ Pour être en mesure de faire l'examen physique, l'infirmière doit avoir une bonne connaissance des structures et des fonctions normales des différentes parties de l'organisme.

Concepts clés

Résumé du contenu du chapitre. L'étudiante peut lire ce résumé avant d'étudier le chapitre afin de prendre connaissance des concepts les plus importants. Elle peut également s'en servir pour faire une révision rapide après avoir étudié le chapitre.

Références

Association canadienne du diabète. (2008). *Lignes directrices de pratique clinique 2008.* Document consulté le 15 septembre 2010 de http://www.diabetes.ca/for-professionals/resources/2008-cpg/.

Brûlé, M., Cloutier, L., et Doyon, O. (dir.) (2002). *L'examen clinique dans la pratique infirmière.* Saint-Laurent : Éditions du Renouveau Pédagogique.

Centers for Disease Control and Prevention. (2002). *Guideline for hand hygiene in healthcare settings.* Document consulté le 14 septembre 2010 de http://www.cdc.gov/handhygiene/Guidelines.html.

Ordre des infirmières et infirmiers du Québec (OIIQ). (2003, avril). *Notre profession prend une nouvelle dimension : des pistes pour mieux comprendre la*

Loi sur les infirmières et les infirmiers et en tirer avantage dans notre pratique. Montréal : Auteur.

Références

Les références complètes des textes cités dans le chapitre sont donnés dans cette section. L'étudiante sera ainsi en mesure de rechercher des informations supplémentaires et d'approfondir ses connaissances.

Rubriques

2+2 ENSEIGNEMENT

ENTREVUE D'ÉVALUATION

✅ ÉVALUATION POUR LES SOINS À DOMICILE

👥 LES ÂGES DE LA VIE

PHARMACOLOGIE

PLAN DE SOINS ET DE TRAITEMENTS INFIRMIERS

RAPPEL D'ANATOMIE ET DE PHYSIOLOGIE

RECHERCHE EN SCIENCES INFIRMIÈRES

🏠 SOINS À DOMICILE

Table des matières

VOLUME 1

Partie 1
Nature des soins infirmiers 2

VOLUME 2

Partie 7
Évaluation de la santé 652

Partie 8
Composantes essentielles des soins
cliniques

Chapitre 30
Asepsie

Chapitre 31
Sécurité

Chapitre 32
Hygiène

Chapitre 44
Circulation 1299

Chapitre 45
Équilibre hydrique, électrolytique
et acidobasique 1321

1

SOINS INFIRMIERS

Théorie et pratique

2e ÉDITION

Partie 1

Parmi les professions de la santé, la profession d'infirmière est celle qui a toujours compté le plus grand nombre de membres. De ce fait, cette profession a grandement contribué à façonner notre système de santé, et les membres de la profession ont eu un effet notable sur la santé des individus, des familles et des communautés. On prévoit cependant que la pénurie d'infirmières que nous connaissons actuellement persistera.

Même si l'opinion publique accorde une plus grande confiance aux membres de la profession d'infirmière qu'aux autres professionnels de la santé, les infirmières estiment que leur travail n'est pas apprécié à sa juste valeur. Par ailleurs, certains jugent que celles-ci coûtent trop cher dans un contexte de restrictions budgétaires, à une époque où la viabilité même d'un système de soins de santé entièrement financé par l'État est remise en question.

Au même moment, les membres de la profession essaient de circonscrire les tâches dont les infirmières doivent s'acquitter aujourd'hui au sein du système de santé (Nelson et Gordon, 2006). Les décideurs, les formateurs et les leaders syndicaux doivent relever le défi de définir le rôle des infirmières et de faire reconnaître l'unique contribution des membres de cette profession à un système de santé qui doit faire face à des changements rapides (Villeneuve et MacDonald, 2006).

Nature des soins infirmiers

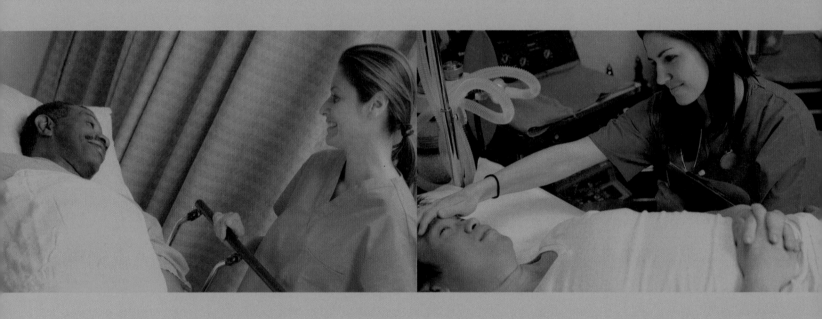

Chapitre 1

Adaptation française:
Chantal Saint-Pierre, inf., Ph.D.
Responsable des programmes
de deuxième cycle en sciences infirmières
Directrice du module des sciences de la santé
Université du Québec en Outaouais

La profession d'infirmière d'hier à aujourd'hui

Les soins infirmiers ont évolué de manière semblable dans la plupart des pays occidentaux. L'industrialisation, l'urbanisation, les guerres mondiales, les cycles de dépression et d'essor économiques ainsi que l'évolution de la condition de la femme ont changé les structures de la société et les relations sociales. Par ailleurs, les percées scientifiques et technologiques et les progrès réalisés en médecine ont fortement modifié les courbes de santé et de maladie des populations de tout l'Occident, avec cependant quelques variations, compte tenu du contexte local. La pratique infirmière a laissé son empreinte sur ces changements de la société, mais en a également subi l'influence. Un grand nombre de chercheurs en histoire des soins infirmiers ont tenté de mieux comprendre les relations entre les soins infirmiers et l'évolution des conditions sociales, politiques et économiques. La connaissance du passé et de l'évolution des soins infirmiers dans différents contextes et circonstances permet à l'infirmière de mieux comprendre la situation actuelle de sa pratique et, tout particulièrement, les liens entre certains problèmes et la structure d'ensemble de la société. Par conséquent, l'histoire des soins infirmiers non seulement nous renseigne sur le passé, mais nous aide aussi à mieux interpréter la situation de la pratique infirmière d'aujourd'hui (Paul et Ross-Kerr, 2011a; Petitat, 1989; Elliott, Stuart et Toman, 2008; Association des infirmières et infirmiers du Canada [AIIC], 2007a; Bates, Dodd et Rousseau, 2005; Cohen, 2000; Collière, 1982).

Dans le présent chapitre, nous tenterons de situer les soins infirmiers historiquement, c'est-à-dire en relation avec l'évolution des conditions sociales, politiques et économiques. Les premières auteures qui ont relaté l'histoire des soins infirmiers ont surtout exploré les questions liées à la professionnalisation, à l'enseignement et au leadership ou ont étudié la pratique infirmière en tant que composante de l'histoire de la médecine et des services de soins de santé. Depuis les années 1980, cependant, les historiennes de la profession ont commencé à situer l'histoire de la pratique infirmière dans un contexte social plus large. Leur démarche nous permet de mieux comprendre la complexité de la position de la pratique infirmière au sein de la société au regard du sexe, de la race, de l'ethnie et de la classe sociale, et de réaliser que cette évolution n'a pas été purement séquentielle. Les soins infirmiers ont aidé à définir la nature des services de soins de santé, mais on les comprendra davantage en examinant leur histoire par rapport à des questions sociales, économiques, politiques et culturelles plus vastes. Ce faisant, nous explorerons plus en profondeur l'organisation sociale et les relations de pouvoir ainsi que les valeurs et les croyances au sujet des femmes et du travail, et tout particulièrement au sujet des valeurs rattachées au travail des femmes, qui ont influé sur la position des infirmières et des soins infirmiers dans la société canadienne.

OBJECTIFS D'APPRENTISSAGE

Après avoir étudié ce chapitre, vous pourrez:

- Expliquer l'importance d'une bonne connaissance de l'histoire des soins infirmiers pour comprendre les enjeux de la pratique contemporaine.
- Reconnaître les principales tendances qui sous-tendent la façon d'écrire l'histoire des soins infirmiers.
- Indiquer les personnes ayant exercé le rôle de soignantes tout au long de l'histoire des soins infirmiers.
- Comparer les divers milieux dans lesquels les infirmières ont été appelées à donner des soins.
- Analyser l'influence des changements sociaux, politiques et économiques sur l'exercice de la profession d'infirmière.
- Décrire le cadre et les normes de la pratique infirmière.
- Analyser les plans de carrière possibles dans un contexte de rôles et de fonctions professionnels élargis.
- Énoncer les critères d'une profession et décrire la professionnalisation de la pratique infirmière.

1

Évolution des contextes de la pratique infirmière

Dans la plupart des pays occidentaux, à la fin du XIXᵉ siècle, la pratique infirmière a connu une transformation notable : elle est devenue un travail salarié. Ici, cependant, elle présentait une caractéristique distinctive : elle était issue, à ses débuts, de la tradition française des communautés religieuses et, plus tard, de la tradition anglaise laïque établie par Florence Nightingale (Paul et Ross-Kerr, 2011a ; Cohen, 2000 ; Petitat, 1989). Avant de devenir un travail salarié, la pratique infirmière était exercée principalement par des femmes au sein de leur famille et de leur collectivité, à l'exemple de Marie Rollet Hébert (Québec, 1617) et de Jeanne Mance (Montréal, 1642), ainsi que par des communautés religieuses (Les sœurs de la Charité de Montréal, communauté fondée par Marguerite D'Youville en 1736). Un premier groupe de religieuses européennes, les Augustines hospitalières de la Miséricorde de Jésus, sont arrivées dans la région de Québec en 1639 (figure 1-1 ■) ; leur mission était de soigner le corps et l'âme des colons européens et des autochtones. Ces femmes, qui croyaient profondément en la charité chrétienne, prenaient soin des malades et des indigents. Elles ont fondé et dirigé des hôpitaux pour servir une population décimée par la guerre et les épidémies de maladies infectieuses, et exposée aux risques inhérents à la vie de pionnier. À mesure que les immigrants s'établissaient dans l'est du Canada, les religieuses infirmières ont poursuivi leur mission en se dirigeant vers l'Ouest. Dans de nombreuses régions, des soins infirmiers compétents étaient les seuls soins dont disposait la population, et les infirmières pionnières qui les prodiguaient ont su prouver que leur pratique donnait de bons résultats (Paul et Ross-Kerr, 2011a).

Les premiers villages et villes n'étaient pas dotés d'équipements sanitaires ni de réseaux d'égouts appropriés. Les épidémies de typhus, de grippe et de variole ont régulièrement décimé les populations autochtones et immigrantes (Cassel, 1994). À la fin du XIXᵉ siècle, certaines améliorations apportées à la santé publique (par exemple protection des sources d'eau et de la nourriture contre la contamination) et l'élaboration de stratégies visant à contenir les épidémies ont contribué à allonger l'espérance de vie. Les infirmières expérimentées de l'époque ont joué un rôle crucial dans la mise en œuvre de ces stratégies, fondées sur la toute nouvelle théorie scientifique sur les germes, ainsi que dans la sensibilisation de la population aux dangers de la contamination. La première école d'infirmières du Canada a ouvert ses portes en 1874, à St. Catharines, en Ontario. Au Québec, l'Hôpital général de Montréal ouvrira la première école d'infirmières laïques en 1890 (Paul et Ross-Kerr, 2011b), puis, dès le début du XXᵉ siècle, les hôpitaux Sainte-Justine et Notre-Dame de Montréal (figure 1-2 ■) et l'hôpital de Sherbrooke fondent à leur tour leurs écoles (Cohen, 2000). En l'espace de quelques années, près de 70 écoles voient le jour au Canada (Cohen, 2000), ce qui amène une augmentation considérable des effectifs. En effet, le nombre d'infirmières est passé de 463 en 1911 à 3 142, en 1921, et à 7 224, en 1951 (Cohen, 2000). Les toutes premières écoles d'infirmières suivaient le modèle de Florence Nightingale, selon lequel le rôle de l'infirmière était

FIGURE 1-1 ■ Départ de Dieppe des Augustines de la Miséricorde de Jésus, en 1639. Source : Jules Therrien, Musée des Augustines de l'Hôtel-Dieu de Québec.

FIGURE 1-2 ■ Classe d'infirmières de l'Hôpital Notre-Dame dans les années 1920. Source : Archives des Sœurs Grises de Montréal ; L036 Hôpital Notre-Dame de Montréal, c.1920.

de soutenir le pouvoir de guérison de la nature. Le modèle de Nightingale était rigoureusement enraciné dans la pensée scientifique de l'époque, mais la pratique infirmière ici, comme dans les autres pays d'ailleurs, a également subi l'influence des idéaux religieux et culturels, faisant de la femme un être serviable et altruiste qui accomplissait son devoir et se dévouait aux autres (Blondeau, 2002). Les idéaux scientifiques de l'époque, tout comme l'idée particulière que l'on se faisait de la respectabilité de la femme, ont favorisé l'élargissement du rôle traditionnel de la soignante : auparavant exercé à la maison auprès des siens, ce rôle allait maintenant être accompli à l'hôpital auprès d'étrangers.

À la fin du XIXᵉ siècle, la majeure partie des soins médicaux et infirmiers était administrée à domicile. Cependant, en raison du changement des conditions sociales (notamment la séparation des familles par la migration et l'urbanisation croissante) et de l'évolution de la pensée et de la pratique médicales, on a constaté qu'il était désormais nécessaire de centraliser les soins dans des hôpitaux. La formation des infirmières étant essentielle au développement de l'hôpital moderne en tant qu'établissement respectable pouvant assurer des traitements efficaces, tous les grands et les petits hôpitaux ont ouvert une école d'infirmières. Pendant longtemps, le personnel de la plupart des hôpitaux était presque exclusivement constitué d'étudiantes en soins infirmiers. En fait, jusque dans les années 1970, le travail bénévole en milieu hospitalier représentait encore la majeure partie de la formation des infirmières. Même si cette méthode d'apprentissage exploitait les futures infirmières, elle leur permettait aussi d'acquérir une culture de travail et une identité professionnelle collectives, souvent conformes à l'identité des établissements où elles suivaient leur formation (Paul et Ross-Kerr, 2011b ; Goulet et Dallaire, 2002 ; Lambert, 1993 ; McPherson, 1996 ; Petitat, 1989).

Au cours des premières décennies du XXᵉ siècle, certains événements ont transformé graduellement la perception de la société à l'égard des soins de santé. Jusque-là, on considérait généralement la santé comme une affaire privée et comme une responsabilité familiale ou individuelle, mais les épidémies récurrentes de maladies infectieuses qui décimaient les communautés ont permis de constater que la maladie avait des conséquences néfastes non seulement sur l'individu, mais aussi sur la société. L'épidémie particulièrement dévastatrice de grippe espagnole de 1917 et 1918 a cruellement fait sentir le manque de coordination et d'efficacité des services sanitaires canadiens (Allemang, 1995). L'examen médical des recrues de l'armée avant la Première Guerre mondiale a également révélé le piètre état de santé de l'ensemble de la population, et il est devenu évident pour de nombreux réformateurs qu'il fallait désormais s'occuper de santé publique en général. On a donc entrepris des réformes et apporté des améliorations à l'état de santé de la population, principalement au moyen de programmes de santé publique financés par les gouvernements fédéral et provinciaux. Dans le cadre de ces programmes, des infirmières dûment formées mettaient en pratique au sein des familles et des communautés les nouvelles théories scientifiques sur la santé, notamment en matière d'hygiène sociale et mentale. Dans les foyers et les écoles d'un bout à l'autre du pays, des infirmières hygiénistes enseignaient les règles d'hygiène, dépistaient les maladies et assuraient l'intégration des nouveaux immigrants. Dans les régions moins peuplées, des infirmières de district élargissaient leur pratique de manière à répondre aux besoins des populations qui n'avaient pas accès à d'autres services de santé. Dans les régions où les médecins ne voulaient ou ne pouvaient pas se rendre, les infirmières assumaient un rôle de plus en plus important, ce qui confirme que le champ d'action de la pratique infirmière a constamment fait l'objet de changements et a toujours été tributaire de la structure de pouvoir des différents milieux de pratique (Storch, 2003).

La conduite des infirmières au cours de la Première Guerre mondiale, lors des crises survenues ici et à l'étranger, a consolidé leur position de membres importants et légitimes de toute équipe de soins (Paul et Ross-Kerr, 2011a ; McPherson, 1996). La période entre les deux guerres mondiales a toutefois été très difficile pour beaucoup d'infirmières. À mesure que les hôpitaux devenaient un lieu privilégié de diagnostic et de traitement, le besoin de main-d'œuvre étudiante augmentait sans cesse, et il fallait assurer un flot constant d'étudiantes pour élargir rapidement les effectifs. Cette pratique a fini par entraîner un surplus de main-d'œuvre et le sous-emploi des infirmières diplômées, dont la majorité cherchait à se placer dans les services privés, marché offrant de moins en moins de perspectives. Ces conditions ont porté préjudice à un grand nombre d'infirmières, et la crise économique des années 1930 a rendu leur vie encore plus difficile.

Lors de la Seconde Guerre mondiale, le surplus de main-d'œuvre infirmière s'est vite transformé en pénurie. D'une part, l'armée manquait d'infirmières ; d'autre part, les nouvelles découvertes dans le domaine des traitements médicaux ont ouvert les portes des hôpitaux à un plus grand nombre d'usagers, d'où une demande accrue d'infirmières spécialisées et compétentes. Au cours de cette période, le lien entre la pratique infirmière et la science s'est resserré, ce qui a aidé, en partie du moins, à distinguer le travail des infirmières de celui des auxiliaires, dont il fallait également augmenter le nombre pour combler la pénurie d'infirmières diplômées (McPherson, 1996). Cependant, le rapprochement avec la science ne s'est pas fait sans heurts. Durant les années 1930 et 1940, la revue *L'infirmière canadienne* publiait des articles présentant la pratique infirmière comme une profession fondée sur la connaissance, mais aussi des articles qui mettaient en garde l'infirmière scientifique contre le danger de perdre son principal attribut : sa féminité. Au même moment, la commission Weir faisait ressortir dans son rapport paru en 1932 la nécessité d'asseoir la profession d'infirmière sur des fondements scientifiques solides (Paul et Ross-Kerr, 2011b ; Goulet, 1999).

Après la Seconde Guerre mondiale, l'hôpital s'est imposé comme le milieu thérapeutique de choix. Aujourd'hui, au Québec, les centres hospitaliers accueillent environ 58 % de la main-d'œuvre infirmière (Institut canadien d'information sur la santé [ICIS], 2010) et dans le reste du Canada, 62 % (ICIS, 2009). Les nouveaux traitements médicamenteux et chirurgicaux ont modifié les courbes de santé et de maladie des populations tout en contribuant fortement à la définition de la nature et du cadre de la pratique infirmière. L'essor des connaissances et de la technologie a donné naissance à une main-d'œuvre infirmière de mieux en mieux formée, qui exerce tant à l'intérieur qu'à l'extérieur du milieu hospitalier. Graduellement, la santé et le bien-être de la population sont devenus un domaine de compétence fédérale et provinciale dans lequel les gouvernements se sont investis davantage (cette position gouvernementale est d'ailleurs précisée dans la *Loi sur l'assurance-maladie* de 1968). De ce fait, les Canadiens ont pris conscience que la présence d'infirmières qualifiées et dûment formées était essentielle pour compléter les services de soins de santé, comme le souligne sans équivoque le rapport, paru en 1964, de la Commission royale d'enquête sur les services de santé, présidée par Emmett M. Hall (Paul et Ross-Kerr, 2011b ; Goulet, 1999). Le tableau 1-1 présente un aperçu des événements qui ont marqué la profession d'infirmière au Québec.

TABLEAU 1-1
APERÇU DES ÉVÉNEMENTS QUI ONT MARQUÉ LA PROFESSION D'INFIRMIÈRE AU QUÉBEC

1639	Les religieuses hospitalières de Saint-Augustin fondent l'Hôtel-Dieu de Québec.
1642	Jeanne Mance arrive à Montréal.
1659	Arrivée des religieuses hospitalières de Saint-Joseph.
1760	Conquête par les Britanniques.
1820	Fondation du Montreal General Hospital (soins infirmiers prodigués par des laïques).
1890	Première école d'infirmières au Québec selon le modèle de Florence Nightingale, ouverte au Montreal General Hospital.
1917	Début des pourparlers avec la Canadian Association of Trained Nurses.
1919	Affiliation à la Canadian Association of Trained Nurses.
1920	Création (à Montréal) de l'Association des gardes-malades enregistrées de la province de Québec (AGMEPQ) (ancêtre de l'Ordre des infirmières et infirmiers du Québec [OIIQ]).
1925	Implantation de l'examen d'autorisation du droit d'exercice.
1928	Création (à Québec) de l'Association des gardes-malades catholiques licenciées (AGMCL) (ancêtre de la Fédération des infirmières et infirmiers du Québec [FIIQ]).
1943	Amendement de la loi de 1920 ; dissolution de l'AGMCL, qui devient l'Association des infirmières catholiques du Canada (AICC), qui deviendra plus tard la Fédération des syndicats professionnels d'infirmières et d'infirmiers du Québec.
1946	Loi sur le permis d'exercice (première canadienne). L'AGMEPQ devient l'Association des infirmières de la province de Québec ; création de l'Alliance des infirmières de Montréal (CSN).
1950	Le Québec compte 10 000 infirmières.
1960	Le Québec compte 17 000 infirmières.
1969	Les infirmiers obtiennent le droit de pratique.
1970	Le Québec compte 37 000 infirmières.
1973	Adoption du *Code des professions*.
1976	Adoption du *Code de déontologie* ; création du comité d'inspection professionnelle et mise en place du comité de discipline. Sortie de l'Alliance de la CSN et création de la FIIQ (fusion de l'Alliance et de la FSPIIQ).
1983	Le Québec compte 52 000 infirmières et infirmiers.
1984	L'OIIQ se retire de l'Association des infirmières et infirmiers du Canada (AIIC).
1993	Le Québec compte 66 000 infirmières et infirmiers.
2002	Adoption de la Loi C-33.
2009	70 587 infirmières et infirmiers sont inscrits au tableau de l'OIIQ.

Thèmes historiques

L'histoire des soins infirmiers peut être abordée sous différents angles. Ainsi, on pourrait examiner plus particulièrement la question du sexe ou de la condition féminine, les problèmes de main-d'œuvre et de conditions de travail, la recherche d'un statut professionnel et le désir d'améliorer la formation, ou encore le leadership infirmier. Le regard que chaque auteur porte sur l'histoire des soins infirmiers reflète sa façon de choisir et d'interpréter les données historiques. Cette diversité de points de vue donne parfois naissance à des récits historiques en apparence contradictoires et dont l'objectivité est discutable. En réalité, aucun récit n'est réellement objectif. En effet, il faut tenir compte de différents points de vue pour rendre compte de l'histoire infirmière dans son intégralité. Cohen (2000) propose une analyse qui gravite autour de l'identité sociale du genre. Elle divise son histoire des soins dans les hôpitaux du Québec en trois grandes périodes : «les balbutiements d'une profession de 1880 à 1920 ; la professionnalisation de 1920 à 1946 ; la distinction entre le travail et la profession de 1946 à nos jours» (Cohen, 2000, p. 14).

L'évolution du rôle et du statut de la femme dans la société a déterminé le type de femmes attirées par la profession d'infirmière et les raisons qui motivent ce choix. En effet, bien que les infirmières aient presque toujours été des femmes, la façon de valoriser la pratique en tant que travail féminin a changé avec le temps. L'image de l'infirmière moderne reflétait un certain idéal féminin à l'époque de la réforme de la profession à la fin du XIXᵉ siècle. Cet idéal s'inspirait du rôle de la femme dans la famille de la classe moyenne de l'Angleterre victorienne : l'infirmière moderne allait être l'épouse du médecin et la mère du patient, et sa fonction serait simplement le prolongement naturel du travail que la femme accomplissait chez elle. Cette façon de voir l'infirmière et les soins infirmiers est parfois mise de l'avant lorsqu'on veut expliquer pourquoi les infirmières ont été incapables de changer leur position subalterne dans les systèmes de soins de santé. Autrement dit, malgré l'évolution du rôle professionnel et les progrès du savoir infirmier, certaines idées tenaces demeurent quant à la féminité et aux sphères d'activité réservées aux femmes.

Certains historiens estiment que pour saisir toute la complexité de l'histoire des soins infirmiers il faut comprendre que ceux-ci ont occupé une position sociale définie non seulement par le sexe, mais aussi par la classe sociale, la race et la culture. Par exemple, les infirmières canadiennes ont presque toujours été des femmes, mais elles n'étaient pas toutes accueillies à bras ouverts dans la profession. L'image de la féminité respectable à laquelle la pratique infirmière était associée était presque toujours celle d'une femme blanche, née au Canada (Ceci, 2003 ; McPherson, 1996). Les femmes de couleur qui étudiaient les soins infirmiers le faisaient principalement pour servir leurs propres communautés. Les infirmières étaient très majoritairement des subalternes dans les services de soins de santé, mais, si on compare leur statut à celui d'autres travailleuses, on peut dire qu'elles occupaient souvent une position privilégiée. Dans notre société, le pouvoir est intimement lié aux idéologies sur le sexe, la race et la classe sociale. On ne peut donc pas définir les infirmières seulement en fonction de leur race et de leur classe sociale.

Durant certaines périodes historiques, les infirmières ont défini des contextes sociaux, politiques et économiques qui ont parfois bénéficié mais parfois nui aux femmes. Les forces conflictuelles qui ont tissé l'histoire et les idéologies des soins infirmiers méritent qu'on continue de les étudier, non seulement pour approfondir notre connaissance du domaine, mais aussi pour mieux comprendre le rôle des soins infirmiers dans le monde.

Florence Nightingale (1820-1910)

Florence Nightingale est bien connue pour le rôle important qu'elle a joué dans le développement des soins infirmiers. Les améliorations qu'elle a apportées aux soins prodigués aux blessés de la guerre de Crimée, principalement en ce qui concerne la surveillance des malades pendant la nuit, lui ont valu le titre de *Lady with the lamp*. Ses efforts de réforme des hôpitaux, de même que son travail d'élaboration et de mise en œuvre de politiques de santé publique, ont également fait d'elle une infirmière politique accomplie ; en fait, elle a été la toute première infirmière à exercer des pressions sur le gouvernement. Elle a aussi grandement contribué à la formation des infirmières – c'est probablement là sa plus grande réalisation. Par ailleurs, son ouvrage intitulé *Notes on nursing : What it is, and what it is not* (2007) lui confère le titre de première théoricienne scientifique des soins infirmiers (figure 1-3 ■).

FIGURE 1-3 ■ Considérée comme la mère de la pratique infirmière moderne, Florence Nightingale (1820-1910) a joué un rôle important dans le développement de la formation en soins infirmiers, tout comme dans la pratique et la gestion de la profession. Source : Betmann/Corbis.

Pour Nightingale, les infirmières devaient également participer à la promotion de la santé et aux programmes de santé publique, mais, à cette époque où l'on cherchait d'abord à développer la profession dans les hôpitaux, cet aspect des soins infirmiers n'a guère été exploité.

Pratique infirmière contemporaine

Pour dresser un portrait complet de la pratique infirmière contemporaine, il faut examiner certaines définitions des soins infirmiers, la structure du système de santé, les objectifs de l'infirmière au sein de ce système, les lois qui régissent les soins de santé et l'exercice de la profession d'infirmière, ainsi que le cadre et les normes de pratique.

Définitions des soins infirmiers

Pour comprendre ce qu'est la pratique infirmière, on doit d'abord la définir. Bien qu'il existe de nombreuses définitions, certaines ne rendent pas compte de l'ensemble complexe de connaissances et de compétences que nécessite l'exercice de cette profession. Le dictionnaire, par exemple, définit l'infirmière comme «une personne qualifiée qui assure la surveillance des malades, leur prodigue des soins et leur administre des médicaments […]» (*Le Petit Robert*). La définition est suivie d'exemples utilisant presque exclusivement le mot «infirmière» au féminin. Or, de nos jours, beaucoup d'hommes choisissent de devenir infirmiers : ils représentent près de 9,5 % des membres de la profession au Québec et 6 % en moyenne pour l'ensemble du Canada (Ross-Kerr, 2011a ; ICIS, 2009 ; OIIQ, 2010b). Notons à ce propos qu'au Québec, ce n'est qu'en 1969 que les hommes ont obtenu le droit d'exercer la profession, bien qu'une formation leur ait été accessible dès les années 1950 (Lalancette, 1993 ; Desjardins, Giroux et Flanagan, 1970). Les infirmières ne font pas que soigner les malades ; elles s'occupent également de prévention et de promotion de la santé auprès de gens bien-portants. Cette section présente quelques définitions des soins infirmiers (encadré 1-1). Le chapitre 3 ⊕ propose d'autres définitions formulées par des théoriciennes de la discipline.

ENCADRÉ 1-1
THÈMES COMMUNS À LA PLUPART DES DÉFINITIONS DES SOINS INFIRMIERS

■ Les soins infirmiers sont synonymes de sollicitude.
■ Les soins infirmiers sont un art.
■ Les soins infirmiers sont une science.
■ Les soins infirmiers sont centrés sur la personne soignée.
■ Les soins infirmiers sont holistiques.
■ Les soins infirmiers sont adaptatifs.
■ Les soins infirmiers visent à promouvoir, à préserver et à rétablir la santé.
■ Les soins infirmiers constituent une profession d'aide.

Il y a plus de 100 ans, Florence Nightingale a écrit que les soins infirmiers consistaient «à utiliser l'environnement du patient pour l'aider à se rétablir» (Nightingale, 2007). Elle estimait que, pour la guérir, il fallait installer la personne malade dans un environnement propre, bien aéré et tranquille. À part d'être considérée comme la première infirmière théoricienne, Nightingale a aussi contribué à rehausser le statut des infirmières par le biais de la formation. Les étudiantes en soins infirmiers n'étaient plus des gouvernantes ignorantes, mais des soignantes dûment formées.

Virginia Henderson a été une des premières infirmières modernes à définir les soins infirmiers. En 1966, elle écrit :

L'unique fonction de l'infirmière est d'aider la personne malade ou bien-portante à accomplir les tâches reliées à la préservation ou au rétablissement de la santé (ou celles qui l'aident à mourir paisiblement), tâches dont elle pourrait s'acquitter sans aide si elle en avait la force ou la volonté ou si elle possédait les connaissances nécessaires. L'infirmière doit exercer cette fonction de manière à aider la personne à redevenir autonome le plus rapidement possible (Henderson, 1966, p. 3).

À l'instar de Nightingale, Henderson décrivait les soins infirmiers en relation avec la personne soignée et son environnement. Contrairement à Nightingale, cependant, Henderson considérait que l'infirmière avait un rôle à jouer à la fois auprès des malades et auprès des bien-portants, qu'elle devait interagir avec la personne soignée même si le rétablissement n'était pas envisageable et qu'elle exerçait en même temps les rôles d'enseignante et de protectrice des droits de la personne.

Les associations professionnelles d'infirmières qui ont le double mandat de protéger le public et de représenter la profession et ses membres ont, elles aussi, analysé la pratique infirmière et formulé leurs propres définitions. Dans l'ouvrage intitulé *Perspectives de l'exercice de la profession d'infirmière*, l'OIIQ (2010a) donne la définition suivante des soins infirmiers :

> Processus dynamique visant le maintien, le rétablissement ou l'amélioration de la santé, du bien-être et de la qualité de vie d'une personne (famille, groupe ou collectivité), la prévention de la maladie, des accidents ou des problèmes sociaux et du suicide, ainsi que la réadaptation. Ce processus englobe l'évaluation et la surveillance de l'état de santé physique et mentale, la détermination du plan thérapeutique infirmier et du plan de soins et de traitements infirmiers, les activités liées aux soins et aux traitements infirmiers et médicaux ainsi que l'information, le conseil professionnel, l'enseignement, l'orientation et le soutien au client. Ces activités sont effectuées dans une relation de partenariat avec le client et dans le respect de ses capacités (p. 10).

Pour sa part, l'AIIC (2007b, 2007c) adopte la définition du Conseil international des infirmières (CII, 2001) :

> On entend par soins infirmiers les soins prodigués, de manière autonome ou en collaboration, aux personnes de tous âges, aux familles, aux groupes et aux communautés – malades ou bien-portants – quel que soit le cadre. Les soins infirmiers englobent la promotion de la santé, la prévention de la maladie, ainsi que les soins dispensés aux personnes malades, handicapées ou mourantes. Parmi les rôles essentiels relevant du personnel infirmier, citons encore la représentation, la promotion d'un environnement sain, la recherche, la participation à l'élaboration de la politique de santé et la gestion des systèmes de santé et des patients, ainsi que la formation.

Durant la seconde moitié du XXe siècle, un certain nombre d'infirmières théoriciennes ont formulé leurs propres définitions des soins infirmiers. Les définitions théoriques sont importantes parce qu'elles décrivent ce que devraient être les soins infirmiers et insistent sur le fait que l'environnement, les soins infirmiers, les personnes soignées et l'objectif visé, qui est la santé, sont interdépendants (Pepin, Ducharme et Kérouac, 2010).

L'essence des soins infirmiers réside dans la notion de *caring*, qui signifie beaucoup plus que « prendre soin » (Leininger, 1984). Il s'agit, en effet, d'une notion complexe qui définit plusieurs aspects des soins : affectif, cognitif et éthique. De plus en plus de recherches portent sur la signification de cette notion en soins infirmiers, car la profession d'infirmière, plus que toute autre profession, possède « cette particularité d'être responsable des soins que les patients reçoivent au sein du système de santé » (Miller, 1995, p. 29). On trouve plus de détails sur cette notion aux chapitres 5 et 20 ⌾ ; voir également les postulats de Watson sur le concept de caring, au chapitre 3 ⌾.

Bénéficiaires des soins infirmiers

Un grand nombre de bénéficiaires reçoivent des soins infirmiers, soit des individus, des familles, des groupes, des communautés et des populations entières. Lorsqu'on planifie et met en œuvre des soins à différents bénéficiaires, il est important de tenir compte du fait que ces derniers vivent à l'intérieur d'une société : les individus sont en lien avec des familles, les groupes vivent dans une communauté et une multitude de communautés existent à l'intérieur d'une population donnée. Les groupes sont des collectifs d'individus qui ont un but et des objectifs communs, alors que les communautés peuvent se définir par leur situation géographique, leur culture et d'autres caractéristiques.

Dans ce manuel, en règle générale, lorsque nous parlons de bénéficiaires des soins, nous faisons référence à des individus (chapitre 11 ⌾). Nous fournissons cependant quelques informations sommaires au sujet des soins aux familles (chapitre 11 ⌾). Les bénéficiaires des soins sont parfois appelés *consommateurs, patients, résidents, clients* ou *usagers,* mais les termes que nous privilégions ici sont « client » et **personne (soignée)**. Un **consommateur** est un individu, un groupe ou une communauté qui utilise un service ou un bien. Les personnes qui utilisent les produits ou les services du système de soins de santé sont des consommateurs de soins de santé.

Un **patient** est une personne qui attend ou reçoit un traitement médical et des soins. Le mot « patient » vient du latin *patientia*, qui veut dire « souffrir ». Auparavant, on appelait « patient » la personne qui recevait des soins de santé. Habituellement, un individu devient un patient quand il cherche à se faire traiter ou quand il doit subir une intervention chirurgicale. Certaines infirmières trouvent que le mot « patient » suppose l'acceptation passive des décisions et des soins des professionnels de la santé. En outre, comme on met aujourd'hui l'accent sur la promotion de la santé et sur la prévention de la maladie, un grand nombre de bénéficiaires de soins infirmiers ne peuvent être appelés des patients. Enfin, les infirmières ne font pas que soigner le patient ; elles interagissent également avec la famille et les proches, qu'elles soutiennent, informent et réconfortent.

Certaines infirmières préfèrent appeler les bénéficiaires de soins de santé des « clients ». Un **client** est une personne qui reçoit les conseils ou les services d'une personne qualifiée. Dans cette acception, le client devient partenaire des soins, c'est-à-dire responsable de sa propre santé. Par conséquent, l'état de santé d'un client est la responsabilité commune de ce dernier et des professionnels de la santé.

Champs d'activité

Selon les lois en vigueur au Québec, l'infirmière peut donner des soins à quatre types de bénéficiaires : une personne, une famille, un groupe ou une communauté. On trouve au chapitre 11 🔗 des explications détaillées sur chacun de ces types de bénéficiaires ainsi que sur la collecte des données nécessaires dans chaque cas.

La pratique infirmière couvre quatre champs d'activité : la promotion de la santé et du mieux-être, la prévention de la maladie, le recouvrement de la santé et l'accompagnement du mourant (AIIC, 2008a). Dans le document intitulé *Perspectives de l'exercice de la profession d'infirmière*, l'OIIQ (2010a) fournit les grandes lignes du rôle professionnel à partir de sept énoncés descriptifs : (1) partenariat infirmière-client ; (2) promotion de la santé ; (3) prévention de la maladie, des accidents, des problèmes sociaux et du suicide ; (4) processus thérapeutique ; (5) réadaptation fonctionnelle ; (6) qualité de vie ; (7) engagement professionnel.

PARTENARIAT INFIRMIÈRE-CLIENT

Cet énoncé descriptif est basé sur le postulat que chaque personne est responsable de sa santé. «L'infirmière l'invite à mobiliser ses ressources personnelles et celles de son environnement dans un cadre de respect mutuel où l'on poursuit les mêmes buts» (OIIQ, 2010a).

La reconnaissance du caractère unique de chaque personne devient la pierre angulaire de ce partenariat. L'infirmière prodigue ses soins en vertu d'une démarche qui permet d'élaborer le plan de soins et de traitements infirmiers en fonction des besoins et des attentes de la personne soignée.

PROMOTION DE LA SANTÉ

En partant du principe que tout être humain aspire à la santé et au bien-être, chacun doit adopter des attitudes et des comportements qui rehaussent la qualité de vie et qui maximisent le potentiel personnel (Anspaugh, Hamrick et Rosata, 2003). Les infirmières doivent faire la promotion de la santé autant auprès de la personne malade que de la personne bien-portante et, à cet égard, promouvoir des activités individuelles et communautaires qui *favorisent* des comportements de maintien de la santé (par exemple mieux manger, faire de l'exercice régulièrement, éviter la consommation de drogues, de produits du tabac et l'abus d'alcool, prévenir les accidents et les blessures à la maison et au travail). La promotion de la santé doit se fonder sur les choix de la personne en fonction de ses attentes et de ses ressources, ainsi que des ressources que peut lui offrir son environnement (OIIQ, 2010a).

PRÉVENTION DE LA MALADIE, DES ACCIDENTS, DES PROBLÈMES SOCIAUX ET DU SUICIDE

L'objectif de tout programme de prévention de la maladie est de *conserver* une santé optimale en évitant les facteurs de risque. Parmi les activités infirmières qui contribuent à prévenir la maladie, citons l'élaboration et la mise en œuvre de programmes de prévention des infections, des maladies, des accidents, des situations de crise et de la violence. Entre autres, l'infirmière doit élaborer des plans thérapeutiques infirmiers qui comportent des mesures préventives et des mécanismes de dépistage, de surveillance et de suivi ; établir des paramètres de surveillance clinique des mesures de contention visant à protéger la personne soignée ; et prendre des mesures diagnostiques à des fins de dépistage. Par exemple, elle procède à la vaccination, prodigue des soins prénatals et des soins au nourrisson, et cherche à prévenir les infections transmissibles sexuellement et par le sang (ITSS). Elle s'engage aussi parfois dans des activités qui visent à modifier les pratiques et les politiques susceptibles d'engendrer des problèmes sanitaires et sociaux, comme les programmes antitabac et les politiques sur l'énergie propre et la protection de l'environnement (OIIQ, 2010a).

PROCESSUS THÉRAPEUTIQUE

La personne soignée veut se rétablir et, pour ce faire, elle a besoin d'être soignée, traitée, renseignée, rassurée et réconfortée. Le processus thérapeutique englobe des activités allant de l'évaluation de l'état de santé à la liaison avec les différents services, professionnels et établissements concernés. Les activités de soins et de traitements qui visent le recouvrement de la santé sont les suivantes :

- Évaluation de l'état de santé et élaboration d'un plan de soins et de traitements infirmiers en collaboration avec la personne soignée.
- Soins directs à la personne, conformément au plan de soins et de traitements infirmiers.
- Coordination et mise en œuvre du plan de soins et de traitements infirmiers.
- Enseignement.
- Accompagnement de la personne et de sa famille au cours des phases du deuil ou de l'acceptation d'une perte, en les aidant à découvrir le sens de ces expériences.
- Transmission de renseignements sur les mesures et les examens cliniques et paracliniques prévus, ainsi que sur les soins médicaux qui seront prodigués. Si le médecin l'autorise, l'infirmière peut effectuer des examens diagnostiques effractifs et peut s'engager dans des traitements médicaux, notamment l'ajustement des doses de médicaments. Ces interventions se font selon une ordonnance individuelle ou collective et selon le protocole en usage dans l'établissement.
- Transmission de renseignements sur les effets souhaitables et indésirables des médicaments administrés.
- Intervention dans des situations d'urgence, de crise ou de violence.
- Évaluation des effets des soins, des traitements et des médicaments dans une perspective d'ajustement du plan de soins et de traitements infirmiers, si besoin est.
- Surveillance clinique de l'état de santé physique et mentale de la personne soignée et évaluation des effets des soins et des traitements afin d'ajuster le plan de soins et de traitements infirmiers selon les besoins.
- Suivi de la grossesse, soins postnatals et pratique des accouchements.
- Suivi clinique des personnes atteintes d'une affection chronique complexe, dans le cadre d'une démarche interdisciplinaire, en collaboration avec ces personnes ; liaison avec les services, les professionnels ou les établissements concernés.

■ Inscription dans les dossiers de tous les renseignements pertinents et mise à jour des dossiers pour assurer la continuité des soins et des traitements.

RÉADAPTATION FONCTIONNELLE

L'infirmière aide la personne dont les capacités sont limitées à trouver un nouvel équilibre, à concevoir une nouvelle image de soi et à s'adapter à son environnement. Pour ce faire, elle doit exploiter le potentiel de la personne, l'aider à recouvrer son autonomie et lui enseigner les moyens qui assureront sa sécurité et son bien-être. Elle doit accomplir ces tâches en collaboration avec les divers professionnels de l'équipe de soins. Ces tâches doivent figurer dans le plan d'intervention interdisciplinaire.

QUALITÉ DE VIE

L'infirmière doit aussi aider la personne à donner un sens à sa situation. La notion de qualité de vie doit tenir compte du point de vue de cette dernière. C'est elle qui doit trouver un sens à sa maladie ou à son accident, qui doit sentir qu'elle est accompagnée et bien soignée et qu'on respecte ses valeurs et protège ses droits. Il incombe à l'infirmière de communiquer ces droits à la personne et de s'assurer qu'ils sont respectés. Elle doit aussi expliquer à la personne comment elle peut avoir accès à son dossier, si elle le désire.

ENGAGEMENT PROFESSIONNEL

L'infirmière est tenue d'appuyer sa pratique sur de solides connaissances scientifiques mises continuellement à jour, de s'engager envers sa profession et d'être solidaire des autres infirmières. Tout en étant consciente de son identité professionnelle, elle reconnaît l'importance de l'interdisciplinarité.

Milieux de pratique

Dans le passé, la plupart des infirmières travaillaient dans les centres hospitaliers de soins actifs (soins de courte durée). C'est toujours le cas pour près de 58 % des infirmières québécoises et de 63 % des infirmières du reste du Canada (ICIS, 2009). De plus en plus d'infirmières travaillent également dans d'autres types d'établissements du réseau de la santé et des services sociaux : 13,6 % dans des centres d'hébergement et de soins de longue durée pour le Québec et 10,1 % pour l'ensemble du Canada (ICIS, 2009) ; 10,3 % en santé communautaire (14,2 % pour l'ensemble du Canada) (ICIS, 2009) ; 3,2 % dans des centres hospitaliers psychiatriques ; 0,8 % dans des centres de réadaptation (OIIQ, 2010b). La figure 1-4 ■ illustre différents milieux de pratique infirmière.

Le degré d'autonomie et de responsabilité que l'infirmière doit assumer dépend du milieu où elle travaille. Elle aura notamment comme tâches de donner des soins directs, d'enseigner et de réconforter, de devenir porte-parole et agent de changement ou d'aider à l'élaboration des politiques de santé qui ont des répercussions sur les usagers des services communautaires et des centres hospitaliers. Pour plus de détails sur les modèles de prestation des soins infirmiers, voir le chapitre 3 ⊙.

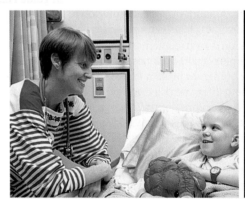

FIGURE 1-4 ■ Les infirmières exercent leur profession dans toutes sortes de milieux. Dans le sens des aiguilles d'une montre, à partir du coin supérieur gauche : infirmière en pédiatrie, infirmière en gériatrie, infirmière à domicile, infirmier en santé communautaire, infirmière de salle d'opération.

Les regroupements professionnels, comme l'Ordre des infirmières et infirmiers du Québec (OIIQ) et l'Association des infirmières et infirmiers du Canada (AIIC), maintiennent que la santé d'un individu influe sur sa qualité de vie. La santé dépend non seulement du système de soins de santé, mais aussi de l'état physiologique de la personne, de son choix de mode de vie et de son environnement. En tenant compte de ces facteurs, l'AIIC (2000a) préconise l'utilisation d'un cadre qui oriente le système de soins de santé du Canada et qui est régi par les *conditions* de soins énoncées dans la *Loi canadienne sur la santé* (AIIC, 2000b) et les *principes* des soins de santé primaires (AIIC, 2000c).

La *Loi canadienne sur la santé* (1984) stipule les conditions ou les normes nationales que le régime d'assurance maladie de la province ou du territoire doit respecter pour recevoir des subventions du gouvernement fédéral. Les cinq conditions stipulées dans cette loi sont la gestion publique, l'accessibilité, l'intégralité, l'universalité et la transférabilité. L'AIIC croit que ces conditions sont essentielles au système de soins de santé du Canada (Commission sur l'avenir des soins de santé au Canada, 2002; AIIC, 2000b).

1. La *gestion publique* signifie que les régimes d'assurance maladie offerts par les gouvernements fédéral, provinciaux et territoriaux doivent être des régimes sans but lucratif, gérés par des pouvoirs publics désignés par le gouvernement (Canada, Chambre des communes, 1984). (Voir le chapitre 9 🔗 pour plus d'informations sur le système de santé canadien.)
2. L'*accessibilité* signifie que le système de soins de santé doit s'assurer que les Canadiens ont un accès raisonnable aux services de santé essentiels, sans barrière financière susceptible d'entraver cet accès (tels les tickets modérateurs).
3. L'*intégralité* signifie que les lois sur les régimes d'assurance santé des gouvernements fédéral, provinciaux et territoriaux doivent prévoir la couverture intégrale de la gamme complète de services de santé pour tous les Canadiens, soit la promotion de la santé, la prévention de la maladie et de l'invalidité, le traitement de la maladie et de l'invalidité, le rétablissement, la réadaptation et le soutien.
4. L'*universalité* signifie que tous les Canadiens ont droit aux services de santé essentiels, sans égard à leur sexe, à leur culture, à leur revenu, à leur langue, à leur niveau de scolarité, à leur état matrimonial ou à leur âge.
5. La *transférabilité* signifie que les Canadiens ont droit à une couverture égale où qu'ils se trouvent au Canada.

Soins de santé primaires

Les soins primaires sont des soins essentiels (promotion, prévention, traitement, réadaptation et soutien), axés sur la prévention de la maladie et sur la promotion de la santé. Ce concept englobe à la fois la philosophie qui régit les soins de santé et la démarche qui sous-tend la prestation des services de santé. L'Organisation mondiale de la santé (OMS) et les autorités sanitaires du Canada misent sur les soins primaires pour assurer la santé de la société. Les bénéficiaires des soins de santé primaires peuvent être des individus, des familles, des groupes, des communautés et des populations (AIIC, 2005; World Health Organisation [WHO]-OMS, 1982, 1987).

Les principes des soins primaires sont l'accessibilité, la participation publique, la promotion de la santé, les compétences et les technologies appropriées ainsi que la collaboration intersectorielle. L'*accessibilité* signifie que les soins de santé essentiels sont accessibles à tous les citoyens d'une manière acceptable et abordable, quelle que soit leur situation géographique. La *participation publique* signifie que les personnes soignées doivent être encouragées à participer aux prises de décision concernant leur santé. La *promotion de la santé* signifie que le système de soins de santé doit mettre davantage l'accent sur la conservation de la santé des personnes bien-portantes que sur le traitement des personnes en période de maladie. Le principe de *compétences* et de *technologies appropriées* signifie que les technologies et les modes de soins doivent être adaptés de façon à correspondre au développement social, économique et culturel de la communauté. La *collaboration intersectorielle* signifie que les activités relatives à la santé doivent aller de pair avec des mesures visant à améliorer le développement social et économique (éducation, services sociaux, environnement, etc.) (AIIC, 2005).

La *Loi canadienne sur la santé* et les principes des soins primaires forment ensemble un cadre complet qui donne une orientation à la prestation des soins de santé et au développement futur du système canadien de soins. Les conditions énoncées dans la loi et les principes des soins concordent avec la perspective de l'AIIC quant à la pratique infirmière. Par conséquent, toutes les infirmières jouent un rôle vital dans la mise en œuvre des conditions stipulées par la *Loi canadienne sur la santé* et des principes des soins primaires (AIIC, 2000b, 2000c, 2002a; WHO-OMS, 1982, 1987).

Au Québec, deux grandes orientations ont guidé l'élaboration des *Perspectives de l'exercice de la profession d'infirmière* (OIIQ, 2010a). Citons d'abord la politique qui régit les soins de santé au Québec, qui est centrée sur les résultats obtenus chez la personne soignée et l'approche de soins de santé, et qui met l'accent sur le partenariat avec la personne soignée et sa participation à ses soins. Par ailleurs, la pratique professionnelle existante, les orientations du système de santé et les tendances émergentes en matière d'évaluation ont servi de fondement à l'élaboration de nouvelles perspectives. Le champ d'exercice de la profession a été actualisé à la suite de l'adoption, en juin 2002, de la *Loi modifiant le Code des professions et d'autres dispositions législatives dans le domaine de la santé* (L.Q. 2002, c. 33). Au même moment, 14 activités professionnelles réservées aux infirmières ont été ajoutées au texte de la *Loi sur les infirmières et les infirmiers* (L.R.Q., c. I-8, art. 36). Cette loi prévoit aussi que certaines infirmières possédant des compétences spécifiques pourront s'engager dans cinq activités antérieurement réservées aux médecins (art. 36.1) (OIIQ, 2010a, 2003a, 2003b).

Rôles de l'infirmière

Le but des soins infirmiers est d'améliorer la santé au moyen de partenariats conclus avec les personnes soignées, les autres soignants, les organismes communautaires et le gouvernement. Comme nous l'avons mentionné plus haut, l'infirmière doit assumer de nombreux rôles dans l'exercice de ses fonctions, dont celui de soignante, d'enseignante, de gestionnaire, de

1

consultante, de conseillère en matière de politiques de la santé et de chercheuse. Les infirmières sont encouragées à examiner leur propre pratique et leur lieu de travail à la lumière des fondements de la *Loi canadienne sur la santé* et des principes des soins de santé primaires (OIIQ, 2010a ; AIIC, 2003).

Pour s'assurer que les Canadiens ont un *accès raisonnable* aux services de santé essentiels, les infirmières facilitent l'accessibilité : (1) en accueillant les personnes à leur entrée dans le système de santé ; (2) en prodiguant des soins infirmiers et en administrant les traitements recommandés ; (3) en incitant les personnes à utiliser toutes les ressources disponibles en matière de santé ; (4) en fournissant des renseignements en matière de santé à toute personne qui en a besoin (AIIC, 2000b, 2000c).

Pour inciter la communauté à participer à la planification des soins et à la prise de décisions concernant la santé, l'infirmière : (1) s'assure que la personne soignée participe aux décisions concernant sa santé ; (2) l'encourage à agir dans l'intérêt de sa santé ; (3) l'aide à déterminer ses besoins en matière de soins de santé ; (4) l'incite à planifier, à utiliser et à évaluer les services de soins de santé dont elle a besoin ; (5) participe à l'élaboration de méthodes de développement communautaire et les applique dans le cadre de son travail (AIIC, 1995).

Promotion de la santé

En faisant la promotion d'un système de soins axé sur le maintien de la santé, les infirmières peuvent assumer un rôle de leadership dans les activités de promotion de la santé et prendre des initiatives en matière d'éducation sanitaire et d'autres activités qui aident et incitent les personnes à atteindre le meilleur état de santé possible (OIIQ, 2010a, 2003a, 2003b ; AIIC, 1992).

Pour promouvoir la santé, il faut avoir la volonté de réduire les inégalités, d'étendre la portée des mesures de prévention et d'aider les gens à s'adapter à leurs conditions de vie. Pour ce faire, les infirmières doivent s'appuyer sur la participation de la population, renforcer les services de santé communautaire et coordonner les politiques de santé publique. Elles doivent aussi créer des environnements propices à la santé, qui favorisent les activités d'autosoins. Enfin, elles doivent s'aider les unes les autres à résoudre et à gérer les problèmes de santé publique (AIIC, 2000a).

L'état de santé de la personne est déterminé par plusieurs facteurs, notamment les normes sociales, les valeurs culturelles, les conditions et les politiques économiques et environnementales, mais aussi par ses habitudes de vie (alimentation et exercice, sécurité, usage de tabac, d'alcool et de drogues, etc.) (AIIC, 2005 ; Comité consultatif fédéral-provincial-territorial sur la santé de la population, 1999). Il est essentiel de tenir compte de ces facteurs lors de l'élaboration de toute stratégie de promotion de la santé qui se veut efficace. Les stratégies visant à promouvoir la santé doivent avoir une très large portée ; on doit également commencer à les appliquer dès le plus jeune âge et les poursuivre toute la vie durant. L'AIIC appuie le concept selon lequel les stratégies de promotion de la santé doivent être mises en œuvre en collaboration avec divers organismes, dont les organismes sanitaires, éducatifs et sociaux, pour répondre aux besoins des individus, des familles et des communautés. Selon l'AIIC (2003), c'est en insistant sur la promotion de la santé qu'on peut renforcer et enrichir le système de soins.

Les infirmières doivent être des chefs de file dans toute initiative de promotion de la santé en donnant l'exemple et en adoptant elles-mêmes un mode de vie sain, en incitant la personne malade ou bien-portante, les divers groupes et toute la communauté à s'engager dans des activités d'autosoins leur permettant d'atteindre le meilleur état de santé possible, et en favorisant ce genre d'activités. Les programmes d'études en soins infirmiers et en sciences infirmières doivent mettre en valeur ce rôle de leadership et fournir aux futures infirmières la possibilité d'acquérir des compétences dans ce sens (AIIC, 2003).

Pour que les *technologies* et les *modes de soins* soient basés sur des besoins en matière de santé qui concordent avec le développement social, économique et culturel de la communauté, les infirmières doivent : (1) prodiguer des soins efficaces, basés sur les besoins de la personne, sur la recherche et sur des résultats escomptés mesurables ; (2) participer avec les autres professionnels de la santé à l'élaboration et à la mise en œuvre de méthodes de soins efficaces, et à l'évaluation de nouvelles technologies et de modèles de soins adaptés mais rentables (AIIC, 2002a).

En collaboration avec les personnes soignées, les autres infirmières, les professionnels des autres secteurs et les gouvernements, les infirmières coordonnent les soins prodigués en intégrant les services de santé chaque fois que cela est possible. En partenariat avec les personnes soignées, elles élaborent constamment des politiques en matière de santé publique, en partant du principe que la santé est un droit universel. Elles continueront de travailler avec les personnes soignées et avec les autres professionnels des soins pour mettre en œuvre les principes dont il a été question plus haut. L'AIIC appuie les infirmières qui s'engagent dans cette voie et suit de près les progrès des soins de santé primaires au Canada (AIIC, 2002a).

Lois sur la pratique infirmière

Dans chaque province et territoire canadien, il existe des lois qui régissent le droit d'exercer la profession d'infirmière. Même si ces lois diffèrent d'une région à l'autre, elles ont toutes un but commun : protéger le public. Pour connaître le cadre juridique de la profession, prière de consulter le chapitre 4 🔗.

La réglementation de l'accès à la profession d'infirmière constitue l'un des moyens de protéger le public ; c'est en fait le but premier. On peut réglementer une profession de deux façons : soit par l'intermédiaire du gouvernement, soit par l'intermédiaire de la profession elle-même. Dans toutes les provinces du Canada, sauf l'Ontario, qui possède un organe de réglementation distinct, les organisations professionnelles s'autoréglementent. L'autoréglementation signifie que les gouvernements des provinces et des territoires délèguent aux organisations professionnelles, par la loi, « le pouvoir de réglementer les activités de leurs pairs ». L'autoréglementation est un privilège que les gouvernements octroient aux organisations professionnelles.

La réglementation du titre est une des façons de réglementer la pratique infirmière canadienne. «L'emploi du titre d'*infirmière* est protégé par la loi. Seuls les individus autorisés par un organe de réglementation peuvent utiliser ce titre» (AIIC, 2007b).

Les organismes qui régissent l'accès à l'exercice de la profession, soit les organisations professionnelles provinciales et territoriales, dont l'OIIQ pour la province de Québec, sont appelés à travailler ensemble pour élaborer des cadres qui permettent de réglementer les différents aspects de la profession, par exemple les normes de pratique, le cadre des fonctions et l'acquisition constante de nouvelles compétences. Les *normes de pratique* «reflètent les valeurs de la profession d'infirmière, clarifient les attentes de la profession envers ses membres, définissent les attentes de la population et des employeurs, et indiquent le seuil en deçà duquel une pratique est inacceptable» (AIIC, 2002b, p. 6). Le *cadre des fonctions* décrit les tâches pour lesquelles les infirmières sont formées et qu'elles ont le droit d'accomplir. Les tâches que les infirmières peuvent accomplir et auxquelles elles ont été préparées ont toujours évolué en fonction des besoins changeants du public. Depuis peu, «la profession s'oriente vers un cadre de pratique élargi et accorde une plus grande priorité aux normes de pratique» (AIIC, 2002b, p. 6). Les organisations professionnelles conçoivent des programmes d'*acquisition de nouvelles compétences* «pour préconiser les pratiques infirmières sûres, éthiques et compétentes et pour s'assurer que les infirmières ont la possibilité de poursuivre leur développement professionnel au cours de leur carrière» (p. 7).

Certaines différences dans la réglementation de la profession sont liées aux particularités des lois des provinces ou des territoires. D'autres professions de la santé, par exemple celle d'infirmière auxiliaire, sont réglementées en vertu d'autres lois. Le système de soins de santé emploie également des travailleurs dont les activités ne sont pas réglementées.

Normes régissant la pratique infirmière

Les normes de pratique sont obligatoires pour toute profession autoréglementée. L'objectif global des normes de pratique infirmière, qui sont fondées sur les valeurs de la profession, est de fournir des lignes directrices qui définissent la qualité des soins infirmiers prodigués.

Puisque la profession d'infirmière est la profession du secteur de la santé qui compte le plus grand nombre de membres et que l'infirmière prodigue des soins à des personnes, à des familles, à des groupes, à des communautés et à des populations dans toutes sortes de contextes, les normes sont d'une importance capitale, du fait qu'elles guident l'exercice de la profession.

Conformément à la loi, les organismes de réglementation des provinces et des territoires sont tenus d'établir des normes sur l'exercice de la profession et la conduite professionnelle, et de s'assurer qu'elles sont suivies. Par exemple, au Québec, les *Perspectives de l'exercice de la profession d'infirmière* (OIIQ, 2010a) tiennent lieu de normes.

Principales fonctions de l'infirmière

Dans le système de soins, les infirmières doivent assumer un certain nombre de rôles, en général, en même temps. Par exemple, il arrive souvent que l'infirmière donne des conseils en matière de santé en même temps qu'elle prodigue des soins physiques et qu'elle enseigne des principes de prévention. Les rôles à assumer dans une situation donnée dépendent du processus thérapeutique en cours (OIIQ, 2010a). En exerçant sa principale fonction, qui est de soigner, l'infirmière vise à faciliter les transitions ou l'adaptation (Roy, 2009), à promouvoir la santé (Gottlieb et Ezer, 2001 ; Pender, Murdaugh et Parsons, 2011), à favoriser l'autonomie (Henderson, 1994), à rétablir ou à enseigner les capacités d'autosoins (Orem, McLaughlin Renpenning et Taylor, 2003) et à améliorer la qualité de vie (OIIQ, 2010a).

Soignante

Le rôle de soignante est central et traditionnel (Collière, 1982). Les activités infirmières associées à cette fonction importante sont nombreuses. Il en existe des systèmes de classification, dont la Classification des interventions de soins infirmiers (Bulechek, Butcher et McCloskey Dochterman, 2010) et la Classification internationale de la pratique des soins infirmiers (ICNP), établie par le CII (Mathieu et Jetté, 2008). Dans sa fonction de soignante, l'infirmière collabore avec la personne elle-même, avec ses proches et avec d'autres professionnels. Pour exercer sa fonction de soignante, trois conditions essentielles doivent être réunies : avoir une vision globale de la personne et une vision écologique de la santé, disposer du temps nécessaire et être en mesure de poser un jugement clinique (Dallaire, 2002).

Communicatrice

Dans tous les rôles qu'elle assume, l'infirmière doit constamment communiquer avec la personne soignée, avec ses proches, avec les autres professionnels de la santé et avec les organismes communautaires.

Après avoir évalué les problèmes de la personne, l'infirmière doit les communiquer verbalement ou par écrit à d'autres membres de l'équipe de soins. La qualité de ses communications est un élément important des soins. L'infirmière doit être capable de communiquer clairement et avec précision pour s'assurer qu'on répondra correctement aux besoins de la personne (chapitre 20).

Éducatrice

Dans son rôle d'éducatrice, l'infirmière renseigne la personne soignée sur sa santé et sur les mesures à prendre pour la recouvrer ou la préserver. Elle détermine, en collaboration avec la personne, ce qu'elle doit apprendre et ce qu'elle est disposée à apprendre au sujet de sa santé, des soins et des traitements qu'elle reçoit et des examens paracliniques (examens ou tests effractifs et traitements médicaux, entre autres). Il lui incombe également de déterminer les connaissances et les habiletés qu'exige la situation de la personne, afin que celle-ci puisse prendre des décisions éclairées concernant sa santé. On trouve d'autres détails sur les processus d'enseignement et d'apprentissage au chapitre 21 ⃝.

Par ailleurs, l'infirmière doit également aider la personne à exercer ses droits et à faire connaître son point de vue (chapitre 4 ⃝).

Collaboratrice

Cette fonction importante s'exerce à deux niveaux : avec la personne soignée et sa famille, d'une part, et avec les autres professionnels de la santé, d'autre part. L'énoncé descriptif «partenariat infirmière-client (personne soignée)» des *Perspectives de l'exercice de la profession d'infirmière* (OIIQ, 2010a) reflète la collaboration que l'infirmière doit établir avec la personne soignée et sa famille.

Cependant, il est essentiel que les infirmières collaborent également avec les autres professionnels de la santé afin d'éviter le morcellement des soins et de favoriser une «vision holistique de la personne soignée et une vision globale de la situation de soin» (Dallaire, 2008).

De plus, une telle collaboration peut mener à des initiatives «visant à modifier les pratiques et les politiques susceptibles d'engendrer des problèmes de santé et des problèmes sociaux» (OIIQ, 2010a, p. 12).

Conseillère

Dans son rôle de conseillère, l'infirmière aide la personne soignée à cerner les problèmes psychologiques ou sociaux stressants, à les résoudre, à améliorer ses rapports avec les autres et à favoriser sa croissance personnelle. Dans ce rôle, elle doit soutenir la personne sur les plans affectif, intellectuel et psychologique. Contrairement au psychothérapeute, qui aide la personne aux prises avec des problèmes psychologiques précis, l'infirmière conseille la personne qui connaît des difficultés d'adaptation normales et l'aide à adopter de nouvelles façons d'agir, de réagir et de penser, à explorer d'autres façons de faire, à examiner toutes les options possibles et à gagner une plus grande emprise sur sa vie.

Agent de changement

L'infirmière exerce un rôle d'agent de changement lorsqu'elle aide la personne soignée à modifier son comportement. Elle peut aussi proposer des changements dans un système, par exemple dans les soins cliniques, si ce système n'aide pas la personne à recouvrer la santé. Par ailleurs, l'infirmière doit constamment s'adapter aux changements qui se produisent dans le système de soins de santé, dans la technologie, dans les traitements médicamenteux et dans la société; par exemple, la profession a dû s'adapter au changement majeur que représente le vieillissement de la population. La question du changement est abordée plus en détail au chapitre 22 ⃝.

Leader

L'infirmière exerce son rôle de leader auprès de personnes, de familles ou de groupes. Mais elle peut aussi être un leader dans sa profession et dans sa communauté. Un leadership efficace est un processus qui s'acquiert. Un leader efficace est celui qui comprend les besoins et les objectifs des gens qui l'entourent, sait utiliser à bon escient ses talents de leadership et acquiert les habiletés interpersonnelles qui l'aident à exercer une influence sur les autres (AIIC, 2001). Au chapitre 22 ⃝, nous examinerons en détail le rôle de leader de l'infirmière.

Gestionnaire

Dans son rôle de gestionnaire, l'infirmière a la responsabilité des soins infirmiers prodigués aux personnes, aux familles et à la communauté. Elle peut déléguer certaines tâches reliées à ce rôle à des auxiliaires et à d'autres infirmières, mais il lui incombe ensuite de superviser et d'évaluer leur travail. Pour jouer efficacement le rôle de gestionnaire, l'infirmière doit connaître la structure et la dynamique de l'établissement, ainsi que les autorités qui le dirigent. Elle doit aussi posséder de solides connaissances en comptabilité, faire montre de leadership, s'adapter au changement, se faire le porte-parole des personnes soignées, savoir déléguer des tâches, superviser le travail de son équipe et l'évaluer (chapitre 22 ⃝).

L'infirmière qui exerce la fonction de directrice des soins infirmiers doit prouver son leadership dans la prestation de services infirmiers efficaces et de qualité. La formation avancée de la directrice des soins infirmiers rehausse la qualité des services infirmiers de tout établissement de soins de santé. Avec l'aide des administrateurs et des infirmières, la directrice des soins infirmiers définit la pratique infirmière et veille à la maintenir. Cette pratique, qui se fonde sur la théorie, doit poursuivre des objectifs mesurables en ce qui a trait à la santé de la personne. La directrice des soins infirmiers favorise une gestion coopérative et interdisciplinaire et l'établissement de processus qui améliorent la qualité des soins; elle exerce un leadership visionnaire au sein de la profession d'infirmière et de l'établissement, pour que celui-ci puisse accomplir sa mission. Elle veille aussi au maintien d'un environnement professionnel. Pour exercer ce rôle, elle doit collaborer avec le directeur de l'établissement et assister aux réunions du conseil de direction à titre de consultante. En tant que membre à part entière de l'équipe de gestionnaires cadres, la directrice des soins infirmiers est responsable de la qualité des services infirmiers. Elle doit avoir le pouvoir et les ressources nécessaires pour assurer le maintien des normes de pratique (OIIQ, 2004a).

En collaboration avec les établissements d'enseignement, la directrice des soins infirmiers doit contribuer à la qualité de la formation des futures infirmières. Pour ce faire, elle doit sensibiliser les étudiantes au continuum de la prestation des services (en assurant, par exemple, la liaison entre les hôpitaux, les centres de soins de longue durée et les services communautaires). Dans le contexte actuel, où l'on implante toutes sortes de nouvelles structures organisationnelles dans les établissements de soins de santé, il est essentiel de préserver le leadership des directrices des soins infirmiers pour assurer la bonne qualité des soins infirmiers prodigués au Canada (AIIC, 2001, 2002c).

Chercheuse et «consommatrice de recherches»

L'infirmière doit également veiller au développement et à l'application des connaissances. En effet, les infirmières doivent se tenir au courant des recherches afin d'améliorer les soins. En milieu clinique, les infirmières doivent : (1) se familiariser avec le processus et le langage de la recherche ; (2) se sensibiliser aux débats sur la protection des droits de la personne ; (3) participer à la définition de problèmes assez importants pour faire l'objet d'une recherche ; (4) faire preuve de discernement dans l'interprétation des résultats des recherches. Vous trouverez au chapitre 3 ⚭ plus de détails sur le rôle de chercheuse de l'infirmière.

Profils de carrière

De nos jours, les infirmières doivent accomplir des tâches plus spécialisées qu'autrefois. Les carrières qu'elles embrassent sont de ce fait très diversifiées : infirmière praticienne, infirmière clinicienne spécialisée, infirmière sage-femme (dans certaines provinces du Canada), infirmière enseignante, infirmière gestionnaire et infirmière chercheuse (AIIC, 2008b, 2008c). Cette diversification de la pratique permet une plus grande autonomie de travail.

Au Canada, l'infirmière clinicienne spécialisée possède une maîtrise ou un doctorat en sciences infirmières, avec spécialisation en soins cliniques. Elle prodigue des soins directs, mais elle exerce également la fonction d'enseignante et de consultante auprès de l'équipe de soins de santé. Comme la technologie des soins et le traitement des maladies se complexifient, les infirmières sont appelées à donner des soins de plus en plus spécialisés, d'où cette tendance à la spécialisation. Dans le cadre de ses études de deuxième cycle, l'infirmière clinicienne spécialisée choisit un champ de spécialisation, par exemple la santé mentale ou les soins cardiovasculaires. Elle peut ainsi intervenir dans des cas complexes, soit directement à titre de soignante, soit indirectement à titre de conseillère. Elle doit constamment promouvoir l'excellence dans la pratique et devenir un modèle à suivre, rôle qu'elle peut jouer avec brio, car elle possède des connaissances approfondies et des compétences spécialisées, un solide jugement et une vaste expérience clinique. Elle préconise l'utilisation de données probantes, sert d'experte-conseil et facilite le changement (AIIC, 2009a).

L'infirmière clinicienne spécialisée, qui est une infirmière en pratique avancée, joue simultanément plusieurs rôles (Hamric, Spross et Hanson, 2005) : praticienne, enseignante, consultante, chercheuse et leader, en fonction des besoins des personnes soignées et des établissements où elle pratique. Grâce à sa formation, elle peut assumer le rôle de *praticienne* chargée de la collecte des données, intervenir dans des cas complexes à l'intérieur de sa spécialité clinique, prodiguer des soins spécia-

lisés basés sur sa connaissance approfondie des soins infirmiers et des autres sciences connexes. Ses soins s'adressent à des personnes, à des familles, à des groupes ou à des communautés.

L'infirmière clinicienne spécialisée exerce son rôle d'*enseignante* auprès des personnes soignées et de leur famille. Elle doit aussi s'assurer que le milieu de pratique est propice à l'apprentissage pour les infirmières, les étudiantes et les autres professionnels de la santé. Ses fonctions sont celles de personne-ressource, de planificatrice de programmes, d'enseignante et de formatrice. Dans son rôle de *consultante*, l'infirmière clinicienne spécialisée partage ses connaissances spécialisées avec les personnes soignées, les infirmières et les autres professionnels de la santé ainsi qu'avec les établissements, les organisations et les décideurs du système de soins de santé. Par ailleurs, elle doit consulter d'autres professionnels pour améliorer les soins et pour résoudre des problèmes complexes et difficiles. Dans son rôle de *chercheuse*, elle doit resserrer les liens entre les soins cliniques et la recherche. Dans sa pratique, l'infirmière clinicienne spécialisée doit se fonder en toute circonstance sur des résultats probants qu'elle sait trier grâce à ses connaissances de la méthodologie de la recherche. Par ailleurs, elle effectue de la recherche en soins infirmiers et elle participe à la recherche interdisciplinaire. Elle encourage aussi les infirmières à formuler des questions de recherche, à participer à la recherche et à appliquer les résultats dans la pratique. Dans son rôle de *leader*, l'infirmière clinicienne spécialisée milite en faveur de soins de qualité par l'élaboration de politiques, de normes de soins et de programmes cliniques ; elle dirige les activités de soins et planifie les changements à apporter dans la pratique clinique, les applique et les évalue. Elle est aussi une personne-ressource, une coordonnatrice, un modèle et une protectrice des droits de la personne soignée (AIIC, 2009a).

L'infirmière praticienne spécialisée est une fonction émergente. Cette infirmière est dûment formée en vue de produire à la fois des soins infirmiers et des soins médicaux (AIIC, 2009b, 2010 ; OIIQ, 2009 ; OIIQ et Collège des médecins du Québec [CMQ], 2006a). Elle appuie sa pratique sur une solide expérience et une formation avancée. L'infirmière praticienne spécialisée en cardiologie (OIIQ-CMQ, 2006b), en néphrologie (OIIQ-CMQ, 2006c) ou en néonatalogie (OIIQ-CMQ, 2006d) collabore avec des médecins spécialistes. L'infirmière praticienne spécialisée en soins de première ligne, quant à elle, peut faire partie d'une équipe de médecins de famille (OIIQ-CMQ, 2008).

Profession d'infirmière

Les soins infirmiers sont de plus en plus reconnus comme une profession (AIIC, 2009c). On définit une **profession** comme un métier qui nécessite une formation supérieure ou qui exige des connaissances particulières, ainsi que des compétences et une préparation spéciales. Une profession se distingue généralement des autres métiers par deux aspects : elle demande une formation prolongée et spécialisée durant laquelle la personne acquiert le bagage de connaissances nécessaire pour exercer son rôle et elle est centrée sur la prestation de services dans une communauté ou un établissement. Les normes de formation et de pratique de la profession d'infirmière sont déterminées par les membres de la profession plutôt que par des personnes de l'extérieur. La formation d'une professionnelle est un processus complet qui, sur les plans social et technique ainsi que sur celui des attitudes, va plus loin que le processus de socialisation associé à d'autres métiers (AIIC et Association canadienne des écoles de sciences infirmières [ACESI], 2004).

L'autoréglementation est basée sur la conviction que la profession d'infirmière s'appuie sur suffisamment de savoir pour établir elle-même ses normes de pratique et pour évaluer la conduite de ses membres au moyen de la surveillance par les pairs. Les membres de la profession d'infirmière sont tenus, conformément aux valeurs éthiques de leur profession (chapitre 5 ⬚), de fonder leur pratique sur des connaissances pertinentes, constamment mises à jour. La plupart des organisations professionnelles utilisent les critères suivants pour définir la profession : la profession tient ses praticiens responsables ; elle requiert un ensemble de connaissances spécialisées ; elle préconise l'application compétente de ces connaissances ; elle est soumise à un code de déontologie ; elle possède une tradition de service à la communauté ; elle s'autoréglemente (Ross-Kerr, 2011b). Pour plus de détails, voir le chapitre 5 ⬚.

Critères d'une profession

BAGAGE DE CONNAISSANCES SPÉCIALISÉES

En tant que profession, les soins infirmiers représentent un ensemble de mieux en mieux défini et spécifique de connaissances et d'expertise. Un certain nombre de cadres conceptuels (chapitre 3 ⬚) font partie du bagage de connaissances de l'infirmière ; ils servent à orienter la pratique, la formation et la recherche.

La recherche en soins infirmiers contribue constamment à améliorer la pratique. Depuis que les infirmières ont franchi les portes des universités, en 1919, l'enrichissement des connaissances par la recherche est devenu une tradition que l'on veut conserver. On assiste dans ce domaine à un essor marqué, surtout à partir de 1960 (Pringle, 2003). Durant les années 1980, un financement accru de la part du gouvernement fédéral et un soutien plus marqué accordé à la profession ont permis la création de centres de recherche en soins infirmiers. Auparavant, la recherche dans ce domaine était axée sur la formation des infirmières. Durant les années 1960, par exemple, la recherche en soins infirmiers portait souvent sur la nature des connaissances qui sous-tendent la pratique. Depuis les années 1970, cependant, elle est davantage centrée sur la pratique. À partir des années 1990, la formation de chercheuses, par le biais de programmes de doctorat en sciences infirmières, a permis d'enrichir considérablement les connaissances. Malgré une tradition relativement jeune, la recherche en sciences infirmières a grandement contribué à la compréhension de la perspective des personnes soignées et de leurs préférences en matière de traitement, d'information et de démarche thérapeutique. Les nouvelles connaissances nous ont appris à mieux soigner les personnes aux prises avec divers problèmes de santé, à gérer le système de prestation de soins plus efficacement et à

aider les personnes à vivre plus sainement (Pringle, 2003). Le chapitre 2 ⬚ traite de la recherche en soins infirmiers parmi les nombreux rôles de l'infirmière.

FORMATION SPÉCIALISÉE

La formation spécialisée est un aspect important du statut professionnel. De nos jours, la formation menant aux professions s'acquiert de plus en plus par le biais de programmes collégiaux et universitaires. Un grand nombre d'infirmières enseignantes croient que le programme de baccalauréat en sciences infirmières doit comprendre des cours de formation générale en plus de cours de biologie, de sciences sociales et de soins infirmiers.

L'AIIC recommande que les personnes qui veulent devenir infirmières détiennent au moins un diplôme de baccalauréat (ACESI, 2010 ; AIIC, 2009d ; AIIC-ACESI, 2004).

Au Québec, on préconise une formation de cinq ans, appelée « formation infirmière intégrée » (Ministère de l'Éducation du Québec, 2000). Ce cursus comporte trois années d'études collégiales menant à un D.E.C. en soins infirmiers et au droit d'exercice, suivies de deux années d'études universitaires en vue de l'obtention du baccalauréat en sciences infirmières.

CODE DE DÉONTOLOGIE

Les infirmières ont toujours cru à la valeur et à la dignité humaines. La profession d'infirmière exige tout d'abord que tous ses membres fassent preuve d'intégrité ; autrement dit, les membres de la profession sont tenus de faire ce qui est considéré comme approprié.

Les codes de déontologie évoluent en même temps que les besoins et les valeurs de la société. La profession d'infirmière a élaboré ses propres codes de déontologie. C'est au cours des programmes de formation que la future infirmière développe, clarifie et intègre les valeurs communes de la profession. Ces valeurs spécifiques sont énoncées dans les codes de déontologie (chapitre 5 ⬚), dans les normes de la pratique infirmière (dont il a été question plus tôt dans ce chapitre), et dans le cadre juridique de la profession (chapitre 4 ⬚).

AUTONOMIE ET AUTORÉGLEMENTATION

Une profession est autonome si elle s'autoréglemente et si elle établit les normes de pratique que ses membres doivent suivre. L'une des raisons d'être d'une association professionnelle est de rendre ses membres autonomes. Pour maintenir un statut professionnel, les infirmières doivent élaborer leurs propres politiques et mécanismes de surveillance de leurs activités. Pour être autonome, un groupe professionnel doit détenir l'autorité légale de définir son champ d'activité, de décrire ses fonctions et ses rôles propres et de déterminer ses objectifs et ses responsabilités dans la prestation des services qu'il offre. (Voir au chapitre 4 ⬚ des données additionnelles sur le champ d'activité de l'infirmière et sur le cadre juridique de la profession.)

VOCATION DE RENDRE SERVICE

La vocation de rendre service distingue la profession d'infirmière des métiers dont le principal but est le profit. Nombreux sont ceux qui considèrent l'altruisme (dévouement à autrui) comme le trait distinctif d'une profession. La profession d'infirmière a toujours été axée sur le service. Cependant, ce service doit se conformer à un certain nombre de règles, de politiques ou de codes déontologiques. Les soins infirmiers sont une composante incontournable du système de prestation de soins de santé.

ORGANISATION PROFESSIONNELLE

Une profession se distingue d'un métier par le fait qu'elle est chapeautée par une organisation professionnelle. L'OIIQ régit la profession au Québec.

Socialisation

La **socialisation** se définit simplement comme le processus par lequel une personne apprend à devenir membre d'un groupe et de la société, et intègre les règles sociales qui régissent les relations dans lesquelles elle va s'engager. La socialisation professionnelle consiste à apprendre les façons de faire, de penser et de se comporter, qui sont communes aux personnes exerçant des fonctions identiques (Hardy et Conway, 1988). Le but de la socialisation professionnelle est d'inciter les membres à épouser les normes, les valeurs, les attitudes et les comportements jugés essentiels à la survie de la profession (AIIC, 2002a).

Il existe plusieurs modèles de processus de socialisation. Le modèle de Benner (1995, 2001) décrit cinq niveaux de maîtrise de la profession d'infirmière, basés sur le modèle général d'acquisition de compétences de Dreyfus. Ces cinq niveaux, qui ont une incidence sur la formation et l'apprentissage, sont les suivants : novice, débutante, compétente, performante, experte. Selon Benner, l'expérience est essentielle au développement de la compétence (encadré 1-2).

L'interaction entre étudiantes est l'un des mécanismes de socialisation professionnelle les plus efficaces (Hardy et Conway, 1988). Se fondant sur une culture commune, les étudiantes établissent ensemble les efforts qu'elles doivent investir dans leurs études et l'orientation qu'elles veulent leur donner. Elles acquièrent une façon de penser à leurs études, aux objectifs à atteindre et aux activités appropriées et, dans cette perspective, elles élaborent un ensemble de pratiques conformes à cette vision. Les étudiantes sont liées par une volonté de coopération, de soutien mutuel et de solidarité.

Facteurs qui influent sur la pratique infirmière d'aujourd'hui

Pour comprendre la profession d'infirmière telle qu'on l'exerce aujourd'hui et telle qu'on l'exercera demain, il faut connaître les forces sociales qui l'influencent actuellement. Ces forces agissent généralement sur l'ensemble du système de soins de santé ; en tant que composante majeure de ce système, la pratique infirmière y est également soumise.

Facteurs économiques

L'accroissement du soutien financier des régimes d'assurance maladie privés (30 % des dépenses en soins de santé au Canada)

ENCADRÉ 1-2
NIVEAUX D'EXPERTISE

Niveau I : novice

À ce niveau, aucune expérience n'est nécessaire (par exemple étudiante en soins infirmiers). La performance est limitée, moins flexible et régie par des règles générales plutôt que par l'expérience.

Niveau II : débutante

Ce niveau exige un certain degré de performance. L'infirmière doit reconnaître les aspects significatifs d'une situation réelle. Puisqu'elle a déjà fait ses preuves dans plusieurs situations réelles, elle peut agir avec discernement dans des situations semblables.

Niveau III : compétente

Une infirmière de ce niveau doit avoir deux ou trois années d'expérience. Elle est capable d'organiser et de planifier son travail, de reconnaître les aspects les plus importants des soins et de coordonner plusieurs tâches complexes.

Niveau IV : performante

Une infirmière de ce niveau a de trois à cinq années d'expérience. Contrairement à l'infirmière débutante, qui ne saisit que certains aspects d'un cas, elle est capable d'avoir une vue d'ensemble d'une situation. Pour agir dans une situation complexe, elle suit des maximes et prend des décisions de soins en adoptant une vision holistique de la personne. Elle poursuit des objectifs à long terme.

Niveau V : experte

L'infirmière de ce niveau exerce sa profession avec aise et souplesse. Elle est très performante et n'a plus besoin de règles, de lignes directrices ou de maximes pour comprendre une situation et agir adéquatement. Elle se fie à son intuition et met à profit son excellente capacité d'analyse dans toute nouvelle situation. Elle est encline à agir de telle ou telle façon parce qu'elle « sent » que c'est la chose à faire.

Source : Benner, P. (1995). *De novice à expert : Excellence et expertise en soins infirmiers* (p. 23-34). Saint-Laurent : Éditions du Renouveau Pédagogique.

(Santé Canada, 2002, cité dans Storch, 2003) et publics (70 % des dépenses en soins de santé au Canada) (*ibid.*) a augmenté la demande en soins infirmiers. Les services de soins de santé, tels les soins en salle d'urgence, le counselling en santé mentale et les examens physiques préventifs, sont de plus en plus utilisés par une population qui n'en avait pas les moyens dans le passé.

Ces changements sont autant de défis pour l'infirmière. À l'heure actuelle, l'industrie des soins de santé met moins l'accent sur les soins aux personnes hospitalisées et insiste plutôt sur la consultation externe avec des tests de préadmission, la chirurgie d'un jour, la réadaptation après hospitalisation, les soins à domicile, le maintien de la santé, les programmes de conditionnement physique et les programmes de santé publique. En conséquence, un plus grand nombre d'infirmières travaillent en milieu communautaire (soins à domicile, centres privés d'hébergement et centres de soins ambulatoires). Cette nouvelle répartition des emplois a une incidence sur la formation des infirmières, sur la recherche en soins infirmiers et sur la pratique elle-même.

De plus, puisque les infirmières constituent le plus grand nombre de travailleuses dans le système de santé, les modes de financement du secteur public peuvent avoir de très fortes répercussions sur l'exercice de la profession d'infirmière (Storch, 2003).

Demandes des consommateurs

Les consommateurs de services de soins infirmiers (le public) exercent également une influence de plus en plus grande sur l'évolution de la pratique infirmière. De manière générale, les consommateurs sont plus instruits et ont plus de connaissances sur la santé et la maladie que par le passé. Ils sont également devenus plus conscients des besoins en matière de soins de leurs concitoyens. Les questions éthiques et morales que la pauvreté et la négligence soulèvent ont incité les gens à militer davantage en faveur des besoins des groupes minoritaires ou défavorisés.

Le regard que la communauté jette sur la santé et la profession d'infirmière a également changé. Aujourd'hui, la plupart des gens estiment que la santé est un droit pour tous et non pas un privilège réservé aux riches. Les médias véhiculent abondamment l'idée que chacun doit assumer la responsabilité de sa santé par des examens médicaux réguliers, un suivi attentif des sept signaux d'alarme qui annoncent un cancer, la préservation de la santé mentale par un juste équilibre entre le travail et les loisirs. Bref, on s'intéresse de plus en plus à la santé et aux services de soins de santé. Cette préoccupation va au-delà du simple fait de ne pas être malade : on veut avoir de l'énergie, de la vitalité, et se sentir bien.

Le consommateur participe de plus en plus activement aux prises de décisions sur la santé et les soins infirmiers. Des consommateurs actifs s'engagent dans les travaux des comités de planification chargés de la prestation des services infirmiers à la communauté. Reconnaissant la légitimité de la participation de la communauté, de nombreux organismes de réglementation et associations en soins infirmiers, que ce soit à l'échelle fédérale, provinciale ou territoriale, comptent des consommateurs parmi les membres de leur conseil d'administration.

Structure familiale

Les nouvelles structures familiales font aussi partie des facteurs qui influent sur les besoins et les services en soins infirmiers. Beaucoup de gens vivent désormais loin de la famille élargie et de la famille nucléaire, et le pourvoyeur n'est plus nécessairement le mari. Beaucoup d'hommes et de femmes célibataires élèvent seuls leurs enfants et, dans un grand nombre de familles biparentales, les deux parents travaillent. Il est également courant que les jeunes parents vivent loin de leurs propres parents. Ces jeunes parents ont tout particulièrement besoin de services de soutien tels que les services de garde. Pour plus d'informations sur la santé de la famille, voir le chapitre 11 ⊗.

Science et technologie

Les progrès de la science et de la technologie représentent un autre facteur qui influe sur la pratique infirmière (Hannah et Kennedy, 2010 ; AIIC, 2007c ; Care, Gregory, Whittaker et Chernomas, 2003 ; AIIC, 2002a). Par exemple, les personnes atteintes du sida reçoivent de nouveaux traitements médicamenteux qui prolongent la vie et retardent l'apparition des maladies induites par cette infection. Or, les infirmières doivent connaître les effets de ces nouveaux médicaments et les besoins des personnes qui les prennent. Dans certains milieux, les progrès technologiques ont obligé les infirmières à devenir hautement spécialisées. Pour donner des soins, elles sont souvent appelées à utiliser un matériel informatisé de pointe. La pratique à distance est un moyen qui permet aux infirmières de contribuer au maintien à domicile de personnes qui, autrefois, auraient dû être hospitalisées (Hannah et Kennedy, 2010 ; AIIC, 2007c).

Par ailleurs, le programme spatial a favorisé la création de technologies de pointe qui facilitent les voyages dans l'espace. Ces technologies sont nées de la nécessité de surveiller à distance les astronautes et le vaisseau, de disposer de matériaux ultralégers et de miniaturiser le matériel. Les soins de santé ont bénéficié de ces nouvelles technologies, qui ont notamment permis de mettre au point Viewstar (un dispositif d'aide pour les handicapés visuels), la pompe à perfusion d'insuline, le fauteuil roulant à commande vocale, l'imagerie par résonance magnétique, la chirurgie au laser, les dispositifs de filtrage dont sont munis les appareils d'administration de liquides intraveineux et les systèmes de monitorage utilisés dans les services de soins intensifs.

À mesure que les technologies évoluent, les infirmières doivent acquérir des connaissances et des compétences pour pouvoir donner des soins plus efficaces et plus adéquats.

Facteurs démographiques

La **démographie**, qui est la science statistique de la population, étudie notamment la répartition selon les âges et les lieux de résidence, la mortalité (nombre de décès) et la morbidité (incidence de la maladie). Les données démographiques permettent d'évaluer les besoins de la population en matière de services de soins infirmiers. Voici des exemples de données d'intérêt pour la profession d'infirmière :

- La population totale du Canada augmente. La proportion d'adultes vieillissants a augmenté également, ce qui crée un besoin croissant pour des services de soins infirmiers destinés à ce groupe d'âge. Ces changements démographiques ont aussi mis en évidence les différences entre les générations. Par exemple, le vieillissement de la génération des baby-boomers influe fortement sur les soins infirmiers d'aujourd'hui.
- En raison du processus d'urbanisation massive, on doit actuellement prendre en charge un plus grand nombre de problèmes de santé dus à la pollution et aux répercussions de la concentration démographique sur l'environnement. Mais cela ne signifie pas pour autant que les besoins en matière de soins de santé de la population des régions rurales doivent être négligés.
- Les études sur la mortalité et la morbidité révèlent la présence de facteurs de risque. Un grand nombre de ces facteurs (comme le tabagisme) sont des causes importantes de décès et de maladie que la modification du mode de vie peut réduire.

Le chapitre 10 🔗 traite du rôle de l'infirmière dans l'évaluation des facteurs de risque et des moyens à prendre pour apporter des changements au mode de vie.

Mouvement féministe

Autre facteur qui a modifié la pratique infirmière, le mouvement féministe a notamment dirigé l'attention du public sur les droits de la personne. Aujourd'hui, les gens recherchent l'égalité dans tous les domaines, particulièrement pour ce qui a trait à la formation et aux droits politiques, économiques et sociaux. Comme la majorité des infirmières sont des femmes, le mouvement féministe a changé le point de vue des infirmières au sujet des besoins économiques et éducationnels. De ce fait, elles s'affirment de plus en plus en tant que professionnelles ayant les mêmes droits que les professionnels de la santé de sexe masculin, et elles revendiquent plus d'autonomie dans les soins qu'elles prodiguent.

À tous ces facteurs s'ajoutent également la diversité culturelle (AIIC, 2004; Purnell, 2001), de nouvelles épidémies, comme celle du syndrome respiratoire aigu sévère (SRAS) (Hynes-Gay, Bennett, Sarjoo-Devries, Jones et McGeer, 2003), les problèmes particuliers soulevés par les populations vulnérables et éloignées (OIIQ, 2004b; Todero, 2001), l'interdisciplinarité, la pratique basée sur des résultats probants, la pénurie de personnel infirmier (particulièrement celui formé à l'université) (OIIQ, 2003c), l'implantation des services intégrés (OIIQ, 2004c; Pinkerton, 2001) et les services communautaires parallèles (Snyder, Kreitzer et Loen, 2001; OIIQ, 1993).

Organisations professionnelles

Au cours de l'évolution de la profession d'infirmière, un nombre croissant d'organisations professionnelles a vu le jour à l'échelle locale, provinciale ou territoriale, nationale et internationale. La participation aux activités de ces associations favorise le perfectionnement professionnel des infirmières et leur permet de jouer un rôle de premier ordre dans l'élaboration de politiques relatives à la pratique.

Ordre des infirmières et infirmiers du Québec

En vertu des dispositions du *Code des professions* du Québec, loi d'application générale qui régit l'ensemble du système professionnel de la province, l'Ordre des infirmières et infirmiers du Québec (OIIQ) a été créé en 1973. La protection du public au moyen du contrôle de l'exercice de la profession d'infirmière constitue le mandat principal de l'OIIQ. En 2010, il comptait 71 371 membres, ce qui en faisait l'un des partenaires majeurs du réseau de la santé et des services sociaux.

Chargé de veiller à l'application du *Code des professions*, de la *Loi sur les infirmières et les infirmiers* et des règlements qui en découlent, le Bureau de l'Ordre se compose de 28 administrateurs et administratrices, dont 24 sont élus par les conseils de section des ordres régionaux, et de 4 personnes nommées par l'Office des professions du Québec. Le Bureau est chargé de l'administration générale des affaires de l'Ordre (sauf pour ce qui est de celles qui sont du ressort des membres réunis en assemblée générale).

Ses principales fonctions sont les suivantes:
- Établir, tenir à jour et publier le tableau des membres de l'Ordre.
- Élaborer des normes et des critères d'admission à la profession.
- Approuver les règlements des comités prévus par le *Code des professions*.
- Adopter par règlement un code de déontologie (règles de conduite des infirmières envers la population, leur profession et les autres membres de la profession).
- Déterminer quels actes, parmi ceux qui constituent l'exercice de la profession, peuvent être du ressort d'autres personnes que les infirmières, dans certaines conditions.
- Formuler des avis aux ministères et aux organismes concernés sur l'accès à la profession, la formation, la protection du public, la qualité et les normes de distribution des soins infirmiers dans les différents milieux d'exercice.

On a aussi constitué de nombreux autres comités auxquels on a confié des mandats précis. Par exemple, le comité administratif voit aux affaires courantes et le comité d'inspection professionnelle surveille l'exercice de la profession par les membres et enquête sur la compétence de l'un d'entre eux, s'il y a lieu. Les autres comités sont le comité de discipline, le comité de révision, le comité consultatif de la formation continue, le comité de révision des actes, le comité de sélection des récipiendaires, le comité de l'insigne du mérite, le comité des bourses, le comité des finances, le comité des placements financiers et le comité jeunesse.

L'OIIQ est responsable de la préparation et de l'administration de l'examen professionnel d'admission à la profession, qui constitue la norme pour obtenir l'autorisation d'exercer la profession d'infirmière au Québec. Le comité d'examen professionnel l'épaule dans cette responsabilité.

La Fondation de recherche en sciences infirmières du Québec (FRESIQ) est associée à l'OIIQ; son rôle est d'octroyer des bourses d'études et de recherche.

La revue officielle de l'OIIQ, *Perspective infirmière*, paraît six fois par année et est envoyée à tous les membres. L'OIIQ publie également, cinq fois par année, *Le Journal*, qui traite des prises de position publique et des activités légales de l'Ordre, de même que des plus récentes actualités professionnelles. Un bulletin d'information, *Le CII à l'écoute*, est destiné aux membres des conseils des infirmières et infirmiers. Il fait la promotion des projets et des initiatives réalisés par les CII à travers le Québec et rapporte les faits saillants de l'actualité du réseau de la santé. Un autre bulletin d'information, *Le Scribe*, s'adresse plus particulièrement aux infirmières enseignantes.

Association des infirmières et infirmiers du Canada

L'Association des infirmières et infirmiers du Canada (AIIC) est une fédération de 11 associations et ordres professionnels représentant près de 140 000 infirmières et infirmiers autorisés et infirmières et infirmiers praticiens.

La mission de l'AIIC est de faire progresser les soins infirmiers dans l'intérêt du public. Elle préconise des normes élevées de pratique, de formation, de recherche et de gestion des soins.

Les infirmières ne se joignent pas individuellement à l'AIIC; elles en deviennent membres en payant leur adhésion à leur organisation provinciale ou territoriale. En novembre 1985, l'OIIQ s'est retiré de l'AIIC. Cependant, les infirmières québécoises qui le désirent peuvent en devenir membres par le biais d'une autre association provinciale ou territoriale.

L'AIIC a élaboré des normes nationales ainsi qu'un code de déontologie, et elle offre son soutien à toutes les organisations provinciales ou territoriales. L'AIIC est responsable de la préparation et de l'administration de l'examen donnant lieu au droit d'exercer au Canada (examen d'autorisation infirmière au Canada – EAIC). Les infirmières de toutes les provinces et de tous les territoires peuvent passer cet examen. Au Québec, cependant, l'OIIQ administre son propre examen d'autorisation de l'exercice de la pratique infirmière depuis 2000 (OIIQ, 2003d, 2003e). Avec l'aide de la Fondation des infirmières et infirmiers du Canada, l'AIIC octroie des subventions et des bourses de recherche et d'études à des infirmières canadiennes. La revue officielle de l'AIIC, *L'infirmière canadienne*, paraît mensuellement et est envoyée à tous les membres.

Conseil international des infirmières

Le Conseil international des infirmières (CII) a vu le jour en 1899. Des infirmières du Royaume-Uni, des États-Unis et d'Allemagne (Paul et Ross-Kerr, 2011a) ont fait partie des membres fondateurs. Cinq infirmières du Canada ont également participé à sa fondation, dont Mary Agnes Snively, de l'Hôpital général de Toronto, qui devint la première trésorière. Le CII est une fédération d'associations nationales d'infirmières, telles l'American Nurses Association (ANA) et l'AIIC. En 1993, il réunissait 111 associations nationales d'infirmières, ce qui représente 1,4 million d'infirmières à travers le monde.

Le CII a défini trois programmes clés vitaux pour l'amélioration des soins infirmiers et de la santé. Ces programmes, qui constituent les véritables piliers de l'action du CII, sont les suivants : Pratique de la profession, Réglementation et Conditions d'emploi et de travail. Les activités du CII sont fondées sur ces trois piliers. La Classification internationale de la pratique des soins infirmiers (ICNP) et Diriger le changement sont deux projets importants qui relèvent du pilier «Pratique de la profession». Les Qualités de direction et d'animation appliquées à la négociation sont un projet qui relève du pilier «Conditions d'emploi et de travail» (CII, 2001).

Le CII publie quatre fois par année une revue intitulée *International Nursing Review*.

Secrétariat international des infirmières et infirmiers de l'espace francophone

Le Secrétariat international des infirmières et infirmiers de l'espace francophone (SIDIIEF) a été créé officiellement le 1er décembre 1998, en réponse au besoin exprimé à plusieurs reprises par les infirmières et les infirmiers francophones de se regrouper pour discuter en français de leur pratique et de leur expérience. L'OIIQ a participé à la création de cet organisme sans but lucratif. L'école La Source de Lausanne, la première école d'infirmières laïques du monde, fondée en 1859, s'est jointe à cette association à l'été 2000.

Le SIDIIEF a comme objectif d'être un réseau d'échanges dans les domaines de la pratique clinique, de la gestion, de la formation et de la recherche en sciences infirmières. D'autre part, il vise à constituer un réseau de leaders en soins infirmiers soucieux de la qualité des pratiques soignantes, de l'évolution des pratiques managériales, du développement de la recherche en sciences infirmières et de la formation initiale et continue. Il poursuit la mission de favoriser le partage des expériences et des savoirs infirmiers à travers le monde francophone afin de contribuer à l'amélioration de la qualité des soins et des services offerts aux populations.

Société internationale honorifique : Sigma Thêta Tau

La société Sigma Thêta Tau est une organisation internationale honorifique, fondée en 1922, dont le siège social se trouve à Indianapolis (États-Unis). Son nom vient des mots grecs *storga, tharos* et *tima*, qui signifient «amour», «courage» et «honneur». La société est membre de l'Association des sociétés honorifiques universitaires. Le but poursuivi par la société Sigma Thêta Tau est d'ordre professionnel plutôt que social, et ses membres doivent avoir un haut niveau d'érudition. Les infirmières inscrites à un programme de baccalauréat, de maîtrise, de doctorat ou de postdoctorat peuvent en devenir membres.

La revue officielle de la société Sigma Thêta Tau, *Image : Journal of Nursing Scholarship*, paraît quatre fois par année. On y trouve des articles scientifiques d'intérêt pour les infirmières. La société publie également *Reflections*, un bulletin trimestriel qui fournit des informations sur l'organisation et ses services.

Regroupements

Les infirmières ont constitué de nombreux regroupements selon leurs spécialités. Certains réunissent des infirmières en pratique spécialisée (par exemple l'Association québécoise des infirmières et infirmiers en santé mentale, l'Association des infirmières en prévention des infections), et d'autres, des infirmières par type d'emploi (par exemple l'Association des enseignantes et enseignants en soins infirmiers du Québec, l'Association canadienne des écoles de sciences infirmières – Région du Québec). Ces regroupements contribuent à l'avancement de la profession en publiant des énoncés de position et des normes réservées à certains groupes, en exerçant des pressions sur les décideurs qui élaborent des politiques sanitaires et en participant à l'application des connaissances et à leur diffusion. On trouve sur le site de l'OIIQ la liste de la plupart de ces organisations de spécialité du Québec (http://oiiq.org/uploads/publications/associations/index.htm).

Syndicats

Aujourd'hui, la plupart des infirmières sont syndiquées dans le cadre de leur emploi. Selon leur lieu de travail et leur convention collective, les infirmières peuvent être affiliées à un syndicat qui regroupe des infirmières autorisées, des techniciennes infirmières et d'autres types de professionnels de la santé.

S'assure que les conditions de travail sont c'est interessante, pour l'employé. ex: heures de travail / salaire

Révision du chapitre

MOTS CLÉS

Client, **10**	Florence Nightingale, **9**	Profession, **17**
Consommateur, **10**	Patient, **10**	Socialisation, **19**
Démographie, **20**	Personne (soignée), **10**	Virginia Henderson, **9**

CONCEPTS CLÉS

■ Il existe plusieurs définitions et descriptions de la profession d'infirmière, mais, essentiellement, les soins infirmiers se fondent sur une approche holistique de la personne soignée.

■ Le cadre de la pratique infirmière est défini par les associations (ou organisations) professionnelles de chaque province ou territoire, qui déterminent ce que les infirmières d'une province ou d'un territoire donné sont légalement autorisées à accomplir.

■ Même si la plupart des infirmières ont longtemps travaillé en milieu hospitalier, un nombre croissant d'entre elles fournissent dorénavant des soins à domicile, des soins ambulatoires et des soins communautaires.

■ La pratique infirmière varie d'une province à l'autre, et les infirmières ont la responsabilité de connaître la loi qui régit leur pratique.

■ Les normes de pratique clinique reflètent les valeurs de la profession et clarifient ce que les organisations professionnelles attendent de leurs membres.

■ L'infirmière peut exercer divers rôles, aucun n'excluant les autres. Dans la réalité, ces rôles sont souvent exercés parallèlement et permettent de mieux circonscrire les activités de l'infirmière. Le rôle principal de l'infirmière consiste à soigner, puis à éduquer, à collaborer, à coordonner et à superviser. En même temps, l'infirmière est également une communicatrice, une enseignante, une protectrice des droits de la personne soignée, une conseillère, un agent de changement, un leader et une chercheuse.

■ Un des buts poursuivis par la profession d'infirmière est la professionnalisation de la pratique, qui ne peut s'obtenir sans une formation spécialisée, un ensemble de connaissances unique, des compétences et des habiletés particulières, une recherche continue, un code de déontologie, l'autonomie dans le travail, une pratique axée sur le service et une organisation professionnelle.

■ La socialisation est un processus par lequel une personne devient un membre actif d'une société ou d'un groupe. Il existe plusieurs modèles de socialisation, dont celui de Patricia Benner, qui comprend cinq niveaux: novice, débutante, compétente, performante et experte. Ces niveaux définissent l'étendue de la socialisation professionnelle de l'infirmière.

■ La participation aux activités des associations d'infirmières favorise le perfectionnement professionnel et aide les infirmières à jouer un rôle de premier ordre dans l'élaboration de politiques relatives à la pratique infirmière.

Références

Allemang, M. (1995). The development of community health nursing in Canada. Dans M. Stewart (dir.), *Community nursing: Promoting Canadian's health* (p. 2-36). Toronto: W. B. Saunders.

Anspaugh, D. J., Hamrick, M. H., et Rosata, F. D. (2003). *Wellness: Concepts and applications.* New York: McGraw-Hill.

Association canadienne des écoles de sciences infirmières (ACESI). (2010). *Plaidoyer pour des Canadiens en meilleure santé : Formation en sciences infirmières pour le XXIᵉ siècle.* Ottawa: Auteur.

Association des infirmières et infirmiers du Canada (AIIC). (1992). *Énoncé de politique sur la promotion de la santé.* Ottawa: Auteur.

Association des infirmières et infirmiers du Canada (AIIC). (1995). *Le rôle de l'infirmière dans la prestation des soins de santé primaires.* Ottawa: Auteur.

Association des infirmières et infirmiers du Canada (AIIC). (2000a). *Un cadre pour le système de santé au Canada, Fiche d'information.* Ottawa: Auteur.

Association des infirmières et infirmiers du Canada (AIIC). (2000b). *La Loi canadienne sur la santé, Fiche d'information.* Ottawa: Auteur.

Association des infirmières et infirmiers du Canada (AIIC). (2000c). *Les principes de soins de santé primaires, Fiche d'information.* Ottawa: Auteur.

Association des infirmières et infirmiers du Canada (AIIC). (2001). *Leadership dans la profession infirmière: Pour utiliser notre force.* Ottawa: Auteur.

Association des infirmières et infirmiers du Canada (AIIC). (2002a). *Guide de discussion: La contribution unique de l'infirmière.* Ottawa: Auteur.

Association des infirmières et infirmiers du Canada (AIIC). (2002b). *Atteindre l'excellence dans l'exercice de la profession: Guide d'élaboration et de révision de normes.* Ottawa: Auteur.

Association des infirmières et infirmiers du Canada (AIIC). (2002c). *Leadership de la profession infirmière, Énoncé de position.* Ottawa: Auteur.

Association des infirmières et infirmiers du Canada (AIIC). (2003, septembre). Les soins de santé primaires: Le moment est venu. *Zoom sur les soins infirmiers: Enjeux et tendances en soins infirmiers au Canada, 16,* 1-4.

Association des infirmières et infirmiers du Canada (AIIC). (2004). *Le développement de soins de santé adaptés sur le plan culturel, Énoncé de position.* Ottawa: Auteur.

Association des infirmières et infirmiers du Canada (AIIC). (2005). *Les soins de santé primaires et les soins infirmiers.* Ottawa: Auteur.

Association des infirmières et infirmiers du Canada (AIIC). (2007a). *La valeur de l'histoire des soins infirmiers aujourd'hui, Énoncé de position.* Ottawa: Auteur.

Association des infirmières et infirmiers du Canada (AIIC). (2007b). *Cadre canadien de réglementation des infirmières et infirmiers, Énoncé de position.* Ottawa: Auteur.

Association des infirmières et infirmiers du Canada (AIIC). (2007c). *Télésanté: Le rôle de l'infirmière, Énoncé de position.* Ottawa: Auteur.

Association des infirmières et infirmiers du Canada (AIIC). (2008a). *Prestation de soins infirmiers en fin de vie, Énoncé de position.* Ottawa: Auteur.

Association des infirmières et infirmiers du Canada (AIIC). (2008b). *La pratique infirmière avancée, Énoncé de position.* Ottawa: Auteur.

Association des infirmières et infirmiers du Canada (AIIC). (2008c) *La pratique infirmière avancée: Un cadre national.* Ottawa: Auteur.

Association des infirmières et infirmiers du Canada (AIIC). (2009a). *L'infirmière clinicienne spécialisée, Énoncé de position.* Ottawa: Auteur.

Association des infirmières et infirmiers du Canada (AIIC). (2009b). *L'infirmière praticienne, Énoncé de position.* Ottawa: Auteur.

Association des infirmières et infirmiers du Canada (AIIC). (2009c). *La valeur des infirmières, Fiche d'information.* Ottawa: Auteur.

Association des infirmières et infirmiers du Canada (AIIC). (2009d). *Les infirmières et la formation au niveau du baccalauréat.* Ottawa: Auteur.

Association des infirmières et infirmiers du Canada (AIIC). (2010). *Cadre des compétences de base des infirmières et infirmiers praticiens du Canada.* Ottawa: Auteur.

Association des infirmières et infirmiers du Canada (AIIC) et Association canadienne des écoles de sciences infirmières (ACESI). (2004). *Exigence de formation à l'entrée dans la pratique, Énoncé de position commune.* Ottawa: Auteurs.

Bates, C., Dodd, D. E., et Rousseau, N. (2005). *Sans frontières: Quatre siècles de soins infirmiers canadiens.* Ottawa: Presses de l'Université d'Ottawa/Musée canadien des civilisations.

Benner, P. E. (1995). *De novice à expert: Excellence en soins infirmiers.* Saint-Laurent: Éditions du Renouveau Pédagogique.

Benner, P. E. (2001). *From novice to expert: excellence and power in clinical nursing practice.* Upper Saddle River (NJ): Prentice-Hall.

Blondeau, D. (2002). Les valeurs de la profession infirmière d'hier à aujourd'hui. Dans O. Goulet et C. Dallaire (dir.), *Les soins infirmiers: Vers de nouvelles perspectives* (chap. 4, p. 63-76). Montréal: Gaëtan Morin Éditeur.

Bulechek, G. M., Butcher, H. K., et McCloskey Dochterman, J. (2010). *Classification des interventions infirmières CISI-NIC.* Issy-les-Moulineaux: Elsevier.

Canada, Chambre des communes (1984). *Charte des services de santé au Canada.* Ottawa: Gouvernement du Canada.

Care, W. D., Gregory, D., Whittaker, C., et Chernomas, W. (2003). Nursing, technology and informatics: An easy or uneasy alliance? Dans M. McIntyre et E. Thomlinson (dir.), *Realities of Canadian nursing: Professional, practice and power issues* (chap. 13, p. 243-261). Philadelphie: Lippincott.

Cassel, J. (1994). Public health in Canada. Dans Dorothy Porter (dir.), *The history of public health in the modern state* (p. 276-312). Londres, R.U.: Wellcome Institute Series in the History of Medicine.

Ceci, C. (2003). When difference matters: The politics of privilege and marginality. Dans M. McIntyre et E. Thomlinson (dir.), *Realities of Canadian nursing: Professional, practice and power issues* (chap. 23, p. 427-446). Philadelphie: Lippincott.

Cohen, Y. (2000). *Profession infirmière: Une histoire des soins dans les hôpitaux du Québec.* Montréal: Les Presses de l'Université de Montréal.

Collière, M.-F. (1982). *Promouvoir la vie. De la pratique des femmes soignantes aux soins infirmiers.* Paris: InterÉditions.

Commission sur l'avenir des soins de santé au Canada. (2002). *Guidés par nos valeurs: L'avenir des soins de santé au Canada.* Ottawa: Auteur.

Comité consultatif fédéral-provincial-territorial sur la santé de la population. (1999). *Pour un avenir en santé: deuxième rapport sur la santé de la population canadienne.* Ottawa: Institut canadien d'information sur la santé.

Conseil international des infirmières (CII). (2001). *Définition des soins infirmiers selon le CII.* Document consulté le 9 août 2010 de http://www.icn.ch/fr/about-icn/icn-definition-of-nursing/.

Dallaire, C. (2002). Les grandes fonctions de la pratique infirmière. Dans O. Goulet et C. Dallaire (dir.), *Les soins infirmiers: vers de nouvelles perspectives.* Montréal: Gaëtan Morin Éditeur.

Dallaire, C. (2008). *Le savoir infirmier au cœur de la discipline et de la profession.* Montréal: Gaëtan Morin Éditeur.

Desjardins, E., Giroux, S., et Flanagan, E. C. (1970). *Histoire de la profession infirmière au Québec.* Montréal: Association des infirmières et infirmiers de la province de Québec.

Elliott, J., Stuart, M. E., et Toman, C. (2008). *Place and practice in Canadian nursing history.* Vancouver: UBC Press.

Gottlieb, L., et Ezer, H. (dir.). (2001). *A perspective on health, family, learning, & collaborative nursing: A collection of writings on the McGill model of nursing.* Montreal: McGill University School of Nursing.

Goulet, O. (1999). La consolidation de la formation. Dans O. Goulet et C. Dallaire (dir.), *La profession infirmière: Valeurs, enjeux, perspectives* (chap. 11, p. 225-256). Montréal: Gaëtan Morin Éditeur.

Goulet, O., et Dallaire, C. (dir.). (2002). *Les soins infirmiers: Vers de nouvelles perspectives.* Montréal: Gaëtan Morin Éditeur.

Hamric, A. B., Spross, J. A., et Hanson, C. M. (2005). *Advanced nursing practice: An integrative approach.* Toronto: Elsevier Saunders.

Hannah, K. J., et Kennedy, M. A. (2010). Health informatics and Canadian nursing practice. Dans J. C. Ross-Kerr et M. J. Wood (dir.), *Canadian nursing: Issues and perspectives* (5e éd.) (p. 158-184). Toronto: Elsevier-Mosby.

Hardy, M. E., et Conway, M. E. (1988). *Role theory: Perspectives for healthy professionals* (2e éd.). Norwalk: Appleton & Lange.

Henderson, V. (1966). *The nature of nursing: A definition and its implications for practice, research, and education.* New York: Macmillan.

Henderson, V. (1994). *La nature des soins infirmiers.* Paris: InterÉditions.

Hynes-Gay, P., Bennett, J., Sarjoo-Devries, A., Jones, H., et McGeer, A. (2003). Severe acute respiratory syndrome: The Mount Sinaï experience. *Canadian Nurse/L'infirmière canadienne, 99,* 16-19.

Institut canadien d'information sur la santé (ICIS). (2009). *Points saillants des effectifs en soins infirmiers réglementés, Canada, 2008.* Ottawa: Auteur.

Institut canadien d'information sur la santé (ICIS). (2010). *Points saillants des effectifs en soins infirmiers réglementés, Québec, 2008.* Ottawa: Auteur.

Lalancette, D. (1993). L'ordre professionnel. Dans O. Goulet (dir.), *La profession infirmière: Valeurs, enjeux, perspectives* (chap. 5, p. 93-112). Montréal: Gaëtan Morin Éditeur.

Lambert, C. (1993). La formation infirmière dans les cégeps. Dans O. Goulet (dir.), *La profession infirmière: Valeurs, enjeux, perspectives* (chap. 8, p. 149-177). Montréal: Gaëtan Morin Éditeur.

Leininger, M. (1984). *Care: The essence of nursing and health.* Thorofare, NJ: Slack.

Mathieu, L., et Jetté, S. (2008). Le langage infirmier et les classifications infirmières. Dans C. Dallaire (dir.), *Le savoir infirmier: Au cœur de la discipline et de la profession.* Montréal: Gaëtan Morin Éditeur.

McPherson, K. (1996). *Bedside matters: The transformation of Canadian nursing, 1900-1990.* Toronto: Oxford University Press.

Miller, K. L. (1995). Keeping the care in nursing care: Our biggest challenge. *JONA, 25*(11), 29-32.

Ministère de l'Éducation du Québec. (2000). *La formation infirmière intégrée.* Gouvernement du Québec: Auteur.

Nelson, S., et Gordon, S. (dir.). (2006). *The complexities of care: Nursing reconsidered.* Ithaca: Cornell University Press.

Nightingale, F. (2007). *Notes on nursing: What it is, and what it is not.* London: Dodo Press.

Ordre des infirmières et infirmiers du Québec (OIIQ). (1993). *Pratiques complémentaires de soins.* Montréal: Auteur.

Ordre des infirmières et infirmiers du Québec (OIIQ). (2003a). *Guide d'application de la nouvelle Loi sur les infirmières et les infirmiers et Loi modifiant le Code des professions et d'autres dispositions législatives dans le domaine de la santé.* Montréal: Auteur.

Ordre des infirmières et infirmiers du Québec (OIIQ). (2003b). *Notre profession prend une nouvelle dimension: Les pistes pour mieux comprendre la Loi sur les infirmières et les infirmiers et en tirer avantage dans notre pratique.* Montréal: Auteur.

Ordre des infirmières et infirmiers du Québec (OIIQ). (2003c). *La pénurie d'infirmières de formation universitaire: Une analyse complémentaire à la planification de l'effectif des infirmières pour les 15 prochaines années.* Montréal: Auteur.

Ordre des infirmières et infirmiers du Québec (OIIQ). (2003d). *Guide de préparation à l'examen professionnel de l'Ordre des infirmières et infirmiers du Québec.* Montréal : Auteur.

Ordre des infirmières et infirmiers du Québec (OIIQ). (2003e). *Être infirmière au Québec : Supplément au guide de préparation à l'examen professionnel de l'Ordre des infirmières et infirmiers du Québec.* Montréal : Auteur.

Ordre des infirmières et infirmiers du Québec (OIIQ). (2004a). *Une direction des soins infirmiers pour chaque établissement.* Montréal : Auteur.

Ordre des infirmières et infirmiers du Québec (OIIQ). (2004b). *La reconnaissance de la pratique infirmière en région éloignée : Mémoire du comité consultatif sur la reconnaissance de la spécificité de la pratique infirmière en région éloignée.* Montréal : Auteur.

Ordre des infirmières et infirmiers du Québec (OIIQ). (2004c). *La gouverne des soins infirmiers dans le cadre d'une organisation de services intégrés : Une contribution essentielle à la réussite du projet clinique.* Montréal : Auteur.

Ordre des infirmières et infirmiers du Québec (OIIQ). (2009). *Les infirmières praticiennes spécialisées : un rôle à propulser, une intégration à accélérer : Bilan et perspectives de pérennité.* Montréal : Auteur.

Ordre des infirmières et infirmiers du Québec (2010a). *Perspectives de l'exercice de la profession d'infirmière.* Montréal : Auteur.

Ordre des infirmières et infirmiers du Québec (OIIQ). (2010b). *Rapport statistique sur l'effectif infirmier 2009-2010 – Le Québec et ses régions.* Montréal. Auteur.

Ordre des infirmières et infirmiers du Québec-Collège des médecins du Québec (OIIQ-CMQ). (2006a). *L'infirmière praticienne spécialisée : Lignes directrices sur les modalités de la pratique de l'infirmière praticienne spécialisée.* Montréal : Auteurs.

Ordre des infirmières et infirmiers du Québec-Collège des médecins du Québec (OIIQ-CMQ). (2006b). *Étendue des activités médicales exercées par l'infirmière praticienne spécialisée en cardiologie.* Montréal : Auteurs.

Ordre des infirmières et infirmiers du Québec-Collège des médecins du Québec (OIIQ-CMQ). (2006c). *Étendue des activités médicales exercées par l'infirmière praticienne spécialisée en néphrologie.* Montréal : Auteurs.

Ordre des infirmières et infirmiers du Québec-Collège des médecins du Québec (OIIQ-CMQ). (2006d). *Étendue des activités médicales exercées par l'infirmière praticienne spécialisée en néonatalogie.* Montréal : Auteurs.

Ordre des infirmières et infirmiers du Québec-Collège des médecins du Québec (OIIQ-CMQ). (2008). *Étendue des activités médicales exercées par l'infirmière praticienne spécialisée en soins de première ligne.* Montréal : Auteurs.

Orem, D. E., McLaughlin Renpenning, et Taylor, S. G. (2003). *Self-care theory in nursing : Selected papers of Dorothea Orem.* New York : Springer.

Organisation mondiale de la santé (OMS). (1987). *Les soins de santé primaires : Rapport de la conférence internationale sur les soins de santé primaires.* Alma-Ata (URSS). Genève, Suisse : Auteur.

Paul, P., et Ross-Kerr, J. C. (2011a). Nursing in Canada, 1600 to present : A brief account. Dans J. C. Ross-Kerr et M. J. Wood (dir.), *Canadian nursing : Issues and perspectives* (5e éd.) (chap. 2, p. 18-41). Toronto : Elsevier-Mosby.

Paul, P., et Ross-Kerr, J. C. (2011b). The origins and development of nursing education in Canada. Dans J. C. Ross-Kerr et M. J. Wood (dir.), *Canadian nursing : Issues and perspectives* (5e éd.) (chap. 18, p. 327-358). Toronto : Elsevier-Mosby.

Pender, N. J., Murdaugh, C. L., et Parsons, M. A. (2011). *Health promotion in nursing practice* (6e éd.). Boston : Pearson.

Pepin, J., Ducharme, F., et Kérouac, S. (2010). *La pensée infirmière* (3e éd.). Montréal : Chenelière Éducation.

Petitat, A. (1989). *Les infirmières de la vocation à la profession.* Montréal : Les Éditions du Boréal.

Pinkerton, S. (2001). Organizing nursing in an integrated delivery system (IDS). Dans N. L. Chaska (dir.), *The nursing profession : tomorrow and beyond* (chap. 56, p. 681-690). Thousand Oaks : Sage.

Pringle, D. (2003). The realities of Canadian nursing research. Dans M. McIntyre et E. Thomlinson (dir.), *Realities of Canadian nursing : professional, practice and power issues* (chap. 14, p. 262-285). Philadelphie : Lippincott.

Purnell, L. (2001). Cultural competence in a changing health care environment. Dans N. L. Chaska (dir.), *The nursing profession : tomorrow and beyond* (chap. 37, p. 451-460). Thousand Oaks : Sage.

Ross-Kerr, J. C. (2011a). Issues of gender and diversity in nursing. Dans J. C. Ross-Kerr et M. J. Wood (dir.), *Canadian nursing : Issues and perspectives.* (5e éd.) (chap. 6, p. 68-84). Toronto : Elsevier-Mosby.

Ross-Kerr, J. C. (2011b). Professionalization in Canadian nursing. Dans J. C. Ross-Kerr et M. J. Wood (dir.), *Canadian nursing : Issues and perspectives.* (5e éd.) (chap. 3, p. 42-50). Toronto : Elsevier-Mosby.

Roy, C. (2009). *Roy Adaptation Model.* Upper Saddle River, NJ : Pearson Prentice Hall.

Snyder, M., Kreitzer, M. J., et Loen, M. (2001). Complementary and healing practices in nursing. Dans N. L. Chaska (dir.), *The nursing profession : Tomorrow and beyond* (chap. 43, p. 527-536). Thousand Oaks : Sage.

Storch, J. (2003). The Canadian health care system and Canadian nurses. Dans M. McIntyre et E. Thomlinson (dir.), *Realities of Canadian nursing : Professional, practice and power issues* (chap. 3, p. 34-59). Philadelphie : Lippincott.

Todero, C. M. (2001). Mobile nursing center for vulnerable populations. Dans N. L. Chaska (dir.), *The nursing profession : Tomorrow and beyond* (chap. 51, p. 621-630). Thousand Oaks : Sage.

Villeneuve, M., et MacDonald, J. (2006). *Vers 2020 : Visions pour les soins infirmiers.* Ottawa : Association des infirmières et infirmiers du Canada.

World Health Organization (WHO) (Division of Health Manpower Development). (1982). *Report of a meeting on nursing in support of the goal health for all by the year 2000.* 16-10 novembre 1981. Genève, Suisse : Auteur.

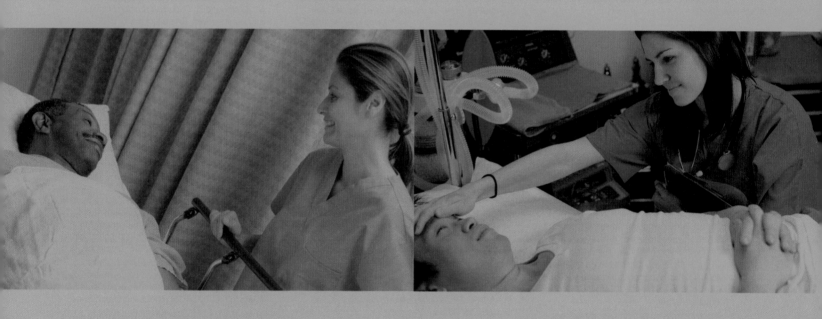

Chapitre 2

Adaptation française :
Michèle Côté, inf., Ph.D.
Professeure, Département des sciences infirmières
Directrice, Comité de programmes
de deuxième cycle en sciences infirmières
Université du Québec à Trois-Rivières

OBJECTIFS D'APPRENTISSAGE

Après avoir étudié ce chapitre, vous pourrez :

- Décrire les différentes voies de formation menant à l'examen professionnel.
- Expliquer les différents programmes de formation en soins infirmiers ou en sciences infirmières au Québec et dans le reste du Canada.
- Circonscrire les défis actuels de la formation infirmière.
- Faire la distinction entre les approches de recherche quantitative, les approches de recherche qualitative et les approches mixtes.
- Décrire les liens qui unissent la pratique, la théorie et la recherche.
- Énoncer les sept étapes de la démarche menant à une pratique professionnelle s'inspirant de résultats probants.
- Formuler une question de recherche comprenant les quatre éléments essentiels à son élaboration.
- Nommer les phases de la recherche quantitative et de la recherche qualitative.
- Décrire le rôle de l'infirmière qui travaille en recherche, plus particulièrement en ce qui concerne la protection des droits des personnes qui participent à des études.
- Expliquer pourquoi l'infirmière doit utiliser de manière judicieuse, dans sa pratique, les résultats probants issus de la recherche, et principalement de la recherche infirmière.

Formation et recherche infirmières au Québec et dans le reste du Canada

Pendant longtemps, la formation infirmière a consisté à enseigner aux futures infirmières les connaissances et les habiletés cliniques nécessaires pour exercer en milieu hospitalier. La diversification des lieux de prestation des soins de santé et la complexification des approches thérapeutiques ont contribué grandement à transformer les pratiques de soins. Ainsi, la formation des infirmières a dû s'adapter aux progrès scientifiques, à l'avancement technologique de même qu'aux changements culturels, politiques et socioéconomiques. De nos jours, les programmes de formation visent autant l'acquisition d'un vaste éventail de connaissances en sciences infirmières, en sciences biologiques, en sciences humaines et en sciences sociales que l'acquisition d'une solide formation générale. Ces programmes sont davantage axés sur la pensée critique et sur l'application du savoir infirmier, complémentaire à la promotion, au maintien et au recouvrement de la santé.

En plus des facteurs externes à la profession d'infirmière, le corpus des connaissances engendrées par la recherche en sciences infirmières influe grandement sur l'évolution des programmes d'études. L'accroissement du nombre d'infirmières ayant une formation universitaire a favorisé l'émergence de la recherche et, par ricochet, la recherche contribue à modifier la pratique des infirmières ainsi que les programmes de formation. De fait, les résultats des recherches menées par des infirmières permettent de confirmer (ou d'infirmer) les intuitions, les traditions et l'expérience professionnelle individuelle. Dans cette dynamique, les résultats de la recherche contribuent à créer un nouveau corpus de connaissances, qui sera par la suite inclus dans les programmes de formation. La recherche fait l'objet de la seconde partie de ce chapitre.

Formation infirmière

Le *Code des professions du Québec*, adopté en 1973, reconnaît deux catégories d'infirmières : l'*infirmière autorisée* et l'*infirmière auxiliaire autorisée*. Les responsabilités professionnelles varient selon le titre. Dans le reste du Canada, les lois reconnaissent une troisième catégorie d'infirmières : l'*infirmière psychiatrique autorisée*.

Trois voies de formation, dont l'une est peu connue, s'offrent à l'étudiante qui veut passer l'examen professionnel

2

d'admission à la profession d'infirmière de l'Ordre des infirmières et infirmiers du Québec (OIIQ):

■ *Le programme d'études collégiales en soins infirmiers.* L'étudiante s'inscrit dans l'un des 44 collèges qui offrent cette formation professionnelle au Québec. Après avoir terminé trois années d'études et rempli toutes les exigences du programme, elle obtient un diplôme d'études collégiales (DEC) en soins infirmiers et elle peut se présenter à l'examen professionnel d'admission.

■ *Le programme d'études universitaires de premier cycle en sciences infirmières (formation initiale).* Après avoir obtenu un DEC dans un programme de formation générale de deux ans en sciences de la nature, l'étudiante s'inscrit dans l'une des six universités québécoises qui offrent ce programme: Université de Montréal, Université du Québec à Chicoutimi, Université du Québec à Trois-Rivières, Université du Québec en Outaouais, Université Laval et Université McGill. Certaines de ces universités acceptent également des étudiantes qui ont terminé un DEC en sciences humaines. Avant de renoncer à suivre sa formation d'infirmière dans un programme de premier cycle, l'étudiante qui a un profil de scolarité particulier devrait toujours vérifier son admissibilité auprès des universités concernées.

■ *Le programme d'études universitaires de deuxième cycle en sciences infirmières (formation initiale).* Beaucoup moins connue que les précédentes, cette voie de formation peut intéresser l'étudiante qui a déjà un baccalauréat dans une discipline autre que les sciences infirmières. Présentement au Québec, seule l'Université McGill offre cette possibilité.

Au Québec, après avoir satisfait aux exigences de l'une ou l'autre de ces trois voies de formation, les candidates à la profession doivent toutes passer le même examen d'admission de l'OIIQ. Lorsqu'elles réussissent l'examen, elles obtiennent leur permis d'exercice et doivent s'inscrire au tableau de l'Ordre: elles portent donc le titre d'infirmière et peuvent exercer la profession.

L'examen professionnel d'admission comprend deux volets:

■ *Le volet pratique.* La candidate doit faire face à des situations cliniques simulées de la pratique courante d'une infirmière débutante. À l'intérieur de chaque station, elle interagit avec une personne simulant un problème de santé dans le but de résoudre la situation présentée. Elle doit démontrer son jugement clinique, que des examinatrices externes dûment formées évaluent. Ce genre d'examen est appelé «examen clinique objectif structuré» (ECOS).

■ *Le volet théorique.* L'étudiante se présente ensuite à un examen écrit qui comporte une série de questions portant sur des aspects théoriques de la pratique infirmière, comme les soins aux enfants malades, les soins aux personnes âgées et les soins aux familles traversant une crise particulière.

La candidate doit obtenir la note de passage pour chacune des deux parties de l'examen. L'OIIQ informe la candidate de sa réussite ou de son échec, sans préciser la note obtenue dans chacun des volets.

La candidate qui réussit l'examen reçoit l'autorisation d'exercer la profession après s'être inscrite au tableau de l'OIIQ.

Pour demeurer valide, cette inscription doit être renouvelée annuellement. L'autorisation d'exercer la profession est valide exclusivement dans la province où l'infirmière a terminé sa formation. L'infirmière qui désire pratiquer dans une autre province doit en faire la demande à l'association professionnelle de la province d'accueil et en obtenir l'autorisation.

Les diverses voies de formation des autres provinces ressemblent à celles du Québec. Toutefois, dans plusieurs provinces et territoires, on exige maintenant le baccalauréat en sciences infirmières pour l'entrée dans la profession d'infirmière: Colombie-Britannique, Manitoba, Nouveau-Brunswick, Nouvelle-Écosse, Île-du-Prince-Édouard, Terre-Neuve-et-Labrador, Saskatchewan et Ontario (Association des infirmières et infirmiers du Canada [AIIC], 2009). La transition a été achevée en 2009 pour la province de l'Alberta et en 2010 pour les Territoires du Nord-Ouest. Donc seule la province de Québec n'exige pas le baccalauréat pour autoriser l'infirmière à exercer la profession. Les infirmières qui ont reçu leur formation dans un autre pays doivent satisfaire aux exigences fixées par l'ordre professionnel de la province d'accueil avant d'être autorisées à exercer.

Programmes de formation

Après un bref historique de l'évolution des programmes de formation infirmière au Québec, nous aborderons les orientations actuelles en la matière. Nous traiterons tout aussi bien de la formation initiale que de la formation continue. La formation initiale permet de passer l'examen professionnel d'admission à la profession, et la réussite de cet examen donne le droit d'exercer la profession. La formation continue vise, d'une part, l'approfondissement des connaissances acquises au cours de la formation initiale et, d'autre part, l'acquisition de nouvelles connaissances dans une perspective de maintien, d'amélioration ou d'acquisition de compétences (Pepin, Kérouac et Ducharme, 2010).

DIPLÔMES DÉLIVRÉS PAR UN HÔPITAL

En 1860, en Angleterre, Florence Nightingale met sur pied une école d'infirmières (la Nightingale Training School for Nurses) au St. Thomas' Hospital. En Amérique du Nord, les administrateurs des hôpitaux accueillent très favorablement l'idée, qui fait rapidement son chemin: les écoles d'infirmières représentent une source de personnel gratuit ou très peu coûteux. À cette époque, la formation infirmière consistait principalement à apprendre par la pratique, un peu comme pendant un stage. Comme il y avait peu de cours théoriques, les étudiantes apprenaient en prenant soin des personnes hospitalisées. Il n'y avait pas de programme de formation standardisé ni d'autorisation d'exercer. Les programmes étaient conçus en fonction des services requis par les hôpitaux, et non en fonction des apprentissages dont les étudiantes avaient besoin.

Au Canada, c'est à St. Catharines, en Ontario, que la première école d'infirmières a ouvert ses portes en 1874, selon le modèle de l'école de Florence Nightingale: la Mack Training School, au General and Marine Hospital. Au Québec, les premières écoles d'infirmières ont été créées en association avec les hôpitaux anglophones: le Women's Hospital, devenu en 1886 le Reddy Memorial Hospital, et la Montreal General Hospital's School of Nursing en 1890 (Petitat, 1989). La formation des infirmières dans le milieu canadien-anglais se développe à partir de quatre paradigmes : « les soins et l'éducation domestiques, la dévotion religieuse (principe chrétien de l'aide aux démunis), la discipline et les tâches militaires et la médecine scientifique » (Cohen, Pepin, Lamontagne et Duquette, 2002, p. 31). Ce n'est qu'en 1898 qu'une première école francophone, l'École d'infirmières de l'Hôpital Notre-Dame, ouvre ses portes à Montréal. Par la suite, le nombre de programmes menant à un diplôme d'infirmière a augmenté rapidement.

Les programmes élaborés par les différentes écoles canadiennes ont fait l'objet de nombreuses remises en question au fil des années. Entre 1932 et 1964, deux commissions d'enquête examinent la formation des infirmières. La première, parrainée par l'Association des infirmières canadiennes (AIC) et appuyée par l'Association médicale du Canada (AMC), est présidée par le Dr George Weir (1932). Le rapport Weir recommandait alors un enseignement universitaire pour les infirmières (Cohen *et al.*, 2002, p. 124). La seconde est la Commission royale d'enquête sur les services de santé au Canada (Gouvernement du Canada, 1964), mieux connue sous l'appellation « commission Hall », du nom de son président. À plus de 30 ans d'écart, ces deux commissions formulent des conclusions similaires. Ainsi, elles font ressortir qu'une trop grande partie du temps de la formation des infirmières est consacrée à l'acquisition d'habiletés ménagères associées plus ou moins directement au soin des personnes malades (Cohen *et al.*, 2002 ; Trottier, 1982). Bref, la formation dans les écoles d'infirmières ne peut être qualifiée de professionnelle, puisque les savoirs ne sont pas structurés ni spécifiques, que la formation fondamentale est inexistante et que le niveau de scolarité préalable est insuffisant pour favoriser le développement du jugement moral et clinique essentiel (Goulet, 1999).

AVÈNEMENT DE LA FORMATION COLLÉGIALE

Au début des années 1960, le gouvernement du Québec institue la Commission royale d'enquête sur l'enseignement dans la province de Québec (Gouvernement du Québec, 1965), mieux connue sous l'appellation « commission Parent », du nom de son président. La mission de cette commission est d'examiner l'ensemble du réseau d'éducation québécois en vue de le moderniser. Le rapport Parent, issu de cette commission, recommande notamment que l'État se charge de la formation des infirmières et qu'il transfère celle-ci des écoles hospitalières aux collèges d'enseignement général et professionnel (cégeps) qui viennent d'être créés. Les écoles d'infirmières des hôpitaux cesseront graduellement d'admettre des étudiants. À la rentrée de l'automne 1967, trois collèges offrent la formation en techniques infirmières, et 17 autres leur emboîteront le pas en septembre 1968 ; en septembre 1969, leur nombre passera à 25 (Lambert, 1979). En septembre 1970, il ne reste que 15 écoles hospitalières offrant un programme de formation pour les infirmières et elles n'acceptent plus de nouvelles étudiantes (Baumgart et Larsen, 1992). Le transfert de la formation des écoles d'hôpitaux vers les cégeps va bien au-delà d'un simple changement de lieu. Avec la création des programmes de formation collégiale destinés

aux étudiantes infirmières, l'État devient le maître d'œuvre de la formation infirmière. Dorénavant, la responsabilité de définir les contenus des programmes de formation en soins infirmiers est confiée à la Direction générale de l'enseignement collégial (DGEC) du ministère de l'Éducation (Lambert, 1993). Cette direction porte maintenant le nom de Direction générale de la formation professionnelle et technique (DGFPT).

PROGRAMME COLLÉGIAL

Différentes révisions du programme collégial en soins infirmiers qui ont eu lieu entre 1968 et 1988 ont entraîné des changements dans la répartition des heures consacrées aux sciences naturelles, aux sciences humaines et aux sciences infirmières, mais il n'a jamais été question de retirer l'un ou l'autre de ces aspects de la formation. À la fin des années 1960, les conceptrices du programme de formation collégiale en soins infirmiers, voulant répondre aux nombreuses critiques formulées par le passé sur la formation des infirmières, ont proposé aux étudiantes une formation générale et scientifique, tout en garantissant une formation pratique et clinique afin de satisfaire aux objectifs déterminés par le ministère de l'Éducation (Goulet, 1999). Toutes ces révisions ont été réalisées dans le but d'offrir aux étudiantes une formation leur permettant de répondre toujours mieux aux nouveaux besoins en matière de santé de la population et de parfaire leur autonomie.

DEC-BAC EN FORMATION INFIRMIÈRE INTÉGRÉE

À partir du milieu des années 1990, le programme collégial en soins infirmiers a fait l'objet d'une autre révision par le ministère de l'Éducation. Parallèlement, on a mené des travaux afin de favoriser une meilleure intégration de la formation collégiale et de la formation universitaire. C'est ainsi que des professeures des deux ordres d'enseignement ont collaboré à l'élaboration d'un programme de formation infirmière intégrée qui s'échelonne sur cinq ans : le **DEC-BAC en formation infirmière intégrée**. Cette nouvelle approche permet à une étudiante de s'inscrire au programme collégial de soins infirmiers à temps complet, d'y suivre sa formation pendant trois ans et de poursuivre ses études à l'université pendant deux ans. L'étudiante peut ainsi obtenir un diplôme d'études collégiales en soins infirmiers et un baccalauréat en sciences infirmières en cinq ans. Les premières étudiantes ont été admises au programme DEC-BAC en formation infirmière intégrée à la session d'automne 2001. Ce nouveau programme permet de réduire la discontinuité entre la formation collégiale et la formation universitaire. Bien qu'il s'agisse d'un programme de cinq ans, chaque ordre d'enseignement conserve son autonomie et la responsabilité d'émettre un diplôme. Le volet collégial du programme DEC-BAC en formation infirmière intégrée porte le numéro 180.A0 Soins infirmiers (2007).

> Le programme *Soins infirmiers* vise à former des personnes aptes à exercer la profession d'infirmière ou d'infirmier. [Il] est défini par compétences, formulé par objectifs et par standards [...]. [Il] comprend une composante de formation générale qui est commune à tous les programmes d'études (16 2/3 unités), une composante de formation générale qui est propre au programme (6 unités), une composante de formation

2

générale qui est complémentaire aux autres composantes (4 unités) et une composante de formation spécifique (65 unités) (Ministère de l'Éducation, du Loisir et du Sport [MELS], 2007).

Les compétences liées à la formation spécifique (encadré 2-1) que les étudiantes doivent acquérir pendant leur formation de trois années leur assurent les connaissances et les habiletés nécessaires pour assumer les fonctions d'une infirmière débutante.

ENCADRÉ 2-1

COMPÉTENCES LIÉES À LA FORMATION SPÉCIFIQUE ACQUISE DANS LE CADRE DU PROGRAMME D'ÉTUDES COLLÉGIALES EN SOINS INFIRMIERS

- Analyser la fonction de travail.
- Développer une vision intégrée du corps humain et de son fonctionnement.
- Composer avec les réactions et les comportements d'une personne.
- Se référer à une conception de la discipline infirmière pour définir sa pratique professionnelle.
- Utiliser des méthodes d'évaluation et des méthodes de soins.
- Établir une communication aidante avec la personne et ses proches.
- Composer avec des réalités sociales et culturelles liées à la santé.
- Relier des désordres immunologiques et des infections aux mécanismes physiologiques et métaboliques.
- Interpréter une situation clinique en se référant aux pathologies et aux problèmes relevant du domaine infirmier.
- Établir des liens entre la pharmacothérapie et une situation clinique.
- Enseigner à la personne et à ses proches.
- Assister la personne dans le maintien et l'amélioration de la santé.
- S'adapter à différentes situations de travail.
- Établir des relations de collaboration avec les intervenantes et les intervenants.
- Intervenir auprès d'adultes et de personnes âgées hospitalisés requérant des soins infirmiers de médecine et de chirurgie.
- Concevoir son rôle en s'appuyant sur l'éthique et sur les valeurs de la profession.
- Appliquer des mesures d'urgence.
- Intervenir auprès d'une clientèle requérant des soins infirmiers en périnatalité.
- Intervenir auprès d'enfants ainsi que d'adolescentes et adolescents requérant des soins infirmiers.
- Intervenir auprès de personnes recevant des soins infirmiers en médecine et en chirurgie dans des services ambulatoires.
- Intervenir auprès de personnes requérant des soins infirmiers en santé mentale.
- Intervenir auprès d'adultes et de personnes âgées en perte d'autonomie requérant des soins infirmiers en établissement.

Source: Ministère de l'Éducation, du Loisir et du Sport [MELS]. (2007). *Santé. Programmes conduisant au diplôme d'études collégiales* (DEC). *180.A0 Soins infirmiers (2007)*. Document consulté le 23 juillet 2010 de http://www.mels.gouv.qc.ca/ens-sup/ENS-COLL/Cahiers/program/180A0.asp. Reproduction autorisée par Les Publications du Québec.

Présentement, chacun des 44 collèges québécois qui donnent le programme en soins infirmiers est associé avec l'une des neuf universités suivantes : Université de Montréal, Université de Sherbrooke, Université du Québec à Chicoutimi, Université du Québec à Rimouski, Université du Québec à Trois-Rivières, Université du Québec en Abitibi-Témiscamingue, Université du Québec en Outaouais, Université Laval et Université McGill.

L'étudiante inscrite au programme DEC-BAC en formation infirmière intégrée se présente à l'examen de l'OIIQ immédiatement après avoir satisfait à toutes les exigences de la formation collégiale.

Les deux années du volet universitaire du programme DEC-BAC en formation infirmière intégrée, à savoir la quatrième et la cinquième année, permettent à l'étudiante d'atteindre les buts de la formation universitaire de premier cycle. Au cours de ses études universitaires, l'étudiante est appelée à réinvestir et à enrichir les compétences acquises durant les trois premières années de sa formation (Côté, 2003). De plus, elle acquiert de nouvelles connaissances dans divers domaines : les soins à la famille, aux groupes et aux communautés ; le suivi systématique de clientèles ; l'évaluation de la qualité des soins ; la recherche. Finalement, elle doit acquérir des habiletés cliniques en regard des soins en milieu critique, en milieu communautaire et à domicile ainsi qu'en réadaptation (phases II à IV) (Comité directeur sur la formation infirmière intégrée, 2000). Toutefois, le volet universitaire du DEC-BAC ne permet pas à l'étudiante de se spécialiser dans un domaine clinique particulier ; la formation spécialisée s'acquiert pendant le deuxième cycle universitaire.

L'intégration de la formation collégiale et universitaire présente des défis de taille, surtout dans le contexte où un grand nombre de professeures se préparent à prendre leur retraite et où le Québec doit faire face à une pénurie importante d'infirmières.

PROGRAMMES UNIVERSITAIRES DE PREMIER CYCLE

Au Canada, l'Université de la Colombie-Britannique à Vancouver a été la première, en 1919, à offrir un baccalauréat en sciences infirmières (Street, 1973). C'est grâce à la mise sur pied de ce programme que les soins infirmiers ont fait leur entrée à l'université. En 1920, l'Université McGill, avec la création de la School for Graduates Nurses, fut la première université québécoise à proposer un programme de perfectionnement d'une année devant favoriser l'acquisition de connaissances en regard de l'enseignement et de l'administration des soins ainsi que de l'hygiène publique (Petitat, 1989 ; Trottier, 1982). En 1923, l'Université de Montréal emboîte le pas et propose aux infirmières licenciées, alors souvent désignées par le terme «gardes-malades diplômées», un premier cours d'été (Cohen *et al.*, 2002). Il faudra attendre jusqu'en 1934 avant que cette université offre une formation complète de baccalauréat aux gardes-malades diplômées d'hôpital. La même année, l'Institut Marguerite d'Youville ouvre ses portes. Petitat (1989, p. 208) signale qu'en 1950, 1 100 infirmières possédaient un diplôme universitaire dans le secteur anglophone, comparativement à 550, dans le secteur francophone. Il est important de souligner qu'à ce moment-là le secteur francophone du Québec comptait six fois plus de lits d'hôpitaux que le secteur anglophone. Il est difficile de préciser à quel moment le terme «infirmière» a remplacé celui de garde-malade car les deux ont été utilisés simultanément dans les écrits au moins jusqu'en 1946, quand l'Association des gardes-malades de la province de Québec devient l'Association des infirmières et infirmiers de la province de Québec.

Dans les années 1970, certains établissements d'enseignement du réseau des Universités du Québec commencent à offrir des programmes de baccalauréat en sciences infirmières aux personnes qui ont terminé une formation d'infirmière. Finalement, l'Université de Sherbrooke offre un programme de perfectionnement en 1977 (Commission des universités sur les programmes, 1999).

Parallèlement à la création des programmes de formation destinés à des infirmières ayant déjà leur droit de pratique, les universités québécoises mettent en place des programmes de formation initiale pour les étudiantes qui veulent devenir infirmières. C'est en 1957 que l'Université McGill ouvre un programme de baccalauréat en sciences infirmières qui s'adresse à cette clientèle. En 1962, l'Institut Marguerite d'Youville, qui deviendra par la suite la Faculté de nursing puis la Faculté des sciences infirmières de l'Université de Montréal, accepte d'inscrire des étudiantes qui ne sont pas encore infirmières dans un programme de baccalauréat de formation initiale (Trottier, 1982). L'Institut Marguerite d'Youville offre donc deux programmes: l'un pour les étudiantes qui ne sont pas infirmières et l'autre à des étudiantes qui le sont déjà. L'École des sciences infirmières de l'Université Laval, ouverte en 1967, offrira dès sa création deux programmes de baccalauréat en sciences infirmières: perfectionnement et formation initiale. Finalement, trois établissements du réseau des Universités du Québec proposeront des programmes de baccalauréat de formation initiale: en 1993, l'Université du Québec à Hull, qui deviendra par la suite l'Université du Québec en Outaouais; en 2001, l'Université du Québec à Chicoutimi et l'Université du Québec à Trois-Rivières.

Contrairement au programme collégial en soins infirmiers, qui exige l'atteinte de compétences uniformes dans tous les collèges du Québec, le programme de baccalauréat de formation initiale en sciences infirmières varie d'une université à l'autre. Ainsi, le **baccalauréat en sciences infirmières** (formation initiale) comporte entre 90 et 108 crédits, selon l'université. Par contre, tous les programmes de formation initiale en sciences infirmières intègrent la formation scientifique, l'initiation à la recherche, aux concepts et aux méthodes de la discipline infirmière, et l'acquisition de l'autonomie professionnelle et du jugement clinique. À titre d'exemple, l'encadré 2-2 présente les objectifs du programme de baccalauréat (formation initiale) de l'Université du Québec à Trois-Rivières.

Les programmes de baccalauréat en sciences infirmières permettent donc aux diplômées d'acquérir les connaissances et les habiletés psychomotrices leur permettant d'assumer des responsabilités accrues sur le marché du travail, de viser l'avancement de la discipline et de poursuivre des études supérieures.

Grâce aux changements survenus dans les milieux de pratique au cours des dernières années, l'infirmière bachelière commence à récolter les avantages que son diplôme peut lui procurer: accroissement de l'autonomie, des responsabilités, de la participation aux processus décisionnels de l'établissement et des possibilités d'avancement. Le contexte actuel incite d'ailleurs un grand nombre d'infirmières titulaires d'un diplôme d'études collégiales à continuer leur formation à l'université pour obtenir un baccalauréat.

Outre le baccalauréat en sciences infirmières (formation initiale) et le volet universitaire du programme DEC-BAC en formation infirmière intégrée, les universités québécoises offrent d'autres programmes de premier cycle pour les personnes qui sont déjà infirmières. C'est le cas notamment du baccalauréat en sciences infirmières (perfectionnement). Ce programme de 90 crédits s'adresse aux infirmières qui ont une formation collégiale. Il est possible de le suivre à temps complet ou à temps partiel. Toujours au premier cycle, les universités offrent également différents programmes de certificats. Ces programmes de 30 crédits ont trait, notamment, aux soins infirmiers cliniques, aux soins infirmiers critiques, aux soins infirmiers périopératoires, aux soins infirmiers communautaires ou de santé publique et à la santé mentale. Finalement, les universités ont créé des programmes courts, ou microprogrammes, qui s'adressent à des infirmières ayant des besoins particuliers sur le plan de la formation. Les microprogrammes comportent entre 9 et 15 crédits. Il existe des microprogrammes en soins infirmiers cardiovasculaires, en soins infirmiers critiques (urgence), en soins infirmiers en milieu isolé, en soins infirmiers aux personnes âgées, en soins infirmiers de salle d'opération et en soins infirmiers d'hémodialyse. Les annuaires des universités répertorient les programmes qui y sont offerts.

ENCADRÉ 2-2
OBJECTIFS VISÉS PAR LE BACCALAURÉAT EN SCIENCES INFIRMIÈRES (FORMATION INITIALE) DE L'UNIVERSITÉ DU QUÉBEC À TROIS-RIVIÈRES

Ce programme a pour but de former des infirmières autonomes aptes à répondre aux besoins en matière de santé des personnes, des familles, des groupes, de la communauté et de la société.

À la fin du programme, l'étudiante aura:

- acquis et approfondi des connaissances fondamentales en sciences infirmières, en sciences pures et de la santé et en sciences psychosociales devant servir de base à la démarche de soins infirmiers;

- développé sa capacité d'adaptation selon des valeurs humanistes et selon une vision holistique de la personne et de la santé;

- acquis un processus de résolution de problèmes, qu'elle saura appliquer à tous les aspects de la pratique infirmière;

- développé et approfondi sa capacité à intervenir et à générer des soins infirmiers innovateurs afin de contribuer à améliorer l'état de santé de l'individu et sa qualité de vie, et lui permettre de mourir dignement;

- acquis et approfondi des compétences cliniques en vue de participer à l'avancement de la pratique infirmière et de la profession, tant dans les milieux naturels qu'institutionnels;

- développé un esprit de synthèse, d'autonomie, d'imputabilité et d'ouverture à l'autre dans sa pratique professionnelle;

- acquis une formation universitaire lui donnant accès à des études de deuxième cycle et une motivation pour la recherche.

Source: Université du Québec à Trois-Rivières. *7929 Baccalauréat en sciences infirmières (formation initiale). Objectifs.* Document consulté le 23 juillet 2010 de https://oraprdnt.uqtr.uquebec.ca/pls/public/pgmw001?owa_cd_ pgm=7929.

2

PROGRAMMES UNIVERSITAIRES DE DEUXIÈME ET TROISIÈME CYCLE

Au début des années 1960, la Commission royale d'enquête sur les services de santé arrive à la conclusion que le taux de diplômées au 1er (2 %) et au 2e cycle (0,2 %) doit être porté à 25 ou 35 % (les deux cycles confondus) (Cohen *et al.*, 2002, p. 137). C'est la raison pour laquelle les professeurs de la Faculté de nursing de l'Université de Montréal préparent un programme de maîtrise.

PROGRAMMES DE MAÎTRISE. Au Canada, le premier programme de maîtrise en sciences infirmières a vu le jour à l'University of Western Ontario, à London, en 1959. En 1961, l'Université McGill lui emboîte le pas. L'Université de Montréal fera de même en 1965, l'Université Laval à partir de la session d'automne 1991 et l'Université de Sherbrooke en 1992. Depuis l'automne 2000, quatre établissements du réseau des Universités du Québec (Chicoutimi, Outaouais, Rimouski et Trois-Rivières) offrent un programme conjoint de diplôme d'études supérieures spécialisées (DESS). Le programme réseau de maîtrise en sciences infirmières a été ajouté à la session d'automne 2001. L'Université du Québec en Abitibi-Témiscamingue offre elle aussi des programmes de deuxième cycle en sciences infirmières.

Les programmes de maîtrise comprennent habituellement 45 crédits et durent de un an et demi à deux ans. Les infirmières qui obtiennent une maîtrise portent le titre d'infirmière clinicienne spécialisée (ICS). De façon générale, les ICS sont formées pour:

1. Concevoir, implanter et coordonner des programmes de soins, et gérer des projets contribuant au renouvellement de la pratique infirmière.
2. Participer à la mesure et à l'évaluation de la qualité des soins infirmiers dans un milieu de pratique.
3. Répondre aux demandes de consultation et de supervision dans diverses situations complexes en matière de soins.
4. Assurer la mise à jour des connaissances et la formation du personnel soignant (Hamric, Spross et Hanson, 2005, cités par D'Amour, Tremblay et Bernier, 2007, p. 283).

PROGRAMMES DE DOCTORAT ET ÉTUDES POSTDOCTORALES. Jusqu'à tout récemment, le choix était limité pour les infirmières québécoises qui désiraient poursuivre des études de troisième cycle en sciences infirmières. De ce fait, un certain nombre d'entre elles ont choisi de faire un doctorat dans une autre discipline (par exemple, en sociologie ou en éducation). Le premier programme de doctorat en sciences infirmières au Québec est mis en œuvre en 1994, grâce à la collaboration de l'Université de Montréal et de l'Université McGill. Au cours de l'année universitaire 1998-1999, 17 étudiantes sont inscrites au programme conjoint de doctorat en sciences infirmières (Cohen *et al.*, 2002, p. 251). Le premier diplôme de doctorat conjoint en sciences infirmières est décerné par l'Université de Montréal en 1997 (Cohen *et al.*, 2002). L'Université Laval a démarré un programme de doctorat en sciences infirmières en 2008. Le contenu et l'approche des programmes de doctorat peuvent varier. Certains sont axés sur les domaines cliniques, comme les soins infirmiers médicaux et chirurgicaux, tandis que d'autres mettent l'accent sur des domaines de pratique non traditionnels, comme les soins infirmiers transculturels; d'autres encore sont centrés

sur le développement de la théorie; cependant, tous ces programmes font une large place à la recherche.

Les docteures en sciences infirmières sont très recherchées, aussi bien par les établissements d'enseignement que par les établissements de soins. En milieu hospitalier, ces infirmières occuperont un poste de clinicienne, de gestionnaire ou de chercheuse. Dans l'enseignement, elles seront en mesure d'intervenir à tous les niveaux, plus particulièrement aux deuxième et troisième cycles universitaires. Après son doctorat, l'infirmière peut poursuivre ses études en effectuant un stage postdoctoral. Les infirmières qui ont effectué un stage postdoctoral sont rares, mais leur nombre devrait augmenter au cours des prochaines années, puisque ce stage est fortement recommandé.

NOUVELLES VOIES DE FORMATION INFIRMIÈRE

Les membres de la Commission d'étude sur les services de santé et les services sociaux (2000), appelée communément «commission Clair», ont reconnu que, pour rendre l'organisation des soins plus souple, il était souhaitable de proposer «un enrichissement du rôle de l'infirmière pratiquant à l'hôpital et ailleurs; la formation et l'intégration graduelle d'infirmières praticiennes (*nurses practitioners*), au moyen de projets d'implantation» (p. 95). La présence d'infirmières praticiennes spécialisées (IPS) permettrait d'améliorer certaines activités en promotion de la santé, en prévention de la maladie et en dépistage ainsi que lors des traitements. Dans ce contexte, de nouveaux domaines de pratique se dessinent pour ces professionnelles de la santé. Dans la *Loi sur les infirmières et les infirmiers,* le législateur utilise le terme «infirmière praticienne en spécialité médicale» pour désigner ces infirmières.

Actuellement, on trouve des infirmières praticiennes spécialisées en cardiologie, en néphrologie, en néonatalogie et en soins de première ligne. À l'avenir, on pourrait en rencontrer en oncologie, en psychiatrie et en gériatrie. La formation des infirmières praticiennes spécialisées se fait au deuxième cycle universitaire. Les programmes de formation de 75 crédits permettent à l'étudiante d'acquérir un solide corpus de connaissances, tant en sciences infirmières qu'en sciences médicales. Les infirmières praticiennes spécialisées en soins de première ligne (IPSPL) sont formées pour:

1. Exercer, en étroite collaboration avec un ou plusieurs médecins de famille, auprès de patients de tous âges, des activités allant de l'évaluation à l'établissement et à l'exécution d'un plan de traitement infirmier et d'un plan de traitement médical.
2. Prescrire les examens diagnostiques et les mesures thérapeutiques nécessaires en vue de traiter les problèmes de santé courants des patients et de leur famille.
3. Assurer, en collaboration avec un médecin partenaire, le suivi des maladies chroniques stables en se basant sur des résultats probants et des consensus d'experts.
4. Exercer des activités liées à la promotion de la santé et à la prévention de la maladie pour différentes clientèles.
5. Pratiquer l'examen médical périodique, évaluer le développement selon l'âge du patient, définir les besoins de celui-ci en matière d'autosoins, émettre des recommandations et répondre ainsi aux besoins de la population en termes de promotion de la santé et de prévention de la maladie (OIIQ et Collège des médecins du Québec [CMQ], 2008, p. 12-13).

PROGRAMMES DE FORMATION DES INFIRMIÈRES AUXILIAIRES AUTORISÉES

Les programmes Santé, assistance et soins infirmiers sont destinés à la formation des infirmières auxiliaires autorisées. Ces programmes de 120 unités sont offerts dans les écoles secondaires et conduisent à un diplôme d'études professionnelles (DEP) en soins infirmiers. Ils permettent à l'étudiante d'acquérir des notions théoriques et pratiques qui lui serviront dans son rôle de soignante. Les infirmières auxiliaires autorisées peuvent travailler dans différents milieux de soins, mais c'est toujours à l'infirmière autorisée que revient la responsabilité d'évaluer l'état des personnes, de planifier les soins et d'évaluer les résultats.

Dans un souci d'harmonisation, le ministère de l'Éducation, du Loisir et des Sports a prévu que les infirmières auxiliaires peuvent poursuivre leur formation en effectuant des études collégiales. Le programme 180.B0 (2007) qui leur est offert tient compte des acquis de leur formation en soins infirmiers. Après avoir satisfait à l'ensemble des exigences de la formation collégiale, elles doivent se présenter à l'examen d'admission à la profession d'infirmière.

Influence des associations d'infirmières sur l'enseignement

L'Association des infirmières et infirmiers du Canada (AIIC) et les ordres professionnels provinciaux exercent une influence considérable sur l'évolution des programmes de formation infirmière au Canada, soit en finançant la recherche, soit en pilotant des projets d'enseignement, soit en collaborant à l'élaboration de certaines politiques. Nous examinerons plus particulièrement la contribution de l'AIIC et celle de l'OIIQ.

ASSOCIATION DES INFIRMIÈRES ET INFIRMIERS DU CANADA

L'AIIC est un organisme pancanadien qui regroupe toutes les associations provinciales d'infirmières, à l'exception de l'OIIQ, qui s'en est dissocié en 1985. Cet organisme s'est investi de différentes façons dans les programmes de formation des infirmières dans le reste du Canada. En 1982, l'AIIC proposait d'établir la règle suivante à partir de 2000 : « la scolarité minimale requise pour entreprendre l'exercice de la profession infirmière devrait être le baccalauréat en sciences infirmières ». Toutes les associations provinciales d'infirmières ont appuyé cet énoncé de politique, sans qu'elles parviennent toutes à rallier l'ensemble de leurs membres. Au cours des dernières années, cette question a fortement divisé les infirmières québécoises.

L'AIIC s'est également engagée dans la formation en mettant en place un programme de certification (encadré 2-3). La **certification** est un processus volontaire et périodique (recertification) par lequel un groupe spécialisé et organisé atteste que les compétences d'une infirmière dans un domaine particulier satisfont aux normes établies par l'AIIC. Il est possible d'obtenir une certification dans l'une ou l'autre des 19 domaines de pratique infirmière. Signalons que la certification ne permet pas d'obtenir de crédits universitaires.

ENCADRÉ 2-3

DÉFINITION ET OBJET DU PROGRAMME DE CERTIFICATION DE L'AIIC

1. Favoriser l'excellence des soins infirmiers dans l'intérêt de la population canadienne en établissant des normes de pratique nationales dans les spécialités infirmières.
2. Donner aux infirmières la possibilité de prouver leur niveau de compétence dans une spécialité/domaine de pratique infirmier.
3. Distinguer, par un titre reconnu, les infirmières qui respectent les normes nationales dans une spécialité/domaine de pratique infirmier.

Source : Association des infirmières et infirmiers du Canada (AIIC). *Certification de l'AIIC*. Document consulté le 23 juillet 2010 de http://www.cna-aiic.ca/CNA/nursing/certification/about/history/default_f.aspx.

ORDRE DES INFIRMIÈRES ET INFIRMIERS DU QUÉBEC

La principale mission des différents ordres professionnels est de veiller à la protection du public. L'OIIQ n'échappe pas à cette mission ; il doit donc s'assurer que les infirmières en exercice donnent des soins qui respectent les normes modernes de pratique. C'est dans ce contexte que l'OIIQ a produit des documents pour baliser d'une manière bien définie les compétences cliniques exigées des infirmières au moment de leur entrée sur le marché du travail.

Nous retenons plus particulièrement ici le cadre de référence proposé dans les *Perspectives de l'exercice de la profession d'infirmière* (OIIQ, 2010b), la *Mosaïque des compétences cliniques de l'infirmière* (OIIQ, 2009) et le document portant sur le champ d'exercice et les activités réservées des infirmières (OIIQ, 2010a). Le premier document précise les assises de la profession (figure 3-1 ■, p. 59) : « Ensemble de croyances et de valeurs, liées à une façon de voir la personne, la santé, l'environnement et le soin, qui orientent l'exercice de la profession d'infirmière » (OIIQ, 2010b, p. 7). Dans le deuxième document, l'OIIQ (2009, p. 7) établit un « modèle permettant de définir les compétences qui, en interagissant les unes avec les autres, cernent le champ de la compétence professionnelle de l'infirmière tant pour l'admission à la profession que pour la spécialisation dans un domaine clinique ». Finalement, le troisième document, soit celui portant sur le champ d'exercice, incluant les activités qui en découlent, témoigne du rôle accru des infirmières en matière de soins de santé. Le champ d'exercice confère aux infirmières « une grande autonomie et reconnaît leur jugement clinique, notamment pour l'évaluation de l'état de santé d'une personne, en leur permettant d'initier des mesures diagnostiques ou des traitements selon une ordonnance ou encore pour la surveillance clinique et le suivi infirmier des personnes présentant des problèmes de santé complexes, y compris la détermination et l'ajustement du plan thérapeutique infirmier (PTI) » (OIIQ, 2010a, p. 32). Un autre élément qui intervient indirectement dans la formation des étudiantes infirmières est le plan directeur de l'examen professionnel. Cet examen vise à « évaluer l'aptitude à exercer des candidates en vue de leur accorder un permis d'exercice » (OIIQ, 1999, p. 3).

Finalement, l'OIIQ participe à différents comités ou à différentes prises de position touchant la formation des infirmières. Bref, l'OIIQ, contrairement à d'autres ordres provinciaux, n'exerce pas de pouvoir direct sur l'élaboration des programmes de formation des infirmières ; par contre, ses différentes interventions lui permettent d'exercer une influence considérable sur les orientations prises par les différentes instances dirigeantes en santé et en éducation.

Enjeux de la formation infirmière

Parmi les enjeux de la formation des infirmières, certains ont trait à l'évolution des besoins de la population et à l'évolution des modes de prestation des soins de santé, alors que d'autres touchent directement les infirmières et les futures infirmières.

ÉVOLUTION DES BESOINS DE LA POPULATION EN MATIÈRE DE SOINS DE SANTÉ

Divers changements sociaux semblent influer sur les orientations de la formation infirmière.

Premièrement, l'augmentation du nombre de personnes qui souffrent d'affections chroniques suppose que les infirmières sont en mesure d'accorder une plus grande place au *caring* (« prendre soin ») par rapport à la guérison dans les soins qu'elles prodiguent. Il faut prendre soin des personnes que les exploits de la médecine moderne permettent de traiter. Dans cette perspective, l'apprentissage d'interventions infirmières qui visent à améliorer la qualité de vie des clients est primordial. Par ailleurs, l'état de ces personnes exige que l'infirmière assume plus régulièrement le rôle d'avocate pour défendre leurs intérêts et leurs valeurs.

Deuxièmement, comme la durée des séjours hospitaliers a considérablement diminué, les clients qu'on renvoie à domicile ont des besoins particuliers en matière de soins complexes. À titre d'exemple, pensons aux antibiothérapies à domicile, qui sont devenus chose courante. L'entourage de ces clients a également des besoins, notamment sur les plans de la formation et du soutien. Dès lors, la formation infirmière doit inclure des cours favorisant davantage l'acquisition du jugement clinique et de l'autonomie. L'infirmière doit être en mesure d'évaluer correctement la situation des personnes concernées, de faciliter leur apprentissage au regard des soins et de les accompagner dans leurs choix en matière de santé. Elle doit également être en mesure de collaborer avec le reste de l'équipe disciplinaire, multidisciplinaire ou interdisciplinaire, afin d'assurer le suivi des soins.

Troisièmement, la population vieillit, et les besoins en matière de soins de proximité deviennent donc plus importants. Les clients veulent vivre dans leur milieu et, le moment venu, y mourir. On doit s'assurer que les programmes de formation permettent à l'étudiante d'acquérir les connaissances nécessaires pour assumer un rôle de gestionnaire de cas ou de suivi systématique, de chargée de programme ou d'agente de développement communautaire. Comme les besoins de la société se transforment, la formation des infirmières devra s'adapter à ces nouvelles réalités.

MODIFICATIONS DANS LES MODES DE PRESTATION DES SOINS DE SANTÉ

Alors que jusqu'à tout récemment les soins se donnaient principalement dans les centres hospitaliers, le virage ambulatoire est venu changer les habitudes. On parle maintenant d'hôpital à domicile, de services ambulatoires, de médecine de jour et de chirurgies d'un jour. Quant aux personnes hospitalisées, elles requièrent des soins fort complexes.

Dans la foulée de ces transformations est apparue la nécessité de pouvoir compter sur des infirmières dotées de solides connaissances théoriques et d'habiletés psychomotrices particulières. Beaucoup d'intervenants croient que le nombre d'infirmières bachelières doit être considérablement augmenté afin de relever les défis. Cette question du niveau de formation reste, encore de nos jours, un sujet de tiraillement au sein même de la profession.

PÉNURIE D'INFIRMIÈRES

Aussi bien au Québec que dans le reste du Canada, la planification de l'effectif infirmier s'est faite de manière très aléatoire pendant des années : les périodes de surplus de personnel ont alterné avec les périodes de pénurie. Ainsi, en 1997 et 1998, c'est afin de pallier un surplus d'infirmières que le ministère de l'Éducation du Québec a contingenté l'admission dans les programmes de formation et que le ministère de la Santé et des Services sociaux a instauré un programme de retraite anticipée.

Comme résultat de ces mesures, on connaît actuellement une pénurie d'infirmières, et les données statistiques laissent présager que celle-ci durera au moins jusqu'en 2015. Bien que le nombre de places disponibles dans les programmes d'études en formation infirmière des différents établissements d'enseignement ait augmenté, le nombre d'infirmières diplômées demeure encore insuffisant, tant pour assurer le remplacement de celles qui prennent ou prendront leur retraite que pour répondre aux besoins en matière de santé.

La pénurie d'infirmières touche plus fortement certaines régions du Québec et certains secteurs de soins infirmiers. Au cours des prochaines années, on s'attend à une demande importante de professeures, de gestionnaires de soins et d'infirmières spécialisées, notamment en cardiologie et en soins intensifs. La pénurie de professeures soulève de graves questions. Où recrutera-t-on les candidates ? Jusqu'à quel point seront-elles préparées ? Auront-elles un diplôme de deuxième cycle, ce qui est plus que souhaitable ?

Les instances gouvernementales pourraient être tentées de réduire la durée de la formation ou d'inclure une spécialisation dans la formation initiale. Cette position va pourtant à l'encontre des tendances observées dans les pays industrialisés. Il faudra poursuivre la réflexion avec les décideurs afin de s'assurer que les infirmières sont formées de façon à répondre adéquatement et efficacement aux besoins changeants de la société.

ÉVOLUTION DÉMOGRAPHIQUE DE LA POPULATION ÉTUDIANTE

La population étudiante des programmes de soins infirmiers et de sciences infirmières change. De plus en plus de personnes au profil non traditionnel s'inscrivent dans les programmes de formation infirmière, notamment des étudiantes plus âgées, des hommes et des personnes ayant certaines limitations.

Par ailleurs, un plus grand nombre d'étudiantes travaillent durant leurs études pour payer leurs frais de scolarité et de subsistance. Ces changements signifient que les professeures doivent répondre à de nouveaux besoins d'apprentissage et que les programmes d'enseignement doivent continuer de s'adapter. Actuellement, on met à l'essai de nouvelles formules qui permettent d'étudier à temps partiel et, donc, de travailler pendant ses études.

PROGRÈS DE LA FORMATION À DISTANCE

Les progrès de la technologie virtuelle et de l'enseignement en ligne, entre autres, permettent d'offrir des activités d'apprentissage flexibles, autonomes et interactives aux étudiantes inscrites à un programme. Grâce aux réseaux informatiques et à Internet, la formation à distance assistée par ordinateur rend accessibles les cours dans des régions éloignées. Par ailleurs, certains programmes d'enseignement intègrent des vidéoconférences et d'autres techniques de formation à distance. Quoi qu'il en soit, il faut s'attendre à ce que la formation des infirmières fasse l'objet de nouvelles remises en question.

Maintien des compétences grâce à la formation continue

Les besoins en soins de santé de la population évoluent et le système de prestation des soins doit suivre cette évolution ; les infirmières doivent donc constamment enrichir leur formation de base, c'est-à-dire leur jugement clinique ainsi que leurs connaissances et leurs habiletés. De fait, les infirmières en exercice doivent respecter les normes professionnelles, fonder leur pratique sur des résultats probants de recherche et, conformément au *Code de déontologie des infirmières et infirmiers*, acquérir de façon constante de nouvelles habiletés et connaissances dans leur champ disciplinaire. La formation continue est la réponse à ces exigences. La **formation continue** désigne les activités d'apprentissage organisées dans lesquelles l'infirmière s'engage après sa formation de base. Ces activités sont habituellement conçues selon l'un ou l'autre des buts suivants :

- Familiariser les infirmières avec de nouvelles techniques ou connaissances. Par exemple, un employeur peut offrir un programme de formation sur les lieux de travail dans le but de familiariser les infirmières avec un nouvel appareil, de nouvelles mesures d'isolement ou de nouvelles méthodes d'application proposées par une infirmière clinicienne. Certains programmes de formation en milieu de travail sont obligatoires, notamment ceux qui touchent la réanimation cardiorespiratoire ou la sécurité en cas d'incendie. On parle alors de « formation en cours d'emploi ».
- Aider les infirmières à acquérir une expertise dans une spécialité (par exemple, soins coronariens ou soins d'urgence). Certaines universités offrent des microprogrammes de formation qui s'adressent aux infirmières en exercice.
- Donner aux infirmières des informations essentielles à leur pratique (par exemple, les aspects juridiques des soins infirmiers).

Bien qu'au moment de l'agrément des centres hospitaliers, une attention particulière soit accordée à la formation en cours d'emploi des infirmières, il faut admettre que ces dernières n'ont pas encore l'obligation de suivre un certain nombre d'unités de formation continue pour le renouvellement de leur inscription au tableau de l'Ordre. Actuellement, la formation continue est la responsabilité de chaque infirmière. L'OIIQ invite chacune d'entre elles à participer volontairement à des activités de formation continue appropriées à son expérience, à son style d'apprentissage et aux exigences de sa pratique. D'ailleurs, depuis quelques années, l'OIIQ propose à ses membres un programme de formation continue dans toutes les régions du Québec. Présentement, les infirmières québécoises ne sont pas obligées de participer à un certain nombre d'unités de formation continue, mais il pourrait en être autrement dans un proche avenir.

Recherche infirmière

Au cours des 50 dernières années, les infirmières chercheuses du Québec se sont intéressées, entre autres, au phénomène de la démence chez les personnes âgées et aux soins offerts par les aidants familiaux, à la santé des femmes et aux conséquences de la violence familiale, à la contraception chez les adolescentes, à la santé des familles, au rôle des membres de la famille dans le maintien de la santé, au développement du nouveau-né et du jeune enfant et à l'évaluation de la douleur (Pepin, 2008). Les résultats des recherches menées par des infirmières contribuent, à n'en pas douter, à l'amélioration des soins donnés aux clients et à l'enrichissement des connaissances propres à la discipline. L'utilisation des résultats de la recherche par les infirmières elles-mêmes comporte au moins deux avantages pour les usagers des services de santé : d'une part, comme les infirmières connaissent mieux les différents problèmes des clients qu'elles soignent, elles sont davantage en mesure de trouver des solutions qui contribuent à améliorer la qualité de vie de la population ; d'autre part, puisque les infirmières deviennent ainsi au fait des progrès de la recherche, elles sont à même d'améliorer leur pratique en la modifiant de façon pertinente. Bref, sur le plan social, on assiste donc à l'amélioration des pratiques de soins et de la santé de la population.

Toutefois, un fossé important sépare toujours les chercheuses des infirmières soignantes : d'une part, les infirmières soignantes se sentent très peu interpellées par les résultats probants de la recherche et n'ont pas tendance à en tenir compte pour modifier leur pratique ; d'autre part, les chercheuses sont souvent préoccupées par des considérations qui ont bien peu à voir avec la pratique. Comment réconcilier ces deux manières d'appréhender la réalité qui sont apparemment contradictoires ?

Différentes tentatives ont été faites afin de déterminer les éléments qui contribuent à cette situation. Pepin *et al.* (2010), reprenant les travaux de Ducharme (2002), les regroupent dans quatre ensembles, selon leurs caractéristiques :

> Les caractéristiques liées aux recherches conduites par les infirmières (« Les recherches répondent-elles à de réelles préoccupations cliniques ? ») ; les caractéristiques de la diffusion des résultats de recherche (« Les résultats de recherche sont-ils facilement accessibles et compréhensibles ? Leur compréhension nécessite-t-elle des habiletés spécifiques ? ») ; les caractéristiques

des utilisatrices et des utilisateurs (« Les infirmières ont-elles la formation nécessaire pour interpréter les résultats ? ») ; les caractéristiques organisationnelles (« Quel soutien les gestionnaires des soins infirmiers accordent-ils à l'innovation clinique ? ») (p. 121).

Cette constatation conduit les chercheuses à explorer différentes avenues afin de se rapprocher des soignantes. Parmi toutes les approches qui font sens pour les chercheuses et les soignantes, on trouve la recherche collaborative. Ce type d'approche permet de valoriser le savoir de chacun des partenaires dans la mise en place de solutions aux problèmes repérés. La figure 2-1 ■, s'inspirant de Desgagné, Bednarz, Couture, Poirier et Lebuis (2001), montre clairement que la pratique et la recherche peuvent faire partie d'une même réalité. L'infirmière soignante et la chercheuse collaborent afin de résoudre certains problèmes posés par les soins. Cette approche collaborative se démarque des modèles habituellement proposés pour décrire les relations qui existent entre la pratique et la recherche. Dans ce genre de démarche, l'infirmière soignante et la chercheuse s'investissent dans une même réalité. Elles sont intimement associées dans le processus de changement. Cette approche théorique élimine l'opposition entre l'univers des infirmières soignantes et celui des chercheuses, l'opposition entre l'action et le discours. Plus précisément, les infirmières soignantes cernent des malaises que les investigatrices en sciences infirmières devraient aider à reconnaître, à définir, à décrire, à explorer, à prédire ou à maîtriser (Loiselle, Profetto-McGrath, Polit et Beck, 2007). Nous examinerons maintenant l'appropriation du langage et de la démarche de recherche par l'infirmière soignante.

Définitions et objectifs

La **recherche en sciences infirmières** est « une investigation systématique conçue pour améliorer les connaissances sur des questions importantes pour la discipline infirmière » (Loiselle *et al.*, 2007, p. 4). La recherche en sciences infirmières contribue à « mettre en lumière des résultats probants liés à des questions cliniques importantes, notamment en matière de pratique, d'enseignement et de gestion des soins infirmiers, ainsi que de santé des populations » (Loiselle *et al.*, 2007, p. 4). Par exemple, l'infirmière soignante pourrait se demander comment elle peut favoriser la capacité d'autosoins des personnes âgées en perte d'autonomie ou pourquoi une attitude d'écoute auprès des mères adolescentes entraîne une meilleure compréhension des consignes relatives à des habitudes de vie saine.

Le but poursuivi permet de distinguer entre la recherche fondamentale et la recherche appliquée. La **recherche fondamentale** (ou **recherche pure**) sert à vérifier des théories, des lois scientifiques, des principes de base. La finalité de ce genre de recherche est d'accroître le savoir et non d'améliorer les pratiques (Fortin, 2010). La **recherche appliquée** consiste plutôt à utiliser les connaissances existantes pour résoudre des problèmes concrets. De nombreuses recherches menées par les infirmières appartiennent à cette seconde catégorie ; elles visent à « trouver des solutions à des problèmes cliniques et à induire des changements dans la pratique des soins » (Ducharme, 2002, p. 384). Par exemple, des infirmières chercheuses peuvent s'intéresser à l'efficacité d'un programme d'enseignement destiné aux nouvelles mamans qui allaitent leur bébé.

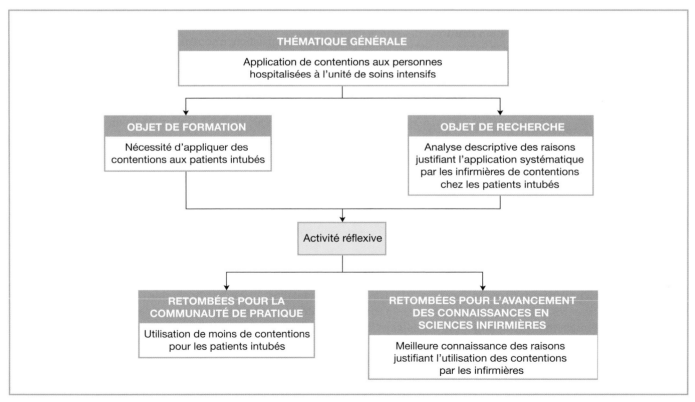

FIGURE 2-1 ■ Schéma de la recherche collaborative s'inspirant de Desgagné *et al.* (2001).

Toutes les infirmières doivent fonder leur pratique sur les résultats de la recherche, et ce, sans égard à leur niveau de scolarité, à leur situation professionnelle, à leur expérience ou à leur domaine de pratique. L'encadré 2-4, inspiré des travaux de Fortin (1996), permet de mieux comprendre la contribution de l'infirmière à la recherche selon son niveau de scolarité.

Historique

DE FLORENCE NIGHTINGALE AUX ANNÉES 1960

On admet communément le fait que Florence Nightingale a été la première chercheuse en soins infirmiers (Loiselle *et al.*, 2007). Dès 1854, elle a montré l'importance de la recherche en mettant l'accent sur la personne à soigner et sur son environnement. Lorsqu'elle arrive en Crimée, en novembre 1854, les unités médicales de l'hôpital militaire sont surpeuplées, sales, infestées de poux et de rats ; on y manque de nourriture, de médicaments et de fournitures médicales essentielles. Dans ces conditions, des hommes meurent de faim et de maladies, telles que la dysenterie, le choléra et le typhus (Woodham-Smith, 1950). En observant rigoureusement la situation, en recueillant des données de manière systématique, en les organisant et en les consignant, Florence Nightingale a disposé de sources d'infor-mations lui permettant de justifier la mise en œuvre de réformes sanitaires qui ont permis de réduire considérablement le taux de mortalité lié aux affections contagieuses.

De 1900 à 1950, les activités de recherche en sciences infirmières au Québec et dans le reste du Canada ne sont pas bien établies. Il faut attendre le début des années 1950 pour voir la recherche en ce domaine prendre de l'importance. Les principaux facteurs qui ont contribué à cet essor sont les suivants : l'augmentation du nombre d'infirmières diplômées des premier et deuxième cycles universitaires, le lancement de la revue américaine *Nursing Research,* la création de programmes visant le financement de la recherche en sciences infirmières aux États-Unis et la reconnaissance de l'importance de la recherche dans ce domaine (Loiselle *et al.*, 2007). Pendant cette période, les résultats de la recherche menée par les infirmières chercheuses permettent de mieux comprendre les infirmières elles-mêmes (caractéristiques personnelles et formation) et leurs conditions de travail.

DE 1960 À NOS JOURS

Pendant la période s'échelonnant de la fin des années 1950 à nos jours, la recherche menée par des infirmières québécoises a connu un essor sans précédent et les problèmes traités se

---

ENCADRÉ 2-4
CONTRIBUTION DE L'INFIRMIÈRE À LA RECHERCHE SELON SON NIVEAU DE SCOLARITÉ

Infirmière titulaire d'un diplôme d'études collégiales

- Participer à la délimitation des situations qui nécessitent d'être modifiées ou améliorées et des situations qui méritent d'être mieux comprises en raison de leurs aspects positifs pour la santé. Par exemple, pourquoi est-il fréquent que les proches aidants souffrent d'isolement ? Comment les groupes de soutien contribuent-ils à favoriser l'acceptation du diabète par les adolescents chez qui ce diagnostic vient d'être posé ?
- Lire des articles scientifiques rapportant des résultats de recherche.
- Participer à des clubs de lecture.
- Intégrer les résultats de la recherche dans sa pratique en vue d'amener des changements.

Infirmière titulaire d'un baccalauréat

- Réaliser les activités relatives au niveau de scolarité précédent.
- Collaborer à la collecte des données nécessaires à la recherche.
- Collaborer à l'évaluation et à l'interprétation des résultats de la recherche.
- Participer à des ateliers de perfectionnement en recherche.
- Participer à la diffusion et à l'utilisation des résultats de la recherche.

Infirmière titulaire d'une maîtrise

- Réaliser les activités relatives aux niveaux de scolarité précédents.
- Collaborer avec les infirmières soignantes dans leur démarche de délimitation des situations qui nécessitent d'être modifiées ou améliorées et des situations qui méritent d'être mieux comprises en raison de leurs aspects positifs, tant en soins infirmiers que dans les autres domaines de la santé.
- Participer à la réalisation de chacune des étapes de la recherche.
- S'assurer que la recherche est conforme à l'éthique.

- Soutenir les infirmières soignantes dans l'implantation des changements dans leur pratique.
- Favoriser l'application des connaissances par différentes actions. Par exemple, former un club de lecture.
- Contribuer à créer un milieu propice à la recherche ; faire en sorte que la recherche soit acceptée, encouragée et facilitée.

Infirmière titulaire d'un doctorat

- Réaliser les activités relatives aux niveaux de scolarité précédents.
- Concevoir des projets de recherche pour répondre à des questions ou résoudre des problèmes en soins infirmiers ou dans d'autres domaines de la santé.
- Coordonner la réalisation de chacune des étapes des projets de recherche.
- Élaborer des explications théoriques au sujet de phénomènes qui touchent les infirmières soignantes.
- Communiquer et diffuser les résultats de ses recherches.
- Soutenir la mise en œuvre des changements dans la pratique des infirmières soignantes.
- Mettre en place des structures qui favorisent la constitution d'équipes de recherche.
- Participer à différents comités (par exemple, en éthique ou en évaluation de projets de recherche).

Infirmière qui a fait un stage postdoctoral

- Réaliser les activités relatives aux niveaux de scolarité précédents.
- Participer à l'élaboration de politiques pour favoriser le financement de la recherche en sciences infirmières.
- Gérer des équipes de recherche.

Source : Cet encadré, adapté par Michèle Côté, s'inspire de l'ouvrage suivant : Fortin, M.-F. (dir.). (1996). *Le processus de la recherche : de la conception à la réalisation.* Montréal : Décarie Éditeur.

sont diversifiés. Pepin (2008) propose de subdiviser cette période en cinq périodes distinctes qui correspondent à autant de jalons dans l'évolution du savoir propre à la discipline infirmière.

La première période correspond à la « systématisation des savoirs pratiques ». On constate que les infirmières chercheuses s'intéressent de plus en plus à l'amélioration des soins aux personnes et à l'étude de problèmes cliniques. En 1969, un premier projet de recherche en sciences infirmières, soumis par Moyra Allen, chercheuse de l'Université McGill, est subventionné par le ministère de la Santé nationale et du Bien-être social (Thibaudeau, 1993). Les travaux menés par Allen vont déboucher sur une approche en soins infirmiers, connue sous le nom de « modèle McGill ». En 1972, une équipe de professeures en sciences infirmières dirigée par Marie-France Thibaudeau de l'Université de Montréal reçoit une subvention pour étudier « le comportement des mères qui ont amené leur enfant de moins de cinq ans à une consultation médicale pour une infection des voies respiratoires supérieures » (Thibaudeau, 1993, p. 213). Les résultats font ressortir que le comportement des mères est influencé plus par les soins globaux de l'infirmière clinicienne que par les soins purement médicaux ou par la structure du service des soins (CLSC, clinique d'urgence de l'hôpital, cabinet de l'omnipraticien) (Thibaudeau, 1993).

La deuxième période correspond à la « constitution de la profession » (Pepin, 2008). Les recherches pendant cette période portent principalement sur l'enseignement au malade, l'enseignement préopératoire et l'enseignement sur l'allaitement, de même que sur les interventions infirmières qui favorisent l'adoption de comportements de santé (Cohen *et al.*, 2002).

La troisième période est nommée par Pepin (2008) « l'élaboration d'une science ». Au début des années 1980, l'impératif de s'engager dans la recherche devient la règle pour les professeures en sciences infirmières des universités québécoises. Les infirmières soumettent des projets à différents organismes qui octroient des subventions. Les recherches menées par les infirmières permettent une meilleure compréhension de différents phénomènes en matière de santé (Pepin, 2008).

La quatrième période correspond à la consolidation de la discipline (Pepin, 2008). Pendant cette période, les chercheuses s'intéressent à des grands domaines comme « la promotion de la santé, la santé des personnes âgées, la santé des femmes, etc. » (Pepin, 2008, p. 82). On note également la constitution de groupes formels de recherche.

Finalement, la cinquième période correspond à « l'essor du questionnement philosophique » (Pepin, 2008). Les chercheuses s'intéressent aux questions éthiques des soins ainsi qu'à des questions politiques. Présentement, on assiste à des regroupements interuniversitaires de chercheuses. Après des débuts plutôt lents, la recherche en sciences infirmières représente de nos jours le fer de lance de l'amélioration de la qualité des soins donnés à la population.

Soutien à la recherche

La recherche en sciences infirmières nécessite de l'argent, et les sources de financement sont très souvent difficiles à obtenir. En effet, la plupart du temps, les sphères de la recherche infir-mière sont peu prioritaires ou ne le sont pas selon les organismes subventionnaires. De plus, certains de ces organismes exigent des chercheuses un profil qu'elles sont justement en train d'acquérir. Pour les nouvelles chercheuses, la situation est encore plus difficile en raison de la concurrence. Par ailleurs, aujourd'hui, les grands organismes qui octroient des subventions encouragent les études interdisciplinaires et les études conjointes, ce qui diminue la possibilité de subventions pour des projets qui portent principalement sur des problèmes de soins infirmiers.

L'OIIQ a bien compris les difficultés que les infirmières chercheuses éprouvent. En 1987, il collabore avec des chercheuses à la mise sur pied de la Fondation de recherche en sciences infirmières du Québec (FRESIQ). Cet organisme a pour mission « de promouvoir l'avancement des sciences infirmières et l'amélioration continue des soins infirmiers au Québec par le soutien à la recherche et au transfert de connaissances » (FRESIQ, 2005). Son but ultime demeure l'amélioration de la santé et du bien-être des Québécoises et des Québécois. Les fonds proviennent de différentes sources, dont les cotisations des membres de l'OIIQ.

Pratique, théorie et recherche

En sciences infirmières, la pratique, la théorie et la recherche sont intimement liées. La pratique soulève des questions ou permet d'émettre des hypothèses ; elle rend possible la vérification empirique des concepts que la recherche contribue à définir. Par ailleurs, la recherche est influencée, d'une part, par la pratique, qui représente les éléments concrets, et, d'autre part, par la théorie, qui fournit les éléments abstraits de la démarche (Pepin *et al.*, 2010). Enfin, la diffusion des résultats de la recherche entraîne leur intégration à la pratique et, s'il y a lieu, à la théorie. De fait, la pratique, la théorie et la recherche sont dans une relation constante, mutuellement enrichissante.

Voici des exemples de questions de recherche qui pourraient transformer les pratiques des infirmières :

- Comment la participation des clients au processus décisionnel peut-elle contribuer à améliorer l'observance thérapeutique ?
- Quels sont les liens entre le lever précoce des clients opérés et les complications d'ordre respiratoire ?
- Quel est l'effet d'un programme visant à diminuer les stimuli chez les bébés prématurés sur la fréquence des complications ?

Pratique fondée sur des résultats probants

Dans leur pratique, les infirmières et les autres professionnels de la santé doivent souvent surmonter l'incertitude et se remettre en question. Par exemple, une plaie de pression au coccyx régressera-t-elle plus rapidement si l'infirmière combine deux traitements, par exemple associer un pansement d'argent Articoat à un dispositif de cicatrisation par pression négative comme VAC ? La consommation accrue de liquides et de fibres peut-elle diminuer le nombre de laxatifs consommés par les personnes âgées hébergées dans une unité de soins prolongés ? La vaccination contre la rougeole, par MMR II, augmentet-elle chez les enfants le risque de développer des problèmes de santé comme l'autisme? L'utilisation de timbres de nicotine aide-t-elle vraiment les adolescentes à arrêter de fumer? Si, traditionnellement, le recours à des ouvrages didactiques, à des documents spécialisés et à la consultation d'experts permettait de répondre adéquatement à ces questions, cette manière de faire est de plus en plus considérée comme insuffisante (Strauss, Richardson, Glasziou et Haynes, 2007). Comme le soulignent Gagnon et Côté (2010), les infirmières ont l'obligation d'accroître l'efficacité de leur pratique de soignante et, pour ce faire, elles doivent être en mesure d'obtenir des réponses rapides et valides à des situations complexes vécues par la clientèle qui fait appel à leur expertise professionnelle. Il y a plus de 50 ans, le Dr Burwell (cité par Strauss *et al.*, 2007, p. 31) disait à des étudiants en médecine de l'Université Harvard: « La moitié de ce que vous apprenez aujourd'hui sera faux dans dix ans, et le problème est qu'aucun de vos enseignants ne sait de quelle moitié il s'agit. »

L'inadéquation des sources traditionnelles d'information destinées aux soignants devrait les inciter à s'appuyer systématiquement sur des résultats probants de recherche. On utilise le terme « résultats probants » plutôt que « données probantes », car la pratique doit se fonder sur les résultats eux-mêmes. Différents auteurs proposent des définitions de la pratique fondée sur des résultats probants. Closs et Cheater (1999) définissent la **pratique fondée sur des résultats probants** comme suit: une approche dans laquelle l'infirmière utilise les meilleurs résultats probants disponibles, tout en tenant compte des préférences des clients, afin d'établir une conduite thérapeutique qui lui assure des soins efficaces et efficients. Pour leur part, Spencely, O'Leary, Chizawsky, Ross et Estabrooks (2008) proposent d'utiliser le terme « **pratique informée par des résultats probants** » afin de bien faire ressortir le fait que l'infirmière doit faire appel non seulement aux résultats issus de la recherche, mais également aux savoirs découlant de son expertise ainsi qu'aux connaissances des clients. Bref, l'infirmière qui fonde ses soins sur des résultats probants doit être en mesure de faire appel, de manière simultanée, à sa compétence et à son expertise clinique personnelle, aux ressources disponibles, aux valeurs et aux caractéristiques des personnes soignées ainsi qu'aux résultats des travaux de recherche récents, dans le but de faire profiter les personnes des dernières découvertes en matière de suivi thérapeutique (Rolfe, 1999). L'utilisation des résultats probants vient renforcer le jugement professionnel en l'étayant (Forum national sur la santé, 1997). Nous utiliserons le terme « **pratique infirmière s'inspirant de résultats probants** », car il permet d'accorder une valeur aux autres composantes de la pratique professionnelle des infirmières soignantes.

ÉTAPES D'UNE PRATIQUE INFIRMIÈRE S'INSPIRANT DE RÉSULTATS PROBANTS

Nous référant à différents auteurs, dont Ciliska, Thomas et Buffett (2008), Melnyk et Fineout-Overholt (2005), et Strauss *et al.* (2007), nous proposons une première familiarisation avec les sept étapes de la démarche menant à une pratique professionnelle s'inspirant de résultats probants (tableau 2-1). La figure 2-2 ∎ illustre, sous forme d'arbre décisionnel, chacune des étapes qui seront expliquées brièvement dans les prochains paragraphes.

REVOIR LA PRATIQUE. La reconnaissance d'une situation qui risque de causer des préjudices au client et à sa famille est le point de départ de toute démarche visant à effectuer une réflexion sur une pratique clinique et éventuellement à la transformer. Cette étape commence donc par une évaluation systématique des problèmes qui découlent d'une pratique clinique insatisfaisante et des avantages qu'une transformation de cette pratique pourraient apporter au client, à sa famille, à l'infirmière et à l'organisation des soins. La question que l'infirmière doit se poser est la suivante: « Comment s'assurer que les clients et leur famille reçoivent les meilleurs soins possible considérant leur état physique et les avancées de la science en la matière? » On doit également tenir compte des coûts pour le système de santé de toute transformation éventuelle, notamment, en raison de l'augmentation du temps de soins et de la consommation de médicaments.

DÉFINIR LA QUESTION. Chaque jour, les professionnels de la santé se posent des questions comme: « Pourquoi est-ce que je fais ce geste de cette manière? » « N'y aurait-il pas d'autres manières plus efficaces de suivre cette méthode de soins? » La formulation d'une question claire est une étape cruciale.

TABLEAU 2-1
ÉTAPES DE LA DÉMARCHE DE RECHERCHE S'INSPIRANT DE RÉSULTATS PROBANTS

Étape		Description
1	Revoir la pratique.	Préciser le problème, les préoccupations, les besoins.
2	Définir la question.	Formuler une question qui comprend les quatre éléments.
3	Repérer les meilleures sources d'information.	Noter les mots clés et vérifier leur pertinence dans les bases de données.
4	Synthétiser les informations.	Lire, comprendre et critiquer le contenu des articles scientifiques recueillis.
5	Appliquer les nouvelles pratiques.	Déterminer si les nouvelles pratiques doivent ou non être adoptées.
6	Évaluer les résultats.	Déterminer si les nouvelles pratiques permettent de répondre à la question de départ.
7	Diffuser et disséminer les résultats.	Prévoir un plan de diffusion et de dissémination des résultats de l'implantation des nouvelles pratiques ou de leur rejet.

2

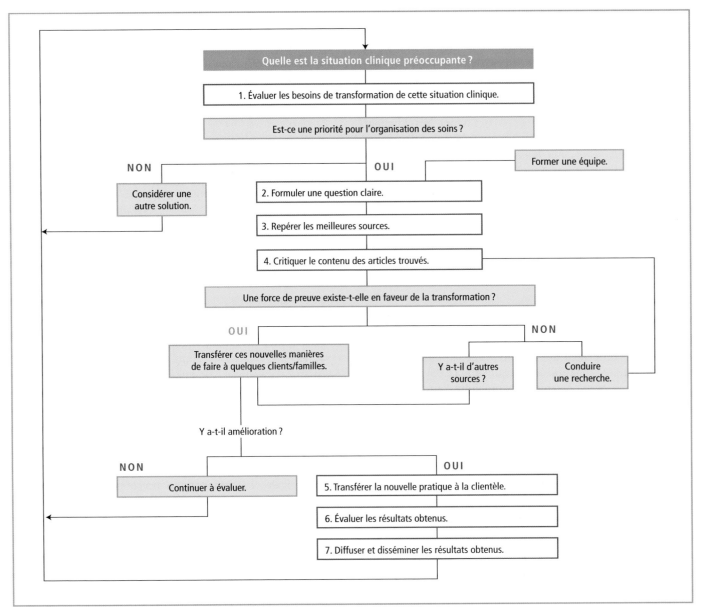

FIGURE 2-2 ■ Arbre décisionnel pour les étapes d'une pratique infirmière s'inspirant de résultats probants.

La question est la pierre angulaire sur laquelle repose une grande partie de la démarche. Comme le remarque Fortin (2010), les chercheuses doivent «poser une question pertinente, significative pour la discipline et pouvant faire l'objet d'une investigation empirique» (p. 130). Une question mal posée conduit souvent vers une impasse. Si elle est trop pointue, vous ne trouverez aucune information sur le sujet alors que si elle est trop vague vous recueillerez une quantité importante d'informations dont la pertinence peut être souvent remise en question. Dans les deux cas, vous risquez fort d'être désappointée. Les informations recueillies ne permettent pas d'apporter des réponses satisfaisantes. Savoir poser correctement une question clinique claire et précise représente donc un défi important.

Selon Greenhalgh (2001), Flemming (1998) et Melnyk et Fineout-Overholt (2005), une question bien définie comprend quatre éléments. L'encadré 2-5 présente les quatre éléments qui devraient se trouver dans votre question de recherche alors que le tableau 2-2 propose un exemple de question qui a été soumise au Bureau de transfert et d'échange de connaissances (BTEC) de l'Université Laval.

REPÉRER LES MEILLEURES SOURCES D'INFORMATION. Cette étape débute par l'identification de mots clés qui sont utilisés pour conduire la recherche de résultats probants. Ceux-ci proviennent de la question de recherche formulée lors de l'étape précédente. Si les mots clés retenus ne permettent pas de trouver un nombre suffisant de documents pertinents, il faut alors les revoir. De plus, il faut s'assurer que les mots clés correspondent bien au sujet de l'étude et qu'ils sont conformes aux spécifications des différentes banques de données utilisées. L'aide d'une bibliothécaire peut grandement faciliter la tâche.

ENCADRÉ 2-5
ÉLÉMENTS D'UNE QUESTION DE RECHERCHE

1. La **population** désigne «l'ensemble des éléments (personnes, objets, spécimens) qui présentent des caractéristiques communes» (Fortin, 2010, p. 601). Il s'agit du «**Qui est impliqué dans la situation ?**».

2. L'**intervention** ou **champ d'intérêt** réfère au changement qui est implanté pour modifier la situation préoccupante (Goulet, Lampron, Morin et Héon, 2004). Très souvent, les recherches ne visent pas à modifier une situation mais à comprendre des phénomènes ou à décrire des situations (le terme «intervention» est remplacé alors par celui de «champ d'intérêt»). Il faut déterminer «**Quelle manœuvre est examinée ?**» ou «**Quels sont les facteurs explicatifs ?**».

3. Les **critères de contrôle ou de comparaison** sont les méthodes ou les procédures mises en place afin de s'assurer que les résultats obtenus sont bien attribuables à l'intervention. Par exemple, l'un des groupes reçoit un placebo, c'est-à-dire un traitement sans effet thérapeutique particulier, alors que l'autre est exposé au traitement expérimental. Selon le type de recherche, cet élément n'est pas toujours présent dans la question.

4. Les **résultats** fournissent des informations issues de l'analyse des données (Fortin, 2010).

TABLEAU 2-2
EXEMPLE D'UNE QUESTION DE RECHERCHE

Situation clinique:
Certaines des personnes hospitalisées à l'unité de soins pour les blessés de la moelle épinière ont connu récemment des épisodes d'infection urinaire nécessitant la prise d'antibiotiques. L'équipe soignante examine la situation et en vient à penser que ces infections obligent à vérifier ce qui existe dans la littérature sur le sujet.

La question pourrait être:
Existe-t-il une relation entre le port d'une sonde vésicale ou les cathétérismes à répétition et les infections urinaires chez les blessés de la moelle épinière ?

Comme il s'agit d'une situation réelle qui a été soumise au BTEC, vous pouvez lire la réponse fournie à l'adresse suivante: http://www.btec.fsi.ulaval.ca/.

Population	Patients ayant une lésion de la moelle épinière
Intervention	Port d'une sonde vésicale Cathétérismes à répétition
Critères de contrôle ou de comparaison	Comparaison entre les deux groupes: comparaison entre les sujets porteurs d'une sonde et ceux qui subissent des cathétérismes
Résultats	Diminution des infections urinaires

Les outils les plus efficaces pour trouver des articles scientifiques, c'est-à-dire des textes qui rapportent des résultats de recherche en sciences infirmières, sont les index informatisés d'articles de revues scientifiques (encadré 2-6). Les bibliothèques mettent à la disposition des usagers des programmes de recherche informatisée. La plupart des outils de recherche de documents sont en anglais; cependant, certains d'entre eux répertorient les articles écrits en français et certains périodiques

ENCADRÉ 2-6
QUELQUES BASES DE DONNÉES ET INDEX INFORMATISÉS QUI RÉPERTORIENT DES RECHERCHES EN SCIENCES INFIRMIÈRES

■ CINAHL (Cumulative Index to Nursing and Allied Health Literature) (http://www.cinahl.com) (sciences infirmières et autres professions de la santé)

■ Medline (Medical Literature On-Line) (http://www.ncbi.nlm.nih.gov/entrez/query.fcgi) (médecine, sciences de la vie et domaine biomédical)

■ PsycINFO (Psychology Information) (http://www.apa.org/psycinfo) (psychologie et disciplines associées)

■ Repère (http://repere.sdm.qc.ca/#focus) (répertoire d'articles en français)

■ Collaboration Cochrane (http://www.cochrane.org/) (revues systématiques en médecine et en soins de santé)

■ Collaboration Campbell (http://www.campbellcollaboration.org/) (revues systématiques dans les domaines de l'éducation, du crime, de la justice et du bien-être social)

■ Google scholar (http://scholar.google.ca/)

proposent au lecteur des résumés en français. En utilisant Internet, il faut prendre les deux précautions suivantes: s'assurer de la crédibilité des sites consultés et vérifier si les informations affichées sont bien à jour. Par ailleurs, le *Canadian Journal of Nursing Research* propose des recherches en sciences infirmières qui se sont déroulées au Canada. Enfin, il faut savoir que bon nombre d'articles sont en version intégrale en ligne. L'encadré 2-7 fournit les coordonnées de quelques revues scientifiques qui publient des travaux de recherche.

Pour effectuer efficacement une recherche de documentation dans Internet, il est préférable de procéder comme suit:

1. Délimiter le plus clairement possible le sujet de la recherche. Il peut s'avérer efficace d'utiliser le titre exact du projet de recherche.

2. Préciser les mots clés ou les concepts. Les titres comportent souvent plusieurs mots clés.

3. Utiliser les opérateurs booléens (par exemple, «et», «ou», «sauf») quand l'outil de recherche le permet. Selon la logique booléenne, le mot «et» précise la question, le mot «ou» élargit le champ de la recherche et le mot «sauf» limite ce dernier.

4. Examiner la liste des documents trouvés et raffiner la recherche s'il y a lieu.

Par ailleurs, il est nécessaire de déterminer la valeur scientifique des périodiques dans lesquels sont publiés les résultats de recherche (van Teijlingen et Hundley, 2002). D'après McKibbon et Mark (1998), il faut se poser les questions suivantes pour pouvoir confirmer la valeur des revues ou des journaux consultés:

■ Les articles soumis à cette revue pour publication sont-ils évalués par des experts dans le domaine ?

■ La portée de cette revue est-elle locale, nationale ou internationale ?

■ Cette revue publie-t-elle habituellement des articles présentant les différents aspects des recherches quantitatives et qualitatives, à savoir la méthodologie retenue, les instruments utilisés, les procédures d'analyse et les résultats obtenus ?

2

A contrario, publie-t-elle des articles généraux, des opinions, des expériences personnelles et des discussions entre professionnels?

SYNTHÉTISER LES INFORMATIONS. L'étape suivante consiste à lire, à comprendre et à critiquer les articles scientifiques trouvés afin de classer les résultats obtenus par les chercheurs.

ENCADRÉ 2-7
QUELQUES REVUES SCIENTIFIQUES QUI CONTIENNENT DES ARTICLES EN VERSION PDF

Périodiques spécialisés en recherche infirmière

- *APORIA La revue en sciences infirmières* (http://www.ruor. uottawa/journals/aporia)
- *L'Infirmière clinicienne* (http://revue-inf.uqar.ca)
- *Canadian Journal of Nursing Research* (http://www.cjnr.nursing. mcgill.ca)
- *Clinical Nursing Research* (http://cnr.sagepub.com)
- *International Journal of Nursing Studies* (http://www.harcourt-international.com/journals/ijns)
- *Nursing Research* (http://ninr.nih.gov/ninr)
- *Western Journal of Nursing Research* (http://wjn.sagepub.com)

Périodiques spécialisés (publient des travaux de recherche infirmière liés à leur spécialité)

- *Canadian Journal of Nursing Leadership* (http://www.nursing-leadership.net)
- *L'Infirmière canadienne/Canadian Nurse* (http://www.infirmiere-canadienne.com)
- *Perspective infirmière* (http://www.oiiq.org/publications/periodiques.asp?catperiodique=perspective)
- *Revue canadienne de santé publique/Canadian Journal of Public Health* (http://www.cpha.ca/francais/cjph/cjph.htm)
- *The Australian Journal of Nursing Education* (http://www.scu. edu.au/schools/nhcp/aejne)

Un **article scientifique** comprend habituellement les sections suivantes : un titre, un résumé, une introduction, les méthodes utilisées pour réaliser l'étude (incluant le devis de recherche, l'échantillon, la collecte et l'analyse des données), la présentation des résultats et l'interprétation.

Les différents articles scientifiques retenus doivent être critiqués afin d'en évaluer la valeur pour la pratique. Il est important d'aborder les résultats publiés avec une bonne dose de scepticisme. Toutes les publications n'ont pas la même valeur scientifique. Les articles scientifiques doivent être classés selon un ordre hiérarchique reconnu. Melnyk et Fineout-Overholt (2005) proposent de classer les articles selon une hiérarchie comportant sept niveaux (tableau 2-3). Le niveau 1 indique que les forces de preuves fournies par les résultats de travaux de recherche sont les plus solides alors que le niveau 7 offre des preuves plus faibles. Toutefois, toutes les hiérarchies ne fonctionnent pas de manière identique. Il faut donc vérifier la hiérarchie utilisée par les chercheurs.

Toutes les infirmières doivent apprendre à faire une appréciation critique des articles publiés dans la littérature scientifique. L'appréciation critique permet à l'infirmière d'évaluer le mérite scientifique d'une étude et de voir comment les résultats de celle-ci pourraient servir à la pratique. Pour faire une appréciation critique, il faut examiner attentivement l'étude, notamment pour déterminer ses points forts et ses lacunes, sa signification statistique et clinique, ainsi que les possibilités de généralisation des résultats (tableau 2-4). Selon Loiselle *et al.* (2007), pour faire l'appréciation critique d'une recherche quantitative, il faut se poser des questions sur les aspects suivants : contribution, théorie, méthodologie, interprétation, éthique, limites, présentation et style.

- *Contribution.* Le problème étudié est-il observé fréquemment par les infirmières? Quelle est la signification du problème pour les soignantes? La recherche apporte-t-elle une contribution importante à l'amélioration des soins?

TABLEAU 2-3
HIÉRARCHIE DES NIVEAUX DE PREUVES DES RÉSULTATS PROBANTS S'INSPIRANT DE MELNYK ET FINEOUT-OVERHOLT (2005)

Niveau	Type de documents
1	Revues systématiques d'études cliniques aléatoires (ECA) Une **revue systématique** est une compilation exhaustive, opérationnelle, reproductible et objective des recherches sur un sujet. Elle permet de consolider les connaissances sur un sujet (Lacroix, Litalien et Roy, 2006, p. 9).
2	Études cliniques aléatoires simples
3	Études cliniques quasi expérimentales (sans répartition au hasard des groupes expérimentaux ou témoins)
4	Études de cas-témoin ou de cohorte analytique
5	Revues systématiques de recherches descriptives ou qualitatives
6	Études descriptives ou qualitatives
7	Observations cliniques non systématiques, consensus d'experts ou rapports de comités

Source : Ce tableau, adapté par Michèle Côté, s'inspire de l'ouvrage suivant : Melnyk, B. M., et Fineout-Overholt, E. (2005). *Evidence-based practice in nursing & healthcare : A guide to best practice*. Philadelphie : Lippincott Williams & Wilkins.

TABLEAU 2-4
LECTURE CRITIQUE D'UN ARTICLE DE RECHERCHE

Questions à se poser	Façon de trouver des réponses
Le contenu semble-t-il intéressant? Est-il lié à ma pratique?	Lire le résumé.
Quand a-t-on fait la recherche? S'agit-il d'une recherche classique, actuelle ou désuète?	Vérifier la date de publication.
Quelle est la question de recherche?	Lire l'énoncé du problème.
Quelle est la méthode de recherche utilisée: quantitative, qualitative ou une combinaison des deux?	Lire la section qui porte sur la méthodologie.
Comment a-t-on choisi le groupe de sujets?	Lire la section qui porte sur l'échantillonnage. Examiner les tableaux qui décrivent le groupe de sujets.
Comment a-t-on protégé les droits des participants?	Lire la section qui porte sur l'éthique.
Quelles sont les caractéristiques du groupe étudié?	Lire les sections qui portent sur la méthodologie et sur les résultats.
D'où viennent les données utilisées?	Lire les sections qui portent sur la collecte des données et sur les résultats.
Quelles données a-t-on recueillies? Quelles méthodes d'analyse des données a-t-on utilisées? Quels sont les résultats de l'étude?	Examiner les tableaux et les figures.
Suis-je d'accord avec les conclusions des auteurs de l'étude?	Se demander si les résultats peuvent être utiles à sa propre pratique.

- *Théorie.* La théorie retenue fournit-elle un cadre adéquat permettant de définir les concepts étudiés? Permet-elle de répondre à la question de recherche? Fournit-elle des informations sur les méthodes à utiliser?
- *Méthodologie.* La taille de l'échantillon est-elle représentative de la population étudiée? Les outils utilisés permettent-ils de recueillir des matériaux pertinents pour répondre aux questions de la chercheuse? Les instruments sont-ils valides et fidèles ou fiables? Les méthodes d'analyse des données sont-elles appropriées?
- *Interprétation.* La chercheuse a-t-elle interprété adéquatement les données? Les liens entre les questions ou les hypothèses de départ et les résultats sont-ils mis en lumière? Les conclusions sont-elles en lien avec les données?
- *Éthique.* Les droits des participants à l'étude ont-ils été protégés?
- *Limites.* La chercheuse précise-t-elle la portée et les limites de l'étude?
- *Présentation et style.* Le texte est-il construit selon un plan logique? Le vocabulaire utilisé est-il compréhensible?

APPLIQUER LES NOUVELLES PRATIQUES. En vous appuyant sur les résultats obtenus, vous êtes maintenant en mesure de répondre à la question suivante: quelle force de preuve existe-t-il en faveur de la transformation de la pratique clinique examinée? Cette question se situe au carrefour de votre démarche.

Dans l'éventualité où les forces de preuves sont faibles, quatre avenues s'offrent à vous.
- La première est le maintien du *statu quo*.

- La seconde est de vérifier à nouveau dans les différentes sources d'informations si certains documents ne vous auraient pas échappé.
- La troisième est d'adapter tout de même la pratique en vous rappelant qu'il faudra éventuellement vérifier les avancées de la science dans ce domaine.
- La quatrième est de soumettre la question à des chercheurs qui mèneront une recherche sur le sujet.

Dans le cas où les forces de preuves sont solides, deux options doivent être examinées.
- La première est le maintien du *statu quo* en dépit du fait qu'il y a de meilleures manières de donner les soins.
- La seconde est la transformation de la pratique actuelle de soins à la lumière des résultats probants.

ÉVALUER LES RÉSULTATS. Toutes les modifications des pratiques de soins demandent à être évaluées afin de s'assurer de leur efficacité et de leur efficience. Trop souvent, cette étape est escamotée ou réalisée d'une manière approximative. Étant donné son importance, il est judicieux de planifier la démarche d'évaluation dès le début. Ainsi vous serez en mesure de comparer la situation avant et après la mise en œuvre de la nouvelle pratique (Goulet *et al.*, 2004).

DIFFUSER ET DISSÉMINER LES RÉSULTATS. La démarche est incomplète sans la diffusion et la dissémination des résultats de la recherche relativement au changement de pratique. La diffusion des connaissances consiste à communiquer les résultats de la recherche par les moyens traditionnels, comme la publication d'un article dans le journal du milieu de soins et les présentations à des conférences. La dissémination des connaissances, selon la Fondation canadienne de la recherche sur les services de santé (FCRSS, 2004), va beaucoup plus loin; «elle consiste à dégager les principaux messages et les implications qui découlent des résultats de la recherche et à les communiquer à des groupes de décideurs ciblés ainsi qu'à d'autres intervenants de façon à encourager ceux-ci à les utiliser dans leur travail».

Approches de recherche

Les deux principales approches de recherche sont la recherche quantitative et la recherche qualitative. Toutefois, cette section serait incomplète si elle ne mentionnait pas la recherche mixte, qui occupe une place de plus en plus importante dans la recherche en sciences infirmières. La **recherche quantitative** est utilisée lorsque l'objet de recherche se prête à la vérification à l'aide de techniques mathématiques pour «quantifier» et décrire, comparer ou prédire diverses situations relevant du domaine de la santé ou des services de soins de santé (Davies et Logan, 2011). La **recherche qualitative** permet d'étudier des phénomènes dans leur milieu naturel d'apparition et d'interpréter la signification que les gens y accordent. Les deux méthodes découlent de conceptions différentes et recourent à des techniques distinctes de collecte et d'analyse des données. La **recherche mixte**, aussi appelée «devis mixte», combine dans une même étude, mais à des degrés divers, des approches quantitatives et des approches qualitatives (Larue *et al.*, 2009). Les approches mixtes sont utilisées lorsque les chercheuses souhaitent obtenir le portrait complet d'une situation complexe.

RECHERCHE QUANTITATIVE

La recherche quantitative désigne l'étude de phénomènes qui se prêtent à une mesure et à une quantification précises, ce qui nécessite habituellement une méthodologie rigoureuse et maîtrisée (Loiselle *et al.*, 2007). Cette approche permet à la chercheuse de décrire ou de vérifier des relations entre des variables, ou encore d'examiner les changements subis par une variable dépendante à la suite de l'introduction d'une variable indépendante (Fortin, 2010). On parle alors de relation de cause à effet (ou relation causale). Par ailleurs, la relation entre les variables étudiées peut être une relation associative ou une relation fonctionnelle (Loiselle *et al.*, 2007). En recherche quantitative, on recueille habituellement les données avec des méthodes structurées et on les analyse à l'aide de procédés statistiques.

Voici des exemples de questions de recherche qui se prêtent à une investigation d'orientation quantitative:
- Quel est l'effet des visites d'une infirmière à domicile sur les compétences parentales des mères adolescentes? (relation de causalité)
- Chez les personnes âgées, le fait de se bercer provoque-t-il des changements physiologiques qui entraînent la relaxation? (relation d'association)
- Quel est l'effet des interventions en soutien social sur l'adaptation des nouvelles infirmières qui travaillent aux soins intensifs? (relation de causalité)

Le tableau 2-5 présente la hiérarchie des niveaux en recherche quantitative selon les buts poursuivis et la nature du devis. Ce tableau s'inspire des travaux de Fortin (2010).

RECHERCHE QUALITATIVE

La recherche qualitative consiste à étudier des phénomènes, habituellement de manière détaillée et holistique, en recueillant beaucoup de matériel narratif selon une méthodologie flexible (Fortin, 2010). La recherche qualitative est le plus souvent associée au *courant naturaliste,* qui a d'abord vu le jour en opposition au positivisme. On regroupe sous l'étiquette «recherche qualitative» différentes méthodes, notamment l'**étude phénoménologique**, la **théorie ancrée** (*grounded theory*), l'**ethnométhodologie**, les recherches ethnographiques, la recherche-action

TABLEAU 2-5
HIÉRARCHIE DES NIVEAUX EN RECHERCHE QUANTITATIVE

Niveau	Nature du devis	Buts	Type de questions
I	Exploratoire Descriptif	Reconnaître. Nommer. Décrire. Découvrir. Se familiariser.	Qu'est-ce que c'est? Quel est? Quelles sont les perceptions?
II	Descriptif Descriptif-corrélatif	Décrire les variables et les relations découvertes.	Existe-t-il des relations entre les variables?
III	Corrélatif Non expérimental Prédictif	Préciser la relation entre les variables.	Qu'arriverait-il si une telle relation existait?
IV	Quasi expérimental Expérimental	Prédire une relation de cause à effet.	Si j'introduisais tel traitement, que se passerait-il?

Sources: Ce tableau, adapté par Michèle Côté, s'inspire des ouvrages suivants: Fortin, M.-F. (dir.). (2010). *Fondements et étapes du processus de recherche. Méthodes quantitatives et qualitatives* (2e éd.). Montréal: Chenelière Éducation; Munhall, P. L. (2007). *Nursing research: A qualitative perspective* (3e éd.). Sudbury: Jones and Bartlett Publishers.

et les recherches historiques. Bien que ces méthodes aient en commun certaines caractéristiques, elles poursuivent des objectifs différents. Le tableau 2-6 présente des devis qualitatifs utilisés fréquemment en sciences infirmières.

En recherche qualitative, la relation entre la chercheuse et la population étudiée est différente de celle qui caractérise les recherches quantitatives. La chercheuse reconnaît que la personne observée possède un savoir et qu'elle est productrice de sens. Ainsi, les chercheuses rencontreront des personnes qui ont fait l'expérience d'un phénomène particulier (par exemple, tentative de suicide, fausse couche, affection grave), qui possèdent une expérience dans un domaine précis (par exemple, travail en établissement carcéral) ou qui partagent une même culture (par exemple, membres d'un club de l'âge d'or) (Rousseau et Saillant, 1996). Pour réaliser la collecte des données, la chercheuse utilise des instruments souples, comme l'entrevue non dirigée, l'histoire de cas ou la sélection d'événements critiques. L'analyse des données ne vise pas à établir des relations, mais elle cherche plutôt à dégager les thèmes et les tendances qui émergent de ces données.

Voici quelques exemples de questions de recherche qui se prêtent à une investigation d'orientation qualitative :

- Comment les personnes souffrant de diabète et d'hypertension appréhendent-elles le fait de devenir des malades chroniques ? (théorie ancrée)
- Comment les mères vivent-elles la mort subite d'un nouveau-né ? (étude phénoménologique)
- Comment des hommes atteints d'affections cardiaques chroniques décrivent-ils leur expérience d'hospitalisation pour une affection aiguë ? (ethnométhodologie)
- Comment les adolescentes construisent-elles leur « devenir-femme » ? (théorie ancrée)

RECHERCHE MIXTE

Les méthodes mixtes combinent des approches quantitatives et qualitatives à divers degrés d'intégration au niveau de chacune des étapes du processus de la recherche, de la collecte des données à leur analyse, interprétation et discussion (Larue et al., 2009). Bien que les méthodes mixtes soient de plus en plus populaires auprès des chercheuses en sciences infirmières, il faut retenir que leur utilisation doit être justifiée par les questions de recherche soulevées. De plus, l'utilisation de méthodes mixtes dicte une très bonne connaissance des méthodes quantitatives et qualitatives et beaucoup de rigueur. Toutefois, avant de conclure que le devis de recherche utilisé est mixte, il faut s'assurer que les chercheuses ont bien décrit les moments stratégiques d'intégration tout au long de la démarche de recherche. Par conséquent, il ne suffit pas de dire qu'on a recueilli des données quantitatives et qualitatives pour revendiquer l'utilisation d'une approche mixte.

Voici un exemple de recherche mixte :

- Quelle est la fréquence de l'utilisation de contentions physiques chez les personnes âgées hospitalisées dans une unité de gériatrie active (étude quantitative) et quelles sont les réactions des proches aidants (étude qualitative) ?

Processus de recherche

Comme nous l'avons déjà mentionné, le choix d'une approche de recherche est largement influencé par l'objet de recherche lui-même. Toutefois, que l'approche utilisée soit quantitative ou qualitative, la chercheuse doit toujours planifier la recherche méticuleusement, l'exécuter de manière systématique et analyser les résultats soigneusement. On peut découper chaque processus de recherche en phases et en étapes.

TABLEAU 2-6
DEVIS QUALITATIFS FRÉQUEMMENT UTILISÉS EN SCIENCES INFIRMIÈRES

Type de recherche	Origine épistémologique	Description sommaire
Phénoménologie	Philosophie/psychologie	Décrire les significations des expériences vécues dans le quotidien.
Théorisation ancrée	Sociologie et interactionnisme symbolique	Examiner un processus et générer une théorie à partir de phénomènes vécus.
Ethnographie	Anthropologie	Décrire un phénomène culturel à partir du point de vue des personnes.
Recherche-action	Sociologie critique et théorie	Mettre en place une intervention définie par les participants et la chercheuse, et qui permet d'apporter des changements.
Étude de cas	Sciences politiques, sociologie et anthropologie	Examiner de manière détaillée et complète une situation (cas) dans le quotidien.
Historique	Histoire	Mettre en lumière des relations entre des événements ou des faits passés.

Sources : Ce tableau, adapté par Michèle Côté, s'inspire des ouvrages suivants : Davies, B., et Logan, J. (2011). *Lire des textes de recherche. Guide convivial pour infirmiers et autres professionnels de la santé* (4e éd.), Traduit par G. Coutu-Wakulczyk. Toronto : Elsevier Mosby ; Noiseux, S. (2010). *Le devis de recherche qualitative. Fondements et étapes du processus de recherche. Méthodes quantitatives et qualitatives* (2e éd.) (p. 267-289). Montréal : Chenelière Éducation.

2

PHASES DE LA RECHERCHE QUANTITATIVE

La recherche quantitative se déroule en quatre phases: phase conceptuelle, phase méthodologique, phase empirique et phase de diffusion (encadré 2-8). Le déroulement présenté est une adaptation qui s'inspire des travaux de Fortin (2010), de Loiselle *et al.* (2007) ainsi que de Polit, Beck et Hungler (2004).

PHASE 1 OU PHASE CONCEPTUELLE

Étape 1 – Formuler le problème et délimiter le sujet de recherche. La première tâche d'une chercheuse est de réduire un domaine d'intérêt à un problème précis qui exprime de manière exacte l'objet de l'étude. Loiselle *et al.* (2007) proposent de s'interroger sur les dimensions suivantes avant de commencer une recherche:

- La signification: ce problème est-il important pour l'amélioration des soins ou la consolidation de la théorie?
- La méthodologie: quelle méthode de recherche permet la meilleure appréhension du problème?

ENCADRÉ 2-8
PHASES DE LA RECHERCHE QUANTITATIVE

Phase 1 ou phase conceptuelle

Étape 1 – Formuler le problème et délimiter le sujet de recherche.

Étape 2 – Recenser la littérature portant sur le problème.

Étape 3 – Discuter du problème avec les infirmières soignantes.

Étape 4 – Définir le cadre théorique.

Étape 5 – Formuler le but, les questions de recherche ou les hypothèses.

Phase 2 ou phase méthodologique

Étape 6 – Élaborer le devis de recherche.

Étape 7 – Déterminer la population à étudier et l'échantillon.

Étape 8 – Définir les variables.

Étape 9 – Établir les méthodes de collecte et d'analyse des données.

Étape 10 – Rédiger le protocole en matière d'éthique afin d'assurer la protection des participants.

Étape 11 – Réaliser une étude pilote et procéder aux ajustements nécessaires.

Phase 3 ou phase empirique

Étape 12 – Recueillir les données.

Étape 13 – Organiser les données pour l'analyse.

Étape 14 – Analyser les données.

Étape 15 – Interpréter les résultats.

Phase 4 ou phase de diffusion

Étape 16 – Communiquer les résultats de la recherche.

Étape 17 – Disséminer les résultats de la recherche (diffusion).

Sources: Cet encadré et le texte des sections correspondantes, adaptés par Michèle Côté, s'inspirent des ouvrages suivants: Fortin, M.-F. (dir.). (2010). *Fondements et étapes du processus de recherche. Méthodes quantitatives et qualitatives* (2ᵉ éd.). Montréal: Chenelière Éducation; Loiselle, C. G., Profetto-McGrath, J., Polit, D. F., et Beck, C. T. (2007). *Méthodes de recherche en sciences infirmières. Approches quantitatives et qualitatives*. Montréal: ERPI; Polit, D. F., Beck, C. T., et Hungler, B. P. (2004). *Nursing research: Principles and methods* (7ᵉ éd.). Philadelphie: Lippincott Williams & Wilkins.

- La faisabilité: des ressources (temps, argent, personnel) sont-elles disponibles pour conduire cette recherche?
- L'éthique: cette recherche comporte-t-elle des risques de préjudice pour les individus de la population étudiée?

Étape 2 – Recenser la littérature portant sur le problème. Au cours de cette étape, la chercheuse circonscrit le problème à étudier: ce qu'on sait et ce qu'on ne sait pas. Le recensement de la littérature scientifique selon la méthode quantitative permet d'établir les bases auxquelles on ajoutera de nouvelles connaissances. De plus, en analysant la littérature écrite sur le sujet, la chercheuse se renseignera sur les techniques, les instruments et les méthodes d'analyse des données qui ont déjà été utilisés; elle pourra également en savoir davantage sur les difficultés ou les lacunes liées au sujet de recherche et sur la façon de les éviter.

Étape 3 – Discuter du problème avec les infirmières soignantes. La chercheuse vérifie si le problème est bien ancré dans la réalité de la pratique (Polit *et al.*, 2004). Elle tente de créer des liens privilégiés avec les infirmières et d'obtenir leur collaboration.

Étape 4 – Définir le cadre théorique. Le cadre théorique permet d'expliquer les relations existant entre les différents concepts étudiés. Il sert à préciser la perspective dans laquelle le problème sera étudié et situe l'étude dans un contexte significatif (Fortin, 2010). Il faut faire la distinction entre le cadre théorique et le cadre conceptuel: le premier permet d'expliquer les relations entre les concepts, alors que le second fait référence aux concepts provenant de théories, d'expériences ou de recherches antérieures (Fortin, 2010).

Étape 5 – Formuler le but, les questions de recherche ou les hypothèses. Le but de l'étude indique les éléments suivants: la délimitation du travail de recherche, la sélection des sujets étudiés et la planification de la collecte des données. Par la suite, la chercheuse est prête à formuler la question de recherche. Ainsi, si elle veut avoir davantage de données sur une problématique particulière, elle pourrait poser la question suivante (description de situation): «Quels sont les modèles de communication utilisés par les infirmières qui travaillent avec des personnes en phase terminale?» Lorsque la chercheuse conduit une recherche expérimentale ou quasi expérimentale, elle doit formuler également une hypothèse au sujet des résultats attendus. Les analyses statistiques appliquées aux données permettront de vérifier cette hypothèse. Par exemple, l'hypothèse suivante est vérifiable: «Les membres de la famille des clients hospitalisés dans une unité de soins palliatifs qui participent à des groupes de soutien ont des stratégies d'adaptation plus positives que ceux qui n'y participent pas.» La formulation de la question de recherche ainsi que de l'hypothèse doit toujours être claire et précise.

PHASE 2 OU PHASE MÉTHODOLOGIQUE

Étape 6 – Élaborer le devis de recherche. Le devis de recherche ou la stratégie d'investigation permettra de «répondre aux questions de recherche ou de vérifier des hypothèses» (Fortin, 2010, p. 596). Il doit préciser la méthodologie utilisée, l'échantillonnage, les différentes méthodes de contrôle mises en place afin de s'assurer de l'authenticité des résultats obtenus, les méthodes de collecte des données et les méthodes d'analyse (Fortin, 2010).

Étape 7 – Déterminer la population à étudier et l'échantillon. La **population** inclut tous les éléments (personnes, groupes, objets) qui satisfont aux critères de l'étude. L'**échantillon** est le segment de population visé par la collecte des données. La chercheuse détermine la population à l'étude, précise les critères de l'échantillonnage et détermine la taille de l'échantillon.

Étape 8 – Définir les variables. On conduit une recherche quantitative dans le but de déterminer des variables (recherche descriptive), de vérifier la relation entre des variables (recherche corrélative) ou de vérifier les façons de modifier des variables (recherche quasi expérimentale ou expérimentale). À cette étape de la recherche, il s'agit de définir les variables (données à recueillir) de manière claire et opérationnelle, et de préciser comment ces variables seront observées (mesures physiologiques, entrevues, observation et autres méthodes) (Loiselle *et al.*, 2007).

Étape 9 – Établir les méthodes de collecte et d'analyse des données. D'abord, la chercheuse décrit les différents outils qui seront utilisés pour recueillir les données ou mesurer les variables visées par l'étude. Elle précise la **validité** des outils, à savoir le degré d'adéquation entre ce qu'un instrument mesure et ce qu'il est censé mesurer, et leur **fiabilité** ou **fidélité**, à savoir le degré de constance avec lequel un instrument mesure un concept ou une variable. Les méthodes de collecte des données les plus couramment utilisées par les chercheuses en sciences infirmières sont les suivantes : entrevues, questionnaires, grilles d'observation, échelles de mesure et mesures biophysiques. La chercheuse doit préciser également la méthode d'analyse des données. Cette analyse peut comporter l'utilisation de la statistique descriptive ou de la statistique déductive. La **statistique descriptive** est un ensemble de méthodes qui permet de synthétiser une grande quantité de données. On l'utilise pour décrire et condenser des résultats, pour faire ressortir des tendances et des orientations. Elle comprend les **mesures de tendance centrale (moyenne, médiane** et **mode)** et les **mesures de dispersion (mesures de variabilité) (étendue, écart type** et **variance)** (encadré 2-9).

ENCADRÉ 2-9
MESURES DES SÉRIES STATISTIQUES

Mesures de tendance centrale

Moyenne Somme de toutes les valeurs d'une série statistique divisée par le nombre de valeurs. Habituellement notée $\bar{X}$ ou M.

Médiane Valeur située exactement au milieu d'une série statistique ; elle sépare la série en deux groupes de valeurs égaux.

Mode Valeur la plus fréquente d'une série statistique.

Mesures de dispersion (mesures de variabilité)

Étendue Différence entre la plus grande valeur et la plus petite valeur d'une série statistique.

Écart type Mesure de dispersion la plus utilisée ; moyenne des écarts par rapport à la moyenne arithmétique d'une série statistique. Habituellement notée SD ou S.

Variance Valeur égale au carré de l'écart type.

Étape 10 – Rédiger le protocole en matière d'éthique afin d'assurer la protection des participants. La chercheuse a la responsabilité de s'assurer que l'étude ne présente aucun danger pour l'intégrité des individus qui y participeront. Elle doit soumettre son projet de recherche aux différents comités d'éthique concernés et y apporter les modifications demandées (Polit *et al.*, 2004). Plus loin, nous traitons des droits des personnes qui participent à une recherche.

Étape 11 – Réaliser une étude pilote et procéder aux ajustements nécessaires. L'étude pilote est une « répétition », une mise à l'essai de la véritable étude auprès d'un nombre restreint de personnes. Elle permet à la chercheuse de déceler les difficultés et les lacunes de son projet, de façon à pouvoir apporter des améliorations à son devis et à sa méthodologie avant d'entreprendre véritablement l'étude (Polit *et al.*, 2004).

PHASE 3 OU PHASE EMPIRIQUE

Étape 12 – Recueillir les données. La collecte des données doit respecter le devis établi dans les étapes antérieures. Au cours de cette étape, la chercheuse doit obtenir le consentement des participants à la recherche.

Étape 13 – Organiser les données pour l'analyse. Avant d'entreprendre l'analyse des matériaux recueillis pendant l'étape précédente, il faut les classer et les coder. Après cette opération, le matériau pourra être traité à l'aide de logiciels de recherche. Ainsi, lorsqu'un répondant indique son sexe par « femme » ou « homme », il faut coder cette donnée brute (par exemple, « 1 » pour femme et « 2 » pour homme) afin de pouvoir la traiter par des moyens informatiques.

Étape 14 – Analyser les données. Au moment de l'analyse, la question de recherche ou l'hypothèse formulée au départ aide la chercheuse à déterminer les variables et les liens qui les unissent. Quelle que soit la méthode d'analyse employée, elle doit être objective. Cela veut dire que le système de mesure doit donner les mêmes résultats, quelle que soit la personne qui l'utilise. Au terme de l'analyse des données, la chercheuse doit déterminer si les résultats sont attribuables à l'intervention ou au hasard. S'il s'agit de **résultats statistiquement significatifs**, il est probable que les changements sont attribuables à l'intervention.

Étape 15 – Interpréter les résultats. Quelle signification peut-on donner aux résultats obtenus ? À cette étape, la chercheuse tente d'expliquer les résultats de sa recherche, qu'elle compare ensuite avec les résultats d'études antérieures sur le même sujet ou sur un sujet semblable. Elle doit relever tous les résultats inattendus. Elle doit aussi signaler les difficultés éprouvées au cours de l'étude et toutes les limites susceptibles d'avoir influé sur les résultats. Enfin, elle expose la portée de ses résultats pour la pratique, l'administration et l'enseignement. C'est également à cette étape qu'elle propose des façons d'aborder le phénomène à l'avenir.

PHASE 4 OU PHASE DE DIFFUSION

Étape 16 – Communiquer les résultats de la recherche. Les chercheuses doivent prévoir un plan de diffusion des résultats de la recherche. Une manière efficace de rejoindre un grand nombre d'infirmières est sans aucun doute la publication des résultats

2

de recherche dans une revue infirmière, notamment *Perspective infirmière*. La FCRSS (2004) recommande d'inclure les points suivants dans l'élaboration d'un plan de diffusion : décrire le milieu ou le contexte actuel qui a motivé la recherche ; exposer brièvement l'essentiel du projet ; préciser les objectifs de diffusion ; préciser les publics cibles ; élaborer des messages clairs, simples et centrés sur l'action ; déterminer des porte-parole influents ; décrire les activités ; préciser le budget ; prévoir l'évaluation des activités.

Étape 17 – Disséminer les résultats de la recherche (diffusion). Les chercheuses devraient prévoir aussi un plan de dissémination des résultats afin de toucher différents publics cibles.

PHASES DE LA RECHERCHE QUALITATIVE

Tout comme la recherche quantitative, la recherche qualitative est soumise à des critères scientifiques. On parle alors de « crédibilité », de « fiabilité », de « transférabilité » et de « confirmabilité » (Fortin, 2010, p. 256). La recherche qualitative comporte trois phases : conception et planification ; conduite de l'étude ; diffusion et dissémination des résultats (encadré 2-10). Il est à noter que ces phases s'effectuent souvent de manière simultanée ou itérative (Fortin, 2010).

PHASE 1 OU PHASE DE CONCEPTION ET DE PLANIFICATION

Étape 1 – Déterminer un problème de recherche. Tout comme une recherche quantitative, une recherche qualitative débute par la délimitation d'un problème de recherche. Toutefois, selon la méthodologie retenue, les problèmes seront abordés sous un angle d'observation différent. Par exemple, une chercheuse peut être intéressée à décrire un phénomène, à préciser un processus ou à comprendre une situation atypique. Il faut souligner que les problèmes en recherche qualitative sont habituellement peu documentés.

Étape 2 – Recenser la littérature portant sur le problème. La revue de la documentation se fait en deux temps. D'abord, la chercheuse examine la littérature pour établir quelques points de repère d'ordre général. Il n'est pas question d'avoir un cadre de référence strict, car la chercheuse doit respecter une certaine objectivité par rapport au phénomène étudié. Au cours de l'analyse des données, elle procède à une seconde revue de la documentation. À ce moment, la revue de la littérature permet de confronter les données obtenues avec les résultats d'autres recherches.

Étape 3 – Choisir l'endroit où se fera la recherche et se faire accepter par les personnes concernées. La chercheuse doit déterminer l'endroit où sera menée la recherche (par exemple, dans la rue, une clinique, une résidence pour personnes âgées ou des habitations à loyer modique). Si une chercheuse veut mener une recherche auprès des jeunes prostituées afin de connaître leurs habitudes en matière de méthodes prophylactiques contre les infections transmissibles sexuellement et par le sang (ITSS), elle doit d'abord se renseigner sur les endroits où elle peut rencontrer ces personnes et ensuite se faire accepter par elles.

PHASE 2 OU PHASE DE CONDUITE DE L'ÉTUDE. La recherche qualitative commence par la rencontre d'une personne possédant les caractéristiques déterminées. La plupart du temps, la

collecte et l'analyse des données se font simultanément. Il est important de procéder de cette manière, car l'analyse permet de déterminer d'autres personnes à rencontrer par la suite. Il s'agit d'un échantillonnage théorique ou « en boule de neige ». Le nombre de personnes qui composent l'échantillon n'est donc pas prédéterminé comme en recherche quantitative. La phase de réalisation se termine habituellement lorsque la chercheuse constate que l'ajout de nouvelles données fournies par la rencontre éventuelle d'autres personnes n'apporterait pas d'éléments supplémentaires aux construits en cours d'élaboration.

PHASE 3 OU PHASE DE DIFFUSION ET DE DISSÉMINATION DES RÉSULTATS. La chercheuse procède de la même façon qu'en recherche quantitative.

RECHERCHE EN SCIENCES INFIRMIÈRES

ÉTUDE QUANTITATIVE

Les auteures ont utilisé un questionnaire portant sur la violence en milieu de travail. Elles l'ont distribué à des infirmières de 210 centres hospitaliers de l'Alberta et de la Colombie-Britannique. Les résultats font ressortir que de très nombreuses infirmières subissent des comportements violents dans leur milieu de travail. Presque la moitié (46 %) des infirmières interrogées ont indiqué avoir subi une ou plusieurs formes de violence au cours de leurs cinq derniers quarts de travail. Étonnamment, 70 % de celles qui avaient subi des violences ont dit ne pas l'avoir signalé. Les personnes soignées représentaient la principale source de tous les incidents violents. La fréquence variait selon le type de violence : violence psychologique (38 %), menace d'agression (19 %), violence physique (18 %), harcèlement sexuel verbal (7,6 %) et agression sexuelle (0,6 %). Ces données donnent à penser que le bien-être des infirmières et des autres membres du personnel soignant qui travaillent dans un établissement de soins de santé peut être compromis.

Les auteures ont par ailleurs examiné de plus près le type de violence le plus courant, soit la violence psychologique, pour en dégager les déterminants possibles, étant donné que c'était le type de violence le plus également réparti entre les sources (personnes soignées, membres de la famille de ces dernières, collègues, médecins). En utilisant l'infirmière comme unité d'analyse, le modèle de régression multiple a permis de cerner les variables explicatives significatives de la violence psychologique : âge, emploi occasionnel, qualité des soins, degré de restructuration de l'établissement, catégorie de l'unité de soins, relations entre les membres du personnel soignant, ratio infirmière-personnes soignées et mesures de prévention de la violence. Lorsque les auteures ont utilisé l'établissement de soins plutôt que l'infirmière comme unité d'analyse, les variables explicatives étaient les suivantes : qualité des soins, âge, rapports avec le personnel soignant, présence de mesures de prévention de la violence et province. Ces résultats montrent que des différences importantes ressortent selon qu'on utilise l'individu ou l'établissement comme unité d'analyse.

Implications : Pour réduire le risque de violence en établissement de soins, il faut mettre en place des stratégies axées aussi bien sur l'infirmière que sur l'établissement.

Source : Duncan, S. M., Hyndman, K., Estabrooks, C. A., Hesketh, K., Humphrey, C. K., Wong, J. S., Acorn, S., et Giovannetti, P. (2001). Nurses' experience of violence in Alberta and British Columbia hospitals. *Canadian Journal of Nursing Research*, 32(4), 57-78.

ENCADRÉ 2-10
PHASES DE LA RECHERCHE QUALITATIVE

Phase 1 ou phase de conception et de planification

Étape 1 – Déterminer un problème de recherche.

Étape 2 – Recenser la littérature portant sur le problème.

Étape 3 – Choisir l'endroit où se fera la recherche et se faire accepter par les personnes concernées.

Phase 2 ou phase de conduite de l'étude

Phase 3 ou phase de diffusion et de dissémination des résultats

Source : Cet encadré, adapté par Michèle Côté, s'inspire de l'ouvrage suivant : Loiselle, C. G., Profetto-McGrath, J., Polit, D. F., et Beck, C. T. (2007). *Méthodes de recherche en sciences infirmières. Approches quantitatives et qualitatives.* Montréal : ERPI.

RECHERCHE EN SCIENCES INFIRMIÈRES

ÉTUDE QUALITATIVE

Le bien-être de la personne est un des résultats visés par les soins infirmiers. L'objectif de l'étude qualitative que nous résumons ici était de décrire les mesures de bien-être appliquées par l'infirmière du point de vue des personnes soignées au service des urgences. L'étude s'est déroulée dans un hôpital de soins de courte durée d'une région rurale canadienne. On a interrogé à deux reprises un échantillon de volontaires constitué de 14 personnes hospitalisées qui avaient reçu un traitement initial en salle d'urgence : 9 femmes et 5 hommes, âgés de 20 à 75 ans.

L'auteure a enregistré et transcrit les entrevues initiales. Elle a fait une analyse de contenu des transcriptions. La seconde entrevue a permis aux participants d'apporter des corrections à la transcription de leur première entrevue. Les participants classaient dans les catégories suivantes les mesures de bien-être appliquées par les infirmières : soins techniques ou physiques immédiats et compétents, paroles positives, vigilance, soulagement des malaises physiques, inclusion et soutien de la famille.

Implications : Les mesures de bien-être appliquées par les infirmières peuvent influer sur le bien-être physique et émotionnel des personnes soignées.

Source : Hawley, M. P. (2000). Nurse comforting strategies : Perceptions of emergency department patients. *Clinical Nursing Research, 9*(4), 441-459.

Droits des personnes qui participent à une recherche

En menant une recherche sur des sujets humains, la chercheuse et l'infirmière soignante ont la responsabilité de protéger les individus contre tout préjudice que leur participation à l'étude pourrait entraîner. En tant que protectrice de la personne, l'infirmière doit s'assurer que les droits de cette dernière sont protégés.

Tous les établissements où l'on fait de la recherche devraient avoir accès à un comité d'éthique de la recherche (CER). Il s'agit d'un organisme indépendant, composé d'individus qualifiés pour approuver les activités de recherche et pour s'assurer que les droits des personnes sont protégés. Les grands organismes subventionnaires, tels que les instituts de recherche en santé du Canada (IRSC) et le Conseil de recherches en sciences humaines (CRSH), incitent les chercheurs à respecter le principe

de la protection des droits de la personne et accordent leurs subventions conditionnellement à l'approbation d'un CER. Les CER ont le pouvoir d'exiger qu'on apporte des modifications à un projet de recherche et ils peuvent mettre fin à une étude qui ne se déroule pas selon certaines conditions. Au Canada, les infirmières chercheuses peuvent également consulter l'*Énoncé de politique des trois conseils : éthique de la recherche avec des êtres humains* (CRM, 1998) et le *Code de déontologie des infirmières et infirmiers* de l'AIIC (2008). L'AIIC a récemment mis à jour son code de déontologie et les *Lignes directrices déontologiques à l'intention des infirmières effectuant des recherches* (AIIC, 2008).

Qu'elle pratique dans un milieu où l'on fait de la recherche avec des participants ou qu'elle collabore à ce genre de recherche en recueillant des données, l'infirmière a un rôle important à jouer dans la protection des droits des individus qui y participent.

DROIT AU CONSENTEMENT LIBRE ET ÉCLAIRÉ

L'obtention du **consentement libre et éclairé** est la responsabilité de la chercheuse principale. Il s'agit d'un contrat entre la chercheuse et le participant. Celui-ci doit toujours être informé des conséquences de son consentement avant de pouvoir participer à une étude. Il doit être en mesure de déterminer s'il y a un équilibre raisonnable entre le risque de participer à l'étude et les avantages qu'il pourrait en tirer.

Le principe du consentement libre et éclairé peut sembler facile et simple à appliquer, mais ce n'est pas toujours le cas. Parfois, les chercheuses évitent le consentement libre et éclairé parce qu'elles croient qu'en se sentant observée, la personne n'aura pas le même comportement, ce qui pourrait fausser les résultats. Il revient à l'infirmière de préserver les droits des participants et de s'assurer qu'on respecte le principe du consentement libre et éclairé quand on demande à quelqu'un de participer à une étude.

Le consentement libre et éclairé suppose la transmission d'explications écrites et verbales à la personne concernée. On doit donner ces explications dans la langue du participant à l'étude et les adapter à son niveau de compréhension. Il est important de consigner le consentement du participant en lui faisant signer le formulaire prévu à cette fin. Lorsque le participant ne peut donner son consentement que de façon verbale, il doit avoir un témoin. Si le participant est mineur ou incapable de consentir en raison d'une incapacité physique ou mentale, un représentant légal (par exemple, parent ou tuteur) peut signer le formulaire de consentement. Le consentement doit être volontaire et éclairé, et il ne doit y avoir aucun risque, aucun malaise, aucune atteinte à la vie privée autres que ceux mentionnés dans le formulaire de consentement. De plus, le participant doit avoir l'assurance que son refus de participer à l'étude ne compromettra pas la qualité des soins infirmiers qui lui sont prodigués.

DROIT DE NE SUBIR AUCUN PRÉJUDICE

Pour le participant à une étude, le **risque de préjudice** est l'exposition à une atteinte possible qui dépasse les situations de la vie quotidienne. Le risque peut être d'ordre physique, affectif, légal, financier ou social. Par exemple, la décision de ne pas donner les soins standards à une parturiente, sous prétexte qu'on veut étudier le déroulement d'un accouchement naturel, représente, de toute évidence, un risque de danger physique. Parfois, les risques sont peu apparents et comportent des aspects psychologiques (par exemple, exposition au stress ou à l'anxiété) ou des aspects sociaux (par exemple, perte de confidentialité ou atteinte à la vie privée).

DROIT À UNE INFORMATION COMPLÈTE

Même s'il est possible, dans le contexte des soins courants, de recueillir des données sur un individu sans que celui-ci le sache et sans qu'il donne son consentement, cette pratique est considérée comme contraire à l'éthique. Le **principe de l'information complète** est un droit fondamental. Il signifie qu'on ne trompera pas la personne, que ce soit en ne divulguant pas toute l'information nécessaire au sujet de sa participation à l'étude ou en lui donnant une information fausse ou trompeuse.

DROIT À L'AUTODÉTERMINATION

Les personnes non autonomes, comme celles qui vivent dans un établissement de soins de santé, se sentent parfois obligées de participer à des études. Elles ont l'impression de devoir plaire aux médecins et aux infirmières responsables de leurs traitements et de leurs soins. Le **droit à l'autodétermination** signifie que les participants doivent se sentir libres de toute contrainte, coercition ou influence indue relativement à leur participation à une étude. On doit absolument éviter l'incitation masquée, par exemple en disant aux participants éventuels qu'ils deviendront célèbres, qu'ils feront une contribution importante à la science ou qu'ils bénéficieront d'une plus grande attention. Les infirmières doivent défendre activement ce droit essentiel des personnes soignées.

DROIT À LA VIE PRIVÉE ET CONFIDENTIALITÉ

Le droit à la vie privée garantit à une personne qui participe à une étude qu'on ne portera pas atteinte à sa vie privée. On considère que l'anonymat du participant est assuré si personne (pas même la chercheuse elle-même) ne peut faire le lien entre les individus et les données recueillies. La **confidentialité** signifie que les informations qu'une personne fournit ne peuvent pas être rendues publiques ou accessibles à quelqu'un d'autre sans son consentement. Les chercheuses doivent renseigner les participants sur les mesures qui sont prises pour respecter leurs droits. Afin d'assurer la confidentialité, par exemple, on peut utiliser des pseudonymes ou des numéros, ou ne publier que des données agrégées ou globales.

Révision du chapitre

MOTS CLÉS

Article scientifique, **42**	Étendue, **47**	Population, **47**	Recherche fondamentale (recherche pure), **36**
Baccalauréat en sciences infirmières, **31**	Ethnométhodologie, **44**	Pratique fondée sur des résultats probants, **39**	Recherche mixte, **44**
Certification, **33**	Étude phénoménologique, **44**	Pratique infirmière s'inspirant de résultats probants, **39**	Recherche qualitative, **44**
Confidentialité, **50**	Fidélité (fiabilité), **47**		Recherche quantitative, **44**
Consentement libre et éclairé, **49**	Formation continue, **35**	Pratique informée par des résultats probants, **39**	Résultats statistiquement significatifs, **47**
DEC-BAC en formation infirmière intégrée, **29**	Médiane, **47**	Principe de l'information complète, **50**	Revue systématique, **42**
Droit à l'autodétermination, **50**	Mesures de dispersion (mesures de variabilité), **47**	Recherche appliquée, **36**	Risque de préjudice, **49**
	Mesures de tendance centrale, **47**	Recherche en sciences infirmières, **36**	Statistique descriptive, **47**
Écart type, **47**	Mode, **47**		Théorie ancrée, **44**
Échantillon, **47**	Moyenne, **47**		Validité, **47**
			Variance, **47**

CONCEPTS CLÉS

■ La personne qui souhaite devenir une infirmière peut choisir l'une ou l'autre des trois voies de formation qui sont offertes au Québec, à savoir le cheminement collégial, le cheminement universitaire au baccalauréat ou le cheminement universitaire à la maîtrise.

■ Historiquement, les premiers programmes de formation infirmière étaient conçus pour répondre aux besoins des hôpitaux en matière de services et non pas aux besoins d'apprentissage des étudiantes. Aujourd'hui, la formation infirmière s'acquiert principalement dans les établissements d'enseignement collégial et universitaire, qui sont autonomes par rapport aux centres hospitaliers.

■ Les programmes de formation des infirmières sont révisés régulièrement afin de les adapter à l'évolution des connaissances scientifiques, des technologies, des politiques et des changements sociétaux.

■ La formation continue, responsabilité de chaque infirmière, permet de demeurer au courant des progrès scientifiques et technologiques ainsi que de l'évolution de la profession d'infirmière elle-même.

■ On peut dégager cinq périodes dans l'évolution de la recherche en sciences infirmières.

■ La recherche est essentielle pour les infirmières. Elle leur permet de mieux comprendre la situation des personnes qu'elles soignent, de faire de meilleures collectes des données et d'intervenir plus efficacement.

■ Toutes les infirmières, sans égard au diplôme qu'elles ont obtenu, doivent participer à des activités de recherche.

■ Toutes les infirmières devraient prendre des décisions quant aux soins à prodiguer en se référant explicitement aux résultats de recherche. Cette catégorie de pratique s'appelle «pratique infirmière s'inspirant de résultats probants».

- Les sept étapes d'une pratique infirmière s'inspirant de résultats probants facilitent la démarche de l'infirmière dans la prise de décisions efficaces et efficientes en matière de soins de santé.

- L'étape de la formulation d'une question dans la démarche d'une pratique infirmière s'inspirant de résultats probants est cruciale. Elle permet de reconnaître les concepts qui guideront la recherche de documents scientifiques.

- L'examen critique des articles scientifiques est une étape incontournable, qui suppose le développement de certaines habiletés.

- Les hiérarchies des preuves scientifiques permettent de s'assurer que tout changement de pratique proposé est conforme à des principes scientifiques et modernes valides.

- Actuellement, on se sert de deux grandes catégories de méthodes de recherche, soit les recherches quantitatives et les recherches qualitatives. Toutefois, de plus en plus de chercheuses en sciences infirmières utilisent aussi des approches mixtes.

- Qu'elles conduisent des recherches quantitatives ou des recherches qualitatives, les chercheuses utilisent une démarche systématique selon les phases suivantes : phase conceptuelle, phase méthodologique, phase empirique et phase de diffusion et de dissémination. Dans les approches de recherche qualitative, les phases varient légèrement, mais la démarche demeure tout aussi systématique.

- Les infirmières doivent s'assurer que tous les projets de recherche ont été acceptés par un comité d'éthique reconnu et que les droits des participants aux projets de recherche sont protégés adéquatement.

- Les infirmières devraient prêter une attention particulière à la protection des droits des participants vulnérables (par ex., personnes physiquement ou mentalement inaptes).

Références

Association des infirmières et infirmiers du Canada (AIIC). (2008). *Code de déontologie des infirmières et infirmiers.* Document consulté le 26 juillet 2010 de http://www.cna-aiic.ca/CNA/documents/pdf/publications/code_of_Ethics_2008_f.pdf.

Association des infirmières et infirmiers du Canada (AIIC). (2009). *La profession infirmière au Canada. Formation infirmière.* Ottawa : Auteur. Document consulté le 26 juillet 2010 de http://www.cna-nurses.ca/CNA/nursing/education/baccalaureate/table/default_f.aspx.

Baumgart, A. J., et Larsen, J. (dir.). (1992). *Canadian nursing faces the future* (2ᵉ éd.). Toronto : C. V. Mosby.

Ciliska, D., Thomas, T., et Buffett, C. (2008). *Introduction au concept de Santé publique fondée sur des preuves et Recueil d'outils d'évaluation critique pour la pratique en santé publique.* Hamilton : Centre de collaboration nationale des méthodes et outils. Document consulté le 29 août 2010 de http://www.nccmt.ca/pubs/2008_07_IntroEIPH_compendiumFRENCH.pdf.

Closs, S. J., et Cheater, F. M. (1999). Evidence for nursing practice : A clarification of the issues. *Journal of Advanced Nursing, 30,* 10-17.

Cohen, Y., Pepin, J., Lamontagne, E., et Duquette, A. (2002). *Les sciences infirmières. Genèse d'une discipline.* Montréal : Presses de l'Université de Montréal.

Comité directeur sur la formation infirmière intégrée (2000, décembre). *Projet de formation infirmière intégrée. Rapport du Comité des spécialistes.* Québec : Ministère de l'Éducation du Québec. Document consulté le 11 septembre 2010 de http://www.mels.gouv.qc.ca/ens-sup/ens-univ/Donnees-etudes/RapportSpecialistes FormInfirmiereIntegree.pdf.

Commission d'étude sur les services de santé et les services sociaux (commission Clair). (2000). *Les solutions émergentes. Rapport et recommandations.* Québec : Ministère de la Santé et des Services sociaux du Québec. Document consulté le 11 septembre 2010 de http://publications.msss.gouv.qc.ca/acrobat/f/documentation/2000/00-109.pdf.

Commission des universités sur les programmes. (1999). *Les programmes en sciences infirmières, santé communautaire, épidémiologie, hygiène du milieu, travail social, animation sociale et culturelle, gérontologie et gestion des services de santé dans les universités du Québec. Rapport nᵒ 9.* Document consulté le 24 septembre 2004 de http://crepuq.qc.ca/documents/cup/Rapports/ RapportsSIIS.pdf.

Conseil de recherches médicales du Canada (CRM). (1998). *Énoncé de politique des trois conseils : éthique de la recherche avec des êtres humains,* édition comprenant les mises à jour de 2000 et 2002. Ottawa : Approvisionnements et Services Canada. Document consulté le 4 octobre 2004 de http://www.pre.ethics.gc.ca/francais/policystatement/policystatement.cfm.

Côté, M. (2003). *Programme DEC-BAC de cinq ans en formation infirmière intégrée. Création du volet universitaire.* Trois-Rivières : Université du Québec à Trois-Rivières.

D'amour, D., Tremblay, D., et Bernier, L. (2007). Les pratiques professionnelles de réseau : l'intégration au-delà des structures. Dans M. J. Fleury, M. Tremblay, H. Nguyen et L. Bordeleau (dir.), *Le système sociosanitaire au Québec. Gouvernance, régulation et participation* (p. 273-287). Montréal : Gaëtan Morin Éditeur.

Davies, B., et Logan, J. (2011). *Lire des textes de recherche. Guide convivial pour infirmiers et autres professionnels de la santé* (4ᵉ éd.), Traduit par G. Coutu-Wakulczyk. Toronto : Elsevier Mosby.

Desgagné, S., Bednarz, N., Couture, C., Poirier, L., et Lebuis, P. (2001). L'approche collaborative de recherche en éducation : un rapport nouveau à établir entre recherche et formation. *Revue des sciences de l'éducation, XXVII,* 33-64.

Ducharme, F. (2002). Les soins infirmiers et la recherche : perspectives au seuil du troisième millénaire. Dans O. Goulet et C. Dallaire (dir.), *Les soins infirmiers : vers de nouvelles perspectives* (p. 383-402). Boucherville : Gaëtan Morin Éditeur.

Duncan, S. M., Hyndman, K., Estabrooks, C. A., Hesketh, K., Humphrey, C. K., Wong, J. S., Acorn, S., et Giovannetti, P. (2001). Nurses' experience of violence in Alberta and British Columbia hospitals. *Canadian Journal of Nursing Research, 32*(4), 57-78.

Flemming, K. (1998). Asking answerable questions. *Evidence-Based Nursing, 1,* 36-37.

Fondation canadienne de la recherche sur les services de santé (FCRSS). (2004). *Notions de communication.* Document consulté le 11 septembre 2010 de http://www.chsrf.ca/home_f.php.

Fondation de recherche en sciences infirmières du Québec (FRESIQ). (2005). *À propos de la FRESIQ.* Document consulté le 11 septembre 2010 de http://www.fresiq.org/.

Fortin, M.-F. (dir.). (1996). *Le processus de la recherche : de la conceptualisation à la réalisation.* Montréal : Décarie Éditeur.

Fortin, M.-F. (dir.). (2010). *Fondements et étapes du processus de recherche. Méthodes quantitatives et qualitatives* (2ᵉ éd.). Montréal : Chenelière Éducation.

Forum national sur la santé. (1997). *La santé au Canada : un héritage à faire fructifier* (Vol. II). Ottawa : Travaux publics et Services gouvernementaux Canada.

Gagnon, J., et Côté, F. (2010). L'utilisation de résultats probants dans la pratique professionnelle infirmière. Dans M.-F. Fortin (dir.), *Fondements et étapes du processus de recherche. Méthodes quantitatives et qualitatives* (p. 565-585). Montréal : Chenelière Éducation.

Goulet, C., Lampron, A., Morin, D., et Héon, M. (2004). La pratique basée sur les résultats probants. Partie 2 : Les étapes du processus. *Recherche en soins infirmiers, 76,* 18-29.

Goulet, O. (1999). La consolidation de la formation. Dans O. Goulet et C. Dallaire (dir.), *Soins infirmiers et société* (p. 225-256). Boucherville : Gaëtan Morin Éditeur.

Gouvernement du Canada. (1964). *Rapport de la Commission d'enquête sur les services de santé (Rapport de la Commission Hall).* Ottawa : Éditeur de la Reine.

Gouvernement du Québec. (1965). *Rapport de la Commission royale d'enquête sur l'enseignement dans la province de Québec (Rapport Parent)* (Tome II). Québec: Auteur.

Greenhalgh, T. (2001). *How to read a paper. The basics of evidence-based medicine* (2e éd.). London: British Medical Journal Books.

Hamric, A. B., Spross, J. A., et Hanson, C. M. (2005). *Advanced nursing practice. An integrative approach.* St-Louis: W. B. Saunders Company.

Hawley, M. P. (2000). Nurse comforting strategies: Perceptions of emergency department patients. *Clinical Nursing Research, 9*(4), 441-459.

Lacroix, J., Litalien, C., et Roy, C. (2006). *Revue systématique de la littérature et méta-analyse.* Notes non publiées du cours MSO 6002 Épidémiologie clinique. Montréal: Université de Montréal.

Lambert, C. (1979). *Historique du programme de techniques infirmières 1962-1978. Rapport présenté à la Direction générale de l'enseignement collégial en vue de l'évaluation du programme des techniques infirmières.* Québec: Ministère de l'Éducation du Québec.

Lambert, C. (1993). La formation infirmière dans les cégeps. Dans O. Goulet (dir.), *La profession infirmière: valeurs, enjeux, perspectives* (p. 149-177). Boucherville: Gaëtan Morin Éditeur.

Larue, C., Loiselle, C. G., Bonin, J.-P., Cohen, R., Gélinas, C., Dubois, S., et Lambert, S. (2009). Les méthodes mixtes: stratégies prometteuses pour l'évaluation des interventions infirmières. *Recherche en soins infirmiers, 97,* 50-62.

Loiselle, C. G., Profetto-McGrath, J., Polit, D. F., et Beck, C. T. (2007). *Méthodes de recherche en sciences infirmières. Approches quantitatives et qualitatives.* Montréal: ERPI.

McKibbon, A., et Mark, S. (1998). Searching for the best evidence. Part 1: Where to look. *Evidence-Based Nursing, 1,* 68-70.

Melnyk, B. M., et Fineout-Overholt, E. (2005). *Evidence-based practice in nursing & healthcare: A guide to best practice.* Philadelphie: Lippincott Williams & Wilkins.

Ministère de l'Éducation, du Loisir et du Sport (MELS). (2007). *Santé. Programmes conduisant au diplôme d'études collégiales (DEC). 180.A0*

Soins infirmiers (2007). Document consulté le 23 juillet 2010 de http://www.mels.gouv.qc.ca/ens-sup/ENSCOLL/Cahiers/program/180A0.asp.

Munhall, P. L. (2007). *Nursing research: A qualitative perspective* (3e éd.). Sudbury: Jones and Bartlett Publishers.

Noiseux, S. (2010). Le devis de recherche qualitative. Dans M.-F. Fortin (dir.), *Fondements et étapes du processus de recherche. Méthodes quantitatives et qualitatives* (p. 267-289). Montréal: Chenelière Éducation.

Ordre des infirmières et infirmiers du Québec (OIIQ). (1999). *Plan directeur de l'examen professionnel de l'Ordre des infirmières et infirmiers du Québec.* Montréal: Auteur.

Ordre des infirmières et infirmiers du Québec (OIIQ). (2009). *Mosaïque des compétences cliniques de l'infirmière. Compétences initiales* (2e éd.). Montréal: Auteur.

Ordre des infirmières et infirmiers du Québec (OIIQ). (2010a). *Le champ d'exercice et les activités réservées des infirmières.* Mise à jour du guide d'application publié en 2003. Montréal: Auteur. Document consulté le 4 octobre 2010 de http://www.ooiq.org/uploads/publications/cadre_legal/GuideExerciceInfirmier.pdf.

Ordre des infirmières et infirmiers du Québec (OIIQ). (2010b). *Perspectives de l'exercice de la profession d'infirmière.* Montréal: Auteur. Document consulté le 15 octobre 2010 de http://www.oiiq.org/uploads/publications/autres_publications/263NS_Perspective_2010Fr.pdf.

Ordre des infirmières et infirmiers du Québec (OIIQ) et Collège des médecins du Québec (CMQ). (2008). *Soins de première ligne. Étendue des activités médicales exercées par l'infirmière praticienne spécialisée en soins de première ligne.* Montréal: Auteurs.

Pepin, J. (2008). L'évolution du savoir infirmier au Québec. Dans C. Dallaire (dir.), *Le savoir infirmier. Au cœur de la discipline et de la profession* (p. 71-91). Montréal: Gaëtan Morin Éditeur, Chenelière Éducation.

Pepin, J., Kérouac, S., et Ducharme, F. (2010). *La pensée infirmière* (3e éd.). Montréal: Chenelière Éducation.

Petitat, A. (1989). *Les infirmières: de la vocation à la profession.* Montréal: Les Éditions du Boréal.

Polit, D. F., Beck, C. T., et Hungler, B. P. (2004). *Nursing research: Principles and methods* (7e éd.). Philadelphie: Lippincott Williams & Wilkins.

Rolfe, G. (1999). Insufficient evidence: The problems of evidence-based nursing. *Nurse Education Today, 19,* 433-442.

Rousseau, N., et Saillant, F. (1996). Approches de recherche qualitative. Dans M.-F. Fortin (dir.), *Le processus de la recherche: de la conception à la réalisation* (p. 147-160). Montréal: Décarie Éditeur.

Spenceley, S. M., O'Leary, K. A., Chizawsky, L. L. K., Ross, A. J., et Estabrooks, C. A. (2008). Sources of information used to inform practice: An integrative review. *International Journal of Nursing Studies, 45,* 954-970.

Strauss, S. E., Richardson, W. S., Glasziou, P., et Haynes, R. B. (2007). *Médecine fondée sur les faits = Evidence-based medicine* (3e éd.). France: Elsevier Masson.

Street, M. M. (1973). *Watch-fires on the mountains: The life and writings of Ethel Johns.* Toronto: University of Toronto Press.

Thibaudeau, M.-F. (1993). L'évolution de la recherche au Québec. Dans O. Goulet (dir.), *La profession infirmière: valeurs, enjeux, perspectives* (p. 209-228). Boucherville: Gaëtan Morin Éditeur.

Trottier, L.-H. (1982). *Évolution de la profession infirmière au Québec de 1920 à 1980.* Mémoire de maîtrise non publié, Université de Montréal, Faculté des arts et des sciences, Département de sociologie.

van Teijlingen, E., et Hundley, V. (2002). Getting your paper to the right journal: a case study of an academic paper. *Journal of Advanced Nursing, 37,* 506-511.

Weir, G. (1932). *Survey of nursing education in Canada.* Toronto: University of Toronto Press.

Woodham-Smith, C. (1950). *Florence Nightingale.* London, R.-U.: Constable & Co. (Classic).

Chapitre 3

Adaptation française :
Caroline Longpré, inf., M.Sc.
Enseignante en soins infirmiers
Cégep régional de Lanaudière à Joliette

OBJECTIFS D'APPRENTISSAGE

Après avoir étudié ce chapitre, vous pourrez :

■ Expliquer les principaux constituants et la portée des théories infirmières.

■ Expliquer le but et le rôle des philosophies infirmières dans la pratique de tous les jours.

■ Décrire trois principaux domaines de questionnement philosophique.

■ Décrire deux traditions de recherche.

■ Comparer des courants philosophiques sous l'angle des questions de pratique infirmière qu'ils soulèvent.

■ Décrire des théories en soins infirmiers selon leur conceptualisation des soins infirmiers et leurs postulats de base.

■ Distinguer les notions suivantes : philosophie, paradigme, postulat, concept, cadre conceptuel, modèle conceptuel et théorie.

Pensée philosophique et soins infirmiers

Théories et disciplines

Une théorie est un système d'idées organisées en vue d'expliquer un phénomène donné ou des concepts parfaitement articulés autour d'un thème important. La *théorie de l'aliénation* de Marx, la *théorie de l'inconscient* de Freud, la *théorie de l'évolution* de Darwin et la *théorie de la relativité* d'Einstein ont eu une influence considérable sur l'émergence des connaissances et des nouvelles théories du XXᵉ siècle. Un grand nombre de penseurs, de chercheurs et d'autres spécialistes de la communauté scientifique ont lancé ces grandes théories ou s'en sont inspirés dans leur discipline, alors que d'autres les ont critiquées ou les ont modifiées selon leurs croyances et leurs postulats. En psychologie, par exemple, Sullivan et Piaget, dans leur *théorie du développement,* et Skinner, dans sa *théorie du comportement,* se sont inspirés de Freud. Par ailleurs, certains sociologues, influencés par Marx ou Weber (*théorie du travail moderne*), ont critiqué ces approches. En physique, on peut constater la progression historique des théories émises par Copernic, Newton et Einstein.

Les spécialistes en sciences naturelles étudient et critiquent les théories existantes ; ils en élaborent de nouvelles, cherchent à approfondir leurs connaissances et à mettre au point de nouvelles méthodes de recherche. Ainsi, malgré l'importante influence de la *théorie de l'évolution* de Darwin sur un grand nombre de théories en biologie, certains chercheurs la contestent. Alors que Darwin explique l'évolution et la transformation des espèces par le principe de la sélection naturelle, Gould critique et modifie cette théorie par l'interprétation qu'il donne aux fossiles. Selon ce dernier, la plupart des espèces demeurent stables, alors que de nouvelles espèces apparaissent, relativement rapidement sur une échelle de « temps géologiques » qu'on calcule en milliers d'années. À l'opposé, les disciplines orientées sur la pratique disciplinaire (notamment les soins infirmiers, l'enseignement, la gestion et la musique) puisent dans les théories et les connaissances tant pour la recherche que pour l'avancement de cette pratique. La **pratique disciplinaire** s'intéresse en premier lieu à la performance et au rôle professionnel. Dans cet esprit, les théories et la recherche doivent avant tout offrir de nouvelles possibilités de compréhension des éléments clés de leur discipline. Soulignons cependant que toute théorie, quelle qu'elle soit, émerge de la « pensée philosophique ».

Pensée philosophique

La **pensée philosophique** est un élément indispensable de notre vie de tous les jours. Lorsque nous essayons de trouver un sens à nos expériences, de savoir comment évaluer le *bien-fondé* d'une observation ou de déterminer la *meilleure* façon d'agir dans une situation donnée, nous devons nécessairement recourir à la pensée philosophique. Le mot «philosophe», d'origine grecque, veut simplement dire «ami de la sagesse». La pensée philosophique est également la source à laquelle nous puisons les connaissances nécessaires pour avancer le plus sagement possible sur le chemin de la vie. La sagesse consiste, en partie, à utiliser le savoir à bon escient. La pensée philosophique aide l'infirmière à mieux comprendre les valeurs, les croyances et les postulats qui nourrissent ses réflexions et qui déterminent ses paroles ainsi que ses faits et gestes.

C'est la pensée philosophique qui sert de fondement à l'élaboration et à l'analyse des concepts, des modèles et des cadres conceptuels, tout comme des théories qui permettent d'organiser le savoir infirmier. Un concept est la représentation mentale, générale et abstraite d'un objet. L'infirmière se sert de concepts pour faire ressortir les idées importantes qui régissent sa discipline. Un *cadre* conceptuel est un groupe de concepts apparentés, qui s'articulent autour d'un même sujet. Un *modèle* conceptuel est un diagramme ou une illustration des rapports qu'on établit entre diverses entités conceptuelles. La *théorie* va plus loin que les modèles et les cadres conceptuels. Elle explique la nature et le sens des rapports entre les concepts. La théorie permet d'aborder (conceptualiser) une discipline – par exemple les soins infirmiers – en termes explicites, clairs et communicables.

C'est en se fondant sur la pensée philosophique et théorique que l'infirmière exerce sa profession et établit des rapports avec les autres professionnels de la santé. Soucieuse de développer un savoir professionnel applicable dans la pratique, elle doit communiquer clairement les éléments indispensables de son rôle aux autres membres de l'équipe interdisciplinaire. Pour y arriver, elle doit organiser et analyser le savoir infirmier à l'aide de concepts et de théories. Pour utiliser correctement ce savoir, il lui faut clarifier les croyances philosophiques et les postulats qui ont servi à l'élaboration du savoir infirmier et à sa diffusion.

Qu'est-ce que la philosophie?

On fait souvent référence à la philosophie dans le quotidien. On n'a qu'à penser à la *philosophie de vie* de chacun, c'est-à-dire l'ensemble des croyances qu'un individu entretient sur la vie et la place qu'il occupe dans le monde. Par ailleurs, la philosophie est aussi une discipline scientifique. On dit qu'elle est scientifique parce qu'elle permet la formulation systématique d'un ensemble de connaissances. À proprement parler, la **philosophie** est donc une discipline scientifique qui pose des questions sur l'idée que nous nous faisons de notre expérience, de l'univers et des choses humaines, et qui explore ces questions pour tenter d'y répondre (Fry, 1992, p. 87). La philosophie se sert de l'analyse critique pour poursuivre ses objectifs de recherche.

La pensée philosophique est fort utile sur divers plans:

- Poser des postulats et les remettre en question.
- Expliquer comment on utilise les concepts et comment ils prennent leur sens.
- Évaluer les arguments avancés pour défendre ou pour critiquer certaines manières de penser.

Principaux domaines de la recherche philosophique

En philosophie, les trois principaux domaines de recherche sont l'*ontologie*, l'*épistémologie* et l'*éthique*. L'**ontologie** étudie la nature de l'être. Elle pose des questions comme celles-ci: Quelle est la nature de la réalité? Quels sont le sens et le but de notre existence? Que signifie être une personne? L'**épistémologie** étudie la nature du savoir: Comment savons-nous quelque chose? Quelles sont les limites de notre savoir? Qu'est-ce qui permet de dire qu'une chose est vraie? Quelle est la différence entre ce que l'on sait et ce que l'on pense? L'**éthique** étudie la nature du comportement moral et du jugement: Qu'est-ce que le bien? Comment doit-on agir ou réagir dans telles ou telles circonstances? Comment doit-on juger les actions d'autrui? La façon dont nous répondons à ce genre de questions, qu'elles soient ontologiques, épistémologiques ou éthiques, reflète l'idée que nous nous faisons du monde (Meleis, 2007).

Paradigmes ou visions du monde

Un **paradigme** (ou **vision du monde**) est une manière de penser, fondée sur un ensemble de croyances, de valeurs et de postulats. Notre vision du monde influence la façon dont nous percevons, comprenons et interprétons notre environnement. Elle façonne notre compréhension des événements et les moyens que nous employons pour acquérir des connaissances. Cependant, il arrive souvent que les croyances, les valeurs et les postulats qui sous-tendent cette vision du monde émergent de notre inconscient. C'est le cas, tout particulièrement, des postulats. En effet, l'énonciation d'un **postulat** tire souvent son origine dans les croyances que nous tenons pour acquises, sans que nous cherchions systématiquement des preuves à l'appui.

Une bonne partie de l'organisation sociale repose uniquement sur des postulats. Par exemple, l'idée que la pratique des soins infirmiers est un «travail de femme» repose sur le postulat suivant: certaines tâches conviennent davantage aux femmes et d'autres conviennent davantage aux hommes. Ce postulat se fonde généralement sur la croyance répandue suivant laquelle les femmes ont une propension «naturelle» à soigner les autres et à s'en occuper. Pour critiquer ce postulat de division des tâches, on pourrait examiner certaines croyances et certaines valeurs: les concepts de soins et de compassion, les rôles sociaux qui «conviennent» davantage à l'homme ou à la femme, les différences entre l'homme et la femme ou la valeur sociale attribuée aux diverses catégories de travail. Ce questionnement peut mener à la réflexion suivante: le fait d'attribuer à la femme une propension à prendre soin d'autrui est moins lié à sa nature profonde qu'à la répartition des responsabilités et des rôles sociaux. On le voit bien: le questionnement philosophique contribue à expliciter les fondements des postulats.

Tradition empiriste et tradition interprétative

Parmi les nombreux paradigmes (ou visions du monde), deux ont eu une influence particulière sur les soins infirmiers: ceux issus de la tradition *empiriste* et ceux issus de la tradition *interprétative*. Selon la **tradition empiriste**, il n'existe qu'une seule réalité, indépendante de la connaissance que nous pouvons en avoir. Le monde existe en lui-même, en dehors de la connaissance humaine. On acquiert la connaissance par l'observation et par l'expérience – autrement dit, par la **méthode scientifique**. On peut dégager la vérité en comparant la connaissance prétendue avec la réalité. Lorsque les scientifiques font des découvertes qui leur révèlent le monde tel qu'il est réellement, ils peuvent et doivent empêcher les croyances et les biais subjectifs de modifier leurs perceptions. La tradition empiriste nous enseigne qu'il est possible d'acquérir une connaissance objective du monde.

À l'opposé, les défenseurs de la **tradition interprétative** soutiennent qu'on ne peut pas mesurer les connaissances en se fondant sur une réalité unique et immuable. En d'autres mots, le monde n'a pas d'existence propre; il n'existe qu'en fonction des théories que nous avançons à son sujet. Notre connaissance du monde passe toujours par nos postulats. En fait, d'après certains chercheurs de l'école interprétative, la nature de la compréhension humaine est elle-même interprétative, et c'est dans la nature de l'être humain de donner un sens à ses expériences.

Chacune de ces deux traditions philosophiques comporte des variantes. Les tenants de l'une ou de l'autre tradition nuancent le plus souvent leurs croyances et leurs postulats. Par conséquent, étiqueter une recherche comme «empiriste» ou «interprétative» n'est pas très pertinent en soi. Il est beaucoup plus utile d'examiner les croyances et les postulats qui servent de fondements à un auteur.

Les deux traditions, empiriste et interprétative, ont chacune leurs adeptes. Notre propos n'est pas de déterminer si une approche est meilleure que l'autre. L'important est plutôt de comprendre qu'une vision du monde donnée oriente de façon particulière l'organisation des perceptions et des expériences. Dans les activités qui permettent d'acquérir des connaissances, les paradigmes influencent l'orientation de la recherche, la formulation des problèmes et le sens du questionnement ou de l'action. Étant donné que les chercheurs n'explicitent pas toujours leur vision du monde, il faut systématiquement chercher à déterminer les postulats qui sous-tendent leurs travaux ou leurs théories.

Philosophie des soins infirmiers

La philosophie est la pierre angulaire de toutes les disciplines scientifiques, et les soins infirmiers ne font pas exception. L'étude de la philosophie des soins infirmiers nous permet de mieux en comprendre les valeurs, les croyances, les postulats et le savoir. De façon générale, cette étude doit être abordée

> sous l'angle du questionnement philosophique des rôles sociaux et humanitaires des soins infirmiers, de la réflexion qui sous-tend ces rôles, tout comme sous l'angle de leur nature, de leur portée, de leur but, de leurs méthodes, de leur langage et de leurs présupposés moraux ainsi que sous l'angle du savoir qui oriente la discipline (Fry, 1999, p. 6).

La philosophie des soins infirmiers comporte l'étude du même genre de questions ontologiques, épistémologiques et éthiques que celui dont il a été question plus haut, mais ces questions doivent être posées en rapport avec l'art, la science et la pratique des soins infirmiers. Ainsi, la recherche ontologique porte sur la nature des soins infirmiers, la recherche épistémologique se penche sur le savoir infirmier et la recherche éthique s'intéresse aux questions morales qui se posent dans la pratique. L'infirmière se tourne vers la philosophie pour entreprendre une réflexion, pour examiner des postulats, pour analyser des concepts et pour évaluer le bien-fondé de certains arguments. En ce sens, la philosophie des soins infirmiers est une activité pratique d'une valeur inestimable à laquelle toutes les infirmières devraient participer.

Pour élaborer une philosophie particulière des soins infirmiers, il importe de préciser et d'examiner ce que les infirmières essaient de faire, et de définir leurs motivations et les connaissances qu'elles mettent à profit. Cette démarche doit s'appuyer sur une philosophie de base des soins infirmiers. Une telle philosophie aidera d'abord à définir les phénomènes fondamentaux de la discipline; elle permettra ensuite d'articuler les soins infirmiers autour d'une certaine vision du monde ou de les relier à une tradition philosophique; enfin, elle déterminera un certain nombre de critères pour évaluer le développement des connaissances dans la discipline (Salsberry, 1994). L'élaboration d'une philosophie infirmière permettra par-dessus tout de donner un cadre de référence pour expliquer la place de cette discipline dans le monde (Smith, 1994).

La recherche scientifique demeure le mode d'investigation le plus utilisé en sciences infirmières. Cependant, il existe des questions de pratique auxquelles la science ne peut pas répondre (Kikuchi, 1992). La recherche scientifique est centrée sur le monde matériel, sur ce qu'on peut mesurer ou observer par les sens. Par conséquent, la méthode scientifique n'est pas très utile pour répondre à certaines questions sur la nature des soins infirmiers, sur le fondement moral de la pratique infirmière ou sur la signification particulière des rapports entre l'infirmière et le client. En fait, la démarche interprétative, tout comme la démarche empiriste, occupe une place particulièrement importante dans la philosophie infirmière.

La pensée philosophique en soins infirmiers a évolué à plusieurs égards, et les infirmières ont recours à la philosophie de bien des façons. Depuis les années 1980, les infirmières ont publié nombre d'articles et d'ouvrages sur la philosophie infirmière, et elles ont organisé de nombreuses conférences sur des thèmes philosophiques. C'est l'une des raisons de la création, en 1988, de l'Institute for Philosophical Nursing Research, chapeauté par l'Université de l'Alberta. En effet, si l'on considère que la philosophie infirmière est une activité qui emploie des méthodes philosophiques et qui soulève des questions sur les soins infirmiers, on peut comprendre la nécessité de favoriser certaines approches philosophiques au sein de la profession.

La philosophie comme sujet d'étude

Certains philosophes font de la philosophie infirmière en elle-même le sujet de leur étude. Par exemple, Kikuchi et Simmons (1992) sont d'avis que la recherche philosophique a sa place en

3

soins infirmiers puisque la science ne peut pas répondre à toutes les questions que pose la discipline. Dans une étude plus récente, Kikuchi et Simmons (1994) apportent un argument philosophique à l'appui de la pertinence d'une philosophie propre aux soins infirmiers. Salsberry (1994) avance de son côté qu'une philosophie infirmière devrait permettre de dégager les principaux phénomènes de la discipline et de relier les soins infirmiers à une vision du monde ou à une tradition philosophique en particulier. Smith (1994) estime qu'une philosophie infirmière permet de rendre explicite le cadre de référence de notre existence. Dans son exploration de la philosophie infirmière, Edwards (1997) se demande, d'une part, quelles devraient être les questions clés que cette philosophie devrait aborder et, d'autre part, comment ces questions devraient s'organiser les unes par rapport aux autres. Selon Edwards, une philosophie infirmière ne pourrait se passer d'une analyse des concepts considérés comme fondamentaux en soins infirmiers. Une telle analyse doit s'appuyer sur une logique et des valeurs ontologiques et épistémologiques. Johnson (1994) utilise une méthode d'argumentation philosophique pour définir les soins infirmiers comme un art qui exige expressivité, créativité et intuition (tableau 3-1).

Dans une perspective philosophique différente, Bishop et Scudder (1999) utilisent une démarche interprétative pour définir les soins infirmiers selon le point de vue de l'infirmière. Elles proposent une interprétation de la signification des soins infirmiers qui s'appuie sur le principe que l'infirmière a le rôle de prendre soin d'autrui, d'être «présente» et de s'investir dans la relation avec le client. Dans tous ces travaux, on ne prétend pas détenir les «clés du savoir», comme c'est parfois le cas dans les travaux scientifiques. On apporte plutôt des arguments, on défend des positions et on invite le lecteur à examiner la pertinence des analyses et des conclusions. Dans le même ordre d'idées, Benner, Tanner et Chesla (1996) abordent les notions liées au «savoir pratique», selon lequel les compétences sont déterminées par une application adéquate des connaissances, des attitudes et des habiletés qu'une fonction exige dans un milieu déterminé. L'expérience et les connaissances se définissent par une amélioration de la compréhension clinique, de la connaissance technique, de l'aptitude à organiser et de l'habileté à prévoir les événements imprévus.

Influence ontologique

Un deuxième groupe d'infirmières philosophes s'inspirent de l'influence ontologique pour répondre à des questions de recherche. Souvent, leur démarche est ontologicophénoménologique, c'est-à-dire qu'elles explorent, décrivent et tentent de comprendre les significations de l'expérience de phénomènes particuliers et la manière dont ils sont réellement vécus dans la pratique infirmière. Cette démarche fait référence à une «coconstruction» de la réalité et à une épistémologie subjectiviste. La philosophie de Benner (1994), phénoménologue influent, consiste à rendre visible l'invisible en demandant à l'infirmière d'exprimer ce qu'elle fait et parfois même de l'exprimer de manière intuitive. L'analyse des résultats de ces expériences individuelles permet de dégager les structures qui gouvernent l'expérience vécue (Bécherraz, 2002). De plus, on accorde une importance aux savoirs pratiques acquis au cours de la pratique infirmière (Benner *et al.*, 1996).

Les sujets abordés dans ce genre de recherche sont très diversifiés; on peut aussi bien y traiter de l'expérience de la maladie ou du deuil que de l'expérience de l'itinérance. Par exemple, Cameron (1992) examine le sens particulier que peut revêtir la question «Comment allez-vous?» dans le contexte de la relation infirmière-client afin de montrer qu'il ne faut pas tenir pour acquis le sens général de cette question. Bergum (1989) explore dans une perspective philosophique l'expérience de la maternité, telle qu'elle est vécue par les femmes enceintes. Ces travaux philosophiques incitent l'infirmière à réfléchir à la signification d'expériences et de phénomènes qu'on pense comprendre d'emblée. Autrement dit, ce genre de questionnement philosophique fournit une matière première à notre réflexion (rubrique *Résultats de recherche – Pourquoi les Québécoises francophones primipares allaitent-elles moins que les autres femmes?*).

Influence épistémologique

Un troisième groupe d'infirmières philosophes se posent des questions épistémologiques sur la pratique infirmière. Certaines s'inspirent des autres philosophes ou traditions philosophiques pour expliquer la pratique infirmière. Ainsi, Purkis (1997) reprend les notions de «regard disciplinaire» et de «regard clinique» du philosophe français Michel Foucault (1926-1984), à la fois pour expliquer comment l'infirmière transmet les informations importantes en matière de santé et de promotion de la santé et pour examiner les conséquences du discours et de la pratique en matière de promotion de la santé.

Lawler (1997) s'inspire également de Foucault pour avancer que la science et l'économie ont influencé la pensée et le discours qui prévalent en soins infirmiers. En particulier, les visions du monde qui prédominent en science et en économie ne reconnaissent pas l'importance des relations interpersonnelles et du contexte; or, ce sont des concepts que les infirmières considèrent comme faisant partie intégrante de leur pratique. Carper, infirmière épistémologue, souligne que la pratique des soins

TABLEAU 3-1 INFIRMIÈRES ET PHILOSOPHIES		
Catégorie	**Auteures**	**Démarche**
Philosophie	Kikuchi et Simmons (1992)	Analyse philosophique
	Johnson (1994)	Analyse philosophique
Influence ontologique	Bergum (1989)	Phénoménologie interprétative
	Cameron (1992)	Phénoménologie interprétative
Influence épistémologique	Edwards (1997)	Analyse philosophique
Influence éthique	Gadow (1994)	Éthique relationnelle
	Storch (1993)	Bioéthique

3

POURQUOI LES QUÉBÉCOISES FRANCOPHONES PRIMIPARES ALLAITENT-ELLES MOINS QUE LES AUTRES FEMMES?

Bien que l'allaitement maternel constitue un élément clé de la santé néonatale, infantile et maternelle, le taux actuel d'allaitement maternel ne correspond pas au seuil souhaité par les instances provinciales. Il s'avère donc important d'explorer la question de la poursuite de l'allaitement maternel chez les femmes primipares, puisque, si ces dernières réussissent l'allaitement de façon satisfaisante pour elles, elles seront sans doute plus enclines à allaiter de nouveau. Si on considère l'allaitement comme un phénomène socioculturel, il devient nécessaire d'étudier plus particulièrement l'expérience de l'allaitement chez les Québécoises francophones, puisqu'elles allaitent moins que les autres femmes, ce qui a été démontré par des études scientifiques. Inspirée de la philosophie du caring de Watson (1985, 1988 et 1999), cette étude qualitative de type phénoménologique s'est proposé de décrire et de comprendre l'expérience de la poursuite de l'allaitement maternel, comme la vivent des Québécoises francophones primipares qui ont allaité au sein de façon exclusive pendant au moins trois mois. La lecture des comptes rendus des participantes nous enseigne quelques faits nouveaux sur l'expérience de la mère qui allaite son enfant de façon continue, notamment la détermination de celle-ci, ce qui l'aide à surmonter les obstacles, et l'actualisation de l'expérience lorsqu'elle allaite son enfant avec amour.

Implications: Selon les résultats de cette étude, il serait souhaitable que, dans leur enseignement aux femmes qui allaitent, les infirmières insistent sur la détermination, sur l'engagement profond pour l'allaitement, sur les aspects enrichissants de cette expérience et sur les avantages de poursuivre l'allaitement. Il pourrait s'avérer utile d'explorer sous un angle qualitatif l'expérience du conjoint qui aide la mère à allaiter et d'examiner de plus près la dynamique du couple qui vit l'expérience de la poursuite de l'allaitement.

Source: Allard, M. (2002). *L'expérience de persistance à l'allaitement maternel de femmes primipares, francophones et québécoises.* Mémoire présenté à la Faculté des études supérieures de l'Université de Montréal en vue de l'obtention d'une maîtrise ès sciences (sciences infirmières).

infirmiers repose sur différentes méthodes d'apprentissage. Les *connaissances empiriques* découlent d'une base scientifique et comprennent des faits, des modèles et des théories. Les *connaissances esthétiques* ont trait à l'«art» des soins infirmiers et elles proviennent du rapport empathique que l'infirmière établit avec les personnes qu'elle soigne. Les *connaissances éthiques*, qui découlent de théories et de principes de déontologie, se développent par l'évaluation, l'éclaircissement des situations et la défense des droits. Les *connaissances personnelles* touchent la connaissance par l'actualisation de soi. On tente de connaître le soi, qui nous permet de nous situer et de faire face à une autre personne (Carper, 1978). En 1995, White ajoute à cette liste les *connaissances sociopolitiques conceptualisées tant au niveau des clients que de la profession.*

Influence éthique

Un quatrième groupe d'infirmières philosophes abordent des questions d'éthique inhérentes à la pratique infirmière. Gadow (1994) affirme que l'incapacité du client de trouver un sens à ses propres expériences pose à l'infirmière un problème de morale. Liaschenko (1997) estime que les infirmières se trouvent à maintes reprises devant de sérieux dilemmes éthiques à cause des systèmes et des structures qui les rendent parfois impuissantes dans leur pratique.

Cette brève présentation des infirmières philosophes montre bien qu'on peut aborder la philosophie infirmière sous plusieurs angles. Il est important de souligner que, même si les idées philosophiques sont rarement énoncées, elles font quand même partie intégrante de la pratique, de la recherche et de la théorie en soins infirmiers. En mettant de l'avant la pensée philosophique, nous pouvons mieux comprendre la pratique infirmière au quotidien et exercer plus efficacement notre profession.

Théories, cadres conceptuels, modèles conceptuels et concepts

La pensée philosophique sert de fondement au développement et à l'analyse critique du savoir infirmier. Ce dernier est organisé et communiqué au moyen de concepts, de modèles, de cadres et de théories. Toute théorie des soins infirmiers abordera le sujet de la pratique infirmière en fonction d'une philosophie particulière. Par exemple, une théorie conceptualisera la nature des soins infirmiers, leur portée et leur but. Elle définira et décrira les principaux concepts infirmiers, par exemple la personne, la santé, les soins et l'environnement, et elle proposera une façon d'examiner ceux-ci. Elle pourra également aborder des questions d'éthique, en expliquant les phénomènes moraux que l'infirmière peut rencontrer dans sa pratique. Les *concepts* constituent la pierre angulaire d'une théorie. Comme nous l'avons mentionné au début de ce chapitre, la **théorie** est une hypothèse ou un système d'idées proposé pour expliquer un phénomène donné. Par exemple, Newton a proposé sa théorie de la gravitation universelle pour expliquer pourquoi les pommes tombaient toujours de l'arbre vers le sol. Comme nous l'avons aussi expliqué, la *théorie* va plus loin que le *cadre conceptuel*; elle relie des concepts à l'aide de définitions qui précisent les rapports établis entre ces représentations abstraites. L'encadré 3-1 passe en revue les principales fonctions des théories infirmières et des cadres conceptuels.

Dans la littérature infirmière, on emploie souvent indistinctement les termes «théorie» et «cadre conceptuel», bien qu'à proprement parler un cadre conceptuel soit plus abstrait qu'une théorie. Dit simplement, un **cadre conceptuel** est un groupe de concepts apparentés. Il donne une vue d'ensemble ou une orientation générale qui schématise des pensées. Un cadre conceptuel est un peu comme un parapluie qui recouvre plusieurs concepts. Un **modèle conceptuel**, terme qu'on utilise parfois comme synonyme de *cadre conceptuel*, est la représentation d'un cadre conceptuel sous la forme d'une illustration ou d'un diagramme. L'encadré 3-2 passe en revue les constituants essentiels d'un modèle conceptuel. L'Ordre des infirmières et infirmiers du Québec (OIIQ) propose par ailleurs qu'une des compétences scientifiques de l'infirmière consiste en la

ENCADRÉ 3-1
FONCTIONS DES THÉORIES INFIRMIÈRES ET DES CADRES CONCEPTUELS

En général

Orienter et guider : (1) la structuration de la pratique infirmière, la formation et la recherche ; (2) la caractérisation des soins infirmiers en vue de les distinguer des autres professions.

Dans la pratique

- Aider les infirmières à décrire, à expliquer et à prévoir les expériences quotidiennes.
- Orienter la collecte des données, les interventions infirmières et l'évaluation des soins infirmiers.
- Justifier la nécessité de recueillir des données fiables et valides sur l'état de santé du client, de façon à prendre des décisions efficaces et les mesures adéquates.
- Aider à établir des critères qui permettent de mesurer la qualité des soins infirmiers.
- Aider à mettre sur pied une terminologie infirmière commune, permettant une communication efficace avec les autres professionnels de la santé ; aider à l'élaboration d'idées claires et de définitions justes.
- Favoriser l'autonomie (indépendance et autodétermination) de la profession par la définition des fonctions qui lui sont propres.

Dans l'enseignement

- Donner une orientation générale à l'élaboration des programmes d'enseignement.
- Orienter la prise de décision relativement aux programmes.

Dans la recherche

- Fournir un cadre qui favorise l'émergence de nouvelles connaissances et de nouvelles idées.
- Promouvoir de nouvelles recherches dans ce champ d'études.
- Adopter une démarche uniforme dans la formulation des sujets de recherche, le choix des variables, l'interprétation des résultats et la validation des interventions infirmières.

ENCADRÉ 3-2
CONSTITUANTS ESSENTIELS D'UN MODÈLE CONCEPTUEL

- Les postulats sont le fondement du modèle conceptuel (support théorique et scientifique du modèle, ils constituent le « comment » de la conception).
- Les valeurs ou les croyances encadrent le modèle conceptuel (elles constituent le « pourquoi » du modèle et concordent avec les valeurs de la société que sert la profession).
- Les éléments (ils constituent le « quoi » de la conceptualisation). Ils expliquent :
  - les buts, l'idéal et la finalité (la fin vers laquelle tendent les membres de la profession) ;
  - la cible de l'activité professionnelle (dans les professions qui se fondent sur la relation d'aide, la cible est une personne ou un groupe de personnes) ;
  - le rôle du professionnel (rôle social reconnu et accepté par la société) ;
  - la source des problèmes soulevés par la cible (l'origine probable de la difficulté, qui relève d'une ou de plusieurs disciplines) ;
  - l'intervention du professionnel (notamment le centre de l'intervention, qui concerne l'attention portée à la personne et les modes d'intervention, c'est-à-dire les moyens dont l'infirmière dispose pour intervenir ou agir) ;
  - les conséquences (les résultats escomptés).

Source : Adapté de l'ouvrage suivant : Adam, E., et Pepin, J. (1991). *Être infirmière, un modèle conceptuel* (3e éd.). Montréal : Études vivantes.

« connaissance des modèles conceptuels de soins infirmiers pour orienter sa pratique » (OIIQ, 2009). De ce fait, le principal objectif d'un modèle conceptuel est de donner une orientation claire et explicite aux trois champs d'action des soins infirmiers : la pratique, l'enseignement et la recherche. Ainsi, le modèle conceptuel « oriente la pratique de l'infirmière en fournissant, par exemple, une description du but que cette dernière poursuit, de l'orientation de son rôle et de ses activités de soins. Il sert aussi à préciser les phénomènes d'intérêt pour la recherche infirmière, les effets souhaités pour la gestion des soins infirmiers, de même que les éléments essentiels à la formation des infirmières » (Pepin, Kérouak et Ducharme, 2010, p. 49). Une théorie, au contraire, a une portée limitée. Son but premier est de produire des connaissances dans un domaine. Une théorie explore des phénomènes, exprime des relations entre des faits, engendre des hypothèses et prédit des événements et des liens.

Étant donné que le but premier de la théorie infirmière est de produire des connaissances scientifiques, la théorie et la recherche en soins infirmiers sont intimement liées. Le savoir infirmier émane à la fois des traditions de recherche empiriste et interprétative. La démarche empiriste permet d'élaborer ou de vérifier des théories, tandis que la démarche interprétative

propose des façons de comprendre une expérience. Le savoir scientifique repose sur la vérification des hypothèses (postulats) engendrées par les théories infirmières. La recherche détermine la validité de ces hypothèses, et les résultats de la recherche peuvent donner lieu à la formulation de théories infirmières. Dans le processus de recherche, on fait des comparaisons entre les résultats effectifs de la recherche et le lien prédit par les hypothèses.

Un **concept** est une idée abstraite ou une image mentale qui représente un phénomène. Les concepts traduisent les propriétés et le sens d'un objet, d'un événement ou d'une chose. Un concept peut être : (1) directement observable, c'est-à-dire *concret*, comme un thermomètre, une plaie ou une lésion ; (2) indirectement observable, c'est-à-dire *inférentiel*, comme la douleur et la température ; (3) non observable, c'est-à-dire *abstrait*, comme l'équilibre, l'adaptation, le stress et l'impuissance d'agir. Un grand nombre de concepts s'appliquent aux soins infirmiers, notamment les concepts liés à l'être humain, à la santé, aux relations d'aide et à la communication.

Métaparadigme infirmier

Les théories infirmières définissent et décrivent les relations entre des concepts abstraits qui constituent le **métaparadigme** infirmier, c'est-à-dire le cadre philosophique ou conceptuel le plus global d'une profession. Un métaparadigme se situe à un niveau d'abstraction plus élevé que le paradigme qui représente, pour sa part, un courant de pensée et une façon de concevoir la réalité qui influent sur l'enrichissement des différents savoirs

(Pepin *et al.*, 2010). Le métaparadigme désigne les concepts essentiels de la discipline, sans faire de liens avec les postulats d'une vision du monde en particulier. Même si on s'entend pour dire que les quatre concepts suivants constituent le métaparadigme infirmier (Fawcett, 1984), d'autres auteures ont proposé un métaparadigme différent (Newman, Sime et Corcoran-Perry, 1991; Parse, 1987):

- Le *client*, c'est-à-dire celui qui reçoit les soins infirmiers (il peut s'agir d'une seule personne, d'une famille, d'un groupe ou d'une communauté).
- L'*environnement*, c'est-à-dire les conditions internes et externes qui influent sur le client. L'environnement sous-entend aussi l'entourage, comme la famille, les amis et les proches.

- La *santé*, c'est-à-dire le degré de bien-être et de prédisposition à la santé du client.
- Les *soins infirmiers*, c'est-à-dire les attributs, les caractéristiques et les actions de l'infirmière qui prodigue des soins au client, en collaboration avec ce dernier.

Les définitions que chaque infirmière théoricienne donne aux principaux concepts infirmiers varient selon sa vision du monde, sa philosophie et son expérience des soins infirmiers. Par conséquent, chacun des modèles conceptuels permet de définir le métaparadigme, les concepts et les propositions qui le composent (Fawcett, 2005). La figure 3-1 ■ illustre la définition du métaparadigme infirmier et de ses quatre concepts selon l'OIIQ.

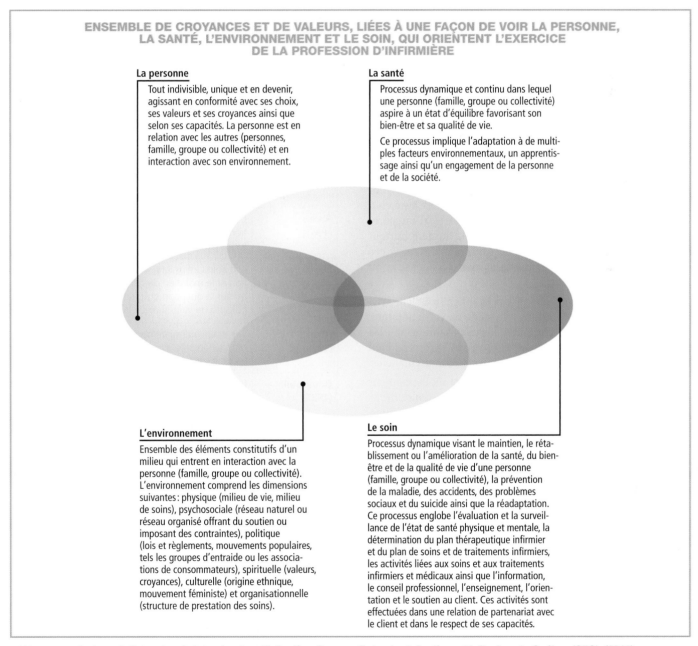

ENSEMBLE DE CROYANCES ET DE VALEURS, LIÉES À UNE FAÇON DE VOIR LA PERSONNE, LA SANTÉ, L'ENVIRONNEMENT ET LE SOIN, QUI ORIENTENT L'EXERCICE DE LA PROFESSION D'INFIRMIÈRE

La personne
Tout indivisible, unique et en devenir, agissant en conformité avec ses choix, ses valeurs et ses croyances ainsi que selon ses capacités. La personne est en relation avec les autres (personnes, famille, groupe ou collectivité) et en interaction avec son environnement.

La santé
Processus dynamique et continu dans lequel une personne (famille, groupe ou collectivité) aspire à un état d'équilibre favorisant son bien-être et sa qualité de vie.

Ce processus implique l'adaptation à de multiples facteurs environnementaux, un apprentissage ainsi qu'un engagement de la personne et de la société.

L'environnement
Ensemble des éléments constitutifs d'un milieu qui entrent en interaction avec la personne (famille, groupe ou collectivité). L'environnement comprend les dimensions suivantes: physique (milieu de vie, milieu de soins), psychosociale (réseau naturel ou réseau organisé offrant du soutien ou imposant des contraintes), politique (lois et règlements, mouvements populaires, tels les groupes d'entraide ou les associations de consommateurs), spirituelle (valeurs, croyances), culturelle (origine ethnique, mouvement féministe) et organisationnelle (structure de prestation des soins).

Le soin
Processus dynamique visant le maintien, le rétablissement ou l'amélioration de la santé, du bien-être et de la qualité de vie d'une personne (famille, groupe ou collectivité), la prévention de la maladie, des accidents, des problèmes sociaux et du suicide ainsi que la réadaptation. Ce processus englobe l'évaluation et la surveillance de l'état de santé physique et mentale, la détermination du plan thérapeutique infirmier et du plan de soins et de traitements infirmiers, les activités liées aux soins et aux traitements infirmiers et médicaux ainsi que l'information, le conseil professionnel, l'enseignement, l'orientation et le soutien au client. Ces activités sont effectuées dans une relation de partenariat avec le client et dans le respect de ses capacités.

FIGURE 3-1 ■ Assises de l'exercice de la profession d'infirmière. Source: Ordre des infirmières et infirmiers du Québec (OIIQ). (2010). *Perspectives de l'exercice de la profession d'infirmière.* Montréal: Auteur. Document consulté le 15 octobre 2010 de http://www.oiiq.org/uploads/publications/autres_publications/263NS_Perspective_2010Fr.pdf.

3

Quelques théories infirmières

Le développement de la théorie a connu un grand essor au cours des années 1960 et a beaucoup progressé depuis. Comme les points de vue à l'égard de la nature et de la structure des soins infirmiers varient, l'élaboration des théories se poursuit. Chaque théorie porte le nom de la personne ou du groupe qui l'a élaborée et en reflète les croyances.

Les théories infirmières décrites dans les pages suivantes sont très différentes les unes des autres. Les différences portent sur les éléments suivants : (1) le degré d'abstraction ; (2) la conceptualisation de la personne, de la santé, de l'environnement et des soins infirmiers ; (3) la capacité de décrire, d'expliquer ou de prédire. Certaines théories ont une portée générale et d'autres, une portée plus limitée. Le tableau 3-2 passe en revue les conceptualisations des soins infirmiers selon quelques théoriciennes.

Théorie environnementale de Nightingale

Souvent considérée comme la première infirmière théoricienne du monde infirmier occidental, Florence Nightingale (1820-1910) a défini ainsi les soins infirmiers, il y a plus de 150 ans : «Les soins infirmiers consistent à exploiter l'environnement de la personne de manière à favoriser son rétablissement» (Nightingale, 1969). Nightingale mettait la santé en rapport avec cinq facteurs environnementaux : (1) l'air pur ou frais ; (2) l'eau pure ; (3) un drainage efficace ; (4) la propreté ; (5) la lumière, surtout la lumière directe du soleil. Un déficit sur le plan de l'un de ces cinq facteurs entraînait, selon elle, la perte de la santé ou l'apparition d'une affection.

Ces facteurs environnementaux prennent tout leur sens lorsqu'on sait que les conditions d'hygiène dans les hôpitaux des années 1800 étaient extrêmement insatisfaisantes et que les femmes qui y travaillaient n'avaient souvent ni la formation ni la compétence nécessaire pour soigner les personnes malades.

En plus de ces facteurs, Nightingale mettait l'accent sur l'importance de garder la personne au chaud, dans un environnement sans bruit, et de répondre à ses besoins nutritionnels, notamment en surveillant son apport alimentaire, en conservant un horaire fixe de repas et en évaluant les effets de ces variables sur la personne. La conception de Nightingale, qui consiste à réduire les obstacles à la guérison, a permis de distinguer les soins infirmiers de la médecine.

Nightingale a préparé le terrain à l'élaboration de nombreuses autres théories infirmières. Aujourd'hui, ses concepts généraux au sujet de l'air, de la propreté, de la tranquillité, de la chaleur ambiante et de l'alimentation font encore partie des grands principes qui régissent les soins infirmiers, en particulier, et les soins de santé, en général.

Modèle des relations interpersonnelles de Peplau

Hildegard Peplau, considérée comme une pionnière des soins infirmiers psychiatriques, a proposé ses concepts sur la relation

TABLEAU 3-2
CONCEPTUALISATION DES SOINS INFIRMIERS SELON QUELQUES THÉORICIENNES

Théoricienne	Conceptualisation
Nightingale (1860)	Les soins infirmiers se fondent sur l'environnement de la personne dans le but de l'aider à se rétablir.
Peplau (1952)	Les soins infirmiers s'appuient sur la relation thérapeutique qui s'établit entre l'infirmière et la personne.
Henderson (1966)	Les soins infirmiers aident la personne à répondre à ses besoins d'une manière favorisant son indépendance.
Orem (1971)	Les soins infirmiers visent à pallier les limites de la personne dans l'autosoin, limites qui lui sont imposées par sa santé, et à renforcer ses capacités d'autosoin.
Roy (1976)	Les soins infirmiers consistent à aider la personne à prendre conscience de ses capacités et à faire des choix lui permettant de s'adapter à son environnement.
Watson (1979)	Les soins infirmiers consistent à soigner autrui (il s'agit de l'essence de la pratique) et à aider la personne à mieux mettre en harmonie son âme, son corps et son esprit.
Parse (1981)	Les soins infirmiers consistent à créer une situation dans laquelle la personne choisit ses habitudes de santé et en assume la responsabilité.
Leininger (1985)	Les soins infirmiers sont orientés sur la promotion et le maintien des comportements de santé ou sur la guérison grâce à des soins qui tiennent compte de la culture de la personne.
Allen (1986)	Les soins infirmiers constituent une réaction professionnelle à la façon dont la personne réagit à un mode de vie sain.
Campbell (1987)	Les soins infirmiers consistent à soigner des personnes qui traversent des périodes critiques dans leur cycle de vie, afin de les aider à atteindre une santé optimale.
Roach (1992)	Les soins infirmiers se fondent sur la compétence, la compassion, la confiance, la conscience et l'engagement.

interpersonnelle en 1952. La théorie de Peplau est centrée sur la relation thérapeutique qui s'établit entre l'infirmière et la personne soignée.

L'infirmière tisse un lien personnel avec la personne lorsque le besoin se fait sentir. Selon Peplau (1952, 1988), cette relation thérapeutique interpersonnelle (infirmière-personne soignée) se bâtit en quatre phases :

1. *L'orientation.* Durant cette phase, la personne cherche de l'aide, et l'infirmière lui permet de clarifier sa situation et l'ampleur de son besoin d'aide.

2. *La détermination.* Durant cette phase, la personne prend une position de dépendance, d'interdépendance ou d'indépendance par rapport à l'infirmière (caractéristique de la relation thérapeutique).

3. *L'exploitation.* Durant cette phase, la personne tire tout ce qu'elle peut de ce que l'infirmière lui offre dans le cadre de la relation infirmière-personne soignée. Elle utilise les services disponibles selon ses intérêts et ses besoins. Le pouvoir passe de l'infirmière à la personne.

4. *La résolution.* Durant cette dernière phase, la personne met de côté ses anciens besoins et objectifs et en adopte de nouveaux. Une fois les anciens besoins satisfaits et les anciens objectifs atteints, de nouveaux, plus raisonnés, émergent.

Pour aider la personne à satisfaire ses besoins, l'infirmière assume de nombreux rôles. Elle est à la fois une étrangère, une enseignante, une personne-ressource, un substitut, un leader et une conseillère. Les cliniciens d'aujourd'hui utilisent encore la théorie de Peplau, particulièrement lorsqu'ils travaillent auprès de personnes aux prises avec des problèmes psychologiques (Fawcett, 2005).

Définition des soins infirmiers selon Henderson

En 1966, Virginia Henderson (1897-1996) a donné sa définition du rôle exclusif des soins infirmiers. Cette définition a joué un rôle capital dans l'émergence des soins infirmiers en tant que discipline distincte de la médecine. Comme Nightingale, Henderson a décrit les soins infirmiers en rapport avec la personne et l'environnement. Contrairement à Nightingale, cependant, Henderson considérait que l'infirmière s'occupait à la fois des personnes en bonne santé et des personnes malades, qu'elle devait continuer d'interagir avec la personne même lorsque le rétablissement n'était pas envisageable et qu'elle exerçait en même temps les rôles d'enseignante et de protectrice des droits de l'individu.

Selon Henderson, le rôle de l'infirmière consiste à aider autant la personne bien-portante que la personne malade à satisfaire de façon autonome les 14 besoins fondamentaux suivants (1966, 1991, p. 22-23):

- Respirer normalement.
- Boire et manger adéquatement.
- Éliminer tous les déchets corporels.
- Bouger et conserver une bonne posture.
- Dormir et se reposer.
- Se vêtir et se dévêtir, choisir les vêtements appropriés.
- Maintenir une température corporelle normale.
- Maintenir une bonne hygiène corporelle et une apparence soignée pour préserver l'intégrité de la peau.
- Éviter les dangers de l'environnement et éviter de blesser autrui.
- Communiquer avec autrui pour exprimer des émotions, des besoins, des peurs, des points de vue.
- Agir conformément à ses croyances et à ses valeurs.
- Exercer un métier qui donne un sentiment d'accomplissement.

- Prendre part à diverses activités récréatives ou ludiques.
- Apprendre, découvrir ou satisfaire sa curiosité dans le but de se développer normalement et de conserver une bonne santé.

Henderson a publié de nombreux travaux et continue d'être citée dans la littérature infirmière actuelle. Sa notoriété provient notamment du fait qu'elle considérait comme important que les soins infirmiers soient indépendants mais aussi interdépendants, c'est-à-dire liés aux autres disciplines du domaine de la santé.

Théorie du déficit de l'autosoin d'Orem

La théorie de Dorothy Orem (1914-2007), publiée pour la première fois en 1971, porte sur trois concepts apparentés: l'autosoin, le déficit d'autosoin et les systèmes de soins infirmiers. La théorie de l'autosoin (AS) se fonde sur quatre concepts: l'autosoin, la capacité d'accomplir l'autosoin (CAS), les nécessités d'autosoin (NAS) et les exigences d'autosoin thérapeutique (EAST). L'autosoin est une activité dans laquelle une personne s'engage de manière autonome tout au long de sa vie afin de favoriser et de préserver son bien-être. Il dépend de sa capacité de poursuivre les activités qui y sont reliées: soit elle les mène à bien elle-même, soit elle a besoin de quelqu'un pour les accomplir à sa place. La plupart des adultes sont capables de prendre soin d'eux-mêmes, tandis que les enfants et les personnes affaiblies par une affection ou une invalidité ont besoin d'aide.

L'autosoin vise à satisfaire des nécessités précises: les nécessités d'autosoin (NAS). Il y a trois sortes de NAS:

- Les NAS universelles, communes à toutes les personnes, quels que soient leur âge et leur état de santé: apport suffisant d'air, d'eau et de nourriture; soins associés aux processus d'élimination et à l'évacuation des excréments; équilibre entre l'activité et le repos, entre la solitude et l'interaction sociale; prévention des risques qui menacent la vie, la santé et le bien-être; promotion de la santé et du développement humain, notamment du fonctionnement humain normal

- Les NAS reliées au développement émergent au cours du passage à un nouveau stade de développement ou à l'occasion d'un changement exigeant une adaptation (changement d'image corporelle, perte du conjoint, etc.)

- Les NAS reliées à l'altération de la santé s'imposant au moment d'une affection, d'une blessure, d'un problème de santé ou de son traitement. Il s'agit, dans ce cas, de la capacité de chercher à se soigner, de suivre le traitement prescrit et d'apprendre à vivre avec les répercussions de l'affection ou du traitement. En voici quelques exemples:
  - rechercher une aide médicale appropriée pour surmonter une affection;
  - gérer les effets d'une affection ou d'un problème de santé;
  - respecter et mettre en œuvre les mesures de diagnostic, de traitement et de réadaptation prescrites par le médecin;
  - prendre conscience des effets négatifs du traitement et des médicaments, et les corriger;
  - modifier son concept de soi;
  - apprendre à vivre avec les effets de l'affection sur les plans du diagnostic et des traitements.

Les exigences d'autosoin thérapeutique englobent toutes les activités qu'il faut poursuivre pour satisfaire les NAS, autrement dit les activités qui permettent de maintenir la santé et le bien-être.

Orem mentionne les facteurs de conditionnement fondamentaux (FCF), qui aident à déterminer la qualité des exigences d'autosoin thérapeutique et la capacité d'autosoin de la personne. Il s'agit du sexe, de l'âge, du stade de développement, du mode de vie, des éléments du système familial, de l'état de santé, de l'orientation socioculturelle, des éléments de l'environnement, de la disponibilité et de la pertinence des ressources et des éléments du système de santé.

On dit qu'il y a déficit d'autosoin quand la personne engagée dans des activités d'autosoin ne peut les mener à bien de façon satisfaisante. La figure 3-2 ■ illustre la structure conceptuelle de la théorie du déficit d'autosoin. Orem précise non seulement le moment où des soins infirmiers sont nécessaires, mais aussi les moyens de soutenir la personne : agir à sa place, la guider, la soutenir, lui procurer un environnement adéquat et lui donner de l'enseignement. En appliquant ces modes de soutien, on améliore la capacité de la personne de répondre à ses besoins actuels et futurs.

Orem fait ressortir trois catégories de systèmes infirmiers :
■ Un système entièrement compensatoire, qui convient à la personne incapable de s'engager dans des activités d'autosoin, de maîtriser et de gérer son environnement et de traiter les informations, ou à celle qui s'est vu interdire ces activités par le médecin.

■ Un système partiellement compensatoire, qui convient à la personne incapable de mener à bien une partie des activités d'autosoin sans l'aide de l'infirmière.
■ Un système de soutien-éducation (système de soutien au développement), qui convient à la personne qui est capable de mener à bien ses tâches d'autosoin, orientées vers elle-même (motivation) ou vers l'extérieur (environnement), mais qui a besoin d'apprendre comment les accomplir et qui a besoin qu'on l'aide à cet égard.

Les cinq modes de soutien qui s'appliquent au déficit d'autosoin peuvent être utilisés selon chacun de ces systèmes et selon la situation de la personne.

Modèle d'adaptation de Roy

Le modèle d'adaptation de sœur Callista Roy (1939-) a été publié sous forme de livre en 1976. La santé, selon Roy (1984), est un état et un processus d'être et de devenir d'une personne intégrée et entière. Roy définit l'*adaptation,* qui est le concept central du modèle, comme «le processus et l'issue dont se sert la personne qui pense et qui ressent pour prendre conscience et faire des choix afin d'arriver à s'intégrer dans son entourage humain et physique» (Roy, 1997, p. 44). Ce processus comprend les entrées (stimuli internes, qui se trouvent à l'intérieur de soi, et stimuli externes, provenant de l'environnement), les sorties (réponses ou comportements en fonction des stimuli entrants et du niveau d'adaptation individuel), un système de contrôle (mécanismes d'adaptation) et une rétroaction.

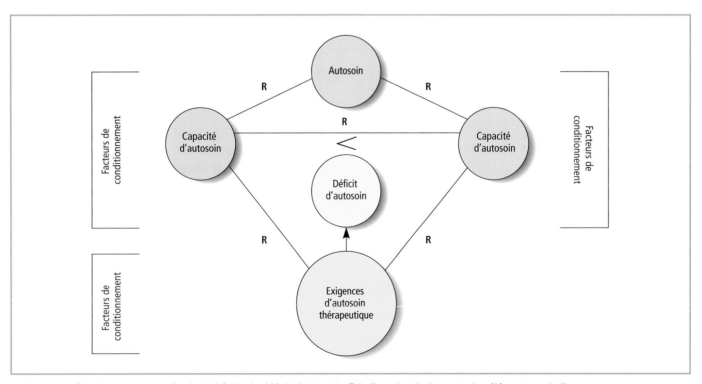

FIGURE 3-2 ■ Structure conceptuelle de la théorie du déficit d'autosoin. R indique la relation entre les éléments ; < indique un déficit réel ou potentiel qui nécessite l'aide de l'infirmière. Source : Orem, D. E., Taylor, S. G., et Renpenning, K. M. (2001). *Nursing : Concepts of practice* (6e éd.) (p. 491). St. Louis, MO : Mosby. Reproduit avec l'autorisation d'Elsevier.

Les principaux stimuli sont le stimulus focal (stimulus auquel la personne doit faire face et s'adapter, par exemple un changement dans l'environnement ou dans les rapports familiaux), le stimulus contextuel (celui qui étaye le comportement motivé par le stimulus focal, par exemple le vécu, le stress induit par une affection, la douleur, l'isolement) et le stimulus résiduel (tout facteur pouvant modifier le comportement, mais dont on ne peut vérifier les effets, par exemple les croyances, les attitudes, les valeurs culturelles). Les modes d'intervention visent à supprimer, à augmenter, à maintenir, à modifier ou à diminuer les stimuli.

Voici la démarche de soins selon Roy :
- *Évaluation des comportements observables ou non, internes ou externes, qui se manifestent dans des circonstances particulières.* L'évaluation permet de savoir si le comportement en question peut être adapté ou non.
- *Évaluation des stimuli.* À cette étape, on définit les facteurs qui influent sur le comportement, soit la culture, la famille, le stade de développement, le niveau d'intégration, le système cognitif, l'environnement.
- *Définition des problèmes.* À cette étape, on détermine le niveau d'adaptation de la personne d'après son comportement et les stimuli les plus importants qui entrent en jeu.
- *Formulation du but.* Il s'agit à cette étape de changer les comportements inadaptés en comportements adaptés ainsi que de maintenir et de renforcer ces derniers.
- *Interventions infirmières.* Elles visent à modifier les stimuli.
- *Évaluation des interventions.* À cette étape, on évalue les buts fixés au cours de la quatrième étape (par l'observation, des mesures et des entretiens).

Par la suite, Roy a reformulé ses postulats scientifiques et philosophiques. Ces postulats sont axés sur la complexité croissante de la personne et de son environnement, sur l'organisation personnelle ainsi que sur la relation de la personne avec autrui, avec l'univers et avec ce qu'elle considère comme l'être suprême ou Dieu. Roy a précisé ses postulats philosophiques en invoquant les grandes lignes de la « spiritualité de la création », un point de vue selon lequel « les personnes et la Terre ne font qu'un, elles vivent en Dieu et par Dieu » (Roy, 1997, p. 46).

La pensée de Callista Roy est centrée sur la personne en tant que système adaptatif biopsychosocial (figure 3-3 ■) qui utilise un cycle rétroactif d'entrées (stimuli), de traitement (processus de contrôle) et de sorties (comportements et réactions adaptatives). La personne et son environnement, tous deux en constante évolution, sont des sources de stimuli qu'il faut modifier pour favoriser l'adaptation ; il s'agit d'une réaction continue qui tend vers un but. Les réactions adaptatives contribuent à la santé, que Roy définit comme le processus qui consiste à être intégré et à le devenir, tandis que les réactions inefficaces ou inadaptées ne favorisent pas la santé (Roy et Zahn, 2006). La faculté d'adaptation de chaque personne est unique et change constamment ; tout comportement inadapté risque de mettre son intégration en péril.

En somme, l'activité infirmière permet à la personne de conserver l'énergie nécessaire à la guérison et d'augmenter sa capacité d'adaptation. La personne doit être vue comme un être biopsychosocial qui s'adapte aux stimuli selon quatre modes : mode physiologique, mode du concept de soi, mode de l'exercice des rôles et mode de l'interdépendance.

1. Le *mode physiologique* renvoie aux besoins fondamentaux d'intégration physiologique ou biologique de l'organisme et aux façons dont celui-ci s'adapte (liquides et électrolytes, activité et repos, circulation et apport d'oxygène, nutrition et élimination, protection, cinq sens, fonction neurologique et fonction endocrinienne). Ces besoins sont régis par quatre processus régulateurs : sens, liquides et électrolytes, fonction neurologique et fonction endocrinienne. Les réponses d'adaptation se traduisent par des comportements ou des actions directes et surtout par les réactions physiologiques de l'organisme.

2. Le *mode du concept de soi* représente le besoin d'intégration psychique de la personne. Il se compose de deux éléments :

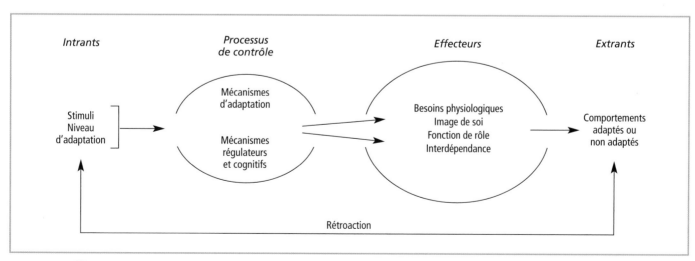

FIGURE 3-3 ■ L'individu en tant que système d'adaptation biopsychosocial. Source : Roy, C. (1986). *Introduction aux soins infirmiers : un modèle de l'adaptation* (p. 21), Traduction de Louise Berger. Chicoutimi : Gaëtan Morin Éditeur. Cet extrait a été reproduit aux termes d'une licence accordée par Copibec.

3

le soi *physique*, qui renvoie à la sensation et à l'image corporelle, représente la façon dont la personne se perçoit physiquement; le soi *personnel*, qui renvoie à l'idéal de soi, à la cohérence intérieure, à la consistance (soit la stabilité et la continuité) et au soi idéal (ce que la personne attend d'elle-même et ce qu'elle veut accomplir). Le soi personnel correspond au soi moral, éthique et spirituel.

3. Le *mode de l'exercice des rôles* est déterminé par le besoin d'intégration sociale. Il fait référence à l'accomplissement des devoirs selon les trois rôles que la personne joue dans la société. Le rôle principal est déterminé par l'âge, le sexe et le stade de développement; c'est lui qui influence la plupart des comportements. Le rôle secondaire permet à la personne d'accomplir les tâches reliées au rôle principal. Le troisième rôle exerce une certaine influence sur les autres rôles, par exemple ceux exercés dans le cadre d'associations, de clubs, etc.

4. Le *mode de l'interdépendance* désigne la relation d'une personne avec ses proches et avec les réseaux de soutien qui lui offrent aide et affection et qui s'intéressent à elle. Il sous-entend la volonté et la capacité d'aimer, de respecter les autres, etc.

Théorie du caring de Watson

Jean Watson (1940-) croit que le *caring* est l'essence des soins infirmiers, la force unificatrice de la pratique (1979, 2009). L'encadré 3-3 passe en revue les principaux postulats de Watson au sujet du caring, inspirés de la philosophie existentielle et phénoménologique. Watson a proposé 10 facteurs *caratifs* et, par la suite, 10 processus de *caritas* clinique correspondants (Watson, 1979-2009, citée dans Pepin *et al.*, 2010, p. 71) qui constituent «la base non seulement pour développer la science infirmière, mais aussi pour orienter la pratique [...] et conférer à la discipline une maturité qui la place à l'avant-garde des exigences actuelles et futures de soins» (Pepin *et al.*, 2010, p. 69-70). Ces processus offrent des pistes permettant de mettre en pratique le caring dans une perspective de spiritualité et d'amour (Watson, 2009). Les objectifs du *caritas* clinique sont les suivants:

- Former un système de valeurs humanitaires et altruistes.
- Inspirer foi et espoir.
- Cultiver la sensibilité à soi et à autrui.
- Établir une relation d'aide et de confiance (soins humains).
- Favoriser et accepter l'expression de sentiments négatifs et positifs.
- Utiliser systématiquement la méthode scientifique de résolution de problèmes pour prendre des décisions.
- Favoriser une dynamique interpersonnelle de l'enseignement-apprentissage.
- Créer un environnement mental, physique, socioculturel et spirituel qui procure soutien, protection ou correction.
- Aider en tenant compte de la satisfaction des besoins humains.
- Favoriser les forces existentielles phénoménologiques et spirituelles.

Universellement connu, le caring de Watson contribue à la redéfinition des soins infirmiers. L'intentionnalité, la conscience et le champ d'énergie sont à la base du caring et

ENCADRÉ 3-3

POSTULATS DE WATSON SUR LE CONCEPT DE CARING

- Le caring en soins infirmiers n'englobe pas uniquement les émotions, la compassion, l'attitude empathique et le désir d'aider; il implique une réaction personnelle.
- Le caring est un processus humain intersubjectif et l'idéal moral des soins infirmiers.
- Le caring ne prend tout son sens que dans les rapports interpersonnels.
- Un caring efficace favorise la santé ainsi que la croissance individuelle et familiale.
- Les réactions que le caring entraîne permettent d'accepter la personne non seulement telle qu'elle est, mais aussi telle qu'elle peut devenir.
- Un climat de caring permet à la personne de développer son potentiel et de choisir la meilleure façon d'agir à tel ou tel moment.
- Le caring suppose que l'infirmière et la personne soignée peuvent agir et choisir. Comme le caring est transpersonnel, les limites de l'ouverture, tout comme celles des capacités humaines, sont repoussées.
- La caractéristique la plus abstraite d'une personne qui fait preuve de caring et de compassion est qu'elle considère autrui comme une entité unique, est sensible à ses sentiments et le traite comme un être à part entière.
- La compassion humaine suppose des valeurs, un désir et une volonté de soigner, des connaissances, des gestes bienveillants et des conséquences.
- L'idéal et la valeur du caring sont un point de départ, une position et une attitude qui doivent se transformer en volonté, en intention, en engagement et en jugement conscient, ce qui se traduit par des gestes concrets.

Watson, J. (2008). *Nursing: The philosophy and science of caring*, Édition révisée. University Press of Colorado.

soutiennent la dyade infirmière-personne soignée. Il importe de considérer le contexte et de comprendre la signification de l'expérience vécue et perçue par la personne. La personne est un «être dans le monde», qui se situe sur un continuum spatio-temporel; elle se compose d'une âme, d'un corps et d'un esprit indivisibles, qui tendent vers l'harmonie. La santé se maintient lorsque le soi perçu et le soi vécu sont en harmonie. La personne interagit avec son milieu physique, matériel ou spirituel. Le milieu interne comprend la culture, la spiritualité, les attitudes et les perceptions de la personne. Le milieu externe correspond au milieu de vie (confort, éducation, intimité et rapports avec l'univers).

Théorie de l'humain en devenir de Parse

Rosemarie Rizzo Parse a publié sa théorie pour la première fois en 1981, dans *Man-living-health: A theory for nursing* (*L'homme vivant sa santé*). Elle a rebaptisé sa théorie *Human Becoming* «théorie de l'humain en devenir», (Parse, 1998), puis *Humanbecoming* («l'humainendevenir») en un seul mot (Parse, 2007).

Au sujet de l'humain en devenir, Parse (1999) propose trois postulats qui découlent de la pensée phénoménologique existentielle:

1. Devenir humain, c'est donner librement une *signification* personnelle aux situations; il s'agit d'un libre choix dans le contexte d'un processus subjectif qui consiste à hiérarchiser les valeurs.

   La *signification* découle de la relation de la personne avec le monde et renvoie aux événements auxquels elle donne divers degrés d'importance. La personne choisit la signification qu'elle donne aux expériences qu'elle vit tout au long de son processus de devenir.

2. Devenir humain, c'est participer à la création d'une *rythmicité* («patterns» rythmiques) ou être en relation avec l'univers; c'est un processus interactif.

   La *rythmicité* désigne le mouvement menant vers une diversité accrue. La personne «a des intentions, elle est engagée dans le monde et crée un devenir personnel qui reflète des "patterns" rythmiques de relation» (citée dans Pepin *et al.*, 2010, p. 67).

3. Devenir humain, c'est participer à la *transcendance* multidimensionnelle des possibilités.

   La *transcendance* renvoie au processus de dépassement de soi.

Le *modèle de l'humain en devenir* de Parse met l'accent sur la façon dont la personne choisit ses habitudes de santé et en assume la responsabilité. Parse soutient que c'est la personne soignée, et non l'infirmière, qui est le symbole d'autorité et qui prend les décisions. Le rôle de l'infirmière consiste à aider la personne et sa famille à choisir la possibilité de changer le processus de santé. Plus précisément, le rôle de l'infirmière est de faire ressortir la signification (découvrir le sens de ce qui était et de ce qui sera), de synchroniser les rythmes (mener l'interaction de manière à trouver l'harmonie), de mobiliser la transcendance (rêver de possibilités et planifier leur réalisation) et, par le fait même, d'améliorer la qualité de vie (Parse, 2006). La personne est «pandimensionnelle, indivisible, libre de choisir un sens alors qu'elle est dans un contexte en changement. Elle participe à la création de "patterns" de relation tout en échangeant de façon mutuelle et simultanée avec l'environnement» (Parse, 2002, citée dans Pepin *et al.*, 2010, p. 68). L'environnement et la personne participent à leur «cocréation» (terme créé par Parse), en favorisant la diversité et en «cocréant» leurs «patterns» rythmiques respectifs. Pour parler de l'environnement au sens large, Parse utilise le terme «univers». L'univers et la personne sont indissociables, d'où l'expression «humain-univers» (Pepin *et al.*, 2010, p. 68).

Dans la relation qu'elle entretient avec la personne soignée, l'infirmière, selon Parse, utilise la «présence vraie».

La présence vraie est une écoute intentionnelle basée sur un art interpersonnel, lui-même enraciné dans les connaissances issues de l'humain en devenir. L'infirmière est un témoin attentif aux changements de sens alors que la personne vit ses priorités de valeurs (Pepin *et al.*, 2010, p. 69; Parse, 1994).

Théorie de l'universalité et de la diversité des soins selon la culture (Leininger)

C'est en 1985, dans le journal *Nursing and Health Care,* que Madeleine Leininger, infirmière anthropologue bien connue, a publié sa théorie sur la diversité et l'universalité des soins selon la culture de la personne soignée; elle l'a ensuite expliquée plus en détail en 1988, puis en 1991, dans son ouvrage *Culture care diversity and universality : A theory of nursing.*

En s'appuyant sur des concepts anthropologiques et ethnographiques, Leininger soutient que le caring et le soin selon la culture sont les essences des soins infirmiers, les caractéristiques dominantes, distinctives et unificatrices de la pratique infirmière. Selon Leininger, même s'il s'agit d'un phénomène universel, le «soin culturel» varie d'une culture à l'autre dans son expression, dans les façons de faire et dans les habitudes. Le soin est très influencé par la culture. Les soins infirmiers comprennent des activités et des processus de soins personnalisés, dirigés vers la promotion de comportements de santé, vers leur maintien et vers le rétablissement de la santé. «Les soins que doit prodiguer l'infirmière sont transculturels, c'est-à-dire respectueux des valeurs culturelles, sociales et religieuses et du style de vie des personnes. […] Les soins infirmiers sont basés sur des connaissances transculturelles, apprises par l'examen de la structure sociale, de la vision du monde, des valeurs, de la langue et des contextes environnementaux de divers groupes culturels» (Pepin *et al.*, 2010, p. 73). Le modèle *Sunrise,* qui illustre la théorie de Leininger, est présenté à la figure 12-3 du chapitre 12 (p. 276). Ce modèle met en évidence l'influence qu'ont, sur la santé et les soins, certains éléments de la structure sociale, notamment des facteurs religieux, philosophiques, familiaux, sociaux, technologiques, politiques et légaux, des valeurs culturelles, des facteurs économiques et des facteurs éducationnels. Il faut aussi prendre en compte le contexte environnemental, l'expression du langage et les aspects ethnohistoriques. Les soins de santé, les «patterns» sociaux et les pratiques de soins font aussi partie intégrante de la structure sociale (Leininger, 1993, 2007).

Leininger et McFarland (2002) proposent trois modèles de soins à l'infirmière qui travaille auprès de personnes de diverses appartenances culturelles :

- La préservation et le maintien de soins adaptés à la culture par des activités d'assistance et de facilitation, qui tiennent compte de la culture de la personne et qui permettent le maintien ou le rétablissement de la santé.

- L'adaptation des soins ou des négociations à la culture par des activités d'assistance et de facilitation, qui sont adaptées à l'état de santé de la personne ou qui donnent lieu à des compromis.

- La restructuration et le remodelage des soins selon la culture par des activités qui aident la personne à découvrir de nouvelles significations aux habitudes de vie, ce qui permet d'apporter les modifications souhaitées.

Modèle des soins infirmiers de Campbell (Université de la Colombie-Britannique)

En élaborant son modèle de soins infirmiers (UBC Model of Nursing), Margaret Campbell (1987) voulait que les infirmières soignantes, tout autant que celles engagées dans la recherche et dans l'enseignement, orientent leur travail en tenant compte de la «vision de la personne» et en prenant également en considération le «rôle et la fonction de l'infirmière par rapport à la

3

personne soignée en tant que membre distinct de l'équipe de professionnels de la santé » (p. 5). Dans le modèle de Campbell, le principal thème est un système comportemental composé de sous-systèmes d'interaction et d'interdépendance, chacun représentant un besoin humain fondamental. D'après Campbell, l'être humain a neuf besoins fondamentaux, qu'il s'efforce constamment de satisfaire au moyen de différents comportements d'adaptation innés ou acquis. Dans ce modèle, l'environnement est l'élément qui se trouve à l'extérieur des limites du système. L'infirmière est considérée comme quelqu'un qui soigne « des individus vivant une période critique afin qu'ils développent et utilisent un éventail de comportements d'adaptation qui leur permettront de satisfaire leurs besoins fondamentaux, de parvenir à la stabilité et d'atteindre une santé optimale » (Campbell, 1987, p. 10).

Campbell fonde son modèle sur des postulats au sujet de la société canadienne. Elle tient notamment pour acquis que la société considère la santé optimale comme un objectif souhaitable pour tous ses membres ; il incombe aux membres de la société de choisir les comportements qui favorisent et préservent leur santé. Selon Campbell, la société attend de ses membres qu'ils agissent de manière à ne pas nuire ni à eux-mêmes ni à autrui dans leur démarche visant à satisfaire leurs besoins fondamentaux. Par ailleurs, la société demande aux professionnels de la santé d'agir de manière compétente et éthique. Campbell avance, comme dernier postulat, que la société souhaite que les modèles de soins infirmiers (y compris celui qu'elle propose) correspondent aux valeurs qui gouvernent la société. Ce sont ces postulats sur les valeurs et les croyances que les Canadiens entretiennent à l'égard des soins infirmiers qui ont permis à Campbell de conceptualiser son modèle.

Le modèle de Campbell (figure 3-4 ■) est un système comportemental qui comprend neuf sous-systèmes, chacun représentant un besoin fondamental. Les sous-systèmes sont interreliés et s'articulent autour de l'ensemble du système, ce qui constitue une caractéristique importante en soins infirmiers. Par exemple, tout ce qui se passe dans un sous-système (y compris les interventions infirmières) peut influer sur l'ensemble

du système. Chaque sous-système a sa structure (figure 3-5 ■) et est responsable de la satisfaction d'un besoin fondamental ; il comprend : (1) une région intérieure, qui concerne le besoin ou les capacités requises pour satisfaire ce besoin ; (2) une région extérieure, qui correspond à l'objectif inhérent à ce besoin et aux forces qui contribuent à l'atteinte de cet objectif. Les parties d'un sous-système sont en interrelation (figure 3-6 ■). Les déterminants des comportements d'adaptation renvoient à la fois à la cognition (savoir ce qu'il faut faire) et à l'action (accomplir ce qu'il faut faire). Certaines forces peuvent faciliter ou entraver l'atteinte des objectifs. C'est en comprenant intimement la structure et la fonction d'un sous-système donné, ainsi que sa relation avec les autres sous-systèmes et avec le système comportemental dans son ensemble, que l'infirmière peut prendre des décisions relatives à la prestation des soins.

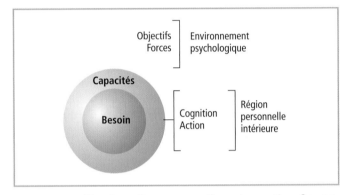

FIGURE 3-5 ■ Structure d'un sous-système : les parties. Source : Campbell, M. (1987). *The UBC Model for Nursing : Directions for practice* (p. 33). Vancouver : University of British Columbia School of Nursing.

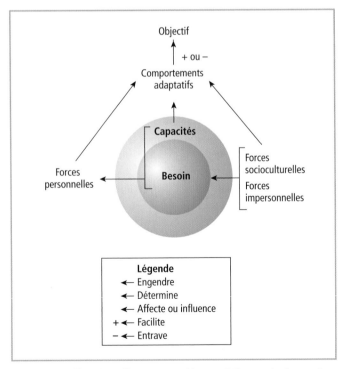

FIGURE 3-6 ■ Structure d'un sous-système : relations entre les parties. Source : Campbell, M. (1987). *The UBC Model for Nursing : Directions for practice* (p. 34). Vancouver : University of British Columbia School of Nursing.

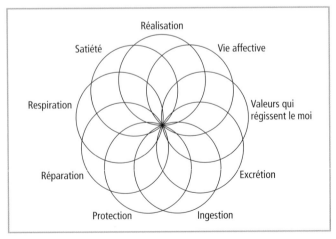

FIGURE 3-4 ■ Neuf besoins fondamentaux de l'être humain. Source : Campbell, M. (1987). *The UBC Model for Nursing : Directions for practice* (p. 32). Vancouver : University of British Columbia School of Nursing.

3

 RECHERCHE EN SCIENCES INFIRMIÈRES

COMMENT L'INTÉGRATION DES SOINS INTERCULTURELS DANS LA PRATIQUE QUOTIDIENNE PERMETTRAIT-ELLE AUX SOIGNANTS D'UN SERVICE DE POSTPARTUM D'AMÉLIORER LA PRISE EN CHARGE DES FEMMES EXCISÉES ?

Les recherches montrent que les soignants trouvent difficile de prendre en charge adéquatement des femmes excisées, notamment à cause du manque d'informations et de formation et des diverses représentations de cette coutume. Dans l'optique d'améliorer la prise en charge des femmes excisées, les soins infirmiers interculturels devraient permettre aux soignants d'agir sur les facteurs qui rendent leurs soins inappropriés. À la suite de ces constatations, il est devenu important de prendre connaissance du vécu hospitalier (service de postpartum) des femmes excisées, de repérer et de faire ressortir leurs besoins et leurs attentes à l'égard des soignants et d'approfondir le concept d'interculturalité et les théories des soins infirmiers qui y font référence. Ainsi, dans le cadre de cette démarche de recherche qualitative de type hypothéticodéductif, des entretiens semi-structurés avec quatre femmes excisées ont permis de connaître leur vision et leur vécu de la prise en charge, mais aussi d'explorer leurs besoins et leurs attentes à l'égard des soignants dans un service de postpartum. Les données ont par la suite été regroupées dans trois catégories : savoir, savoir-être et savoir-faire. Les résultats montrent que les professionnels manquent d'informations et de connaissances sur la pratique de l'excision, manque qui se traduit le plus souvent par des expressions verbales et non verbales empreintes de représentations. Les femmes excisées ont besoin que les soignants

approfondissent leurs connaissances et leur compréhension de l'excision. Elles ont aussi besoin de bénéficier d'un accompagnement particulier, d'attention, d'écoute, de présence, de considération et de compréhension, tout comme de se sentir en confiance et d'être rassurées.

Implications : Dans une optique d'amélioration de la prise en charge, il a été montré que l'approche interculturelle dans les soins infirmiers (Leininger) peut être bénéfique. Pour Leininger, les infirmières doivent se baser sur des connaissances transculturelles acquises au contact des personnes et par l'examen des personnalités, des valeurs et des traditions. Ces rencontres peuvent être utiles à l'apprentissage de nouvelles connaissances interculturelles et favoriser le développement de compétences permettant de prodiguer des soins culturellement adaptés. Cette approche facilite le développement d'une sensibilité à cette pratique culturelle donnant lieu à des attitudes plus professionnelles et plus humanistes.

Source : Kabore, R. (2008). *Programme de formation d'infirmières et d'infirmiers. L'excision dans le post-partum. Comment les professionnels pourraient adapter leur prise en charge aux besoins des femmes excisées ?* Mémoire. Haute École de la santé, La Source, Lausanne. Document consulté le 15 octobre 2010 de http://doc.rero.ch/lm.php?url=1000,41,26,20081216133722-ES/HEdS-LaSource_MFE_Kabor_VolAut04_s_curis_.pdf.

Modèle d'Allen ou modèle McGill

Un autre exemple de modèle infirmier est le modèle McGill (1986), élaboré par une théoricienne canadienne, Moyra Allen (1921-1996). Selon ce modèle orienté vers la promotion de la santé de la famille, l'essence des soins infirmiers réside dans la nature d'un mode de vie sain. C'est d'ailleurs sur ce modèle que se fondent le programme en sciences infirmières de l'Université McGill et plusieurs autres programmes de soins infirmiers. Allen s'est inspirée de la théorie de l'apprentissage social de Bandura (1977), de l'approche systémique (Bertalanffy, 1976) et de la philosophie des soins de santé primaires (Organisation mondiale de la santé [OMS], 1978). Selon Allen, la personne, la famille et la communauté qui désirent un mode de vie sain et une bonne santé sont motivées à entreprendre cette « quête ». Le thème principal du modèle d'Allen est la famille ou le groupe social dans lequel l'apprentissage par le vécu est amorcé, encouragé et dirigé. L'environnement est le contexte social dans lequel l'apprentissage a lieu. Ce contexte peut être le domicile, le lieu de travail ou de loisirs, une organisation communautaire ou le milieu des soins de santé. Selon Allen, la santé est un processus social composé d'apprentissages et d'éléments en interaction. La santé, concept dynamique qui évolue dans le temps, se définit comme un concept positif qui ne fait pas partie d'un continuum à deux pôles, soit la santé et la maladie. La santé peut de ce fait coexister avec la maladie (Allen, citée dans Gottlieb et Ezer, 1997). Ainsi, la santé est manifeste lorsque la personne s'ajuste et fait face aux événements quotidiens à l'aide de deux processus, soit le *coping* et le développement (Allen, citée dans Gottlieb et Ezer, 1997). Dans le modèle McGill, les soins infirmiers sont

la réponse que donne un professionnel à la recherche d'une vie saine qu'une personne exprime, en suivant un processus qui tient compte de la situation de cette personne. Les objectifs des soins infirmiers sont d'aider les gens, dans une relation de partenariat, à augmenter leur capacité de résolution de problèmes de santé, à maintenir, à renforcer et à améliorer leur santé, par des initiatives de promotion de la santé. Il est primordial d'apprendre des comportements de santé ou des processus qui permettent l'acquisition d'un potentiel de santé (Gottlieb et Feeley, 2006).

> Selon ce modèle, l'individu et la famille sont des systèmes ouverts en interaction constante l'un avec l'autre et avec l'environnement et la communauté. Ainsi, les changements dans l'un ou l'autre des systèmes occasionnent des changements dans les autres systèmes et dans leurs interactions. La famille est active, elle tend à résoudre ses problèmes, elle apprend de ses propres expériences, ce qui lui permet d'accomplir les buts qu'elle vise (Pepin *et al.*, 2010, p. 64).

Le modèle McGill permet d'attribuer des fonctions à l'infirmière qui travaille dans une équipe interdisciplinaire. Parmi ces fonctions réservées à l'infirmière, citons les suivantes : fournir un cadre permettant de conceptualiser son rôle, évaluer les besoins des familles et développer le savoir infirmier (Feeley et Gerez-Lirette, 1992). Le modèle McGill est considéré comme un modèle bien adapté aux soins infirmiers communautaires, car il est axé sur la promotion de la santé et rend plus cohérente la démarche de soins centrée sur la famille. Au cours des dernières années, on a constaté que les intervenants en pratique clinique familiale devaient davantage axer leurs interventions sur les forces de la famille que sur ses carences; cette façon de voir se trouve au cœur du modèle des soins infirmiers d'Allen (Feeley et Gottlieb, 2000).

Le modèle McGill guide l'infirmière dans la démarche de soins comme suit:

1. *Recherche des données pertinentes.* L'infirmière recueille l'ensemble des informations nécessaires pour évaluer la situation de santé actuelle de la personne/famille, et pour déterminer la situation qui semble la plus souhaitable de part et d'autre. Il s'agit pour l'infirmière de se documenter sur la situation de santé, sur les besoins ou les problèmes de la personne/famille, sur les réactions et les perceptions de la situation, sur le contexte familial et environnemental, sur les stratégies de *coping* utilisées jusqu'à présent et sur les résultats obtenus, tout comme sur les forces, le potentiel, la *readiness* (réceptivité), la motivation et le niveau de collaboration (Paquette-Desjardins et Sauvé, 2008).

2. *Analyse et interprétation des données en collaboration.* Selon le modèle McGill, l'infirmière ne doit pas chercher à déterminer ce qui est bon ou mauvais pour la famille:

> Le rôle de l'infirmière consiste à répondre aux besoins exprimés par la personne/famille et à choisir des interventions et des activités selon ses buts, ses capacités, ses moyens, son potentiel et ses forces (Sauvé, Paquette-Desjardins *et al.*, 2003a, p. 2).

Ainsi, plutôt que de s'appuyer sur ses propres opinions, l'infirmière doit tenter de comprendre ce que la famille pense de sa situation. Cette étape doit se faire en collaboration, ce qui implique la participation active de la personne ou de la famille, un processus de négociation (démarche entreprise en vue de parvenir à un accord), le partage du pouvoir et une approche exploratoire (pour trouver d'autres possibilités de négociation). Cette approche consiste à « explorer les liens établis entre les données et le sens que la famille leur attribue » (Sauvé *et al.*, 2003a, p. 2).

Le modèle McGill peut s'appliquer à deux niveaux. Le premier niveau est la définition du problème présent ou du besoin à combler (la personne/famille n'arrive pas à comprendre le problème) et le second correspond à la planification du changement (la personne/famille comprend sa situation et s'apprête à changer). L'infirmière émet alors des hypothèses de travail.

> L'hypothèse se définit comme étant une explication plausible, une représentation ou une interprétation de la situation de la personne/famille. Elle sert de guide dans la poursuite de la démarche de soins infirmiers, c'est-à-dire la planification des soins et traitements infirmiers (Paquette-Desjardins et Sauvé, 2008, p. 68).

Les hypothèses aident la personne/famille à trouver des solutions et à concevoir des stratégies d'adaptation. Certains facteurs influencent l'infirmière dans sa recherche d'hypothèses de travail, tels que les informations obtenues lors de ses interactions avec la personne/famille, l'expérience personnelle et professionnelle de l'infirmière, l'origine ethnique, la culture, les croyances spirituelles de la personne/famille, les connaissances de l'infirmière, ainsi que les besoins, les attentes et les préoccupations de la personne/famille (Wright et Leahey, 2007).

3. *Planification des soins et des traitements infirmiers.* « L'infirmière doit négocier avec la personne/famille pour que les deux puissent s'entendre sur les objectifs à atteindre, les activités à réaliser, les interventions à effectuer, le rôle de chacun et les échéanciers » (Sauvé *et al.*, 2003a, p. 30). Le plan d'action a pour but de maximiser le potentiel et les forces de la personne/famille plutôt que de tenter de composer avec ses incapacités. Cette démarche fait appel à la responsabilisation, à l'autodétermination et aux stratégies d'adaptation. La personne en bonne santé est celle qui maîtrise sa situation. La planification des interventions s'effectue selon les niveaux d'application du modèle McGill. Le premier niveau consiste à reconnaître le problème ou le besoin. Ce niveau de planification sert à articuler et à orienter le travail de la personne/famille et de l'infirmière pour les aider à mieux comprendre la situation et à circonscrire le problème ou le besoin à combler. On passe au deuxième niveau, soit la planification du changement, lorsque la personne/famille comprend le problème ou la situation et met en œuvre les changements planifiés.

4. *Réalisation des soins et des traitements infirmiers.* Les tâches planifiées à l'aide d'outils de travail, comme le plan de soins et de traitements infirmiers, se font en partenariat avec la personne/famille. L'infirmière agit à titre de facilitatrice, de collaboratrice, de conseillère, de soignante et d'experte, et ses comportements servent de modèles. Ainsi, elle doit développer les habiletés nécessaires à la résolution du problème ou à la satisfaction du besoin et garder à l'esprit les objectifs généraux de la personne/famille. Elle a pour rôles de susciter la motivation, de rappeler les objectifs poursuivis, de valoriser les efforts, de réajuster au besoin les activités ou les objectifs et de permettre à la personne/famille de faire des essais et de mettre en œuvre les actions planifiées. Grâce à ces rôles et à ces responsabilités, l'infirmière favorise l'atteinte des objectifs.

5. *Évaluation des résultats.* À cette étape, on fait, toujours en collaboration, le bilan des apprentissages réalisés. « Il s'agit d'un regard critique sur le déroulement de l'épisode de soins et sur les moyens qui ont permis à la personne/famille de stabiliser son état ou de résoudre son problème » (Sauvé *et al.*, 2003b, p. 26). L'évaluation permet de déterminer le degré d'autonomie de la personne et de confirmer sa capacité de résoudre les problèmes. Elle vise à faire le lien entre, d'une part, les stratégies d'adaptation utilisées et les interventions infirmières et, d'autre part, les résultats obtenus; elle vise également à assurer la qualité des soins (Paquette-Desjardins et Sauvé, 2008; Sauvé *et al.*, 2003b, p. 29).

Théorie de sœur Simone Roach

Dans son ouvrage publié en 1992, *The human act of caring*, Simone Roach met de l'avant l'idée suivante: « l'acte de soigner est un ingrédient essentiel du développement de l'humain et de sa survie » (p. 2). Roach affirme que, pour soigner professionnellement, les infirmières doivent posséder cinq qualités: la compassion, la compétence, la confiance, la conscience et l'engagement (encadré 3-4).

ENCADRÉ 3-4

QUALITÉS NÉCESSAIRES SELON ROACH POUR DÉMONTRER LA CAPACITÉ DE CARING

Compassion – Sensibilité à la souffrance et à la douleur d'autrui; qualité de la présence qui favorise le partage avec autrui et qui laisse de la place à ce dernier.

Compétence – Connaissances, jugement, habiletés, énergie, expérience et motivation nécessaires pour réagir adéquatement selon les exigences de ses responsabilités professionnelles.

Confiance – Attitude qui favorise la création de liens dénués de méfiance.

Conscience – État de conscience morale que l'expérience fait grandir.

Engagement – Réaction affective complexe, caractérisée à la fois par la convergence des désirs et des obligations et par le choix délibéré d'agir en fonction de ces derniers.

Comportement – Tenue, langage et maintien qui communiquent le caring et le respect de la dignité de la personne autant que de l'infirmière.

Source: Roach, S. (2002). *The human act of caring: A blueprint for the health professions* (2e éd. révisée). Ottawa: Canadian Hospital Association Press.

Révision du chapitre

MOTS CLÉS

Cadre conceptuel, **57**

Concept, **58**

Épistémologie, **54**

Éthique, **54**

Métaparadigme, **58**

Méthode scientifique, **55**

Modèle conceptuel, **57**

Ontologie, **54**

Paradigme (vision du monde), **54**

Pensée philosophique, **53**

Philosophie, **54**

Postulat, **54**

Pratique disciplinaire, **53**

Théorie, **57**

Tradition empiriste, **55**

Tradition interprétative, **55**

CONCEPTS CLÉS

- Comme les soins infirmiers constituent une pratique en évolution, il faut en délimiter le savoir qui leur est propre, c'est-à-dire le savoir essentiel à la pratique.

- L'infirmière doit communiquer clairement les aspects de son travail qui lui donnent une place unique et importante au sein de l'équipe interdisciplinaire.

- Ce sont les théories qui permettent de conceptualiser une discipline, grâce à des termes clairs et explicites avec lesquels on peut communiquer avec les autres.

- Comme les opinions sur la nature et la structure des soins infirmiers varient, on continue d'élaborer de nouvelles théories. Chaque théorie en soins infirmiers porte le nom de la personne ou du groupe qui l'a élaborée et en reflète les croyances.

- Les éléments suivants peuvent différer grandement d'une théorie à l'autre: (1) le niveau d'abstraction; (2) la conceptualisation de la personne soignée, de l'environnement, de la santé et des soins infirmiers; (3) la capacité de décrire, d'expliquer ou de prédire. La portée d'une théorie peut être très grande ou limitée.

- Les théories en soins infirmiers sont importantes à plusieurs égards. Elles permettent de distinguer la profession d'infirmière des autres professions; elles permettent de structurer la pratique professionnelle, la formation et la recherche; elles contribuent à la création d'une terminologie infirmière commune, ce qui facilite la communication avec les autres professionnels de la santé; elles favorisent l'autonomie de la profession grâce à la définition des fonctions qui lui sont propres.

- Étant donné que le but premier de la théorie infirmière est de produire des connaissances scientifiques, la théorie et la recherche sont intimement liées. Les connaissances scientifiques découlent de la vérification des hypothèses émises dans la théorie. La recherche permet de déterminer l'utilité de ces hypothèses, et les résultats obtenus peuvent servir à l'élaboration de nouvelles conceptualisations.

- La principale différence entre une théorie et un cadre ou un modèle conceptuel est le niveau d'abstraction, le cadre conceptuel étant plus abstrait que la théorie. Un modèle conceptuel est un système de concepts

apparentés ou un diagramme conceptuel; son principal objectif est de donner une orientation claire et explicite aux trois champs d'action des soins infirmiers: pratique, formation et recherche. Une théorie produit des connaissances dans un domaine donné.

- Les théories infirmières exposent et précisent les liens qui existent entre les quatre grands concepts constitutifs de la discipline infirmière: personne, environnement, santé et soins infirmiers.

- Les définitions que donne chaque infirmière théoricienne de ces quatre concepts varient selon sa philosophie personnelle, son orientation scientifique, son expérience en soins infirmiers et la façon dont cette expérience a influé sur la perception de sa profession.

- Les modèles conceptuels s'appliquent au processus de soins dans la mesure où ils sont opérationnels. La façon dont l'infirmière voit les êtres humains a des répercussions sur sa façon de recueillir les données et sur ses interventions.

- Au XXIe siècle, les modèles de soins infirmiers seront utiles dans la mesure où ils seront adaptés à l'évolution des besoins de la société.

Références

Allen, M. (1986). Primary care nursing: Research in action. Dans L. Hockey (dir.), *Primary care nursing* (p. 32-77). Edinburgh: Churchill Livingstone.

Bandura, A. (1977). *Social learning theory*. Englewood Cliffs, NJ: Prentice Hall.

Bécherraz, M. (2002). *De l'intérêt de la phénoménologie pour le développement de la recherche en analyse transactionnelle*. Association suisse d'analyse transactionnelle (ASAT-SR). Document consulté le 15 février 2005 de http://www.asat-sr.ch/recherchesenat.html.

Benner, P. (1994). *Interpretative phenomenology*. Thousand Oaks: Sage Publications.

Benner, P., Tanner, C. A., et Chesla, C. (1996). *Expertise in nursing practice: Caring, clinical judgment and ethics*. New York: Springer.

Bergum, V. (1989). *Woman to mother: A transformation*. Granby, MA: Bergin & Garvey.

Bertalanffy, K. (1976). *General System theory: Foundations, development, applications*. New York: George Braziller.

Bishop, A., et Scudder, J. (1999). A philosophical interpretation of nursing. *Scholarly Inquiry for Nursing Practice, 13*(1), 17-27.

Campbell, M. (1987). *The UBC Model for Nursing: Directions for practice*. Vancouver: University of British Columbia School of Nursing.

Cameron, B. (1992). The nursing "how are you?". *Phenomenology & Pedagogy, 10,* 173-185.

Carper, B. A. (1978). Fundamental patterns of knowing in nursing. *Advances in Nursing Science, 1*(1), 13-23.

Edwards, S. (1997). What is philosophy of nursing? *Journal of Advanced Nursing, 25,* 1089-1093.

Fawcett, J. (1984). *Analysis and evaluation of conceptual models*. Philadelphie: F. A. Davis.

Fawcett, J. (2005). *Contemporary nursing knowledge: Analysis and evaluation of nursing models and theories* (2ᵉ éd.). Philadelphie: F. A. Davis.

Feeley, N., et Gerez-Lirette, T. (1992). Development of professional practice based on the McGill model of nursing in an ambulatory care setting. *Journal of Advanced Nursing, 17*(7), 801-808.

Feeley, N., et Gottlieb, L. N. (2000). Nursing approaches for working with family strengths and resources. *Journal of Family Nursing, 6*(1), 9-24.

Fry, S. (1992). Neglect of philosophical inquiry in nursing: Cause and effect. Dans J. Kikuchi et H. Simmons (dir.), *Philosophic inquiry in nursing* (p. 85-96). Newbury Park, CA: Sage.

Fry, S. (1999). The philosophy of nursing. *Scholarly Inquiry for Nursing Practice, 13*(1), 5-15.

Gadow, S. (1994). Whose body? Whose Story? The question about narrative in women's health care. *Soundings, 77*(3/4), 295-307.

Gottlieb, L. N., et Ezer, H. (1997). *A perspective on health, family, learning & collaborative nursing*. Montréal: McGill University School of Nursing.

Gottlieb, L. N., et Feeley, N. (2006). *The collaborative partnership approach to care. A delicate balance*. Montréal: Mosby Elsevier.

Henderson, V. A. (1966). *The nature of nursing: A definition and its implications for practice, research, and education*. Riverside, NJ: Macmillan.

Henderson, V. A. (1991). *The nature of nursing: Reflections after 25 years*. New York: National League for Nursing Press.

Johnson, A. (1994). Dialectical examination of nursing art. *Advances in Nursing Science, 17*(1), 1-14.

Kikuchi, J. (1992). Nursing questions that science cannot answer. Dans J. Kikuchi et H. Simmons (dir.), *Philosophic inquiry in nursing* (p. 26-37). Newbury Park, CA: Sage.

Kikuchi, J., et Simmons, H. (dir.). (1992). *Philosophic inquiry in nursing*. Newbury Park, CA: Sage.

Kikuchi, J., et Simmons, H. (1994). A pragmatic philosophy of nursing: Threat or promise? Dans J. Kikuchi et H. Simmons (dir.), *Developing a philosophy of nursing* (p. 79-94). Thousand Oaks, CA: Sage.

Lawler, J. (1997). *The body in nursing*. Melbourne, Australie: Churchill Livingstone.

Leininger, M. M. (1985). Transcultural care diversity and universality: A theory of nursing. *Nursing, and Health Care, 6,* 208-212.

Leininger, M. M. (1993). Towards conceptualization of transcultural health care systems: Concepts and a model. *Journal of Transcultural Nursing, 4,* 32-40.

Leininger, M. M. (2007). *Theoretical questions and concerns. Responses from the theory of culture care diversity and universality: A worldwide nursing theory*. Mississauga, ON: Jones and Bartlett Publishers.

Leininger, M. M., et McFarland, M. R. (2002). *Culture care diversity and universality: A theory of nursing* (3ᵉ éd.). New York: McGraw-Hill.

Liaschenko, J. (1997). Ethics and the geography of nurse-patient relationship: Spatial vulnerabilities and gendered space. *Scholarly Inquiry for Nursing Practice, 11*(1), 45-59.

Meleis, A. I. (2007). *Theoretical nursing: Development and progress* (4ᵉ éd.) Philadelphie: Lippincott.

Newman, M. A., Sime, A. M., et Corcoran-Perry, S. A. (1991). The focus of the discipline of nursing. *Advances in Nursing Science, 14*(1), 1-6.

Nightingale, F. (1969). *Notes on nursing: What it is, and what it is not*. New York: Dover. (Première édition: 1860.)

Ordre des infirmières et infirmiers du Québec (OIIQ). (2009). *Mosaïque des compétences cliniques de l'infirmière*. Compétences initiales : Prise de position sur les compétences initiales de l'infirmière adoptée par le Bureau de l'Ordre des infirmières et infirmiers du Québec en octobre 2008. Judith Leprohon et Marjolaine Bellavance (2ᵉ éd.).

Orem, D. E. (1971). *Nursing: Concepts of practice*. Hightstown, NJ: McGraw-Hill.

Organisation mondiale de la santé (OMS). (1978). *Les soins de santé primaires. Rapport de la conférence internationale sur les soins de santé primaires*. Alma-Ata (URSS), 6-12 septembre.

Paquette-Desjardins, D., et Sauvé, J. (2008). *Modèle conceptuel et démarche clinique. Outils de soutien aux prises de décision*. Montréal: Beauchemin/Chenelière Éducation.

Parse, R. R. (1981). *Man-living-health: A theory of nursing*. New York: Wiley.

Parse, R. R. (1987). *Man-living-health theory of nursing*. Dans R. R. Parse (dir.), *Nursing science: Major paradigms, theories and critiques* (p. 159-180). Philadelphie: W. B. Saunders Co.

Parse, R. R. (1994). Quality of life: Sciencing and living the art of human becoming. *Nursing Science Quarterly, 7*(1), 16-21.

Parse, R. R. (1998). *The human becoming school of thought: A perspective for nurses and other health professionals*. Thousand Oaks, CA: Sage.

Parse, R. R. (1999). *Illumination: The human becoming theory in practice and research*. Boston: Jones & Bartlett.

Parse, R. R. (2002). Transforming healthcare with a unitary view of the human. *Nursing Science Quarterly, 15*(1), 46-50.

Parse, R. R. (2006). *Rosemarie Rizzo Parse's human becoming school of thought*. Dans M. E. Parker (dir.), *Nursing theories and nursing practice* (2ᵉ éd.) (p. 187-194). Philadelphie: F. A. Davis.

Parse, R. R. (2007). The human becoming school of thought in 2050. *Nursing Science Quarterly, 20*(4), 208-311.

Pepin, J., Kérouac, S., et Ducharme, F. (2010). *La pensée infirmière* (3ᵉ éd.). Montréal: Chenelière Éducation.

Peplau, H. E. (1952). *Interpersonal relations in nursing*. New York: Putnam.

Peplau, H. E. (1988). *Interpersonal relations in nursing: A conceptual frame of reference for psychodynamic nursing*. London: Macmillan Education.

Purkis, M. E. (1997). The "social determinants" of practice: A critical analysis of the discourse of health promotion. *Canadian Journal of Nursing Research, 29*(1), 47-62.

Roach, M. S. (1992). *The human act of caring: A blueprint for the health professions*. Ottawa: Canadian Hospital Association Press.

Roy, C. (1976). *Introduction to nursing: An adaptation model*. Englewood Cliffs, NJ: Prentice-Hall.

Roy, C. (1984). *Introduction to nursing: An adaptation model* (2ᵉ éd.). Englewood Cliffs, NJ: Prentice-Hall.

Roy, C. (1997). Future of the Roy model: Challenge to redefine adaptation. *Nursing Science Quarterly, 10*(1), 42-48.

Roy, C., et Zahn, L. (2006). Sister Callista Roy's adaptation model and its application. Dans M. E. Parker (dir.), *Nursing theories and nursing practice* (p. 268-280). Philadelphie, PA: Davis.

Salsberry, P. (1994). A philosophy of nursing: What it is? What it is not? Dans J. Kikuchi et H. Simmons (dir.), *Developing a philosophy of nursing* (p. 11-19). Thousand Oaks, CA: Sage.

Sauvé, J., Paquette-Desjardins, D., *et al.* (2003a). *Profession infirmière. Analyse et interprétation des données, planification des interventions. Reconnaître la problématique et planifier le changement. Une méthode d'accompagnement novatrice inspirée du modèle McGill.* Montréal: Chenelière/McGraw-Hill.

Sauvé, J., Paquette-Desjardins, D., *et al.* (2003b). *Profession infirmière. Exécution des interventions et évaluation des résultats. Accompagner le client/famille vers la réussite. Une méthode d'accompagnement novatrice inspirée du* modèle McGill. Montréal: Chenelière/McGraw-Hill.

Smith, M. (1994). Arriving at a philosophy of nursing: Discovering? Constructing? Evolving? Dans J. Kikuchi et H. Simmons (dir.), *Developing a philosophy of nursing* (p. 43-59). Thousand Oaks, CA: Sage.

Watson, J. (1979). *Nursing: The philosophy and science of caring.* Boston: Little, Brown.

Watson, J. (1985). *Nursing: Human science and human care: A theory of nursing.* Norwalk, CT: Appleton-Century-Crofts.

Watson, J. (1988). *Nursing: Human science and human care: A theory of nursing.* New York: National League for Nursing Press.

Watson, J. (1999). *Postmodern nursing and beyond.* Toronto: Churchill Livingstone.

Watson, J. (2009). *Assessing and measuring caring in nursing* (2e éd.). New York: Springer.

White, J. (1995). Patterns of knowing: Review, critique and update. *Advances in Nursing Science, 17*, 73-86.

Wright, M. L., et Leahey, M. (2007) *L'infirmière et la famille. Guide d'évaluation et d'intervention* (3e éd.). Saint-Laurent : Éditions du Renouveau Pédagogique.

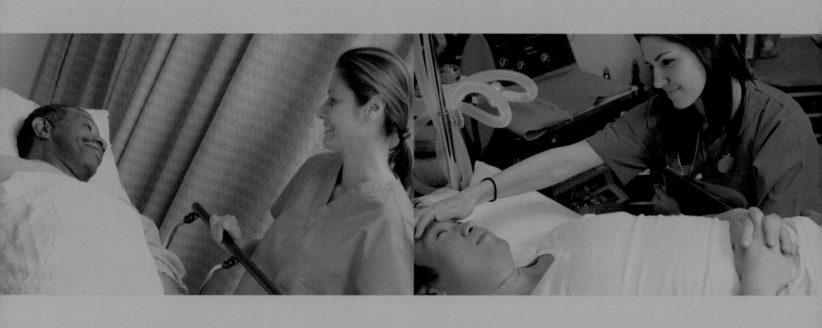

Chapitre 4

Adaptation française :
Me Alexandrine Côté, inf., avocate

OBJECTIFS D'APPRENTISSAGE

Après avoir étudié ce chapitre, vous pourrez :

- Décrire le système de droit au Québec.
- Faire la distinction entre les différentes cours de justice du Québec.
- Préciser les grandes lignes de l'évolution de la réglementation relative à la profession d'infirmière au Québec.
- Décrire l'encadrement de la profession d'infirmière au Québec.
- Décrire le processus qui mène à l'obtention du permis d'exercice délivré par l'OIIQ.
- Discuter des normes de la pratique infirmière.
- Énumérer les 14 activités réservées à l'infirmière.
- Définir les quatre éléments qui constituent le fondement de la responsabilité civile (capacité de discernement, dommage, faute et causalité).
- Décrire les obligations de l'étudiante infirmière qui effectue un stage en établissement de soins.
- Énoncer les erreurs qui peuvent constituer des fautes professionnelles.
- Expliquer l'importance des notes au dossier de santé sur le plan juridique.
- Énoncer les conditions fondamentales que doit respecter un contrat de travail.
- Énumérer les principales caractéristiques de la négociation collective.
- Discuter des aspects juridiques de la pratique infirmière.

Cadre juridique de la profession d'infirmière

Il faudrait bien plus que la simple lecture d'un chapitre de manuel consacré aux soins infirmiers pour approfondir et comprendre vraiment toutes les subtilités du cadre juridique de la profession d'infirmière au Québec. Néanmoins, il est important que l'infirmière connaisse l'évolution du cadre juridique de sa profession et qu'elle comprenne bien les obligations professionnelles et légales de sa pratique, de façon à accomplir des actes adéquats et à prendre des décisions éclairées tout en assumant pleinement ses responsabilités. La législation québécoise en la matière diffère de celle des autres provinces et territoires ; c'est donc surtout sous cet éclairage que nous traiterons de ce sujet.

Système de droit

Contrairement à ce qui a cours dans le reste du Canada, le système de droit québécois (ou système judiciaire) renvoie au droit civil, lui-même fondé sur le droit romain, pour les litiges entre individus qui touchent, par exemple, le mariage, la responsabilité civile et les dommages causés à autrui, les testaments et les contrats. Le **droit civil** régit les litiges (en droit civil, il ne s'agit pas d'infractions), tels les fautes professionnelles et les préjudices qui touchent un individu ou un bien et qui ne constituent pas une menace pour la société. Les droits et les obligations liés à ce système ont leur source dans le *Code civil du Québec* (L.Q., 1991, c. 64). Prenons l'exemple d'une infirmière qui travaille dans un établissement de soins. Un jour, elle administre à Mme Blais un médicament qui était destiné à une autre personne. Mme Blais commence à faire de l'hypotension. Il s'ensuit une chute provoquée par l'hypotension, et Mme Blais se brise la hanche. L'infirmière pourrait être poursuivie en justice pour des dommages causés à autrui par sa faute.

En matière pénale, le droit public québécois intègre la **common law** (ou **droit commun**) ; ce système de droit d'origine anglaise s'établit à partir des décisions prises antérieurement par les tribunaux (ce qu'on appelle la « jurisprudence ») et dont le juge interprète les principes. Le **droit pénal** tire sa source du *Code criminel du Canada* (L.R.C., 1985, c. C-46) ; il porte sur les comportements et les actes qui constituent une menace pour la société. Par exemple, une infirmière qui vole ou agresse physiquement une personne qu'elle soigne doit répondre de ses actes en vertu de la common law et non en vertu des principes du droit civil. Comme nous le verrons plus loin, l'infirmière doit aussi répondre de ses actes devant son ordre professionnel.

Cours de justice

Au Québec, il existe différentes cours de justice, devant lesquelles on peut intenter une action (Ministère de la Justice du Québec, avril 2010) :

4

- La *Cour municipale* s'occupe, entre autres, des réclamations de taxes, des infractions aux règlements municipaux, des infractions aux lois québécoises, telles que le *Code de la sécurité routière* ou des infractions au *Code criminel du Canada,* punissables sur déclaration sommaire de culpabilité. En matière de déclaration sommaire, l'infirmière qui est reconnue coupable d'une infraction doit en informer son ordre professionnel. Le formulaire *Déclaration obligatoire et demande d'inscription au tableau de l'OIIQ* comprend d'ailleurs une section intitulée «Décision judiciaire ou professionnelle» et apporte les précisions suivantes: «Tout professionnel doit, dans les 10 jours à compter de celui où il en est lui-même informé, informer la secrétaire générale de son ordre qu'il a été déclaré coupable d'une infraction criminelle et/ou d'une décision disciplinaire au Canada ou à l'étranger» (L.R.Q., c. C-26, art. 59.3).

- La *Cour du Québec* a compétence en matière civile, criminelle et pénale; elle compte trois chambres:
  - La Chambre civile entend les causes dont la somme en litige est inférieure à 70 000 $. Cette chambre comprend la Division des petites créances (anciennement Cour des petites créances) pour les litiges de moins de 7 000 $.
  - La Chambre criminelle et pénale entend les causes en vertu du *Code criminel du Canada,* du *Code de procédure pénale* et de toute autre loi pénale.
  - La Chambre de la jeunesse entend toute cause qui implique une personne mineure.

- Parmi divers tribunaux, le *Tribunal des professions* a compétence pour entendre les appels des décisions rendues par les comités de discipline des différents ordres professionnels.

- La *Cour supérieure* entend, entre autres, des causes de plus de 70 000 $ en matière familiale (par exemple, pension alimentaire, divorce et garde d'enfants) ou des recours collectifs. Elle entend aussi les appels concernant les décisions des cours d'instance inférieure (nommées précédemment).

- La *Cour d'appel* est la plus haute instance au Québec. En matière civile, elle entend les appels de jugements rendus par la *Cour supérieure* ou par la *Cour du Québec.* Elle a également compétence pour entendre les appels de verdicts et de peines pour la plupart des matières criminelles et pénales.

- La *Cour suprême du Canada* est le plus haut tribunal du pays. Elle peut entendre l'appel de décisions prises par la *Cour d'appel* quand l'intérêt national ou un point de droit est en jeu.

Au pays, le Parlement du Canada et les corps législatifs provinciaux (au Québec, l'Assemblée nationale) ont la compétence législative pour adopter, amender ou abroger des lois, des règles et des principes.

Réglementation de la profession d'infirmière au Québec

Au Canada, la législation provinciale ou fédérale permet aux associations professionnelles et aux ordres professionnels d'établir des règles et des règlements pour la reconnaissance de la pratique infirmière. La loi interdit à quiconque de s'autoproclamer infirmière à moins d'être membre d'un ordre reconnu.

Les lois actuelles qui encadrent la profession d'infirmière dans les provinces et les territoires du Canada (à l'exception de l'Ontario et du Québec) se ressemblent. En matière de santé, certaines provinces disposent d'un «parapluie législatif», c'est-à-dire un ensemble de lois qui visent tous les professionnels de la santé et auxquelles s'ajoutent certaines lois complémentaires. Au Québec, le **Code des professions** (L.R.Q., c. C-26) est une loi-cadre du système professionnel qui s'applique à l'ensemble des ordres et qui s'accompagne de 25 lois particulières conférant aux membres de chacun des ordres le droit exclusif d'exercer leurs activités dans un champ professionnel (encadré 4-1).

Historique

Au Québec, c'est en 1920 que le législateur a reconnu les infirmières en protégeant leur profession et en leur accordant le titre de «garde-malade enregistrée». En 1946, une autre loi a été adoptée: elle obligeait les infirmières à devenir membres d'une association pour pouvoir exercer. Ce n'est qu'en 1973 que le législateur a défini, à l'article 36 de la **Loi sur les infirmières**

ENCADRÉ 4-1
COMMENT SE RETROUVER DANS LES LOIS ET LES RÈGLEMENTS

Abréviations

L.C.	Lois du Canada
L.Q.	Lois du Québec
L.R.C.	Lois révisées du Canada
L.R.Q.	Lois refondues du Québec
art.	article
c.	chapitre
p.	paragraphe
r.	règlement correspondant à une loi donnée

Exemples

Loi sur les infirmières et les infirmiers: L.R.Q., c. I-8, art. 36.1. La référence se trouve dans les statuts des Lois refondues du Québec (L.R.Q.); «c.» est mis pour *chapitre* (I-8), et «art.», pour *article* (36); le «I» qui suit chapitre renvoie à *infirmières*, un mot clé dans le nom de la loi.

Règlement sur les conditions et modalités de délivrance des permis de l'Ordre des infirmières et infirmiers du Québec: L.R.Q., c. I-8, r. 6.1.1. Le «r.» renvoie au règlement 6.1.1 du chapitre I-8, c'est-à-dire à la *Loi sur les infirmières et les infirmiers,* qui se trouve dans les *Lois refondues du Québec.*

Code des professions: L.R.Q., c. C-26, art. 16. Il s'agit de l'article 16 du chapitre C-26 des *Lois refondues du Québec* («C» pour *code,* un mot clé dans le nom de la loi).

Consultation des textes de loi

Les textes de lois québécoises sont accessibles en ligne sur le site des Publications du Québec (http://www2.publicationsduquebec. gouv.qc. ca/home.php). L'infirmière qui veut consulter les textes de loi qui touchent sa profession pourra se rendre sur ce site ou sur celui de l'Ordre des infirmières et infirmiers du Québec (http://www.oiiq.org/infirmieres/lois_reglements.asp).

et les infirmiers (L.Q., 1973, c. 43), l'exercice infirmier et la pratique infirmière. En 1980, dans le but de favoriser la collaboration interprofessionnelle, on a adopté des règlements sur la délégation d'actes médicaux et infirmiers (L.Q., 1973, c. 48; R.R.Q., 1981, c. M-9, r. 1.1; R.R.Q., 1981, c. I-8, r. 1). Puis, en 2002, le législateur a adopté la *Loi modifiant le Code des professions et d'autres dispositions législatives dans le domaine de la santé* (L.Q., 2002, c. 33), qui offre un nouveau cadre définissant le champ d'exercice et de nouvelles activités réservées aux infirmières. Cette loi clarifie le rôle des infirmières dans les équipes soignantes, en plus de légitimer des pratiques qui s'étaient développées en marge durant les 30 années précédentes. Ainsi, la *Loi sur les infirmières et les infirmiers* a été révisée; cette révision a donné lieu à des ajouts, à des amendements et à l'abrogation de certains articles. Cette évolution a mené à un nouvel encadrement des activités professionnelles de la santé en général et de la pratique infirmière en particulier.

Encadrement de la pratique infirmière

SYSTÈME PROFESSIONNEL

Au Canada, c'est le **champ de compétence** (*Acte de l'Amérique du Nord britannique* [AANB], 1867) qui détermine le pouvoir d'adopter des lois ou des règlements. Par exemple, les banques, l'aviation, l'immigration, les postes, les télécommunications, les aliments et les médicaments (*drogues*) sont du ressort fédéral, alors que l'éducation, le mariage et les lois qui portent sur les professions sont du ressort provincial. Avec l'évolution de la loi sur la pratique infirmière que nous avons mentionnée plus haut, l'encadrement de l'exercice par un système professionnel s'est concrétisé en 1973. Le *Code des professions*, récemment révisé (L.Q., 2009, c. 28), est appliqué par le ministre responsable des lois professionnelles.

Le législateur a délégué aux ordres professionnels la responsabilité d'assurer la protection du public. Dans le même esprit, il a créé les deux organismes suivants :

- L'**Office des professions du Québec**, qui dispose d'un pouvoir d'intervention et de recommandation auprès du gouvernement.
- Le **Conseil interprofessionnel du Québec**, qui est reconnu en vertu du *Code des professions* comme organisme-conseil auprès de l'autorité gouvernementale; tous les ordres professionnels y sont représentés.

VOIES D'ACCÈS À LA PROFESSION D'INFIRMIÈRE

Le législateur a prévu les mécanismes suivants pour encadrer la profession d'infirmière et en interdire la pratique aux personnes qui ne sont pas membres de l'Ordre des infirmières et infirmiers du Québec (OIIQ): formation, immatriculation, externat et permis d'exercer.

Trois voies de formation s'offrent à l'étudiante qui veut devenir infirmière (chapitre 2 🔗): le programme d'études collégiales en soins infirmiers, le programme d'études universitaires de premier cycle en sciences infirmières (formation initiale) et le programme d'études universitaires de deuxième cycle en

sciences infirmières (formation initiale). Sans égard au cheminement choisi, l'étudiante doit s'immatriculer auprès de l'OIIQ (L.R.Q., c. I-8, art. 33 et 34) dès le début de son programme d'études.

L'**immatriculation** est l'enregistrement obligatoire des étudiantes en soins infirmiers à l'Ordre professionnel. Ce processus permet de recenser la population étudiante en soins infirmiers et d'assurer la protection du public. L'immatriculation est attestée par un certificat délivré par la secrétaire de l'Ordre (OIIQ, 2005).

Par ailleurs, le Bureau de l'Ordre peut décider de la **révocation de l'immatriculation** d'une étudiante pour l'une des raisons suivantes : renvoi d'un établissement d'enseignement, conduite contraire à l'éthique en milieu clinique, condamnation criminelle, narcomanie, alcoolisme, troubles d'ordre physique ou psychologique incompatibles avec l'exercice des soins infirmiers ainsi que tout acte dérogatoire à la dignité de la profession. (L.R.Q., c. I-8, art. 35)

L'admissibilité à l'**externat en soins infirmiers** est aussi encadrée. Pour travailler comme externe (du 15 mai au 31 août et du 15 décembre au 20 janvier), l'étudiante en soins infirmiers doit remplir les conditions suivantes :

- elle doit présenter à l'Ordre une attestation signée par le responsable du programme d'études en soins infirmiers de l'établissement d'enseignement où elle est inscrite, comme quoi elle a, depuis moins de 18 mois, mené à bien sa deuxième année ou a accumulé au moins 60 crédits dans ce programme d'études;
- elle a été sélectionnée par un établissement de santé mentionné à l'article 4 et cet établissement a avisé l'Ordre qu'il a retenu les services de cette étudiante (L.R.Q, c. I-8, r. 0.2).

L'étudiante qui a terminé son programme et obtenu son diplôme «donnant ouverture au permis de l'OIIQ» (c'est-à-dire qu'elle peut se présenter à l'examen professionnel) acquiert le statut de **candidate à l'exercice de la profession d'infirmière**; elle peut exercer les mêmes activités qu'une infirmière professionnelle, à l'exception de certaines d'entre elles et sous certaines conditions (L.R.Q., c. I-8, r. 0.1).

Pour obtenir un **permis d'exercice** délivré par l'OIIQ, l'étudiante doit réussir l'examen professionnel prévu au règlement et remplir toutes les conditions et modalités également prévues au règlement (L.R.Q., c. I-8, r. 6.1.2). Après avoir réussi l'examen, la candidate doit acquitter les frais annuels du permis d'exercice. Elle peut ensuite utiliser le titre d'infirmière au Québec.

PROTECTION DU PUBLIC

Par ces exigences relatives au processus à suivre pour devenir infirmière, le législateur a voulu s'assurer que la personne qui prodigue des soins de santé possède les connaissances pour le faire. Le législateur a également prévu dans le *Code des professions* l'adoption, par chaque ordre professionnel, de mécanismes qui visent à assurer la protection du public :

- Le *Code de déontologie des infirmières et infirmiers* est un règlement dont les dispositions décrivent l'ensemble des devoirs et des obligations d'application morale propres à la profession.

4

■ Un **comité d'inspection professionnelle** doit être constitué. Il a pour mandat de surveiller l'exercice de la profession par les membres de l'Ordre. Cette surveillance porte sur l'exercice à la fois collectif et individuel (L.R.Q., c. C-26, art. 109 et suivants).

■ Le **conseil de discipline** doit être saisi de toute plainte déposée contre un membre de l'Ordre (L.R.Q., c. C-26, art. 116 et suivants) pour une infraction aux dispositions du *Code des professions,* de la *Loi sur les infirmières et les infirmiers* et des règlements de cette dernière.

Dans chaque province, l'ordre professionnel (ou association professionnelle) des infirmières dispose de mécanismes pour évaluer la conduite de ses membres de façon à assurer une pratique conforme à des normes de soins. Au Québec, en cas de plainte déposée contre une infirmière, l'OIIQ doit mener une enquête et sanctionner, s'il y a lieu, le membre fautif, c'est-à-dire le membre qui n'a pas respecté les plus hautes normes de la profession (L.R.Q., c. C-26, art. 122 et suivants). Les plaintes écrites contre la conduite d'une infirmière ou sa pratique sont soumises à l'Ordre; le **syndic** ou le syndic adjoint doit alors faire une enquête, rédiger un rapport et prendre les mesures qui s'imposent, s'il y a lieu. Cependant, si la protection du public n'est pas compromise et que l'enquête n'a révélé aucun acte dérogatoire, la **conciliation** est possible:

> Le syndic ou le syndic adjoint, qui estime que les faits allégués dans la demande de tenue d'une enquête peuvent faire l'objet d'un règlement, peut proposer à la personne qui a demandé la tenue de l'enquête et au professionnel la conciliation et ce, en tout temps avant le dépôt d'une plainte contre ce professionnel au comité de discipline (L.R.Q., c. C-26, art. 123.6).

En vertu de l'article 122.1 du *Code des professions,* le syndic peut informer le comité d'inspection professionnelle s'il a des motifs de croire que la compétence du professionnel doit faire l'objet d'une vérification visée par l'article 112 du même code. Le syndic doit informer par écrit toute personne qui a demandé une enquête et lui faire part de sa décision. Si le syndic décide de ne pas porter plainte devant le conseil de discipline, il doit en informer le plaignant et lui faire part de la possibilité de demander un avis au comité de révision dans les 30 jours suivant la date de réception de cette décision (L.R.Q., c. C-26, art. 122 à 123.5). S'il y a eu infraction au *Code de déontologie des infirmières et infirmiers,* le syndic peut porter l'affaire devant le conseil de discipline: si ce conseil conclut à la culpabilité de l'infirmière, il a le pouvoir de lui imposer une sanction (par exemple, réprimande, radiation temporaire ou permanente, révocation du permis, amende d'au moins 600 $ et d'au plus 6 000 $ par chef d'accusation) (L.R.Q., c. C-26, art. 116 et 150 et suivants). La partie défenderesse ou le syndic peuvent, sous certaines conditions, en appeler de la décision du comité de discipline devant le *Tribunal des professions;* la décision de ce tribunal est sans appel (L.R.Q., c. C-26, art. 162 à 164). Une infirmière qui n'exerce pas sa profession avec compétence et diligence s'expose à des répercussions; ainsi, à la suite d'une décision du conseil de discipline, le plaignant peut décider s'il est pertinent d'intenter une poursuite au civil ou au criminel contre cette infirmière. Il est donc primordial pour l'infirmière d'être consciente des conséquences de ses actes, de bien connaître le cadre de son exercice professionnel, de s'assurer qu'elle a la compétence pour faire une intervention et d'avoir un comportement compatible avec la profession.

EXERCICE INFIRMIER

L'infirmière qui exerce des activités professionnelles doit le faire dans le cadre prescrit par l'article 36 de la *Loi sur les infirmières et les infirmiers*:

> L'**exercice infirmier** consiste à évaluer l'état de santé d'une personne, à déterminer et à assurer la réalisation du plan de soins et de traitements infirmiers, à prodiguer les soins et les traitements infirmiers et médicaux dans le but de maintenir la santé, de la rétablir et de prévenir la maladie ainsi qu'à fournir les soins palliatifs (L.R.Q., c. I-8).

L'article 36 de la *Loi sur les infirmières et les infirmiers,* modifié par l'adoption de la *Loi modifiant le Code des professions et d'autres dispositions législatives dans le domaine de la santé* (L.Q., 2002, c. 33, art. 12), précise également les **activités réservées à l'infirmière** dans le cadre de l'exercice infirmier (encadré 4-2). Ces dispositions favorisent l'évolution de la pratique infirmière et le partage des activités, source de collaboration interprofessionnelle. Ce

---

ENCADRÉ 4-2
ACTIVITÉS RÉSERVÉES À L'INFIRMIÈRE DANS LE CADRE DE L'EXERCICE INFIRMIER

1. Évaluer la condition physique et mentale d'une personne symptomatique.
2. Exercer une surveillance clinique de la condition des personnes dont l'état de santé présente des risques, incluant le monitorage et les ajustements du plan thérapeutique infirmier.
3. Initier des mesures diagnostiques et thérapeutiques, selon une ordonnance.
4. Initier des mesures diagnostiques à des fins de dépistage dans le cadre d'une activité découlant de l'application de la *Loi sur la santé publique* (c. S-2.2).
5. Effectuer des examens et des tests diagnostiques invasifs, selon une ordonnance.
6. Effectuer et ajuster les traitements médicaux, selon une ordonnance.
7. Déterminer le plan de traitement relié aux plaies et aux altérations de la peau et des téguments et prodiguer les soins et les traitements qui s'y rattachent.
8. Appliquer des techniques invasives.
9. Contribuer au suivi de la grossesse, à la pratique des accouchements et au suivi postnatal.
10. Effectuer le suivi infirmier des personnes présentant des problèmes de santé complexes.
11. Administrer et ajuster des médicaments ou d'autres substances, lorsqu'ils font l'objet d'une ordonnance.
12. Procéder à la vaccination dans le cadre d'une activité découlant de l'application de la *Loi sur la santé publique.*
13. Mélanger des substances en vue de compléter la préparation d'un médicament, selon une ordonnance.
14. Décider de l'utilisation des mesures de contention.

Source: *Loi sur les infirmières et les infirmiers,* L.R.Q., c. I-8, art. 36.1. Reproduction autorisée par Les Publications du Québec.

nouveau cadre législatif reflète bien l'évolution des récentes compétences acquises et l'intégration des pratiques qui s'étaient développées en marge de ce cadre. On confirme ainsi l'autonomie de l'infirmière et on reconnaît sa capacité de jugement.

En pratique, cette évolution s'actualise dans un certain nombre de situations. Par exemple, au cours de l'évaluation initiale de l'état de santé d'une personne, l'infirmière peut mettre en œuvre des mesures diagnostiques ou des traitements en vertu d'une ordonnance. Par ailleurs, l'infirmière voit ses responsabilités accrues en matière de surveillance clinique et de suivi infirmier. Enfin, l'infirmière joue désormais un rôle important en santé publique et dans les domaines d'intervention suivants : le maintien et le rétablissement de la santé (y compris la réadaptation et le traitement), la prévention de la maladie et les soins en fin de vie (OIIQ, 2010, p. 31-32). L'application de ces nouvelles activités demande un bon jugement clinique, la mise à jour continue des connaissances et le souci de la qualité des soins. L'article 36.1 de la *Loi sur les infirmières et les infirmiers* (L.R.Q., c. I-8) décrit le cadre légal de l'exercice de la pratique avancée.

Normes de la pratique infirmière

L'adoption de normes de pratique est indispensable à l'autoréglementation de la profession d'infirmière. Pour évaluer la qualité des soins donnés par les infirmières, il est essentiel de disposer de critères objectifs permettant d'évaluer si les soins en question sont bons, adéquats ou dangereux. Le caractère général de ces normes reflète bien la diversité à la fois des rôles de l'infirmière et des milieux professionnels où elle travaille.

Les normes d'évaluation concernant la qualité de l'exercice infirmier ne font pas l'objet, en général, de lois ou de règlements particuliers, sauf dans le cas des normes qui y sont incluses. Voyons quelques exemples de ces normes : le *Code de déontologie des infirmières et infirmiers* (L.R.Q., c. I-8, r. 4.1, art. 17 et 37) précise qu'il faut tenir compte des limites de ses habiletés et de ses connaissances et ne pas faire preuve de violence (*Bersner c. Tanguay*, 1998 ; *Brisson c. Hémond*, 2009). Aussi, le *Code des professions* (L.R.Q., c. C-26, art. 59.1) stipule qu'il ne faut pas faire de gestes abusifs ; la *Loi sur les infirmières et les infirmiers* (L.R.Q., c. I-8, art. 41) énonce qu'il ne faut pas permettre à un non-membre d'accomplir des actes infirmiers. Toutefois, les normes ont des répercussions sur l'appréciation du comportement qu'une infirmière prudente et diligente aurait eu dans des circonstances données. Ces normes constituent des « standards de pratique » en soins infirmiers et elles servent à déterminer s'il y a eu ou non une négligence, une mauvaise pratique ou une faute qui peut entraîner soit une plainte à l'OIIQ ou à l'établissement de santé, soit une poursuite au civil. Les normes d'évaluation de la pratique guident l'infirmière dans sa façon d'exercer sa profession pour prodiguer des soins sûrs de qualité. On trouve ces normes dans le *Code de déontologie des infirmières et infirmiers*, les directives de l'OIIQ, les revues scientifiques ainsi que la politique et les directives de chaque établissement de santé.

En 1996, l'OIIQ a publié un document intitulé *Perspectives de l'exercice de la profession d'infirmière*, qui a fait l'objet d'une réédition (OIIQ, 2007). L'OIIQ y présente le but de la pratique infirmière, les divers aspects de la profession (partenariat infirmière-client, promotion de la santé, prévention, processus thérapeutique, réadaptation fonctionnelle, qualité de vie et engagement professionnel) et les aspects juridiques de l'exercice. Depuis 1999, l'Association des infirmières et infirmiers de l'Ontario, en collaboration avec Santé Canada, a mis au point des normes de pratique (*clinical practice guidelines*) basées sur des résultats probants. On a déjà établi 42 normes de pratique, qui sont révisées tous les 3 ans. Au Québec, deux établissements se sont engagés dans l'implantation de ce qu'on appelle les « pratiques exemplaires » : le Centre universitaire et régional de la Montérégie (Hôpital Charles-Lemoyne) et le Centre universitaire de santé McGill. Ces pratiques exemplaires prendront tout leur sens dans le contexte québécois de la qualité des soins et de la gestion des risques. En effet, la *Loi sur les services de santé et les services sociaux* comporte des dispositions pour protéger le droit du client de recevoir les soins adaptés à son état de santé et d'être informé ou son droit de connaître les différentes options qui s'offrent à lui, pour n'en nommer que quelques-uns (L.R.Q., c. S-4.2, art. 4 à 19).

En matière de consentement éclairé, le client a le droit de connaître les risques et les conséquences d'un traitement avant de l'accepter ; il a aussi le droit d'être informé de tout accident survenu au cours de son séjour dans l'établissement de soins et des mesures prises pour en prévenir la récurrence. Par conséquent, l'infirmière qui doute de ses connaissances, de ses compétences ou de son habileté dans un domaine donné devrait y remédier. Chaque établissement de soins a un formulaire de déclaration d'accident ou d'incident ; sur le plan juridique, ce formulaire doit être rempli soit par la personne qui a causé l'événement, soit par une personne qui constate celui-ci. Le *Code de déontologie des infirmières et infirmiers* stipule à cet égard que l'infirmière « doit dénoncer tout incident ou accident qui résulte de son intervention ou de son omission » et doit sans délai prendre des mesures pour corriger la situation (L.R.Q., c. I-8, r. 4.1, art. 12). Nous verrons plus en détail cette responsabilité de l'infirmière dans la section « Rapport d'incident-accident et autres rapports administratifs ». Nous ne saurions trop souligner qu'une bonne connaissance des normes de pratique permet à l'infirmière de prodiguer des soins de qualité.

Obligations et responsabilités de l'infirmière

Compte tenu de la nature de ses activités, l'infirmière doit être sensibilisée à la protection et au respect des droits de la personne. La *Charte canadienne des droits et libertés* (L.R.C., 1985, appendice II, n° 44, annexe B, partie I) et la *Charte des droits et libertés de la personne* du Québec (L.R.Q., c. C-12) ont consacré les droits fondamentaux, tels que le droit à l'inviolabilité, à l'autonomie, à la vie privée, au secret professionnel, à l'égalité

4

et à la non-discrimination. Le *Code civil du Québec* (L.Q., 1991, c. 64) intègre des dispositions similaires, et les lois ne manquent pas en la matière. Ainsi, la *Loi sur les services de santé et les services sociaux* régit le milieu de la santé : le droit de tout individu de recevoir des soins, l'obtention du consentement, les conditions de pratique en établissement, la tenue du dossier du client, l'accès à l'information, etc. La *Loi sur la protection de la jeunesse* (L.R.Q., c. P-34.1) oblige le professionnel de la santé à signaler les mauvais traitements infligés à un mineur lorsque la sécurité de ce dernier est menacée, et ce, en dépit du secret professionnel. D'autres lois, encore, font état des droits de la personne, entre autres les suivantes :

- *Loi sur l'accès aux documents des organismes publics et sur la protection des renseignements personnels* (L.R.Q., c. A-2.1)
- *Loi sur la protection de la santé publique* (L.R.Q., c. P-35)
- *Loi sur la santé et la sécurité du travail* (L.R.Q., c. S-2.1)
- *Loi sur la protection des personnes dont l'état mental présente un danger pour elles-mêmes ou pour autrui* (L.R.Q., c. P-38.001)
- *Loi sur le curateur public* (L.R.Q., c. C-81)

Toutes ces lois régissent d'une manière ou d'une autre les activités professionnelles de l'infirmière, et celle-ci a l'obligation de se conformer à leurs dispositions. Une **obligation légale** (ou **obligation juridique**) est un lien de droit en vertu duquel une personne peut être contrainte de donner, de faire ou de ne pas faire. Ainsi, l'infirmière qui ferait preuve de discrimination, en raison de la race ou de la religion, envers un client qu'elle soigne pourrait avoir à répondre de son comportement devant son ordre professionnel pour ne pas avoir respecté son obligation, comme il est mentionné dans le *Code de déontologie des infirmières et infirmiers* (L.R.Q., c. I-8, r. 4.1, art. 2), mais elle pourrait aussi avoir à répondre devant d'autres instances, par exemple pour ne pas avoir respecté la *Charte des droits et libertés de la personne* (L.R.Q., c. C-12, art. 10).

Recours du client

En matière de santé, tant au Québec que dans le reste du Canada, une plainte n'implique habituellement pas de poursuite dès le départ (Keatings et Smith, 2000). D'autres avenues sont possibles. Ainsi, un individu peut porter plainte à l'OIIQ en vertu du *Code des professions* (L.R.Q., c. C-26, art. 126 et suivants) ou à un commissaire aux plaintes et à la qualité des services (personne qui traite les plaintes des usagers) en vertu de la *Loi sur les services de santé et les services sociaux* (L.R.Q., c. S-4.2, art., 30, 33, 60 et 66) ou encore de la *Loi sur le protecteur des usagers en matière de santé et de services sociaux* (L.R.Q., c. P-31.1, art. 8 et suivants). Toutefois, si le but de la plainte n'est pas simplement de faire corriger la situation ou d'établir les correctifs destinés à l'empêcher de se répéter, mais plutôt de demander un dédommagement pour des préjudices subis, il pourrait y avoir une poursuite au civil. Prenons un exemple semblable à celui donné au début du chapitre. Dans un établissement de soins, une infirmière administre à Mme Julien un médicament qui lui est bel et bien destiné, mais sans en respecter la posologie. La cliente commence à faire de l'hypotension. À cause de l'hypotension, Mme Julien fait une chute et se brise la hanche. Cette infirmière peut faire l'objet de diverses plaintes : par exemple, Mme Julien peut porter plainte à l'OIIQ pour l'erreur de posologie, elle peut porter plainte au commissaire local à la qualité des services pour lui signaler son insatisfaction des soins reçus et elle peut, en plus, intenter une poursuite au civil dans le but d'obtenir une indemnisation pour le dommage subi.

Responsabilité civile de l'infirmière

Selon le *Code de déontologie des infirmières et infirmiers* (L.R.Q., c. I-8, r. 4.1, art. 9), l'infirmière a la responsabilité pleine et entière des décisions qu'elle prend et des actes qu'elle effectue dans l'exercice de ses fonctions. Bien sûr, sa responsabilité civile est encadrée par le régime général du droit civil qui touche tout le monde, mais cette responsabilité va au-delà de celle du simple citoyen. En effet, le contexte dans lequel l'infirmière accomplit des actes professionnels, la nature de l'obligation et la gravité des conséquences subies par le client font partie de l'appréciation portée sur son comportement, établie par rapport à ce qu'aurait fait une infirmière prudente et diligente dans des circonstances semblables.

Les fondements de la **responsabilité civile** (Baudoin et Deslauriers, 2007) se trouvent dans le *Code civil du Québec* (L.Q., 1991, c. 64, art. 1457). Pour bien comprendre l'application de l'article en question, il faut considérer les quatre éléments suivants : capacité de discernement, dommage, faute et causalité.

La *capacité de discernement* est l'aptitude mentale qui permet à un individu de prévoir et d'évaluer les conséquences et la portée de ses actes. Le *dommage* est l'élément essentiel d'une poursuite entreprise en vue d'obtenir une compensation financière. En fait, s'il n'y a pas de dommage, il ne peut pas y avoir de poursuite. Le dommage doit être certain ; il ne peut pas être simplement probable, sauf s'il est démontré qu'il se produira bel et bien dans l'avenir. Le dommage est soit matériel, soit moral. Toute somme réclamée doit être justifiée, car les tribunaux visent à compenser les dommages causés. La *faute* est l'élément déterminant de la responsabilité. Ainsi, dans l'exemple de Mme Julien donné précédemment, il faut pouvoir démontrer que le comportement de l'infirmière a été fautif. Au cours de son travail, une infirmière est tenue à l'obligation de moyens, non à l'obligation de résultats : en effet, la réaction de chaque individu est imprévisible et personne ne peut garantir la santé à qui que ce soit. C'est l'appréciation du comportement par rapport à l'appréciation des soins donnés qui permettra de déterminer s'il y a eu une faute, c'est-à-dire s'il y a eu un manquement à une obligation professionnelle précisée dans les lois et les règlements et selon les normes de soins. La *causalité* est le lien de cause à effet entre la faute et le dommage. Pour que le lien de causalité soit établi, il faut démontrer au tribunal que le dommage subi est la conséquence directe du comportement reproché (*Bérubé c. Hôtel-Dieu de Lévis*, 2003). Par exemple, il faut démontrer que les effets négatifs sur la mobilité, la sensibilité et l'endurance d'un bras d'une plaignante sont directement en lien avec l'injection donnée par une infirmière (*Gray c. Fraser Health Authority*, 2009). Par ailleurs, s'il est démontré que le dommage allégué n'est pas la conséquence d'un comportement, mais plutôt le résultat fortuit d'une cause sans lien avec l'acte accompli, la personne poursuivie peut être disculpée. Reprenons notre exemple de Mme Julien en le modifiant quelque peu. L'infirmière administre à Mme Julien un médicament qui lui est destiné, mais sans en respecter la posologie. Quelques minutes plus tard, Mme Julien subit une rupture d'anévrisme (sans lien avec le médicament) qui la fait tomber, et elle se brise la hanche. Si la chute a vraiment été causée par la rupture d'anévrisme, l'infirmière pourrait ne pas être tenue responsable du dommage lié à la fracture de la hanche. Cependant, elle pourrait être tenue responsable par son ordre professionnel de l'erreur de posologie.

Témoignage de l'infirmière

En plus d'avoir à répondre de ses actes, l'infirmière peut aussi être appelée à témoigner dans une poursuite dont elle ne fait pas directement l'objet. En effet, elle peut avoir fait partie d'une équipe soignante qui a prodigué des soins à la partie demanderesse. Dans ce cas, l'avocat de son employeur lui offrira soutien et conseils tout au long du processus judiciaire.

L'infirmière peut également être appelée à la barre à titre de témoin expert. Un **témoin expert** est une personne qui possède une formation avancée, une expérience ou des compétences dans un domaine particulier et qui est autorisée par un tribunal à offrir son opinion sur certains sujets. Dans le cas d'une infirmière, son expertise relève de sa profession. On fait généralement appel à une infirmière comme témoin expert pour aider le juge ou les membres du jury à comprendre l'étendue du dommage subi par une personne ou à bien saisir les normes de soins.

Responsabilités de l'étudiante infirmière

L'étudiante infirmière peut exercer sa future profession dans un établissement de santé (comme stagiaire) en vertu d'un contrat d'affiliation approuvé par le ministère de la Santé et des Services sociaux et par le ministère de l'Éducation; les soins prodigués et les personnes soignées demeurent cependant sous la responsabilité de l'infirmière. Quant au professeur, il a la responsabilité d'encadrer et de superviser l'étudiante, d'être disponible pour elle et de faire le suivi de son travail d'infirmière. Prenons l'exemple d'une étudiante infirmière qui remplit son rapport à la fin de sa journée. Elle signale qu'elle n'a pas eu le temps de faire une transfusion prescrite pour le début de son quart de travail. Il s'agit d'une situation inacceptable : (1) l'étudiante aurait dû le mentionner à son professeur ou à l'infirmière soignante dès l'heure prescrite pour la transfusion; (2) le professeur aurait alors dû faire le suivi auprès de l'infirmière soignante; (3) celle-ci aurait alors dû vérifier le dossier et faire elle-même la transfusion, s'il y avait lieu. Dans l'éventualité d'une poursuite pour dommage causé par le retard de la transfusion, l'étudiante, le professeur et l'infirmière soignante auraient tous trois à répondre de leurs actes. La jurisprudence comprend plusieurs décisions dans ce sens. Voici deux exemples : une étudiante infirmière a été reconnue négligente, alors que le professeur et l'infirmière soignante ont manqué de vigilance et n'ont pas assuré la supervision (*Mainville c. Cité de la santé de Laval, M. L. et A. E.*, 1998; une autre étudiante infirmière a fait une injection dans le nerf sciatique d'une personne et a aussi été reconnue coupable de négligence (*Roberts c. Cape Breton Regional Hospital*,

1998. Étudiante infirmière, professeur ou infirmière soignante doivent garder à l'esprit qu'ils sont personnellement et civilement responsables des actes qu'ils accomplissent et qu'ils doivent, en conséquence, s'assurer qu'ils prodiguent des soins avec compétence et diligence.

Par ailleurs, le *Code de déontologie des infirmières et infirmiers* (L.R.Q., c. I-8, r. 4.1, art. 17, 18, 42 et 45) stipule que l'infirmière doit agir avec compétence et qu'elle doit tenir compte des limites de ses habiletés et de ses connaissances, qu'elle doit prendre des moyens raisonnables pour assurer la sécurité des personnes qu'elle soigne et qu'elle ne doit pas faire preuve de négligence. Ces dispositions s'appliquent aussi à l'étudiante infirmière (*Ordre professionnel des infirmières et infirmiers c. Marie T. Lalande*, 1997). Pour assumer ses responsabilités envers les personnes qu'elle soigne et pour réduire le risque de plainte ou de poursuite, l'étudiante infirmière qui effectue un stage en établissement de soins devrait prendre les précautions suivantes :

- S'assurer qu'elle a les connaissances suffisantes et qu'elle est adéquatement préparée pour s'occuper des clients auxquels elle est affectée.
- S'informer, vérifier ses connaissances et faire le suivi des soins qu'elle donne auprès de son professeur et de l'infirmière soignante.
- Demander d'être aidée ou supervisée quand elle se sent insuffisamment formée ou quand elle a le moindre doute sur ses compétences.
- Se conformer aux normes de pratique et à la politique de l'établissement dans lequel elle acquiert son expérience clinique.
- Se conformer aux lois professionnelles.

Il est important de souligner le cas de l'étudiante infirmière qui travaille pendant ses études comme infirmière auxiliaire ou préposée aux bénéficiaires : légalement, cette étudiante n'a pas le droit d'effectuer des actes infirmiers. En d'autres mots, elle n'a pas accès aux activités réservées à l'infirmière, même si elle a suivi des cours et appris comment exécuter ces activités (par exemple, administrer une injection). Si elle le fait, elle s'expose à une plainte pour exercice illégal de la profession (L.R.Q., c. I-8, art. 41 ; L.R.Q., c. C-26, art. 188).

Erreur et faute professionnelle

Une plainte peut être liée à plusieurs genres d'erreurs ou de fautes professionnelles. En voici quelques exemples :

- **Erreurs d'évaluation**
  - Ne pas recueillir ni consigner adéquatement les renseignements sur le client.
  - Ne pas reconnaître l'importance de certaines informations (par exemple, mise à jour du plan de soins et de traitements infirmiers ou de la fiche des médicaments administrés, des résultats de laboratoire et des signes vitaux) ou ne pas faire le suivi nécessaire.
  - Faire une évaluation sans avoir les connaissances requises.
- **Erreurs de planification**
  - Ne pas consigner au dossier les problèmes décelés chez le client.

4

– Dans le plan de soins et de traitements infirmiers, ne pas utiliser un langage compréhensible par les autres membres du personnel soignant.
– Ne pas assurer la continuité des soins selon le plan de soins et de traitements.
– Ne pas donner au client ou à sa famille des directives claires et compréhensibles au sujet du congé de l'établissement de santé.
– Ne pas faire un rapport interservice adéquat.
– Ne pas transmettre au médecin ou à l'équipe interdisciplinaire certaines informations.
– Ne pas assurer la sécurité du client.

■ **Erreurs d'intervention**
– Mal interpréter ou mal exécuter les ordonnances médicales.
– Effectuer incorrectement un acte infirmier.
– Dans le cas où le médecin ne répond pas à un premier appel, ne pas chercher à entrer en contact de nouveau avec lui ni ne prévenir l'infirmière ou toute autre personne responsable si le médecin n'est pas disponible.
– Ne pas prendre la pression artérielle et le pouls du client lorsque cela est justifié.
– Ne pas prêter attention à l'effet que les médicaments, les soins ou les traitements ont sur le client.
– Ne pas vérifier le pansement d'un client qui vient de subir une chirurgie abdominale.
– Ne pas exercer une surveillance appropriée de l'état du client.
– Faire preuve d'un mauvais jugement clinique.
– Ne pas avoir des connaissances en accord avec les données actuelles de la science.

L'affaire *Downey contre Rothwell* (Alberta, 1974) est une bonne illustration de ce qui peut constituer une faute professionnelle en rapport avec le devoir de diligence qui incombe à l'infirmière. Mme Downey, la partie demanderesse, était âgée de 35 ans et avait des antécédents de crises tonicocloniques (grand mal). Elle avait depuis longtemps cessé de prendre le phénobarbital (anticonvulsivant) qui lui était prescrit. Elle se trouvait dans une clinique et s'était blessée gravement en tombant en bas d'une table d'examen alors qu'elle était sous la responsabilité d'une infirmière. Celle-ci avait 40 ans d'expérience et travaillait dans cette clinique depuis 22 ans. Mme Downey avait informé l'infirmière qu'elle ressentait les signes avant-coureurs d'une crise, et l'infirmière était restée dans la pièce environ une demi-heure. Puis, comme rien ne s'était produit, elle était sortie de la pièce chercher le dossier de Mme Downey, laissant cette dernière seule. Pendant l'absence de l'infirmière, Mme Downey avait subi une crise grave et s'était fracturé le bras en tombant sur le sol. L'infirmière aurait dû tenir compte des signes avant-coureurs dont Mme Downey lui avait fait part et elle aurait dû assurer la sécurité de cette dernière en restant auprès d'elle.

Soulignons trois éléments importants dans cette affaire : l'engagement de l'infirmière à prodiguer des soins ; le lien de confiance entre la personne et l'infirmière ; le fait de ne pas avoir tenu compte d'un risque prévisible. Le juge a conclu que le comportement de l'infirmière se situait en deçà de la norme reconnue à l'époque concernant ce type de professionnelle.

L'opinion d'une professeure en soins infirmiers, appelée à titre de témoin expert, était en accord avec toute la littérature médicale consultée : dans une telle situation, l'infirmière aurait dû rester auprès de Mme Downey. L'infirmière a été reconnue coupable d'une faute professionnelle et, pour cette négligence, ses employeurs ont été déclarés responsables du fait d'autrui. En matière de faute professionnelle au Québec, un certain nombre de causes ont montré l'importance d'une évaluation appropriée et d'une surveillance adéquate ; d'autres causes ont mis en évidence les répercussions du fait de ne pas avoir appelé un médecin et de ne pas avoir mis en œuvre correctement un procédé. L'infirmière n'a pas agi de manière prudente et diligente, comme aurait dû le faire toute infirmière dans les mêmes circonstances, et la jurisprudence abonde dans le même sens : *Camden-Bourgault c. Brochu et l'Hôpital de l'Enfant-Jésus* (1996) ; *Lacombe c. Hôpital Maisonneuve-Rosemont* (2004) ; *Gravel c. Hôtel-Dieu d'Amos* (1989).

Par ailleurs, il convient de souligner les nombreuses causes dans lesquelles l'infirmière ou le personnel infirmier ont été reconnus non responsables pour avoir agi avec prudence et diligence, et pour avoir respecté les règles de l'art (par exemple, *Bordeleau c. Solonyna*, 2003 ; *Laviolette c. Centre hospitalier Hôtel-Dieu de Saint-Jérôme*, 2003 ; *Charbonneau c. Centre hospitalier Laurentien*, 2009).

NOTES AU DOSSIER ET RESPONSABILITÉ CIVILE

Le tribunal reconnaît (depuis *Ares c. Venner*, 1970, et reconfirmé par *Charbonneau c. Centre hospitalier Laurentien*, 2009) que le dossier peut constituer un élément de preuve à l'occasion d'une poursuite. Par conséquent, la qualité et la justesse des notes que l'infirmière y consigne sont essentielles. Ces notes sont le reflet des soins et des services que le client reçoit ; elles doivent donc être le plus fidèles possible à la réalité. L'inscription au dossier de ses observations est une obligation légale pour le professionnel de la santé. On trouve cette obligation dans le *Règlement sur l'organisation et l'administration des établissements* (Décret 1320-84, 1984) de la *Loi sur les services de santé et les services sociaux* (L.R.Q., c. S-4.2) ainsi que dans les normes de l'OIIQ (2004). Un dossier sans notes ou comportant des notes incomplètes est le signe soit d'un manque de surveillance, soit d'un manque d'évaluation de la part de l'infirmière. Un dossier de santé incomplet peut semer le doute sur la compétence et les connaissances de l'infirmière : au moment de recevoir l'avis d'une plainte ou de témoigner devant le tribunal, l'infirmière aura de la difficulté à bien se rappeler les événements ou même à paraître crédible. Un dossier mal tenu peut être révélateur du style de pratique de l'infirmière qui y consigne les renseignements : l'infirmière fait preuve de négligence, elle expédie son travail, elle ne maintient pas ses connaissances à jour, elle communique mal ou insuffisamment ses observations, etc. Au contraire, les notes consignées au dossier doivent plutôt démontrer le respect des normes de soins, la justesse des connaissances, le jugement clinique, le sens de la planification dans les interventions, l'écoute de la personne soignée et l'observation des besoins de cette dernière. Au bout du compte, ces notes doivent démontrer que l'infirmière remplit ses obligations en matière d'évaluation, de soins, de traitements, de sécurité, de surveillance, de suivi et de résultats.

Le dossier est un document qui a une portée légale ; comme nous l'avons mentionné, il peut servir de preuve devant les tribunaux (*Gravel c. Hôtel-Dieu d'Amos*, 1989). Par ailleurs, il sert à assurer la continuité des soins en permettant la communication entre professionnels, et à soutenir la recherche ainsi que l'enseignement. Par conséquent, l'infirmière doit consigner de manière complète et exacte les soins qu'elle prodigue. Le défaut de tenir adéquatement un dossier peut constituer une négligence professionnelle et faire l'objet d'une responsabilité civile délictuelle ou disciplinaire. Pour en apprendre davantage sur la tenue des dossiers, voir le chapitre 19 .

Concernant la responsabilité, il faut également considérer le fait que les **notes d'évolution** doivent comprendre des «informations reflétant l'évolution de l'état de santé du client, expliquant les décisions cliniques de l'infirmière et décrivant les interventions effectuées, les réactions du client et les résultats obtenus» (OIIQ, 2003). Le **plan thérapeutique infirmier** (PTI) est une note d'évolution distincte démontrant l'évolution des décisions prises par l'infirmière en lien avec le suivi clinique du client. D'après le *Règlement sur l'organisation et l'administration des établissements* (L.R.Q., c. S-5), le PTI est considéré comme faisant partie de la catégorie des notes d'évolution rédigées par les membres du personnel clinique. Il est consigné dans un formulaire unique appelé AH-602 DT-9159 par le ministère de la Santé et des Services sociaux (MSSS). Le PTI pourra être déposé en preuve de la compétence de l'infirmière (OIIQ, 2010, p. 25, 26, 39 et 55).

CONTRAT DE TRAVAIL, RESPONSABILITÉ ET ASSURANCE RESPONSABILITÉ

Qu'elle travaille à son compte ou qu'elle occupe un emploi, l'infirmière est liée par un contrat de travail, c'est-à-dire une «entente qui intervient entre deux ou plusieurs personnes et qui crée une obligation de faire ou de ne pas faire certaines choses précises» (Black, 1979, p. 291). Un contrat doit respecter les conditions suivantes (Parisi, 1999) :

- Il doit avoir une fin légitime.
- Chacune des parties doit être apte à signer le contrat et en comprendre les termes.
- Chacune des parties doit bien comprendre les obligations stipulées.
- Chacune des parties doit avoir des obligations à remplir et des avantages à retirer.
- Un contrat de travail doit, à tout le moins, respecter les exigences des lois, des codes et des règlements en vigueur.

Un contrat de travail peut être verbal, écrit ou implicite. Si aucun syndicat n'entre en jeu, l'infirmière et l'employeur peuvent négocier un contrat de travail individuel, dans lequel on précise les droits et les obligations de chaque partie.

Au Québec, sans égard à la nature du contrat de travail, l'infirmière doit contracter une **assurance responsabilité** (ou **assurance responsabilité civile professionnelle**) pour pouvoir exercer ; cette assurance la protège contre les fautes ou les négligences professionnelles qu'elle pourrait commettre. Il s'agit d'une assurance renouvelable annuellement. Le renouvellement se fait au 31 mars, en même temps que celui de l'inscription au tableau de l'OIIQ (L.R.Q., c. I-8, r. 3). Il est important de souligner que l'assurance responsabilité ne couvre ni les actes criminels ni les actes de négligence grave que l'infirmière pourrait commettre à l'encontre d'une personne qu'elle soigne.

L'infirmière qui exerce dans le secteur privé signe habituellement un contrat avec une personne qu'elle soigne ou avec une entreprise, contrat en vertu duquel elle accepte de fournir des services professionnels en échange d'un tarif convenu (L.R.Q., c. I-8, r. 4.1, art. 52 et suivants). Dans un établissement où les infirmières sont syndiquées, les conditions du contrat de travail sont régies par la convention collective intervenue entre le syndicat et l'employeur.

Un contrat de travail verbal peut poser un problème en raison de l'incapacité de prouver les termes négociés. Il est recommandé à l'infirmière qui conclut une entente verbale de mettre par écrit au moins les conditions suivantes : durée du contrat, période de probation, congés payés, préavis de cessation d'emploi et description des tâches. Le lien d'emploi est régi à plusieurs niveaux : par le *Code du travail* du Québec (par le *Code canadien du travail* dans les autres provinces et territoires), par les normes de l'industrie, par les normes d'agrément, par les lois sur les droits de la personne, par la politique et les directives de l'établissement, par le contrat de travail et par la convention collective (s'il y a lieu).

La **relation contractuelle** varie selon le milieu professionnel. Une infirmière qui travaille à son propre compte a une relation contractuelle de nature indépendante avec la personne qui retient ses services. L'infirmière à l'emploi d'un établissement de santé travaille dans le contexte d'une relation employeur-employé : elle représente l'établissement et agit en son nom ; par conséquent, elle doit en respecter la politique et les directives. Quand un employé commet une faute professionnelle, son employeur en est normalement tenu responsable sur le plan juridique en vertu d'une doctrine appelée **responsabilité du fait d'autrui**. Les fondements juridiques de cette responsabilité se trouvent dans le *Code civil du Québec* (L.Q., 1991, c. 64, art. 1463). En vertu de la loi, l'employeur est responsable des actes accomplis par ses employés dans l'exercice de leurs fonctions, et ce, sans qu'il y ait faute de sa part. Bien sûr, la faute de l'employé doit être prouvée pour que l'employeur en soit responsable. Il faut aussi savoir que l'employeur a le pouvoir de donner à ses employés des directives sur la façon d'exécuter le travail ; il a un pouvoir d'autorité et de surveillance. C'est ce lien de «subordination juridique» qui justifie la responsabilité du fait causé par autrui (L.R.Q., c. I-8, r. 4.1 ; Baudoin et Deslauriers, 2007 ; Ménard et Martin, 1992). Soulignons que la responsabilité du fait d'autrui incluse dans le lien d'emploi ne dégage pas l'infirmière de ses responsabilités et obligations professionnelles. Ainsi, selon le *Code de déontologie des infirmières et infirmiers* (L.R.Q., c. I-8, r. 4.1, art. 9), en pratique privée, l'infirmière ne pourrait pas faire insérer dans son contrat de service une clause visant à exclure toute responsabilité de sa part.

Dans l'affaire *Joseph Brant Memorial Hospital c. Koziol* (1979), une personne hospitalisée est morte après avoir aspiré un corps étranger au cours d'une chirurgie au dos. L'infirmière n'avait pas soulevé la personne afin de lui permettre de tousser ou de respirer profondément, et le dossier de santé ne comportait aucune mention de soins à cet égard. On a déterminé que les soins infirmiers avaient été en deçà des normes établies et que l'hôpital était responsable du fait d'autrui. Rappelons que la responsabilité du fait d'autrui ne dégage pas l'infirmière de toute responsabilité individuelle; en effet, cette responsabilité n'a pas préséance lorsque les gestes accomplis par l'employé sont extraordinairement inappropriés par rapport aux gestes attendus ou prévus par l'employeur. Par exemple, si une infirmière frappe au visage une personne qu'elle soigne, l'employeur peut décliner toute responsabilité en invoquant comme motif que ce comportement dépasse les limites du comportement normalement attendu d'une infirmière. Un acte criminel (par exemple, voler des tranquillisants destinés à un client) est aussi considéré comme un comportement extraordinairement inapproprié. Par ailleurs, l'omission d'un acte peut également engager la responsabilité pour motif de négligence: par exemple, une infirmière n'intervient pas en apercevant une autre infirmière en train d'agresser un client hospitalisé.

L'infirmière salariée a des obligations envers son employeur, les clients qu'elle soigne et les autres membres du personnel. Les soins qu'elle prodigue doivent se situer dans les limites de ses compétences et selon les termes prévus dans son contrat de travail. L'infirmière ne doit donc pas s'engager à accomplir des tâches pour lesquelles elle n'a pas les compétences nécessaires.

L'infirmière est tenue de respecter les droits et les responsabilités des autres professionnels de la santé avec lesquels elle travaille. Par exemple, même si l'infirmière a la responsabilité d'expliquer ses interventions à un client, elle n'est pas autorisée à faire des commentaires sur les interventions médicales d'une manière susceptible de semer le doute ou la confusion ou de porter préjudice au médecin. En retour, l'infirmière est en droit de s'attendre à une conduite raisonnable et prudente de la part des autres professionnels de la santé avec qui elle travaille.

RELATIONS DE TRAVAIL

Une étude faite par l'OIIQ (2006a) montre que les principaux secteurs d'emploi au Québec sont le réseau de la santé et des services sociaux, l'éducation et le secteur privé. Le principal employeur des infirmières au Québec est donc l'État, puisque les deux tiers des infirmières travaillent pour le gouvernement. Toutes ces infirmières sont syndiquées. La **négociation collective** est un processus décisionnel organisé que les représentants de l'employeur et les représentants du syndicat (par exemple, la Fédération des infirmières et infirmiers du Québec) utilisent pour négocier les salaires et les conditions de travail, notamment les heures de travail, le milieu de travail et les avantages sociaux (vacances, congés de maladie, congés pour raisons personnelles, etc.). Sur le plan juridique, c'est par une entente écrite (convention collective de travail) que l'employeur et les employés s'engagent à respecter les conditions d'emploi. La négociation collective est bien plus que la simple négociation du salaire et des heures de travail; c'est un processus continu par lequel on peut régler de façon ordonnée et démocratique les problèmes au quotidien. Un **grief** est une plainte (faite par un employé, un syndicat ou un employeur) au sujet d'un conflit, d'un différend, d'une controverse ou d'un désaccord en rapport avec les conditions d'emploi. Pour régler ce genre de problème, on a recours à la procédure de règlement des griefs, dont la marche à suivre est précisée dans la convention collective.

Au Canada, les lois qui régissent le travail varient selon la province ou le territoire; l'infirmière qui décide de pratiquer dans un autre endroit doit donc se renseigner sur les différences qui ont trait à l'exercice de sa profession.

En acceptant un emploi, l'infirmière conclut une entente avec un employeur. Elle s'engage à être présente et à accomplir ses tâches professionnelles de manière compétente et dans le respect de la politique et des directives de l'établissement. En retour, l'employeur s'engage non seulement à rémunérer l'infirmière pour ses services professionnels, mais aussi à lui fournir un milieu ambiant et un matériel qui lui permettront d'accomplir ses tâches de façon compétente et sûre. La convention collective ainsi que la politique et les directives de l'établissement de santé font partie intégrante des conditions de l'entente (contrat) que l'infirmière doit respecter.

Autres aspects juridiques de la pratique infirmière

CONFIDENTIALITÉ

Le respect du principe de confidentialité est une obligation professionnelle capitale dans la relation infirmière-client. Ce principe implique pour l'infirmière des obligations morales et des obligations légales. Dans la mesure du possible, l'infirmière doit respecter le principe de confidentialité, sauf si cela peut causer un tort au client ou à d'autres personnes, ou si la loi exige la divulgation de certains renseignements (par exemple, soupçons de mauvais traitements infligés à un mineur, maladie infectieuse à déclaration obligatoire, obligation d'informer la Commission de la santé et de la sécurité du travail [CSST] ou ordonnance d'un tribunal ou si cela permet de prévenir un acte de violence [OIIQ, 2005c]).

Le *Code des professions* (L.R.Q., c. C-26, art. 60.4) et le *Code de déontologie des infirmières et infirmiers* (L.R.Q., c. I-8, r. 4.1, art. 31 à 36) comportent des dispositions pour préserver le secret des renseignements de nature confidentielle. L'une de ces dispositions oblige le professionnel de la santé à ne pas révéler qu'une personne a fait appel à ses services; une autre disposition l'oblige à prendre les moyens raisonnables pour que les personnes qui travaillent sous son autorité, sous sa supervision ou qui sont à son emploi ne divulguent pas de renseignements confidentiels. Ainsi, l'infirmière ne doit pas utiliser des renseignements relatifs à un client au préjudice de ce dernier; elle doit s'assurer que le client est au courant de l'utilisation possible de ses propos confidentiels; enfin, elle doit éviter de commettre des indiscrétions sur les clients qu'elle soigne. Du point de vue juridique, la divulgation de renseignements sur le client est considérée comme une faute professionnelle et peut, à ce titre, entraîner l'application d'une mesure disciplinaire pour atteinte à la vie privée ou non-respect du secret professionnel, selon le cas.

CONSENTEMENT ÉCLAIRÉ

Le **consentement éclairé** est l'autorisation que donne une personne pour accepter un traitement ou une intervention. Toute personne a le droit de prendre des décisions en ce qui concerne les soins qui lui sont prodigués ; en conséquence, elle a le droit d'obtenir toute l'information qui lui est nécessaire pour le faire. L'obtention du consentement éclairé n'est pas un événement ponctuel ; il s'agit plutôt d'un processus continu qui se déroule dans le contexte de la relation qui unit le professionnel de la santé et le client. Pour donner ou refuser son consentement conformément aux prescriptions légales, le client doit comprendre librement et sans contrainte la nécessité du traitement ou de l'intervention en jeu.

L'inviolabilité de la personne est un droit reconnu par la *Charte des droits et libertés de la personne* et par la *Charte canadienne des droits et libertés*. L'obtention du consentement éclairé s'avère un moyen de protéger l'autonomie et l'intégrité de l'individu. Les fondements juridiques de l'obligation d'obtenir le consentement aux soins se trouve dans le *Code civil du Québec* (L.Q., 1991, c. 64, art. 10 et 11) ; le *Code de déontologie des infirmières et infirmiers* (art. 40 et 41) en traite également. Une atteinte à l'intégrité de la personne peut constituer une voie de fait ou une tentative de voie de fait. Toutefois, la loi prévoit des exceptions, comme les situations d'urgence, les maladies à traitement obligatoire et la garde en établissement.

Le consentement peut être explicite ou implicite. Le **consentement explicite** est l'acceptation que la personne donne clairement (verbalement ou par écrit) au sujet de traitements ou d'interventions. Au Québec, en vertu de l'article 52.1 du *Règlement sur l'organisation et l'administration des établissements*, la personne admise dans un établissement de santé doit signer un consentement général aux soins hospitaliers, en plus d'un consentement propre à certains procédés effractifs (par exemple, angiographie, coronographie, don d'organe et expérimentation), aux traitements qui demandent une anesthésie générale et aux chirurgies. Les établissements de santé utilisent à cette fin un formulaire de consentement qui fournit à la personne des renseignements supplémentaires sur le sujet. Toutefois, la transmission de ce formulaire ne remplace en aucun cas l'obligation d'informer verbalement la personne des actes que le professionnel de la santé va effectuer à son égard (Lesage-Jarjoura et Philips-Nootens, 2007). L'infirmière doit consigner la réaction de la personne soignée à la communication de ces renseignements.

On parle de **consentement implicite** quand le comportement non verbal de la personne indique qu'elle accepte le traitement ou l'intervention. En voici quelques exemples :

- En situation d'urgence, quand la personne ne peut pas donner son consentement.
- Au cours d'une intervention chirurgicale, quand d'autres procédés deviennent nécessaires dans le cadre de l'intervention chirurgicale à laquelle la personne a déjà consenti.
- Lorsqu'une personne poursuit sa participation à un traitement sans retirer son consentement initial.

L'obtention du consentement aux soins médicaux et aux soins infirmiers est une obligation légale. L'administration d'un traitement à une personne sans son consentement ou après un refus de sa part constitue une **voie de fait**, tandis que le traitement d'une personne qu'on n'a pas suffisamment informée constitue une **négligence** (Parisi, 1999). Le consentement ne

doit pas être obtenu sous la contrainte, ce qui implique que la personne ne doit pas se sentir contrainte à donner ce consentement. Par exemple, une personne qui le donne de crainte d'être désapprouvée par le professionnel de la santé ne le fait pas de son plein gré.

L'obtention du consentement à un traitement *médical* ou *chirurgical* particulier relève du médecin. Dans certains établissements, cette responsabilité est déléguée à l'infirmière ; bien qu'aucune loi n'interdise à celle-ci de participer au processus d'information (c'est-à-dire expliquer à la personne ce que le médecin fera pendant l'intervention), la délégation n'est pas une pratique souhaitable en la matière. En effet, l'infirmière n'accomplit pas d'actes médicaux proprement dits et elle n'a pas les connaissances médicales du médecin traitant. C'est la responsabilité du médecin d'obtenir le consentement à des soins médicaux. Par ailleurs, il n'incombe pas à l'infirmière de combler les lacunes du dialogue entre le médecin et le client, mais elle doit s'assurer que ce dernier a reçu toutes les informations nécessaires et prévenir le médecin dans le cas contraire (Sneiderman, Irvine et Osborne, 1995, p. 164). L'infirmière a fréquemment la responsabilité d'agir à titre de témoin à la signature du consentement éclairé avant une intervention médicale : idéalement, elle devrait assister à l'échange qui a lieu entre le médecin et la personne, ce qui n'est pas toujours chose possible dans la pratique ; elle doit néanmoins vérifier si la personne comprend vraiment les raisons de l'intervention et informer le médecin si ce n'est pas le cas.

L'obtention du consentement à des *interventions infirmières* relève de l'infirmière ; elle est prévue au *Code de déontologie des infirmières et infirmiers*, et oblige l'infirmière à fournir au client toutes les informations et les explications nécessaires à la compréhension des soins et des traitements qu'elle prodigue. L'infirmière doit donc obtenir un consentement libre et éclairé du client en lui fournissant toutes les informations requises et les documenter au dossier avec la décision du client, notamment dans les cas de refus de soins. La nécessité d'obtenir le consentement du client s'applique en tout temps. Cependant, le *Code civil du Québec* prévoit une exception dans les cas d'urgence où la vie du client est en danger ou son intégrité menacée et que le consentement ne peut être obtenu en temps utile. Quoi qu'il en soit, les principaux éléments d'information à fournir sont les suivants :

- Les soins proposés, leur but et les solutions de rechange possibles
- Les avantages, les effets secondaires et les risques en cas de refus
- Les résultats escomptés des soins

Pour s'assurer que toutes les informations sont bien comprises, l'infirmière doit surmonter les barrières linguistiques : il faut lire le formulaire de consentement à un client qui ne sait pas lire ; il faut recourir aux services d'un interprète si le client ne maîtrise pas bien la langue parlée par le médecin.

Même si le client a consenti aux soins généraux à son admission dans l'établissement de santé, il peut en tout temps retirer son consentement : les exigences et les conditions qui se rapportent au consentement éclairé s'appliquent aussi. Dans

4

le cas du consentement éclairé, l'infirmière doit consigner au dossier les informations transmises au client et le degré de compréhension de ce dernier. Dans le cas d'un refus des soins (ou retrait du consentement), l'infirmière doit consigner au dossier les motifs du client, ses propres observations et les interventions déjà effectuées en vertu du consentement initial; elle doit également demander au client de signer le formulaire de refus, mais elle ne peut l'y contraindre.

Toute personne ayant la capacité de décision est censée être en mesure de décider au sujet de sa santé. Au Québec, on reconnaît qu'à partir de 14 ans, la personne a la capacité de décider et la capacité de donner un consentement aux soins (L.Q., 1991, c. 64, art. 14 et suivants). Dans les autres provinces et territoires, cet âge peut varier. Il faut garder à l'esprit que la capacité de décision d'une personne peut varier selon les circonstances. Ainsi, on ne considère pas qu'une personne désorientée ou endormie ait la capacité de décision; les états temporaires demandant d'être réévalués par un professionnel de la santé. Dans le cas d'un client incapable de donner son consentement à la suite d'une perte de connaissance ou de blessures, il faut obtenir le consentement d'un tiers. Ce tiers doit être quelqu'un qui connaît très bien le client, ses souhaits, ses valeurs et ses croyances par rapport à la situation. On choisit de préférence quelqu'un qui est capable de prendre la décision la plus proche possible de celle que prendrait le client s'il était en état de le faire. En l'absence d'un représentant légal, on doit tenir compte de l'ordre de préséance établi par le législateur (L.Q., 1991, c. 64, art. 12 et 15). S'il s'agit d'un mineur âgé de moins de 14 ans, le consentement doit être donné par le titulaire de l'autorité parentale ou le tuteur (L.Q., 1991, c. 64, art. 18, 192, 193, 197 et 600). Quant au mineur âgé de 14 ans et plus, il peut consentir lui-même aux soins requis par son état de santé, sauf si ces soins présentent un risque sérieux pour sa santé ou s'ils peuvent entraîner chez lui des conséquences graves et permanentes, auquel cas le consentement des parents ou du tuteur est nécessaire (L.Q., 1991, c. 64, art. 17).

Dans le cas d'un client qui souffre d'un problème de santé mentale, la *capacité* de consentir est valide pour autant que ce problème ne le rende pas incapable d'apprécier la nature, la qualité et les conséquences du traitement proposé. En matière de santé mentale, le professionnel de la santé peut mettre en doute la capacité de décision du client, qu'il faut alors examiner soigneusement (ce qui dépasse le cadre du présent chapitre). Si l'examen ne chasse pas les doutes du professionnel de la santé, on doit procéder à une évaluation plus approfondie en collaboration avec le comité d'éthique de l'établissement de santé (Etchells, Sharpe, Elliott et Singer, 1999). Les lois provinciales et territoriales sur la santé mentale ou les textes législatifs s'y rapportant donnent généralement les orientations et stipulent les droits des personnes souffrant de problèmes de santé mentale ainsi que les droits des professionnels de la santé qui les soignent. Au Québec, le *Code civil du Québec* et les lois sur la santé mentale précisent ces conditions.

USAGE DE SUBSTANCES CONTRÔLÉES ET ABUS D'ALCOOL OU DE DROGUES

Au Canada, la *Loi réglementant certaines drogues et autres substances* (L.C., 1996, c. 19) régit la distribution et l'utilisation des substances contrôlées (par exemple, stupéfiants, dépresseurs, stimulants et hallucinogènes). Le mauvais usage de substances contrôlées peut entraîner des sanctions pénales. L'abus de certaines substances et la pharmacodépendance sont de sérieux problèmes de toxicomanie qui menacent la santé de l'infirmière et la sécurité du public. Plusieurs facettes du milieu de travail peuvent contribuer aux problèmes de toxicomanie chez l'infirmière. Le travail par quarts, le stress lié au travail, un horaire de travail chargé et l'accès à un vaste éventail de substances pharmaceutiques sont autant de facteurs qui contribuent au risque de toxicomanie (Registered Nurses Association of British Columbia [RNABC], 1990). La prévention, la détection précoce et la mise en place de programmes de traitement efficaces sont essentielles à la promotion de la santé auprès des infirmières et à la sécurité du public.

L'infirmière a la responsabilité juridique de protéger le client. C'est pourquoi, en matière de toxicomanie, l'éducation et la prévention doivent commencer dès la formation en soins infirmiers et se poursuivre en milieu de travail, de façon à favoriser la sensibilisation et la détection précoces. Le refus d'admettre un problème de toxicomanie est souvent le premier signe de ce problème. L'acceptation de son problème de toxicomanie (y compris la narcomanie) est parfois l'étape la plus difficile. Il n'est pas rare que des collègues tentent de justifier ou d'excuser le comportement inacceptable d'une infirmière plutôt que d'envisager la possibilité qu'elle présente un problème de toxicomanie. Le *Code des professions* (L.R.Q., c. C-26, art. 54) et le *Code de déontologie des infirmières et infirmiers* (L.R.Q., c. I-8, r. 4.1, art. 16 et 42) sont clairs: l'infirmière doit s'abstenir d'exercer dans un état susceptible de compromettre la qualité des soins qu'elle prodigue, quand elle est, par exemple, sous l'effet de l'alcool, de stupéfiants, d'hallucinogènes, de préparations anesthésiques ou de toute autre substance pouvant causer l'*ivresse*. Pour détecter et régler les problèmes de toxicomanie d'une infirmière et l'incapacité qui en résulte, l'employeur doit disposer d'une politique et de directives fiables (par exemple, programme d'aide confidentielle). L'employeur et le personnel infirmier doivent d'abord et avant tout assurer la protection des personnes soignées. Dans les infractions liées à la toxicomanie, qui constituent un danger pour les personnes soignées, la jurisprudence est claire et rigoureuse.

TESTAMENT, CADEAUX ET DONS DES PERSONNES SOIGNÉES

Le *Code civil du Québec* (L.Q., 1991, c. 64, art. 703 et suivants) régit les dispositions testamentaires. Le **testament** est une déclaration dans laquelle une personne explique comment elle veut qu'on dispose de ses biens après sa mort. L'auteur du testament est le *testateur*, et le bénéficiaire d'un legs est un *légataire*; si le légataire est un parent, c'est un *héritier*. Le testament est habituellement sous forme écrite et il est signé par le testateur. Pour qu'un testament soit valide, les deux conditions suivantes doivent être remplies:

- L'auteur du testament doit être sain d'esprit, c'est-à-dire capable de comprendre et de retenir mentalement les éléments suivants: la nature générale et l'étendue de ses biens, ses rapports avec ses légataires et avec les parents à qui il ne laisse rien; la disposition de ses biens. Il est quand même possible qu'une personne sérieusement malade et incapable d'exercer ses rôles habituels puisse être capable de préparer son testament.

■ La personne ne doit pas subir l'influence indue de qui que ce soit. Par exemple, un proche circonstanciel (c'est-à-dire quelqu'un qui est devenu un proche de la personne à cause de la situation) pourrait persuader celle-ci de faire de lui son légataire ; on persuade parfois la personne de léguer ses biens aux gens qui prennent soin d'elle plutôt qu'à ses proches parents. Dans de telles situations, il arrive fréquemment que les proches parents contestent le testament devant les tribunaux.

On comprendra aisément qu'une infirmière ne peut pas être légataire d'un client ni accepter personnellement des biens de ce dernier ou des membres de sa famille : elle serait en conflit d'intérêts. L'infirmière ne peut pas tirer avantage d'un client, pas plus qu'elle ne peut abuser de la confiance que celui-ci lui accorde. En tout temps, le professionnel en soins infirmier doit préserver son indépendance professionnelle (OIIQ, 2006). Il ne peut pas utiliser son pouvoir d'influence à des fins personnelles (par exemple, en influençant un client ou le conjoint de ce dernier pour leur faire contracter un emprunt) (L.R.Q., c. I-8, r. 4.1, art. 23 ; L.R.Q., c. S-4.2, art. 275 et 276 ; *Vézina c. Ordre des infirmières et infirmiers du Québec,* 2003). Afin de prévenir les abus, la *Loi sur les services de santé et les services sociaux* prévoit également des dispositions sur les dons que pourraient faire les clients ou des membres de leur famille.

En établissement de santé, il arrive que l'infirmière soit appelée à exercer le rôle de témoin testamentaire à titre d'individu qui n'est pas en conflit d'intérêts (donc neutre). Au Québec (et dans la plupart des autres provinces et territoires), la loi exige que la signature du testament se fasse en présence de deux ou trois témoins ayant la capacité de décision (L.Q., 1991, note 30, c. 64, art. 727 et suivants). Dans certaines situations où le testateur est incapable de signer, une marque peut suffire. Lorsqu'une infirmière est témoin testamentaire, elle atteste : (1) que la personne a signé un document désigné comme étant son testament ; (2) qu'elle semble saine d'esprit et peut juger de la portée de ses actes (Bernzweig, 1996). Si le testament est déjà signé au moment où elle doit agir à titre de témoin, l'infirmière doit : (1) soit demander au testateur de signer de nouveau ; (2) soit déclarer que le testament et la signature sont bien ceux du testateur et que ce dernier avait la capacité de signer quand il l'a fait.

Lorsque l'infirmière agit à titre de témoin testamentaire, elle doit noter au dossier du client qu'un testament a été fait et y préciser l'évaluation de l'état physique et mental de ce dernier. Ainsi, si jamais l'infirmière est appelée à témoigner en cour, elle disposera de données précises. Si l'infirmière ne souhaite pas agir à titre de témoin (par exemple, dans le cas où elle estimerait que le client a subi une influence indue), elle a le droit de refuser.

TESTAMENT BIOLOGIQUE

Le **testament biologique** (**testament de vie** ou **testament de fin de vie**) est une *directive préalable,* constituée d'instructions (par exemple, refus de la respiration assistée) qu'une personne donne à l'avance au cas où elle ne serait pas en mesure de le faire à un moment donné (par exemple, à cause d'un état végétatif prolongé). Le testament biologique est de plus en plus courant ; au Canada, il n'est cependant reconnu en droit que dans certaines provinces : Ontario (*Substitute Decisions Act,* 1992), Manitoba (*Health Care Directives Act*), Nouvelle-Écosse (*Medical Consent Act*), Alberta (*Personal Directives Act*) (Keatings et Smith, 2000) et Saskatchewan (*The Health Care Directives and Substitute Decision Makers Act,* 1997). Au Québec, il n'a aucune reconnaissance juridique. En effet, le législateur (L.Q., 1991, c. 64, art. 256 et suivants) privilégie le mandat qui concerne l'administration des biens et la protection de la personne, alors que le testament biologique ne porte que sur les soins à prodiguer à l'approche de la mort. C'est en raison d'une portée limitée que le *Code civil du Québec* ne réglemente pas de façon particulière le testament biologique, mais il permet d'en prendre acte comme de toutes les autres manifestations de volonté qu'une personne peut exprimer (Ministère de la Justice, 1993, vol. 1, p. 14). Pour en apprendre davantage sur le testament biologique, voir le chapitre 27 ⊂⊃.

ADMINISTRATION DE MÉDICAMENTS OU DE TRAITEMENTS ET ORDONNANCE MÉDICALE

L'*erreur de médication* est une erreur facile à commettre. Étant donné la grande quantité de médicaments à administrer et la diversité de leurs appellations commerciales, l'infirmière doit absolument redoubler de prudence pour s'assurer qu'elle donne toujours le bon médicament à la bonne personne, selon la bonne posologie, au bon moment et selon la bonne voie. L'accusation d'erreur de médication guette l'infirmière dans diverses circonstances : ne pas lire l'étiquette d'un médicament ; lire ou interpréter incorrectement les instructions de la posologie ; se tromper de personne ; mélanger incorrectement une préparation ; administrer un médicament selon une autre voie que celle prescrite (par exemple, voie intraveineuse plutôt qu'intramusculaire). L'infirmière doit toujours vérifier tous les aspects de la médication avant d'administrer un médicament. La contre-vérification est également de mise, et l'infirmière doit être particulièrement attentive aux remarques des clients (par exemple, « C'est la première fois qu'on me donne ce petit comprimé vert »).

Les établissements de santé disposent de règles de soins et de directives particulières en matière d'administration de médicaments et de traitements ; ils ont également des normes pour le suivi des erreurs (par exemple, notes au dossier et rapport administratif). L'infirmière a la responsabilité de se tenir au courant des derniers développements professionnels et technologiques (par exemple, connaître les nouveaux modèles de sonde ou de pompe intraveineuse) ; elle doit acquérir la formation nécessaire pour maintenir ses compétences conformes aux normes en vigueur.

Nous ne saurions trop répéter l'importance des « cinq bons éléments » : le *bon* médicament, la *bonne* dose, la *bonne* personne, la *bonne* voie et le *bon* moment. Un certain nombre d'infirmières ignorent qu'elles peuvent être tenues responsables d'avoir contribué à une erreur de médication même si elles n'ont pas elles-mêmes administré le médicament. En effet, voici

4

un jugement qui date (*Bugden c. Harbour View Hospital*, 1947) concernant un acte de négligence qui pourrait être encore valable de nos jours. Un médecin avait demandé à une infirmière d'aller chercher de la novocaïne pour l'injecter dans le pouce d'une personne. L'infirmière est allée dans une autre pièce où elle a demandé à une autre infirmière de lui donner de la novocaïne; elle est ensuite revenue donner le médicament au médecin, qu'il l'a injecté. Malheureusement, le flacon contenait de l'adrénaline, et la personne est morte par la suite. Ni les infirmières ni le médecin n'avaient vérifié le contenu du flacon. Par conséquent, les deux infirmières ont été trouvées coupables de négligence. Quant au médecin, le tribunal a déclaré qu'il n'avait pas été négligent parce qu'il avait de bonnes raisons de se fier à la compétence des infirmières, qui auraient dû vérifier l'étiquette afin de donner le «bon» médicament.

Il est clair que l'infirmière a la responsabilité d'analyser les ordonnances médicales d'intervention ou d'administration de médicaments. Elle a le devoir de clarifier toute ordonnance médicale ambiguë ou apparemment erronée auprès du médecin prescripteur ou du médecin de garde. Ainsi, l'exécution d'une ordonnance médicale ne dégage pas l'infirmière de toute responsabilité. En effet, elle doit comprendre les causes, les effets d'un traitement qu'elle met en œuvre et la surveillance requise (*Ostiguy c. Hôpital Hôtel-Dieu de Montréal*, 1999). L'infirmière qui administre à un client un traitement ou un médicament qu'elle sait être néfaste commet bel et bien une faute professionnelle. Par ailleurs, l'infirmière a la responsabilité d'administrer un traitement selon l'ordonnance médicale. Par exemple, si le médecin a prescrit à une personne de l'oxygène à un taux de 4 L/min, l'infirmière ne doit pas administrer l'oxygène à un taux de 2 L/min ou de 6 L/min. Si le médecin interdit toute nourriture solide à une personne qui vient de subir une résection de l'intestin, l'infirmière doit s'assurer que cette ordonnance est respectée.

En matière d'ordonnances médicales, l'infirmière doit être particulièrement vigilante; elle a les responsabilités suivantes dans certaines situations:

1. *Mettre en doute une ordonnance que le client met lui-même en doute.* Par exemple, un client sur le point de recevoir une injection intramusculaire indique à l'infirmière que le médecin a modifié l'ordonnance et demandé que le médicament soit administré par voie orale. L'infirmière doit contre-vérifier l'ordonnance avant d'administrer le médicament.

2. *Mettre en doute une ordonnance en raison du changement de l'état du client.* L'infirmière a la responsabilité d'informer le médecin de tout changement significatif de l'état du client, que le médecin en ait fait la demande ou non. Par exemple, si un client sous perfusion intraveineuse se met à tousser, à se plaindre de douleurs à la poitrine et à présenter une brusque accélération de fréquence cardiaque, l'infirmière doit en prévenir immédiatement le médecin et mettre en doute le taux de perfusion prescrit; si un client qui reçoit de la morphine contre la douleur présente les symptômes d'une détresse respiratoire, l'infirmière doit immédiatement interrompre le traitement et en prévenir le médecin.

3. *Mettre en doute une ordonnance verbale et la consigner au dossier.* En plus de noter l'heure, la date, le nom du médecin et la

transcription de l'ordonnance, l'infirmière doit préciser les circonstances qui ont précédé l'intervention du médecin, demander au médecin de vérifier la transcription et consigner au dossier l'approbation de celui-ci.

4. *Mettre en doute toute ordonnance illisible, vague ou incomplète.* Il est facile de mal interpréter le nom d'un médicament ou sa posologie sur une ordonnance écrite à la main. L'infirmière a la responsabilité de s'assurer que l'ordonnance est interprétée correctement, qu'elle est sans danger et qu'elle est exécutée dans l'ordre voulu. Par ailleurs, le médecin est tenu de rédiger ses ordonnances de manière adéquate, non erronée, suffisante et lisible (L.R.Q., c. M-9, r. 11.1).

Une décision du conseil de discipline (*Ordre des infirmières et infirmiers du Québec c. Gervais*, 2004) a sanctionné une infirmière qui n'avait pas respecté les principes d'administration d'un médicament ni assuré la continuité des soins en faisant des inscriptions non conformes au profil des médicaments d'une personne qu'elle soignait. Dans une autre affaire (*Deziel c. Hôpital Cité de la santé*, 2002), une action en justice a été intentée contre une infirmière qui avait donné en soluté 100 mg de Gravol en 90 minutes, alors qu'une dose de 50 mg à 100 mg doit être donnée en 4 heures. Le client a éprouvé des céphalées violentes, des frissons et des étourdissements. Le tribunal a accordé une compensation financière pour la souffrance et les inconvénients subis. L'infirmière se doit d'être toujours très vigilante et attentive quand elle administre des médicaments. Donc, elle doit être consciente que le manque de connaissances sur le médicament, l'omission de clarifier une ordonnance, le non-respect des cinq bons éléments, le manque de surveillance et l'inadéquation de la documentation sont autant de lacunes par rapport aux normes professionnelles (OIIQ, 2010, p. 64-65).

CONSULTATION TÉLÉPHONIQUE

Dans le cadre de son travail, l'infirmière doit souvent donner des conseils par téléphone. Cette pratique deviendra probablement de plus en plus courante, surtout dans le contexte de la diversification des soins de santé (par exemple, soins à domicile, soins communautaires, prise en charge et consultation pour l'indemnisation des accidentés du travail, soins infirmiers avancés). La consultation téléphonique demande des compétences particulières et comporte certaines difficultés (par exemple, collecte des données, pertinence des conseils à fournir, aiguillage vers les services ou les professionnels adéquats et établissement d'une relation thérapeutique).

L'infirmière doit être vigilante tout au long d'une consultation téléphonique, d'une part, pour respecter le principe de confidentialité et le secret professionnel et, d'autre part, pour donner des conseils judicieux. Il arrive en effet souvent que l'infirmière n'a pas accès au dossier médical (écrit ou informatisé) du client. Il est important de savoir qu'en cas de préjudice causé au client, l'infirmière encourt l'une ou l'autre des conséquences suivantes: (1) mesure disciplinaire prise par l'employeur; (2) sanction prise par l'OIIQ; (3) condamnation dans le cas d'une poursuite au civil. En cas de doute sur l'état du client qui consulte par téléphone, l'infirmière doit l'adresser au professionnel ou à l'établissement de santé approprié.

RAPPORT D'INCIDENT-ACCIDENT ET AUTRES RAPPORTS ADMINISTRATIFS

ÉVÉNEMENTS INHABITUELS. Le **rapport d'incident-accident** est un compte rendu d'établissement qu'on rédige quand un événement inhabituel, comme un accident ou un incident, se produit. Bien sûr, de tels rapports sont utiles pour assurer la qualité des soins et la gestion des risques dans un établissement de santé, mais c'est aussi une obligation en vertu de la *Loi sur les services de santé et les services sociaux*, et la déclaration d'accident est obligatoire en vertu du *Code de déontologie des infirmières et infirmiers* (art. 12). En général, on inclut ses recommandations dans le rapport.

La plupart des établissements de santé ont une politique ou des directives précises relativement à la rédaction de ces rapports, qui sont accessibles à tous les membres du personnel; leur consultation peut ainsi favoriser la prévention. Comme ces rapports ne font pas partie du dossier médical, il faut aussi en noter les faits dans ce dernier.

Le rapport doit être rédigé le plus tôt possible après la constatation de l'événement, soit par l'infirmière en cause, soit par une infirmière qui en a été témoin (autrement dit, par une infirmière qui a une connaissance directe de l'événement). Par exemple, l'infirmière qui découvre qu'une personne a reçu un médicament autre que celui prescrit doit rédiger le compte rendu, même si c'est une autre infirmière qui a administré ce médicament. De plus, le nom de tous les témoins d'un accident (par exemple, chute d'une personne hospitalisée) doit figurer dans le rapport, même si l'événement ne les concerne pas directement. L'infirmière devrait remplir un rapport d'incident-accident, comme dans le cas de toute autre activité professionnelle, si l'omission d'appliquer une directive dans le cadre du PTI n'est pas justifiée et qu'elle entraîne ou aurait pu entraîner des préjudices pour la personne soignée.

Le comité de gestion des risques (ou une personne désignée) de l'établissement de santé examine les rapports d'incident-accident pour déterminer s'il y a lieu de mener une enquête. On interroge parfois les infirmières pour déterminer plus précisément les causes de l'événement, les moyens qu'on aurait pu prendre pour l'empêcher et, s'il y a lieu, le matériel qui est défectueux ou qui a besoin d'être modifié afin d'éviter la répétition de l'accident ou de l'incident.

Il est important de respecter la politique de l'établissement et de ne pas présumer que quelqu'un a fait preuve de négligence: on ne doit pas oublier qu'un accident peut se produire même quand toutes les précautions pour l'éviter ont été prises.

HABITUDES OU COMPORTEMENTS NUISIBLES. L'infirmière qui a connaissance d'habitudes ou de comportements nuisibles (par exemple, consommation d'alcool ou de drogues, vol d'objets appartenant à une personne soignée, pratique dangereuse) chez un autre professionnel de la santé doit le signaler à son supérieur ou à l'OIIQ. Décider de faire un rapport administratif pour signaler un méfait n'est généralement pas une chose facile, mais la sécurité des personnes doit primer. L'infirmière ne peut avoir un comportement qui compromet la qualité des services (L.R.Q., c. I-8, r. 4.1, art. 16; L.R.Q., c. C-26, art. 54; *Ordre des infirmières et infirmiers du Québec c. Gasse*, 2003). Le processus de plainte est semblable à ceux dont nous avons déjà parlé dans ce chapitre.

HARCÈLEMENT PSYCHOLOGIQUE ET VIOLENCE. Il est tout aussi important de dénoncer la violence en milieu de travail, qu'il s'agisse de violence physique ou psychologique. Depuis le 1er juin 2004, la *Loi sur les normes du travail* (L.R.Q., c. N-1.1, art. 81.18 à 81.20 et 123.6 à 123.16) inclut des dispositions sur le harcèlement psychologique, et il existait déjà des dispositions similaires dans la *Charte des droits et libertés de la personne*. Chaque établissement de santé a une politique de non-violence; c'est le reflet concret de l'obligation de fournir aux membres du personnel un milieu de travail dénué de tout harcèlement. Cette politique inclut des mécanismes de plainte et de soutien pour les victimes. Enfin, le *Code de déontologie des infirmières et infirmiers* (L.R.Q., c. I-8, r. 4.1, art. 37 et 48) stipule que l'infirmière ne doit pas faire preuve de violence physique, verbale ou psychologique envers une personne qu'elle soigne (*Ordre des infirmières et infirmiers du Québec c. Tremblay*, 2004) et qu'elle ne doit harceler, intimider ou menacer aucune personne avec laquelle elle est en rapport dans l'exercice de ses fonctions.

COMPÉTENCE ET SÉCURITÉ DANS LA PRESTATION DES SOINS INFIRMIERS

Le souci constant d'une pratique consciencieuse, sans faille, est sans doute la meilleure protection juridique dont l'infirmière puisse se doter. L'infirmière doit toujours veiller à prodiguer des soins dans les limites légales de sa pratique et dans les limites prescrites par la politique et les directives de l'établissement de santé où elle travaille. Elle doit bien connaître le cadre de son exercice professionnel et l'application de ce dernier, qui peut varier selon l'établissement de santé, et s'assurer que sa formation et son expérience l'autorisent à assumer adéquatement les responsabilités qui sont liées à ses interventions.

L'infirmière doit aussi être compétente en matière de soins qui visent à protéger le client contre tout préjudice. Elle doit pouvoir anticiper les dangers, sensibiliser le personnel et le client à ces dangers et mettre en œuvre des mesures de prévention. Ainsi, pour éviter d'être accusée d'avoir commis une faute professionnelle, l'infirmière doit être capable de reconnaître les situations où les actes de négligence sont le plus susceptibles de se produire et connaître les mesures pour les prévenir. Nous présentons à la rubrique *Conseils pratiques* les principaux éléments d'une pratique professionnelle consciencieuse.

La pratique exemplaire est un élément essentiel de la prestation de soins efficaces et sûrs. Le client doit être évalué et guidé adéquatement (*Granger c. Ottawa General Hospital*, 1996; *Charbonneau c. Centre hospitalier Laurentien*, 2009). On doit le faire participer à toutes les décisions qui le concernent. Les évaluations et les soins prodigués doivent être soigneusement consignés au dossier. L'infirmière doit remplir ses obligations de soins, de surveillance, de suivi, de sécurité et de confidentialité tout en respectant le cadre juridique de sa pratique.

4

 CONSEILS PRATIQUES

PRATIQUE PROFESSIONNELLE CONSCIENCIEUSE

La meilleure protection juridique dont l'infirmière puisse se doter réside dans une pratique professionnelle consciencieuse:

- Ne pas dépasser les limites de ses compétences, de la définition des actes infirmiers et de la législation qui touche sa profession.
- Veiller à administrer le bon médicament à la bonne personne, selon la bonne posologie, au bon moment et selon la bonne voie. Pour en apprendre davantage sur l'administration des médicaments, voir le chapitre 34 🔗.
- Respecter la politique et les directives de son employeur.
- Respecter les règles de soins.
- S'assurer que la personne à qui on délègue des responsabilités infirmières comprend ce qu'elle doit faire et qu'elle possède les connaissances et les compétences pour le faire. L'infirmière peut être tenue responsable du tort causé à un client par un tiers à qui elle a délégué des responsabilités.
- Établir et maintenir de bons rapports avec le client. L'informer sur le diagnostic et le plan de soins et de traitements ainsi que sur l'évolution de son état. Se montrer intéressée aux résultats des soins, ce qui évite de susciter chez le client un sentiment d'impuissance ou de l'hostilité.
- Protéger le client contre tout préjudice. L'informer des dangers potentiels, utiliser les dispositifs de sécurité appropriés et appliquer les mesures nécessaires pour prévenir les chutes, les brûlures ou tout autre genre de blessure.
- Toujours vérifier l'identité du client et le bracelet d'identification. Être encore plus vigilante dans les situations qui présentent des risques accrus (par exemple, arrivée d'un client en provenance de l'urgence, transfert d'un client, période préopératoire, intervention effractive, administration de médicaments, transfusion sanguine).
- Signaler tout accident concernant un client. La promptitude à signaler ce genre d'événement permet aux responsables d'en analyser la cause et d'en prévenir la répétition.

- Observer et surveiller adéquatement l'évolution de l'état de santé du client. Noter les changements importants de son état et les communiquer au médecin, à l'infirmière qui prend la relève durant les pauses et les repas ou à celle qui commence un nouveau quart de travail.
- Toujours vérifier une ordonnance que le client met lui-même en doute et s'assurer que les ordonnances verbales sont exactes et consignées adéquatement. Confirmer régulièrement les ordonnances collectives. Dans le doute, demander l'avis d'une infirmière expérimentée ou d'un pharmacien.
- Consigner avec diligence et exactitude toutes les évaluations effectuées et tous les soins donnés. Le dossier doit montrer que l'infirmière a donné au client les soins nécessaires et en a suivi l'état à intervalles réguliers (la fréquence requise des notes au dossier varie d'un établissement à l'autre).
- Connaître ses points forts et ses points faibles. Se faire aider ou superviser en cas de doute sur sa formation et son expérience. Faire part de ses besoins en matière de perfectionnement ou consulter une personne-ressource afin d'établir ces besoins.
- Faire preuve de vigilance au cours de chaque intervention infirmière; y consacrer toute son attention et toute son expertise.
- Maintenir ses compétences cliniques. L'étudiante infirmière a besoin de beaucoup d'étude et de pratique avant de pouvoir prodiguer des soins. Le perfectionnement est essentiel au maintien et à la mise à jour des connaissances et des compétences cliniques.
- Faire les interventions adéquatement. Les accidents qui surviennent au cours d'une intervention sont généralement causés par la défaillance du matériel, une technique inadéquate ou l'exécution inadéquate d'un acte infirmier. Par exemple, l'infirmière doit savoir comment protéger le client en cas de défaillance du respirateur ou d'un autre appareil.
- Prêter attention aux facteurs de risque d'erreur.

Révision du chapitre

MOTS CLÉS

CONCEPTS CLÉS

- La responsabilité est un concept intrinsèque à la profession d'infirmière.

- L'infirmière doit comprendre les lois qui régissent et touchent sa profession pour s'assurer que ses actes sont conformes aux principes juridiques en vigueur et se protéger contre les poursuites.

- Les lois qui régissent la profession d'infirmière définissent et décrivent le champ d'application de la pratique.

- La compétence d'une infirmière est confirmée et maintenue grâce aux mécanismes prévus par le *Code des professions* et par la *Loi sur les infirmières et les infirmiers* et ses règlements.

- Au Québec, un certain nombre d'éléments contribuent à définir l'étendue et la qualité de la pratique infirmière : les normes de pratique établies par l'OIIQ, la définition des actes infirmiers selon la *Loi sur les infirmières et les infirmiers*, le *Code de déontologie des infirmières et infirmiers*, la politique et les directives propres à chaque établissement de santé.

- En plus des droits et des responsabilités qui touchent n'importe quel citoyen, l'infirmière a des obligations légales et professionnelles précises envers les personnes qu'elle soigne et envers son employeur.

- La négociation collective est un processus décisionnel organisé que les représentants de l'employeur et les représentants du syndicat utilisent pour négocier les salaires et les conditions de travail, notamment les heures de travail, l'environnement de travail et les avantages sociaux (vacances, congés de maladie, congés pour raisons personnelles, etc.).

- Une infirmière peut avoir à répondre des actes qu'elle a accomplis dans le cadre de sa profession devant son ordre professionnel, les tribunaux et son employeur.

- Pour établir la négligence ou la faute professionnelle d'une infirmière, les conditions suivantes doivent être remplies : (1) l'infirmière (la défenderesse) a un devoir déontologique envers la personne qu'elle soigne ; (2) l'infirmière n'accomplit pas ce devoir selon les normes de pratique ; (3) la personne soignée (la demanderesse) subit un préjudice ; (4) ce préjudice est causé par le défaut de l'infirmière de se conformer aux normes.

- Dans un établissement de santé, lorsqu'une personne soignée se blesse accidentellement ou subit un événement inhabituel, l'infirmière doit la protéger, en informer les responsables de l'établissement et faire un rapport concernant l'incident.

- Avant le début d'un traitement ou d'une intervention, l'infirmière a la responsabilité de s'assurer que le formulaire de consentement éclairé se trouve dans le dossier médical du client en question.

- Pour qu'un consentement soit éclairé, les conditions suivantes doivent être respectées : il est donné librement ; la personne qui le donne a la capacité de décision et de compréhension ; la personne a reçu suffisamment d'informations pour prendre une décision.

- L'infirmière doit contracter une assurance responsabilité pour pouvoir exercer sa profession.

- L'abus de drogues ou d'alcool chez les professionnels de la santé est un problème de plus en plus répandu pour les raisons suivantes : le travail par quarts, le stress lié au travail, l'horaire de travail chargé et l'accès à un vaste éventail de substances pharmaceutiques.

- L'infirmière qui a connaissance d'habitudes ou de comportements nuisibles (par exemple, consommation d'alcool ou de drogues, vol d'objets appartenant à un client, pratique dangereuse) chez un autre professionnel de la santé doit le signaler aux responsables. La sécurité de la personne doit primer.

- L'étudiante infirmière doit s'assurer qu'elle a les connaissances suffisantes et qu'elle est adéquatement préparée pour s'occuper des clients auxquels elle est affectée ; elle doit s'informer, vérifier ses connaissances et faire le suivi des soins qu'elle donne auprès de son professeur et de l'infirmière soignante ; elle doit demander d'être aidée ou supervisée quand elle se sent insuffisamment formée ou quand elle a le moindre doute sur ses compétences ; elle doit se conformer aux normes de pratique et à la politique de l'établissement dans lequel elle acquiert son expérience clinique ; elle doit se conformer aux lois professionnelles.

- La consultation téléphonique est une tâche exigeante. L'infirmière qui assume une telle tâche doit effectuer une évaluation complète et juste du client, juger de la pertinence des conseils à donner et adresser le client à l'établissement ou au professionnel approprié ; elle doit aussi respecter le principe de confidentialité et le secret professionnel.

Références

Ares c. Venner. (1970). RCS 609-626.

Baudoin, J.-L., et Deslauriers, P. (2007). *La responsabilité civile* (7e éd.). Cowansville : Éditions Yvon Blais.

Bernzweig, F. P. (1996). *The nurse's liability for malpractice: A programmed course* (6e éd.). St. Louis : Mosby.

Bérubé c. Hôtel-Dieu de Lévis. (2003). CA 200-09-003122-006, avril.

Besner c. Tanguay. (1998). C.D., inf., 20-9500117, septembre.

Black's law dictionary. (1979). (5e éd.). St Paul, MN : West Publishing.

Bordeleau c. Solonyna. (2003). Montréal, CA 500-09-009347-006, 21 janvier.

Brisson c. Hémond. (2009). C.D. inf., 20-2006-00365 septembre.

Bugden c. Harbour View Hospital. (1947). 2 D.L.R. 338 (N.S.S.C.).

Camden-Bourgault c. Brochu et l'Hôpital de l'Enfant-Jésus. (1996). CS 200-05-000-293-881, 19 avril.

Charbonneau c. Centre hospitalier Laurentien, (2009). C.S, n° 700-05-010704-017, octobre 2009.

Deziel c. Hôpital Cité de la santé. (2002). Terrebonne, CS 700-32-009-028-018, avril.

Downey c. Rothwell. (1974). 5W.W.R. 311, 49 D.L.R. (3d) 82 (Alta, S.C.).

Etchells, E., Sharpe, G., Elliott, C., et Singer, P. (1999). Capacity. Dans P. Singer (dir.), *Bioethics at the bedside: A clinician's guide* (p. 17-24). Ottawa : Canadian Cataloguing in Publication Data.

Granger c. Ottawa General Hospital. (1996). CO 18473190, juin.

Gravel c. Hôtel-Dieu d'Amos. (1989). R.J.Q., 64 (C.A).

Gray c. Fraser Health Authority. (2009). C.S. C.-B., n° S94880, mars.

Joseph Brant Memorial Hospital c. Koziol. (1979). 2 C.C.L.T. 170 (S.C.C.).

Keatings, M., et Smith, O. (2000). The Canadian legal system. Dans M. Keatings et O. Smith (dir.), *Ethical and legal issues in Canadian nursing* (p. 51-94). Toronto : W.B. Saunders.

Lacombe c. Hôpital Maisonneuve-Rosemont. (2004). Montréal, CS 500-17-00556294, 29 janvier.

Laviolette c. Centre hospitalier Hôtel-Dieu de Saint-Jérôme. (2003). Terrebonne, CS 700-05-011567-025.

4

Lesage-Jarjoura, P., et Philips-Nootens, S. (2007). *Éléments de responsabilité civile médicale. Le droit dans le quotidien de la médecine* (3e éd.). Cowansville: Éditions Yvon Blais.

Mainville c. Cité de la santé de Laval, M. L. et A. E. (1998). Laval, AE 540-05000102-925, 10 juillet.

Ménard, J.-P., et Martin, D. (1992). *La responsabilité médicale pour la faute d'autrui.* Cowansville: Éditions Yvon Blais.

Ministère de la Justice du Québec. (1993). *Commentaires du ministre de la Justice, tome 1. Le Code civil du Québec : un mouvement de société.* Les Publications du Québec.

Ministère de la Justice du Québec. (2010). *Le système judiciaire.* Document consulté le 15 juillet 2010 de http://www.justice.gouv. qc.ca/francais/tribunaux/quebec/quebec.htm.

Ordre des infirmières et infirmiers du Québec c. Gasse. (2003). CD 20-2002-00263.

Ordre des infirmières et infirmiers du Québec c. Gervais. (2004). CD 20-2002-00273,2003.

Ordre des infirmières et infirmiers du Québec c. Tremblay. (2004). CD 200-2003-00281.

Ordre des infirmières et infirmiers du Québec (OIIQ). (2003). *Guide d'application de la nouvelle Loi sur les infirmières et les infirmiers et de la Loi modifiant le Code des professions et d'autres dispositions législatives dans le domaine de la santé.* Montréal: Auteur. Document consulté le 11 janvier 2005 de http:// www.oiiq.org/uploads/publications/autres_ publications/Guide_application_loi90.pdf.

Ordre des infirmières et infirmiers du Québec (OIIQ). (2005a). *Être infirmière au Québec. Étudiantes. Immatriculation.* Document consulté le 10 janvier 2005 de http://www.oiiq.org/ infirmieres/etudiants/immatriculation.asp.

Ordre des infirmières et infirmiers du Québec (OIIQ). (2005b). *Formulaire d'inscription au Tableau 2009-20010.* Montréal: Auteur. Document consulté le 22 juillet 2010 de http://www. oiiq.org/infirmieres/inscription/formulaires_pdf/ 2005_2006/inscription_francais.pdf.

Ordre des infirmières et infirmiers du Québec (OIIQ). (2005c, septembre-octobre). Divulgation de renseignement de nature confidentielle–Modification au Code de déontologie des infirmières et infirmiers. *Le Journal, 3*(1).

Ordre des infirmières et infirmiers du Québec (OIIQ). (2006a, octobre). *Évolution de l'effectif de la population infirmière au Québec.*

Ordre des infirmières et infirmiers du Québec (OIIQ). (2006b). *Orientations à l'intention des infirmières concernant l'indépendance professionnelle et les conflits d'intérêts.*

Ordre des infirmières et infirmiers du Québec (OIIQ). (2006c) *Le Plan thérapeutique infirmier.*

La trace des décisions cliniques de l'infirmière, application de la Loi 90.

Ordre des infirmières et infirmiers du Québec (OIIQ). (2007). *Perspectives de l'exercice de la profession d'infirmière.* Montréal: Auteur. Document consulté le 24 août 2010 de http:// www.oiiq.org/uploads/publications/autres_ publications/perspective2004.pdf.

Ordre des infirmières et infirmiers du Québec (OIIQ). (2010). *Le champ d'exercice et les activités réservées des infirmières*, Mise à jour du guide d'application publié en 2003. Document consulté de http://www.oiiq.org/uploads/ publications/autres_publications/Guide_ application_loi90.pdf.

Ordre professionnel des infirmières et infirmiers c. Marie T. Lalande. (1997). T.P. Montréal 500-07-000087-969, -06 19.

Ostiguy c. Hôpital Hôtel-Dieu de Montréal. (1999). *Loi sur le curateur public*, L.R.Q., c. C-81.

Parisi, L. (1999). Legal framework for health-care services. Dans J. Hibbard et D. Smith (dir.), *Nursing management in Canada* (2e éd.). Toronto: W.B. Saunders.

Registered Nurses Association of British Columbia (RNABC). (1990). *Substance abuse and the nursing profession: A guide for recognition and intervention.* Vancouver: Auteur.

Roberts c. Cape Breton Regional Hospital. (1998). 162 N.S.P(2d) 342.

Sneiderman, B., Irvine, J., et Osborne, P. (1995). Nursing liability. Dans B. Sneiderman, J. Irvine et P. Osborne (dir.), *Canadian medical law : An introduction for physicians, nurses and other health care professionals* (2e éd.) (p. 158-183). Scarborough: Carswell Thomson Professional Publishing.

Vézina c. Ordre des infirmières et infirmiers du Québec. (2003). Rouyn, 600-07-000002-024, décembre.

LOIS ET RÈGLEMENTS

Acte de l'Amérique du Nord britannique (AANB), loi constitutionnelle de 1867, 30&31, Victoria (R.-U.).

Charte canadienne des droits et libertés, L.R.C., 1985, appendice II, n° 44, annexe B, partie I.

Charte des droits et libertés de la personne, L.R.Q., c. C-12.

Code civil du Québec, L.Q., 1991, c. 64.

Code criminel du Canada, L.R.C., 1985, c. C-46.

Code de déontologie des infirmières et infirmiers, L.R.Q., c. I-8, r. 4.1.

Code des professions, L.R.Q., c. C-26.

Loi médicale, L.R.Q., c. M-9.

Loi modifiant le Code des professions et d'autres dispositions législatives dans le domaine de la santé, L.Q., 2002, c. 33.

Loi réglementant certaines drogues et autres substances, L.C., 1996, c. 19.

Loi sur l'accès aux documents des organismes publics et sur la protection des renseignements personnels, L.R.Q., c. A-2.1.

Loi sur la protection de la jeunesse, L.R.Q., c. P-34.1.

Loi sur la protection de la santé publique, L.R.Q., c. P-35.

Loi sur la protection des personnes dont l'état mental présente un danger pour elles-mêmes ou pour autrui, L.R.Q., c. P-38.001.

Loi sur la santé et la sécurité du travail, L.R.Q., c. S-2.1.

Loi sur la santé publique, L.Q., 2002, c. 60.

Loi sur le curateur public, L.R.Q., c. C-81.

Loi sur le protecteur des usagers en matière de santé et de services sociaux, L.R.Q., c. P-31.1.

Loi sur les infirmières et les infirmiers, L.Q., 1973, c. 43.

Loi sur les infirmières et les infirmiers, L.R.Q., c. I-8.

Loi sur les normes du travail, L.R.Q., c. N-1.1.

Loi sur les services de santé et les services sociaux, L.R.Q., c. S-4.2.

Lois refondues du Québec, L.R.Q.

Lois révisées du Canada, L.R.C.

Règlement sur l'assurance-responsabilité professionnelle des infirmières et infirmiers, L.R.Q., c. I-8, r. 3.

Règlement sur l'organisation et l'administration des établissements. Décret 1320-84, 1984, 116 GO II, 274 (S-5, r. 3.01, R-10.3).

Règlement sur les actes professionnels qui, suivant certaines conditions et modalités, peuvent être posés par une externe en soins infirmiers, L.R.Q., c. I-8, r. 0.2.

Règlement sur les activités professionnelles pouvant être exercées par des personnes autres que des infirmières et infirmiers, L.R.Q., c. I-8, r. 0.1.

Règlement sur les conditions et formalités de la révocation de l'immatriculation d'un étudiant en soins infirmiers, L.R.Q., c. I-8, r. 6.

Règlement sur les conditions et modalités de délivrance des permis de l'Ordre des infirmières et infirmiers du Québec, L.R.Q., c. I-8, r. 6.1.1.

Règlement sur les normes relatives à la forme et au contenu des ordonnances verbales ou écrites faites par un médecin, L.R.Q., c. M-9, r. 11.1.

Règlement sur l'organisation et l'administration des établissements, L.R.Q., c. S-5, r. 3.01.

Chapitre 5

Adaptation française :
Bruno Désorcy, B.SC., M.A. (sociologie)

Valeurs, morale et éthique

Dans leur travail quotidien, les infirmières participent aux événements humains les plus intenses et les plus profonds de la vie : la naissance, la mort et la souffrance, par exemple. Lorsqu'elles sont aux prises avec les nombreuses considérations éthiques liées à ces épisodes délicats, elles doivent déterminer la moralité de leurs propres actes. Étant donné leur relation particulière avec les clients, ce sont les infirmières qui les soutiennent, eux et leur famille, et défendent leurs droits lorsqu'ils font face à des choix difficiles. Elles épaulent également les clients qui subissent les conséquences de décisions qui les concernent mais que d'autres prennent à leur place.

Étant donné les coûts exorbitants du système de santé, il est possible qu'on prenne certaines décisions en considérant principalement l'aspect économique, fait qui engendre de nouveaux problèmes moraux, exacerbe des problèmes plus anciens et oblige plus que jamais les infirmières à prendre de bonnes décisions morales. Dans un tel contexte, elles doivent : (1) se sensibiliser aux dimensions éthiques de la pratique infirmière ; (2) examiner leurs propres valeurs et celles des personnes auxquelles elles prodiguent des soins ; (3) comprendre dans quelle mesure les valeurs influent sur leurs décisions ; (4) anticiper les types de problèmes moraux qu'elles seront susceptibles de rencontrer. Ce chapitre traite des influences des valeurs et des cadres moraux sur les dimensions éthiques de la pratique infirmière et sur le rôle de l'infirmière comme protectrice des intérêts des clients qu'elle soigne.

OBJECTIFS D'APPRENTISSAGE

Après avoir étudié ce chapitre, vous pourrez :

- Expliquer comment le développement cognitif, les valeurs, les cadres moraux et le code de déontologie peuvent influer sur les décisions morales.
- Expliquer comment les valeurs peuvent influer sur la prise de décisions éthiques par les clients et les infirmières.
- Reconnaître les problèmes et les principes moraux qui sont en jeu dans une situation relevant de l'éthique.
- Expliquer les objectifs des codes de déontologie et leurs limites.
- Examiner les enjeux éthiques auxquels les professionnels de la santé se heurtent le plus souvent.
- Expliquer de quelle façon les infirmières peuvent améliorer leur prise de décision et leur pratique en matière d'éthique.
- Examiner le rôle de l'infirmière dans la défense des intérêts des clients.

Valeurs

Les **valeurs** sont les croyances ou les attitudes librement choisies et profondément ancrées d'un individu à l'égard d'une personne, d'un objet, d'une idée ou d'un acte. Les valeurs jouent un rôle important chez l'infirmière ; en effet, elles influencent ses décisions et ses actions, y compris sa prise de décisions éthiques. Même dans le cas où elles relèvent du non-dit ou encore de l'inconscient, les valeurs restent à la base de tous les dilemmes moraux. Bien sûr, elles ne relèvent pas toutes de la morale. Par exemple, les gens possèdent des valeurs relatives au travail, à la famille, à la religion, à la politique, à l'argent ou aux relations interpersonnelles. Les valeurs sont souvent tenues pour acquises. De la même façon que les gens ne sont pas conscients de leur respiration, ils ne pensent habituellement pas à leurs valeurs ; ils les acceptent tout simplement et ils agissent en conséquence.

Le petit groupe de valeurs propres à un individu constitue un **ensemble de valeurs**. Chaque personne ordonne en son for intérieur son propre ensemble de valeurs dans un continuum qui va de la valeur la plus importante à la valeur la moins importante, ce qui forme un **système de valeurs**. Le système de valeurs d'un individu est un élément fondamental de son mode de vie. Il donne un sens à son existence et dicte ses comportements, en particulier ceux fondés sur des décisions ou des choix.

Les valeurs sont composées de croyances et d'attitudes qui sont liées aux valeurs, mais qui ne sont pas identiques à elles. Les gens entretiennent un grand nombre de croyances et d'attitudes différentes, mais seules un petit nombre d'entre elles sont des valeurs. Les **croyances** sont des interprétations ou des conclusions que les gens considèrent comme vraies. Elles relèvent davantage de la perception que des faits, et elles peuvent être vraies ou fausses (facilitantes ou contraignantes). Les croyances ne font pas nécessairement intervenir les valeurs. Par exemple, l'énoncé « Si j'étudie suffisamment, j'aurai une bonne note » exprime une croyance qui n'est pas pour autant une valeur. À l'inverse, l'énoncé « Il est très important pour moi d'avoir de bonnes notes ; je crois que je dois étudier suffisamment pour obtenir de bonnes notes » exprime à la fois une croyance et une valeur.

Les **attitudes** sont des dispositions mentales ou des sentiments éprouvés à l'égard d'une personne, d'un objet ou d'une idée (acceptation, compassion, ouverture, par exemple). Habituellement, une attitude se maintient au fil des ans tandis qu'une croyance peut être beaucoup plus temporaire. Les attitudes sont souvent jugées bonnes ou mauvaises, positives ou négatives ; les croyances, quant à elles, sont considérées comme correctes ou incorrectes. Les attitudes ont des composantes liées à la pensée et au comportement, mais elles comprennent surtout des sentiments, car elles varient considérablement d'un individu à l'autre. Par exemple, certaines personnes peuvent ressentir un grand besoin d'intimité, alors que d'autres n'y attacheront aucune importance.

Il est essentiel de noter que les valeurs, les croyances et les attitudes sont en relation dynamique tout au long de notre existence. Par exemple, l'exposition répétée à certaines situations change notre attitude à leur égard. Ce changement, à son tour, remet en question les perceptions, les croyances et les valeurs. Nous sommes des êtres culturels et donc capables de nous ajuster constamment à notre environnement en remettant en question ce que nous apporte notre expérience du monde.

Transmission des valeurs

Les valeurs s'acquièrent par l'observation et l'expérience. Elles sont donc fortement rattachées au milieu socioculturel d'une personne, c'est-à-dire aux traditions sociétales, aux groupes culturels, ethniques ou religieux, à la famille et aux groupes de pairs. Par exemple, si un parent est enclin à être honnête dans ses rapports avec les autres, son enfant valorisera probablement dès son jeune âge le sentiment d'honnêteté. L'infirmière ne doit pas perdre de vue les valeurs des clients en matière de santé. Par exemple, certaines cultures privilégient le traitement par un guérisseur plutôt que par un médecin. Pour en savoir plus sur les valeurs culturelles liées à la santé et à la maladie, consulter le chapitre 12 🔗.

VALEURS PERSONNELLES

Même si les individus puisent leurs valeurs dans la société ou dans des sous-groupes particuliers, ils en intériorisent une partie, ou la totalité, et les considèrent alors comme des **valeurs personnelles**. Les gens ont besoin des valeurs sociétales pour se sentir acceptés et ils ont besoin des valeurs personnelles pour nourrir leur individualité.

VALEURS PROFESSIONNELLES

Les infirmières acquièrent leurs **valeurs professionnelles** à partir des codes de déontologie, au fil de leurs expériences comme infirmières, ainsi qu'au contact de leurs enseignantes et de leurs pairs. Watson (1981, p. 20-21) a fait ressortir les quatre valeurs suivantes :

1. Un engagement ferme à servir
2. Une reconnaissance de la dignité et de la valeur de chaque personne
3. Une volonté d'éduquer
4. Une autonomie professionnelle

Les différents codes de déontologie sont élaborés à partir de valeurs bien précises, reflétant la pratique infirmière. Ces valeurs peuvent varier quelque peu d'un code à l'autre mais elles abordent sensiblement les mêmes thèmes.

À titre d'exemple, une association d'enseignantes en soins infirmiers (American Association of Colleges of Nursing [AACN], 1998) a relevé cinq valeurs essentielles de la pratique infirmière : altruisme, autonomie, dignité humaine, intégrité, justice sociale. Le tableau 5-1 présente ces valeurs et les comportements professionnels qui y sont associés.

Il est important de se souvenir cependant qu'il y a toujours un chevauchement entre les valeurs personnelles et professionnelles. Il est impossible de se départir complètement de ses attitudes préconçues et de ses présuppositions pour adopter, durant les heures de travail, un système de valeurs qui serait complètement étranger. Et c'est tant mieux ainsi, car la profession d'infirmière ne devrait pas être déshumanisée. Cependant, l'infirmière doit faire preuve d'objectivité, c'est-à-dire qu'elle doit s'interroger sur ses propres valeurs dans l'exercice de ses fonctions et agir, autant que possible, dans l'intérêt des clients et de la profession d'infirmière.

Clarification des valeurs

La **clarification des valeurs** est un processus grâce auquel un individu trouve ses propres valeurs, les examine et les développe. Un des postulats de la clarification des valeurs consiste à dire qu'il n'existe aucun ensemble de valeurs qui soit approprié à tous. Après avoir défini ses valeurs, l'individu peut les conserver ou les remplacer et, par conséquent, agir selon des valeurs librement choisies plutôt qu'inconscientes. La clarification des valeurs favorise la croissance personnelle, car elle encourage la prise de conscience, l'empathie et la perspicacité. Par conséquent, il s'agit d'une étape importante à franchir pour pouvoir, à titre d'infirmière, faire face aux problèmes d'ordre éthique.

Une des théories le plus souvent utilisées en matière de clarification des valeurs a été bâtie par Raths, Harmin et Simon

TABLEAU 5-1
VALEURS ET COMPORTEMENTS DE L'INFIRMIÈRE

Valeurs	Comportements professionnels
L'*altruisme* est le souci du bien-être des autres. Dans la pratique infirmière, l'altruisme se manifeste par la préoccupation de l'infirmière quant au bien-être des personnes auxquelles elle prodigue des soins, des autres infirmières et des autres professionnels de la santé. L'*autonomie* est le droit à l'autodétermination. La pratique infirmière reflète cette autonomie lorsque l'infirmière respecte le droit du client de prendre des décisions relatives à ses soins de santé. La *dignité humaine* est le respect de la valeur intrinsèque et du caractère unique des individus et des populations. Dans la pratique infirmière, la dignité humaine se manifeste par l'importance et le respect que l'infirmière accorde aux clients auxquels elle prodigue des soins et à ses collègues. L'*intégrité* correspond à la capacité d'accomplir des tâches conformes à un code de déontologie approprié et aux normes de pratique généralement acceptées. Dans la pratique professionnelle, l'intégrité se manifeste lorsque l'infirmière fait preuve d'honnêteté et prodigue des soins fondés sur un cadre éthique accepté à l'intérieur de la profession. La *justice sociale* est l'application de principes moraux, juridiques et humanitaires. Dans la pratique infirmière, cette valeur est respectée lorsque l'infirmière s'assure que les clients ont un accès équitable à des soins de santé de qualité.	■ Faire preuve d'ouverture à l'égard des cultures, des croyances et des points de vue des autres. ■ Défendre les droits des clients, en particulier des clients les plus vulnérables. ■ Conseiller les autres professionnels. ■ Planifier les soins en collaboration avec les clients. ■ Respecter le droit des clients et de leur famille de participer aux décisions relatives aux soins de santé. ■ Informer les clients afin qu'ils puissent faire des choix éclairés. ■ Offrir des soins qui tiennent compte des particularités culturelles. ■ Protéger la vie privée des clients. ■ Protéger la confidentialité des renseignements concernant les clients, les professionnels de la santé et le personnel infirmier. ■ Offrir des soins conformes aux besoins individuels des clients. ■ Donner des informations exactes aux clients et à la collectivité. ■ Consigner les soins avec exactitude et honnêteté. ■ Chercher à corriger ses propres erreurs. ■ Assumer la responsabilité de ses actes. ■ Prodiguer des soins avec impartialité et sans discrimination. ■ Promouvoir l'accès universel aux soins de santé. ■ Encourager l'adoption de lois et de politiques compatibles avec l'avancement des sciences infirmières et des soins de santé.

Source: American Association of Colleges of Nursing (AACN). (1998). *The essentials of baccalaureate education for professional nursing practice* (p. 8-9). Washington, DC: Auteur.

(1978). Ces auteurs décrivent un « processus d'appréciation » des idées, des émotions et des comportements qu'ils ont nommé « choisir », « valoriser » et « agir » (encadré 5-1).

ENCADRÉ 5-1
CLARIFICATION DES VALEURS

Choisir (cognitif)	Choisir les croyances: ■ librement, sans pression extérieure; ■ parmi plusieurs possibilités; ■ après avoir considéré toutes les conséquences.
Valoriser (affectif)	Valoriser et apprécier les croyances choisies.
Agir (comportemental)	■ Affirmer ses croyances devant les autres. ■ Intégrer ses croyances à son comportement. ■ Agir selon ses croyances de manière constante.

Source: Raths, L., Harmin, M., et Simon, S. (1978). *Values and teaching*: Working with values in the classroom (2e éd.) (p. 47). Colombus, OH: Merrill.

CLARIFICATION DES VALEURS DE L'INFIRMIÈRE

Les infirmières et les étudiantes en soins infirmiers doivent examiner leurs valeurs sur la vie, la mort, la santé et la maladie. Une des façons de prendre conscience de ses valeurs personnelles consiste à s'interroger sur ses attitudes à l'égard de ques-tions particulières comme l'avortement ou l'euthanasie et à se poser les questions suivantes: « Est-ce acceptable pour moi? » « Suis-je capable d'en supporter les conséquences? » « Qu'est-ce qui me dérange? » « Comment aurais-je agi dans la même situation? »

CLARIFICATION DES VALEURS DE LA PERSONNE SOIGNÉE

Pour planifier des soins efficaces, l'infirmière doit connaître les valeurs du client qui sont reliées à son problème de santé. Par exemple, un client dont la vue baisse accordera probablement beaucoup de valeur à la capacité de voir, tandis qu'un autre atteint de douleurs chroniques privilégiera particulièrement le bien-être physique. Habituellement, les individus tiennent ces conditions pour acquises. Pour en savoir davantage sur les croyances et les valeurs liées à la santé, voir le chapitre 10 ↺.

Lorsqu'une personne a des valeurs ambiguës ou con-tradictoires préjudiciables à sa santé, l'infirmière doit uti-liser la clarification des valeurs comme outil d'intervention. Le tableau 5-2 donne des exemples de comportements qui peuvent nécessiter une clarification des valeurs.

La méthode suivante peut aider la personne à clarifier ses valeurs:

1. *Énumérer tous les choix possibles*. S'assurer que le client sait qu'il peut choisir: « Avez-vous examiné les autres possibi-lités? » « Discutons-en un peu. »
2. *Examiner les conséquences possibles de chacun des choix*. S'assurer que le client a réfléchi aux conséquences de chaque acte: « À votre avis, que gagnerez-vous en faisant un tel geste? » « Quels avantages croyez-vous obtenir en agissant de la sorte? »

TABLEAU 5-2
COMPORTEMENTS ASSOCIÉS À DES VALEURS AMBIGUËS

Comportement	Exemple
Ne pas tenir compte du conseil d'un professionnel de la santé.	Une personne souffrant d'une affection cardiaque privilégie le travail acharné et ne tient pas compte du conseil de faire régulièrement de l'exercice.
Avoir un comportement ou un discours incohérent.	Une femme enceinte exprime son désir d'avoir un bébé en bonne santé, mais elle continue à consommer de l'alcool et à fumer.
Consulter fréquemment un organisme ou un établissement de santé pour un même problème.	Une femme d'âge moyen souffrant d'obésité demande avec insistance de l'aide pour ses maux de dos, mais elle ne fait rien pour perdre du poids.
Montrer de la confusion ou de l'hésitation quant à la prise d'une décision.	Une femme veut trouver un emploi pour s'acquitter de ses dettes mais elle souhaite également rester à la maison pour prendre soin de son mari malade.

3. *Choisir librement.* Déterminer si le client a choisi librement : « Avez-vous eu un mot à dire dans la décision ? » « Avez-vous eu le choix ? »

4. *Se sentir satisfait de son choix.* Déterminer ce que le client pense de son choix : « Comment vous sentez-vous après avoir pris cette décision ? »

5. *Faire connaître le choix.* « Comment présenterez-vous cette situation à votre entourage ? »

6. *Passer de la parole aux actes.* Déterminer si le client est prêt à agir en conformité avec sa décision : « Aurez-vous de la difficulté à en parler à votre femme ? »

7. *Se comporter avec constance.* Déterminer si le client se comporte de manière cohérente et constante : « Combien de fois avez-vous fait cela auparavant ? » « Agiriez-vous encore de la sorte ? »

Lorsqu'elle applique les sept étapes de la clarification des valeurs, l'infirmière aide le client à répondre à chaque question de manière réfléchie, mais elle ne lui impose pas ses valeurs personnelles. Elle exprime son opinion personnelle seulement si le client lui en fait la demande et, dans ce cas, avec précaution.

Moralité et éthique

Dans le langage courant, le mot **éthique** a plusieurs sens. En effet, ce mot peut référer : (1) à une grille d'interprétation qui permet de comprendre la moralité du comportement humain (c'est-à-dire l'étude de la moralité) ; (2) aux pratiques et aux croyances propres à un groupe (éthique médicale, éthique infirmière, par exemple) ; (3) aux normes attendues d'un comportement moral tel qu'il est décrit dans le code de déontologie. La **bioéthique** est l'application de l'éthique à la vie (décisions sur l'avortement ou l'euthanasie, par exemple). Quant à l'**éthique infirmière**, elle concerne les questions éthiques soulevées dans la pratique infirmière.

La moralité se compare à l'éthique ; d'ailleurs, beaucoup de personnes utilisent indifféremment l'un ou l'autre terme. La **moralité** se rapporte habituellement à des normes personnelles et individuelles qui définissent comme bons ou mauvais un geste, une conduite, une attitude ou un comportement. Parfois, le premier indice de la nature morale d'une situation consiste à éprouver des émotions telles que la culpabilité, l'espoir

ou la honte. Un autre indicateur est la tendance à réagir à des situations en utilisant des mots comme « falloir », « devoir », « bien », « mal », « bon », « mauvais ». Les débats moraux font intervenir des valeurs et des normes sociales importantes, et non des questions dénuées d'intérêt.

Les infirmières doivent faire la distinction entre moralité et loi. Certes, les lois reflètent les valeurs morales d'une société et aident à définir ce qui est moral et ce qui ne l'est pas. Toutefois, un acte peut être légal mais ne pas être moral. Par exemple, une directive exigeant des manœuvres de réanimation pour une personne mourante peut être légale, mais la moralité d'un tel acte peut être discutable. À l'inverse, un acte peut être correct sur le plan moral, mais illégal. Par exemple, il est moral, mais illégal, de dépasser la limite de vitesse permise en voiture pour transporter rapidement à l'hôpital un enfant en arrêt respiratoire. Les aspects juridiques de la pratique infirmière sont abordés au chapitre 4 🔗.

Les infirmières doivent également faire la distinction entre moralité et culture, même si les deux concepts sont liés. Par exemple, selon certaines croyances culturelles, les femmes devraient subir des interventions comme l'excision (mutilation des parties génitales). D'autres personnes, comme beaucoup d'Occidentaux, peuvent considérer cette pratique comme une violation des droits de la personne (Sala et Manara, 2001).

ALERTE CLINIQUE • Selon les croyances religieuses du confucianisme, le fœtus n'est pas un être humain. Par contre, dans la religion bouddhiste, le fœtus est considéré comme une forme de vie. Par conséquent, au sein de la population chinoise, les positions sur l'avortement varient selon l'appartenance religieuse. •

Développement moral

Les décisions éthiques exigent des infirmières réflexion et raisonnement. Le raisonnement est une fonction cognitive qui est, par conséquent, liée au développement. Le **développement moral** est le processus d'apprentissage qui permet de distinguer le bien du mal et d'apprendre ce qu'il faut faire et ne pas faire. Ce processus complexe débute dès l'enfance et se poursuit tout au long de la vie.

Les théories du développement moral tentent de répondre à certaines questions, par exemple : Comment acquiert-on une morale ? Quels facteurs agissent sur le comportement dans une situation d'ordre moral ? Parmi les théoriciens célèbres du développement moral figurent Lawrence Kohlberg (1969) et Carol Gilligan (1982). La théorie de Kohlberg met l'accent sur les droits et le raisonnement formel ; celle de Gilligan accorde davantage d'importance à l'empathie et à la responsabilité, mais elle fait ressortir que, dans leur raisonnement moral, les personnes empruntent des concepts aux deux théories.

Cadres moraux

Les théories morales offrent divers cadres qui permettent aux infirmières d'analyser et de clarifier les situations ambiguës de soins prodigués à certains clients. Les infirmières peuvent se baser sur des théories morales pour justifier leurs actes et leurs décisions éthiques et pour discuter des situations problématiques avec d'autres professionnels de la santé. Il existe trois principaux types de théories morales. Elles se distinguent par l'importance qu'elles accordent : (1) aux conséquences ; (2) aux principes et aux devoirs ; ou (3) aux relations.

Les **théories basées sur les conséquences (téléologiques)** examinent les conséquences d'une action afin de déterminer si celle-ci est bonne ou mauvaise. L'**utilitarisme**, l'une des formes de la théorie conséquentialiste, définit comme correcte toute action qui produit le plus de bienfait et le moins de tort au plus grand nombre possible de personnes. C'est ce qu'on appelle le principe d'**utilité**. On emploie souvent cette approche dans la prise de décision concernant le financement et la prestation des soins de santé.

Les **théories basées sur les principes (déontologiques)** mettent l'accent sur les droits, les devoirs et les obligations individuels. La moralité d'une action est déterminée non pas par les conséquences qu'elle risque d'avoir, mais selon qu'elle a été accomplie ou non en fonction d'un principe. Par exemple, en suivant la règle « Ne jamais mentir », une infirmière peut se sentir obligée de dire la vérité à une personne mourante, même si le médecin lui a donné des instructions contraires. Il existe beaucoup de théories déontologiques ; chacune justifie différemment ce qui est acceptable.

Enfin, les **théories basées sur les relations humaines (humanistes)** insistent sur le courage, la générosité, l'engagement et le besoin d'entretenir et de maintenir des relations. Contrairement aux deux théories précédentes, qui abordent les problèmes sous l'angle de la justice (équité) et du raisonnement formel, les théories humanistes (Watson, 1997) jugent les actions selon une perspective de caring et de **responsabilité**. Alors que les théories basées sur les principes sont axées sur les droits individuels, les théories fondées sur l'humanisme favorisent le bien commun ou le bien-être du groupe ou de la famille.

L'humanisme ou caring est au cœur de la relation infirmière-client. Cette théorie se déclare également en faveur de la protection et du renforcement de la dignité de la personne. Par exemple, dans un contexte de caring, de compassion, les infirmières utilisent le toucher et le principe d'honnêteté professionnelle pour considérer les clients qu'elles soignent comme des personnes à part entière, et non comme des objets, ainsi

que pour les aider à faire des choix et à trouver un sens à leur expérience de la maladie. L'Ordre des infirmières et infirmiers du Québec (OIIQ, 2010, p. 10) précise d'ailleurs que « les soins infirmiers sont empreints d'humanisme ». Watson (1988) ainsi que Benner et Wrubel (1989) ont proposé que le caring soit l'objectif central des soins infirmiers et le fondement de l'éthique infirmière. Toutefois, le caring ne s'applique pas seulement aux soins infirmiers, et certains professionnels de la santé ont même critiqué cette perspective axée sur la compassion, l'accusant de renforcer le stéréotype de la femme comme personne qui prend soin des autres et de reléguer au second plan des principes moraux importants comme l'équité et l'autonomie (Bowden, 1995).

Le cadre moral guide les décisions morales, mais ne détermine pas le résultat. Par exemple, imaginons la situation suivante. Un homme âgé et très affaibli refuse de subir une autre chirurgie, contrairement à l'avis de sa famille et du chirurgien. Trois infirmières décident, chacune de son côté, de ne pas participer aux préparatifs de la chirurgie et d'utiliser les voies hiérarchiques appropriées pour tenter de l'empêcher d'avoir lieu. L'infirmière A s'appuie sur le raisonnement basé sur les conséquences et se dit : « La chirurgie ne fera qu'allonger ses souffrances, il n'y survivra peut-être pas et la famille pourrait même par la suite ressentir de la culpabilité. » L'infirmière B utilise le raisonnement basé sur les principes et se dit : « Cette situation viole le principe d'autonomie. Cet homme a le droit de décider ce qu'il adviendra de son corps. » Enfin, l'infirmière C s'appuie sur le raisonnement basé sur l'humanisme ou le caring, et pense : « Ma relation avec cette personne m'oblige à la protéger et à répondre à ses besoins. De plus, j'éprouve de la compassion pour cet homme. Je dois essayer de faire comprendre à sa famille qu'il a besoin de son soutien. »

Principes moraux

Les principes moraux sont des concepts philosophiques de portée générale comme l'autonomie et la justice. Ils servent de fondement aux **règles morales**, lesquelles sont des préceptes spécifiques menant à l'action. Par exemple, la règle « Il ne faut pas mentir » est basée sur le principe moral du respect des personnes (autonomie). Les principes sont utiles dans les discussions éthiques ; en effet, dans le cas où des personnes sont incapables de s'entendre sur l'intervention à choisir dans une situation donnée, il peut y avoir consensus sur les principes qui s'y appliquent. Un tel accord peut servir d'assise à l'élaboration d'une solution acceptable pour toutes les parties. Par exemple, la plupart des individus reconnaissent unanimement que les infirmières doivent le respect aux personnes qu'elles soignent, mais ils ne s'accordent pas tous pour dire si l'infirmière doit leur cacher ou non la vérité sur le pronostic de leur maladie.

L'**autonomie** (ou **autodétermination**) correspond au droit pour un individu de prendre ses propres décisions. Les infirmières qui adhèrent à ce principe reconnaissent que chaque individu est unique, qu'il a le droit de se déterminer librement et de choisir ses objectifs personnels. Un individu jouit d'une « autonomie intrinsèque » s'il a la capacité de faire des choix ; il jouit d'une « autonomie extrinsèque » si ces choix ne sont pas limités ou imposés par d'autres.

Honorer le principe d'autonomie signifie que l'infirmière respecte le droit de la personne de prendre ses propres décisions même si celles-ci lui semblent contraires aux intérêts de cette dernière. Cela veut dire également qu'elle doit traiter les autres avec considération. Dans le cadre des soins de santé, il y a violation de ce principe lorsque, par exemple, une infirmière ne tient aucun compte des explications subjectives que donne le client de ses symptômes (par exemple, de la douleur). Enfin, le respect de l'autonomie signifie qu'un individu ne devrait pas être perçu comme une source impersonnelle d'informations ou d'expériences. Ce principe entre en jeu dans le cas où on exige du client son consentement éclairé avant des examens paracliniques, des protocoles ou des recherches, ou lorsqu'on lui demande s'il consent à servir d'exemple à des fins d'enseignement. À ce sujet, voir la section «Consentement éclairé» au chapitre 4 .

La **bienveillance** (ou non-malfaisance) est le devoir «de ne pas vouloir causer de tort». Même si ce principe semble facile à suivre, sa pratique est en réalité complexe. En effet, on peut causer du tort intentionnellement, en plaçant un individu dans une situation où il risque de subir un tort, ou causer du tort non intentionnellement. Cependant, placer un individu dans une situation où il risque de subir un tort comporte également plusieurs facettes. Une telle situation peut être une conséquence connue d'une intervention infirmière qui se voulait utile au départ. Par exemple, un client peut mal réagir à un médicament. Les professionnels de la santé ne s'entendent pas toujours sur le degré de risque qu'il est moralement acceptable de courir afin d'obtenir un résultat bénéfique. Il y a tort non intentionnel lorsque le risque ne pouvait pas être anticipé. Par exemple, une infirmière, en prévenant la chute d'une personne, s'agrippe si fortement à son bras qu'elle lui fait une ecchymose.

La **bienfaisance** consiste à «faire du bien». Les infirmières ont le devoir de faire du bien, c'est-à-dire d'accomplir des gestes qui réconfortent les clients ainsi que les proches aidants. Toutefois, «faire du bien» peut également risquer de causer du tort. Par exemple, pour améliorer l'état de santé général d'un client, une infirmière peut lui conseiller de suivre un programme d'exercices contraignant; par contre, elle ne devrait pas donner ce conseil à un client atteint d'une affection cardiaque grave.

On associe souvent la **justice** à l'équité. L'infirmière est souvent appelée à prendre des décisions où doit prévaloir un sens de la justice. Par exemple, une infirmière trouve une personne en larmes et déprimée lors d'une visite à domicile. Elle sait qu'elle pourrait faire du bien à cette personne en lui accordant 30 minutes de plus. Cependant, ce laps de temps supplémentaire sera retiré au client auquel elle doit rendre visite ensuite, qui est diabétique et qui a grandement besoin d'enseignement et d'observation. L'infirmière doit donc soupeser les faits avec soin afin de répartir équitablement son temps entre les personnes auxquelles elle doit prodiguer des soins.

La **loyauté** signifie être fidèle aux ententes et aux promesses. En vertu de son statut de professionnelle, l'infirmière a des responsabilités envers les clients qu'elle soigne, envers l'employeur, le gouvernement et la société, ainsi qu'envers elle-même. L'infirmière fait souvent des promesses telles que «Je

reviens tout de suite avec votre analgésique» ou «Je vais m'informer sur ce sujet». Le client prend ces promesses très au sérieux, et l'infirmière doit les tenir.

La **véracité** se rapporte au devoir de dire la vérité. Ce principe semble simple, mais, dans la pratique, les choix à faire ne sont pas toujours évidents. Une infirmière doit-elle dire la vérité lorsqu'elle sait que cela causera du tort? Doit-elle dire la vérité lorsqu'elle pense que la cacher diminuera l'anxiété et la peur? Il est rarement justifié de mentir à des personnes malades ou mourantes. La perte de confiance envers l'infirmière et l'anxiété que cause l'ignorance de la vérité, par exemple, l'emportent habituellement sur les avantages découlant du mensonge.

Rendre des comptes signifie qu'on doit répondre de ses actes. L'infirmière est responsable de ses actes non seulement envers les autres, mais envers elle-même. À cette fin, l'OIIQ a mis en place des mesures qui permettent d'évaluer les pratiques et les actes des infirmières. Par exemple, le comité de discipline étudie toute plainte contre un membre pour une infraction à une réglementation, à une loi ou à un code de déontologie, que ceux-ci s'appliquent à tous les professionnels ou seulement aux infirmières et aux infirmiers. Par ailleurs, le comité d'inspection professionnelle a pour mandat de surveiller l'exercice de la profession par les membres et d'enquêter s'il y a lieu. L'OIIQ a créé un outil fort pertinent, un document décrivant les perspectives de l'exercice de la profession d'infirmière, dans lequel il est mentionné, entre autres, que «l'infirmière est responsable envers le client des soins qu'elle lui donne, ce qui signifie qu'elle doit répondre de la qualité des soins qu'elle lui prodigue» (OIIQ, 2010, p. 8). L'infirmière ou l'infirmier doit s'acquitter de ses obligations professionnelles avec intégrité (énoncé 10 du *Code de déontologie des infirmières et infirmiers* [Gouvernement du Québec, 2010a]), c'est-à-dire avec honnêteté. Par conséquent, l'infirmière qui agit de manière éthique est en mesure d'expliquer tous les gestes qu'elle fait et de respecter les normes qui s'appliquent à sa pratique.

Éthique infirmière

Par le passé, les infirmières considéraient que la prise de décision éthique relevait du médecin. Toutefois, il n'incombe à aucune profession la responsabilité de prendre des décisions éthiques; de même, toute personne spécialisée dans une discipline comme la médecine ou les sciences infirmières ne sera pas forcément experte en éthique. Étant donné la complexité de plus en plus grande des situations, la collaboration de l'ensemble des professionnels de la santé prend une importance accrue.

Les établissements de soins sont dans l'obligation de mettre sur pied des comités d'éthique clinique et d'offrir une formation, un encadrement et un soutien en ce qui a trait aux questions éthiques. L'encadré 5-2 met en relief les principales caractéristiques de ces comités.

Les comités d'éthique clinique veillent à ce que tous les faits importants d'un dossier soient abordés, fournissent une tribune afin que les différents points de vue puissent être exprimés, apportent un soutien aux professionnels de la santé et réduisent les risques juridiques pour les établissements. Dans

Le comité d'éthique clinique constitue une ressource au service de l'ensemble de la communauté que ce soit du personnel lié aux soins, des médecins, des étudiants, des différentes instances de l'établissement et de la direction de l'hôpital ou encore des usagers et leurs familles. Le comité peut soutenir la réflexion et la discussion sur des valeurs qui s'affrontent dans l'offre de soins et de services, la prise de décision et la résolution des problèmes ou de dilemmes éthiques. En aucun cas le comité ne peut se substituer aux expertises et aux professionnalismes des équipes, il ne prescrit pas des interventions mais il invite à la discussion, à la compréhension, à la résolution de problème ou à la médiation entre les diverses instances impliquées. Il n'a pas de pouvoir décisionnel mais il fournit assistance, médiation, recommandations, avis et soutien à la résolution des problématiques à dimensions éthiques. Il est un facilitateur de processus, un soutien à la discussion et aussi un médiateur d'amélioration continue de la qualité. Ces interventions sont formatives en favorisant l'intégration des repères de l'éthique aux pratiques cliniques. Les consultations en éthique clinique sont faites en partenariat avec les intervenants, elles sont supportées de la perspective de l'amélioration continue de la qualité et de la sécurité des soins et des services.

PRINCIPES

Le comité d'éthique clinique apporte un éclairage éthique tant dans l'examen de cas particuliers que dans la mise en place ou l'évaluation des pratiques et des politiques de l'établissement. Cet éclairage doit intégrer notamment :

1. Des principes et repères éthiques fondamentaux comme : le respect de la vie, le respect et la promotion de l'autonomie de la personne, le principe de bienfaisance, la qualité de la vie, la qualité de la fin de la vie, la justice.
2. En plus s'appliquent les règles du droit canadien et québécois concernant le droit des personnes et le droit aux soins.
3. Enfin, les codes de déontologie des professionnels concernés et les bonnes pratiques cliniques.

Les normes obligent les établissements à mettre en place un service d'éthique pour aider à la prise de décisions éthiques. Le MSSS du Québec privilégie le recours à un comité d'éthique clinique dont la composition est pluridisciplinaire pour supporter la pratique de l'éthique en contexte de soins. L'approche de l'éthique en clinique, adhère à la proposition de *Principles of biomedical ethics* (2001), Beauchamp et Childress, qui énonce que quatre (4) principes structurent la réflexion sur les enjeux éthiques liés à l'évolution des sciences, des technologies, de la pharmacopée et des technologies : le respect de l'autonomie, la bienfaisance, la non-malfaisance et la justice. Sans s'y limiter, ces 4 principes universels sont compatibles avec la plupart des théories éthiques et avec les valeurs des différentes communautés culturelles. Ils fondent une obligation morale sur le bien commun. Ils peuvent servir de cadre de référence lors de l'analyse de situations ou de prises de décision.

FONCTIONS EN ÉTHIQUE CLINIQUE

■ **Identifier les problèmes d'éthique**

Documenter et examiner des problèmes, des dilemmes, des situations de nature éthique soulevée dans la dispensation courante des soins et des services aux personnes, notamment en regard du développement des sciences et de la technologie en raison de leur impact sur les pratiques de soins. Soutenir la préparation d'un plan d'intervention et d'action pour répondre à ces préoccupations.

■ **Accompagner**

Accompagner les intervenants (administrateurs ou soignants quels qu'ils soient) aux prises avec les dilemmes ou problématiques de nature éthique par l'examen approfondi de situations cliniques difficiles ou particulièrement complexes en vue de formuler un avis ou de dégager des pistes pour sa résolution ou sa médiation.

■ **Éduquer**

Sensibiliser le milieu à l'éthique à travers la diffusion et la tenue d'activités d'information et de formation. Offrir un espace de discussion pour favoriser la compréhension et la réflexion et en conséquence le développement de la compétence en éthique au sein de l'établissement.

■ **Outiller**

Collaborer et favoriser l'utilisation de principes directeurs ou de lignes directrices afin de soutenir les dimensions éthiques de certaines pratiques ou situations cliniques incluant : Respect du refus de soins et demande de cessation de traitements, décision de réanimation, détermination de l'intensité des soins, utilisation de grilles de niveaux de soins, soins appropriés quand la survie est compromise, soulagement sécuritaire de la douleur et des inconforts, qualité de la fin de la vie, qualité des soins, travail d'équipe, collaboration entre les professionnels, partage des responsabilités.

■ **Informer**

Favoriser l'utilisation d'outils d'évaluation de situations éthiques, de jugement éthique, de grilles de soins appropriés, de prise de décision. Reconnaissance des droits et des responsabilités, de l'importance de la collaboration.

Source : Comité d'éthique clinique. Hôpital Maisonneuve-Rosemont. (2010). *Éthique clinique*. Montréal : HMR. Document consulté le 23 octobre 2010 de http://www.maisonneuve-rosemont.org/pages/H/Hopital/EthiqueII.aspx?lang=FR-CA.

---

le cadre de certains événements, des rencontres sont organisées afin de présenter, à partir d'une perspective plus théorique, des dilemmes éthiques émanant de situations réelles ou simulées ; ainsi, les participants ont la possibilité de mieux saisir les enjeux de ces dilemmes ainsi que la démarche utilisée dans leur analyse (figure 5-1 ■).

Codes de déontologie infirmière

Un **code de déontologie** est l'énoncé formel des idéaux et des valeurs d'un groupe. C'est un ensemble de principes éthiques qui : (1) sont partagés par les membres du groupe ; (2) reflètent les jugements moraux que le groupe a acquis au fil des ans ; (3) servent de normes aux actes professionnels. Les codes de déontologie ont habituellement des exigences plus élevées que les normes légales, mais ces exigences ne sont jamais moindres que les normes légales de la profession. Il incombe à l'infirmière de connaître le code qui gouverne sa pratique.

Les associations infirmières d'ordre régional, national et international ont adopté des codes de déontologie. Le Conseil international des infirmières (CII) a adopté son premier code

FIGURE 5-1 ■ Un comité d'éthique examine tous les aspects d'un cas qui lui a été soumis. Source: Mark Richards/ PhotoEdit.

de déontologie en 1953. L'encadré 5-3 présente la dernière version, mise à jour en 2005. L'Association des infirmières et infirmiers du Canada (AIIC) révise régulièrement son code de déontologie afin de s'adapter aux changements qui touchent l'état, les besoins et les valeurs de la société. Tous ces changements mettent à l'épreuve la capacité de l'infirmière d'exercer sa pratique conformément à l'éthique. L'encadré 5-4 décrit les huit valeurs principales qui sont essentielles à une pratique infirmière en conformité avec l'éthique et autour desquelles s'articulent tous les énoncés du code de déontologie de l'AIIC. Enfin, l'OIIQ a lui aussi établi son propre code de déontologie, régissant la pratique infirmière en territoire québécois. L'encadré 5-5 présente des extraits du code, révisé en 2003 puis en 2005.

Les codes de déontologie poursuivent les objectifs suivants:

1. Donner des informations au public sur les normes minimales de la profession et l'aider à comprendre l'éthique professionnelle de l'infirmière.

2. Fournir une preuve de l'engagement de la profession envers le public qu'elle dessert.

3. Présenter les principales considérations d'ordre éthique de la profession.

ENCADRÉ 5-3
CODE DE DÉONTOLOGIE DU CONSEIL INTERNATIONAL DES INFIRMIÈRES (VERSION 2005)

PRÉAMBULE

Les infirmières ont quatre responsabilités essentielles: promouvoir la santé, prévenir la maladie, restaurer la santé et soulager la souffrance. Les besoins en soins infirmiers sont universels. Le respect des droits de l'homme – en particulier le droit à la vie, à la dignité et à un traitement humain, ainsi que les droits culturels – fait partie intégrante des soins infirmiers. Ces derniers ne sont influencés par aucune considération d'âge, de couleur, de croyance, de culture, d'invalidité ou de maladie, de sexe et d'orientation sexuelle, de nationalité, de politique, de race ni de statut social, autant de particularités qu'ils respectent au contraire. Les infirmières fournissent des services de santé à l'individu, à la famille et à la collectivité et coordonnent cette activité avec celles d'autres groupes qui travaillent dans des domaines connexes.

LE CODE DU CII

Le *Code déontologique du CII pour la profession infirmière* comprend quatre grands volets dans lesquels sont présentées les normes de conduite déontologique à respecter.

ÉLÉMENTS DU CODE

1. L'infirmière et l'individu

La responsabilité primordiale de l'infirmière consiste à donner des soins infirmiers aux personnes qui en ont besoin. Dans l'exercice de sa profession, l'infirmière crée une ambiance dans laquelle les droits de l'homme, les valeurs, les coutumes et les croyances spirituelles de l'individu, de la famille et de la collectivité sont respectés. L'infirmière s'assure que l'individu reçoit suffisamment d'informations pour donner ou non son consentement, en pleine connaissance de cause, en ce qui concerne les soins et le traitement qu'il devrait recevoir. L'infirmière respecte le caractère confidentiel des informations qu'elle possède et ne communique celles-ci qu'à bon escient. L'infirmière partage avec la société la responsabilité du lancement et du soutien d'initiatives permettant de satisfaire les besoins sociaux et de santé de la population, en particulier des groupes les plus vulnérables. Elle partage également la responsabilité de l'entretien et de la protection de l'environnement naturel contre l'épuisement des ressources, la pollution, la dégradation et la destruction.

2. L'infirmière et la pratique

L'infirmière assume une responsabilité personnelle dans l'exercice des soins infirmiers; à cet égard, elle a des comptes à rendre à la société; et elle doit maintenir à jour ses connaissances professionnelles par une formation continue. L'infirmière se maintient elle-même en bonne santé de manière à ne pas compromettre sa capacité à dispenser des soins. Lorsqu'elle accepte ou délègue des responsabilités, elle évalue avec un esprit critique sa propre compétence et celle de ses collègues. L'infirmière fait preuve en tout temps d'une conduite personnelle qui honore sa profession et renforce la confiance du public dans le personnel infirmier. Lorsqu'elle dispense des soins, l'infirmière s'assure que le recours aux technologies et aux pratiques scientifiques les plus récentes est compatible avec la sécurité, la dignité et les droits des personnes.

3. L'infirmière et la profession

L'infirmière assume le rôle principal dans la définition et l'application des normes acceptables à l'exercice clinique, à la gestion, à la recherche et à l'enseignement des soins infirmiers. L'infirmière contribue activement à développer un ensemble de connaissances professionnelles fondé sur la recherche. Par l'intermédiaire de son organisation professionnelle, l'infirmière participe, dans le domaine des soins infirmiers, à la création et au maintien de conditions d'emploi et de travail équitables et sûres.

4. L'infirmière et ses collègues

L'infirmière coopère étroitement avec tous ceux avec lesquels elle travaille, tant dans le domaine des soins infirmiers que dans d'autres domaines. L'infirmière prend toute mesure nécessaire pour protéger les personnes, familles et communautés lorsque leur santé peut être mise en danger par un collègue ou une autre personne.

Source: Conseil international des infirmières (CII). (2006). *Code déontologique du CII pour la profession infirmière, 2005*. ISBN 92-95040-42-2.

ENCADRÉ 5-4
CODE DE DÉONTOLOGIE DE L'ASSOCIATION DES INFIRMIÈRES ET INFIRMIERS DU CANADA

Valeurs	Responsabilités de l'infirmière
Soins sûrs, compétents et conformes à l'éthique professionnelle	Les infirmières ont à cœur de pouvoir offrir des soins sûrs, et conformes à l'éthique, qui leur permettent de remplir leurs obligations éthiques envers les personnes qu'elles soignent.
Santé et bien-être	Les infirmières veillent à la promotion de la santé et au bien-être des clients et les aident à atteindre un état de santé optimal, qu'ils connaissent une situation normale ou qu'ils soient malades, blessés, handicapés ou mourants.
Choix	Les infirmières respectent et favorisent l'autonomie des clients et les aident à exprimer leurs besoins et leurs valeurs, ainsi qu'à obtenir les renseignements et les services appropriés leur permettant de prendre des décisions éclairées.
Dignité	Les infirmières reconnaissent et respectent la valeur intrinsèque de chaque personne et se font les protectrices de leurs intérêts afin de promouvoir un traitement respectueux pour tous.
Confidentialité	Les infirmières protègent les renseignements fournis dans le cadre de la relation professionnelle et ne les divulguent à l'extérieur de l'équipe soignante qu'avec le consentement éclairé du client ou lorsque la loi l'exige ou encore lorsque la non-divulgation pourrait entraîner un préjudice grave.
Justice	Les infirmières défendent les principes d'équité et de justice permettant à chacun d'obtenir une part des services de santé et des ressources en rapport avec ses besoins et permettant de favoriser la justice sociale.
Responsabilité	Garantes de leur pratique, les infirmières s'acquittent de leurs responsabilités professionnelles selon les normes de pratique.

Le code s'articule autour des huit valeurs énumérées ci-dessus. Chaque valeur est associée à un énoncé de responsabilité qui précise son champ d'application et offre des directives.

Source : Association des infirmières et infirmiers du Canada (AIIC). (2008, juin). *Code de déontologie des infirmières et infirmiers*. Ottawa : Auteur. Document consulté le 22 octobre 2010 de http://www.cna-nurses.ca/CNA/documents/pdf/publications/Code_of_Ethics_2008_f.pdf. ©Association des infirmières et infirmiers du Canada. Reproduit avec autorisation. Reproduction ultérieure interdite.

4. Proposer des normes éthiques relatives au comportement professionnel.
5. Guider la profession en matière d'autoréglementation.
6. Rappeler aux infirmières les responsabilités particulières qu'elles assument dans le soin des clients.

Origines des problèmes éthiques en sciences infirmières

La sensibilisation de plus en plus grande des infirmières aux problèmes éthiques s'explique principalement par : (1) les changements sociaux et technologiques ; (2) les loyautés et les obligations conflictuelles des infirmières.

CHANGEMENTS SOCIAUX ET TECHNOLOGIQUES

Les changements dans le domaine social (le mouvement féministe et le mouvement de protection du consommateur, par exemple) mettent au jour certains problèmes. Le coût élevé des soins de santé et la redéfinition du monde du travail résultant d'une nouvelle gestion des soins soulèvent diverses questions d'équité et de répartition des ressources.

La technologie crée de nouveaux enjeux qui n'existaient pas auparavant. Par exemple, grâce aux moniteurs, à la ventilation assistée et à l'alimentation parentérale, la question de la « viabilité » d'un enfant prématuré de 800 g ne se pose plus. De même, avant la transplantation d'organes, aucune définition juridique de la mort ne permettait de prélever des tissus vivants

et de les donner à d'autres personnes. Les percées dans la capacité de décoder et de contrôler la croissance des tissus grâce à la manipulation génétique débouchent sur de possibles dilemmes éthiques liés au clonage d'organismes et à la modification de l'évolution des maladies héréditaires et des caractéristiques biologiques. Aujourd'hui, devant les traitements qui permettent de prolonger et d'améliorer la vie biologique, diverses questions se posent : Devrions-nous utiliser tous les outils à notre disposition ? Qui devrions-nous traiter ? Tout le monde ? Uniquement les personnes dont l'état de santé est susceptible de s'améliorer ? Uniquement celles qui peuvent contribuer au financement de leur traitement ?

LOYAUTÉS ET OBLIGATIONS CONFLICTUELLES

Compte tenu de leur position unique dans le système de soins de santé, les infirmières se trouvent au cœur de situations conflictuelles sur les plans de la loyauté et de la responsabilité envers les clients, les familles, les médecins, les employeurs et les organismes de réglementation professionnelle. Les besoins des clients peuvent entrer en conflit avec les politiques de l'établissement, les priorités des médecins, les besoins de l'entourage et, même, les lois provinciales. Selon le code de déontologie de la profession d'infirmière, l'infirmière doit en premier lieu faire preuve de loyauté envers le client. Toutefois, il ne lui est pas toujours facile de déterminer quelle intervention servira le mieux ses besoins. Par exemple, l'infirmière peut être consciente des bienfaits que la marijuana pourrait procurer à un client que

5

CODE DE DÉONTOLOGIE DES INFIRMIÈRES ET INFIRMIERS

Code des professions
(L.R.Q., c. C-26, a. 87, août 2010)

CHAPITRE I
DEVOIRS ENVERS LE PUBLIC, LE CLIENT ET LA PROFESSION

SECTION I
DEVOIRS INHÉRENTS À L'EXERCICE DE LA PROFESSION

§1. Généralités

1. L'infirmière ou l'infirmier doit porter secours à celui dont la vie est en péril, personnellement ou en obtenant du secours, en lui apportant l'aide nécessaire et immédiate, à moins d'un risque pour l'infirmière ou l'infirmier ou pour les tiers ou d'un autre motif raisonnable.
   D. 1513-2002, a. 1.

2. L'infirmière ou l'infirmier ne peut refuser de fournir des services professionnels à une personne en raison de la race, la couleur, le sexe, la grossesse, l'orientation sexuelle, l'état civil, l'âge, la religion, les convictions politiques, la langue, l'ascendance ethnique ou nationale, l'origine ou la condition sociale, le handicap ou l'utilisation d'un moyen pour pallier ce handicap.
   L'infirmière ou l'infirmier peut cependant, dans l'intérêt du client, le référer à une autre infirmière ou un autre infirmier.
   Dans le présent code, à moins que le contexte n'indique un sens différent, on entend par client la personne qui reçoit des services professionnels d'une infirmière ou d'un infirmier.
   D. 1513-2002, a. 2.

3. L'infirmière ou l'infirmier ne peut poser un acte ou avoir un comportement qui va à l'encontre de ce qui est généralement admis dans l'exercice de la profession.
   D. 1513-2002, a. 3.

4. Dans le cadre de soins et traitements prodigués à un client, l'infirmière ou l'infirmier ne peut utiliser ou dispenser des produits ou des méthodes susceptibles de nuire à la santé ou des traitements miracles. L'infirmière ou l'infirmier ne peut non plus consulter une personne qui utilise ou dispense de tels produits, méthodes ou traitements miracles, ni collaborer avec cette personne, ni lui envoyer son client.
   D. 1513-2002, a. 4.

5. L'infirmière ou l'infirmier doit respecter le droit du client de consulter une autre infirmière ou un autre infirmier, un autre professionnel du domaine de la santé ou toute autre personne de son choix.
   [...]

8. L'infirmière ou l'infirmier doit, dans la mesure de ses possibilités, échanger ses connaissances avec les autres infirmières et infirmiers, les étudiants et les candidats à l'exercice.
   D. 1513-2002, a. 8.

9. L'infirmière ou l'infirmier ne peut, dans l'exercice de sa profession, se dégager de sa responsabilité civile personnelle.
   Il lui est notamment interdit d'insérer une clause excluant directement ou indirectement, en totalité ou en partie, cette responsabilité ou d'être partie à un contrat de services professionnels contenant une telle clause.
   D. 1513-2002, a. 9.

§2. Intégrité

10. L'infirmière ou l'infirmier doit s'acquitter de ses obligations professionnelles avec intégrité.
    D. 1513-2002, a. 10.

11. L'infirmière ou l'infirmier ne doit pas abuser de la confiance de son client.
    D. 1513-2002, a. 11.

12. L'infirmière ou l'infirmier doit dénoncer tout incident ou accident qui résulte de son intervention ou de son omission.
    L'infirmière ou l'infirmier ne doit pas tenter de dissimuler un tel incident ou accident.
    Lorsqu'un tel incident ou accident a ou peut avoir des conséquences sur la santé du client, l'infirmière ou l'infirmier doit prendre sans délai les moyens nécessaires pour le corriger, l'atténuer ou pallier les conséquences de cet incident ou accident.
    D. 1513-2002, a. 12.

13. L'infirmière ou l'infirmier ne peut s'approprier des médicaments ou autres substances, notamment des stupéfiants, une préparation narcotique ou anesthésique ou tout autre bien appartenant à une personne avec laquelle il est en rapport dans l'exercice de sa profession.
    D. 1513-2002, a. 13.

14. L'infirmière ou l'infirmier ne doit pas, au regard du dossier du client ou de tout rapport, registre, dossier de recherche ou autre document lié à la profession :
    1° les falsifier, notamment en y altérant des notes déjà inscrites ou en y insérant des notes sous une fausse signature ;
    2° fabriquer de tels dossiers, rapports, registres ou documents ;
    3° y inscrire de fausses informations ;
    4° omettre d'y inscrire les informations nécessaires.
    D. 1513-2002, a. 14; D. 579-2005, a. 2.

    14.1. L'infirmière ou l'infirmier ne doit pas sciemment cacher aux personnes ou aux instances concernées les résultats préjudiciables d'une recherche à laquelle l'infirmière ou l'infirmier a collaboré.
    D. 579-2005, a. 3.

15. L'infirmière ou l'infirmier doit s'abstenir d'exprimer des avis ou de donner des conseils contradictoires, incomplets ou non fondés. À cette fin, il doit chercher à avoir une connaissance complète des faits avant de donner un avis ou un conseil.
    D. 1513-2002, a. 15.

    15.1. L'infirmière ou l'infirmier qui informe le public d'une nouvelle méthode de soin ou d'un traitement insuffisamment éprouvé doit le mentionner et faire les réserves qui s'imposent.

§4. Compétence

17. L'infirmière ou l'infirmier doit agir avec compétence dans l'accomplissement de ses obligations professionnelles. À cette fin, l'infirmière ou l'infirmier doit notamment tenir compte des limites de ses habiletés et connaissances.
    D. 1513-2002, a. 17.

18. L'infirmière ou l'infirmier doit tenir à jour ses compétences professionnelles afin de fournir des soins et traitements selon les normes de pratique généralement reconnues.
    D. 1513-2002, a. 18.

19. L'infirmière ou l'infirmier doit, si l'état du client l'exige, consulter une autre infirmière ou un autre infirmier, un autre professionnel du domaine de la santé ou toute autre personne compétente, ou le diriger vers l'une de ces personnes.
    D. 1513-2002, a. 19.

§6. Disponibilité et diligence

25. Dans l'exercice de sa profession, l'infirmière ou l'infirmier doit faire preuve de disponibilité et de diligence raisonnables.
    D. 1513-2002, a. 25.

26. Dans le cas où sa compétence spécifique dans un domaine donné est nécessaire pour fournir des soins et traitements sécuritaires à un client, l'infirmière ou l'infirmier consulté par une autre infirmière ou un autre infirmier doit fournir à ce dernier son opinion et ses recommandations dans un délai raisonnable.
    D. 1513-2002, a. 26.

27. Avant de cesser d'exercer ses fonctions pour le compte d'un client, l'infirmière ou l'infirmier doit s'assurer que cette cessation de service n'est pas préjudiciable à son client.
    D. 1513-2002, a. 27.

SECTION II
RELATIONS ENTRE L'INFIRMIÈRE OU L'INFIRMIER ET LE CLIENT

§1. Relation de confiance

28. L'infirmière ou l'infirmier doit chercher à établir et maintenir une relation de confiance avec son client.
    D. 1513-2002, a. 28.

29. L'infirmière ou l'infirmier doit agir avec respect envers le client, son conjoint, sa famille et les personnes significatives pour le client.
    D. 1513-2002, a. 29.

30. L'infirmière ou l'infirmier doit respecter, dans les limites de ce qui est généralement admis dans l'exercice de la profession, les valeurs et les convictions personnelles du client.
    D. 1513-2002, a. 30.

5

ENCADRÉ 5-5 *(suite)*

CODE DE DÉONTOLOGIE DES INFIRMIÈRES ET INFIRMIERS

§2. *Dispositions visant à préserver le secret quant aux renseignements de nature confidentielle*

31. L'infirmière ou l'infirmier doit respecter les règles prévues au Code des professions relativement au secret qu'il doit préserver quant aux renseignements de nature confidentielle qui viennent à sa connaissance dans l'exercice de sa profession et des cas où il peut être relevé de ce secret.
D. 1513-2002, a. 31.

31.1. L'infirmière ou l'infirmier qui, en application du troisième alinéa de l'article 60.4 du Code des professions, communique un renseignement protégé par le secret professionnel doit consigner au dossier du client concerné les éléments suivants:

1° les motifs au soutien de la décision de communiquer le renseignement, dont l'identité de la personne qui a incité l'infirmière ou l'infirmier à le communiquer ainsi que celle de la personne ou du groupe de personnes exposées au danger;

2° les éléments de la communication dont la date et l'heure de la communication, le contenu de la communication, le mode de communication utilisé et l'identité de la personne à qui la communication a été faite.

§3. *Comportements prohibés*

37. L'infirmière ou l'infirmier ne doit pas faire preuve de violence physique, verbale ou psychologique envers le client.
D. 1513-2002, a. 37.

SECTION III
QUALITÉ DES SOINS ET DES SERVICES

§1. *Information et consentement*

40. L'infirmière ou l'infirmier doit fournir à son client toutes les explications nécessaires à la compréhension des soins et des services qu'il lui prodigue.
D. 1513-2002, a. 40.

41. Lorsque l'obligation d'obtenir un consentement libre et éclairé incombe à l'infirmière ou à l'infirmier, ce dernier doit fournir au client toutes les informations requises.
D. 1513-2002, a. 41.

41.1. Dans le cadre d'une recherche, l'infirmière ou l'infirmier doit, auprès de chacun des sujets de recherche ou de son représentant légal, s'assurer:

1° que chaque sujet soit informé des objectifs et du déroulement du projet de recherche, des avantages, des risques ou des inconvénients pour lui ainsi que des avantages que lui procureraient des soins usuels, s'il y a lieu;

2° qu'un consentement libre et éclairé soit obtenu par écrit de chaque sujet avant le début de sa participation à la recherche et, le cas échéant, lors de tout changement significatif au protocole de recherche;

3° que le sujet de recherche soit informé que son consentement est révocable en tout temps.
D. 579-2005, a. 9.

§2. *Processus thérapeutique*

42. L'infirmière ou l'infirmier doit, dans le cadre de ses fonctions, prendre les moyens raisonnables pour assurer la sécurité des clients, notamment en avisant les instances appropriées.
D. 1513-2002, a. 42.

43. À moins d'avoir une raison grave, l'infirmière ou l'infirmier qui fournit des soins et traitements à un client ne peut l'abandonner.
D. 1513-2002, a. 43.

44. L'infirmière ou l'infirmier ne doit pas faire preuve de négligence dans les soins et traitements prodigués au client ou au sujet de recherche. Notamment, l'infirmière ou l'infirmier doit:

1° intervenir promptement auprès du client lorsque l'état de santé de ce dernier l'exige;

2° assurer la surveillance requise par l'état de santé du client;

3° prendre les moyens raisonnables pour assurer la continuité des soins et traitements.
D. 1513-2002, a. 44; D. 579-2005, a. 10.

45. L'infirmière ou l'infirmier ne doit pas faire preuve de négligence lors de l'administration d'un médicament. À cette fin, l'infirmière ou l'infirmier doit, notamment, avoir une connaissance suffisante du médicament et respecter les principes et méthodes concernant son administration.
D. 1513-2002, a. 45.

Source: Gouvernement du Québec. (2010). *Code de déontologie des infirmières et infirmiers*. Document consulté le 23 octobre 2010 de http://www2.publicationsduquebec.gouv.qc.ca/dynamicSearch/telecharge. php?type=2&file=///I_8/ 18R4_1.htm. *Code de déontologie des infirmières et infirmiers*. Reproduction autorisée par Les Publications du Québec.

les traitements traditionnels ne soulagent plus. Or, en plus de l'aspect légal de cette situation, l'infirmière doit déterminer si, d'un point de vue éthique, ce client devrait être mis au courant d'une telle possibilité.

Prise de décisions éthiques

Un raisonnement éthique responsable est un raisonnement à la fois objectif, raisonné et systématique. Il doit reposer sur des principes éthiques et des codes déontologiques plutôt que sur des émotions, des intuitions, des politiques établies ou des précédents (c'est-à-dire des événements similaires survenus précédemment). L'encadré 5-6 propose deux modèles de prise de décisions éthiques.

Une bonne décision est une décision qui sert au mieux les intérêts de la personne et qui préserve en même temps l'intégrité de toutes les parties en cause. L'infirmière a des obligations éthiques envers les clients, envers l'établissement qui l'emploie et envers les médecins. L'encadré 5-7 en donne des exemples. Par conséquent, avant de prendre des décisions éthiques, l'infirmière doit soupeser les facteurs conflictuels. Même si le raisonnement éthique est fondé sur des principes et centré sur le bien-être de la personne, les problèmes et les dilemmes éthiques engendrent beaucoup de stress chez

l'infirmière. Elle peut se sentir déchirée entre ses obligations envers le client, la famille et l'employeur. Ce qui sert le mieux l'intérêt du client peut parfois entrer en conflit avec son système de croyances personnelles. Dans les milieux qui débattent fréquemment des questions éthiques, les infirmières doivent mettre sur pied des structures de soutien afin de pouvoir exprimer leurs sentiments (réunions d'équipe, consultations auprès de professionnels, par exemple).

Cependant, il y a deux autres facteurs en matière d'éthique avec lesquels l'infirmière doit composer: le manque de temps à cause de la pénurie de personnel et les compressions budgétaires dans le domaine de la santé, qui mettent les infirmières en position précaire, car le manque de temps, d'effectifs et de financement influence directement certaines décisions de nature éthique dans la qualité des soins infirmiers. L'infirmière fait partie d'un système de santé où elle n'a pas toujours la lattitude d'influencer les décisions de son établissement en matière d'éthique. Un bon exemple est la pratique répandue des heures supplémentaires en milieu hospitalier, qui ne favorise pas nécessairement la sécurité des clients.

Un grand nombre de problèmes infirmiers ne relèvent nullement de la morale, mais d'une bonne pratique infirmière. Dans la prise de décisions éthiques, la première étape importante

5

Storch (1992)

1. **Information et détermination**
   - Problème
   - Personnes
   - Contenu éthique

2. **Clarification et évaluation**

Principes éthiques
- Bienfaisance
- Bienveillance
- Autonomie
- Justice

Croyances et valeurs individuelles
Croyances et valeurs d'autrui
Conflits de valeurs

Attentes de la société
Exigences légales

Codes de déontologie

Champ d'action, conséquences anticipées

3. **Action et révision**

Cassells et Redman (1989)

- Définir les aspects moraux des soins infirmiers.
- Recueillir les données pertinentes liées aux questions morales.
- Clarifier et appliquer les valeurs personnelles.
- Comprendre les théories et les principes éthiques (autonomie et justice, par exemple).
- Utiliser les ressources multidisciplinaires appropriées (membres du clergé, littérature, famille, autres intervenants et consultants, par exemple).
- Proposer d'autres possibilités d'agir.
- Appliquer les codes de déontologie pour orienter l'action.
- Choisir et appliquer des actions résolutoires.
- Participer activement à la résolution des problèmes.
- Appliquer les lois provinciales régissant la pratique infirmière.
- Évaluer la démarche entreprise.

Sources : Storch, J. (1992). Ethical issues. Dans A. J. Beaumgart et J. Larsen (dir.), *Canadian nursing faces the futur*. St. Louis : Mosby ; Cassels, J., et Redman, B. (1989). Preparing students to be moral agents in clinical nursing practice. *Nursing Clinics of North America, 24*(2), 463-473. Reproduit avec l'autorisation d'Elsevier.

- Maximiser le bien-être du client.
- Rechercher un équilibre entre les besoins d'autonomie du client et les responsabilités des membres de la famille à l'égard de son bien-être.
- Offrir un soutien à chaque membre de la famille et améliorer le réseau de soutien de la famille.
- Appliquer les politiques de l'établissement de soins.
- Protéger le bien-être des autres clients.
- Protéger les normes de conduite de l'infirmière.

est de déterminer s'il s'agit d'une situation d'ordre moral. À cet égard, on peut s'appuyer sur les critères suivants :

- Un choix difficile existe entre différentes actions qui entrent en conflit avec les besoins d'une ou de plusieurs personnes.
- Il existe des principes ou des cadres moraux qui peuvent servir à justifier l'action choisie.
- Le choix se fait au moyen d'un processus d'appréciation des motifs.
- La décision doit être prise sans contrainte et en toute conscience.
- Les sentiments de la personne et le contexte particulier de la situation ont un effet sur le choix.

L'encadré 5-8 propose un exemple de décision éthique prise à l'aide du modèle proposé par Cassells et Redman (1989).

Certes, l'apport de l'infirmière est important, mais, dans la pratique, un certain nombre d'autres personnes participent habituellement à la prise d'une décision éthique. Par conséquent, la collaboration, la communication et le compromis sont des habiletés essentielles pour tout professionnel de la santé. Lorsque l'infirmière n'a pas l'autonomie pour agir en accord avec ses choix moraux ou éthiques, le compromis devient essentiel.

ALERTE CLINIQUE • Le comportement éthique est lié au contexte : une décision ou un acte qu'on juge conforme à l'éthique dans une situation donnée peut être considéré comme non éthique dans un autre contexte. •

Stratégies pour améliorer les décisions et les pratiques éthiques

Diverses stratégies aident les infirmières à surmonter les contraintes organisationnelles et sociales susceptibles d'entraver l'exercice éthique de leur profession et de susciter chez elles une détresse morale. En tant que professionnelle, l'infirmière doit :

- Prendre conscience de ses propres valeurs et des aspects éthiques des soins infirmiers.
- Bien connaître le code de déontologie des infirmières régissant directement sa pratique.
- Respecter les valeurs, les opinions et les responsabilités des autres professionnels de la santé susceptibles de ne pas concorder avec les siennes.
- Participer à des réunions éthiques ou contribuer à leur organisation. Ces rencontres présentent des cas hypothétiques ou réels et portent sur les dimensions éthiques des soins donnés au client plutôt que sur les diagnostics cliniques et les traitements.
- Participer à des comités d'éthique au sein de l'établissement.
- Promouvoir des partenariats où les interventions infirmières s'effectuent en collaboration avec les autres professionnels de la santé.

ENCADRÉ 5-8
APPLICATION D'UN MODÈLE DE PRISE DE DÉCISIONS ÉTHIQUES

ÉTUDE DE CAS

Mme L., une femme de 67 ans, est hospitalisée à cause de fractures multiples et de lacérations causées par un accident d'automobile. Son mari, mort dans l'accident, a été transporté au même hôpital qu'elle. Mme L., qui conduisait l'automobile, harcèle de questions l'infirmière sur la santé de son mari. Le chirurgien demande à l'infirmière de ne pas révéler à Mme L. le décès de son mari; toutefois, il ne donne aucun motif pour justifier cette décision. L'infirmière fait part de ses préoccupations à l'infirmière-chef. Celle-ci estime que les directives du chirurgien doivent être respectées. Toutefois, l'infirmière a du mal à accepter cette situation et elle se demande ce qu'elle devrait faire.

Interventions infirmières	Facteurs à considérer
1. Dégager les aspects moraux. Voir les critères proposés à la page précédente pour déterminer s'il s'agit d'une situation d'ordre moral.	Il y a deux choix possibles: dire la vérité ou la cacher. Les principes moraux qui s'appliquent sont l'honnêteté ou la loyauté. Ces deux principes s'opposent, car l'infirmière veut faire preuve d'honnêteté envers Mme L., mais elle ne veut pas être déloyale envers le chirurgien et l'infirmière-chef. L'infirmière pèsera le pour et le contre afin de pouvoir prendre une décision libre et éclairée. Son choix dépendra probablement de son degré d'inquiétude pour Mme L. et du contexte (communication incomplète entre le chirurgien, Mme L. et l'infirmière).
2. Rassembler les éléments d'information reliés à la question.	Parmi ces éléments d'information devraient figurer des données sur les problèmes de santé de la personne. Il faut déterminer quelles personnes sont concernées, en quoi elles sont concernées et quelles sont leurs motivations. Dans le cas présent, les personnes concernées sont Mme L. (qui s'inquiète de son mari), le mari (qui est décédé), le chirurgien, l'infirmière-chef et l'infirmière. Leurs motivations sont inconnues. L'infirmière souhaite peut-être protéger sa relation thérapeutique avec Mme L.; le médecin croit peut-être que sa directive protège Mme L. d'un traumatisme psychologique et d'une détérioration subséquente de son état de santé.
3. Départager les décisions à prendre. Par exemple, pour qui la décision est-elle prise? Qui doit décider et pourquoi?	Dans le cas présent, la décision est prise pour Mme L. Apparemment, le chirurgien croit que cette décision lui revient, et l'infirmière-chef partage cet avis. Il serait utile que les intervenants s'entendent sur un critère afin de déterminer qui doit prendre la décision.
4. Clarifier et appliquer ses valeurs personnelles.	Nous pouvons déduire de ce cas que Mme L. s'inquiète de son mari, que l'infirmière-chef privilégie la politique et le protocole tandis que l'autre infirmière semble privilégier le droit à l'information des clients. L'infirmière doit clarifier ses propres valeurs ainsi que les valeurs du chirurgien. Elle doit également corroborer les valeurs de la cliente et de l'infirmière-chef.
5. Peser les théories et les principes éthiques.	Par exemple, refuser de dire la vérité à Mme L. revient à nier son droit à l'autonomie et à l'information. L'infirmière appliquerait le principe d'honnêteté si elle disait la vérité à Mme L. Les principes de bienfaisance et de bienveillance sont également en cause compte tenu des effets potentiels des autres possibilités sur le bien-être physique et psychologique de Mme L.
6. Dégager les lois et les politiques administratives applicables.	Comme le chirurgien a simplement formulé une demande plutôt qu'une directive formelle, la politique administrative n'oblige pas nécessairement l'infirmière à s'y plier. L'infirmière doit clarifier la situation avec l'infirmière-chef et déterminer les lois applicables.
7. Utiliser les ressources interdisciplinaires compétentes.	Dans le présent cas, l'infirmière pourrait consulter la littérature portant sur ce sujet pour déterminer si les mauvaises nouvelles auraient un effet négatif sur les personnes qui ont subi des blessures. Elle pourrait également avoir une consultation avec l'aumônier.
8. Élaborer des solutions de rechange et prévoir leurs conséquences sur la cliente et la famille. Peut-être à cause du peu de temps dévolu aux délibérations éthiques en milieu clinique, les infirmières ont tendance à dégager deux solutions qui s'opposent (dire la vérité ou ne pas la dire, par exemple) au lieu d'examiner une diversité de solutions. Cela crée un dilemme, même lorsqu'il n'y en a aucun.	Voici deux solutions de rechange ainsi que leurs conséquences possibles (d'autres solutions peuvent également être appropriées): 1. Suivre le conseil de l'infirmière-chef et respecter la demande du chirurgien. Conséquences possibles: (1) Mme L. pourrait éprouver de l'anxiété et de la colère lorsqu'elle découvrira qu'on lui a caché l'information; ou (2) le fait que l'équipe soignante ait attendu que Mme L. aille mieux pour lui annoncer la mauvaise nouvelle pourrait éviter une détérioration de son état de santé. 2. Pousser la réflexion plus loin avec l'infirmière-chef et le chirurgien et défendre le droit à l'autonomie et à l'information de Mme L. Conséquences possibles: (1) le chirurgien reconnaît le droit de Mme L. d'être informée; ou (2) le chirurgien déclare que la santé de Mme L. est en danger et insiste pour qu'elle ne soit pas informée jusqu'à nouvel ordre. Que cette démarche soit conforme ou non au système de valeurs personnel de l'infirmière, les intérêts de Mme L. ont préséance.

5

Interventions infirmières	Facteurs à considérer
9. Appliquer le code de déontologie des infirmières et infirmiers pour guider son action. (Les codes de déontologie font habituellement la promotion de l'autonomie et du respect des droits.)	Si l'infirmière est fermement convaincue que Mme L. doit connaître la vérité, elle doit défendre les intérêts de sa cliente, et discuter de nouveau de ce cas avec l'infirmière-chef et le chirurgien.
10. Pour chaque solution de rechange, préciser les risques et la gravité des conséquences pour l'infirmière. (Certains employeurs ne reconnaissent pas aux infirmières l'autonomie et la défense des intérêts dans les situations éthiques.)	Si l'infirmière dit la vérité à Mme L. sans l'accord de l'infirmière-chef et du chirurgien, elle risque de s'attirer la colère du chirurgien et d'être réprimandée par sa supérieure hierarchique. Si l'infirmière suit les conseils de cette dernière, elle recevra son appui ainsi que celui du chirurgien ; toutefois, l'infirmière risque d'être perçue comme une personne peu sûre d'elle, sans compter qu'elle viole une valeur personnelle, la franchise. Si l'infirmière demande que l'on fasse une réunion, elle pourrait gagner le respect de ses collègues pour son assurance et son professionnalisme, mais elle risquerait de déplaire au chirurgien en remettant en question ses demandes.
11. Participer activement à la résolution du problème. Recommander les protocoles adéquats sur le plan éthique tout en reconnaissant que chaque solution a ses aspects positifs et négatifs.	Le degré approprié de participation de l'infirmière varie en fonction des circonstances. Dans certains cas, les infirmières contribuent à la prise de décision ; dans d'autres, elles ont à peine besoin de soutenir le client dans sa prise de décision. Dans une telle situation, s'il ne peut y avoir de consensus, l'infirmière doit déterminer si l'enjeu est suffisamment important pour justifier la prise de risques personnels.
12. Appliquer une décision.	L'infirmière applique une des solutions envisagées à l'étape 8.
13. Évaluer les résultats. Faire participer la cliente, la famille et le reste du personnel soignant à cette évaluation, si possible.	Premièrement, l'infirmière peut se demander : « Ai-je agi de la bonne façon ? » Prendrait-elle la même décision si la situation se présentait à nouveau ? Si l'infirmière n'est pas satisfaite, elle peut considérer les autres solutions de rechange et reprendre le processus.

Source : Cassels, J., et Redman, B. (1989). Preparing students to be moral agents in clinical nursing practice. *Nursing Clinics of North America, 24*(2), 463-473. Reproduit avec l'autorisation d'Elsevier.

Débats d'ordre éthique

Parmi les problèmes éthiques auxquels se heurtent les infirmières, les plus fréquents sont les soins aux personnes séropositives ou ayant développé le sida, l'avortement, la transplantation d'organes, les décisions de fin de vie, la limitation des coûts de même que son effet sur le bien-être des clients et sur l'accès aux soins de santé (allocation des ressources), ainsi que les violations de la confidentialité (traitement informatisé de l'information, par exemple).

Syndrome d'immunodéficience acquise (sida)

En raison de son association avec le comportement sexuel, l'usage de drogues illicites, le déclin physique et la mort, le sida est porteur d'un stigmate social. L'obligation morale de soigner une personne séropositive ne peut pas être remise en cause, sauf si le risque excède la responsabilité.

L'infirmière ou l'infirmier ne peut refuser de fournir des services professionnels à une personne en raison de la race, la couleur, le sexe, la grossesse, l'orientation sexuelle, l'état civil, l'âge, la religion, les convictions politiques, la langue, l'ascendance ethnique ou nationale, l'origine ou la condition sociale, le handicap ou l'utilisation d'un moyen pour pallier ce handicap.

L'infirmière ou l'infirmier peut cependant, dans l'intérêt du client, le référer à une autre infirmière ou un autre infirmier (OIIQ, 2003, art. 2).

Par ailleurs, l'American Nurses Association (1994) a déclaré que l'obligation morale de soigner un client atteint du VIH-sida ne peut être transgressée que si les risques pour l'infirmière excèdent sa responsabilité.

D'autres questions éthiques sont soulevées par le dépistage du VIH et par la présence du sida chez les professionnels de la santé et les autres personnes. On se demande notamment si des tests de dépistage pour tous les intervenants et tous les clients doivent être obligatoires ou volontaires, ou encore si les résultats de ces tests doivent être divulgués aux compagnies d'assurances, aux partenaires sexuels ou aux professionnels de la santé. Comme pour tous les dilemmes éthiques, chaque possibilité comporte des conséquences positives et négatives pour les personnes concernées.

Avortement

L'avortement, dossier très médiatisé, soulève de fortes passions chez beaucoup de gens. Le débat sur cette question se poursuit, et deux principes s'affrontent: le caractère sacré de la vie contre l'autonomie des femmes et le droit à la maîtrise de son propre corps. Au Québec, ce débat est entretenu par les organisations Pro-Vie et Pro-Choix. La question de l'avortement est particulièrement délicate, car on n'est parvenu à aucun consensus jusqu'à maintenant. Cependant, au Canada, l'accès à l'avortement en centre hospitalier demeure la décision du comité d'éthique de chaque établissement.

La plupart des lois contiennent des articles sur l'objection de conscience. Ainsi, les médecins, les infirmières et les directeurs d'établissements hospitaliers ont la possibilité de refuser de participer à un avortement si cela viole leurs principes moraux ou religieux. Toutefois, les infirmières n'ont pas le droit d'imposer leurs valeurs à une cliente. Les codes de déontologie défendent le droit de la personne d'être informée et guidée dans sa prise de décision. Par ailleurs, l'infirmière devrait choisir des lieux de travail et des spécialités où ses propres croyances et valeurs ne sont pas compromises.

Transplantation d'organes

Les organes destinés à la transplantation peuvent provenir de donneurs vivants (rein et moelle osseuse, par exemple) ou de donneurs venant de décéder. Chaque province possède une législation régissant ces deux types de dons d'organes. Québec-Transplant est l'organisme officiellement mandaté par le ministère de la Santé et des Services sociaux pour assurer la coordination du don d'organes postmortem au Québec. Sa mission consiste à :

- coordonner le processus de don d'organes conduisant à la transplantation et favoriser ainsi la plus grande disponibilité possible d'organes de qualité;
- assurer l'équité d'attribution des organes, selon les critères éthiques et cliniques pertinents;
- soutenir l'amélioration des pratiques cliniques en établissement par des activités de formation et de développement hospitalier et par sa collaboration aux initiatives d'enseignement et de recherche reliées au don/transplantation;
- agir comme catalyseur de l'aménagement des interdépendances dans le système du don/transplantation, à titre d'agent de concertation et de mobilisation des acteurs du système;
- faire la promotion de valeurs de solidarité favorables au don/transplantation dans la population en général, chez les professionnels de la santé et auprès des institutions concernées (Québec-Transplant, 2010).

Au Québec, il est possible de signer un consentement au don d'organes au dos de la carte d'assurance maladie.

Un certain nombre de questions éthiques sont liées à la transplantation d'organes: la répartition des organes, la vente d'organes, la participation des enfants au don d'organes, le consentement, la définition précise de la mort, les conflits possibles entre les donneurs potentiels et les receveurs, leur anonymat. Dans certaines situations, les croyances religieuses d'une personne peuvent également constituer une source de conflit. Par exemple, certaines religions interdisent la mutilation du corps, même au bénéfice d'une autre personne. De nombreuses réponses aux questions que l'on peut se poser à ce sujet sont données dans le site de Québec-Transplant.

Questions relatives à la cessation de la vie humaine

Les percées technologiques ont complexifié les dilemmes éthiques que rencontrent les professionnels de la santé. Certains des problèmes éthiques les plus troublants pour les infirmières touchent les questions liées à l'agonie et à la mort: l'euthanasie, le suicide assisté, la cessation du traitement de maintien de la vie et le retrait ou la non-administration d'aliments et de liquides.

En 2010, l'Assemblée nationale du Québec a mis sur pied une commission spéciale qui doit étudier la question de la mort dans la dignité. Plusieurs groupes issus du corps médical, dont aussi des infirmières, ont soumis des mémoires à la commission. Évidemment, cette question soulève des passions des deux côtés. Cependant, il est important de rappeler que la question centrale du débat doit être remise dans le contexte des procédures de fin de vie et de la volonté d'accompagner le personnel médical, infirmières et médecins, dans l'exercice de leur profession. Toutefois, il s'agit d'un débat social qui met en question certaines des valeurs et des croyances profondément ancrées dans l'éthos culturel du Québec.

Notons cependant qu'on a enregistré dernièrement des progrès médicaux importants en rapport avec le traitement de la douleur liée aux maladies mortelles et dégénératives. Dans tous les cas, l'infirmière ne doit jamais faire seule des choix et des gestes qui engendreraient directement le décès d'un client. Elle doit absolument faire équipe avec le personnel médical et agir en fonction des directives éthiques de son établissement de santé et du code de déontologie de la profession. Un des objectifs des soins palliatifs est le soulagement de la douleur. Cependant, il se peut très bien que l'administration d'une dose de sédatif entraîne aussi la mort. C'est pourquoi l'infirmière doit être entourée d'une équipe de professionnels de la santé et agir de concert avec les divers intervenants du milieu pour ne pas subir des pressions indues venant, par exemple, de la famille du client. Bref, si une infirmière ne se sent pas à l'aise de travailler dans ce milieu, elle devrait éviter les soins aux mourants.

DIRECTIVES PRÉALABLES

Les directives préalables sont un moyen pour la personne de faire connaître sa volonté concernant les soins souhaités en cas d'inaptitude éventuelle ou en fin de vie. On peut rédiger ces directives sous forme de testament biologique ou en signant une procuration ou un mandat d'inaptitude. Par exemple, depuis avril 1990, «le *Code civil du Québec* reconnaît à toute personne apte le droit de désigner la personne de son choix pour prendre soin d'elle-même et de ses biens advenant qu'elle devienne inapte. Cette désignation se fait au moyen d'un mandat en cas d'inaptitude» (Curateur public du Québec, 2010). Ces documents peuvent éviter beaucoup de problèmes moraux associés à la fin de la vie. Les directives préalables indiquent aux professionnels de la santé ce que la personne souhaite comme traitement de fin de vie. De cette manière, la voix de la personne est entendue même après qu'elle a perdu la capacité de décider ou de communiquer ses décisions. Le chapitre 27 ⊙ explique plus en détail les directives préalables.

EUTHANASIE ET SUICIDE ASSISTÉ

L'euthanasie, mot grec qui signifie « mort douce », est communément appelée « meurtre par compassion ». L'**euthanasie active** comporte des gestes destinés à provoquer directement la mort de la personne, avec ou sans son consentement. Par exemple, l'euthanasie active peut consister à administrer un médicament mortel pour abréger les souffrances d'une personne. Quelles que soient les intentions de la personne soignante, l'euthanasie active est interdite par la loi et peut entraîner des accusations criminelles de meurtre.

L'euthanasie active inclut le suicide assisté. Le **suicide assisté** consiste à donner à la personne, à sa demande, des moyens qui lui permettront de mettre fin elle-même à ses jours (par exemple, on lui remet des comprimés ou une arme). Certains pays ont adopté des lois qui autorisent le suicide assisté dans le cas des personnes gravement malades, agonisantes et qui veulent se suicider. Le suicide et le suicide assisté sont encore controversés dans notre société moderne. Le *Code criminel* du Canada est formel lorsqu'il énonce : « Est coupable d'un acte criminel et passible d'un emprisonnement maximal de quatorze ans quiconque, selon le cas : a) conseille à une personne de se donner la mort ; b) aide ou encourage quelqu'un à se donner la mort, que le suicide s'ensuive ou non » (*Code criminel du Canada*, L.R. [1985], c. C-46, art. 241 ; L.R. [1985], c. 27 [1er suppl.], art. 7).

CESSATION DU TRAITEMENT DE MAINTIEN DES FONCTIONS VITALES

La cessation de traitement peut consister à retirer les moyens extraordinaires de maintien des fonctions vitales (retrait de la ventilation assistée, par exemple) ou à ne prendre aucun moyen spécial pour tenter de réanimer une personne (ordonnance de ne pas réanimer). Aussi, les antibiotiques, les transplantations d'organes et les innovations technologiques (la ventilation assistée) aident à prolonger la vie, mais pas nécessairement à recouvrer la santé. Le client peut indiquer qu'il souhaite le retrait des mesures de maintien des fonctions vitales ; il peut également avoir signé un formulaire de directives préalables ou désigné une personne apte à décider en son nom. Toutefois, pour les professionnels de la santé, il est habituellement plus déconcertant de cesser un traitement que de décider, dès le départ, de ne pas l'appliquer. L'infirmière doit comprendre que la décision d'arrêter un traitement n'équivaut pas à arrêter les soins. En tant que soignante principale du client, l'infirmière doit continuer à lui donner des soins efficaces et à le soulager par les interventions de bien-être appropriées à mesure que sa maladie progresse.

Le retrait des traitements est éprouvant pour la famille. C'est pourquoi il est essentiel qu'elle comprenne bien en quoi consiste chacun des traitements administrés au client ; en effet, la famille ne sait pas toujours exactement lequel des traitements sert à maintenir les fonctions vitales de ce dernier. Bien informer le client et sa famille est un processus continu qui doit permettre à tous ceux qui sont concernés de poser des questions et de discuter de la situation. L'infirmière doit également expliquer au client et à sa famille qu'ils peuvent, s'ils le désirent, réévaluer la situation et modifier leur décision.

RETRAIT OU NON-ADMINISTRATION D'ALIMENTS ET DE LIQUIDES

Il est généralement admis que l'apport de nourriture et de liquides aux clients fait partie des tâches courantes de l'infirmière et que, par conséquent, cet apport constitue un devoir moral. Cependant, lorsque la nourriture et les liquides sont administrés à une personne agonisante par l'entremise d'un tube, ou lorsqu'ils sont donnés pendant une longue période à une personne inconsciente dont l'état ne laisse prévoir aucune amélioration, certains considèrent alors cet apport comme une mesure extraordinaire.

Répartition des ressources limitées

Par suite de l'augmentation des coûts de la santé ainsi que de l'application de mesures de compression plus rigoureuses, la répartition de ressources limitées en biens et en services de santé (transplantation d'organes, articulations artificielles, services de spécialistes, par exemple) est devenue un enjeu particulièrement crucial.

Les soins infirmiers constituent également une ressource dans le milieu de la santé. Afin d'en réduire les coûts, la plupart des établissements se sont engagés dans un processus de « redéfinition des tâches ». Il s'ensuit que les unités de soins comptent moins d'infirmières et davantage de personnel infirmier. Certaines infirmières constatent avec inquiétude que la quantité de personnel de leur établissement est insuffisante pour assurer la qualité des soins qu'elles jugent adéquate. Sur le plan de la répartition des ressources, les infirmières doivent s'efforcer de trouver un équilibre entre les impératifs économiques et le caring.

Gestion des données informatisées

Afin de se conformer au principe d'autonomie, les infirmières ont le devoir de respecter la vie privée des clients et la confidentialité des renseignements les concernant. Le client doit avoir la certitude que l'infirmière révélera des détails sur son état uniquement si cela est approprié et qu'elle communiquera seulement les informations nécessaires aux soins de santé. L'informatisation des dossiers des clients rend les données personnelles accessibles à un plus grand nombre de personnes et en réduit, par conséquent, la confidentialité. Les infirmières doivent participer à la mise en place et au suivi des mesures et des politiques de sécurité afin d'assurer un usage approprié des données sur le client. Par exemple, l'infirmière ne doit pas transmettre à des personnes non autorisées son code d'accès au système de sécurité, ce qui leur permettrait de consulter les dossiers informatisés des clients.

RECHERCHE EN SCIENCES INFIRMIÈRES

QUE PENSENT LES INFIRMIÈRES, LES CLIENTS ET LES FAMILLES DE LA PRISE DE DÉCISIONS BIOÉTHIQUES?

À l'aide de la méthode de recherche phénoménologique, on a interviewé 15 infirmières, 5 clients ainsi que 11 membres de leur famille sur leur participation à une prise de décisions bioéthiques. On a ensuite regroupé en thèmes les éléments les plus marquants. Pour les infirmières, les 10 thèmes retenus sont la frustration, la culpabilité, la colère, la tristesse, la confiance, l'appui des collègues, la défense des intérêts, la connaissance, la satisfaction quant aux résultats obtenus et, finalement, le pouvoir; pour les clients et les membres de leur famille, ce sont la frustration, la culpabilité, la colère, l'espoir, l'aptitude à prendre des décisions, le soutien du personnel, la maîtrise, la connaissance, l'adhésion aux décisions prises et, finalement, le pouvoir. L'auteur a élaboré une échelle analogique visuelle qui permet à l'infirmière et au client d'indiquer les émotions qu'ils ont ressenties sur un continuum dont les deux extrémités représentent des pôles opposés, par exemple colère et absence de colère, pouvoir et impuissance. La plupart des participants ont estimé que cette expérience avait été négative pour eux.

Implications: L'auteur de cette recherche a conclu que les infirmières et les clients n'auraient pas réagi de façon négative à la prise de décisions bioéthiques s'ils avaient été davantage entourés d'affection et de sollicitude. De toute évidence, si les clients ont considéré comme les éléments les moins positifs le soutien du personnel, la maîtrise, la connaissance et l'adhésion aux décisions, cela signifie que les infirmières doivent beaucoup améliorer leur soutien aux clients et à leur famille, leur communication avec eux et leur enseignement. De plus, il incombe aux services de soins de santé de déterminer pourquoi les infirmières ressentent un manque de soutien, de confiance et d'information de la part de leurs collègues.

Source: Husted, G. L. (2001). The feelings nurses and patients/families experience when faced with the need to make bioethical decisions. *Nursing Administration Quarterly, 25*(3), 46-54.

Protecteur des usagers

Les personnes malades sont souvent incapables de faire valoir leurs droits comme elles le feraient si elles étaient bien-portantes. Le système de soins de santé est complexe, et beaucoup de personnes sont trop malades pour pouvoir négocier avec lui. Pour éviter de devenir victimes des failles du système, les clients ont besoin d'un défenseur pour composer avec les divers niveaux bureaucratiques et les aider à obtenir ce dont ils ont besoin. Un avocat est un professionnel qui défend les droits des personnes. Un professionnel peut par ailleurs être spécifiquement chargé de défendre les intérêts des personnes malades bénéficiant de soins de santé. Au Québec, l'organisme ayant pour mandat de défendre les intérêts des personnes malades se nomme **Protecteur des usagers en matière de santé et de services sociaux**. Les assises légales de la mission et des fonctions du Protecteur des usagers et celles du régime d'examen des plaintes se trouvent dans la *Loi sur le Protecteur des usagers en matière de santé et de services sociaux*. Les droits des usagers et les responsabilités en matière de protection de ces droits se trouvent dans la *Loi sur les services de santé et les services sociaux*. La liste de ces droits se trouve dans l'encadré 5-9. D'autres lois soutiennent également les acteurs du régime d'examen des plaintes, dont la *Loi sur les*

ENCADRÉ 5-9
DROITS DES USAGERS

La *Loi sur les services de santé et les services sociaux* reconnaît aux citoyens du Québec des droits. Il s'agit notamment des droits suivants:

- droit à l'information sur les services disponibles;
- droit à l'information sur l'état de santé et le bien-être (les solutions possibles, les risques et les conséquences des traitements);
- droit d'accès à leur dossier;
- droit à des services adéquats sur les plans humain, scientifique et social;
- droit de choisir le professionnel ou l'établissement qui leur fournira des services (en tenant compte de la mission, de l'organisation et des ressources disponibles de l'établissement, en tenant compte aussi de la liberté d'un professionnel d'accepter ou non de traiter une personne);
- droit de donner ou de refuser un consentement;
- droit de recevoir des soins en urgence;
- droit de participer aux décisions sur l'état de santé et sur le bien-être;
- droit à des services en langue anglaise (compte tenu des ressources humaines, matérielles et financières des établissements et dans la mesure où le prévoit le programme d'accès en langue anglaise);
- droit d'être accompagné et assisté pour obtenir un service ou des informations;
- droit d'exercer un recours auprès d'une corporation professionnelle, des tribunaux civils ou en vertu du régime d'examen des plaintes.

Le Protecteur des usagers se préoccupe aussi des droits reconnus dans d'autres lois dont la *Charte des droits et libertés de la personne*, le *Code civil*, la *Loi sur la protection de la jeunesse* et la *Loi sur la protection des personnes dont l'état mental présente un danger pour elles-mêmes ou pour autrui*.

Source: Agence de la santé et des services sociaux de l'Estrie. *Les droits des usagers*. Document consulté en septembre 2010 de http://www.santeestrie.qc.ca/droit_des_usagers/index.php. Document légal en version Web: http://www2.publicationsduquebec.gouv.qc.ca/dynamicSearch/telecharge.php?type=2&file=/P_31_1/P31_1.html.

---

services préhospitaliers d'urgence, la *Charte des droits et libertés de la personne*, le *Code civil*, la *Loi sur la protection de la jeunesse* et la *Loi sur la protection des personnes dont l'état mental présente un danger pour elles-mêmes ou pour autrui*.

Au Québec, le conseil d'administration de tout établissement se doit de nommer un commissaire local à la qualité des services, affecté au traitement des plaintes des usagers (*Loi sur les services de santé et les services sociaux*, art. 30 [Gouvernement du Québec, 2010b]). De plus, chaque établissement doit se doter d'un code de déontologie. L'encadré 5-10 donne un exemple d'application et d'intégration du code de déontologie d'un établissement de soins de santé et des droits des personnes nécessitant des soins.

Par ailleurs, les clients peuvent également se défendre eux-mêmes. Aujourd'hui, les personnes, lorsqu'elles sont malades, aspirent à une plus grande autodétermination.

Si une personne est dans l'incapacité de prendre une décision, si elle est inapte du point de vue juridique ou si elle est mineure, ses droits peuvent être exercés en son nom par une personne désignée ou un mandataire. Toutefois, l'infirmière doit toujours avoir en mémoire que l'autorité du client sur les décisions concernant sa santé relève d'une vision occidentale. En effet, dans d'autres pays et d'autres sociétés, ces décisions peuvent être prises par le chef de famille ou par un autre membre de la communauté. L'infirmière doit être au fait des opinions du client et de sa famille et respecter leurs traditions quant au processus de prise de décision.

ENCADRÉ 5-10

APPLICATION ET INTÉGRATION DU CODE DE DÉONTOLOGIE D'UN ÉTABLISSEMENT DE SOINS DE SANTÉ ET DES PERSONNES NÉCESSITANT DES SOINS

CODE D'ÉTHIQUE DU CENTRE UNIVERSITAIRE DE SANTÉ MCGILL

Préambule

Dans la réalisation de la mission du CUSM, le personnel s'emploie à intégrer les soins aux patients, l'enseignement et la recherche, tout en créant un milieu propice à l'investigation, à l'innovation et à l'auto-évaluation. Le CUSM cherche également à partager avec d'autres établissements et professionnels de la santé son expertise en matière de traitement des maladies, de prévention des maladies ou des accidents et de promotion de la santé, en vue de régler collectivement les problèmes de santé de la population. La collectivité du CUSM s'efforce de resserrer de façon constante ses relations avec les divers groupes qu'elle dessert, en misant sur la communication transparente, la compréhension et le soutien mutuels ainsi que sur le respect de la diversité culturelle et linguistique.

En conformité avec sa charte et ses traditions, le CUSM place au premier plan :

- sa préoccupation fondamentale pour le respect de l'autonomie des patients et de leurs proches
- les normes éthiques et juridiques de la plus haute rigueur en matière de pratique professionnelle
- sa recherche de l'excellence dans les soins cliniques, la recherche et l'enseignement
- la loyauté envers la collectivité
- son engagement à l'égard des principes fondamentaux de la justice et de la répartition équitable des ressources en matière de soins de santé

Chaque membre de la collectivité du CUSM est solidairement responsable de traiter avec respect les personnes qui demandent l'aide du CUSM. Il doit tout mettre en œuvre pour réconforter et rassurer ces personnes. Le présent code de déontologie exprime cette responsabilité et l'engagement d'ancrer les pratiques et la conduite quotidienne de l'établissement dans ses valeurs et ses croyances.

Dans l'instauration d'un environnement propice à la guérison, le CUSM attache la plus grande importance aux principes directeurs suivants :

- le respect mutuel
- le respect de la vie privée
- la promotion d'une communication transparente
- le respect de la confidentialité
- des décisions éclairées sur les soins et les traitements
- une approche humaine et responsable dans la prestation des soins
- l'accessibilité des renseignements médicaux

Le respect mutuel

Toute personne doit être traitée avec respect. Ce principe se traduit dans l'attitude, les communications et les actes du personnel, des patients et des familles.

Le respect de la personne exige une sensibilité à l'égard des éléments suivants :

- le droit de la personne de prendre les décisions qui la concernent (droit à l'autodétermination)
- le droit à la dignité humaine et à la vie privée

- les efforts de la personne pour exprimer à sa façon la maladie, les malaises et les symptômes qu'elle éprouve

Le personnel fait preuve de courtoisie, de justice et de compréhension à l'égard des patients et de leur famille. Le CUSM ne pratique aucune discrimination basée sur la race, l'origine ethnique, la culture, le statut social, le sexe, l'orientation sexuelle ou l'état de santé.

Le CUSM reconnaît la spécificité des besoins des enfants et des adolescents. Le personnel respecte ces besoins et cherche à y répondre, en conformité avec la mission de l'hôpital, les ressources disponibles et les besoins des autres enfants et de leur famille.

Chacun est collectivement responsable de faire en sorte que le CUSM constitue un milieu sécuritaire et courtois. Les membres du personnel, les patients et les visiteurs ne doivent pas subir de harcèlement ni de violence. Ils doivent se sentir libres de parler des incidents de violence, le cas échéant, sans crainte de représailles. Ils doivent disposer d'instructions claires sur les personnes auxquelles ils peuvent s'adresser pour parler de tels incidents.

La confidentialité

La confidentialité est le droit au respect du caractère privé des renseignements. La notion de confidentialité s'applique à la fois au dossier médical écrit du patient et aux renseignements communiqués par le patient, la famille ou les tiers. La confidentialité est la règle, à moins que la communication particulière de renseignements soit autorisée par le patient, ses parents ou un tuteur (pour le mineur âgé de moins de 14 ans) ou encore par la loi.

Le patient doit autoriser au préalable l'étude de son cas par toute personne étrangère à l'équipe médicale. Si le patient n'est pas en mesure de communiquer cette autorisation, les renseignements médicaux peuvent être discutés avec les personnes suivantes :

- la personne désignée comme porte-parole du patient
- le plus proche parent du patient
- le mandataire du patient (le cas échéant).

Le respect de la confidentialité s'applique de même au dossier médical. Le personnel n'a accès au dossier médical qu'aux fins reliées à la prestation de soins de santé dans une perspective globale ou à des fins d'enseignement et de recherche approuvées par l'établissement. Si le dossier médical sert à l'enseignement ou à la recherche, toutes les précautions sont prises pour préserver la vie privée du patient ou l'anonymat nécessaire.

Les renseignements relatifs au patient, à son état de santé et à ses soins sont considérés comme confidentiels par l'équipe traitante. Les membres du personnel peuvent discuter de l'état de santé du patient avec les membres de l'équipe traitante pluridisciplinaire ou avec d'autres membres du personnel dans la seule mesure nécessaire pour le diagnostic ou le traitement. La même obligation de respect de la confidentialité est attendue de tout le personnel en contact avec le patient. Les renseignements doivent être communiqués à un établissement ou à un médecin de l'extérieur dans la mesure où l'exige la continuité des soins, mais toujours sous réserve d'un consentement écrit. Dans des circonstances exceptionnelles prévues

CODE D'ÉTHIQUE DU CENTRE UNIVERSITAIRE DE SANTÉ MCGILL

par la loi ou par une ordonnance du tribunal, les renseignements peuvent être communiqués sans un consentement préalable exprès.

L'accès au dossier médical

Sur demande, le patient peut avoir accès à son dossier médical à moins que, par exception, le médecin traitant estime que ce n'est pas dans l'intérêt du patient pour le moment. L'examen du dossier médical par le patient a lieu en présence d'un membre du personnel professionnel. L'accès de toute autre personne au dossier médical d'un patient n'est permis qu'avec l'autorisation appropriée ou sur ordonnance du tribunal. Dans certains cas, l'accès au dossier médical à des fins de recherche peut être autorisé par le Comité d'éthique de la recherche. Les mesures appropriées de respect de la vie privée et de la confidentialité s'appliquent alors.

Le respect de la vie privée

Ce principe s'entend du droit de la personne d'être à l'abri de toute intrusion inopportune dans sa vie privée. Le personnel reconnaît que tout patient a le droit au respect de sa dignité et de sa pudeur. Les traitements, investigations et soins intimes sont effectués d'une manière qui respecte la dignité et l'intimité du patient.

En contrepartie, on attend des enfants et des adultes, patients, membres de la famille ou visiteurs, qu'ils fassent preuve de considération pour la dignité et la vie privée de toutes les personnes avec lesquelles ils entrent en contact lors de leur présence à l'hôpital.

La communication transparente

La communication transparente comporte plusieurs dimensions, de la plus simple, comme savoir à qui l'on s'adresse, à la plus complexe, comme comprendre parfaitement les avantages et inconvénients d'une intervention médicale donnée. Le personnel s'emploie à promouvoir une communication transparente par les moyens suivants :

- porter un badge d'identité et se présenter à l'interlocuteur
- expliquer le rôle du personnel de soins primaires
- dispenser les soins en français, en anglais et en d'autres langues au besoin
- allouer un délai pour les décisions, sous réserve des impératifs de la situation clinique
- donner des renseignements sur les soins et services disponibles au sein de l'établissement et sur l'accès aux soins continus à l'extérieur après le congé de l'hôpital
- répondre aux questions et aux préoccupations du patient et des membres de la famille
- faciliter la prise de décision éclairée du patient
- assurer la présence d'un « ombudsman » et l'existence d'une procédure de traitement des plaintes des patients
- mettre en œuvre la politique de l'établissement sur l'information en cas de résultats non prévus : s'il se produit une erreur dans les soins prodigués au patient, le patient est informé de l'erreur, de ses conséquences probables et des mesures correctives qui seront adoptées
- promouvoir une communication efficace entre les départements, services, équipes et professionnels au sein du CUSM.

Des décisions éclairées sur les soins et les traitements

Le principe du respect de la décision éclairée d'une personne apte à décider est au cœur du consentement éclairé. Le patient doit être aidé pour prendre la meilleure décision possible au sujet de ses soins de santé, ce qui implique :

- qu'il reçoive les renseignements nécessaires sur les points suivants :
  - sa maladie
  - les investigations, traitements ou études de recherche disponibles
  - le but, les avantages, les risques et les effets secondaires possibles des investigations et traitements disponibles ou exposés dans les études de recherche
  - l'identité et le rôle des membres de l'équipe soignante
  - le droit de refuser une investigation ou un traitement
  - les conséquences probables du refus des traitements proposés
  - le droit de refuser de participer à une recherche
  - le droit de retirer son consentement à tout moment
- qu'il reçoive ces renseignements dans un langage clair, compréhensible et dans un climat où la discussion franche est possible. Au besoin, le patient peut demander et recevoir de l'aide pour faciliter sa compréhension de la situation et sa prise de décision ;
- qu'il dispose d'un délai de réflexion avant de prendre une décision
- qu'il participe aux discussions au fur et à mesure de l'évolution de sa situation
- qu'on lui demande le rôle qu'il souhaite voir sa famille jouer dans les décisions relatives à ses soins de santé, notamment s'il risque de devenir inapte ou incapable de s'exprimer par lui-même. Le patient doit recevoir de l'aide, s'il y a lieu, pour porter ces questions à l'attention de sa famille.

On reconnaît au patient le droit de choisir un mandataire comme porte-parole ou décideur dans le cas où le patient deviendrait inapte ou aurait besoin d'aide. Le droit du patient de revenir sur une décision ou de demander un second avis doit également être respecté.

Dans l'application du principe de la décision éclairée, il faut tenir compte des circonstances particulières, notamment des cas suivants :

- les personnes inaptes
- les enfants et les adolescents
- les situations d'urgence
- le consentement délégué
- la communication aux tiers
- les directives préalables

Dans ces cas, le personnel hospitalier cherche à respecter les principes fondamentaux exposés ci-dessus tout en tenant compte de la législation applicable.

S'agissant des enfants et des adolescents, la participation des deux parties, la famille et le jeune patient, est importante pour le succès des soins et des traitements, car les deux jouent un rôle crucial dans la mise en œuvre de soins optimaux. Cette participation vise notamment toute décision touchant l'état de santé ou le bien-être du jeune patient.

Les précautions dans les soins cliniques et la recherche

Le personnel du CUSM prend toutes les précautions nécessaires pour assurer la sécurité de toute personne se trouvant à l'hôpital et fait tout en son pouvoir pour mettre les enfants et leur famille à l'abri du danger.

Conformément à la politique d'information de l'établissement, le patient est informé des résultats non prévus de procédures ou des erreurs qui peuvent survenir au cours des soins.

La recherche clinique est menée dans le cadre des normes éthiques reconnues et uniquement après examen et approbation du Comité d'éthique de la recherche concerné. Le patient peut refuser de participer à un projet de recherche ou s'en retirer à tout moment,

5

CODE D'ÉTHIQUE DU CENTRE UNIVERSITAIRE DE SANTÉ MCGILL

sans craindre que sa décision influe sur ses soins ou ceux des membres de sa famille.

Les responsabilités des patients

Le patient doit traiter avec respect les autres patients et le personnel. Il doit comprendre que l'excellence des soins cliniques de l'établissement dépend étroitement de sa mission d'enseignement et de recherche.

Le patient doit participer le plus possible à ses propres soins de santé. Il doit notamment :

■ prendre les meilleures décisions possible au sujet de ses soins de santé ;

■ discuter avec le personnel de ses attentes, de ses préférences et de ses décisions ;

■ participer à son plan de traitement ;

■ se comporter en consommateur consciencieux des soins de santé

Source : Centre universitaire de santé McGill. *Code d'éthique*. Document consulté le 14 septembre 2010 de http://www.cusm.ca/homepage/page/code-dethique.

Protectrice des intérêts du client

De par sa profession, l'infirmière agit à titre de **protectrice des intérêts du client**. L'infirmière « fait respecter les droits de la personne qu'elle soigne et elle l'aide dans les situations où ses droits sont lésés » (OIIQ, 2010, p. 10). Pour ce faire, l'infirmière informe le client de ses droits et lui fournit les informations dont il a besoin pour prendre des décisions éclairées. Elle appuie les décisions du client et lui accorde la pleine responsabilité dans la prise de décision, ou au moins une responsabilité partagée, quand il en est capable. L'infirmière doit veiller à rester objective et ne doit pas manifester son approbation ou sa désapprobation devant les choix du client. En vertu de la défense des intérêts, l'infirmière doit accepter et respecter le droit de décider du client, même si elle pense que celui-ci est dans l'erreur.

Dans son rôle de médiatrice, à titre de protectrice des intérêts du client, l'infirmière intervient directement en son nom, en exerçant souvent une influence sur les autres. Par exemple, elle peut demander au médecin de réexaminer avec le client les raisons expliquant le choix d'un traitement et sa durée prévue si le client dit qu'il oublie toujours de poser ces questions au médecin.

PROTECTRICE DES INTÉRÊTS DU CLIENT SOIGNÉ À DOMICILE

Les soins à domicile représentent un contexte particulier pour l'infirmière, même si les objectifs de protection des intérêts du client demeurent les mêmes. Par exemple, en milieu hospitalier, les client peuvent se conformer aux valeurs des infirmières et des médecins. De retour chez eux, ils agissent davantage en fonction de leurs propres valeurs et peuvent revenir à de vieilles habitudes et à des façons de faire néfastes à leur santé. L'infirmière peut alors considérer les comportements du client comme une non-observance thérapeutique ; il n'en demeure pas moins que l'autonomie de ce dernier doit être respectée.

Dans les soins à domicile, la limitation des ressources et des services de soins aux clients peut privilégier la répartition des ressources au détriment du bien-être de ces personnes. La situation financière de la famille peut également limiter la disponibilité des services et des ressources matérielles et rendre ainsi plus difficile la satisfaction des besoins du client.

PROTECTRICE DES INTÉRÊTS PROFESSIONNELS ET DES INTÉRÊTS DU PUBLIC

La défense des intérêts de la personne est nécessaire autant pour la profession d'infirmière que pour la population dans son ensemble. En effet, les gains obtenus par les infirmières lors de l'élaboration et de l'amélioration des politiques de santé, autant dans les établissements qu'auprès des gouvernements, contribuent à l'amélioration des soins de santé.

Les infirmières qui adoptent un comportement responsable dans la défense des intérêts professionnels et des intérêts des clients peuvent favoriser le changement. Pour agir en tant que protectrices, les infirmières doivent comprendre les questions éthiques liées à la profession d'infirmière et aux soins de santé et connaître les lois et les règlements qui touchent la pratique infirmière et la santé publique dans son ensemble (chapitre 4 ⟨⟩).

Pour être une protectrice efficace des intérêts de la personne, l'infirmière doit :

■ Agir avec assurance.

■ Reconnaître qu'en cas de conflit, les droits et les valeurs des personnes et de leur famille ont préséance sur les droits et les valeurs des professionnels de la santé.

■ Reconnaître la possibilité de conflits sur des questions qui requièrent une consultation, une confrontation ou une négociation entre l'infirmière et le personnel administratif ou entre l'infirmière et le médecin.

■ Travailler avec les organismes communautaires et les praticiens.

■ Savoir que la défense des intérêts commande une action politique, c'est-à-dire communiquer les besoins du client au gouvernement et aux personnes qui ont qualité pour intervenir quant à ces besoins.

Révision du chapitre

MOTS CLÉS

Attitude, **92**	Éthique, **94**	Règles morales, **95**	Théories basées sur les relations humaines (humanistes), **95**
Autonomie (autodétermination), **95**	Éthique infirmière, **94**	Rendre des comptes, **96**	Utilitarisme, **95**
Bienfaisance, **96**	Euthanasie active, **106**	Responsabilité, **95**	Utilité, **95**
Bienveillance, **96**	Justice, **96**	Suicide assisté, **106**	Valeur, **91**
Bioéthique, **94**	Loyauté, **96**	Système de valeurs, **92**	Valeurs personnelles, **92**
Clarification des valeurs, **92**	Moralité, **94**	Théories basées sur les conséquences (téléologiques), **95**	Valeurs professionnelles, **92**
Code de déontologie, **97**	Protecteur des usagers en matière de santé et de services sociaux, **107**	Théories basées sur les principes (déontologiques), **95**	Véracité, **96**
Croyances, **92**			
Développement moral, **94**	Protectrice des intérêts du client, **110**		
Ensemble de valeurs, **91**			

CONCEPTS CLÉS

- Les valeurs donnent une direction et un sens à la vie et guident le comportement d'un individu.

- Les valeurs sont précieuses et chéries, choisies librement, affirmées aux autres et constamment intégrées dans le comportement de la personne.

- La clarification des valeurs est un processus qui permet aux individus de définir leurs propres valeurs, de les examiner et de les développer.

- L'éthique infirmière s'applique aux problèmes moraux que rencontrent les infirmières dans leur pratique et aux décisions éthiques qu'elles doivent prendre.

- La moralité est reliée à ce qui est bien ou mal comme comportement ou attitude.

- Les questions d'ordre moral sont celles qui émanent de la conscience, celles qui sont liées à des normes et à des valeurs importantes, et qui renvoient à des concepts comme *bien* ou *mal*, *bon* ou *mauvais*.

- Les trois cadres moraux (approches) les plus utilisés sont les théories basées sur les conséquences (téléologiques), les théories basées sur les principes (déontologiques) et les théories basées sur les relations humaines (humanistes).

- Les principes moraux (autonomie, bienfaisance, justice, fidélité et véracité, par exemple) sont des concepts philosophiques généraux qu'on peut utiliser pour faire des choix moraux et les justifier.

- Un code de déontologie professionnel est un énoncé formel des idéaux et des valeurs d'un groupe. Il sert de norme et de ligne directrice pour les interventions professionnelles de ce groupe et informe le public de cette responsabilité.

- Les problèmes éthiques résultent de l'évolution de la société, des percées technologiques, des conflits au sein de la pratique infirmière, et des loyautés et obligations conflictuelles (envers les clients, les familles, l'employeur, les médecins et les autres infirmières, par exemple).

- Les décisions éthiques des infirmières sont influencées par les théories et les principes moraux auxquels elles adhèrent, le niveau de leur développement cognitif, leurs valeurs personnelles et professionnelles, et les codes de déontologie qui les concernent.

- Dans le contexte de la pratique infirmière, le raisonnement éthique a pour objectif de parvenir à un accord mutuel et pacifique qui servira au mieux les intérêts du client; cet accord peut nécessiter un compromis.

- L'infirmière peut améliorer sa pratique éthique et la défense des intérêts du client en clarifiant ses valeurs personnelles, en faisant preuve d'ouverture quant aux valeurs des autres professionnels de la santé, en se familiarisant avec les codes de déontologie et en participant aux comités et aux réunions de nature déontologique.

- Défendre les intérêts du client, c'est le protéger et intervenir en son nom.

- Défendre les intérêts du client, c'est l'informer, le soutenir et lui servir de médiateur.

Références

American Association of Colleges of Nursing (AACN). (1998). *The essentials of baccalaureate education for professional nursing practice.* Washington, DC: Auteur.

American Nurses Association. (1994). *Position statement: Risk versus responsibility in providing nursing care.* Document consulté le 12 février 2006 de http://nursingworld.org/readroom/position/ethics/etrisk.htm.

Beauchamp, T., et Childress, J. (2001). *Principles of biomedical ethics* (5e éd.). Oxford University Press.

Benner, P., et Wrubel, J. (1989). *The primacy of caring.* Redwood City, CA: Addison-Wesley Nursing.

Bowden, P. L. (1995). The ethics of nursing care and "the ethic of care." *Nursing Inquiry, 2*(1), 10-21.

Cassells, J., et Redman, B. (1989). Preparing students to be moral agents in clinical nursing practice. *Nursing Clinics of North America, 24*(2), 463-473.

Curateur public du Québec. (2010). *Le mandat en cas d'inaptitude.* Document consulté le 23 octobre 2010 de http://www.curateur.gouv.qc.ca/cura/fr/majeur/outils/publications/mon_mandat.html.

Gilligan, C. (1982). *In a different voice.* Cambridge, MA: Harvard University Press.

Gouvernement du Québec. (2010a). *Code de déontologie des infirmières et infirmiers.*

Document consulté le 23 octobre 2010 de http://www2.publicationsduquebec.gouv.qc.ca/dynamicSearch/telecharge.php?type=2&file=//I_8/ I8R4_1.htm.

Gouvernement du Québec. (2010b). *Loi sur les services de santé et les services sociaux.* Document consulté le 23 octobre 2010 de http://www2.publicationsduquebec.gouv.qc.ca/dynamicSearch/telecharge.php?type=2&file=/S_4_2/S4_2.html.

Kohlberg, L. (1969). Stage and sequence: The cognitive-developmental approach to socialization. Dans D. A. Goslin (éd.), *Handbook of socialization theory and research* (p. 347-480). Chicago: Rand McNally.

Ordre des infirmières et infirmiers du Québec (OIIQ). (2003). *Code de déontologie des infirmières et infirmiers.* Document consulté le 23 juin 2004 de http://www.oiiq.org/infirmieres/lois_reglements_pdf/deontologie.pdf.

Ordre des infirmières et infirmiers du Québec (OIIQ). (2010). *Perspectives de l'exercice de la profession d'infirmière.* Montréal : Auteur.

Québec-Transplant (2010). Document consulté le 22 octobre 2010 de http://www.quebec-transplant.qc.ca/QuebecTransplant_fr/qui_somme_nous.htm.

Raths, L., Harmin, M., et Simon, S. (1978). *Values and teaching : Working with values in the classroom* (2e éd.). Columbus, OH : Merrill.

Sala, R., et Manara, D. (2001). Nurses and requests for female genital mutilation: Cultural rights versus human rights. *Nursing Ethics, 8,* 247-258.

Watson, J. (1981, été). Socialization of the nursing student in a professional nursing education programme. *Nursing Papers, 13,* 19-24.

Watson, J. (1988). *Nursing : Human science and human care. A theory of nursing.* New York : National League for Nursing.

Watson, J. (1997). The theory of human caring: Retrospective and prospective. *Nursing Science Quarterly, 10,* 49-52.

Partie 2

Pour être efficace au sein d'un système de soins de santé dynamique et complexe et pour aider les personnes à atteindre les résultats escomptés, l'infirmière doit être bien informée, pleine de ressources et capable de travailler avec les autres professionnels de la santé. L'infirmière joue un rôle clé dans les équipes multidisciplinaires ou interdisciplinaires, dont les membres doivent mettre en commun leurs compétences, établir des stratégies communes et utiliser les résultats probants ainsi que la technologie de l'information afin de prodiguer des soins de qualité. Plus les soins infirmiers se déplacent du centre hospitalier vers le domicile de la personne et les organismes communautaires, plus l'infirmière doit faire preuve d'un bon jugement clinique, d'autonomie, de souplesse et de créativité. De plus, elle doit avoir développé sa pensée réflexive afin d'apporter une réponse efficace et efficiente aux problèmes de santé qui touchent sa clientèle.

Soins
de santé
contemporains

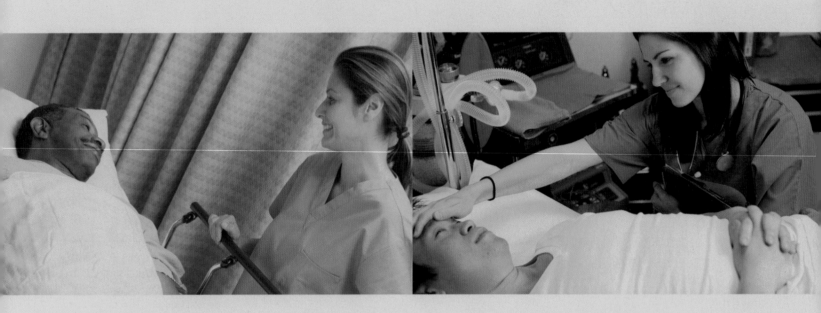

Chapitre 6

Adaptation française:
Michèle Côté, inf., Ph.D.
Professeure, Département des sciences infirmières
Directrice, Comité de programmes
de deuxième cycle en sciences infirmières
Université du Québec à Trois-Rivières

Système de distribution des soins et des services de santé

OBJECTIFS D'APPRENTISSAGE

Après avoir étudié ce chapitre, vous pourrez:

- Relater les grands moments historiques ayant contribué à l'évolution des positions canadiennes en matière de soins de santé.
- Nommer les cinq principes de la *Loi canadienne sur la santé* (L.R.C., 1985, c. C-6).
- Énoncer les cinq périodes qui ont marqué l'évolution du système de santé et de services sociaux au Québec.
- Établir une caractéristique pour chacune des cinq périodes de l'évolution du système de santé et de services sociaux au Québec.
- Nommer les différentes institutions de la santé et des services sociaux qui forment actuellement le réseau sociosanitaire québécois.
- Nommer quatre droits des consommateurs à des soins de santé efficaces et efficients.
- Préciser les objectifs et les fonctions des centres de santé et de services sociaux (CSSS).
- Expliquer la hiérarchie des soins de santé primaires, secondaires, tertiaires et quaternaires.
- Distinguer les rôles et les fonctions de huit différents professionnels qui travaillent dans le réseau sociosanitaire québécois.
- Décrire les modèles d'organisation du travail infirmier mis en œuvre au cours des dernières années.
- Expliquer le rôle de l'infirmière en tant que gestionnaire de cas.

Un **système de santé** se définit comme l'ensemble des soins et des services offerts à la population par les professionnels de la santé et des services sociaux. La gamme de services inclut les soins curatifs aux personnes malades, hospitalisées ou non, ainsi que les services de prévention de la maladie et de promotion de la santé. Un système de santé comprend également les services d'encadrement, les établissements de soins, l'équipement et le matériel. Au Québec, comme dans le reste du Canada, les soins de santé constituent l'une des industries les plus florissantes. L'Institut canadien d'information sur la santé (ICIS, 2010, p. x) évalue «le total des dépenses de santé au Canada, en dollars courants, à 171,8 milliards de dollars en 2008; on prévoit qu'il atteindra 182,1 milliards de dollars en 2009 et 191,6 milliards de dollars en 2010». Selon la même source, «le total des dépenses de santé par habitant au Canada s'élevait à 5 154 $ en 2008. Ce montant devrait atteindre 5 397 $ en 2009 et 5 814 $ en 2010». C'est au Québec que les dépenses par habitant sont les moins élevées, soit 5 098 $ (ICIS, 2010, p. xii). Autrefois, le principal objectif du système de santé était de soigner les malades et les blessés. Il n'est donc pas surprenant de constater que le système de santé a jusqu'ici privilégié principalement les services médicalement requis et prodigués en établissement de soins (Commission Clair, 2000, p. 8). On se rend compte aujourd'hui que les préoccupations relatives à la promotion de la santé, à la prévention de la maladie et au bien-être ont profondément transformé le système de santé, les soins prodigués et le rôle de l'infirmière.

Évolution du système de santé canadien

En 1879, l'*Acte de l'Amérique du Nord britannique* (AANB) énonce les domaines de compétence qui relèvent des provinces et ceux qui sont de compétence fédérale (Justice Canada, 2003). Les articles 92 et 93 de l'AANB stipulent que les provinces sont notamment responsables de la santé, des écoles et de l'éducation, des services sociaux, de la justice, des affaires municipales, de même que de l'organisation sociale et culturelle des diverses communautés. Dans les faits, les provinces sont responsables d'établir, d'entretenir et d'administrer les hôpitaux, les asiles et autres institutions (St-Pierre, 2008). Par ailleurs, à l'article 91, on précise les responsabilités constitutionnelles du gouvernement fédéral, parmi lesquelles on trouve la défense, la monnaie, les postes, les importations et les exportations, les transports et les communications, ainsi que les affaires indiennes. De plus, l'organisation et la distribution des services de santé destinés à certains groupes sociaux, comme les vétérans et les autochtones, relèvent du gouvernement fédéral. Finalement, les provinces et Ottawa se partagent certains secteurs, comme les pensions de vieillesse.

Avant l'AANB, les soins de santé s'étaient implantés selon des modèles différents dans les colonies française et anglaise. Dans le Bas-Canada, les soins étaient confiés aux familles, aux communautés religieuses et aux paroisses, dans l'esprit des principes de la charité chrétienne ; on considérait qu'il était du devoir de chacun de s'occuper des infirmes et des pauvres de la communauté. Les hôpitaux s'étaient donc organisés selon ce modèle. En revanche, dans le Haut-Canada, la colonie anglaise avait adopté un système de santé semblable à celui promulgué par la *English Poor Law* de 1598. Les hôpitaux étaient structurés selon le modèle des hôpitaux militaires et les soins étaient principalement assurés par des hommes.

Au fil des ans, des transformations sociales, telles que l'industrialisation et l'urbanisation, ainsi que certains événements, comme les famines, les épidémies, les guerres et les crises économiques successives, ont entraîné l'instauration de mesures de soutien social destinées aux personnes veuves, orphelines, handicapées ou en chômage. Ainsi, le gouvernement fédéral crée d'abord l'assurance-chômage en 1927. Puis, il adopte le régime d'allocations familiales en 1945 : c'est la première mesure sociale universelle au Canada, puisqu'on accorde à toutes les familles canadiennes une prestation pour chaque enfant, indépendamment des ressources familiales. Après la Seconde Guerre mondiale, le Canada instaure plusieurs programmes relatifs à la santé. À la suite de l'épidémie de poliomyélite survenue en 1950, on crée un programme universel de vaccination destiné à tous les enfants. Un peu plus tard, le gouvernement canadien établit le Régime de pensions du Canada, puis le Supplément garanti, en même temps qu'il révise les programmes d'aide aux handicapés et ceux de l'assurance-chômage (qui deviendra l'assurance emploi). En 1957, le gouvernement fédéral instaure l'assurance hospitalisation et, en 1972, l'assurance maladie, deux mesures qui devaient permettre à tous les Canadiens de bénéficier des mêmes services de santé.

En 1984, le gouvernement fédéral promulgue la *Loi canadienne sur la santé*, qui précise les orientations privilégiées par le Canada. L'article 3 se lit comme suit : « La politique canadienne de la santé a pour premier objectif de protéger, de favoriser et d'améliorer le bien-être physique et mental des habitants du Canada et de faciliter un accès satisfaisant aux services de santé, sans obstacles d'ordre financier ou autre » (Gouvernement du Canada, 1984). Les articles 8 à 12 stipulent les cinq conditions que doivent remplir toutes les provinces afin de bénéficier de la participation financière du gouvernement fédéral : (1) la gestion publique ; (2) l'intégralité ; (3) l'universalité ; (4) la transférabilité ; (5) l'accessibilité. Encore

de nos jours, ces conditions sont essentielles aux yeux de la majorité des Canadiens (encadré 6-1).

L'explosion récente des coûts de santé a entraîné l'instauration de groupes de travail, d'enquêtes et de commissions dont le mandat est d'établir un diagnostic sur le fonctionnement du système de santé et de proposer des solutions susceptibles de maintenir les conditions énumérées dans la *Loi canadienne sur la santé*. Dans les années 1980, les rapports sont centrés sur des thèmes comme « la régionalisation de la prestation des soins de santé, l'importance du bien-être, de la prévention et de la santé de la population ainsi que le besoin d'une réforme dans les soins de santé primaires » (ICIS, 2003, p. 5). Les deux dernières enquêtes fédérales portant sur la santé ont été réalisées l'une par le Comité sénatorial permanent des affaires sociales, des sciences et de la technologie, présidé par Michael Kirby, et la seconde par Roy Romanow (Commission Romanow, 2002). Comme le fait remarquer l'ICIS (2003, p. 6-7), les deux rapports concordent sur certains points :

- Kirby soutient que le système actuel n'est pas viable, mais il affirme du même souffle qu'il n'y a pas de système de santé plus efficace et équitable qu'un système public financé par un unique bailleur de fonds. De son côté, Romanow fait valoir qu'il n'en tient qu'aux Canadiens d'assurer la viabilité du système et de faire en sorte qu'il n'absorbe pas une aussi grande part du produit intérieur brut (PIB) qu'en 1992.

- Les présidents des deux commissions d'enquête demandent à Ottawa d'investir plus d'argent, entre deux et cinq milliards de dollars par année. Contrairement à Romanow, Kirby préconise de percevoir un impôt qui servirait spécialement à couvrir les frais supplémentaires du régime.

- Romanow se prononce fermement en défaveur d'une plus grande participation du secteur privé dans le financement des soins de santé jusqu'ici subventionnés par l'État. Selon lui, ces organismes privés, à but lucratif, fournissent des soins de moindre qualité à un prix plus élevé. De son côté, Kirby affirme qu'il faut rester ouvert à toutes les solutions susceptibles d'améliorer la qualité et l'efficacité du système de santé.

- Les présidents des deux commissions ajoutent leur voix à celles qui réclament une réforme des soins de santé primaires. Toutefois, Romanow est beaucoup plus catégorique sur ce point que Kirby. Par ailleurs, l'un et l'autre revendiquent la nécessité d'élargir la protection actuelle afin de couvrir les coûts exorbitants des médicaments et les soins à domicile, même au prix de certains ajustements du programme.

- Kirby et Romanow plaident tous les deux en faveur d'un conseil de la santé du Canada afin de renforcer l'obligation de rendre compte des gestionnaires du système, quoique les deux structures proposées ne soient pas les mêmes.

Malgré des efforts considérables pour diminuer les coûts du système de santé, il faut noter que le taux annuel moyen des dépenses en santé au Canada augmente année après année. En 2008, la dernière année pour laquelle on dispose de données de l'Organisation de coopération et de développement économiques (OCDE), ce sont toujours les États-Unis qui

ENCADRÉ 6-1
LOI CANADIENNE SUR LA SANTÉ (L.R.C., 1985, c. C-6)

1. Gestion publique (article 8)

Le critère de **gestion publique**, défini à l'article 8 de la *Loi canadienne sur la santé*, s'applique aux régimes d'assurance-santé des provinces et des territoires. L'objet de ce critère est que les régimes d'assurance-santé provinciaux et territoriaux soient gérés sans but lucratif par une autorité publique comptable au gouvernement provincial ou territorial de ses décisions sur les niveaux de services et les services eux-mêmes, et assujettie à la vérification publique de ses comptes et de ses dossiers. Cependant, le critère n'empêche pas l'autorité publique de sous-traiter les services administratifs nécessaires pour gérer les régimes d'assurance-santé provinciaux et territoriaux.

Le critère de gestion publique vise uniquement l'administration des régimes d'assurance-santé provinciaux et territoriaux et n'empêche pas les fournisseurs ni les établissements privés de fournir des services de santé assurés, à la condition que des frais pour ces services ne soient pas imposés aux habitants admissibles.

2. Intégralité (article 9)

Le critère d'**intégralité** prévu dans la loi exige que le régime d'assurance-santé d'une province ou d'un territoire couvre tous les services de santé assurés fournis par les hôpitaux, les médecins ou les dentistes (services de chirurgie dentaire qui doivent être dispensés en milieu hospitalier), et lorsque la loi de la province le permet, les services semblables ou additionnels fournis par d'autres professionnels de la santé.

3. Universalité (article 10)

Suivant le critère d'**universalité**, tous les habitants assurés d'une province ou d'un territoire ont droit aux services de santé assurés offerts par le régime d'assurance-santé provincial ou territorial selon des modalités uniformes. En règle générale, les provinces et les territoires exigent des habitants qu'ils s'inscrivent au régime pour être admissibles aux services offerts.

Les nouveaux arrivants au Canada, comme les résidents permanents ou les Canadiens qui rentrent au pays après un séjour à l'étranger, peuvent être assujettis à une période d'attente d'au plus trois mois, imposée par la province ou le territoire, avant d'être admissibles aux services de santé assurés.

4. Transférabilité (article 11)

Selon le critère de **transférabilité**, les habitants qui déménagent dans une autre province ou un autre territoire doivent continuer d'être protégés par le régime d'assurance-santé de leur province ou territoire «d'origine» pendant le délai de carence imposé, le cas échéant, par la nouvelle province ou le nouveau territoire de résidence. Le délai d'admissibilité à un régime d'assurance-santé provincial ou territorial ne doit pas excéder trois mois. Après ce délai, la nouvelle province ou le nouveau territoire de résidence assume la couverture des soins de santé. Cependant, il incombe aux habitants de signaler leur départ au régime d'assurance-santé de leur province ou territoire et de s'inscrire au régime d'assurance-santé de leur nouvelle province ou de leur nouveau territoire.

Les habitants qui s'absentent temporairement de leur province ou territoire d'origine ou du Canada doivent continuer d'être couverts pour les services de santé assurés pendant leur absence. Ainsi, les personnes peuvent voyager ou s'absenter de leur province ou territoire d'origine pour une durée déterminée sans que cela n'affecte leur couverture par le régime d'assurance-santé.

5. Accessibilité (article 12)

Le critère d'**accessibilité** vise à garantir aux assurés d'une province ou d'un territoire un accès satisfaisant aux services hospitaliers, médicaux et de chirurgie dentaire assurés, selon des modalités uniformes et sans restriction, directe ou indirecte, sous forme de frais modérateurs ou de surfacturation ou par d'autres moyens (p. ex. la discrimination fondée sur l'âge, l'état de santé ou la situation financière).

De plus, le régime d'assurance-santé de la province ou du territoire doit prévoir :

- une rémunération raisonnable des médecins et des dentistes pour tous les services de santé assurés qu'ils fournissent ;
- le versement de montants aux hôpitaux à l'égard du coût des services de santé assurés.

Aux fins de la *Loi canadienne sur la santé*, l'accès satisfaisant sur le plan de la disponibilité physique des services médicalement nécessaires a été interprété selon la règle «du lieu où les services sont offerts et de leur disponibilité». Ainsi, les habitants d'une province ou d'un territoire ont droit à un accès aux services de santé assurés là où les services sont offerts et suivant la disponibilité de ces services, selon des modalités uniformes.

Source : Gouvernement du Canada. (2008). *Loi canadienne sur la santé, Rapport 2007-2008* (p. 4-6). Ottawa : Auteur. Document consulté le 26 juillet 2010 de http://www.hc-sc.gc.ca/hcs-sss/alt_formats/hpb-dgps/pdf/pubs/chaar-roles-0708/2008-cha-lcs-fra.pdf. Texte adapté et reproduit avec l'autorisation du ministre des Travaux publics et Services gouvernementaux Canada, 2008. Santé Canada n'est aucunement responsable de toute erreur ou omission liée à l'adaptation du texte.

dépensent le plus pour les soins de santé, soit 7 538 $ US par habitant, alors que le Canada dépense 4 079 $ US par habitant. Pour la même année, le Mexique dépensait 852 $ US par habitant (ICIS, 2010) (figure 6-1 ■). Ce pays arrive à l'avant-dernière position par rapport aux 26 pays étudiés par l'OCDE. L'encadré 6-2 montre quelques-unes des tendances des dépenses nationales de santé observées au cours de la période de 1975 à 2009. Il est fort probable que les orientations du système de santé canadien connaîtront de profondes transformations au cours des prochaines années. Parmi ces transformations, les gouvernements feront probablement une place de plus en plus importante aux soins de santé primaires (chapitre 7 ∞). Par ailleurs, à la suite du jugement mitigé rendu par la Cour suprême du Canada dans l'affaire Chaoulli et Zeliotis, il faut prévoir que les gouvernements devraient considérer la participation du secteur privé à l'organisation des services de santé.

6

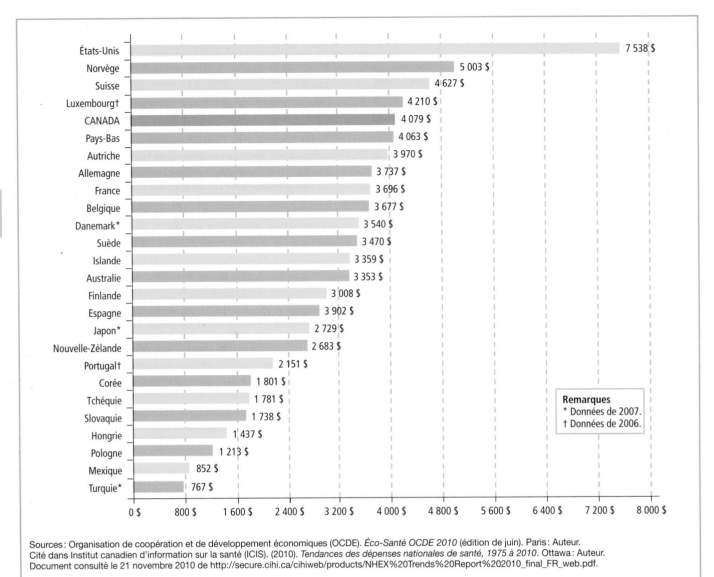

Sources : Organisation de coopération et de développement économiques (OCDE). *Éco-Santé OCDE 2010* (édition de juin). Paris : Auteur.
Cité dans Institut canadien d'information sur la santé (ICIS). (2010). *Tendances des dépenses nationales de santé, 1975 à 2010*. Ottawa : Auteur.
Document consulté le 21 novembre 2010 de http://secure.cihi.ca/cihiweb/products/NHEX%20Trends%20Report%202010_final_FR_web.pdf.

FIGURE 6-1 ■ Total des dépenses de santé par habitant, en dollars américains, 26 pays sélectionnés, 2008.

ENCADRÉ 6-2

FAITS SAILLANTS AU SUJET DES TENDANCES DES DÉPENSES NATIONALES DE SANTÉ DE 1975 À 2009

Les dollars de la santé

■ On évalue le total des dépenses de santé au Canada, en dollars courants, à 161 milliards pour 2007 ; il était prévu qu'elles atteindront 173,6 milliards de dollars en 2008 et 183,1 milliards de dollars en 2009. Le total des dépenses de santé par habitant au Canada était de 4 889 $ en 2007 et on s'attendait à ce que ce chiffre atteigne 5 211 $ en 2008 et 5 452 $ en 2009.

Les dépenses consacrées aux médecins augmentent plus rapidement que celles consacrées aux hôpitaux et aux médicaments

■ Les hôpitaux ont toujours joué un rôle important dans la prestation des soins de santé. Au milieu des années 1970, les hôpitaux représentaient environ 45 % du total des dépenses de santé. Au cours des 30 dernières années, la part du total des dépenses de santé consacrées aux hôpitaux a chuté. Elles représentaient 27,8 % en 2009. Depuis 1997, les médicaments occupent le deuxième

rang des dépenses totales de santé. En 2009, les médicaments représentent 16,4 % du total des dépenses de santé, alors que les dépenses consacrées à la rémunération des médecins occupaient le troisième rang avec 14,0 %.

La part des dépenses des secteurs public et privé demeure stable

■ Depuis 1997, la part du total des dépenses de santé consacrée au secteur public est demeurée relativement stable, soit environ 70 %. Elle représentait 70,3 % du total des dépenses en 2007 et devait atteindre 70,2 % en 2008 et 2009.

■ En 2007, les assureurs privés et les ménages (secteur privé) ont dépensé 47,8 milliards de dollars. Les dépenses du secteur privé devaient atteindre 51,8 milliards de dollars en 2008 et 54,5 milliards de dollars en 2009. Les médicaments prescrits et les soins dentaires représentaient les plus grandes parts du total des dépenses de santé du secteur privé.

Les dépenses de santé continuent de varier selon la province et l'âge

■ Pour 2009, il était prévu que les dépenses par habitant liées aux soins de santé seraient plus élevées en Alberta et à Terre-Neuve-et-Labrador que dans les autres provinces, soit 6 072 $ et 5 970 $, respectivement. Pour leur part, le Québec et la Colombie-Britannique devaient afficher les dépenses les moins élevées par habitant, soit 4 891 $ et 5 254 $, respectivement.

■ En 2007, dernière année pour laquelle on dispose de données réparties selon le groupe d'âge, les dépenses de santé des gouvernements provinciaux et territoriaux étaient les plus élevées chez les nourrissons et les personnes âgées. Chez les Canadiens de moins d'un an, on évaluait les dépenses à 8 239 $ par habitant. Chez les personnes de 1 à 64 ans, les dépenses moyennes étaient inférieures à 3 809 $. On notait une hausse marquée des dépenses par habitant chez les personnes âgées : 5 589 $, chez les 65 à 69 ans, 7 732 $, chez les 70 à 74 ans, 10 470 $ chez les 75 à 79 ans, et 17 469 $ chez les 80 ans et plus.

Comparaisons internationales

■ Parmi les 26 pays ayant des systèmes comptables similaires, évalués par l'Organisation de coopération et de développement économiques (OCDE) en 2008, la dernière année pour laquelle on dispose de données, les États-Unis figuraient toujours au premier rang sur le plan des dépenses de santé par habitant (7 538 $ US). Le Canada comptait parmi les cinq pays dont les dépenses de santé par habitant étaient les plus élevées, soit 4 079 $ US par habitant, un montant plus élevé que celui de plusieurs autres pays membres de l'OCDE, notamment la France, l'Allemagne, les Pays-Bas et l'Autriche. La Turquie et le Mexique avaient les dépenses par habitant les moins élevées, soit 767 $ US et 852 $ US, respectivement.

Sources : Organisation de coopération et de développement économiques (OCDE). *Éco-Santé OCDE 2010* (édition de juin). Paris : Auteur ; Institut canadien d'information sur la santé (ICIS). (2010). *Tendances des dépenses nationales de santé, 1975 à 2010*. Ottawa : Auteur. Document consulté le 21 novembre 2010 de http://secure.cihi.ca/cihiweb/products/NHEX%20 Trends%20Report%202010_final_FR_web.pdf.

Évolution du système de santé et des services sociaux québécois

Au fil des ans, constate St-Pierre (2008), le système de santé et des services sociaux québécois a été réformé afin de répondre à de nombreux changements associés aux progrès de l'industrialisation, aux développements de la science et de la technologie ainsi qu'aux périodes prolongées de récession économique. Lacourse et Émond (2006) proposent de distinguer quatre périodes dans l'évolution du système sociosanitaire au Québec. Toutefois, considérant les résultats de la commission d'enquête Clair (2000) et les transformations actuelles du réseau sociosanitaire, il nous apparaît souhaitable d'ajouter une cinquième période à ce parcours (tableau 6-1). Précisons cependant que les éléments historiques choisis visent uniquement à mettre en lumière quelques-uns des jalons qui ont conduit au système sociosanitaire actuel.

Première période : système fondé sur la charité chrétienne (débuts de la colonie-1850)

Des débuts de la colonie aux années 1850, les Canadiens français bénéficient d'un système de santé qui repose avant tout sur la famille immédiate, mais aussi sur la famille plus éloignée, sur l'Église et les communautés religieuses ainsi que sur l'organisation municipale. De fait, à cette époque, la santé est une affaire privée qui relève des familles, des congrégations religieuses et des associations charitables (St-Pierre, 2009). Toutes les personnes ont le devoir moral de soutenir les malades et les démunis de leur village (Lacourse et Émond, 2006). Bon nombre d'hôtels-Dieu et d'hôpitaux sont fondés pendant cette période, parmi lesquels l'Hôtel-Dieu de Québec (1639), l'Hôtel-Dieu de Montréal (1644), l'Hôpital général de Montréal (1688), l'Hôpital général de Québec (1695), l'Hôtel-Dieu de Trois-Rivières (1697), le Montreal General Hospital (1821) et l'Hôpital Saint-Jean-de-Dieu (1844).

Les hôtels-Dieu sont destinés aux soins des malades alors que les hôpitaux généraux ont comme mission d'apporter assistance aux démunis. Les services offerts aux malades sont assurés par un personnel plus ou moins formé et compétent. À cette époque, les principaux thérapeutes sont les médecins, les chirurgiens-barbiers ou les apothicaires, mais également les sages-femmes, les membres du clergé, les rebouteux (« ramancheurs ») ou les guérisseurs (Lacourse et Émond, 2006).

Deuxième période : essor de l'hygiène publique (1850-1960)

Les maladies infectieuses, telles que la tuberculose et la grippe espagnole, les maladies vénériennes (qu'on appelle aujourd'hui infections transmissibles sexuellement et par le sang) et, surtout, la mortalité infantile sont les principaux problèmes de santé que connaissent les Québécois à la fin du XIXe siècle et au début du XXe. Devant le nombre de personnes qui décèdent à la suite d'épidémies, dont celle de la variole qui fera plus de 6 000 décès, le gouvernement n'a d'autre choix que d'intervenir plus directement et d'investir davantage dans la gestion des problèmes de santé et l'encadrement des pratiques sanitaires (St-Pierre, 2008). Parmi les premières mesures privilégiées par le gouvernement, on note la promulgation de la *Loi d'hygiène publique* en 1886, puis la mise en place du Conseil d'hygiène de la province de Québec en 1887 (Lacourse et Émond, 2006). Cet organisme a pour objectif d'améliorer les conditions de vie de la population. Pendant cette période, le gouvernement promulgue la *Loi de l'assistance publique du Québec* (1921), qui accorde un financement aux municipalités pour l'hospitalisation des indigents (St-Pierre, 2009). En 1926, il légifère en vue de créer les unités sanitaires qui ont pour fonction d'assurer la promotion de la pasteurisation du lait ainsi que la vaccination obligatoire pour les enfants, et de veiller à l'amélioration des conditions d'hygiène de la population. Il s'agit des premiers organismes de santé publique et de médecine préventive au Québec. À la suite de la grande dépression de 1929-1936, le gouvernement met en place le département de la Santé et du Bien-être social,

TABLEAU 6-1
ÉVOLUTION DU SYSTÈME DE SANTÉ ET DES SERVICES SOCIAUX AU QUÉBEC

Première période : des débuts de la colonie jusque vers 1850	Deuxième période : de 1850 à 1960	Troisième période : de 1960 à 1980	Quatrième période : de 1980 à 2000	Cinquième période : à partir de 2000
La santé est une affaire de charité privée.	La santé devient un problème social.	La santé est un droit. Première réforme : centralisation et étatisation des domaines de la santé et des affaires sociales.	La santé est un devoir, celui d'être bien-portant. Évaluation et deuxième réforme : les enjeux pour 2000.	La santé est un devoir, celui d'être bien-portant. Troisième réforme : création des réseaux locaux de services.
Primauté de la religion et de la famille. Rôle des congrégations religieuses et des œuvres de bienfaisance. Diversité des donneurs de soins.	Urbanisation et industrialisation. Mouvement hygiéniste. Passage du domaine privé à l'État.	Révolution tranquille. Amorce de la réforme (années 1960) : rapport de la commission Castonguay-Nepveu. Mise en place de la réforme (années 1970) ; création de nouveaux établissements, étatisation des services de soins et des services sociaux.	Récession économique (1980) : rapport de la commission Rochon.	Rapport de la commission Clair. Troisième réforme de la santé. Transformation de la structure de prestation des soins de santé et des services sociaux. Incitation à créer des groupes de médecine de famille (GMF). Obligation de rendre compte fondée sur les résultats obtenus.

Source : Ce tableau, adapté et enrichi par Michèle Côté, s'inspire de l'ouvrage suivant : *Sociologie de la santé* (2e éd.) (p. 184) Montréal : Chenelière Éducation.

qui est la première forme de ministère de la Santé (St-Pierre, 2008). Avec le temps, la santé et le bien-être social finiront par relever d'un même ministère, créant ainsi une synergie entre deux pôles de l'organisation sociale au Québec. L'ensemble des mesures mises en place par le gouvernement du Québec contribuent à réduire les taux de mortalité infantile et maternelle, améliorent la santé globale des Québécois ainsi que l'espérance de vie des hommes et des femmes et contribuent à une régression de la mortalité associée aux maladies infectieuses (Lacourse et Émond, 2006). Dans les faits, ces mesures constituent les premiers jalons d'un système fondé « sur le droit social, capable d'organiser les soins de santé de façon à en garantir une meilleure répartition » (St-Pierre, 2008, p. 322). Également pendant cette période, on note la croissance très importante du nombre d'hôpitaux et, par ricochet, du nombre de personnes travaillant dans le milieu hospitalier.

Troisième période : première réforme des modes de prestation des soins de santé et des services sociaux (1960-1980)

Les années 1960 sont une période charnière dans le secteur de la santé et des services sociaux (St-Pierre, 2009). Le Québec adhère au programme à frais partagés d'assurance hospitalisation (1961), ce qui garantit la gratuité des soins hospitaliers, et au programme fédéral d'assurance des services médicaux (1970). Par ailleurs, devant les critiques persistantes à propos du fonctionnement du système sociosanitaire, qui repose toujours sur des bases religieuses et d'assistance privée, le gouvernement du Québec s'engage dans des réformes devant permettre de moderniser le système d'éducation et le système de santé. En 1966, le Parti libéral, qui vient d'être porté au pouvoir, institue la Commission d'enquête sur la santé et le bien-être social. Cette commission d'enquête est présidée d'abord par Claude Castonguay puis par Gérard Nepveu, d'où l'appellation « commission Castonguay-Nepveu », utilisée communément. L'esprit de la réforme veut, d'une part, encourager la participation des communautés et, d'autre part, attirer l'attention sur le fait que la santé implique la considération à la fois des aspects sociaux et des aspects médicaux. La commission est guidée par les quatre principes suivants : (1) une médecine globale ; (2) la décentralisation et l'autonomie des communautés et des établissements pour adapter les services aux besoins de la population ; (3) la participation ; (4) l'égalité (Commission Castonguay-Nepveu, 1970-1972). Député depuis 1970, Claude Castonguay est nommé à la tête du ministère des Affaires sociales qui vient d'être créé. Il s'engage alors dans la mise en œuvre de plusieurs des recommandations du rapport de la commission d'enquête sur la santé et les services sociaux. De 1970 à 1975, on assiste au déploiement des institutions qui composeront le réseau public de la santé et des services sociaux. La *Loi sur la santé et les services sociaux*, adoptée en 1971, prévoit la création de 12 régions sociosanitaires et d'un conseil régional de la santé et des services sociaux (CRSSS) pour chacune des régions (Lacourse et Émond, 2006). Le gouvernement met en place 32 départements de santé communautaire (DSC) et entreprend la création des centres locaux de services communautaires (CLSC), qui s'échelonnera sur 15 ans. Les DSC se voient notamment confier la responsabilité d'assurer l'éducation sanitaire, puis la promotion de la santé (Ministère de la Santé et des Services sociaux [MSSS], 1988), alors que les CLSC reçoivent le mandat d'offrir des services médicaux, sociaux et communautaires non spécialisés. À la fin des années 1980, il y a 170 CLSC répartis sur tout le territoire québécois (Lacourse et Émond, 2006). Ultérieurement, les DSC sont remplacés par des départements de santé publique (DSP). Le gouvernement crée également les centres de services sociaux qui connaîtront différentes mutations au cours des années. La majorité des hôpitaux deviendront propriété publique en passant sous le contrôle de l'État québécois; ils sont regroupés en deux catégories, à savoir les centres hospitaliers de soins de courte durée et les centres hospitaliers de soins prolongés.

Pendant cette période, le gouvernement adopte, entre autres, la *Loi sur l'assurance maladie* (1970), la *Loi sur les services de santé et les services sociaux* (1971), la *Loi sur le régime de rentes du Québec*, la *Loi sur les accidents du travail et les maladies professionnelles*, la *Loi sur la protection de la santé publique*, la *Loi sur la protection du malade mental*, la *Loi sur la protection de la jeunesse*, la *Loi assurant l'exercice des droits de la personne handicapée* et la *Loi sur les services de garde à l'enfance*. Également, on assiste à la création de l'Office des professions et de la Commission des affaires sociales. L'ensemble de ces mesures contribue à faire reconnaître la mission sociale du gouvernement du Québec.

Cette première réforme du réseau de la santé consacre les rôles directs et indirects du ministère des Affaires sociales dans l'organisation des soins de santé et des services sociaux. Elle consacre aussi le passage «de la conception d'hygiène publique à celle de santé communautaire» (St-Pierre, 2009, p. 39). Elle met en lumière l'existence d'un système sociosanitaire complexe, où les différents acteurs ont leur propre conception relativement aux modes de prestation des soins, ce qui engendre inévitablement des tensions importantes, en particulier entre les médecins omnipraticiens et les médecins spécialistes, mais aussi entre les travailleurs de la santé.

Quatrième période: deuxième réforme (1980-2000)

Au début des années 1980, un certain nombre de signes permettent de constater que le réseau de la santé et des services sociaux s'essouffle: «les listes d'attente s'allongent dans quelques secteurs; les urgences des hôpitaux sont souvent engorgées; on déplore la vétusté de certaines installations et de certains équipements; des usagers manifestent leur mécontentement; enfin la question du rythme de croissance des dépenses de certains programmes devient préoccupante» (St-Pierre, 2009, p. 41). Devant cette situation, le gouvernement crée une nouvelle commission d'enquête et nomme Jean Rochon à sa direction. Elle doit répondre à des questions touchant l'efficience et l'efficacité du système de santé québécois. Le rapport de la Commission d'enquête sur les services de santé et les services sociaux est déposé en 1988. Ce rapport énonce trois principes fondamentaux: (1) placer la santé et le bien-être au centre des préoccupations de la société; (2) centrer l'action sur la personne, qu'elle soit soignée ou soignante; (3) assurer la démocratisation des choix (Commission Rochon, 1988). De plus, la commission

préconise l'adoption des règles suivantes: l'obligation de résultats, l'approche intersectorielle décentralisée, la participation des citoyens à tous les niveaux, la prise en compte des besoins régionaux, la prise en compte des facteurs déterminants des problèmes de santé et, enfin, le financement et le contrôle du système de santé par le secteur public.

Les recommandations de la commission conduisent à l'élaboration d'une politique d'ensemble de la santé et du bien-être qui les place «au cœur de tous les secteurs de la vie collective» (St-Pierre, 2009, p. 41). Afin d'atteindre cet objectif, le gouvernement propose : (1) la réorientation du système de santé vers des services de première ligne; (2) la mise en œuvre du virage ambulatoire; (3) la modification des systèmes de services de soins médicohospitaliers; (4) la régionalisation des services de soins et de bien-être; (5) l'introduction d'un régime public d'assurance médicaments; (6) l'instauration de structures consultatives. Les régies régionales de la santé et des services sociaux (RRSSS), qui remplacent les conseils régionaux de la santé et des services sociaux (CRSSS), sont responsables, dorénavant, des plans régionaux d'organisation des services et des effectifs médicaux (St-Pierre, 2008). De plus, dans un souci de freiner l'augmentation des dépenses publiques associées à la santé, ces instances régionales doivent favoriser la fusion de différents établissements du réseau sociosanitaire. Bref, il s'agit pour le gouvernement de favoriser «l'amélioration de l'accessibilité aux services tout en consolidant la régionalisation» (St-Pierre, 2009, p. 42).

La réforme a connu aussi des échecs en raison, notamment, de la vitesse à laquelle les changements ont été instaurés et du contexte de restrictions budgétaires. Souvent forcés, les fusions et les changements de vocation des établissements ont lésé nombre de collectivités du fait que le centre hospitalier de leur localité disparaissait. Les professionnels de la santé ont également été secoués, car les changements proposés modifiaient leurs comportements, leurs pratiques et leurs habitudes. On a, par conséquent, assisté à de nombreuses confrontations entre le gouvernement et les professionnels de la santé.

Cinquième période: vers des réseaux de soins de santé intégrés (à partir de 2000)

Incapable de trouver son équilibre, le système de santé traverse une crise après l'autre. En 2000, le gouvernement instaure la Commission d'étude sur les services de santé et les services sociaux, communément appelée «commission Clair». La commission, qui doit trouver des solutions aux problèmes d'organisation et de financement des services, «propose une vision d'avenir à la population québécoise quant à l'organisation, à la gouverne, à la prestation et au financement des services sociosanitaires» (St-Pierre, 2009, p. 43). Issu des recommandations de cette commission, le gouvernement adopte en 2001 le projet de loi 28 (*Loi modifiant la gouverne dans le réseau de la santé et des services sociaux*).

Parmi toutes les lois et les actions qui s'ensuivront, citons l'accréditation des premiers groupes de médecine de famille (GMF). Cette nouvelle structure est vue comme un élément central dans la réorganisation des services de santé de première ligne. Elle doit permettre de valoriser le rôle des médecins de famille, d'offrir à chaque personne la possibilité d'en consulter un et d'améliorer la qualité des soins médicaux généraux. De fait, les GMF devraient contribuer à résoudre les problèmes de continuité des soins et d'accessibilité aux services de première ligne, en favorisant l'établissement de liens plus étroits entre les CLSC et les cliniques médicales privées (Lévesque, Roberge et Pineault, 2007). Dorénavant, les Québécois «doivent s'inscrire volontairement auprès d'un GMF qui dispense des services intégrés de soins» (Lacourse et Émond, 2006, p. 195). Nous reviendrons plus loin sur l'organisation et les fonctions des GMF.

Après son élection, le Parti libéral du Québec propose une nouvelle réforme visant l'intégration des différentes institutions dans des réseaux locaux de services de santé et de services sociaux. En 2005, le projet de loi 83 permet de franchir une autre étape dans l'organisation et l'administration des services de santé et des services sociaux (St-Pierre, 2009). La nouvelle législation permet, notamment, «de clarifier les responsabilités des divers paliers de gouverne du réseau» (St-Pierre, 2009, p. 45). Les agences de développement des réseaux locaux de services de santé et de services sociaux (ADRLSSS) sont remplacées par les agences régionales de la santé et des services sociaux (ARSSS), qui «seront responsables de la coordination de la mise en place des services sur leur territoire respectif» (St-Pierre, 2009, p. 45). Ainsi, les ARSSS doivent mettre en place les réseaux locaux de services (RLS) ainsi que les **centres de santé et de services sociaux** (**CSSS**) et voir à l'élaboration de projets cliniques. L'approche de réseau, dit St-Pierre (2008, p. 330), apparaît comme «une solution organisationnelle qui permet de composer avec le caractère multidimensionnel des situations et l'action multidisciplinaire qui y est sous-tendue». Les actions de modernisation du système de santé reposent donc sur deux grands principes, à savoir: la responsabilité populationnelle et la hiérarchisation des services (St-Pierre, 2008). Ainsi, afin de régler les problèmes de continuité et d'accessibilité en matière de soins de santé, le gouvernement du Québec propose de nouvelles transformations qui prévoient de renforcer la première ligne (Lévesque *et al.*, 2007).

À quoi va ressembler le système de santé québécois dans 10, 20 ou 30 ans? Il est très difficile de le prévoir. Toutefois, comme le laissent entendre Lacourse et Émond (2006), un certain nombre d'enjeux devraient influer sur les changements qui seront observés. Le premier enjeu est le contrôle des coûts. Le vieillissement de la population de même que l'évolution des technologies dans un contexte de crises économiques sont des tendances lourdes, qui contribueront assurément à faire exploser les coûts du système de santé. Le deuxième enjeu est la rationalisation. Aura-t-on les moyens d'offrir l'ensemble des services dans tous les établissements du réseau de la santé ou, au contraire, faudra-t-il faire des choix? Le troisième enjeu concerne la place du privé à l'intérieur du système public. Verra-t-on la mise en place d'un système de santé pour les mieux nantis qui peuvent se payer les services et un autre pour le reste de la population? Le quatrième enjeu a trait à la gratuité des soins et des services de santé. À l'avenir, va-t-on exiger une contribution monétaire de la part des personnes qui consultent ou qui sont hospitalisées?

Organisation actuelle du système sociosanitaire québécois

En 2010, le système sociosanitaire québécois compte près de 300 établissements offrant des services dans plus de 1 700 points de prestations. Il regroupe près de 200 établissements publics, une cinquantaine d'établissements conventionnés sans but lucratif et une cinquantaine d'établissements privés offrant de l'hébergement et des soins de longue durée. Il compte également plus de 3 500 organismes communautaires et près de 2 000 cliniques et cabinets privés de médecine (MSSS, 2010a). La figure 6-2 ■ présente la nouvelle organisation du réseau sociosanitaire qui s'inscrit à l'intérieur de trois paliers de gouvernance.

Palier central

MINISTÈRE DE LA SANTÉ ET DES SERVICES SOCIAUX (MSSS)

Selon la *Loi modifiant la Loi sur les services de santé et les services sociaux* (Gouvernement du Québec, 2010), le MSSS demeure le responsable ultime de l'orientation du réseau de la santé et des services sociaux. Il doit recentrer «ses actions autour de ses fonctions premières, soit la planification (politiques et standards d'accès et de la qualité), le financement, l'allocation des ressources financières, et le suivi et l'évaluation» (MSSS, 2008, p. 20). De fait, le MSSS:

- fixe les orientations et les objectifs en matière de santé et de bien-être;
- définit les politiques;
- sanctionne les priorités et les plans d'organisation de services des régions;
- répartit les ressources entre les régions;
- évalue les résultats;
- voit à la promotion de l'enseignement et de la recherche;
- coordonne le programme de santé publique;
- précise les politiques d'adaptation de la main-d'œuvre, en plus de négocier les conditions de rémunération des professionnels et du personnel du réseau de la santé et des services sociaux (St-Pierre, 2009, p. 50).

RÉSEAUX UNIVERSITAIRES INTÉGRÉS DE SANTÉ (RUIS)

Au nombre de quatre, les réseaux universitaires intégrés de santé (RUIS) forment une nouvelle structure qui couvre l'ensemble du territoire québécois, se partageant les 166 territoires des CLSC (St-Pierre, 2009). Chaque RUIS est associé à une faculté de médecine: Université de Montréal, Université de Sherbrooke, Université Laval et Université McGill. Les RUIS ont été créés afin d'assurer une meilleure intégration et de renforcer la complémentarité des services tertiaires et quaternaires; ils facilitent également le cheminement des clients dans les différents couloirs de services. Les RUIS ont principalement pour mandat de faire des recommandations aux autorités concernées (ministre, agences).

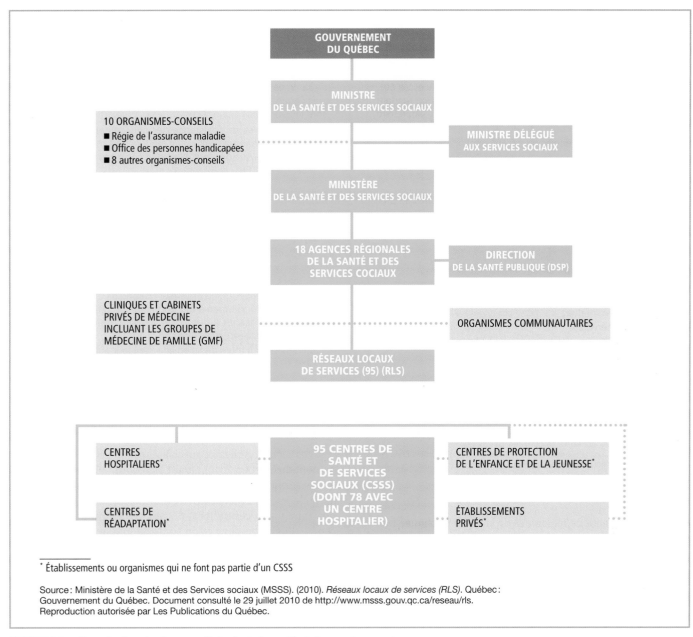

FIGURE 6-2 ■ Organisation du réseau québécois de la santé et des services sociaux.

SANTÉ PUBLIQUE

Parallèlement à l'organisation des services de santé, la santé publique constitue un secteur tout aussi important. La **santé publique** contribue à améliorer la santé, à prolonger la vie et à donner une meilleure qualité de vie à toute la population. Elle se caractérise par des activités de promotion de la santé et de prévention de la maladie ainsi que par d'autres genres d'interventions sanitaires. Pour répondre aux exigences de ce secteur, le gouvernement du Québec a créé, en 1998, l'Institut national de santé publique du Québec (INSPQ). La fonction principale de cet institut est de soutenir le ministre de la Santé et des Services sociaux ainsi que les agences régionales dans l'exercice de leur mission en santé publique (pour en apprendre davantage sur le sujet, voir l'encadré 6-3, qui présente la mission de l'INSPQ).

Palier régional

AGENCES RÉGIONALES DE LA SANTÉ ET DES SERVICES SOCIAUX (ARSSS)

Sur l'ensemble du territoire québécois, on compte 15 ARSSS, auxquelles s'ajoutent la Régie régionale de la santé et des services sociaux du Nunavik, le Centre régional de santé et de services sociaux de la Baie-James (Nord-du-Québec) ainsi que le Conseil Cri de la santé et des services sociaux de la Baie-James (Terres-Cries-de-la-Baie-James) (St-Pierre, 2009). Les ARSSS ont les responsabilités suivantes :

■ coordonner la mise en place des services sur leur territoire respectif ;

■ élaborer des orientations et les priorités régionales ;

6

ENCADRÉ 6-3
MISSION DE L'INSTITUT NATIONAL DE SANTÉ PUBLIQUE DU QUÉBEC (INSPQ)

L'Institut soutient le ministre de la Santé et des Services sociaux du Québec, les autorités régionales de santé publique et les établissements dans l'exercice de leurs responsabilités en rendant disponibles son expertise et ses services spécialisés de laboratoire et de dépistage.

Plus explicitement, cette mission consiste à :

- développer la connaissance et contribuer à la surveillance de l'état de santé et de bien-être de la population et de ses déterminants ;
- développer de nouvelles connaissances et approches en promotion, prévention et protection de la santé ;
- favoriser le développement de la recherche et de l'innovation en santé publique ;
- fournir des avis et des services d'assistance conseil ;
- évaluer l'impact des politiques publiques sur la santé de la population ;
- rendre accessible l'expertise en santé publique par des activités de formation continue ;
- assurer des services :
  – de dépistage,
  – de laboratoire, notamment en microbiologie et en toxicologie,
  – de soutien au maintien de la qualité ;
- favoriser l'échange et le transfert des connaissances ainsi que la collaboration internationale ;
- contribuer à l'actualisation et au développement du Programme national de santé publique.

Source : Institut national de santé publique du Québec (INSPQ). (2003). *Qui sommes-nous ? Vision, mission et valeurs*. Québec : Auteur. Document consulté le 4 septembre 2010 de http://www.inspq.qc.ca/institut/default.asp?B=1. Reproduction autorisée par Les Publications du Québec.

ENCADRÉ 6-4
DROITS DES CONSOMMATEURS DE BÉNÉFICIER DE SOINS DE SANTÉ

Le législateur a précisé les droits des consommateurs des soins de santé dans la *Loi sur les services de santé et les services sociaux* (L.R.Q., ch. S-4.2) (Gouvernement du Québec, 2010). Ces droits sont les suivants :

- d'être informés de l'existence des services et des ressources disponibles dans leur milieu en matière de santé et de services sociaux ainsi que des modalités d'accès à ces services et à ces ressources (1991, c. 42, art. 4) ;
- de recevoir des services de santé et des services sociaux adéquats sur les plans à la fois scientifique, humain et social, avec continuité et de façon personnalisée (1991, c. 42, art. 5 ; 2002, c. 71, art. 3) ;
- de choisir le professionnel ou l'établissement duquel ils désirent recevoir des services de santé (1991, c. 42, art. 6) ;
- de recevoir les soins que requiert leur état, lorsque leur vie ou l'intégrité de leur personne est en danger (1991, c. 42, art. 7) ;
- d'être informés – lorsqu'ils utilisent des soins de santé – sur leur état de santé, de manière à connaître les différentes options avant de consentir à des soins les concernant (1991, c. 42, art. 9 ; 1999, c. 40, art. 269) ;
- de participer à toute décision affectant leur état de santé ou de bien-être (1991, c. 42, art. 10).

- exercer les fonctions régionales de la santé publique ;
- faciliter le déploiement et la gestion des réseaux locaux de services ;
- assurer l'allocation des budgets aux établissements et des subventions aux organismes communautaires ;
- s'assurer de la participation de la population à la gestion des services, à la prestation sécuritaire des services et au respect des droits des usagers (MSSS, 2008, p. 20).

Les droits des usagers du système sociosanitaire précisés dans la *Loi sur les services de santé et les services sociaux* sont présentés dans l'encadré 6-4 (Gouvernement du Québec, 2010).

Palier local

RÉSEAUX LOCAUX DE SERVICES (RLS)

Les **réseaux locaux de services** (**RLS**) sont au nombre de 95. Chacun de ces réseaux se compose d'« un nouvel établissement, appelé centre de santé et de services sociaux (CSSS), né de la fusion de centres locaux de services communautaires (CLSC), de centres d'hébergement et de soins de longue durée (CHSLD) et, dans la majorité des cas, d'un centre hospitalier » (MSSS, 2010a). L'article 99.3 de la *Loi modifiant la Loi sur les services de santé et les services sociaux* précise la raison d'être d'un réseau local : « responsabiliser tous les intervenants [...] afin qu'ils

assurent de façon continue, à la population du territoire de ce réseau, l'accès à une large gamme de services de santé et de services sociaux généraux, spécialisés et surspécialisés » (Gouvernement du Québec, 2010). Quant à la coordination des activités et des services, elle [...] « est assurée par une instance locale, laquelle est un établissement multivocationnel qui exploite notamment un centre local de services communautaires, un centre d'hébergement et de soins de longue durée et, le cas échéant, un centre hospitalier de soins généraux et spécialisés » (Gouvernement du Québec, 2010). À l'article 99.5, le législateur précise que l'instance locale est responsable, de manière exclusive, de définir un projet clinique et organisationnel pour le territoire du réseau local de services de santé et des services sociaux, comprenant :

1. les besoins sociosanitaires et les particularités de la population en fonction d'une connaissance de l'état de santé et de bien-être de celle-ci ;
2. les objectifs poursuivis concernant l'amélioration de la santé et du bien-être de la population ;
3. la prestation de services nécessaires pour répondre aux besoins et aux particularités de la population ;
4. les modes d'organisation et les contributions attendues des différents partenaires de ce réseau (Gouvernement du Québec, 2010).

De plus, à l'article 99.6, le législateur apporte les précisions suivantes sur les services à offrir :

1. des services généraux, notamment des services de prévention, d'évaluation, de diagnostic et de traitement, de réadaptation, de soutien et d'hébergement ;
2. certains services spécialisés et surspécialisés, lorsque ceux-ci sont disponibles (Gouvernement du Québec, 2010).

CENTRES DE SANTÉ ET DE SERVICES SOCIAUX (CSSS)

Parmi les 95 CSSS, 68 assument 3 missions, soit celles des CLSC, des CHSLD et des CH; 14 CSSS assument 2 missions, soit celles des CLSC et des CHSLD; 10 CSSS assument 4 missions, soit celles des CLSC, des CHSLD, des CH et des CR; finalement, 1 CSSS assume 2 missions, soit celles des CLSC et des CH, un autre, 3 missions, soit celles des CLSC, des CHSLD et des CR, et un dernier uniquement la mission des CLSC (St-Pierre, 2009, p. 51). Par conséquent, les CSSS ne sont pas tous identiques et ils peuvent assumer plusieurs missions. Par ailleurs, certains centres hospitaliers ne font pas partie d'un CSSS. C'est le cas des cinq centres hospitaliers universitaires (CHU) et des centres hospitaliers régionaux. Les CSSS doivent créer des « couloirs de services » avec, d'une part, les centres hospitaliers (CH), les centres de réadaptation (CR) et les centres de protection de l'enfance et de la jeunesse (CPEJ), et, d'autre part, avec les établissements privés. La mission du CSSS comporte trois grands volets qui représentent autant de défis de gestion :

- connaître l'état de santé et de bien-être de la population de son territoire et assurer le leadership des actions visant à l'améliorer;
- gérer l'utilisation des services mis à la disposition de la population de son territoire et prendre les mesures appropriées afin de prendre en charge, d'accompagner et de soutenir les usagers de façon à assurer la continuité entre les différents épisodes de soins requis à l'intérieur du réseau de la santé et des services sociaux;

- gérer de façon optimale la gamme des services qui y sont offerts en s'assurant de leur efficacité, de leur efficience, de leur pertinence et de leur adaptation aux attentes des usagers et aux besoins de gestion (MSSS, 2004a, b).

Bref, les CSSS ont une mission unique sur leur territoire puisqu'ils sont l'assise des RLS assurant l'accessibilité, la continuité et la qualité des services destinés à la population du territoire local (MSSS, 2010a). Ils sont responsables de la prestation de services de santé et de services sociaux de première ligne pour la population du territoire. Dans le cas où le CSSS n'offre pas une gamme complète de services, il doit conclure des ententes de services avec d'autres établissements ou partenaires. La figure 6-3 ■ présente les relations des CSSS avec leurs différents partenaires locaux.

CENTRES HOSPITALIERS (CH)

Généralement, un centre hospitalier offre à la fois des soins de courte durée à des personnes hospitalisées, des soins en consultation externe (ou soins ambulatoires) et des services d'urgence. Les centres hospitaliers universitaires (CHU) et les centres affiliés universitaires (CAU) remplissent aussi d'autres fonctions, car ces établissements fournissent des ressources pour la recherche et l'enseignement dans des domaines liés à la santé.

Au Québec, les centres hospitaliers sont notamment classés en fonction des services qu'ils fournissent. Les centres hospitaliers de soins généraux et spécialisés (CHSGS) admettent des clients qui ont besoin d'une large gamme de services. Ces centres

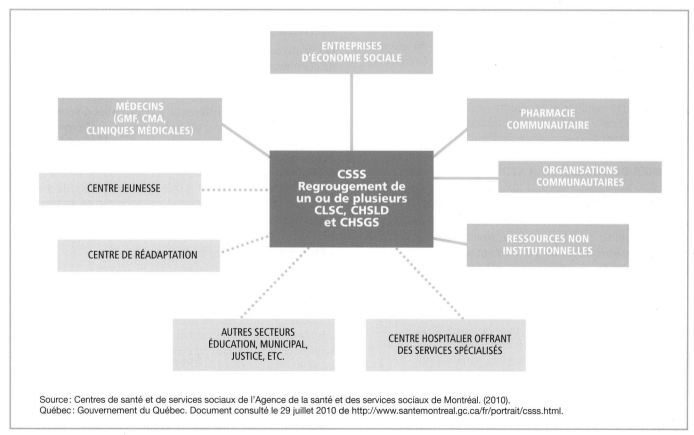

Source : Centres de santé et de services sociaux de l'Agence de la santé et des services sociaux de Montréal. (2010). Québec : Gouvernement du Québec. Document consulté le 29 juillet 2010 de http://www.santemontreal.gc.ca/fr/portrait/csss.html.

FIGURE 6-3 ■ Relation d'un CSSS avec ses partenaires locaux.

disposent généralement de lits pour les personnes présentant différents problèmes de santé ; ils offrent également des services d'urgence et de diagnostic, des centres de chirurgie et des services pharmaceutiques. Enfin, ils abritent des unités de soins intensifs et coronariens, et mettent de nombreux services à la disposition des clients ambulatoires traités dans les cliniques de jour. D'autres centres hospitaliers offrent des services spécialisés et surspécialisés, par exemple des unités de traitement des brûlés ou des personnes atteintes d'une lésion de la moelle épinière, des services d'oncologie et des unités de dialyse. Finalement, certains centres hospitaliers offrent des services spécialisés à des clientèles particulières, par exemple les enfants ou les personnes aux prises avec des problèmes de santé mentale.

On répartit généralement les clients qui utilisent les services des centres hospitaliers en deux catégories : les personnes hospitalisées et les personnes en ambulatoire ou personnes à l'externe. Une *personne hospitalisée* demeure au moins 24 heures dans un établissement comme un centre hospitalier. Une *personne en ambulatoire* requiert des soins de santé sans avoir à séjourner dans un tel établissement. Les services fournis aux clients en ambulatoire comprennent, notamment, « les services hospitaliers accordés aux usagers inscrits (par opposition aux usagers admis), les services médicaux dispensés dans les établissements ou en clinique médicale à des usagers "visiteurs" – qui se rendent de façon autonome vers le service qu'ils requièrent –, l'ensemble des services prodigués par les CLSC et, finalement, les services de jour offerts aux usagers qui demeurent dans leur milieu de vie naturel » (St-Pierre, 2009, p. 73).

L'infirmière œuvrant dans un CH a de nombreuses responsabilités : en plus d'assurer la prestation directe des soins, elle participe notamment à la coordination des soins prodigués aux clients, ainsi qu'à l'évaluation et à la surveillance de leur état de santé. Par ailleurs, étant donné le très large éventail de services de santé et d'organismes, il incombe souvent à l'infirmière d'aider les clients à choisir le service le plus adéquat. De plus, les responsabilités et le rôle traditionnel de l'infirmière changent, car celle-ci doit s'adapter au transfert des soins, qui tendent à passer des centres hospitaliers à la communauté.

CENTRES DE SOINS AMBULATOIRES

La plupart des centres de soins ambulatoires sont rattachés à un centre hospitalier de soins de courte durée. Les personnes qui subissent certaines interventions chirurgicales (par exemple, cholécystectomie sous laparoscopie, résection de cataracte et réduction de fracture fermée) retournent souvent chez elles la journée même. Ces centres présentent deux avantages : (1) ils permettent à la personne de demeurer chez elle, tout en recevant les soins nécessaires ; (2) ils permettent, par le fait même, de libérer des lits qui coûtent cher et qu'on peut alors utiliser pour les personnes atteintes d'affections plus graves. Certaines infirmières qui travaillent dans ces centres possèdent des connaissances techniques et des compétences particulières.

SERVICES DE SOUTIEN À DOMICILE

Depuis que les centres hospitaliers donnent congé aux personnes plus rapidement, les services de soutien à domicile sont devenus un élément essentiel du système de soins de santé. Les

services de soutien à domicile « désignent l'ensemble des services de base et spécialisés offerts au domicile des usagers par le réseau public de la santé et des services sociaux » (St-Pierre, 2009, p. 72). Le sujet est traité en détail au chapitre 9 ⌐⌐.

CENTRES D'HÉBERGEMENT ET DE SOINS DE LONGUE DURÉE (CHSLD)

Les centres d'hébergement et de soins de longue durée offrent, de manière temporaire ou permanente, « un milieu de vie substitut, des services d'hébergement, d'assistance, de soutien et de surveillance, ainsi que des services de réadaptation, psychosociaux, infirmiers, pharmaceutiques et médicaux aux adultes qui, en raison de leur perte d'autonomie fonctionnelle ou psychosociale, ne peuvent plus demeurer dans leur milieu naturel, malgré le soutien de leur entourage » (St-Pierre, 2009, p. 51). Le CHSLD peut comprendre un centre de jour ou un hôpital de jour. Des directives précises régissent l'admission d'une personne dans un CHSLD. On évalue d'abord tous ses besoins en matière de traitements et de soins infirmiers. Lorsqu'il faut transférer une personne hospitalisée dans une telle unité, le centre hospitalier lui donne son congé et elle est ensuite admise dans l'autre établissement. On a de plus en plus fréquemment recours aux établissements de soins de longue durée pour répondre aux besoins des personnes qui nécessitent des soins, mais qui ne satisfont pas aux critères d'hospitalisation. Nombre de ces établissements ont une liste d'attente. Les infirmières œuvrant dans un tel milieu aident les personnes dans le cadre de leurs activités quotidiennes ; elles donnent des soins et coordonnent les activités des membres de l'équipe soignante.

CENTRES DE JOUR

Les centres de jour peuvent s'adresser à plusieurs catégories de clientèles. La clientèle la plus fréquente est constituée des personnes âgées, auxquelles on offre des services ayant trait notamment aux relations sociales et à la stimulation, et auxquelles on propose différents programmes d'activités. Par ailleurs, certains centres offrent des services de consultation et de physiothérapie. Les infirmières employées dans les centres de jour s'occupent, entre autres choses, de l'administration de médicaments, de traitements et des consultations avec différents professionnels de la santé et des services sociaux, de manière à assurer la continuité entre les soins prodigués au centre de jour et les soins à domicile.

CENTRES DE RÉADAPTATION (CR)

Les centres de réadaptation jouent un rôle important en aidant le client à récupérer et à recouvrer la santé après avoir quitté un centre hospitalier. Aujourd'hui, on applique le concept de réadaptation à toutes les affections (physiques et mentales), aux blessures et à la dépendance aux drogues. Par exemple, les services de réadaptation pour alcooliques et toxicomanes aident les personnes à vaincre leur dépendance, à réintégrer la communauté et à fonctionner en exploitant au mieux leurs capacités. L'infirmière qui travaille dans un centre de réadaptation coordonne les activités des personnes et s'assure qu'elles suivent bien le traitement prescrit. Ce travail exige souvent des compétences et des connaissances spécialisées.

CENTRES DE PROTECTION DE L'ENFANCE ET DE LA JEUNESSE (CPEJ)

Les centres de protection de l'enfance et de la jeunesse (CPEJ) ont pour mission «d'offrir, dans la région, des services de nature psychosociale, y compris des services d'urgence sociale, requis par la situation d'un jeune en vertu de la *Loi sur la protection de la jeunesse* et de la *Loi sur le système de justice pour adolescents*, ainsi qu'en matière de placements d'enfants, de médiation familiale, d'expertise à la Cour supérieure sur la garde d'enfants, d'adoption et de recherche des antécédents biologiques» (St-Pierre, 2009, p. 50).

CLINIQUES ET CABINETS PRIVÉS INCLUANT LES GROUPES DE MÉDECINE DE FAMILLE (GMF) ET LES CLINIQUES-RÉSEAU

En Amérique du Nord, les clients se rendent généralement au cabinet d'un médecin pour subir des examens de routine, faire établir le diagnostic d'une affection ou recevoir des traitements. Le Québec compte «2 000 cliniques médicales d'omnipraticiens et de spécialistes» (St-Pierre, 2009, p. 52). Il compte également 216 groupes de médecine de famille (GMF) accrédités et 30 cliniques-réseau (MSSS, 2010b).

Un GMF réunit environ 6 à 10 médecins qui travaillent en étroite collaboration avec des infirmières pour dispenser des services à un ensemble de 10 000 à 20 000 personnes qui sont inscrites sans égard à leur situation géographique. Lors de la création des GMF, le MSSS voulait :

- prolonger les heures d'accessibilité à un médecin de famille, sur et sans rendez-vous ;
- rendre les médecins de famille plus disponibles grâce au travail en groupe et au partage des activités avec les infirmières au sein d'un GMF ;
- améliorer le suivi médical des patients et la continuité des services en renforçant le lien avec les autres professionnels du réseau de la santé et des services sociaux, notamment des centres de santé et de services sociaux (CSSS) (MSSS, 2010b).

Les infirmières qui travaillent dans un cabinet de médecin ou un GMF assument divers rôles et responsabilités. Certaines remplissent des fonctions traditionnelles: elles inscrivent les clients et elles les préparent en vue d'un examen, elles font la collecte des données en matière de santé et donnent des informations aux personnes venues consulter. D'autres infirmières assurent le prélèvement d'échantillons, assistent le médecin durant divers actes médicaux et donnent des soins. De plus en plus de GMF retiennent les services d'infirmières praticiennes spécialisées en soins de première ligne. Ces dernières prodiguent des soins de première ligne à des personnes qui présentent des problèmes de santé courants ou des problèmes chroniques stables de santé. À ce propos, l'article 36.1 de la *Loi modifiant le Code des professions et d'autres dispositions législatives dans le domaine de la santé* apporte les précisions suivantes:

> L'infirmière et l'infirmier peuvent, lorsqu'ils y sont habilités par règlements pris en application du paragraphe *b* du premier alinéa de l'article 19 de la Loi médicale (chapitre M-9) et du paragraphe *f* de l'article 14 de la présente loi, exercer une ou plusieurs des activités suivantes, visées au deuxième alinéa de l'article 31 de la Loi médicale :

1. prescrire des examens diagnostiques ;
2. utiliser des techniques diagnostiques invasives ou présentant des risques de préjudice ;
3. prescrire des médicaments et d'autres substances ;
4. prescrire des traitements médicaux ;
5. utiliser des techniques ou appliquer des traitements médicaux, invasifs ou présentant des risques de préjudice (Gouvernement du Québec, 2002, p. 13).

Le modèle des GMF a reçu un accueil moins favorable dans la région de Montréal en raison, notamment, des caractéristiques de la population et de celles des médecins qui offrent des services (Lévesque *et al.*, 2007). C'est dans ce contexte que la création des cliniques-réseau a été proposée. Les cliniques-réseau poursuivent deux buts:

1. garantir l'accès à des services médicaux sans rendez-vous en dehors des salles d'urgence d'un hôpital, et ce, tous les jours de la semaine ;
2. assurer une coordination opérationnelle entre les médecins d'un territoire, responsables de la prise en charge médicale de leurs patients et le CSSS, responsable de l'accès aux services et de la continuité de la prestation de services à la population (Gouvernement du Québec, 2006).

Bref, les GMF et les cliniques-réseau doivent améliorer les soins de première ligne à la population.

RESSOURCES NON INSTITUTIONNELLES (RNI)

En raison de la fréquence élevée des affections chroniques, il a fallu instaurer d'autres catégories de ressources, conçues pour recevoir des personnes ayant besoin non seulement de soins personnels (par exemple, bain, hygiène, soutien dans les activités quotidiennes), mais aussi de soins infirmiers réguliers et, à l'occasion, de soins médicaux. Ces ressources relèvent du secteur privé, mais elles doivent être accréditées par le MSSS. Toutefois, les types de soins prodigués varient grandement d'un établissement à l'autre. Certains admettent et hébergent seulement les personnes autonomes capables de se vêtir elles-mêmes, alors que d'autres offrent des soins aux personnes alitées ou atteintes d'incapacités importantes. Un tel endroit constitue souvent le domicile de la personne, qu'on appelle, de ce fait, «résident» plutôt qu'«usager», «client» ou «patient».

Les résidences pour personnes âgées sont généralement constituées de maisons, de copropriétés ou d'appartements. Les résidents y sont relativement indépendants et ils peuvent bénéficier de différents services: préparation des repas, blanchisserie, soins infirmiers, transport, activités sociales, etc. Certaines résidences travaillent en collaboration avec d'autres services de santé et de services sociaux afin de répondre aux besoins des personnes qui sont en perte d'autonomie sans toutefois avoir besoin de soins hospitaliers ou infirmiers. Les infirmières qui travaillent dans ces établissements prodiguent peu de soins aux résidents, et ces soins sont généralement liés à l'administration de médicaments et à des traitements mineurs.

GROUPES DE SOUTIEN MUTUEL ET D'ENTRAIDE

Il existe actuellement un certain nombre de groupes de soutien mutuel et d'entraide qui se donnent pour mission de soutenir les personnes qui éprouvent des problèmes de santé ou qui

6

traversent une crise. Les groupes de ce type ont vu le jour pour répondre à des besoins d'empathie et de soutien psychologique, lesquels ne sont comblés que partiellement par les professionnels de la santé, qui se préoccupent davantage des soins médicaux proprement dits. C'est le cas, par exemple, du mouvement des Alcooliques anonymes, fondé en 1935, et qui a servi de modèle à plusieurs associations bénévoles, ou des mouvements qui viennent en aide aux personnes en phase terminale, à leur famille et aux proches aidants. Le concept fondamental du mouvement des soins palliatifs, par opposition au modèle des soins de courte durée, n'est pas de sauver des vies, mais d'améliorer et de maintenir la qualité de la vie jusqu'à la mort (chapitre 27 ⊙).

Classification des soins de santé en fonction de leur niveau

On répartit souvent les soins de santé en fonction de leur complexité, à savoir : les soins de première ligne, incluant la promotion de la santé et la prévention de la maladie; les soins de deuxième ligne, incluant le diagnostic et le traitement; les soins de troisième ligne, incluant la rééducation, la réadaptation; les soins de quatrième ligne, incluant les soins palliatifs. Le tableau 6-2 présente les divers types de soins en fonction de leur niveau.

Promotion de la santé et prévention de la maladie (premier niveau)

Les activités de promotion de la santé insistent sur la nécessité, pour chaque personne, de rester en bonne santé et de conserver un niveau maximal de bien-être. La *Loi sur la santé publique* balise les activités du MSSS en matière de promotion de la santé.

Ainsi, dans l'élaboration des volets du programme qui concernent la promotion et la prévention, «le ministre doit, dans la mesure du possible, cibler les actions les plus efficaces à l'égard des déterminants de la santé, notamment celles qui peuvent influencer les inégalités de santé et de bien-être au sein de la population et celles qui peuvent contrer les effets des facteurs de risque touchant, notamment, les groupes les plus vulnérables de la population» (art. 8). Certains de ces déterminants seront expliqués en détail au chapitre 8 ⊙.

Les programmes de prévention de la maladie et des blessures s'adressent directement aux usagers ou à la communauté. Ils comprennent l'immunisation et la détermination des facteurs de risque de certaines affections (par exemple, affections cardiovasculaires) et encouragent l'adoption de mesures permettant de les prévenir. De plus, la prévention de la maladie comprend des programmes susceptibles de réduire la fréquence des maladies et des incapacités en mettant l'accent sur l'environnement. C'est dans cet esprit que, parmi les mesures visant à réduire la pollution atmosphérique, on compte l'inspection obligatoire des systèmes d'échappement des automobiles, afin de s'assurer que l'émission des gaz ne dépasse pas un niveau jugé acceptable (pour en apprendre davantage sur la sécurité, voir le chapitre 31 ⊙).

Diagnostic et traitement (deuxième niveau)

Autrefois, le diagnostic et le traitement représentaient le secteur le plus important du système de distribution des soins et des services de santé à la population. Les hôpitaux et les cabinets de médecin en constituaient alors les principaux distributeurs. Toutefois, depuis quelque temps, des organisations communautaires assurent la prestation de services. Ainsi, les CSSS fournissent des soins à la mère et à l'enfant ainsi que des services de santé mentale; ils prodiguent aussi des soins aux personnes atteintes d'affections aiguës ou chroniques (par exemple,

TABLEAU 6-2

CLASSIFICATION DES SERVICES DE SANTÉ SELON LEUR DEGRÉ DE COMPLEXITÉ

Degré de complexité	Exemples
Premier niveau	Promotion de la santé et prévention de la maladie Soins préventifs (par exemple, vaccination) Éducation à la santé Protection de l'environnement Services de planification des naissances Dépistage précoce et traitement de certaines affections Évaluation de la croissance et du développement de l'enfant
Deuxième niveau	Soins de première ligne (soins primaires) Soins de deuxième ligne (soins secondaires prodigués dans les CH, les cliniques spécialisées, à domicile) Soins de troisième ligne (soins tertiaires qui correspondent aux soins intensifs) Soins de quatrième ligne (soins quaternaires qui correspondent aux soins dans les milieux ultraspécialisés)
Troisième niveau	Soins prolongés après la stabilisation de l'état de santé Réadaptation
Quatrième niveau	Soins palliatifs

diabète). Certains CSSS disposent de moyens diagnostiques limités, mais ils peuvent aiguiller les personnes vers des centres dotés de services de laboratoire et de radiologie plus évolués.

Réadaptation et rééducation (troisième niveau)

La réadaptation se définit comme l'ensemble des mesures permettant à une personne malade ou blessée de retrouver un état de santé optimal et fonctionnel. Les soins de réadaptation mettent l'accent sur l'importance d'aider les clients à fonctionner en dépit des incapacités dont ils souffrent sur les plans physique, mental, social, économique ou professionnel. Le but de la rééducation est d'aider les individus à retrouver leur état de santé antérieur (c'est-à-dire leurs capacités antérieures) ou à maximiser leurs capacités, compte tenu de leur état de santé actuel. La rééducation peut débuter en établissement de soins, mais, une fois rétablie, la personne peut suivre d'autres traitements dans une unité de réadaptation fonctionnelle intensive (URFI).

Soins palliatifs (quatrième niveau)

Lorsque le client ne peut pas recouvrer la santé, les infirmières doivent veiller à assurer une qualité de vie tout au long du processus de la mort. Les *soins palliatifs* consistent à donner aux personnes en phase terminale des soins qui répondent à leurs besoins en atténuant la douleur, la souffrance et la peur, tout en respectant leurs valeurs. Les infirmières prodiguent des soins palliatifs à domicile, dans un CSSS ou en milieu hospitalier (chapitre 27 ⬭).

Dispensateurs de soins de santé

Les dispensateurs de soins de santé, aussi appelés «équipes de soins» ou «professionnels de la santé», sont des membres du personnel médical et paramédical, appartenant à différentes disciplines. Tous ces professionnels coordonnent leurs compétences afin d'aider les personnes, les familles, les groupes et les communautés (figure 6-4 ■). Ils ont comme objectifs communs la promotion du bien-être et la réadaptation des clients. Le choix du personnel affecté à une personne donnée dépend des besoins de cette dernière. Dans le système actuel, les équipes de soins comprennent généralement les personnes suivantes : l'infirmière, le médecin, le personnel infirmier autre que les infirmières, le dentiste, le pharmacien, le diététiste ou le nutritionniste, le physiothérapeute, l'inhalothérapeute, l'ergothérapeute, les technologistes paramédicaux, le travailleur social,

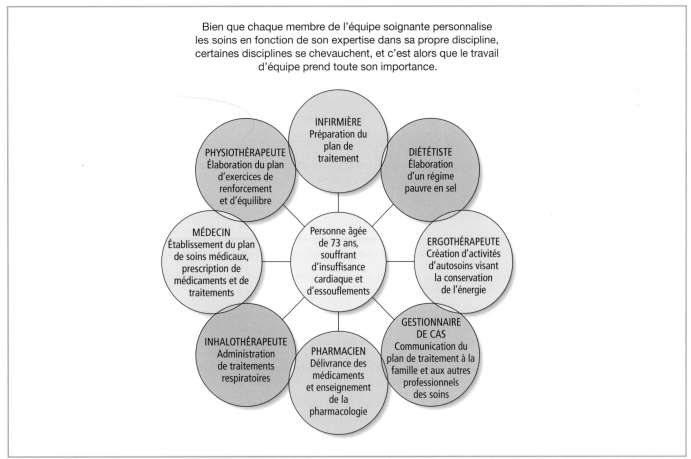

FIGURE 6-4 ■ Relation du client avec les différents professionnels de la santé.

les personnes apportant un soutien spirituel et le gestionnaire de cas ou de suivi systématique. De plus, les personnes malades s'adressent aussi quelquefois à des dispensateurs de soins en approches complémentaires et parallèles en santé.

Infirmière

Les rôles de l'infirmière sont définis par la *Loi sur les infirmières et les infirmiers* (L.R.Q., c. 1-8, art. 36) et par la *Loi modifiant le Code des professions et d'autres dispositions législatives dans le domaine de la santé* (L.Q. 2002, c. 33, art. 12). Selon l'article 36 de la *Loi sur les infirmières et les infirmiers*,

> l'exercice infirmier consiste à évaluer l'état de santé d'une personne, à déterminer et à assurer la réalisation du plan de soins et de traitements infirmiers, à prodiguer les soins et les traitements infirmiers et médicaux dans le but de maintenir la santé, de la rétablir et de prévenir la maladie ainsi qu'à fournir les soins palliatifs (Gouvernement du Québec, 2002, p. 12).

Cette loi contribue à revaloriser le champ d'exercice de l'infirmière en précisant 14 activités qui lui sont réservées (voir l'encadré 4-2 du chapitre 4 ⊕). Une infirmière peut aussi acquérir des compétences dans différentes spécialités (par exemple, les soins intensifs, la santé communautaire, la santé mentale et l'oncologie). Les rôles des autres professionnels sont décrits brièvement à l'encadré 6-5.

Facteurs influant sur la distribution des soins de santé

De nos jours, les personnes ayant besoin de soins de santé sont plus averties qu'elles ne l'étaient dans le passé, ce qui explique en partie le fait qu'elles exercent une influence croissante sur la distribution des soins. Autrefois, les personnes s'attendaient

ENCADRÉ 6-5
RÔLES DE CERTAINS MEMBRES DE L'ÉQUIPE SOIGNANTE

Dentiste	Le dentiste diagnostique et traite les problèmes dentaires. Il veille au bon état des structures buccales, notamment les dents et les gencives.
Diététiste ou nutritionniste	Le diététiste conçoit des régimes adaptés aux besoins nutritionnels de certaines personnes. Le nutritionniste possède des connaissances spécialisées en nutrition et en alimentation (chapitre 40 ⊕). Il offre un service de consultation sur l'achat et la préparation des aliments, et il s'occupe souvent de prévention.
Ergothérapeute	L'ergothérapeute aide les personnes souffrant d'une anomalie fonctionnelle à recouvrer la capacité d'effectuer les activités de la vie quotidienne.
Gestionnaire de cas ou de suivi systématique	Le gestionnaire de cas ou de suivi systématique assure la prestation de soins appropriés dans le meilleur environnement possible. L'infirmière assume souvent ce rôle, parce qu'elle est en première ligne et qu'elle a une vision globale des soins nécessaires à la personne.
Inhalothérapeute	L'inhalothérapeute prodigue des soins principalement à des personnes souffrant de troubles respiratoires.
Médecin	Le médecin prévient, diagnostique et traite les affections et les traumas (ou blessures). Également, il assiste le client pendant la période de réadaptation.
Personne du culte	Les aumôniers, les pasteurs, les rabbins, les imams, les prêtres et d'autres intervenants jouent un rôle dans les équipes de soins en répondant aux besoins spirituels des personnes hospitalisées.
Personnel soignant non infirmier	Le personnel soignant autre que les infirmières est formé d'infirmières auxiliaires, de préposés aux bénéficiaires, de brancardiers, d'aides familiales, de préposés en salubrité, etc. (chapitre 22 ⊕).
Pharmacien	Le pharmacien joue un rôle de plus en plus important dans l'observation et l'évaluation des effets escomptés et des effets secondaires ou indésirables des médicaments.
Physiothérapeute	Le physiothérapeute vient en aide aux personnes souffrant de troubles musculosquelettiques. Ses fonctions comprennent l'évaluation de la mobilité et de la force de la personne, les interventions thérapeutiques et l'enseignement de nouvelles habiletés.
Professionnels en approches parallèles	Les chiropraticiens, les herboristes, les acupuncteurs, notamment, sont des dispensateurs de soins en approches complémentaires et parallèles en santé (ACPS).
Technologistes para-médicaux	Les technologistes de laboratoire, en radiologie et en médecine nucléaire ne représentent que trois des nombreuses catégories de technologistes paramédicaux œuvrant dans le milieu médical.
Travailleur social	Le travailleur social conseille les clients et fournit un soutien à ceux qui sont aux prises avec des problèmes sociaux, de nature financière, conjugale ou autre.

à ce que le médecin prenne des décisions concernant leur santé, mais aujourd'hui elles veulent participer à la prise de toutes les décisions. Elles ont aussi compris que leur mode de vie a une incidence sur leur santé. Elles désirent donc recevoir plus d'informations et de services en matière de promotion de la santé et de prévention de la maladie.

De nombreux autres facteurs influent aussi sur la distribution des soins de santé, notamment l'augmentation du nombre de personnes âgées, les progrès technologiques, le financement des services de santé, l'évolution du statut des femmes, l'inégalité dans la distribution des services, l'accès aux soins de santé, l'itinérance et la pauvreté ainsi que les changements démographiques.

Vieillissement de la population

Au Québec, la population des 65 ans et plus connaît une forte croissance. Ainsi, de 1991 à 2010, la proportion de ces personnes est passée de 11 à 16 %. De plus, on prévoit que «la population de 65 ans aura doublé d'ici 20 ans, passant de 16 à 26 % de la population québécoise» (MSSS, 2010c, p. ii). Le groupe de personnes âgées qui progresse le plus est celui des 85 ans (INSPQ, 2003). Ces données sont cruciales, car ce sont souvent les personnes les plus âgées qui doivent être hospitalisées et qui sont les plus grandes consommatrices de soins de santé. Par ailleurs, en 2008, l'espérance de vie des Québécois est de 78 ans pour les hommes, et de 83 ans pour les femmes. En ce qui concerne l'espérance de vie en santé, elle est de 73 ans pour les femmes, et de 70 ans pour les hommes. Les Québécoises et les Québécois vivent plus longtemps et cet allongement de la vie s'accompagne d'une amélioration de l'espérance de vie en bonne santé. Ces données invitent à la prudence lorsque l'on prétend que les personnes âgées seront un fardeau pour l'ensemble de la société, car certaines assertions relèvent de l'âgisme.

Progrès scientifiques et technologiques

Dans le domaine de la santé, les connaissances scientifiques et technologiques progressent rapidement. L'amélioration des méthodes diagnostiques et l'utilisation de matériel perfectionné permettent de détecter certaines affections à un stade précoce et de les traiter promptement. L'utilisation du laser et des techniques de microscopie, par exemple, a simplifié le traitement d'affections qui nécessitaient autrefois une intervention chirurgicale délicate et souvent pénible. Par ailleurs, les chercheurs des sociétés pharmaceutiques conçoivent sans cesse de nouveaux antibiotiques et d'autres sortes de médicaments permettant de traiter les infections ou de lutter contre les microorganismes résistants et diverses affections. L'ordinateur, la fiche médicale de chevet, le stockage et l'extraction de grandes quantités d'informations provenant de banques de données sont des outils auxquels les établissements de soins de santé recourent de plus en plus souvent.

Ces percées technologiques ont modifié les soins qu'on prodigue désormais. On traite les clients, de préférence dans la communauté, en faisant appel aux ressources, à la technologie et aux traitements offerts à l'extérieur de l'établissement de soins. Ainsi, il y a 30 ans, une chirurgie de la cataracte nécessitait 10 jours d'hospitalisation; aujourd'hui, dans la majorité des cas, elle se pratique en clinique de chirurgie d'un jour, sans hospitalisation. Malheureusement, tous ces progrès technologiques, interventions et traitements spécialisés entraînent des dépenses considérables.

Financement des services de santé

Le financement des services de santé est actuellement l'objet de bien des discussions. Le système de distribution des soins dépend largement de la situation économique générale d'un pays. L'inflation et la récession économique des années 1980 et du début des années 1990 ont causé une escalade inquiétante des coûts des soins de santé. Au Canada, ces coûts ont augmenté de plus de 400 % depuis 1965!

Voici les principales raisons de l'augmentation appréciable des coûts de santé :

- Le prix des médicaments et des autres produits pharmaceutiques augmente sans cesse.
- Le matériel et les installations deviennent vite désuets, car la recherche met continuellement au point de nouvelles méthodes améliorées de diagnostic, de soins et de traitement.
- Les nouvelles méthodes de diagnostic et de traitement exigent plus d'espace, de l'équipement de pointe et un personnel spécialisé accru pour assurer le fonctionnement des appareils.
- L'inflation entraîne une croissance générale des coûts.
- L'augmentation et le vieillissement de la population entraînent nécessairement un accroissement de la demande de services.
- Le nombre de personnes travaillant au sein du système de soins de santé a augmenté.

Évolution du statut des femmes

Le mouvement féministe a largement contribué à changer certaines pratiques en matière de santé. La prestation des services requis pendant l'accouchement dans un milieu plus décontracté, comme une maison de naissance, et l'hébergement de nuit des parents d'enfants hospitalisés sont des exemples de tels changements. Autrefois, on se préoccupait surtout des aspects reproductifs de la santé des femmes, en négligeant des facteurs propres à leur sexe. Par ailleurs, puisque les femmes sont présentes en très grand nombre sur le marché du travail, par la force des choses, elles sont moins disponibles pour prodiguer des soins aux membres de leur famille.

Inégalité dans la distribution des services

Tant au Québec que dans le reste du Canada, la distribution des services de santé connaît de graves problèmes liés aux deux aspects suivants: la distribution inégale des services et l'accroissement de la spécialisation médicale et technologique. Dans certains endroits, notamment en région éloignée ou en milieu rural, il n'y a pas assez de professionnels de la santé et les services offerts sont insuffisants, compte tenu des besoins des personnes, des familles et des communautés. Les habitants des régions rurales doivent souvent parcourir de longues distances pour obtenir les services qu'exige leur état.

Avec la mise au point de techniques ultraspécialisées et avec l'accroissement des connaissances résultant de la recherche effectuée au cours des 30 dernières années, une proportion toujours croissante du personnel médical doit maintenant fournir des services spécialisés et ultraspécialisés. Il s'ensuit un besoin de techniciens ou de technologistes hautement spécialisés, qui occupent des postes aux fonctions très pointues et exigeantes, notamment les techniciens orthésistes, les technologistes en électronique biomédicale et les techniciens de médecine nucléaire. La spécialisation a eu des effets pervers, car elle a notamment entraîné la fragmentation des soins et, indirectement, l'augmentation des coûts de santé. Cela signifie qu'un client est susceptible de recevoir des soins de la part de 5 à 30 professionnels ou travailleurs de la santé différents durant un séjour en établissement de soins. Cette procession, qui semble ne devoir jamais se terminer, cause souvent chez lui de la confusion et de l'anxiété.

Accès aux soins de santé

Les personnes à faible revenu courent plus de risques de souffrir d'une maladie infectieuse (par exemple, tuberculose ou sida), de toxicomanie ou d'une affection chronique ; elles sont davantage victimes de viol ou d'une autre forme de violence (pour en apprendre davantage sur les déterminants de la santé, voir le chapitre 8). De plus, il existe un lien entre la consommation des soins de santé et le chômage ou la pauvreté. Malgré l'aide gouvernementale, l'accessibilité aux soins varie considérablement d'une personne à l'autre. Ainsi, les personnes défavorisées, et particulièrement les hommes, ont une espérance de vie moins élevée que le reste de la population.

Itinérance et pauvreté

La croissance du nombre de sans-abri dans les villes est à l'origine d'un problème de plus en plus important en matière de santé. Il ne faut pas confondre ce groupe avec celui des personnes à faible revenu. En général, les sans-abri souffrent d'isolement social, ne possèdent pas de résidence permanente et ont coupé les ponts avec leur famille et leurs amis. Ces personnes vivent dans des refuges pour itinérants, dans la rue ou dans des parcs ; elles dorment dans des tentes ou des abris de fortune, parfois dans des voitures ou, encore, dans les stations de métro et les gares. Or, ce mode de vie aggrave souvent leurs problèmes de santé, qui finissent par devenir chroniques.

Les facteurs qui causent l'itinérance comprennent le coût élevé du logement, la toxicomanie et la désinstitutionnalisation des services offerts par les établissements psychiatriques. Les sans-abri souffrent de problèmes physiques, mentaux, sociaux et émotionnels. Leur état de santé médiocre s'explique en bonne partie par le fait qu'ils ne peuvent accéder facilement aux services de soins de santé. Les facteurs qui causent les problèmes de santé des sans-abri sont les suivants :

- Milieu physique médiocre, qui accroît la prédisposition aux infections
- Manque de repos et d'intimité
- Dénutrition
- Difficulté d'accéder à des installations indispensables à l'hygiène personnelle
- Exposition aux éléments de la nature et à l'environnement.
- Manque de soutien social
- Manque de ressources personnelles
- Milieu de vie dangereux (où la menace d'agression est constante)
- Soins de santé inadéquats
- Maladie mentale
- Faible observance des traitements prescrits.
- Toxicomanie

Changements démographiques

Au cours des dernières décennies, la famille québécoise a connu de grands changements. Le nombre de familles monoparentales et d'organisations familiales non traditionnelles a augmenté sensiblement. Des femmes sont à la tête de la majorité des familles monoparentales et, comme bon nombre d'entre elles travaillent, elles ont besoin d'aide pour le soin des enfants, particulièrement en cas de problèmes de santé.

RECHERCHE EN SCIENCES INFIRMIÈRES

DANS LEUR CHEMINEMENT THÉRAPEUTIQUE, LES CLIENTS ATTEINTS D'UNE MALADIE CHRONIQUE RENCONTRENT-ILS DES ÉLÉMENTS QUI FONT OBSTACLE AUX SOINS ET DES ÉLÉMENTS QUI LES AIDENT À LES RECEVOIR ?

Spenceley (2005) a effectué une analyse systématique des recherches sur les éléments qui font obstacle aux soins et ceux qui aident les Canadiens atteints d'une affection chronique à se faire soigner dans les services formels de prestation de soins. Il a recensé 31 études menées sur ce sujet entre 1990 et 2002. Le thème qui s'est dégagé des résultats a été la symétrie ou l'équilibre. Par exemple, l'un des obstacles a été un manque de symétrie entre le client et le dispensateur de soins, notamment la peur des violations de l'intimité, un manque de concordance entre les sexes et des différences culturelles, générationnelles et spirituelles. Les exemples d'éléments d'aide ont été la relation avec un dispensateur de soins digne de confiance, un suivi assuré personnellement par le professionnel de la santé, la sensibilité de celui-ci à l'égard de la culture du client, ou la présence de défenseurs informels des intérêts du client qui « connaissaient le système ». Le chercheur a été surpris de constater qu'il y avait peu de recherches canadiennes effectuées sur les obstacles géographiques à l'accès aux soins, même dans nos régions les moins peuplées.

Implications : Les infirmières et les autres dispensateurs de soins doivent examiner leur pratique pour s'assurer que les services disponibles sont suffisants et capables de répondre aux besoins des clients.

Source : Spencely, S. M. (2005). Access to health services by Canadians who are chronically ill. *Western Journal of Nursing Research, 27*(4), 465-486.

De plus, on a davantage conscience de la diversité culturelle et ethnique de la population. Les professionnels de la santé et les organismes sont sensibilisés à cette diversité et emploient divers moyens pour surmonter les obstacles que certaines différences peuvent occasionner. Ainsi, de nombreux établissements emploient des infirmières capables de communiquer avec lesb personnes qui ne parlent ni français ni anglais (chapitre 12 🔗).

Approches actuelles en soins de santé

Parmi toutes les approches habituellement préconisées en soins de santé, le MSSS propose d'en retenir trois : approche communautaire, approche populationnelle et approche par programme (MSSS, 2004c). Chacune de ces approches permet d'atteindre les objectifs d'accessibilité, de continuité et de qualité des soins que vise la réforme actuelle. Nous définirons sommairement chacune de ces approches, puis nous préciserons les principales caractéristiques de chacune d'elles.

Approche communautaire

L'**approche communautaire** se concentre sur les soins de santé primaires et les partenariats avec le milieu communautaire. En s'organisant autour d'objectifs comme l'amélioration de la santé et du bien-être ainsi que la continuité des soins et des services, elle contribue à améliorer l'accessibilité et à réduire les inégalités en matière de santé (MSSS, 2004a). De plus, cette approche «favorise l'intégration des pratiques de santé publique aux pratiques de première ligne avec une participation active des populations cibles et une emphase sur les liens intersectoriels, et attribue une priorité aux clientèles vulnérables » (MSSS, 2004a, p. 27). Ainsi, l'approche communautaire offre un ensemble de services préventifs et vise l'établissement de stratégies destinées aux clientèles vulnérables.

Approche populationnelle

L'**approche populationnelle** «implique que les intervenants qui offrent les services à la population d'un territoire local seront amenés à partager collectivement une responsabilité à son endroit, en rendant accessible un ensemble de services le plus complet possible et en assurant la prise en charge et l'accompagnement des personnes dans le système de santé et de services sociaux, tout en favorisant la convergence des efforts pour maintenir et améliorer la santé et le bien-être de la population» (MSSS, 2004a, p. 5). Dans l'optique du MSSS, l'approche populationnelle renvoie à la dimension géographique, «c'est-à-dire que le CSSS exerce une responsabilité clinique et financière à l'égard de son territoire» (MSSS, 2004a). Cette approche permet une «offre de services à un coût raisonnable, une hiérarchisation appropriée des services et la mise en œuvre de mécanismes de standardisation et de coordination appropriés» (MSSS, 2004b, p. 28). De plus, l'approche populationnelle renforce la continuité des soins et contribue à accroître la capacité d'offrir une large gamme de services, sans négliger pour autant les besoins particuliers des sous-groupes ou de la population en général.

Approche par programme

Le MSSS définit l'**approche par programme** «comme un ensemble de moyens coordonnés afin d'atteindre des objectifs déterminés par les besoins de la clientèle» (MSSS, 2004a, p. 27). De fait, il s'agit d'une approche qui précise comment organiser les ressources humaines, matérielles et financières afin de répondre aux besoins de la population dans son ensemble et aux besoins des clientèles particulières. Cette approche est axée sur la hiérarchisation judicieuse des services, une composante essentielle de l'amélioration de la qualité et de la continuité des services (MSSS, 2004a).

Modèles cliniques

Outre les trois approches dont il vient d'être question, le MSSS propose six catégories de modèles cliniques visant à répondre aux besoins des différentes clientèles : modèles centrés sur la personne ; modèles de soins et services coordonnés ; modèles communautaires ; modèles de gestion de la maladie ; modèles de soins et services intégrés ; modèles de collaboration (MSSS, 2004a).

MODÈLES CENTRÉS SUR LA PERSONNE

Les **modèles centrés sur la personne** sont les plus connus et les plus fréquemment utilisés par les professionnels de la santé. Leurs principales caractéristiques sont les suivantes :
- réponse individualisée ;
- accessibilité et responsabilisation des personnes ;
- réponse à des besoins ponctuels, généraux ou spécialisés ;
- compatibilité avec l'approche biopsychosociale, l'intégration de pratiques cliniques préventives et les modèles de collaboration (MSSS, 2004b, p. 14).

MODÈLES DE SOINS ET SERVICES COORDONNÉS

Les **modèles de soins et services coordonnés** sont bien implantés dans les établissements de santé. Ils supposent «un style de gestion novateur, qui valorise la coordination et le temps consacré à la personne» (MSSS, 2004b). Leurs principales caractéristiques sont les suivantes :
- fonctionnement en équipe ;
- mécanismes de liaison entre les organismes ;
- continuité ;
- besoins de services généraux et de suivi plus systématique des clientèles vulnérables ou à risque de problèmes de santé ou sociaux, ou présentant une pathologie chronique grave ;
- besoins de services spécialisés ponctuels, selon un mode de référence bidirectionnel combiné avec le modèle centré sur la personne ;
- articulation avec les programmes services et les modèles de gestion de la maladie pour partager la prise en charge (MSSS, 2004b, p. 14).

MODÈLES COMMUNAUTAIRES

Les **modèles communautaires** reposent sur «l'imputabilité vis-à-vis des communautés, le focus sur la santé et le bien-être des communautés, l'offre de continuums globaux de services sans rupture et une reconnaissance explicite d'une gestion en contexte de ressources limitées» (MSSS, 2004a). Ces modèles, enracinés dans les communautés, contribuent à aider les groupes sociaux, à cerner des priorités et à utiliser les ressources en fonction des contraintes déterminées. Leurs principales caractéristiques sont les suivantes:

- fonctionnement en équipe;
- liens étroits entre la communauté, les partenaires et les équipes spécialisées en santé publique;
- continuité, réduction des inégalités, délimitation des déterminants de la santé;
- délimitation des besoins de services généraux, et surtout de suivi plus systématique des clientèles vulnérables ou à risque de problèmes sociaux;
- délimitation des besoins de services spécialisés ponctuels, selon un mode de référence bidirectionnel combiné avec le modèle centré sur la personne;
- articulation avec les programmes services et les modèles de gestion de la maladie pour partager la prise en charge;
- compatibilité avec l'établissement d'ententes de services avec les partenaires locaux (MSSS, 2004b, p. 15).

MODÈLES DE GESTION DE LA MALADIE

Les **modèles de gestion de la maladie** (*disease management*) sont centrés sur l'amélioration «des processus cliniques pour s'assurer que les meilleures pratiques soient incorporées avec un minimum de variations» (MSSS, 2004a, p. 35). De fait, ces modèles visent l'amélioration de la qualité des soins par l'intégration de résultats probants à la pratique des professionnels. Leurs principales caractéristiques sont les suivantes:

- standardisation des processus;

- continuité et qualité des services rendus pour un problème ou une pathologie précis;
- besoin de services généraux et spécialisés de clientèles ayant une pathologie chronique particulièrement instable (MSSS, 2004b, p. 15).

MODÈLES DE SOINS ET SERVICES INTÉGRÉS

Les **modèles de soins et services intégrés** font le lien entre les secteurs de santé, les secteurs sociaux et les secteurs communautaires. Ils recourent à la gestion de cas. Leurs principales caractéristiques sont les suivantes:

- continuité et globalité;
- établissement de liens entre les secteurs de santé, sociaux et communautaires;
- délimitation des besoins de clientèles particulières présentant des problématiques complexes ou multiples;
- délimitation des besoins de services spécialisés ponctuels, selon un mode de référence bidirectionnel, combiné avec le modèle centré sur la personne;
- articulation avec les programmes services et le modèle de gestion de la maladie pour partager la prise en charge (MSSS, 2004b, p. 15).

MODÈLES DE COLLABORATION

Les **modèles de collaboration** «visent l'intégration par la coopération entre les partenaires» (MSSS, 2004a, p. 39). Ces modèles favorisent l'atteinte des objectifs «en levant les barrières de communication dans les équipes et entre les organisations» (MSSS, 2004a, p. 39). Leurs principales caractéristiques sont les suivantes:

- coopération;
- communication;
- continuité;
- démarche facilitant l'implantation des autres modèles;
- élément clé du succès de la concertation (MSSS, 2004b, p. 15).

 RECHERCHE EN SCIENCES INFIRMIÈRES

LES TYPES D'INFIRMIÈRES ET DE MODÈLES DE PRESTATION DE SOINS DANS LES HÔPITAUX ONT-ILS UNE INCIDENCE SUR LES RÉSULTATS OBTENUS CHEZ LES CLIENTS?

Les chercheurs ayant effectué cette étude ont relié le nombre de professionnels en soins infirmiers de 77 unités médicales, chirurgicales et obstétriques de 19 centres hospitaliers aux coûts et à la qualité des soins. On a mesuré la qualité des soins par les résultats obtenus chez les clients, les erreurs de médication, les chutes et l'apparition de certaines infections. On a mené une enquête auprès de plus de 1 000 infirmières qui appliquaient le modèle de soins utilisé dans leur unité. Les modèles utilisés étaient les suivants : modèle des soins infirmiers intégraux, modèle de soins infirmiers en équipe et soins primaires (de première ligne). L'enquête a aussi porté sur la communication et la coordination au sein de l'unité de soins infirmiers.

La qualité, la coordination et la communication étaient statistiquement supérieures dans les unités où ne travaillaient que des infirmières autorisées comparativement à celles où travaillaient des infirmières non autorisées et des infirmières en formation. La qualité était plus faible dans les unités qui utilisaient le modèle des soins infirmiers intégraux.

Implications: Il s'agit de l'une des recherches importantes sur les soins infirmiers qui a montré un lien entre la composition du personnel infirmier et la qualité des soins prodigués aux clients. Elle a révélé que, dans chaque cas, plus le pourcentage d'infirmières autorisées travaillant dans l'unité était élevé, plus faible était la fréquence des résultats indésirables, comme les chutes, les erreurs et les infections évitables. Il est cependant plus difficile de relier les résultats au modèle de prestation de soins utilisé dans chaque unité, parce que chacune d'entre elles peut apporter au modèle de légères variations et qu'il est difficile de comparer les unités entre elles. Il est toutefois important de continuer à examiner les divers modèles de prestation de soins et leur efficacité afin de permettre un déploiement optimal des infirmières autorisées en cas de pénurie.

Source: Hall, I. M., Doran, D., et Pink, G. H. (2004). Nurse staffing models, nursing hours, and patients safety outcomes. *Journal of Nursing Administration, 34*, 41-45.

Modèles de distribution des soins infirmiers

Il existe un certain nombre de **modèles de distribution des soins infirmiers** : méthode des soins intégrés (ou méthode des cas), méthode fonctionnelle en soins infirmiers, modèle des soins infirmiers en équipe, modèle des soins infirmiers intégraux, modèle de pratique différenciée en soins infirmiers et modèle des partenaires de pratique. Dans les faits, un mode de distribution comprend souvent des composantes provenant de plus d'un modèle. L'encadré 6-6 présente les caractéristiques de chacun des modèles de distribution des soins infirmiers.

Outils mis à la disposition des professionnels de la santé

Les outils préconisés par le MSSS sont la gestion de cas, la gestion d'interfaces, les interventions spécialisées et les interventions complexes ou intersectorielles. Il sera question ici uniquement de la gestion de cas, car il s'agit de l'outil que les infirmières utilisent le plus fréquemment.

Gestion de cas (ou suivi systématique de clientèles)

La **gestion de cas** (ou **suivi systématique de clientèles**) s'appelle aussi «gestion par un intervenant pivot». Il s'agit d'une «approche qui vise la continuité des services et la qualité des résultats cliniques chez des clientèles particulières, dans un contexte de gestion efficace et efficiente des ressources» (Ordre des infirmières et infirmiers du Québec [OIIQ], 1999, p. 11). Cet outil de résolution de problèmes favorise l'intégration et la continuité des services de santé prodigués à une personne ou à un groupe. En vertu des programmes de gestion de cas, on vise à fournir des soins efficaces sur le plan des coûts et à assurer la qualité des résultats. Selon cette approche, des équipes formées d'infirmières et de médecins sont conjointement responsables d'un groupe de clients. Chaque équipe est chargée de la planification, de la définition des besoins, de la coordination, de la prestation et de l'évaluation des soins, et ce, de la préparation de l'admission jusqu'au congé (ou au transfert) et au rétablissement des clients sous sa responsabilité.

Le gestionnaire de cas coordonne généralement les soins prodigués à une population donnée, dans un milieu donné. Il peut s'agir, par exemple, de personnes atteintes d'une bronchopneumopathie chronique obstructive ou ayant subi une arthroplastie totale de la hanche ou du genou. Une composante importante du rôle de gestionnaire consiste à collaborer avec d'autres professionnels de la santé et les clients afin d'atteindre

ENCADRÉ 6-6

MODÈLES DE DISTRIBUTION DES SOINS INFIRMIERS

Méthode des soins intégrés (ou méthode des cas)	Dans le modèle de la **méthode des soins intégrés** (**méthode des cas**), l'infirmière est responsable de l'ensemble des soins durant un quart de travail de 8 à 12 heures. Elle s'investit dans toutes les étapes de la démarche systématique.
Méthode fonctionnelle en soins infirmiers	La **méthode fonctionnelle en soins infirmiers** est centrée sur les tâches à accomplir (par exemple, évaluation clinique et enseignement au client).
	Le personnel moins qualifié que l'infirmière autorisée prodigue les soins les moins complexes.
	Selon ce modèle, fondé sur la productivité et l'efficacité, l'autorité et la responsabilité incombent à la personne qui assigne les tâches (par exemple, l'infirmière gestionnaire).
Modèle des soins infirmiers en équipe	On appelle **modèle des soins infirmiers en équipe** la distribution de soins infirmiers individualisés aux membres d'une équipe de soins infirmiers que dirige une infirmière professionnelle.
	Cette équipe est formée d'infirmières autorisées et d'autres membres du personnel infirmier.
	Elle est responsable de la prestation coordonnée des soins à un groupe de clients durant un quart de travail de 8 à 12 heures.
Modèle des soins infirmiers intégraux	Selon le **modèle des soins infirmiers intégraux**, l'infirmière est responsable de l'ensemble des soins prodigués à un groupe de clients, et ce, 24 heures sur 24, 7 jours sur 7.
	L'infirmière évalue les besoins de chaque personne et établit des priorités ; elle formule des hypothèses de soins infirmiers, elle élabore un plan de soins et de traitements en partenariat avec le client et elle évalue l'efficacité de ce plan.
Modèle de pratique différenciée en soins infirmiers	Le **modèle de pratique différenciée en soins infirmiers** permet à l'infirmière de se perfectionner et d'assumer les fonctions et les responsabilités correspondant à son expérience, à ses capacités et à sa formation.
Modèle des partenaires de pratique	Le **modèle des partenaires de pratique** repose sur l'association entre une infirmière autorisée expérimentée et une personne qui l'assiste sur le plan technique.
	L'infirmière autorisée assume la direction et la supervision ; elle est également responsable de l'ensemble des soins prodigués dans le cadre du partenariat.

les objectifs fixés. L'encadré 6-7 présente les principales responsabilités du gestionnaire de cas. Pour occuper ce poste, l'infirmière doit détenir au moins un diplôme de premier cycle.

En vertu de l'approche de gestion de cas, on fait appel à la méthode du **cheminement critique** pour suivre les progrès des clients. Il s'agit d'une démarche ou d'un outil interdisciplinaire servant à gérer les soins prodigués à une personne. Ce cheminement réunit les évaluations interdisciplinaires, les interventions, les traitements et les résultats relatifs à un état de santé donné, pendant une période donnée. En règle générale, on utilise de tels cheminements pour les cas et les situations dont l'issue est relativement prévisible (par exemple, chirurgie ou affection chronique). Le cheminement critique précise la succession et la synchronisation des interventions interdisciplinaires ; il intègre l'éducation, la planification du congé, les évaluations, les consultations, la nutrition, la médication, les activités, les examens diagnostiques, les mesures thérapeu-

tiques, etc. Bien qu'on puisse utiliser cette méthode dans un établissement de soins ou dans le contexte d'un modèle de soins à domicile ou de soins communautaires, il est important de faire preuve de jugement clinique lorsqu'on applique une méthode normalisée. Il faut également éviter de s'en servir comme d'une simple liste de vérification universelle. Le tableau 6-3 présente un exemple de cheminement critique.

ENCADRÉ 6-7
PRINCIPALES RESPONSABILITÉS DU GESTIONNAIRE DE CAS

- Évaluer le client, son milieu de vie et la communauté.
- Coordonner et planifier les soins prodigués au client.
- Collaborer avec les autres professionnels de la santé.
- Observer les progrès du client.
- Évaluer les résultats obtenus par le client.

TABLEAU 6-3
CHEMINEMENT CRITIQUE APPLIQUÉ À UN CLIENT AYANT SUBI UNE CHOLÉCYSTECTOMIE PAR LAPAROSCOPIE

Durée prévue du séjour : moins de 24 heures

	Date : Avant l'opération	Date : Les premières 24 heures après l'opération
Observations quotidiennes	Le client démontre qu'il comprend les instructions préopératoires, notamment en ce qui concerne la façon de se tourner, la toux, la respiration profonde, les exercices respiratoires, la mobilisation et le soulagement de la douleur. Le client démontre sa capacité de réagir.	Le client est afébrile. La plaie est sèche et propre ; les lèvres de la plaie sont bien rapprochées, la plaie guérit en première intention. Le client supporte la douleur à l'aide de moyens non pharmacologiques ou de médicaments oraux. Le client est en mesure d'assurer ses soins personnels. Le client peut se déplacer. Le client peut uriner et déféquer comme au moment de son admission. Le client démontre qu'il comprend les instructions relatives aux soins à domicile. Le client tolère un régime alimentaire normal. Le client exprime sa capacité à réagir aux facteurs de stress actuels.
Examens et traitements	Analyse sanguine complète. Analyse d'urine. Évaluation de la condition physique, avec une attention particulière à la fonction respiratoire et à la fonction gastro-intestinale. Consultation en anesthésie.	Surveiller l'état du client : signes vitaux et saturation en O_2, évaluation neurologique et vasculaire, examen du pansement et évaluation du drainage de la plaie, selon la politique de l'établissement, si l'état est stable. Évaluer les bruits respiratoires et ceux de la fonction gastro-intestinale, selon la politique de l'établissement. Mesurer les ingesta et les excreta. Évaluer la miction ; si la personne ne peut uriner, lui suggérer des techniques pour l'aider, puis effectuer un cathétérisme q 8 h ou PRN si cela s'avère inefficace.
Manque de connaissances	Visiter la chambre et les environs. Donner des directives simples et brèves. Revoir la préparation préopératoire, y compris les consignes hospitalières et chirurgicales. Insister sur les instructions préopératoires en ce qui concerne les soins postopératoires particuliers, la façon de se tourner, la toux, la respiration profonde, les exercices respiratoires, la mobilisation et le soulagement de la douleur.	Retour à la chambre et soins postopératoires. Revoir le plan de soins et l'importance d'une mobilisation hâtive. Commencer à donner des instructions sur le traitement de la plaie ou le changement du pansement après la sortie.

TABLEAU 6-3 *(suite)*

Durée prévue du séjour : moins de 24 heures		
	Date : Avant l'opération	**Date :** Les premières 24 heures après l'opération
Aspects psychosociaux	Évaluer l'anxiété liée à la chirurgie imminente. Évaluer la peur de l'inconnu et de la chirurgie. Encourager l'expression des inquiétudes. Fournir des informations sur les sensations liées à l'expérience de la chirurgie ainsi que sur la chirurgie elle-même. Réduire au minimum les stimuli externes (bruits, déplacements, etc.).	Évaluer le degré d'anxiété. Encourager l'expression des inquiétudes. Fournir de l'information, un appui et des encouragements soutenus.
Régime alimentaire	Évaluation des habitudes alimentaires.	Commencer à donner des liquides clairs ; s'ils sont tolérés, passer à des liquides complets et à des aliments mous le matin qui suit la chirurgie.
Activité	Aucune restriction jusqu'à l'administration de la prémédication.	Donner des consignes de sécurité. Autorisation d'utiliser la salle de bain, avec de l'aide, le soir qui suit la chirurgie ; autorisation de recommencer progressivement à se déplacer, selon la capacité du client, le matin qui suit la chirurgie, jusqu'à la récupération complète de la fonction ambulatoire.
Médication	Ne rien administrer par voie orale (NPO), sauf les médicaments prescrits.	Analgésiques par injection IM ou voie orale. Antibiotiques, s'ils sont prescrits. Solution intraveineuse jusqu'au retour à une alimentation adéquate par voie orale, puis utilisation intermittente. Cesser la médication avant la sortie.
Planification du transfert ou du congé	Évaluer le plan de sortie et le réseau de soutien.	Congé probable moins de 24 heures après la chirurgie. Fournir toutes les instructions requises pour les soins à domicile avant la sortie, lorsque le client est tout à fait éveillé et qu'il n'est pas désorienté. Donner une copie des instructions pour la sortie.

Source : Beyea, S. C. (1996). *Critical pathways for collaborative care* (p. 111-112). Menlo Park CA : Addison-Wesley Nursing.
Traduit et reproduit avec l'autorisation de Pearson Education, Inc., Upper Saddle River, NJ.

Révision du chapitre

MOTS CLÉS

Accessibilité, **119**

Approche communautaire, **135**

Approche par programme, **135**

Approche populationnelle, **135**

Centres de santé et de services sociaux (CSSS), **124**

Cheminement critique, **138**

Gestion de cas (suivi systématique de clientèles), **137**

Gestion publique, **119**

Intégralité, **119**

Méthode des soins intégrés (méthode des cas), **137**

Méthode fonctionnelle en soins infirmiers, **137**

Modèle de pratique différenciée en soins infirmiers, **137**

Modèle des partenaires de pratique, **137**

Modèle des soins infirmiers en équipe, **137**

Modèle des soins infirmiers intégraux, **137**

Modèles centrés sur la personne, **135**

Modèles communautaires, **136**

Modèles de collaboration, **136**

Modèles de distribution des soins infirmiers, **137**

Modèles de gestion de la maladie, **136**

Modèles de soins et services coordonnés, **135**

Modèles de soins et services intégrés, **136**

Réseaux locaux de services (RLS), **126**

Santé publique, **125**

Système de santé, **117**

Transférabilité, **119**

Universalité, **119**

CONCEPTS CLÉS

- En vertu de la *Loi canadienne sur la santé*, les provinces doivent respecter les cinq principes suivants pour bénéficier des paiements de transfert du gouvernement fédéral : gestion publique, intégralité, universalité, transférabilité et accessibilité.

- On peut distinguer cinq périodes dans l'évolution du système de santé et de services sociaux au Québec : un système fondé sur la charité chrétienne (débuts de la colonie jusque dans les années 1850) ; un système fondé sur le principe de l'hygiène publique (de 1850 à 1960) ; une première réforme des modes de prestation des soins de santé (de 1960 à 1980) ; une seconde réforme, qui se voulait centrée sur la personne (de 1980 à 2000) ; le passage à des réseaux intégrés en santé (depuis 2000).

- Les centres de santé et de services sociaux (CSSS) sont au cœur de l'actuelle réforme du système de santé du Québec.

- Les CSSS regroupent des CLSC, des CHSLD et, généralement, un CH.

- Les centres hospitaliers fournissent un large éventail de services, qui s'adressent tant aux clients hospitalisés qu'aux clients en ambulatoire. On distingue les centres hospitaliers de soins généraux et spécialisés (CHSGS) et les centres d'hébergement et de soins de longue durée (CHSLD).

- On répartit souvent les soins de santé en trois types, chacun étant associé à un niveau de prévention : la promotion de la santé et la prévention de la maladie (prévention primaire) ; le diagnostic et le traitement (prévention secondaire) ; la rééducation, la réadaptation et les soins palliatifs (prévention tertiaire).

- Divers dispensateurs de soins coordonnent leurs compétences pour venir en aide au client. Ils ont comme objectif commun de lui permettre de recouvrer la santé et d'accroître son niveau de bien-être.

- Un certain nombre de facteurs influent sur la distribution des soins de santé, notamment l'augmentation du nombre de personnes âgées, les progrès technologiques, le financement des services de santé, l'évolution du statut des femmes, l'inégalité dans la distribution des services, l'accès aux soins de santé, l'itinérance et la pauvreté, ainsi que les changements démographiques.

- En matière d'organisation de la distribution des soins de santé, le MSSS propose trois approches (approche communautaire, approche populationnelle et approche par programme) et six catégories de modèles cliniques (modèles centrés sur la personne ; modèles de soins et services coordonnés ; modèles communautaires ; modèles de gestion de la maladie ; modèles de soins et services intégrés ; modèles de collaboration).

- Il existe un certain nombre de modèles de distribution des soins infirmiers : méthode des soins intégrés (ou méthode des cas), méthode fonctionnelle en soins infirmiers, modèle des soins infirmiers en équipe, modèle des soins infirmiers intégraux, modèle de pratique différenciée en soins infirmiers et modèle des partenaires de pratique.

- L'outil privilégié par l'infirmière est la gestion de cas (ou suivi systématique de clientèles). Cette approche vise la continuité des services et la qualité des résultats cliniques chez des groupes particuliers de clients.

- La gestion de cas fait appel à la méthode du cheminement critique pour suivre l'évolution des problèmes de santé du client.

Références

Commission d'enquête sur la santé et le bien-être social (commission Castonguay-Nepveu). (1970-1972). *Rapport de la Commission d'enquête sur la santé et le bien-être social*. Québec : Gouvernement du Québec.

Commission d'enquête sur les services de santé et les services sociaux (commission Rochon). (1988). *Rapport de la Commission d'enquête sur les services de santé et les services sociaux*. Québec : Gouvernement du Québec.

Commission d'étude sur les services de santé et les services sociaux (commission Clair). (2000). *Les solutions émergentes. Rapport et recommandations*. Québec : Ministère de la Santé et des Services sociaux du Québec. Document consulté 12 septembre 2010 de http://publications.msss.gouv.qc.ca/ acrobat/f/documentation/2000/00-109.pdf.

Commission sur l'avenir des soins de santé au Canada (commission Romanow). (2002). *Guidé par nos valeurs : L'avenir des soins de santé au Canada – Rapport final*. Ottawa : Gouvernement du Canada. Document consulté le 12 septembre 2010 de http://www.hc-sc.gc.ca/ hcs-sss/com/fed/romanow/index-fra.php.

Gouvernement du Canada. (1984). *Loi canadienne sur la santé*. Ottawa : Auteur. Document consulté le 12 septembre 2010 de http://laws.justice. gc.ca/PDF/Loi/C/C-6.pdf.

Gouvernement du Québec. (2002). *Loi modifiant le Code des professions et d'autres dispositions législatives dans le domaine de la santé. L.Q. 2002, c. 33*. Québec : Auteur. Document consulté le 12 septembre 2010 de http://www. opq.gouv.qc.ca/fileadmin/ docs/PDF/Loi90-adopte.pdf.

Gouvernement du Québec. (2006). *Garantir l'accès : un défi d'équité, d'efficience et de qualité*. Document consulté de http://publications. msss.gouv.qc.ca/acrobat/f/documentation/ 2005/05-721-01.pdf.

Gouvernement du Québec. (Mise à jour 2010). *Loi sur les services de santé et les services sociaux (L.R.Q., c. S-4.2)*. Québec : Auteur. Document consulté le 29 juillet 2010 de http://www2.publicationsduquebec.gouv. qc.ca/dynamicSearch/telecharge.php?type= 2&file=/S_4_2/S4_2.html.

Institut canadien d'information sur la santé (ICIS). (2003). *Les soins de santé au Canada, 2003*. Ottawa : Auteur. Document consulté le 12 septembre 2010 de http://secure.cihi.ca/ cihiweb/products/hcic2003_f.pdf.

Institut canadien d'information sur la santé (ICIS). (2010). *Tendances des dépenses nationales de santé 1975 à 2010*. Ottawa : Auteur. Document consulté le 21 novembre 2010 de http://secure. cihi.ca/cihiweb/products/NHEX%20Trends%20 Report%202010_final_FR_web.pdf.

Institut national de santé publique du Québec (INSPQ). (2003). *Un portrait de la santé des Québécois de 65 ans et plus*. Québec : Auteur. Document consulté le 12 septembre 2010 de http://www.inspq.qc.ca/pdf/publications/180_ PortraitSantePersonnesAgees.pdf.

Justice Canada. (Mise à jour 2003). *Loi de 1867 sur l'Amérique du Nord britannique, Texte n° 1*. Ottawa : Auteur. Document consulté le 12 septembre 2010 de http://www.justice.gc.ca/ fra/pi/const/loireg-lawreg/p1t11.html.

Lacourse, M. T., et Émond, M. (2006). *Sociologie de la santé (2e éd.)*. Montréal : Chenelière Éducation.

Lévesque, J.-F., Roberge, D., et Pineault, R. (2007). La première ligne de soins : un témoin distant des réformes institutionnelles et hospitalières au Québec ? Dans M.-J. Fleury, M. Tremblay, H. Nguyen et L. Bordeleau (dir.), *Le système sociosanitaire au Québec. Gouvernance, régulation et participation* (p. 63-78). Montréal : Gaëtan Morin Éditeur.

Ministère de la Santé et des Services sociaux (MSSS). (1988). *Rapport du Groupe de travail sur l'analyse de l'action des DSC*. Québec : Gouvernement du Québec.

Ministère de la Santé et des Services sociaux (MSSS). (2004a). *Projet clinique. Cadre de* référence pour les réseaux locaux de services de santé et de services sociaux. *Document principal*. Québec: Gouvernement du Québec. Document consulté le 12 septembre 2010 de http://publications.msss.gouv.qc.ca/acrobat/f/documentation/2004/04-009-05.pdf.

Ministère de la Santé et des Services sociaux (MSSS). (2004b). *Projet clinique. Cadre de référence pour les réseaux locaux de services de santé et de services sociaux. Résumé*. Québec: Gouvernement du Québec. Document consulté le 4 septembre 2010 de http://publications.msss.gouv.qc.ca/acrobat/f/documentation/2004/04-009-07.pdf.

Ministère de la Santé et des Services sociaux. (2004c). *L'intégration des services de santé et des services sociaux. Le projet organisationnel et clinique et les balises associées à la mise en œuvre des réseaux locaux de services de santé et de services sociaux*. Québec: Direction des communications du ministère de la Santé et des Services sociaux. Document consulté le 4 septembre 2010 de http://publications.msss.gouv.qc.ca/acrobat/f/documentation/ 2004/04-009-08.pdf.

Ministère de la Santé et des Services sociaux (MSSS). (2008). *En bref: Le système de santé et de services sociaux*. Québec: Direction des communications du ministère de la Santé et des Services sociaux. Document consulté le 4 septembre 2010 de http://publications.msss.gouv.qc.ca/acrobat/f/documentation/2007/07-731-01F.pdf.

Ministère de la Santé et des Services sociaux (MSSS). (2010a). *Centres de santé et de services sociaux (RLS)*. Québec: Gouvernement du Québec. Document consulté le 29 juillet 2010 de http://www.msss.gouv.qc.ca/reseau/rls/.

Ministère de la Santé et des Services sociaux (MSSS). (2010b). *À propos de GMF. Pourquoi créer des groupes de médecine de famille (GMF)?*. Document consulté le 5 septembre 2010 de http://www.msss.gouv.qc.ca/sujets/organisation/gmf/index.php?a-propos-fr&augmenterTailleTexte=grand.

Ministère de la Santé et des Services sociaux (MSSS). (2010c). *État de santé de la population québécoise. Quelques repères (2010)*. Québec: Direction des communications. Document consulté le 5 septembre 2010 de http://publications.msss.gouv.qc.ca/acrobat/f/documentation/2010/10-228-01.pdf.

Ordre des infirmières et infirmiers du Québec (OIIQ). (1999). *Suivi systématique de clientèles dans la communauté*. Montréal: Auteur.

St-Pierre, M. (2008). La structuration des pratiques professionnelles et étatiques dans le système de santé québécois. Dans C. Dallaire (dir.), *Le savoir infirmier. Au cœur de la discipline et de la profession* (p. 318-340). Montréal: Gaëtan Morin Éditeur/Chenelière Éducation.

St-Pierre, M.-A. (2009). *Regards sur le système de santé et de services sociaux du Québec*. Québec: Direction des communications du ministère de la Santé et des Services sociaux du Québec. Document consulté le 4 septembre 2010 de http://publications.msss.gouv.qc.ca/acrobat/f/documentation/2009/09-731-01F.pdf.

6

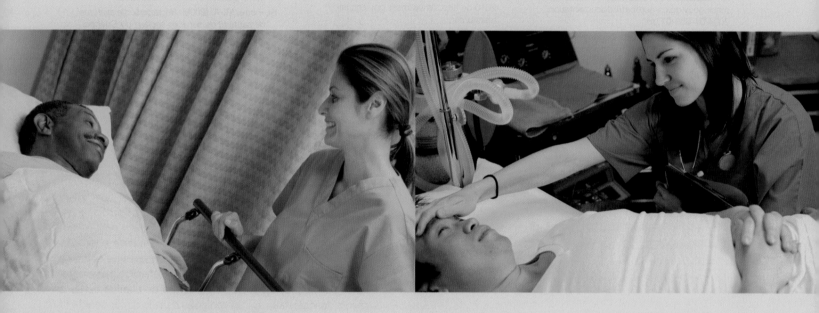

Chapitre 7

Adaptation française:
Michèle Côté, inf., Ph.D.
Professeure, Département des sciences infirmières
Directrice, Comité de programmes
de deuxième cycle en sciences infirmières
Université du Québec à Trois-Rivières

Soins de santé communautaire et continuité des services

7

OBJECTIFS D'APPRENTISSAGE

Après avoir étudié ce chapitre, vous pourrez:

- Définir les concepts de communauté, de collectivité et de population.
- Énoncer les fonctions d'une communauté.
- Préciser les principaux aspects qui doivent être considérés lors de l'évaluation d'une communauté.
- Expliquer succinctement les modes de prestation des services de première ligne suivants: soins de santé primaires (SSP), soins de santé communautaire, santé publique.
- Nommer les cinq principes fondamentaux à la base des programmes de soins de santé primaires (SSP).
- Faire la distinction entre les soins primaires et les soins de santé primaires.
- Expliquer brièvement en quoi consistent les approches suivantes en soins de première ligne: pratique clinique de réseau, initiatives communautaires, coalitions communautaires et programmes d'extension des services.
- Nommer les quatre milieux de pratique clinique des infirmières travaillant en santé communautaire.
- Expliquer pourquoi le MSSS propose d'utiliser l'expression «soutien à domicile» plutôt que celle de «maintien à domicile» pour désigner les soins offerts au domicile de la personne malade.
- Nommer les quatre catégories de services offerts à la population québécoise en vertu de la *Politique de soutien à domicile* et donner deux exemples pour chacune.
- Préciser les différences entre une infirmière en santé communautaire et une infirmière en santé publique.
- Énoncer les cinq normes de pratique de l'Association canadienne des infirmières et infirmiers en santé communautaire (ACIISC), qui devraient guider le travail des infirmières en santé communautaire.
- Expliquer les cinq activités des infirmières travaillant en santé communautaire.
- Énumérer six des huit compétences que doit avoir une infirmière pour intervenir dans le contexte des services de première ligne.
- Nommer les sept catégories de compétences essentielles établies par l'Agence de la santé publique du Canada et donner un exemple pour chacune d'entre elles.
- Expliquer les éléments clés de la collaboration entre professionnels de la santé.
- Expliquer en quoi consiste la continuité des soins.
- Énoncer les grandes lignes de l'évaluation destinée à bien planifier la continuité des soins d'une personne.

Le passage du paradigme «maladie et guérison» à celui de «prendre soin et qualité de vie» est au nombre des facteurs ayant contribué aux mutations qu'on peut actuellement observer dans le système de santé. Alors qu'autrefois on pensait que l'hôpital était le seul milieu où le malade recevait des soins en toute sécurité, aujourd'hui on prodigue aussi des soins à domicile et dans des centres de chirurgie d'un jour, de réadaptation et de dialyse. D'ailleurs, les soins de santé de première ligne sont perçus, de plus en plus, comme la solution aux problèmes du système de santé. C'est dire que, même si les centres hospitaliers et les autres établissements de soins demeurent des composantes importantes du système de santé de l'avenir, ils y occuperont une place moins prépondérante. De fait, il existe une forte tendance à mettre sur pied des systèmes intégrés de soins de santé, qui sont à la fois communautaires, interdisciplinaires et coopératifs. Le présent chapitre permettra de clarifier certains éléments associés aux soins prodigués dans la communauté et de préciser les compétences que devrait posséder le personnel soignant. Car, faut-il le rappeler, le transfert des soins des établissements aux services communautaires n'est pas sans provoquer des changements très marquants dans les rôles et les responsabilités des professionnels de la santé.

Comme il existe une certaine confusion en ce qui a trait aux différents concepts associés à la santé communautaire, le présent chapitre devrait également permettre de les tirer au clair. On traitera notamment des concepts suivants: soins primaires, promotion de la santé, santé de la population, santé communautaire.

Communauté

Avant toute chose, il faut tenter de préciser le sens accordé au terme «communauté». En effet, par définition, les soins et les services communautaires s'adressent d'abord à des communautés, et la notion de communauté peut revêtir plusieurs significations. Le ministère de la Santé et des Services sociaux (MSSS), reprenant la définition de l'Organisation mondiale de la santé (OMS, 1998), précise le sens à accorder au terme «**communauté**».

> [Il s'agit d'un] groupe de personnes qui vivent bien souvent dans une même zone géographique bien définie, partagent une culture, des valeurs et des normes, et ont une place dans une structure sociale qui est conforme à des relations que la communauté a créées au cours d'une certaine période. Les membres d'une communauté acquièrent leur identité personnelle et sociale en partageant des convictions, des valeurs

et des normes qui ont été conçues par la communauté dans le passé et pourront évoluer à l'avenir. Ils sont dans une certaine mesure conscients de leur identité de groupe, ont des besoins communs et souhaitent les satisfaire (MSSS, 2010, p. 33).

Toujours selon le MSSS (2010, p. 13), «la communauté peut être vue au sens plus large comme un système social structuré de personnes vivant à l'intérieur d'un espace géographique donné (ville, village, quartier, arrondissement)». Les cinq principales fonctions d'une communauté sont présentées dans l'encadré 7-1 alors que les caractéristiques d'une communauté en bonne santé sont présentées dans l'encadré 7-2.

On peut faire un rapprochement entre la définition de la communauté proposée par le MSSS (2010) et la définition de la **collectivité** retenue par l'Ordre des infirmières et infirmiers du Québec (OIIQ):

> Ensemble de personnes ayant une caractéristique commune. Les collectivités se définissent généralement par trois caractéristiques: elles se situent sur un même territoire géographique (quartier, école); elles possèdent un trait commun (croyances religieuses, âge) ou elles partagent un problème commun (pollution d'un cours d'eau) (OIIQ, 2004, p. 25).

À partir des définitions des termes «communauté» et «collectivité», on peut inférer que ceux-ci sont presque similaires, raison pour laquelle on utilisera indifféremment l'un et l'autre.

ENCADRÉ 7-1
LES CINQ PRINCIPALES FONCTIONS D'UNE COMMUNAUTÉ

1. *Production, consommation et distribution des biens et des services.* Ce sont les moyens par lesquels une communauté répond aux besoins économiques de ses membres. Cette fonction ne se limite pas seulement à l'approvisionnement en nourriture et en vêtements, mais aussi en eau, en électricité ainsi qu'en services de police, d'incendie et de ramassage des ordures.

2. *Socialisation.* Cette fonction fait référence au processus de transmission des valeurs, des connaissances, des cultures et des compétences. Habituellement, les communautés sont dotées d'un certain nombre d'institutions vouées à la socialisation, comme les familles, les édifices consacrés au culte, les écoles, les médias, les organisations sociales et bénévoles, etc.

3. *Contrôle social.* Cette fonction consiste à assurer le maintien de l'ordre public. La police assure le respect des lois; les règlements sanitaires visent à protéger la population contre certaines maladies. Le contrôle social est aussi exercé par les familles, les Églises et les écoles.

4. *Participation sociale.* Cette fonction fait référence aux activités communautaires visant à répondre aux besoins de socialisation de la population. Traditionnellement, c'étaient les familles et les Églises qui remplissaient cette fonction, mais de nombreux organismes publics et privés en ont aussi pris la relève.

5. *Soutien mutuel.* Il s'agit de la capacité des communautés à fournir des ressources en cas d'épidémies et de désastres naturels. Bien que la famille soit habituellement l'instance qui en est responsable, les services sanitaires et sociaux doivent parfois l'épauler si leur soutien est nécessaire pendant des périodes prolongées.

ENCADRÉ 7-2
LES 10 CARACTÉRISTIQUES D'UNE COMMUNAUTÉ EN BONNE SANTÉ

Une communauté en bonne santé est celle:

- dont les membres sont fortement sensibilisés à l'idée de former une collectivité;
- qui utilise les ressources naturelles de façon responsable, en prenant soin de les préserver pour les générations futures;
- qui reconnaît ouvertement l'existence de sous-groupes dont elle accueille volontairement la participation à la vie communautaire;
- qui est préparée à traverser des crises;
- qui est capable de résoudre des problèmes; elle les repère, les analyse et trouve des façons de répondre à ses propres besoins;
- qui garde ouverts les canaux de communication pour laisser les informations circuler librement et dans toutes les directions parmi tous les sous-groupes de citoyens;
- qui cherche à rendre disponibles les ressources de tous ses systèmes à tous les membres;
- qui possède des moyens légitimes efficaces pour régler les conflits qui surgissent au sein de sa population;
- qui encourage la participation maximale des citoyens à la prise de décision;
- qui favorise un niveau maximal de bien-être de ses membres.

Par ailleurs, on pourrait aussi arguer que les termes «communauté» et «**population**» recouvrent des réalités identiques. Cependant, les auteurs proposent de les distinguer. Selon l'Association canadienne des infirmières et infirmiers en santé communautaire (ACIISC), qui reprend la définition proposée par Stanhope et Lancaster (2003), il s'agit d'un «groupe de personnes qui ont en commun une ou plusieurs caractéristiques personnelles ou environnementales» (ACIISC, 2008). Les mêmes auteurs, s'appuyant sur les travaux de Santé Canada (2000), définissent la santé de la population en ces termes:

> La santé d'une population est mesurée par des indicateurs de l'état de santé et influencée par les déterminants de la santé. Comme approche, la santé de la population est axée sur les conditions et facteurs indépendants qui influent sur la santé des populations au cours d'une vie; elle repère les variations systématiques de fréquence de leur apparition, et applique les informations qui en résultent à l'élaboration et à la mise en œuvre de politiques et de mesures visant à améliorer la santé et le bien-être de ces populations (ACIISC, 2008, p. 21).

Cette distinction est importante dans la mesure où l'approche populationnelle est au cœur de la réforme du réseau de la santé et des services sociaux au Québec et que les infirmières travaillant dans des CSSS sont appelées à intervenir dans ce cadre particulier. L'approche populationnelle sera traitée ultérieurement dans ce chapitre.

Évaluation de la communauté

Selon l'Agence de la santé publique du Canada (ASPC, 2008, p. 12), l'évaluation correspond à «l'ensemble des mesures visant à déterminer, aussi systématiquement et objectivement que possible, l'efficacité et l'incidence des activités de santé (entre autres), compte tenu des objectifs visés et des ressources utilisées». L'ASPC ajoute que pour évaluer la santé d'une communauté il faut bien comprendre la distinction entre évaluation d'un individu et évaluation d'un groupe, ainsi que les facteurs influant sur la santé et les risques pour la santé. De fait, la démarche d'évaluation «prend souvent la forme de profils de santé des collectivités et de rapports sur l'état de santé qui servent à guider l'établissement des priorités et la planification, la prestation et l'évaluation des programmes» (ASPC, 2008, p. 12).

Selon l'Association canadienne de santé publique (ACSP, 2010), les infirmières en santé communautaire jouent un rôle clé dans les domaines suivants: la promotion de la santé, la prévention des maladies et des blessures, la protection de la santé, la surveillance de la santé, l'évaluation de la santé de la population, les mesures et interventions d'urgence. Dès lors, on s'attend à ce que les infirmières en santé communautaire soient en mesure d'effectuer une évaluation adéquate des communautés qui sont leurs clientes. Parmi tous les cadres d'évaluation des collectivités proposés, on retient celui élaboré par Anderson et McFarlane (2004). Selon ces auteurs, il existe huit sous-systèmes que les infirmières en santé communautaire doivent évaluer (encadré 7-3). Par ailleurs, l'évaluation des collectivités par les infirmières en santé communautaire doit s'appuyer sur un certain nombre de sources. L'encadré 7-4 présente différentes sources qui seront utiles au moment de l'évaluation, mais également lors de la planification des interventions.

ENCADRÉ 7-3

PRINCIPAUX ASPECTS DE L'ÉVALUATION DES COMMUNAUTÉS

Environnement physique

Tenir compte des frontières naturelles, de la superficie, de la densité de la population, des types d'habitations et de l'incidence des actes criminels ou violents et des cas de toxicomanie.

Éducation

Tenir compte des établissements d'enseignement, du type et du nombre de services sanitaires fournis par les écoles, des programmes de déjeuners, des activités sportives parascolaires, des bibliothèques et des services de counselling, des programmes de formation continue et de scolarisation prolongée, ainsi que du degré de participation des parents aux activités scolaires.

Sécurité et transports

Tenir compte des services d'incendie, de police et d'hygiène publique, des sources d'eau et de son traitement, de la qualité de l'air, des services de décharge municipale, de la disponibilité et de la sécurité des transports publics, et de la disponibilité des services ambulanciers.

Politiques et gouvernements

Tenir compte du type de gouvernement, des organisations communautaires, des personnalités influentes, des problèmes récents soulevés lors des campagnes électorales locales et de la fréquence moyenne des élections.

Services sanitaires et sociaux

Tenir compte des hôpitaux, des services sanitaires et des services de soins de santé existants, du nombre, du type et du volume moyen de cas habituellement pris en charge par les professionnels de la santé de la communauté, de l'accès aux soins sur les plans géographique, économique et culturel, des sources d'informations sanitaires, du niveau de vaccination des enfants et des adultes, de l'espérance de vie au sein de la communauté, de la disponibilité des services de soins à domicile et de soins de longue durée, et de la disponibilité des transports desservant les principaux établissements de soins.

Communications

Tenir compte des journaux et des postes de radiodiffusion et de télévision locaux, des services postaux, de l'accès à Internet et des services de téléphone, de la fréquence des tribunes publiques et de l'existence de tableaux d'affichage informels.

Situation économique

Tenir compte des principaux établissements commerciaux et industries, du pourcentage de la population active occupée ou fréquentant les établissements d'enseignement, du niveau des revenus, de la qualité et du type de logements, des programmes de santé au travail et des principaux employeurs de la communauté.

Loisirs

Tenir compte des installations récréatives à l'intérieur et à l'extérieur de la communauté, des salles de théâtre et de cinéma, du nombre et du type d'établissements du culte et de services religieux, du nombre et de la fréquentation des terrains de jeux, des piscines, des parcs et des installations sportives, du degré de participation à divers programmes religieux et du nombre et du type de comités d'organisations et de clubs sociaux existants.

Source: Anderson, E. T., et McFarlane, J. M. (2004). *Community as partner: Theory and practice in nursing* (4e éd.) (p. 172-173). Philadelphie: Lippincott Williams & Wilkins. Adaptation autorisée.

ENCADRÉ 7-4

SOURCES DES DONNÉES NÉCESSAIRES À L'ÉVALUATION DES COMMUNAUTÉS

- Cartes qui délimitent les frontières de la communauté et qui indiquent les rues et l'emplacement des églises, des écoles, des parcs, des hôpitaux, etc.

- Résultats du recensement pour connaître la composition et les caractéristiques de la population.

- Chambres de commerce pour connaître les statistiques sur l'emploi, les principaux établissements commerciaux et industries.

- Services sanitaires municipaux ou régionaux pour trouver l'emplacement des établissements de soins, les programmes de santé au travail, le nombre de professionnels de la santé, de bénéficiaires de l'assistance sociale, etc.

7

- Conseils de planification sanitaire municipaux ou régionaux pour déterminer les pratiques et les besoins en matière de santé.
- Annuaires téléphoniques pour repérer les organisations, les installations et les comités sociaux, sanitaires et récréatifs.
- Bibliothèques publiques et universitaires pour trouver les rapports relatifs aux recherches sociales et culturelles du district.
- Gestionnaires des installations sanitaires pour obtenir des informations sur le nombre d'employés, le type le plus fréquent de problèmes et les principaux besoins.
- Responsables des loisirs pour connaître les programmes existants et le niveau de participation.

- Service de police pour connaître la fréquence des actes criminels et de vandalisme et le nombre de toxicomanes.
- Enseignants et infirmières d'école pour connaître l'incidence des problèmes de santé infantile, et pour recueillir des informations sur les installations et les services de maintien et de promotion de la santé.
- Journaux locaux pour repérer les activités relatives à la santé et au bien-être, comme les conférences et les foires sur la santé.
- Services informatiques en ligne donnant accès à des documents publics relatifs à la santé communautaire.

Modes de prestation des services de première ligne

Dans le contexte des services de première ligne, les soins à la population peuvent être prodigués d'un certain nombre de manières. Dans la présente section, nous passons en revue deux modes de prestation des soins qui s'inscrivent dans la vision des services de première ligne, soit les soins de santé primaires (SSP) et les soins de santé communautaire.

Soins de santé primaires (SSP)

Bien que les **soins de santé primaires** (**SSP**) ne constituent pas un nouveau modèle de prestation des soins de santé, ils intéressent maintenant les politiciens, le public et les différents groupes de défense des droits (Commission sur l'avenir des soins de santé au Canada, 2002 ; Institut canadien d'information sur la santé [ICIS], 2003 ; Sénat du Canada, 2002). On trouve les premières références aux modèles de SSP dans l'un des discours de l'Organisation mondiale de la santé (OMS) prononcé durant les années 1970 (Édouard et Clément, 2010). L'expression «soins de santé primaires» a été créée et définie par l'OMS et le Fonds des Nations Unies pour l'enfance (UNICEF) lors de la Conférence internationale sur les soins de santé primaires, tenue à Alma-Ata en 1978.

> Les soins de santé primaires sont des soins de santé essentiels fondés sur des méthodes et des techniques pratiques, scientifiquement valables et socialement acceptables, rendus universellement accessibles à tous les individus et à toutes les familles de la communauté par leur pleine participation et à un coût que la communauté et le pays puissent assumer à tous les stades de leur développement dans un esprit d'autoresponsabilité et d'autodétermination. Ils font partie intégrante tant du système de santé national, dont ils sont la cheville ouvrière et le foyer principal, que du développement économique et social d'ensemble de la communauté. Ils sont le premier niveau de contact des individus, de la famille et de la communauté avec le système national de santé, rapprochant le plus possible les soins de santé des lieux où les gens vivent et travaillent, et ils consti-

tuent le premier élément d'un processus ininterrompu de protection sanitaire (OMS, 1978, c. VI).

En vertu de cette déclaration, on demandait à chaque pays d'assurer un accès universel aux services essentiels, notamment l'approvisionnement adéquat en denrées alimentaires et en eau saine, des mesures d'assainissement de base, des soins de santé maternelle et infantile (incluant la planification familiale), la vaccination, la prévention et la maîtrise des endémies, l'offre de médicaments essentiels, l'éducation en matière de santé ainsi que le traitement des affections et des lésions courantes. De plus, on mettait l'accent sur le fait que la santé (ou le bien-être) est un droit fondamental et constitue un objectif social à l'échelle mondiale. Entre autres répercussions positives, cette déclaration a attiré l'attention sur les inégalités qui séparent les peuples en matière de situation sanitaire et sur la responsabilité des gouvernements d'adopter des politiques visant à promouvoir le développement de l'*économie,* des *services sociaux* et de la *santé*. Dès lors, les soins de santé primaires ne se limitent plus aux services de santé traditionnels ; ils font bel et bien intervenir des éléments associés à l'environnement, à l'agriculture, au logement et à d'autres réalités sociales, économiques ou politiques, telles que la pauvreté, le transport, le chômage. Les soins de santé primaires impliquent aussi un développement économique qui répond aux besoins de la population. L'une des principales caractéristiques des SSP réside dans la participation implicite, aussi bien des simples citoyens que de tous les paliers de gouvernement et des institutions publiques, à la planification et à la prestation des soins de santé. En résumé, on peut dégager cinq principes centraux sur lesquels se fonde la prestation des SSP (encadré 7-5).

Par ailleurs, il faut noter que le concept de SSP et celui de services de première ligne sont devenus dans certains pays industrialisés, dont le Canada, interchangeables (Édouard et Clément, 2010). Comme le signalent Édouard et Clément (2010, p. 21), les SSP sont considérés comme «une stratégie de réorganisation des systèmes de santé, c'est-à-dire une redistribution des moyens, du personnel, du matériel, de la médication, mais aussi de la formation et de la supervision, à l'avantage des postes périphériques des centres hospitaliers des grandes villes». La définition proposée par la Commission d'étude

PRINCIPES COURAMMENT CITÉS QUI SOUS-TENDENT LES SOINS DE SANTÉ PRIMAIRES

Accessibilité: Les services de santé essentiels sont mis à la disposition de l'ensemble de la population (sans égard à la situation géographique ou à la situation financière), sur une base continue et organisée.

Participation du public: Les personnes et les communautés ont le droit et la responsabilité d'être des partenaires qui participent activement à la prise de décisions concernant leurs propres soins de santé et la santé de leur communauté.

Promotion de la santé: Dans le cadre de cette approche, on vise à donner aux personnes et aux groupes les moyens d'avoir un plus grand contrôle sur leur santé et de l'améliorer.

Recours à des technologies appropriées: Ce principe englobe les méthodes de traitement, la prestation des services, les procédés et l'équipement, à un coût abordable et qui sont acceptables sur le plan social.

Collaboration intersectorielle: La volonté de l'ensemble des secteurs (gouvernement, communauté et système de santé) est essentielle à la prise de mesures constructives pour agir sur les déterminants de la santé.

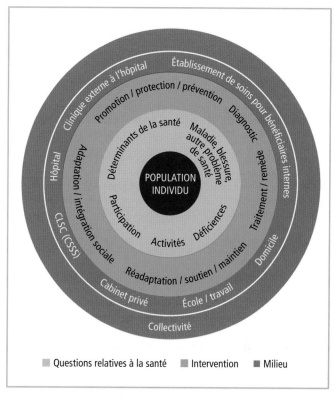

FIGURE 7-1 ■ Modèle des soins de santé primaires. Source: Institut canadien d'information sur la santé (ICIS). (2003). *Les soins de santé au Canada* (p. 19). Ottawa: Auteur. Document consulté le 11 septembre 2010 de http://secure.cihi.ca/cihiweb/products/hcic2003_f.pdf. © 2003 Institut canadien d'information sur la santé. Reproduction autorisée.

sur les services de santé et les services sociaux (commission Clair) (2000, p. 107) est une bonne illustration de cette assimilation:

> Porte d'entrée du système de santé, les services de première ligne [les SSP] sont le point de contact de la population avec le réseau. Ils comprennent un ensemble de services courants, médicaux et sociaux, qui s'appuient sur une infrastructure légère de moyens diagnostiques et thérapeutiques permettant de résoudre la majorité des préoccupations et problèmes communs, d'ordre social et médical, de la population.

Les SSP devant être le premier contact de la personne avec le système de santé, il n'est pas surprenant de constater que l'individu et la population sont au centre du modèle (figure 7-1 ■) proposé par l'ICIS (2003):

- Le cheminement de l'individu est lié à la santé et à la maladie, et les interventions des fournisseurs de soins ont trait, notamment, au diagnostic et au traitement, à la promotion de la santé et à la prévention de la maladie ainsi qu'à la réadaptation.

- Ces interventions peuvent être réalisées dans divers établissements de santé (par exemple cabinet de médecin, clinique de santé, pharmacie ou centre de santé et de services sociaux). Toutefois, elles sont toujours en lien avec la collectivité. À titre d'exemple, on peut penser aux cliniques de vaccination pour enfants, aux lignes d'aide téléphonique, comme Info-Santé, aux soins courants dans le cas de problèmes de santé mineurs et aux soins continus.

Les infirmières étant des professionnelles convaincues de l'importance de la promotion de la santé et de la prévention de la maladie, il n'est pas surprenant que l'AIIC et l'OIIQ préconisent depuis plus de 20 ans un système de santé qui mettrait

de l'avant les principes des soins de santé primaires. Ainsi, l'Association des infirmières et infirmiers du Canada (AIIC, 2003, p. 1) croit «qu'un système fondé sur les principes des SSP est ce qu'il y a de plus équitable et approprié pour toute la population canadienne». Elle ajoute que les SSP permettent de renforcer les liens entre les établissements de soins et les ressources communautaires. De fait, lorsqu'on fait appel aux SSP, on met en place

> un système axé sur les personnes et les collectivités plutôt que sur les maladies, un système où les professionnels de la santé, les professionnels des services sociaux, les éducateurs et d'autres intervenants collaborent vraiment avec les membres de la collectivité, un système où les professionnels de la santé utilisent à fond toutes leurs capacités (AIIC, 2003, p. 1).

Finalement, il faut souligner quelques distinctions entre les soins de santé primaires (SSP) et les **soins primaires** (ou **SP**) (tableau 7-1). D'abord, même si, en matière de soins primaires, la pratique familiale et communautaire est essentielle, on met quand même l'accent sur des services de santé prodigués par des cliniciens (et axés sur des soins individuels) et non sur les services de santé publique (axés sur la population). L'ACSP (2010, p. 37) ajoute, comme nous venons de le voir, que les soins primaires sont un «concept médical souvent employé pour désigner la médecine de première ligne». Barnes *et al.* (1995) soutiennent que les soins de santé primaires reposent sur la communauté, et qu'ils impliquent une démarche ascendante

TABLEAU 7-1
DIFFÉRENCES ENTRE LES SOINS PRIMAIRES ET LES SOINS DE SANTÉ PRIMAIRES

Soins primaires	Soins de santé primaires
■ La participation de la communauté est orientée vers le professionnel qui donne les soins. ■ Le professionnel de la santé assume des rôles d'expert, de fournisseur de soins, de détenteur de l'autorité et de chef d'équipe. ■ La collaboration est déterminée par les membres de l'équipe de soins. ■ Les services sont centrés sur la personne ou la famille. ■ L'accès aux soins est limité. ■ On prodigue les soins dans certains établissements de santé. ■ La responsabilisation est un processus qui repose sur l'aide du professionnel de la santé.	■ La participation de la communauté est orientée vers la personne. ■ Le professionnel de la santé assume des rôles d'animateur, de consultant et de personne-ressource. ■ La collaboration ne se limite pas au secteur des soins de santé. ■ Les services sont centrés sur la communauté ou un groupe déterminé. ■ L'accès aux soins est universel. ■ On prodigue les soins dans les milieux de vie et de travail des personnes. ■ La responsabilisation est un processus qui repose sur la coopération et la complicité.

Source: Barnes, D., *et al.* (1995). Primary health care and primary care: A confusion of philosophies. *Nursing Outlook, 43*(1), 7-16.

exigeant la participation active de la communauté dans la prise des décisions relatives à l'amélioration de la santé. Il s'agit d'une approche essentiellement communautaire. À l'opposé, les soins primaires reposent sur des spécialistes; ils impliquent une démarche descendante de la part des professionnels de la santé, qui conseillent les individus et les communautés sur ce qui est le mieux pour leur santé. Il existe cependant certaines similarités entre les soins de santé primaires et les soins primaires. Dans les deux cas, on reconnaît l'importance de la prévention et de la promotion pour la santé et le bien-être des personnes; de plus, on prône l'accès universel aux soins à un coût abordable, la responsabilisation individuelle et le dépistage des personnes à risque en ce qui concerne les problèmes de santé évitables.

Par ailleurs, Starfield (1998), cité par l'ICIS (2003), propose de faire les distinctions suivantes entre les **soins médicaux primaires** et les soins de santé primaires. Dans la perspective des SSP, il est important de retenir que la personne malade n'est plus sous la responsabilité d'un seul professionnel de la santé, c'est-à-dire le médecin. Le travail avec la personne qui a des besoins particuliers en matière de santé se réalise en équipe, et les responsabilités comprennent la collaboration intersectorielle, la participation communautaire et la responsabilité commune. De plus, dans les SSP, l'équipe prend en considération la promotion de la santé et la prévention de la maladie, tout en prêtant attention à la maladie, à la guérison, aux traitements, aux périodes de soins et aux problèmes précis. Le passage des soins médicaux primaires aux soins de santé primaires implique la réorganisation des soins, de manière à supprimer les frontières interprofessionnelles, à jeter des ponts entre les services des divers secteurs et à tisser des liens interdisciplinaires serrés en matière de services à la population.

Selon Rachlis et Kushner (1994), il serait tout à fait naturel que les infirmières jouent un rôle de chef de file dans la mise en application d'un système qu'on veut moins coûteux, communautaire et centré sur la personne. Pour y arriver, les infirmières doivent toutefois posséder des compétences spécialisées qui leur permettent non seulement de prodiguer des soins aux personnes, mais aussi de travailler avec ces dernières, les familles et les collectivités dans un esprit de partenariat. Nous abordons

plus loin les compétences que doivent acquérir les infirmières qui veulent travailler en soins de santé primaires.

Soins de santé communautaire – santé publique

À l'heure actuelle, constate l'ACSP (2010), les expressions «infirmière de santé publique» et «infirmière en santé communautaire» sont utilisées parfois comme des synonymes. Cependant, dans certains milieux, l'expression «infirmière en santé communautaire» est plus générale. Elle englobe toutes les infirmières qui travaillent au palier local. Les infirmières en santé communautaire «contribuent de bien des façons à améliorer la santé des individus dans leur collectivité» (ACSP, 2010, p. 6). Elles «sont spécialisées dans la promotion de la santé des personnes, des familles, des communautés et des populations, de même que d'un environnement propice à la santé» (ACIISC, 2008, p. 7). En **santé communautaire**, on fournit des services et des soins là où vivent les personnes (par exemple domicile, refuge, centre de soins de longue durée, milieu de travail, école, centre pour personnes âgées, centre de soins ambulatoires et centre hospitalier). Les soins s'adressent à un *groupe* donné de la communauté, défini en fonction de frontières géographiques, d'un employeur, d'une commission scolaire ou, encore, d'un besoin ou d'une caractéristique de nature médicale. Les soins englobent un large éventail de services conçus non seulement pour favoriser le rétablissement des personnes malades, mais aussi pour promouvoir la santé, prévenir la maladie et protéger le public. Pour être pleinement efficace, un système de soins de santé communautaire doit remplir les conditions suivantes:

■ Garantir un accès facile aux services.
■ Être suffisamment flexible pour fournir les soins qui répondent aux besoins déterminés par les personnes, les familles et la communauté.
■ Promouvoir la continuité des soins, tant dans un même établissement que d'un établissement à l'autre, grâce à des mécanismes de communication efficaces.
■ Fournir un soutien adéquat aux proches aidants en milieu familial.

La tendance actuelle est d'accorder une plus grande importance aux groupes de population dont les besoins sont particulièrement aigus. Il s'ensuit une réduction des services aux familles en santé ou à faible risque, avec, comme corollaire, des restrictions quant au dépistage effectué par les infirmières. Cette situation pourrait avoir des conséquences néfastes sur l'état général de santé dans certains groupes de la population qui, dans ces circonstances, ne bénéficieront plus d'un suivi adéquat.

APPROCHES EN SOINS DE PREMIÈRE LIGNE

On privilégie différentes approches en soins de première ligne, comme la pratique clinique de réseau, les initiatives communautaires, les coalitions communautaires et les programmes d'extension des services. Pour en apprendre davantage sur la gestion de cas (ou suivi systématique de clientèles), qui fait aussi partie de ces approches, voir le chapitre 6 ⬭.

PRATIQUE CLINIQUE EN RÉSEAU. Parallèlement à la mise en place des CSSS, le MSSS a invité tous les professionnels des secteurs de la santé et des services sociaux à privilégier la pratique clinique en réseau. Ces réseaux d'acteurs sont collectivement responsables de la prestation des soins et des services dans une perspective intégrée. Selon D'Amour, Tremblay et Bernier (2007, p. 274), qui reprennent la définition du réseau de Bourgueil *et al.* (2001) :

> [...] [Un réseau est] une dynamique d'acteurs, un espace de construction collective de nouvelles référence professionnelles, de nouvelles manières d'envisager le travail en commun, de nouvelles valeurs ; un espace de créativité institutionnelle où peuvent se renégocier les rôles de chacun et s'inventer des solutions nouvelles, en d'autres termes un lieu d'expérimentation sociale au sens plein du terme.

La pratique clinique en réseau «devrait faire en sorte que les interventions en matière de soins soient intégrées, c'est-à-dire que la prise en charge globale des problèmes de santé par l'équipe produise des services accessibles, continus, sans délais indus et offerts par les personnes les mieux placées pour le faire» (D'Amour *et al.*, 2007, p. 276). Le fait de passer d'un fonctionnement en silo à un fonctionnement en réseaux intégrés peut assurément favoriser la prestation de services qui répondent davantage aux priorités, aux préférences et aux besoins de soins non fragmentés, exprimés par les personnes et les collectivités. D'ailleurs, la position centrale de l'utilisateur des services de santé demeure une priorité du déploiement des pratiques cliniques en réseaux intégrés. Pour contribuer à la création de ces nouveaux espaces de pratique clinique, les infirmières doivent acquérir des compétences particulières. Elles doivent être capables, notamment, d'établir des relations de confiance, de négocier, de collaborer et d'exercer un leadership (D'Amour *et al.*, 2007). Bien qu'elle se soit prouvée efficace et efficiente, la pratique clinique de réseau bouleverse les pratiques des divers professionnels engagés dans la prestation des soins et des services. Ainsi, les professionnels sont appelés à développer de nouvelles pratiques interprofessionnelles et inter-organisationnelles.

INITIATIVES COMMUNAUTAIRES. Certains centres hospitaliers et centres de santé et de services sociaux (CSSS) font appel à la participation de membres de la communauté pour établir des priorités et des objectifs mesurables en matière de santé ainsi que pour déterminer les démarches à entreprendre afin d'atteindre ces objectifs. Bien que des professionnels de la santé et des organismes participent parfois à ce genre d'activités, on vise à faire assumer la direction, la coordination et la mise en place des services de santé par la communauté, en collaboration avec les membres résidents. Les projets *Villes et villages en santé* ou *Écoles en santé* sont des exemples de cette approche. Selon Hancock et Duhl (1988, p. 24, cités par le Centre québécois collaborateur de l'OMS pour le développement de Villes et Villages en santé, 1998), qui ont été parmi les premiers à définir ce concept, «une ville en santé est une municipalité qui met en place et améliore continuellement son environnement physique et social et qui utilise les ressources de la communauté afin de rendre ses citoyens aptes à s'entraider mutuellement dans la réalisation de leurs activités courantes et à développer leur plein potentiel». Dans le cadre de cette approche, il s'agit de mettre la santé et le bien-être de la population au cœur des préoccupations des décideurs. Ultérieurement, cette approche a été étendue au milieu scolaire et à des chefs d'entreprise. Comme les municipalités ont la responsabilité, reconnue par la loi, d'assurer la qualité de l'air et de l'eau, la gestion des déchets et la praticabilité des voies de circulation, les décideurs peuvent aussi aménager des pistes cyclables. Une telle décision pourrait contribuer à diminuer l'incidence des problèmes cardiovasculaires ou respiratoires (Régie régionale de la santé et des services sociaux [RRSSS] de la Mauricie et du Centre-du-Québec, 2002). Les directions des écoles pourraient, pour leur part, éliminer les distributrices de friandises et de boissons gazeuses.

COALITIONS COMMUNAUTAIRES. Une *coalition communautaire* est un rassemblement d'individus et de groupes qui s'unissent afin d'améliorer la santé des collectivités (Butterfoss, Goodman et Wandersman, 1993). Les infirmières jouent un rôle essentiel dans les coalitions communautaires, dont elles assument souvent le leadership. Certaines coalitions concentrent leurs efforts sur un problème unique, pouvant présenter plusieurs aspects ; elles s'occupent notamment de services de promotion de la santé, de prévention de la maladie et des blessures ainsi que de réadaptation fonctionnelle. Les programmes de désintoxication, de prévention liée aux gangs de rue, d'évaluation des personnes âgées ou de vaccination d'un groupe à risque élevé sont des exemples de coalitions communautaires.

PROGRAMMES D'EXTENSION DES SERVICES. Les *programmes d'extension des services* font appel à des personnes qui ne sont pas des travailleurs de la santé. Ils visent à créer un lien entre les collectivités mal desservies ou à risque élevé et le système de santé officiel. Ils réduisent au minimum les entraves à la prestation des soins, ils améliorent l'accès aux services et, de ce fait, l'état de santé de la communauté, surtout la santé des groupes présentant des besoins particuliers, comme les immigrants, les chefs de famille monoparentale et les sans-abri. Ce modèle fait intervenir le partenariat entre des infirmières et des membres de la communauté. On choisit des personnes qui ne sont pas des travailleurs de la santé, mais qui sont motivées, convaincues et capables de venir en aide à leurs voisins grâce à un réseau de sensibilisation. Des infirmières fournissent souvent une formation, des services de consultation et du soutien aux personnes retenues, qui sont responsables d'entrer en contact avec les individus ou les groupes ciblés.

MILIEUX DE SOINS INFIRMIERS COMMUNAUTAIRES

Au Québec, les soins infirmiers communautaires étaient prodigués, jusqu'aux réformes des années 1970, dans les unités sanitaires. Avec la création des CLSC, qui ont remplacé ces établissements, l'infirmière en santé communautaire a vu son travail se modifier grandement. Elle a été appelée à intervenir dans différents milieux (par exemple écoles, usines, milieux carcéraux), auprès de différents groupes (par exemple personnes âgées, femmes enceintes), auprès de personnes présentant des problèmes complexes (par exemple sans-abri, sidéens), ainsi que dans le contexte des soins à domicile. Les milieux de soins infirmiers communautaires mis sur pied plus récemment comprennent, entre autres, les cliniques de promotion du mieux-être et la télésanté.

PROGRAMMES DE MIEUX-ÊTRE. Ce sont souvent des infirmières qui mettent en application et gèrent les programmes de mieux-être, que ce soit dans une école, un milieu de travail ou ailleurs dans la communauté. Ces programmes sont de nature holistique, c'est-à-dire qu'ils considèrent la personne dans sa globalité; ainsi, on tient notamment compte des relations de l'individu avec son milieu et avec les autres.

Écoles. Les programmes de santé en milieu scolaire s'adressent aux individus, aux familles et à l'ensemble de la communauté; ils visent à fournir des services de santé complets en milieu scolaire. Ils comprennent des activités qui peuvent avoir lieu à l'école même ou ailleurs dans la communauté et dont l'objectif est de favoriser la santé et le bien-être des enfants et des jeunes en général, surtout grâce à des stratégies de promotion de la santé et de prévention de la maladie. Ces programmes multisectoriels font appel aux connaissances et aux compétences du personnel scolaire, des infirmières en santé communautaire, des familles et de divers autres membres de la communauté. Ils ne visent généralement pas à venir en aide aux enfants qui présentent des problèmes graves, sauf si la démarche s'inscrit dans des services de réduction du risque ou d'aiguillage touchant toute la collectivité.

Milieu de travail. Un certain nombre de grandes sociétés offrent à leurs employés, sur les lieux de travail, des services qui visent à les aider à préserver leur santé et à assurer leur sécurité. Ces services sont de plus en plus multidisciplinaires: ils font appel à des médecins, à des infirmières en santé au travail, au personnel des ressources humaines, de même qu'à des physiothérapeutes et à des ergothérapeutes spécialisés. On confie à des infirmières l'élaboration des programmes qui visent la sécurité des travailleurs, la prévention des accidents, la prévention des maladies infectieuses ou la lutte contre celles-ci, le changement des habitudes de vie et les soins en cas d'urgence. Les fournisseurs de soins communautaires prennent de plus en plus souvent l'initiative d'offrir des services à plusieurs petites entreprises ou des services spécialisés auxquels les travailleurs ont accès au sein de la communauté. On parle maintenant d'usine en santé.

TÉLÉSANTÉ. Les infirmières communautaires peuvent prodiguer, aussi, des soins à distance. Dans ce cas, elles vont recourir à la télésanté, qui est l'utilisation des technologies de l'information et des communications en vue de faciliter l'accès aux services de santé. La vidéoconférence (ou vidéoclinique) permet au personnel de la santé d'effectuer des consultations à distance en vue d'évaluer et de traiter à l'externe des personnes dont les besoins en matière de santé peuvent varier. Une vidéoconférence ressemble à n'importe quelle consultation externe, sauf que la personne et le professionnel de la santé se trouvent à des kilomètres l'un de l'autre. En *télésanté*, l'infirmière prodigue des services d'éducation et de promotion de la santé à des personnes qui ne se trouvent pas près d'elle. Clark (2000) pense que l'infirmière doit apprendre à bien utiliser la technologie de manière à améliorer la qualité des soins, mais qu'elle ne doit pas oublier que la relation avec la personne est un élément essentiel de sa profession. En quelque sorte, l'infirmière est à la fois une intermédiaire permettant l'accès à l'information et une source d'informations.

Soutien à domicile

Les infirmières travaillant en santé communautaire prodiguent également des soins au domicile des personnes. Les activités de soins à domicile comprennent l'enseignement, l'intervention curative, les soins en fin de vie, la réadaptation, le soutien et l'entretien ménager, l'adaptation et l'intégration sociale ainsi que le soutien des proches aidants (Infirmières et infirmiers en santé communautaire du Canada [IISCC], 2010). Au Québec, les orientations des soins à domicile sont précisées dans la *Politique de soutien à domicile* (MSSS, 2003). Cette politique est venue confirmer une réalité déjà reconnue: le «passage graduel du mode de prise en charge traditionnel, en établissement, au soutien dans le milieu de vie»; dans les faits, les services à domicile constituent «une nouvelle manière de répondre aux besoins, plus efficace et mieux adaptée à la réalité d'aujourd'hui» (MSSS, 2003, p. 1). Selon la même source, les services à domicile ne constituent pas en eux-mêmes un secteur, parce qu'ils sont intrinsèquement reliés aux autres services du système de santé et de services sociaux: les services ambulatoires de première ligne et les services spécialisés.

Il est à noter que l'expression «**soutien à domicile**» a été préférée à l'expression «maintien à domicile». Pour le gouvernement, le second terme renvoie à un objectif extérieur à la personne (MSSS, 2003) et ne correspond donc plus aux orientations qu'il privilégie. Le choix de l'expression «soutien à domicile» n'est donc pas neutre. Il permet de bien cerner la philosophie d'action du gouvernement: mettre l'accent, d'une part, sur le fait que la personne vit dans une réalité familiale et culturelle et, d'autre part, sur sa capacité d'exercer des choix. La vision du MSSS en matière de soutien à domicile est présentée brièvement dans l'encadré 7-6. La gamme des services à domicile offerts à la population québécoise est présentée à l'encadré 7-7.

Services de santé courants

Les services de première ligne comprennent également les services de santé courants dont la responsabilité incombe aux infirmières. Les soins sont offerts à tous les groupes, personnes

7

ENCADRÉ 7-6
VISION QUI SOUS-TEND LA POLITIQUE DE SOUTIEN À DOMICILE DU MSSS

La *Politique de soutien à domicile*, par la vision qu'elle propose, trace la voie des actions à réaliser au cours des prochaines années. Cette vision peut se résumer ainsi:

- le domicile doit toujours être la première option à considérer par tous les intervenants, et ce, à toutes les étapes de l'intervention;

- le proche aidant est reconnu comme un client qui a des besoins propres, comme un partenaire et comme un citoyen qui remplit ses obligations courantes. Dans cette perspective, l'engagement du proche aidant est volontaire et résulte d'un choix libre et éclairé;

- l'intervention à domicile ne signifie pas seulement «offrir des services»; il faut adopter une approche de «soutien», c'est-à-dire considérer à la fois la situation de la personne, son entourage et son environnement;

- le domicile doit être un choix «neutre» financièrement pour l'usager.

Source: Ministère de la Santé et des Services sociaux (MSSS). (2004). *Chez soi: le premier choix. Précisions pour favoriser l'implantation de la politique de soutien à domicile* (p. 1). Québec: Direction des communications du ministère de la Santé et des Services sociaux. Document consulté le 11 septembre 2010 de http://publications.msss.gouv.qc.ca/acrobat/f/documentation/2002/02-704-01.pdf. Reproduction autorisée par Les Publications du Québec.

ENCADRÉ 7-7
GAMME DE SERVICES DE SOUTIEN À DOMICILE STANDARD AU QUÉBEC

Cette liste n'est pas exhaustive et le fait qu'un service n'y figure pas ne signifie aucunement qu'il n'est pas offert s'il répond à des besoins particuliers des personnes et des proches aidants.

A. Soins et services professionnels
- Services médicaux
- Soins infirmiers
- Services de nutrition
- Services de réadaptation de base: physiothérapie, ergothérapie, orthophonie et audiologie
- Services d'inhalothérapie
- Services psychosociaux
- Services d'organisation communautaire

B. Services d'aide à domicile
- Services d'assistance personnelle
- Services d'aide domestique
- Activités de soutien civique
- Services de livraison de repas chauds, d'accompagnement, visites d'amitié, etc.
- Assistance à l'apprentissage
- Appui aux tâches familiales

C. Services aux proches aidants
- Gardiennage ou «présence-surveillance»
- Répit
- Dépannage
- Appui aux tâches quotidiennes
- Services psychosociaux
- Services d'organisation communautaire

D. Soutien technique
Le soutien technique comprend à la fois les fournitures médicales et spécialisées, les matériels et les aides techniques nécessaires pour qu'une personne puisse demeurer ou retourner à domicile.

Source: Ministère de la Santé et des Services sociaux (MSSS). (2004). *Chez soi: le premier choix. Précisions pour favoriser l'implantation de la politique de soutien à domicile* (p. 31-35). Québec: Direction des communications du ministère de la Santé et des Services sociaux. Document consulté le 11 septembre 2010 de http://publications.msss.gouv.qc.ca/acrobat/f/documentation/2002/02-704-01.pdf. Reproduction autorisée par Les Publications du Québec.

et familles de la collectivité; dans une perspective d'autoresponsabilisation, ils font appel à leur participation. Ces soins sont prodigués le plus près possible du milieu de vie des personnes, notamment dans les lieux de pratique suivants: les centres de santé et de services sociaux, les cliniques de soins infirmiers et les dispensaires. La situation géographique, la clientèle et les ressources offertes influent sur l'organisation des services (OIIQ, 1999, p. 8). La pratique infirmière prend la forme de «consultations professionnelles, selon une approche globale et préventive, dans un mode de collaboration interdisciplinaire et intersectorielle» (OIIQ, 1999, p. 8). Les services courants sont prodigués à une clientèle ambulatoire qui consulte sur place, avec ou sans rendez-vous (OIIQ, 1999). L'infirmière joue un rôle de premier plan dans l'accueil, l'évaluation de la condition clinique de la personne, l'amorce de mesures diagnostiques, l'intervention en situation d'urgence ou en situation de crise, l'intervention de première ligne, l'information et l'enseignement, le counselling infirmier, l'orientation et l'aiguillage de la clientèle, la continuité des soins, le dépistage des problèmes de santé publique et de santé communautaire, ainsi que l'éducation à la santé (OIIQ, 1999).

Info-Santé

C'est pour répondre rapidement aux besoins des personnes qui veulent obtenir des renseignements sur leur état de santé et sur les mesures à prendre, de même que pour promouvoir la santé, que les infirmières ont mis sur pied Info-Santé. Accessible dans toutes les régions du Québec, ce service de consultation téléphonique est reconnu dans la structure officielle du réseau de la santé et des services sociaux en raison de son apport marquant à la population et de sa contribution à l'efficience du système de santé (OIIQ, 1999).

Info-Santé est considéré comme un service de première ligne qui assure «une réponse ponctuelle et d'ordre général aux besoins de santé physique et mentale de la population» (OIIQ, 1999, p. 8). Il permet de fournir un service immédiat, ponctuel et à court terme, dans le milieu de vie de toute personne aux prises avec un besoin ou un problème de santé (OIIQ, 1999). L'infirmière évalue d'abord le besoin ou le problème de santé de la personne, lui donne des informations et des conseils adaptés à son état de santé et l'oriente, s'il y a lieu, vers les ressources qui répondent le mieux à la demande. Dans ce contexte, l'infirmière vise la promotion de la santé et aide la personne à prendre en charge sa propre santé. Cette approche s'inscrit bel et bien dans la perspective des soins de santé primaires.

Pratique infirmière en santé communautaire

On englobe, dans le titre « infirmière en santé communautaire », les infirmières de soins à domicile et les infirmières en santé publique. On présente à l'encadré 7-8 une brève définition de chacun de ces titres d'emploi à partir des travaux de l'ACIISC (2008). Par ailleurs, cette association précise les rôles des différents groupes d'infirmières travaillant en santé communautaire dans le document *Normes canadiennes de pratique des soins infirmiers en santé communautaire*. Selon cette association, la pratique des infirmières en santé communautaire vise à promouvoir, à protéger et à préserver « la santé des personnes, des familles, des groupes, des communautés et des populations partout où ils vivent, travaillent, apprennent, pratiquent leur culte et se divertissent, et ce de façon continue plutôt que périodique » (ACIISC, 2008, p. 7). De plus, les infirmières en santé communautaire « travaillent avec beaucoup d'autonomie et forgent des partenariats fondés sur les principes des soins de santé primaires, de la compassion et de la responsabilité » (ACIISC, 2008, p. 7).

En se basant sur le *Code de déontologie des infirmières et infirmiers du Canada* (2002), l'ACIISC (2008) établit les valeurs et les croyances qui sont essentielles aux infirmières en santé communautaire. Ces valeurs et ces croyances sont la compassion, les principes des soins de santé primaires, les voies multiples du savoir, la participation des personnes et des communautés, ainsi que la responsabilisation. Partant de ces valeurs et de ces croyances, l'ACIISC (2008) propose un modèle de pratique en santé communautaire (figure 7-2 ■). Ce modèle repose sur cinq normes de pratique qui sont présentées à l'encadré 7-9.

Infirmière des soins à domicile : Il s'agit d'une infirmière en santé communautaire qui « allie ses connaissances en soins de santé primaires (y compris les déterminants de la santé) aux sciences infirmières et aux sciences sociales » (ACIISC, 2008, p. 9). Elle « concentre son attention sur la prévention, le rétablissement et le maintien de la santé ou les soins palliatifs » (ACIISC, 2008, p. 9). L'infirmière des soins à domicile prodigue des soins au domicile des clients, à l'école ou dans le milieu de travail.

Infirmière de santé publique : Il s'agit d'une infirmière en santé communautaire qui « allie ses connaissances en sciences de la santé publique et en soins de santé primaires (y compris les déterminants de la santé) aux sciences infirmières et aux sciences sociales » (ACIISC, 2008, p. 9). L'infirmière de santé publique « travaille dans des milieux de plus en plus divers, tels les centres de santé communautaire, les écoles, les cliniques de rue, les centres de jeunesse et les centres de soins en région éloignée – et avec divers partenaires – pour répondre aux besoins de santé de populations spécifiques » (ACIISC, 2008, p. 9).

Partant de cette description sommaire, il est possible de dégager des différences dans la pratique de ces deux groupes d'infirmières. Ainsi, l'infirmière en soins à domicile voit d'abord le client et sa famille alors que l'infirmière en santé publique commence par voir les systèmes, la santé de la population et les partenariats intersectoriels (ACIISC, 2008).

Source : Association canadienne des infirmières et infirmiers en santé communautaire (ACIISC). (2008), *Normes canadiennes de pratique des soins infirmiers en santé communautaire*, Version révisée et traduite. Toronto : Auteur. Document consulté le 14 août 2010 de http://www.chnc.ca/documents/chn_standards_of_practice_mar08_french.pdf.

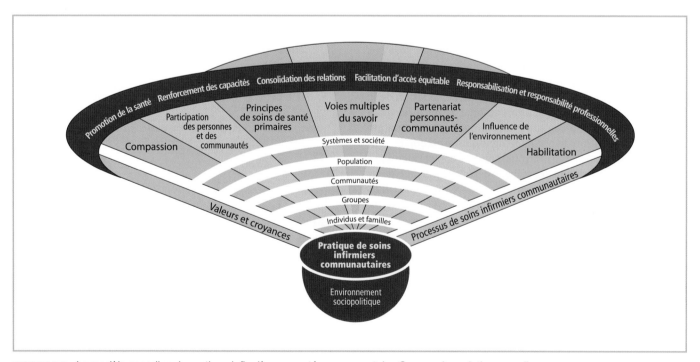

FIGURE 7-2 ■ Le modèle canadien de pratique infirmière en santé communautaire. Source : Association canadienne des infirmières et infirmiers en santé communautaire (ACIISC). (2002). *Normes canadiennes de pratique des soins infirmiers en santé communautaire*. Toronto : Auteur.

Toutes les infirmières exerçant en santé communautaire devraient connaître et utiliser les cinq normes de pratique des **soins infirmiers en santé communautaire** proposées par l'ACIISC (2008). Ces normes s'appliquent à toutes les infirmières, qu'elles prodiguent des soins directs ou qu'elles travaillent dans les domaines de l'éducation, de l'administration ou de la recherche.

Norme 1 : Promouvoir la santé, notamment promotion de la santé, prévention des maladies et protection de la santé, maintien de la santé, rétablissement et soins palliatifs.

Norme 2 : Renforcer les capacités personnelles et communautaires.

Norme 3 : Consolider les relations.

Norme 4 : Faciliter l'accès équitable.

Norme 5 : Faire preuve de responsabilité professionnelle

Source : Association canadienne des infirmières et infirmiers en santé communautaire (ACIISC). (2008). *Normes canadiennes de pratique des soins infirmiers en santé communautaire,* Version révisée et traduite. Toronto : Auteur. Document consulté le 14 août 2010 de http://www.chnc.ca/documents/chn_ standards_ of_practice_mar08_french.pdf.

Activités des infirmières en santé communautaire

Puisqu'il est impossible de recenser toutes les activités des infirmières en santé communautaire, nous présentons celles qui sont les plus importantes. Cette description s'appuie sur les différents éléments proposés par l'ACSP (2010) en rapport avec les activités de l'infirmière en santé communautaire.

- Avocate. L'infirmière en santé communautaire doit aider « les individus, les familles et les groupes à prendre conscience des enjeux qui peuvent avoir une incidence sur la santé ; il peut s'agir de personnes défavorisées par leur statut socioéconomique, leur âge, leur isolement, leur culture, leur manque de connaissances, etc. » (ACSP, 2010, p. 24). Elle encourage et aide la communauté à énoncer et à prendre en charge activement les problèmes de santé qui les concernent. Elle s'emploie à développer la capacité des clients de parler en leur propre nom. Elle favorise le développement de ressources qui donnent un accès équitable aux services de santé et aux services connexes.

- Soignante. Toutes les infirmières connaissent le rôle de soignantes. Toutefois, l'infirmière en santé communautaire peut ou non donner des soins directs à la clientèle. Lorsque l'infirmière en santé communautaire donne des soins directs, elle doit établir « une relation thérapeutique fondée sur la confiance, le respect, la compassion et l'écoute » (ACSP, 2010, p. 26). Elle « fait appel à ses compétences cliniques pour évaluer la capacité du client de participer à la planification, la mise en œuvre et l'évaluation conjointe des interventions infirmières » (ACSP, 2010, p. 26). L'infirmière de soins à domicile aide les personnes et les familles à maintenir leur santé ou à guérir en faisant appel à toutes sortes de méthodes de soins.

- Enseignante. Dans son rôle d'enseignante, l'infirmière en santé communautaire « évalue les connaissances de l'apprenant, ses attitudes, ses valeurs, ses croyances, ses comportements, ses habitudes, l'étape du changement (où il se situe)

et ses compétences » (ACSP, 2010, p. 22). Elle met l'accent sur la promotion de la santé, la prévention des maladies et des blessures et les déterminants de la santé. Elle enseigne aux groupes ou aux personnes l'utilisation de méthodes efficaces pour :
- réunir les gens et créer un climat d'ouverture favorisant le libre partage des idées et des points de vue ;
- clarifier les enjeux ou les processus ;
- assurer le déroulement harmonieux des réunions et obtenir l'accord des participants sur les buts et les objectifs énoncés ;
- favoriser le renforcement des capacités de la communauté, du groupe et de l'individu (ACSP, 2010, p. 19, 22).

- Gestionnaire de cas ou coordonnatrice. L'infirmière en santé communautaire est souvent responsable de l'évaluation des problèmes de santé de la clientèle. Elle élabore, met en œuvre et évalue avec la personne un plan mutuellement acceptable. Elle « aide les individus et les familles à exploiter leurs forces et leurs aptitudes pour trouver et accéder aux ressources et aux services disponibles pour ainsi retrouver ou maintenir un état de santé souhaitable » (ACSP, 2010, p. 23). Elle « emploie des techniques qui favorisent le travail d'équipe, le respect mutuel et la prise conjointe des décisions dans ses échanges avec ses collègues, les éducateurs, les étudiants, les autres professionnels et le public » (ACSP, 2010, p. 19).

- Responsable de la promotion de la santé. La promotion de la santé est la responsabilité de toutes les infirmières. Toutefois, ces activités sont au cœur du travail de l'infirmière en santé communautaire. Ainsi, les infirmières en santé communautaire concentrent leurs efforts sur la promotion de la santé et sur la santé des populations. L'infirmière en santé communautaire « collabore avec la personne et la communauté pour les aider à assumer la responsabilité de maintenir ou d'améliorer leur santé, en faisant mieux comprendre les déterminants de la santé et en augmentant leur influence et leur contrôle sur ces déterminants » (ACIISC, 2008, p. 14).

Compétences liées à la pratique en santé communautaire

Les milieux de travail en santé communautaire exigent des connaissances et des compétences particulières. Ainsi, l'infirmière doit bien connaître les aspects suivants de sa pratique : (1) les déterminants d'une communauté en santé ; (2) les stratégies de prévention primaire, secondaire et tertiaire propres à chaque groupe d'âge ; (3) les stratégies individuelles, familiales et collectives de promotion de la santé ; (4) les composantes du travail interdisciplinaire ; (5) les déterminants d'un système de santé dont les services sont accessibles, efficaces sur le plan économique et intégrés ; (6) les processus de prise de décision qui reposent sur la participation active de la personne et assurent l'efficacité des soins sur les plans économique et qualitatif ; (7) la gestion de l'information ; (8) l'éventail des valeurs culturelles. De plus, l'infirmière qui exerce en santé communautaire doit constamment mettre à jour ses compétences cliniques et ses connaissances en matière de technologie. Les infirmières doivent être outillées différemment pour travailler en milieu communautaire. Dès lors, les établissements d'enseignement doivent en tenir compte dans l'élaboration de leurs programmes et des contenus de cours.

Des événements récents ont montré que le Canada doit se doter d'outils contribuant au renforcement et au développement d'une main-d'œuvre efficiente en santé publique. Parmi ces outils, citons l'acquisition des compétences essentielles qui s'appuient sur les valeurs suivantes : « la justice sociale, l'équité et le développement durable, la reconnaissance de l'importance de la santé de la collectivité et de l'individu, et le respect de la diversité, de l'autodétermination, de l'*empowerment* et de la participation collective » (ASPC, 2008, p. 4). Les 36 compétences essentielles sont regroupées dans 7 catégories et elles sont présentées au tableau 7-2 avec un exemple de ce que cette compétence implique pour les travailleurs de première ligne.

TABLEAU 7-2

CATÉGORIES DES COMPÉTENCES ESSENTIELLES EN SANTÉ PUBLIQUE

Catégorie	Exemple de l'implication des travailleurs de première ligne
1. Science de la santé publique	Tout travailleur de première ligne devrait pouvoir expliquer les résultats d'une recherche récente montrant un lien entre l'absence de programmes d'éducation sexuelle à l'école et l'augmentation des ITSS*.
2. Évaluation et analyse	Tout travailleur de première ligne devrait pouvoir décrire une situation dans un milieu scolaire où il n'y a pas de programme systématique d'éducation sexuelle.
3. Planification, mise en œuvre et évaluation de politiques et de programmes	Tout travailleur de première ligne devrait pouvoir déterminer quels programmes et activités d'intervention en milieu scolaire pourraient être mis en œuvre pour freiner le taux de croissance d'ITSS chez les jeunes.
4. Partenariats, collaborations et promotion	Tout travailleur de première ligne devrait pouvoir interroger les parents afin de connaître leur opinion sur l'importance des programmes d'éducation sexuelle à l'école.
5. Diversité et inclusion	Tout travailleur de première ligne devrait pouvoir négocier avec les autorités de l'école la mise sur pied d'une unité de dépistage des ITSS qui soit dotée de personnel féminin et masculin.
6. Communication	Tout travailleur de première ligne devrait pouvoir utiliser diverses stratégies pour transmettre efficacement les messages de santé à leurs destinataires (par ex. Facebook, Twitter, radio étudiante, télévision locale, activités en personne).
7. Leadership	Tout travailleur de première ligne devrait être en mesure d'impliquer les élèves, les parents, les enseignants et les cadres supérieurs de l'école dans l'établissement d'une vision et d'objectifs d'une école en santé.

* ITSS : infections transmissibles sexuellement et par le sang.

Source : Ce tableau, dont les exemples ont été adaptés par Michèle Côté, est inspiré du document suivant : Agence de la santé publique du Canada (ASPC) (2008). *Compétences essentielles en santé publique au Canada. Version 1.0.* Ottawa : Ministère de la Santé. Document consulté le 16 août 2010 de http://www.phac-aspc.gc.ca/ccph-cesp/pdfs/cc-manual-fra.090407.pdf.

 RECHERCHE EN SCIENCES INFIRMIÈRES

LES SOINS INFIRMIERS DANS LA COMMUNAUTÉ (RÉSULTATS PROBANTS)

Les infirmières travaillent dans toutes sortes d'organismes communautaires et d'organismes de soins de santé, où elles offrent des services allant de la promotion de la santé et de la prévention des maladies aux soins palliatifs, en passant par les traitements cliniques et la réadaptation (Underwood, 2003).

Que savons-nous déjà ?

Les rares études menées sur la rentabilité des soins infirmiers communautaires présentent des résultats probants, importants pour les politiques et la pratique. Voici des exemples de constatations pertinentes :

Chercheurs	Constatations
Erkel, Morgan, Staples, Assey et Michel, 1994	Lorsque des infirmières de la santé publique se chargent globalement des soins infirmiers cliniques, de la gestion des cas et des services de prévention, le rapport coût-efficacité (coût en dollars par intervention efficace) des visites de consultation de santé infantile dans le contexte des soins continus est cinq fois moins élevé que dans le contexte des soins fragmentés (523 $ contre 2 900 $).
Forchuk, Chan, Schofield, Martin, Sircelj, Woodcox *et al.*, 1998	Avant d'obtenir leur congé de l'hôpital, les clients participant à un programme de traitement de la schizophrénie avaient eu des contacts avec des infirmières de la santé publique (ISP) jusqu'à ce que le client, l'ISP et l'infirmière de l'hôpital eurent convenu qu'une relation d'aide avait été établie. Le maintien dans la communauté de neuf clients a permis d'économiser au total 496 862,55 $ en un an comparativement à ce que leur hospitalisation aurait coûté aux tarifs habituels.

RECHERCHE EN SCIENCES INFIRMIÈRES *(suite)*

LES SOINS INFIRMIERS DANS LA COMMUNAUTÉ (RÉSULTATS PROBANTS)

Chercheurs	Constatations
Goodwin, 1999	La réadaptation cardiaque à domicile est rentable. Les infirmières sont des gestionnaires de cas idéales pour les clients atteints d'insuffisance cardiaque congestive et les membres de leur famille, si l'on tient compte des avantages financiers, physiques et psychologiques d'une telle approche.
Markle Reid, Browne, Roberts, Gafni et Byme, 2002	On a comparé deux groupes de chefs de famille monoparentale atteints de troubles thymiques et bénéficiaires de l'aide sociale : les uns avaient un accès autodirigé aux soins, les autres bénéficiaient des services proactifs de gestion de cas d'une infirmière de la santé publique. La prise en charge proactive a réduit de 12 % (240 000 $ par année, par tranche de 100 parents) le nombre des demandes d'aide sociale.
Olds, Eckenrode, Henderson, Kitzman, Powers, Cole *et al.*, 1997	Pour les mères à faible revenu, dont les enfants sont à risque en raison de leurs conditions de vie, l'intervention intensive d'infirmières communautaires (c.-à-d. visites à domicile avant la naissance et durant la petite enfance) peut réduire le nombre de grossesses ultérieures, la violence et la négligence à l'égard des enfants, le recours aux services d'aide sociale et les comportements criminels jusqu'à 15 ans après la naissance du premier enfant.
Sadoway, Plain et Soskolne, 1990	En dollars constants de 1986, les coûts en main-d'œuvre de la vaccination étaient 2,9 fois moins élevés en Alberta, où les infirmières administraient les vaccins, qu'en Ontario, où c'étaient les médecins qui se chargeaient de le faire.
Krahn, Guasparini, Sherman et Detsky, 1998	L'administration du vaccin contre l'hépatite B à des élèves de 6e année par des infirmières du programme scolaire de la Colombie-Britannique a entraîné une économie estimative nette de 75 $ par personne et un coût marginal par année de vie gagnée de 2 100 $.
O'Brien-Pallas, Doran, Murray, Cockerill, Sidani, Laurie-Shaw *et al.*, 2001 et 2002	Chaque augmentation unitaire de l'affectation d'infirmières titulaires d'un baccalauréat a entraîné une amélioration des connaissances et des comportements des clients (en relation avec leur état de santé) au moment du congé, et a réduit le nombre total de visites.

En résumé, selon ces résultats probants, les soins infirmiers communautaires sont rentables et bénéfiques pour la santé des personnes, des familles et des populations.

Cette fiche d'information repose en grande partie sur le document intitulé *La valeur des infirmières dans la communauté,* publié par l'Association des infirmières et infirmiers du Canada (AIIC) (2003).

Références

Erkel, E. A., Morgan, E. P., Staples, M. A., Assey, V. H., et Michel, Y. (1994). Case management and preventative services among infants from low-income families. *Public Health Nurse, 17*(5), 352-360.

Forchuk, C., Chan, L., Schofield, R., Martin, M. L., Sircelj, M., Woodcox, V., *et al.* (1998). Bridging the discharge process. *Infirmière canadienne, 94*(3), 22-26.

Goodwin, B. A. (1999). Home cardiac rehabilitation for congestive heart failure : A nursing case management approach. *Rehabilitation Nurse, 24*(4), 143-147.

Krahn, M., Guasparini, R., Sherman, M., et Detsky, A. S. (1998). Costs and cost-effectiveness of a universal, school-based hepatitis B vaccination program. *American Journal of Public Health, 88*(11), 1638-1644.

Markle Reid, M., Browne, G., Roberts, J., Gafni, A., et Byrne, C. (2002). The 2 year costs and effects of a PHN case management intervention on mood-disordered single parents on social assistance. *Journal of Evaluation in Clinical Practice, 8*(1), 45-59.

O'Brien-Pallas, L., Doran, D., Murray, M., Cockerill, R., Sidani, S., Laurie-Shaw, B., *et al.* (2001). Evaluation of a client care delivery model, part 1 : Variability in nursing utilization in community home nursing. *Nursing Economic$, 19*(16), 267-276.

O'Brien-Pallas, L., Doran, D., Murray, M., Cockerill, R., Sidani, S., Laurie-Shaw, B., *et al.* (2002). Evaluation of a client care delivery model, part 2 : Variability in client outcomes in community home nursing. *Nursing Economic$, 20*(1), 13-36.

Olds, D. L., Eckenrode, J., Henderson, C. R. Jr., Kitzman, H., Powers, J., Cole, R., *et al.* (1997). Long-term effects of home visitation on maternal life course and child abuse and neglect. *Journal of the American Medical Association, 278*(8), 637-43.

Sadoway, D. T., Plain, R. H., et Soskolne, C. L. (1990). Infant and preschool immunization delivery in Alberta and Ontario : A partial cost-minimization analysis. *Revue canadienne de santé publique, 81*(2), 146-151.

Underwood, J. (2003). *La valeur des infirmières dans la communauté.* Ottawa : Association des infirmières et infirmiers du Canada.

Source : Teng, M., Underwood, J., Baumann, A., et MacDonald, J. (2003, août). *Les soins infirmiers dans la communauté.* Ottawa : Association des infirmières et infirmiers du Canada. Document consulté le 12 septembre 2010 de http://www.cna-nurses.ca/CNA/documents/pdf/publications/Nursing_Community_August_ 2003_f.pdf. Réimprimé avec l'autorisation de l'Association des infirmières et infirmiers du Canada.

Collaboration au sein de l'équipe d'intervention

La collaboration interprofessionnelle en santé prend davantage d'importance au fur et à mesure que les frontières entre les professions se modifient. Selon l'Agence de la santé publique du Canada (ASPC, 2007, p. 1):

> [La collaboration est une] relation établie entre différents secteurs ou groupes dans le but de s'attaquer à un problème et assurant une plus grande efficacité ou durabilité dans l'action que si le secteur de la santé publique agissait seul.

L'INFIRMIÈRE EN TANT QUE COLLABORATRICE

L'infirmière doit collaborer avec les personnes, les autres infirmières et les autres professionnels de la santé. Cette collaboration s'exerce souvent au niveau des soins donnés à la personne, bien qu'elle puisse aussi devenir parfois manifeste dans d'autres domaines, notamment la bioéthique, le droit, la recherche en santé et la gestion d'organismes professionnels. L'encadré 7-10 passe en revue divers aspects de la collaboration de l'infirmière avec d'autres professionnels. Prescott *et al.* (1987, 1991) considèrent que la collaboration est importante pour l'évolution de la pratique des soins infirmiers et l'amélioration des résultats escomptés. Si elle veut remplir son rôle de collaboratrice, l'infirmière doit assumer des responsabilités et avoir une plus grande autorité dans certains domaines de sa pratique. La formation est essentielle pour s'assurer que les membres de chaque groupe professionnel comprennent la nécessité de collaborer, leur apport particulier et l'importance du travail en équipe. Chaque professionnel doit comprendre qu'un système de soins intégrés est centré sur les besoins de la personne et non sur les soins donnés par tel ou tel groupe de professionnels.

PARTENARIAT EN COLLABORATION DANS LE DOMAINE DES SOINS DE SANTÉ

Les rapports de subordination qui dominaient traditionnellement dans la prestation des soins de santé peuvent s'expliquer par le fait que les soins étaient axés sur la maladie et que, dans un tel contexte, les professionnels de la santé assumaient le rôle d'experts. Ce modèle de prestation des soins ne peut plus fonctionner au sein d'un système de santé en constante évolution. Comme les frontières de chaque profession de la santé changent et que les personnes jouent un rôle toujours plus actif dans la prestation des soins, on doit maintenant recourir à une approche collaborative.

Le **partenariat en collaboration** se définit comme « la poursuite d'objectifs centrés sur la personne, dans un processus dynamique qui demande la participation active et le consentement de tous les partenaires. Cette relation prend la forme d'un partenariat qui s'exerce en collaboration » (Gottlieb et Feely, 2006, p. 8).

Dans le modèle de partenariat en collaboration dans les soins de la santé, la personne a sa part de responsabilités dans les soins, et l'infirmière reconnaît que les personnes ont des connaissances et des compétences qu'elles peuvent mettre à contribution pour comprendre et prendre en charge leur vie et leur maladie de façon non négligeable. La relation entre l'infirmière et la personne se caractérise par la réciprocité et l'entente mutuelle; les objectifs et les plans de soins sont déterminés conjointement. Dans un tel contexte, le rôle de l'infirmière est celui d'une facilitatrice. Elle encourage les personnes à lui faire part de leurs perceptions et expériences. Les décisions sont prises conjointement pour développer l'autonomie et l'auto-efficacité des personnes. En fin de compte, la capacité de la personne de résoudre des problèmes courants et futurs s'accroît (Gottlieb et Feely, 2006).

ENCADRÉ 7-10

ASPECTS DE LA COLLABORATION DANS LA PRESTATION DES SOINS INFIRMIERS

Collaboration avec la personne

- L'infirmière reconnaît, soutient et encourage la participation active de la personne dans la prise de décision en matière de soins.
- Elle favorise l'autonomie de la personne et l'égalité entre les membres de l'équipe de soins.
- Elle aide la personne à établir des objectifs en matière de soins, mutuellement acceptables.
- Elle offre à la personne des services de consultation fondés sur la collaboration.

Collaboration avec les autres infirmières (collaboration intradisciplinaire)

- L'infirmière partage ses connaissances avec les autres infirmières et tire parti de la compétence de ses collègues de manière à assurer des soins de qualité.
- Elle participe à l'établissement d'un climat de confiance et de respect mutuel avec ses pairs en reconnaissant leur apport unique.

Collaboration avec les autres professionnels de la santé (collaboration multidisciplinaire ou interdisciplinaire)

- L'infirmière reconnaît la compétence de chacun des membres de l'équipe interdisciplinaire et son apport.
- Elle prête attention au point de vue de chacun sur chaque cas particulier.

- Elle assume sa part des responsabilités en matière de soins en examinant les diverses solutions possibles, en établissant des objectifs et en prenant des décisions avec la personne et sa famille.
- Elle prend part à des recherches intradisciplinaires, multidisciplinaires et interdisciplinaires afin d'accroître les connaissances relatives à certains problèmes ou situations cliniques.

Collaboration avec les organismes professionnels en soins infirmiers

- L'infirmière cherche les occasions de collaborer avec les organismes professionnels et de participer à leur travail.
- Elle participe à des comités dirigés par les associations locales, provinciales ou nationales ou à des regroupements liés à une spécialité.
- Elle soutient les organismes professionnels dans leurs actions politiques afin de trouver des solutions à des problèmes auxquels font face les professionnels ou les services de santé.

Collaboration avec les instances décisionnelles publiques

- L'infirmière offre son opinion d'experte sur les initiatives gouvernementales en matière de santé.
- Elle collabore avec les autres prestateurs de soins et les utilisateurs de soins dans le contexte de la législation sur la santé afin de répondre le mieux possible aux besoins de la population.

Selon Gottlieb et Feely (2006), six forces ont contribué au développement d'une approche collaborative en santé dans différents pays, dont le Canada. Ces forces sont : (1) les droits des consommateurs et des patients ; (2) la santé publique et la promotion de la santé ; (3) une information accessible sur la santé ; (4) la transformation des soins infirmiers et de l'éthique ; (5) la place accordée aux soins à domicile par rapport aux soins à l'hôpital ; (6) le développement des connaissances à propos des changements chez la personne.

COOPÉRATION INTERPROFESSIONNELLE DANS LE DOMAINE DE LA SANTÉ

Dans le domaine de la santé, la coopération interprofessionnelle est essentielle afin de permettre à la collectivité de répondre à ses besoins et d'atteindre ses objectifs. La coopération interprofessionnelle implique que les infirmières utilisent des approches qui «favorisent le travail d'équipe, le respect mutuel et la prise des décisions », en collaboration avec différents partenaires (ACSP, 2010, p. 19). L'utilisation de l'approche de pratique en réseau est sans aucun doute une forme de coopération interprofessionnelle.

Éléments clés de la collaboration entre les professionnels de la santé

Les éléments clés de la collaboration comprennent la capacité de communiquer efficacement, le respect mutuel et la confiance ainsi que le processus de prise de décision.

COMMUNICATION EFFICACE

Dans un contexte de résolution de problèmes complexes, la collaboration nécessite des habiletés de communication efficace. Or, il ne peut y avoir de communication efficace que si tous s'efforcent de comprendre leurs rôles professionnels respectifs et s'ils s'estiment mutuellement en tant qu'individus. De plus, chacun doit être sensibilisé aux divers modes de communication (Tannen, 1994). Au lieu de s'attarder sur ce qui les différencie, les professionnels qui travaillent en équipe doivent plutôt se concentrer sur leur centre d'intérêt commun, c'est-à-dire les besoins des personnes qu'ils rencontrent.

RESPECT MUTUEL ET CONFIANCE

Dans un groupe, on dit qu'il y a *respect mutuel* lorsque les personnes manifestent ou ressentent de l'estime les unes envers les autres. La *confiance* consiste à croire au bien-fondé des actions de l'autre. Le respect mutuel et la confiance font tous deux intervenir un processus et un résultat communs. Il est important de les exprimer de manière verbale et non verbale.

PROCESSUS DE PRISE DE DÉCISION

La prise de décision au sein d'une équipe implique la responsabilité partagée des résultats. Pour découvrir une solution, l'équipe doit évidemment réaliser chaque étape du processus décisionnel, la première étant de définir clairement le problème. La prise de décision en équipe doit être centrée sur les objectifs d'une action donnée. Il faut témoigner de la considération et du respect à l'égard du point de vue de l'autre ; ainsi, chaque membre du groupe pourra exprimer son opinion en toute confiance.

Un aspect important du processus de prise de décision réside dans la concentration de l'équipe interdisciplinaire sur les besoins prioritaires de la personne et dans l'organisation des interventions en fonction de ces besoins. Au cours de la planification, on accorde la priorité au professionnel de la santé le plus susceptible de répondre aux besoins de la personne, et les interventions requises relèvent de cette discipline. Par exemple, un travailleur social se concentrera d'abord sur le besoin d'appartenance à un groupe d'une personne qui, à cause de ce besoin, ne réagit pas favorablement à un traitement. En raison du caractère holistique de sa pratique, l'infirmière est souvent la plus apte à aider l'équipe interdisciplinaire à déterminer les priorités et les domaines d'intervention auxquels il faut accorder le plus d'attention.

Continuité des soins

L'une des principales responsabilités de l'infirmière est d'assurer la **continuité des soins**, c'est-à-dire de coordonner les services de santé prodigués à une personne dans divers milieux de soins et par divers professionnels de la santé. La continuité des soins est la prestation ininterrompue de services de santé lorsqu'une personne passe d'un niveau de soins à un autre (par exemple d'un établissement de soins à son domicile ou de son domicile à un établissement de soins prolongés). Ce concept prend de plus en plus d'importance, car les changements du système de santé, le rôle des soins infirmiers et les relations interprofessionnelles incitent à une compréhension commune de la continuité des soins. En révisant ce concept selon une approche intégrée, Sparbel et Anderson (2000) ont constaté qu'il ne s'agit pas d'une notion bien définie, mais qu'il est néanmoins évident qu'elle «dépend d'un ensemble de facteurs reliés à la communication et au système de santé » (p. 22). Toujours selon Sparbel et Anderson (2000), l'infirmière doit remplir les conditions suivantes pour garantir la continuité des soins :

- Inciter la personne et sa famille (ou un proche aidant) à participer à toutes les étapes (évaluation de la personne, planification, mise en application et évaluation des soins) de l'entrée et de la sortie au cours d'un changement de milieu de soins.
- Collaborer et communiquer au besoin avec d'autres professionnels de la santé.
- S'assurer que les services requis pour obtenir des résultats positifs sont disponibles et coordonnés de manière que les soins soient prodigués sans interruption.

Planification du congé

Un certain nombre de personnes considèrent que la *planification du congé* et la continuité des soins ne font qu'un, même si on emploie un large éventail de méthodes d'évaluation auprès des personnes, des familles et de la communauté afin d'améliorer la qualité des services. On définit traditionnellement la planification du congé comme le processus de préparation de la personne à son passage d'un niveau de soins à un autre, à l'intérieur d'un même établissement de santé ou d'un établissement à un autre. Cette planification est axée sur la personne et sur la famille.

On commence à planifier le congé dès l'admission de la personne, surtout lorsqu'il s'agit d'un établissement de soins, car la durée des séjours y a été considérablement réduite. Une planification efficace fait intervenir les éléments suivants: (1) un processus continu d'évaluation qui permet d'obtenir à tout moment des informations complètes sur les besoins de la personne; (2) l'énoncé des problèmes relevant du domaine infirmier; (3) des plans permettant de s'assurer que les besoins de la personne et des proches aidants sont satisfaits. Dans certains cas, la planification du congé nécessite l'organisation de rencontres entre l'équipe de soins et la famille. Au cours de ces rencontres, on discute de l'ensemble de la situation en matière de soins, on les planifie conjointement et on établit des objectifs communs.

Il est important de considérer les forces et les obstacles à l'action lorsqu'on évalue les habiletés de la personne, son domicile, sa famille et son milieu communautaire. Étant donné que tous ces facteurs influent sur la prestation de soins de santé primaires, l'infirmière doit tenter de tirer parti des forces et d'atténuer les obstacles qui pourraient porter atteinte à la santé de la personne. Il faut habituellement: (1) enseigner à la personne les autosoins; (2) l'aiguiller vers un service de soutien à domicile. La personne a besoin d'aide pour comprendre sa situation, prendre des décisions concernant les soins qu'elle reçoit et modifier certains comportements influant sur sa santé. Comme la durée du séjour en établissement de soins a été considérablement réduite, il est souvent impossible d'enseigner à la personne tout ce qu'elle devrait savoir avant sa sortie; pour y arriver, le recours à un service de soutien à domicile est parfois nécessaire. Pour en apprendre davantage sur l'enseignement à la personne, voir le chapitre 21 ⊂⊃.

Les politiques et les directives relatives au congé sont généralement déterminées par chacun des services hospitaliers. Dans certains services, une *infirmière de liaison* est chargée de coordonner la transition et d'assurer le suivi avec le service qui reçoit la personne. C'est souvent une infirmière qui a la responsabilité de la continuité des soins.

Aiguillage

Quel que soit le milieu que la personne quitte et celui vers lequel on la dirige, le processus d'aiguillage est une démarche méthodique de résolution de problèmes qui l'aide à utiliser les ressources répondant à ses besoins en matière de services de santé. Le bon déroulement de ce processus nécessite la connaissance des ressources communautaires et des habiletés en résolution de problèmes, en reconnaissance des priorités, en coordination et en collaboration (McGuire, Gerber et Clemen-Stone, 1996). McWilliam (2000, p. 146) souligne que «l'évaluation, la coordination et le suivi des nombreux services où interviennent plusieurs fournisseurs de soins», surtout quand la personne retourne dans la communauté, constituent un processus à la fois complexe et coûteux.

Le dossier d'aiguillage doit comporter le plus d'informations possible sur la personne et sur son séjour dans l'établissement de santé. Dans le contexte actuel, la majorité des services ont élaboré un protocole très précis et des formulaires détaillés. Par ailleurs, l'infirmière peut utiliser un guide

d'évaluation (encadré 7-11). Il arrive de plus en plus souvent que l'infirmière doive apprendre non seulement à effectuer une évaluation, mais aussi à en transmettre les résultats de façon claire à différents destinataires, dont la famille de la personne et les autres professionnels de la santé. On demande aussi fréquemment à l'infirmière d'examiner les besoins de la personne et de sa famille dans le contexte plus large du système de santé, puis de fournir des données à ce sujet. Cette information est ensuite utilisée au cours des débats qui portent sur la prestation des services dans la communauté, ce qui permet de mieux répondre aux besoins de la population en matière de

---

ENCADRÉ 7-11

GUIDE D'ÉVALUATION POUR PLANIFIER LE CONGÉ DE LA PERSONNE

Données sur la personne et sur son état de santé

Âge; sexe; taille et poids; données culturelles; antécédents médicaux; état de santé actuel; chirurgie.

Capacité d'effectuer les activités de la vie quotidienne

Habillement; alimentation; toilette; bain (baignoire, douche, éponge); déambulation (avec ou sans aide: canne, béquilles, déambulateur, fauteuil roulant, etc.); déplacements à l'intérieur (se lever et s'asseoir, prendre un bain, monter dans un véhicule et en descendre); préparation des repas; déplacements à l'extérieur; magasinage.

Handicaps et limitations

Privation sensorielle (auditive, visuelle); pertes motrices (paralysie, amputation); difficultés de communication; confusion ou dépression; incontinence; etc.

Réactions et habiletés des proches aidants

Relation du principal proche aidant avec la personne; pensées et sentiments par rapport à la sortie de la personne; attentes au sujet du rétablissement; état de santé et capacité de faire face à la situation; capacité de donner les soins requis.

Ressources financières

Ressources et besoins financiers (matériel, fournitures, médicaments, régime alimentaire).

Soutien de la communauté

Famille, amis, voisins, bénévoles; service de repas à domicile; services de nutrition; centre de conditionnement physique; infirmières en santé communautaire; centre de jour; assistance juridique; soins de soutien à domicile; service de relève.

Évaluation de la sécurité du domicile

Mesures de sécurité (rampes dans les escaliers; éclairage dans les pièces, les couloirs et les escaliers; veilleuses dans les couloirs et la salle de bain; barres d'appui à proximité de la toilette et de la baignoire; fixation solide des tapis et carpettes); obstacles aux soins personnels (absence d'eau courante, impossibilité d'accès en fauteuil roulant à la salle de bain ou au domicile lui-même, manque d'espace pour le matériel requis, absence d'ascenseur). Pour en apprendre davantage sur la sécurité du domicile, voir le chapitre 31 ⊂⊃.

Besoins en matière de soutien à domicile

Service de repas à domicile; régime alimentaire; service bénévole de réconfort téléphonique, service de visites amicales, service de transport, service d'aide pour les courses; aide pour le bain, les soins ménagers, le soin des plaies, d'une stomie, des sondes, des drains ou autres, administration de médicaments par voie intraveineuse, etc.

soins de santé primaires. L'infirmière doit aussi bien connaître les politiques et les stratégies en santé publique pour exercer son influence sur les changements en cours ou pour en effectuer elle-même.

Réflexions sur le travail des infirmières en santé communautaire

Comme nous l'avons constaté, les infirmières occupent une place privilégiée dans le milieu de la santé communautaire. En effet, par le travail qu'elles accomplissent en santé communautaire, les infirmières prouvent qu'elles sont des professionnelles compétentes, novatrices et indispensables à l'amélioration et au maintien de la santé de la population (Bisaillon *et al.*, 2010). Il reste cependant encore beaucoup à faire puisque les infirmières sont très souvent reléguées à un rôle d'exécutante des plans d'intervention des autres professionnels de la santé qui travaillent en santé communautaire. Il semble toutefois que le rôle des infirmières s'élargisse lorsqu'elles utilisent pleinement leurs compétences. Elles ont fait savoir haut et fort, par l'intermédiaire de leurs associations, ce qu'un nouveau système de santé devrait englober et la place que les soins infirmiers devraient y occuper. Les infirmières continueront de jouer un rôle essentiel dans les soins en santé communautaire si elles développent leurs compétences.

Révision du chapitre

MOTS CLÉS

CONCEPTS CLÉS

■ À tous les niveaux, national, régional et local, il est de plus en plus évident que les services de santé doivent être réorientés afin de mieux répondre aux besoins changeants de la population.

■ Les soins de première ligne fournissent des services en matière de santé là où les gens vivent (par exemple domicile, refuge, centre de soins de longue durée, milieu de travail, école, centre pour personnes âgées, centre de soins ambulatoires et établissement de soins).

■ La vision communautaire de la santé comprend les modes de prestation des soins suivants: soins de santé primaires et soins de santé communautaire.

■ L'expression «soins de santé primaires» (SSP) a été créée et définie par l'Organisation mondiale de la santé (OMS) et le Fonds des Nations Unies pour l'enfance (UNICEF) lors de la Conférence internationale sur les soins de santé primaires, tenue en 1978. Les SSP désignent les services que la personne reçoit lors d'un premier contact avec le système de santé. L'une des principales caractéristiques des soins de santé primaires réside dans la participation implicite, aussi bien des personnes que de tous les paliers de gouvernement et des institutions publiques, à la planification et à la prestation des soins de santé.

■ Les soins de santé communautaire comprennent un large éventail de services conçus, d'une part, pour promouvoir la santé, prévenir la maladie et protéger le public et, d'autre part, pour assurer le rétablissement des personnes malades.

■ Diverses approches en soins de santé communautaire retiennent actuellement l'attention: la pratique clinique de réseau, les initiatives communautaires, les coalitions communautaires et les programmes d'extension des services.

■ Les soins infirmiers communautaires sont multiples et centrés sur une population ou un groupe donné. La pratique ne se limite pas à un seul milieu, et la majorité des activités ont lieu à l'extérieur des établissements de santé.

■ Pour travailler au sein d'un système de soins communautaires, l'infirmière doit bien connaître les aspects suivants de sa pratique: les déterminants de la santé d'une communauté; les stratégies de prévention primaire, secondaire et tertiaire propres à chaque groupe d'âge; les stratégies individuelles, familiales et collectives de promotion de la santé; les composantes du travail intradisciplinaire, multidisciplinaire et interdisciplinaire; les déterminants d'un système de santé dont les services sont accessibles, rentables et intégrés; les processus de prise de décision qui reposent sur la participation active des personnes et assurent l'efficacité des soins sur les plans économique et qualitatif; la gestion de l'information; l'éventail des valeurs culturelles. De plus, l'infirmière qui exerce en soins communautaires doit constamment mettre à jour ses compétences cliniques et ses connaissances en matière de technologie. Elle doit également bien connaître les politiques et les stratégies en santé publique pour exercer son influence sur les changements en cours ou pour en effectuer elle-même.

■ La collaboration interprofessionnelle en santé prend davantage d'importance au fur et à mesure que les frontières entre les professions se modifient.

■ L'infirmière doit collaborer non seulement avec la personne, mais aussi avec les autres infirmières, les autres professionnels de la santé, les organismes professionnels en soins infirmiers et les instances décisionnelles publiques.

■ Les éléments clés de la collaboration entre professionnels de la santé sont les suivants: la capacité de communiquer efficacement, le respect mutuel et la confiance et le processus de prise de décision.

■ L'une des principales responsabilités de l'infirmière est d'assurer la continuité des soins, c'est-à-dire de coordonner les services de santé prodigués à une personne dans divers milieux de soins et par divers professionnels de la santé.

■ On commence à planifier le congé d'une personne dès son admission. Une planification efficace fait intervenir les éléments suivants : un processus continu d'évaluation qui permet d'obtenir à tout moment des informations complètes sur les besoins de la personne ; l'énoncé des problèmes relevant du domaine infirmier ; des plans permettant de s'assurer que les besoins de la personne et des proches aidants sont satisfaits.

■ Quel que soit le milieu que la personne quitte et celui vers lequel on la dirige, le processus d'aiguillage est une démarche méthodique de résolution de problèmes qui aide la personne à utiliser les ressources répondant à ses besoins en matière de services de santé.

■ On prévoit que les infirmières joueront un rôle de chef de file dans la mise en application d'un système qu'on veut moins coûteux, communautaire et centré sur la personne. Pour y arriver, les infirmières devront toutefois posséder des compétences spécialisées qui leur permettront non seulement de prodiguer des soins aux personnes, mais aussi de travailler avec ces dernières, les familles et les communautés dans un esprit de partenariat.

Références

Agence de la santé publique du Canada (ASPC). (2007). *Glossaire des termes pertinents relatifs aux compétences essentielles en santé publique*. Ottawa : Auteur. Document consulté le 16 août 2010 de http://www.phac-aspc. gc.ca/ccph-cesp/glos-a-d-fra.php.

Agence de la santé publique du Canada (ASPC). (2008). *Compétences essentielles en santé publique. Version 1.0*. Ottawa : Auteur. Document consulté le 16 août 2010 de http:// www.phac-aspc.gc.ca/ccph-cesp/pdfs/cc-manual-fra.090407.pdf.

Anderson, E. T., et McFarlane, J. (2004). *Community as partner : Theory and practice in nursing* (4e éd.). Philadelphie : Lippincott Williams & Wilkins.

Association canadienne de santé publique (ACSP). (2010). *La pratique infirmière en santé publique et en santé communautaire au Canada. Rôles et activités*. Ottawa : Auteur. Document consulté le 14 août 2010 de http://www.cpha.ca/uploads/pubs/3-2bko 4214.pdf.

Association canadienne des infirmières et infirmiers en santé communautaire (ACIISC). (2008). *Normes canadiennes de pratique des soins infirmiers en santé communautaire*, Version révisée et traduite. Toronto : Auteur. Document consulté le 14 août 2010 de http://www.chnc.ca/ documents/chn_ standards_of_practice_mar08_french.pdf.

Association des infirmières et infirmiers du Canada (AIIC). (2003, septembre). Les soins de santé primaires – Le moment est venu. *Zoom sur les soins infirmiers : enjeux et tendances dans la profession infirmière au Canada, 16*. Document consulté le 11 septembre 2010 de http://www.cna-nurses.ca/CNA/documents/ pdf/publications/NN_PrimaryHealthCare_Sept_ 2003_f.pdf.

Barnes, D., Eribes, C., Juarbe, T., Nelson, M., Proctor, S., Sawyer, L., Shaul, M., et Meleis, A. I. (1995). Primary health care and primary care : A confusion of philosophies. *Nursing Outlook, 43*(1), 7-16.

Bisaillon, A., Beaudet, N., Sauvé, M. S., Boisvert, N., Richard, L., et Gendron, S. (2010, janvier-février). L'approche populationnelle au quotidien. *Perspective infirmière*, 58-62.

Bourgueil, Y., Brémond, M., Develay, A., Grignon, M., Midy, F., Naiditch, M., et Polton, D. (2001). *L'évaluation des réseaux de soins, enjeux et recommandations*. Rapport de recherche. Paris : Credes et Groupe Image-Ensp.

Butterfoss, E. D., Goodman, R. M., et Wandersman, A. (1993). Community coalitions for prevention and health promotion. *Health Education Research, 8*, 315-330.

Centre québécois collaborateur de l'OMS pour le développement de Villes et Villages en santé. (1998). *Le mandat du Centre collaborateur*. Document consulté le 11 septembre 2010 de http://www.rqvvs.qc.ca/OMS/Francais/mandat. htm.

Clark, J. (2000). Old wine in new bottles : Delivering nursing in the 21st century. *Journal of Nursing Scholarship, 32*(1), 11-15.

Commission d'étude sur les services de santé et les services sociaux (commission Clair). (2000). *Les solutions émergentes. Rapport et recommandations*. Québec : Ministère de la Santé et des Services sociaux du Québec. Document consulté le 11 septembre 2010 de http:// publications.msss.gouv.qc.ca /acrobat/f/ documentation/2000/00-109.pdf.

Commission sur l'avenir des soins de santé au Canada (commission Romanow). (2002). *Guidé par nos valeurs : L'avenir des soins de santé au Canada – Rapport final*. Ottawa : Gouvernement du Canada. Document consulté le 11 septembre 2010 de http:// www.hc-sc.gc. ca/hcs-sss/hhr-rhs/strateg/romanow-fra.php.

D'Amour, D., Tremblay, D., et Bernier, L. (2007). Les pratiques professionnelles de réseaux : l'intégration au-delà des structure. Dans M.-J. Fleury, M. Tremblay, H. Nguyen et L. Bordeleau (dir.), *Le système sociosanitaire au Québec. Gouverne, régulation et participation* (p. 273-287). Montréal : Gaëtan Morin éditeur.

Édouard, R., et Clément, M. (2010). *Les soins de santé primaires. Critique d'une orthodoxie*. Québec : Presses de l'Université du Québec.

Gottlieb, L., et Feely, N. (2006). *The collaborative partnership approach to care : A delicate balance*. Toronto : Mosby Elsevier.

Hancock, T., et Duhl, L. (1988). *Promoting health in the urban context*, coll. WHO Healthy Cities Papers, no 1. Copenhague : FADL Publishers.

Infirmières et infirmiers en santé communautaire du Canada (IISCC). (2010). *Compétences en soins infirmiers à domicile*. Version 1.0. Toronto : Auteur. Document consulté le 14 août 2010 de http://www.iiscc.ca/documents/ Competencesensoinsinfirmiersadomicile Version1Mars2010_000.pdf.

Institut canadien d'information sur la santé (ICIS). (2003). *Les soins de santé au Canada, 2003* (p. 19). Ottawa : Auteur. Document consulté le 11 septembre 2010 de http://secure.cihi.ca/ cihiweb/products/hcic2003_f.pdf.

McGuire, S. L., Gerber, D. E., et Clemen-Stone, S. (1996). Meeting the diverses needs of clients in the community : Effective use of the referral process. *Nursing Outlook, 44*(5), 218-222.

McWilliam, C. L. (2000). Homecare : national perspectives and policies. Dans M. J. Stewart (dir.), *Community nursing : Promoting Canadians' health* (2e éd.) (p. 143-155).

Ministère de la Santé et des Services sociaux (MSSS). (2003). *Chez soi : le premier choix. La politique de soutien à domicile*. Québec : Direction des communications du ministère de la Santé et des Services sociaux. Document consulté le 11 septembre 2010 de http:// publications.msss.gouv.qc.ca/acrobat/f/ documentation/2002/02-704-01.pdf.

Ministère de la Santé et des Services sociaux (MSSS). (2010). *Cadre conceptuel de la santé et de ses déterminants. Résultat d'une réflexion commune,* Version mars 2010. Québec : Direction des communications du ministère de la Santé et des Services sociaux. Document consulté le 14 août 2010 de http://publications.msss.gouv.qc.ca/acrobat/f/documentation/2010/10-202-02.pdf.

Ordre des infirmières et infirmiers du Québec (OIIQ). (1999). *L'exercice infirmier en santé communautaire. Les services de santé courants et Info-Santé*. Montréal : Auteur.

Ordre des infirmières et infirmiers du Québec (OIIQ). (2004). *Perspectives de l'exercice de la profession d'infirmière*. Montréal : Auteur. Document consulté le 11 janvier 2005 de http://oiiq.org/uploads/publications/autres_ publications/perspective2004.pdf.

Organisation mondiale de la santé (OMS). (1978). *Déclaration d'Alma-Ata,* présentée à la Conférence internationale sur les soins de santé primaires. Document consulté le 10 septembre 2010 de http://www.who.int/topics/primary_ health_care/alma_ata_declaration/fr/index. html.

Prescott, P. A., Dennis, K. E., et Jacox, A. K. (1987). Clinical decision making of staff nurses. *Image : The Journal of Nursing Scholarship, 19*, 56-62.

Prescott, P. A., Phillips, C. Y., Ryan, J. W., et Thompson, K. O. (1991). Changing how nurses spend their time. *Image : The Journal of Nursing Scholarship, 23*, 23-28.

Rachlis, M., et Kushner, C. (1994). *Strong medicine.* Toronto : Harper Perennial.

Régie régionale de la santé et des services sociaux (RRSSS) de la Mauricie et du Centre-du-Québec. (2002). *Des communautés en santé. Cadre de référence en matière de santé publique.* Trois-Rivières : Direction de la santé publique.

Sénat du Canada. (2002). *La santé des Canadiens – Le rôle du gouvernement fédéral. Rapport intérimaire. Volume six : Recommandations en vue d'une réforme.* Ottawa : Comité sénatorial permanent des affaires sociales, des sciences et de la technologie (présidé par M. J. L. Kirby). Document consulté le 11 septembre 2010 de http://www.parl.gc. ca/37/2/parlbus/commbus/ senate/com-f/soci-f/rep-f/repoct02vol6-f.htm.

Sparbel, K. J. H., et Anderson, M. A. (2000). Integrated literature review of continuity of care : Part 1, Conceptual issues. *Image : Journal of Nursing Scholarship, 32*(1), 17-24.

Stanhope, M., et Lancaster, J. (2003). *Community and public health nursing* (6e éd.). St. Louis, MO : Elsevier.

Starfield, B. (1998). *Primary care : Balancing health needs, services, and technology* (2e éd.). New York : Oxford University Press.

Tannen, D. (1994). *Décidément, tu ne me comprends pas!,* Traduit de l'américain par E. Gasarian et S. Smith. Paris : J'ai lu.

7

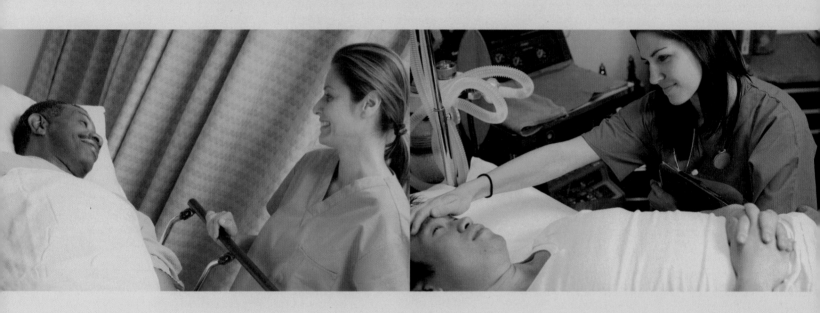

Chapitre 8

Adaptation française :
Michèle Côté, inf., Ph.D.
Professeure, Département des sciences infirmières
Directrice, Comité de programmes
de deuxième cycle en sciences infirmières
Université du Québec à Trois-Rivières

OBJECTIFS D'APPRENTISSAGE

Après avoir étudié ce chapitre, vous pourrez :

- Indiquer les cinq documents rédigés par des instances fédérales qui ont marqué l'évolution du concept de la promotion de la santé au Canada.

- Nommer six déterminants de la santé et préciser leur effet sur l'état de santé des personnes, des familles et des collectivités.

- Présenter brièvement les cinq périodes qui ont marqué l'évolution du concept de promotion de la santé au Québec.

- Préciser l'objet de la *Loi sur la santé publique du Québec* (L.R.Q., c. S-2.2).

- Énoncer les cinq grands champs des déterminants de la santé, proposés en 2010 par le MSSS dans son cadre conceptuel.

- Énoncer les trois éléments clés qui devraient se trouver obligatoirement dans une définition de la promotion de la santé.

- Distinguer différents concepts, dont : éducation à la santé, santé de la population, santé publique et prévention de la maladie, des accidents, des problèmes sociaux et du suicide.

- Nommer six interventions clés utilisées en promotion de la santé.

- Nommer trois modèles explicatifs des comportements liés à la santé.

- Expliquer les différentes composantes du modèle révisé de promotion de la santé selon Pender *et al.* (2006).

- Expliquer les six stades du modèle transthéorique des stades de changement de comportement élaboré par Prochaska, Norcross et DiClemente (1994).

- Décrire trois fonctions qui font partie intégrante du rôle joué par l'infirmière en promotion de la santé.

- Préciser les données importantes à recueillir au cours de l'examen de l'état de santé d'une personne ainsi que les éléments essentiels dont il faut tenir compte pour élaborer un plan de promotion de la santé qui lui est destiné.

- Expliquer trois interventions que l'infirmière en promotion de la santé peut utiliser pour favoriser le changement de comportement des individus.

- Énoncer les six astuces que l'infirmière devrait retenir lorsqu'elle prépare un programme d'enseignement qui s'appuie sur la littératie.

Promotion de la santé

La **promotion de la santé** est au cœur de la pratique infirmière depuis de très nombreuses années : en effet, les infirmières ont été et demeurent les principales responsables de différents programmes d'enseignement de la santé, des interventions et d'autres activités en la matière. Toutefois, quand on examine leur contribution, deux constatations s'imposent. Premièrement, les infirmières participent peu à l'élaboration des concepts en promotion de la santé ; il n'est donc pas très surprenant de constater que leurs interventions s'appuient sur les résultats de recherches menées dans d'autres disciplines que les sciences infirmières. Deuxièmement, les infirmières se sont davantage centrées sur la dimension individuelle de la promotion de la santé que sur ses dimensions sociale, politique et environnementale, qui revêtent pourtant une importance particulière quand il s'agit de modifier de manière durable les comportements en matière de santé (O'Neill, 1999). Le présent chapitre vous permettra de vous initier à certains aspects de la promotion de la santé ; il faut toutefois garder présent à l'esprit que la promotion de la santé et l'intervention dans ce domaine vont bien au-delà des informations données ici.

Initiatives canadiennes dans le développement de la promotion de la santé

Précisons d'entrée de jeu que la santé est un champ de compétence réservé aux provinces par la *Constitution canadienne*. Toutefois, étant donné que tous les citoyens du pays doivent avoir accès à des services comparables, le gouvernement fédéral s'est investi dans différents secteurs de la santé, notamment en élaborant des politiques et en prenant diverses mesures en matière de promotion de la santé. Nous présentons ci-après quelques-unes des initiatives canadiennes en matière de promotion de la santé ; l'encadré 8-1 passe en revue certains des moments clés de cette évolution. Nous parlerons aussi de l'évolution du concept de promotion de la santé au Québec.

La santé publique avant 1974

Pendant 250 ans, selon O'Neill, Pederson, Dupéré et Rootman (2006), qui ont repris les idées de Badgley (1994), les différents programmes et activités en santé publique entrepris par les autorités canadiennes reposaient surtout sur une philosophie de la réglementation. Ainsi, les autorités gouvernementales se sont surtout attachées à la production et à la dissémination d'informations sanitaires. Jusqu'à la fin de la Seconde Guerre mondiale, les autorités produisent des brochures, des affiches et des livres qui visaient à transmettre des messages portant notamment sur l'importance de la vaccination et de la pasteurisation du

ENCADRÉ 8-1
MOMENTS CLÉS DANS L'ÉVOLUTION DES ORIENTATIONS EN PROMOTION DE LA SANTÉ AU CANADA

1974	*Nouvelle perspective de la santé des Canadiens* (rapport de Santé et Bien-être social Canada; Lalonde, 1974)
1978	*Déclaration d'Alma-Ata* (Conférence internationale sur les soins de santé primaires; OMS, 1978)
1985	*Loi canadienne sur la santé* (Justice Canada, L. R. 1985, c. C-6) Première enquête sur la promotion de la santé au Canada
1986	*La Charte d'Ottawa pour la promotion de la santé* (document publié à l'occasion de la première Conférence internationale pour la promotion de la santé; OMS, SBSC et ACPS, 1986) *La Santé pour tous : plan d'ensemble pour la promotion de la santé* (document publié par Santé et Bien-être social Canada; Epp, 1986) Émergence de modèles centrés sur les facteurs environnementaux sans toutefois négliger les autres (Programme «Villes-santé/Mouvements communautaires»)
1988	Deuxième Conférence internationale pour la promotion de la santé (Adélaïde, Australie): «Politique en santé publique» (OMS, 1988) *La santé mentale des Canadiens: vers un juste équilibre* (SBSC, 1988)
1990	Deuxième enquête sur la promotion de la santé au Canada Premier Congrès canadien sur la recherche en promotion de la santé
1991	Troisième Conférence internationale pour la promotion de la santé (Sundsvall, Suède): «Environnements propices à la santé»
1994	*Stratégies d'amélioration de la santé de la population: investir dans la santé des Canadiens* (CCSP, 1994). Ce document est reconnu comme étant celui qui marque le passage de la promotion de la santé à la santé de la population.
1995	Création de la Direction générale de la santé et de la population, qui remplace la Direction de la promotion de la santé
1996	*Premier rapport sur la santé des Canadiens et des Canadiennes* (CCSP, 1996)
1997	Quatrième Conférence internationale pour la promotion de la santé (Jakarta, Indonésie): «Nouveaux partenaires dans une nouvelle ère débouchant sur la promotion de la santé au XXIe siècle»
1999	*Deuxième rapport sur la santé des Canadiens et des Canadiennes* (Santé Canada, 1999)
2000	Cinquième Conférence internationale pour la promotion de la santé (Mexico, Mexique): «Combler l'écart en matière d'équité»
2001	*Le modèle de promotion de la santé de la population: Éléments clés et mesures qui caractérisent une approche axée sur la santé de la population* (Direction générale de la santé de la population et de la santé publique, 2001)
2002	*Guidé par nos valeurs: l'avenir des soins de santé au Canada – Rapport final* (Commission sur l'avenir des soins de santé au Canada [commission Romanow], 2002) *Enquête sur la santé dans les collectivités canadiennes* (ESCC): *Santé mentale et bien-être* (Statistique Canada, 2002)
2003	Rapport Naylor, *Leçons de la crise du SRAS: Renouvellement de la santé publique au Canada* (Santé Canada, 2003) Création de l'Agence de santé publique et nomination d'un premier directeur
2004	*Améliorer la santé des Canadiens* (ICIS, 2004)
2005	Sixième Conférence internationale pour la promotion de la santé à l'heure de la mondialisation (Bangkok) Rapport final du Groupe de travail fédéral, provincial et territorial sur la santé publique: *Partenaires en santé publique* (2005)
2007	19e conférence mondiale de l'Union internationale de promotion de la santé et d'éducation pour la santé
2010	*Pour un Canada plus sain: faire de la prévention une priorité* (Ministres canadiens de la Santé, de la Promotion de la santé et du Mode de vie sain, 2010) *Le développement durable et la santé* (Santé Canada, 2010)

Source: Bhatti, T., et Hamilton, N. (2002, mars). Promotion de la santé: De quoi s'agit-il? *Bulletin de recherche sur les politiques de santé, 1*(3), 5-7. Document consulté le 27 août 2010 de http://www.hc-sc.gc.ca/sr-sr/alt_formats/hpb-dgps/pdf/pubs/hpr-rps/bull/2002-3-promotion/2002-3-promotion-fra.pdf. L'article précédant couvre les événements de 1974 à 2000; d'autres moments clés ont été adaptés par Michèle Côté à partir du texte suivant: O'Neill, M., Pederson, A., Dupéré, S., et Rootman, I. (2006). *La promotion de la santé au Canada et à l'étranger: bilan et perspectives.*

lait, les mesures d'hygiène et la lutte contre les maladies infectieuses. Par la suite, les autorités publiques diffuseront des films publicitaires et des messages radio toujours dans le but de sensibiliser la population aux questions sanitaires. Ces activités n'étaient pas fondées sur des preuves scientifiques ni évaluées scientifiquement (O'Neill *et al.*, 2006). Il faudra attendre la fin de la Seconde Guerre mondiale pour que se développe une «approche plus systématique et scientifique de l'éducation du public en matière de santé» (O'Neill *et al.*, 2006, p. 5). On note, pendant les années 1950 et 1960, le recrutement de professionnels issus de différentes disciplines, dont les sciences sociales. Ces derniers ont pour mission de préparer des messages en matière de santé fondés sur des preuves scientifiques. Pendant cette période, on élabore également des modèles qui aideront à mieux comprendre et à prédire les comportements reliés à la santé (O'Neill *et al.*, 2006). Le célèbre «Health Belief Model (HBM)» de Becker (1974) fait partie des modèles vulgarisés pendant cette période. Comme on peut le constater, les actions en promotion de la santé «étaient fondées sur la croyance incontestée et profondément enracinée qu'il était intrinsèquement bon d'éduquer la population: on espérait alors que la santé allait s'améliorer grâce à la science et à des moyens plus systématiques de faire l'éducation à la santé» (O'Neill *et al.*, 2006, p. 6). Cette manière d'appréhender la transformation des comportements de santé de la population est encore largement répandue même si elle est de plus en plus remise en question. En effet, on admet qu'il ne suffit pas d'enseigner à quelqu'un les comportements à privilégier pour que celui-ci les adopte de manière permanente.

Rapport Lalonde (1974)

Au début des années 1970, la croissance économique connaît un ralentissement important en raison, entre autres, des chocs pétroliers. Les États voient leurs revenus stagner et ils ne sont plus en mesure d'investir aussi massivement dans leur réseau de services de santé. C'est dans ce contexte que le Canada s'impose comme leader mondial dans le domaine de la promotion de la santé. En 1974, le ministre de la Santé et du Bien-être social, Marc Lalonde, publie un livre blanc intitulé *Nouvelle perspective de la santé des Canadiens*. Ce document met en lumière, pour la première fois, le fait que le niveau de santé d'une population n'est pas lié uniquement au système de santé en place. Lalonde (1974, p. 33) propose de distinguer quatre éléments principaux d'une conception globale de la santé: biologie humaine, environnement, habitudes de vie et organisation des soins de santé. Pour Lalonde, il est possible d'améliorer davantage la santé de la population en investissant ailleurs que dans le système de santé. La figure 8-1 ■ propose une vision schématique des quatre éléments présentés dans le rapport Lalonde (1974).

Cette nouvelle manière d'appréhender la santé a donné lieu à de nombreuses recherches, le mode de vie ayant été la première dimension qui a retenu l'attention des chercheurs. Les différentes instances engagées dans la promotion de la santé ont pensé que le mode de vie semblait être l'élément le plus facile à transformer grâce à des actions positives. Les recherches ont porté principalement sur les facteurs de risque individuels. De fait, les leaders de cette vison avancent que la

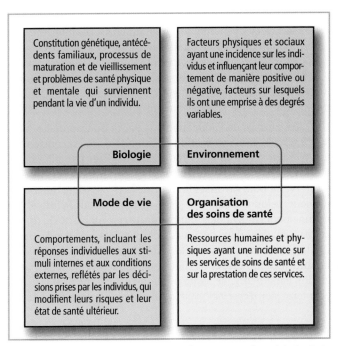

FIGURE 8-1 ■ Les quatre dimensions d'une conception globale de la santé selon le rapport Lalonde.

réalité en matière de promotion de la santé repose sur l'«idée de la liberté des individus et de leur indépendance par rapport aux contraintes sociales» (Pierret, 2003, p. 4). Dans cette perspective, on privilégie les interventions qui visent à influer sur les connaissances, les attitudes et les comportements des personnes à risque. Quant aux professionnels de la santé, ils sont les intervenants les mieux placés pour donner des conseils en matière de modification des facteurs de risque (Evans et Stoddart, 1996). Bref, la maladie est vue comme la résultante d'écarts par rapport à la responsabilité que chacun a de se maintenir en santé. Comme la personne a le devoir d'être bien portante, elle est responsable de sa santé; il en résulte une certaine forme inévitable de culpabilisation de la «victime» (*victim blaming*) (Pierret, 2003). Ainsi, à titre d'exemple, le fait de fumer est considéré en première analyse comme un acte individuel prédisposant à des affections pulmonaires ou au cancer. En fumant, la personne augmente ses facteurs de risque et s'expose elle-même aux affections. Selon cette vision, l'environnement social n'est pas vraiment remis en question.

Élargissement de la vision: place à l'environnement

Progressivement, les chercheurs se sont intéressés à l'existence d'une corrélation entre les conditions structurelles (par exemple pauvreté, discrimination, estime de soi, confiance en sa propre valeur, place occupée dans la hiérarchie sociale) et les affections ou la mortalité (Bhatti et Hamilton, 2002; Evans et Stoddart, 1996). Les travaux ont porté sur l'environnement de la personne, notamment dans ses aspects physiques, sociaux, culturels et économiques. Dans cette perspective, les interventions en promotion de la santé ont pris la forme de programmes qui s'adressaient plus à la communauté qu'à l'individu, comme « Villes-santé/Mouvements communautaires ». Les interventions en promotion de la santé ont dès lors ciblé des groupes ou des sous-groupes sociaux. Le raisonnement est clair : il s'agit d'améliorer la santé des individus en s'adressant à la communauté à laquelle ils appartiennent (par exemple programme volontaire de mammographie proposé aux femmes de 50 ans et plus).

Le passage de l'éducation à la santé traditionnelle, axée sur l'individu, à la « promotion de la santé », qui est centrée sur des facteurs environnementaux, sans négliger par ailleurs les autres facteurs, marque un moment important dans la manière d'intervenir pour favoriser la santé de la population. L'environnement, selon O'Neill *et al.* (2006, p. 11), « devait favoriser les changements individuels, plutôt que de les entraver ». On trouve cette vision dans deux documents importants, à savoir : la *Charte d'Ottawa pour la promotion de la santé* (Organisation mondiale de la santé [OMS], Santé et Bien-être social Canada [SBSC] et Association canadienne de santé publique [ACSP], 1986) et *La Santé pour tous : plan d'ensemble pour la promotion de la santé* (Epp, 1986).

Charte d'Ottawa

La **Charte d'Ottawa pour la promotion de la santé** (OMS, SBSC et ACSP, 1986) s'appuie sur la *Déclaration d'Alma-Ata* (OMS, 1978) portant sur les soins primaires. On y adopte une perspective globale de l'examen des déterminants de la santé et on y précise les conditions indispensables à la santé, à savoir : la paix, un endroit où habiter, l'accès à l'éducation, de la nourriture convenable, un certain revenu, un écosystème stable, un apport durable de ressources, le droit à la justice sociale et à un traitement équitable. Le modèle représentant la *Charte d'Ottawa pour la promotion de la santé* est présenté à la figure 8-2 ■.

Les organismes signataires de la charte proposent cinq stratégies pour promouvoir la santé :
1. Établir une politique publique saine.
2. Créer des milieux favorables.
3. Renforcer l'action communautaire.
4. Développer les aptitudes personnelles.
5. Réorienter les services de santé (OMS, SBSC et ACSP, 1986, p. 2-3).

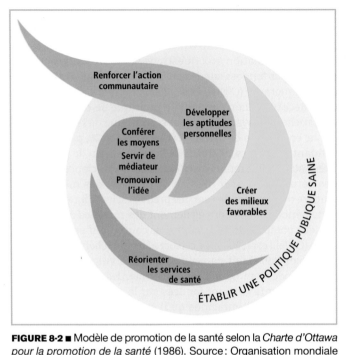

FIGURE 8-2 ■ Modèle de promotion de la santé selon la *Charte d'Ottawa pour la promotion de la santé* (1986). Source : Organisation mondiale de la santé (OMS), Santé et Bien-être social Canada (SBSC) et Association canadienne de santé publique (ACSP). (1986). *La Charte d'Ottawa pour la promotion de la santé. Une conférence internationale pour la promotion de la santé. Vers une nouvelle santé publique.* Document consulté le 29 juillet 2010 de http://www.phac-aspc.gc.ca/ph-psp/psp2-fra.php. Reproduit avec l'autorisation du Ministre des Travaux publics et Services gouvernementaux Canada, 2010.

Ces cinq stratégies sont reprises une par une dans le tableau 8-1, associées à des exemples d'interventions qui peuvent être entreprises par des infirmières qui travaillent dans le domaine de la promotion de la santé.

Santé pour tous (rapport Epp, 1986)

La Santé pour tous : plan d'ensemble pour la promotion de la santé (Epp, 1986) a été produit sous la responsabilité de Jake Epp, alors ministre de la Santé nationale et du Bien-être social. Epp y

TABLEAU 8-1

RELATION ENTRE LES STRATÉGIES PROPOSÉES PAR LA CHARTE D'OTTAWA ET DES EXEMPLES D'INTERVENTIONS QUE PEUVENT ENTREPRENDRE LES INFIRMIÈRES QUI TRAVAILLENT EN PROMOTION DE LA SANTÉ

Thème	Établir une politique publique saine.	Créer des milieux favorables.	Renforcer l'action communautaire.	Développer les aptitudes personnelles.	Réorienter les services de santé.
Accès à une alimentation saine en milieu de garde	Appuyer les parents qui demandent des changements dans les menus de la garderie.	Travailler avec les responsables de la garderie.	Soutenir les personnes qui sont responsables de la planification des menus.	Travailler en collaboration avec une nutritionniste pour préparer des ateliers destinés aux responsables du milieu de garde et aux parents.	Informer les infirmières engagées dans les soins de première ligne pour les inciter à faire la promotion de saines habitudes alimentaires.

Source : Adaptation de l'article suivant : Bisaillon, A., Beaudet, N., Sauvé, M. S., Boisvert, N., Richard, L., et Gendron, S. (2010). *L'approche populationnelle au quotidien. Perspective infirmière, 7*(1), 58-62.

circonscrit trois défis auxquels les Canadiens doivent faire face, trois mécanismes de promotion de la santé retenus pour relever ces défis ainsi que trois stratégies d'action (figure 8-3 ■). Le modèle proposé par Epp (1986) fait ressortir deux faits : le rôle important que les dispensateurs de soins jouent dans la promotion de la santé et la nécessité d'une concertation intersectorielle pour la réalisation des objectifs fixés. Force est de constater que le gouvernement fédéral a été très actif dans le développement de la promotion de la santé au Canada jusqu'au début des années 1990 (Pinder, 2006) et qu'il a joué un rôle non négligeable dans les orientations en la matière à l'échelle mondiale.

Stratégies d'amélioration de la santé de la population (1994)

Au début des années 1990, les compressions budgétaires et la difficulté à circonscrire clairement les retombées des différents programmes en promotion de la santé viennent limiter les actions dans ce domaine. À titre d'exemple, les campagnes anti-tabac de l'époque échouent dans leur but de convaincre les jeunes de ne pas adopter ce comportement nocif pour la santé qu'est le tabagisme. En 1994, le Comité consultatif fédéral-provincial-territorial sur la santé de la population (CCSP) publie le document *Stratégies d'amélioration de la santé de la population : investir dans la santé des Canadiens*. La «santé de la population» apparaît alors comme un nouveau concept qui remplace la promotion de la santé. Les auteurs de ce document insistent sur les déterminants de la santé, les précisent et en raffinent la classification. Les recherches récentes en santé publique, en santé communautaire et en promotion de la santé ont amené Santé Canada à élaborer un discours qui intègre la gamme complète des facteurs individuels ou collectifs qui influent sur la santé.

Modèle de promotion de la santé de la population (1996)

En 1996, Hamilton et Bhatti (2001) proposent un modèle de promotion de la santé de la population qui intègre les concepts proposés dans différents documents publiés au Canada, à savoir : la *Charte d'Ottawa pour la promotion de la santé*; *La Santé pour tous : plan d'ensemble pour la promotion de la santé*; les *Stratégies d'amélioration de la santé de la population : investir dans la santé des Canadiens*. Les interventions privilégiées dans ce modèle s'adressent aux individus, aux familles et aux amis ainsi qu'aux collectivités (regroupement de personnes autour d'un intérêt commun ou d'un point géographique – quartier, école ou lieu de travail). Afin d'expliciter leur modèle, Hamilton et Bhatti (2001, p. 2) proposent l'exemple suivant : la promotion de la santé des enfants d'âge scolaire pourrait comporter différentes actions, dont : (1) aider ces enfants à acquérir une image positive d'eux-mêmes; (2) amener les familles à contribuer à l'éducation des enfants; (3) veiller à ce que l'école, en tant que collectivité, soit un milieu de vie propice à la santé; (4) élaborer des politiques d'éducation qui favorisent l'épanouissement personnel; (5) valoriser l'apprentissage et l'éducation au sein de la société tout entière. Evans et Stoddart (2003) sont d'avis que ce modèle a été utile et approprié puisqu'il a permis de faire le lien entre la promotion de la santé et la santé de la population.

Déclaration de Jakarta (1997)

La déclaration de Jakarta sur la promotion de la santé de l'OMS (1997, p. 4-5) propose une vision d'ensemble et détermine la place que cette promotion devrait occuper au XXIe siècle. Les auteurs de la déclaration cernent cinq priorités, à savoir :

1. Promouvoir la responsabilité sociale en faveur de la santé.
2. Accroître les investissements pour développer la santé.

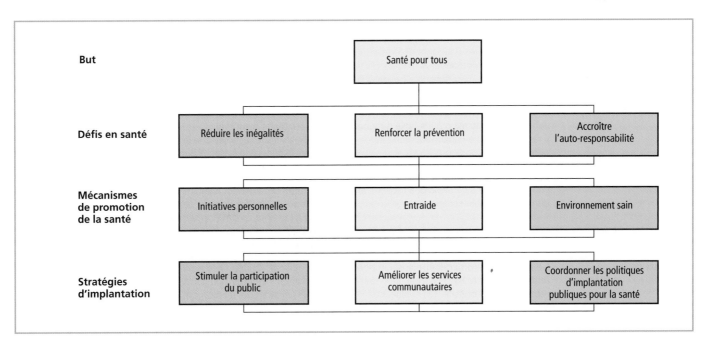

FIGURE 8-3 ■ Un cadre pour la promotion de la santé selon Epp (1986). Source : Epp, J. (1986). *La Santé pour tous : plan d'ensemble pour la promotion de la santé*. Ottawa : Santé et Bien-être social.

8

3. Renforcer et élargir les partenariats pour la santé.

4. Accroître les capacités de la communauté et donner à l'individu les moyens d'agir.

5. Mettre en place une infrastructure pour la promotion de la santé.

La déclaration de Jakarta a servi à l'élaboration de politiques en matière de promotion de la santé dans de nombreuses provinces canadiennes, dont l'Ontario.

Un autre jalon : les résultats probants

En juillet 2001, la Direction générale de la santé de la population et de la santé publique publie un autre document qui recommande d'établir à nouveau des liens entre les deux courants : promotion de la santé et santé de la population. Le document propose les huit stratégies suivantes :

■ Placer la santé des populations au centre des préoccupations.

■ Examiner les déterminants de la santé et leurs interactions.

■ Fonder les décisions sur des résultats probants.

■ Accroître les investissements en amont.

■ Miser sur des stratégies multiples.

■ Favoriser la collaboration entre les divers paliers et secteurs.

■ Prévoir des mécanismes qui encouragent la participation du public.

■ Prendre en charge la responsabilité des résultats sur le plan de la santé (Direction générale de la santé de la population et de la santé publique, 2001, p. 6).

Cette dernière stratégie, appelée « pratique fondée sur des résultats probants », constitue une remise en question des modèles traditionnels de gestion de la santé. Elle invite les intervenants du secteur de la santé, ainsi que les politiciens, à fonder leurs interventions et leurs choix de politiques sur des résultats de recherche et non uniquement sur des *a priori* ou la tradition. Le chapitre 2 ⬤ présente différents aspects de cette stratégie. Fisher *et al.* (1998) croient qu'on assiste, avec ce courant de pratique fondée sur des résultats probants, à l'émergence d'un nouveau paradigme. Selon eux, le paradigme en vigueur à l'époque ne permettait plus de définir adéquatement les problèmes dans le secteur de la santé ni d'apporter des solutions valables. De fait, il était tellement déficient qu'il aurait atteint, en quelque sorte, ses limites. Toujours selon les mêmes auteurs, le concept de soins de santé fondés sur des résultats probants revient donc à la prestation de soins orientée par des décisions qui sont fondées sur des résultats et des informations « correctes, complètes, pertinentes et à jour » (Fisher *et al.*, 1998, p. 112). Nous présentons au tableau 8-2 un certain nombre de déterminants de la santé qui sont habituellement reconnus comme ayant une influence marquante sur l'état de santé des personnes ; des exemples de résultats probants accompagnent chacun des déterminants.

TABLEAU 8-2

DÉTERMINANTS DE LA SANTÉ ET RÉSULTATS PROBANTS

En 2010, Santé Canada proposait de revoir les **déterminants de la santé** dans la perspective d'un développement durable. Selon Santé Canada (2010, p. 1), il est impossible d'avoir un développement durable sans une population en santé pour le réaliser et, inversement, la santé de la population est dépendante de facteurs tels qu'« un environnement sain, une économie prospère, des réseaux de soutien social et des collectivités solides ». De plus, Santé Canada (2010) propose de regrouper les différents déterminants de la santé en grandes catégories comprenant les trois piliers du développement durable, qui sont : social/culturel, nature/environnement et économie. Les déterminants de la santé peuvent être considérés comme des facteurs de risque ou, à l'opposé, des facteurs de protection. Un **facteur de risque** est une situation sociale ou économique, un état biologique ou un comportement qui peut engendrer une vulnérabilité plus grande à l'égard de problèmes de santé ou de la maladie. Un **facteur de protection** correspond à des ressources internes et externes qui protègent la santé des individus.

Déterminant de la santé	Explication	Exemple de résultats probants
Niveau de revenu	C'est le déterminant qui influe le plus sur la santé de la population à l'échelle nationale. Il renvoie plutôt à la distribution de la richesse qu'à son degré.	« Dans la fourchette des revenus les plus faibles, seulement 47 % des Canadiens disent avoir une santé très bonne ou excellente, alors qu'ils sont 73 % dans le groupe aux revenus les plus élevés » (Agence de la santé publique du Canada [ASPC], 2003).
Statut social	L'état de santé s'améliore à mesure que l'on s'élève dans l'échelle des revenus et dans la hiérarchie sociale.	« Les inégalités sociales ont un impact bien réel sur la santé de la population du Québec. Elles influencent la durée de la vie tout autant que la qualité de vie, l'adoption de comportements favorables à la santé, le développement et le bien-être des jeunes ainsi que le recours aux professionnels et aux services de santé » (Pampalon, Hamel et Gamache, 2008).
Réseaux de soutien social	Ce déterminant pourrait être aussi important que les facteurs de risque, tels que le tabagisme ou l'obésité. On évalue les réseaux de soutien social selon leur qualité et non selon leur quantité. On associe l'appui de la famille, des amis et de la collectivité à une meilleure santé.	Hawkley *et al.* (2006), cités par Aubé-Maurice, Rochette et Blais (2010, p. 3), « montrent un lien direct entre la solitude et la tension artérielle systolique, relation qui augmenterait avec l'âge ». De plus, ces auteurs soutiennent que « l'amélioration du tissu social pourrait avoir un effet encore plus important sur l'hypertension que la modification du style de vie des individus » (*ibid.*, p. 3).

TABLEAU 8-2 *(suite)*

Déterminant de la santé	Explication	Exemple de résultats probants
Éducation et alphabétisme	Le niveau d'instruction est un déterminant social important. Ainsi, les personnes plus instruites ont plus de chances d'être en santé que les personnes moins instruites (Mikkonen et Raphael, 2010).	«Parmi les Québécois de 16 ans et plus qui n'ont pas complété leur diplôme d'études secondaires, 90 % n'atteignent pas le niveau de littératie en santé pour prendre soin de leur santé adéquatement» (Bureau de soutien à la communication en santé publique, 2010).
Emploi	Le travail façonne en partie l'identité de l'individu. On associe le chômage, le sous-emploi ainsi qu'un travail stressant ou dangereux à une piètre santé.	L'étude de Levenstein, Smith et Kaplan (2001), citée par Aubé-Maurice *et al.* (2010, p. 2), «a mis en évidence une association entre le faible statut d'emploi (insécurité d'emploi, être sans emploi et faible performance auto-rapportée au travail) et le risque de développer l'hypertension, plus particulièrement dans la population masculine».
Conditions de travail	On inclut dans les conditions de travail les heures travaillées, les conditions physiques au travail et les occasions de développement personnel.	«Les emplois très stressants prédisposent les personnes à développer différents problèmes de santé dont: l'hypertension artérielle, les maladies cardiovasculaires, des difficultés physiques et psychologiques comme la dépression et l'anxiété. De plus, lorsque la personne perçoit un écart important entre les demandes de l'employeurs et ses conditions de travail, elle peut développer de multiples problèmes de santé» (Mikkonen et Raphael, 2010).
Environnements physiques	Il s'agit des conditions physiques du milieu de vie, comme la qualité de l'air, de l'eau et du sol.	«La prévalence de l'asthme infantile, une maladie respiratoire fortement liée à la présence de contaminants dans l'air, a augmenté sensiblement au cours des deux dernières décennies, en particulier chez les enfants de 0 à 5 ans. On estimait que quelque 13 % des garçons et 11 % des filles de 0 à 19 ans (plus de 890 000 enfants et jeunes) souffraient d'asthme en 1996-1997» (ASPC, 2003).
Environnements sociaux	Ce déterminant renvoie au soutien affectif et à la participation sociale de l'individu.	D'après l'étude conduite par Tomaka, Thompson et Palacios (2006) auprès de résidents du Nouveau-Mexique, il existerait des liens serrés entre les conditions sociales, dont le soutien social, et la santé des personnes de 65 ans et plus.
Habitudes de maintien de la santé et capacités d'adaptation personnelles	Ce déterminant englobe les mesures prises par l'individu pour se protéger contre la maladie et prendre sa santé en charge.	«Il existe un lien étroit entre le régime alimentaire en général, la consommation de gras en particulier, et certaines grandes causes de décès, dont les cancers et les maladies cardiaques» (ASPC, 2003).
Développement sain durant l'enfance	Un certain nombre de problèmes de santé observés chez l'adulte résultent de facteurs qui trouvent leur origine dans les premières années de la vie.	«En 2008, 12 % des jeunes Québécois de 3 à 14 ans éprouvent des difficultés socioémotionnelles modérées ou élevées. Parmi celles-ci, les problèmes de comportement et les troubles relationnels sont les plus fréquents. Les garçons éprouvent davantage de difficultés que les filles» (Ministère de la Santé et des Services Sociaux [MSSS], 2010a).
Patrimoine biologique et génétique	Le fonctionnement des différents systèmes de l'organisme joue un rôle fondamental dans l'état de santé d'un individu.	«Des études sur le niveau d'instruction et la démence laissent entendre que le fait d'avoir étudié et d'avoir pu apprendre tout au long de sa vie peut doter le cerveau d'une réserve qui compense les pertes cognitives associées au vieillissement biologique.»
Services de santé et services sociaux	Les services de santé contribuent à la santé de la population.	Bien que la consultation médicale soit gratuite au Canada, il en va autrement pour les médicaments et certaines mesures d'exploration. Dans ce contexte, les personnes ayant de faibles revenus ou n'ayant pas d'assurance privée vont attendre plus longtemps pour avoir des services (Mikkonen et Raphael, 2010).
Sexe social	Ce déterminant renvoie aux dimensions biologique et sociale du fait d'être une femme ou un homme.	Alors que les femmes vivent plus longtemps que les hommes, elles ont davantage de problèmes de santé. Elles traversent plus de périodes d'incapacité et présentent plus de maladies chroniques que les hommes. Par ailleurs, chez les hommes, le taux de suicide est plus élevé et les problèmes reliés à la consommation d'alcool et de drogues plus nombreux (Mikkonen et Raphael, 2010).

(Annotation manuscrite dans la marge, sous « Environnements physiques » :) on s'est donnée des moyens pour aider les professionnels. (élève-patient)

TABLEAU 8-2 *(suite)*
DÉTERMINANTS DE LA SANTÉ ET RÉSULTATS PROBANTS

Déterminant de la santé	Explication	Exemple de résultats probants
Culture	La culture est au cœur de nombreux comportements des individus. Il suffit de penser, par exemple, à la manière dont chaque individu exprime ses malaises.	La recherche sur des jeunes des Premières nations de la Colombie-Britannique «indique une corrélation entre la continuité culturelle au sein des collectivités et une diminution des risques de suicide» (Van Gaalen, Wiebe, Langlois et Costen, 2009, p. 13).

Source: Certains des éléments de ce tableau proviennent du document suivant: Agence de la santé publique du Canada (ASCP). (2003). *Pourquoi les Canadiens sont-ils en santé ou pas?* Document consulté le 25 septembre 2010 de http://www.phac-aspc.gc.ca/ph-sp/determinants/fra-php#evidence. Texte adapté et reproduit avec l'autorisation du Ministre des Travaux publics et Services gouvernementaux Canada. D'autres éléments proviennent de sources diverses qui ont été indiquées au fur et à mesure dans le texte.

Ces quelques étapes de l'évolution du concept de la promotion de la santé permettent de constater qu'on est passé d'un modèle de rétroaction simple entre le système de soins et la pathologie à un modèle complexe, qui établit une relation entre la santé, d'une part, et les facteurs sociaux et individuels, d'autre part. Par ailleurs, on peut noter un certain glissement du discours sur la promotion de la santé des individus, qui devient par moments un discours global sur la santé de la population, puis sur la promotion de la santé de la population. La mise en œuvre d'une véritable politique de promotion de la santé est une étape marquante, mais il reste à relever des défis de taille pour assurer à tous les individus un accès égalitaire à la santé.

Initiatives québécoises associées au concept de promotion de la santé

Certes, le Québec partage les objectifs généraux en matière de promotion de la santé du Canada. Toutefois, il n'adhère pas à une stratégie pancanadienne dans ce secteur. Le Québec souhaitant demeurer seul responsable de l'élaboration et de la mise en œuvre des programmes de promotion de la santé, sa trajectoire est relativement différente de celle du gouvernement du Canada et des autres provinces et territoires. Différents auteurs, dont Colin (2004), O'Neill et Cardinal (1998) ainsi que St-Pierre et Richard (2006), proposent d'examiner l'évolution des concepts en promotion de la santé au Québec en fonction de grandes périodes qui ont influencé les politiques, la pratique et la recherche en santé publique et, par ricochet, la santé. Partant de ces grandes périodes, nous retenons celles qui s'échelonnent de 1940 à 1986, de 1986 à 1993, de 1993 à 1998, de 1998 à 2004 ainsi que de 2004 à aujourd'hui.

Hygiène publique (de 1940 à 1986)

O'Neill et Cardinal (1998) subdivisent la période de 1940 à 1986 en quatre étapes distinctes. La première étape, qui s'étend de 1940 à 1950, correspond à une conscientisation de l'importance de l'éducation sanitaire dans l'amélioration de la santé des individus. À l'aube des années 1950, soit la deuxième étape,

l'éducation sanitaire connaît son heure de gloire. À ce moment, les professeures en soins infirmiers et les infirmières ont accès à une formation officielle en hygiène publique. Durant l'étape de 1960 à 1973, le Québec vit à l'heure des différentes réformes du système de santé et de bien-être. On voit alors le ministère de la Santé réduire son engagement en santé publique et, indirectement, en éducation sanitaire. Dans la foulée des réformes, les services de «santé publique» deviennent les services de «santé communautaire» et se voient confier de nouvelles fonctions. De 1973 à 1986, soit la quatrième étape, le gouvernement procède à la mise en œuvre de différentes recommandations présentées dans le rapport de la Commission d'enquête sur les services de santé et les services sociaux (appelée «commission Castonguay-Nepveu»). Le Conseil des affaires sociales et de la famille (CASF), organisme récemment créé, publie *Objectif: santé* (1984). Bien que ce document propose une vision renouvelée de la promotion de la santé, il a peu d'incidence sur les politiques gouvernementales et sur la pratique des professionnels.

Vision renouvelée de la promotion de la santé (de 1986 à 1993)

Au cours de la deuxième période, qui s'étend de 1986 à 1993, on favorise certaines initiatives, comme le mouvement Villes et villages en santé (VVS), le pendant d'un mouvement similaire dans le reste du Canada. Toutefois, il faut reconnaître que, au début des années 1990, le gouvernement québécois ne manifeste pas le même enthousiasme que le reste du Canada pour les investissements en matière de promotion de la santé. Cette tiédeur s'expliquerait, selon O'Neill et Cardinal (1998, p. 23-25), par les facteurs suivants: perception d'une certaine inutilité du discours du gouvernement canadien, étant donné que le Québec réorganisait depuis au moins 15 ans ses services de santé; réserves des médecins en santé publique à l'égard d'une vision plus «politique» de leur profession; absence de programmes de formation spécifique en promotion de la santé; adoption par le gouvernement provincial d'une vision néolibérale; visibilité limitée des retombées politiques de la promotion de la santé; quasi-absence de pouvoir d'influence des professionnels engagés dans ce domaine; confusion dans la définition des concepts, la promotion de la santé étant considérée à la fois comme une idéologie et comme un ensemble de pratiques d'intervention.

À la fin de cette période, le ministère de la Santé et des Services sociaux a produit certains documents qui lui ont permis de clarifier ses orientations en matière de santé publique et de promotion de la santé. Ainsi, en 1992, le MSSS publie *La politique de la santé et du bien-être* (PSBE) pour la période 1992-2002 (MSSS, 1992a). Cette politique propose les actions à réaliser en vue d'améliorer l'état de santé et le bien-être de la population ainsi que de réduire les inégalités dans ce secteur. Trois convictions étayent cette politique :

- la santé et le bien-être résultent d'une interaction constante entre l'individu et son milieu ;
- le maintien et l'amélioration de la santé et du bien-être reposent sur un partage équilibré entre l'individu, les familles, les milieux de vie, les pouvoirs publics et l'ensemble des secteurs d'activité de la collectivité ;
- la santé et le bien-être de la population représentent *a priori* un investissement pour la société (MSSS, 1992a, p. 11-12).

La même année, le MSSS (1992b) propose un *Cadre de référence pour l'élaboration du programme de santé publique et pour l'organisation du réseau de santé publique*. Ces deux documents, qui servent d'assise à la mise en œuvre du programme de santé publique, font ressortir la convergence de la santé publique et de la promotion de la santé dans l'esprit des intervenants du Québec. Rétrospectivement, on note que ces documents ont eu un effet mobilisateur au moment de leur diffusion mais que, par la suite, le MSSS s'est désengagé progressivement de la problématique des déterminants de la santé (St-Pierre et Richard, 2006).

Insertion de la promotion de la santé (de 1993 à 1998) dans le système de soins

Pendant cette période, les rôles et les mandats des différentes institutions du système de santé ont été redéfinis. Il en va autrement pour la santé publique, qui a vu ses quatre fonctions confirmées : surveillance, promotion, prévention et protection (St-Pierre et Richard, 2006). Toutefois, selon St-Pierre et Richard (2006), les pressions exercées sur le système ont fait en sorte que les CLSC ont délaissé la promotion de la santé et la prévention de la maladie pour consacrer leurs ressources aux services curatifs préhospitaliers et posthospitaliers. Dans les faits, les services voués à la promotion et à la prévention ont été fragilisés à la suite de différentes réformes. Il faut noter également un glissement dans l'utilisation des termes. En effet, la promotion et la prévention « ont été le plus souvent traitées ensemble, sous l'expression consacrée de services de prévention/promotion ». C'est dire que la promotion de la santé a connu des heures sombres pendant cette période.

En 1997, le MSSS soumet à l'intention des intervenants en promotion de la santé un document d'orientation intitulé *Des priorités nationales de Santé publique : 1997-2002*. On trouve dans ce document une définition de la promotion de la santé : « approche positive qui contribue à améliorer la santé et le bien-être personnels et collectifs en développant le potentiel des personnes et en stimulant l'établissement de conditions favorables à la santé et au bien-être » (MSSS, 1997, p. 18).

Le document propose aussi les quatre principes directeurs suivants :

- Agir et comprendre avant l'émergence des maladies et des problèmes.
- S'engager davantage auprès des communautés.
- S'engager davantage dans la lutte contre les inégalités en matière de santé et de bien-être.
- Intervenir de façon concertée et coordonnée (MSSS, 1997, p. 25).

Cette définition de la santé proposée par le MSSS introduit une ambiguïté entre l'individuel et le collectif. De manière plus concrète, il y a une certaine opposition entre le discours « social et positif », associé principalement à la promotion de la santé, et le discours « médical et négatif », associé principalement à la prévention de la maladie (St-Pierre et Richard, 2006).

Clarification des orientations (de 1998 à 2004)

Pendant cette période, la santé publique connaît des changements importants. Le gouvernement du Québec crée l'Institut national de santé publique du Québec (INSPQ) en 1998, nomme le premier directeur national de santé publique en 2001 et adopte la **Loi sur la santé publique** en décembre de la même année. Cette loi constitue une initiative structurante et encadre l'ensemble des actions en santé publique, et non uniquement les actions en cas de crise majeure, comme c'était le cas dans le passé : la surveillance de l'état de santé de la population, la promotion de la santé, la prévention de la maladie et la protection de la santé. L'article 3 de la loi précise le sens de la promotion de la santé : « [...] influencer de façon positive les principaux facteurs déterminants de la santé, notamment par une action intersectorielle concertée » (Gouvernement du Québec, 2001). Cette loi précise aussi les moyens dont disposent les intervenants pour atteindre les objectifs visés ainsi que les obligations liées à l'exercice de ces fonctions. L'encadré 8-2 reprend le chapitre 1 du texte de loi.

En 2002, le MSSS publie le **Programme national de santé publique : 2003-2012**. On y précise les activités à mettre en œuvre au cours des prochaines années afin d'agir sur les déterminants qui influent sur la santé, dans ses dimensions physique et psychosociale, de façon à favoriser la santé et à empêcher que surgissent ou se développent les problèmes de santé et les problèmes psychosociaux à l'échelle de la population québécoise (MSSS, 2002a, p. 1).

On considère la promotion de la santé comme étant « l'ensemble des actions qui tendent à influencer les déterminants de la santé, de façon à permettre aux individus et aux collectivités d'avoir un plus grand pouvoir sur leur santé » (MSSS, 2002a, p. 12). Le MSSS précise cinq pistes d'intervention de même que cinq stratégies d'ensemble (encadrés 8-3 et 8-4).

Durant la même période, le ministère de la Santé et des Services sociaux propose un autre document : *Au féminin… à l'écoute de nos besoins. Objectifs ministériels et stratégies d'action en santé et bien-être des femmes* (MSSS, 2002b). Ce document confirme la volonté du gouvernement d'instaurer une analyse et d'établir un mode d'action selon chacun des deux sexes.

**CHAPITRE I
OBJET DE LA LOI**

Protection, maintien et amélioration.	1. La présente loi a pour objet la protection de la santé de la population et la mise en place de conditions favorables au maintien et à l'amélioration de l'état de santé et de bien-être de la population en général. 2001, c. 60, a. 1.
Vigie sanitaire.	2. Certaines mesures édictées par la présente loi visent à permettre aux autorités de santé publique d'exercer une vigie sanitaire au sein de la population et à leur donner les pouvoirs pour intervenir lorsque la santé de la population est menacée.
Menace à la santé de la population.	Dans la présente loi, on entend par une menace à la santé de la population la présence au sein de celle-ci d'un agent biologique, chimique ou physique susceptible de causer une épidémie si la présence de cet agent n'est pas contrôlée.
Autorités de santé publique.	Les autorités de santé publique visées par la présente loi sont le ministre de la Santé et des Services sociaux, le directeur national de santé publique nommé en vertu de la *Loi sur le ministère de la Santé et des Services sociaux* (chapitre M-19.2) et les directeurs de santé publique nommés en vertu de la *Loi sur les services de santé et les services sociaux* (chapitre S-4.2) ou de la *Loi sur les services de santé et les services sociaux pour les autochtones cris* (chapitre S-5). 2001, c. 60, a. 2 ; 2002, c. 38, a. 13.
Prévention et promotion.	3. D'autres mesures édictées par la présente loi visent à prévenir les maladies, les traumatismes et les problèmes sociaux ayant un impact sur la santé de la population et à influencer de façon positive les principaux facteurs déterminants de la santé, notamment par une action intersectorielle concertée.
Objectifs.	Elles visent le maintien et l'amélioration de la santé physique, mais aussi de la capacité psychique et sociale des personnes d'agir dans leur milieu. 2001, c. 60, a. 3.
Surveillance continue.	4. Certaines mesures édictées par la présente loi visent enfin à ce que soit effectuée une surveillance continue de l'état de santé de la population en général et de ses facteurs déterminants afin d'en connaître l'évolution et de pouvoir offrir à la population des services appropriés.
Recherche et développement.	5. Les dispositions de la présente loi qui concernent la surveillance continue de l'état de santé ne s'appliquent pas aux activités de recherche ou de développement des connaissances effectuées, notamment par l'Institut national de santé publique du Québec, dans le domaine de la santé ou des services sociaux. 2001, c. 60, a. 4.
Actions générales.	6. Les actions de santé publique doivent être faites dans le but de protéger, de maintenir ou d'améliorer l'état de santé et de bien-être de la population en général et elles ne peuvent viser des individus que dans la mesure où elles sont prises au bénéfice de la collectivité ou d'un groupe d'individus. 2001, c. 60, a. 5.
Engagement du gouvernement.	7. La présente loi lie le gouvernement, ses ministères et les organismes mandataires de l'État. 2001, c. 60, a. 6.

Source : Gouvernement du Québec. (2001). *Loi sur la santé publique*, L.R.Q., c. S-2.2. Québec : Auteur. Document consulté le 20 septembre 2010 de http://www2.publicationsduquebec.gouv.qc.ca/dynamicSearch/telecharge.php?type=2&file=/S_2_2/S2_2.html. Reproduction autorisée par Les Publications du Québec.

Toujours en 2002, l'INSPQ publie un document qui permet de voir que le Québec n'adhère pas complètement à la vision de la promotion de la santé des populations privilégiée par le gouvernement du Canada. Dans le document, *La santé des communautés : perspectives pour la contribution de la santé publique au développement social et au développement des communautés,* on trouve une définition du développement des communautés. Il s'agit d'un « processus de coopération volontaire, d'entraide et de construction de liens sociaux entre les résidents et les institutions d'un milieu local, visant l'amélioration des conditions de vie sur les plans physique, social et économique » (INSPQ, 2002, p. 16). Les auteurs définissent aussi le sens à accorder à la santé des communautés, qui renvoie à un système social structuré de personnes vivant à l'intérieur d'un espace géographique précis (ville, village, quartier, arrondissement). Ces personnes ont une interaction sociale et partagent, entre elles et avec le lieu qu'elles habitent, certaines valeurs communes et des liens psychologiques démontrant ainsi une certaine conscience de leur identité en tant que communauté (INSPQ, 2002, p. 17).

En 2003, le gouvernement du Québec promulgue la loi qui crée les agences de développement de réseaux locaux de services de santé et de services sociaux pour remplacer les régies régionales de la santé et des services sociaux. Chacune de ces agences se voit confier différents mandats. Plus particulièrement, on les invite à proposer des plans d'action régionaux de santé publique (PARSP). Ces programmes interpellent tant les décideurs que les intervenants du réseau de la santé et des services sociaux, plus particulièrement ceux de la Direction générale de la santé publique et ceux des établissements à mission régionale, les

ENCADRÉ 8-3

CINQ PISTES D'INTERVENTION EN PROMOTION DE LA SANTÉ DU *PROGRAMME NATIONAL DE SANTÉ PUBLIQUE* AU QUÉBEC

- Le développement des connaissances sur les déterminants et les interventions efficaces pour la promotion de la santé
- Des informations à la population et aux autres secteurs sur la pertinence d'agir sur les déterminants et sur les stratégies et les interventions les plus prometteuses
- La création d'activités efficaces, qui mettent l'accent sur l'acquisition et le renforcement des habiletés et sur le développement des milieux de vie et l'établissement des conditions de vie favorables à la santé
- Le renforcement de la concertation intersectorielle et de la mobilisation
- La contribution à l'adoption de politiques favorables à la santé de la population

Source: Ministère de la Santé et des Services sociaux (MSSS). (2002). *Programme national de santé publique: 2003-2012* (annexe, p. 2). Québec: Gouvernement du Québec, Direction générale de la santé publique. Document consulté le 20 septembre 2010 de http://publications.msss.gouv.qc.ca/acrobat/f/documentation/2002/02-216-01.pdf.

ENCADRÉ 8-4

CINQ STRATÉGIES D'ENSEMBLE DU *PROGRAMME NATIONAL DE SANTÉ PUBLIQUE*

- Renforcer le potentiel des personnes.
- Soutenir le développement des communautés.
- Participer aux actions intersectorielles en faveur de la santé et du bien-être.
- Soutenir les groupes vulnérables.
- Encourager le recours à des pratiques cliniques préventives efficaces.

Source: Ministère de la Santé et des Services sociaux (MSSS). (2002). *Programme national de santé publique: 2003-2012* (p. 21). Québec: Gouvernement du Québec, Direction générale de la santé publique. Document consulté le 20 septembre 2010 de http://publications.msss.gouv.qc.ca/acrobat/f/documentation/2002/02-216-01.pdf.

centres de santé et de services sociaux (CSSS). Les plans régionaux précisent les actions qui doivent être entreprises par les instances locales afin d'atteindre les cibles prioritaires retenues dans le *Programme national de santé publique: 2003-2012*.

Recadrage des missions des différentes institutions (de 2004 à aujourd'hui)

Comme nous l'expliquions dans les chapitres précédents, le système sociosanitaire québécois connaît actuellement d'autres transformations importantes. Il en va de même pour le secteur de la promotion de la santé. Ce recadrage des missions des CLSC risque de compromettre encore une fois leur mission dans la promotion de la santé. Comme le soulignent St-Pierre et Richard (2006, p. 188), «la confrontation des paradigmes (la santé est une absence de maladie versus la santé est une notion positive) risque d'amener des tensions accrues dont l'issue ira généra-

lement dans le sens biomédical classique, à moins d'un leader particulièrement fort à tous les niveaux du sous-système de santé publique».

En 2005, le MSSS lance une vaste consultation afin d'évaluer les retombées du *Programme national de santé publique: 2003-2012*. Le rapport permet de constater que ce programme constitue un levier puissant pour «soutenir la cohérence des actions visant à améliorer la santé et le bien-être de la population» (MSSS, 2008, p. 22). Par contre, le MSSS (2008) note la nécessité de renforcer la prévention à l'intérieur du système de la santé et des services sociaux pour améliorer la santé de la population, hausser la qualité de vie et réduire la pression sur le système. Pour St-Pierre et Richard (2006, p. 197), le MSSS semble «accorder moins de place aux perspectives sociale et salutogénique de la promotion de la santé» qu'à la prévention de la maladie. De plus, un écart apparaît entre le discours social et collectif sur la promotion de la santé et les investissements faits par le MSSS dans la réduction des maladies. Toutefois, ce qui se passe au Québec est aussi perceptible dans le reste du Canada.

Considérant la nécessité pour les intervenants du réseau sociosanitaire qui travaillent en promotion de la santé de s'appuyer sur un cadre conceptuel, le MSSS (2010b, p. 3) a lancé récemment un outil de référence qui permet une «compréhension commune de la diversité des champs de l'activité humaine et de l'environnement qui influencent la santé de la population». Le cadre conceptuel est structuré à partir de cinq grands champs de déterminants de la santé, à savoir: «le contexte global, les systèmes, les milieux de vie, les caractéristiques individuelles et l'état de santé de la population» (*ibid.*, p. 8). Ce dernier champ est central. Chacun de ces champs comprend plusieurs catégories, lesquelles se subdivisent en sous-catégories. Finalement, les lignes pointillées qui délimitent chacun des champs illustrent «l'interpénétration de ces champs» (*ibid.*, p. 8). La figure 8-4 ■ illustre le cadre conceptuel de la santé et de ses déterminants.

Définition et concepts en promotion de la santé

Comme nous venons de le voir, la définition du concept de la promotion de la santé a varié au fil des années et selon l'autorité qui l'a proposée (gouvernement canadien ou québécois). Dans les faits, selon O'Neill et Stirling (2006), il est difficile de définir la promotion de la santé et, actuellement, aucune définition ne fait consensus. En dépit de ces difficultés, il est important d'en donner une définition claire. En effet, une telle définition permettrait de préciser le champ de pratique des intervenants dans le domaine. Dans les prochains paragraphes, nous proposerons quelques définitions auxquelles se réfèrent souvent les acteurs engagés dans la promotion de la santé.

On trouve la première définition que nous aimerions retenir dans la *Charte d'Ottawa pour la promotion de la santé* (OMS, SBSC et ACSP, 1986, p. 1). La promotion de la santé, peut-on y lire, est un «processus qui confère aux populations les moyens d'assurer un plus grand contrôle sur leur propre santé, et d'améliorer celle-ci». Concrètement, la promotion de la santé désigne

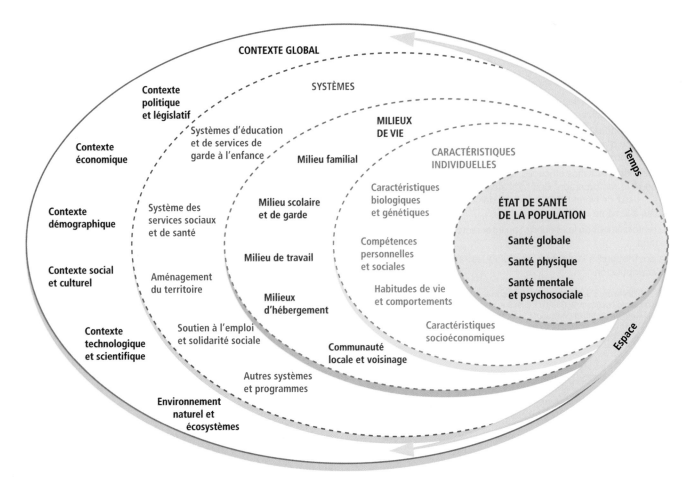

FIGURE 8-4 ■ Cadre conceptuel de la santé et de ses déterminants. Source : Ministère de la Santé et des Services sociaux (MSSS). (2010). *Cadre conceptuel de la santé et de ses déterminants. Résultat d'une réflexion commune*, version mars 2010. Québec : Direction des communications du MSSS. Document consulté le 12 septembre 2010 de http://publications. msss.gouv.qc.ca/acrobat/f/documentation/2010/10-202-02.pdf.

un ensemble de pratiques particulières dont l'objectif est le changement planifié des habitudes et des conditions de vie.

La deuxième définition est celle de Green et Kreuter (2005, p. 462, traduction par O'Neill et Stirling, 2006, p. 55). Pour ces auteurs, la promotion de la santé correspond à «toute combinaison d'actions planifiées de type éducatif, politique, législatif ou organisationnel appuyant des habitudes de vie et des conditions de vie favorables à la santé des individus, des groupes ou des collectivités».

La troisième définition a été élaborée par Edwards (2008, p. 3) pour l'ASPC. Pour cet auteur, la promotion de la santé est un :

processus consistant à permettre aux personnes d'accroître leur pouvoir sur leur santé et d'améliorer leur santé. Ce processus englobe non seulement les mesures visant à renforcer les capacités des personnes, mais aussi les mesures prises pour modifier les conditions sociales, environnementales, politiques et économiques, de manière à réduire leur incidence sur la santé publique et la santé individuelle.

Ces définitions sont loin d'être identiques. Ainsi, la Charte d'Ottawa, disent O'Neill et Stirling (2006, p. 55), propose une définition qui est représentative «des réflexions sur ce qu'est ou devrait être la santé, sur la place que la santé devrait occuper

dans les sociétés et sur qui (individus, gouvernements, société civile, corporations, secteur de la santé – incluant des professionnels de santé publique –, autres secteurs, etc.) devrait entreprendre de promouvoir, de rétablir la santé ou d'effectuer des efforts visant à la maintenir». La définition proposée par Green et Kreuter (2005, cités par O'Neill et Stirling, 2006) renvoie au changement planifié. De plus, elle implique le recours à une large gamme de stratégies spécifiques, dont : l'action communautaire pour la santé ; l'éducation pour la santé ; l'action politique ; le marketing social ; l'organisation communautaire et le développement organisationnel ; la communication sur la santé (Comité de la promotion de la santé de l'ASPQ, 1993). L'encadré 8-5 présente une définition de chacune des interventions utilisées en promotion de la santé. Hormis les distinctions que l'on peut faire entre les différentes définitions, St-Pierre et Richard (2006, p. 186) constatent que trois éléments essentiels s'y trouvent, à savoir : la participation citoyenne ; l'autonomisation ; l'équité et la justice sociale.

Pour finir, il nous semble pertinent de préciser certaines distinctions entre le concept de promotion de la santé et d'autres concepts qui lui sont souvent associés, comme l'éducation à la santé, la santé de la population, la santé publique et la prévention de la maladie, des accidents, des problèmes sociaux et du suicide.

Action communautaire pour la santé : Il s'agit des efforts entrepris par des personnes, des groupes cibles et des communautés pour donner suite aux priorités en santé locale et accroître la maîtrise des déterminants de la santé, par exemple le Programme d'action communautaire pour les enfants (PACE) et le Programme canadien de nutrition prénatal (PCNP).

Éducation pour la santé : Il s'agit d'une méthode qui favorise les échanges entre le savoir populaire (la population) et le savoir professionnel (les intervenants). En se référant explicitement aux besoins des personnes, l'éducation pour la santé favorise l'apprentissage de connaissances, d'attitudes ou d'habiletés permettant une meilleure maîtrise des déterminants de la santé et des comportements en matière de santé ainsi que des conditions qui touchent la santé et le bien-être de la personne et des proches. On associe à ce concept certaines approches, comme la conscientisation et l'éducation populaire.

Action politique : Il s'agit d'interventions dont le but est d'influer sur les décideurs qui doivent élaborer des politiques ayant une incidence sur les conditions de santé et de bien-être de l'ensemble de la population. Par exemple, on peut penser à des interventions touchant les politiques en matière de gestion des environnements physique, social et économique. Les actions politiques prennent différentes formes, comme des lettres ouvertes, des pétitions, des rencontres avec les députés ou d'autres représentants de la population. Toutefois, ces actions sont plus efficaces lorsqu'il est possible de constituer des groupes ou des coalitions.

Marketing social : Il s'agit d'une forme d'intervention ayant recours aux mêmes techniques qu'utilisent les promoteurs de certains produits de consommation. Les principaux éléments en sont les besoins, les attentes et les souhaits de la population cible. Le marketing social est en quelque sorte un processus de mise en marché d'idées contribuant à influer sur les attitudes et les comportements relatifs à la santé. Il s'avère important de bien connaître la population visée ; par exemple, « Dodo, l'enfant do » visait à réduire l'incidence du syndrome de mort subite du nourrisson en sensibilisant les parents au fait que les bébés doivent dormir sur le dos.

Organisation communautaire et développement organisationnel : L'organisation communautaire s'appuie sur un processus éducatif qui vise à la fois les individus et les communautés. Sur le plan individuel, elle contribue à améliorer les capacités des individus de percevoir et d'analyser leurs conditions de vie, d'adopter des pratiques saines et d'acquérir un sens critique par rapport aux politiques sociales. Sur le plan collectif, elle favorise la progression sociale, culturelle et économique de la collectivité. Tout changement social doit tenir compte de l'organisation des services. Les professionnels de la santé étant des agents facilitateurs du changement social, il faut gagner l'adhésion de tous et de chacun aux différents programmes en matière de promotion de la santé.

Communication sur la santé : Il s'agit d'une démarche de mise en relation de personnes ou de groupes qui ont un intérêt certain pour la santé. La communication entre la population et les professionnels se fait de manière circulaire plutôt que linéaire.

Sources : Pour élaborer ces définitions, Michèle Côté s'est inspirée des ouvrages suivants : Comité de la promotion de la santé de l'ASPQ. (1993). *Document de consensus sur les principes, stratégies et méthodes en promotion de la santé*, document d'appui à la Déclaration québécoise sur la promotion de la santé et du bien-être. Montréal : Association pour la santé publique du Québec ; Nutbeam, D. (1999). *Glossaire de la promotion de la santé*, Traduit de l'anglais par R. Meertens. Genève : Organisation mondiale de la santé. Document consulté le 29 août 2010 de http://www.who.int/hpr/NPH/docs/ho_glossary_fr.pdf.

La promotion de la santé n'est pas synonyme d'« éducation à la santé ». Pour Nutbeam (1999, p. 16), l'éducation à la santé « comprend la création délibérée de possibilités d'apprendre grâce à une forme de communication visant à améliorer les compétences en matière de santé, ce qui comprend l'amélioration des connaissances et la transmission d'aptitudes utiles dans la vie, qui favorisent la santé des individus et des communautés ».

Il y a également lieu de faire une distinction entre la promotion de la santé et la santé de la population. Selon Pinder (2006), la santé de la population aurait surtout un rôle de recherche et d'évaluation, alors que la promotion de la santé est orientée vers l'action. En dépit de cette distinction, on voit un certain glissement dans le sens où ces concepts sont utilisés. En effet, l'ASPC parle maintenant de promotion de la santé des populations.

Par ailleurs, précisons qu'il existe une distinction entre promotion de la santé et santé publique. Selon Edwards (2008, p. 1), la santé publique est une « activité organisée de la société visant à promouvoir, à protéger, à améliorer et, le cas échéant, à rétablir la santé de personnes, de groupes ou de la population entière. Elle est le fruit d'un ensemble de connaissances scientifiques, d'habiletés et de valeurs qui se traduisent par des actions collectives, par l'entremise de programmes, de services et d'institutions visant la protection et l'amélioration de la santé de la population ». Les tendances observées actuellement permettent de constater que la promotion de la santé est vue, de plus en plus, comme une partie intégrante de la « nouvelle santé publique ».

La dernière distinction est celle entre promotion de la santé et prévention de la maladie (tableau 8-3). Selon Edelman et Mandle (2002, p. 14), « la prévention est définie, au sens strict, comme le fait d'éviter l'apparition de maladies et, au sens large, comme l'ensemble des interventions visant à limiter la progression d'une maladie ». Pour Pender *et al.* (2006, p. 7), la **prévention de la maladie** (ou la **protection de la santé**) désigne les « comportements visant à éviter activement les maladies, à déceler rapidement celles-ci et à continuer de fonctionner dans les limites imposées par la maladie ». La prévention de la maladie cible donc « des personnes et des populations qui présentent des facteurs de risque identifiables et qui sont susceptibles de contracter des maladies » (Bisaillon *et al.*, 2010, p. 58). Dès lors, les infirmières doivent savoir bien distinguer tous ces concepts les uns des autres. Les tableaux 8-4 et 8-5, qui sont tirés de *Perspectives de l'exercice de la profession d'infirmière* (Ordre des infirmières et infirmiers du Québec [OIIQ], 2010), rendront encore plus concrètes les différences entre la promotion de la santé et la prévention de la maladie. Ces deux tableaux font état des principes, des résultats escomptés, des éléments de l'exercice et des éléments organisationnels retenus lorsque l'infirmière intervient en promotion de la santé ou en prévention de la maladie.

TABLEAU 8-3

DIFFÉRENCES ENTRE LA PROMOTION DE LA SANTÉ ET LA PRÉVENTION DE LA MALADIE (PROTECTION DE LA SANTÉ)

	Promotion de la santé	Prévention de la maladie (protection de la santé)
But	Acquérir le niveau le plus élevé de bien-être en modifiant ses propres comportements et en améliorant les conditions sociales, environnementales et économiques.	Améliorer la résistance aux facteurs nuisibles en modifiant l'environnement et en réduisant les accidents et les maladies évitables.
Motivation sous-jacente	Motivation générée par le désir personnel d'acquérir le bien-être	Motivation issue de l'évitement des facteurs nuisibles et des maladies
Exemples d'actions cibles	Gestion du stress Activité physique Nutrition Éducation des parents relativement à la santé infantile Santé sexuelle (VIH, MTSS)	Réaction aux urgences Sécurité routière et alimentaire, innocuité de l'eau et des médicaments Lutte contre les maladies infectieuses Santé et sécurité au travail Dépistage rapide du cancer (p. ex. santé des seins) Exploration des facteurs de risque pour la santé (p. ex. agents chimiques, danger d'irradiation, risque de contamination de l'eau) Consommation problématique de drogues, d'alcool et de tabac Prise en charge des maladies chroniques Prévention des accidents

TABLEAU 8-4

ACTION DE L'INFIRMIÈRE EN PROMOTION DE LA SANTÉ SELON L'OIIQ (2010)

Principe

Tout client aspire à la santé et au bien-être. L'infirmière aide le client à appliquer les choix qu'il fait en respectant les capacités de celui-ci ; ces capacités peuvent varier dans le temps. Les choix du client sont tributaires de ses attentes, de ses ressources personnelles et de celles de son environnement.

Résultats escomptés chez le client	Éléments de l'exercice	Éléments organisationnels
Le client adopte des habitudes de vie saines et met à profit ses ressources personnelles et celles de son environnement. Il fait des choix qui lui permettent de maintenir ou d'améliorer sa santé et son bien-être.	L'infirmière aide le client à utiliser et à accroître son répertoire personnel de ressources de façon à maintenir ou à améliorer sa santé et son bien-être. Elle facilite l'échange de connaissances en matière de santé et aide le client à faire des choix. L'infirmière reconnaît les comportements acquis en matière de santé, et ses interventions tiennent compte de la façon dont le client apprend.	Des programmes de promotion de la santé sont disponibles. Les initiatives prises par l'infirmière pour mettre au point, à l'intention des clients, de nouvelles stratégies d'éducation pour la santé sont soutenues.
Le client participe à des activités qui améliorent la qualité de son environnement et l'aident à s'adapter aux contraintes de ce dernier.	L'infirmière détermine, en collaboration avec le client, les mesures qui favorisent un environnement sain, sécuritaire et stimulant.	L'application des initiatives des infirmières visant à améliorer l'environnement est facilitée. Des activités de formation sont organisées à l'intention des infirmières.
Le client transmet dans son milieu l'information reçue.	L'infirmière forme des agents multiplicateurs et choisit avec le client les stratégies éducatives les plus pertinentes.	

Source: Ordre des infirmières et infirmiers du Québec (OIIQ). (2010). *Perspectives de l'exercice de la profession d'infirmière* (p. 14-15). Montréal: Auteur. Document consulté le 21 décembre 2010 de http://www.oiiq.org/uploads/publications/autres_publications/263NS_Perspectives_2010_Fr.pdf.

Il n'est pas toujours facile de faire la distinction entre une activité de *promotion de la santé* et une activité de *prévention de la maladie*. C'est souvent une question de perspective. Prenons l'exemple d'un homme âgé de 40 ans qui décide d'entreprendre un programme d'exercice visant à réduire le risque de maladies cardiovasculaires; sa principale activité est de marcher 2 km par jour. S'il le fait dans le but de réduire le risque d'affections cardiovasculaires, c'est une activité de prévention de la maladie; s'il le fait pour améliorer son état global de santé et éprouver un sentiment de bien-être, il s'agit de promotion de la santé.

TABLEAU 8-5

ACTION DE L'INFIRMIÈRE EN PRÉVENTION DE LA MALADIE, DES ACCIDENTS, DES PROBLÈMES SOCIAUX ET DU SUICIDE SELON L'OIIQ (2010)

Principe

Tout client peut être exposé à des risques liés à son état de santé, à des habitudes de vie, aux transitions de la vie ou à l'environnement. L'infirmière aide le client à déceler les problèmes potentiels liés à ces risques et à s'adapter aux problèmes actuels pour préserver sa santé et son bien-être.

Résultats escomptés chez le client	Éléments de l'exercice	Éléments organisationnels
Le client indique les facteurs de risque pour sa santé et reconnaît ses limites personnelles. Il désigne les habitudes de vie et les facteurs susceptibles de déclencher une infection, une maladie, un accident, une situation de crise ou de violence. Il applique des mesures de prévention.	L'infirmière élabore et met en œuvre, en collaboration avec le client et d'autres professionnels de la santé, des programmes de prévention des infections, des maladies, des accidents, des situations de crise ou de violence. Elle évalue les risques chez le client et lorsqu'elle décèle une situation à risque, elle détermine au plan thérapeutique infirmier les mesures préventives et les mécanismes de dépistage, de surveillance et de suivi appropriés. L'infirmière décide s'il y a lieu d'utiliser des mesures de contention ou l'isolement pour protéger le client, après avoir évalué les autres solutions possibles et consulté les membres de l'équipe multidisciplinaire au besoin. Elle détermine au plan thérapeutique infirmier du client les paramètres de la surveillance clinique.	Des programmes de prévention des infections, des maladies, des accidents et des problèmes sociaux sont disponibles. Des programmes de soins portant sur le dépistage et l'intervention en présence de situations à risque et de situations de crise ou de violence sont mis en œuvre en fonction des besoins des clients et des risques liés à l'environnement. Toute la documentation relative à l'application des programmes de prévention et des programmes de soins est accessible aux infirmières (par ex. Protocole d'immunisation du Québec, protocole d'application des mesures de contention de l'établissement).
Le client connaît les mesures diagnostiques qu'il subit pour des fins de dépistage. Il connaît le vaccin qui lui est administré.	L'infirmière initie des mesures diagnostiques à des fins de dépistage et procède à la vaccination dans le cadre d'activités relevant du domaine de la santé publique.	
Le client connaît ses ressources personnelles et les ressources de son milieu auxquelles il peut recourir dans une situation de stress, de crise ou de transition. Il accomplit de façon satisfaisante les tâches liées à ses rôles sociaux.	L'infirmière aide le client à découvrir ses ressources personnelles, l'informe de celles offertes dans son milieu et l'aide à faire face à la situation. Elle porte une attention particulière aux clients vulnérables ou à risque.	Des documents d'information sont mis à la disposition des clients. Des activités de formation sur la prévention de la maladie, des accidents, des problèmes sociaux et du suicide sont offertes aux infirmières.
	En collaboration avec d'autres professionnels de la santé, l'infirmière s'engage dans des activités visant à modifier les pratiques et les politiques susceptibles d'engendrer des problèmes de santé et des problèmes sociaux.	

Source : Ordre des infirmières et infirmiers du Québec (OIIQ). (2010). *Perspectives de l'exercice de la profession d'infirmière* (p. 14-15). Montréal : Auteur. Document consulté le 21 décembre 2010 de http://www.oiiq.org/uploads/publications/autres_publications/263NS_Perspectives_2010_Fr.pdf.

Promotion de la santé et de la sécurité en fonction du milieu ou du groupe social

Des programmes de promotion de la santé et de la sécurité comportant différents services et activités sont accessibles à l'individu ou à la famille, que ce soit à domicile, en milieu communautaire, à l'école, en établissement de soins ou sur les lieux de travail (tableau 8-6).

Modèles explicatifs des comportements liés à la santé

On a conçu un certain nombre de modèles pour tenter d'expliquer les comportements liés à la santé. Sur les traces de Côté (2001) et de Godin (1988), passons en revue, très brièvement, les modèles le plus souvent cités dans la littérature spécialisée.

Le modèle des croyances relatives à la santé (Health Belief Model ou HBM) a été élaboré par Becker (1974). Ce chercheur postule que toute personne est en mesure d'entreprendre des

TABLEAU 8-6

PROGRAMMES DE PROMOTION DE LA SANTÉ ET DE LA SÉCURITÉ EN FONCTION DU MILIEU OU DU GROUPE SOCIAL

Milieu ou groupe social	Programme
Municipalités	Mise en forme physique Prévention des incendies (par exemple changement de piles dans les détecteurs de fumée) Installation d'un siège pour bébés dans la voiture
Établissement de soins	Mise en forme cardiorespiratoire pour le personnel soignant et l'ensemble de la population Dépistage (par exemple hypertension, diabète, etc.)
Milieu de travail	Dépistage (par exemple hypertension ou surdité) Gestion du stress Mise en forme
Personnes retraitées	Conditionnement physique Dépistage (par exemple violence, pertes cognitives, etc.) Gestion de l'état de santé

8

actions de promotion de la santé et de prévention de la maladie si elle possède les connaissances suffisantes pour le faire et si elle considère que la santé est un élément important dans sa vie.

La théorie sociale cognitive de Bandura (1990) repose sur l'hypothèse que les comportements s'expliquent à partir des croyances que l'individu entretient à la fois en l'efficacité de ses comportements et en son efficacité personnelle.

Selon la théorie de l'action raisonnée de Fishbein et Ajzen (1975), c'est l'intention de la personne de faire un geste qui induit son comportement.

La théorie du comportement planifié d'Ajzen (1988) ajoute à la théorie précédente un autre concept: la perception que la personne a de sa maîtrise du comportement.

La théorie des comportements interpersonnels de Triandis (1980) s'appuie sur l'hypothèse qu'un individu qui a déjà eu un comportement donné répétera probablement celui-ci.

Enfin, nous présentons de manière plus détaillée le modèle de promotion de la santé mis au point par l'infirmière américaine Pender et le modèle transthéorique de Prochaska, Norcross et DiClemente.

Modèle de promotion de la santé (MPS) de Pender, Murdaugh et Parsons (2006)

Le modèle de promotion de la santé (MPS) a été conçu au début des années 1980. La version originale du modèle mettait l'accent sur les comportements qui favorisaient la santé plutôt que sur les comportements visant la protection de la santé ou la prévention de la maladie. Récemment, Pender *et al.* (2006) ont proposé une révision du modèle (figure 8-5 ■), qui repose sur un certain nombre d'hypothèses (encadré 8-6). Le MPS révisé est un modèle qui met l'accent sur les compétences ou l'approche orientée; il reflète la nature multidimensionnelle de l'individu en interaction avec ses semblables et avec son environnement dans sa recherche de la santé (Pender *et al.*, 2002, p. 68). Les variables du MPS et leurs relations sont décrites dans les sections suivantes.

CARACTÉRISTIQUES ET EXPÉRIENCES PERSONNELLES

Les facteurs personnels ou les caractéristiques individuelles, de même que les expériences de la personne, influent sur le comportement ciblé en promotion de la santé. La flexibilité du modèle de promotion de la santé permet de choisir les caractéristiques pertinentes par rapport au comportement visé en matière de santé.

- *Comportements antérieurs corrélatifs.* Les comportements antérieurs comprennent les expériences passées, de même que les connaissances et les habiletés reliées à des actions de promotion de la santé. Les individus qui ont déjà réussi à intégrer un nouveau comportement dans leurs habitudes et qui en ont tiré des avantages seront plus disposés à s'engager dans une démarche pour modifier d'autres comportements. Par contre, les individus qui se sont déjà heurtés à des difficultés en tentant d'adopter un nouveau comportement gardent le souvenir d'une «course à obstacles», ce qui a un effet négatif sur leur engagement dans une autre démarche.
- *Facteurs personnels.* Les facteurs personnels sont soit biologiques (par exemple âge, force, équilibre), soit psychologiques (par exemple estime de soi, motivation personnelle), soit socioculturels (par exemple race, origine ethnique, niveau d'éducation, situation socioéconomique). Certains facteurs personnels influant sur les comportements en matière de santé peuvent être modifiés, alors que d'autres, comme l'âge, ne peuvent pas l'être.

L'infirmière peut venir en aide à la personne en insistant sur les avantages que le nouveau comportement peut lui apporter, en lui enseignant comment franchir les obstacles pour intégrer ce comportement et en reconnaissant ses progrès par une rétro-action positive.

Les interventions infirmières portent généralement sur les facteurs personnels modifiables, mais il est tout aussi important de s'intéresser aux facteurs personnels immuables, comme les antécédents familiaux. Prenons le cas d'une femme dont

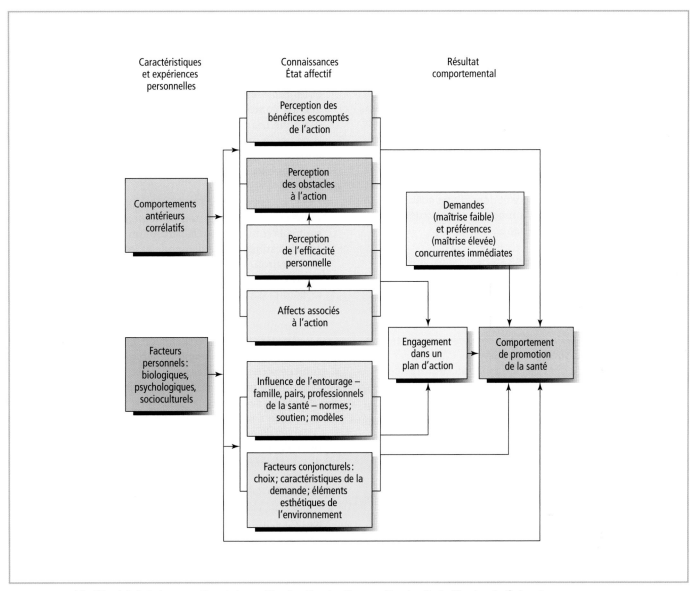

FIGURE 8-5 ■ Modèle révisé de la promotion de la santé selon Pender. Source : Pender, N. J., Murdaugh, C. L., et Parsons, M. A. (2006). *Health promotion in nursing practice* (5ᵉ éd.) (p. 50). Upper Saddle River, NJ : Prentice Hall.

ENCADRÉ 8-6
HYPOTHÈSES SOUS-JACENTES AU MODÈLE RÉVISÉ DE LA PROMOTION DE LA SANTÉ DE PENDER *ET AL.* (2006)

- Les individus s'efforcent de créer des conditions de vie qui leur permettent de s'épanouir pleinement sur le plan de la santé.
- Les individus sont capables de se connaître eux-mêmes par la réflexion et, notamment, d'évaluer leurs propres compétences.
- Les individus accordent une certaine valeur à la croissance s'ils la considèrent comme positive et s'ils tentent d'atteindre un équilibre acceptable entre le changement et la stabilité.
- Les individus cherchent à maîtriser activement leur comportement.
- Les individus, dans toute leur complexité biopsychosociale, interagissent avec leur milieu ; l'individu et le milieu influent l'un sur l'autre.

- Les professionnels de la santé font partie intégrante de l'environnement du réseau interpersonnel des individus et exercent sur ces derniers une influence tout au long de leur vie.
- La restructuration des interactions habituelles entre les individus et leur milieu est essentielle au changement de comportement.

Source : Pender, N. J., Murdaugh, C. L., et Parsons, M. A. (2006). *Health promotion in nursing practice* (5ᵉ éd.) (p. 120-122). Upper Saddle River, NJ : Prentice Hall. Traduit et reproduit avec l'autorisation de Pearson Education, Inc., Upper Saddle River, NJ.

les antécédents familiaux font état de nombreux cancers du sein : elle risque de négliger les autosoins (par exemple auto-examen des seins) et la mammographie périodique. Compte tenu des antécédents familiaux, ce comportement pourrait alors être motivé soit par la peur de découvrir une tumeur, soit par la conviction qu'il est impossible d'éviter un cancer du sein. L'infirmière doit pouvoir reconnaître ce type de comportement afin de fournir plus de soutien et des informations. Elle doit faire comprendre à la personne que, en cas d'antécédents familiaux défavorables, le dépistage et le traitement rapides jouent un rôle particulièrement important dans l'accroissement des chances de guérison. Si on arrive à transformer la peur en espoir – l'espoir d'une détection précoce et donc d'une guérison –, ce changement peut contribuer à modifier les attitudes et les comportements en matière de santé.

COMPORTEMENTS, CONNAISSANCES ET ÉTAT AFFECTIF

Les comportements, les connaissances et l'état affectif constituent un ensemble de variables très importantes sur le plan motivationnel dans l'acquisition et le maintien de comportements de promotion de la santé. Les connaissances liées à un comportement donné forment un « noyau » critique, car il est possible de les modifier par des interventions infirmières.

- *Perception des bénéfices escomptés de l'action.* L'anticipation de bénéfices ou de résultats positifs influence une personne dans sa décision d'adopter des comportements de promotion de la santé et en facilite le maintien (par exemple amélioration de la condition physique, réduction du degré de stress éprouvé). Une expérience antérieure positive reliée au comportement ciblé ou l'observation de personnes ayant adopté ce type de comportement constituent également des facteurs de motivation.

- *Perception des obstacles à l'action.* Les perceptions de la personne relativement au temps disponible, aux inconvénients, aux coûts et à la difficulté de réaliser l'action sont susceptibles de constituer des obstacles (imaginaires ou réels). Les obstacles à l'action que la personne perçoit influent sur ses comportements de promotion de la santé en diminuant son engagement dans un plan d'action.

- *Perception de l'efficacité personnelle.* Ce concept renvoie à la conviction d'être capable d'adopter le comportement requis pour obtenir le résultat souhaité (par exemple suivre assidûment un programme d'exercice en vue de perdre du poids). Il arrive souvent que les personnes qui doutent fortement de leurs capacités réduisent leurs efforts et finissent par abandonner, alors que les personnes qui sont convaincues de leur efficacité personnelle déploient plus d'efforts pour faire face à un problème ou à une difficulté.

- *Affects associés à l'action.* Les sentiments subjectifs que les personnes éprouvent avant, pendant et après une action déterminent en partie la répétition ou le maintien du nouveau comportement. Comment l'individu réagit-il lorsqu'il pense au comportement ? Considère-t-il ce comportement comme amusant, agréable ou désagréable ? Si un comportement suscite un affect positif ou une réaction émotionnelle favorable, la personne aura tendance à le répéter, tandis qu'elle sera portée à éviter un comportement qu'elle associe à un affect négatif.

- *Influence de l'entourage.* On entend, par influence de l'entourage, les perceptions qu'une personne a des comportements, des croyances et des attitudes des autres. La famille, les pairs et les professionnels de la santé sont susceptibles d'influer sur les comportements de promotion de la santé de la personne. Les attentes de l'entourage et des proches, le soutien social et le modelage (apprentissage par l'observation des autres) sont autant d'éléments qui influent sur la personne ; ainsi, les encouragements affectifs peuvent s'avérer très efficaces.

- *Facteurs conjoncturels.* Ces facteurs influent directement ou indirectement sur les comportements de promotion de la santé ; ils comprennent la perception des choix possibles, les caractéristiques de la demande et les éléments esthétiques de l'environnement. Par exemple, la perception qu'une personne a des choix qui s'offrent à elle peut correspondre à la facilité de mettre en pratique certaines solutions de rechange saines (par exemple choisir des aliments santé au restaurant et même dans les distributeurs automatiques). Les caractéristiques de la demande sont susceptibles d'influer directement sur les comportements en matière de santé. Il suffit de penser à certaines politiques d'établissement, comme l'adoption d'un règlement qui prescrit l'utilisation d'un équipement de sécurité ou la décision d'offrir aux employés un environnement sans fumée. Les personnes sont davantage capables d'adopter des comportements de promotion de la santé dans un environnement où elles se sentent à l'aise que dans un environnement où elles se sentent aliénées.

RÉSULTAT COMPORTEMENTAL

- *Demandes et préférences concurrentes immédiates.* On entend, par *demandes concurrentes*, les comportements sur lesquels la personne a peu de maîtrise. Par exemple, il arrive que des imprévus au travail ou des responsabilités familiales entrent en conflit avec une séance planifiée dans un centre de conditionnement physique. Dans ce contexte, les conséquences négatives associées au fait de ne pas assumer ses responsabilités sont plus importantes que celles provoquées par un accroc au programme d'exercice. On entend, par *préférences concurrentes*, les comportements sur lesquels une personne a une maîtrise élevée, pour autant qu'elle ait une bonne capacité d'autorégulation (c'est-à-dire qu'elle ne « laisse pas tomber »). Par exemple, la personne qui choisit un aliment riche en matières grasses plutôt qu'un autre moins riche parce que le premier a meilleur goût « laisse tomber » en cédant à un désir suscité par une préférence concurrente.

- *Engagement dans un plan d'action.* L'engagement dans un plan d'action fait intervenir deux processus : l'engagement lui-même et la détermination de stratégies précises dont le but est d'adopter et de renforcer le comportement ciblé. Les stratégies jouent un rôle important, car l'engagement seul se réduit souvent aux « bonnes intentions », sans mener à l'adoption effective du comportement.

- *Comportement de promotion de la santé.* Le comportement de promotion de la santé a comme objectif l'obtention de résultats positifs sur la santé (résultats escomptés selon le modèle).

Les comportements de promotion de la santé devraient permettre d'améliorer l'état de santé, les habiletés fonctionnelles et la qualité de vie à tout âge (Pender *et al.* 2006, p. 68-74).

Modèle transthéorique : stades du changement de comportement (Prochaska, Norcross et DiClemente, 1994 ; Prochaska, Redding et Evers, 2002)

Le **modèle des stades de changement de comportement** (**modèle transthéorique de changement de comportement** ou **MTT**) a été élaboré par Prochaska, Norcross et DiClemente (1994) dans les années 1980 et vulgarisé dans les années 1990. Ce modèle porte le qualificatif de «transthéorique» ou «métathéorique», car il fait appel à plusieurs théories. Bien qu'il ait été conçu pour expliquer comment certaines personnes réussissent à abandonner l'usage de la cigarette, des chercheurs l'ont utilisé pour étudier d'autres comportements associés à la santé. Le modèle comporte un certain nombre de construits : une variable à 6 niveaux, qui sert à mesurer les stades du changement, constitue la variable centrale (cadre organisationnel) et représente la dimension temporelle du modèle; à cette dernière se greffent 10 variables, qui représentent des processus de changement, et 4 autres variables, qui servent à mesurer deux processus cognitifs (Côté et Godin, 2003 ; Côté, 2001). Les sections suivantes portent uniquement sur les six stades du changement de comportement: (1) précontemplation; (2) contemplation; (3) préparation; (4) action; (5) maintien; (6) conclusion. Selon ce modèle, si la personne ne réussit pas à maintenir le comportement modifié, on parle alors de rechute. Le changement d'un comportement en matière de santé est un cheminement «en spirale», dans lequel la personne progresse par étapes. Au cours du premier stade, la personne ne songe pas vraiment à modifier un comportement donné, alors qu'au dernier stade elle est en mesure de maintenir le comportement modifié (figure 8-6 ■).

Stade de précontemplation

Le **stade de précontemplation** se caractérise par le fait que la personne ne ressent pas le besoin d'un changement ou nie avoir un problème; elle pense que ce sont les autres qui ont un problème et elle désire donc qu'ils changent leur comportement. Elle n'envisage pas de modifier son comportement dans les six prochains mois. De plus, les informations sur son comportement ne l'intéressent nullement. Certaines personnes croient qu'elles n'ont aucune maîtrise sur le comportement en question; elles sont donc sur la défensive lorsqu'on leur donne des informations, car elles pensent qu'il s'agit d'une situation sans issue. Les personnes qui ont déjà essayé de modifier leur comporte-

ment sans y parvenir considèrent que c'est une question de fatalité et que le changement leur est impossible; les professionnels de la santé disent souvent de ces personnes qu'elles ne sont ni intéressées ni motivées ou, encore, qu'elles refusent toute forme d'aide.

Stade de contemplation

La personne qui se situe au **stade de contemplation** reconnaît avoir un problème et elle envisage sérieusement d'adopter un nouveau comportement. Elle recueille des informations et fait des projets pour modifier ce comportement dans un proche avenir. Elle n'est toutefois pas nécessairement prête à passer à l'action. Certaines personnes restent au stade de la contemplation pendant plusieurs mois ou années. Lorsque le «contemplatif» s'engage dans le stade suivant, deux changements de pensée s'opèrent: il se concentre sur la solution plutôt que sur le problème et il pense davantage à l'avenir qu'au passé.

Stade de préparation

Le **stade de préparation** est caractérisé par la décision de changer et l'envie d'agir. Il commence donc quand la personne entreprend des activités cognitives et comportementales qui la préparent au changement. La personne a l'intention d'entreprendre une action dans un proche avenir (30 jours). C'est durant ce stade qu'elle parachève ses plans pour réaliser le changement. Certaines personnes ont déjà commencé à modifier légèrement leur comportement au cours de la dernière année (par exemple ne plus sucrer le café). À ce stade, la personne planifie réellement le changement et tente de changer.

Stade d'action

Le **stade d'action** commence quand la personne met en application des stratégies comportementales et cognitives pour remplacer son comportement habituel par un autre. Les actions que la personne choisit doivent entraîner une diminution des risques pour la santé. Ces actions doivent être poursuivies durant au moins six mois. C'est le stade qui exige le plus d'investissement en temps et en énergie.

Stade de maintien

Durant le **stade de maintien**, la personne intègre le nouveau comportement dans son mode de vie et il lui devient habituel. Ce stade prend fin seulement lorsque la personne n'est plus tentée de revenir à son ancien comportement nocif. Ce stade dure environ cinq ans. À moins que la personne ne fasse preuve d'une volonté de persister, il y a **rechute**, c'est-à-dire une régression qui la ramène généralement au stade de précontemplation ou de contemplation.

Stade de conclusion

Le **stade de conclusion** est l'atteinte de l'objectif: la personne est intimement convaincue que son problème initial ne présente plus

8

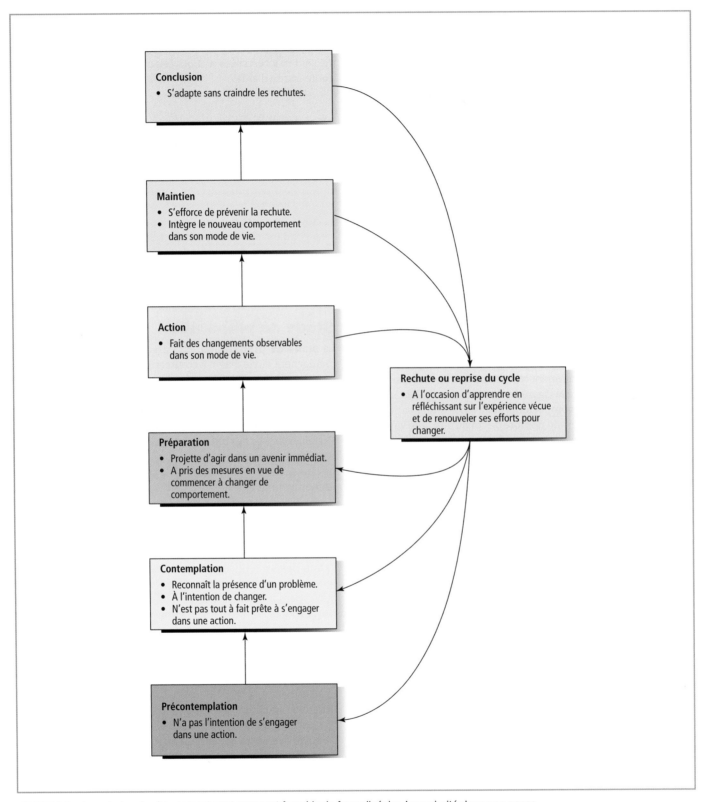

FIGURE 8-6 ■ Les stades du changement sont rarement franchis de façon linéaire. La majorité des gens passe plusieurs fois par les différents stades. La personne qui passe à l'action et a une rechute (c'est-à-dire qu'elle repasse par toutes les phases antérieures ou par certaines d'entre elles) a plus de chances de réussir en recommençant que la personne qui n'entreprend jamais d'action. Sources : Prochaska, J. O., Norcross, J. C., et DiClemente, C. C. (1994). *Changing for good*. New York : Avon Books/Harper Collins ; Prochaska, J. O., Reddings, C. A., et Evers, K. E. (2002). The transtheoretical model and stages of change. Dans K. Glanz, B. K. Rimer et F. M. Lewis (dir.), *Health behaviours education : Theory, reseach, and practice* (3e éd.). San Francisco, CA : Jossey-Bass.

ni tentation ni danger. Dans le cas de certains comportements, les spécialistes ne s'entendent pas : certains parlent d'élimination du problème, alors que d'autres croient que la phase de maintien se prolonge indéfiniment. Dans le cas d'une personne alcoolique ou héroïnomane, on pourrait penser que c'est la phase de maintien qui se prolonge, car il arrive souvent que ces personnes fassent une rechute après de nombreuses années d'abstinence.

Le modèle précise que les six stades se produisent en spirale : les personnes réalisent généralement les stades dans l'ordre, mais elles peuvent à n'importe quel moment régresser à un stade antérieur. En fait, les personnes qui tentent de modifier elles-mêmes leur comportement passent plusieurs fois et de façon cyclique par les différents stades avant de réussir à atteindre le dernier stade et à sortir de la spirale. La majorité des personnes qui régressent retournent au stade de contemplation. Elles pensent alors à ce qu'elles ont appris et se préparent à reprendre le stade d'action. L'encadré 8-7 propose une méthode simple d'autoévaluation pour déterminer le stade du changement auquel on se situe.

Rôle de l'infirmière en promotion de la santé

Les personnes et les communautés qui désirent assumer une plus grande part de responsabilité par rapport à leur propre santé et à leurs autosoins ont besoin d'éducation sanitaire. L'importance grandissante accordée à la promotion de la santé fournit à l'infirmière l'occasion d'y accroître l'influence de sa profession, de diffuser des informations qui soient véritablement utiles pour la population et d'aider des personnes et des communautés à modifier des comportements en matière de santé depuis longtemps acquis.

Le large éventail de programmes en promotion de la santé comprend les suivants : diffusion d'informations, évaluation des risques pour la santé et le bien-être, modification du mode de vie ou du comportement, maîtrise de la qualité de l'environnement.

Diffusion d'informations

La diffusion d'informations est probablement le moyen le plus utilisé par les infirmières en matière de promotion de la santé. Il existe de nombreux moyens de diffusion pour faire connaître au public les risques associés à certains modes de vie et comportements, de même que les avantages issus d'un changement de ces comportements et d'une amélioration de la qualité de vie. Les panneaux publicitaires, les affiches, les dépliants, les articles de journal, les livres et les foires de la santé sont autant de moyens de diffusion d'informations dans le domaine. L'abus d'alcool et de drogues, la conduite en état d'ébriété, l'hypertension et l'utilité de la vaccination figurent au nombre des sujets dont il est souvent question. La diffusion d'informations permet de renseigner et de sensibiliser les individus et les communautés sur de saines habitudes de vie.

Dans la planification de la diffusion d'informations, de nombreux facteurs importants entrent en ligne de compte, comme les caractéristiques culturelles et les groupes d'âge. Pour atteindre le plus efficacement possible les résultats escomptés, il faut se préoccuper de bien choisir l'endroit et la méthode de diffusion des informations. Par exemple, un grand nombre de personnes âgées d'origine haïtienne se tournent vers leur Église à la fois pour obtenir un soutien social et pour pratiquer leur religion. Pour ce groupe de personnes, l'église est donc souvent un lieu approprié pour tenir une rencontre sur la santé ou même des discussions en petits groupes sur divers sujets reliés à la santé. L'église constitue en quelque sorte un moyen de diffusion d'informations : c'est un environnement connu que les personnes de ce groupe d'âge et culturel considèrent comme rassurant.

Il est tout aussi essentiel de connaître les sources de «désinformation». Le publipostage massif est un stratagème de mise en marché largement employé pour promouvoir la vente de vitamines, de plantes et de suppléments alimentaires prétendument miraculeux. Cette forme de publicité s'adresse tout particulièrement aux personnes âgées qui pourraient privilégier les achats par la poste en raison des difficultés éprouvées pour se déplacer.

ENCADRÉ 8-7
AUTOÉVALUATION POUR DÉTERMINER VOTRE STADE DE CHANGEMENT

Vous essayez de changer un comportement problématique. Répondez oui ou non à chacun des énoncés suivants. Ensuite, déterminez le stade où vous vous situez.

1. J'ai résolu mon problème depuis plus de six mois.
2. Au cours des six derniers mois, j'ai pris des mesures pour résoudre mon problème.
3. J'ai l'intention de passer à l'action au cours des 30 prochains jours.
4. J'ai l'intention de passer à l'action au cours des six prochains mois.

Interprétation des réponses

Non à tous les énoncés : vous êtes au stade de précontemplation.

Oui à l'énoncé 4 et non à tous les autres énoncés : vous êtes au stade de contemplation.

Oui aux énoncés 3 et 4 et non aux autres énoncés : vous êtes au stade de préparation.

Non à l'énoncé 1 et oui à l'énoncé 2 : vous êtes au stade d'action.

Oui à l'énoncé 1 : vous êtes au stade de maintien.

Source : Prochaska, J. O., Norcross, J. C., et DiClemente, C. C. (1994). *Changing for good* (p. 68). New York : Avon Books/Harper Collins.

Évaluation des risques pour la santé et le bien-être

Les programmes d'évaluation des risques pour la santé et le bien-être servent à sensibiliser les personnes à leur propre mode de vie. Ils servent aussi à les motiver à réduire certains risques par l'adoption de saines habitudes de vie. En matière de bien-être, on privilégie la promotion du mieux-être à l'aide de méthodes positives, par opposition aux approches fondées sur les facteurs de risque. Il existe un large éventail d'outils pour effectuer ce genre d'évaluation. Le faible coût d'utilisation des outils informatisés permet d'y recourir dans le secteur de l'enseignement et dans le monde du travail.

Modification du mode de vie ou du comportement

Les programmes visant la modification du mode de vie ou du comportement exigent la participation des personnes; ils visent à améliorer la qualité de vie et l'espérance de vie. Les personnes envisagent généralement d'apporter des changements à leur mode de vie après avoir été informées de la nécessité de le faire et après avoir pris conscience des avantages escomptés. Plusieurs programmes, conçus pour des groupes ou des individus, portent notamment sur la maîtrise du stress, la sensibilisation en matière de nutrition, la maîtrise du poids, le renoncement au tabac et la pratique régulière d'activités physiques.

Maîtrise de la qualité de l'environnement

Le rejet sans cesse croissant de polluants d'origine humaine dans l'environnement a mené à l'élaboration de programmes particuliers. Les polluants présents dans l'air, les aliments et l'eau risquent de nuire à la santé des futures générations. Les principales préoccupations des groupes environnementaux ont trait aux déchets toxiques ou radioactifs, aux centrales nucléaires, à la pollution de l'air ou de l'eau et à l'utilisation de pesticides ou d'herbicides.

Les activités infirmières en promotion de la santé, y compris les programmes dont il vient d'être question, reposent sur la collaboration tant avec les personnes en général qu'avec les autres professionnels de la santé, notamment les médecins. Le rôle de l'infirmière consiste à travailler *avec* les gens, et non *pour* eux, c'est-à-dire que l'infirmière doit favoriser chez la personne le processus d'évaluation et de compréhension de la santé. Ainsi, pour remplir son rôle en promotion de la santé, l'infirmière peut intervenir comme porte-parole, consultante, enseignante ou coordonnatrice de services (encadré 8-8).

L'infirmière est appelée à travailler avec des personnes appartenant à divers groupes d'âge et structures de cellule familiale. Elle peut aussi être affectée à une population donnée, tels les nouveaux parents, les enfants d'âge scolaire ou les adultes. Dans tous les cas, la démarche de soins infirmiers est un outil fondamental en promotion de la santé. La démarche est en effet la même que dans la pratique en général, mais l'accent est mis sur l'enseignement des autosoins, qu'on s'adresse à un individu

ENCADRÉ 8-8
RÔLE DE L'INFIRMIÈRE EN PROMOTION DE LA SANTÉ

- Donner l'exemple et fournir des modèles de comportements et d'attitudes associés à un mode de vie sain.
- Aider les personnes à déterminer, à atteindre et à évaluer leurs objectifs de santé.
- Enseigner aux personnes des stratégies d'autosoins qui visent à améliorer la condition physique, l'alimentation et les relations interpersonnelles, ainsi qu'à maîtriser le stress.
- Aider les personnes, les familles et les communautés à améliorer leur état de santé.
- Enseigner aux personnes comment utiliser efficacement les services de santé.
- Aider les personnes, les familles et les communautés à définir et à adopter des comportements sains.
- Guider les personnes dans leur apprentissage de stratégies efficaces de résolution de problèmes et de prise de décision.
- Renforcer les comportements sains des personnes et des familles.
- Promouvoir dans la communauté les changements qui améliorent la qualité de l'environnement.

ou à une famille. En promotion de la santé, la personne adulte peut choisir ses objectifs, déterminer les stratégies à employer et assumer la responsabilité de la réussite qui en découle.

Démarche de soins infirmiers et promotion de la santé

L'évaluation exhaustive de l'état de santé de la personne est fondamentale en promotion de la santé. Compte tenu de son autonomie grandissante dans la prestation de soins aux personnes, l'infirmière doit améliorer ses compétences en matière d'évaluation si elle veut disposer de données significatives pour la planification des soins et des traitements.

Démarche de soins infirmiers

Collecte des données

La collecte des données comprend les éléments suivants: anamnèse et examen physique; évaluation de la condition physique; évaluation du mode de vie; évaluation de la santé spirituelle; examen du réseau de soutien social; évaluation des risques pour la santé; examen des croyances relatives à la santé; évaluation du niveau de stress.

Anamnèse et examen physique

L'anamnèse et l'examen physique permettent de détecter des problèmes de toutes sortes. Il faut tenir compte de l'âge de la personne lorsqu'on recueille les données. Par exemple, l'évaluation des risques liés à l'environnement et l'examen du statut vaccinal doivent tenir compte de l'âge de la personne. L'évaluation nutritionnelle est un élément important de l'anamnèse : la collecte des données sur les habitudes alimentaires doit prendre en considération l'âge et la masse corporelle de la personne. Pour en apprendre davantage sur l'évaluation nutritionnelle, voir le chapitre 40 ⊂⊃.

Évaluation de la condition physique

Pour évaluer la condition physique de la personne, l'infirmière tient compte des éléments physiologiques et morphologiques suivants : endurance musculaire, souplesse, composition corporelle et endurance cardiovasculaire. Les publications consacrées à la condition physique contiennent des directives précises sur la mesure de ces paramètres et sur leurs valeurs optimales chez les hommes, les femmes et les enfants. Au cours des épreuves de force ou d'endurance musculaire administrées à une personne âgée, il faut être à l'affût des signes de fatigue. Pour en apprendre davantage sur le sujet, voir le chapitre 37 ⊂⊃.

Évaluation du mode de vie

L'évaluation du mode de vie porte surtout sur les habitudes qui influent sur la santé de la personne. On évalue généralement les aspects suivants du mode de vie : activité physique, habitudes alimentaires, maîtrise du stress et consommation de tabac, d'alcool ou de drogues. Il arrive qu'on tienne compte d'autres éléments.

Il existe un certain nombre d'outils d'évaluation du mode de vie. La figure 8-7 ■ propose un formulaire d'autoévaluation.

Voici les objectifs de l'évaluation du mode de vie :

1. Fournir à la personne l'occasion d'évaluer les répercussions de son mode de vie sur sa santé.
2. Obtenir des données pour prendre les décisions relatives au comportement visé et aux modifications qu'il est souhaitable d'apporter au mode de vie.

Évaluation de la santé spirituelle

La santé spirituelle correspond à la capacité qu'a la personne d'atteindre le plein épanouissement de sa composante spirituelle, ce qui inclut sa capacité de découvrir et d'exprimer le but fondamental de sa propre vie, sa capacité d'apprendre à éprouver des sentiments d'amour, de joie, de paix et d'accomplissement, ainsi que sa capacité de s'aider soi-même et d'aider les autres à atteindre un développement optimal. Les valeurs spirituelles d'une personne influent sur sa façon d'interpréter ce qui lui arrive. C'est pourquoi l'évaluation du bien-être spirituel fait partie de l'évaluation de l'état de santé global.

Examen du réseau de soutien social

En promotion de la santé, il est important de comprendre le contexte social dans lequel vit une personne. Les individus et les groupes peuvent, grâce aux relations interpersonnelles, fournir du réconfort, de l'aide, des encouragements et des infor-

mations. Le soutien social favorise l'adaptation de la personne et l'incite à adopter un mode de vie satisfaisant et productif (Pender *et al.*, 2002, p. 238).

Le réseau de soutien social est fort utile à la personne : il améliore sa santé en créant un environnement propice aux comportements sains ; il accroît son estime de soi et son bien-être ; il lui envoie le message que ses actions vont lui permettre d'obtenir les résultats escomptés. Le réseau de soutien social comprend les membres de la famille, les pairs (y compris les groupes de discussion sur Internet), les organismes communautaires à caractère religieux (y compris les Églises) et les groupes d'entraide (par exemple Alcooliques Anonymes, Minçavi).

Selon Pender *et al.* (2002), l'infirmière devrait commencer l'examen du réseau de soutien social en demandant à la personne d'effectuer les tâches suivantes :

■ Dresser la liste des personnes qui lui fournissent un soutien social.

■ Indiquer sa relation avec chacune des personnes nommées (par exemple membre de la famille, collègue de travail, connaissance).

■ Déterminer quelles personnes lui procurent du soutien depuis au moins cinq ans.

Cet exercice permet à l'infirmière et à la personne de discuter du réseau de soutien de cette dernière, de l'évaluer et, au besoin, de chercher les améliorations possibles. On explique comment réaliser une écocarte au chapitre 11 ⊂⊃.

Évaluation des risques pour la santé

L'**évaluation des risques pour la santé** sert à indiquer les risques qu'encourt une personne de contracter une affection ou d'être blessée au cours des 10 prochaines années comparativement aux autres personnes du même groupe d'âge, du même sexe et du même groupe ethnique. On compare l'état général de santé de la personne, son mode de vie et ses données démographiques avec des données portant sur un échantillon significatif de la population. Le facteur de risque individuel est établi à partir de statistiques relatives au segment de la population dont les caractéristiques sont semblables à celles de la personne évaluée. L'évaluation des risques pour la santé comprend la synthèse des risques et du mode de vie de la personne. On y trouve également des suggestions pour réduire ces risques.

Divers outils d'évaluation des risques pour la santé existent en version imprimée ou informatisée. Les outils les plus récents reflètent une approche plus globale de la santé. Cette complexification s'explique par le fait que des entreprises les utilisent maintenant pour mettre en œuvre des programmes de promotion de la santé et de réduction des risques. Les infirmières en santé et sécurité au travail sont en mesure de déterminer les facteurs de risque et, par conséquent, de planifier des interventions destinées à réduire le taux d'affections, d'absentéisme et d'incapacités.

L'évaluation des risques pour la santé peut être utilisée dans le cas d'une personne ou d'un groupe, mais elle ne remplace pas les soins médicaux et ne convient pas à tout le monde. Par exemple, les résultats ne sont pas nécessairement

8

Autoévaluation du mode de vie

Selon les professionnels de la santé, le mode de vie est un des facteurs qui influent le plus sur la santé. En fait, on considère qu'il est possible d'agir sur 7 des 10 principales causes de décès en apportant des changements mineurs au mode de vie. La première étape de l'amélioration du mode de vie consiste à réfléchir sur son comportement actuel. La brève autoévaluation qui suit a été élaborée par Bobroff (1999) pour le Public Health Service des États-Unis.

Elle vous permettra d'évaluer ce que vous faites pour rester en santé. Les comportements énumérés dans l'évaluation s'appliquent à la majorité des adultes, mais certains ne conviennent pas aux personnes atteintes de certaines affections chroniques ou d'un handicap ni aux femmes enceintes. Ces personnes devraient consulter un médecin ou un autre professionnel de la santé.

	Presque toujours	Parfois	Presque jamais
Tabagisme			
Si vous n'avez jamais fumé, inscrivez un résultat de 10 pour la présente section et passez à la suivante, *Consommation d'alcool, de drogues ou de médicaments*.			
1. Je m'abstiens de fumer.	2	1	0
2. Je fume seulement des cigarettes à faible teneur en goudron et en nicotine OU je fume la pipe ou le cigare.	2	1	0
Résultat de la section *Tabagisme* :			
Consommation d'alcool, de drogues ou de médicaments			
1. Je m'abstiens de consommer des boissons alcooliques ou je ne bois qu'un ou deux verres par jour.	4	1	0
2. J'évite de consommer de l'alcool ou des drogues (surtout illicites) pour m'aider à faire face à des situations stressantes ou à des problèmes.	2	1	0
3. J'évite de consommer de l'alcool lorsque je prends certains médicaments (par exemple somnifères, analgésiques, médicaments contre le rhume ou la grippe, antiallergiques) ou si je suis enceinte.	2	1	0
4. Je lis et prends en compte le mode d'emploi fourni avec les médicaments, qu'ils soient sur ordonnance ou en vente libre.	2	1	0
Résultat de la section *Consommation d'alcool, de drogues ou de médicaments* :			
Habitudes alimentaires			
1. Je mange chaque jour des aliments très variés : fruits et légumes ; pain de blé entier et céréales ; viande maigre ; produits laitiers ; légumineuses ; noix et graines.	4	1	0
2. Je fais attention à la quantité de graisses, de graisses saturées et de cholestérol que je consomme, y compris les matières grasses contenues dans la viande, les œufs, le beurre, la crème, les graisses végétales et les abats (comme le foie).	2	1	0
3. Je fais attention à la quantité de sel que je consomme : j'en utilise peu pour la cuisson des aliments et je n'en ajoute pas dans mon assiette ; j'évite de manger des grignotines salées.	2	1	0
4. Je fais attention à la quantité de sucre que je consomme. Je m'abstiens de consommer souvent des friandises ou des boissons gazeuses.	2	1	0
Résultat de la section *Habitudes alimentaires* :			

	Presque toujours	Parfois	Presque jamais
Exercice et condition physique			
1. Je fais de 20 à 30 minutes d'exercices intensifs au moins 3 fois par semaine (par exemple course d'entraînement, natation, marche rapide, vélo).			
2. Je fais des exercices de musculation de 15 à 30 minutes au moins 3 fois par semaine (par exemple exercices à l'aide d'un appareil à contrepoids ou de poids et haltères, yoga, exercice physique en général).	4	2	0
3. Dans mes temps libres, je pratique, seul, en famille ou en groupe, des activités qui améliorent ma forme physique (par exemple jardinage, danse, quilles, golf, baseball).	3	1	0
Résultat de la section *Exercice et condition physique* :	3	1	0
Maîtrise du stress			
1. J'occupe un emploi ou j'ai des activités professionnelles que j'aime.			
2. Je me détends facilement et j'exprime librement mes sentiments.	2	1	0
3. Je reconnais rapidement les événements ou les situations susceptibles d'être stressants, et je m'y prépare.	2	1	0
4. Je peux parler de choses personnelles avec des amis intimes, des parents ou d'autres personnes, et je peux faire appel à mes proches lorsque j'ai besoin d'aide.	2	1	0
5. Je participe à des activités de groupe (par exemple pratique religieuse, activités communautaires) ou j'ai des loisirs qui me plaisent.	2	1	0
Résultat de la section *Maîtrise du stress* :	2	1	0
Sécurité			
1. Je boucle ma ceinture de sécurité lorsque je me déplace en automobile.			
2. Je ne conduis pas après avoir consommé de l'alcool ou des drogues.	2	1	0
3. Lorsque je conduis, je respecte le code de la sécurité routière, y compris les limites de vitesse.	2	1	0
4. Je fais preuve de prudence lorsque j'utilise des produits ou des objets potentiellement dangereux (par exemple produits d'entretien ménager, poisons et appareils électriques).	2	1	0
5. Je m'abstiens de fumer au lit.	2	1	0
Résultat de la section *Sécurité* :	2	1	0

FIGURE 8-7 ■ Autoévaluation du mode de vie. Source : Bobroff, L. B. (1999). *Healthstyle : A self-test.* Institute of Food and Agricultural Sciences (University of Florida). Document consulté le 2 octobre 2010 de http://edis.ifas.ufl.edu/pdffiles/HE/HE77800.pdf.

Interprétation du résultat de chaque section

Dans une section donnée, votre résultat correspond à la somme des valeurs attribuées à chaque énoncé. Notez que cette auto-évaluation ne comporte pas de résultat global ; il faut donc considérer les sections séparément. Il s'agit de déterminer les aspects de votre mode de vie que vous devez améliorer pour être en meilleure santé. Voyons ce que révèlent vos résultats.

Signification des résultats
9 ou 10
C'est excellent ! Vos réponses indiquent que vous êtes conscient de l'importance de ce domaine pour votre santé. L'essentiel, c'est que vous savez comment tirer parti de vos connaissances pour adopter de saines habitudes de vie. Tant que vous continuerez d'agir ainsi, ce domaine ne présentera pas de risque grave pour votre santé. Vous êtes probablement un modèle pour les autres membres de votre famille et vos amis. Comme vous avez obtenu un résultat élevé dans cette section, vous pourriez décider de concentrer vos efforts dans les domaines où une amélioration est souhaitable.

De 6 à 8
Vous avez des habitudes saines dans ce domaine, mais il y a place à l'amélioration. Réexaminez les énoncés auxquels vous avez répondu « parfois » ou « presque jamais ». Quels changements pourriez-vous effectuer pour améliorer votre résultat ? Même de légères modifications peuvent améliorer votre santé.

De 3 à 5
Ce résultat met en évidence certains risques pour votre santé. Aimeriez-vous être renseigné sur ces risques ? Voulez-vous savoir pourquoi il est important de changer vos comportements ? Peut-être avez-vous besoin d'aide pour décider comment effectuer les modifications qui vous semblent souhaitables ? Dans tous les cas, sachez que vous pouvez trouver une aide adéquate.

De 0 à 2
Vous avez pris la peine de faire cette autoévaluation : vous vous préoccupez donc de votre santé. Toutefois, votre résultat indique que vous vous exposez à de graves risques. Peut-être n'en étiez-vous pas conscient ou peut-être ne savez-vous pas comment remédier à la situation ? Si vous le désirez, vous pouvez facilement obtenir l'information et l'aide dont vous avez besoin pour réduire les risques pour votre santé et adopter un mode de vie plus sain. C'est à vous de prendre les décisions qui s'imposent.

POURQUOI NE PAS COMMENCER MAINTENANT ?
Cette autoévaluation propose des recommandations d'actions susceptibles de vous aider à réduire le risque de maladie ou de mort précoce. Les suggestions suivantes comptent parmi les plus importantes.

Renoncez au tabac
Parmi les causes évitables de maladie et de mort précoce, le tabagisme est certainement la plus importante. Fumer est particulièrement dangereux pour la femme enceinte et le fœtus. Le fumeur qui cesse de fumer réduit son risque de souffrir d'une affection cardiaque ou d'un cancer. Donc, si vous faites usage de tabac, réfléchissez-y à deux fois avant d'allumer votre prochaine cigarette. Si vous décidez de continuer à fumer, essayez tout de même de réduire le nombre de cigarettes que vous fumez.

Surveillez votre consommation d'alcool
L'alcool provoque des changements d'humeur et de comportement. La majorité des personnes qui boivent de l'alcool sont en mesure d'en limiter la quantité et d'en éviter les effets indésirables et souvent nocifs. La consommation régulière de grandes quantités d'alcool risque de provoquer une cirrhose, l'une des principales causes de mortalité. De plus, les statistiques montrent de façon concluante que la conduite en état d'ébriété est responsable de bon nombre d'accidents ayant causé la mort ou des blessures graves. Si vous buvez, faites donc preuve de modération.

Surveillez votre consommation de médicaments et de drogues
L'accroissement de la consommation de médicaments et de drogues (licites ou illicites) constitue l'un des principaux risques pour la santé. Même des médicaments que votre médecin vous a prescrits présentent un danger si vous les combinez à l'alcool ou si vous conduisez après les avoir pris. Suivez le mode d'emploi qui accompagne les médicaments et débarrassez-vous de ceux qui sont périmés. L'usage abusif et continu de tranquillisants ou de stimulants risque de provoquer des problèmes de santé physique ou mentale. L'usage ou seulement l'essai de drogues illicites, telles que la marijuana, l'héroïne, la cocaïne et les autres drogues illicites, peuvent avoir des effets nocifs et même entraîner la mort.

Surveillez votre alimentation
Il existe un lien étroit entre les habitudes alimentaires et le risque d'hypertension, d'affections cardiaques et de diverses formes de cancer. On entend, par « habitudes alimentaires saines », un régime pauvre en graisses (surtout, pauvre en graisses saturées), en cholestérol, en sucre et en sel. Par ailleurs, il faut consommer quotidiennement une grande variété d'aliments végétaux, tels que les céréales entières, les légumineuses, les noix, les fruits frais et les légumes. Ces aliments contiennent des nutriments et des substances susceptibles d'agir comme facteurs de protection et de réduire ainsi le risque de maladies chroniques. Une saine alimentation procure un véritable bien-être.

Faites régulièrement de l'exercice
Presque tout le monde peut profiter des bienfaits de l'exercice, et il existe une forme d'exercice qui convient à chacun ; en cas de doute, parlez-en à votre médecin. En général, il suffit de 3 séances hebdomadaires de 20 à 30 minutes d'activité physique intense pour améliorer l'état de son système cardiovasculaire, tonifier ses muscles et améliorer la qualité de son sommeil. Imaginez comme vous vous sentiriez mieux grâce à l'intégration de l'exercice dans votre vie.

Apprenez à maîtriser le stress
Le stress fait partie de la vie. Il peut être causé par des événements heureux (par exemple promotion au travail) ou malheureux (par exemple perte de son conjoint). Le stress bien maîtrisé n'est pas nécessairement un problème. Cependant, les réactions malsaines au stress (par exemple conduire trop rapidement, boire avec excès, éprouver de la colère ou du chagrin durant une longue période) risquent de provoquer divers problèmes de santé physique ou mentale. Même lorsque vous êtes très occupé, ralentissez vos activités et prenez quelques instants pour vous détendre. Le fait de parler d'un problème avec une personne de confiance peut vous aider à trouver une solution satisfaisante. Apprenez à faire la distinction entre ce qui mérite vraiment votre attention et le reste.

Faites preuve de prudence
Appliquez partout le principe de « sécurité d'abord ! », que ce soit à la maison, au travail, à l'école, dans les loisirs et sur la route. En voiture, attachez votre ceinture de sécurité et installez un jeune enfant dans un siège d'auto ; les enfants de moins de 12 ans devraient s'asseoir à l'arrière. Respectez le code de la route. Gardez les armes et les substances toxiques hors de portée des enfants, respectez-en les directives d'entretien et d'utilisation. Gardez près du téléphone les numéros à appeler en cas d'urgence : en cas d'imprévu, vous serez prêt.

FIGURE 8-7 ■ *(suite)*

8

exacts dans le cas de personnes atteintes d'une affection chronique, comme un cancer ou une affection cardiaque. Certains segments de la population (par exemple personnes très jeunes ou âgées, certains groupes socioculturels) sont peu représentés dans les bases de données portant sur l'ensemble de la population, de sorte que l'évaluation des risques pour la santé donne des résultats moins précis dans leur cas.

Examen des croyances relatives à la santé

Les croyances relatives à la santé, en particulier celles qui déterminent la perception de l'influence qu'on a sur son propre état de santé, doivent faire l'objet d'un examen systématique. La source de détermination (ou locus de contrôle) est un concept mesurable qu'on peut utiliser pour prédire quelles personnes sont les plus susceptibles de modifier leur comportement (chapitre 10 ⚭). Il existe différents outils pour évaluer les croyances relatives à la santé. Une telle évaluation permet à l'infirmière de déterminer à quel point la personne croit qu'elle peut agir sur son état de santé, ou en avoir la maîtrise, grâce à son comportement. De nombreuses cultures font une large place au destin: «Il arrivera ce qui doit arriver.» Les personnes qui croient au destin sont persuadées qu'aucune de leurs actions ne pourra changer l'évolution de la maladie. Par exemple, les programmes destinés aux personnes diabétiques portent souvent sur le changement de comportements liés à l'alimentation et à l'exercice ainsi que sur la surveillance minutieuse du taux de glucose, le tout dans le but de réduire le risque de complications. Si une personne pense qu'elle n'a aucun pouvoir sur les résultats, il devient très difficile de la motiver à effectuer les changements nécessaires. La conscience des particularités culturelles permet de mieux apprécier la volonté et la motivation des personnes à adopter des comportements sains. La rubrique *Les âges de la vie – Facteurs influant sur la promotion de la santé et la prévention de la maladie* passe en revue quelques facteurs dont la présence chez des personnes âgées indique la nécessité de leur fournir davantage d'informations et de ressources.

Évaluation du niveau de stress

De très nombreux écrits traitent des répercussions du stress sur le bien-être physique et la santé mentale. Au fil des ans, les chercheurs ont conçu divers outils pour mesurer le stress. L'échelle Holmes-Rahe, qui est très souvent utilisée, en est un exemple. Le **modèle des événements de vie** mis au point par Holmes et Rahe (1967) permet d'évaluer les répercussions que certains événements peuvent avoir sur la santé. C'est grâce à une étude sur la perception des événements que les chercheurs leur ont assigné une cote numérique, 100 correspondant à l'événement le plus stressant, soit la mort de son conjoint (encadré 8-9). La personne détermine dans une liste d'événements ceux qui ont eu lieu récemment dans sa vie, puis on additionne les valeurs correspondantes. Soulignons que même des événements considérés comme «positifs» peuvent être porteurs de stress (par exemple mariage ou vacances). Il y a une corrélation positive entre un résultat global élevé et la probabilité que la personne présente des problèmes de santé au cours de la prochaine année.

👥 LES ÂGES DE LA VIE

FACTEURS INFLUANT SUR LA PROMOTION DE LA SANTÉ ET LA PRÉVENTION DE LA MALADIE

Personnes âgées

La promotion de la santé et la prévention de la maladie occupent une place importante chez les personnes âgées, surtout pour ce qui est de l'acquisition de moyens d'adaptation aux changements et des limitations qui surviennent avec l'âge. La maximisation des forces est d'une importance primordiale pour le maintien du fonctionnement optimal et de la qualité de vie. Voici quelques facteurs à surveiller chez la personne âgée, car ils indiquent un besoin potentiel d'informations ou de ressources supplémentaires.

- Accroissement des limitations physiques.
- Présence d'une ou de plusieurs affections chroniques.
- Modification de la faculté cognitive.
- Difficulté d'accès aux services de santé, liée aux problèmes éprouvés pour se déplacer.
- Faible réseau de soutien social.
- Besoin d'effectuer des changements dans le milieu de vie pour préserver la sécurité ou l'autonomie.
- Attitude dépressive ou sentiment d'impuissance, ce qui réduit la motivation à utiliser les ressources disponibles ou à chercher à obtenir de nouvelles informations.

Validation des données d'évaluation

Après la collecte des données, l'infirmière et la personne doivent examiner, valider et résumer ensemble les informations, puis faire le point. Au cours de ce processus, l'infirmière répète ou reformule les habitudes et les attitudes de la personne, ce qui permet à cette dernière de valider les informations et, s'il y a lieu, de prendre conscience du besoin de modifier certains de ses comportements. Ensemble, elles doivent examiner les dimensions suivantes:

- Tout problème de santé actuel de la personne
- Perception du degré de maîtrise qu'elle a sur son état de santé
- Principales croyances relatives à la santé
- Condition physique et état nutritionnel
- Affections pour lesquelles elle présente des facteurs de risque
- Bons comportements en matière de santé adoptés actuellement
- Spiritualité
- Sources de stress et capacité à maîtriser le stress
- Réseau de soutien social
- Informations nécessaires à l'amélioration de ses comportements en matière de santé

Analyse et interprétation

Les diagnostics infirmiers reconnus par la NANDA International portent le plus souvent soit sur des déficiences ou des déséquilibres reliés à des comportements, soit sur des problèmes de santé. Toutefois, «selon la NANDA-I, le diagnostic infirmier de bien-être est un jugement clinique sur une personne, une famille ou une collectivité en transition entre un certain niveau de bien-être et un niveau de bien-être supérieur» (Carpenito-Moyet, 2009, p. XXXIV).

ENCADRÉ 8-9
MODÈLE DES ÉVÉNEMENTS DE VIE DE HOLMES-RAHE

Événement de vie	Cote	Événement de vie	Cote
Décès du conjoint	100	Changement dans ses responsabilités professionnelles	29
Divorce	73	Départ d'un enfant	29
Séparation	65	Problèmes avec les beaux-parents	29
Incarcération	63	Succès personnel exceptionnel	28
Décès d'un proche parent	63	Début ou fin d'emploi du conjoint	26
Maladie ou blessure	53	Première ou dernière année d'études	26
Mariage	50	Modification dans les conditions de vie	25
Perte d'emploi	47	Changement d'habitudes personnelles	24
Réconciliation avec le conjoint	45	Difficultés avec son patron	23
Retraite	45	Modification dans les heures ou les conditions de travail	20
Changement de l'état de santé d'un membre de la famille	44	Changement de domicile	20
Grossesse	40	Changement d'école	20
Difficultés d'ordre sexuel	39	Changement de catégorie ou de quantité de loisirs	19
Ajout d'un membre à la famille	39	Changement d'activités religieuses	19
Modification dans la vie professionnelle	39	Changement d'activités sociales	19
Changement de situation financière	38	Hypothèque ou prêt inférieur à un an de salaire	17
Décès d'un ami proche	37	Modification des habitudes de sommeil	16
Réorientation professionnelle	36	Modification du nombre de rencontres familiales	15
Changement du nombre de disputes avec le conjoint	35	Modification d'habitudes alimentaires	15
Hypothèque supérieure à un an de salaire	31	Vacances	13
Saisie liée au défaut de payer une hypothèque ou un prêt	30	Période de Noël *(la solitude)*	11
		Infraction mineure à la loi	11

Résultat global	Probabilité d'apparition de problèmes de santé dans un proche avenir
300 ou plus	Environ 80 %
De 150 à 299	Environ 50 %
Moins de 150	Environ 30 %

Plus le résultat global est élevé et plus la personne doit faire des efforts pour rester en bonne santé.

Source : Adaptation de l'article suivant : Holmes, T. H., et Rahe, R. H. (1967). The Social Readjustment Rating Scale. *Journal of Psychosomatic Research, 11*(8), 213-218. Reproduit avec l'autorisation d'Elsevier.

En prévention, l'infirmière peut poser des diagnostics infirmiers centrés sur le bien-être, et il est particulièrement utile de le faire dans le cas d'une personne en bonne santé qui a besoin d'enseignement soit en promotion de la santé, soit en prévention de la maladie, soit en croissance personnelle. Si l'infirmière et la personne s'entendent pour dire que cette dernière a des comportements sains dans un domaine donné (par exemple bonnes habitudes alimentaires ou stratégies d'adaptation efficaces), l'infirmière peut utiliser cette information pour l'aider à progresser.

Tout diagnostic infirmier centré sur le bien-être comprend l'expression « motivation à améliorer ». En voici quelques exemples :

- *Motivation à améliorer son bien-être spirituel*
- *Motivation à améliorer ses stratégies d'adaptation*
- *Motivation à améliorer son alimentation*
- *Motivation à améliorer ses connaissances (préciser)*
- *Motivation à améliorer l'exercice du rôle parental*
- *Motivation à améliorer le concept de soi*

Les diagnostics infirmiers centrés sur le bien-être indiquent clairement dans quel domaine il faut planifier les interventions, sans faire allusion à aucun problème (Wilkinson, 2001, p. 222).

Planification

On doit élaborer un plan de promotion de la santé en fonction des besoins, des désirs et des priorités de la personne. C'est cette dernière qui en détermine les éléments importants : résultats escomptés, activités ou interventions permettant d'atteindre ces résultats, fréquence et durée des activités, méthode d'évaluation. Au cours du processus de planification, l'infirmière joue plus le rôle d'une personne-ressource que celui d'une conseillère ou d'une consultante : elle fournit les informations que la personne lui demande ; elle précise qu'il est important de procéder par petites étapes pour changer un comportement ; elle s'assure que les résultats escomptés et le plan sont réalistes, mesurables et adaptés à la personne.

▨ Étapes de la planification

Pender *et al.* (2006) décrivent plusieurs étapes du processus d'élaboration d'un plan de protection et de promotion de la santé (tableau 8-7). C'est en collaboration avec l'infirmière que la personne réalise chaque étape.

1. *Revoir et résumer les données provenant de l'évaluation.* L'infirmière revoit avec la personne un résumé des données provenant de différentes sources d'évaluation (par exemple l'examen physique, la nutrition, les sources de stress, les pratiques de santé et les pratiques spirituelles).

2. *Souligner les forces et les compétences de la personne.* L'infirmière et la personne arrivent à un consensus à propos des forces de la personne et des éléments sur lesquels il faut travailler.

3. *Déterminer des objectifs de santé et les comportements pertinents qu'il faut modifier.* La personne choisit deux ou trois objectifs de santé qu'elle considère comme impératifs, les classe par ordre de priorité et examine les comportements qu'elle pourrait modifier pour atteindre ces objectifs. Voici quelques exemples d'objectifs courants :
   a) Réduire le risque d'affections cardiovasculaires.
   b) Atteindre le poids souhaité ou le maintenir.
   c) Améliorer ses connaissances en matière de sécurité à la maison.

4. *Déterminer des résultats sur le plan des comportements ou sur celui de la santé.* Pour chaque objectif ou domaine choisi à l'étape 3, il faut déterminer de façon précise les comportements à modifier afin d'atteindre le résultat escompté. Par exemple, la personne qui veut réduire le risque d'affections cardiovasculaires devrait probablement modifier plus d'un comportement : cesser de fumer, manger moins ou mieux et faire plus d'activités physiques.

5. *Élaborer un plan de changement de comportement.* Le programme sera constructif si la personne a la conviction que c'est à elle que revient la réalisation des changements de comportement qu'elle a choisi d'intégrer dans sa vie quotidienne (Pender *et al.*, 2006). Certaines personnes ont besoin d'aide pour examiner les contradictions entre leurs valeurs et leurs comportements ainsi que pour faire les choix qui leur semblent les plus souhaitables et qui comportent le plus d'attrait. Les priorités établies par la personne devraient refléter ses valeurs personnelles, ses préférences en matière d'activités et ses espoirs de réussite.

6. *Insister sur les avantages du changement.* L'infirmière et la personne devront probablement revenir plus d'une fois sur les avantages que devrait procurer le changement, même si la personne est fermement décidée à changer. Il est essentiel qu'elle garde constamment présents à l'esprit les avantages que le changement peut apporter, tant sur le plan de la santé que sur les autres plans, car ces avantages constituent ses principales sources de motivation.

7. *Examiner les principaux facteurs environnementaux et interpersonnels, qu'ils soient favorables ou défavorables au changement.* Les facteurs favorables devraient être utilisés pour renforcer les efforts de la personne qui tente de modifier son mode de vie. Par ailleurs, chaque individu se heurte à des obstacles au changement, dont certains sont prévisibles ; il est plus facile de changer quand on tient compte de ces obstacles dès le départ.

8. *Déterminer un échéancier.* Un échéancier donne le temps à la personne d'approfondir les connaissances et les habiletés nécessaires à l'adoption du nouveau comportement. Il peut s'étendre sur plusieurs semaines ou mois. L'établissement d'objectifs à court terme et l'attribution de récompenses sont des mesures susceptibles de favoriser l'atteinte des objectifs à long terme. Certaines personnes ont besoin d'aide pour rester réalistes et se concentrer sur un seul comportement à la fois.

9. *S'engager à atteindre les objectifs de changement de comportement.* Dans le passé, l'engagement à modifier son comportement était en général verbal. De nos jours, on a de plus en plus tendance à faire signer à la personne un contrat écrit en bonne et due forme, qui précise les actions qu'elle a choisies d'entreprendre (chapitre 21 ⬀). La mention de renforcements positifs ou de récompenses dans le contrat accroît la motivation. L'idée d'établir un contrat repose sur la croyance que tout individu est capable de s'améliorer et qu'il a le droit à l'autodétermination, même si ses choix s'écartent de la norme.

▨ Examen des ressources disponibles

La détermination des ressources de soutien dont dispose la personne est un autre élément essentiel de la planification. Il peut s'agir de ressources communautaires, comme un programme de conditionnement physique dans un gymnase local ou un programme d'éducation (par exemple maîtrise du stress, autoexamen des seins, nutrition, renoncement au tabac ou conférences sur la santé en général).

Interventions infirmières

Les interventions constituent l'aspect pratique du changement de comportement. L'accent est mis sur la responsabilisation de la personne dans l'application du plan. L'infirmière intervient selon les besoins de la personne : soutien et amélioration du

TABLEAU 8-7
EXEMPLE D'UN PLAN INDIVIDUEL DE PROMOTION DE LA SANTÉ ET DE PRÉVENTION DE LA MALADIE

Conçu pour : Paul Leblanc
Adresse : 714, rue Saint-Georges (Nicolet) G9A 5H7
Téléphone à la maison : (819) 293-3333
Emploi (s'il y a lieu) : Ébéniste
Téléphone au travail : (819) 293-6666
Identité culturelle : Québécois de souche
Date de naissance : 1950-11-06
Début de l'élaboration du plan : 2010-10-01

Points forts	Relations satisfaisantes avec ses pairs, force spirituelle, saines habitudes de sommeil
Principaux facteurs de risque	Cholestérolémie élevée, légère obésité, mode de vie sédentaire, changements de vie modérés, nombreuses contrariétés quotidiennes, peu d'améliorations signalées dans le cadre de vie
Diagnostics infirmiers (d'après l'évaluation des modes fonctionnels de santé)	Activités de loisirs insuffisantes Alimentation excessive : apport nutritionnel supérieur aux besoins métaboliques Tension due au rôle de proche aidant (mère âgée)
Diagnostics médicaux (s'il y a lieu)	Hypertension artérielle, stade 1
Éléments à surveiller en raison de l'âge	Pression artérielle, cholestérolémie, sang occulte dans les selles, lésions cutanées malignes, dépression
Résultats escomptés sur le plan des comportements et sur celui de la santé	Pratique régulière d'une activité physique (3 fois par semaine), abaissement de la pression artérielle, réduction de poids à 75 kg

Objectifs de santé personnels (1 = priorité absolue)	Comportements retenus pour atteindre les objectifs fixés	Stade de changement	Stratégies ou interventions utilisées pour effectuer le changement
1. Atteindre le poids désiré.	Entreprendre un programme de marche de façon progressive. Réduire l'apport énergétique tout en conservant une alimentation équilibrée.	Planification Action (deux portions de fruits et trois portions de légumes par jour ; produits laitiers à faible teneur en graisses consommés depuis deux mois)	Contre-conditionnement Gestion du renforcement Signature d'un contrat Contrôle du stimulus Restructuration cognitive
2. Réduire les risques pour la santé liés à l'hypertension.	Remplacer les grignotines salées par des produits à faible teneur en sodium.	Contemplation	Conscientisation Aide à l'apprentissage
3. Apprendre à gérer efficacement le stress.	Participer à une activité de relaxation. À la maison, pratiquer la relaxation à l'aide de cassettes.	Contemplation	Conscientisation Autoréévaluation Thérapie de relaxation simple
4. Augmenter les activités de loisirs.	Jouer aux quilles dans une ligue locale.	Contemplation	Amélioration du réseau de soutien

Source : Pender, N. J., Murdaugh, C. L., et Parsons, M. A. (2002). *Health promotion in nursing practice* (4e éd.) (p. 151-152). Upper Saddle River, NJ : Prentice Hall. Traduit et reproduit avec l'autorisation de Pearson Education, Inc., Upper Saddle River, NJ.

réseau social, éducation à la santé, renforcement du changement de comportement et modelage.

Soutien et amélioration du réseau social

L'un des principaux rôles de l'infirmière est d'offrir du soutien à la personne. Un soutien constant, centré sur le changement de comportement visé et dénué de jugement, est une composante essentielle du processus de changement du mode de vie. L'infirmière peut offrir un tel soutien à une personne ou à un groupe. Elle peut contribuer aussi à l'amélioration du réseau social de la personne, par exemple en formant les membres de la famille ou les amis.

8

CONSULTATIONS INDIVIDUELLES. On peut planifier des consultations régulières, ce qui est particulièrement utile dans le cas d'une personne qui éprouve des difficultés à entreprendre les actions prévues ou qui rencontre des obstacles qui lui paraissent insurmontables. En consultation, l'infirmière et la personne discutent de la situation. Dans ce genre de relation, l'infirmière joue un rôle de facilitatrice en incitant la personne à prendre les décisions en promotion de la santé.

CONSULTATIONS TÉLÉPHONIQUES OU PAR INTERNET. On peut proposer à la personne des consultations régulières par téléphone ou par courriel, de manière à répondre à ses questions, à revoir les objectifs et les stratégies ainsi qu'à renforcer les progrès accomplis. La personne peut décider qu'une consultation téléphonique ou un courriel hebdomadaire lui convient ou préférer appeler quand elle en ressent le besoin. Au début de la consultation, l'infirmière pose la question suivante à la personne: «Réussissez-vous à appliquer le plan?» Si la réponse est négative, l'infirmière peut alors poser cette autre question: «Que voudriez-vous faire?» La personne peut décider de tenter de poursuivre le plan ou de le remplacer par un autre, plus réaliste. Le soutien téléphonique ou informatique est efficace dans le cas des personnes très occupées, qui ne trouvent pas le temps de se déplacer pour une rencontre.

GROUPES D'ENTRAIDE. Les séances de groupe donnent aux participants l'occasion de prendre connaissance des expériences des autres en matière de changement de comportement. Les rencontres renforcent l'engagement de la personne à l'égard de ses objectifs. On peut planifier des séances de groupe annuelles, mensuelles ou moins fréquentes.

AMÉLIORATION DU RÉSEAU SOCIAL. Les systèmes sociaux, comme la famille et le groupe d'amis, sont susceptibles de favoriser ou, au contraire, d'entraver les efforts déployés par la personne pour favoriser sa santé ou prévenir les affections. Le rôle de l'infirmière est d'aider la personne à évaluer, à modifier ou à mettre en place le réseau social nécessaire à la réalisation du changement souhaité. Pour fournir le soutien nécessaire à la personne, les membres de la famille doivent savoir communiquer efficacement, être conscients des besoins et des objectifs de chacun et avoir la volonté de s'entraider pour y parvenir. L'infirmière rencontre la personne, la famille et les proches en même temps et leur explique la situation afin d'obtenir la collaboration nécessaire.

Éducation à la santé

On peut proposer à des groupes, à des individus ou à des communautés des programmes d'éducation à la santé portant sur les sujets dont il vient d'être question. Il faut planifier soigneusement les programmes qui leur sont destinés. Bien que l'éducation à la santé ait été un domaine d'intervention amplement privilégié par les infirmières, il faut se demander si les objectifs visés par ces professionnelles sont vraiment atteints. Un obstacle à l'efficacité de l'enseignement tient au fait que ce dernier n'est pas adapté aux capacités des personnes de comprendre le message. Le concept de littératie rallie de plus en plus l'adhésion des personnes ayant à développer des programmes d'enseignement pour la population. Selon Rootman et Gordon-El-Bihbety (2008, p. 2), la littératie désigne «la capacité

de comprendre et d'utiliser la lecture, l'écriture, la parole et d'autres moyens de communication pour participer à la société, atteindre ses objectifs personnels et donner sa pleine mesure». Les auteurs ajoutent: «La **littératie en santé** désigne, quant à elle, la capacité de trouver, de comprendre, d'évaluer et de communiquer l'information de manière à promouvoir, à maintenir et à améliorer sa santé dans divers milieux au cours de la vie» (ibid., p. 2). Il est important de se rappeler que 95% des Québécois de plus de 65 ans, que 90 % des Québécois de 16 ans et plus sans diplôme d'études secondaires et que 73% des immigrants n'ont pas atteint le seuil minime de littératie nécessaire pour prendre soin adéquatement de leur santé. L'encadré 8-10 propose neuf astuces pour rendre plus accessibles et efficaces les communications sur la santé destinées à la population.

Renforcement du changement de comportement

Le fait qu'une personne réussisse ou non à modifier de façon durable ses comportements afin d'améliorer son état de santé ou de prévenir la maladie dépend de plusieurs facteurs étroitement liés. Afin d'aider la personne à changer ses comportements en matière de santé, l'infirmière doit comprendre les différents stades du processus et être au courant des interventions qui conviennent le mieux aux progrès de la personne tout au long du processus. La rubrique *Conseils pratiques – Renforcement du changement de comportement* propose une ligne de conduite pour aider la personne; la figure 8-8 ■ passe en revue les stratégies de renforcement à utiliser avec la personne pour chacun des stades du processus de changement. Comme le soulignent Saarmann, Daugherty et Riegel (2000, p. 285), l'objectif infirmier

---

ENCADRÉ 8-10

NEUF ASTUCES POUR AMÉLIORER LES COMMUNICATIONS SUR LA SANTÉ DESTINÉES À LA POPULATION

1. Allez à l'essentiel: déterminez clairement vos objectifs de communication et tenez-vous-y.
2. Mettez-vous dans la peau de la personne à qui vous vous adressez: déterminez le public cible et mettez-vous dans la peau de ces personnes. Adoptez leur logique de compréhension.
3. Choisissez des mots faciles à comprendre pour votre public cible: employez un vocabulaire facile à comprendre et concret pour les personnes visées. Il est important de se rappeler que le niveau de lecture est celui d'une personne ayant un niveau de scolarité allant de la 6e année à la deuxième année du secondaire.
4. Écrivez des phrases courtes et simples.
5. Utilisez un style dynamique pour accrocher votre lecteur.
6. Facilitez le travail de l'œil.
7. Utilisez les données statistiques avec modération.
8. Illustrez vos propos judicieusement.
9. Testez votre communication auprès de votre public cible.

Source: Bureau de soutien à la communication en santé publique. (2010). *Dossier spécial. Littératie en santé l'espace communication en santé publique.* Ottawa: Auteur. Document consulté le 10 août 2010 de http://www.espace-com.gc.ca/contenus/dossier/liste/Littératie-en-santé.

RENFORCEMENT DU CHANGEMENT DE COMPORTEMENT

Établissement d'une relation

- Garantissez à la personne la confidentialité et faites-lui sentir que la relation que vous nouez avec elle repose sur la coopération entre deux partenaires.

- Si la durée de l'entrevue le permet, demandez à la personne de décrire une journée «normale» de sa vie. Il est alors habituellement question du comportement problématique; même si ce n'est pas le cas, le simple fait d'écouter la personne contribue à resserrer la relation, et les renseignements personnels fournis peuvent s'avérer utiles pour comprendre la situation.

Établissement d'un échéancier

- Laissez la personne vous faire part de ses préoccupations. Si elle en exprime plusieurs (par exemple usage du tabac, exercice, régime alimentaire et stress), il est préférable de se concentrer sur un comportement à la fois. Demandez à la personne quel comportement elle envisage de changer en premier lieu.

Évaluation de l'importance, de la confiance en soi et de la motivation

- La motivation d'une personne à changer dépend souvent de sa perception de l'importance du changement et de la confiance qu'elle a dans sa réussite.

- On entend, par «importance», la valeur que la personne attache au changement. Les questions suivantes peuvent permettre d'obtenir des renseignements à ce sujet:
  - «Comment vous sentez-vous actuellement à l'idée de [exprimer le changement souhaité; par exemple cesser de fumer]?»
  - «À quel point est-ce important pour vous de [exprimer le changement souhaité]?»
  - «Sur une échelle de 1 (peu important) à 10 (très important), comment évaluez-vous le fait de [exprimer le changement souhaité]?»

- La confiance en soi renvoie, d'une part, aux habiletés requises pour adopter le nouveau comportement et, d'autre part, aux difficultés qui surgiront dans le processus de changement. La question

suivante peut être utile pour évaluer la confiance en soi de la personne: «Si vous décidiez sur-le-champ de modifier votre comportement, quelles seraient, selon vous, vos chances de réussite?»

Échange d'informations et diminution de la résistance

- Il s'agit de deux tâches qu'il faut effectuer à chaque stade de changement de comportement.

- Demandez à la personne si elle désire des informations et, s'il y a lieu, sur quel sujet.

- Efforcez-vous de fournir les informations sur un ton neutre et évitez de vous référer fréquemment à la personne. Le fait de parler des gens en général et de leur expérience est moins menaçant pour la personne, qui se tiendra ainsi moins sur la défensive.

- Vérifiez la compréhension de la personne en lui demandant de reformuler ce qu'elle a compris.

- Il faut prendre garde à certains pièges si on ne veut pas accroître la résistance de la personne. En voici trois, accompagnés de techniques pour les éviter:
  - Garder la maîtrise. Il vaut mieux inviter la personne à faire ses propres choix et lui laisser la maîtrise de la situation.
  - Mal évaluer l'importance de l'action, la confiance en soi et la motivation. Trop souvent, l'infirmière parle de l'action à entreprendre avant que la personne ne soit prête à s'y engager. Il est essentiel de réexaminer les sentiments de la personne par rapport à l'importance de l'action et à la confiance en soi, car ces aspects influent sur la motivation à réaliser un changement donné.
  - Établir un rapport de force. Au lieu d'attaquer ou de se défendre à l'aide d'arguments, il vaut mieux se détendre et recourir à la technique de la reformulation. Si on comprend bien ce que la personne ressent, habituellement la résistance diminue et il est alors possible de réorienter la discussion.

Source: Rollnick, S., Mason, P., et Butler, C. (1999). *Health behavior change: A guide for practitioners.* Édimbourg: Churchill Livingstone.

n'est pas tant le changement de comportement de la personne que son passage au stade suivant dans le processus de changement.

Modelage

Grâce à l'observation d'un individu qui sert de modèle, la personne acquiert des connaissances sur des comportements et des stratégies d'adaptation qu'elle pourra appliquer à des problèmes donnés: c'est ce qu'on appelle «modelage». Quand on utilise cette technique, il ne faut pas s'attendre à ce que la personne reprenne exactement les actions du modèle ou imite ses comportements à la perfection. L'infirmière et la personne devraient choisir ensemble les modèles auxquels cette dernière est susceptible de s'identifier; des différences liées à la culture, à l'ethnie ou à l'âge caractérisent en effet la façon de voir de chaque individu. Ces modèles devraient être des personnes pour lesquelles celle-ci éprouve du respect. L'infirmière peut servir elle-même de modèle de bien-être si sa conception de la vie et son mode de vie reflètent des comportements sains, qui méritent d'être imités.

Évaluation

L'évaluation est un processus continu, qui se déroule pendant la poursuite des objectifs à court terme et se prolonge après l'atteinte des objectifs à long terme. La formulation des objectifs fait partie de la planification. Il faut établir un échéancier et fixer une date pour l'atteinte des objectifs, c'est-à-dire les résultats escomptés en ce qui concerne les comportements favorables à la promotion de la santé ou à la prévention de la maladie. Au cours de l'évaluation, la personne peut décider de s'en tenir au plan de départ, mais elle peut aussi modifier l'ordre des priorités et des stratégies ou réviser entièrement son contrat de protection et de promotion de la santé. L'évaluation du plan est un travail de collaboration entre l'infirmière et la personne.

8

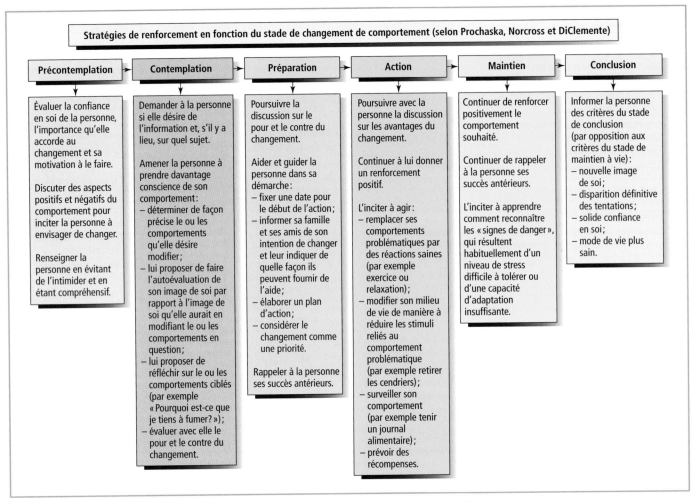

FIGURE 8-8 ■ Stratégies de renforcement en fonction du stade de changement de comportement.

RECHERCHE EN SCIENCES INFIRMIÈRES

L'ÉTUDIANTE INFIRMIÈRE A-T-ELLE UN MODE DE VIE QUI LA PRÉPARE À DEVENIR PORTE-PAROLE DE LA PROMOTION DE LA SANTÉ ET DE LA PRÉVENTION DE LA MALADIE ?

Aux États-Unis, un groupe de recherche s'est intéressé au problème suivant : « L'apprentissage de théories particulières au cours des études en sciences infirmières et le contact avec des personnes en établissement de santé ont-ils une influence positive sur l'adoption de comportements en matière de santé par les étudiantes en sciences infirmières, comparativement aux étudiants d'autres disciplines ? »

L'analyse documentaire de la recherche menée auparavant sur le sujet n'a pas été concluante. Selon certaines études, les étudiantes en sciences infirmières sont soumises à un plus grand niveau de stress et présentent un taux plus élevé d'épuisement professionnel que les étudiants des autres facultés, alors que d'autres études n'arrivent pas aux mêmes résultats. Le groupe de recherche a réalisé une étude longitudinale afin de déterminer si les étudiantes en sciences infirmières amélioraient leurs comportements en matière de santé plus que les étudiants d'autres disciplines au cours de leurs études. On a mesuré ces comportements à l'aide du Health Habits Inventory (HHI) et on a recueilli les données au début de la deuxième et de la dernière année.

L'étude a montré que plusieurs étudiantes et étudiants en sciences infirmières amélioraient certains comportements en matière de santé durant ces deux années (par exemple, un plus grand nombre d'étu-diantes effectuaient l'autoexamen des seins une fois par mois et un plus grand nombre d'étudiants, l'autoexamen des testicules). Par ailleurs, certains comportements en matière de santé s'étaient dété-riorés : ils concernaient l'usage du tabac, les relations sexuelles non protégées et le suivi du taux de cholestérol. Même si les étudiantes en sciences infirmières présentaient dès le départ de meilleurs comportements en matière de santé que les étudiants d'autres disci-plines, elles ont quand même amélioré leurs comportements plus que ne l'ont fait ces étudiants.

Implications : Les résultats confirment que les étudiants en sciences infirmières apprennent l'importance d'un mode de vie sain dans les cours théoriques et au cours de leur expérience clinique. Le groupe de recherche attire l'attention sur le fait que les facultés de sciences infirmières devraient inciter les étudiantes à se fixer des priorités en matière de santé et à s'engager à adopter des comportements sains. Il souligne également le fait que des comportements sains réduisent le risque d'épuisement professionnel chez les infirmières en poste.

Source : Shriver, C. B., et Scott-Stile, A. (2000). Health habits of nursing versus non-nursing students : A longitudinal study. *Journal of Nursing Education, 39*(7), 308-314.

Révision du chapitre

MOTS CLÉS

Action communautaire pour la santé, **175**

Action politique, **175**

Charte d'Ottawa pour la promotion de la santé, **166**

Communication sur la santé, **175**

Déterminants de la santé, **168**

Développement organisationnel, **175**

Éducation pour la santé, **175**

Évaluation des risques pour la santé, **185**

Facteur de protection, **168**

Facteur de risque, **168**

Littératie en santé, **192**

Loi sur la santé publique, **171**

Marketing social, **175**

Modèle des événements de vie, **188**

Modèle des stades de changement de comportement (modèle transthéorique de changement de comportement, MTT), **181**

Organisation communautaire et développement organisationnel, **175**

Prévention de la maladie (protection de la santé), **175**

Programme national de santé publique, **171**

Promotion de la santé, **163**

Rechute, **181**

Stade d'action, **181**

Stade de conclusion, **181**

Stade de contemplation, **181**

Stade de maintien, **181**

Stade de précontemplation, **181**

Stade de préparation, **181**

CONCEPTS CLÉS

- Jusque dans les années 1990, le gouvernement canadien a été très engagé dans la mise en œuvre d'une vision moderne en promotion de la santé et en prévention de la maladie auprès de la population. D'ailleurs, il a largement contribué à l'élaboration de différents documents, notamment la *Charte d'Ottawa pour la promotion de la santé*.

- En promotion de la santé et en prévention de la maladie, le Québec a pris des orientations différentes de celles du reste du Canada.

- En décembre 2001, le gouvernement du Québec a adopté la *Loi sur la santé publique*. Cette loi encadre l'ensemble des actions en santé publique: la surveillance de l'état de santé de la population, la promotion de la santé, la prévention de la maladie et la protection de la santé.

- En 2003, grâce à son *Programme national de santé publique: 2003-2012*, le gouvernement québécois a déterminé les activités à mettre en place au cours de la prochaine décennie afin d'agir sur les déterminants de la santé dans les dimensions physique et psychosociale. La structure du *Programme national de santé publique* comprend des fonctions, des domaines d'intervention et des stratégies.

- Les déterminants de la santé peuvent être d'ordre personnel, social, économique ou environnemental (liés au milieu de vie); ils peuvent agir comme facteurs de risque ou, à l'opposé, comme facteurs de protection. On reconnaît habituellement les déterminants suivants: niveau de revenu; statut social; réseaux de soutien social; éducation et alphabétisme; emploi; conditions de travail; environnements physiques; environnements sociaux; habitudes de santé et capacités d'adaptation personnelles; développement sain durant l'enfance; patrimoine biologique et génétique; services de santé et services sociaux; sexe social; culture.

- La promotion de la santé est un concept difficile à définir, mais ce travail est essentiel afin de reconnaître le champ d'action des infirmières dans ce domaine.

- Une définition de la promotion de la santé devrait comprendre les éléments suivants: la participation citoyenne, l'autonomisation, l'équité et la justice sociale.

- Le concept de promotion de la santé se distingue d'autres concepts comme l'éducation à la santé, la santé de la population, la santé publique et la prévention de la maladie.

- Les interventions clés en promotion de la santé sont l'action communautaire pour la santé, l'éducation pour la santé, l'action politique, le marketing social, l'organisation communautaire et le développement organisationnel, la communication pour la santé.

- On a élaboré divers modèles dans une tentative d'expliquer les comportements liés à la santé.

- Pender *et al.* (2006) définissent la promotion de la santé comme l'ensemble des comportements visant à améliorer le bien-être de la personne et à réaliser pleinement son potentiel de santé. La prévention de la maladie (ou protection de la santé) renvoie aux comportements que la personne utilise pour éviter activement la maladie, pour déceler rapidement celle-ci et pour continuer de fonctionner à l'intérieur des limites imposées par la maladie.

- Le modèle de promotion de la santé de Pender *et al.* (2006, p. 61) met l'accent sur les compétences (ou sur les approches); il reflète la nature multidimensionnelle de la personne en interaction avec ses semblables et son environnement dans sa recherche de la santé. Les principales variables influant sur la motivation et sur lesquelles il est possible d'agir au moyen d'interventions infirmières sont les suivantes: perception des bénéfices escomptés de l'action, perception des obstacles à l'action, perception de l'efficacité personnelle, affects associés à l'action, influence de l'entourage et facteurs conjoncturels.

- Prochaska *et al.* (1994) ont proposé le modèle des stades de changement de comportement (ou modèle transthéorique de changement de comportement). Ce modèle comprend 15 construits théoriques, dont la variable centrale à 6 niveaux, soit les stades de changement: précontemplation, contemplation, préparation, action, maintien et conclusion. Il faut retenir que le cheminement d'une personne d'un stade à l'autre ne s'effectue pas de façon linéaire, mais en spirale. Quand la personne ne réussit pas à modifier le comportement ciblé, il se produit une rechute. À n'importe quel stade du processus, la personne peut régresser à l'un ou à l'autre des stades antérieurs. La compréhension des différents stades permet à l'infirmière d'effectuer des interventions appropriées.

- Le rôle de l'infirmière en promotion de la santé consiste, notamment, à faciliter l'évaluation de l'état de santé et la compréhension de la santé. L'importance grandissante accordée à la promotion de la santé fournit à l'infirmière l'occasion d'y accroître l'influence de sa profession, de diffuser des informations qui soient véritablement utiles à la population et d'aider des personnes et des communautés à modifier des comportements en matière de santé depuis longtemps acquis.

- L'infirmière doit toujours se référer aux principes de la littératie lorsqu'elle prépare des programmes d'enseignement à la population.

- L'évaluation exhaustive de l'état de santé de la personne est fondamentale en promotion de la santé. Les outils d'évaluation du mode de vie fournissent à la personne l'occasion d'évaluer les conséquences de son comportement sur son état de santé et de prendre des décisions relativement aux changements souhaitables dans son mode de vie. L'évaluation des risques pour la santé fournit des données susceptibles d'amener la personne à adopter des comportements plus sains. L'examen de la santé spirituelle, du réseau de soutien social, des croyances relatives à la santé et de l'exposition au stress sont également des éléments importants, car ils influent sur la santé.

■ L'organisation des données tirées de l'évaluation d'une personne et de sa famille permet à l'infirmière de poser des diagnostics infirmiers qui sont centrés sur le bien-être, qui mettent en valeur les forces de la famille, qui font état des capacités en matière d'autosoins et qui mettent l'accent sur les objectifs de promotion de la santé de manière à aider tous les membres de la famille dans leur recherche d'un degré optimal de fonctionnement.

■ L'élaboration d'un plan de promotion de la santé doit se faire en fonction des besoins, des désirs et des priorités des personnes.

■ Au cours du processus de planification, l'infirmière joue plus le rôle d'une personne-ressource que celui d'une conseillère ou d'une consultante : elle fournit les informations que la personne lui demande ; elle lui précise qu'il est important de procéder par étapes pour changer un comportement ; elle s'assure que les objectifs et le plan sont réalistes, mesurables et adaptés à la personne.

Références

Agence de la santé publique du Canada (ASPC). (2003). *Pourquoi les Canadiens sont-ils en santé ou pas ?* Ottawa : Auteur. Document consulté le 24 septembre 2010 de http://www.phac-aspc.gc.ca/ph-sp/determinants/fra-php.

Ajzen, I. (1988). *Attitudes, personality, and behavior*. Chicago, Ill : Dorsey Press.

Aubé-Maurice, J., Rochette, L., et Blais, C. (2010). *Relation entre la défavorisation et l'incidence de l'hypertension artérielle chez les individus de 20 ans et plus au Québec en 2006-2007*. Québec : Institut national de santé publique du Québec. Document consulté le 18 septembre 2010 de http://www.inspq.qc.ca/pdf/publications/1060_Hypertension20AnsEtPlus2006-2007.pdf.

Badgley, R. (1994). Health promotion and social change in the health of Canadians. Dans A. Pederson, M. O'Neill et I. Rootman (dir.), *Health promotion in Canada* (p. 20-39). Toronto : W. B. Saunders.

Bandura, A. (1990). Perceived self-efficacy in the exercise of control over aids infection. *Evaluation and Program Planning, 13*, 9-17.

Becker, M. H. (1974). *The health belief model and personal health behavior*. Thorofare : Charles B. Slack.

Bhatti, T., et Hamilton, N. (2002, mars). Promotion de la santé : De quoi s'agit-il ? *Bulletin de recherche sur les politiques de santé, 1*(3). Document consulté le 27 août 2010 de http://www.hc-sc.gc.ca/sr-sr/alt_formats/hpb-dgps/pdf/pubs/hpr-rps/bull/2002-3-promotion/2002-3-promotion-fra.pdf.

Bisaillon, A., Beaudet, N., Sauvé, M. S., Boisvert, N., Richard, L., et Gendron, S. (2010). L'approche populationnelle au quotidien. *Perspective infirmière, 7*(1), 58-62.

Bobroff, L. B. (1999). *Healthstyle : A self-test*. University of Florida, Cooperative Extension Service Institute of Food and Agricultural Sciences. Document consulté le 2 octobre 2010 de http://edis.ifas.ufl.edu/pdffiles/HE/HE77800.pdf.

Bureau de soutien à la communication en santé publique. (2010). *Dossier spécial. Littératie en santé l'espace communication en santé publique*. Québec : Auteur. Document consulté le 10 août 2010 de http://www.espacecom.qc.ca/contenus/dossier/liste/Littératie-en-santé.

Carpenito-Moyet, L. J. (2009). *Manuel de diagnostics infirmiers*, Traduction de la 12ᵉ édition. Saint-Laurent : Éditions du Renouveau Pédagogique.

Colin, C. (2004). La santé publique au Québec à l'aube du XXIᵉ siècle. *Santé publique, 42*, 185-195. Document consulté le 20 septembre 2010 de http://www.cairn.info/article.php ?ID_REVUE=SPUBID_NUMPUBLIE+SPUB_042&ID_Article=SPUB_042_0185.

Comité consultatif fédéral-provincial-territorial sur la santé de la population (CCSP). (1994). *Stratégies d'amélioration de la santé de la population : investir dans la santé des Canadiens*, document préparé pour la Conférence des ministres de la Santé tenue à Halifax les 14 et 15 septembre 1994. Ottawa : Publications Santé Canada. Document consulté le 25 septembre 2010 de http://www.phac-aspc.gc.ca/ph-sp/strateg-fra.pdf.

Comité consultatif fédéral-provincial-territorial sur la santé de la population (CCSP). (1996). *Premier rapport sur la santé des Canadiens et Canadiennes*. Ottawa : Santé Canada. Document consulté le 25 septembre 2010 de http://www.statcan.gc.ca/pub/82-570-x182-570x1997001-fra.pdf.

Comité de la promotion de la santé de l'ASPQ. (1993). *Document de consensus sur les principes, stratégies et méthodes en promotion de la santé, document d'appui à la Déclaration québécoise sur la promotion de la santé et du bien-être*. Montréal : Association pour la santé publique du Québec.

Commission sur l'avenir des soins de santé au Canada (commission Romanow). (2002). *Guidé par nos valeurs : L'avenir des soins de santé au Canada – Rapport final*. Ottawa : Gouvernement du Canada. Document consulté le 2 octobre 2010 de http://www.hc-sc.gc.ca/ hcs-sss/hhr-rhs/strateg/romanow-fra.php.

Conseil des affaires sociales et de la famille (CASF). (1984). *Objectif : santé. Rapport du Comité d'étude sur la promotion de la santé*. Québec : Gouvernement du Québec.

Côté, F. (2001). *La promotion en milieu scolaire du maintien de l'abstinence tabagique au sein d'une cohorte d'enfants de 10-12 ans*, Tome 1, thèse de doctorat. Montréal : Faculté de médecine, Département de médecine sociale et préventive.

Côté, F., et Godin, G. (2003). *La théorie cognitive de Bandura et le modèle transthéorique de Prochaska*. Document inédit destiné aux professeures en sciences infirmières du Consortium Centre-du-Québec. Québec : Faculté des sciences infirmières, Université Laval.

Direction générale de la santé de la population et de la santé publique. (2001). *Le modèle de promotion de la santé de la population : Éléments clés et*
mesures qui caractérisent une approche axée sur la santé de la population*. Ottawa : Santé Canada. Document consulté le 25 septembre 2010 de http://www.phac-aspc.gc.ca/ph-sp/php-psp/index-fra.php.

Edelman, C. L., et Mandle, C. L. (2002). *Health promotion throughout the lifespan* (5ᵉ éd.). St. Louis, MO : Mosby.

Edwards, P. (2008). *Glossaire des termes pertinents relatifs aux compétences essentielles en santé publique*. Ottawa : Agence de la santé publique du Canada. Document consulté le 22 août 2010 de http://www.phac-aspc.gc.ca/ccph-cesp/glosi- p-fra.php.

Epp, J. (1986). *La Santé pour tous : plan d'ensemble pour la promotion de la santé*. Ottawa : Santé et Bien-être social. Document consulté le 25 septembre 2010 de http://www.hc-sc.gc.ca/hcs-sss/pubs/system-regime/1986-frame-plan-promotion/index-fra.php.

Evans, R. G., et Stoddart, G. L. (1996). Produire de la santé, consommer des soins. Dans R. G. Evans, M. L. Barer et T. R. Marmor (dir.), *Être ou ne pas être en bonne santé : Biologie et déterminants sociaux de la maladie* (p. 37-73), Traduit par Michèle Giresse. Montréal : Les Presses de l'Université de Montréal.

Evans, R. G., et Stoddart, G. L. (2003). Consuming research, producing policy ? *American Journal of Public Health, 93*, 371-379. Document consulté le 18 septembre 2010 de http://ajph.aphapublications.org/cgi/reprint/93/3/371.

Fishbein, M., et Ajzen, I. (1975). *Belief, attitude, intention and behavior : An introduction to theory and research*. Don Mills, Ont. : Addison-Wesley.

Fisher, P., Hollander, M. J., MacKenzie, T., Kleinstiver, P., Sladecek, I., et Peterson, G. (1998). Les soins de santé : les outils d'aide à la décision. Dans *Forum national sur la santé. La santé au Canada : un héritage à faire fructifier, Volume 5 – La prise de décisions, données probantes et information* (p. 99-201). Québec : Éditions MultiMondes.

Godin, G. (1988). Les fondements psychosociaux dans l'étude des comportements reliés à la santé. Dans H. Anctil *et al.* (dir.), *La promotion de la santé : concepts et stratégies d'action* (p. 5-25). Québec : Ministère de la Santé et des Services sociaux.

Gouvernement du Québec. (2001). *Loi sur la santé publique*, L.R.Q., c. S-2.2. Québec : Auteur. Document consulté le 20 septembre 2010 de http://www2.publicationsduquebec.gouv.qc.ca/dynamicSearch/telecharge.php ?type=2&file=/S_2_2/S2_2.html.

8

Green, L. W., et Kreuter, M. W. (2005). *Health program planning : An educational and ecological approach* (4e éd.). Boston, Toronto : McGraw-Hill Higher Education.

Groupe de travail fédéral, provincial et territorial sur la santé publique. (2005). *Partenaires en santé publique*. Ottawa : Auteur. Document consulté le 29 août 2010 de http://www.phac-aspc.gc.ca/publicat/healthparteners/pdf/partenerinhealth-mainreport-f.pdf.

Hamilton et Bhatti (2001). *Promotion de la santé de la population : Modèle d'intégration de la santé de la population et de la promotion de la santé*. Ottawa : Agence de la santé publique du Canada. Document consulté le 18 septembre 2010 de http://www.phac-aspc.gc.ca/ph-sp/php-psp/psp3-fra.php#modele.

Hawkley, L. C., Masi, C. M., Berry, J. D., *et al.* (2006). Loneliness is a unique predictor of age-related differences in systolic blood pressure. *Psychological Aging, 21*, 152-164.

Holmes, T. H., et Rahe, R. H. (1967) The social readjustment rating scale. *Journal of Psychosomatic Research, 11*(8), 213-218.

Institut canadien d'information sur la santé (ICIS). (2004). *Améliorer la santé des Canadiens*. Ottawa : Gouvernement du Canada. Document consulté le 18 septembre 2010 de http://secure.cihi.ca/cihiweb/products/IHC2004/rev-f.pdf.

Institut national de santé publique du Québec (INSPQ). (2002). *La santé des communautés : perspectives pour la contribution de la santé publique au développement social et au développement des communautés*. Québec : Auteur. Document consulté le 2 octobre 2010 de http://www.inspq.qc.ca/pdf/publications/103_SanteCommunautes-PointsVue.pdf.

Justice Canada. (1985). *Loi canadienne sur la santé*, L. R., 1985, c. C-6. Ottawa : Auteur. Document consulté le 24 septembre 2010 de http://lois.justice.gc.ca/fr/C-6/index.html.

Lalonde, M. (1974). *Nouvelle perspective de la santé des Canadiens*, livre blanc. Ottawa : Santé et Bien-être social Canada.

Levenstein, S., Smith, M. W., et Kaplan, G. A. (2001). Psychosocial predictors of hypertension in men and women. *Arch Intern Med, 161*, 1341-1346. Document consulté le 18 septembre 2010 de http://www.aventinomedicalgroup.com/documents/LevensteinACSHBP.pdf.

Mikkonen, J., et Raphael, D. (2010). *Social determinants of health. The Canadian facts*. Toronto : York University School of Health Policy and Management. Document consulté le 25 septembre 2010 de http://www.thecanadianfacts.org/.

Ministère de la Santé et des Services sociaux (MSSS). (1988). *Rapport du groupe de travail sur l'analyse de l'action des DSC*. Québec : Gouvernement du Québec.

Ministère de la Santé et des Services sociaux (MSSS). (1992a). *La politique de la santé et du bien-être*. Québec : Gouvernement du Québec.

Ministère de la Santé et des Services sociaux (MSSS). (1992b). *Cadre de référence pour l'élaboration du programme en santé publique et pour l'organisation du réseau de la santé publique*. Québec : Gouvernement du Québec.

Ministère de la Santé et des Services sociaux (MSSS). (1997). *Des priorités nationales de Santé publique : 1997-2002*. Québec : Gouvernement du Québec.

Document consulté le 2 octobre 2010 de http://www.publications.msss.gouv.ca/acrobat/f/documentation/1996/96_203.pdf.

Ministère de la Santé et des Services sociaux (MSSS). (2002a). *Programme national de santé publique : 2003-2012*. Québec : Gouvernement du Québec, Direction générale de la santé publique. Document consulté le 26 septembre 2010 de http://publications.msss.gouv.qc.ca/acrobat/f/documentation/2002/02-216-01.pdf.

Ministère de la Santé et des Services sociaux (MSSS). (2002b). *Au féminin... à l'écoute de nos besoins. Objectifs ministériels et stratégie d'action en santé et bien-être des femmes*. Québec : Gouvernement du Québec. Document consulté le 2 octobre 2010 de http://publications.msss.gouv.ca/acrobat/f/documentation/2002/02-403-01.pdf.

Ministère de la Santé et des Services sociaux (MSSS). (2008). *Programme national de santé publique : 2003-2012*. Mise à jour. Québec : Direction générale de la santé publique. Document consulté le 27 septembre 2010 de http://publications.msss.gouv.ca/acrobat/f/documentation/2008/08-216-01.pdf.

Ministère de la Santé et des Services sociaux (MSSS). (2010a). *État de la santé de la population québécoise. Quelques repères*. Québec : Gouvernement du Québec. Document consulté le 12 septembre 2010 de http://publications.msss.gouv. qc.ca/acrobat/f/documentation/2010/10-228-01. pdf.

Ministère de la Santé et des Services sociaux (MSSS). (2010b). *Cadre conceptuel de la santé et de ses déterminants. Résultat d'une réflexion commune, version mars 2010*. Québec : Direction des communications du MSSS. Document consulté le 12 septembre 2010 de http://publications.msss.gouv. qc.ca/acrobat/f/documentation/2010/10-202-02. pdf.

Ministres canadiens de la Santé, de la Promotion de la santé et du Mode de vie sain. (2010). *Pour un Canada plus sain : faire de la prévention une priorité*. Ottawa : ASPC. Document consulté le 25 septembre 2010 de http://www.phac-aspc.gc.ca/hp-ps/hl-MVS/declaration/pdf/dpp-fra.pdf.

NANDA International. (2010). *Diagnostics infirmiers : Définitions et classification 2009-2011*. Issy-les-Moulineaux : Elsevier Masson.

Nutbeam, D. (1999). *Glossaire de la promotion de la santé*, Traduit de l'anglais par R. Meertens. Genève : Organisation mondiale de la santé. Document consulté le 29 août 2010 de http://www.who.int/hpr/NPH/docs/ho_glossary_fr.pdf.

O'Neill, M. (1999). Promotion de la santé : Enjeux pour l'an 2000. *Revue canadienne de recherche en sciences infirmières ; Canadian Journal of Nursing Research, 30*(4), 249-256.

O'Neill, M., et Cardinal, L. (1998). Les ambiguïtés québécoises dans le domaine de la promotion de la santé. *Recherches sociographiques, 39*(1), 9-37.

O'Neill, M., Pederson, A., Dupéré, S., et Rootman, I. (2006). La promotion de la santé au Canada et à l'étranger : bilan et perspectives. Dans M. O'Neill, S. Dupéré, A. Pederson et I. Rootman (dir.), *Promotion de la santé au Canada et au Québec perspectives critiques* (p. 3-21). Québec : Presses de l'Université Laval.

O'Neill, M., et Stirling, A. (2006). Travailler à promouvoir la santé ou travailler en promotion de la santé ? Dans M. O'Neill, S. Dupéré, A. Pederson et I. Rootman (dir.), *Promotion de la santé au Canada et au Québec perspectives critiques* (p. 42-61). Québec : Presses de l'Université Laval.

Ordre des infirmières et infirmiers du Québec (OIIQ). (2010). *Perspectives de l'exercice de la profession d'infirmière*. Montréal : Auteur. Document consulté le 21 décembre 2010 de http://www.oiiq.org/uploads/publications/autres_publications/263NS_Perspectives_2010_Fr.pdf.

Organisation mondiale de la santé (OMS). (1978). *Déclaration d'Alma-Ata*. Document consulté le 18 septembre 2010 de http://www.euro.who.int/topics/primary-health-care/alma-ata-declaration/fr/index.html.

Organisation mondiale de la santé (OMS). (1988). *Deuxième conférence internationale sur la promotion de la santé*, Adélaïde, Australie du Sud. Genève : Auteur. Document consulté le 24 septembre 2010 de http://www.healthpromotionagency.org.uk/Healthpromotion/Health/section6e.htm.

Organisation mondiale de la santé (OMS). (1997). *Déclaration de Jakarta sur la promotion de la santé au XXIe siècle*. Genève : Auteur. Document consulté le 18 septembre 2010 de http://www.who.int/hpr/NPH/docs/jakarta_declaration_fr.pdf.

Organisation mondiale de la santé (OMS), Santé et Bien-être social Canada (SBSC) et Association canadienne de santé publique (ACSP). (1986). *La charte d'Ottawa pour la promotion de la santé. Une conférence internationale pour la promotion de la santé. Vers une nouvelle santé publique*. Document consulté le 2 octobre 2010 de http://www.phac-aspc.gc.ca/ph-sp/docs/charter-chartre/pdf/chartre.pdf.

Pampalon, R., Hamel, D., et Gamache, P. (2008). *Les inégalités sociales de santé augmentent-elles au Québec ?* Québec : INSPQ. Document consulté le 12 septembre 2010 de http://www.inspq.qc.ca/pdf/publications/778-BulletinMortalitéEvolution.pdf.

Pender, N. J., Murdaugh, C. L., et Parsons, M. A. (2002). *Health promotion in nursing practice* (4e éd.). Upper Saddle River, NJ : Prentice Hall.

Pender, N. J., Murdaugh, C. L., et Parsons, M. A. (2006). *Health promotion in nursing practice* (5e éd.). Upper Saddle River, NJ : Prentice Hall.

Pierret, J. (2003). Enjeux de la santé dans les sociétés du XXIe siècle. Dans J. J. Lévy, D. Maisonneuve, H. Bilodeau et C. Garnier (dir.), *Enjeux psychosociaux de la santé* (p. 1-14), coll. Santé et société. Sainte-Foy : Presses de l'Université du Québec.

Pinder, L. (2006). Le rôle du gouvernement fédéral en promotion de la santé : une éclipse partielle. Dans M. O'Neill, S. Dupéré, A. Pederson et I. Rootman (dir.), *Promotion de la santé au Canada et au Québec perspectives critiques* (p. 119-137). Québec : Presses de l'Université Laval.

Prochaska, J. O., Norcross, J. C., et DiClemente, C. C. (1994). *Changing for good : A revolutionary six-stage program for overcoming bad habits and moving your life positively forward*. New York : Avon Books/Harper Collins.

Prochaska, J. O, Reddings, C. A., et Evers, K. E. (2002). The transtheoretical model and stages of change. Dans K. Glanz, B. K. Rimer et F. M. Lewis (dir.), *Health behaviours education : Theory, reseach, and practice* (3e éd.). San Francisco, CA : Jossey-Bass.

Rootman, I., et Gordon-El-Bihberty, D. (2008). *Vision d'une culture de la santé au Canada. Rapport du groupe d'experts sur la littératie en matière de santé*. Ottawa : Association canadienne de santé publique. Document consulté le 20 septembre 2010 de http://cpha.ca/uploads/portals/h-l/report_f.pdf.

8

Saarmann, L., Daugherty, J., et Riegel, B. (2000). Patient teaching to promote behavioral change. *Nursing Outlook, 48*(6), 281-287.

Santé Canada. (1999). *Pour un avenir en santé: deuxième rapport sur la santé des Canadiens et Canadiennes*. Ottawa: Comité consultatif fédéral-provincial-territorial sur la santé de la population (CCSP).

Santé Canada. (2003). *Leçons de la crise du SRAS: Renouvellement de la santé publique au Canada. Un rapport du Comité consultatif national sur le SRAS et la santé publique*. Ottawa: Auteur. Document consulté le 25 septembre 2010 de http://www.phac-aspc.gc.ca/publicat/sars-sras/naylor/index-fra.php.

Santé Canada. (2010). *Le développement durable et la santé*. Ottawa: Auteur. Document consulté le 30 août 2010 de http://www.hc-sc.gc.ca/ahc-asc/activit/sus-dur/health-sante-fra.php.

Santé et Bien-être social Canada (SBSC). (1988). *La santé mentale des Canadiens: vers un juste équilibre*. Ottawa: Approvisionnement et Services.

Statistique Canada. (2002). *Enquête sur la santé dans les collectivités canadiennes (ESCC): Santé mentale et bien-être*. Ottawa: Gouvernement du Canada. Document consulté le 25 septembre 2010 de http://www.statcan.gc.ca/concepts/health-sante/index-fra.htm.

St-Pierre, L., et Richard, L. (2006). Le sous-système de santé publique québécois et la promotion de la santé entre 1994 et 2006: progrès certains, ambiguïtés persistantes. Dans M. O'Neill, S. Dupéré, A. Pederson et I. Rootman (dir.), *Promotion de la santé au Canada et au Québec perspectives critiques* (p. 183-204). Québec: Presses de l'Université Laval.

Tomaka, J., Thompson, S., et Palacios, R. (2006). The relation of social isolation, loneliness, and social support to disease outcomes among the elderly. *Journal of Aging and Health, 18*, 359-384. Document consulté le 25 septembre 2010 de http://jah.sagepub.com/content/18/3/359.full.pdf+html.

Triandis, H. C. (1980). Values, attitudes, and interpersonal behavior. Dans *Nebraska symposium on motivation, 1979: Beliefs, attitudes, and values* (p. 195-259). Lincoln, Ne: University of Nebraska Press.

Van Gaalan, R. P., Wiebe, P. K., Langlois, K., et Costen, E. (2009). Réflexions sur le bien-être mental des collectivités des Premières Nations et des Inuits. Dans Institut canadien d'information sur la santé (ICIS) (dir.), *Des collectivités en bonne santé mentale: points de vue autochtones* (p. 9-17). Ottawa: ICIS. Document consulté le 25 septembre 2010 de http://secure.cihi.ca/cihiweb/products/mentally_healthy_communities_aboriginal_perspectives_f.pdf.

Wilkinson, J. M. (2001). *Nursing process and critical thinking* (3e éd.). Upper Saddle River, NJ: Prentice Hall.

Chapitre 9

Adaptation française :
Liette St-Pierre, inf., Ph.D.
Professeure, Département des sciences infirmières
Université du Québec à Trois-Rivières

OBJECTIFS D'APPRENTISSAGE

Après avoir étudié ce chapitre, vous pourrez :

- Définir le concept de soins à domicile.
- Comparer les caractéristiques des soins infirmiers à domicile et des soins infirmiers en établissement de santé.
- Décrire les divers services à domicile offerts par le centre de santé et de services sociaux (CSSS) ou par d'autres organismes, et le système de référence qui dirige les personnes vers ces services.
- Décrire le rôle de l'infirmière en soins à domicile.
- Indiquer les principaux aspects du travail infirmier à domicile.
- Analyser, dans le contexte des soins à domicile, les mesures de sécurité et de prévention des infections.
- Savoir reconnaître les signes de tension dans l'exercice du rôle de proche aidant et trouver des moyens de les réduire.
- Intégrer la démarche de soins infirmiers dans les soins à domicile.

Soins à domicile

Dans le passé, les **soins à domicile** étaient assurés par des infirmières en service privé ou par des membres de la famille. Cependant, depuis les 20 dernières années, les soins à domicile sont plus fréquents, plus complexes et couvrent un champ plus vaste. Un certain nombre de facteurs expliquent cette tendance, notamment l'augmentation des coûts des soins de santé, le vieillissement de la population, l'importance accrue accordée à la prise en charge et à la prévention des affections chroniques et du stress, et un souci généralisé pour la qualité de vie. Il n'y a pas si longtemps, les soins à domicile étaient un prolongement de ceux que la personne venait de recevoir dans un établissement de santé. Aujourd'hui, ils visent plutôt à éviter l'hospitalisation ou à diminuer les risques d'une réhospitalisation.

L'infirmière en soins à domicile doit faire preuve d'autonomie, travailler dans des milieux très diversifiés et faire face à un large éventail de situations ; c'est pourquoi les employeurs tendent de plus en plus à engager des infirmières qui détiennent au moins un baccalauréat.

Soins infirmiers à domicile

Dans les secteurs du système de santé, les soins infirmiers à domicile connaissent la plus forte croissance pour les raisons suivantes : (1) accroissement du nombre de personnes âgées qui requièrent des soins à domicile ; (2) réinsertion sociale des personnes handicapées ; (3) désinstitutionnalisation des personnes atteintes de problèmes de santé mentale ; (4) virage ambulatoire ; (5) expertise technique acquise par des organismes et certains établissements en matière de soins à domicile ; (6) préférence des personnes pour les soins reçus à domicile plutôt qu'en établissement.

Il faut aussi noter que les **soins infirmiers palliatifs** sont fréquemment prodigués à domicile à des personnes en phase terminale. Le chapitre 27  contient plus d'informations à ce sujet.

Définition des soins infirmiers à domicile

On désigne généralement le type de soins dont il est question ici par l'expression « **soins infirmiers à domicile** ». Il s'agit de fournir à la personne, dans son propre domicile, les services et les produits nécessaires au soutien, au rétablissement ou à la promotion de son bien-être physique, psychique et social. Les soins à domicile s'adressent d'abord à la personne et à sa famille, contrairement aux soins infirmiers communautaires, à la fois centrés sur les individus, les familles et les groupes d'un quartier donné. De plus, au Québec, en vertu d'un volet « santé publique », on distribue des services de santé à l'ensemble de la population, par exemple en épidémiologie : vaccination massive (H1N1), intervention en période de crise (SRAS), etc.

9

Particularités des soins infirmiers à domicile

En soins à domicile, les infirmières doivent faire preuve d'autonomie et faire face à toutes sortes de situations. Comme l'infirmière agit sur le territoire de quelqu'un d'autre, elle n'a pas les coudées aussi franches que dans un établissement de santé; même pour franchir la porte d'une maison, elle doit demander l'autorisation. Dans ce contexte, l'établissement d'une relation de confiance avec la personne soignée et sa famille est indispensable, d'autant plus que les soins sont souvent donnés en présence de membres de la famille, qui ont toute liberté d'exprimer leur opinion. Ces derniers peuvent également ignorer les directives ou les appliquer à leur façon, fixer leurs priorités et gérer eux-mêmes l'emploi du temps.

De l'avis des infirmières, cette pratique comporte beaucoup d'avantages. Il s'agit d'un milieu intime, et l'intimité favorise les relations interpersonnelles, le partage, sinon des liens de réel attachement entre la personne, la famille et l'infirmière. Les comportements sont également plus naturels et il est plus facile de connaître, par exemple, les croyances religieuses et les pratiques culturelles des personnes soignées de même que les interactions entre les générations.

En revanche, les infirmières constatent certains aspects négatifs des soins à domicile. Plus que tout autre professionnel de la santé, elles mesurent le fardeau qui incombe aux proches aidants. En raison des coûts exponentiels des soins de santé, les gestionnaires des politiques gouvernementales (Ministère de la Santé et des Services sociaux [MSSS], 2003) laissent en effet des responsabilités de plus en plus lourdes aux familles. La personne peut avoir besoin de soins pendant des mois, sinon des années, ce qui ne va pas sans menacer l'équilibre physique et psychologique des proches aidants, d'ailleurs souvent âgés. Enfin, les infirmières visitent à l'occasion des domiciles dont les conditions de vie et les ressources en matière de soutien sont inadéquates.

Système de soins à domicile

La demande de services de soins à domicile peut provenir de différentes sources : la personne elle-même, un proche aidant, un professionnel du réseau de la santé et des services sociaux (clinique médicale, centre hospitalier, centre de réadaptation, etc.) ou l'intervenant d'un organisme communautaire. La demande de services doit être adressée à l'accueil des services à domicile d'un centre de santé et de services sociaux (CSSS). Dès lors, un professionnel de la santé – une infirmière la plupart du temps – se rend chez la personne afin de procéder à une évaluation détaillée de ses besoins. Quand la demande est tenue pour justifiée, le CSSS devient responsable des soins à produire. Il est parfois nécessaire de procéder à une évaluation plus détaillée des besoins. Une équipe des services à domicile du CSSS peut alors prendre la demande en charge. Par la suite, un plan de soins ou un plan individualisé de services est rédigé, et la personne pourra finalement recevoir des services de la part de

différents intervenants (professionnels de la santé, experts en économie sociale, travailleurs communautaires, bénévoles, etc.). Naturellement, le CSSS assure le suivi et fait une évaluation constante des besoins.

Critères d'admissibilité aux services de soutien à domicile

Pour bénéficier de services de soutien, il faut remplir certaines conditions (MSSS, 2003), dont les suivantes :

- Le besoin a été évalué par un professionnel agréé.
- La personne concernée et, le cas échéant, ses proches aidants acceptent de participer au processus de décision et de recevoir les services requis.
- La personne est jugée incapable de quitter son domicile ou cliniquement inapte à bénéficier de services externes.
- Le service à domicile offre plus de garanties d'efficience que les soins en établissement ou en clinique ambulatoire.
- Le domicile est jugé adéquat et sans danger.

Au Québec, c'est la Régie de l'assurance maladie du Québec (RAMQ) qui défraie les coûts des démarches d'évaluation et des services à domicile. Toutefois, les personnes couvertes par un autre régime d'assurance public (le Régime public d'assurance automobile ou la Commission de la santé et de la sécurité du travail) pour des services équivalents ne sont pas admises par la RAMQ.

Organismes de soins à domicile

Les organismes de soins à domicile offrent des services professionnels spécialisés d'aide domestique et d'assistance personnelle. Comme une même personne réclame souvent un certain nombre de services professionnels, le travail de coordination qui relève habituellement de l'infirmière du CSSS prend ici toute son importance. L'ensemble des soins prodigués à domicile concernent généralement les infirmières, les infirmières auxiliaires, les auxiliaires familiales et sociales, les physiothérapeutes, les ergothérapeutes, les inhalothérapeutes, les travailleurs sociaux et les diététistes. Le plan thérapeutique en indique généralement la fréquence : de une à trois fois par jour, jusqu'à sept jours par semaine. La durée des visites se situe généralement entre 10 et 45 minutes.

En plus des CSSS, d'autres types d'organismes offrent conjointement des mesures de soutien à domicile, par exemple :

- Des organisations bénévoles et des organismes communautaires entièrement ou partiellement financés par des dons, des fonds de dotation, des organismes de financement à caractère philanthropique (comme Centraide), des communautés religieuses.
- Des entreprises d'économie sociale vouées à l'aide domestique.
- Des organismes privés, à but lucratif, gérés par des propriétaires ou des sociétés nationales. Certains d'entre eux sont en partie subventionnés par l'État; d'autres comptent exclusivement sur des sources de financement privées.
- Des organismes rattachés à un établissement et parrainés, par exemple, par un centre de soins de santé et tributaires

de la même source de financement ou d'autres sources. Les services sont peu coûteux et ne visent pas le profit de l'organisation.

Quelle que soit leur nature, tous les organismes de soins à domicile doivent satisfaire aux normes inhérentes à la délivrance d'un permis, à la certification et à l'agrément.

ORGANISMES PRIVÉS

Il existe un répertoire de l'ensemble des organismes non gouvernementaux qui assurent des services à domicile (infirmières, hygiénistes, etc.). Certains soins réclament du personnel qui doit être présent sur place de 4 à 24 heures par jour. Les organismes privés n'offrent pas que des soins à domicile; certains font office de banque de ressources professionnelles destinées aux centres de soins de santé, aux cliniques ou aux autres milieux de soins, ce qui ne veut pas dire que les intervenants concernés travaillent en coordination comme le font les personnes mandatées par un organisme uniquement voué aux soins à domicile. Les services de soins privés sont habituellement fort coûteux et ne sont que partiellement remboursés par les compagnies d'assurances.

Fournisseurs de matériel médical

Le matériel médical requis pour les soins à domicile (lit d'hôpital, chaise d'aisance, ventilateur, moniteur d'apnée, etc.) est généralement fourni par le CSSS, l'établissement de santé ou les pharmacies. Étant donné le coût élevé de tels articles, un dépôt de sécurité est demandé à la personne ou à sa famille, qui sera remboursé lorsque le matériel sera retourné. S'il doit servir de façon permanente, on demande à l'organisme compétent d'en couvrir partiellement ou globalement le coût sur la foi d'une attestation médicale.

Rôle de l'infirmière en soins à domicile

Les infirmières qui prodiguent des soins à domicile ont une bonne formation générale et leurs interventions visent la prévention, l'éducation, la rééducation et la réadaptation à long terme. Les infirmières en soins à domicile doivent posséder de solides compétences et être en mesure d'administrer des traitements par voie intraveineuse ou surveiller des personnes qui doivent recourir à des technologies complexes, comme un cathéter central, ce qui, évidemment, leur demande de travailler en collaboration avec des médecins et d'autres professionnels de la santé.

En somme, les rôles de l'infirmière en soins à domicile peuvent se résumer comme suit: porte-parole de la personne soignée, soignante, éducatrice et gestionnaire des épisodes de soins.

Porte-parole

La fonction de porte-parole prend effet dès la première visite. Une fois établis les soins requis, l'infirmière aide la personne à faire des choix lorsque plusieurs solutions sont envisageables. Cette fonction implique la participation à des discussions sur les droits de la personne, les directives médicales, le testament biologique et la procuration permanente en ce qui concerne les soins de santé. À titre de porte-parole, l'infirmière fait office de courroie de transmission entre la personne et les ressources communautaires; elle l'aide à prendre des décisions éclairées, à modifier son mode de vie quand cela est nécessaire et à bénéficier le plus efficacement possible d'un système de santé parfois très complexe. Ce rôle devient plus difficile quand l'entourage entretient des conceptions différentes, sinon opposées, à celles de la personne soignée: l'infirmière doit alors veiller rigoureusement aux droits et aux désirs de celle-ci.

Soignante

Concernant les soins, le principal rôle de l'infirmière prodiguant des soins à domicile consiste à porter un jugement clinique sur les problèmes de santé actuels et potentiels de la personne, à élaborer un plan de soins et de traitements pertinent dont, par ailleurs, les résultats seront constamment à réévaluer. Les soins personnels, comme le bain, le changement de la literie, l'alimentation et un entretien ménager minimal qui visent la sécurité de la personne et un minimum de qualité de vie, sont généralement assurés par la famille ou une auxiliaire familiale et sociale dont l'infirmière a requis les services. Toutefois, c'est l'infirmière qui intervient quand les soins personnels comportent des procédés particuliers ou des traitements (soigner une plaie, administrer un traitement par voie intraveineuse, etc.) et ce, conformément aux pratiques et aux lignes de conduite de l'organisme employeur (figure 9-1 ■). Par ailleurs, l'infirmière en soins à domicile consacre une partie de son temps à l'accompagnement des proches aidants.

Éducatrice

Le rôle d'éducatrice en soins à domicile porte principalement sur les soins de santé et vise le bien-être de la personne soignée en même temps que la prévention des problèmes de santé.

FIGURE 9-1 ■ L'infirmière en soins à domicile prodigue des soins personnels spécialisés, comme changer un pansement.

Dans ce contexte, le rôle éducatif se déploie continuellement et représente certainement le cœur de la pratique professionnelle de l'infirmière, qui se soucie de sauvegarder ou de promouvoir la plus grande autonomie possible chez la personne soignée. Toutes les infirmières en soins à domicile devraient maîtriser suffisamment les principes et les stratégies qui facilitent l'apprentissage. (Le chapitre 21 ⊕ traite de cet aspect.)

Gestionnaire des épisodes de soins

L'infirmière en soins à domicile coordonne les activités de tous les membres de l'équipe qui met en œuvre le plan de soins et de traitements de la personne soignée. La coordination se fait directement de personne à personne, par téléphone, ou encore à l'occasion d'une réunion d'équipe au cours de laquelle chaque participant (diététiste, inhalothérapeute, etc.) fait part de ses observations et discute de l'état de santé de la personne. L'infirmière est le principal intervenant qui doit communiquer au médecin tout changement dans l'état de santé de la personne soignée ou la nécessité de réviser le plan thérapeutique. Ses rapports de coordination des soins doivent répondre à certaines exigences légales et être intégrés dans le dossier médical de la personne.

Profil des bénéficiaires de soins à domicile

Les personnes qui bénéficient de soins à domicile forment une population extrêmement variée quant à l'âge, aux problèmes de santé, aux structures familiales et aux profils culturels. Sous l'angle des problèmes de santé, on trouvera par exemple une invalidité, des problèmes périnataux ou de santé mentale, des affections aiguës et des affections chroniques. Certaines personnes peuvent présenter un problème médicochirurgical comme on en trouve dans les établissements de soins de courte et de longue durée. Par ailleurs, le volet de la prévention et de la promotion de la santé revêt une grande importance dans la mission des CSSS.

Bien que la personne soignée soit la principale intéressée, la famille figure à titre de bénéficiaire secondaire dans la mesure où elle participe aux soins et influe sur le bien-être de la personne. D'ailleurs, l'infirmière en soins à domicile est à même d'observer toute une gamme de structures familiales, depuis la famille nucléaire jusqu'à la famille élargie et même jusqu'aux foyers où plusieurs familles cohabitent. Certains domiciles abritent, en plus des membres d'une famille, des amis, des proches et des animaux.

Diverses traditions culturelles ou religieuses jouent sur les pratiques en matière de soins de santé. L'infirmière en soins à domicile doit en tenir compte afin que la personne soignée se sente à la fois respectée dans ses appartenances culturelles ou religieuses et en droit de participer elle-même à la planification des soins. Le chapitre 12 ⊕ fournit des informations détaillées sur l'évaluation culturelle et ses répercussions sur les soins à prodiguer.

Quelques dimensions des soins infirmiers à domicile

Les paragraphes suivants traitent de l'évaluation des mesures de sécurité, de la prévention des infections et du soutien aux proches aidants.

Sécurité de la personne

À domicile, les chutes, les incendies, les empoisonnements et d'autres incidents, notamment ceux qu'entraîne un mauvais usage des ustensiles de cuisine ou des outils, sont fréquents. L'évaluation des risques et la suggestion de moyens pour les réduire sont par conséquent une composante essentielle de la fonction de l'infirmière. La rubrique *Évaluation pour les soins à domicile – Appréciation des risques pour les adultes* présente une méthode d'analyse de tels risques. Quant aux dangers et aux moyens de prévention les plus courants, ils sont analysés au chapitre 31 ⊕.

Évidemment, l'infirmière en soins à domicile n'a pas à modifier l'espace domiciliaire ni le mode de vie de la famille. Elle doit néanmoins exprimer ses inquiétudes et réagir de façon appropriée quand elle pense qu'il existe des risques ou un danger. Lorsqu'elle fournit des informations à cet égard, elle doit justifier ses suggestions, noter les réactions de la famille et vérifier constamment dans quelle mesure sont appliquées les mesures de sécurité indispensables.

D'autres aspects de la sécurité de la personne ont trait aux situations d'urgence. L'infirmière en soins à domicile peut aider la personne soignée et les proches aidants à prendre les mesures nécessaires, par exemple :

- Garder une liste de tous les numéros de téléphone des services d'urgence (ambulance, service d'incendie, police, médecin, CSSS) à proximité de chaque appareil téléphonique.
- Mettre bien en vue (par exemple en la fixant sur le réfrigérateur) la liste de tous les médicaments prescrits et de leurs principaux effets secondaires.
- Se procurer un pendentif ou un bracelet d'alerte médicale (figure 9-2 ■). On peut obtenir des informations auprès de la Fondation canadienne MedicAlert en composant le 1 800 668-6381 ou en consultant son site Internet : http://www.medicalert.ca.
- Informer la personne ou sa famille des techniques de communication usuelles des renseignements médicaux indispensables aux services d'urgence (ambulanciers, policiers). À cet égard, des programmes sont proposés dans les pharmacies, les cabinets de médecins et d'autres lieux de services communautaires. Il s'agit la plupart du temps d'une trousse contenant une fiole en plastique, un formulaire de renseignements médicaux, un décalque et un feuillet d'instructions. Une fois qu'on a rempli le formulaire, on le roule puis on l'insère dans la fiole, qu'on prend soin de placer dans le réfrigérateur sans oublier de fixer sur la porte de celui-ci le décalque indiquant que la fiole s'y trouve. Les techniciens ambulanciers et les policiers vérifient habituellement ce genre d'indications.
- Recommander à la personne de s'inscrire à un service d'intervention d'urgence : on lui fournira un petit dispositif d'appel

✅ ÉVALUATION POUR LES SOINS À DOMICILE

APPRÉCIATION DES RISQUES POUR LES ADULTES

Personne et environnement

- *Entrées, couloirs et escaliers (intérieurs et extérieurs).* S'il y a lieu, notez les trottoirs ou les allées aux surfaces inégales ; les marches brisées ou instables ; les escaliers sans rampe ou munis d'une seule rampe ou de rampes lâches ; les vestibules ou les couloirs encombrés ; les éclairages insuffisants pendant la nuit.

- *Planchers.* S'il y a lieu, notez les planchers dont la surface est inégale ou glissante ; les tapis ou les carpettes qui n'adhèrent pas suffisamment.

- *Ameublement.* S'il y a lieu, notez les arêtes vives du mobilier ; les fauteuils et les chaises aux dimensions ou à la forme inadéquates.

- *Salle de bain.* S'il y a lieu, notez l'absence de barres d'appui dans la baignoire et à proximité des toilettes, de garniture antidérapante dans la baignoire et la douche, d'une douche téléphone. Notez les éclairages insuffisants pendant la nuit ; vérifiez la nécessité d'un siège de toilettes réglable, ou d'une chaise de baignoire ou de douche. N'oubliez pas de vérifier l'accès aux étagères et de fixer une limite à la température de l'eau.

- *Cuisine.* S'il y a lieu, notez l'état de la lampe témoin de la cuisinière à gaz ; vérifiez l'accessibilité des espaces de rangement et les risques potentiels que représentent les meubles ou les appareils électriques.

- *Chambres à coucher.* Notez l'efficacité de l'éclairage et, en particulier, la présence de veilleuses et d'interrupteurs accessibles ;

vérifiez si la chaise d'aisance et l'urinal ou le bassin hygiénique sont faciles à atteindre ; notez s'il est nécessaire d'installer un lit orthopédique et des ridelles.

- *Électricité.* Notez si des cordons électriques traînent ou sont effilochés, si des prises de courant semblent surchargées ou trop près d'une source d'eau.

- *Protection contre l'incendie.* S'il y a lieu, notez l'absence de détecteurs de fumée, d'extincteurs en bon état, d'un plan d'évacuation ou la présence de substances combustibles (comme de l'essence) ou corrosives (comme les décapants) mal entreposées.

- *Substances toxiques.* S'il y a lieu, notez la présence de produits de nettoyage mal étiquetés.

- *Dispositifs de communication.* S'il y a lieu, notez l'absence d'appareils permettant de demander de l'aide, comme un téléphone à portée de la main dans les pièces les plus utilisées. Vérifiez si la liste des numéros d'urgence est facile d'accès. Notez si la personne possède un appareil d'appel informatisé ou bénéficie d'un programme de surveillance quotidien habituellement géré par la sécurité publique.

- *Médicaments.* Vérifiez la date de péremption des médicaments et si l'éclairage de l'endroit où ils sont gardés est adéquat. Notez si on utilise un dispositif adéquat pour mettre au rebut les objets pointus ou coupants comme les aiguilles et les seringues.

FIGURE 9-2 ■ Bracelets et pendentif MedicAlert. Reproduction autorisée par la Fondation canadienne MedicAlert. Tous droits réservés. MedicAlert® est une marque de commerce et de service enregistrée. MedicAlert® est un organisme de charité enregistré à l'échelle nationale.

qu'on peut relier à un bracelet ou à une chaîne. La personne reliée doit quotidiennement signaler que tout va bien. Si aucun signal n'a été émis ou si, au contraire, le dispositif portable s'est soudainement activé, un membre du personnel de ce service téléphonera à la personne et, s'il y a lieu, composera les numéros d'urgence suivant une liste préétablie. De

tels systèmes sont particulièrement recommandés aux personnes seules au cas où elles seraient incapables de téléphoner dans des circonstances dramatiques.

Sécurité de l'infirmière

Les visites dans certains quartiers comportent des dangers. L'infirmière devrait éviter de porter sur elle des objets de valeur ; elle devrait également disposer d'un moyen de signaler tout besoin d'aide. Les infirmières des CSSS qui répondent à des appels de nuit disposent habituellement d'un téléphone cellulaire. De plus, beaucoup d'infirmières se rendent au domicile de la personne en taxi et demandent au conducteur de les attendre. La protection et la sécurité de l'infirmière représentent une priorité absolue.

Prévention des infections

La prévention des infections vise à protéger la personne, les proches aidants et l'ensemble de la communauté contre la transmission des maladies contagieuses. Elle est d'autant plus indispensable dans le cas de personnes dont le système immunitaire est affaibli, qui sont atteintes d'une maladie infectieuse ou transmissible, qui présentent une plaie qui exsude ou encore qui sont soignées à l'aide d'une tubulure de drainage ou d'un autre dispositif exposé à la contamination. En matière de prévention des infections, l'enseignement reste prioritaire. Les proches aidants et, si possible, la personne soignée doivent apprendre à se laver efficacement les mains, à porter des gants, à manipuler correctement la literie, à se débarrasser adéquatement des déchets et à adopter les mesures de prévention standards. La prévention des infections peut se révéler plus difficile quand les installations du domicile ne permettent pas de satisfaire aux normes minimales d'asepsie ou lorsque les conditions d'hygiène sont douteuses.

La manipulation de l'équipement et du matériel médical de l'infirmière en soins à domicile a un rôle important à jouer dans la prévention des infections. Ce matériel médical comprend, entre autres, celui nécessaire à l'évaluation courante de l'état de la personne soignée : un stéthoscope, un tensiomètre, un thermomètre, un ruban gradué, ainsi que celui nécessaire à la prévention des infections : une blouse, des lunettes de protection, un masque, des gants, une trousse en cas d'hémorragie et du désinfectant antimicrobien. En tout temps, l'infirmière doit se conformer aux directives de l'employeur en matière d'asepsie du matériel.

Soutien des proches aidants

Les soins sont destinés à des individus de tous les âges ; ils peuvent être de courte ou de longue durée, selon les maladies physiques ou mentales de la personne soignée. Ainsi, les enfants atteints d'incapacités permanentes et les adultes dont la santé se détériore progressivement, comme les personnes souffrant de la maladie d'Alzheimer ou de la sclérose en plaques, requièrent des soins continuels. Par contre, les besoins postopératoires sont généralement limités dans le temps.

La majorité des proches aidants vivent en relation étroite avec la personne soignée ; il s'agit souvent du conjoint, de la mère ou du père, du fils ou de la fille, d'un ami ou d'un autre proche. La relation soignant-soigné, au-delà de l'empathie et de l'entraide qui caractérisent toute relation intime, ajoute une dimension de responsabilité à sens unique. Par conséquent, on peut s'attendre à quelques **tensions dans l'exercice du rôle de proche aidant**, surtout quand il s'agit de personnes âgées chez qui le stress physique, émotionnel, social et financier risque de fragiliser d'autant la santé et le bien-être.

L'infirmière en soins à domicile doit pouvoir reconnaître les signes de tension sous-jacents à l'exercice du rôle de proche aidant afin de recommander des façons simples et adéquates de la réduire et d'alléger ainsi le fardeau de cette personne. Voici quelques signes de tension :

- Les tâches habituelles que requiert la personne soignée semblent difficiles à accomplir.
- Le proche aidant a moins d'énergie et manque de temps pour prodiguer les soins.
- La responsabilité envers la personne soignée se révèle en conflit avec d'autres engagements qui impliquent les enfants, le conjoint, le travail, les amis.
- Le proche aidant doute de pouvoir continuer longtemps à jouer son rôle, fait qui génère de l'anxiété.
- Des manifestations de colère et de dépression se font jour.
- L'intérieur de la maison présente des changements radicaux.

Dès que l'infirmière perçoit de tels signes de tension, elle donne au proche aidant la chance d'exprimer ses sentiments, lui montre qu'elle le comprend tout en soulignant sa compétence. Elle essaie d'évaluer la situation objectivement en étudiant avec cette personne la teneur d'une journée normale et le temps qu'elle arrive à consacrer à des loisirs ou à ses amis au cours d'une semaine. Elle doit également tenter de déterminer si le proche aidant aurait besoin d'aide pour certaines tâches, comme les soins d'hygiène, les déplacements dans la maison et à l'extérieur (dont les rendez-vous chez le médecin ou le coiffeur), l'alimentation, l'entretien de la maison ou du terrain, la lessive, les emplettes, d'éventuelles réparations ou, tout simplement, pour lui permettre de récupérer.

Les tâches habituellement assumées par une auxiliaire, comme le changement des draps de la personne alitée ou encore le déplacement de la personne du lit à son fauteuil, ne sont pas sans difficulté pour quiconque n'en a pas l'habitude. Le cas échéant, l'infirmière peut assister le proche aidant dans de tels apprentissages, ce qui, par ricochet, incitera celui-ci à demander plus volontiers des informations ou un soutien pour d'autres apprentissages.

Une fois clarifiées les difficultés et bien circonscrites les tâches les plus accablantes, il s'agira de trouver ensemble où demander un coup de main : un centre de bénévolat local ? un organisme communautaire ? Ce pourrait être un membre de la famille, un voisin, des amis, un membre d'un groupe d'entraide communautaire voué aux proches aidants. D'autres recours sont également possibles : une auxiliaire familiale et sociale pour une part d'entretien ménager ou les emplettes courantes, la popote roulante, un service de soins de jour, un service de transport, les services sociaux. Il arrive souvent que les familles qui gardent une personne atteinte d'une affection chronique sentent vivement le besoin d'une fin de semaine de répit et certains organismes communautaires offrent précisément de tels services.

Il faut rappeler aux proches aidants la nécessité de refaire leur plein d'énergie en se reposant suffisamment, en s'alimentant convenablement, en demandant de l'aide, en déléguant certaines responsabilités et en réservant du temps pour leur propre ressourcement. Le proche aidant peut lui-même avoir besoin du soutien de sa propre famille pour exercer son rôle. Aurait-il besoin de recevoir des appels téléphoniques, des cartes, des lettres et des visites ? Pourrait-il participer à des excursions d'un jour ou prendre des vacances ? En tout cas, l'infirmière peut lui offrir une écoute inconditionnelle, c'est-à-dire sans que cela ne débouche nécessairement sur des conseils ou un enseignement. Quoi qu'il en soit, tout le monde apprécie grandement de se sentir compris, d'être confirmé dans la difficulté que représente un tel fardeau et, surtout, d'être considéré comme compétent.

Il n'est pas inutile de souligner les difficultés que peut représenter pour une infirmière le fait de jouer elle-même un rôle de proche aidant auprès d'un membre de sa propre famille. Ses compétences cliniques, sa connaissance de la personne et du milieu sont certes des avantages, mais comme le proche aidant n'est pas appelé à administrer les traitements médicaux, cela peut la mettre en contradiction avec elle-même, lui donner mauvaise conscience si elle ne s'en charge pas ou, dans le cas contraire, lui infliger un surcroît de travail. Il importe donc qu'elle prenne suffisamment de recul pour bien délimiter son rôle et s'en tenir à vivre simplement les émotions d'un proche en mettant de côté les soucis professionnels.

Application à domicile de la démarche de soins infirmiers

Dans les paragraphes suivants, nous survolerons les besoins de la personne et des proches qui déterminent la démarche de soins infirmiers à domicile.

Démarche de soins infirmiers

Collecte des données

L'infirmière en soins à domicile évalue non seulement la demande de la personne et de sa famille en matière de soins de santé, mais elle observe également le domicile et l'environnement social. L'évaluation commence dès le moment où l'infirmière entre en communication avec la personne pour préparer la première visite à domicile et qu'elle prend connaissance des documents rédigés par l'accueil des services à domicile du CSSS. La première visite vise à dresser un portrait clinique complet des besoins de la personne.

Les CSSS disposent pour ce faire de l'Outil d'évaluation multiclientèle (OEMC), élaboré par le MSSS, qui permet de recueillir les données de base. L'outil comprend : un formulaire de consentement au traitement ; l'évaluation physique et psychologique de la personne et de ses besoins spirituels ; des renseignements sur sa médication ; une mesure de la douleur ; des informations sur la famille et les revenus ; le texte de la déclaration des droits de la personne soignée ; un plan de soins ; des notes sur les visites quotidiennes. Au cours de la première visite à domicile, l'infirmière rédige avec l'aide de la personne le dossier de ses antécédents médicaux (figure 9-3 ■). Elle effectue ensuite un examen de la personne, observe sa relation avec le proche aidant et, enfin, évalue son domicile et prend connaissance de ses liens avec la communauté. Les paramètres dont on tient compte dans l'évaluation du milieu familial comprennent : la mobilité de la personne et du proche aidant ; les capacités de la personne en matière de soins personnels ; la propreté du milieu ; le réseau de soutien du proche aidant ; la sécurité ; la préparation des repas ; les soutiens financiers ; l'état émotionnel de la personne soignée et du proche aidant.

À la suite de cette première évaluation, l'infirmière voit s'il y a lieu de faire appel à d'autres professionnels ou à d'autres services : par exemple une diététiste, une auxiliaire familiale et sociale, un service de repas à domicile, un travailleur social qui aidera à résoudre les problèmes d'ordre financier ou à organiser un éventuel transfert dans un établissement de soins de longue durée. Elle déterminera enfin si la personne a besoin d'un matériel spécialisé.

FIGURE 9-3 ■ Entrevue avec une personne qui sollicite des soins à domicile.

Finalement, l'infirmière discute de ce que la personne et sa famille peuvent attendre des soins à domicile et des autres professionnels de la santé susceptibles d'aider la personne à retrouver son autonomie, et de la fréquence des visites.

Analyse et interprétation

Comme dans les autres milieux de soins, l'infirmière circonscrit les problèmes actuels et potentiels de la personne. Voici quelques exemples de diagnostics courants en soins à domicile : *Connaissances insuffisantes (préciser)*, *Entretien inefficace du domicile*, *Risque de tension dans l'exercice du rôle de l'aidant naturel* (terme choisi par la NANDA pour désigner le proche aidant). L'encadré *Diagnostics infirmiers, résultats de soins infirmiers et interventions* fournit un exemple d'application de la démarche de soins. Comme l'enseignement fait partie des rôles de l'infirmière, il est important que celle-ci l'inclue dans le plan de soins et de traitements. Il se peut, par exemple, qu'elle doive agir à titre d'enseignante à propos de l'évolution de la maladie, de la médication, des soins personnels, etc.

Planification et interventions infirmières

Durant la planification, l'infirmière encourage la personne qui requiert le service et elle l'invite à participer aux décisions relatives à la gestion de sa santé, quitte à lui soumettre des solutions de rechange si ce qu'elle avance ne semble pas lui convenir.

Les stratégies afférentes aux objectifs comprennent généralement l'enseignement de techniques de soins à la personne et à sa famille, et le choix des ressources propres à sauvegarder la plus grande autonomie possible chez celles-ci. Les données que doit comprendre le plan de soins et de traitements sont énumérées dans l'encadré 9-1.

Pour mettre en application le plan de soins et de traitements, l'infirmière en soins à domicile déploie des interventions précises, dont les suivantes : enseigner ; faire appel à d'autres ressources du CSSS et, le cas échéant, les coordonner ; prodiguer des soins et superviser les soins techniques donnés par d'autres

DIAGNOSTICS INFIRMIERS, RÉSULTATS DE SOINS INFIRMIERS ET INTERVENTIONS

SOINS À DOMICILE

Collecte des données	Diagnostic infirmier: *Définition*	Exemple de résultat de soins infirmiers: *Définition*	Indicateurs	Intervention choisie: *Définition*	Exemples d'activités
M. Leblanc, 60 ans, est un ingénieur à la retraite. Il souffre du syndrome du côlon irritable et est présentement en crise. Il est très faible, il doit toujours se tenir à proximité des toilettes et il ne peut plus accomplir plusieurs de ses tâches habituelles dans la maison. Sa femme, qui travaille beaucoup par ailleurs, doit y pourvoir en plus de lui prodiguer les soins requis.	*Entretien inefficace du domicile: Inaptitude à maintenir sans aide un milieu sûr et propice à la croissance personnelle.*	Exercice du rôle: *Congruence entre le rôle exercé et le rôle attendu.*	Largement adéquats: ■ Capacité de répondre aux attentes. ■ Exercice du rôle familial.	Aide dans l'organisation et l'entretien du domicile: *Soutien apporté à une personne ou à sa famille afin de garder son domicile propre, à l'épreuve de tout danger, et agréable à vivre.* Soutien à la famille: *Mise en œuvre de moyens propres à répondre aux objectifs et aux intérêts des membres de la famille d'un patient.*	■ Faire participer la personne et sa famille à l'évaluation des besoins en matière d'entretien ménager. ■ Discuter du coût des réparations requises et des ressources disponibles. ■ Suggérer les modifications qui rendraient le domicile plus adapté aux besoins de la personne. ■ Informer la famille sur le plan de soins et de traitements élaboré.
		Soins personnels: activités domestiques de la vie quotidienne (ADVQ): *Capacité de réaliser les activités requises pour vivre à domicile ou en collectivité.*	A besoin d'aides techniques: ■ Fait les courses pour les besoins du ménage. ■ Assure les travaux ménagers. ■ Prépare les repas. ■ Téléphone.	Aide à la subsistance: *Aide apportée à une personne ou à une famille dans le besoin pour trouver des denrées alimentaires, des vêtements ou un abri.*	■ Discuter avec la personne ou la famille des aides financières possibles. ■ Prendre les dispositions pour le transport.
	Risque de tension dans l'exercice du rôle de l'aidant naturel: Situation où une personne risque d'avoir des problèmes physiques, affectifs, sociaux ou financiers parce qu'elle s'occupe d'une autre personne.	Facteurs de stress pour l'aidant naturel: *Importance des pressions biopsychosociales exercées sur le membre de la famille prenant en charge l'un des siens ou une personne significative durant une longue période.*	Limités: ■ Limites psychologiques à la prise en charge. ■ Perturbations dans l'activité professionnelle habituelle. ■ Gravité de la maladie de la personne soignée.	Soutien à un aidant naturel: *Transmission de l'information nécessaire, appui et soutien, pour faciliter les soins de base prodigués par une personne autre qu'un professionnel de la santé.*	■ Mesurer les connaissances de l'aidant naturel. ■ Surveiller la présence de problèmes dans les relations familiales dus aux soins à donner à la personne. ■ Fournir des informations sur les conditions de la personne en tenant compte de son consentement. ■ Enseigner à l'aidant naturel des stratégies d'adaptation. ■ Renseigner l'aidant naturel sur les services de santé et les groupes d'entraide.

DIAGNOSTICS INFIRMIERS, RÉSULTATS DE SOINS INFIRMIERS ET INTERVENTIONS *(suite)*

SOINS À DOMICILE

Collecte des données	Diagnostic infirmier : *Définition*	Exemple de résultat de soins infirmiers : *Définition*	Indicateurs	Intervention choisie : *Définition*	Exemples d'activités
		Équilibre affectif de l'aidant naturel : *Sentiments, attitudes et émotions d'un aidant naturel prenant soin de l'un des membres de sa famille ou d'une personne importante sur une longue période.*	Légèrement perturbés : ■ Absence de ressentiment. ■ Sentiment d'être en lien avec le milieu social. ■ Sentiment que les ressources sont suffisantes.		■ Évaluer avec l'aidant naturel ses forces et ses faiblesses.

9

ENCADRÉ 9-1
DONNÉES ESSENTIELLES DU PLAN DE SOINS ET DE TRAITEMENTS INFIRMIERS

- Tous les diagnostics pertinents
- Des observations sur l'état mental de la personne
- Les types de services, de matériel médical et d'équipement requis
- La fréquence des visites
- Les résultats escomptés
- Les besoins de la personne en matière de réadaptation ; ses limitations corporelles
- Les activités permises
- Les besoins de la personne en matière d'alimentation
- La médication et les traitements en cours
- Les mesures de sécurité requises pour la prévention des blessures
- Tout autre élément devant être inclus à la demande de l'organisme de services à domicile ou du médecin

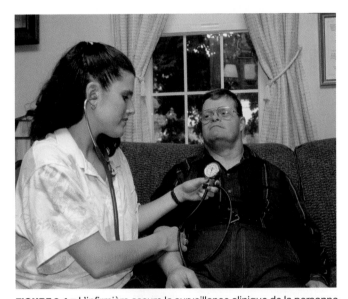

FIGURE 9-4 ■ L'infirmière assure la surveillance clinique de la personne et de sa réponse aux traitements.

---

personnes ; coopérer avec les autres professionnels et les autres soignants ; circonscrire les problèmes cliniques et trouver des solutions en consultant des rapports de recherche ou d'autres sources en matière de santé ; promouvoir le droit de la personne soignée de disposer d'elle-même. Les soins techniques couramment assumés par l'infirmière couvrent la mesure de la pression artérielle, la collecte de substances organiques (sang, urine, fèces, expectorations), le soin des plaies, les soins respiratoires, tous les types de thérapies intraveineuses, l'alimentation entérale, le cathétérisme vésical et la stomothérapie (figure 9-4 ■).

Une large part des interventions de l'infirmière vise l'enseignement à la personne soignée et au proche de diverses interventions de soins, par exemple l'injection de l'insuline, la mesure de la glycémie et l'administration de médicaments. Beaucoup de gens s'inquiètent à propos de la médication : ils veulent qu'on les renseigne sur la posologie, la fréquence d'administration et les effets secondaires possibles. (Le chapitre 34 ⊕ traite de ce sujet plus en détail.) Les personnes soignées et leurs proches aidants sont souvent plus anxieux quand ils doivent recourir à des technologies de pointe ou utiliser un matériel complexe. L'infirmière en soins à domicile doit leur donner des explications claires sur le fonctionnement des appareils, leur faire des démonstrations, puis vérifier régulièrement leur maîtrise des techniques. En général, des membres de l'équipe de soins à domicile spécialisés dans un domaine, par exemple les thérapies intraveineuses ou l'inhalothérapie, effectuent régulièrement des visites pour voir à l'entretien du matériel et vérifier les habiletés des utilisateurs.

Même si la personne et sa famille parviennent à l'autonomie en matière de soins, il incombe toujours à l'infirmière de s'assurer que ceux-ci sont administrés de façon pertinente, ce qui suppose un suivi de la personne soignée et de l'application du plan établi.

Évaluation et documentation

À l'aide des mêmes paramètres que ceux qui ont servi à la première visite à domicile, l'infirmière continue d'évaluer les résultats observés à chaque visite subséquente au regard des objectifs et des résultats escomptés (figure 9-5 ■). Elle peut également informer le proche aidant des paramètres d'évaluation de telle manière que celui-ci puisse réclamer l'intervention d'un professionnel, si nécessaire. Il est essentiel de noter à chaque visite les soins reçus et les progrès de la personne au regard des objectifs. Pour que le CSSS puisse assurer une bonne continuité des soins à domicile et garder ses dossiers à jour, les notes de l'infirmière doivent comporter le plan des visites suivantes et une estimation du moment où la personne devrait être en mesure de se passer d'aide.

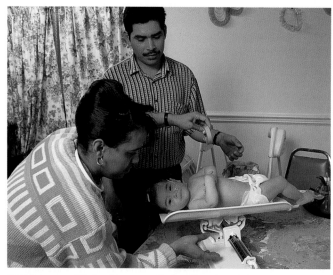

FIGURE 9-5 ■ L'infirmière surveille la prise de poids d'un nourrisson alimenté par gavage.

Tendances dans les soins à domicile

Quel est l'avenir des soins à domicile ? Le MSSS a publié en 2003 sa politique de soutien à domicile, dont voici les grandes lignes.

Des services personnalisés et un soutien adapté (adapter l'organisation des services en fonction des attentes de la population) :

- Favoriser un accès simple, rapide et équitable.
- Consolider le service d'accueil-santé.
- Adopter des critères d'admissibilité uniformes.
- Préciser la couverture publique.
- Harmoniser les pratiques.
- Attribuer des responsabilités cliniques de coordination.
- Implanter des mécanismes de transition.
- Assurer des services de qualité.

Des services gérés efficacement et un partage clair des responsabilités entre le MSSS, les Agences de développement de réseaux locaux de services de santé et de services sociaux et les CSSS :

- L'organisation régionale des services.
- L'allocation de ressources et la reddition de comptes.

Travailler collectivement pour développer une stratégie nationale de soutien à domicile :

- Le soutien à la personne soignée.
- La simplification des processus administratifs entre les différents ministères et organismes publics.
- L'appui au développement et à la diversification du logement adapté aux personnes ayant une incapacité.
- Le soutien aux proches aidants.

🕴 LES ÂGES DE LA VIE

PERSONNES ÂGÉES

Bon nombre de personnes hospitalisées reçoivent leur congé après un court séjour bien qu'elles souffrent de problèmes de santé importants. Cet état de choses comporte des difficultés pour les infirmières en soins à domicile lors de la planification des soins et des interventions. Dans le cas des personnes âgées, les éléments suivants sont particulièrement préoccupants :

- Le processus de guérison est plus lent en raison des aléas du vieillissement, lequel entraîne notamment des troubles de la circulation sanguine et un affaiblissement de la réponse immunitaire.
- Des changements dans la médication ou des effets persistants d'une anesthésie peuvent altérer, du moins temporairement, les facultés intellectuelles.
- Un état de faiblesse et de fatigue accrues augmente les risques sur le plan de la sécurité.
- Une nouvelle affection nécessitant une hospitalisation peut entraîner la complication d'une affection chronique préexistante.
- On devrait commencer l'évaluation dans l'établissement de soins de santé afin de déterminer d'éventuels besoins en matière d'aides techniques (déambulateur, siège de toilettes réglable, etc.) ou en prévision de modifications nécessaires à la maison (barres d'appui dans la salle de bain, éclairage approprié). Une bonne planification facilitera la transition de l'établissement de soins de santé à la maison tant pour la personne hospitalisée que pour ses proches.

Révision du chapitre

MOTS CLÉS

Soins à domicile, **199**

Soins infirmiers à domicile, **199**

Soins infirmiers palliatifs, **199**

Tension dans l'exercice du rôle de proche aidant, **204**

CONCEPTS CLÉS

- Les soins à domicile visent à remplacer les soins de courte ou de longue durée en établissement. Alors qu'ils se limitaient auparavant à l'accompagnement des convalescents après une hospitalisation, ils servent désormais à tenter de l'éviter ou de l'écourter.

- Les soins palliatifs sont aussi prodigués à la maison ; ils consistent à soutenir la personne en phase terminale de même que sa famille au cours des derniers moments de la vie et du deuil.

- Les CSSS offrent les services de professionnels ainsi que des services d'auxiliaires autorisés. Comme la demande de services implique souvent le concours de plusieurs professionnels, la coordination constitue un aspect essentiel du travail de l'infirmière.

- Bien que les soins à domicile soient principalement offerts par les CSSS, on peut aussi recourir à d'autres organismes publics, à des organisations de bénévoles, à des organismes privés à but lucratif et à des services rattachés à un établissement. Tous les organismes de soins à domicile doivent satisfaire à des normes pour obtenir un permis et accéder à la certification, puis à l'agrément.

- Les organismes privés offrent des services d'infirmière et d'auxiliaire familiale et sociale pour des périodes de 4 à 24 heures par jour.

- Au Québec, les soins à domicile préalablement jugés nécessaires sont couverts en totalité par la RAMQ. Le recours aux agences privées est aux frais du demandeur.

- Lorsqu'une personne veut recourir à des soins à domicile, elle doit s'adresser au CSSS. La demande peut provenir d'un médecin, d'un professionnel de la santé, d'un proche aidant ou d'un intervenant d'un organisme communautaire. Une infirmière se rend alors au domicile de la personne et procède à une évaluation complète des besoins.

- Les principaux rôles de l'infirmière en soins à domicile consistent à représenter la personne soignée, à prodiguer des soins, à donner de l'enseignement et à gérer les cas.

- L'infirmière en soins à domicile évalue les besoins de la personne en matière de soins ; elle planifie les soins, met le plan en œuvre et supervise ceux qui l'appliquent ; elle enseigne les soins personnels dans le but de favoriser l'autonomie de la personne et de son entourage ; au besoin, elle fait appel à d'autres ressources médicales, professionnelles ou communautaires.

- Les personnes qui ont besoin de soins à domicile forment une population diversifiée où tous les âges, de nombreux problèmes de santé, divers types de structures familiales et un large éventail de profils culturels sont représentés. L'infirmière en soins à domicile doit être sensible à ces particularités et en tenir compte quand elle élabore le plan de soins et de traitements avec la personne et ses proches aidants.

- Les principales facettes des soins infirmiers à domicile comprennent entre autres : la visite initiale au cours de laquelle l'infirmière rencontre la personne, évalue ses besoins et élabore un plan de soins ; la prise de mesures de sécurité pour elle-même et pour la personne soignée ; la prévention des infections ; le soutien du proche aidant.

Références

Bulechek, G. M., Butcher, H. K., et McCloskey Dochterman, J. (2010). *Classification des interventions de soins infirmiers CISI/NIC.* Traduction française de la 5e édition américaine. Issy-les-Moulineaux : Elsevier Masson.

Ministère de la Santé et des Services sociaux (MSSS). (2003). *Chez soi : Le premier choix. La politique de soins à domicile.* Document consulté le 8 décembre 2010 de http://publications.msss.gouv.qc.ca/acrobat/f/documentation/2002/02-704-01.pdf.

NANDA International. (2010). *Diagnostics infirmiers : Définitions et classification 2009-2011.* Issy-les-Moulineaux : Elsevier Masson.

Partie 3

De plus en plus informée et éduquée en matière de santé, la population s'attend à recevoir un service et des soins de qualité. Prodiguer des soins infirmiers de qualité suppose non seulement que l'on réponde aux besoins en matière de santé de l'individu, de la famille ou de la communauté dans son ensemble, mais aussi que l'on intervienne dans une perspective de prévention de la maladie et de promotion de la santé.

En considérant l'ensemble des dimensions (physique, psychologique, sociale, spirituelle, culturelle, sexuelle et environnementale, pour n'en nommer que quelques-unes) de la santé, l'infirmière doit encourager la personne à maintenir ou à adopter des comportements qui favorisent sa santé.

Croyances et pratiques en matière de santé

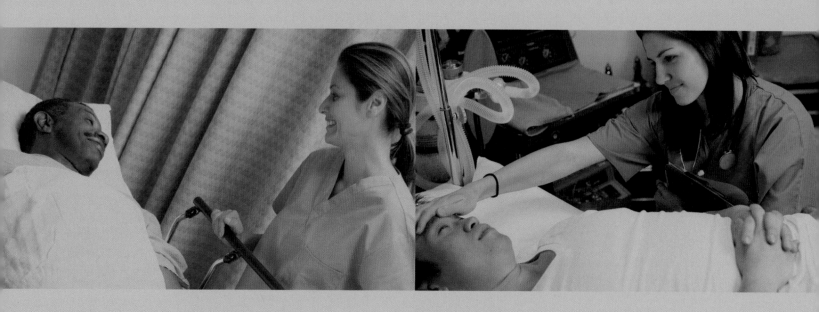

Parsed: 9782761340175 p.247

Chapitre 10

Adaptation française :
Caroline Longpré, inf., M.Sc.
Enseignante en soins infirmiers
Cégep régional de Lanaudière à Joliette

OBJECTIFS D'APPRENTISSAGE

Après avoir étudié ce chapitre, vous pourrez :
- Énoncer différentes définitions de la santé.
- Élaborer votre propre conception de la santé.
- Décrire cinq aspects d'une prédisposition à la santé.
- Comparer différents modèles de santé.
- Reconnaître les éléments qui influent sur l'état de santé, ainsi que sur les croyances et les pratiques en matière de santé.
- Différencier les modèles des croyances relatives à la santé.
- Décrire les facteurs se répercutant sur l'observance des soins de santé.
- Définir les notions relatives aux affections et distinguer une « affection aiguë » d'une « affection chronique ».
- Déterminer les quatre aspects mis en lumière par Parsons quant au rôle de « personne malade ».
- Expliquer les étapes de la maladie, telles qu'elles sont définies par Suchman.
- Décrire les répercussions de la maladie sur le rôle et les fonctions de la personne et de sa famille.

Conceptions de la santé et de la maladie

« Ça va bien, merci… » Voilà une réponse plus ou moins machinale à une question bien souvent posée : « Comment va la santé ? » Au fait, il serait intéressant de s'arrêter et de réfléchir à la nature même de ce qui conditionne la perception que l'on a de sa santé. Suis-je en santé parce que je ne ressens présentement aucun symptôme d'affection ou encore parce que mon examen médical annuel ne révèle aucune anomalie ? Dire que la santé est l'absence de maladie est-il satisfaisant ou limité ? Et que dirait de cette définition, par exemple, une personne handicapée physiquement qui peut néanmoins faire du ski à sa guise ?

La notion de santé est principalement déterminée par la perception de chacun. En fait, santé et bien-être peuvent être, pour certaines personnes, des notions identiques ou concomitantes, alors que pour d'autres la santé n'accompagne pas nécessairement le bien-être. Ainsi, une personne en phase terminale peut éprouver, malgré tout, un sentiment de bien-être, tandis qu'une personne en bonne santé peut ne pas en ressentir. La conception de la santé est individuelle ; elle varie d'une personne à l'autre et selon les circonstances. Elle dépend des valeurs, des priorités et des champs d'intérêt tant de la personne elle-même que de la société dans laquelle elle vit. Il n'existe donc pas de consensus autour d'une définition unique de la santé. Dans une perspective plus générale, la conception qu'a une société de la santé évolue constamment à travers les époques, en fonction des idéologies du moment. Elle influe sur les croyances, les perceptions de bien-être, les comportements et les habitudes des gens en matière de santé, et détermine dans une large mesure la philosophie, la portée et la nature des soins prodigués par les professionnels de la santé. L'infirmière se doit donc de clarifier ses propres définitions de la santé et de la maladie, de manière à mieux saisir et comprendre la nature de ses interventions.

Santé et bien-être

Alors qu'anciennement on définissait la santé comme étant l'absence de troubles physiques ou psychologiques, on l'assimile aujourd'hui davantage à la notion de bien-être. Voici un bref historique de l'évolution de la conception de la santé et différentes définitions et orientations qui en découlent à travers divers **paradigmes**, c'est-à-dire des « courants de pensée ou façons de voir et de comprendre le monde qui influence l'enrichissement des savoirs et des savoir-faire des disciplines » (Pepin, Kérouac et Ducharme, 2010). Ces paradigmes sont la catégorisation, l'intégration et la transformation.

Historique de la conception de la santé

Avant-gardiste, Florence Nightingale (1820-1910), celle que l'on a nommée la pionnière des soins infirmiers, a défini la santé comme étant «un état de bien-être où la personne a la volonté d'utiliser au maximum de sa capacité tous les pouvoirs dont elle dispose» (Nightingale, 1969). En contexte de guerre, les ressources matérielles et humaines étant limitées, la conception de la santé de Nightingale orientée vers la santé publique tenait compte de la nécessité de respecter des principes d'hygiène publique. Dans cette optique, toute action visait donc à améliorer les conditions sanitaires afin de créer le meilleur environnement possible pour que les forces de la nature favorisent la guérison des uns et maintiennent en santé les autres.

À la fin du XIXᵉ siècle, l'éradication des affections transmissibles devient la priorité et les infirmières participent à cet objectif. L'amélioration des méthodes d'asepsie et des techniques chirurgicales, entre autres progrès, permet dorénavant d'enrayer plus facilement les infections. Les diagnostics médicaux sont principalement basés sur l'association de symptômes observables à partir de défaillances biologiques (Allan et Hall, 1988, cités dans Pepin *et al.*, 2010). La conception générale de la santé qui en découle, axée sur la maladie, se définit donc par l'absence d'affections. «Perçue positivement, la santé est un état stable et hautement désirable alors que la maladie, qui est à combattre à tout prix, se perçoit négativement» (Pepin *et al.*, 2010).

Avant les années 1940, bien peu de ressources étaient disponibles pour contrer les affections. C'est pourquoi, dans le Québec des années 1940 et 1950, on préconise une définition de la santé orientée vers la santé publique, notamment grâce à l'expansion du réseau des unités sanitaires de comté et des services de santé municipaux, et à la création de l'École d'hygiène de l'Université de Montréal. Orientées vers la santé publique (1950) ou vers la maladie (1900-1950), ces deux conceptions de la santé se situent au niveau du paradigme ou courant de pensée de la *catégorisation*.

Par la suite, on assiste à l'émergence d'une conception de la santé principalement orientée vers la personne. En 1946, l'Organisation mondiale de la santé (OMS) élabore sa définition de la santé selon une perspective biopsychosociale, qui reste une des définitions de la santé le plus fréquemment utilisée encore de nos jours. De façon spécifique, l'OMS définit la santé comme étant «un état de complet bien-être physique, mental et social, qui ne consiste pas seulement en une absence de maladie ou d'infirmité». Cette définition, bien qu'elle apporte une notion de dynamisme au concept de santé, a été contestée en raison de son caractère utopique. Ces notions font référence au paradigme de l'*intégration*. Toujours du point de vue de l'expérience de la personne, la santé et la maladie sont deux entités distinctes qui coexistent et sont en interaction. La santé devient un idéal à atteindre, influencé par le contexte dans lequel nous vivons. La santé optimale est possible quand il y a absence de maladie et présence d'un certain nombre d'éléments qui constituent la santé. Par contre, l'état de santé «est moins satisfaisant quand il y a maladie ou lorsque très peu d'éléments constituant la santé sont présents» (Pepin *et al.*, 2010, p. 42).

Les changements culturels, politiques et économiques que connaît la société contribuent à l'émergence d'une conception de la santé orientée vers l'ouverture sur le monde. Au cours de la période dite de la «nouvelle épidémiologie» (1970-1980), la santé publique prend de nouveau une place importante au Québec sous le nom de santé communautaire. Dans le rapport de Marc Lalonde (1974), *Nouvelles perspectives de la santé des Canadiens*, la santé est déterminée par quatre grands facteurs, soit la biologie humaine, le mode de vie, l'environnement et les organismes de soins de santé. En 1978, le livre blanc sur la politique québécoise du développement culturel mentionne que la santé est «la faculté, pour chacun, de construire sa vie en dépit des conditions adverses qui l'affectent» (Gouvernement du Québec, 1978, p. 173).

L'OMS, lors de la conférence d'Alma-Ata de 1978, ajoute que la santé est une sorte d'expérience individuelle qui se réalise dans le quotidien et dans les relations avec l'entourage (famille, amis, communauté), et qui tend vers une prise en charge individuelle et collective de son devenir.

Au Québec, à cette époque, l'accent est mis sur les soins de santé primaires. On adopte la conception holistique de la santé, qui tient compte de l'ensemble de la personne, fait ressortir la dimension sociale comme déterminant du processus santé-maladie et considère la santé comme dépendante des phases constitutives du développement social et économique. Les soins de base (prévention, traitement, réadaptation) deviennent une nécessité incontestée. La promotion de la santé est valorisée et passe par l'éducation de la population.

Au cours de la période marquée par l'émergence de la nouvelle santé publique au Québec (1980-1990), la commission Rochon (1985) stipule que, pour tenir compte des réalités des sociétés contemporaines, il faut ajouter à la notion traditionnelle de santé publique la complémentarité des aspects curatif et préventif ainsi que la participation de la communauté. Au niveau fédéral, la *Charte d'Ottawa* (1986), qui «vise la santé pour tous d'ici l'an 2000 et au-delà», met l'accent sur les facteurs environnementaux et sociaux (paix, abri, instruction, nourriture, revenu, écosystème, justice et réduction des inégalités). De plus, on assiste à l'établissement d'un plan d'ensemble pour la promotion de la santé (1986) et on donne comme définition que la santé, considérée comme positive et en évolution, relève autant de l'individu que de la société.

La période de la santé écologique des années 1990, marquée, entre autres, par la réforme de la santé et des services sociaux (réforme Côté, 1990), place le citoyen au centre du réseau en tant que consommateur, décideur et payeur. Les objectifs du système de santé sont alors d'ajouter des années à la vie (objectif curatif), d'ajouter de la santé à la vie (prévention) et d'ajouter du bien-être à la vie (promotion). D'autres facteurs s'ajoutent à la définition de la santé, soit les droits, la sécurité sociale, les relations sociales et l'émancipation des femmes (OMS, 1997). Le rapport canadien qui s'intitule *La santé pour tous : plan d'ensemble pour la promotion de la santé* (Epp, 1986) en visait à réaliser les objectifs de la santé pour tous à l'an 2000, en précisant les défis importants que tous les Canadiens doivent relever, soit les inégalités, la prévention et l'adaptation individuelle par le renforcement des autosoins, l'entraide et un environnement sain. Selon Santé Canada (2004), la santé touche la qualité de vie de tous les Canadiens. Elle englobe la santé sociale, mentale, émotionnelle et physique, et elle subit l'influence d'une vaste gamme de facteurs biologiques, sociaux, économiques et culturels. Le concept de la santé comprend la promotion de la santé, la prévention de la maladie et la protection de la santé, de même que le traitement de la maladie. En 2004, on assiste au Québec à la création des agences de développement de réseaux locaux de services de santé et de services sociaux, misant sur une approche populationnelle et le développement organisationnel (par des mécanismes d'intégration) afin d'améliorer l'état de santé et de bien-être de la population, de rapprocher les services de la population, de faciliter le cheminement dans le système de santé par le déploiement de services continus et sans rupture (corridors), et de prendre en charge tout particulièrement les clientèles vulnérables. Les besoins et profils de la clientèle représentent les assises de l'élaboration de services adaptés (Ministère de la Santé et des Services sociaux [MSSS], 2004). Force est de comprendre que tous les Canadiens ne sont pas égaux sur le plan de la santé (Institut de la statistique du Québec [ISQ], 2007). Un certain nombre de déterminants influent sur l'état de santé des personnes, ce qui explique les raisons pour lesquelles certaines sont en santé et d'autres pas. En 2010, le MSSS élabore un cadre conceptuel de la santé et de ses déterminants, ayant pour but «de se donner une compréhension commune de la diversité des champs de l'activité humaine et de l'environnement qui influencent la santé de la population» (MSSS, 2010, p. 3). Ce cadre prend en ligne de compte la définition de la santé retenue au Québec, soit celle présentée par l'OMS (2006). «La santé est un état complet de bien-être physique, mental et social et ne consiste pas seulement en une absence de maladie ou d'infirmité.» La *Loi sur les services de santé et les services sociaux* stipule que les actions du réseau doivent viser «le maintien et l'amélioration de la capacité physique, psychique et sociale des personnes d'agir dans leur milieu et d'accomplir les rôles qu'elles entendent assumer d'une manière acceptable pour elles-mêmes et pour les groupes dont elles font partie» (L.R.Q., c. S-4.2, art. 1, cité dans MSSS, 2010, p. 6). Il faut donc agir efficacement sur les déterminants, notamment les facteurs personnels, sociaux, économiques et environnementaux qui déterminent l'état de santé des individus ou des populations (OMS, 1999, citée dans MSSS, 2010). La figure 8-4 du chapitre 8 ⊖⊘ (p. 174) présente le cadre conceptuel et ses déterminants.

Ces nouvelles orientations se rapprochent de plus en plus de la conception de la santé telle qu'on la définit selon le paradigme ou le courant de pensée de la *transformation*. «La santé est perçue comme étant une expérience englobant la personne/famille et son environnement. Elle est à la fois une valeur et une expérience vécue selon la perspective de chacun. Elle fait aussi référence au bien-être et à l'exploitation du potentiel de création d'une personne ou d'une famille. L'expérience de la maladie fait partie de l'expérience de la santé, et la santé va au-delà de la maladie en étant un élément significatif du processus de changement d'une personne. […] La santé est un processus d'intégration harmonisant le corps, l'âme et l'esprit» (Pepin *et al.*, 2010, p. 44). D'autres théoriciennes en soins infirmiers ont défini la santé par des principes idéologiques bien différents les uns des autres, mais tous utiles et pertinents selon les

contextes. À titre d'exemples, Henderson (1991, 1966) définit la santé par la capacité de fonctionner de façon indépendante par rapport à 14 besoins fondamentaux, et Orem (2001, 1991, 1971) parle d'état d'être complet et uni à ses différentes composantes et à ses modes de fonctionnement. Toutes deux appartiennent à l'école des besoins. Peplau (1988, 1952) définit la santé «comme étant la représentation du mouvement continu de la personnalité en lien avec d'autres processus humains vers une vie personnelle et communautaire créative, constructive et productive» (citée dans Pepin *et al.*, 2010, p. 58). Pour sa part, Roy (1971; Roy et Andrew, 1999) définit la santé-état par l'adaptation dans chacun des quatre modes et la santé-processus par l'effort constant fourni par l'individu pour atteindre son potentiel d'adaptation maximal (chapitre 3 ⊖⊘). Roy appartient à l'école des effets souhaités.

En 2010, l'Ordre des infirmières et infirmiers du Québec (OIIQ) définit la santé comme étant «un processus dynamique et continu dans lequel une personne (famille, groupe ou collectivité) aspire à un état d'équilibre favorisant son bien-être et sa qualité de vie. Ce processus implique l'adaptation à de multiples facteurs environnementaux, un apprentissage ainsi qu'un engagement de la personne et de la société» (OIIQ, 2010, p. 7).

Définitions personnelles de la santé

La définition de la santé est subjective, car elle se fonde sur notre perception. Les exemples suivants nous montrent que certaines personnes peuvent se considérer en bonne santé même si elles sont atteintes de troubles physiques ou d'affections, alors que d'autres n'y parviennent pas.

- Martin Levasseur, 15 ans, est diabétique. Il s'injecte de l'insuline tous les matins. Il fait partie de l'équipe de soccer de l'école et est rédacteur en chef du bulletin de l'école.
- Gilles Talbot, 32 ans, est paraplégique et se déplace en fauteuil roulant. Il suit des cours de comptabilité dans un collège du quartier et conduit une automobile spécialement adaptée.
- Susanne Helmer, 72 ans, prend des médicaments antihypertenseurs pour réduire sa pression artérielle. Elle joue aux quilles une fois par semaine, est membre du club de golf du quartier, fait de l'artisanat pour une œuvre de bienfaisance locale et part en voyage deux mois par année.

Pour la plupart des gens, être en santé signifie:
- Ressentir le moins de symptômes d'affection et le moins de douleur possible.
- Pouvoir demeurer actif et faire ce que l'on veut ou doit faire.
- Avoir un bon état d'esprit.

Ces caractéristiques indiquent que la santé n'est pas un état que l'on atteint soudainement, à un moment précis, mais un processus qui évolue constamment et durant toute la vie, à travers lequel la personne développe, renforce et maintient toutes les composantes de son être (corps, esprit et émotions) de manière qu'elles interagissent harmonieusement (figure 10-1 ■).

Un certain nombre de facteurs exercent une influence sur la définition de la santé:
- *Le développement personnel.* Exemple: un enfant qui souffre et qui est incapable de prendre seul les mesures pour soulager la douleur en sera d'autant plus affecté.

10

FIGURE 10-1 ■ La satisfaction au travail améliore le sentiment de bien-être et contribue à l'adoption d'attitudes et de comportements favorisant la santé.

■ *Les expériences antérieures.* Exemple : un homme qui ne pouvait se déplacer qu'en fauteuil roulant à la suite d'un accident de la route ressent un bien-être considérable du fait qu'il peut maintenant marcher à l'aide de béquilles.

■ *Les exigences et les attentes personnelles.* Exemple : un marathonien s'inquiète de sa santé parce qu'il se sent fatigué à la suite d'une longue course, ce qui habituellement n'a pas cet effet sur lui.

■ *Les influences socioculturelles.* Exemple : une femme de culture chinoise traditionnelle se considère en santé si elle parvient à maintenir l'équilibre entre le yin et le yang.

La perception bien individuelle et personnelle que nous avons de la santé conditionne notre comportement en matière de santé et de maladie. En comprenant la perception qu'ont les personnes de la santé et de la maladie, l'infirmière peut davantage les aider à recouvrer ou à maintenir une bonne santé. Cependant, elle doit avant tout clarifier sa compréhension et sa conception de la santé et de la maladie, et ce, pour les raisons suivantes :

■ La conception qu'a l'infirmière de la santé détermine en grande partie l'ampleur et la nature des soins qu'elle prodigue. Par exemple, si elle définit la santé en tant que phénomène

physiologique, elle orientera ses actions de manière à aider la personne qui la consulte à retrouver un fonctionnement physiologique normal. Si sa définition de la santé est plus vaste, la portée des soins infirmiers qu'elle prodiguera en sera élargie d'autant.

■ Les croyances d'une personne en ce qui a trait à la santé influent sur ses habitudes en la matière. Comme les valeurs et les habitudes d'une infirmière peuvent différer de celles de la personne qu'elle soigne, celle-ci doit veiller à ce que le plan de soins et de traitements corresponde bien à la conception qu'a cette personne de la santé ; il faut donc l'individualiser et l'adapter, tout en s'assurant de sa pertinence et de son applicabilité.

L'encadré 10-1 offre des pistes de réflexion aidant à la formulation de sa propre définition de la santé.

ENCADRÉ 10-1
FORMULER SA PROPRE DÉFINITION DE LA SANTÉ

PISTES DE RÉFLEXION AIDANT À LA FORMULATION DE SA PROPRE DÉFINITION DE LA SANTÉ

■ Une personne est-elle plus qu'un organisme biophysiologique ?

■ La santé signifie-t-elle l'absence de signes et de symptômes d'une affection ?

■ La santé correspond-elle à la capacité d'une personne à faire son travail ?

■ La santé correspond-elle à la capacité d'une personne à s'adapter à son environnement ?

■ La santé est-elle une condition essentielle à l'actualisation d'une personne ?

■ La santé est-elle un état ou un processus ?

■ La santé correspond-elle à la capacité d'une personne à assurer ses autosoins ?

■ La santé est-elle statique ou dynamique ?

■ Santé et bien-être sont-ils synonymes ?

■ Les termes « affection » et « indisposition » correspondent-ils à des notions différentes ?

■ Peut-on parler de différents degrés de santé ?

■ Santé et maladie sont-elles des notions opposées ou sont-elles situées sur un continuum ?

■ La santé est-elle déterminée socialement ?

■ Comment est-ce que j'évalue ma santé ? Pourquoi ?

Santé et bien-être

L'attitude qu'a une personne à l'égard de sa santé détermine son degré de bien-être. Les fondements de la **santé** sont le sens des responsabilités ; un processus dynamique de croissance ; un processus décisionnel quotidien positif quant à la nutrition, à la gestion du stress, à la condition physique, aux soins de santé préventifs et à la santé émotionnelle et, surtout, l'intégrité individuelle. Anspaugh, Hamrick et Rosato (2009, p. 3-7) décrivent sept aspects prédisposant à la santé (figure 10-2 ■). Voici, pour chaque aspect, les facteurs permettant à une personne de progresser vers un niveau élevé de bien-être et une santé optimale :

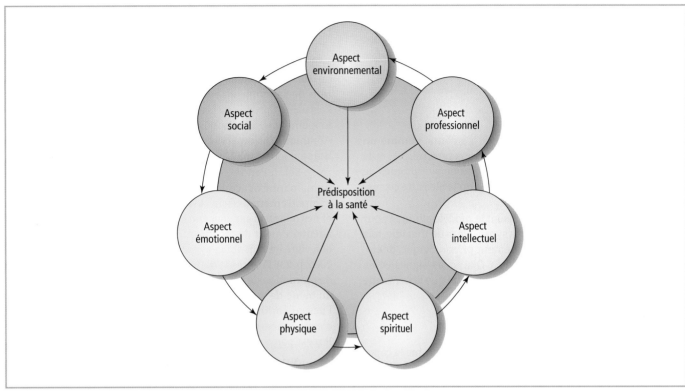

FIGURE 10-2 ■ Les sept aspects prédisposant à la santé. Source : Anspaugh, D. J., Hamrick, M. H., et Rosato, F. D. (2009). *Wellness : Concepts and applications* (7ᵉ éd.) (p. 4). New York : McGraw-Hill. Reproduction autorisée.

- *Aspect environnemental*. C'est la capacité de promouvoir des mesures de santé améliorant le niveau et les conditions de vie dans la communauté. Il s'agit notamment de la qualité des aliments, de l'eau et de l'air.
- *Aspect professionnel*. C'est la capacité d'équilibrer travail et loisirs. Les croyances d'une personne quant à l'éducation, au travail et à la vie au foyer conditionnent sa satisfaction personnelle et ses relations avec les autres.
- *Aspect intellectuel*. C'est la capacité d'assimiler et d'utiliser efficacement les informations dans les domaines personnel, familial et professionnel. On doit tendre vers une croissance et un apprentissage constants, dans le but de faire face à de nouveaux défis.
- *Aspect spirituel*. C'est la croyance en une entité (nature, science, religion ou force supérieure) qui unit les êtres humains et donne un sens à la vie. Il s'agit de la moralité, des valeurs et de l'éthique d'une personne.
- *Aspect physique*. C'est la capacité d'effectuer les tâches quotidiennes, d'être en bonne forme physique (pulmonaire, cardiovasculaire, gastro-intestinale, par exemple), d'avoir une bonne nutrition et un poids santé, d'éviter les abus de drogues, d'alcool ou de tabac et, de façon générale, d'adopter des habitudes de vie saines.
- *Aspect émotionnel*. C'est la capacité de gérer son stress et d'exprimer ses émotions de façon pertinente. Cela comprend la capacité de reconnaître, d'accepter et de verbaliser ce que l'on ressent, et de respecter ses limites.

- *Aspect social*. C'est la capacité d'avoir des interactions gratifiantes avec les autres et au sein de son milieu, d'entretenir des rapports intimes avec des proches et de faire preuve de respect et de tolérance envers des personnes ayant des opinions et des croyances différentes.

Ces sept aspects se recoupent et s'influencent mutuellement. Ainsi, une personne qui apprend à maîtriser son niveau quotidien de stress contribue par le fait même au renforcement de sa force émotionnelle, ce qui lui permet de traverser plus efficacement une période de crise. L'évaluation de la prédisposition à la santé suppose que l'on tienne compte de tous les aspects et de leurs facteurs pouvant influer sur le niveau de santé et de bien-être d'une personne.

« Le **bien-être** est une perception subjective de sa vitalité et du fait de se sentir bien… on peut décrire cette perception de façon objective, en faire l'expérience, la mesurer et la transcrire sur un continuum » (Hood et Leddy, 2003, p. 264). Il s'agit d'une composante de la santé.

Modèles de santé et de bien-être

La santé étant un concept complexe, de nombreux chercheurs ont élaboré des modèles (représentations conceptuelles de la réalité) pour en expliquer les fondements et, dans certains cas, la relation avec la maladie. Smith (1981) propose d'organiser les différentes approches en quatre modèles pouvant aider les professionnels de la santé à répondre aux divers besoins des personnes en matière de santé, soit le modèle clinique, le modèle fonctionnel, le modèle de l'adaptation et le modèle de promotion de la santé.

Modèle clinique

Selon le modèle clinique, on perçoit la personne comme un système physiologique ayant des fonctions interreliées, et la santé comme un état exempt de signes ou de symptômes de maladie ou de blessure. Ainsi, la maladie ou la blessure correspondent au pôle inverse de la santé.

De nombreux médecins utilisent le modèle clinique pour traiter ou soulager les signes et les symptômes de maladie, tels que la douleur ou le dysfonctionnement physiologique, dépistables par des moyens diagnostiques. Quand les signes et les symptômes se résorbent, le médecin considère que la personne a retrouvé la santé.

Modèle fonctionnel

Selon le modèle fonctionnel, on définit la santé comme la capacité de la personne d'accomplir son rôle social, c'est-à-dire de travailler. La sociologie médicale, qui examine comment une personne s'intègre dans la société, est un exemple d'approche selon le modèle fonctionnel. Ainsi, un homme qui est en mesure d'accomplir son travail est considéré comme étant en bonne santé, même s'il souffre de bronchite chronique.

En vertu de ce modèle, on considère aussi l'accomplissement du travail ou du rôle social comme étant le plus important déterminant de la santé de la personne, puisque la maladie équivaut à l'incapacité de faire son travail ou d'assumer son rôle social.

Modèle de l'adaptation

Selon le modèle de l'adaptation, on considère la santé comme un processus créatif, qui repose sur l'adaptation à l'environnement et une interaction adéquate et pertinente avec celui-ci, de façon à en tirer le plus d'avantages possible. La maladie correspond à l'échec complet ou partiel de cette adaptation. L'objectif du plan de soins et de traitements infirmiers est de restaurer ou de renforcer la capacité de la personne à s'adapter aux nouvelles situations qui se présentent. Le modèle de l'adaptation des soins infirmiers de sœur Callista Roy (Roy et Andrew, 1999), qui présente la personne comme un système en constante adaptation, s'articule autour d'une certaine stabilité, bien que la croissance et le changement aient également un rôle à jouer à cet égard (chapitre 3 ⊕).

Murray et Zentner (2001, p. 53) reprennent ces concepts de croissance et de changement dans leur définition de la santé :

> Un état de bien-être dans lequel la personne est capable d'utiliser des réponses et des processus d'adaptation intentionnels, sur les plans physique, mental, émotionnel, spirituel et social, en réaction à un stimulus interne ou externe (agent stressant), afin de maintenir une stabilité et un bien-être relatifs et d'essayer ainsi d'atteindre ses objectifs personnels et culturels.

Modèle de promotion de la santé

Le modèle de promotion de la santé de Pender (Pender, Murdaugh et Parsons, 2006, 2002) propose une vision élargie de la santé en la considérant comme une condition à l'accomplissement ou à la réalisation du plein potentiel d'une personne. La promotion de la santé vise donc l'augmentation du bien-être et l'actualisation de soi. L'actualisation, qui correspond au développement et à l'épanouissement de la personnalité, est, selon Abraham Maslow (1954), l'aspiration la plus élevée de tout être humain (chapitre 11 ⊕).

Selon Pender, «la santé est l'actualisation du potentiel humain inné et acquis que la personne réalise en adoptant un comportement axé sur des objectifs, des autosoins pertinents et des relations satisfaisantes avec les autres, tout en s'adaptant adéquatement de façon à maintenir une intégrité structurelle et à vivre en harmonie avec son environnement» (Pender et al., 2006, p. 23). D'après la définition de Pender, les comportements de promotion de la santé englobent toutes les activités intégrées au mode de vie afin de maintenir son bien-être et de favoriser l'actualisation de son potentiel. L'objectif de ce modèle est d'expliquer le comportement des individus en matière de santé. Il n'est pas conçu pour des familles ou des communautés.

Aux modèles de Smith (1981) on peut ajouter d'autres modèles permettant de définir le concept de la santé.

Modèle agent-hôte-environnement

Le modèle agent-hôte-environnement, que l'on appelle aussi modèle écologique, a été élaboré à partir des travaux en santé communautaire de Leavell et Clark (1965). Ce modèle a par la suite donné naissance à une théorie générale des causes multiples de la maladie. On utilise ce modèle davantage pour prévoir la survenue des affections que pour promouvoir la santé, bien que la définition des facteurs de risque résultant des interactions dynamiques entre l'agent, l'hôte et l'environnement permette de promouvoir et de maintenir la santé (figure 10-3 ■) :

1. *L'agent.* Tout facteur environnemental ou agent stressant (biologique, chimique, mécanique, physique ou psychosocial)

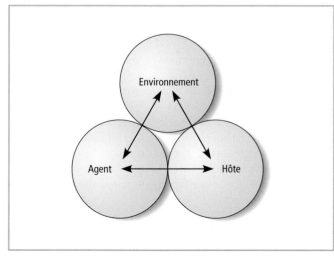

FIGURE 10-3 ■ Le triangle agent-hôte-environnement.

qui, par sa présence ou son absence (par exemple un manque de nutriments essentiels), peut provoquer une indisposition ou une affection.

2. *L'hôte.* Personne qui présente ou non un risque d'avoir une affection. Les antécédents familiaux, l'âge et le mode de vie conditionnent la réaction de l'hôte.

3. *L'environnement.* Tous les facteurs externes à l'hôte qui peuvent ou non le prédisposer à l'apparition d'affections. L'environnement physique comprend le climat, les conditions de vie, l'intensité sonore et le niveau économique. L'environnement social repose sur la qualité des interactions avec les autres et sur les événements de la vie, le décès du conjoint, par exemple.

Ces facteurs (agent, hôte et environnement) étant en constante interaction, la santé est en perpétuel changement. Lorsque les facteurs sont équilibrés, la santé est maintenue ; lorsqu'ils sont en déséquilibre, une affection peut survenir.

Représentations du continuum santé-maladie

On utilise les représentations du continuum santé-maladie (échelles ou diagrammes) pour mesurer le niveau de santé perçu d'une personne. On peut considérer la santé et la maladie comme étant situées aux deux extrémités d'un axe. Ainsi, l'état d'une personne peut passer de bonne santé à santé normale, puis à mauvaise santé et à très mauvaise santé, son état pouvant se détériorer jusqu'à la mort. Toute personne oscille constamment entre les différents degrés sur l'axe santé-maladie. Il n'y a pas de seuil distinct indiquant le passage de la santé à la maladie ou de la maladie à la santé. L'image que la personne a d'elle-même et la façon dont les autres la perçoivent sur le plan de la santé ou de la maladie influent aussi sur la position qu'elle occupe sur l'axe. Les plages pouvant correspondre à un état perçu relativement à la santé sont d'ailleurs très grandes.

CONTINUUM DE SANTÉ OPTIMALE DE DUNN

Dunn (1959) a élaboré un diagramme de la santé dans lequel l'axe santé-maladie croise l'axe environnemental, montrant ainsi leur interaction (figure 10-4 ■). L'axe santé-maladie (axe horizontal) va d'une **prédisposition à la santé** optimale jusqu'à la mort, tandis que l'axe environnemental (axe vertical) va de conditions environnementales très favorables à très défavorables. L'intersection des deux axes forme quatre régions correspondant chacune à un degré de santé :

1. *Prédisposition à la santé dans un environnement favorable.* Exemple : une personne qui adopte des comportements et un mode de vie sains, et qui dispose des ressources biopsychosociales, spirituelles et économiques nécessaires à la réalisation de ses aspirations.

2. *Prédisposition à la santé dans un environnement défavorable.* Exemple : une femme qui connaît les habitudes de vie saines, mais qui n'a pas la possibilité de les appliquer à son mode de vie en raison de ses responsabilités familiales, des exigences de son travail ou d'autres facteurs contraignants.

3. *Mauvaise santé dans un environnement favorable.* Exemple : une personne malade (fractures multiples ou hypertension artérielle grave) dont les besoins sont satisfaits grâce à sa capacité d'accéder à des ressources humaines, financières et médicales.

4. *Mauvaise santé dans un environnement défavorable.* Exemple : une femme âgée atteinte de la maladie d'Alzheimer et souffrant de solitude dans son nouveau milieu de vie.

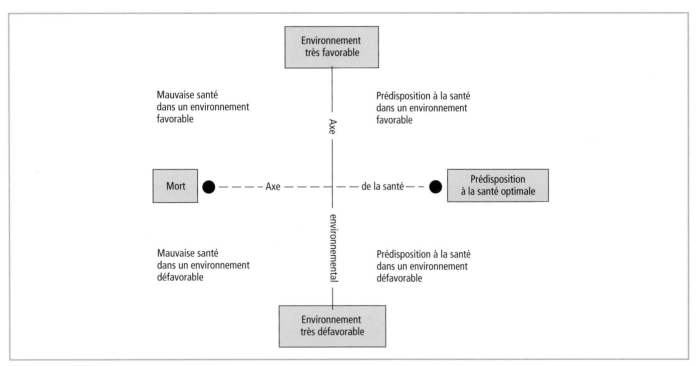

FIGURE 10-4 ■ Diagramme de la santé de Dunn : ses axes et ses quadrants. Source : Dunn, H. L. (1959). High-level wellness for man and society. *American Journal of Public Health, 49,* 788.

Dans son ouvrage sur le modèle de santé optimale, Dunn (1973) explore la prédisposition à la santé en relation avec la famille, la communauté, l'environnement et la société.

Il croit que faire partie d'une famille fonctionnelle favorise la santé. Dans une famille équilibrée où règnent confiance, amour et soutien, la personne n'a pas besoin de dépenser de l'énergie pour répondre à ses besoins essentiels et elle peut améliorer sa position sur l'axe santé-maladie.

En offrant une bonne hygiène et de l'eau pure, en se débarrassant, en toute sécurité, des eaux usées et en préservant la beauté de la faune et de la flore, la communauté améliore le bien-être familial et individuel. Dunn suppose que la personne doit être en paix avec l'environnement et en assurer la protection. Il considère aussi qu'il est important de tenir compte du niveau de prédisposition à la santé de la communauté et de la société en général, étant donné la grande influence que celles-ci exercent sur les individus.

CONTINUUM SANTÉ-MALADIE

Le continuum santé-maladie (figure 10-5 ■) élaboré par Travis et Ryan (2004) va d'un haut niveau de santé jusqu'à la mort. Il est représenté par deux flèches (axes) pointant dans des directions opposées. Du côté droit sont représentés trois niveaux de santé : prise de conscience, éducation et croissance ; du côté gauche, trois niveaux de maladie : signes, symptômes et incapacité. Travis et Ryan pensent qu'il est possible d'être physiquement malade et, parallèlement, de s'orienter vers une bonne santé ou, à l'inverse, d'être en bonne forme physique et de se percevoir comme en mauvaise santé.

Ce modèle combine le traitement traditionnel d'affections et la notion de prédisposition à la santé. Le premier peut favoriser le déplacement d'une personne de la partie gauche vers le centre, lorsque les symptômes d'affection sont soulagés. Ainsi, un homme qui prend des médicaments antihypertenseurs se déplace vers le centre de l'axe. Toutefois, pour dépasser le centre de l'axe et ainsi améliorer sa santé, il devra, par exemple, perdre du poids ou cesser de fumer. Soulignons que de telles interventions visant à améliorer sa santé peuvent être effectuées en tout temps, sans égard à l'endroit où la personne se situe sur l'axe.

Facteurs influant sur l'état de santé et sur les croyances et les comportements en matière de santé

De nombreux facteurs, conscients ou inconscients, influent sur l'**état de santé** d'une personne ainsi que sur ses **croyances** et ses **comportements en matière de santé**. (Ces notions sont définies dans l'encadré 10-2.) En règle générale, la personne détermine ses comportements en matière de santé et choisit ses activités, qu'elles soient saines ou malsaines. Par contre, elle exerce peu d'influence sur sa constitution génétique, son âge, son sexe, sa culture, voire son environnement géographique.

Facteurs internes

Les facteurs internes comprennent les dimensions biologique, psychologique et cognitive de la personne. Les dimensions biologique et psychologique sont très difficiles, voire impossibles à modifier. C'est pourquoi, quand des facteurs internes sont liés à des problèmes de santé, l'infirmière doit exercer une influence sur les facteurs externes (comme l'exercice et le régime alimentaire), qui peuvent concourir à promouvoir une bonne santé et à prévenir les maladies. Des examens médicaux réguliers et un dépistage pertinent visant à déceler les signes précoces d'affections deviennent alors d'autant plus importants.

DIMENSION BIOLOGIQUE

La constitution génétique, le sexe, l'âge et le niveau de développement sont autant de facteurs qui exercent une influence importante sur la santé d'une personne.

La *constitution génétique* influe sur les caractéristiques biologiques, le tempérament inné, le niveau d'activité et le potentiel intellectuel. Elle a aussi été liée à la prédisposition à certaines affections, comme le diabète et le cancer du sein. Dans certains cas, la prédisposition génétique à la santé ou à la maladie est renforcée si les deux parents appartiennent au même groupe ethnique et génétique. Ainsi, l'incidence de la drépanocytose

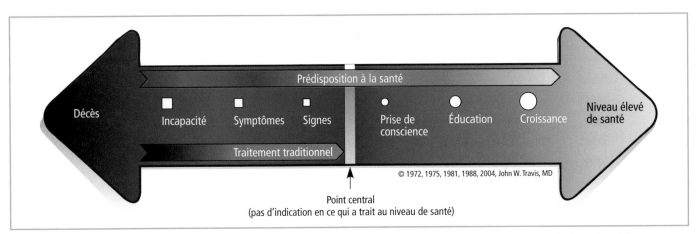

FIGURE 10-5 ■ Continuum santé-maladie. Source : Travis, J. W., et Ryan, R. S. (2004). *Wellness workbook* (3ᵉ éd.). Berkeley, CA : Celestial Arts. Reproduction autorisée, tiré de *Wellness workbook*, 3ᵉ éd., de John W. Travis, MD, et Regina Sara Ryan (Celestial Arts, 2004). www.wellnessworkbook.com.

ENCADRÉ 10-2
DISTINGUER L'ÉTAT DE SANTÉ, LES CROYANCES ET LES COMPORTEMENTS EN MATIÈRE DE SANTÉ

État de santé. Santé d'une personne à un moment donné. Un rapport sur l'état de santé peut indiquer des problèmes d'anxiété ou de dépression, une affection aiguë, ou décrire un problème plus général. Il peut aussi s'agir de données précises, comme le pouls ou la température corporelle.

Croyances en matière de santé. Notions relatives à la santé que la personne considère comme étant la vérité. Ces croyances ne reposent pas toujours sur des faits, et certaines d'entre elles sont influencées par la culture. Par exemple, si une personne considère que fumer de la marijuana a des effets bénéfiques sur son niveau de stress relié au travail, elle peut refuser de suivre les recommandations du professionnel de la santé de cesser cette pratique, et ce, même si cela compromet sa santé. Dans certaines cultures, on considère que la maladie est une manifestation des mauvais esprits, de sorte que si on est malade on adopte certains comportements ou rites « maison » visant à chasser ces esprits au lieu de consulter un médecin. Or, ces rites sont parfois néfastes pour la santé. Pour en savoir plus sur les différentes perceptions culturelles de la santé et de la maladie, voir le chapitre 12 ⊂⊃ .

Comportements en matière de santé. Mesures que prend la personne pour comprendre son état de santé, maintenir un état de santé optimal, prévenir les affections et les blessures, et atteindre un potentiel physique et mental maximal.

Ces comportements résultent des croyances en matière de santé. Manger raisonnablement ; faire de l'exercice ; prêter attention aux signes avant-coureurs d'une affection ; observer le traitement prescrit ; éviter les dangers connus pour la santé, tels que le tabagisme ; prendre le temps de se reposer et de se détendre et gérer son temps efficacement sont autant d'exemples de ces comportements.

Les comportements en matière de santé doivent prévenir les indispositions ou les affections ou encore permettre de les dépister précocement. L'infirmière qui élabore un plan de soins et de traitements avec une personne doit tenir compte des croyances de celle-ci en matière de santé avant de proposer des changements de comportements souhaitables.

et de l'hypertension artérielle est plus grande chez les personnes d'ascendance africaine que dans l'ensemble de la population. Par contre, ces personnes sont moins susceptibles de contracter le paludisme.

Le *sexe* influe aussi sur la répartition des affections. Certaines affections acquises ou génétiques sont plus courantes chez un sexe que chez l'autre. L'ostéoporose et les affections auto-immunes, comme la polyarthrite rhumatoïde, sont plus courantes chez la femme. Par contre, chez l'homme, les ulcères à l'estomac, les hernies abdominales et les affections respiratoires sont plus fréquents.

L'*âge* est également un facteur important. La répartition des affections varie avec l'âge. Ainsi, une cardiopathie, telle que l'athérosclérose, est une affection courante chez l'homme d'âge moyen et se rencontre rarement chez des personnes plus jeunes ; l'asthme infantile est spécifique aux enfants, et la maladie d'Alzheimer est plus fréquente chez les personnes âgées.

Le *niveau de développement* a une grande incidence sur l'état de santé, comme l'illustrent les exemples suivants :

- Le nourrisson a peu de maturité physiologique et psychologique. Ses moyens de défense contre les affections sont, de ce fait, peu développés au cours des premières années de la vie.
- L'enfant qui apprend à marcher est plus susceptible de tomber et de se blesser.
- L'adolescent, qui recherche le sentiment d'appartenance à son groupe, est plus enclin à adopter des comportements à risque et, par conséquent, à se blesser.
- Le déclin des habiletés physiques, sensorielles et perceptives limite la capacité de la personne âgée de réagir aux dangers et aux agents stressants de l'environnement.

DIMENSION PSYCHOLOGIQUE

Les facteurs psychologiques (émotionnels) influent sur la santé, notamment sur les relations entre le corps et l'esprit, et le concept de soi.

Les *relations entre le corps et l'esprit* peuvent avoir une incidence positive ou négative sur la santé. Comme les réactions émotionnelles au stress influent sur le fonctionnement physique, un étudiant extrêmement anxieux avant un examen peut souffrir de pollakiurie et de diarrhée. Une personne qui s'inquiète de l'issue d'une intervention chirurgicale peut fumer cigarette sur cigarette. Un trouble émotif prolongé peut augmenter le risque de souffrir d'une affection organique. Un trouble émotif peut aussi avoir un effet sur la fonction immunitaire par l'entremise du système nerveux central et des modifications endocriniennes. L'incidence des infections, du cancer et des affections auto-immunes illustre les altérations de la fonction immunitaire.

On accorde une attention croissante à la capacité de l'esprit de réguler le fonctionnement du corps. Les bienfaits de la relaxation, de la méditation et des techniques de rétroaction biologique (*biofeedback*) sont de plus en plus reconnus tant par la population en général que par les professionnels de la santé. Ainsi, les femmes utilisent souvent des techniques de relaxation pour réduire la douleur pendant l'accouchement. D'autres personnes apprennent les techniques de rétroaction biologique pour abaisser l'hypertension artérielle.

Les réactions émotionnelles sont également une réponse aux affections physiques. Par exemple, le diagnostic d'une affection incurable peut engendrer peur et dépression. Le *concept de soi* est la façon dont on se sent vis-à-vis de soi (estime de soi), dont on se perçoit physiquement (image corporelle) et dont on perçoit ses besoins, son rôle et ses capacités. Il se répercute sur la façon de percevoir les situations ainsi que sur les réactions qui en découlent. Ces attitudes peuvent avoir un effet sur les habitudes en matière de santé et sur les réactions au stress et à la maladie. Elles peuvent également déterminer à quel moment on va chercher à obtenir un traitement. Prenons, par exemple, une femme anorexique qui se prive des nutriments nécessaires parce qu'elle pense avoir un excès de poids alors qu'elle se situe bien en deçà de son poids santé. (Le concept de soi est traité en détail au chapitre 24 ⊂⊃.) La perception de soi est également liée à la définition que l'on a de la santé. Ainsi, un homme âgé de 75 ans, qui ne peut plus déplacer de gros objets comme il avait l'habitude de le faire, devra peut-être examiner et redéfinir son concept de la santé en fonction de son âge et de ses capacités.

DIMENSION COGNITIVE

Les facteurs cognitifs ou intellectuels qui influent sur la santé sont les choix quant au mode de vie et les croyances spirituelles et religieuses.

Le **mode de vie** (ou habitudes de vie) est la façon générale dont une personne vit. Il dépend des conditions de vie et des modes de comportement individuels influencés par des facteurs socioculturels et des caractéristiques personnelles. Il est souvent possible d'exercer un contrôle sur les comportements et les activités qui conditionnent le mode de vie, et les choix qui sont ainsi faits peuvent avoir un effet positif ou négatif sur la santé. On parle souvent de **facteurs de risque** pour évoquer les habitudes ayant des effets potentiellement nocifs sur la santé. Par exemple, l'hyperphagie et la sédentarité sont étroitement liées à l'incidence des affections cardiaques, à l'athérosclérose, au diabète et à l'hypertension artérielle. Le tabagisme est clairement lié au cancer du poumon, à l'emphysème pulmonaire et aux affections cardiovasculaires. L'encadré 10-3 présente des exemples de choix sains en matière de mode de vie.

Les *croyances spirituelles et religieuses* peuvent avoir un effet important sur les comportements en matière de santé. Par exemple, les Témoins de Jéhovah s'opposent aux transfusions sanguines ; certains fondamentalistes pensent qu'une affection grave est une punition de Dieu ; les membres de certains groupes religieux sont des végétariens stricts ; les juifs orthodoxes procèdent à la circoncision des petits garçons le huitième jour suivant leur naissance.

Facteurs externes

Les facteurs externes se répercutant sur la santé sont l'environnement physique, le niveau de vie, les croyances familiales et culturelles, et le réseau de soutien social.

ENVIRONNEMENT

On connaît bien les liens entre la santé et l'environnement, notamment la propreté de l'air et de l'eau et la qualité des aliments (Association des infirmières et infirmiers du Canada

---

ENCADRÉ 10-3
EXEMPLES DE CHOIX SAINS EN MATIÈRE DE MODE DE VIE

- Pratiquer régulièrement une activité physique.
- Maintenir un poids santé.
- Éviter la consommation de graisses saturées.
- Limiter la consommation d'alcool et l'usage du tabac.
- Boucler la ceinture de sécurité pendant les déplacements en automobile.
- Porter un casque à bicyclette.
- Se faire donner les rappels de vaccins.
- Diminuer les facteurs de stress.
- Consulter des professionnels de la santé (par exemple dentiste, médecin) régulièrement et effectuer les examens paracliniques recommandés.

[AIIC], 2009). Le climat d'une région a un effet sur l'incidence de certaines affections. Le paludisme, par exemple, est plus fréquent sous les tropiques que dans des climats tempérés, alors que l'hypothermie et les engelures sont caractéristiques des pays nordiques. La pollution de l'air par l'exposition à la fumée secondaire de la cigarette, par exemple, augmente les taux de mortalité et de morbidité attribuables aux maladies cardiovasculaires et respiratoires. Le dioxyde de carbone présent dans l'atmosphère terrestre, qui augmente en raison des émissions des industries et des automobiles, agit comme le toit de verre d'une serre (qui permet au rayonnement solaire de pénétrer dans la serre, mais pas à la chaleur qui en résulte de s'échapper), contribuant au réchauffement de la planète. Ce réchauffement a des effets sur la santé en augmentant l'exposition aux maladies à transmission vectorielle (comme l'infection par le virus du Nil occidental), en faisant grimper l'incidence des maladies d'origine alimentaire (eau et nourriture) et en augmentant la fréquence des phénomènes atmosphériques extrêmes et des vagues de chaleur graves (Santé Canada, 2005, dans AIIC, 2009). Les produits chimiques ou autres substances présentes dans l'environnement, telles que l'amiante ou les déchets toxiques, sont cancérogènes, ou causes de troubles endocriniens, de toxicité fœtale et de neurotoxicité (Wigle, 2003). Les pesticides et les produits chimiques utilisés pour éliminer les mauvaises herbes et enrayer les maladies des plantes contaminent eux aussi l'environnement. On trouve ces contaminants chez certains animaux et certaines plantes dont les humains se nourrissent. En quantités excessives, ces produits sont nocifs pour la santé. La pollution de l'eau ainsi que les pluies acides constituent une source importante de pollution des forêts, des lacs et des rivières. Les principales composantes des pluies acides sont l'anhydride sulfureux, produit entre autres par les usines de fusion du minerai, ainsi que les oxydes d'azote. La pollution nuit à la santé, et ce, même si elle est produite naturellement. Par exemple, un incendie de forêt provoqué par la foudre engendre de la fumée polluante. Les radiations constituent un autre danger lié à l'environnement. Les appareils et les médicaments qui émettent des radiations, tels ceux utilisés en radiographie, peuvent présenter un danger pour la santé des travailleurs, par exemple, si des précautions extraordinaires ne sont pas prises lors de leur utilisation ou de leur mise au rebut. Les rayons ultraviolets du soleil sont une autre source courante de radiation. Les personnes ayant la peau claire sont plus susceptibles d'en subir les effets néfastes que les personnes ayant la peau foncée. La qualité du logement, l'enlèvement des ordures, la sécurité routière et les niveaux de bruit sont d'autres effets de l'environnement sur la santé dont il faut tenir compte (AIIC, 2009).

Le *Code de déontologie des infirmières et infirmiers* de l'AIIC appuie la participation des infirmières aux enjeux de santé environnementale en leur recommandant de déployer des efforts éthiques comme « appuyer la préservation et la restauration de l'environnement et préconiser des initiatives qui réduisent les pratiques préjudiciables à l'environnement, afin de promouvoir la santé et le bien-être », et « poursuivre les efforts de sensibilisation aux grandes préoccupations en matière de santé mondiale telles que [...] la pollution environnementale » (AIIC, 2008, p. 20-21, citée dans AIIC, 2009). Les infirmières doivent intervenir en faveur des populations qui sont davantage prédisposées aux risques présents dans l'environnement en raison de leurs particularités physiques et de leurs comportements, du lieu où elles habitent ou du contrôle qu'elles exercent sur leur environnement (AIIC, 2009).

Le rôle des infirmières en santé environnementale consiste à :

1. Évaluer les risques liés aux dangers environnementaux et à les communiquer aux individus, aux familles et aux communautés.
2. Préconiser des politiques qui protègent la santé en évitant les expositions à ces dangers.
3. Effectuer des recherches en sciences infirmières et des recherches interdisciplinaires qui sont liées aux enjeux de santé environnementale (AIIC, 2009).

NIVEAU DE VIE

Le niveau de vie d'une personne, déterminé par sa profession, son revenu et sa scolarité, est étroitement lié à la santé, à la morbidité et à la mortalité. En effet, l'hygiène, les habitudes alimentaires, la tendance à consulter un professionnel de la santé et à observer des régimes sains varient en fonction du revenu.

Les familles à faible revenu définissent souvent la santé en fonction du travail : si la personne peut travailler, elle est en bonne santé. Aux prises avec des problèmes de grande envergure en raison d'un revenu insuffisant, ces familles consacrent beaucoup d'efforts à la satisfaction de leurs besoins essentiels au quotidien ; l'avenir et les comportements de prévention de la maladie peuvent alors ne pas faire partie de leurs préoccupations courantes.

Les conditions de vie dans les régions pauvres se répercutent aussi sur la santé globale d'une population. Certains quartiers sont surpeuplés et mal entretenus : les services d'hygiène publique ne sont pas à la hauteur. Les équipements de loisirs et les espaces verts sont presque inexistants, ce qui oblige les enfants à jouer dans les rues et les ruelles. De plus, les incendies et la criminalité peuvent constituer des menaces constantes dans ces quartiers.

Des types d'emplois particuliers prédisposent aussi les gens à certaines maladies. Ainsi, des travailleurs de l'industrie peuvent être exposés à des agents cancérogènes, et d'autres doivent s'acquitter de rôles sociaux ou professionnels stressants qui les prédisposent à la fatigue et au stress. Ces rôles peuvent aussi favoriser l'hyperphagie ou la consommation sociale de drogues ou d'alcool.

CROYANCES FAMILIALES ET CULTURELLES

La famille transmet des habitudes de vie quotidienne et des modes de vie à ses descendants. Ainsi, un homme qui a été maltraité pendant l'enfance pourra infliger de mauvais traitements physiques à son jeune fils. La violence physique ou psychologique peut causer des problèmes de santé à long terme. La stabilité émotive dépend d'un environnement social où il n'y a pas de tension excessive et où la personne n'est pas isolée des autres. Un climat favorisant la communication, le partage et l'amour prédispose la personne à réaliser son plein potentiel.

Les interactions culturelles et sociales ont également une incidence sur la façon dont la personne perçoit la santé et la maladie, en fait l'expérience et y fait face. Chaque culture a des croyances et des habitudes en matière de santé, transmises d'une génération à l'autre.

Ainsi, une personne d'ascendance asiatique préférera peut-être utiliser des remèdes à base de plantes et l'acupuncture pour traiter la douleur plutôt que des analgésiques. Les règles, les valeurs et les croyances culturelles confèrent la stabilité nécessaire aux gens et leur permettent de prévoir les issues de leurs efforts. La remise en question d'anciennes croyances et valeurs par les groupes culturels de la deuxième génération peut donner lieu à des conflits et provoquer instabilité et insécurité, ce qui risque de contribuer à l'apparition d'affections. Le patrimoine et les influences culturelles sur la santé sont exposés en détail au chapitre 12 .

RÉSEAU DE SOUTIEN SOCIAL

Le fait d'avoir un réseau de soutien (famille, amis ou confident) et d'être satisfait de son travail contribue à prévenir les affections. Les membres du réseau de soutien peuvent aider une personne à prendre conscience de la maladie, l'inciter à recevoir des soins de santé et même l'aider à recouvrer la santé (Hurdle, 2001). En l'absence d'un solide réseau de soutien, une personne peut laisser progresser une affection avant de cesser d'en nier l'existence et de se faire soigner.

PRÉVENTION

La prévention, qui vise à éviter l'apparition d'une maladie, s'effectue à trois niveaux : primaire, secondaire et tertiaire (Leavell et Clark, 1965). Nous résumons au tableau 10-1 ces niveaux et leurs cibles et donnons des exemples d'activités de prévention pour chacun d'entre eux. On peut recourir à la prévention de quelque niveau que ce soit à divers moments pendant l'évolution d'une maladie et, dans la pratique, les niveaux peuvent se chevaucher. Par exemple, si le client vient de subir un infarctus du myocarde, un des buts de la prévention secondaire sera de lui administrer immédiatement des médicaments destinés au traitement des maladies du cœur pour limiter son risque futur d'invalidité. L'enseignement des changements de mode de vie, par exemple pour prévenir de nouvelles complications, sera le même que celui qui fait partie des activités poursuivies en prévention primaire, alors que l'objectif de faire rentrer le client chez lui muni de la liste des rendez-vous de suivi, par exemple en réadaptation cardiaque, est une activité de prévention tertiaire.

Modèles de croyances relatives à la santé

On a élaboré un certain nombre de théories ou modèles de croyances et de comportements en matière de santé pour déterminer si une personne est susceptible ou non de prendre part à des activités de prévention de la maladie et de promotion de la santé. Ces modèles sont des outils utiles à l'élaboration de programmes destinés à promouvoir l'adoption de modes de

TABLEAU 10-1
NIVEAUX DE PRÉVENTION, CIBLES ET ACTIVITÉS DE PRÉVENTION

Niveau	Cible	Exemples d'activités
Prévention primaire	Promotion de la santé et protection contre des maladies ou des problèmes de santé particuliers. Ce type de prévention vise à devancer la maladie ou le dysfonctionnement ; ses cibles sont des individus ou des groupes généralement en bonne santé.	Enseignement de la prévention des accidents et des empoisonnements, vaccination, planification familiale, alimentation, exercice, gestion du stress, sécurité à domicile et au travail Mode de vie et alimentation, enseignement des moyens de prévention des cancers ou des maladies du cœur
Prévention secondaire	Dépistage rapide des problèmes de santé et amorce immédiate d'interventions visant à les prendre en charge et à limiter le risque d'invalidité dans l'avenir.	Dépistage du retard de croissance, mesure de la pression artérielle, dépistage de la tuberculose par un test cutané, examen clinique des seins et des testicules, examen physique et dentaire annuel
Prévention tertiaire	Réadaptation et rétablissement d'un niveau de fonctionnement optimal. La prévention tertiaire débute après une maladie, lorsque l'invalidité ou le problème de santé a été stabilisé ou que son irréversibilité a été confirmée.	Enseignement des soins du pied aux personnes diabétiques Enseignement des exercices d'amplitude des mouvements aux personnes ayant subi un AVC

vie plus sains et d'une attitude positive envers des mesures sanitaires de prévention (voir, au chapitre 8 ⊖, le modèle de prévention de la santé de Pender *et al.*, et le modèle des stades de changement de comportement [modèle transthéorique de changement de comportement]).

Modèle du lieu de contrôle en santé

Le **lieu de contrôle** (*locus of control* ou LOC) est un concept découlant de la théorie sociale cognitive, qui permet de déterminer dans quelle mesure une personne considère qu'elle peut avoir une emprise sur sa santé. Une personne ayant un lieu de contrôle *interne* est convaincue de son pouvoir sur son état de santé et de l'importance de l'autodétermination comme prédicteur de sa santé : les événements s'expliquent par des causes internes et en découlent directement. Cette personne a tendance à être proactive quant à ses propres soins de santé, à obtenir les informations appropriées et à acquérir les connaissances nécessaires en matière de santé, à observer les soins prescrits, notamment à prendre ses médicaments, à consulter des professionnels de la santé au besoin et à opter pour des habitudes de vie saines. Par contre, une personne qui pense que sa santé est essentiellement déterminée par le hasard ou par l'influence de forces extérieures (chance ou personnes puissantes) a un lieu de contrôle *externe* : indépendants de sa volonté, les événements s'expliquent par des causes externes.

On a démontré que le lieu de contrôle influe sur les comportements de la personne en matière de santé. Selon Combs et Feral (2010), les personnes ayant un lieu de contrôle *interne* et disposant d'un soutien adéquat sont plus fidèles aux traitements.

Le lieu de contrôle est un concept mesurable qui sert à déterminer quelles sont les personnes les plus susceptibles de modifier leur comportement. De nombreux instruments permettent de mesurer le lieu de contrôle, dont l'échelle multidimensionnelle du lieu de contrôle de la santé (EMLCS) (*multidimensional*

 RECHERCHE EN SCIENCES INFIRMIÈRES

COMPORTEMENTS DE PROMOTION DE LA SANTÉ D'ÉTUDIANTES DE PREMIÈRE ANNÉE AU BACCALAURÉAT EN SCIENCES INFIRMIÈRES : ÉTUDE PILOTE

« Les infirmières sont invitées dorénavant à modifier leur rôle traditionnel de soignantes centrées sur la maladie, le déficit ou la perte pour un rôle d'éducatrices et de collaboratrices et à mettre en valeur les forces et le potentiel des personnes à s'engager dans des comportements de santé » (Petrarca, 1990, cité dans Clément, Bouchard, Jankoski et Perreault, 1995). « Or, pour remplir ce rôle, les infirmières doivent d'abord elles-mêmes s'engager dans des comportements de promotion de la santé et être des modèles de santé » (Clarke, 1991, cité dans Clément *et al.*, 1995). « Il semble cependant que les étudiantes en sciences infirmières n'adoptent pas toujours des comportements sains durant leur formation universitaire et que le contexte académique n'exerce pas toujours une influence positive à l'adoption de ces comportements » (Clément *et al.*, 1995).

« Le but de cette étude pilote était de tester l'utilité du modèle théorique de Pender (1987) à prédire l'adoption de comportements de promotion de la santé chez 176 étudiantes de première année au baccalauréat en sciences infirmières. L'analyse de régression multiple hiérarchique a démontré que la perception de l'auto-efficacité (les croyances de l'individu quant à ce qu'il peut faire avec les aptitudes qu'il possède), la perception de l'état de santé (estimation que l'individu fait de son état de santé), l'influence des professeurs (attentes et attitudes des personnes significatives) et le lieu de naissance sont des variables prédictives de comportements de promotion de la santé de cette population » (Clément *et al.*, 1995).

Implications : « Les résultats de cette étude suggèrent entre autres l'importance pour les professeurs d'utiliser des stratégies susceptibles de développer et de maintenir la confiance des étudiantes dans leur habileté à s'engager dans des comportements de promotion de la santé » (Clément *et al.*, 1995).

Source: Clément, M., Bouchard, L., Jankoski, L. W., et Perreault, M. (1995). Comportements de promotion de la santé d'étudiantes de première année au baccalauréat en sciences infirmières : Étude pilote. *Canadian Journal of Nursing Research*, 27(4), 111-131.

health locus of control – MHLC) (Wallston, Wallston et DeVellis, 1978; Wallston, Stein et Smith, 1994), qui est souvent utilisée. Les résultats obtenus à l'aide de cet instrument permettent d'orienter les interventions en ciblant le renforcement interne des personnes, de manière à les inciter à agir pour améliorer leur santé.

Modèles des croyances relatives à la santé de Rosenstock et de Becker

Dans les années 1950, Rosenstock (1974) a proposé un modèle de croyances en matière de santé. Son but initial était d'expliquer les raisons qui motivent les gens à accepter ou non de subir un test de dépistage d'affections asymptomatiques ou du cancer. Par la suite, ce modèle a été utilisé pour tenter de comprendre les comportements associés à la prévention des maladies (la vaccination, par exemple) et à l'observance des prescriptions médicales. L'étude des comportements liés à la santé tels que les habitudes de vie est plus récente. Becker (1974) a modifié le modèle pour y inclure les éléments suivants : perceptions individuelles et facteurs modificatifs et variables susceptibles d'avoir un effet sur l'action initiale. Le modèle des croyances relatives à la santé (figure 10-6 ■) repose sur la théorie de la motivation. Rosenstock (1974) a supposé qu'une bonne santé est un objectif que toutes les personnes partagent, et Becker y a ajouté une dimension de «motivation positive en matière de santé». Ce modèle est utile à l'étude des comportements suivants : observance des traitements prescrits, recours à des services de santé et adoption volontaire de bonnes habitudes de vie.

PERCEPTIONS INDIVIDUELLES

Les perceptions individuelles reposent sur les éléments suivants :

■ *Perception de sa vulnérabilité à la maladie.* Les antécédents familiaux relatifs à une affection donnée, comme le diabète ou une affection cardiaque, peuvent sensibiliser la personne au risque qu'elle présente d'en souffrir un jour.

■ *Perception de la gravité des conséquences.* Selon la perception de la personne, une affection entraîne-t-elle des conséquences graves ou un risque de mort ? Les préoccupations relatives à la propagation du syndrome d'immunodéficience acquise (sida) illustrent la façon dont la population perçoit la gravité de cette maladie.

■ *Perception de la menace engendrée par l'apparition de la maladie.* Selon Becker (1974), la perception de sa vulnérabilité et la perception de la gravité des conséquences se combinent pour déterminer la perception de la menace engendrée par l'apparition d'une affection. Ainsi, une personne consciente du fait que de nombreux membres de la communauté sont atteints du sida ne verra pas forcément cette affection comme une menace. Par contre, si ses comportements peuvent constituer un facteur de risque de contracter la maladie, comme de nombreux rapports sexuels non protégés, cette personne sera susceptible de percevoir la menace comme étant plus grande, du fait que sa vulnérabilité se combine à la gravité du sida.

FACTEURS MODIFICATIFS

Les facteurs qui modifient la perception d'une personne en matière de santé sont multiples :

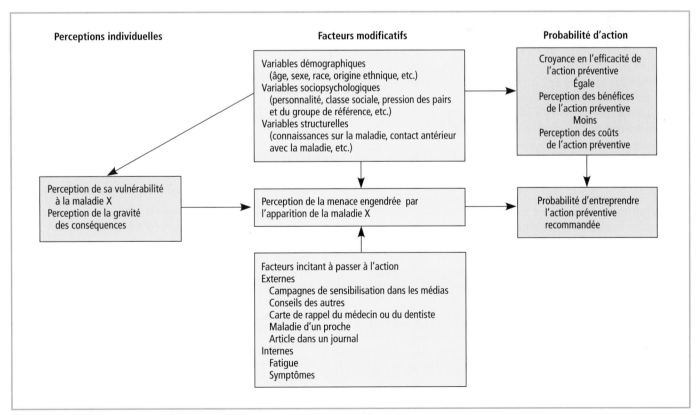

FIGURE 10-6 ■ Modèle des croyances relatives à la santé. Source : Becker, M. H., *et al.* (1977). *Selected psychosocial models and correlates of individual health-related behaviors. Medical Care, 15*(5 Suppl.), S27-S46.

■ *Variables démographiques.* Les variables démographiques sont l'âge, le sexe, la race et l'origine ethnique. Un bébé, par exemple, ne perçoit pas l'importance d'un régime alimentaire équilibré. Pour un adolescent, la reconnaissance de ses pairs est plus importante que celle de sa famille. Il est alors susceptible de participer à des activités dangereuses, d'adopter de mauvaises habitudes alimentaires ou de se priver de sommeil, par exemple.

■ *Variables sociopsychologiques.* La pression sociale et l'influence des pairs ou d'autres groupes de référence (les groupes d'entraide, de soutien ou professionnels) peuvent favoriser l'adoption de comportements de prévention en matière de santé, même lorsque la motivation est faible. Les attentes des autres peuvent faire office de motivation, par exemple à ne pas conduire un véhicule après avoir consommé de l'alcool.

■ *Variables structurelles.* Les connaissances au sujet d'une affection ou un contact antérieur avec une affection sont des variables structurelles qui, suppose-t-on, influent sur les comportements de prévention. Becker (1974) a découvert que le taux d'observance des traitements prescrits était plus élevé chez les mères dont les enfants avaient souvent des otites ou des crises d'asthme.

■ *Facteurs incitant à passer à l'action.* Ces facteurs peuvent être internes ou externes. Les facteurs internes comprennent la sensation de fatigue, les symptômes et l'inquiétude quant à l'état d'un proche qui est malade ; les facteurs externes comprennent les recommandations du médecin, les campagnes médiatiques, etc.

PROBABILITÉ D'ACTION

La probabilité qu'une personne prendra les mesures de prévention recommandées en matière de santé dépend de la croyance en l'efficacité de l'action préventive déterminée par l'équation suivante : perception des bénéfices de l'action préventive moins perception des coûts de l'action préventive.

■ *Perception des bénéfices de l'action préventive.* Par exemple, on peut décider de cesser de fumer pour prévenir le cancer du poumon ou de manger des aliments nutritifs et d'éviter les collations afin de maintenir son poids santé.

■ *Perception des coûts de l'action préventive.* Il s'agit notamment du coût, des inconvénients, des désagréments et des changements de mode de vie nécessaires à l'accomplissement de l'action.

L'infirmière joue un rôle essentiel quand il s'agit d'aider la personne à adopter des comportements sains. Elle l'aide à surveiller sa santé, lui donne des conseils quant à la prévention et lui transmet ses connaissances sur la santé. En réduisant les inconvénients ou les désagréments, l'infirmière peut contribuer à limiter les obstacles qui freinent le passage à l'action et appuyer les actions positives.

Même si le modèle des croyances relatives à la santé explique adéquatement les comportements de protection ou de prévention des individus, Pender *et al.* (2006) ont jugé pertinent de le modifier afin d'y inclure certains comportements de promotion de la santé (chapitre 8 ⬡).

En plus de ces modèles, l'infirmière utilise d'autres ressources pour évaluer les possibilités et planifier les interventions qui permettront de maximiser le bien-être de la personne. La *Charte d'Ottawa*, signée lors de la conférence du 21 novembre 1986, qui avait pour but de contribuer à la réalisation de l'objectif de «la santé pour tous d'ici l'an 2000 et au-delà», demeure un outil de référence pertinent qui doit inciter les infirmières à contribuer à l'atteinte de cet objectif. Découlant d'un mouvement mondial en faveur de la santé publique, cette conférence s'est concentrée sur les besoins des pays industrialisés, en se basant sur les progrès réalisés lors de la déclaration d'Alma-Ata sur les soins de santé primaires, les buts fixés par l'OMS dans le cadre de la santé pour tous et le débat sur l'action intersectorielle pour la santé, tenu lors de l'Assemblée mondiale de la santé. Les sites Internet de l'Agence de la santé publique du Canada (ASPC, 2010) et du MSSS (2010) offrent une grande variété d'informations en matière d'actions préventives, de promotion et de services.

Observance des soins de santé

On parle d'**observance** lorsque le comportement d'une personne correspond aux conseils qui lui ont été donnés (prendre ses médicaments, suivre un régime alimentaire ou modifier son mode de vie, par exemple). Le degré d'observance peut varier entre les deux extrêmes : la personne peut ne tenir compte d'aucune des recommandations ou, au contraire, respecter la totalité du plan de soins et de traitements. Il y a de nombreuses raisons pour lesquelles certaines personnes observent leur traitement et d'autres non (encadré 10-4).

Pour améliorer l'observance, l'infirmière doit s'assurer que la personne est en mesure de suivre le traitement prescrit, de comprendre les instructions, de participer à l'établissement des objectifs du traitement et d'accorder de l'importance aux résultats que produiront les changements de comportement souhaités. Des exemples de questions à poser lors d'évaluations de l'observance d'un traitement médicamenteux prescrit sont donnés à la rubrique *Entrevue d'évaluation*.

ENCADRÉ 10-4
FACTEURS INFLUANT SUR L'OBSERVANCE DES SOINS DE SANTÉ

■ Motivation et volonté de retrouver la santé

■ Nature des changements à apporter à son mode de vie

■ Gravité perçue du problème de santé

■ Importance accordée à la réduction de la menace que représente l'affection

■ Compréhension et possibilité de mise en œuvre de certains comportements

■ Intensité des indispositions que provoquent l'affection ou les soins qui y sont liés

■ Confiance en l'efficacité du traitement ou des soins prescrits

■ Complexité, effets secondaires et durée du traitement proposé

■ Héritage culturel

■ Qualité et type de relation avec les intervenants en santé, et degré de satisfaction

■ Coût global du traitement prescrit

ENTREVUE D'ÉVALUATION

DÉTERMINER LES RISQUES DE NON-OBSERVANCE DU TRAITEMENT MÉDICAMENTEUX PRESCRIT

- Vos médicaments provoquent-ils des effets secondaires?
- D'après vous, vos médicaments vous aident-ils?
- Avez-vous des «outils» pour vous rappeler que vous devez prendre vos médicaments, comme une alarme, un pilulier, un moment précis de la journée (le bulletin d'information de 18 h, par exemple)?
- Y a-t-il quelqu'un à la maison pour vous aider à prendre vos médicaments?
- Combien de fois par jour devez-vous prendre des médicaments?
- Combien de médicaments prenez-vous par jour?
- Vos médicaments doivent-ils être rangés ou disposés d'une façon particulière?
- Dans quelle mesure la prise de vos médicaments influe-t-elle sur votre mode de vie?
- Combien de fois avez-vous oublié de prendre vos médicaments au cours des trois derniers jours?
- Combien coûtent vos médicaments?

Un certain nombre d'auteurs ont réalisé une vue d'ensemble des différents concepts liés au phénomène de l'observance afin de mieux le cerner dans le contexte d'un traitement médical.

> Les attitudes, les croyances, la perception du contrôle personnel ainsi que la motivation sont présentées comme les différents facteurs influençant l'adoption et le maintien d'un comportement de santé. Pour qu'il y ait apprentissage efficace, la personne doit s'engager dans l'autogestion ou l'autocontrôle de son propre apprentissage. Quelle que soit la stratégie retenue, une intervention éducative centrée sur les connaissances ne pourra être efficace que si elle permet à l'individu d'augmenter son contrôle (Vandal, Bradet, Viens et Robichaud-Ekstrand, 1999).

Voici des interventions pertinentes auxquelles l'infirmière peut recourir lorsqu'une personne n'observe pas le traitement prescrit:

- *Déterminer les raisons pour lesquelles la personne n'observe pas le traitement prescrit.* Selon la raison, l'infirmière pourra donner des informations, rectifier les idées fausses, essayer de réduire le montant des dépenses ou encore proposer des services de consultation (counselling), si des problèmes psychologiques entravent l'observance du traitement. Il est également essentiel que l'infirmière réévalue la pertinence des conseils donnés en matière de santé. Dans les situations où les croyances culturelles ou l'âge semblent incompatibles avec les traitements prévus, l'infirmière doit trouver des moyens d'adapter les soins de façon à tenir compte des habitudes de la personne (chapitre 12).
- *Faire preuve de respect chaleureux.* Il s'agit de s'intéresser aux problèmes et aux décisions de la personne et d'accepter le fait que cette dernière a le droit de prendre les mesures qui lui conviennent. Par exemple, une infirmière peut dire à une personne qui ne prend pas ses médicaments antiarythmiques: «Je sais ce que vous ressentez à ce sujet, mais je suis très inquiète pour votre cœur.»

- *Favoriser des comportements sains grâce à un renforcement positif.* Si la personne qui ne prend pas ses médicaments antiarythmiques marche tous les jours, l'infirmière pourra lui dire: «Marcher vous fait vraiment du bien.»
- *Utiliser des méthodes pour renforcer l'enseignement.* L'infirmière peut remettre à la personne des dépliants informatifs sur la médication, par exemple, ou encore établir par écrit un calendrier indiquant les jours et les heures auxquels les médicaments doivent être pris.
- *Établir une relation thérapeutique empreinte de liberté, de compréhension et de responsabilité mutuelles avec la personne et son réseau de soutien.* En transmettant les connaissances, les compétences et les renseignements nécessaires, l'infirmière permet à la personne d'avoir une emprise sur sa santé et établit avec elle une relation axée sur la collaboration, ce qui se traduit par une plus grande observance du traitement.

Les aspects ayant une influence sur l'observance des traitements selon l'âge des personnes se trouvent à la rubrique *Les âges de la vie.*

ALERTE CLINIQUE • Une affection chronique exige souvent des traitements complexes et de longue durée qui, en plus d'être très coûteux, peuvent demander énormément d'investissement et provoquer des réactions négatives chez la personne. Par conséquent, la personne ayant une affection chronique présente des risques accrus de non-observance de son traitement. •

Indisposition et affection

Une **indisposition**, qualifiée tantôt de malaise, tantôt de déviation d'un état de santé, est une sensation ou un état subjectif dans lequel une ou plusieurs des dimensions physique, émotionnelle, intellectuelle, sociale, développementale ou spirituelle sont perçues comme étant diminuées. Ce terme n'est pas toujours synonyme d'affection ou de maladie. Ainsi, une personne peut avoir une affection, par exemple une masse à l'estomac, sans pour autant ressentir d'indisposition et ainsi éprouver malgré tout un sentiment de bien-être. À l'inverse, une personne peut se croire en mauvaise santé, sans pour autant avoir une affection précise. La notion d'indisposition étant hautement subjective, seule la personne elle-même peut dire si elle est indisposée ou non.

On peut décrire une **affection** ou une **maladie** comme une anomalie des fonctions corporelles, entraînant une réduction des capacités ou de la durée de vie. Habituellement, l'intervention des médecins a pour objectif d'éliminer l'affection ou d'améliorer le processus de guérison. Indisposition et affection peuvent être intimement liées. Parsons (1979) définit l'affection comme une «perturbation du rôle que joue la personne, nuisant à son adaptation sociale», des facteurs organiques, somatiques, psychologiques et sociaux entrant en ligne de compte.

Les êtres humains ont toujours tenté d'expliquer l'émergence de la maladie. Les peuples primitifs pensaient que des «forces» ou des esprits en étaient la cause. Plus tard, la maladie

👥 LES ÂGES DE LA VIE

ADOLESCENTS

De nombreuses causes de non-observance des traitements sont propres à la période de l'adolescence, car les adolescents:

- ne pensent pas nécessairement à toutes les conséquences de leurs actes;
- en sont aux premières étapes du processus de résolution de problèmes;
- affirment leur indépendance en rejetant les valeurs des adultes;
- se conforment aux règles édictées par leurs pairs et n'aiment pas être différents;
- sont centrés sur le concept de soi et sur l'image corporelle;
- vivent dans l'«ici et maintenant»;
- peuvent régresser en matière de développement en période de stress et de maladie;
- sont parfois incapables de distinguer les avantages des inconvénients d'une situation.

Source: Muscari, M. E. (1998). Rebels with a cause: When adolescents won't follow medical advice. *American Journal of Nursing, 98*(12), 26-31.

PERSONNES ÂGÉES

Les facteurs se répercutant sur la santé et le bien-être des personnes âgées sont les suivants:

- Choix relatifs au mode de vie et responsabilité individuelle en matière de maintien de la santé
- Possibilité de bénéficier de services communautaires ou à domicile pour maximiser l'autonomie
- Traitements complémentaires ou parallèles
- Modifications apportées au domicile pour tenir compte des aspects physiques du vieillissement
- Transport abordable et accessible
- Soins infirmiers et médicaux préventifs
- Services de soins en santé mentale
- Présence de proches aidants

Source: Tyson, S. R. (1999). Elders: Issues that influence the health and well-being of elders. *Gerontological Nursing Care*, 9. Reproduit avec l'autorisation d'Elsevier.

Des facteurs d'ordre physique ou mental peuvent influer sur l'observance du traitement. Par exemple, un des facteurs suivants peut être en cause:

- Oubli
- Démence
- Sentiment d'être arrivé au terme de sa vie

10

s'expliquait par la théorie d'une cause unique à explorer. Puis, on en est venu à considérer qu'une affection est le résultat de plusieurs facteurs (causes multiples) qui interagissent et qui, de plus, déterminent la réaction d'une personne au traitement.

On appelle **étiologie** la cause d'une affection. La description de l'étiologie d'une affection comprend la définition de tous les facteurs causals qui, ensemble, provoquent une affection donnée. Ainsi, le bacille de la tuberculose est désigné comme l'agent biologique de la tuberculose. Toutefois, d'autres facteurs étiologiques, comme l'âge, l'état nutritionnel et même la profession, prédisposent à la tuberculose et exercent une influence sur son évolution. La cause exacte de certaines affections (dont la sclérose en plaques) n'est pas connue, mais certains facteurs de risque peuvent y être associés et en expliquer la survenue, ne serait-ce qu'en partie.

L'infirmière ayant une vision holistique de la personne tient compte dans sa pratique du fait que l'émergence des problèmes de santé dépend des causes multiples.

Il existe bien des façons de classer les notions relatives aux affections. L'une des plus courantes est la distinction entre affection «aiguë» et affection «chronique». Une **affection aiguë** se caractérise habituellement par une apparition soudaine de symptômes qui s'atténuent assez rapidement. Selon la cause et la gravité, les symptômes exigent ou non l'intervention de professionnels de la santé. Par exemple, une appendicite peut nécessiter une intervention chirurgicale, tandis qu'un rhume peut disparaître seul ou avec l'aide de médicaments en vente libre. À la suite d'une affection aiguë, la plupart des gens retrouvent leur niveau habituel de bien-être.

Une **affection chronique** dure pendant une période prolongée, habituellement six mois ou plus, et parfois même pendant toute la vie de la personne. L'affection chronique commence habituellement lentement et s'accompagne souvent de périodes de **rémission**, lorsque les symptômes disparaissent, et d'**exacerbation**, quand ils réapparaissent.

L'arthrite, les maladies pulmonaires et cardiaques ainsi que le diabète sont des affections chroniques. L'infirmière est appelée à s'occuper de personnes de tous âges ayant des affections chroniques, dans différents milieux (domicile, centre hospitalier ou clinique, par exemple). Les soins qu'elle prodigue doivent promouvoir tout particulièrement l'autonomie de la personne en ce qui concerne ses activités quotidiennes ainsi qu'un sentiment d'emprise sur son état et de bien-être. La personne doit souvent modifier ses activités quotidiennes, ses relations sociales, la perception qu'elle a d'elle-même et son image corporelle. De plus, il arrive qu'elle doive apprendre à vivre avec des limites physiques ou des douleurs croissantes.

Comportements en présence d'une affection

Chaque individu adopte certaines attitudes et a des réactions bien personnelles en présence d'une affection. Les sociologues de la santé appellent cette réaction **comportement de personne malade**. C'est un mécanisme d'adaptation, correspondant à la façon dont la personne décrit, surveille et interprète ses symptômes, prend des mesures correctives et recourt au système de soins de santé. La réaction de la personne malade dépend de certains facteurs, tels que l'âge, le sexe, la profession, la situation socioéconomique, la religion, l'origine ethnique, la stabilité psychologique, la personnalité, le niveau d'instruction et les mécanismes d'adaptation. Bien souvent, l'individu n'assume son rôle de personne malade que lorsque le médecin a confirmé l'existence de l'affection et que lui-même accepte sa condition.

Parsons (1979) décrit les quatre attentes que la société entretient à l'égard de la personne malade :

1. La personne n'est pas tenue pour responsable de son état; la société doit soigner la personne malade ou blessée même si, par exemple, elle a subi un accident attribuable à un comportement négligent. On ne peut lui demander de recouvrer la santé par sa seule volonté.
2. Selon la gravité et la nature de l'affection, la personne est libérée de certaines tâches et de certains rôles sociaux. C'est ce que Parsons appelle «exemption des rôles sociaux».
3. La personne doit tout mettre en œuvre pour se rétablir le plus rapidement possible. La maladie est indésirable et n'est pas encouragée dans notre système social.
4. La personne et sa famille doivent trouver une aide compétente en matière de santé et collaborer avec elle afin de vaincre rapidement l'affection.

Suchman (1979) décrit cinq étapes d'une personne malade, que voici.

ÉTAPE 1 MANIFESTATION DES SYMPTÔMES

La personne se rend compte que quelque chose ne va pas, soit à cause de la présence de certains signes ou symptômes (douleur, éruption cutanée, toux, fièvre ou saignement), soit à la suite d'une observation faite par un proche. L'étape 1 compte trois aspects :

- Manifestation physique des signes et des symptômes
- Interprétation des signes et des symptômes (aspect cognitif)
- Réaction émotionnelle (peur ou anxiété)

Habituellement, la personne qui ne se sent pas bien consulte son entourage afin de confirmer la présence des signes et des symptômes qu'elle présente. À cette étape, la personne malade peut essayer des remèdes maison, et l'inefficacité de ces interventions mène à l'étape suivante.

ÉTAPE 2 RÔLE DE PERSONNE MALADE

La personne accepte dès lors son rôle de *personne malade* et cherche à en obtenir confirmation auprès de sa famille et de ses amis. Elle poursuit souvent l'automédication et retarde le plus possible le contact avec des professionnels de la santé. À cette étape, on décharge la personne malade des obligations qui lui échoient habituellement. Les réactions émotionnelles, comme le repli sur soi, l'anxiété, la peur et la dépression, ne sont pas rares. Elles sont plus ou moins intenses selon la gravité de l'affection, le degré perçu d'invalidité et la durée possible de l'affection. Lorsque les symptômes persistent ou s'aggravent, la personne se résout à consulter un professionnel de la santé.

ÉTAPE 3 CONTACT AVEC LES PROFESSIONNELS DE LA SANTÉ

De sa propre initiative ou cédant à la pression de ses proches, la personne malade consulte un professionnel de la santé afin d'obtenir un avis. Elle s'attend à ce qu'on lui confirme la présence réelle d'une affection, qu'on lui explique les signes et les symptômes dans des termes compréhensibles, et qu'on la rassure en lui présentant les choix qui s'offrent à elle, ou qu'on émette un pronostic.

Le professionnel de la santé détermine l'état de santé de la personne qui le consulte ainsi que la gravité de l'affection, le cas échéant. La personne peut alors accepter ou nier le diagnostic. Si elle l'accepte, elle sera probablement disposée à observer le plan de traitement prescrit, alors que, si elle le nie, elle pourra être tentée de consulter d'autres professionnels de la santé ou d'autres thérapeutes à la recherche d'avis ou de diagnostics acceptables pour elle.

ÉTAPE 4 DÉPENDANCE

En acceptant la présence d'une affection et en suivant le plan de traitement prescrit, la personne devient dépendante du professionnel de la santé. La capacité d'abandonner son indépendance varie grandement d'une personne à l'autre, notamment quand il s'agit d'une question de vie ou de mort. Les obligations liées aux rôles, comme ceux de pourvoyeur, de père, de mère, d'étudiant, de membre de l'équipe de base-ball ou de la chorale, font qu'il est difficile d'abandonner son indépendance pendant un laps de temps qui peut être indéterminé.

La plupart des gens acceptent toutefois de dépendre de leur médecin, mais en conservant un certain degré d'emprise. Par exemple, certaines personnes tiennent à se procurer des renseignements précis sur le traitement proposé avant d'y consentir. D'autres préfèrent s'en remettre au professionnel, sans chercher à obtenir des renseignements supplémentaires.

Pour certaines personnes, la dépendance engendrée par l'affection peut répondre à des besoins, comme un besoin d'attention, qui n'ont jamais été satisfaits et apporte ainsi un certain assouvissement, alors que d'autres font tout leur possible pour recouvrer leur autonomie; certaines vont même jusqu'à maintenir leur indépendance au détriment de leur guérison.

ÉTAPE 5 CONVALESCENCE OU RÉADAPTATION

Au cours de cette étape, la personne est appelée à assumer de nouveau son rôle et ses responsabilités. Après une affection aiguë, qui guérit en général rapidement, la plupart des personnes trouvent relativement facile de reprendre leur ancien mode de vie. Par contre, la convalescence peut être plus difficile pour les personnes atteintes d'une affection chronique, qui doivent modifier temporairement leur mode de vie. Dans le cas d'une invalidité permanente, la personne doit parfois suivre une thérapie pour apprendre à modifier son mode de vie.

Il importe de mentionner que tout le monde ne passe pas nécessairement par ces cinq étapes. Ainsi, la personne frappée d'un infarctus aigu est transportée aux urgences et passe directement aux étapes trois et quatre, à savoir contact avec les professionnels de la santé et dépendance. D'autres personnes peuvent connaître uniquement les deux premières étapes et se rétablir par la suite.

Répercussions de l'affection

Une affection apporte avec elle son cortège de changements, aussi bien pour la personne concernée que pour sa famille. Ces changements varient selon la nature, la gravité et la durée de l'affection, l'attitude de la personne et de ses proches, les exigences financières, les changements qu'il faut apporter au mode de vie ainsi que la modification des rôles habituels.

INCIDENCE SUR LA PERSONNE

La personne malade peut connaître des changements émotionnels ou comportementaux, une modification du concept de soi ou de l'image, ainsi que des modifications liées à son mode de vie. Les changements émotionnels et comportementaux dus à une affection de courte durée sont généralement légers et ne se prolongent pas longtemps. La personne peut devenir irritable et n'avoir ni l'énergie ni l'envie d'entretenir ses relations habituelles avec les membres de sa famille ou ses amis. Des réactions plus importantes sont probables dans le cas d'une affection chronique, invalidante ou mettant la vie en danger. L'anxiété, la peur, la colère, le repli sur soi, le déni et le sentiment de désespoir et d'impuissance sont alors courants. Par exemple, une personne qui a été victime d'un infarctus craint pour sa vie et se soucie du bien-être de sa famille advenant son décès. Une autre personne, qui vient d'apprendre qu'elle est atteinte d'un cancer, du sida ou d'une affection neurologique invalidante, peut connaître des épisodes de déni, de colère, de peur et de désespoir.

Certaines affections modifient le concept de soi, et en particulier l'image corporelle de la personne, surtout en cas de cicatrices importantes, de la perte d'un membre, d'un organe sensoriel ou d'une fonction. La douleur, le défigurement, la dépendance envers les autres, le chômage, les problèmes financiers, l'incapacité de prendre part à des activités sociales, les relations tendues avec autrui et la détresse spirituelle influent sur le degré d'estime de soi et sur le concept de soi. L'infirmière doit aider la personne à exprimer ses pensées et ses sentiments, et lui donner les soins qui l'aideront à faire face efficacement au changement.

La personne malade est également sensible à la perte de son **autonomie**, cet état d'indépendance où l'on décide soi-même sans contrôle extérieur. Les relations avec l'entourage risquent de changer, de sorte que la personne ne participera plus autant au processus décisionnel de la famille ni aux décisions concernant ses propres soins de santé. L'infirmière doit défendre le droit de la personne à l'autodétermination et à l'autonomie en lui donnant suffisamment de moyens et de ressources pour qu'elle puisse participer le plus activement possible aux processus décisionnels et conserver ainsi un sentiment d'emprise sur sa situation.

La présence d'une affection peut aussi entraîner une modification du mode de vie. En plus de participer au traitement, la personne doit modifier son régime alimentaire, son niveau d'activité et d'exercice, ses habitudes de repos et de sommeil. L'infirmière pourra l'aider à adapter son mode de vie de la façon suivante :

- en lui expliquant les modifications à entreprendre ;
- en prenant, lorsque c'est possible, des dispositions qui tiennent compte du mode de vie de la personne ;
- en encourageant les autres professionnels de la santé à s'informer des habitudes de vie de la personne et à soutenir les aspects sains de ce mode de vie ;
- en renforçant les changements d'habitudes souhaitables dans le but de les intégrer de façon définitive dans le mode de vie de la personne.

INCIDENCE SUR LA FAMILLE

La présence d'une affection touche non seulement la personne qui en est atteinte, mais également sa famille et ses proches. La réaction des proches dépend essentiellement de trois facteurs : (1) le membre de la famille qui est malade ; (2) la gravité et la durée de l'affection ; (3) les habitudes culturelles et sociales de la famille.

Les changements qui peuvent survenir au sein de la famille sont les suivants :

- Modification des rôles
- Redistribution des tâches et exigences accrues en matière de temps et d'énergie
- Augmentation du stress due à l'inquiétude que suscitent les conséquences de l'affection et aux conflits possibles se rapportant à l'ampleur des responsabilités
- Problèmes financiers
- Solitude que font naître la séparation et le deuil imminent.
- Changement des habitudes sociales

Pour en savoir plus sur les effets d'une affection sur la famille, voir le chapitre 11 .

Révision du chapitre

MOTS CLÉS

Affection, **227**

Affection aiguë, **228**

Affection chronique, **228**

Autonomie, **226**

Bien-être, **217**

Comportement de personne malade, **228**

Comportements en matière de santé, **221**

Croyances en matière de santé, **221**

État de santé, **221**

Étiologie, **228**

Exacerbation, **228**

Facteurs de risque, **227**

Indisposition, **227**

Lieu de contrôle, **224**

Maladie, **227**

Mode de vie, **222**

Observance, **226**

Paradigmes, **213**

Prédisposition à la santé, **219**

Rémission, **228**

Santé, **216**

CONCEPTS CLÉS

- L'infirmière doit clarifier sa compréhension de la santé du fait que sa définition de la santé détermine, dans une large mesure, la portée et la nature des soins qu'elle prodigue. De même, les croyances de la personne en matière de santé influent sur ses habitudes dans ce domaine.

- Les définitions de la santé sont multiples et évoluent dans le temps. De l'absence de maladie, la définition de la santé s'élargit vers un bien-être ou l'actualisation de son potentiel optimal, qu'il s'agisse de l'aspect physique, psychosocial ou spirituel.

- La prédisposition à la santé est une attitude caractérisée par sept aspects — environnemental, professionnel, intellectuel, spirituel, physique, émotionnel et social —, par laquelle la personne prend conscience du fait qu'elle peut agir sur sa santé et en vient à faire des choix pour atteindre un niveau élevé de bien-être.

- Le bien-être est considéré comme une perception subjective d'équilibre, d'harmonie et de vitalité. Il s'agit d'un état plutôt que d'un processus.

- La santé peut être décrite par certaines personnes comme étant l'absence de symptômes d'une affection, ainsi que la capacité d'être actif et d'avoir un bon état d'esprit.

- La conception de la santé étant subjective, l'infirmière doit comprendre la conception de la santé de la personne qu'elle soigne afin de lui apporter une aide pertinente et efficace. Elle doit faire preuve d'habileté pour consolider la relation thérapeutique.

- On a élaboré un certain nombre de modèles pour expliquer la santé : modèle clinique, modèle fonctionnel, modèle de l'adaptation, modèle de promotion de la santé, modèle agent-hôte-environnement, modèle de santé optimale de Dunn et continuum santé-maladie de Travis et Ryan.

- L'état de santé d'une personne dépend de plusieurs facteurs internes et externes sur lesquels elle exerce plus ou moins d'emprise.

- Les facteurs internes sont les dimensions biologique, psychologique et cognitive. La dimension biologique comprend la constitution génétique, le sexe, l'âge et le niveau de développement. La dimension psychologique inclut les relations entre l'esprit et le corps, ainsi que le concept de soi. La dimension cognitive repose sur les choix de mode de vie et les croyances spirituelles et religieuses.

- Les facteurs externes ayant une influence sur la santé sont l'environnement physique, le niveau de vie, les croyances familiales et culturelles et les réseaux de soutien social.

- Les modèles de comportement et de croyances en matière de santé, tels que le modèle du lieu de contrôle et les modèles des croyances en matière de santé de Rosentock et de Becker, aident à déterminer si une personne est susceptible de prendre part à des activités de prévention de la maladie et de promotion de la santé.

- La décision d'une personne d'adopter des comportements sains ou de prendre des mesures pour améliorer sa santé dépend de facteurs comme l'importance que cette personne accorde à la santé, la menace que représente pour elle une affection donnée ou la gravité du problème de santé, les avantages ou les inconvénients perçus des mesures préventives ou thérapeutiques, le degré de changement à apporter au mode de vie, les ramifications culturelles et le coût.

- L'infirmière peut aider la personne à observer les soins de santé prescrits de différentes façons : repérer, le cas échéant, les raisons de la non-observance, faire preuve de respect chaleureux, utiliser des techniques de renforcement positif pour favoriser l'adoption de comportements sains, utiliser des stratégies pour renforcer l'enseignement, et établir avec la personne une relation thérapeutique, caractérisée par la liberté, la compréhension et la responsabilité de part et d'autre.

- Une indisposition n'est pas toujours associée à une affection. Il s'agit d'un état éminemment personnel dans lequel la personne ne se sent pas en bonne santé ou se sent malade. Une affection modifie les fonctions du corps et entraîne une réduction des capacités ou de la durée de vie.

- Parsons présente quatre aspects du rôle de personne malade, et Suchman décrit cinq étapes de la personne malade : manifestation des signes et des symptômes, rôle de personne malade, contact avec les professionnels de la santé, dépendance, et convalescence ou réadaptation.

- L'affection et l'hospitalisation forcent la personne à modifier ses habitudes, ce qui porte atteinte à son intimité, diminue son autonomie, change son mode de vie, et bouleverse son rôle et ses finances.

- L'infirmière ne doit pas oublier que la présence d'une affection chez une personne a des répercussions sur les membres de sa famille.

10

Références

Agence de la santé publique du Canada (ASPC). (2010). *Promotion de la santé.* Document consulté le 15 octobre 2010 de http://www.phac-aspc.gc.ca/hp-ps/index-fra.php.

Allan, J. D., et Hall, B. A. (1988). Challenging the focus on technology : A critique of the medical model in a changing health care system, *Advances in Nursing Science, 10*(3), 22-34.

Anspaugh, D. J., Hamrick, M., et Rosato, F. D. (2009). *Wellness : Concepts and applications* (7e éd.). New York : McGraw-Hill.

Association des infirmières et infirmiers du Canada (AIIC). (2008). *Code de déontologie des infirmières et infirmiers.* Ottawa : Auteur.

Association des infirmières et infirmiers du Canada (AIIC). (2009, juillet). *Énoncé de position. Les infirmières et la santé environnementale.* Ottawa : Auteur. Document consulté le 15 octobre 2010 de http://www.cna-nurses.ca/CNA/documents/pdf/publications/PS105_Nurses_Env_Health_f.pdf.

Becker, M. H. (dir.). (1974). *The health belief model and personal health behavior.* Thorofare, NJ : Charles B. Slack.

Combs, C., et Feral, F. (2010). *Observance médicamenteuse et lieu de contrôle de la santé dans la schizophrénie. L'Encéphale.* Paris : Science Direct. Document consulté le 15 octobre 2010 de http://www.Sciencedirect.com.

Dunn, H. L. (1959). High-level wellness in man and society. *American Journal of Public Health, 48,* 786.

Dunn, H. L. (1973). *High-level wellness* (7e éd.). Arlington, VA : Beatty.

Epp. J. (1986). *La santé pour tous : plan d'ensemble pour la promotion de la santé.* Ottawa : Ministère de la Santé et du Bien-être social Canada.

Gouvernement du Québec. (1978). *La politique québécoise du développement culturel* (Vol. 2). Québec : Éditeur officiel du Québec.

Henderson, V. (1966). *The nature of nursing : A definition and its implications for practice, research and education.* New York : MacMillan.

Henderson, V. (1991). *The nature of nursing : Reflections after 25 years.* New York : National League for Nursing.

Hood, L., et Leddy, S. K. (2003). *Leddy & Pepper's conceptual basis of professional nursing* (5e éd.). Philadelphie : Lippincott Williams & Wilkins.

Hurdle, D. E. (2001). Social support : A critical factor in women's health and health promotion. *Health & Social Work, 26*(2), 72-79.

Institut de la statistique du Québec (ISQ). (2007). *La situation démographique au Québec. Bilan 2006.* Document consulté le 15 novembre 2010 de http://www.stat.gouv.qc.ca/publications/demograp/pdf2006/Bilan2006.pdf.

Leavell, H. R., et Clark, E. G. (1965). *Preventive medicine for the doctor in his community* (3e éd.). New York : McGraw-Hill.

Maslow, A. H. (1954). *Motivation and personality*. New York: Harper & Row.

Ministère de la Santé et des Services sociaux (MSSS). (2004). *Projet clinique. Cadre de référence pour les réseaux locaux de services de santé et de services sociaux. Document principal*. Québec: Auteur. Document consulté le 16 février 2011 de http://publications.msss.gouv.qc.ca/acrobat/f/documentation/2004/04-009-05.pdf.

Ministère de la Santé et des Services sociaux (MSSS). (2010, mars). *Cadre conceptuel de la santé et de ses déterminants. Résultat d'une réflexion commune*. Québec: Auteur. Document consulté le 15 octobre 2010 de http://docs.google.com/viewer?a=v&q=cache:qg7nIUSHGg8J:publications.msss.gouv.qc.ca/acrobat/f/documentation/2010/10-202-02.pdf+MSSS,+d%C3%A9finition+de+la+sant%C3%A9&hl=fr&gl=ca&pid=bl&srcid=ADGEESiPTtaRd8ureXy5OCE-_9Lo4iHocgf14JhDltYYLqqdMZKWX3p0t_G5C2rCCts4dypudBDCUw2WbmTPvqNSUv-4Uiwla1jgPeSZQ0cvoby9vXyjBYQ6ROhUXEDBKKUj0v5GsOl3&sig=AHIEtbTaLYxUBhFZ62rassAyKSMm-wo4Mw.

Murray, R. B., et Zentner, J. P. (2001). *Health assessment promotion strategies through the life span* (7e éd.). Upper Saddle River, NJ: Prentice Hall.

Nightingale, F. (1969). *Notes on nursing: What it is, and what it is not*. New York: Dover Books. (Première édition: 1860.)

Ordre des infirmières et infirmiers du Québec (OIIQ). (2010). *Perspectives de l'exercice de la profession d'infirmière*. Montréal: Auteur. Document consulté le 21 décembre 2010 de http://www.oiiq.org/uploads/publications/autres_publications/263NS_Perspectives_2010_Fr.pdf.

Orem, D. E. (1971). *Nursing: Concepts of practice*. New York: McGraw-Hill.

Orem, D. E. (1991). *Nursing: Concepts of practice* (4e éd.). St. Louis, MO: The C. V. Mosby Company.

Orem D. E. (2001). *Nursing: Concepts of practice* (6e éd.). St-Louis, MO: The C.V. Mosby Company.

Organisation mondiale de la santé (OMS). (1946). *Préambule à la constitution de l'Organisation mondiale de la santé*, tel qu'adopté par la Conférence internationale sur la santé, New York, 19-22 juin 1946; signé le 22 juillet 1946 par les représentants de 61 États. (Actes officiels de l'Organisation mondiale de la Santé, n° 2, p. 100.). Entré en vigueur le 7 avril 1948. Document consulté le 15 octobre 2010 de http://www.who.int/about/definition/fr/print.html.

Organisation mondiale de la santé (OMS). (1978). *Les soins de santé primaires. Rapport de la conférence internationale sur les soins de santé primaires*, Alma-Ata (URSS), 6-12 septembre.

Organisation mondiale de la santé (OMS). (1986). *Charte d'Ottawa pour la promotion de la santé. Une conférence internationale pour la promotion de la santé*, Ottawa, 17-21 novembre.

Organisation mondiale de la santé (OMS). (1997). *La quatrième conférence internationale sur la promotion de la santé: « A l'ère nouvelle, acteurs nouveaux: adapter la promotion de la santé au XXIe siècle »*, Jakarta, 21-25 juillet 1997. Document consulté le 15 octobre 2010 de http://ww.who.int/hpr/NPH/docs/jakarta_declaration_fr.pdf.

Organisation mondiale de la santé (OMS). (1999). *Glossaire de la promotion de la santé, division de la promotion, de la communication pour la santé*. Service éducation sanitaire et promotion de la santé. Genève. Document consulté le 15 octobre 2010 de http://www.who.int/hpr/NPH/docs/ho_glossary_fr.pdf.

Organisation mondiale de la santé (OMS). (2006). *Constitution de l'OMS. Document fondamental, supplément à la quarante-cinquième édition*. Document consulté le 15 octobre 2010 de http://www.who.int/governance/eb/who_constitution_fr.pdf.

Parsons, T. (1979). Definitions of health and illness in the light of American values and social structure. Dans E. G. Jaco (dir.), *Patients, physicians, and illness* (3e éd.). New York: Free Press.

Pender, N. J., Murdaugh, C. L., et Parsons, M. J. (2002). *Health promotion in nursing practice* (4e éd.). Upper Saddle River, NJ: Prentice Hall.

Pender, N. J. Murdaugh, C.L., et Parsons, M. J. (2006). *Health promotion in nursing practice* (5e éd.). Upper Saddle River, NJ: Prentice Hall.

Pepin, J., Kérouac, S., et Ducharme, F. (2010). *La pensée infirmière* (3e éd.). Montréal: Chenelière Éducation.

Peplau, H. E. (1952). *Interpersonal relations in nursing*. New York: G. P. Putnam's Sons.

Peplau, H. E. (1988). *Interpersonal relations in nursing: A conceptual grame of reference for psychodynamic nursing*. New York: G. P. Putnam's Sons.

Rosenstock, I. M. (1974). Historical origins of the health belief model. Dans M. H. Becker (dir.), *The health belief model and personal health behavior*. Thorofare, NJ: Charles B. Slack.

Roy, C. (1971). Adaptation: A basis for nursing practice. *Nursing Outlook, 19*(4), 254-257.

Roy, C., et Andrew, H. A. (1999). *The Roy Adaptation Model* (2e éd.). Standford, CT: Appleton & Lange.

Santé Canada. (2004). *Vie saine*. Glossaire. Document consulté le 15 octobre 2010 de http://www.hc-sc.gc.ca/francais/vie_saine/viesaine/hl/glossary.html.

Smith, J. A. (1981). The idea of health: A philosophical inquiry. *Advances in Nursing Science, 3*(3), 43-50.

Suchman, E. A. (1979). Stages of illness and medical care. Dans E. G. Jaco (dir.), *Patients, physicians, and illness* (3e éd.). New York: Free Press.

Travis, J. W., et Ryan, R. S. (2004). *Wellness workbook* (3e éd.). Berkeley, CA: Celestial Arts.

Vandal, S., Bradet, R., Viens, C., et Robichaud-Ekstrand, S. (1999, septembre). L'adoption et le maintien d'un comportement de santé: le défi de l'assiduité au traitement. *Recherche en soins infirmiers, 58*, 103-113.

Wallston, K. A., Stein, M. J., et Smith, C. A. (1994). Form C of the MHLC scales: A condition-specific measure of locus of control. *Journal of Personality Assessment, 63*(3) 534-553.

Wallston, K. A., Wallston, B. S, et DeVellis, R. (1978, printemps). Development of the multidimensional locus of control (MHLC) scales. *Health Education Monographs, 6*, 160-170.

Wigle, D. (2003). *Child health and the environment*. New York: Oxford University Press.

10

Chapitre 11

Adaptation française:
Christine Gervais, inf., Ph.D. (c)
Chercheuse associée,
Centre d'Étude et de Recherche en Intervention Familiale (CERIF)
Coordonnatrice, Initiative Ami des Pères au sein des familles (IAP)
Infirmière clinicienne, CHU Sainte-Justine
Chargée de cours, Université du Québec en Outaouais

Santé de l'individu, de la famille et de la communauté

L'infirmière évalue et planifie les soins de santé tant pour la personne et la famille que pour la communauté. Elle prodigue des soins de meilleure qualité si elle comprend les concepts d'individualité, d'holisme, d'homéostasie, de besoins humains et de théorie des systèmes. Les convictions et les valeurs de chaque personne ainsi que le soutien qu'elle reçoit proviennent majoritairement de la famille et sont renforcés par la communauté. Par conséquent, comprendre la dynamique familiale et le contexte communautaire aide l'infirmière à planifier les soins. Quand l'intervention est axée sur la famille, l'infirmière détermine l'état de santé de celle-ci et de chacun de ses membres, le degré d'harmonie qui régit le fonctionnement familial, les relations internes qu'entretiennent les membres ainsi que les forces et les faiblesses de la famille. Quand l'intervention se fait sur le plan communautaire, l'infirmière doit définir les problèmes environnementaux qui sont en jeu, entre autres la pollution, les mauvaises conditions sanitaires, l'élimination des déchets, l'incidence de la criminalité, les conditions de logement, et intervenir afin de promouvoir des conditions de vie saines et de prévenir les problèmes de santé.

11

OBJECTIFS D'APPRENTISSAGE

Après avoir étudié ce chapitre, vous pourrez:

- Définir la relation entre individualité et holisme en matière de soins infirmiers.
- Énoncer les quatre grandes caractéristiques des mécanismes homéostatiques.
- Décrire le rôle et les fonctions de la famille.
- Décrire les différents types de familles.
- Définir les éléments de l'évaluation de la santé familiale.
- Repérer les facteurs de risque communs en matière de santé familiale.
- Établir les diagnostics infirmiers, les résultats escomptés et les interventions liés au fonctionnement familial.
- Définir les critères d'évaluation des résultats escomptés permettant de poser des diagnostics infirmiers précis reliés au fonctionnement familial.
- Définir les cadres théoriques utilisés dans la promotion de la santé individuelle et familiale.
- Reconnaître les caractéristiques, selon Maslow, d'une personne en voie de se réaliser.
- Définir les différents types de communautés.
- Décrire l'utilisation dans le cadre communautaire de la démarche de soins infirmiers.

Santé de la personne

Les dimensions de l'individualité comprennent la personnalité, la réalisation de soi et les perceptions. La «personnalité» fait référence aux comportements, à l'état émotionnel, aux attitudes, aux valeurs, aux motivations, aux capacités, aux habitudes et à l'apparence. La réalisation de soi correspond à la perception que l'on a de soi en tant qu'entité distincte, seule et capable d'interagir avec les autres. Les perceptions de la personne, quant à elles, définissent la façon dont cette dernière interprète l'environnement ou la situation dans lesquels elle se trouve, ce qui aura des répercussions directes sur son mode de pensée, sur ce qu'elle ressent et sur sa façon de réagir dans une situation donnée.

Concept d'individualité

Pour atteindre, conserver ou recouvrer une santé optimale, l'infirmière doit comprendre la dynamique de la personne. Chaque personne est un être unique, différent de tous les autres êtres humains; elle a un code génétique, des expériences de vie et des relations avec l'environnement qui lui sont propres et que l'on ne retrouve chez aucune autre personne.

Quand elle prodigue des soins, l'infirmière doit aborder la personne dans son individualité, en tenant compte du contexte global, à savoir tous les principes et tous les domaines qui s'appliquent à une personne selon son âge et son état de santé. Toujours inspirée par les notions de globalité des soins et d'individualité de la personne, l'infirmière ne retient que les principes qui s'appliquent à celle-ci, à un moment précis. Ainsi, une infirmière qui conseille la mère d'un enfant d'âge préscolaire sait que le désir d'explorer le monde qui l'entoure correspond à une étape du développement caractéristique de tous les enfants de cet âge. Toutefois, dans le cas d'un enfant d'âge préscolaire chez qui on a diagnostiqué un trouble déficitaire de l'attention avec hyperactivité, les risques d'accident et de blessure augmentent lorsque l'enfant est en relation avec son environnement, étant donné son impulsivité et son manque de maîtrise de soi.

Concept d'holisme

L'infirmière considère la personne comme un être à part entière, dans toute sa globalité et sa dimension holistique, et non comme un simple assemblage de parties et de processus disparates. Appliqué aux soins infirmiers, le concept d'**holisme** signifie que l'infirmière aborde la personne comme un tout et s'efforce de comprendre en quoi une seule préoccupation peut influencer la personne dans son ensemble. L'infirmière doit aussi tenir compte de la relation que la personne entretient avec son environnement extérieur et avec les autres. Ainsi, pour aider un homme qui pleure le décès imminent de sa femme, l'infirmière analyse les conséquences de cette perte sur l'ensemble de sa personne (par exemple son appétit, ses habitudes de repos et de sommeil, son énergie, son sentiment de bien-être, son humeur, ses activités habituelles, de même que ses relations avec sa famille et avec les autres). Les interventions infirmières visent donc à rétablir l'harmonie globale; pour ce faire, elles dépendront du but recherché de cet homme et du sens qu'il donne à sa vie. Pour en savoir plus sur l'approche holistique, voir le chapitre 13 ⊕.

Concept d'homéostasie

Le concept d'**homéostasie** a été présenté pour la première fois par Cannon (1939) pour décrire la constance relative des processus internes du corps, comme la concentration d'oxygène et de dioxyde de carbone dans le sang, la pression artérielle, la température, la glycémie et l'équilibre des liquides et des électrolytes. Selon Cannon, le terme « homéostasie » ne supposait pas une réalité stagnante, fixe ou immobile mais, au contraire, un état qui pouvait varier tout en restant relativement constant. Cannon voyait l'être humain comme une entité distincte du milieu extérieur, qui s'efforce constamment de maintenir un **équilibre** physiologique en s'adaptant à son environnement. L'homéostasie représente donc la tendance du corps à maintenir un état d'équilibre tout en changeant de manière constante.

HOMÉOSTASIE PHYSIOLOGIQUE

L'homéostasie physiologique signifie que le milieu interne du corps est relativement stable et constant. Puisque toutes les cellules du corps ont besoin d'un milieu relativement constant pour fonctionner, on doit maintenir celui-ci dans des limites étroites. Les mécanismes homéostatiques possèdent quatre grandes caractéristiques :

1. Ils s'autorégularisent.
2. Ils sont compensateurs.
3. Ils tendent à être régularisés par l'intermédiaire de systèmes de rétro-inhibition.
4. La correction d'un seul déséquilibre physiologique peut entraîner l'action de plusieurs mécanismes de rétro-inhibition.

L'**autorégulation** signifie que les mécanismes homéostatiques se déclenchent automatiquement chez une personne en bonne santé. Toutefois, si la personne est atteinte d'une affection ou d'une blessure, par exemple au poumon, les mécanismes homéostatiques ne seront peut-être pas en mesure de réagir au stimulus comme ils le feraient normalement. On parle alors de déséquilibre homéostatique. Les mécanismes homéostatiques sont **compensateurs** (ils visent à maintenir l'équilibre) du fait qu'ils tendent à neutraliser un état anormal pour la personne. Prenons comme exemple une baisse soudaine de la température extérieure : les vaisseaux sanguins périphériques se contractent, ce qui détourne une grande quantité de sang vers les organes internes. De plus, une augmentation de l'activité musculaire et un frissonnement produisent alors de la chaleur. Grâce à ces mécanismes compensateurs, la température corporelle se stabilise, et ce, malgré le froid.

L'homéostasie se produit dans le **système** physiologique, constitué d'un ensemble de parties ou de composants identifiables entretenant des rapports mutuels. Les composants fondamentaux d'un système sont la matière, l'énergie et la communication. En l'absence de l'un de ces éléments, aucun système ne peut exister. La personne est un système humain composé de matière (le corps), d'énergie (chimique ou thermique) et de mécanismes de communication (par exemple le système nerveux et le système endocrinien). Les **limites** d'un système, comme la peau chez l'humain, représentent une ligne réelle ou imaginaire qui permet de distinguer un système d'un autre ou un système de son environnement.

Généralement, il existe deux types de systèmes : le système fermé et le système ouvert. Un **système fermé** n'échange ni énergie, ni matière, ni information avec son environnement; il ne reçoit rien de celui-ci et ne lui envoie rien non plus. Une réaction chimique en éprouvette est un exemple de système fermé. En réalité, à l'extérieur du laboratoire, il n'y a aucun système fermé. Dans un **système ouvert**, l'énergie, la matière et l'information entrent et ressortent en franchissant les limites du système. Tous les organismes vivants, comme les plantes, les animaux et les humains, sont des systèmes ouverts puisque leur survie dépend d'un échange continu d'énergie. Par conséquent, ils sont en évolution constante.

Un système ouvert dépend de la qualité et de la quantité de stimuli, de réponses et de rétroactions. L'information, le matériel ou l'énergie qui entrent dans le système constituent des **stimuli**. Après que le système a absorbé un stimulus, ce dernier est traité par le **centre de régulation** de façon qu'il soit utile au système en question. Nous pourrions prendre comme exemple la nourriture (stimulus) qui passe dans le système digestif. Lorsqu'elle est digérée, le centre de régulation analyse les données et détermine les réactions appropriées, soit de quelle façon elle pourra être utilisée par l'organisme. La **réponse** correspond à l'énergie, à la matière ou à l'information provenant du système à la suite de ces processus. Ainsi, la réponse du système digestif comprend l'énergie calorique, les nutriments, l'urine et les fèces.

La **rétroaction** est le mécanisme par lequel une partie de la réponse du système lui est retournée comme stimulus ; elle permet à un système de s'autoréguariser. L'ensemble du processus forme une boucle de rétroaction (figure 11-1 ■). Ce stimulus influe sur le comportement du système et sur sa réponse à venir. Un mécanisme de **rétro-inhibition** met fin au stimulus de départ ou réduit son intensité ; par contre, un mécanisme de **rétroactivation** amplifie ou accroît le stimulus de départ, pour ainsi conduire à une augmentation de l'activité. La plupart des systèmes biologiques sont contrôlés par une rétro-inhibition pour ramener leur stabilité. Ce type de système de rétroaction détecte et neutralise toute déviation par rapport à l'état normal. Les déviations peuvent être supérieures ou inférieures au niveau ou à l'écart normal. Ainsi, une augmentation de la production d'hormone parathyroïdienne est activée par une baisse du taux de calcium dans le sang. En présence de cette hormone, la concentration sanguine de calcium s'accroît et la production

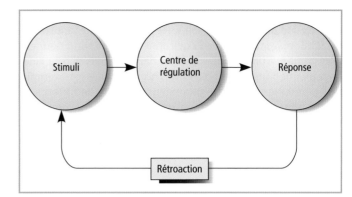

FIGURE 11-1 ■ Système ouvert et mécanisme de rétroaction.

hormonale est alors inhibée (figure 11-2 ■). En cas d'hypoxie (diminution ou suppression d'oxygène dans les tissus), le nombre de globules rouges augmente et la fréquence cardiaque s'accélère pour transporter le sang et l'oxygène disponibles dans tout l'organisme.

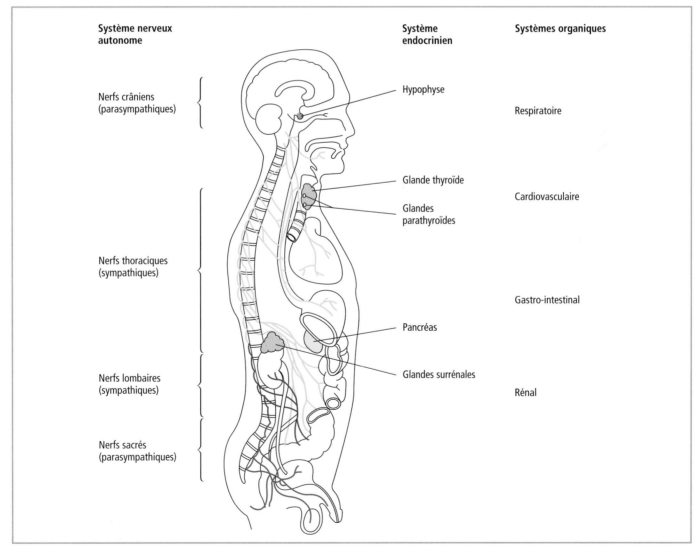

FIGURE 11-2 ■ Régulateurs homéostatiques du corps : système nerveux autonome, système endocrinien et systèmes organiques spécifiques.

La personne interagit avec son milieu en s'adaptant à celui-ci ou en l'adaptant à ses besoins. Ce principe incite l'infirmière à examiner les facteurs de l'environnement qui conditionnent le système et à planifier des interventions infirmières pour aider la personne à maintenir un état d'homéostasie. Par exemple, une personne extrêmement anxieuse à cause de facteurs de stress provenant de son environnement pourra mettre en pratique certaines techniques de gestion du stress.

En ce qui concerne les mécanismes de rétroaction, on les trouve également au sein des familles et des communautés. En effet, dans le système familial, les parents fournissent une rétroaction aux enfants pour maîtriser leur comportement. Par ailleurs, dans une collectivité, ce sont les lois, les règles et les règlements qui régissent le comportement de la population.

HOMÉOSTASIE PSYCHOLOGIQUE

L'expression «**homéostasie psychologique**» fait référence à un équilibre émotionnel ou psychologique, ou à un état de bien-être mental. L'homéostasie psychologique se maintient grâce à une variété de mécanismes. Toute personne a des besoins psychologiques, comme le besoin d'amour, de sécurité et d'estime de soi, qui doivent être satisfaits pour maintenir l'homéostasie psychologique. Si un ou plusieurs de ces besoins ne sont pas satisfaits ou sont menacés, certains mécanismes d'adaptation se déclenchent afin de protéger la personne et de préserver l'homéostasie psychologique.

L'homéostasie psychologique s'acquiert ou s'apprend grâce aux expériences de la vie, aux rapports avec les autres et aux normes sociales et culturelles régissant le comportement. Certains éléments préalables sont toutefois nécessaires au développement de l'homéostasie psychologique :

- Un environnement physique stable dans lequel la personne se sent en sécurité, où ses besoins fondamentaux en matière de nourriture, d'abri et d'habillement sont constamment satisfaits depuis la naissance.
- Un environnement psychologique stable dès la toute petite enfance, ce qui permet le développement de sentiments de confiance et d'amour. L'éducation des enfants et des adolescents exige une discipline douce, ferme et constante ; il faut également les encourager et leur donner du soutien afin qu'ils puissent établir leur propre identité.
- Un environnement social dans lequel évoluent des adultes sains qui pourront servir de modèles. Les enfants apprennent les coutumes et les valeurs d'une société à partir de ces personnes.
- Une expérience de vie riche et satisfaisante. Les frustrations de la vie sont plus facilement acceptées si d'autres expériences positives font contrepoids.

Évaluation de la santé des personnes

La promotion de la santé repose sur une évaluation minutieuse de l'état de santé de la personne. Il s'agit donc de procéder à l'examen clinique, qui comprend l'anamnèse et l'examen physique, et d'évaluer le mode de vie, les risques pour la santé, les croyances en matière de santé de même que le niveau de stress. Les détails de ces évaluations sont présentés aux chapitres 8, 15 et 29 ⌾.

Santé de la famille

Le Québec a vécu, au cours des 30 dernières années, des bouleversements démographiques, économiques et socioculturels majeurs qui ont eu pour effet de modifier de façon radicale la vie familiale ; entre autres, la chute de la fécondité, la désinstitutionnalisation du mariage, la croissance de l'instabilité conjugale et l'entrée massive des mères de jeunes enfants sur le marché du travail ont modifié les conditions de vie des familles et créé de nouveaux besoins. Dans ce contexte, l'élaboration de politiques, de programmes et de services cohérents doit être axée sur le bien-être des familles et adaptée au contexte contemporain (Famille en mouvance et dynamiques intergénérationnelles, 2010).

La **famille** constitue la cellule fondamentale de la société. Elle se compose de personnes unies par des liens affectifs solides et un sentiment d'appartenance durable. Autrement dit, «tout groupe qui se reconnaît comme une famille est une famille» (Wright et Leahey, 2007, p. 63). Les **soins infirmiers axés sur la famille** considèrent la famille comme une unité de soins. Ils tiennent compte des interactions entre les membres d'une famille ainsi qu'entre la famille et la santé, reconnaissant l'influence de la famille sur la santé et les répercussions d'un problème de santé sur chaque membre de la famille.

Fonctions de la famille

Les membres adultes de la famille lui procurent les ressources économiques dont elle a besoin. La famille veille à la santé physique de ses membres en leur fournissant une bonne alimentation et les soins de santé nécessaires. Les habitudes de la famille en ce qui concerne l'alimentation et le mode de vie ont des répercussions directes sur les enfants qui sont en voie d'acquérir des comportements en matière de santé et de mode de vie.

Outre le fait d'offrir un milieu propice à la croissance physique et au maintien d'une bonne santé, la famille crée une ambiance qui influe sur le développement cognitif et psychosocial de ses membres. Les enfants et les adultes issus de familles saines et fonctionnelles bénéficient du soutien, de la compréhension et de l'encouragement nécessaires pendant qu'ils franchissent les étapes de leur développement, lorsqu'ils prennent leur place au sein de la famille ou qu'ils la quittent pour créer eux-mêmes de nouvelles unités familiales. La personne qui se sent réconfortée tant physiquement qu'émotionnellement par sa famille réalise davantage son potentiel au sein de la cellule familiale. Lorsque les besoins de la personne sont satisfaits, celle-ci est capable d'entretenir des relations avec d'autres individus, au sein de la famille, de la communauté et de la société.

Les familles issues de cultures différentes font partie intégrante du riche héritage de l'Amérique du Nord. Chaque famille a des valeurs et des croyances propres à sa culture d'origine, lesquelles façonnent la structure, les rapports mutuels, les habitudes en matière de soins de santé et les mécanismes d'adaptation de la cellule familiale. Ces facteurs interagissent les uns avec les autres et influent grandement sur la santé de la famille. Les familles issues d'une même culture peuvent se regrouper pour créer des réseaux d'entraide et préserver ainsi leur héritage. Toutefois, cette approche risque de les isoler du reste de la société; pensons à la communauté juive de Montréal, par exemple. La figure 11-3 ■ montre le quartier chinois de Montréal, un autre exemple de regroupement culturel.

FIGURE 11-3 ■ Séparation culturelle (quartier chinois de Montréal). Source: Françoise Lemoyne/Nuance Photo.

L'acculturation est un processus lent et stressant d'apprentissage de la langue et des coutumes du pays d'adoption. Les enfants issus d'un groupe culturel ont souvent des contacts plus nombreux avec le monde extérieur que les adultes; du fait de leur scolarisation, les enfants maîtrisent mieux la langue et se familiarisent plus rapidement avec les nouvelles habitudes et les nouveaux comportements. Il arrive même parfois qu'ils soient à l'origine de conflits au sein de la famille quand ils y apportent de nouvelles idées et valeurs. Pour en savoir plus sur les aspects culturels de la santé des personnes et des familles, voir le chapitre 12 ⊕.

Types de familles dans la société actuelle

Une famille se compose de personnes (structure) et de leurs responsabilités au sein de la famille (rôles). Une structure familiale qui comporte des parents et leurs enfants s'appelle **famille nucléaire**. La parenté d'une famille nucléaire, comme les grands-parents ou les tantes et les oncles, fait partie de ce qu'on appelle **famille élargie**. Cependant, il arrive que les membres de la famille élargie vivent avec ceux de la famille nucléaire. Même si les membres de la famille élargie vivent dans des régions différentes, ils peuvent constituer une importante source de soutien affectif ou financier.

FAMILLE TRADITIONNELLE

La famille traditionnelle est perçue comme une unité autonome dans laquelle les deux parents habitent sous le même toit avec leurs enfants; la mère s'occupe souvent des soins et de l'éducation, alors que le père leur procure les ressources financières

nécessaires. Toutefois, dans la société contemporaine, les hommes et les femmes sont moins liés par les rôles traditionnels. Ainsi, les pères sont plus susceptibles de participer aux tâches ménagères, à l'éducation des enfants et à la vie familiale (figure 11-4 ■), et les femmes peuvent très bien pourvoir aux besoins matériels de la famille.

FIGURE 11-4 ■ Les rôles familiaux traditionnels sont en train de changer.

FAMILLES À DEUX REVENUS

Dans les familles à deux revenus, les deux parents travaillent. Ces familles n'ont pas forcément d'enfants. Le nombre de familles à deux revenus a augmenté régulièrement depuis les années 1960 en raison de la multiplication des possibilités de carrière offertes aux femmes, du désir d'améliorer le niveau de vie et de la nécessité économique. Trouver une garderie répondant à leurs attentes est l'une des plus grandes sources de tension à laquelle sont soumis les parents qui travaillent.

FAMILLES MONOPARENTALES

Selon le recensement de Statistique Canada (2006), 15,9 % des familles québécoises sont des familles monoparentales. La famille peut devenir monoparentale à la suite du décès du conjoint, d'une séparation ou d'un divorce. Dans un certain nombre de cas, une femme célibataire a un enfant ou encore un ou une célibataire décide d'adopter un enfant. Environ 80 % des familles monoparentales sont dirigées par une femme. Cependant, entre 2001 et 2006, on observe une croissance importante (14,6 %) du nombre de familles monoparentales dont le chef est un homme (Statistique Canada, 2006). Les sources d'inquiétude sont multiples quand on élève seul un ou plusieurs enfants, notamment la garderie, les préoccupations financières, les multiples rôles à assumer, la fatigue liée à l'accomplissement des tâches quotidiennes et l'isolement social. Les enfants des familles monoparentales sont de quatre à cinq fois plus susceptible d'être dans une situation de faible revenu que les enfants élevés dans des familles biparentales. Au Québec, en 2007, le taux de faible revenu avant impôt était de 27,8 % chez les familles

11

monoparentales, comparativement à 6,2 % chez les familles biparentales (Fédération des associations de familles mono-parentales et recomposées du Québec, 2011).

FAMILLES ADOLESCENTES

Un nombre croissant d'adolescentes donnent naissance à des enfants, surtout dans les minorités culturelles. Depuis le début des années 1980, le taux de grossesse à l'adolescence a augmenté de 57 % (Ministère de la Santé et des Services sociaux [MSSS], 1997). En 2004, 4,2 % des enfants nés au Canada avaient comme mère une adolescente de moins de 19 ans (Luong, 2008). Au Québec, 1 fille sur 12 deviendra enceinte avant d'avoir atteint l'âge de 18 ans (MSSS et Université du Québec à Montréal [UQÀM], 2005). C'est dans le secteur de Montréal Centre et la région de la Côte-Nord qu'on note les taux de grossesse les plus élevés chez les adolescentes, à l'exception des régions nordiques. Qu'il s'agisse de leur propre développement, ou encore des dimensions physique, émotionnelle ou financière, ces jeunes parents sont rarement prêts à assumer la responsabilité d'un enfant. Une adolescente qui donne naissance à un enfant inter-rompt habituellement ses études ou y met un terme. Les enfants nés d'une mère adolescente courent souvent plus de risques de connaître des problèmes sociaux et de santé, sans compter qu'il existe peu de modèles dont ils peuvent s'inspirer afin de briser le cercle de la pauvreté.

FAMILLES D'ACCUEIL

Les enfants qui ne peuvent plus vivre avec leurs parents biolo-giques doivent parfois être placés dans une famille qui accepte de les accueillir temporairement. La Direction de la protection de la jeunesse (DPJ) ainsi que le tribunal (dans certaines situa-tions) établissent alors une entente avec la famille d'accueil. Celle-ci reçoit l'enfant chez elle, en prend soin et lui offre des conditions de vie favorisant une relation de type parental dans un contexte familial (Fédération des familles d'accueil et des ressources intermédiaires du Québec, 2010). Pour ce faire, la famille d'accueil reçoit une rémunération. Une famille d'accueil (avec ou sans enfants biologiques) peut accueillir plusieurs enfants en même temps ou pendant une période s'échelonnant sur plusieurs années. Avec un peu de chance, au bout d'un certain temps, les enfants pourront retourner vivre avec leurs parents biologiques ou être légalement et de façon permanente adoptés par d'autres parents.

FAMILLES RECOMPOSÉES

Des cellules familiales existantes qui se rassemblent pour former une nouvelle famille s'appellent *familles recomposées* ou *recons-tituées*. L'intégration familiale exige du temps et des efforts. Apprendre à se connaître, respecter ses différences et établir de nouvelles habitudes de comportement au sein de la nouvelle famille constituent autant de tâches qui ne s'accomplissent pas toujours sans heurts.

FAMILLES INTERGÉNÉRATIONNELLES

Dans certaines cultures et à mesure que l'espérance de vie augmente, il arrive parfois que plus de deux générations vivent ensemble. Les enfants continuent de vivre avec leurs parents même après avoir eux-mêmes donné naissance à des enfants, ou encore les grands-parents emménagent avec la famille de leurs enfants adultes après avoir vécu seuls pendant quelques années. Dans d'autres situations, une génération est absente. En d'autres termes, les grands-parents vivent avec leurs petits-enfants et en prennent soin, mais la génération intermédiaire des parents ne fait pas partie de la famille. Différents facteurs peuvent expliquer la formation de ce type de famille.

COHABITATION OU FAMILLE COMMUNAUTAIRE

Les familles organisées autour du principe de la cohabitation, ou communes familiales, se composent de personnes ou de familles n'ayant aucun lien entre elles mais vivant sous le même toit. Les raisons de la cohabitation sont multiples : besoin d'avoir de la compagnie, volonté de vivre comme dans une famille, mise à l'essai d'une relation ou d'un engagement, ou partage des dépenses et des frais d'entretien d'un ménage. Les familles qui cohabitent illustrent la souplesse et la créativité propres à la cellule familiale puisqu'elles s'adaptent aux enjeux personnels et à l'évolution des besoins de la société.

FAMILLES HOMOSEXUELLES-HOMOPARENTALES

Des homosexuels adultes, hommes et femmes, peuvent former des familles ayant des objectifs identiques à ceux qui sont la pierre angulaire des relations hétérosexuelles en matière de soins mutuels et d'engagement. Un couple homosexuel avec enfants forme une famille homoparentale. Les enfants élevés dans ces cellules familiales ont une orientation sexuelle et des comportements similaires à ceux des enfants issus de la popu-lation générale. Le plus grand danger auquel ces enfants sont exposés demeure les préjugés du reste de la société. Les couples homosexuels ont été recensés pour la première fois au Canada en 2006. Ils représentaient 0,6 % des couples. Parmi les couples homosexuels, 13,6 % des couples féminins de même sexe vivent avec un ou des enfants, alors que cette proportion est de 2,9 % chez les couples masculins (Statistique Canada, 2006).

ADULTES CÉLIBATAIRES VIVANT SEULS

Les personnes vivant seules représentent une partie importante de la société actuelle. On compte, au nombre des célibataires, de jeunes adultes autonomes qui viennent de quitter la famille nucléaire ainsi que des adultes plus âgés vivant seuls. Les adultes plus âgés vivent souvent seuls à la suite d'un divorce, d'une séparation ou du décès de leur conjoint.

Démarche de soins infirmiers

Collecte des données

La collecte des données permet d'évaluer la famille, c'est-à-dire de déterminer le degré d'harmonie de son fonctionnement, de clarifier les relations internes, de repérer ses forces et ses faiblesses, et de décrire son état de santé global et celui de chacun des membres qui la composent. Les habitudes de vie de la famille sont également importantes, notamment la communication, l'éducation des enfants, les stratégies d'adaptation et les habitudes en matière de santé. L'évaluation de la famille donne un aperçu des mécanismes familiaux qui sont en place et aide l'infirmière à déterminer les aspects qui doivent faire l'objet d'une analyse plus approfondie. L'infirmière procède à une évaluation détaillée de domaines ciblés précis, à mesure qu'elle connaît mieux la famille et comprend ses besoins et ses forces. Lorsqu'elle planifie ses interventions, l'infirmière doit mettre l'accent non seulement sur les problèmes, mais également sur les forces et les ressources de la famille dans le cadre du plan de soins et de traitements infirmiers (encadré 11-1).

L'évaluation de la famille comprend, entre autres, l'examen clinique, qui débute par l'anamnèse. L'infirmière se concentre d'abord sur la cellule familiale, puis sur les membres qui la composent. Connaître les antécédents médicaux est une excellente façon de déceler les problèmes de santé actuels ou possibles. Une fois que l'on a procédé à cette étape, l'évaluation physique des membres de la famille se révèle également utile. Il arrive parfois qu'une évaluation plus poussée soit nécessaire ; en ce cas, l'infirmière donne à la famille les coordonnées d'un autre professionnel de la santé. À titre d'exemple, la consultation d'un médecin spécialisé dans le traitement des allergies peut s'avérer pertinente si plusieurs membres de la famille souffrent d'allergies dont les causes ont leur source dans l'environnement physique familial (par exemple acariens, poussières, animaux). L'évaluation vise aussi à obtenir des informations sur le mode de vie et les croyances de la famille en matière de santé. L'infirmière tient compte de ces données pour dresser un bilan de santé. Celui-ci contient les renseignements nécessaires pour déterminer le degré de bien-être ou encore établir un diagnostic infirmier et planifier les interventions infirmières qui s'imposent, dans le but de promouvoir une santé optimale et de modifier le mode de vie.

Structure familiale

Il existe deux outils efficaces pour l'évaluation de la structure interne et externe de la famille : le génogramme, ou diagramme des générations, et l'écocarte, ou diagramme des relations famille-milieu. Le génogramme fournit une configuration de la famille, et l'écocarte représente visuellement les liens entretenus par la famille avec les personnes extérieures. Ce sont des outils d'évaluation, de planification et d'intervention.

La structure du **génogramme** s'apparente à celle de l'arbre généalogique de la famille. Il est constitué d'au moins trois générations et les symboles utilisés permettent de voir en un coup d'œil le sexe, l'âge, les liens existant entre les personnes, les décès et les données significatives des personnes (Wright et Leahey, 2007). La figure 11-5 ■ présente les symboles employés dans le génogramme et la figure 11-6 ■, un exemple de génogramme.

L'**écocarte** a pour but d'illustrer les rapports que les membres de la famille entretiennent avec leur entourage. Autrement dit, elle situe la famille dans son contexte. La famille, en position centrale, ainsi que tous les personnes, structures, établissements ou organismes en lien avec elle sont situés dans

---

ENCADRÉ 11-1
GUIDE D'ÉVALUATION DE LA FAMILLE

Structure de la famille

- Taille et type : nucléaire, élargie ou autre
- Âge et sexe des membres de la famille

Rôle et fonctions de la famille

- Membres de la famille travaillant à l'extérieur ; type d'emploi et satisfaction professionnelle
- Rôle et responsabilités au sein du ménage et répartition des tâches
- Répartition des responsabilités concernant l'éducation des enfants
- Personne qui prend les principales décisions et processus décisionnel
- Satisfaction des membres de la famille quant à leur rôle respectif, à la répartition des tâches et à la façon de prendre les décisions

État de santé physique

- État de santé physique actuel de chaque membre de la famille
- Perception par la personne de son état de santé et de celui des autres membres de la famille
- Mesures préventives (par exemple immunisations, hygiène buccale, fréquence des examens de la vue)

Types d'interactions

- Façons d'exprimer son affection, son amour, sa tristesse, sa colère, etc.
- Membre de la famille le plus important dans la vie de la personne
- Ouverture à la communication avec tous les membres de la famille

Valeurs familiales

- Orientations culturelles et religieuses ; observance des pratiques culturelles
- Utilisation du temps de loisir ; partage éventuel du temps de loisir avec les autres membres de la famille
- Point de vue de la famille sur l'éducation, les enseignants et le système scolaire
- Valeurs en matière de santé : importance accordée à l'exercice, à l'alimentation et aux soins de santé préventifs

Mécanismes d'adaptation

- Portée du soutien émotionnel réciproque
- Possibilité de recourir à des personnes et à des organismes d'entraide à l'extérieur de la famille (par exemple amis, Église)
- Sources de stress
- Méthodes de gestion des situations stressantes et des sources de conflits entre les membres de la famille
- Capacité financière de répondre aux besoins actuels et futurs

---

des cercles. La nature des liens que la famille entretient avec le monde extérieur est représentée par des lignes. Les lignes continues témoignent de liens solides ; les lignes pointillées, de liens précaires, et les lignes barrées, de relations difficiles. Le nombre de lignes juxtaposées traduit la force du lien (Wright et Leahey, 2007). Voir un exemple d'écocarte à la figure 11-7 ■.

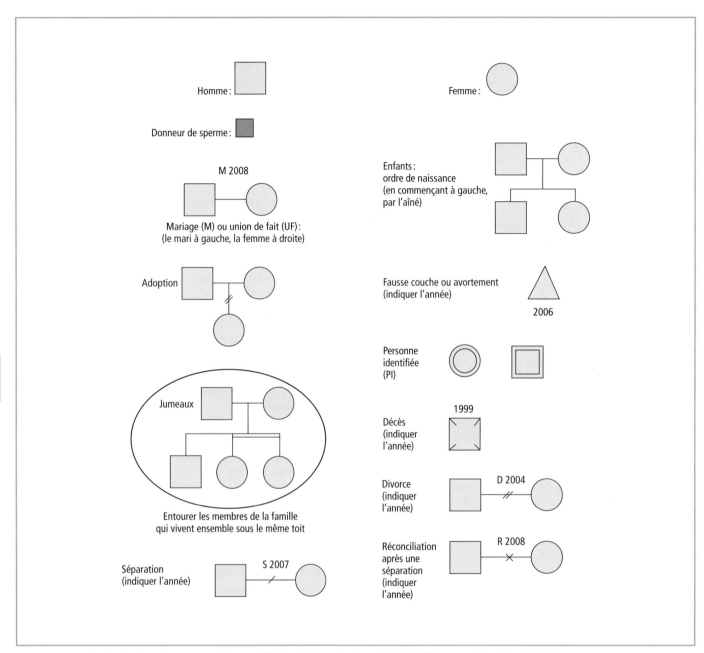

FIGURE 11-5 ■ Symboles du génogramme. Source : Wright, L. M., et Leahey, M. (2009) *Nurses and families* (5e éd.) (figure 3-3, p. 74). Philadelphie, PA : F. A. Davis Company. © F. A. Davis Company.

Croyances en matière de santé

Afin de promouvoir la santé, il importe que l'infirmière comprenne bien les croyances des personnes et des familles en matière de santé. Celles-ci peuvent manquer d'informations, ou encore avoir des idées fausses au sujet de la santé ou des affections. Aussi, certains groupes peuvent entretenir des mythes ou utiliser des méthodes propres à leur culture. En raison des nombreux progrès de la médecine et des soins de santé au cours des dernières décennies, certaines personnes peuvent avoir des conceptions surannées à l'égard de la santé, de la maladie, des traitements et des moyens de prévention. L'infirmière est souvent en mesure d'informer ou de corriger les idées fausses. Ce rôle est un élément important du plan de soins et de traitements infirmiers. Pour en savoir plus sur les croyances en matière de santé, voir le chapitre 10 ⊙.

Communication au sein de la famille

L'efficacité de la communication au sein de la famille détermine la capacité de celle-ci de fonctionner dans une ambiance de collaboration favorisant la croissance. En effet, les membres de la famille s'envoient continuellement des messages verbaux et

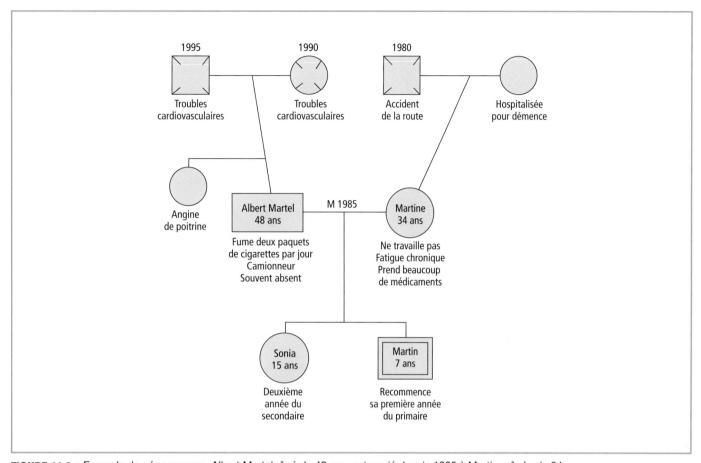

FIGURE 11-6 ■ Exemple de génogramme. Albert Martel, âgé de 48 ans, est marié depuis 1985 à Martine, âgée de 34 ans. Ils ont deux enfants : Sonia, 15 ans, qui est en deuxième année du secondaire, et Martin, 7 ans, qui redouble sa première année du primaire. Albert est camionneur, donc souvent absent de la maison. Il fume deux paquets de cigarettes par jour. Martine ne travaille pas, car elle dit souffrir de fatigue chronique. Elle prend beaucoup de médicaments, dont elle dépend. Les parents d'Albert sont décédés (son père en 1995 et sa mère en 1990) des suites de troubles cardiovasculaires. La sœur d'Albert a des antécédents médicaux d'angine de poitrine. La mère de Martine, quant à elle, est hospitalisée depuis quelques années pour démence et le père de Martine est décédé en 1980 à la suite d'un accident de la route.

 RECHERCHE EN SCIENCES INFIRMIÈRES

QUELS SONT LES DÉFIS RELIÉS À LA TRANSITION À LA PATERNITÉ DES NOUVEAUX IMMIGRANTS ?

La transition à la paternité chez les nouveaux immigrants comporte de nombreux défis pour les hommes. Le rôle joué pendant l'allaitement est déterminant pour leur adaptation à leur nouveau rôle de père, particulièrement lorsque les pratiques culturelles traditionnelles de maternage sont remises en question au contact de la société d'accueil.

Cette étude visait à examiner les croyances des pères d'origine maghrébine reliées à l'allaitement maternel.

Les données ont été recueillies lors d'entrevues semi-dirigées intégrant le génogramme, menées auprès de 12 pères vivant au Québec et immigrés du Maghreb depuis moins de 10 ans.

L'analyse des données révèle que les pères rencontrés accordaient une grande importance à l'allaitement, notamment en raison de la prescription coranique d'allaiter un enfant jusqu'à ce qu'il ait deux ans. En vertu de leurs croyances, les pères avaient une attitude positive à l'égard de l'allaitement. Selon eux, un enfant allaité sera davantage attaché à ses parents et plus reconnaissant, l'allaitement est bénéfique pour la mère et pour le bébé, et l'allaitement est naturel,

donc souhaitable. Pour ce qui est des facteurs facilitant l'expérience de l'allaitement, les pères croyaient que le fait d'avoir vu d'autres femmes (leur mère, leurs sœurs) allaiter facilite le choix et l'expérience de l'allaitement, du fait que leur perception à cet égard est réaliste, ce qui leur permet de surmonter les difficultés rencontrées. De plus, les pères se donnaient deux rôles importants en lien avec l'allaitement, soit celui de soutenir leur conjointe afin qu'elle persévère dans l'allaitement et celui de passer du temps avec leur nouveau-né afin de développer une relation avec lui.

Implications : Ces résultats montrent que les infirmières doivent faire participer les pères d'origine maghrébine aux consultations pré et post-natales en leur demandant, par exemple, quelles sont leur expérience en ce qui concerne l'allaitement et leurs croyances à cet égard et en les informant des ressources de soutien à l'allaitement disponibles.

Source : Gervais, C., et de Montigny, F. (2010). Les croyances des pères originaires du Maghreb immigrés au Québec envers l'allaitement maternel. *Reflets, 16,* 127-150.

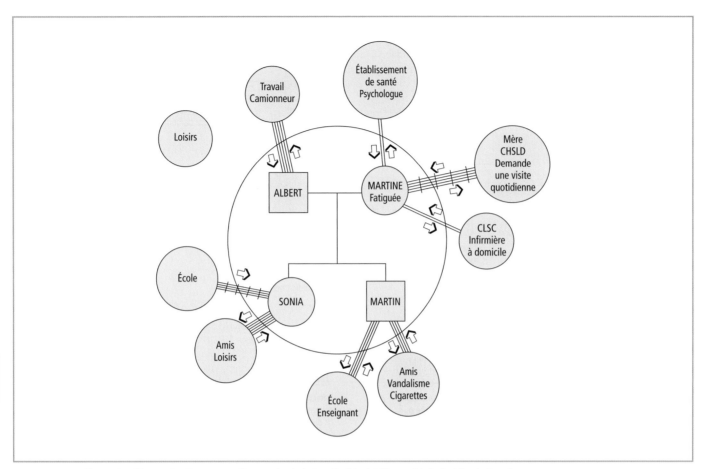

FIGURE 11-7 ■ Exemple d'écocarte. Reprenons l'exemple de la famille Martel (figure 11-6 ■). Albert aime beaucoup son travail de camionneur. Il ne fait rien de particulier pendant ses moments de loisir. Pour sa part, Martine consulte un psychologue une fois par semaine et l'infirmière à domicile lui rend visite une fois par semaine, afin de l'aider à gérer sa fatigue et la prise de tous ses médicaments. La mère de Martine, hospitalisée en CHSLD, désire qu'elle lui rende visite tous les jours. Malgré sa grande fatigue, Martine lui rend visite autant que possible. En ce qui concerne Martin, il affirme que certains de ses amis très proches font du vandalisme, tels des graffitis, et fument la cigarette, sans avouer ces comportements lui-même. Martin aime son école et son enseignant, bien qu'il soit en classe spéciale en raison de troubles d'apprentissage. Finalement, Sonia, qui a déjà redoublé des années scolaires, réussit à obtenir la note de passage, mais n'aime pas l'école. Elle passe une grande partie de son temps à regarder la télévision ou à sortir avec des amis.

non verbaux. Les informations transmises influent sur la façon dont les membres de la famille collaborent les uns avec les autres, jouent leur rôle au sein de la famille, intègrent les valeurs familiales et acquièrent les compétences nécessaires afin de bien fonctionner dans la société. La communication au sein de la famille est d'une importance capitale dans l'acquisition d'une bonne estime de soi, élément indispensable au développement de la personnalité.

Les familles où la communication est efficace transmettent des messages clairs. Les membres de la famille sont libres d'exprimer ce qu'ils ressentent sans craindre de voir leur place dans le groupe remise en question. Les membres de la famille s'offrent un soutien mutuel et savent écouter; ils sont également capables de faire preuve de compassion et de s'entraider en période de crise. Quand les besoins des membres de la famille sont satisfaits, ces derniers vont plus facilement vers les autres et sont davantage capables de les aider, et par là même de venir en aide à la société dans son ensemble.

Au contraire, lorsque la communication est dysfonctionnelle, les messages sont souvent ambigus et la communication verbale ne correspond pas aux messages non verbaux. Les luttes de pouvoir se manifestent de toutes sortes de façons, notamment par l'hostilité, la colère ou le silence. Personne n'exprime librement ce qu'il ressent parce qu'il est impossible de prévoir la réaction des autres. Une communication perturbée au sein de la famille freine le développement des membres. En conséquence, ceux-ci doivent utiliser d'autres systèmes afin d'obtenir la validation et la gratification personnelles qu'ils recherchent.

L'infirmière doit observer très précisément la façon dont les membres de la famille communiquent entre eux. Elle doit notamment repérer qui parle au nom du reste du groupe et qui garde le silence, analyser comment les différends sont traités et de quelle façon les membres de la famille s'écoutent et s'encouragent à prendre part à la discussion. La communication non verbale est également importante en ce qu'elle donne des indices précieux sur ce que chacun ressent.

Stratégies d'adaptation de la famille

Il s'agit des comportements que les personnes adoptent pour gérer le stress ou les changements qui peuvent survenir au sein même de leur famille ou à l'extérieur de celle-ci. Les stratégies d'adaptation peuvent être considérées comme une méthode active de résolution de problèmes, mise au point pour surmonter les difficultés de la vie. Les stratégies d'adaptation que les personnes élaborent au sein d'une famille témoignent de leur ingéniosité. Avec le temps, les familles peuvent utiliser ces stratégies d'adaptation de façon constante ou, au contraire, modifier leur stratégie quand de nouvelles exigences s'imposent. La réussite de la famille dépend en grande partie de la façon dont elle réagit au stress.

L'infirmière qui travaille avec des familles sait qu'il importe d'évaluer les stratégies d'adaptation pour mieux comprendre comment la famille gère le stress. Il est également essentiel de tenir compte des ressources dont la famille dispose. Les ressources internes, comme le savoir, les compétences, une communication efficace, l'entraide et des objectifs communs, sont autant d'éléments qui contribuent à résoudre les problèmes. De plus, les réseaux d'entraide externes favorisent l'adaptation. De tels réseaux peuvent englober la famille élargie, les amis, les professionnels des soins de santé, les services sociaux ou encore reposer sur une appartenance religieuse. La création de réseaux d'entraide sociale est inestimable de nos jours du fait que nombre de familles, en raison du stress, de la mobilité ou de la pauvreté, ne peuvent accéder aux ressources qui les aidaient, traditionnellement, à s'adapter.

L'incidence de la violence familiale a augmenté au cours des dernières années. Les statistiques à ce sujet ne sont pas précises puisque bon nombre de cas ne sont pas signalés. Cependant, 12 % de toutes les infractions avec violence signalées au Canada en 2007 représentaient des cas de violence familiale (Statistique Canada, 2009). Les deux tiers de ces cas comportent des actes de violence commis par un conjoint ou un ex-conjoint et dans 83 % de tous les cas signalés, les victimes étaient des femmes. Entre 1998 et 2007, le taux de violence conjugale signalé par la police a diminué constamment chez les femmes, alors qu'il est resté relativement stable chez les hommes.

Par violence familiale, on entend la violence entre partenaires intimes, ainsi que celle faite aux enfants et aux personnes âgées. La violence peut être physique, psychologique ou verbale, ou encore s'exprimer sous forme de négligence. Les symptômes physiques sont plus évidents. Il s'agit de brûlures, de coupures, de fractures et parfois même de décès. Les manifestations psychologiques peuvent être la dépression, la consommation abusive d'alcool ou d'autres drogues et les tentatives de suicide. L'infirmière doit être particulièrement attentive aux symptômes de violence familiale et prendre les mesures qui s'imposent pour les signaler et obtenir les ressources dont la famille a besoin.

Risques de problèmes de santé

L'évaluation des facteurs de risque de problèmes de santé permet à l'infirmière de repérer les personnes et les familles présentant des risques plus élevés que la population générale de souffrir de problèmes de santé précis, comme un accident vasculaire cérébral, le diabète ou le cancer du poumon. La vulnérabilité de la cellule familiale en ce qui concerne les problèmes de santé peut dépendre du degré de maturité de chacun des membres, des facteurs héréditaires ou génétiques, du sexe, de la race, des facteurs sociologiques et des habitudes de vie.

MATURITÉ DE LA FAMILLE. L'âge et le stade de développement des membres de la famille peuvent influer sur l'état de santé de celle-ci. Les familles où la femme est enceinte ou qui élèvent des enfants connaissent de nombreux changements dans les rôles, les responsabilités et les attentes de chacun. Les nombreuses exigences souvent conflictuelles qui pèsent sur la famille provoquent du stress et de la fatigue, ce qui peut entraver l'épanouissement des membres de la famille et le fonctionnement de la cellule familiale. Les mères adolescentes, en raison de leur niveau de développement et de leur manque de connaissances sur l'art d'être parent, ainsi que les familles monoparentales, étant donné les multiples rôles que doit assumer la personne responsable du ménage, sont plus susceptibles d'avoir des problèmes de santé. En ce qui concerne les personnes âgées, un bon nombre d'entre elles n'ont plus de but précis dans la vie et leur estime de soi diminue. Par conséquent, elles sont moins motivées et moins enclines à adopter des comportements favorisant la promotion de la santé, notamment faire de l'exercice ou participer à des activités communautaires ou familiales.

FACTEURS HÉRÉDITAIRES. Les personnes nées dans des familles où certaines affections, comme le diabète ou les maladies cardiovasculaires, sont fréquentes courent un risque accru d'en souffrir. Par conséquent, les antécédents médicaux détaillés de la famille, notamment en ce qui concerne les affections génétiques, s'avèrent essentiels pour repérer les personnes et les familles à risque. Ces données sont utilisées non seulement pour surveiller la santé des membres de la famille, mais également pour recommander des modifications quant aux habitudes en matière de santé, et ce, dans le but de réduire les risques d'affections génétiques et leurs conséquences, ou d'en retarder l'apparition.

SEXE OU RACE. Certaines unités familiales ou certains membres de la famille peuvent présenter des risques de souffrir d'une affection en raison de leur sexe ou de leur race. Par exemple, les hommes risquent de souffrir d'un problème cardiovasculaire à un plus jeune âge que les femmes. Par contre, les femmes sont plus susceptibles d'être atteintes d'ostéoporose, surtout après la ménopause. Il est parfois difficile de distinguer les facteurs génétiques des facteurs culturels. Toutefois, certains facteurs de risque semblent liés à la race. Ainsi, la drépanocytose est une affection héréditaire que l'on trouve uniquement chez les personnes d'ascendance africaine, et la maladie de Tay-Sachs est une affection neurodégénérative qui touche essentiellement les personnes d'ascendance juive d'Europe de l'Est.

FACTEURS SOCIOLOGIQUES. La pauvreté est un problème majeur qui touche non seulement la famille, mais également la communauté et la société. Il s'agit d'une véritable préoccupation pour les familles monoparentales, dont le nombre ne cesse d'augmenter. La pauvreté touche de ce fait un grand nombre d'enfants en pleine croissance.

11

Lorsqu'elles sont malades, les personnes économiquement défavorisées ont tendance à attendre que l'affection atteigne un stade avancé avant de consulter un médecin, ce qui exige alors un traitement plus long ou plus complexe.

FACTEURS LIÉS AU MODE DE VIE. La modification du mode de vie peut réduire les effets de certaines affections ou retarder l'apparition de certaines autres. Certains cancers, certaines affections cardiovasculaires, le diabète et les caries dentaires comptent au nombre des affections liées au mode de vie. L'incidence du cancer du poumon, par exemple, serait grandement réduite si les gens cessaient de fumer. Une bonne alimentation, une bonne hygiène dentaire et l'utilisation de fluorure dans l'eau, dans le dentifrice, en application topique ou comme supplément réduisent le nombre de caries dentaires. L'exercice physique, la gestion du stress et le repos sont d'autres éléments importants du mode de vie. À l'heure actuelle, les professionnels de la santé sont en mesure de contribuer à prévenir ou à réduire les effets de certaines des principales causes de maladie, d'invalidité et de décès. L'enjeu ici est de diffuser l'information sur la prévention et d'encourager les familles à modifier leur mode de vie avant que ne survienne l'affection.

Analyse et planification

Les données colligées lors de l'évaluation d'une famille peuvent inciter l'infirmière à formuler l'un des diagnostics infirmiers suivants :

- *Dynamique familiale perturbée,* c'est-à-dire modification des relations familiales ou du fonctionnement familial « qui survient quand une famille qui fonctionne normalement la plupart du temps fait face à un agent stressant qui perturbe ou risque de perturber sa dynamique » (Carpenito, 2009).
- *Stratégies d'adaptation familiale invalidantes,* c'est-à-dire comportement de la personne affectivement importante qui rend celle-ci et le patient incapables d'accomplir effectivement le travail d'adaptation nécessaire relativement au problème de santé. Ce diagnostic « s'applique aux familles qui ont déjà réagi par la violence ou par un autre comportement destructeur à un agent stressant, ou s'y sont adaptées au détriment de la santé de leurs membres » (Carpenito, 2009).
- *Exercice du rôle parental perturbé,* c'est-à-dire « inaptitude d'un parent ou de son substitut à créer un environnement qui favorise au maximum la croissance et le développement de l'enfant » (Carpenito, 2009).
- *Entretien inefficace du domicile,* à savoir « inaptitude à maintenir sans aide un milieu sûr et propice à la croissance personnelle » (Carpenito, 2009).
- *Tension dans l'exercice du rôle de l'aidant naturel,* c'est-à-dire « une situation où une personne a des problèmes physiques, affectifs, sociaux ou financiers parce qu'elle s'occupe d'une autre personne » (Carpenito, 2009).

La rubrique *Diagnostics infirmiers, résultats de soins infirmiers et interventions* (p. 246) contient des exemples de facteurs favorisants d'un diagnostic donné, ainsi que des résultats escomptés permettant d'évaluer si la personne a atteint ou non ses objectifs et de juger de l'efficacité des interventions infirmières.

L'infirmière doit se montrer sensible aux différences culturelles lorsqu'elle procède à la collecte des données et à la planification des soins. Lorsqu'elle aura déterminé qui, dans la famille, prend la plupart des décisions, surtout en matière de soins de santé, l'infirmière saura à qui adresser ses questions afin d'obtenir des informations et aussi à qui donner des instructions. La famille élargie est une réalité dans plusieurs cultures. Toutefois, il peut y avoir, au sein de la même famille, des différences sur les plans des croyances et des habitudes en matière de santé. Les membres plus âgés de la famille conservent parfois leurs habitudes traditionnelles, alors que les plus jeunes en adoptent de plus modernes. Établir une relation de confiance avec ces familles constitue l'étape préliminaire à la planification de soins efficaces ; il faut d'abord s'entretenir avec les membres de la famille au sujet de leurs croyances et de leurs habitudes.

Les soins infirmiers doivent, avant tout, aider la famille à planifier des objectifs, des résultats escomptés et des stratégies en vue d'améliorer le fonctionnement familial, notamment la communication, de trouver et d'utiliser des réseaux d'entraide, et d'acquérir et de mettre en pratique des compétences dans l'art d'être parent. Par ailleurs, une orientation préventive pourra aider les familles dont le fonctionnement est harmonieux à se préparer aux transitions inévitables qui jalonneront leur vie et marqueront les étapes de leur développement.

Famille qui connaît une crise en matière de santé

La maladie d'un membre de la famille modifie l'ensemble du système familial. La famille est perturbée du fait que ses membres abandonnent leurs activités habituelles et concentrent leur énergie en vue de rétablir l'équilibre familial. Les rôles et les responsabilités qui incombaient auparavant à la personne malade sont délégués aux autres membres de la famille ou laissés en suspens pendant la durée de la maladie. Au cours de cette période, la famille est anxieuse : ses membres sont inquiets pour la personne malade et préoccupés par l'issue de la maladie. À cette anxiété s'ajoutent des responsabilités supplémentaires, alors qu'il y a moins de temps ou de motivation pour s'acquitter des tâches quotidiennes. Voir à l'encadré 11-2 certains facteurs déterminant l'incidence d'un problème de santé sur la cellule familiale.

La capacité de la famille de gérer le stress lié à un problème de santé dépend des facultés d'adaptation de ses membres. Les membres de familles qui communiquent bien entre eux peuvent plus facilement discuter de ce qu'ils ressentent au sujet de la maladie et des répercussions de celle-ci sur la dynamique familiale. Ils peuvent préparer l'avenir et faire preuve de souplesse lorsqu'ils doivent adapter leurs projets à mesure que la situation évolue. Aussi, un réseau social d'entraide déjà en place procure la force, l'encouragement et les services dont la famille a besoin pour surmonter l'épreuve. Au cours de la crise que provoque une maladie, les familles doivent reconnaître que demander de l'aide à l'extérieur n'est pas un signe de faiblesse mais bien de force. L'infirmière peut faire partie du réseau d'entraide de la famille, mais celle-ci peut aussi trouver d'autres sources d'aide dans la communauté.

- Nature du problème de santé, qui peut être mineur ou représenter un danger de mort

- Durée du problème de santé (courte ou longue durée)

- Effets résiduels du problème de santé, qui peuvent être absents ou, au contraire, entraîner une incapacité permanente

- Signification du problème de santé pour la famille

- Conséquences financières du problème de santé, déterminées par des facteurs comme les assurances de la personne malade et sa capacité de reprendre ses activités professionnelles

- Effet du problème de santé sur la dynamique familiale dans l'avenir (par exemple, on peut reprendre les anciennes habitudes ou en instaurer de nouvelles)

Pendant une crise, les liens familiaux se resserrent souvent autour d'un objectif commun. Dans ces moments, les membres de la famille ont la possibilité de réaffirmer leurs valeurs personnelles et les valeurs du groupe, ainsi que leur engagement les uns envers les autres. En fait, la maladie peut aussi devenir une occasion unique de croissance pour toute la famille.

Rôle de l'infirmière auprès des familles aux prises avec un problème de santé

L'infirmière qui axe ses soins sur la famille invite la personne souffrante et sa famille à participer à ceux-ci. Grâce à ses interactions avec la famille, l'infirmière peut la soutenir et lui donner les informations nécessaires. Elle doit s'assurer que la personne concernée et chaque membre de la famille comprennent bien le problème de santé, son traitement et les effets de ces deux facteurs sur la dynamique familiale. De plus, l'infirmière doit évaluer si la famille est apte à prodiguer des soins et à effectuer une surveillance à domicile, et ce, de façon continue. Après avoir reçu des instructions planifiées avec soin et une formation pratique, la famille doit avoir la possibilité de démontrer sa capacité de prodiguer des soins sous la surveillance attentive et compatissante de l'infirmière. Lorsque les soins recommandés dépassent les capacités de la famille, l'infirmière essaiera de trouver, de concert avec celle-ci, des ressources disponibles et acceptables, socialement et financièrement.

Pour que le retour de la personne malade à la maison se fasse dans les meilleures conditions, l'infirmière utilise des données recueillies pendant l'évaluation familiale afin de définir les ressources et les lacunes de la famille. En amenant la famille à définir ses objectifs de réintégration, l'infirmière l'aide à faire face aux réalités reliées au problème de santé et aux changements qu'il peut avoir provoqués. Ainsi, il se peut que les membres de la famille doivent assumer de nouveaux rôles et de nouvelles fonctions ou qu'ils doivent prodiguer des soins médicaux continus à la personne malade ou en convalescence. Par ses interventions, l'infirmière contribue à créer un environnement propice à la réorganisation de la famille pour qu'elle s'adapte à la nouvelle situation de l'un de ses membres.

L'infirmière en soins à domicile prodigue des soins individualisés à la personne et à sa famille afin de répondre à leurs besoins particuliers. Ces besoins peuvent ressembler à ceux d'autres personnes et familles ou, au contraire, être très différents.

Mort d'un membre de la famille

La mort d'un membre de la famille marque souvent très profondément le reste de la famille. La structure de la cellule familiale est modifiée et ce changement peut également transformer la dynamique du groupe en tant qu'unité. Tous les membres ressentent la perte et font non seulement le deuil de la personne décédée, mais aussi celui de la famille telle qu'elle était auparavant. Il peut s'ensuivre une grande désorganisation familiale. Toutefois, à mesure que la famille surmonte cette épreuve, elle reprend son rôle et ses fonctions et fait face à la réalité. Il faut du temps pour guérir de cette épreuve douloureuse.

Après la mort d'un proche, les membres de la famille pourraient avoir besoin de consulter un thérapeute pour exprimer ce qu'ils ressentent et parler du défunt. Ils voudront peut-être aussi parler de leurs peurs et de leurs espoirs. Au cours de périodes troubles, les croyances religieuses et les conseillers spirituels de la famille sont souvent d'un grand réconfort. La famille qui connaît la douleur d'un décès peut également avoir recours à des groupes de soutien. Il est souvent difficile pour l'infirmière de s'occuper d'une famille en deuil. En effet, l'infirmière ressent aussi la perte et ne sait pas toujours que faire ou dire. En comprenant l'effet d'un décès sur la famille, l'infirmière peut aider celle-ci à surmonter son chagrin et à aller de l'avant (voir au chapitre 27 ⊕ un exposé sur la perte et le deuil).

Interventions infirmières et évaluation

Les interventions infirmières reposent sur des diagnostics médicaux et des diagnostics infirmiers, de même que sur des objectifs sélectionnés ou des résultats escomptés (rubrique *Diagnostics infirmiers, résultats de soins infirmiers et interventions*, p. 246). Lorsqu'elle évalue la réalisation des objectifs du plan de soins et de traitements destiné à la famille, l'infirmière doit vérifier si les indicateurs choisis pour évaluer les résultats escomptés sont présents. Si tel est le cas, il est probable que les résultats escomptés se seront concrétisés. Par contre, si les indicateurs ou les résultats escomptés sont partiellement présents ou absents, tous les aspects de la situation familiale doivent être réexaminés. Les activités liées aux interventions ont-elles bien eu lieu? Les indicateurs et les résultats escomptés sont-ils pertinents? Le diagnostic infirmier est-il juste? L'état de santé ou le diagnostic ont-ils changé?

Reconnaître les forces de la famille et des membres qui la composent permet de maintenir le niveau de bien-être et d'orienter les comportements en situation de crise. Si un plan de soins et de traitements infirmiers doit être modifié pour être plus pertinent et efficace, il est nécessaire de définir et d'utiliser ces forces.

11

DIAGNOSTICS INFIRMIERS, RÉSULTATS DE SOINS INFIRMIERS ET INTERVENTIONS

SANTÉ FAMILIALE PERTURBÉE

Collecte des données	Diagnostic infirmier: *Définition*	Exemple de résultat de soins infirmiers: *Définition*	Indicateurs	Intervention choisie: *Définition*	Exemples d'activités
On vient d'apprendre à M. et Mme G. que leur fils de six ans a une leucémie aiguë. Le couple a également une petite fille de neuf ans et un autre fils de quatre ans.	*Dynamique familiale perturbée:* Modification des relations familiales.	Stratégie d'adaptation de la famille (*coping*): Actions *destinées à gérer les facteurs de stress qui mettent à l'épreuve les ressources de la famille.*	Souvent démontrés: ■ Les membres de la famille participent à la prise de décision. ■ La famille emploie des comportements afin de réduire le stress. ■ Elle fait appel à des soins de relève.	Aide à la préservation de l'intégrité familiale: *Mise en œuvre de moyens visant à favoriser la cohésion et l'unité de la famille.* Aide à la normalisation: *Aide à apporter aux parents et aux autres membres de la famille d'un enfant présentant une maladie chronique ou un handicap afin de lui procurer des expériences de vie normales.*	■ Évaluer le degré de compréhension par la famille des causes de la maladie. ■ Indiquer aux membres de la famille qu'il est normal d'avoir des gestes d'affection et qu'il n'y a aucun risque à le faire. ■ Suggérer une thérapie familiale au besoin. ■ Ne pas amplifier le caractère singulier de l'état de l'enfant. ■ Impliquer la fratrie dans les soins et les activités de l'enfant, si nécessaire.
		Adaptation psychosociale: transition de la vie: *Adaptation psychosociale d'une personne à un passage de la vie.*	Modérés: ■ Mise en place d'un projet réaliste. ■ Sentiment de détenir les pleins pouvoirs.	Protection de la dynamique familiale: *Réduction au minimum des effets d'une perturbation de la dynamique familiale.*	■ Déterminer la dynamique familiale type. ■ Discuter avec les membres de la famille des stratégies visant à favoriser une vie familiale normale.

Application des cadres théoriques aux personnes et aux familles

Un certain nombre de cadres théoriques donnent à l'infirmière une vision holistique de la promotion de la santé, à l'échelle individuelle et familiale, tout au long de la vie. Les principaux cadres théoriques que l'infirmière utilise pour promouvoir la santé de la personne et de la famille sont les théories des besoins, les théories du développement, la théorie des systèmes et la théorie structurelle-fonctionnelle.

Théories des besoins

En vertu de ces théories, les auteurs classent les besoins humains sur une échelle ascendante selon leur caractère essentiel en matière de survie.

HIÉRARCHIE DES BESOINS DE MASLOW

Abraham Maslow (1987), l'un des théoriciens les plus connus de la hiérarchisation des besoins, a classé les besoins humains en cinq niveaux (figure 11-8 ■, A et encadré 11-3).

Ces cinq niveaux, en ordre ascendant, sont les suivants:

■ *Besoins physiologiques.* Il s'agit ici, par exemple, des besoins d'air, de nourriture, d'eau, d'abri, de repos, de sommeil, d'activité et de maintien de la température corporelle. Ils sont essentiels à la survie.

■ *Besoin de sécurité.* Le besoin de sécurité comporte des aspects physiques et psychologiques. La personne a besoin de se sentir en sécurité, aussi bien dans son milieu physique que dans ses relations.

■ *Besoin d'amour et d'appartenance.* Maslow classe ici le besoin de donner et de recevoir de l'affection, d'occuper une place au sein d'un groupe et de conserver un sentiment d'appartenance.

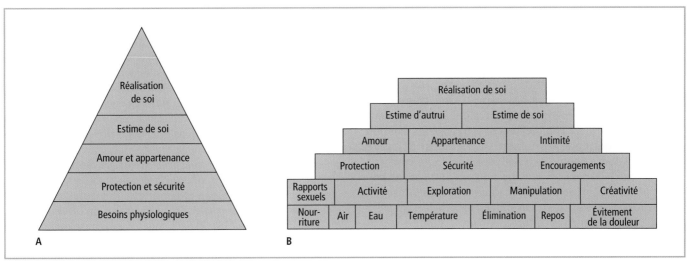

FIGURE 11-8 ■ *A*, Hiérarchie des besoins de Maslow. Source : Maslow, A. H. (1987). *Motivation and personality* (3ᵉ éd.). New York : Addison-Wesley. *B*, Hiérarchie des besoins de Maslow, adaptée par Kalish. Source : Kalish, R. A. (1983). *Psychology of human behavior* (5ᵉ éd.). Monterey, Ca : Brooks/Cole. Copyright 1983. Reproduit avec l'autorisation de Wadsworth, une division de Thomson Learning : http://www.thomsonrights.com. Télécopieur : 1 800 730-2215.

- *Besoin d'estime de soi.* Toute personne a besoin de s'estimer elle-même (sentiment d'indépendance, de compétence et de respect de soi) et d'être estimée par les autres (reconnaissance, valorisation et appréciation).

- *Réalisation de soi.* La personne dont le besoin d'estime de soi est satisfait s'efforce de se réaliser ; il s'agit là du besoin inné de réaliser son potentiel maximal et de manifester pleinement ses capacités et ses qualités.

HIÉRARCHIE DES BESOINS DE KALISH

Richard Kalish (1983) a adapté la hiérarchie des besoins de Maslow en les divisant en six niveaux au lieu de cinq. Il propose d'insérer un niveau supplémentaire entre les besoins physiologiques et celui de sécurité. Il s'agit du *besoin de stimulation*, qui comprend notamment les rapports sexuels, l'activité, l'exploration, la manipulation et la créativité (figure 11-8 ■, *B*). Selon Kalish, pour atteindre une croissance et un développement optimaux, les enfants ont besoin d'explorer et de manipuler leur environnement. Il constate que les adultes, eux aussi, sont souvent à la recherche de nouvelles aventures ou d'expériences stimulantes en dépit de leur besoin de sécurité.

CARACTÉRISTIQUES DES BESOINS FONDAMENTAUX

Tout le monde cherche à combler les mêmes besoins fondamentaux. Toutefois, la culture à laquelle la personne s'identifie conditionne les besoins individuels et la façon d'y réagir. Ainsi, la réussite professionnelle, l'autonomie et l'intimité peuvent être des facteurs importants dans une culture ou une sous-culture, mais pas dans une autre.

- La personne satisfait ses besoins en fonction de ses priorités. Par exemple, une mère pauvre peut donner à son enfant sa part de nourriture pour que ce dernier mange à sa faim.

- Les besoins fondamentaux doivent être satisfaits le plus souvent possible. Cependant, certains d'entre eux peuvent être différés. Ainsi, la personne malade peut réprimer son besoin d'indépendance jusqu'à ce qu'elle guérisse.

- L'impossibilité de satisfaire ses besoins provoque un ou plusieurs déséquilibres homéostatiques et peut, éventuellement, causer des problèmes de santé.

11

■ Un besoin peut être le résultat de stimuli internes ou externes. Prenons comme exemple le besoin de s'alimenter. Une personne peut ressentir une sensation de faim à la suite d'un processus physiologique (stimulation interne) ou en voyant un gâteau appétissant (stimulation externe).

■ Une personne qui perçoit un besoin peut le satisfaire de différentes façons. Ses expériences, son mode de vie et ses valeurs culturelles justifient habituellement son choix. Par exemple, une femme qui rentre à la maison fatiguée après une journée de travail peut ressentir le besoin de se détendre en faisant une promenade dans un parc, alors qu'une autre optera pour une petite sieste. Les choix alimentaires au cours des repas et entre ceux-ci sont aussi le résultat d'expériences du passé, du mode de vie et de la culture.

■ Les besoins sont étroitement liés entre eux. Il est impossible de satisfaire certains besoins si d'autres ne le sont pas. Le besoin de s'hydrater peut être sérieusement compromis si le besoin d'éliminer l'urine n'est pas satisfait. De même, le besoin de sécurité sera gravement menacé si le besoin en oxygène est compromis par une obstruction respiratoire.

On peut satisfaire les besoins de façon plus ou moins saine. La manière de satisfaire les besoins fondamentaux est considérée comme saine si elle ne nuit ni aux autres ni à soi-même, si elle est conforme aux valeurs socioculturelles de la personne et si elle respecte la loi. Par contre, un comportement peut être préjudiciable aux autres ou à soi-même ; il peut n'être conforme ni aux valeurs socioculturelles de la personne ni à la loi. C'est le cas, par exemple, de l'abus d'alcool chez une personne qui tente de répondre à un besoin de repos. La personne qui satisfait ses besoins fondamentaux sainement est en meilleure santé, plus heureuse et plus efficace que celle qui ne le fait pas.

Tout au long de notre vie, nous nous efforçons de satisfaire nos besoins. La perception personnelle d'un besoin et la façon d'y répondre peuvent être influencées par des normes ethnoculturelles, des stimuli externes et internes (comme la faim) et par des priorités personnelles (par exemple cesser de fumer). Un certain nombre de facteurs positifs se répercutent sur la satisfaction des besoins, soit une bonne santé selon le continuum santé-maladie, la présence de relations d'entraide, une bonne estime de soi et une progression adéquate dans le passage des étapes du développement. Par exemple, si un bébé apprend à faire confiance et franchit avec succès cette étape de son développement, ses besoins fondamentaux liés à la nécessité de se sentir aimé et en sécurité sont d'emblée résolus.

Connaître les bases théoriques des besoins humains aide l'infirmière non seulement à tenir compte des comportements d'une personne sur le plan thérapeutique, mais également à se comprendre elle-même ainsi que ses propres façons de répondre à ses besoins. Les besoins humains agissent comme un cadre qui permet d'évaluer les comportements, d'attribuer des priorités à des résultats escomptés et de planifier des interventions infirmières. Par exemple, un adulte ayant une piètre estime de soi aura des difficultés à se réaliser. Par conséquent, l'infirmière, dans ses interventions, aidera essentiellement cette personne à renforcer l'estime qu'elle a d'elle-même.

Théories du développement

Les théoriciens du développement de la personne classent les comportements ou les tâches selon des tranches d'âge approximatives ou associent ces comportements et ces tâches à des termes décrivant les caractéristiques propres à un groupe d'âge. Les tranches d'âge correspondant aux étapes ne tiennent pas compte des différences individuelles ; pourtant, ces catégories illustrent des caractéristiques que l'on trouve chez la majorité des personnes au cours d'étapes perceptibles du développement. Ces caractéristiques correspondent aussi à des tâches spécifiques à accomplir. Du fait que le développement humain est extrêmement complexe et comporte plusieurs facettes, les théories du développement n'en décrivent qu'un seul aspect, notamment le développement cognitif, psychosexuel, psychosocial, moral ou spirituel. Les théories du développement mettent l'accent sur un aspect défini et prévisible du développement, qui est ordonné et continu. Chaque étape dépend des étapes précédentes et se répercute sur les étapes suivantes. Par exemple, un adolescent qui n'arrive pas à établir un sens clair de son identité personnelle pourra avoir des difficultés, au cours des étapes ultérieures de son développement, à assumer un rôle d'adulte et à concrétiser ses aspirations professionnelles.

Les théories du développement permettent à l'infirmière de décrire les comportements types d'une personne appartenant à un groupe d'âge donné, d'expliquer la signification de ses comportements ainsi que de prévoir et de comprendre les comportements qui peuvent se produire dans une situation donnée. On peut comparer une personne à un groupe représentatif de gens qui traversent les mêmes étapes ou des étapes différentes. L'infirmière peut utiliser sa connaissance des théories du développement pour éduquer les parents et les personnes qui la consultent, et leur donner des conseils et une orientation préventive.

En ce qui a trait aux théories du développement, la famille est une cellule en constante évolution, qui ne cesse de se développer. Des tâches capitales mais néanmoins prévisibles accompagnent chaque étape du développement. Accomplir les tâches correspondant à une étape donnée est une condition *sine qua non* pour réussir les tâches prévues à l'étape suivante. Une fonction importante de la famille, dans la perspective du développement, consiste à créer un environnement propice à la maîtrise des tâches essentielles à cet égard. Ainsi, les étapes du cycle de vie de la famille se déroulent selon une progression ordonnée.

Théorie des systèmes

Les concepts de base de la théorie générale des systèmes ont été proposés dans les années 1950. L'un de ses plus ardents défenseurs, Ludwig von Bertalanffy (1969), a présenté la théorie des systèmes comme une théorie universelle applicable à de nombreux champs d'étude. L'infirmière utilise de plus en plus souvent la théorie des systèmes pour comprendre non seulement les systèmes biologiques, mais également les systèmes que constituent la famille, la communauté, les soins infirmiers et la santé. La théorie générale des systèmes fournit un moyen d'examiner les relations mutuelles et d'en déduire des principes.

Les systèmes peuvent être complexes et leurs composants sont souvent étudiés sous forme de **sous-systèmes**. Les membres de la famille représenteraient les sous-systèmes d'un système familial. Les principaux sous-systèmes d'une famille sont le sous-système conjugal, le sous-système parental et le sous-système de la fratrie. Les systèmes qui se trouvent au-dessus d'autres systèmes sont appelés **suprasystèmes**. Ainsi, la famille constitue le suprasystème des personnes qui la composent. Voir à la figure 11-9 ■ la hiérarchie du système humain.

Le système biologique se subdivise en plusieurs sous-systèmes, notamment les sous-systèmes neurologique, locomoteur, respiratoire, circulatoire, gastro-intestinal et urinaire. Chaque sous-système peut aussi être subdivisé. Ainsi, le système urinaire se compose des reins, des uretères et de la vessie; le système circulatoire se compose du cœur et des vaisseaux sanguins; le système neurologique, du cerveau, de la moelle épinière et des nerfs. Le système biologique peut aussi se subdiviser en catégories de besoins ou en habitudes fonctionnelles en matière de santé, ou encore en activités de la vie quotidienne, comme la nutrition et l'hydratation, le sommeil et le repos, l'activité et l'exercice, l'élimination, et ainsi de suite.

Les systèmes psychologiques et sociaux se composent de sous-systèmes comprenant la pensée, les sentiments et les relations. Le nom des sous-systèmes psychologiques et sociaux varie grandement selon les théoriciens auxquels l'infirmière fait référence. Par exemple, Dorothy Johnson (1980), qui décrit le système humain selon des comportements, dresse la liste des sous-systèmes psychologiques suivants: attachement-appartenance, dépendance, accomplissement et agression.

La corrélation entre tous les éléments d'un système est la base de la vision holistique qu'a l'infirmière de la personne. Une tumeur au foie affecte la totalité de la personne: cette dernière peut avoir des nausées, se sentir fatiguée, anxieuse,

etc. Un problème psychologique, comme du stress ou de l'anxiété, peut aussi se manifester sous la forme de symptômes physiologiques, comme de l'insomnie, des nausées ou un changement de la fréquence cardiaque.

La cellule familiale est, elle aussi, un système. Ses membres sont interdépendants et s'efforcent d'atteindre des objectifs particuliers. La famille, comme système ouvert, est en relation constante avec d'autres systèmes de la communauté et est influencée par eux. Les limites que la famille s'impose régissent l'apport d'autres systèmes qui sont en relation avec le système familial; elles régissent également l'apport de la famille à la communauté et à la société. Ces limites ont pour but de protéger la famille des exigences et des influences d'autres systèmes qui pourraient représenter une menace. La famille est susceptible de bien accueillir ce qui lui vient de l'extérieur, d'encourager ses membres à adapter leurs croyances et leurs habitudes afin de tenir compte de l'évolution des exigences de la société, de chercher des informations en matière de soins de santé et d'utiliser les ressources communautaires.

Théorie structurelle-fonctionnelle

La théorie structurelle-fonctionnelle, comme son nom l'indique, s'intéresse essentiellement à la structure et aux fonctions de la famille. L'élément structurel de la théorie porte sur les membres de la famille et sur les relations qu'ils entretiennent. Les relations internes sont complexes en raison des divers liens qui se tissent au sein de la structure familiale, notamment la relation mère-fille, frère-sœur et conjoint-partenaire. Ces relations évoluent constamment, à mesure que les enfants grandissent et quittent le nid familial, ou que les adultes vieillissent et deviennent plus dépendants des autres pour satisfaire leurs besoins quotidiens.

L'aspect fonctionnel de la théorie examine les effets des relations internes sur le système familial et sur d'autres systèmes. Les fonctions de la famille sont multiples. Elle doit notamment définir des objectifs familiaux, créer chez ses membres un sentiment d'appartenance, intégrer et socialiser de nouveaux membres, de même que fournir et distribuer des soins et des services à ses membres. Une famille saine organise harmonieusement ses membres et ses ressources de façon à atteindre les objectifs familiaux.

En règle générale, l'infirmière utilise une combinaison des différents cadres théoriques afin de promouvoir la santé des personnes et des familles. Ainsi, elle peut expliquer aux membres d'une famille le comportement d'un trottineur qui cherche à devenir autonome – étape du développement décrite par Erikson (1963). Simultanément, l'infirmière pourra donner à cette même famille des conseils qui l'aideront à traverser la période de transition difficile correspondant au passage à l'adolescence de son autre enfant.

Santé de la communauté

Une **communauté** consiste en un regroupement de personnes qui partagent certaines caractéristiques communes. Ces personnes peuvent vivre au même endroit, aller à la même église ou encore partager un intérêt commun comme la peinture. On

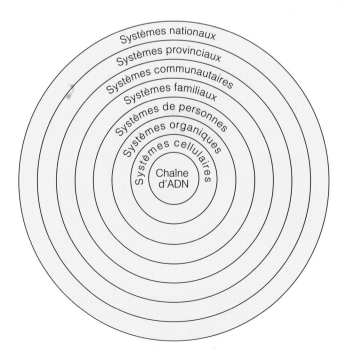

FIGURE 11-9 ■ Hiérarchie courante d'un système.

utilise souvent l'expression «communauté d'intérêts» pour désigner les groupes organisés autour des intérêts communs de leurs membres (par exemple des groupes religieux ou culturels). On peut aussi définir une communauté comme un système social dans lequel les membres ont des relations formelles et informelles, et constituent des réseaux agissant pour le bénéfice de tous les membres de la communauté. Les cinq principales fonctions d'une communauté sont décrites à l'encadré 7-1 (p. 144). En matière de santé communautaire, la communauté peut être aux prises avec un problème de santé commun, soit une incidence élevée de la mortalité infantile, de la tuberculose, de l'infection par le VIH ou d'une autre maladie transmissible. L'encadré 7-2 (p. 144) dresse la liste des caractéristiques d'une communauté en bonne santé.

Les **soins infirmiers dans la communauté** mettent l'accent sur la promotion et le maintien de la santé des groupes concernés, entre autres par l'éducation à la santé. En l'occurrence, les infirmières occupent une place privilégiée de première ligne.

Démarche de soins infirmiers

Collecte des données

On a mis au point un certain nombre de cadres permettant de réaliser la collecte des données sur la communauté. Dans l'un de ces cadres, Anderson et McFarlane (2008) ont mis en lumière huit sous-systèmes communautaires à analyser. Ces sous-systèmes s'organisent autour d'un noyau, qui se compose des membres de la communauté, avec leurs caractéristiques, leurs valeurs, leur histoire et leurs croyances. La première étape de l'évaluation de la communauté consiste à se renseigner sur les personnes qui la composent. La figure 11-10 ■ illustre certains des principaux composants du noyau de la communauté. Les huit sous-systèmes sont organisés autour du noyau. L'encadré 7-3 (p. 145) présente les principaux aspects de l'évaluation d'une communauté et l'encadré 7-4 (p. 145), les sources des données nécessaires à l'évaluation des communautés.

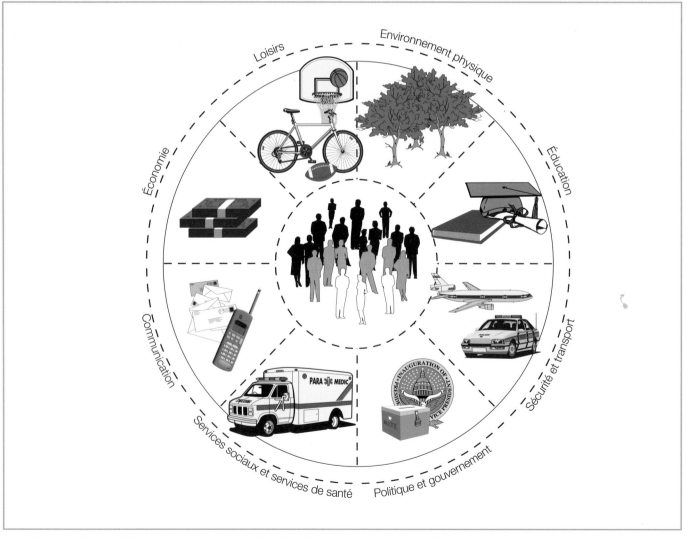

FIGURE 11-10 ■ Roue de l'évaluation communautaire. Modèle d'évaluation de la communauté comme partenaire.
Source : Anderson, E. T., et McFarlane, J. M. (2008). *Community as partner : Theory and practice in nursing* (5e éd.). Philadelphie, PA : Lippincott Williams & Wilkins.

Analyse et interprétation

Après avoir évalué, validé et résumé les données, l'infirmière repère les diagnostics infirmiers applicables à la communauté. Voici trois diagnostics infirmiers communautaires de la NANDA-I (2010):

- *Stratégies d'adaptation inefficaces d'une collectivité.* Les activités communautaires (en matière d'adaptation et de résolution de problèmes) ne permettent pas de répondre aux exigences ou de satisfaire les besoins de la communauté.
- *Stratégies d'adaptation d'une collectivité: motivation à s'améliorer.* Les activités communautaires en matière d'adaptation et de résolution de problèmes permettent de répondre aux exigences ou de satisfaire les besoins de la communauté, mais peuvent être améliorées afin de gérer les problèmes et les agents stressants, actuels et à venir.
- *Prise en charge inefficace du programme thérapeutique par une collectivité.* Les processus de régularisation et leur intégration aux programmes communautaires de traitement des maladies et de leurs séquelles ne permettent pas d'atteindre les objectifs fixés en matière de santé.

Planification et interventions infirmières

Intervenir en santé communautaire peut nécessiter une amélioration de la gestion des crises, de la prévention de la maladie, du maintien de la santé ou de la promotion de la santé. La responsabilité de la planification communautaire est habituellement répartie entre de nombreux intervenants. Les ressources et les compétences des membres de la communauté dépendent souvent de la taille de celle-ci. Un important groupe de planification est plus susceptible de créer un plan d'intervention que les membres de la communauté accepteront. De plus, les personnes qui participent à la planification connaissent les problèmes, les ressources et les relations mutuelles qui se nouent au sein du système.

Au moment de fixer des priorités, les planificateurs des services de santé doivent travailler avec les patients, les groupes d'intérêts ou les autres personnes concernées pour traiter les problèmes de santé par ordre de priorité. Il importe de tenir compte des valeurs et des champs d'intérêt des membres de la communauté, de la gravité des problèmes et des ressources disponibles pour définir les problèmes et prendre les mesures qui s'imposent. Étant donné qu'un plan d'intervention est toujours sujet à entraîner des changements, les membres du groupe de planification doivent comprendre et utiliser la théorie du changement planifié.

Voici les postulats relatifs à l'intervention infirmière en santé communautaire:

- **Empowerment:** approche qui reconnaît les compétences des personnes, des familles et des communautés. Selon cette approche, l'intervenant possède des compétences professionnelles, qui sont complémentaires aux compétences expérientielles des personnes, des familles ou des communautés. Il fait donc confiance aux personnes pour prendre les décisions qui les concernent et cherche à les outiller afin qu'elles aient les connaissances, les habiletés, les ressources et les occasions de le faire (Lemay, 2009). L'*empowerment* communautaire s'appuie sur les forces du milieu, et son orientation stratégique est fondée sur la coopération, la synergie, la transparence, l'imputabilité, la libre circulation de l'information et la présence de lieux décisionnels assurant une pleine participation (Hawley Mc Whirter, 1991).

- **Partenariat:** partage négocié du pouvoir entre les professionnels de la santé et les partenaires (individus, communauté), dans le but d'augmenter la capacité de ces derniers à agir plus efficacement sur leur santé et leur bien-être. Le partenariat entre les organismes communautaires, le secteur privé et l'État est le résultat du vaste mouvement de changement sur les plans social et économique que l'on observe actuellement au Québec (Conseil du statut de la femme, 1996). L'infirmière en santé communautaire développe des partenariats et une collaboration avec les différents acteurs de la communauté en favorisant le travail d'équipe, le respect mutuel et la prise de décision conjointe dans un esprit de reconnaissance mutuelle de la contribution des personnes engagées, dans le but de répondre aux besoins réels des groupes concernés (Association canadienne de santé publique [ACSP], 2010).

- **Éducation sanitaire:** l'infirmière en santé communautaire doit posséder différentes habiletés pédagogiques. Notamment, elle connaît et utilise diverses méthodes d'enseignement et d'animation afin de favoriser l'échange de savoirs. Elle évalue les connaissances, les croyances, les attitudes et les valeurs de l'apprenant relativement à la santé et à la maladie. Elle suscite la prise en charge des personnes concernées par leurs responsabilités en matière de santé et fournit des occasions d'apprentissage de connaissances, d'attitudes et de comportements qui favorisent la santé. L'enseignement se fait grâce à l'établissement d'une relation interpersonnelle de réciprocité, de même que grâce à la promotion de l'autonomie des personnes concernées (ACSP, 2010).

Le réseau québécois de Villes et Villages en santé est un exemple concret de projet où la participation communautaire est mise de l'avant: il fait appel à des notions d'*empowerment*, de partenariat et d'éducation sanitaire. Cette démarche de

11

♦♦ LES ÂGES DE LA VIE

PERSONNES ÂGÉES

Les mécanismes homéostatiques visent à préserver la stabilité et la constance des processus physiologiques. Chez les personnes âgées, ces mécanismes sont beaucoup plus lents et s'adaptent moins rapidement aux changements. Par exemple, si une personne âgée voit sa fréquence cardiaque augmenter, il faudra peut-être des heures pour que l'état normal se rétablisse, alors que chez une personne plus jeune et en bonne santé ce processus ne prendrait que quelques minutes. Le ralentissement des mécanismes de compensation et d'autorégulation multiplie les risques de complications et freine le processus de guérison lorsqu'une personne âgée doit faire face à un agent stressant, par exemple une intervention chirurgicale, une grippe ou une pneumonie.

mobilisation communautaire a pour but de chercher de nouveaux partenaires de toutes les instances, de favoriser des rencontres avec les principaux intervenants locaux et la population, de tracer le portrait sociosanitaire de la région pour déterminer les grandes priorités et travailler ensemble à améliorer la qualité de vie au sein des communautés, et de réveiller la fierté et le sentiment d'appartenance de la population. «Il peut s'agir de création de cuisines collectives, de popotes roulantes, de maisons de jeunes et de tous les moyens possibles pour aider les plus démunis, pour lutter contre la pauvreté ou pour protéger l'environnement» (*Bulletin du réseau québécois de Villes et Villages en santé*, 2004). (On trouve l'ensemble de ces projets dans l'annuaire 2000 du réseau disponible sur ce site: http://www.rqvvs.qc.ca/.)

Évaluation

En matière de santé communautaire, l'évaluation a pour but de déterminer si les interventions prévues ont permis d'atteindre ou non les objectifs fixés. Par exemple, le taux d'immunisation des enfants d'âge préscolaire s'est-il amélioré? Du fait que la santé communautaire repose habituellement sur la collaboration entre les professionnels de la santé, les responsables de la communauté, les politiciens et les personnes qui composent la communauté, tous ces intervenants peuvent participer au processus d'évaluation. Il arrive souvent que l'infirmière en santé communautaire évalue et collige les données déterminant l'efficacité des programmes mis en œuvre.

Révision du chapitre

MOTS CLÉS

Autorégulation, **234**	Famille nucléaire, **237**	Rétro-inhibition, **235**
Centre de régulation, **234**	Génogramme, **239**	Soins infirmiers axés sur la famille, **236**
Communauté, **249**	Holisme, **234**	Soins infirmiers dans la communauté, **250**
Compensateur, **234**	Homéostasie, **234**	Sous-systèmes, **249**
Écocarte, **239**	Homéostasie psychologique, **236**	Stimuli, **234**
Éducation sanitaire, **251**	Limites, **234**	Suprasystèmes, **249**
Empowerment, **251**	Partenariat, **251**	Système, **234**
Équilibre, **234**	Réponse, **234**	Système fermé, **234**
Famille, **236**	Rétroaction, **235**	Système ouvert, **234**
Famille élargie, **237**	Rétroactivation, **235**	

CONCEPTS CLÉS

- L'infirmière doit prodiguer des soins selon une perspective individuelle et holistique.
- Pour prodiguer des soins de santé holistiques, l'infirmière doit considérer tous les éléments de la santé (promotion et maintien de la santé, éducation sanitaire, prévention de la maladie, et soins de rétablissement et de réadaptation); elle doit aussi savoir que si un déséquilibre survient dans un aspect de la vie d'une personne, cela touche nécessairement la totalité de l'être.
- L'homéostasie est la tendance de l'organisme à conserver un état relatif d'équilibre ou une certaine constance en réponse à des changements internes ou externes.
- L'homéostasie physiologique est maintenue grâce au fonctionnement coordonné des systèmes nerveux autonome, endocrinien, respiratoire, cardiovasculaire, rénal et gastro-intestinal.
- Les mécanismes homéostatiques régularisent les sécrétions hormonales, les taux des liquides et des électrolytes, les fonctions viscérales et les processus métaboliques qui procurent à l'organisme l'énergie dont il a besoin.

- L'homéostasie psychologique, ou bien-être émotionnel, s'acquiert ou s'apprend grâce à l'expérience de vie et aux relations avec les autres.
- Chaque personne possède des caractéristiques uniques. Toutefois, certains besoins sont communs à tout le monde.
- La famille est la cellule fondamentale de la société.
- La famille joue un rôle important dans l'acquisition des croyances et des habitudes en matière de santé de ses membres.
- Des soins infirmiers axés sur la famille abordent la santé de la famille en tant qu'unité, en tenant compte de la santé de chacun de ses membres.
- Dans la société actuelle, on rencontre divers types de familles: traditionnelles, à deux revenus, monoparentales, adolescentes, d'accueil, recomposées, intergénérationnelles, axées sur la cohabitation et homosexuelles ou homoparentales. De plus, nombre d'adultes célibataires vivent seuls.
- L'évaluation familiale vise à déterminer le degré d'harmonie dans le fonctionnement

de la famille, à clarifier les relations au sein de la famille, à repérer les forces et les faiblesses de la famille et à décrire l'état de santé de la famille et de ses membres.
- Les familles à risque en matière de problèmes de santé sont évaluées selon divers critères: degré de maturité de la famille, facteurs héréditaires, sexe ou race, mode de vie et facteurs sociologiques, comme la pauvreté.
- Les diagnostics infirmiers liés aux besoins en matière de santé et aux problèmes de santé de la famille sont les suivants: *Dynamique familiale perturbée; Stratégies d'adaptation familiale invalidantes; Exercice du rôle parental perturbé; Entretien inefficace du domicile; Tension dans l'exercice du rôle de l'aidant naturel.*
- L'infirmière doit examiner ses propres valeurs relativement à la famille, à la santé, à la maladie et à la mort, et ce, afin de pouvoir aider efficacement les familles en période de crise.
- Divers cadres théoriques – sociaux, psychologiques et infirmiers – permettent à l'infirmière d'avoir une vision holistique de la promotion de la santé des personnes et des familles tout au long de la vie.

11

- La hiérarchie des besoins humains de Maslow comprend cinq catégories : besoins physiologiques (survie), besoin de sécurité, besoin d'amour et d'appartenance, besoin d'estime de soi et besoin de réalisation de soi.

- Les personnes évaluent différemment leurs besoins selon les moments.

- La satisfaction des besoins peut être compromise par un problème de santé, des relations importantes, l'idée que l'on a de soi et le niveau de développement.

- Une communauté constitue un regroupement de personnes partageant certaines caractéristiques.

- Huit sous-systèmes, proposés par Anderson et McFarlane (2008), permettent d'évaluer les communautés : environnement physique, éducation, sécurité et transport, politique et gouvernement, santé et services sociaux, communication, économie et loisirs.

- Les diagnostics infirmiers s'appliquant à la communauté sont les suivants : *Stratégies d'adaptation inefficaces d'une collectivité ;*

Stratégies d'adaptation d'une collectivité : motivation à s'améliorer ; Prise en charge inefficace du programme thérapeutique par une collectivité.

- L'intervention en santé communautaire peut viser une amélioration de la gestion des crises, la prévention de la maladie, la promotion ou le maintien de la santé.

- L'*empowerment*, le partenariat et l'éducation sanitaire sont quelques postulats relatifs à l'intervention infirmière en santé communautaire.

Références

Anderson, E. T., et McFarlane, J. (2008). *Community as partner : Theory and practice in nursing* (5e éd.). Philadelphie, PA : Lippincott Williams & Wilkins.

Association canadienne de santé publique (ACSP). (2010). *La pratique infirmière en santé publique – en santé communautaire au Canada* (4e éd.). Ottawa : Auteur.

Bulechek, G. M., Butcher, H. K, et McCloskey Dochterman, J. (2010). *Classification des interventions de soins infirmiers CISI/NIC*, Traduction française de la 5e édition américaine. Issy-les-Moulineaux : Elsevier Masson.

Bulletin du réseau québécois de Villes et Villages en santé. (2004, printemps). *12*(1).

Cannon, W. B. (1939). *The wisdom of the body* (2e éd.). New York : Norton.

Carpenito, L. J. (2009). *Manuel de diagnostics infirmiers*, Traduction de la 12e édition. Saint-Laurent : Éditions du Renouveau Pédagogique.

Conseil du statut de la femme. (1996). *Partenariat État/communautaire. Les groupes de femmes y gagnent-ils au change ?* Québec : Auteur.

Erikson, E. (1963). *Childhood and society* (2e éd.). New York : Norton.

Famille en mouvance et dynamiques intergénérationnelles. (2010). *Présentation du partenariat.* Document consulté le 18 février 2011 de http://partenariat-familles.inrs-ucs.uquebec.ca/LePartenariat.asp ?rub=presentation.

Fédération des associations de familles monoparentales et recomposées du Québec. (2011). *Femmes et monoparentalité : Agir sur la* pauvreté pour atteindre l'égalité ! Mémoire présenté à La Commission des relations avec les citoyens dans le cadre des consultations particulières et auditions publiques sur le document intitulé «Pour que l'égalité de droit devienne une égalité de fait – Vers un deuxième plan d'action gouvernemental pour l'égalité entre les femmes et les hommes».

Fédération des familles d'accueil et des ressources intermédiaires du Québec. (2010). *Être famille d'accueil, c'est quoi ?* Document consulté le 16 février 2011 de http://www.ffaq.ca/etreFamille.html.

Hawley Mc Whirter, E. (1991). Empowerment in counseling. *Journal of Counseling & Development, 69*, 222-227.

Johnson, D. E. (1980). The behavioral system model for nursing. Dans J. P Riehl et C. Roy (dir.), *Conceptual models for nursing practice* (2e éd.) (p. 207-216). New York : Appleton-Century-Crofts.

Johnson, M., et Maas, M. (dir.). (1999). *Classification des résultats de soins infirmiers CRSI/NOC.* Paris : Masson.

Kalish, R. A. (1983). *The psychology of human behavior* (5e éd.). Monterey, CA : Brooks/Cole.

Lemay, L. (2009). Le pouvoir et le développement du pouvoir d'agir (empowerment). Dans C. Lacharité et J.-P. Gagnier (dir.), *Comprendre la famille pour mieux intervenir.* Montréal : Gaëtan Morin Éditeur.

Luong, M. (2008). *Que sont devenues les mères adolescentes ? L'emploi et le revenu en perspective.* Ottawa : Statistique Canada.

Maslow, A. H. (1987). *Motivation and personality* (3e éd.). New York : Addison-Wesley.

Ministère de la Santé et des Services sociaux (MSSS). (1997). *Fichier grossesse.* Québec.

Ministère de la Santé et des Services sociaux (MSSS) et Université du Québec à Montréal (UQÀM). (2005). La grossesse à l'adolescence : un phénomène qui persiste ! *Ça s'exprime, 2*, 1-8.

NANDA International. (2010). *Diagnostics infirmiers : Définitions et classification 2009-2011.* Issy-les-Moulineaux : Elsevier Masson.

Statistique Canada. (2006). *Recensement de 2006 : Portrait de famille : continuité et changement dans les familles et les ménages du Canada en 2006.* Canada : Auteur. Document consulté le 14 février 2011 de http://www12.statcan.ca/census-recensement/2006/as-sa/97-553/index-fra.cfm.

Statistique Canada. (2009). *La violence familiale au Canada : un profil statistique 2009.* Canada : Auteur. Document consulté le 16 février 2011 de http://www.statcan.gc.ca/daily-quotidien/110127/dq110127a-fra.htm.

von Bertalanffy, L. (1969). *General system theory.* New York : George Braziller.

Wright, L. M., et Leahey, M. (2007). *L'infirmière et la famille. Guide d'évaluation et d'intervention* (3e éd.). Saint-Laurent : Éditions du Renouveau Pédagogique.

11

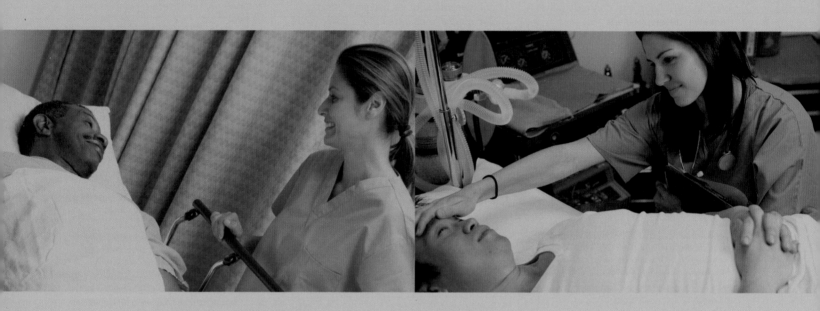

Chapitre 12

Adaptation française:
Michèle Côté, inf., Ph.D.
Professeure, Département des sciences infirmières
Directrice, Comité de programmes
de deuxième cycle en sciences infirmières
Université du Québec à Trois-Rivières

OBJECTIFS D'APPRENTISSAGE

Après avoir étudié ce chapitre, vous pourrez:

- Expliquer comment le profil démographique du Canada s'est transformé au fil des années.
- Nommer les principaux groupes ethniques vivant actuellement au Québec.
- Définir le concept de culture.
- Définir les concepts suivants: sensibilité culturelle, conscience culturelle et compétence culturelle ou interculturelle.
- Énoncer les quatre responsabilités des infirmières qui travaillent auprès des immigrants.
- Nommer huit concepts différents associés à la culture et expliquer leur influence sur les soins interculturels.
- Caractériser les quatre fondements du modèle de la cohérence de l'héritage culturel: culture, ethnicité, religion et socialisation.
- Distinguer les trois sources du savoir populaire.
- Donner des exemples permettant de mieux comprendre différents systèmes de croyances.
- Nommer les principaux éléments qui constituent la collecte des données interculturelles.
- Distinguer les facteurs relevant de la communication avec des personnes et des collègues issus d'horizons culturels différents.
- Expliquer brièvement les différents éléments du modèle *Sunrise* de Leininger (2006).
- Énoncer les quatre obstacles pouvant entraver l'efficacité de la relation thérapeutique.
- Préciser les principaux éléments que devrait inclure une démarche d'évaluation de l'héritage culturel.
- Préciser cinq moyens dont dispose l'infirmière pour manifester sa sensibilité culturelle à la personne qu'elle soigne.

Culture et ethnicité

Alors qu'il y a une cinquantaine d'années la population canadienne, et plus encore la population québécoise, était essentiellement composée de francophones et d'anglophones de race blanche, nous assistons actuellement à une transformation radicale de l'image de la société. En effet, la population rassemble de plus en plus d'ethnies différentes, parlant des langues variées et provenant d'un grand nombre de régions géographiques. De fait, de nombreux groupes culturels vivent aujourd'hui au Canada. Statistique Canada (2010a) évalue qu'en 2031 3 Canadiens sur 10 (entre 29 et 32 %) pourraient appartenir à un groupe de minorités visibles. De plus, la population de minorités visibles serait surreprésentée parmi les tranches d'âge les plus jeunes. Les minorités visibles dont la croissance risque d'être la plus importante seraient les Sud-Asiatiques, les Chinois et les Arabes. Par ailleurs, la population de confessions religieuses autres que chrétiennes pourrait plus que doubler d'ici 2031. Parmi la population de confessions religieuses non chrétiennes, environ une personne sur deux pourrait être de religion musulmane en 2031. Toujours en 2031, le pourcentage des personnes n'ayant comme langue maternelle ni le français ni l'anglais pourrait atteindre les 29 à 32 % alors que ce pourcentage était de 10 % en 1981 et de 20 % en 2006. Dans ce contexte et «selon les scénarios de projections retenus, la proportion de personnes appartenant à un groupe de minorités visibles, de confessions religieuses autres que chrétiennes et de personnes n'ayant ni le français ni l'anglais comme langue maternelle au sein de la population née au Canada pourrait approximativement doubler entre 2006 et 2031» (Statistique Canada, 2010a, p. 2). Également, il faut noter que pas moins de 71 % de toutes les personnes appartenant aux minorités visibles résident dans les trois villes les plus importantes du pays, soit Toronto, Vancouver et Montréal (Statistique Canada, 2010a). Elles pourraient représenter dans la région montréalaise environ 3 personnes sur 10 (31 %) en 2031 alors qu'elles étaient 16 % en 2006. De plus, en 2031 la population appartenant au groupe de minorités visibles des Arabes pourrait presque rattraper celle des Noirs dans la région de Montréal, ces deux groupes représentant 8 % de la population totale de cette région (Statistique Canada, 2010a).

Dans ce contexte, «les soins infirmiers doivent s'ouvrir à une réalité qui, bien qu'elle ne soit pas entièrement nouvelle, se fait de plus en plus pressante» (Phaneuf, 2009a, p. 1). Les infirmières sont appelées à adapter leurs pratiques afin de répondre aux besoins des personnes qu'elles soignent. Par exemple, elles auront à composer avec la réalité de familles musulmanes désireuses d'organiser des rituels particuliers pour les funérailles d'un des leurs. Il en est de même pour certaines familles autochtones qui souhaitent recourir à des pratiques traditionnelles pour guérir un de leurs membres.

Les équipes de soins vont également se transformer considérablement. Ainsi, les infirmières de différentes ethnies auront à travailler en équipe intradisciplinaire, multidisciplinaire ou interdisciplinaire. D'ailleurs, Villeneuve et MacDonald (2006) sont d'avis qu'en 2020 les effectifs infirmiers refléteront mieux la réalité ethnique du Canada. Davantage d'infirmières parleront des langues autres que le français et l'anglais et elles pratiqueront une religion autre que chrétienne. Ces auteurs ajoutent que pas moins de 20 % des chefs de file de la profession d'infirmière proviendront des communautés autochtones ou des minorités visibles du Canada.

Comme les milieux de soins deviendront des mosaïques culturelles avec ce que cela suppose de défis, les infirmières doivent s'ouvrir aux réalités de l'Autre dès le début de leur formation. Il s'avère donc essentiel qu'elles soient sensibilisées aux différentes significations culturelles – et subjectives – des notions de santé, de maladie, de soins et de pratiques de guérison. Pendant leur formation académique, elles doivent être initiées à la diversité culturelle, ce qui leur permettra d'acquérir des connaissances, des compétences et des aptitudes culturelles primordiales à la prestation de soins aux personnes, aux familles et aux groupes, sans égard à leur diversité. Grâce, par exemple, à leur ouverture, à leur sensibilité, à leurs connaissances des pratiques et des valeurs culturelles, les infirmières seront en mesure de prodiguer des soins qui tiendront compte des aspects culturels et d'intégrer des pratiques culturelles à la promotion de la santé (Association des infirmières et infirmiers du Canada [AIIC], 2004). De nos jours, il est donc indispensable que les infirmières, le personnel infirmier et les autres professionnels de la santé adoptent une perspective culturelle des soins afin de prodiguer des services de qualité, adaptés aux caractéristiques particulières de chacune des personnes avec qui elles sont en relation thérapeutique.

Culture canadienne

La population canadienne se caractérise notamment par sa très grande diversité, qu'il s'agisse d'origines ethniques, de langues et de ressources : on s'en rend bien compte quand on se déplace d'est en ouest et du sud au nord. On pourrait aborder la culture canadienne sous plusieurs angles ; toutefois, dans la première partie de ce chapitre, il sera uniquement question des aspects suivants : peuples autochtones ; profil démographique du Canada ; principales phases de l'immigration et diversité ethnique ; politique multiculturelle et portrait de la population québécoise immigrante.

Peuples autochtones

Les peuples autochtones ont été les premiers à vivre sur le sol canadien. Ils comprennent les Indiens d'Amérique du Nord, les Métis et les Inuits. La population autochtone n'est pas homogène ; elle est très diversifiée sur le plan ethnique et s'est toujours considérée comme constituée de peuples distincts. À l'origine, des tribus restreintes d'« Indiens », maintenant connues sous le nom de « peuples des Premières Nations », ont quitté l'Asie et traversé la mer de Béring pour venir s'établir sur le continent américain. À l'arrivée des premiers colons français au Canada,

il y avait environ 200 000 autochtones, mais ce nombre a considérablement baissé au cours des XVIIIe et XIXe siècles, surtout en raison des affections apportées par les Européens. Au cours de la deuxième moitié du XXe siècle, les populations autochtones ont connu un nouvel essor par suite de la diminution du taux de mortalité infantile et juvénile. En 2006, 1 172 785 personnes faisaient partie d'au moins 1 des 3 groupes autochtones. Ainsi, les autochtones représentaient 3,8 % de l'ensemble de la population du Canada en 2006, comparativement à 3,3 % en 2001 et à 2,8 % en 1996 (Statistique Canada, 2008a). De toute évidence, pour la période de 2001 à 2006, la population autochtone s'est développée plus rapidement que la population non autochtone. Selon Statistique Canada (2008a), elle a augmenté de 45 % entre 1996 et 2006, soit près de 6 fois le taux de croissance de la population non autochtone (+8 %) au cours de la même période. On propose certains facteurs pour expliquer la croissance de la population autochtone. Les personnes autochtones ont un taux de natalité élevé, plus de personnes s'identifient comme autochtones, et on observe également une diminution du nombre de réserves indiennes partiellement dénombrées depuis 1996 (Statistique Canada, 2008a). Le tableau 12-1 dresse le portrait de la population autochtone au Canada.

Profil démographique

Le profil démographique du Canada repose sur une description statistique et une analyse de sa population (par exemple le nombre d'habitants du pays ou d'une région, le nombre de personnes qui parlent les deux langues officielles). La population canadienne a franchi la barre des 34 millions en avril 2010 (Statistique Canada, 2010b). Il ressort du recensement effectué en 2006 par Statistique Canada (2008b) que :

- La population du Canada a plus que doublé au cours des 50 dernières années, passant de 14 millions, en 1951, à 34 millions, en 2010.

- La population canadienne vieillit : la moyenne d'âge a atteint le niveau record de 39,5 ans en 2006 alors qu'elle était de 35,3 ans en 1996, et de 37,6 ans en 2001. Selon les projections de Statistique Canada (2010a), l'âge moyen des Canadiens pourrait être de 44 ans en 2031.

- De 2006 à 2026, le nombre projeté d'aînés devrait augmenter pour passer de 4,3 millions à 8,0 millions. On prévoit que leur proportion dans l'ensemble de la population augmentera pour passer de 13,2 à 21,2 %. Le nombre de Canadiens âgés de 85 ans et plus doublera presque, lui aussi, pour passer d'environ 500 000 en 2006, à environ 900 000 en 2026 (Statistique Canada, 2007).

- La population active du Canada est plus âgée que celle de la plupart des pays industrialisés : dans le groupe des travailleurs âgés de 20 à 64 ans, l'âge moyen est de 41,2 ans. Cette situation s'explique par le fait que plus de travailleurs de 65 ans sont encore sur le marché du travail (Statistique Canada, 2010b).

- L'immigration constitue une source importante de croissance de la population canadienne. Il y a plus de 200 origines ethniques différentes au Canada, alors que le recensement de 1901 avait permis de dénombrer 25 groupes ethniques différents (Statistique Canada, 2010b). Après l'origine canadienne, les origines le plus souvent déclarées, seules ou avec

TABLEAU 12-1

POPULATION AYANT UNE IDENTITÉ AUTOCHTONE, CHIFFRES DE 2006 POUR LE CANADA, LES PROVINCES ET LES TERRITOIRES

Région	Population totale	Populations autochtones				Population n'ayant pas d'identité autochtone
		Population ayant une identité autochtone	Indiens de l'Amérique du Nord	Métis[1]	Inuits[1]	
Canada	31 241 030	1 172 785	698 025	389 780	50 480	30 068 240
Terre-Neuve-et-Labrador	500 610	23 455	7 765	6 470	4 715	477 160
Île-du-Prince-Édouard	134 205	1 730	1 225	385	30	132 475
Nouvelle-Écosse	903 090	24 175	15 240	7 680	325	878 920
Nouveau-Brunswick	719 650	17 650	12 385	4 270	185	701 995
Québec	7 435 905	108 425	65 085	27 980	10 950	7 327 475
Ontario	12 028 895	242 495	158 395	73 605	2 035	11 786 405
Manitoba	1 133 515	175 395	100 640	71 805	565	958 115
Saskatchewan	953 850	141 890	91 400	48 120	215	811 960
Alberta	3 256 355	188 365	97 275	85 495	1 610	3 067 990
Colombie-Britannique	4 074 385	196 075	129 580	59 445	795	3 878 310
Territoire du Yukon	30 190	7 580	6 280	800	255	22 615
Territoires du Nord-Ouest	41 060	20 635	12 640	3 580	4 160	20 420
Nunavut	29 325	24 915	100	130	24 635	4 405

1. La population totale ayant une identité autochtone comprend les groupes autochtones (Indiens de l'Amérique du Nord, Métis et Inuits), les réponses autochtones multiples et les réponses autochtones non incluses ailleurs.

Source: Statistique Canada. (2008a). *Population ayant une identité autochtone selon les groupes d'âge, l'âge médian et le sexe, chiffres de 2006 pour les deux sexes, pour le Canada, les provinces et les territoires – Données-échantillon (20 %).* Document consulté le 22 août 2010 de http://www12.statcan.ca/census-recensement/2006/dp-pd/hlt/97-558/pages/page.cfm?Lang=F&Geo=PR&Code=01&Table=1&Data=Count&Sex=1&Age=1&StartRec=1&Sort=2&Display=Page.

d'autres origines, en 2006, sont les suivantes : anglaise, française, écossaise, irlandaise, allemande, italienne, chinoise, indienne de l'Amérique du Nord et ukrainienne (Statistique Canada, 2008b).

■ Les minorités visibles connaissent une croissance importante depuis les 25 dernières années. Entre 2001 et 2006, elles se sont accrues de 27,2 % comparativement à 5,4 % pour le reste de la population canadienne, soit 5 fois plus que le reste de la population (Statistique Canada, 2008b).

■ En 2006, les Sud-Asiatiques sont devenus la minorité visible la plus importante du Canada, surpassant les Chinois pour la première fois. Chacun de ces groupes compte plus d'un million de personnes (Statistique Canada, 2008b).

■ Après l'anglais et le français, le chinois est la langue la plus couramment parlée à la maison.

■ Depuis la fin de la Seconde Guerre mondiale, un grand nombre d'immigrants sont des réfugiés politiques qui fuient la répression dans leur pays.

■ L'âge moyen des peuples autochtones est de 24,7 ans, comparativement à 39,5 ans pour le reste de la population canadienne.

Principales phases de l'immigration et diversité ethnique

Le peuplement du Canada s'est fait au rythme d'immigrations successives. On a de bonnes raisons de croire que les premiers arrivants sont les ancêtres des peuples des Premières Nations, qui auraient migré vers l'Amérique à partir de l'Asie du Nord-Est. Les Athapascans et les ancêtres des Inuits les ont probablement suivis. Ces groupes étaient aussi distincts du point de vue de la langue, de la culture et de l'ethnie que le sont les immigrants canadiens plus récents.

Entre 1608 et 1759, les Français sont les premiers colons à arriver en terre canadienne. Ils s'établissent principalement au Québec, au Nouveau-Brunswick et en Nouvelle-Écosse. Ils se déplacent également vers l'Ouest et forment des colonies en Ontario, dans les Prairies et en Colombie-Britannique. À partir des années 1780, le Canada reçoit des anglophones en provenance de Grande-Bretagne, ainsi que des immigrants originaires d'autres pays européens. En 1891, les 4,8 millions d'habitants du Canada sont inégalement répartis. La majorité des personnes habitent l'Ontario, le Québec et les Maritimes. À partir de 1896, l'achèvement du réseau ferroviaire transcontinental facilite le déplacement des colons vers l'Ouest.

Le XXᵉ siècle est marqué par trois grandes vagues d'immigration qui contribuent à façonner la mosaïque de la population canadienne actuelle. La première vague se déroule entre 1901 et 1912, avec l'arrivée de près de trois millions de personnes, principalement originaires de Grande-Bretagne et d'autres pays européens. En 1911, les immigrants représentent 22% de la population, comparativement à 13% en 1901. En revanche, il entre au Canada seulement 1,2 million d'immigrants durant la période 1919-1921. Cette baisse de l'immigration tient aux mesures plus restrictives imposées par le gouvernement canadien à certains groupes d'immigrants, ainsi qu'à l'état de délabrement de l'Europe, qui venait d'être ravagée par la guerre. La

deuxième vague d'immigration survient après la Seconde Guerre mondiale. Plus de un million d'immigrants arrivent au Canada entre 1946 et 1955, principalement de la Grande-Bretagne et d'autres pays européens. La troisième et dernière vague commence en 1977 et se poursuit encore aujourd'hui. Entre 1991 et 2001, le Canada reçoit plus d'un million d'immigrants, dont un grand nombre arrive d'Asie. Au recensement de 2006, il y avait 6 186 950 personnes nées à l'étranger, soit près du cinquième (19,8%) de la population totale du pays et la plus forte proportion enregistrée en 75 ans (Chui, Tran et Maheux, 2008). De nos jours, le Canada accueille, proportionnellement à sa population, environ deux fois plus d'immigrants que les États-Unis et quatre fois plus que le Royaume-Uni. Par conséquent, on estime aujourd'hui qu'environ 20 % de la population canadienne est née à l'étranger. Ainsi, le Canada devance les États-Unis (12,5 %) à ce chapitre, mais se classe derrière l'Australie (22,2%) (Chui et al., 2008). Parmi les immigrants arrivés au Canada durant les années 1990, 58 % sont nés en Asie (y compris le Moyen-Orient), 20% en Europe, 11% dans les Antilles, en Amérique centrale et en Amérique du Sud, 8% en Afrique et 3% aux États-Unis. Par ailleurs, d'après le recensement de 2006, près des trois quarts (73%) des immigrants vivent dans les grandes villes de Toronto, de Montréal et de Vancouver (Statistique Canada, 2010a). Le tableau 12-2 propose une comparaison des pays d'origine des immigrants au Canada et au Québec pour les 10 pays de naissance qui ont fourni le plus grand nombre d'immigrants.

TABLEAU 12-2
PORTRAIT COMPARATIF DE LA POPULATION NÉE DANS L'UN DES 10 PRINCIPAUX PAYS D'ÉMIGRATION VERS LE CANADA ET LE QUÉBEC (RECENSEMENT DE 2006)

	Canada	Québec
Population globale en 2006	31 241 030	7 435 900
Population des minorités visibles en 2006	5 068 095	654 350
Sud-Asiatique	1 262 865	72 850
Chinoise	1 216 565	79 825
Noire	783 795	188 070
Philippine	410 700	24 200
Latino-Américaine	304 245	89 510
Arabe	265 550	109 020
Asiatique du Sud-Est	239 935	50 460
Asiatique occidentale	156 695	16 115
Coréenne	141 890	5 310
Minorités visibles multiples	133 120	11 310
Japonaise	81 300	3 540
Minorités visibles, non incluses ailleurs	71 420	4 155

REMARQUE : Statistique Canada procède à un arrondissement aléatoire des données (chiffres et pourcentages) en multiples de 5 ou de 10, ce qui explique les différences qui peuvent exister entre un total donné et la somme de ses parties.

Source : Statistique Canada. (2008). *Recensement de la population de 2006.* Dernières modifications apportées : le 11.09.2009. Ottawa : Ministère de l'Industrie. Document consulté le 22 août 2010 de http://www40.statcan.gc.ca/l02/cst01/demo52a-fra.htm.

Politique multiculturelle

La politique canadienne du multiculturalisme est entrée en vigueur en 1971; elle a servi d'orientation au gouvernement fédéral et constitue la toile de fond du discours sur la construction de la société canadienne. Adoptée en 1988, la *Loi sur le multiculturalisme canadien* sanctionne le statut juridique du multiculturalisme et reconnaît son importance pour le Canada. Le multiculturalisme favorise la tolérance et la diversité et, par conséquent, cette politique s'oppose à celle de l'assimilation, c'est-à-dire à la disparition des caractéristiques culturelles d'un groupe particulier qui se fond dans la culture dominante. On a parlé de «mosaïque culturelle» ou de «société pluriethnique» pour désigner le Canada en raison de la façon dont le pays intègre ses immigrants. Ce processus d'intégration est à l'opposé de la notion de creuset, mise de l'avant par les États-Unis, où les immigrants sont assimilés par la culture dominante. La politique du multiculturalisme soulève cependant des problèmes pour certains Canadiens qui craignent de perdre leur identité culturelle. Comme le soulignent Lacourse et Émond (2006, p. 111), «les gouvernements québécois ont critiqué la politique canadienne de multiculturalisme en faisant valoir l'importance de la communauté française au Québec». Le désaccord du Québec tient au fait, notamment, que cette politique ne reconnaît pas l'importance des peuples fondateurs et leur droit à déterminer l'avenir du pays (Lacourse et Émond, 2006). Les ententes entre les gouvernements provincial et fédéral ont conduit à l'utilisation d'une grille de sélection des immigrants, propre au Québec.

D'autres voix se sont élevées pour critiquer le multiculturalisme privilégié par le gouvernement canadien. Selon Phaneuf (2009a, p. 2), le multiculturalisme «entraînerait le repli sur soi, et la ghettoïsation des groupes culturels». Actuellement, l'utilisation du terme «interculturalisme» serait préférable. Brièvement, selon Phaneuf (2009a, p. 2), l'interculturalisme «recèle en soi toute une richesse». Elle ajoute: «Il recouvre, entre autres, certaines valeurs qui doivent nous inspirer, comme la détection et l'acceptation des particularités culturelles des personnes étrangères que nous rencontrons et les échanges professionnels que nous devons avoir avec elles dans un climat de dialogue, de reconnaissance mutuelle et de respect.»

Portrait de la population québécoise immigrante

Terre d'asile pour de nombreux immigrants, le Québec s'est modifié au gré de l'arrivée de différents groupes ethniques. Les premiers arrivants sont les colons français. Ils sont considérés comme des immigrants colonisateurs, car ils s'installent sur les terres des Amérindiens et des Inuits (Lacourse et Émond, 2006). Par la suite, les immigrants sont les Anglo-Saxons (Anglais, Irlandais et Écossais), ainsi que les Américains. Les différentes lois promulguées par le gouvernement du Québec relativement à l'immigration favorisent ou, au contraire, restreignent l'établissement des personnes nées à l'étranger. Au cours du XXᵉ siècle, les immigrants proviennent principalement du bassin méditerranéen: Grèce, Italie du Sud, Portugal, Espagne, tandis que d'autres arrivent d'Europe de l'Est, de France et des États-Unis (Lacourse et Émond, 2006). À partir des années 1970, le Québec accueille des immigrants originaires principalement d'Asie, des Antilles, d'Amérique centrale, d'Amérique du Sud et d'Afrique. La figure 12-1 ■ brosse le portrait de la population immigrante pour la période 2004-2008. On constate que 10% de la population est considérée comme immigrante. De plus, on note des changements dans les pays d'origine des personnes immigrantes. À l'heure actuelle, les 10 principaux pays d'où proviennent les immigrants sont, dans l'ordre: l'Algérie, la France, le Maroc, la Chine, la Colombie, le Roumanie, le Liban, Haïti, l'Inde et le Mexique (Institut de la statistique du Québec, 2009). L'arrivée de ces différents groupes d'immigrants contribue à transformer non seulement le portrait de la province, auparavant peuplée de personnes blanches, francophones et catholiques, mais également les valeurs de la majorité de la population. L'encadré 12-1 présente les faits saillants de l'immigration au Québec en 2009.

La culture comme concept

La culture touche tous les aspects de la vie des personnes: langage, art, musique, systèmes de valeurs (croyances, aspects moraux et règles), religion, philosophie, interactions familiales, comportements, éducation des enfants, rituels ou cérémonies, activités de loisirs, festivals et fêtes, nutrition, préférences alimentaires et pratiques de santé. Ainsi, il existe des liens étroits entre la culture et la manière de donner des soins à la personne malade (pratiques de santé et de soins de maladie, attitude à l'égard du toucher, espace personnel, naissance et mort). La culture inclut, également, les valeurs religieuses. Ces dernières peuvent modifier les restrictions alimentaires, la planification familiale, l'utilisation de transfusions sanguines, les pratiques entourant le décès de la personne comme l'autopsie, le don d'organes, l'incinération et les manœuvres de réanimation. Dans ce contexte, il est très important de comprendre le système de valeurs ainsi que les croyances de la personne et de sa famille.

Caractéristiques de la culture

La culture comprend les caractéristiques suivantes:
- *La culture est apprise.* Elle n'est ni instinctive ni innée. On l'apprend par l'expérience depuis la naissance.
- *La culture est enseignée.* Elle est transmise aux enfants par des moyens verbaux et non verbaux, par des générations successives de parents, de membres de la famille élargie et de camarades.
- *La culture est sociale.* Elle est générée et développée par les interactions des familles, des groupes et des communautés.
- *La culture s'adapte.* Les habitudes, les croyances et les pratiques changent à mesure que les gens s'adaptent à leur environnement social et que leurs besoins biologiques et psychologiques changent. Par exemple, bien que la notion de famille élargie persiste, les moyens par lesquels les familles interagissent et communiquent se sont transformés malgré les grandes distances géographiques, grâce à Internet, qui facilite les communications visuelles et verbales instantanées. On

TABLEAU 12-3
IMMIGRANTS SELON LE PAYS DE NAISSANCE, QUÉBEC, 2005-2009

Rang	Pays de naissance	Immigrants	
		Nombre	%
	2005-2009	**227 881**	**100,0**
1	Algérie	20 215	8,9
2	France	17 950	7,9
3	Maroc	17 823	7,8
4	Chine	13 898	6,1
5	Colombie	11 661	5,1
6	Liban	8 957	3,9
7	Roumanie	8 300	3,6
8	Haïti	7 993	3,5
9	Philippines	5 858	2,6
10	Mexique	5 740	2,5
11	Inde	5 192	2,3
12	Pérou	4 265	1,9
13	Iran	4 212	1,8
14	Tunisie	4 172	1,8
15	États-Unis	4 043	1,8
	Autres pays	87 602	38,4

Notes : Données provisoires. Les totaux ne sont pas les mêmes que ceux de Statistique Canada.

Source : Ministère de l'Immigration et des Communautés culturelles, cité dans Institut de la statistique du Québec (ISQ). Document consulté le 17 décembre 2010 de http://www.stat.gouv.qc.ca/donstat/societe/demographie/migrt_poplt_imigr/603.htm.

ENCADRÉ 12-1
FAITS SAILLANTS DE L'IMMIGRATION AU QUÉBEC EN 2009

De 1989 à 2008, le Québec a accueilli 759 563 immigrants, soit une moyenne de 37 978 personnes par année.

■ La population immigrante est jeune ; 7 personnes sur 10 ont moins de 35 ans à leur arrivée. Par ailleurs, le Québec a accueilli presque autant d'hommes que de femmes.

■ La catégorie de l'immigration économique représente plus de la moitié (53,9 %) des admissions des 20 dernières années au Québec.
  – Plus de la moitié des nouveaux immigrants de la période 2004-2008 déclaraient connaître le français à leur arrivée au Québec.
  – Au Québec, plus de 8 immigrants sur 10 (82,6 %) arrivés durant la période 2004-2008 sont de langue maternelle autre que le français ou l'anglais.
  – L'Asie se situe au premier rang des continents de naissance des immigrants admis au Québec au cours des 20 dernières années.

  – L'Algérie, la France, le Maroc, la Chine et la Colombie sont les cinq pays de naissance de la population immigrante en 2004-2008.
  – Depuis les 20 dernières années, la part relative des immigrants de niveau universitaire a presque doublé au Québec.
  – Les trois quarts des immigrants (75,1 %) âgés de 15 ans et plus avaient l'intention d'intégrer le marché du travail québécois en 2004-2008.
  – Plus des trois quarts (77,6 %) des immigrants admis entre 1998 et 2007 et toujours au Québec en janvier 2009 résident dans la grande région de Montréal.

Source : Institut de la statistique du Québec. (2009). *Immigration. Faits saillants.* Québec : Auteur. Document consulté le 22 août 2010 de http://www.stat.gouv. qc.ca/publications/referenc/quebec_stat/pop_imm/pop_imm_fs.htm.

peut maintenant transmettre des messages instantanément, partout dans le monde, à ses enfants, petits-enfants, frères, sœurs, mère, père, grands-mères, grands-pères, oncles et tantes.

- *La culture est partagée.* Ce fait est plus ou moins vrai. Même si on peut partager les valeurs, les croyances et les traditions, chaque personne au sein d'un groupe culturel possède ses différences qui la rendent unique.
- *La culture est difficile à mettre en mots.* Les membres d'un groupe culturel particulier ont souvent du mal à expliquer leur culture. Un grand nombre de valeurs et de comportements sont assimilés et inconscients.
- *La culture se décline à différents niveaux.* C'est par les yeux qu'on appréhende le plus souvent l'appartenance culturelle d'une personne. Les rituels (par exemple les funérailles), la façon de s'habiller et les fêtes donnent des indices visuels faciles à relever. Il est souvent plus difficile de découvrir des concepts abstraits, comme les valeurs, les croyances et les traditions.

Définitions et concepts associés à la culture

Avant d'examiner plus avant en quoi consistent les soins infirmiers transculturels, nous devons définir certains concepts propres à ce domaine: culture (y compris sensibilité culturelle, conscience culturelle et compétence culturelle), sous-culture, diversité culturelle, groupe ethnique et ethnicité, ethnicité biculturelle, acculturation, assimilation et choc culturel.

Culture (y compris sensibilité culturelle, conscience culturelle et compétence culturelle)

Il existe plusieurs définitions de la **culture**, mais un certain nombre d'entre elles en omettent des aspects fondamentaux ou sont trop générales pour revêtir une quelconque signification. On définit habituellement la culture comme la combinaison de différentes caractéristiques abstraites, telles que les valeurs, les croyances, les attitudes et les coutumes, qu'un groupe de personnes partagent et se transmettent de génération en génération. Voici deux exemples de définitions de cette notion difficile à cerner:

- La culture est le bagage que chacun de nous porte toute sa vie. Ce bagage culturel représente la somme des croyances, des pratiques, des habitudes, des goûts et des dédains, des normes, des coutumes, des rituels, etc., que nous recevons de notre famille et que nous léguons à nos enfants (Spector, 2004).
- «La culture se rapporte à la totalité des patterns de comportements socialement transmis à l'égard des arts, des croyances, des valeurs, des coutumes et habitudes de vie, de tous les produits du travail humain et des caractéristiques de la pensée des personnes composant la population» (Purnell et Paulanka, 1998, traduits par Coutu-Wakulczyk, 2003, p. 34).

La culture est un phénomène universel, mais il n'existe pas deux cultures identiques. Deux concepts importants définissent les différences et les similitudes entre personnes de cultures différentes. L'**universalité culturelle** désigne les points communs, liés aux valeurs, aux normes de comportement et aux modes de vie, que partagent différentes cultures. De leur côté, les **particularités culturelles** désignent les valeurs, les croyances et les comportements qui semblent relever d'une culture donnée. Ainsi, dans la plupart des cultures, des rituels marquent le passage de l'enfance à l'âge adulte (universalité); toutefois, les différents groupes culturels célèbrent différemment cet événement important de la vie (particularité).

Les anthropologues font la distinction entre la culture non matérielle et la culture matérielle. La **culture non matérielle** regroupe l'ensemble des valeurs, des croyances, des normes et des comportements propres à un groupe particulier (Leininger, 1988, p. 158). La culture non matérielle peut aussi désigner des modes de vie, une façon de voir et de communiquer qui donne à une personne une manière d'être avec les autres (Registered Nurses Association of Nova Scotia [RNANS], 1995). La **culture matérielle** désigne les objets (par exemple vêtements, objets d'art, objets rituels, ustensiles de cuisine) et la manière de s'en servir.

On utilise souvent indifféremment les termes «culture», «diversité», «ethnicité» et «race», mais ils ne sont pas synonymes. En effet, les membres d'un groupe ethnique ne partagent pas forcément les mêmes caractéristiques culturelles. La vision du monde d'un groupe a une incidence sur sa culture en matière de santé. Autrement dit, cette représentation influe sur les valeurs des membres de ce groupe, sur leurs croyances et sur leurs habitudes relativement à la promotion de la santé, la prévention de la maladie et le traitement des affections; elle influe également sur leurs attentes relatives à la relation qui s'établit entre la personne et l'infirmière. Par ailleurs, les membres d'un groupe ethnique peuvent avoir peu de choses en commun dans leur mode de vie, leurs croyances et leurs valeurs. Ainsi, une personne dont la famille est originaire des Indes orientales peut aussi bien être un Canadien de troisième génération ne parlant pas un seul mot d'hindi, un avocat de New Delhi fraîchement arrivé ou, encore, le réfugié d'un petit village des montagnes du nord de l'Inde. Il est donc important de ne pas étiqueter les gens selon leur origine ethnique. Le statut socioéconomique, la durée du séjour au Québec, le niveau d'instruction, l'âge, le sexe et le pays d'origine sont autant de facteurs qui influent sur la perception de la santé et sur les comportements qui y sont associés. Cependant, certaines caractéristiques biologiques acquises génétiquement peuvent se répercuter sur la santé. Ces différences concernent notamment la pigmentation de la peau, la stature corporelle, la structure du visage et le métabolisme.

Il est important que l'infirmière se familiarise avec les croyances culturelles et ethniques de chaque personne avec qui elle entre en relation thérapeutique et qu'elle connaisse ses habitudes en matière de soins de santé. En Amérique du Nord, le système de santé repose sur des principes biomédicaux occidentaux, en vertu desquels on cherche à établir un diagnostic efficace et à traiter l'affection; or, le membre d'une communauté ethnique peut percevoir les professionnels de la santé rattachés à la culture dominante comme une menace, compte tenu de ses propres façons traditionnelles d'aborder les questions de santé. Ainsi, il se pourrait qu'un homme âgé d'origine asiatique doute de la compétence d'une jeune infirmière et qu'il la pense incapable de prodiguer des soins en raison de la différence de statut entre la soignante et le soigné. La langue peut aussi constituer une barrière à l'efficacité des soins infirmiers. En effet, les immigrants issus de minorités ethniques ne savent pas toujours lire et écrire en français ou en anglais. Ils risquent donc de mal interpréter ou de ne pas comprendre les instructions écrites remises par l'infirmière.

SENSIBILITÉ CULTURELLE

La **sensibilité culturelle** se définit comme la reconnaissance et le respect des comportements culturels de l'autre, dans le but de comprendre son point de vue.

CONSCIENCE CULTURELLE

La **conscience culturelle** est la reconnaissance consciente et informée des différences et des similarités entre différents groupes culturels ou ethniques. Les connaissances nécessaires à ce processus ne reposent pas uniquement sur des mythes ou des stéréotypes.

COMPÉTENCE CULTURELLE

La **compétence culturelle**, selon Purnell et Paulanka (1998), traduits par Coutu-Wakulczyk (2003, p. 34), se définit de la manière suivante :

1. Devenir conscient de sa propre existence, de ses sensations, de ses pensées et de son environnement sans laisser transparaître l'influence indue de sources extérieures.
2. Démonter une connaissance et une compréhension de la culture du client.
3. Accepter et respecter les différences culturelles.
4. Adapter les soins de façon congruente avec la culture du client. La compétence culturelle est un processus conscient et non nécessairement linéaire.

Sous-culture

Les grands groupes culturels se divisent souvent en sous-groupes ou en sous-systèmes. Une **sous-culture** se compose habituellement de personnes pourvues d'une identité distincte, tout en appartenant à un groupe culturel plus grand. Les membres d'un sous-groupe culturel partagent généralement des attributs aussi divers que l'origine ethnique, la profession ou les caractéristiques physiques d'un groupe culturel plus vaste. Ainsi, les regroupements professionnels (par exemple le corps infirmier) ou les mouvements sociaux (par exemple les féministes) sont des sous-groupes culturels. Il en est de même des groupes ethniques, comme les Métis, issus du métissage d'individus européens et de membres des Premières Nations.

Diversité culturelle

La notion de **diversité culturelle** recouvre « le fait d'être différent ou l'état correspondant à cette différence » (Steinmetz et Braham, 1993, p. 131). De nombreux facteurs expliquent les différences : race, sexe, orientation sexuelle, culture, ethnicité, statut socio-économique, niveau d'instruction, appartenance religieuse, etc. La diversité se constate donc non seulement entre deux groupes culturels, mais aussi entre les membres d'un même groupe culturel.

Groupe ethnique et ethnicité

L'**ethnie** correspond à un groupe de personnes qui partagent une culture commune et distincte, et qui appartiennent à un groupe donné. Le **groupe ethnique** partage un patrimoine culturel et social commun, transmis de génération en génération (Giger et Davidhizar, 2008). À travers les caractéristiques du groupe, la personne acquiert un sentiment d'**identité culturelle**.

L'**ethnicité** est définie comme la « conscience d'appartenir à un groupe qui se distingue des autres par ses repères symboliques (culture, biologie, territoire) ; elle repose sur les liens forgés par un passé commun et par l'intérêt ethnique perçu » (Sprott, 1993, p. 190). La religion et l'origine géographique de la famille sont les autres facteurs qui permettent de cerner l'ethnicité. Le terme « ethnique » soulève de forts sentiments négatifs et a souvent été rejeté par la population. Le regain d'intérêt à l'égard de ce concept découle probablement de l'attention que certains groupes humains ont récemment accordée à leurs origines, phénomène que certains politiciens utilisent d'ailleurs pour courtiser ouvertement les groupes dits ethniques.

Ethnicité biculturelle

Quand une personne a assimilé deux cultures, deux modes de vie et deux systèmes de valeurs, on parle d'**ethnicité biculturelle** (Giger et Davidhizar, 2008). Par exemple, un jeune homme né d'un père cri et d'une mère québécoise de souche européenne peut vivre dans le respect des traditions cries, tout en intégrant l'influence des valeurs culturelles maternelles.

Acculturation

L'**acculturation** est l'intégration, souvent forcée, des valeurs, des attitudes, des croyances ou des habitudes d'un groupe social dominant. Elle se définit généralement par des facteurs perceptibles, comme l'habillement, l'alimentation et la langue. Par exemple, une fois acculturés, les individus peuvent refuser de manger les mets propres à leur culture ou de porter la tenue vestimentaire traditionnelle de leur culture (Lynam, 1992). Lorsque l'acculturation se déroule dans un rapport dominant-dominé, ou majoritaire-minoritaire, elle peut constituer une source importante de stress, qu'on appelle généralement « stress d'acculturation ». En se référant explicitement aux conceptions individualisées du concept initial d'acculturation, Massé (1995, p. 394-416) a déterminé trois groupes de facteurs qui influent sur la santé des nouveaux arrivants :

1. Les expériences et les conditions prémigratoires, qui comprennent les conditions d'émigration (violence politique, contraintes économiques), les antécédents biologiques et psychologiques (état de santé au départ, caractéristiques psychologiques) et la culture d'origine (savoirs médicaux, habitudes de vie)
2. Les expériences et les conditions postmigratoires, à savoir les pratiques d'intégration des immigrants et les services qui

leur sont offerts (structures d'intégration en milieu scolaire, attitudes de la population d'accueil), les conditions concrètes d'existence (pauvreté, chômage, attitude raciste de certains propriétaires de logements), l'existence d'une communauté ethnique d'accueil organisée, les processus de recherche d'aide et d'utilisation des services

3. Les facteurs de fragilisation et de protection intermédiaires, ce qui comprend les caractéristiques sociodémographiques (âge et sexe des immigrants) et les phases du processus d'adaptation

Assimilation

L'**assimilation** est le processus par lequel un individu s'identifie fortement à la société d'accueil et délaisse les valeurs et les croyances de sa société d'origine. De fait, la personne cherche à acquérir une nouvelle identité en s'assimilant à la société dans laquelle elle vit désormais. Ce processus peut engendrer du stress et de l'anxiété.

Choc culturel

Les membres d'une culture donnée, qui se trouvent brutalement immergés dans une autre culture ou dans un autre contexte, ressentent parfois un **choc culturel**. Phaneuf (2009b, p. 4) résume le choc culturel en ces termes :

1. C'est un sentiment d'étrangeté, de désarroi, d'impuissance et d'inquiétude sur le plan émotif et même de détresse physique que ressent la personne plongée dans une autre culture.

2. Ce choc est occasionné par le fait d'être soustrait à son entourage, à son environnement familier et immergé dans un milieu dont les repères différents lui sont encore inconnus.

RECHERCHE EN SCIENCES INFIRMIÈRES

LE CANCER RACONTÉ PAR LES CRIS DES BOIS DU NORD DE LA SASKATCHEWAN

Pendant ses recherches chez les communautés indigènes, Smith (1999, p. 128) a constaté que «dans de nombreux projets, le processus est bien plus important que les résultats. On considère que les processus sont dignes de respect, ils permettent aux gens de guérir et d'apprendre». La recherche de Roberts (2006) a démontré que pour les Cris des bois du nord de la Saskatchewan, le cancer constituait une expérience globale. La recherche a aussi montré leur façon de l'intégrer, de le diagnostiquer et de traverser l'expérience thérapeutique, ainsi que leur perception de la santé et de la maladie. Les personnes de cette communauté qui ont été interrogées étaient des aînés, des survivants du cancer et des membres de leur famille ; les entretiens se sont déroulés en langue crie et en anglais. Roberts a utilisé comme méthode le récit et le recueil d'histoires. Chaque étape de sa recherche visait à être aussi bénéfique aux participants que chaque étape de la démarche de soins infirmiers vise à être bénéfique aux clients.

Implications : Grâce à des recherches comme celle-ci, les infirmières peuvent commencer à comprendre dans quelle mesure le bagage culturel de leurs clients influe sur l'idée qu'ils se font de la santé et de la maladie.

Source: Roberts, R. (2006). Caught between two worlds: An aboriginal researcher's experience researching in her home community. *Pimatisiwin*, 3(2), 101-108.

---

3. La plupart des personnes qui émigrent et s'intéressent à une nouvelle culture éprouvent ce choc à divers degrés.

4. Elles ne peuvent plus se fier à leurs perceptions, à leurs connaissances, à leurs mécanismes de réaction habituels.

5. Elles n'ont pas accès à leurs références traditionnelles, aux modèles familial, social et culturel qui leur sont connus.

6. Leur situation dans le pays d'accueil est souvent précaire sur le plan économique.

7. Elles éprouvent de la difficulté à concilier leurs valeurs avec celles du pays d'accueil.

Héritage culturel

La **cohérence de l'héritage culturel** est un concept élaboré par Zitzow et Estes (1981) pour décrire dans quelle mesure le mode de vie d'une personne rend compte de sa culture tribale (Spector, 2004). Ce concept a été élargi pour vérifier si le mode de vie illustrait aussi la culture traditionnelle, sans égard à sa provenance (Europe, Asie, Afrique, Amérique du Sud). Les valeurs illustrant la cohérence de l'héritage s'inscrivent dans un continuum. Une personne peut posséder des caractéristiques relevant de la cohérence de l'héritage (valeurs traditionnelles) ou de l'incohérence de l'héritage. Le modèle de la cohérence de l'héritage est marqué par le respect des principes et des pratiques qui proviennent du système de croyances traditionnel de la personne. Quant au modèle de l'incohérence de l'héritage, il traduit le respect de principes et de pratiques issus d'un système de croyances acculturé (valeurs modernes). Le modèle de la cohérence de l'héritage s'articule autour des notions de culture, d'ethnicité, de religion et de socialisation ; comme les deux premières notions ont déjà été abordées, nous traiterons maintenant davantage de la religion et de la socialisation.

Culture

La culture, nous l'avons dit, est un concept qui comprend la façon de vivre (coutumes, habitudes, traditions, manière de s'alimenter, musique, vêtements, pratiques religieuses, pratiques sanitaires), la façon de voir les choses (croyances, valeurs, spiritualité, perceptions, attitudes) et la façon de communiquer (sens de la langue, interactions). Par ailleurs, la culture fournit également le modèle selon lequel vont s'organiser la maladie et ses symptômes (Lacourse et Émond, 2006). De plus, certaines maladies seraient spécifiques à une culture ; c'est ce que Massé (1995, p. 152) appelle des «syndromes culturellement conditionnés». Ces maladies ne peuvent être comprises qu'en fonction du contexte culturel. Massé (1995) donne l'exemple de quelques-unes de ces maladies, connues au Québec et dans les autres sociétés occidentales : «l'épuisement professionnel, l'anorexie nerveuse, le syndrome de la ménopause et le syndrome prémenstruel» (Lacourse et Émond, 2006, p. 121). Voici la raison pour laquelle l'infirmière devrait considérer non seulement les symptômes de la maladie, mais également le discours de la personne qui s'en plaint. Le sens accordé aux symptômes peut révéler l'importance que la personne leur accorde ainsi que sa fidélité au traitement prescrit.

12

Dans cette optique, Massé (1995) propose de distinguer trois dimensions de la maladie : la maladie, réalité biologique, la maladie signifiée et la maladie socialisée. La maladie, réalité biologique, «désigne les anomalies ou le dysfonctionnement des organes ou du système physiologique» (Lacourse et Émond, 2006, p. 121). La maladie signifiée «évoque les perceptions et les expériences des problèmes de santé, telles que les ressent une personne» (Lacourse et Émond, 2006, p. 121). Bien que reliée aux perceptions individuelles, la maladie signifiée est influencée par la culture. Finalement, la maladie socialisée renvoie «au processus permettant à la personne d'attribuer une signification à sa maladie» (Lacourse et Émond, 2006, p. 122).

Ethnicité

Ajoutons, à la définition donnée précédemment, que l'ethnicité se rapporte à deux réalités interreliées : «l'identité ethnique, qui repose sur des caractéristiques phénotypiques, culturelles, etc., structurées par et pour un sentiment d'appartenance, et l'idéologie ethniciste, en tant que conception relative à la nature et, surtout, à l'avenir de l'identité du groupe, de même qu'à la construction d'une fierté ethnique et à une prise de conscience des potentialités économiques, politiques et culturelles du groupe» (Massé, 1995, p. 409).

Religion

Après la culture et l'ethnicité, la **religion** représente le troisième volet important de l'héritage culturel d'une personne. Quoiqu'on puisse définir ce concept de bien des façons, on considère généralement la religion comme un système de croyances, de pratiques et de valeurs ethniques relatives à des pouvoirs divins ou surhumains. Bon nombre d'êtres humains considèrent ces forces surnaturelles comme les éléments créateurs et les maîtres de l'Univers, auxquels ils vouent un culte. La pratique de la religion se retrouve dans de nombreux cultes, sectes, dénominations et Églises. L'ethnicité et la religion sont étroitement liées. D'ailleurs, c'est souvent le groupe ethnique qui détermine la religion. Celle-ci fournit un cadre de référence et une perspective permettant d'agencer les informations. Les enseignements religieux en matière de santé présentent une philosophie riche de sens et un ensemble de pratiques qui s'inscrivent dans le cadre de mesures de contrôle social associées à des valeurs, à des normes et à une éthique précises. Ces éléments sont liés à la santé dans la mesure où le respect d'un code religieux favorise l'harmonie spirituelle. À ce titre, on perçoit parfois la maladie comme une punition infligée pour avoir enfreint une morale et des codes religieux. Il est impossible d'isoler les aspects de la culture, de la religion et de l'ethnicité qui façonnent la vision du monde d'une personne. Étroitement reliés, ces trois éléments font intimement partie de la personne.

Socialisation

La **socialisation** est le processus par lequel une personne est éduquée dans une culture et acquiert les caractéristiques de son groupe d'appartenance. L'éducation est une forme de socialisation, qu'il s'agisse d'enseignement primaire, secondaire, collégial ou universitaire, voire de l'apprentissage des soins infirmiers. Pour bon nombre d'immigrants, reçus ou illégaux, provenant d'un pays non occidental, la socialisation dans le contexte de la culture nord-américaine peut se révéler extrêmement difficile et douloureuse. Avec le temps, la réalité de sa vie biculturelle s'impose et l'immigrant se sent déchiré. Il arrive que certaines personnes, dont la socialisation s'est faite dans une culture où on fait appel à des ressources traditionnelles en matière de soins de santé, préfèrent y recourir et, de ce fait, délaissent les méthodes basées sur les connaissances les plus récentes de la médecine moderne.

Traditions en matière de santé

Le **modèle des traditions en matière de santé** (Spector, 2004) repose sur un concept de santé holistique et décrit ce que les gens font dans une perspective traditionnelle pour maintenir et protéger leur santé ou pour la recouvrer. Selon ce modèle, la santé est un phénomène complexe comprenant trois aspects interdépendants, c'est-à-dire l'équilibre entre les dimensions corporelle, psychique et spirituelle de la personne.

Aspects interdépendants

- La dimension corporelle inclut tous les aspects physiques, notamment le bagage génétique, la chimie corporelle, le sexe, l'âge, la nutrition et l'état physique.
- La dimension psychique regroupe les processus cognitifs, comme les pensées, les souvenirs et la connaissance des processus émotionnels (sentiments, mécanismes de défense et estime de soi).
- La dimension spirituelle englobe les pratiques spirituelles acquises, qu'elles soient positives ou négatives, les enseignements, les rêves, les symboles et les mythes, les forces protectrices, ainsi que les forces naturelles et surnaturelles.

Ces dimensions sont toujours en mouvement et elles évoluent au fil du temps. Pourtant, chacune d'elles est intimement liée aux autres et au contexte qui définit la personne. Selon Spector (2004), le contexte correspond à la famille, à la culture, au travail, au groupe social, à l'histoire et à l'environnement.

Le modèle des traditions en matière de santé (tableau 12-4) se compose de trois grandes dimensions réparties en neuf sous-catégories étroitement liées :

1. *Méthodes traditionnelles visant à maintenir l'état de sa santé physique, mentale et spirituelle.* Observer un régime alimentaire approprié ; porter des vêtements adaptés à la situation ; se concentrer et utiliser ses capacités de réflexion ; pratiquer sa religion.
2. *Méthodes traditionnelles visant à protéger l'état de sa santé physique, mentale et spirituelle.* Porter des objets, comme des amulettes, pour se protéger contre les affections, le mauvais sort ou le malheur ; éviter les éventuels fauteurs de troubles ; disposer des objets de culte dans sa maison.

TABLEAU 12-4

NEUFS VOLETS INTERRELIÉS DE LA SANTÉ (PHYSIQUE, PSYCHIQUE ET SPIRITUELLE) ET MÉTHODES INDIVIDUELLES VISANT À MAINTENIR, À PROTÉGER OU À RÉTABLIR LA SANTÉ

	Santé physique	Santé mentale	Santé spirituelle
Maintenir son état de santé.	Vêtements appropriés Régime alimentaire adéquat Exercice/repos	Concentration Entraide sociale et familiale Loisirs	Culte religieux Prière Méditation
Protéger son état de santé.	Aliments particuliers et combinaisons alimentaires appropriées Vêtements symboliques	Évitement de certaines personnes susceptibles de provoquer des maladies Activités familiales	Respect des coutumes religieuses Superstitions Port d'amulettes ou d'autres objets symboliques pour éviter le mauvais œil ou s'éloigner des sources du mal
Rétablir son état de santé.	Remèdes homéopathiques Tisanes Aliments particuliers Massage Acupuncture/moxibustion	Relaxation Exorcisme Guérisseurs traditionnels Tisanes pour les nerfs	Pratique de rituels religieux, prières particulières Méditation Guérisons traditionnelles Exorcisme

Source : Spector, R. E. (2004). *Cultural diversity in health and illness* (6e éd.) (p. 76). Upper Saddle River, NJ : Pearson Prentice Hall.
Traduit et reproduit avec l'autorisation de Pearson Education, Inc., Upper Saddle River, NJ.

12

3. *Méthodes traditionnelles visant à rétablir l'état de sa santé physique, mentale et spirituelle.* Utiliser des remèdes à base d'herbes médicinales ; pratiquer des exorcismes et des rituels de guérison.

Objets symboliques liés à la santé

Selon leur culture, les personnes font appel à des objets symboliques pour entretenir, préserver ou rétablir leur état de santé. En voici quelques-uns (figure 12-1 ∎) :

1. Les œufs chinois millénaires représentent les aliments traditionnels qu'on peut consommer quotidiennement pour se maintenir en bon état physique.

2. La joie que procure le contact avec la nature est un moyen universel de prendre soin de sa santé mentale.

3. La prière islamique est un moyen de préserver l'état de sa santé spirituelle.

4. Le cordon rouge de la tombe de Rachel, à Bethléem (Israël), se porte pour protéger un bon état de santé physique.

5. Nombre de personnes portent sur elles et installent à la maison des objets destinés à conjurer le « mauvais œil », c'est-à-dire le regard envieux ou malveillant que certains individus pourraient poser sur elles. Ces objets protégeraient la santé mentale et éloigneraient le malheur. L'œil de Cuba en est un exemple.

6. L'oiseau-tonnerre de la nation hopi se porte pour favoriser la protection spirituelle et la bonne fortune.

7. Les remèdes à base de plantes médicinales venant d'Afrique représentent bien les plantes aromatiques qu'on utilise dans toutes les traditions ethnoculturelles pour recouvrer la santé physique.

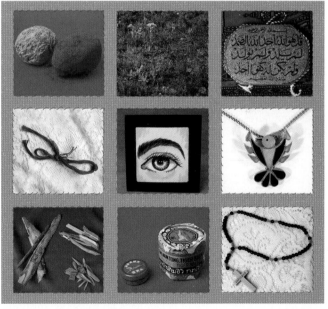

FIGURE 12-1 ∎ Représentations symboliques selon le modèle des traditions en santé. Source : Spector, R. E. (2004). *Cultural diversity in health and illness* (6e éd.) (p. 73). Upper Saddle River, NJ : Pearson Prentice Hall. Reproduit avec l'autorisation de Pearson Education, Inc., Upper Saddle River, NJ.

8. On utilise le baume du Tigre de Singapour pour le massage ; il contient des substances destinées à rétablir la santé mentale.

9. Le chapelet italien symbolise la prière et la méditation destinées à rétablir la santé spirituelle.

Les exemples de ce genre sont infinis. Pour bien évaluer l'héritage culturel d'une personne, l'infirmière doit repérer ces objets et connaître la signification que celle-ci leur accorde.

Paramètres culturels liés aux soins infirmiers

Cette section présente certains phénomènes culturels et ethniques importants dans le contexte des soins infirmiers. Il s'agit du savoir populaire, des modèles familiaux, du style de communication, qu'elle soit verbale ou non verbale, de l'orientation spatiale, de l'orientation temporelle et des habitudes alimentaires. Le chapitre 27 ⟳ aborde les aspects culturels de la mort et le chapitre 39 ⟳, ceux qui sont liés à la douleur.

Savoir populaire et soins de santé

La distance culturelle n'existe pas seulement quand l'infirmière entre en contact avec une personne d'une autre ethnie. Chaque fois que l'infirmière entre en relation avec une autre personne, elle doit réaliser qu'elle participe généralement à la mise en présence de deux systèmes culturels relatifs à la santé et à la maladie, que leur identité culturelle soit similaire ou différente. En effet, l'infirmière détient une culture dite «savante», acquise au fil de ses études et de sa pratique, tandis que la personne soignée possède une culture dite «populaire», qui lui vient de son vécu personnel. Il est important de noter que la culture populaire n'est pas une sous-catégorie du savoir médical. Selon Massé (1995), qui s'inspire de Blumhagen (1980), le **savoir populaire** lié à la santé et à la maladie se définit à partir de trois principales sources : (1) une source non professionnelle, qui en constitue le cœur et qui se rapporte aux croyances et aux conceptions populaires de la santé et de la maladie que partagent habituellement les membres d'un même groupe social ; (2) une source professionnelle, ou culture thérapeutique, qui est diffusée par les professionnels de la santé ; (3) une source idiosyncrasique des pratiques liées à la prévention ou à la thérapeutique et qui correspond à un savoir résultant des expériences personnelles de santé et de maladie. S'inspirant de la démarche de Massé (1995), Lacourse (2002) propose une synthèse des sources du savoir populaire (tableau 12-5).

Dans ses interventions, l'infirmière doit toujours tenir compte des fondements du savoir populaire. De plus, elle doit être consciente que les logiques explicatives et thérapeutiques liées au savoir populaire et celles liées au savoir scientifique peuvent diverger, voire s'opposer. Massé (1995, p. 274) fait les constatations suivantes à propos du savoir populaire :

1. Le savoir populaire ne représente pas un ramassis disparate de croyances hétéroclites.
2. Il n'est pas non plus un simple réservoir contenant une fraction du savoir médical ; il constitue plutôt une entreprise de création de sens.
3. Les éléments de signification explicites et implicites du savoir populaire sont organisés en un système cohérent, selon des logiques qui transgressent parfois certaines règles du savoir scientifique.
4. Les comportements sont donc fondés sur une rationalité limitée et contextualisée.

Considérant les difficultés de communication que peut engendrer une méconnaissance du système de croyances de la population, il est indispensable de décrire quelques-uns des modèles explicatifs de la santé et de la maladie de différents groupes de la société. Le tableau 12-6, inspiré de Lacourse et Émond (2006), montre qu'il est possible de centrer les systèmes de croyances sur la personne malade, le monde naturel (vision holistique), le monde social, le monde surnaturel (croyances magicoreligieuses) ou, encore, sur le monde scientifique (vision biomédicale).

Les forces socioculturelles, comme la politique, l'économie, la géographie, la religion et le système de santé prédominant, influent sur l'état de santé et le comportement de la personne en matière de santé. Ainsi, une personne incapable d'accéder facilement à des soins de santé biomédicaux se tournera peut-être vers des techniques de guérison traditionnelles. Dans ce contexte, par opposition à la médecine biomédicale, la **médecine traditionnelle** se définit comme l'ensemble des croyances et des pratiques liées à la prévention et à la guérison de l'affection, qui proviennent de traditions culturelles plutôt que d'une source scientifique moderne. De nombreuses étudiantes se souviendront sans doute des infusions ou des «remèdes» utilisés par les membres les plus âgés de leur famille afin de prévenir ou de soigner un rhume, la fièvre, une indigestion ou d'autres problèmes de santé courants. D'ailleurs, de nombreuses personnes continuent de boire du bouillon de poulet pour «soigner» une grippe.

Pourquoi certaines personnes ont-elles recours à de telles méthodes traditionnelles ? C'est qu'elles trouvent la médecine traditionnelle plus humaniste, contrairement aux soins de santé biomédicaux. La personne consulte et se fait traiter dans sa communauté, souvent chez un guérisseur. Il suffit généralement d'une conversation avec la personne et sa famille pour circonscrire le problème de santé. Souvent, le guérisseur prépare lui-même les remèdes (par exemple infusions, cataplasmes ou port d'amulettes). Une partie du traitement consiste habituellement en un rituel effectué par le guérisseur ou par la personne malade afin de favoriser la guérison. Comme les pratiques de guérison traditionnelles puisent leurs sources dans la culture, elles paraissent souvent plus familières et moins effrayantes.

L'infirmière doit obtenir des renseignements sur les pratiques traditionnelles de guérison qui pourraient avoir été utilisées avant la visite chez le médecin de formation allopathique. Toutefois, elle doit être consciente qu'il n'est pas toujours facile de recueillir ces informations. De nombreuses personnes hésitent à parler des remèdes maison avec les professionnels de la santé, par crainte d'être ridiculisées ou critiquées.

Modèles familiaux

La famille est la cellule de base de la société. Les valeurs culturelles déterminent la communication au sein de la famille, ainsi que la norme régissant la taille de la famille et le rôle de chacun de ses membres. Dans certaines familles patriarcales, l'homme étant investi des rôles de pourvoyeur et de décideur, il se peut

TABLEAU 12-5
SYNTHÈSE DES SOURCES DU SAVOIR POPULAIRE

Source	Caractéristiques
Source non professionnelle	Transmission du savoir par les membres du réseau social
	Croyances et conceptions transmises au cours des échanges
	Savoir traditionnel transmis d'une génération à l'autre
	Possession par chaque individu d'une fraction des croyances de la communauté
Source professionnelle	Modèles d'explication vulgarisés incluant des connaissances scientifiques
	Transmission du savoir par les médecins, d'autres professionnels de la santé et des thérapeutes spécialisés en médecines parallèles
	Transmission du savoir par les médias
Source idiosyncrasique	Croyances issues d'expériences personnelles
	Significations provenant d'expériences antérieures de la maladie vécues par la personne

Source: Lacourse, M. T. (2002). *Sociologie de la santé* (p. 188), Édition révisée. Montréal: Chenelière/McGraw-Hill.

TABLEAU 12-6
SYSTÈMES DE CROYANCES LIÉES À LA SANTÉ ET À LA MALADIE

Système de croyances	Caractéristiques	Illustrations
Centré sur la personne malade	Mauvais fonctionnement du corps relié au régime alimentaire, aux comportements et aux habitudes de vie. Processus mentaux et psychologiques influant sur la maladie («avoir un bon moral»). Facteurs liés à la constitution de la personne: vulnérabilité personnelle, cause mécanique, mauvaises conditions de vie antérieures.	Affections cardiovasculaires. Troubles physiques provoqués par le deuil. «Il a une faiblesse au poumon.»
Centré sur le monde naturel (vision holistique)	Nature et harmonie dans l'environnement naturel. **Théorie du chaud et du froid** Répandue en Amérique latine et en Jamaïque. Aliments, plantes et médicaments classés en «chauds» ou «froids».	Une affection froide (arthrite) est soignée par un traitement chaud (cannelle). Une affection chaude (ulcère ou diarrhée) est traitée par un aliment froid (noix de coco ou banane).
	Théorie du yin et du yang Répandue dans certaines cultures asiatiques. Yang: énergie positive (masculine), synonyme de lumière et de chaleur. Yin: énergie négative (féminine), synonyme d'obscurité, de froid et de vide. Les organes, les aliments et les affections sont soit yang, soit yin, soit, parfois, neutres. La santé est le parfait équilibre entre le yin et le yang.	Les affections provoquées par un excès de yin (affections cardiaques) seront traitées par des aliments et des médicaments chauds (gingembre). La constipation (yang) sera traitée par un aliment froid (melon d'eau).
	Théorie des humeurs corporelles La santé résulte de l'équilibre des quatre humeurs corporelles: sang (chaud et humide), flegme (froid et humide), bile jaune (chaude et sèche), bile noire (froide et sèche).	On traite par des saignées et des purgations. En Occident, théorie ancienne ou encore présente dans le langage courant.
	Théorie des éléments Dans la communauté chinoise, attachement au système des cinq éléments: feu, eau, métal, terre et bois. Médecine ayurvédique (Inde): Les cinq éléments de base engendrent trois humeurs (sang, bile, flegme).	

TABLEAU 12-6 *(suite)*

SYSTÈMES DE CROYANCES LIÉES À LA SANTÉ ET À LA MALADIE

Système de croyances	Caractéristiques	Illustrations
	Autres systèmes de croyances Selon les Amérindiens, la maladie résulte du non-respect de l'harmonie entre l'homme et la nature. Dans certaines cultures, les courants d'air sont générateurs d'affections.	
Centré sur le monde social	Le blâme de la maladie est jeté sur quelqu'un d'autre que la personne malade. Certaines personnes causent la maladie en fixant les yeux sur quelqu'un ou en le touchant.	Le «mauvais œil».
Centré sur le monde surnaturel (vision magico-religieuse)	Quelqu'un intervient auprès du monde surnaturel. Dans certaines cultures, les soignants doivent pouvoir composer autant avec le naturel qu'avec le surnaturel (le chaman, l'officiant vaudou ou le prêtre). Toutes les forces surnaturelles peuvent être en cause : la religion, les esprits, la magie. La maladie correspond à la punition d'un péché. Des esprits malfaisants pénètrent dans le corps et causent la maladie.	Dans le système traditionnel haïtien, les symptômes (gesticulations, cris, pleurs, incantations, monologues) font partie du processus d'autoguérison. Prières et repentirs, exorcisme. Une personne peut dire : «Si Dieu le veut, je me rétablirai.» Ou encore : «Qu'ai-je donc fait de mal pour être punie par un cancer ?»
Centré sur le monde scientifique (vision biomédicale)	Les processus vitaux sont régis par des mécanismes physiques et biochimiques sur lesquels la personne peut agir. L'affection est causée par des microbes, des virus, des bactéries ou un dérèglement de la «machine humaine», c'est-à-dire le corps.	La personne s'attend à recevoir un médicament pour chaque problème de santé.

Sources : Ferreri, P. (1993). Le médecin du Québec. Dans É. Gaudet, *La santé, une approche interculturelle. Plan de cours en formation interculturelle au collégial* (p. 45, n° 4). Montréal : Collège Ahuntsic ; Jimenez, V. (1995). La femme immigrante. Dans H. Bélanger et L. Charbonneau, *La santé des femmes* (p. 915). Montréal : Edisem/Maloine/ Fédération des médecins omnipraticiens du Québec, cité dans M. T. Lacourse et M. Émond (2006), *Sociologie de la santé* (2ᵉ éd.) (p. 125-126). Montréal : Chenelière Éducation. La dernière section de ce tableau a été réalisée par Michèle Côté.

que la femme doive le consulter avant de prendre des décisions sur un traitement médical pour elle ou pour un de leurs enfants (Galanti, 2008). Dans les familles matriarcales, la mère ou la grand-mère, qui sont considérées comme des chefs de famille, prennent habituellement les décisions. Il est donc important pour l'infirmière de bien comprendre le système d'organisation familiale de la personne. Dans le cas d'une personne qui consulte et qui n'est pas celle qui décide dans sa famille, il faut faire participer le décideur aux discussions sur les soins de santé.

L'importance accordée aux enfants et aux personnes âgées au sein de la société est liée à la culture. Dans certaines cultures, les personnes âgées sont considérées comme les détentrices de la sagesse et on les vénère. La responsabilité des soins prodigués aux parents plus âgés est généralement codifiée. Dans de nombreuses cultures, les parents âgés qui ne sont plus autonomes vivent souvent dans la famille d'un de leurs enfants.

Le rôle assigné à chacun des sexes par la culture influe également sur l'interaction entre l'infirmière et la personne. Dans certains pays, où règne le machisme ou la supériorité masculine, les hommes jouent un rôle prépondérant et les femmes ne reçoivent guère de considération. Ces hommes refuseront les directives d'une infirmière ou d'une femme médecin, alors qu'ils suivront à la lettre celles qui viennent d'un homme, qu'il soit infirmier ou médecin (Galanti, 2008).

Le degré de participation des membres de la famille aux soins de la personne hospitalisée dépend des valeurs familiales et culturelles. Dans certaines cultures, le noyau familial et la famille élargie souhaitent rendre de longues visites à la personne et participer aux soins. Dans d'autres cultures, le clan au complet désire rendre visite à la personne et participer aux soins (Galanti, 2008), ce qui peut poser un problème si les horaires de visite sont stricts. Il incombe alors à l'infirmière d'évaluer les effets bénéfiques de la participation de la famille sur les soins prodigués à la personne et de décider si elle doit modifier les horaires de visite en conséquence.

Dans les cultures où on accorde le même poids aux besoins de la famille élargie et à ceux de la personne soignée, on peut avoir tendance à croire que les renseignements personnels et familiaux ne doivent pas sortir de la famille. Ainsi, certains groupes culturels hésitent à dévoiler des renseignements familiaux à des étrangers, même si ces étrangers sont des professionnels de la santé. Cette attitude risque de compliquer la tâche de ces derniers, car ils ont besoin de savoir comment la famille fonctionne pour aider les personnes souffrant de problèmes émotifs.

Style de communication

La communication et la culture sont étroitement liées. La culture se transmet de génération en génération, et la connaissance de cette culture se diffuse au sein du groupe et à l'extérieur de celui-ci. Pour prodiguer des soins infirmiers adaptés à la culture, il est essentiel de pouvoir communiquer adéquatement avec des personnes de diverses origines ethniques ou culturelles. Des variantes culturelles peuvent exister dans la communication verbale et non verbale.

COMMUNICATION VERBALE

La différence culturelle la plus flagrante réside dans la communication verbale, c'est-à-dire le vocabulaire, la structure grammaticale et syntaxique, la voix, l'intonation, le rythme, la vitesse, la prononciation et l'utilisation du silence (Giger et Davidhizar, 2008). Au Québec, la langue dominante est le français. Toutefois, de nombreuses personnes parlent l'anglais ou une autre langue. Les immigrants qui parlent le français éprouvent tout de même des problèmes de langue, car les termes peuvent avoir des acceptions différentes selon la région. Par exemple, au Québec, le terme «glace» désigne principalement de l'eau congelée, alors qu'en France il désigne des glaçons ou un dessert glacé. Par ailleurs, la langue québécoise a évolué ; elle a assimilé des termes issus des langues des Premières Nations et intégré de nombreux anglicismes.

Les valeurs culturelles influent également sur la manière d'engager une conversation. Une infirmière pressée voudra peut-être procéder rapidement à l'évaluation au moment de l'admission. Or, la personne pourrait s'offusquer de se voir poser d'emblée des questions d'ordre personnel. Dans certaines cultures, il est de bon ton d'observer certaines règles de courtoisie avant de commencer à discuter ou de parler de sujets personnels. En abordant des sujets d'ordre général, l'infirmière peut indiquer à la personne qu'elle s'intéresse à elle et qu'elle a du temps à lui consacrer. Cette approche permet d'établir un premier contact favorable avant de poursuivre sur un terrain plus personnel. Il en est de même de la façon de s'adresser à une personne, car les présentations dans certaines cultures diffèrent parfois grandement des usages nord-américains. Ainsi, au Japon et au Vietnam, on doit d'abord indiquer le nom de famille, suivi du prénom. Parfois, un ou deux noms s'intercalent entre le nom de famille et le prénom. Dans certaines cultures, on ajoute certains termes particuliers pour indiquer le sexe et le statut d'un enfant ou d'un adulte. Par exemple, traditionnellement, les adultes japonais s'adressent aux autres adultes par leur nom de famille suivi de *san*, ce qui signifie «monsieur», «madame» ou «mademoiselle», comme dans «Maurakami san». Toujours au Japon, on appelle les enfants par leur prénom, suivi de *kun* pour les garçons et de *chan* pour les filles. Les sikhs et les hindous ont généralement trois noms. Les hindous ont un nom personnel, un nom intermédiaire et un nom de famille. Les sikhs ont un nom personnel, suivi du titre *singh* pour les hommes et du titre *kaur* pour les femmes ; vient ensuite le nom de famille. Les différences concernent aussi le nom acquis par

mariage. En Amérique centrale, une femme qui se marie conserve le nom de son père et prend celui de son époux. Par exemple, Luisa Viccario (une femme) épouse Carlos Gonzales (un homme) ; son nom devient Luisa Viccario de Gonzales, la particule *de* signifiant «qui appartient à». Leur fils s'appellera Pedro Gonzales Viccario. L'infirmière doit donc apprendre à s'adresser comme il se doit à la personne qu'elle soigne.

La communication verbale se complique quand les personnes parlent des langues différentes. Il est frustrant, aussi bien pour la personne que pour le professionnel de la santé, de ne pouvoir communiquer verbalement. L'infirmière qui a affaire à une personne qui parle très peu le français ou l'anglais devrait éviter d'utiliser des termes familiers, du jargon médical et des abréviations. Pour mieux se faire comprendre, elle peut faire des gestes ou utiliser des images tout en parlant. L'infirmière devrait s'exprimer lentement, respectueusement et sans hausser le ton. Parler plus fort n'aide en rien la personne à comprendre ; au contraire, celle-ci risque d'interpréter ce comportement comme une attitude insultante. L'infirmière doit aussi vérifier régulièrement si son interlocuteur la comprend bien ; il ne faut pas supposer qu'une personne a compris parce qu'elle sourit et acquiesce. En effet, il se peut que la personne veuille simplement faire plaisir à l'infirmière, qu'elle ait compris ou non ce qu'elle lui a dit.

Il peut être nécessaire de recourir aux services d'un interprète pour communiquer avec une personne qui parle une autre langue (rubrique *Conseils pratiques – Recours à un interprète*). Il est préférable, si la chose est possible, de retenir les services d'un interprète médical. Selon Galanti (2008), ce sont souvent les règles culturelles qui déterminent les personnes autorisées à discuter et les sujets qu'elles peuvent aborder.

CONSEILS PRATIQUES

RECOURS À UN INTERPRÈTE

- Éviter de demander à un membre de la famille de servir d'interprète, en particulier s'il s'agit d'un enfant ou du conjoint. La personne qui ne souhaite pas divulguer certains problèmes à des membres de sa famille risque de donner des renseignements incomplets ou inexacts.

- Tenir compte des différences liées au sexe et à l'âge. Il est préférable de faire appel à un interprète du même sexe que la personne afin de ne pas l'embarrasser s'il faut traduire des questions d'ordre sexuel et d'éviter ainsi une traduction erronée.

- Éviter d'avoir recours à un interprète dont les idées risquent d'être incompatibles avec celles de la personne sur le plan politique ou social. Ainsi, un Serbe de Bosnie ne serait sans doute pas le meilleur interprète à choisir pour une personne musulmane, même s'ils parlent la même langue.

- Poser les questions à la personne *et non à l'interprète*.

- Demander à l'interprète de traduire le plus fidèlement possible les termes utilisés.

- Parler lentement et articuler correctement. *Ne pas utiliser* d'expressions imagées (par exemple «L'enflure est-elle de la taille d'un pamplemousse ?» ou «La douleur ressemble-t-elle à un coup de couteau ?»).

- Observer la physionomie et le langage corporel de la personne lorsqu'elle écoute l'interprète et quand elle lui parle.

12

L'**interprète** doit être impartial et pouvoir traduire, d'une part, les renseignements donnés par la personne et, d'autre part, les questions, les renseignements et les instructions du professionnel de la santé. Dans de nombreux établissements situés dans une communauté multiculturelle, le personnel compte des interprètes ou des employés qui parlent couramment d'autres langues. Par ailleurs, divers organismes offrent des services d'interprète, tels que les ambassades, les consulats, les paroisses ethniques, les associations ethniques ou les entreprises de téléphone.

On peut demander aux infirmières qui parlent une langue seconde de servir d'interprètes. Toutefois, certaines écoles d'infirmières ou certains établissements de santé interdisent aux étudiantes infirmières de faire office d'interprètes dans le cas du consentement à un acte médical. En effet, si l'étudiante ne connaît pas parfaitement le procédé à suivre, elle risque de donner des informations erronées. L'étudiante doit vérifier la politique de l'établissement à cet égard avant d'accepter de faire office d'interprète pour le personnel ou les médecins.

Comme tous les autres membres du personnel soignant, l'infirmière doit se rappeler que la personne dont le français n'est pas la langue maternelle risque de s'exprimer plus difficilement en français en situation de stress. Il arrive même qu'une personne qui parle couramment le français depuis des années, qui s'exprime aisément dans un contexte social ou professionnel, oublie cette langue ou revienne à sa langue maternelle si elle est malade ou en détresse. L'infirmière doit rassurer la personne, lui dire que cela est normal et l'encourager par des comportements propres à faciliter la communication verbale.

COMMUNICATION NON VERBALE

Afin de communiquer efficacement avec des personnes issues d'horizons culturels variés, l'infirmière doit prendre conscience de deux aspects de la communication non verbale : (1) la signification des comportements non verbaux pour la personne ; (2) la signification de certains comportements non verbaux dans la culture de la personne. L'infirmière n'a pas besoin de connaître les habitudes de communication non verbale de toutes les cultures, mais, avant d'interpréter un comportement non verbal, elle doit savoir que ce comportement peut avoir un sens différent pour la personne et sa parenté. En outre, l'infirmière qui désire offrir des soins en toute sécurité et avec efficacité à une personne appartenant à un groupe culturel donné doit s'intéresser au comportement culturel et aux habitudes de communication propres à cette culture.

Les moments de silence, le toucher, le regard, la physionomie et la posture sont autant d'éléments qui relèvent de la communication non verbale. Dans certaines cultures, un long silence n'est pas gênant ; dans d'autres cultures, il est d'usage de commencer à parler avant que son interlocuteur n'ait terminé ce qu'il avait à dire. Nombre de personnes apprécient le silence et sentent qu'il est nécessaire pour comprendre les besoins ou respecter l'intimité de leur interlocuteur. Dans certaines cultures, on considère le silence comme une marque de respect ; ailleurs, il est interprété comme un signe d'assentiment (Giger et Davidhizar, 2008).

Le toucher comprend des comportements appris, qui peuvent avoir des significations positives ou négatives. Dans la culture nord-américaine, une poignée de main ferme est une forme de salutation qui exprime force et caractère (Giger et Davidhizar, 2008). Dans certains pays européens, les salutations incluent parfois un baiser sur une joue ou sur les deux, accompagné d'une poignée de main. Dans d'autres sociétés, le toucher a un caractère magique. Ainsi, un Canadien d'origine vietnamienne se sentira anxieux si on le touche à la tête ou aux épaules parce qu'il est persuadé que l'âme peut quitter le corps au cours d'un contact physique (Giger et Davidhizar, 2008). L'infirmière ne doit donc toucher la tête d'une personne qu'avec son accord et elle doit s'abstenir de toucher certaines personnes de façon intempestive.

Par ailleurs, le sexe de la personne qui touche et celui de la personne qui est touchée jouent souvent un rôle dans la signification culturelle du toucher. La culture détermine les façons de toucher acceptables entre des personnes de même sexe ou de sexe opposé. Dans de nombreuses cultures, par exemple, un baiser n'est pas une forme de salutation publique acceptable entre personnes de sexe opposé, même si ces dernières sont apparentées. Toutefois, il se peut qu'un baiser sur la joue constitue une forme de salutation acceptable entre personnes du même sexe. L'infirmière doit observer les interactions entre la personne et sa famille pour déterminer la place du toucher dans leur culture. Elle doit également évaluer la réaction de la personne au toucher lorsqu'elle lui prodigue des soins (par exemple pendant l'examen physique ou le bain).

L'expression de l'humeur et des sentiments par la physionomie varie aussi considérablement d'une culture à l'autre. Selon Giger et Davidhizar (2008), les Italiens, les juifs, les personnes de race noire et les hispanophones sourient plus facilement et utilisent plus volontiers la physionomie pour communiquer leurs sentiments, alors que les Irlandais, les Anglo-Saxons et les Européens en général jouent moins sur leur physionomie, et leurs réactions sont plus discrètes, surtout en présence d'étrangers. En la matière, il faut, de toute façon, faire preuve de prudence, car les traits du visage peuvent aussi exprimer l'inverse de ce qu'on croit percevoir ou comprendre.

Le regard de la personne pendant une conversation dépend aussi de ses acquis culturels. Dans les cultures occidentales, on considère que le contact visuel est important pendant une conversation, car il montre généralement que l'interlocuteur est attentif et écoute ce qu'on lui dit. Il s'agit là d'un signe d'assurance, de franchise, d'intérêt et d'honnêteté. Un refus du contact visuel peut être interprété comme un signe de dissimulation, de timidité, de culpabilité, de manque d'intérêt, voire d'une affection mentale. En revanche, dans d'autres cultures, le contact visuel est perçu comme un manque de courtoisie ou une violation de l'intimité. Pour les membres de la nation crie, par exemple, un contact visuel soutenu est très impoli et indiscret (Yonge et Bernard, 1998). L'infirmière doit donc se garder de mal juger une personne qui évite les contacts visuels pendant une conversation.

La posture et les gestes constituent d'autres acquis culturels. Montrer du doigt, faire un V avec l'index et le majeur ou lever le pouce ont différentes significations selon les cultures.

Ainsi, le V est synonyme de «victoire» dans certaines cultures, mais il représente un geste inconvenant dans d'autres (Galanti, 2008). On peut frapper doucement sa tempe avec son index pour signifier qu'on trouve une personne brillante (par exemple «Il fallait y penser!») ou qu'on la trouve bizarre (par exemple «Elle a le cerveau dérangé!»).

La communication est un facteur déterminant dans l'établissement d'une bonne relation avec la personne et sa famille, tout comme dans l'instauration de relations de travail efficaces avec ses collègues. Pour améliorer ses aptitudes, l'infirmière peut observer les habitudes de communication des personnes qu'elle soigne et celles de ses collègues; elle peut aussi analyser ses propres comportements en la matière.

Orientation spatiale

L'espace est un concept subjectif qui comprend la personne, le corps, l'environnement immédiat et les objets qui s'y trouvent. La culture influence et renforce les relations qu'un individu établit avec l'espace et avec les objets ou les personnes qui s'y trouvent. Ainsi, dans les sociétés nomades, on ne possède pas l'espace; il n'est occupé que de façon temporaire, jusqu'à ce que la tribu le quitte. Dans les sociétés occidentales, l'attitude générale est plus territoriale (par exemple «C'est ma place» ou «Vous avez pris ma place»). Dans les cultures occidentales, la distance physique se définit en fonction de la zone intime, de la zone personnelle et de la zone sociale et publique. La délimitation de ces zones varie selon la culture. Comme l'infirmière doit franchir ces différentes zones pour prodiguer des soins, elle se doit d'être attentive aux réactions de la personne quand elle bouge. La personne peut faire un mouvement de retrait ou de recul si elle sent que l'infirmière est trop proche. L'infirmière doit lui expliquer pourquoi elle doit se tenir aussi près d'elle. Par exemple, pour ausculter les poumons à l'aide d'un stéthoscope, l'infirmière doit pénétrer dans la zone intime de la personne. Avant de s'approcher et de procéder à l'examen, l'infirmière devrait expliquer ce qu'elle va faire et attendre l'accord de la personne.

Une personne qui séjourne dans un établissement de soins prolongés ou qui est hospitalisée pendant une longue période pourrait souhaiter personnaliser son environnement. Elle pourrait avoir envie de modifier l'agencement de sa chambre ou placer divers objets autour d'elle. L'infirmière doit être attentive à ce genre de besoin d'exercer une certaine emprise sur son environnement, et elle doit le respecter. En l'absence de contre-indications médicales, il faut autoriser et encourager la personne à porter ses vêtements et à s'entourer d'objets personnels. En effet, ces pratiques ont souvent un effet très positif sur l'estime de soi, tant sur le plan de l'individualité que sur celui de l'identité culturelle. Bien entendu, l'infirmière doit informer la personne que l'établissement n'est pas responsable de la perte d'objets personnels.

Orientation temporelle

L'orientation temporelle désigne l'importance relative qu'une personne tend à accorder au passé, au présent ou à l'avenir (Galanti, 2008). La plupart des cultures concilient ces trois dimensions temporelles, mais accordent une plus grande importance à l'une d'entre elles. En Amérique du Nord, on met plutôt l'accent sur l'avenir, le temps et les échéances (Smith, 1992). Les étudiantes infirmières savent à quelle heure elles «doivent» être en classe ou en clinique et quels cours elles vont suivre pendant les prochaines sessions. Il arrive souvent que les Canadiens d'origine européenne planifient leur programme de la semaine à venir, leurs vacances ou leur retraite. D'autres cultures ont une conception différente de l'écoulement du temps. Par exemple, les membres des communautés des Premières Nations ont appris à se concentrer sur le présent et à ne pas se soucier de l'avenir. On ne doit donc utiliser que ce qui va servir le jour même, et le partage avec les autres de ce qu'on a incite au respect. Les personnes qui vivent dans le présent risquent ainsi de ne pas se soucier des efforts destinés à promouvoir la santé.

Dans la culture des soins infirmiers et des soins de santé, on accorde une grande valeur au temps. Il suffit de penser que les rendez-vous sont planifiés et les traitements prescrits avec des paramètres temporels (par exemple changer un pansement une fois par jour). Les ordonnances indiquent combien de fois par jour et à quels moments de la journée une personne doit prendre ses médicaments (par exemple 0,25 mg de digoxine, une fois par jour, le matin). Selon Giger et Davidhizar (2008), il est préférable d'éviter les calendriers rigides dans le cas d'une personne qui vit essentiellement dans le présent. Ainsi, l'infirmière proposera plutôt une plage horaire pour les activités et les traitements; par exemple, au lieu de dire à la personne de prendre la digoxine tous les jours à 10 h, elle lui suggérera de la prendre tous les matins après son réveil.

Habitudes alimentaires

Dans la plupart des cultures, on trouve des denrées de première nécessité, c'est-à-dire des denrées présentes en abondance ou qu'il est facile de se procurer. Ainsi, la denrée de base de la plupart des Asiatiques est le riz; pour les Italiens, ce sont les pâtes; pour les habitants de l'Europe de l'Est, le blé. Les personnes établies au Canada depuis plusieurs générations continuent souvent de manger les mets de leur pays d'origine.

La façon de préparer les aliments et de les servir relève aussi des habitudes culturelles. Par exemple, au Québec, une dinde farcie, accompagnée de canneberges, est le repas traditionnel qu'on sert à Noël, mais la composition de la farce peut varier selon la région. Il en est de même d'autres mets, comme la tourtière, le ragoût ou les cretons.

La manière d'apprêter les aliments de base est également très variable. Par exemple, certains Asiatiques font cuire le riz à la vapeur, alors que d'autres le font bouillir. Les Indiens d'Asie méridionale préparent du pain sans levure à partir de farine de blé, contrairement aux Canadiens d'origine européenne, qui se servent de levure pour faire lever la pâte.

Les comportements culturels liés à l'alimentation déterminent la façon dont on allaite les nourrissons, au sein ou au biberon, ainsi que le moment où ils commencent à manger des aliments solides. L'alimentation peut aussi être envisagée comme faisant partie intégrante du remède à la maladie. Dans

12

certaines cultures, les aliments «chauds», par leurs caractéristiques ou leur température, servent à soigner les affections «froides». Par exemple, la semoule de maïs (aliment «chaud») peut servir à traiter l'arthrite (affection «froide»). Chaque groupe culturel a sa propre définition du chaud et du froid.

Les habitudes religieuses ont aussi un effet sur le régime alimentaire. Ainsi, certains catholiques romains ne mangent pas de viande certains jours, comme le mercredi des Cendres ou le Vendredi saint, et certaines confessions protestantes interdisent la consommation de viande, de thé, de café et d'alcool. Les religions musulmane et hébraïque orthodoxe interdisent la consommation de porc et des produits dérivés de cet animal. Les juifs orthodoxes mangent uniquement des aliments casher, c'est-à-dire qui ont été inspectés et préparés conformément aux prescriptions alimentaires de la religion juive. Il leur est interdit notamment de consommer de la viande et des produits laitiers au cours d'un même repas. Certains bouddhistes, hindous et sikhs sont strictement végétariens. L'infirmière doit tenir compte de ces règles alimentaires dictées par la religion.

La figure 12-2 ■ passe en revue les principaux éléments dont l'infirmière devrait tenir compte dans sa collecte des données interculturelles.

Diversité culturelle et pratique infirmière

Selon l'AIIC (2000, p. 3), l'infirmière qui entre en contact avec des immigrants a quatre responsabilités: «effectuer des évaluations culturelles; utiliser son savoir culturel; comprendre la communication; et établir des partenariats (tableau 12-7).

Par ailleurs, plusieurs groupes nationaux et provinciaux ont proposé des guides pour améliorer la pratique des infirmières qui donnent des soins adaptés à la culture. Parmi les différents guides, celui proposé par l'Ordre des infirmières et infirmiers de l'Ontario (OIIO, 2009) retient tout particulièrement notre attention. En effet, celui-ci propose une synthèse de différents aspects dont l'infirmière doit tenir compte lors de la prestation des soins. Les éléments suivants sont particulièrement importants à considérer afin d'adapter sa pratique à la réalité culturelle des clients.

■ *Acquisition de connaissances culturelles.* L'infirmière ne peut connaître en profondeur toutes les cultures. Toutefois, elle doit mieux comprendre l'influence de la culture sur les croyances et les comportements de la personne. Ainsi, les perceptions de la santé, de la maladie et de la mort sont influencées par la culture.

■ *Adoption d'une pratique centrée sur la personne.* Cette approche nécessite que l'infirmière reconnaisse que chaque personne appartient à une culture. L'infirmière doit faire des efforts pour comprendre sa propre culture et celle de la profession d'infirmière. Dès lors, elle doit admettre que chaque client et chaque situation sont uniques. La reconnaissance des différences est parfois très difficile si l'infirmière et le client partagent le même héritage culturel.

■ *Autoréflexion.* Cette pratique aide l'infirmière à cerner ses propres valeurs et ses préjugés qui sous-tendent sa démarche et ses interventions. L'autoréflexion est essentielle afin de ne pas imposer à l'Autre ses propres valeurs, sa manière de voir et d'agir.

■ *Reconnaissance des conflits potentiels entre les valeurs et les croyances de la profession d'infirmière et les valeurs et croyances de la personne.* La profession d'infirmière a sa propre culture. Elle comprend des valeurs telles que la sollicitude, l'empathie,

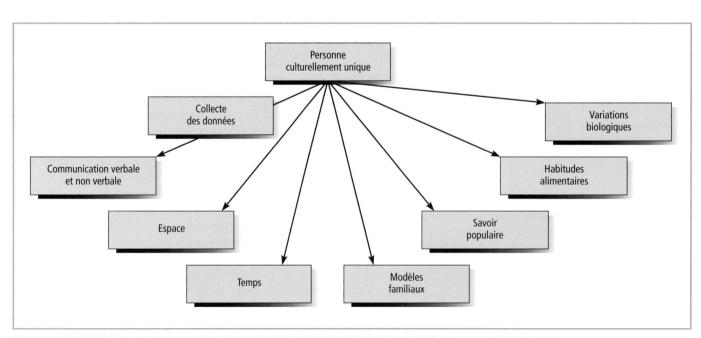

FIGURE 12-2 ■ Modèle de collecte des données interculturelles. Source : Ce modèle, adapté par Michèle Côté, s'inspire de l'ouvrage suivant : Giger, J. N., et Davidhizar, R. E. (1991). *Soins infirmiers interculturels*, Traduit par S. Raine. Montréal : Gaëtan Morin Éditeur.

l'honnêteté, la promotion de la santé et de l'autonomie. Lorsque ces valeurs entrent en conflit avec celles de la personne, l'infirmière doit explorer les valeurs de l'Autre et trouver une manière de réconcilier les différentes valeurs tout en respectant les plans thérapeutiques établis.

■ *Facilitation des choix de la personne.* L'infirmière doit favoriser l'atteinte des objectifs de la personne. Par conséquent, elle doit explorer avec la personne le sens de ce qu'elle demande et la manière d'y répondre en toute sécurité.

■ *Respect des préférences culturelles de la personne.* L'infirmière doit explorer les différentes avenues possibles lui permettant d'intégrer les préférences de la personne dans le plan d'intervention. Elle doit toujours évaluer si ces préférences sont dangereuses ou présentent un risque pour la personne. Ces préférences peuvent être essentielles à la santé physique, affective ou spirituelle de cette dernière. Toutefois, le fait d'endosser ces préférences ne signifie pas que l'infirmière adopte le point de vue de la personne.

TABLEAU 12-7
RÉPERCUSSIONS DE LA DIVERSITÉ CULTURELLE SUR LA PROFESSION D'INFIRMIÈRE

Domaine	Action	Exemple de questions
Évaluation culturelle	L'infirmière doit examiner attentivement ses attitudes et ses valeurs vis-à-vis de la santé, de la maladie et des soins de santé. La première étape est donc de prendre conscience de son propre patrimoine culturel. Le fait de bien comprendre l'écart qui sépare ses valeurs, ses pratiques et ses croyances de celles de l'Autre permet à l'infirmière de s'ouvrir à une culture différente et de l'apprécier.	Questions à se poser : Quelles sont mes valeurs et mes croyances ? Dois-je accepter la souffrance et la douleur ? Les droits de la personne priment-ils sur ceux de la famille ?
Savoir culturel	L'infirmière doit reconnaître les liens qu'établissent les personnes entre les croyances et les valeurs liées à la santé et leur conduite en matière de soins et de recherche d'aide. Par exemple, l'infirmière doit comprendre la signification des rituels reliés à certains moments importants de la vie (par exemple naissance, maladie, douleur, agonie et mort). Un certain nombre d'auteurs ont proposé des questions permettant de clarifier les modèles explicatifs de la maladie (MEM) que la personne formule pour donner un sens à ce qui lui arrive.	Questions à poser à la personne : 1. Quel est votre problème ? Quel nom lui donnez-vous ? 2. D'après vous, quelles sont les causes de votre problème ? 3. Pour quelles raisons votre problème a-t-il débuté à ce moment précis ? 4. Que vous fait votre affection ? Quelles en sont les manifestations ? 5. Votre maladie est-elle très grave ? Croyez-vous qu'elle va durer longtemps ? 6. Que craignez-vous le plus de cette maladie ? 7. Quels sont les problèmes les plus importants que vous crée votre maladie ? 8. Quelles sortes de traitements craignez-vous devoir recevoir ? 9. Quels sont les résultats les plus importants que vous attendez de ces traitements ? (Massé, 1995, p. 290 ; questions reprises de Kleinman, 1980)
Communication verbale et non verbale	Le processus de communication est un processus universel, et l'infirmière doit être attentive au style de communication et au mode de rétroaction propres à certains groupes culturels. Elle doit accorder une attention particulière aux expressions faciales, au langage corporel et aux contacts visuels. Par exemple, pour un Vietnamien, le sourire ne signifie pas obligatoirement qu'il a compris. De même, il peut dire «oui» pour éviter un affrontement ou pour faire plaisir. La communication non verbale prend une signification toute particulière dans les soins transculturels, car elle peut faciliter la communication avec l'autre. Le toucher peut être valorisant et recherché dans certains groupes sociaux, alors que d'autres le considéreront comme une manifestation de colère, d'agressivité et de frustration. De plus, il faut savoir qu'il est peu convenable qu'une personne de statut inférieur touche une personne d'un rang différent (Giger et Davidhizar, 1991).	Question à poser à la personne : Vous ai-je entendue et comprise correctement ?

12

TABLEAU 12-7 *(suite)*

RÉPERCUSSIONS DE LA DIVERSITÉ CULTURELLE SUR LA PROFESSION D'INFIRMIÈRE

Domaine	Action	Exemple de questions
Partenariats entre personnes et intervenants de la santé et réseau de la santé	Surtout dans un contexte interculturel, l'infirmière joue un rôle d'intermédiaire entre les personnes sur les plans des valeurs, des croyances et des attitudes. Elle est souvent la mieux placée pour réduire les écarts et traduire les règles régissant les soins. Elle doit chercher un terrain d'entente permettant l'établissement d'une relation de confiance entre les partenaires (Lacourse, 2002). Par ailleurs, l'infirmière doit sensibiliser les décideurs au fait qu'il est important d'intégrer aux services de santé des pratiques culturellement adaptées aux besoins et aux buts des personnes qui reçoivent des soins.	Question à se poser: Comment puis-je faciliter le respect de la diversité culturelle des personnes?

Sources: Ce tableau, conçu par Michèle Côté, s'inspire des ouvrages suivants: Association des infirmières et infirmiers du Canada (AIIC). (2000, février). Diversité culturelle – Changements et défis. *Zoom sur les soins infirmiers: enjeux et tendances dans la profession infirmière au Canada, 7.* Document consulté le 22 août 2010 de http://cna-aiic.ca/CNA/documents/pdf/publications/Cultural-Diversity_February2000_f.pdf; Massé, R. (1995). *Culture et santé publique* (p. 290). Montréal: Gaëtan Morin Éditeur; Lacourse, M. T. (2002). *Sociologie de la santé*, Édition révisée. Montréal: Chenelière/McGraw-Hill; Giger, J. N., et Davidhizar, R. E. (1991). *Soins infirmiers interculturels*, Traduit de l'anglais par S. Raine. Montréal: Gaëtan Morin Éditeur.

■ *Acceptation des choix de la personne.* L'infirmière doit trouver des manières de répondre aux besoins de la personne tout en respectant les principes modernes de la médecine.

Barrières à l'ouverture culturelle

L'ouverture culturelle à l'Autre n'est pas aussi facile que l'on peut l'imaginer. L'infirmière peut rencontrer différents obstacles qui vont entraver la relation thérapeutique ainsi que la communication. Parmi ces obstacles, on note l'ethnocentrisme, le racisme, le stéréotypage, les préjugés et la discrimination.

Ethnocentrisme

L'**ethnocentrisme** se définit comme la tendance universelle à considérer comme supérieures les valeurs et les croyances du groupe ethnique auquel on appartient par rapport à celles d'autres cultures. Cette tendance universelle, selon Coutu-Wakulczyk (2003, p. 35), «perpétue l'attitude voulant que des croyances, différentes de sa propre culture, soient bizarres, étranges et non éclairées et qu'elles soient par conséquent "pas correctes"». En matière de santé, la conviction que les seules croyances et les seules pratiques qui soient valables sont celles des professionnels du système de santé relève de l'ethnocentrisme. L'ethnocentrisme est donc le principal obstacle à la prestation de soins qui respectent consciemment la culture de l'Autre. Même si elle adopte une perspective transculturelle, l'infirmière peut cependant rester fidèle à ses croyances et à ses pratiques personnelles, tout en respectant celles des Autres. Elle doit également savoir que si certaines personnes de diverses appartenances raciales et religieuses réussissent à se conformer

aux coutumes occidentales en matière de santé, d'autres en sont parfois incapables.

La plupart des gens découvrent progressivement, dès la naissance et au fil des ans, les croyances, les valeurs et les pratiques de leur culture. L'ethnocentrisme s'expliquerait par un manque de connaissances des autres cultures. L'**ethnorelativité** est la capacité d'apprécier la richesse des autres cultures et d'en respecter les points de vue.

Racisme

On ne devrait jamais se référer à la notion de **race**, qui renvoie à des traits physiques réels ou imaginés, qui servent souvent à distinguer les êtres humains entre eux. Dans les faits, il y a une seule race humaine et un même patrimoine génétique (Lacourse et Émond, 2006). Ainsi, le **racisme** est une forme de discrimination liée à l'ethnocentrisme: les théories racistes prétendent que la race est le principal déterminant des traits de caractère et des habiletés d'un individu ou d'un groupe donné d'individus, et elles supposent que des différences raciales confèrent une supériorité inhérente à une race donnée.

Stéréotypage

Le **stéréotypage** est l'attitude qui consiste à déduire que tous les membres d'un groupe culturel ou ethnique sont semblables. Par exemple, l'infirmière peut penser que tous les Italiens manifestent leur douleur en s'exprimant de manière volubile ou que tous les Chinois aiment le riz. Le stéréotypage peut reposer sur des généralisations étayées par la recherche ou ne pas refléter toute la réalité. Ainsi, selon la croyance populaire, les Italiens sont enclins à exprimer leur douleur en parlant beaucoup ou en criant, bien que tous les Italiens ne se comportent pas nécessairement de la sorte. Le stéréotypage qui n'est pas ancré dans la réalité peut aussi bien être positif que négatif et relève souvent du racisme ou de la discrimination. L'infirmière doit comprendre que tous les membres d'un groupe donné ne partagent pas obligatoirement les mêmes croyances, pratiques et valeurs en matière de santé. Il est donc essentiel de définir les croyances, les aspirations et les valeurs de chaque personne, plutôt que de supposer qu'elles sont le fait du groupe auquel elle appartient.

Préjugé

Le **préjugé** est l'opinion catégorique qu'on a sur certains sujets ou sur certains groupes de personnes. Un préjugé peut être positif ou négatif. Le préjugé positif émane souvent d'un fort sentiment d'ethnocentrisme (Eliason, 1993). Le préjugé peut aussi être le résultat de l'ignorance, d'une mauvaise information, d'une expérience vécue ou de la peur. Parmi les autres catégories de préjugés, mentionnons l'âgisme (attitude négative envers les personnes plus âgées), le sexisme (attitude négative fondée sur le sexe) et l'homophobie (attitude négative à l'égard des lesbiennes et des homosexuels).

Discrimination

Banks et Banks (1989, p. 37) définissent la **discrimination** comme le traitement inégal de personnes et de groupes selon des critères comme la race, l'ethnie, le sexe, la classe sociale ou l'atypie (manque de conformité par rapport à un groupe donné).

Modèles en soins infirmiers transculturels

Depuis déjà une trentaine d'année, des infirmières s'efforcent de raffiner des modèles permettant de mieux comprendre les besoins particuliers des personnes n'ayant pas les mêmes croyances et les mêmes valeurs culturelles. C'est ainsi qu'on a proposé un certain nombre de modèles, comme les suivants : le modèle *Sunrise* («lever de soleil») de Leininger (2006); le modèle de pratique dans un contexte de diversité culturelle (*Cultural Diversity Practice Model*) (Felder, 1995); le modèle des modes des compétences transculturelles de Purnell (Purnell et Paulanka, 1998, 2008; Purnell, 2000); le modèle de sensibilisation à la diversité culturelle (*Model for Developing Cultural Sensitivity*) (Baldwin, Cotanch, Johnson et Williams, 1996). Nous ne présentons ici que le modèle *Sunrise*. C'est en effet le plus complet et, par conséquent, le plus souvent cité.

Modèle *Sunrise* de Leininger (2006)

Leininger a entrepris en 1978 des travaux portant sur l'élaboration d'un modèle de la diversité et de l'universalité des soins culturels. Elle définit les **soins infirmiers transculturels** comme

> un domaine des soins infirmiers centré sur l'étude et l'analyse comparées des différentes cultures et sous-cultures du monde, en ce qui a trait à l'empathie, aux soins infirmiers et aux valeurs, croyances et habitudes de comportement relatifs à la santé et à la maladie. Cette approche a pour but d'élaborer un ensemble de

connaissances scientifiques et humanistes visant à dispenser des soins infirmiers axés à la fois sur les spécificités et l'universalité culturelles (Leininger, 1991, p. 8).

Le schéma de la version révisée du modèle de Leininger (figure 12-3 ■) fait ressortir le fait que la santé et les soins de santé sont influencés par une multitude d'éléments appartenant à la structure sociale, tels que la technologie, les facteurs religieux et philosophiques, les systèmes familiaux et sociaux, les valeurs culturelles, les facteurs politiques, juridiques, économiques et éducatifs. On peut observer ces facteurs sociaux dans différents contextes environnementaux, dans le langage et dans l'ethno-histoire. Chacun de ces systèmes fait partie des structures de toutes les sociétés. Les manifestations, les modèles et les pratiques en soins de santé font également partie intégrante de la structure sociale (Leininger, 1993).

Les *facteurs technologiques* (par exemple accès à du matériel technique et électronique) déterminent largement le choix des appareils utilisés pour les soins de santé. Ainsi, de nombreux Québécois tiennent le matériel de réanimation pour essentiel. Les *facteurs économiques* fixent la qualité des soins de santé dans chaque culture; par exemple, les fonds alloués aux services de santé influent sur la santé des nourrissons et des personnes âgées. Les *facteurs politiques* établissent les programmes de santé et déterminent les professionnels de la santé autorisés à offrir leurs services. Les *facteurs juridiques* régissent le rôle et la fonction des professionnels de la santé ainsi que les normes à appliquer. Les *facteurs familiaux* et *sociaux* déterminent souvent les personnes qui recevront ou non des soins de santé et la rapidité avec laquelle on leur prodiguera ces soins; par exemple, dans certaines cultures, une personne de haut rang (chef de tribu, roi ou directeur général) peut recevoir des soins très rapidement, alors qu'une personne de moindre rang (paysan, ménagère ou enfant) peut attendre très longtemps avant d'être prise en charge. En raison de la supériorité masculine particulière à de nombreuses cultures, les hommes reçoivent des soins avant leur épouse ou leur fille. Les facteurs *éducationnels*, *religieux* et *philosophiques* sont étroitement liés. Ces facteurs déterminent les catégories de soins de santé considérées comme souhaitables, appropriées ou acceptables ainsi que leur qualité et leur fréquence. Le *contexte environnemental*, la *langue* et l'*ethnohistoire* déterminent les besoins en matière de santé ainsi que les stratégies de soins à mettre en place.

Prodiguer des soins adaptés à la culture

Pour obtenir des données d'évaluation culturelle, l'infirmière fait appel à des énoncés généraux et à des questions ouvertes, ce qui encourage la personne à s'exprimer plus librement. L'infirmière qui procède à une évaluation en santé devrait toujours se rappeler le principe suivant: en matière de culture, c'est la personne qui est la spécialiste et l'enseignante; l'infirmière est l'élève (Rosenbaum, 1995, p. 188). L'infirmière ne doit pas tirer de conclusion, mais se contenter de recueillir les données nécessaires à l'évaluation culturelle de la personne.

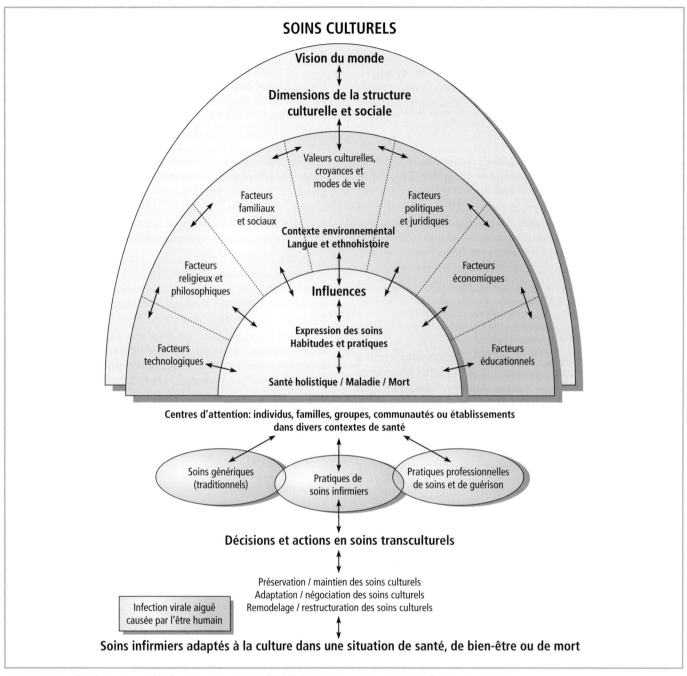

FIGURE 12-3 ■ Schéma du modèle *Sunrise* de Leininger (2002) illustrant les soins culturels. Source : Leininger, M. (2002). Culture care theory : A major contribution to advance transcultural nursing knowledge and practices. *Journal of Transcultural Nursing, 13,* 191.

Démarche de soins infirmiers

Collecte des données

L'outil de collecte des données présenté à la rubrique *Entrevue d'évaluation* propose un certain nombre de questions permettant d'évaluer l'héritage culturel de la personne. Cet outil facilite la communication avec la personne et sa famille. Il s'avère efficace pour déterminer dans quelle mesure la personne s'identifie encore à son héritage culturel ou dans quelle mesure elle a subi une acculturation et s'est fondue dans la culture dominante de la société d'accueil. On peut utiliser cet outil quel que soit le contexte. Il facilite la conversation et contribue à planifier des soins adaptés à la culture de la personne. Dès le moment où la personne décrit des aspects de son héritage culturel, on peut mieux la comprendre.

ENTREVUE D'ÉVALUATION

OUTIL D'ÉVALUATION DE L'HÉRITAGE CULTUREL

Ce questionnaire est conçu pour cerner les antécédents ethniques, culturels et religieux de la personne. Au cours d'une évaluation de l'héritage culturel, il est utile de déterminer dans quelle mesure la personne s'identifie aux traditions de sa culture d'origine. Cet outil est particulièrement efficace pour évaluer et comprendre les croyances et les habitudes façonnées par les traditions en matière de santé et de maladie, et pour déterminer les ressources communautaires appropriées en cas de besoin. Plus le nombre de réponses affirmatives est grand, plus la personne s'identifie à son héritage culturel ; à ce propos, il ne faut cependant pas tenir compte de la question 13 (changement de nom).

1. Où votre mère est-elle née ?

2. Où votre père est-il né ?

3. Où vos grands-parents sont-ils nés ?
   a) La mère de votre mère ?
   b) Le père de votre mère ?
   c) La mère de votre père ?
   d) Le père de votre père ?

4. Combien de frères et de sœurs avez-vous ?

5. Où avez-vous grandi ? Dans une ville ? À la campagne ?

6. Dans quel pays vos parents ont-ils grandi ?
   a) Votre père ?
   b) Votre mère ?

7. Quel âge aviez-vous à votre arrivée au Québec ?

8. Quel âge vos parents avaient-ils à leur arrivée au Québec ?
   a) Votre père ?
   b) Votre mère ?

9. Avec qui viviez-vous pendant votre enfance ?

10. Êtes-vous resté en contact avec les personnes suivantes ?
    a) Vos tantes, oncles et cousins ?   ❏ Oui   ❏ Non
    b) Vos frères et sœurs ?   ❏ Oui   ❏ Non
    c) Vos parents ?   ❏ Oui   ❏ Non
    d) Vos enfants ?   ❏ Oui   ❏ Non

11. La plupart de vos tantes, oncles et cousins vivaient-ils près de chez vous ?
    ❏ Oui   ❏ Non

12. À quelle fréquence environ rendiez-vous visite aux membres de votre famille qui ne vivaient pas avec vous ?
    ▪ Tous les jours
    ▪ Toutes les semaines
    ▪ Tous les mois
    ▪ Une fois par an ou moins
    ▪ Jamais

13. Le nom d'origine de votre famille a-t-il été modifié ?
    ❏ Oui   ❏ Non

14. Quelle est votre religion ?
    ▪ Religion catholique
    ▪ Religion juive
    ▪ Religion protestante
    ▪ Autre
    ▪ Aucune

15. Votre conjoint est-il de la même confession religieuse que vous ?
    ❏ Oui   ❏ Non

16. Votre conjoint a-t-il les mêmes origines ethniques que vous ?
    ❏ Oui   ❏ Non

17. Quel genre d'école avez-vous fréquentée ?
    ▪ Publique
    ▪ Privée
    ▪ Confessionnelle

18. Vivez-vous actuellement dans un quartier où vos voisins ont les mêmes traditions religieuses et ethniques que vous ?
    ❏ Oui   ❏ Non

19. Êtes-vous membre d'un regroupement religieux ?
    ❏ Oui   ❏ Non

20. Diriez-vous que vous êtes un membre actif de ce regroupement ?
    ❏ Oui   ❏ Non

21. À quelle fréquence participez-vous aux rencontres de ce regroupement ?
    ▪ Plus d'une fois par semaine
    ▪ Toutes les semaines
    ▪ Tous les mois
    ▪ Uniquement à l'occasion de fêtes
    ▪ Jamais

22. Pratiquez-vous votre religion à la maison ?
    ❏ Oui (veuillez préciser)   ❏ Non
    ▪ Prière
    ▪ Lecture de livres religieux (Bible, Coran ou autre)
    ▪ Régime alimentaire
    ▪ Célébration de fêtes religieuses

23. Faites-vous la cuisine selon vos traditions ethniques ?
    ❏ Oui   ❏ Non

24. Prenez-vous part à des activités ethniques ?
    ❏ Oui (veuillez préciser)   ❏ Non
    ▪ Chants
    ▪ Célébration de fêtes
    ▪ Danses
    ▪ Festivals
    ▪ Port de costumes traditionnels
    ▪ Autres

25. Vos amis ont-ils les mêmes rites religieux que vous ?
    ❏ Oui   ❏ Non

26. Vos amis ont-ils les mêmes origines ethniques que vous ?
    ❏ Oui   ❏ Non

27. Quelle est votre langue maternelle ?

28. Dans quelle mesure parlez-vous cette langue ?
    ▪ De préférence
    ▪ À l'occasion
    ▪ Rarement

29. Lisez-vous des textes écrits dans votre langue maternelle ?
    ❏ Oui   ❏ Non

Total des « Oui » : _____   Total des « Non » : _____

Source : Spector, R. E. (2000). *Cultural diversity in health and illness* (5ᵉ éd.) (p. 295-297). Upper Saddle River, NJ : Prentice Hall Health. Traduit et reproduit avec l'autorisation de Pearson Education, Inc., Upper Saddle River, NJ.

12

Exemples de sauvegarde de l'héritage culturel

L'examen de la liste suivante de facteurs et d'exemples de sauvegarde de l'héritage culturel pourra permettre de déterminer dans quelle mesure la personne s'identifie aux traditions de sa culture d'origine (par exemple croyances et habitudes culturelles entretenues par l'héritage culturel familial).

1. La personne a grandi dans son pays d'origine ou dans un quartier assez homogène sur le plan ethnique. Par exemple, elle a été élevée dans un quartier italien, noir, latino-américain ou juif, dans un secteur urbain délimité, et elle a été exposée uniquement à la culture, à la langue, à la nourriture et aux us et coutumes de ce groupe.

2. Les membres de la famille élargie ont encouragé la personne à participer à des activités religieuses et culturelles traditionnelles. Par exemple, durant son enfance, la personne a fréquenté une école confessionnelle dans un contexte où la plupart des activités culturelles étaient organisées par son Église.

3. La personne retourne fréquemment dans son pays ou dans son quartier d'origine. Nombreux sont les gens qui désirent retourner y vivre, mais ce n'est pas toujours possible à cause d'un certain nombre de raisons. D'autres personnes ne souhaitent pas forcément retourner dans leur pays d'origine. C'est le cas des gens qui sont arrivés ici pour fuir des persécutions religieuses ou dont la famille a été décimée pendant la Seconde Guerre mondiale, l'Holocauste, le génocide au Cambodge ou dans d'autres massacres récents. La situation politique ou la disparition «inexpliquée» des parents ou des amis comptent aussi au nombre des raisons pour lesquelles une personne peut souhaiter ne pas retourner là où elle est née.

4. La personne habite dans sa communauté ethnique d'origine. En tant qu'adulte, elle choisit de vivre avec sa famille dans un quartier dont les membres partagent les mêmes traditions culturelles.

5. La personne participe à des événements culturels et ethniques (par exemple festivals religieux ou fête nationale de son pays d'origine) qui sont l'occasion de retrouver les chants, les danses et les costumes traditionnels. Ainsi, la personne participe à des activités culturelles et sociales dans sa communauté ethnique et participe à des fêtes de famille.

6. La personne a été élevée dans une famille élargie. Par exemple, pendant son enfance, ses grands-parents ou ses tantes et ses oncles vivaient peut-être sous le même toit ou à proximité. La famille constituait le cadre social de référence.

7. La personne a des contacts réguliers avec sa famille élargie. Elle entretient des relations étroites avec les membres de la même génération, les membres survivants de la génération précédente et les membres de la nouvelle génération.

8. La personne n'a pas modifié son nom pour se conformer à la culture dominante. Elle porte son nom de famille tel qu'il était à l'origine, même si ce nom avait été modifié par les autorités au moment de l'immigration ou par les membres de sa famille, par la suite.

9. La personne a été scolarisée dans une école confessionnelle (privée), guidée par une philosophie religieuse ou ethnique similaire à celle de ses ancêtres. L'éducation de la personne a joué un rôle crucial dans sa socialisation. L'objectif essentiel de l'éducation consiste à socialiser un individu dans la culture dominante. C'est à l'école que ces enfants apprennent le français ainsi que les us et coutumes propres au mode de vie québécois.

10. La personne participe à des activités sociales, surtout avec d'autres personnes qui partagent les mêmes valeurs religieuses ou ethniques. Ainsi, elle participe activement aux rencontres et aux événements organisés par les membres de sa communauté.

11. La personne connaît bien sa culture d'origine et sa langue maternelle. Elle a été socialisée selon les traditions familiales et elle croit qu'il s'agit d'un aspect fondamental de sa vie.

12. La personne est fière de son héritage culturel. Elle peut ainsi se considérer comme québécoise d'origine ethnique et afficher des drapeaux, porter des costumes ou participer à des activités ethniques.

Faire preuve de sensibilité culturelle

Le processus d'évaluation de l'héritage culturel et des traditions en matière de santé est important. La façon de poser les questions et le moment choisi pour ce faire exigent du tact, un bon jugement clinique et la prise en considération de la personne. Il faut établir un climat de confiance si on veut que la personne se confie et livre des renseignements personnels. Par conséquent, l'infirmière doit passer du temps avec elle, parler de tout et de rien, et manifester un désir sincère de comprendre ses valeurs et ses croyances.

Avant de commencer l'évaluation de l'héritage culturel, l'infirmière doit déterminer la langue que parle la personne, ainsi que son degré de maîtrise du français ou de l'anglais, selon le cas. Il est tout aussi important de connaître les habitudes de la personne en matière de communication et d'orientation spatiale. Pour ce faire, il suffit d'observer ce qui se passe (communication verbale et non verbale). La personne parle-t-elle en son nom ou quelqu'un d'autre le fait-il pour elle? Quelles sont ses habitudes de communication non verbale (par exemple toucher, contact visuel)? Quelle importance ces comportements revêtent-ils dans la relation qui s'établit entre la personne et l'infirmière? Quel degré de proximité la personne entretient-elle avec son entourage et avec les objets? Comment la personne réagit-elle quand l'infirmière s'approche d'elle? Quels objets culturels revêtent pour la personne une quelconque importance en matière de promotion et de maintien de la santé?

L'infirmière doit faire preuve de sensibilité culturelle à l'égard de la personne, de son groupe de soutien et des autres membres du personnel soignant. Voici quelques moyens d'y parvenir:

■ Toujours s'adresser à la personne, aux membres de son groupe de soutien et aux autres membres du personnel soignant par leur nom de famille, à moins que l'interlocuteur ne demande de le faire autrement. Dans certaines cultures, le fait de s'adresser aux gens de manière officielle est un signe de respect; l'usage familier du prénom risque alors d'être interprété comme un manque de respect. Il est important de demander aux gens comment ils souhaitent qu'on s'adresse à eux.

■ Au cours d'une première rencontre, l'infirmière doit décliner son nom au long et son rôle (par exemple « Je m'appelle Geneviève Côté-Leblanc et je suis étudiante infirmière à l'Université du Québec à Trois-Rivières »). Cette façon de faire contribue à établir une bonne relation avec la personne et donne l'occasion à tout le monde de bien connaître le nom et le rôle de chacun.

■ On doit être authentique avec les gens et faire preuve d'honnêteté. Si on ne connaît pas leur culture ou si on ne comprend pas un comportement, il faut se renseigner poliment et respectueusement.

■ On doit utiliser un langage qui démontre sa sensibilité culturelle. Par exemple, il faut dire « gai », « lesbienne » ou « bisexuel » plutôt qu'« homosexuel ». On n'utilise pas les termes génériques « homme » ou « humain » si on parle d'une femme. On demande à la personne si elle préfère qu'on la désigne comme étant « latino-américaine » ou « latino », « africaine » ou « noire ».

■ On doit essayer de savoir ce que la personne pense de ses problèmes de santé, de son affection et des traitements, puis évaluer si les informations ainsi obtenues correspondent à la culture dominante en matière de soins de santé. Si ce n'est pas le cas, on détermine si les croyances et les habitudes de la personne auront ou non un effet négatif sur sa santé.

■ Il ne faut jamais rien tenir pour acquis et toujours se renseigner sur ce qu'on ne comprend pas.

■ On doit faire preuve de respect envers les valeurs, les croyances et les habitudes de la personne, même si elles diffèrent des nôtres ou de celles de la culture dominante. Même si on n'est pas d'accord, il est important de respecter le droit de la personne d'avoir ses croyances.

■ L'infirmière doit respecter le réseau de soutien de la personne. Dans certaines cultures, ce sont les hommes qui prennent les décisions pour les membres de leur famille qui sont malades; dans d'autres cultures, ce sont les femmes.

■ On doit chercher par tous les moyens à obtenir la confiance de la personne; il ne faut cependant pas se surprendre si la relation de confiance s'établit lentement ou s'il n'est pas possible d'en établir une. L'évaluation de l'héritage culturel demande du temps et il faut habituellement plusieurs rencontres pour y parvenir.

Analyse et interprétation

Les diagnostics infirmiers élaborés par la NANDA-I mettent l'accent sur les soins infirmiers prodigués dans les cultures occidentales. Toutefois, l'infirmière doit continuer d'offrir des soins appropriés, quelle que soit la culture de la personne, et ce, en développant sa sensibilité culturelle. Elle doit tenir compte de l'influence de la culture sur la façon dont la personne réagit à ses affections, tout comme elle prend en considération les répercussions de l'âge ou du sexe sur le diagnostic infirmier ainsi que sur le plan de soins et de traitements infirmiers.

Planification

Les compétences nécessaires pour intégrer des soins transculturels à une pratique de soins infirmiers exigent l'acquisition d'une connaissance approfondie des différents héritages culturels et des structures sociales qui ont façonné la personne. Il s'agit d'un processus continu. Ces compétences et ces connaissances, tout autant que la sensibilité culturelle, s'acquièrent avec le temps.

Comme nous l'avons souligné précédemment, l'infirmière doit à la fois prendre conscience de son propre héritage culturel et reconnaître celui de son interlocuteur. Elle doit également tenir compte des traditions de ce dernier en matière de santé, telles qu'il les décrit, et prendre conscience des efforts que ce dernier a faits pour s'adapter à la culture dominante. Enfin, l'infirmière doit mettre en œuvre un plan de soins et de traitements infirmiers adapté à la culture de la personne, et ce plan doit être établi en partenariat avec cette dernière.

Interventions infirmières

En soins infirmiers adaptés à la culture, les interventions comprennent: (1) le maintien et la préservation de la culture

---

RECHERCHE EN SCIENCES INFIRMIÈRES

QUELLES SONT LES CARACTÉRISTIQUES DU TRAVAIL D'UNE ÉQUIPE TRANSCULTURELLE QUI PRODIGUE DES SOINS À DES ENFANTS DE RÉFUGIÉS CAMBODGIENS?

Différentes croyances traditionnelles en matière de santé influent sur les soins infirmiers qu'on prodigue aux immigrants cambodgiens (par exemple le fait de décrire des symptômes comme des « vents mauvais » ou la pratique de la dermabrasion). La recherche menée aux États-Unis par Tellep, Chim, Murphy et Cureton (2001) visait à explorer l'expérience du personnel d'un arrondissement scolaire qui prodiguait des soins aux enfants de réfugiés cambodgiens. Les données de cette étude descriptive ont été recueillies au cours d'entrevues avec des infirmières scolaires et des agents de liaison cambodgiens. Elles ont été analysées à l'aide du cadre conceptuel en santé transculturelle établi par Dobson. On a dégagé un certain nombre de thèmes, notamment la réciprocité intraculturelle et transculturelle, le conflit intergénérationnel et la guérison spirituelle, qui représentent autant d'éléments utilisés pour orienter de futures recherches.

Implications: Quand des infirmières prodiguent des soins à des immigrants de fraîche date, comme les réfugiés cambodgiens, elles doivent connaître les différences qui opposent les croyances et les habitudes liées à la santé de ces personnes à celles du système de santé en place. Les infirmières ont besoin de s'appuyer sur des études exhaustives sur l'état de santé des réfugiés, études articulées autour de modèles explicatifs conçus en fonction de leur culture d'origine. Pour comprendre la problématique de recherche, il est essentiel d'y intégrer des Cambodgiens: infirmières, enseignants et travailleurs des services d'approche.

Source: Tellep, T. L., Chim, M., Murphy, S., et Cureton, V. Y. (2001). Great suffering, great compassion: A transcultural opportunity for school nurses caring for Cambodian children. *Journal of Transcultural Nursing, 12*, 261-274.

de la personne ; (2) l'adaptation de cette culture au contexte de soins ; (3) la négociation avec la personne. Le maintien de la culture peut intégrer l'utilisation des pratiques culturelles de la personne en matière de soins de santé (par exemple préparation de tisanes, de bouillons ou d'aliments épicés). La prise en compte du point de vue de la personne et la négociation des soins appropriés sont des tâches qui exigent des compétences en communication ; il faut notamment savoir réagir avec empathie, confirmer les informations reçues et en résumer efficacement le contenu. La négociation est un processus de collaboration. Il s'agit de reconnaître la réciprocité de la relation entre l'infirmière et la personne et d'admettre les divergences de leurs perceptions en matière de santé, de maladie, de soins et de traitements. L'infirmière doit tenter de combler le fossé qui sépare son point de vue scientifique du point de vue culturel de la personne. Au cours de la négociation, l'infirmière commence par explorer et reconnaître le point de vue de la personne. Elle lui fournit ensuite des informations scientifiques pertinentes. Si elle constate que les comportements de la personne n'aggraveront pas l'affection dont elle souffre, l'infirmière peut intégrer ces comportements au plan de soins et de traitements. Par contre, s'ils risquent de constituer des comportements nuisibles ou d'aggraver l'affection, l'infirmière devrait essayer de lui faire changer d'avis et de lui faire adopter un point de vue scientifique.

La négociation devient nécessaire quand les comportements culturels de la personne en matière de traitement entrent en contradiction avec les pratiques du système de soins de santé. Il faut dès lors déceler avec précision comment la personne gère sa maladie, déterminer parmi ses habitudes celles qui sont susceptibles d'avoir des effets nuisibles ou, au contraire, celles qu'il est possible d'intégrer sans danger dans la médecine occidentale. Ainsi, il peut être néfaste de réduire la dose d'un antihypertenseur ou de remplacer l'insulinothérapie par des plantes médicinales. Certains remèdes à base d'herbes médicinales, combinés à des remèdes occidentaux, ont un effet synergique, alors que d'autres ont un effet antagoniste ; il

est donc nécessaire de bien informer la personne à cet égard. Examinons quelques exemples de discordances possibles entre les croyances ou les habitudes culturelles et le système de santé nord-américain :

- Les femmes autochtones accordent une grande valeur aux rondeurs du corps ; par conséquent, elles risquent de refuser de perdre du poids.
- La décision de circoncire des nourrissons répond souvent à des croyances culturelles et familiales qui peuvent entrer en contradiction avec l'avis des médecins.
- Un Latino-Américain ou un Asiatique ne pourra peut-être pas recevoir de soins palliatifs si sa famille refuse qu'on l'informe du diagnostic ou du pronostic.
- Les témoins de Jéhovah s'opposent aux transfusions sanguines, même en cas d'affection grave.
- Les sikhs orthodoxes ne se coupent pas les cheveux ni ne se rasent les poils, ce qui peut aller à l'encontre de la nécessité de raser la peau avant une intervention médicale.

Quand une personne choisit d'observer uniquement les traditions issues de sa culture et refuse toutes les interventions médicales ou infirmières prescrites, l'infirmière, avec sa collaboration, devra adapter les objectifs en fonction de cette contrainte. De façon réaliste et pratique, il faut parfois se contenter de surveiller l'état de santé de la personne pour repérer les changements éventuels et détecter les crises imminentes avant qu'il ne se produise quelque chose d'irréversible. Au moment de la crise, il est parfois possible de renégocier le plan de soins et de traitements.

Il est difficile d'offrir des soins adaptés à la culture. Il faut découvrir la signification du comportement de la personne, faire preuve de souplesse et de créativité, et posséder les connaissances nécessaires pour adapter les interventions infirmières. L'infirmière doit tirer des leçons de chaque expérience. Les connaissances ainsi acquises lui permettront de prodiguer de plus en plus des soins adaptés à la culture. L'encadré 12-2 passe en revue quelques comportements liés à la santé chez les

---

ENCADRÉ 12-2
COMPORTEMENTS LIÉS À LA SANTÉ DE CERTAINS ASIATIQUES ET HISPANIQUES ET SUGGESTIONS DE SOINS

Asiatiques

- Les frottements vigoureux de la peau et l'application de ventouses sont des pratiques médicales traditionnelles et non pas des formes d'abus.
- Pour traiter la fièvre, on enveloppe la personne malade dans des couvertures chaudes et on lui fait boire des liquides chauds.
- Ne pas donner d'eau glacée, sauf sur demande ; les Asiatiques préfèrent les liquides chauds, comme le thé.
- La médecine orientale possède une riche tradition de remèdes à base de plantes médicinales. Les professionnels de la santé doivent s'assurer que d'éventuels remèdes maison ou à base de plantes médicinales ne causeront pas d'interactions médicamenteuses.
- Expliquer à la personne comment prendre les médicaments occidentaux, car les médicaments chinois se prennent différemment. Préciser qu'il est important de prendre un médicament selon l'ordonnance, même après la disparition des symptômes.

Hispaniques

- Certains aliments ou médicaments compromettent l'équilibre thermique du corps. Proposer d'autres aliments ou d'autres liquides comme médicaments.
- Ne pas donner d'eau glacée à la personne, sauf si elle le demande.
- Faire observer la prescription de repos à une femme qui vient d'accoucher.
- Certaines femmes préfèrent une toilette à l'éponge après avoir accouché.
- Permettre aux membres de la famille de passer le plus de temps possible avec la personne pour lui prodiguer des soins non techniques.
- Des croyances profondément enracinées sur le destin et le pouvoir extérieur des événements peuvent réduire l'observance des traitements médicaux.

CONSEILS PRATIQUES

PRODIGUER DES SOINS CULTURELLEMENT ADAPTÉS À LA PERSONNE ET AUX MEMBRES DE SA FAMILLE

- Renseignez-vous sur les rituels, les coutumes et les pratiques des principaux groupes culturels auprès desquels vous intervenez. Considérez la diversité comme une richesse plutôt qu'un obstacle à l'exercice de votre profession.
- Prenez conscience de vos idées toutes faites, de vos attitudes habituelles, de vos préjugés et des stéréotypes que vous entretenez à l'égard des autres cultures.
- Intégrez l'évaluation culturelle de la personne et de sa famille dans l'évaluation globale.
- Reconnaissez que la personne et les membres de sa famille ont le droit de faire leurs propres choix en matière de soins de santé.
- Faites preuve de respect et coopérez avec les proches aidants et les soignants traditionnels.

Asiatiques et les Latino-Américains et propose quelques exemples de soins adaptés à la culture.

Évaluation

On procède à l'évaluation des soins interculturels, qui inclut l'héritage culturel et l'ethnicité, comme dans le cas de n'importe quelle autre évaluation des soins. L'infirmière doit comparer les résultats obtenus avec les buts et les résultats escomptés. Cependant, si les résultats escomptés ne sont pas atteints, l'infirmière doit revoir sa manière d'appréhender les croyances et les valeurs de la personne.

Révision du chapitre

MOTS CLÉS

Acculturation, **262**
Assimilation, **263**
Choc culturel, **263**
Cohérence de l'héritage culturel, **263**
Compétence culturelle, **262**
Conscience culturelle, **262**
Culture, **261**
Culture matérielle, **261**

Culture non matérielle, **261**
Discrimination, **275**
Diversité culturelle, **262**
Ethnicité, **262**
Ethnicité biculturelle, **262**
Ethnie, **262**
Ethnocentrisme, **274**
Ethnorelativité, **274**
Groupe ethnique, **262**

Identité culturelle, **262**
Interprète, **270**
Médecine traditionnelle, **266**
Modèle des traditions en matière de santé, **264**
Particularités culturelles, **261**
Préjugé, **275**
Race, **274**
Racisme, **274**

Religion, **264**
Savoir populaire, **266**
Sensibilité culturelle, **262**
Socialisation, **264**
Soins infirmiers transculturels, **275**
Sous-culture, **262**
Stéréotypage, **274**
Universalité culturelle, **261**

CONCEPTS CLÉS

- Les Canadiens sont issus de diverses souches ethniques et culturelles, et nombre d'entre eux conservent au moins une partie de leurs valeurs, de leurs croyances et de leurs pratiques culturelles traditionnelles.
- Au Canada, de nombreux groupes sont biculturels, c'est-à-dire qu'ils vivent selon deux cultures: leur culture ethnique d'origine et celle du pays d'accueil.
- Les origines ethniques et culturelles d'une personne peuvent influer sur ses croyances, ses valeurs et ses pratiques.
- Par l'acculturation, la plupart des groupes ethniques et culturels modifient une partie

de leurs caractéristiques culturelles traditionnelles.
- Les caractéristiques individuelles modifient également les valeurs, les croyances et les pratiques d'une personne.
- La relation entre l'infirmière et la personne malade est influencée par de nombreux facteurs, tels que le savoir populaire lié à la santé, les structures familiales, le mode de communication, l'orientation spatiale, l'orientation temporelle, les habitudes alimentaires, la réaction à la douleur ainsi que les pratiques liées à l'agonie, à la mort, à l'accouchement et aux soins périnatals.

- Parmi les obstacles pouvant nuire à la relation thérapeutique, on note l'ethnocentrisme, le racisme, le stéréotypage, les préjugés et la discrimination.
- Le modèle *Sunrise*, conçu par Leininger (2006), contribue à orienter les soins infirmiers transculturels.
- Pour réaliser l'évaluation culturelle de la personne, l'infirmière tient compte des valeurs, des croyances et des pratiques culturelles liées à la santé et aux soins de santé.

Références

Association des infirmières et infirmiers du Canada (AIIC). (2000, 7 février). *Diversité culturelle – changements et défis, Zoom sur les soins infirmiers : enjeux et tendances dans la profession infirmière au Canada.* Document consulté le 22 août 2010 de http://cna-aiic.ca/CNA/documents/pdf/publications/CulturalDiversity_february2000-f.pdf.

Association des infirmières et infirmiers du Canada (AIIC). (2004). *Énoncé de position. Le développement des soins adaptés sur le plan culturel.* Ottawa : Auteur. Document consulté le 26 août 2010 de http://cna-aiic.ca/CNA/documents/pdf/publications/P573_Promoting_Culturally_Competent_Care_March_2004_f.pdf.

Baldwin, D., Cotanch, P., Johnson P., et Williams, J. (1996). *An Afrocentric approach to breast and cervical cancer early detection and screening.* Washington, DC : ANA.

Banks, J., et Banks, C. (1989). *Multicultural education and perspectives.* Boston, MA : Allyn & Bacon.

Blumhagen, D. W. (1980). Hypertension : A folk illness with a medical name. *Culture, Medicine and Psychiatry, 4,* 197-227.

Chui, T., Tran, K., et Maheux, H. (2008). *Recensement de 2006 : Immigration au Canada : un portrait de la population née à l'étranger, Recensement de 2006 : résultats.* Ottawa : Ministère de l'Industrie. Document consulté le 22 août 2010 de http://www12.statcan.ca/census-recensement/2006/as-sa/97-557/p1-fra.cfm.

Coutu-Wakulczyk, G. (2003). Pour des soins infirmiers culturellement compétents : Le modèle transculturel de Purnell. *Recherche en soins infirmiers, 72,* 34-47. Document consulté le 27 août 2010 de http://fultext.bdsp.ehesp.fr/Rsi/72/34.pdf.

Eliason, M. J. (1993, septembre/octobre). Ethics and transcultural nursing care. *Nursing Outlook, 4,* 225-228.

Felder, E. (1995). Integrating culturally diverse theoretical concepts into the education preparation of the advanced practice nurse : The cultural diversity practice model. *Journal of Cultural Diversity, 2,* 88-92.

Galanti, G. (2008). *Caring for patients from different cultures* (4ᵉ éd.). Philadelphia, PA : University of Pennsylvania Press.

Giger, J. N., et Davidhizar, R. E. (1991). *Soins infirmiers interculturels,* Traduit de l'anglais par S. Raine. Montréal : Gaëtan Morin Éditeur.

Giger, J. N., et Davidhizar, R. E. (2008). *Transcultural nursing : Assessment and interventions* (5ᵉ éd.). St. Louis, MO : Mosby-Year Book.

Institut de la statistique du Québec. (2009). *Immigration. Faits saillants.* Québec : Auteur. Document consulté le 22 août 2010 de http://www.stat.gouv.qc.ca/publications/referenc/quebec_stat/pop_imm/pop_imm_fs.htm et http://www.stat.gouv.qc.ca/publications/referenc/quebec_stat/pop_imm/pop_imm_7.htm.

Kleinman, A. (1980). *Patients and healers in the context of culture : An exploration of the borderland between anthropology, medicine and psychiatry.* Berkeley : University of California Press.

Lacourse, M. T. (2002). *Sociologie de la santé,* Édition révisée. Montréal : Chenelière/McGraw-Hill.

Lacourse, M. T., et Émond, M. (2006). *Sociologie de la santé* (2ᵉ éd.). Montréal : Chenelière Éducation.

Leininger, M. M. (1978). *Transcultural nursing : Concepts, theories, and practices.* New York : Wiley.

Leininger, M. M. (1988). Leininger's theory of nursing : Cultural care diversity and universality. *Nursing Science Quarterly, 14,* 152-160.

Leininger, M. M. (dir.). (1991). *Culture care diversity and universality : A theory of nursing.* New York : National League for Nursing Press, Pub. No. 15-2402.

Leininger, M. M. (1993). Towards conceptualization of transcultural health care systems : Concepts and a model. *Journal of Transcultural Nursing, 4,* 32-40.

Leininger, M. M. (2006). Culture care diversity and universality : A worldwide nursing theory (2ᵉ éd.). Toronto : Jones and Barlett Publishers.

Lynam, M. J. (1992). Towards the goal of providing culturally sensitive care : Principles upon which to build nursing curricula. *Journal of Advanced Nursing, 17,* 149-157.

Massé, R. (1995). *Culture et santé publique.* Montréal : Gaëtan Morin Éditeur.

Ordre des infirmières et infirmiers de l'Ontario (OIIO). (2009). *La prestation de soins adaptés à la culture.* Toronto : Auteur. Document consulté le 22 août 2010 de http://www.cno.org/docs/prac/51040_CultureSens.pdf.

Phaneuf, M. (2009a). *L'approche interculturelle, une nécessité actuelle. Regard sur la situation des immigrants au Québec et sur leurs difficultés.* Document consulté le 22 août 2010 de http://www.Infiressources.ca/fer/depotdocuments/Approche_interculturelle_une_nécessite_actuelle-Regard_sur_la_situation_des_immigrants-1repartie.pdf.

Phaneuf, M. (2009b). *L'approche interculturelle, les particularismes des immigrants et les obstacles à la participation aux soins.* Document consulté le 22 août 2010 de http://www.Infiressources.ca/fer/depotdocuments/Les_particularismes_des_immigrants_et_obstacles_participation_aux_soins-2epartie.pdf.

Purnell, L. (2000). A description of the Purnell model for cultural competence. *Journal of Transcultural Nursing, 11,* 40-46.

Purnell, L. D., et Paulanka, B. J. (1998). *Transcultural health care : A culturally competent approach.* Philadelphie, PA : F. A. Davis.

Purnell, L. D., et Paulanka, B. J. (2008). Transcultural health care : A culturally competent approach (3ᵉ éd.). Philadelphia, PA : F. A. Davis.

Registered Nurses Association of Nova Scotia (RNANS). (1995). *Multicultural health education for registered nurses : A community perspective.* Halifax : Auteur.

Rosenbaum, J. N. (1995). Teaching cultural sensitivity. *Journal of Nursing Education, 34,* 188-189.

Smith, S. (1992). *Communications in nursing* (2ᵉ éd.). St. Louis, MO : Mosby-Year Book.

Spector, R. E. (2004). *Cultural diversity in health and illness* (6ᵉ éd.). Upper Saddle River, NJ : Pearson Prentice Hall.

Sprott, J. (1993). The black box in family assessments : Cultural diversity. Dans S. Feetham, S. Meister, J. Belle et C. Gillis (dir.), *The nursing of families : Theory, research, education, practice* (p. 189-199). Beverly Hills, CA : Sage Publications.

Statistique Canada. (2007). Un portrait des aînés. *Le Quotidien.* Ottawa : Ministère de l'Industrie. Document consulté le 22 août 2010 de http://www.statcan.gc.ca/daily-quotidien/070227/dq070227b-fra.htm.

Statistique Canada. (2008a). *Peuples autochtones - Faits saillants en tableaux, Recensement de 2006. Population ayant une identité autochtone selon les groupes d'âge, l'âge médian et le sexe, chiffres de 2006 pour les deux sexes, pour le Canada, les provinces et les territoires - Données-échantillon (20 %).* Ottawa : Ministère de l'Industrie. Document consulté le 22 août 2010 de http://www12.statcan.ca/census-recensement/2006/dp-pd/hlt/97-558/pages/page.cfm?Lang=F&Geo=PR&Code=01&Table=1&Data=Count&Sex=1&Age=1&StartRec=1&Sort=2&Display=Page.

Statistique Canada. (2008b). *La mosaïque ethnoculturelle du Canada, Recensement de 2006 : faits saillants.* Ottawa : Ministère de l'Industrie. Document consulté le 22 août 2010 de http://www12.statcan.ca/census-recensement/2006/as-sa/97-562/p1-fra.cfm.

Statistique Canada. (2010a). *Projections de la diversité de la population canadienne 2006-2031.* Ottawa : Ministère de l'Industrie. Document consulté le 22 août 2010 de http://www.statcan.gc.ca/pub/91-551-x/91-551-x201001-fra.pdf.

Statistique Canada. (2010b). *Le Quotidien.* Ottawa : Ministère de l'Industrie. Document consulté le 22 août 2010 de http://www.statcan.gc.ca/daily-quotidien/100628/dq100628a-fra.htm.

Steinmetz, S., et Braham, C. G. (dir.). (1993). *Random house Webster's Dictionary.* New York : Ballantine Reference Library.

Villeneuve, M., et MacDonald, J. (2006). *Vers 2020 : Visions pour les soins infirmiers.* Ottawa : Association des infirmières et infirmiers du Canada. Document consulté le 22 août 2010 de http://www.ccpnr.ca/PDFs/2020_Visions_Final_2006.pdf.

Yonge, O., et Bernard, M. (1998). The Cree living in urban settings. Dans R. E. Davidhizar et J. N. Giger (dir.), *Canadian transcultural nursing. Assessment and intervention* (p. 179-196). St. Louis, MO : Mosby.

Zitzow, D., et Estes, G. (1981). The heritage consistency continuum in counseling Native American students. Dans *Contemporary American Indian issues in higher education.* Los Angeles : American Indian Studies Center, University of California.

12

Chapitre 13

Adaptation française:
Caroline Longpré, inf., M.Sc.
Enseignante en soins infirmiers
Cégep régional de Lanaudière à Joliette

Approches complémentaires et parallèles en santé

L'infirmière s'est toujours occupée de l'être humain dans son ensemble. De par ce fait, elle épouse de plus en plus souvent des idées sur la santé et la guérison différentes de celles qui ont cours dans le système de prestation de soins de santé. Par ailleurs, la conceptualisation de la santé, de la maladie, de la douleur et de la mort varie grandement d'une culture à l'autre. Il en va de même pour les thérapeutiques et les approches destinées à promouvoir la santé, à guérir les affections, à soulager la douleur et la souffrance, à donner un sens à la mort et à permettre de mourir dans la dignité. L'infirmière intègre progressivement à son exercice des idées, des thérapies et des approches issues d'autres cultures et traditions (par exemple massage, imagerie mentale, méditation, acupression, thérapie par l'art et musicothérapie, exercices de respiration, rétroaction biologique, réflexologie, tai-chi et qi gong, toucher thérapeutique et prière).

Culture et terminologie

Diverses expressions sont utilisées pour désigner les nouvelles approches et thérapies utilisées dans le domaine des soins de santé: médecines «non orthodoxes», médecines «douces», médecines «non traditionnelles» («non conventionnelles», sous l'influence de l'anglais), tout comme l'abréviation «MAC», qui signifie médecines alternatives et complémentaires (traduction de l'anglais «CAM», pour *complementary and alternative medicine*), médecines «parallèles» («alternatives», sous l'influence de l'anglais), approches «complémentaires», approches «holistiques», approches «complémentaires et parallèles en santé» et bien d'autres. Parfois, ces pratiques sont dites «parallèles» à la médecine traditionnelle (par exemple faire appel à l'acupuncture plutôt qu'à la physiothérapie pour soulager la douleur). Elles se substituent donc à une démarche thérapeutique médicale classique et deviennent souvent le traitement principal. Dans d'autres cas, elles sont dites «complémentaires» (par exemple ajouter l'acupuncture à la physiothérapie pour soulager la douleur) (National Center for Complementary and Alternative Medicine [NCCAM], 2010). Ces pratiques complètent les approches classiques. Elles privilégient l'association de traitements «dont les philosophies thérapeutiques différentes peuvent agir en synergie dans l'intérêt de la personne malade» (Pélissier-Simard et Xhignesse, 2008b, p. 24). «Même si l'expression *médecine complémentaire et parallèle* est plus courante dans d'autres pays, l'expression *approches complémentaires et parallèles en santé* (ACPS) reflète mieux la diversité des domaines de pratique, y compris la médecine. C'est donc celle que retient le

OBJECTIFS D'APPRENTISSAGE
Après avoir étudié ce chapitre, vous pourrez:
- Faire un bref historique de l'évolution du concept des approches complémentaires et parallèles en santé (ACPS).
- Donner quelques définitions des ACPS, dont celle retenue par Santé Canada, et expliquer pourquoi les ACPS devraient être définies dans la perspective d'un processus social.
- Donner la définition des ACPS qu'on devrait, selon De Bruyn (2001), utiliser dans l'élaboration des politiques de santé.
- Donner la définition d'une approche intégrative des soins de santé.
- Expliquer les trois niveaux d'intégration et les valeurs fondamentales d'un système intégratif de santé.
- Expliquer en quoi consistent l'holisme et les soins infirmiers holistiques.
- Définir différentes formes courantes de thérapies par le toucher.
- Décrire une séance de rétroaction biologique (*biofeedback*).
- Décrire les objectifs communs au yoga et aux différentes méthodes de méditation.
- Expliquer les différences qui existent entre les objectifs et les effets de la méditation.
- Donner la définition de la maladie selon la médecine chinoise traditionnelle.
- Donner la définition de la santé selon la chiropratique.
- Décrire les forces et les faiblesses de la théorie de l'homéopathie, basée sur le principe de similitude: «guérir le mal par le mal».

plus souvent Santé Canada dans le contexte de ses politiques» (Santé Canada, 2005a). Dans ce chapitre, nous nous en tenons également à cette appellation.

Ce sont Eisenberg *et al.* (1993) qui ont élaboré la première définition des *thérapies non traditionnelles* : « Interventions médicales peu enseignées dans les écoles de médecine américaines ou généralement peu accessibles dans les hôpitaux des États-Unis. » L'intention d'Eisenberg et de ses collaborateurs était de fournir une définition fonctionnelle pour pouvoir l'utiliser, entre autres, dans des sondages sur le sujet (York University Centre for Health Studies [YUCHS], 1999a, p. 12). Évidemment, cette définition est devenue quelque peu désuète, car un certain nombre de ces thérapies parallèles sont désormais enseignées dans les écoles de médecine et intégrées dans la pratique médicale en Amérique du Nord (Ruedy, Kaufman et MacLeod, 1999, cités dans Achilles, 2001, p. 6). Santé Canada (2005a, p. 506) a repris plutôt la définition proposée par Ernst *et al.* (1995) : «Un diagnostic, un traitement ou une mesure de prévention qui complémente la médecine traditionnelle en contribuant au bien-être global de la personne, en répondant à un besoin que les approches médicales traditionnelles n'arrivent pas à combler ou en diversifiant le cadre conceptuel de la médecine. «Selon Jonas (1996, p. 1), les **approches complémentaires et parallèles en santé (ACPS)** se définissent dans l'optique d'un processus social; il s'agit de thérapeutiques ne faisant pas partie du système dominant de prise en charge de la santé et de la maladie. De leur côté, les anthropologues ont décrit ce processus social comme un combat, entrepris non seulement pour prendre en charge la santé et la maladie, mais aussi pour départager le vrai du faux en la matière (MacIntyre, Holzemer et Philippek, 1997). Pour le NCCAM (2010), un organisme américain chapeauté par les National Institutes of Health (NIH), la «médecine complémentaire et parallèle» (MAC) englobe un groupe diversifié de produits, de pratiques ou de systèmes de soins de santé qui ne sont pas considérés comme faisant partie de la médecine traditionnelle, c'est-à-dire scientifique (allopathique, également appelée médecine occidentale ou conventionnelle). Selon le NCCAM, les ACPS ont un champ très large et sont en constante évolution; de plus, les frontières entre la *médecine complémentaire et parallèle* et la médecine traditionnelle ne sont pas nettement délimitées, rendant ainsi difficile la définition de ces pratiques (NCCAM, 2010).

Malgré la variété des thérapies existantes, les ACPS ont en commun un certain nombre de caractéristiques qui les distinguent de la médecine traditionnelle. Elles agissent en harmonie avec les mécanismes d'autoguérison du corps (Verhoef, 1998); elles sont holistiques, c'est-à-dire qu'elles soignent la personne dans sa globalité (Fulder, 1998); elles incitent la personne à participer activement au processus de santé ou de guérison (Verhoef, 1998); elles mettent l'accent sur le bien-être (Fulder, 1998) et sur la prévention de la maladie et elles accordent plus d'importance à l'utilisation des forces constructives de la personne qu'à la lutte contre ses forces destructives (Achilles, 2001; Santé Canada, 2005a). Par ailleurs, actuellement en transition, la médecine traditionnelle se rapproche des valeurs fondamentales des ACPS, puisqu'elle incorpore à ses propres valeurs les soins holistiques, dont la visée majeure est la promotion de la santé (Achilles, 2001).

La *Charte d'Ottawa pour la promotion de la santé* (1986) a défini la promotion de la santé comme étant «le processus qui confère aux populations les moyens d'assurer un plus grand contrôle sur leur propre santé et d'améliorer celle-ci. Cette démarche relève d'un concept définissant la santé comme la mesure dans laquelle un groupe ou un individu peut, d'une part, réaliser ses ambitions et satisfaire ses besoins et, d'autre part, évoluer avec le milieu ou s'adapter à celui-ci». Selon la Charte, la santé est perçue «comme une ressource de la vie quotidienne, et non comme le but de la vie; il s'agit d'un concept positif, mettant en valeur les ressources sociales et individuelles, ainsi que les capacités physiques. Ainsi donc, la promotion de la santé ne relève pas seulement du secteur sanitaire; elle dépasse les modes de vie sains pour viser le bien-être». Par ailleurs, Astin (1998), cité dans Santé Canada (2005a, p. 3), fait remarquer que «la définition des ACPS évolue sans cesse pour mieux refléter le recours accru des Canadiennes et des Canadiens à de telles thérapies, surtout à titre de compléments – plutôt que d'alternatives – aux soins de santé conventionnels».

En Asie comme en Europe, on a élaboré depuis fort longtemps des théories médicales très complexes. S'y sont établies une médecine empirique et des traditions très différentes de ce qui se fait en Amérique du Nord. Parler de médecines parallèles présuppose une perspective de médecine «normalisée», qui sert de point de référence à leur évaluation. Coward et Ratanakul (1999) ont publié une étude transculturelle sur les problèmes d'éthique dans les soins de santé. Selon ces auteurs, on oublie souvent que les connaissances scientifiques et l'exercice de la médecine en Occident sont des phénomènes culturels ayant, eux aussi, leurs forces et leurs faiblesses. En fait, la médecine occidentale traditionnelle ne constitue pas forcément la norme idéale pour évaluer correctement les autres pratiques. Les atouts de la médecine scientifique moderne ne manquent pas, notamment le fait de favoriser la pratique fondée sur des résultats probants. Une équipe interdisciplinaire, composée de chercheurs canadiens et thaïlandais, a étudié l'éthique des soins de santé dans différentes cultures et a constaté que la médecine scientifique occidentale moderne constitue aussi une culture. Coward et Ratanakul (1999, p. 3) précisent qu'il n'y a rien de mal dans cette culture biomédicale, dans la mesure où on ne considère la science biomédicale ni comme un dieu tout-puissant ni comme la vérité absolue à laquelle toutes les autres cultures doivent se soumettre inconditionnellement.

Approches intégratives des soins de santé

De plus en plus de personnes combinent les ACPS et la médecine traditionnelle dans leur démarche de santé. Les gens considèrent que les pratiques qu'on appelait autrefois thérapies parallèles constituent dorénavant des **thérapies complémentaires**, qui se greffent aux approches traditionnelles (NCCAM, 2010; Santé Canada, 2005a, 2009). Ce nouveau comportement a participé à l'établissement de liens entre les deux genres d'approches – liens que le public a fait de lui-même, ce qui a contribué à l'essor d'une approche intégrative des soins de santé (Santé Canada, 2005a, 2009). L'encadré 13-1 donne les principales caractéris-

ENCADRÉ 13-1
CARACTÉRISTIQUES ESSENTIELLES DE LA MÉDECINE INTÉGRATIVE

La médecine intégrative :

- Associe les meilleures méthodes de soins de la médecine scientifique occidentale et des approches complémentaires.

- Repose sur des résultats probants quant à l'efficacité et à l'innocuité des méthodes proposées.

- Porte sur la prévention et le maintien de la santé en s'intéressant aux différentes facettes du mode de vie : alimentation, activité physique, gestion du stress et bien-être émotionnel.

- Considère le patient comme un être unique et entier, dans ses dimensions sociale, psychologique, spirituelle et communautaire, autant que biologique et corporelle.

- Considère que le patient joue un rôle important dans la gestion de sa santé et des soins qu'il reçoit.

- Met l'accent sur la relation thérapeutique.

- Vise le soulagement et le soutien autant que la guérison.

- Intègre la recherche sur des processus de santé et de guérison, cherche à les comprendre et à trouver des moyens pour en faciliter la mise en œuvre.

- Encourage la compréhension de la culture du patient et de ses croyances pour favoriser la guérison.

- Recherche et ôte les barrières qui peuvent entraver la réponse innée de guérison du corps.

- Emploie des interventions simples et naturelles avant de passer à celles qui sont plus coûteuses et interventionnistes.

- Considère que la compassion est toujours utile, même lorsque d'autres avenues ne le sont plus.

- Accepte que la santé et la guérison soient propres à chacun et qu'elles puissent différer chez des personnes atteintes de la même maladie.

- Encourage les soignants à explorer leur propre équilibre de santé, ce qui leur permettra de mieux intervenir en ce sens auprès de leurs patients.

- Exige que les professionnels de la santé deviennent éducateurs, modèles et mentors pour leurs patients.

- Encourage le travail de collaboration, non seulement avec le patient, mais aussi avec toute l'équipe interdisciplinaire pour améliorer la prestation des soins.

Source : Pélissier-Simard, L., et Xhignesse, M. (2008). Qu'est-ce que la médecine intégrative ? *Capsule de formation continue. Le Médecin du Québec, 43*(1), 21-22. Document consulté le 10 novembre 2010 de http://www.fmoq.org/Lists/FMOQDocumentLibrary/fr/Le%20M%C3%A9decin%20du%20Qu%C3%A9bec/Archives/2000%20-%202009/021-022Capsule0108.pdf.

ENCADRÉ 13-2
NIVEAUX D'INTÉGRATION DES ACPS DANS LES SOINS DE SANTÉ TRADITIONNELS

Intégration au niveau personnel

- Les personnes intègrent de leur propre chef les approches complémentaires et parallèles en santé dans les soins de santé traditionnels. C'est la forme la plus répandue.

Intégration au niveau clinique

- Elle se produit dans certaines pratiques. Les praticiens peuvent avoir une double formation, une en soins de santé traditionnels et une dans une autre forme de soins de santé, comme l'homéopathie ou la médecine chinoise traditionnelle. Ou une pratique peut comprendre des praticiens traditionnels et des praticiens de la médecine complémentaire et parallèle. [...]

Intégration au niveau du système de soins de santé

- Elle commence à se produire. Par exemple, un nombre grandissant de régimes privés d'assurance au Canada ainsi que les organisations des soins de santé intégrés aux États-Unis remboursent certaines formes d'approches complémentaires et parallèles en santé.

Source : De Bruyn, T. (2001). Rapport d'étape : questions de politiques associées aux approches complémentaires et parallèles en santé (p. 25). Dans R. Achilles *et al.* (dir.), *Perspectives sur les approches complémentaires et parallèles en santé. Recueil de textes préparés à l'intention de Santé Canada.* Ottawa : Santé Canada, Réseau des soins de santé. Document consulté le 10 novembre 2010 de http://www.hc-sc.gc.ca/hppb/soinsdesante/pdf/perspectives_stock.pdf.

tiques de l'approche intégrative (ou médecine intégrative). Une approche intégrative va bien au-delà de l'intégration des ACPS et des services traditionnels. Elle se fonde sur « la croyance que les consommateurs devraient être en mesure de faire des choix éclairés touchant toutes les options de santé qui s'offrent à eux », et elle « suppose une communication efficace entre toutes les parties en cause, y compris le patient, le fournisseur de soins de santé conventionnels, le fournisseur de soins de santé complémentaires et le gouvernement » (Santé Canada, 2005a, p. 6).

De Bruyn (2001, p. 25) estime que l'intégration des ACPS aux soins de santé traditionnels se produit à trois niveaux : niveau personnel, niveau clinique et niveau du système de soins de santé (encadré 13-2). Par ailleurs, le Groupe consultatif sur les approches complémentaires et parallèles en santé (2001) a établi certaines valeurs fondamentales, toujours d'actualité, sur

lesquelles un système intégré de santé devrait reposer : accessibilité, choix, efficience, équilibre, état complet de bien-être, imputabilité, respect mutuel, responsabilité, résultat global et universalité (encadré 13-3). Cette vision et ces valeurs, sont en accord avec la définition de la santé de l'Organisation mondiale de la santé (OMS, 1948), selon laquelle la santé est un état de complet bien-être physique, mental et social, qui ne consiste pas seulement en une absence de maladie ou d'infirmité.

En mai 2004, le Consortium of Academic Health Centers for Integrative Medicine (CAHCIM) a élaboré et adopté la définition de la médecine intégrative comme étant la pratique de la médecine qui réaffirme l'importance de la relation entre le praticien et le patient, se concentre sur la totalité de la personne, se fonde sur des résultats probants et emploie toutes les approches thérapeutiques appropriées pour atteindre la santé optimale et la guérison.

Ainsi, le courant de la médecine intégrative connaît un grand essor depuis quelques années dans les milieux universitaires. Un consortium de 35 facultés de médecine des États-Unis et de 3 du Canada en fait la promotion (Pélissier-Simard et Xhignesse, 2008a). Par conséquent, dans le cadre des programmes de médecine, on enseigne les ACPS et on effectue des recherches sur leur pratique. Les NIH des États-Unis apportent une contribution notable à ce niveau. Au Québec, les chaires Lucie et André Chagnon (des universités Laval, Sherbrooke et de Montréal) prônent l'enseignement d'une approche intégrée en prévention (Pélissier-Simard et Xhignesse, 2008a), qui se définit comme étant une approche « holistique de soins de santé qui intègre les données probantes dans la prévention de la maladie (prioritairement en ce qui concerne les habitudes de vie) provenant de la médecine scientifique occidentale à celles provenant des ACPS » (Pélissier-Simard et Xhignesse, 2008a, p. 22).

13

ENCADRÉ 13-3
VALEURS FONDAMENTALES D'UN SYSTÈME INTÉGRATIF DE SANTÉ

Le développement d'un système intégratif de santé doit reposer sur des valeurs ou des principes fondamentaux. Les valeurs dont l'énumération suit correspondent étroitement aux pierres angulaires traditionnelles de notre système de soins de santé au Canada et aux priorités établies récemment pour la réforme de santé, et elles pourraient constituer le fondement même d'un système intégratif de santé.

- **Accessibilité:** tous les Canadiens et Canadiennes ont un accès égal aux services essentiels de santé, quels que soient leur lieu de résidence ou leurs moyens financiers. [...]
- **Choix:** capacité et ressources pour exercer des choix personnels de mode de vie et de soins de santé qui maximisent la possibilité d'une bonne santé individuelle et collective.
- **Efficience:** utilisation efficiente des ressources disponibles.
- **Équilibre:** les ressources sont attribuées de façon appropriée pour la promotion du bien-être, les soins préventifs, les soins aux individus souffrant d'une maladie et les autosoins.
- **État complet de bien-être:** la promotion de la santé et les approches préventives revêtent une valeur égale à celle des soins aux individus souffrant d'une maladie.
- **Imputabilité:** chaque partie doit répondre de sa responsabilité pour ce qui est des soins et de l'utilisation des ressources.
- **Respect mutuel:** compréhension et respect multidisciplinaires des traditions et cultures diverses, qui reflètent à la fois la culture du consommateur et celle du praticien.
- **Responsabilité:** une participation active et une responsabilité commune en matière de soins de santé constituent le point central du rôle assigné aux utilisateurs, aux praticiens et aux décideurs.
- **Résultat global:** la prise de décisions basées sur les preuves cliniques se fait à la suite de l'évaluation et de l'analyse de toute une gamme de résultats, y compris la qualité de vie et la satisfaction.
- **Universalité:** les Canadiens et Canadiennes de toutes les provinces et des territoires ont un accès égal, et le choix en ce qui a trait aux services intégratifs.

Source: Groupe consultatif sur les approches complémentaires et parallèles en santé. (2001). Vers un système intégratif de santé (p. 50-51). Dans R. Achilles et al. (dir.), Perspectives sur les approches complémentaires et parallèles en santé. Recueil de textes préparés à l'intention de Santé Canada. Ottawa: Santé Canada, Réseau des soins de santé. Document consulté le 10 novembre 2010 de http://www.hc-sc.gc.ca/hppb/soinsdesante/pdf/perspectives_integrate.pdf.

ENCADRÉ 13-4
POPULARITÉ DES ACPS

Un usage répandu qui ne cesse de croître

Les approches complémentaires et parallèles en santé sont très répandues dans la majorité des pays émergents et leur usage ne cesse de croître dans les pays industrialisés.

- En Chine, les préparations traditionnelles à base de plantes représentent entre 30 et 50 % de la consommation totale de médicaments.
- Au Ghana, au Mali, au Nigéria et en Zambie, le traitement de première intention de 60 % des enfants atteints de forte fièvre due au paludisme fait appel aux plantes médicinales administrées à domicile.
- L'OMS estime que, dans plusieurs pays d'Afrique, la plupart des accouchements sont pratiqués par des accoucheuses traditionnelles.
- En Europe, en Amérique du Nord et dans d'autres régions industrialisées, plus de 50 % de la population a eu recours au moins une fois à la médecine complémentaire ou parallèle.
- À San Francisco, à Londres et en Afrique du Sud, 75 % des personnes atteintes du VIH ou du SIDA font appel à la médecine traditionnelle ou à la médecine complémentaire ou parallèle.
- 70 % des Canadiens ont eu recours au moins une fois à la médecine complémentaire.
- En Allemagne, 90 % des gens prennent un remède naturel à un moment ou à un autre de leur vie. Entre 1995 et 2000, le nombre de médecins ayant suivi une formation spécialisée en médecine naturelle a quasiment doublé, pour atteindre 10 800.
- Aux États-Unis d'Amérique, 158 millions d'adultes font appel à des produits de la médecine complémentaire et, d'après la Commission for Alternative and Complementary Medicines, un montant de 17 milliards de dollars américains a été consacré aux remèdes traditionnels en 2000.
- Au Royaume-Uni, les dépenses annuelles consacrées à la médecine parallèle représentent 230 millions de dollars américains.
- Le marché mondial des plantes médicinales, en expansion rapide, représente actuellement plus de 60 milliards de dollars américains par année.

Source: Organisation mondiale de la santé (OMS). (2010). La médecine traditionnelle. Document consulté le 10 novembre 2010 de http://www.who.int/mediacentre/factsheets/2003/fs134/fr/index.html.

Partout dans le monde, y compris au Canada, les ACPS gagnent en popularité; on estime que de 70 à 90 % de la population mondiale y a recours (YUCHS, 1999b) (encadré 13-4).

En outre, en vertu d'une loi promulguée en 1991 aux États-Unis, l'Office of Alternative Medicine (OAM) reçoit comme mandat d'examiner et d'évaluer les thérapeutiques médicales non traditionnelles qui semblent prometteuses. Cet organisme a acquis une réputation mondiale et, en 1998, il est devenu le National Center for Complementary and Alternative Medicine (NCCAM), dont nous avons parlé plus haut. Ses fonctions ont été élargies pour englober les domaines suivants: recherche, formation à la recherche, recherche de subventions à l'éducation, signature de contrats éducatifs et création de programmes de vulgarisation auprès de la population. Aux États-Unis, le nombre de consultations est passé de 427 millions, en 1990, à 629 millions, en 1997, ce qui représentait alors 21,2 milliards de dollars américains (YUCHS, 1999b). L'édition 2007 du National Health Interview Survey (NHIS; National Center for Health Statistics. Center for Disease Control and Prevention, 2008), qui comprend une enquête approfondie sur l'utilisation des médecines alternatives et complémentaires (MAC) par les Américains, a démontré qu'environ 38 % des adultes les utilisent (relevé par NCCAM, 2010). Au Canada, en 1997, on a estimé à 3,8 milliards de dollars canadiens les dépenses totales liées aux ACPS (thérapies, herboristerie, vitamines, régimes alimentaires, livres, fournitures et matériel) pour cette même année (YUCHS, 1999b). Santé Canada (2005b) indique que 71 % de la population canadienne a déjà utilisé un produit de santé naturel et que 38 % de ces personnes utilisent ces produits régulièrement.

La YUCHS (1999b) brosse un tableau assez complet des études qui ont porté sur l'utilisation des ACPS et que nous présentons ici puisque, aujourd'hui encore, ces études de grande envergure servent de point de référence et donnent matière à réflexion. Au Canada, un sondage téléphonique mené auprès de la population canadienne par le Groupe Angus Reid (1998) a montré une augmentation de l'utilisation des thérapies et des pratiques parallèles et a également permis de constater que les femmes, les personnes âgées de 35 à 49 ans et les personnes dont le revenu annuel était supérieur à 60 000 $, tout comme les personnes qui avaient effectué des études postsecondaires, recouraient davantage aux ACPS que le reste de la population (Eisenberg *et al.*, 1998); 42 % de toutes les thérapies parallèles sont utilisées pour le traitement d'une maladie existante, alors que 58 % le sont, du moins en partie, pour prévenir la maladie ou maintenir le bien-être (Eisenberg *et al.*, 1998).

Une enquête menée par Ramsey, Walker et Alexander (1999) pour le compte du Fraser Institute de Vancouver (YUCHS, 1999b, p. 4-9) indique que la chiropratique, la relaxation, la massothérapie, la prière et les plantes médicinales (herboristerie) font partie des thérapies les plus utilisées. Une étude plus récente, citée par NHIS (2008), relève que 37,4 % des utilisateurs de produits naturels consomment de l'huile de poisson ou des oméga-3. Chez les enfants, les produits naturels le plus souvent utilisés sont l'échinacée (37,2 %) et l'huile de poisson ou les oméga-3 (30,5 %). Les approches « corps-esprit » sont classées parmi les 10 pratiques auxquelles les adultes faisaient le plus souvent appel en 2007 : 12,7 % utilisaient la respiration profonde, 9,4 %, la méditation, et 6,1 %, le yoga et la chiropratique. L'ostéopathie et le massage sont aussi classés parmi les 10 pratiques les plus utilisées tant chez les adultes que chez les enfants (NCCAM, 2010).

En 2006, Rakel et Faass signalent que l'utilisation accrue des ACPS par la population s'explique par le fait que les gens pensent que les traitements médicaux ne soulagent pas efficacement certaines maladies, qu'ils souhaitent s'engager activement dans leurs soins et qu'ils veulent se tenir au courant de leur état de santé, ainsi que par l'augmentation du nombre de publications de recherche et par l'intérêt général que suscite une approche holistique des soins. La population recourt aux ACPS dans le but de se maintenir en santé, de connaître le bien-être ou de trouver une solution aux problèmes de santé (Pélissier-Simard et Xhignesse, 2008a).

Selon Busse, Heaton, Wu *et al.* (2005), 41 % des personnes prenant des produits naturels ne le mentionnent pas à leur médecin, car elles pensent que celui-ci ne comprendrait pas (15 %) ou qu'il n'approuverait pas (12 %); 10 % déclarent se sentir mal à l'aise d'en discuter avec lui et 70 % disent que leur médecin ne leur demande pas si elles consomment des produits de santé naturels. Selon un sondage mené auprès de la population sherbrookoise (Dumais, Foley, Janssen *et al.*, 2006), 85 % des répondants sont d'avis que leur médecin devrait faire preuve d'ouverture au sujet des approches complémentaires. Dans ces conditions, il est clair que l'infirmière peut jouer un rôle important dans l'amélioration de la communication entre le médecin et la personne qui utilise les ACPS, et qu'elle peut entreprendre des interventions qui favorisent la guérison, en complément à la fois de la pratique médicale traditionnelle et des ACPS.

Holisme et soins infirmiers holistiques

Le terme « **holisme** » a été consacré par l'homme d'État sud-africain Jan Smuts (1926) dans son ouvrage *Holism and evolution*. La théorie de Smuts est la suivante : la nature tend à rapprocher les choses pour former des organismes complets, et les facteurs qui les déterminent, aussi bien dans la nature que dans l'évolution, sont des ensembles et non pas leurs éléments constitutifs. Cette théorie a suscité un regain d'intérêt dans les années 1940 et 1950 : Dunbar (1945), pionnier de la médecine psychosomatique, a publié des études établissant un lien entre le stress, le type de personnalité et la maladie physique; Hans Selye (1956) a publié sa théorie sur la psychophysiologie du stress. Plus tard, Martha Rogers (1970), infirmière et théoricienne, a lancé sa philosophie de la *science des êtres humains unitaires*, ouvrage désormais classique, qui a ouvert la voie aux théories des soins infirmiers holistiques de Parse (1981), de Newman (1986) et de Watson (1988).

Selon la théorie holistique, tous les organismes vivants sont des ensembles unifiés en interrelation, qui sont plus que la simple somme de leurs parties. Dans cette perspective, toute perturbation dans l'une de ses parties déstabilise l'ensemble. Pepin, Kérouac et Ducharme (2010) relèvent que l'holisme « est la pensée selon laquelle les caractéristiques d'un être ne peuvent être connues ou appréhendées que lorsqu'elles sont considérées comme un tout et non étudiées séparément » (p. 183). En d'autres termes, la perturbation touche l'être dans sa globalité. Par conséquent, l'infirmière qui évalue un organe ou une fonction chez une personne doit tenir compte de deux aspects : la personne dans sa globalité, et la façon dont cet organe ou cette fonction sont liés à tous les autres organes et fonctions. Il faut aussi tenir compte des liens que la personne entretient avec son milieu de vie et son entourage.

Selon la théorie holistique, la santé repose sur l'équilibre ou l'harmonie des forces de la nature. La vie humaine est l'un des aspects de la nature; elle doit donc être en harmonie avec le reste de la nature. La présence d'une affection est le reflet d'une rupture de l'équilibre naturel ou de l'harmonie. La vision holistique de la santé existe dans de nombreuses cultures depuis des siècles. La **santé holistique** caractérise la personne, considérée dans sa globalité ou sa totalité, et la qualité générale de son mode de vie. Comme le précise l'Ordre des infirmières et infirmiers du Québec (OIIQ, 2010a), la personne est un tout indivisible, unique et en devenir, agissant en conformité avec ses choix, ses valeurs et ses croyances ainsi que selon ses capacités. Les **soins de santé holistiques** comportent divers volets : sensibilisation à la santé (ou enseignement thérapeutique), promotion de la santé, maintien de la santé, prévention de la maladie, soins de rétablissement et soins de réadaptation. Pour définir les besoins de la personne, d'une part, et pour planifier, mettre en œuvre et évaluer des soins holistiques, d'autre part, on doit faire preuve de sensibilité envers la personne, sa famille et ses valeurs culturelles. La rubrique *Entrevue d'évaluation – ACPS* propose des questions utiles pour connaître l'opinion de la personne au sujet des ACPS.

13

ENTREVUE D'ÉVALUATION

ACPS

- Avez-vous déjà consommé des tisanes, des plantes médicinales ou d'autres produits naturels pour améliorer votre santé ?
- Quels remèdes traditionnels ou « maison » utilise-t-on dans votre famille ?
- Méditez-vous, priez-vous ou pratiquez-vous la relaxation pour favoriser la guérison ou maintenir votre bien-être ?
- Avez-vous déjà consulté un massothérapeute, un chiropraticien ou un acupuncteur ? Si oui, que pensez-vous de ces approches thérapeutiques ?

La Canadian Holistic Nurses Association (CHNA, 2009) considère les soins holistiques comme faisant partie intégrante d'une pratique infirmière qui utilise des modalités et des stratégies non effractives pour la promotion de la santé et du bien-être. Inspirée par l'humanisation des soins, la promotion du bien-être et les autosoins (CHNA, 2009), l'infirmière reconnaît l'importance de la nature intégrée de la personne (biopsychosociale et spirituelle) et incorpore à ses soins des thérapies dont les objectifs sont la promotion de la santé, la prévention de la maladie ou la guérison. L'infirmière holiste croit en la capacité de guérison du corps et en l'atteinte d'un équilibre harmonieux entre la personne et son environnement. Elle considère alors la personne comme étant un tout unitaire dont l'existence est indissociable de sa famille, de sa communauté, de sa culture et de son milieu de vie. Les soins prodigués par l'infirmière holiste sont considérés comme complémentaires au traitement médical traditionnel. Les **soins infirmiers holistiques** s'articulent autour de cinq groupes de valeurs fondamentales : philosophie et éducation holistiques ; éthique, théories et recherche holistiques ; soins personnels holistiques de l'infirmière ; communication holistique, environnement thérapeutique et diversité culturelle ; processus de soins holistiques (Dossey et Keegan, 2009). Dans un tel contexte, les ACPS ne sont que l'un des volets des soins infirmiers holistiques. Tataryn et Verhoef (2001) ont proposé un modèle intégré de la santé, du bien-être, de la maladie et de la guérison (figure 13-1 ■) dans lequel les ACPS mettent l'accent sur le bien-être holistique et la qualité de vie. Ils expliquent que le massage, la relaxation, l'aromathérapie ou le toucher thérapeutique, par exemple, ont des effets bénéfiques sur la qualité de vie, sans égard aux effets physiques qu'ils peuvent exercer. Lorsqu'il n'y a que peu d'espoir de guérison, les ACPS axées sur l'esprit, l'énergie et la spiritualité peuvent favoriser chez la personne un sentiment de maîtrise par l'amélioration de son bien-être.

Lorsque se produit un dysfonctionnement ou une maladie au niveau mental (sentiment de grande culpabilité, colère réprimée, dépression, etc.), au niveau énergétique (faible énergie vitale, méridien d'énergie bloqué, etc.), au niveau spirituel (rapports avec un Dieu ou son moi profond, recherche d'un sens à donner à un événement, etc.), le déséquilibre peut affecter le corps. Si le déséquilibre mental, énergétique ou spirituel est suffisamment

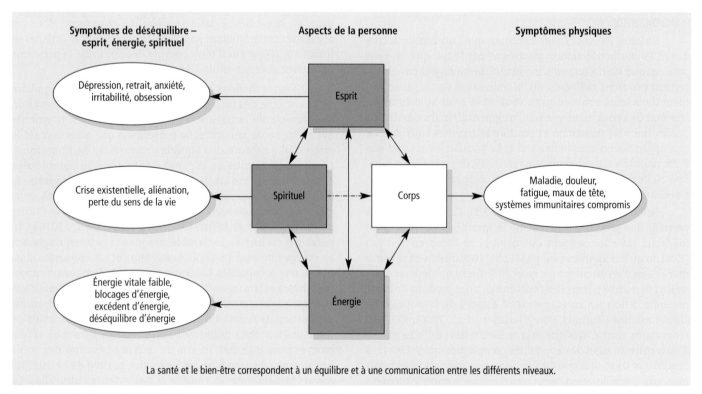

FIGURE 13-1 ■ Modèle intégré de la santé, du bien-être, de la maladie et de la guérison. Source : Santé Canada. (2001). *Perspectives sur les approches complémentaires et parallèles en santé : Recueil de textes préparés à l'intention de Santé Canada.* Ottawa : Auteur.

grand ou persiste suffisamment longtemps chez la personne, il finira par affecter l'équilibre interne du corps et se manifestera comme problème physique ou maladie. Ainsi, dans la perspective holistique des approches complémentaires et parallèles en santé, c'est en guérissant le dysfonctionnement qui s'est produit au niveau de l'esprit, de l'énergie ou du spirituel que l'on enlèvera une barrière et qu'on permettra au pouvoir naturel de guérison du corps d'agir, c'est-à-dire de rétablir l'équilibre (Tataryn et Verhoef, 2001, p. 100).

En d'autres mots, dans la plupart des ACPS axées sur le corps, on cherche d'abord à faciliter les processus naturels de guérison plutôt qu'à tenter de guérir l'affection.

Les professionnels de la santé holistes s'intéressent à la pensée qui fait appel à toutes les ressources du cerveau, soit la combinaison des processus de réflexion linéaire, assurés par l'hémisphère gauche du cerveau, avec les processus de réflexion intuitive, assurés par l'hémisphère droit. La médecine occidentale a toujours imposé la suprématie de l'hémisphère gauche du cerveau, parce que ce dernier régit la raison, la logique, la parole ainsi que les habiletés arithmétiques et mathématiques. Les processus intuitifs, dont le siège se trouve dans le cerveau droit, régissent la créativité, le talent artistique, le sens poétique et le «fait de savoir sans savoir pourquoi».

ALERTE CLINIQUE • Ce qui constitue une médecine traditionnelle, douce, complémentaire ou holistique pour une personne peut être considéré comme appartenant au courant dominant par une autre. Il importe de ne pas tenir pour acquis le système de croyances d'une personne, et de se fier plutôt à l'évaluation qu'on en fait. •

Notions de guérison

On comprend moins bien le processus de guérison que la physiopathologie. Récemment encore, en médecine occidentale, on s'intéressait plus au processus de soins (phénomène extérieur) qu'au processus de guérison (phénomène intérieur). C'est pourquoi on mettait l'accent sur la technologie, le «pouvoir», l'analyse et la réparation des parties du corps endommagées. Cette vision fragmentaire implique que la personne qui soigne est active et que la personne qui est soignée est passive.

Époques de la médecine selon Dossey

Larry et Barbara Dossey sont deux sommités dans le domaine des ACPS. Le Dr Larry Dossey est directeur de rédaction à la revue *Alternative Therapies in Health and Medicine*, lancée en 1995. Il divise l'histoire de la médecine en trois époques, selon l'approche qui prévaut sur les autres: santé, maladie ou guérison (Dossey, 1993).

La première époque correspond à la médecine «physique», qui est apparue à la fin des années 1860, et dont l'influence et l'efficacité se font sentir encore aujourd'hui. Cette médecine s'attache à l'effet des «choses» sur le corps et englobe les traitements médicaux occidentaux, comme la médication, la chirur-

gie et la radiothérapie, pour ne nommer que ceux-là. Cette époque est régie par les lois classiques de la matière et de l'énergie. On considère l'univers et le corps comme de vastes mécanismes apparentés à celui d'une horloge, qui fonctionne selon des principes causaux et déterministes.

La deuxième époque, celle de la médecine «du corps et de l'esprit», a vu le jour au milieu des années 1950, et elle continue de se développer. Selon Dossey (1993), c'est en effet à ce moment que les chercheurs ont commencé à s'y intéresser. On se rendait compte que les perceptions, les pensées, les émotions, les attitudes et les images mentales avaient une profonde influence sur le corps; on reconnaissait leurs effets thérapeutiques et le rôle qu'elles pouvaient jouer dans le processus de guérison. Les thérapies corps-esprit visent essentiellement à aider les gens à utiliser leur esprit pour guérir leur corps. Il s'agit notamment des techniques de relaxation, de la plupart des techniques d'imagerie mentale, de la rétroaction biologique (*biofeedback*), de l'hypnose et de la relation thérapeutique.

La troisième époque est celle de la médecine «non locale» ou «transpersonnelle». Dossey oppose ainsi les thérapies de la troisième époque à celles des deux premières, qui sont «locales» et s'inscrivent dans un cadre espace-temps classique, dans lequel l'esprit est localisé en des points de l'espace (en l'occurrence, le cerveau) et du temps (le moment présent). À l'opposé, selon la médecine de la troisième époque, l'esprit ne se situe pas dans le cerveau de la personne et ne se limite pas au moment présent; il peut voyager dans le temps et l'espace. C'est pourquoi on dit que la médecine de la troisième époque est non locale – ou transpersonnelle. Dès lors, l'esprit est un facteur du processus de guérison qui se produit entre deux personnes. Les thérapeutiques de la troisième époque font toujours intervenir un émetteur, le guérisseur, et un récepteur, la personne qui aborde le processus de guérison. Au nombre de ces thérapies, on compte le toucher thérapeutique, la prière d'intercession, l'imagerie transpersonnelle, certains types de guérison chamanique et toutes les formes de guérison à distance.

Relation corps-esprit ou conscience incarnée

Barbara Dossey est infirmière et titulaire d'un doctorat. Depuis le début des années 1980, elle est éducatrice, infirmière-conseil, chercheuse et auteure en soins infirmiers holistiques. Pour Dossey et ses collègues, le **corps-esprit** (ou **corps-psyché**) désigne un état global qui intègre le corps, le psychisme et l'esprit (Bartol et Courts, 2000). Traditionnellement, on croyait que le cerveau était le siège de l'esprit et de l'activité mentale. Certains chercheurs avancent toutefois que les souvenirs, les pensées et les processus régissant les comportements sont inscrits dans toutes les parties du corps. Dossey préfère l'expression **«conscience incarnée»** pour souligner que les caractéristiques que nous associons à l'activité mentale et à l'esprit (notamment les connaissances, les émotions et la conscience) se situent, en fait, dans toutes les parties du corps. Notre corps fait partie de notre expérience quotidienne, alors que le psychisme et l'esprit sont des concepts abstraits, d'où la difficulté que soulève cette terminologie sur le plan linguistique.

13

Selon Benner et Wrubel (1989), un individu n'est pas constitué d'un psychisme ou d'un esprit contenu *dans* un corps (le fameux fantôme qui habite la machine !), mais est plutôt une entité incarnée. Ces auteurs contestent les propos des penseurs holistes, selon lesquels le corps n'est qu'un simple véhicule nécessaire au développement ou à l'expression du psychisme, de l'âme et de l'esprit. Ils soulignent que le corps incarné, conscient et intelligent, est un tout sacré.

Le système limbique hypothalamique, dont le siège se trouve dans le cerveau et qui est biochimiquement relié à toutes les autres parties du corps, facilite l'intégration des pensées, des émotions et des sensations sur le plan physiologique et au niveau cellulaire. Les bases théoriques de la guérison selon la relation corps-esprit sont complexes. Elles reposent notamment sur la transduction de l'information et la modulation des activités biochimiques de divers systèmes de l'organisme (Bartol et Courts, 2000).

La **transduction de l'information** est la conversion (ou transformation) de l'information ou de l'énergie d'une forme en une autre. Le psychisme et l'esprit sont considérés comme autant de moyens que la nature utilise pour recevoir, produire et transformer l'information. L'information (idée ou événement) originale – stimulante, intrigante ou mystérieuse – a la plus grande valeur. Cette information évoque les changements qui se produisent dans le corps, le psychisme et l'esprit, favorisant la connexion des passages neuronaux et de la conscience pour provoquer une transduction de l'information. Les techniques de relaxation et l'imagerie mentale sont deux exemples de transduction : les techniques de relaxation réduisent la pression artérielle, la fréquence cardiaque, la fréquence respiratoire et la douleur ; l'imagerie mentale transforme les images ou les idées en acte de relaxation et en guérison physiologique.

La **modulation de l'activité mentale** renvoie au processus qui permet au cerveau, d'une part, de convertir des messages neuronaux (pensées, attitudes, sensations et émotions) en messagers moléculaires neurohormonaux et, d'autre part, de transmettre ces derniers à toutes les fonctions physiologiques évoquant un état de santé ou de maladie (Bartol et Courts, 2000). Le psychisme module les activités biochimiques moléculaires des principales fonctions physiologiques (système nerveux autonome, fonction endocrinienne, fonction immunitaire et système des neuropeptides). Toutes ces fonctions sont étroitement liées, aucune n'est indépendante ; l'activité de l'une module l'activité des autres.

La modulation de l'activité mentale par l'entremise du système nerveux autonome est utilisée dans les thérapies holistiques, comme la relaxation, l'imagerie mentale, la méditation et la musicothérapie. Ces thérapies encouragent la guérison dans la relation corps-esprit en réduisant les réactions du système sympathique au stress, ce qui permet à l'effet calmant du système parasympathique de dominer (tableau 13-1).

La modulation de l'activité mentale par l'entremise de la fonction immunitaire fait intervenir des sites récepteurs qui se trouvent à la surface des lymphocytes T et B, capables d'activer, de diriger et de modifier cette fonction. Les recherches ont révélé une corrélation directe entre la relaxation, l'imagerie mentale et le fonctionnement du système immunitaire.

Les **neuropeptides** sont des messagers moléculaires composés d'acides aminés et produits dans différentes parties du corps. Ils constituent un autre élément clé permettant de comprendre la relation corps-esprit. Quand un neuropeptide se fixe sur un site récepteur, il excite ou inhibe la réponse de la cellule. Les neuropeptides sont des messagers moléculaires qui assurent la connexion entre le corps et les émotions. Le système nerveux autonome, la fonction endocrinienne et la fonction immunitaire sont les véhicules des neuropeptides.

La **psychoneuroimmunologie** est un autre champ d'études de la recherche sur les relations entre le corps et l'esprit. Cette discipline s'intéresse à la relation entre le stress, la fonction immunitaire et les effets sur la santé (DeAngelis, 2002). De

TABLEAU 13-1
EFFETS DU SYSTÈME NERVEUX AUTONOME

Système parasympathique (relaxation)	Système sympathique (activation)
Réduction de la taille de la pupille	Augmentation de la taille de la pupille
Réduction des sécrétions lacrymales	Augmentation des sécrétions lacrymales
Augmentation du flux salivaire	Réduction du flux salivaire
Ralentissement de la fréquence cardiaque	Accélération de la fréquence cardiaque
Vasodilatation	Vasoconstriction
Bronchoconstriction	Bronchodilatation
Augmentation de la motilité et des sécrétions gastriques	Réduction de la motilité et des sécrétions gastriques
Augmentation des sécrétions pancréatiques	Réduction des sécrétions pancréatiques
Augmentation de la motilité intestinale	Réduction de la motilité intestinale
	Augmentation des sécrétions des glandes surrénales (adrénaline et cortisol)*

* L'augmentation des sécrétions des glandes surrénales provoque soit une réaction de combat ou de fuite, soit le syndrome général d'adaptation.

nombreuses études ont mis en lumière les liens qui existent entre les états socioémotionnels et les fonctions physiologiques, mais la preuve n'en est pas encore faite. Toutefois, il est établi que l'activité du corps se répercute sur l'activité du cerveau. Les chercheurs tenteront certainement de délimiter les interventions (par exemple la gestion du stress) qui peuvent modifier l'état psychologique d'un individu et influer ainsi sur son fonctionnement physiologique.

Diverses approches en matière de guérison

L'infirmière holiste a souvent recours à un vaste éventail de techniques d'autosoins personnels. Plus de 4 000 pratiques ou disciplines faisant partie des ACPS sont répertoriées. La santé et le bien-être relatifs de l'infirmière constituent une force vitale dans le processus de guérison des autres. L'encadré 13-5 passe en revue les principes particulièrement utiles à l'infirmière qui se préoccupe de sa santé et de son bien-être.

Nous présentons dans ce chapitre les principaux types d'approches en matière de guérison, classifiés par le NCCAM (2010): (1) les systèmes axés sur le corps et la manipulation; (2) les approches corps-esprit; (3) les traitements à fondement biologique; (4) les traitements énergétiques; (5) les systèmes médicaux parallèles (encadré 13-6).

ENCADRÉ 13-6

CLASSIFICATION DES APPROCHES COMPLÉMENTAIRES ET PARALLÈLES SELON LE NCCAM

- **Systèmes axés sur la manipulation corporelle:** utilisation de la manipulation ou du mouvement d'une ou de plusieurs parties du corps
  - Massage thérapeutique, réflexologie, acupression, chiropratique, ostéopathie, etc.
- **Approches corps-esprit:** utilisation de l'esprit pour agir sur les mécanismes de guérison
  - Relaxation progressive, rétroaction biologique (*biofeedback*), imagerie mentale, yoga, méditation, prière, musicothérapie, humour et rire, hypnothérapie, etc.
- **Traitements à fondement biologique:** utilisation de substances trouvées dans la nature
  - Herboristerie, aromathérapie, aliments thérapeutiques, vitamines, cartilage de requin, probiotiques, etc.
- **Traitements énergétiques:** utilisation de l'énergie corporelle, utilisation des champs énergétiques
  - Toucher thérapeutique, reiki, acupuncture, etc.
- **Systèmes médicaux parallèles:** systèmes complets avec fondements théoriques et pratiques
  - Médecine chinoise traditionnelle, homéopathie, naturopathie, ayurveda, etc.

Source: National Center for Complementary and Alternative Medicine (NCCAM). (2010). *What is complementary and alternative medicine?* National Institutes of Health. Document consulté le 15 novembre 2010 de http://nccam.nih.gov/health/whatiscam/.

ENCADRÉ 13-5

PRINCIPES DE SOINS PERSONNELS DESTINÉS À L'INFIRMIÈRE

- *Clarifier ses valeurs et ses croyances.* Déterminer ce qui est important, significatif et précieux pour soi, et évaluer si ses actes correspondent à ses convictions. Par exemple, quelle importance accorde-t-elle aux activités suivantes: passer du temps avec ses enfants, lire ou écouter de la musique?
- *Se fixer des objectifs réalistes.* Déterminer des objectifs à long terme et des sous-objectifs à court terme qui aideront à atteindre les premiers. Par exemple, à l'objectif «améliorer son bien-être» peut correspondre le sous-objectif «marcher une demi-heure chaque soir».
- *Refuser la croyance populaire selon laquelle les autres doivent toujours passer en premier.* Une présence trop grande auprès des personnes qu'on soigne provoque le surmenage; quand on leur fournit une aide trop pressante, on ne tient pas compte de leurs responsabilités, de leur autonomie et de leurs ressources. En outre, cela laisse peu de temps pour répondre à ses propres besoins. Repérer les comportements qui entraînent un engagement professionnel trop grand (par exemple dire «oui» trop souvent; éviter systématiquement les conflits; se sentir égoïste quand on ne répond pas aux besoins de quelqu'un; toujours être prête à écouter les gens qui ont besoin de soutien émotionnel, mais rarement demander de l'aide pour soi). Remettre en question ses points de vue et ses comportements. Apprendre à demander ce dont on a besoin et à reconnaître qu'on donne le meilleur de soi; se convaincre qu'on peut répondre à ses propres besoins tout en prenant soin des autres.
- *Apprendre à gérer le stress.* La gestion efficace du stress comprend les aspects suivants:

  - Reconnaître les relations entre le psychisme, l'esprit et le corps, c'est-à-dire les relations entre les pensées, les sentiments, les comportements et la réaction physiologique au stress.
  - Surveiller les signaux d'alarme du stress et chercher consciemment à se détendre (par exemple 1 séance de 20 minutes ou 2 séances de 10 minutes par jour). De courtes pauses de relaxation intégrées au quotidien permettent de contrer la tension et l'anxiété liées au stress (par exemple temps d'arrêt pour prendre quelques inspirations profondes et penser à quelque chose d'agréable).
  - Chercher à vivre dans le moment présent, dans l'«ici et maintenant», qu'on soit seule ou en compagnie d'une autre personne. On améliore ainsi la qualité de sa propre présence. Ne pas se laisser bousculer ni distraire; éviter de s'éparpiller sous l'influence des autres. Améliorer la qualité de sa présence (éviter d'être «ailleurs» en pensée quand on est avec quelqu'un). Se concentrer entièrement sur ce qu'on est en train de faire.

- *Maintenir et améliorer sa santé physique.* Manger sainement, privilégier les repas équilibrés, faire de l'exercice régulièrement et se reposer suffisamment.
- *Mettre en place un réseau de soutien.* Les collègues peuvent être de bon conseil pour aider à faire face aux expériences les plus courantes.

Source: Wells-Federman, C. L. (1996). Awakening the healer within. *Holistic Nursing Practice, 10*, 13-29.

En plus de posséder les compétences nécessaires, l'infirmière doit connaître la portée légale des soins infirmiers qu'elle prodigue :

Conformément à sa responsabilité civile et à son code de déontologie, l'infirmière doit agir avec compétence dans l'accomplissement de ses obligations professionnelles et tenir à jour ses compétences, afin de fournir des soins et des traitements selon les normes de pratique généralement reconnues (*Code de déontologie des infirmières et infirmiers*, art. 17 et 18). À cet égard, l'infirmière doit baser sa pratique sur des résultats probants et des pratiques exemplaires. Elle peut avoir recours à divers moyens pour satisfaire cette obligation, par exemple, suivre une formation offerte par son établissement. Elle peut aussi se référer à des guides et à des normes de pratique, notamment ceux publiés pour l'OIIQ ou applicables dans son domaine d'exercice. L'obligation d'agir avec compétence impose aussi à l'infirmière de tenir compte des limites de ses habiletés et de ses connaissances (Code de déontologie, art. 17). Elle doit donc refuser d'exercer une activité lorsqu'elle ne possède pas la compétence requise. Toutefois, si elle doit exercer cette activité dans le cadre de ses fonctions, l'infirmière doit s'assurer qu'elle possède la compétence requise (OIIQ, 2010b, p. 24).

Par ailleurs, en vertu du principe selon lequel tout individu aspire à la santé et au bien-être, l'OIIQ (2010a) précise certains éléments de l'exercice infirmier comme suit :

L'infirmière aide le client à utiliser et à accroître son répertoire personnel de ressources de façon à maintenir ou à améliorer sa santé et son bien-être. Elle facilite l'échange de connaissances en matière de santé et aide le client à faire des choix. L'infirmière reconnaît les comportements acquis en matière de santé, et ses interventions tiennent compte de la façon dont le client apprend (p. 13).

En accord avec ces éléments de l'exercice, l'infirmière peut utiliser les ACPS et en faire la promotion. Par exemple, en plus d'administrer des médicaments analgésiques (traitement traditionnel), elle peut avoir recours à des ACPS pour réduire la douleur (par exemple respiration, relaxation, massage, imagerie guidée, musicothérapie, humour et distraction). Certaines approches complémentaires et parallèles plus complexes font l'objet d'une formation poussée (souvent sous la forme d'ateliers ou de séminaires en formation continue). Il s'agit notamment de l'acupression, de l'aromathérapie, de la massothérapie, du yoga et de la réflexologie. Il faut habituellement suivre une formation reconnue et avoir de l'expérience pour pouvoir pratiquer la kinésiologie appliquée, l'herboristerie, l'homéopathie et la médecine ayurvédique (médecine traditionnelle de l'Inde) ; dans certains cas, il faut obtenir l'agrément d'un organisme privé.

Systèmes axés sur la manipulation du corps

La guérison par le toucher remonte à la nuit des temps. L'un des premiers documents écrits sur le sujet est originaire d'Asie et date de 5 000 ans. À l'apogée de la civilisation grecque, Hippocrate évoquait les effets du massage et des manipulations thérapeutiques. La plupart des cultures ont adopté une forme ou une autre de thérapie par la manipulation. Toutefois, l'attitude à l'égard du toucher varie grandement selon la culture. Le toucher peut amener la fonction immunitaire ou limbique à produire des sécrétions chimiques qui favorisent la guérison. Nous décrivons ci-après les thérapies axées sur le corps et la manipulation les plus courantes.

MASSAGE THÉRAPEUTIQUE (MASSOTHÉRAPIE)

Depuis des siècles, les infirmières massent le dos des personnes qu'elles soignent. On pensait que le massage améliorait la circulation sanguine et favorisait la relaxation. On connaît désormais plus précisément les nombreux autres bienfaits du massage, qu'ils soient physiques, psychiques, émotionnels ou spirituels.

Sur le plan physique, le **massage thérapeutique** (ou **massothérapie**) détend les muscles tendus et libère l'acide lactique accumulé pendant l'effort. Il peut aussi améliorer la circulation sanguine et lymphatique, étirer et soulager les articulations ankylosées, soulager la douleur grâce à la libération des endorphines et soulager la congestion. On pense aussi que le massage favorise la libération de toxines et stimule la fonction immunitaire, ce qui aide le corps à combattre les affections. De plus, il améliore les fonctions respiratoires chez les enfants asthmatiques ainsi que la concentration chez les adolescents présentant un déficit d'attention.

Sur les plans psychique et émotionnel, le massage dissipe l'anxiété et procure une sensation de détente et de bien-être. Sur le plan spirituel, il procure harmonie et équilibre. La personne qui reçoit un massage peut entrer dans un état méditatif, ce qui la détend et élargit son champ de conscience.

La personne qui donne un massage peut recourir à toutes sortes de mouvements, les utiliser séparément ou en combinaison, selon le résultat souhaité. Parmi les principaux mouvements (figure 13-2 ■), on compte l'effleurage, la friction, la pression, le pétrissage (mouvement ample et rapide de malaxage ou de pinçage de la peau, des tissus sous-cutanés et des muscles) ou une autre forme de mobilisation du corps humain, soit naturellement, soit au moyen d'un instrument autorisé (Association des massothérapeutes du Québec [AMQ], 2008). Il existe de nombreuses catégories de massages (par exemple suédois – le plus connu –, shiatsu, californien), adaptés à l'âge et à la condition physique de la personne. On peut recevoir un massage dans un centre de croissance et de relaxation, dans un salon d'esthétique, dans un centre de conditionnement physique, dans un centre de réadaptation, en milieu de travail ou en cabinet privé. On utilise aussi le massage en médecine préventive, en médecine sportive, dans un contexte de relation d'aide, en psychothérapie et en établissement de soins de santé. Au Canada, on estime qu'il existe environ 20 000 massothérapeutes, comptant tous ceux formés dans le cadre de programmes allant de 400 à 3 000 heures de formation (Portail des médecines douces du Québec, 2007). La Fédération québécoise des massothérapeutes (FQM) distingue les professionnels du massage selon leurs différents niveaux de formation : 1er niveau (400 heures), 2e niveau (700 heures) et 3e niveau (1 000 heures). Pour se former aux niveaux 2 et 3, les étudiants doivent s'inscrire obligatoirement dans une école agréée par la FQM, offrant le programme selon l'approche par compétences.

13

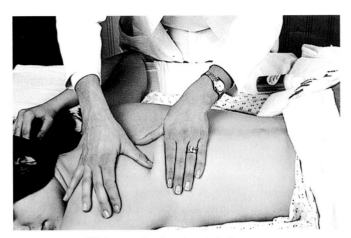

FIGURE 13-2 ■ Pétrissage des épaules et du dos.

RÉFLEXOLOGIE

La **réflexologie** repose sur le principe suivant : les mains et les pieds sont les miroirs du corps et comportent des zones (ou points) réflexes qui correspondent chacune à une glande, à une structure ou à un organe. Quand on masse une zone réflexe, la partie du corps correspondante est stimulée. La technique de massage varie en fonction des résultats escomptés.

La réflexologie remonte à l'Égypte ancienne. On attribue la réflexologie moderne à William H. Fitzgerald, qui a élaboré sa théorie au début du XIXe siècle. Ce médecin a établi qu'il y avait 10 zones longitudinales de taille égale sur toute la longueur du corps, du sommet de la tête au bout des orteils, et 5 zones étroitement reliées sur chaque bras. Chaque gros orteil correspond au point de départ d'une ligne qui court le long de la partie médiane du corps, traverse le centre du visage et se termine au sommet de la tête. Chacune des cinq zones qui se trouvent ainsi de chaque côté du corps correspond à une zone réflexe sur la main et sur le pied. En réflexologie, on considère que plus de 72 000 nerfs aboutissent dans les pieds (figure 13-3 ■). Quand le flux d'énergie est bloqué ou congestionné, le massage des points réflexes correspondants peut libérer la tension. Un blocage dans un endroit de la zone peut toucher toute cette zone.

Dans les années 1930, Eunice Ingham a avancé que les pieds répondaient mieux à la réflexologie que les mains. La réflexologie des pieds vise essentiellement à procurer une sensation de détente en maintenant ou en restaurant l'état de santé et en dissipant la congestion ou la tension dans les zones concernées.

Aucune étude n'a encore démontré le pouvoir de guérison de la réflexologie. On croit toutefois que, comme les autres techniques de massage, elle favorise la relaxation et le soulagement de la douleur et qu'elle influe sur la réponse du système nerveux autonome. On croit également que cette réponse se répercute à la fois sur la fonction endocrinienne, sur la fonction immunitaire et sur les neuropeptides. Des études montrent qu'il est probable que la réflexologie contribue à améliorer la qualité de vie des personnes atteintes de cancer et à traiter certains troubles mentaux. La réflexologie est une méthode assez sûre. Cependant, il faut consulter un réflexologue d'expérience si la personne souffre d'une affection de la fonction vasculaire. Le titre de réflexologue n'est pas protégé et la pratique n'est pas régie par des ordres professionnels. Au Québec, deux associations agréent les praticiens, soit l'Association canadienne de réflexologie et l'Association nationale de réflexologie du Québec. « La durée de la formation de base en réflexologie (pieds et mains) varie entre 150 et 250 heures, incluant théorie et pratique, et la formation avancée peut atteindre plus de 700 heures » (Passeportsanté.net, 2010a).

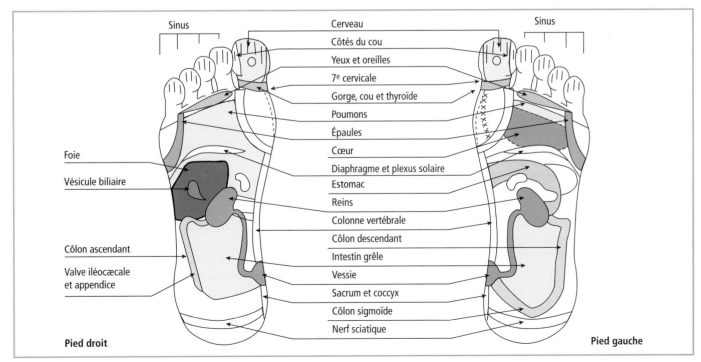

FIGURE 13-3 ■ Zones réflexes des pieds en réflexologie.

ACUPRESSION

En **acupression** (ou **digitopuncture**), le thérapeute exerce une pression à l'aide de ses doigts sur des points précis de l'organisme. La théorie reconnaît l'existence de 657 points différents. Ces points sont semblables à ceux utilisés en acupuncture et dans le massage shiatsu. Ils sont répartis sur 12 lignes, qu'on appelle «méridiens» – ce sont des voies ou des canaux –, qui relient les points entre eux de chaque côté du corps. Selon cette approche, la pression d'un doigt ou du pouce restaure l'équilibre du flux énergétique de l'organisme et, une fois que l'énergie circule librement, le corps se guérit de lui-même.

L'acupression sert à diagnostiquer et à traiter diverses affections. Théoriquement, cette technique permet de préserver l'harmonie du corps et de supprimer de nombreux malaises mineurs avant qu'ils ne se transforment en affections graves. Elle soulage, entre autres problèmes, les maux de tête, les douleurs arthritiques et la fatigue. En shiatsu, la pression est appliquée sur les mêmes points, avec le bout des pouces et des doigts, ainsi qu'avec le talon de la main. Le shiatsu vise essentiellement à maintenir l'état de santé, et non à traiter une affection.

CHIROPRATIQUE

La **chiropratique** (dont l'étymologie grecque fait référence à « fait avec les main» et à «activité») consiste en une manipulation de la colonne vertébrale et des articulations (Cassileth, 1998). Cette approche repose sur l'hypothèse que le maintien de l'alignement de la colonne et des articulations facilite le passage du flux d'énergie dans le corps et le fonctionnement neurologique, cardiovasculaire, respiratoire, gastro-intestinal et limbique. Le chiropraticien cherche à maintenir les fonctions d'autorégulation physiologique et à aider le corps à se guérir. En l'Égypte ancienne, on pratiquait déjà les manipulations vertébrales pour maintenir ou pour restaurer la santé, et la tradition se poursuit depuis des siècles en Europe et en Asie. Le Canadien D. D. Palmer a lancé la chiropratique moderne en 1895. La chiropratique est fondée sur le fait scientifique suivant: «Le système nerveux impose son contrôle à toutes les cellules, tissus, organes et fonctions du corps. Un dérèglement de la fonction nerveuse pourra donc provoquer des problèmes au niveau de l'équilibre de santé du corps. La chiropratique vise le recouvrement et le maintien de la santé humaine, par le biais de l'interaction des fonctions nerveuses, musculaires et squelettiques. Elle porte son attention sur le diagnostic, le traitement et la prévention des maladies qu'elle peut influencer grâce à son approche. La chiropratique centre sa philosophie, son art et sa science sur le maintien de l'homéostasie (équilibre) du corps humain et sur sa capacité innée de guérison naturelle. Elle ne se concentre pas uniquement sur les symptômes ou la douleur, mais cherche à identifier et soigner la cause du problème» (Association des chiropraticiens du Québec [ACQ], 2010).

Malgré des années marquées par une farouche résistance de la médecine traditionnelle, la chiropratique est très largement acceptée dans le monde entier et par nombre de communautés médicales. Selon des études citées par Cooper et McKee (2000), il y a une relation de cause à effet entre les manipulations de la colonne vertébrale et le soulagement des douleurs lombaires.

Cependant, le résultat est le même, que la manipulation soit faite par un chiropraticien, un médecin allopathe, un ostéopathe ou un physiothérapeute (Andersson et al., 1999; Cherkin, Deyo, Battie, Street et Barlow, 1998). En fait, les douleurs lombaires traitées au moyen de manipulations vertébrales constituent l'essentiel de la chiropratique.

Au Québec, l'exercice de la profession est soumis à certaines règles. Le futur chiropraticien doit mener à bien des études de premier cycle, d'une durée de 5 ans, à l'Université du Québec à Trois-Rivières, et faire 18 mois de clinique sous supervision en milieu universitaire avant d'obtenir le droit de s'inscrire aux examens de l'Ordre des chiropraticiens du Québec. Une fois qu'il a passé ces examens, le docteur en chiropratique peut recevoir des patients à son cabinet (ACQ, 2010). Ainsi, la chiropratique, qui regroupe plus de 6 500 praticiens au Canada, est une profession de santé réglementée, reconnue pas les lois de toutes les provinces canadiennes et des États américains (Association chiropratique canadienne [ACC], 2010). Au Canada, c'est l'une des professions de santé primaire les plus importantes (ACC, 2010).

Approches corps-esprit

Selon ces approches, on cherche essentiellement à redresser ou à équilibrer les processus mentaux dans le but de favoriser la guérison. Les partisans de ces thérapies doivent éviter de laisser entendre que l'esprit ou le psychisme guérit le corps par l'entremise d'un pouvoir conscient. Il est facile, en effet, de se persuader que l'esprit *domine* la matière, ce qui ne correspond en rien à une vision holistique de la santé. L'échec d'une tentative de guérison peut aussi entraîner un sentiment de culpabilité chez le thérapeute. Les **thérapies corps-esprit** visent à équilibrer les pensées, les émotions ou la respiration, sans plus. Puisque chacun de nous est un tout intégré, ces thérapies peuvent contribuer à restaurer la paix intérieure et l'équilibre, mais une approche instrumentale (par exemple pratiquer le yoga pour combattre le cancer plutôt que le pratiquer pour le bien-être) peut être moins efficace. Parmi les thérapies corps-esprit, on compte la relaxation progressive, la rétroaction biologique (*biofeedback*), l'imagerie mentale, le yoga, la méditation, la prière, la musicothérapie, l'humour et le rire, ainsi que l'hypnothérapie.

RELAXATION PROGRESSIVE

Les techniques de relaxation sont largement répandues; on s'en sert pour réduire le stress et la douleur chronique. Elles permettent à la personne d'avoir une emprise sur les réponses physiologiques à la tension et à l'anxiété. Ainsi, depuis de nombreuses années, les infirmières des services de maternité encouragent les femmes en travail à se détendre et à pratiquer une respiration rythmée.

La **relaxation progressive** exige que la personne tende et relâche successivement des groupes musculaires précis et concentre son attention sur ce qu'elle ressent pendant chacune de ces phases afin de distinguer clairement ses sensations. Jacobson (1938), créateur de cette technique, s'était rendu compte que la contraction d'un groupe musculaire avant son relâchement provoquait une plus grande relaxation que la simple détente. Cette technique peut réduire la consommation d'oxygène et ralentir le métabolisme, la fréquence respiratoire, la fréquence cardiaque, la tension musculaire, la pression systolique et la pression diastolique.

Les trois éléments préalables à la relaxation sont une bonne posture, un psychisme au repos et un environnement calme. La personne doit être installée confortablement. Toutes les parties du corps doivent être soutenues, les articulations légèrement fléchies et les muscles détendus (par exemple, les bras et les jambes ne doivent pas être croisés). Pour calmer l'activité mentale, on demande à la personne de regarder lentement les objets autour d'elle (par exemple plafond, mur, rideaux, motif des tissus et, de nouveau, mur). Cet exercice permet à l'activité mentale de se concentrer à l'extérieur du corps, ce qui crée un deuxième centre de concentration.

On enseigne la relaxation progressive selon diverses méthodes. Les techniques destinées à relâcher les groupes musculaires, le choix de ces derniers, le nombre de séances nécessaires et le rôle du formateur (par un média ou en personne) peuvent varier. On demande souvent à l'apprenant de maintenir la tension musculaire pendant cinq à sept secondes, puis de relâcher ses muscles au signal convenu. Pour parvenir à une relaxation maximale, on utilise divers renforcements positifs (par exemple «Laissez aller toutes les tensions», «Ressentez le bien-être que le relâchement de vos muscles vous procure»). L'encadré 13-7 passe en revue les consignes à observer en relaxation progressive.

RÉTROACTION BIOLOGIQUE (*BIOFEEDBACK*)

La **rétroaction biologique** (ou *biofeedback*) est une technique qui permet d'enseigner différentes formes de relaxation en déclenchant des processus physiologiques. On décrit souvent la rétroaction biologique comme une technique de maîtrise consciente des processus physiologiques. C'est pourquoi les médecins en prescrivent souvent l'utilisation. Toutefois, l'intention de la thérapeutique diffère de ses mécanismes. Ainsi, l'intention et la motivation peuvent être d'augmenter le débit sanguin de la personne, mais la technique vise à montrer à celle-ci comment se détendre. Grâce à la rétroaction subtile fournie par des thermomètres ou un électromyogramme, la personne distingue les moments où elle est détendue de ceux où elle est tendue. La rétroaction biologique enseigne deux choses en particulier: comment parvenir à un état généralisé de relaxation, qui se caractérise par la prédominance de l'activité parasympathique, et comment réduire les habitudes de réaction physiologique, qui se manifestent dans les affections liées au stress.

RECHERCHE EN SCIENCES INFIRMIÈRES

BESOINS EN SANTÉ ET MÉDECINES PARALLÈLES

Nous avons avancé comme hypothèse qu'un grand nombre de personnes qui se soumettent aux soins traditionnels au cours d'une année finissent pas se tourner vers une forme ou une autre de médecine parallèle. Dans notre étude, nous avons cherché à déterminer si l'état de santé et le statut sociodémographique des personnes qui ont recours exclusivement à la médecine parallèle sont très différents de ceux des personnes qui n'ont recours ni à la médecine parallèle ni à la médecine traditionnelle au cours d'une année. Pour repérer les facteurs qui permettent de prédire l'utilisation d'une forme de médecine parallèle chez les personnes qui n'ont pas recours aux soins traditionnels, nous nous sommes servis d'un modèle sociocomportemental d'utilisation des soins de santé.

Méthodologie: La présente étude est une analyse de régression croisée utilisant des données issues du National Health Interview Survey, effectué en 2002. Les données ont été recueillies en personne auprès de 31 044 adultes de 50 États et du District de Columbia.

Résultats: 19,3 % des adultes (38,3 millions) n'ont pas eu recours aux soins traditionnels pendant une période 12 mois, bien que 39,5 % d'entre eux (14,7 millions) aient signalé souffrir de un ou de plusieurs troubles de santé. Parmi ceux n'ayant pas eu recours aux soins traditionnels, 24,8 % (9,5 millions) ont fait appel à la médecine parallèle. Les utilisateurs d'une quelconque forme de médecine parallèle avaient un plus grand nombre de besoins en matière de santé et avaient tendance à retarder le recours aux soins traditionnels en raison de différents facteurs (tels que les coûts) plus que ceux qui ne faisaient pas appel aux médecines parallèles. Alors que les facteurs prédisposants individuels (sexe, niveau d'instruction) étaient positivement associés au recours à la médecine parallèle, les facteurs de facilitation (pauvreté, assurance) ne l'étaient pas.

Implications: Nous avons découvert que le quart des personnes qui a recours aux soins traditionnels au cours d'une année finit par se tourner vers la médecine parallèle. Notre étude laisse penser que les déterminants potentiels du recours à la médecine parallèle exclusivement sont multifactoriels. Il faut mener d'autres recherches pour examiner le processus décisionnel qui sous-tend le choix de faire appel à la médecine parallèle, plutôt qu'à la médecine traditionnelle, et les issues cliniques de ce choix.

Source: Nahin, R. L., Dahlhamer, J. M., et Stussman, B. J. (2010). Health need and the use of alternative medicine among adults who do not use conventional medicine. *BMC Health Services Research, 10*, 220.

ENCADRÉ 13-7
CONSIGNES À OBSERVER EN RELAXATION PROGRESSIVE

- S'asseoir confortablement sur une chaise, les pieds posés à plat sur le sol.
- Serrer le poing droit. Se concentrer sur la sensation de tension.
- Relâcher les muscles de la main droite. Se concentrer sur la différence de sensation entre la tension et le relâchement.
- Refaire le même exercice avec la main gauche.
- Refaire le même exercice avec les deux mains en même temps.
- Se concentrer sur la sensation de détente et la savourer pleinement.
- Tendre les muscles des deux mains et des deux bras; bien ressentir la tension. Ensuite, relâcher complètement les muscles et se concentrer de nouveau sur la sensation de détente.
- Tendre et relâcher tour à tour tous les groupes musculaires du corps: orteils, chevilles, genoux, fesses et aines, ventre et bas du dos, poitrine et haut du dos, épaules, front et mâchoires.
- Respirer profondément pendant toute la durée de la relaxation progressive: inspirer pendant le relâchement musculaire et expirer en dirigeant son souffle vers le poing (ou un autre groupe musculaire).

Une séance complète de relaxation progressive doit durer au moins 10 minutes.

ALERTE CLINIQUE • Malgré leurs différences, la relaxation, la rétroaction biologique et l'imagerie mentale impliquent toutes un processus de repos physique et la respiration rythmée. •

IMAGERIE MENTALE

L'**imagerie mentale** (ou **visualisation**) est l'« application de l'usage conscient de la puissance de l'imagination avec l'intention de déclencher une guérison biologique, psychologique ou spirituelle » (Schaub et Dossey, 2000, p. 541). Nous réagissons très fortement à des images qui peuvent produire des changements physiques, mentaux, émotionnels et spirituels. La plupart des images sont inconscientes, mais elles produisent malgré tout des effets sur l'individu. L'imagerie consciente suppose la création d'images mentales de ce qu'on souhaite, à partir de souvenirs, de rêves, de fantasmes ou d'espoirs. On pense souvent que les images mentales se réduisent au sens de la vue ; en fait, elles font aussi appel à l'ouïe, aux sensations, au toucher et même au goût.

Les images sont soit concrètes, soit symboliques. Une image concrète se limite à l'aspect biologique. Ainsi, l'image concrète d'une cellule du corps ressemblerait à une cellule comme on en observe au microscope. Par ailleurs, on peut élaborer des images symboliques, qui remplacent souvent les images concrètes. Par exemple, une personne qui reçoit un traitement de chimiothérapie pourrait visualiser un dragon (représentation des produits utilisés en chimiothérapie) se glissant dans la circulation sanguine pour dévorer les cellules cancéreuses.

L'encadré 13-8 passe en revue les principales catégories d'imagerie mentale. Quand on pratique l'imagerie mentale avec l'aide d'un intervenant qualifié, il s'agit d'*imagerie guidée*.

YOGA

Le terme « **yoga** », dérivé de la racine sanskrite *yug*, signifiant « lier » ou « unir », correspond à l'union des pouvoirs du corps, du psychisme et de l'esprit. Le yoga est une démarche qui vise une vie équilibrée ; il est fondé sur d'anciens enseignements qu'on trouve dans les textes spirituels hindous (*Upanishads*), dont la rédaction remonte à 800-400 av. J.-C. Le grand yogi Patanjali (500 av. J.-C.) a classé les enseignements des *Upanishads* selon huit façons d'être, ou *ashtanga yoga*, qui signifie « intégré » ou « yoga aux huit membres ». Les deux premières étapes sont la base du yoga : si on ne les met pas en pratique, les six étapes suivantes n'ont pas de sens. Par ailleurs, ces six étapes définissent une pratique qui permet de maîtriser les deux premières. Les huit étapes du yoga sont les suivantes :

1. *Yama* (commandements moraux universels). Il s'agit d'améliorer son comportement social. On y parvient grâce à cinq principes nobles : la non-violence (physique et psychologique), la vérité, l'abstention de vol, la retenue dans tous les domaines de la vie et la non-possessivité.

2. *Niyama* (règles de conduite dans le quotidien). L'amélioration porte sur le comportement personnel. Il faut maintenir la pureté du corps et de l'esprit, acquérir l'habitude du contentement, pratiquer l'austérité dans tous les domaines de la

ENCADRÉ 13-8
CATÉGORIES D'IMAGERIE MENTALE – GLOSSAIRE

- **Imagerie corps-esprit :** formation consciente d'images dirigées vers des régions du corps ou des activités qui requièrent plus d'attention ou d'énergie.
- **Imagerie clinique :** utilisation consciente du pouvoir de l'imagination dans le but d'activer la guérison physiologique, psychologique ou spirituelle.
- **Imagerie biologique :** visualisation d'images biologiques saines pour envoyer des messages qui visent à corriger des processus physiologiques défaillants.
- **Imagerie de l'étape finale :** type d'imagerie qui contient des images particulières d'espoir afin d'accélérer un but à atteindre (par exemple la guérison d'une plaie).
- **Imagerie guidée :** technique d'imagerie hautement structurée.
- **Processus d'imagerie :** souvenirs, rêves, fantaisies, perceptions internes et visions, portant sur un ou plusieurs sens, ou sur tous les cinq, servant de lien pour réunir le corps avec l'esprit.
- **Imagerie de mise en situation :** technique d'imagerie visant à mettre à l'essai des comportements souhaitables ou à se préparer à certaines activités ou interventions.
- **Imagerie impromptue :** introduction par l'infirmière d'images ou de perceptions spontanées intuitives dans ses propres interventions thérapeutiques.
- **Imagerie conditionnée :** images commerciales qui s'imposent à l'inconscient.
- **Imagerie relationnelle :** type d'imagerie visant à explorer les rapports avec autrui, avec une partie de soi (celle, par exemple, qui rationalise toujours), ou encore avec un symptôme ou avec une partie du corps (le cœur, par exemple).
- **Imagerie spontanée :** réception inattendue d'une image qui semble émerger de l'inconscient.
- **Imagerie symbolique :** images intérieures qui représentent le savoir profond de la personne. Elles émergent sous forme de métaphores ou de symboles qu'on peut instantanément traduire en mots ou dont la signification finira par émerger avec le temps.
- **Imagerie transpersonnelle :** images qui conduisent à un niveau plus élevé de la conscience (au-delà de sa personne), par exemple lorsqu'on acquiert de soi l'image d'une montagne et qu'on se sent aussi fort et solide qu'elle.
- **Visualisation :** utilisation d'images extérieures (icônes, écritures, photographies de la nature) pour évoquer des expériences d'imagerie interne visant à ranimer des émotions, des désirs, des buts ou des résultats escomptés.

Source : Schaub, B. G., et Dossey, B. M. (2009). Imagery. Dans B. M. Dossey et L. Keegan (dir.), *Holistic nursing: A handbook for practice* (5e éd.) (p. 295-296). Sudbury : Jones and Bartlett Publishers.

vie, étudier les écrits pertinents et se consacrer à Dieu tous les jours.

3. *Asanas* (postures physiques). Il s'agit d'une série de 84 postures principales (par exemple cobra et charrue), destinées à améliorer la santé du corps. Les flexions, les étirements et le maintien des postures sont destinés à détendre et à tonifier les muscles ainsi qu'à améliorer le fonctionnement de différents organes des fonctions endocriniennes et nerveuses. On peut adopter de 10 à 15 postures, y compris des postures immobiles, pour toutes les parties du corps pendant une période d'environ 15 minutes par jour.

4. *Pranayama* (maîtrise de la respiration). Cette étape comprend huit techniques principales de maîtrise de la respiration. Grâce à la pratique de divers exercices, on apprend non seulement à maîtriser sa respiration, mais également à contrôler et à pacifier le flux de l'énergie de vie (ou *prana*). Selon la philosophie du yoga, il y a une relation directe entre l'activité de la force de vie et le rythme de la respiration. Quand la force de vie se manifeste sans heurts, la respiration est calme et régulière; en cas d'excitation, la respiration devient irrégulière. La maîtrise de la respiration est conçue pour calmer l'activité mentale et amener à une conscience transcendantale par la maîtrise de la force de vie. Pour ce faire, il faut régulariser et harmoniser sa respiration selon des modèles précis.

5. *Pratyahara* (retrait de la stimulation des sens). Cet aspect du yoga nécessite de restreindre l'activité des organes des sens avec, pour objectif ultime, la maîtrise de l'activité mentale. Il s'agit donc de réduire la stimulation des organes des sens et de vivre le plus simplement possible.

6. *Dharana* (concentration de l'activité mentale sur un point). Apprendre à éviter toutes les distractions et à se concentrer sur un objet de son choix suppose une formidable persévérance et une extraordinaire volonté. La concentration contribue à calmer l'excitation mentale et favorise à la fois la tranquillité et la sérénité.

7. *Dhayana* (méditation). Il s'agit de la méditation profonde qui permet d'unifier intégralement sa conscience et d'expérimenter un état de conscience transcendantale.

8. *Samadhi* (supraconscience). On parle ici de l'élargissement de la maîtrise délibérée d'états de conscience successifs et plus profonds.

Il existe deux grandes catégories de yoga, toutes deux reposant sur les principes de l'*ashtanga*: le *jnana yoga* et le *hatha yoga*. Dans les deux cas, l'objectif est l'illumination (ou union avec Dieu) grâce à la maîtrise du soi. Dans le *jnana yoga*, cette recherche se fait par l'étude de textes sacrés; dans le *hatha yoga*, elle s'effectue en pacifiant le psychisme et en purifiant le corps.

Les cours de yoga donnés au grand public reposent pour la plupart sur des variantes du *hatha yoga*, une série d'exercices d'étirement et de souplesse qu'on réalise à l'aide d'*asanas* précis et du *pranayama*. La signification de *hatha* est double: «soleil-lune»; c'est la représentation symbolique de l'énergie féminine et de l'énergie masculine du corps humain. Le *hatha yoga* vise l'équilibre entre le soleil et la lune, le masculin et le féminin, le sympathique et le parasympathique, le jour et la nuit, le chaud et le froid. L'*ashtanga yoga* moderne met l'accent sur la bonne forme aérobique et sur la réalisation des diverses postures dans un mouvement rythmé et fluide. Avant de commencer la pratique du yoga, il est préférable de faire le tour des divers programmes afin de trouver celui qui correspond le mieux à ses besoins.

MÉDITATION

La **méditation** est une technique qui permet de pacifier le psychisme et de le concentrer sur le moment présent, ce qui aide à se libérer de la peur, de l'inquiétude, de l'anxiété et des doutes liés au passé ou à l'avenir. La méditation produit un état profond de paix et de repos, combiné à une grande vivacité mentale. À l'origine, la méditation était perçue comme une pratique religieuse; d'ailleurs, nombreux sont encore ceux qui la pratiquent comme une forme de prière. Cependant, il n'est pas nécessaire d'être croyant pour méditer et bénéficier des avantages de cette discipline.

La méditation est à la fois relaxation et concentration de l'attention. L'aptitude à méditer s'améliore avec la maîtrise de la respiration, de la relaxation progressive et de l'imagerie mentale.

Il y a de nombreuses façons de méditer; c'est pourquoi les techniques varient grandement selon les objectifs visés. En *méditation concentrative* (ou *méditation de concentration*), la personne visualise un objet et y concentre son attention (par exemple chandelle ou fleur) ou elle répète continuellement un mantra (syllabe ou phrase), de façon à exclure tous les autres objets et les stimuli présents dans l'environnement. Le terme sanskrit *om* (ou *oum*), qui signifie «un», est un mantra couramment utilisé. Pour les hindous, c'est le son universel, et sa qualité vibratoire favorise un profond sentiment de paix et de méditation. Chaque individu peut toutefois choisir un terme ou une expression qui a un sens particulier pour lui, comme «paix» ou «Je fais un avec Dieu».

En *méditation attentive* (*méditation de l'attention* ou *méditation destinée à l'ouverture de la conscience*), la personne essaie de rester présente à tous les stimuli. Différentes catégories de méditation intègrent des éléments des deux techniques. Ainsi, la personne qui médite peut se concentrer sur sa respiration (méditation zen) ou sur un mantra (méditation transcendantale), tout en laissant aller et venir d'autres pensées; elle «observe» ces pensées pour revenir au sujet de concentration initial.

Voici quelques conseils utiles pour la pratique de la méditation:

1. Déterminer un moment et un endroit particuliers pour méditer. L'idéal est de méditer très tôt le matin ou le soir et de ne pas avoir mangé depuis au moins deux heures (pour que toute l'énergie de l'organisme soit consacrée à la méditation plutôt qu'à des exigences d'ordre digestif). Il est préférable de choisir un endroit calme, confortable et dépourvu de source de distraction.

2. S'asseoir en tailleur à même le sol ou sur une chaise dont le dossier est droit. La colonne vertébrale doit rester droite et le corps, détendu. Il est préférable de ne pas s'allonger, ce qui permet d'éviter de s'endormir.

3. Placer les paumes des mains sur les cuisses et fermer les yeux.

4. Respirer profondément ou faire les exercices de relaxation progressive.

5. Concentrer toute son attention sur sa respiration ou sur une image mentale déterminée. S'il y a lieu, répéter le mantra choisi à voix haute ou intérieurement à chaque expiration. Laisser aller et venir les autres pensées sans leur accorder une attention excessive et reporter toujours son attention sur sa respiration ou son mantra.

6. Faire quotidiennement une séance de méditation de 10 à 20 minutes.

13

PRIÈRE

La prière ressemble à la méditation, mais le but en est de communiquer avec Dieu, un saint ou un autre être susceptible d'exaucer la personne qui prie. On peut prier seul ou en groupe. Un individu peut faire une prière à distance, même pour une personne qui ne le connaît pas. La **prière d'intercession** est une prière faite par un *intercesseur* en faveur de quelqu'un d'autre. Les résultats des recherches effectuées au sujet des effets des prières d'intercession sur le bien-être de la personne ne sont pas concluants et demeurent contradictoires (Aviles *et al.*, 2001 ; Abbot, 2000). Des études complémentaires sont forcément nécessaires. Toutefois, comme cette approche n'a aucun effet négatif et peut apporter du bien-être, il n'est pas contre-indiqué de l'utiliser.

MUSICOTHÉRAPIE

On définit la **musicothérapie** comme la science du comportement qui repose sur l'utilisation systématique de la musique pour produire un état de relaxation et les changements souhaités sur les plans émotionnel, comportemental et physiologique (Guzzetta, 2000, p. 585). Selon les musicothérapeutes, le corps humain a une fréquence fondamentale. Par conséquent, les vibrations musicales étroitement liées à la fréquence fondamentale ou au schéma vibratoire du corps peuvent exercer sur lui un grand pouvoir de guérison, que ce soit sur le plan physique, psychique ou spirituel. Des changements peuvent se produire à différents niveaux : émotions, organes, hormones, enzymes, cellules et atomes. Théoriquement, une pièce musicale choisie avec soin contribue à restaurer les fonctions régulatrices perturbées par le stress ou par une affection. La musique harmonise le corps, l'activité mentale et l'esprit d'un individu avec la fréquence fondamentale de son être.

La musicothérapie recourt à l'écoute, aux rythmes, aux mouvements du corps et au chant. On l'utilise pour toutes sortes de raisons. La musique peut servir à modifier les niveaux ordinaires de conscience afin de permettre à l'activité mentale et à l'esprit de réaliser leur potentiel. La personne peut passer par divers états de conscience : état de veille normal, seuil sensoriel élargi, rêve éveillé, transe et états méditatifs.

La musicothérapie permet à un individu de modifier sa perception du temps que l'hémisphère cérébral gauche nous fait découper en heures, en minutes et en secondes. En musicothérapie, le temps est vécu de façon expérientielle et la perception se fait par l'entremise de la mémoire. La personne qui écoute de la musique peut effectivement perdre la notion du temps pendant de longs moments, ce qui lui permet de réduire son anxiété, ses peurs et ses douleurs. Puisque la musique est non verbale par nature, elle fait appel à l'hémisphère cérébral droit, qui commande le traitement intuitif, créatif et imagé de l'information. Le cerveau droit reconnaît la hauteur, le rythme, le style et la mélodie. La musique ne fait pas appel à la logique et à l'analyse propres au cerveau gauche. Toutefois, à mesure que la personne connaît mieux la musique, le fonctionnement du cerveau gauche peut reprendre le dessus. Les musiciens, par exemple, analysent les techniques de composition et d'autres caractéristiques de la musique. Pour tirer le meilleur parti de la musicothérapie, il faut se débarrasser de ses réactions conditionnées pour intégrer le fonctionnement des deux hémisphères du cerveau.

La musicothérapie s'utilise dans toutes sortes de contextes. On a souvent recours à la musique instrumentale calme et apaisante pour provoquer un état de relaxation (figure 13-4 ■). On privilégie la musique instrumentale pour que la personne ne se concentre pas sur les messages et le sens des paroles, mais se laisse plutôt porter par la musique. On utilise souvent des enregistrements pour détendre et distraire les personnes dans divers contextes ou milieux de soins : en période périopératoire, en soins cardiaques, en salle d'accouchement, en salle de thérapie, en réadaptation, en physiothérapie et quand on cherche à provoquer le sommeil.

FIGURE 13-4 ■ L'écoute de la musique peut avoir toutes sortes d'effets thérapeutiques bénéfiques.

Pour prodiguer une thérapie personnalisée, l'infirmière doit connaître les effets qu'ont les différents genres musicaux sur un individu. Des genres musicaux extrêmement diversifiés se prêtent très bien à des visées thérapeutiques (par exemple musique d'ambiance, chant choral, musique classique, romantique, impressionniste, country, rock léger, opéra et nouvel âge). Pour choisir le genre musical approprié, l'infirmière doit tenir compte des préférences de la personne et des objectifs de la thérapie. Elle doit déterminer un moment propice et la durée de la séance. Ainsi, certaines personnes préfèrent une séance de thérapie après leur douche matinale afin d'équilibrer leur corps et leur esprit pour la journée. Une séance dure habituellement une vingtaine de minutes. On encourage la personne à réagir à la musique comme elle le souhaite : elle peut relâcher ses muscles, s'allonger, chantonner en gardant la bouche fermée, taper des mains ou même danser. Certaines personnes souhaitent utiliser leurs propres enregistrements musicaux. Chez chaque individu, le pouvoir de guérison de la musique est étroitement lié à l'expérience personnelle et aux éléments qui provoquent le calme intérieur ou éveillent les qualités souhaitées.

HUMOUR ET RIRE

Les professionnels des soins de santé s'intéressent depuis quelque temps aux effets de l'humour et du rire sur la santé et la maladie. L'**humour** suppose la capacité de découvrir, d'exprimer ou d'apprécier le comique, l'absurde ou l'incongruité d'une situation, de s'amuser de ses propres défauts ou des aspects fantaisistes de la vie, ou encore de voir les aspects amusants d'une situation qui, autrement, semblerait grave. L'humour, en matière de soins infirmiers, se définit comme le fait d'aider une personne à percevoir, à apprécier et à exprimer ce qui peut être drôle, amusant ou ridicule afin qu'elle puisse établir des relations avec les autres, dissiper ses tensions, libérer sa colère, faciliter son apprentissage ou faire face aux sensations douloureuses (McCloskey et Bulechek, 2000, p. 380). En soins infirmiers, ces diverses fonctions de l'humour s'actualisent comme suit :

- *Établir des relations avec les autres.* L'humour réduit la distance sociale entre les gens et met tout le monde à l'aise. Quand la tension tombe, il est plus facile de s'intéresser au message et aux autres plutôt qu'à ce qu'on ressent. L'humour aide l'infirmière à établir une relation avec la personne. Il s'agit là d'un facteur important de la réussite des interventions infirmières.

- *Dissiper les tensions et l'anxiété.* En 1905, Freud a déclaré que le rire libérait de l'énergie psychique utilisée auparavant pour bloquer l'expression d'impulsions jugées inacceptables sur le plan social ou personnel. L'usage efficace de l'humour estompe les tensions liées à des événements difficiles sur le plan émotionnel. La personnalisation de l'humour, par exemple, aide l'individu hospitalisé à mieux accepter la nature impersonnelle de certains aspects de l'hospitalisation, tels la chemise d'hôpital, le bracelet d'identité, les questions embarrassantes et les tests désagréables. L'humour a aussi la propriété de prévenir le stress.

- *Libérer la colère et l'agressivité.* L'humour met les gens à l'aise quand il s'agit de manifester leurs impulsions ou leurs sentiments. Il dissipe la colère ou l'agressivité en mettant l'accent sur les éléments comiques d'une situation.

- *Faciliter l'apprentissage.* Nombre de conférences et d'exposés commencent par une plaisanterie ou la présentation d'un dessin humoristique. Non seulement l'humour réduit-il le trac que l'orateur éprouve, mais il permet de capter l'attention du public. En réduisant l'anxiété, l'humour facilite l'apprentissage. On enregistre une plus grande quantité d'informations quand celles-ci sont présentées de façon humoristique. Il faut toutefois planifier avec soin l'utilisation de l'humour dans un contexte pédagogique pour qu'il contribue effectivement à l'apprentissage.

- *Faire face aux sensations douloureuses.* On peut aussi utiliser l'humour pour atténuer les effets immédiats de situations trop douloureuses, notamment l'effet que peut avoir sur la personne l'annonce d'un diagnostic ou d'un traitement menaçant. L'humour réduit l'anxiété, la peur et la tension, ce qui aide la personne à mieux affronter la situation.

L'humour a aussi des effets physiologiques bénéfiques, déterminés par l'alternance d'états de stimulation et d'états de détente. Le rire augmente la fréquence respiratoire, la fréquence cardiaque, la tension musculaire et les échanges gazeux. Il s'ensuit un état de détente pendant lequel la fréquence cardiaque, la pression artérielle, la fréquence respiratoire et la tension musculaire diminuent. L'humour et le rire stimulent la production de catécholamines et d'hormones ; ils libèrent des endorphines, ce qui augmente la résistance à la douleur.

L'humour permet l'expression et l'intégration d'émotions positives (par exemple espoir, foi, volonté de vivre, envie de faire la fête, motivation et détermination). C'est pourquoi on dit qu'il a un pouvoir de guérison.

Pour utiliser l'humour efficacement, l'infirmière doit connaître ses propres émotions et celles des autres ; elle doit aussi être au courant des variantes individuelles et culturelles de l'humour (ce qui est drôle pour un individu ou dans une culture n'est pas automatiquement universel).

Dans certains établissements de soins de santé, on commence à intégrer l'humour comme technique de soins et à reconnaître que « le rire est souvent le meilleur remède » ; on a même mis sur pied des « salles d'humour », autant pour les personnes soignées que pour les membres du personnel. On y trouve, par exemple, des jeux, divers médias audio et vidéo, des livres et des bandes dessinées humoristiques. Au début des années 1980, le Dr Patch Adams a commencé à utiliser le rire et l'humour comme un instrument thérapeutique et à soigner ses petits patients vêtu d'un habit de clown. Aujourd'hui, dans certains hôpitaux (particulièrement dans les services de pédiatrie), on propose des séances de thérapie par le rire, animées par des clowns thérapeutes ou des clowns professionnels. Une autre façon de pratiquer la thérapie par le rire est de participer à un club du rire. Ce type de club a été lancé en Inde par le Dr Madan Kataria en 1995. Son approche, appelée le « yoga du rire », enseigne à rire sans raison, au moyens d'exercices issus du yoga, qui stimulent notre capacité à rire, à nous relaxer et à nous libérer de nos inhibitions. Plus de 1 000 clubs du rire existent un peu partout dans le monde.

HYPNOTHÉRAPIE

L'**hypnose** est un état de conscience modifié qui permet à la personne de rester concentrée sur un sujet ou une image, sans permettre aux distractions de pénétrer dans le champ de la conscience. On peut utiliser l'hypnose pour maîtriser la douleur, modifier des fonctions physiologiques et changer des habitudes de vie. Les scientifiques ne comprennent pas encore très bien comment l'hypnose soulage la douleur. Selon une théorie, l'hypnose empêcherait les stimuli de la douleur perçus par le cerveau d'atteindre le plan de la conscience. Selon une autre théorie, l'hypnose activerait les voies nerveuses du cerveau liées à la production de substances naturelles apparentées à la morphine (enképhalines et endorphines) ; or, ces opioïdes agissent sur le comportement et sur la perception de la douleur.

L'hypnose exige la participation active du sujet; on peut d'ailleurs apprendre à se mettre en état d'autohypnose. En aucun cas l'hypnose ne retire à la personne la maîtrise d'elle-même; en fait, on ne peut faire faire à une personne hypnotisée un acte qu'elle considère comme immoral ou dangereux quand elle n'est pas hypnotisée. En état de transe hypnotique, la personne ne s'endort pas, mais elle devient si concentrée qu'elle peut être insensible aux sources de distraction ordinaires. Les techniques d'hypnose varient selon le type de douleur ou selon les préférences de la personne ou du thérapeute. La suppression des symptômes est l'une des techniques le plus couramment utilisées. La conscience qu'a la personne du symptôme (par exemple douleur) est bloquée; la personne s'en distance. L'efficacité de ce genre d'hypnose dépend de la gravité du symptôme et de la capacité de concentration de la personne.

Traitements à fondement biologique

HERBORISTERIE

On utilise les plantes depuis l'Antiquité pour prévenir et guérir les affections. Quand leurs propriétés sont reconnues, on parle de **plantes médicinales**. L'intérêt des Nord-Américains pour les plantes médicinales et les toniques à base de plantes médicinales ne cesse de croître; les adeptes de ces pratiques veulent adopter un mode de vie plus naturel ou encore sont insatisfaits des traitements proposés par la médecine traditionnelle.

Même s'il est difficile de faire une évaluation précise, on estime que, annuellement, on dépense en Amérique du Nord entre 4 et 7 milliards de dollars pour acheter des plantes médicinales, et cette somme augmente chaque année. Toutefois, les plantes médicinales – bien qu'elles soient naturelles – ne sont pas toutes sans danger si on les ingère. La plupart d'entre elles, consommées en petite quantité, ne produisent pas de réactions fâcheuses. Il est cependant difficile de déterminer l'innocuité des produits à base de plantes médicinales. Il faut donc prendre certaines précautions (rubrique *Conseils pratiques – Mises en garde et contre-indications liées aux préparations courantes à base de plantes médicinales*).

Afin de contrer les inquiétudes croissantes que soulève le contexte réglementaire des remèdes à base de plantes médicinales, Santé Canada a mis au point un cadre de réglementation des produits de santé naturels (PSN), entré en vigueur en 2004 (Santé Canada, 2010). Ainsi, la Direction des produits de santé naturels (DPSN) est devenue l'autorité de règlementation des PSN (Santé Canada, 2005b, 2010). Sa mission est de veiller à ce que tous les Canadiens aient facilement accès à des produits de santé naturels qui soient sans danger, efficaces et de haute qualité, tout en respectant la liberté de choix et la diversité en matière de croyances et de cultures (Santé Canada, 2005b). Le règlement exige un meilleur étiquetage, de bonnes pratiques de fabrication, des permis de production et d'exploitation et la mise à disposition de preuves à l'appui des allégations concernant les bienfaits pour la santé (CATIE, 2004). En vertu du nouveau règlement, on entend par PSN les remèdes à base de plantes médicinales, les remèdes homéopathiques, les vitamines, les minéraux, les remèdes traditionnels (comme ceux utilisés par la médecine traditionnelle chinoise), les probiotiques

CONSEILS PRATIQUES

MISES EN GARDE ET CONTRE-INDICATIONS LIÉES AUX PRÉPARATIONS COURANTES À BASE DE PLANTES MÉDICINALES

- *Consoude*: hépatotoxique et cancérogène (Chavez et Chavez, 2000).
- *Échinacée*: perd de son efficacité après plus de 14 à 21 jours consécutifs d'utilisation; ne pas utiliser en cas d'affection systémique évolutive, comme la tuberculose, la leucémie, la collagénose, la sclérose en plaques, l'infection au VIH, le sida et d'autres affections auto-immunes (Blumenthal, 1998).
- *Ginkgo biloba*: améliore la microcirculation (Blumenthal, 1998); précautions à prendre lors de la prise d'anticoagulants, et en cas de saignements et de chirurgie (Ang-Lee, Moss et Yuan, 2001).
- *Ginseng*: il y en a plusieurs types; effets nocifs: maux de tête, insomnie, palpitations, hypertension ou hypotension artérielle (Chavez et Chavez, 2000); autres effets signalés: symptômes gastro-intestinaux, nervosité, confusion, dépression et effets néonataux (Arab, 2000, p. 215).
- *Kava (kawa)*: usage pouvant provoquer une insuffisance hépatique (Hepatic toxicity possibly associated with kava-containing products, 2002).
- *Chardon-Marie*: léger effet laxatif qui dure de deux à trois jours (Chavez et Chavez, 2000).
- *Millepertuis*: contre-indiqué en cas de prise d'inhibiteurs de la monoamine oxydase, d'anticoagulants et d'inhibiteurs des protéinases (Schulz, 2001).

et d'autres produits, tels que les acides aminés et les acides gras essentiels (Santé Canada, 2010). Lorsque Santé Canada évalue un produit, il lui attribue un numéro de licence de produit, précédé des lettres NPN ou DIN-HM, s'il s'agit d'un produit homéopathique. Ce numéro de licence sur l'étiquette confirme que Santé Canada a vérifié et approuvé l'innocuité et l'efficacité du produit. L'étiquetage uniformisé et amélioré permet au consommateur de prendre des décisions éclairées quant aux produits de santé naturels qu'il achète. L'étiquette doit préciser le mode d'emploi, l'utilisation recommandée (allégation santé), les ingrédients médicinaux et non médicinaux, ainsi que les mises en garde, les précautions, les contre-indications ou les réactions indésirables connues associées à l'utilisation de ce produit (Santé Canada, 2010; CATIE, 2004). Ainsi, depuis le 31 décembre 2009, selon la réglementation de Santé Canada, tous les produits de santé naturels devraient afficher un numéro de produit naturel (NPN). Cependant, à ce jour, Santé Canada n'a toujours pas terminé l'homologation des dizaines de milliers de produits qui lui ont été soumis. Une réglementation temporaire a été créée afin de permettre la vente légale de certains produits en attente de l'homologation officielle. Ces produits peuvent afficher un numéro d'exemption (EN – XXX) lorsqu'ils ont été jugés sans danger par Santé Canada, après analyse. Cette mesure prendra fin en janvier 2013 (Passeportsanté.net, 2010a).

Une enquête effectuée par Santé Canada (2005b) indique que la plupart des Canadiens associent les produits de santé naturels (PSN) aux vitamines et aux minéraux (13 %), aux remèdes à base de plantes médicinales et aux tisanes (12 %), aux aliments exempts d'additifs (8 %), aux aliments organiques et biologiques (8 %), aux plantes et aux produits végétaux (8 %) et aux produits exempts de toxines (7 %). Bien que beaucoup de Canadiens (71 %) disent avoir utilisé un PSN, les résultats de l'étude semblent indiquer que nombreux sont ceux qui ne connaissent pas particulièrement bien ces produits. Les utilisateurs de produits de santé naturels décident de les utiliser parce qu'ils pensent qu'ils sont meilleurs que les médicaments traditionnels (qui contiennent des ingrédients chimiques) (29 %), parce que leur santé personnelle les inquiète ou parce qu'ils ont la conviction que ces produits les aident à rester en santé (52 %) (Santé Canada, 2005b, 2010). Parmi les personnes qui n'ont pas utilisé de produits de santé naturels, les principales raisons de ne pas le faire comprenaient les suivantes : elles disaient ne pas en avoir besoin (20 %), elles manquaient d'informations à ce sujet (17 %), elles considéraient qu'elles se portaient bien (13 %), elles ne croyaient pas à leur efficacité (11 %) ou elles considéraient que ces produits coûtaient trop cher (5 %).

Une bonne santé repose essentiellement sur un mode de vie sain. La médecine traditionnelle peut offrir de bons traitements pour régler de nombreux problèmes de santé, mais certaines plantes médicinales peuvent néanmoins occuper une place de choix parmi les options de prise en charge de la santé et de la maladie. Compte tenu de la prolifération des publications non spécialisées sur les remèdes à base de plantes médicinales et de l'accès facile à ces produits dans les magasins d'aliments naturels, un plus grand nombre de personnes s'en remettent aux plantes médicinales et à d'autres thérapeutiques moins courantes pour régler des problèmes de nature très diversifiée.

Malgré les problèmes d'ordre culturel soulevés par Coward et Ratanakul (1999) et mentionnés au début du chapitre, Arab (2000) conteste le cloisonnement qui sépare encore les traitements pharmaceutiques traditionnels des médecines douces à base de plantes médicinales dans les programmes d'enseignement de la médecine. La reconnaissance professionnelle des thérapeutes actifs dans le domaine des plantes médicinales est encore assez faible.

L'Association québécoise des phytothérapeutes (AQP) regroupe les phytothérapeutes qui ont reçu une formation agréée satisfaisant ses normes. En ce qui concerne les herboristes, la Guilde des herboristes du Québec (GHQ) a mis sur pied un processus d'agrément d'« herboristes-thérapeutes » ; le titre peut s'acquérir à la suite de la présentation d'un portfolio, du passage d'un examen et d'une entrevue. La formation préalable pourrait être suivie dans différentes écoles, proposant chacune son propre programme, d'une durée de un an à trois ans (voir le site de la Guilde). La Guilde atteste que ses membres agissent en toute connaissance de cause, qu'ils savent évaluer tant les bienfaits que les risques liés à l'usage des plantes médicinales et qu'ils connaissent bien le cadre légal de la pratique de l'herboristerie ainsi que leurs devoirs envers la profession (Passeportsanté.net, 2010a). En Ontario, la formation de base en herboristerie (1 500 heures) est réglementée et agréée par l'Ontario Herbalists Association. D'autres programmes de formation existent, selon le niveau d'expertise qu'on souhaite acquérir. Aux États-Unis, le programme de base proposé par l'American Herbalists Guild est de 1 600 heures.

AROMATHÉRAPIE

Buckle (2002) définit l'**aromathérapie clinique** comme l'utilisation calculée d'huiles essentielles pour obtenir des résultats précis et mesurables. En l'Égypte ancienne, on utilisait l'aromathérapie pour soulager la douleur. Dans les hôpitaux du XIXᵉ siècle, on employait la fumigation en faisant brûler des feuilles de romarin. Aujourd'hui, les aromathérapeutes utilisent les huiles essentielles pour favoriser certains résultats positifs en matière de santé (par exemple amélioration de l'humeur, soulagement de l'œdème, de l'acné, des allergies ou des ecchymoses et réduction du stress).

On obtient les huiles essentielles utilisées en aromathérapie en distillant des fleurs, des racines, des écorces, des feuilles, de la résine de bois ou des zestes de citron ou d'orange. On utilise les huiles essentielles en massage, on en fait des compresses chaudes ou froides, on les ajoute à l'eau du bain ou on les inhale. Quand on inhale une huile essentielle, les récepteurs olfactifs de la cavité nasale en détectent les arômes. Les stimuli parcourent le nerf olfactif (nerf crânien I), atteignent le bulbe olfactif puis le cerveau, où on pense qu'ils jouent un rôle sur les plans émotifs, mnésique et physiologique (par exemple fréquence cardiaque, pression artérielle, fréquence respiratoire et réponse de la fonction immunitaire). On utilise actuellement en aromathérapie environ 300 huiles essentielles différentes. Le tableau 13-2 en donne quelques exemples.

TABLEAU 13-2
USAGE DE QUELQUES HUILES ESSENTIELLES

Huile essentielle	Usage
Cannelle	Constipation, épuisement, flatulences
Eucalyptus	Arthrite, bronchite, boutons de fièvre, rhumes, toux, fièvre, sinusite
Géranium	Problèmes d'humeur, diarrhée
Lavande	Maux de tête, stress et insomnie
Menthe	Nausées (antipyrétique) ; facilitation de la respiration
Santal	Bronchite, gerçures de la peau, dépression, peau sèche, laryngite, stress

Quand une personne a l'intention d'utiliser l'aromathérapie, l'infirmière doit l'informer que les huiles ne sont pas toutes d'égale qualité. En effet, la production n'en est pas réglementée. Il faut donc prendre quelques précautions, car l'inhalation de certaines de ces huiles est toxique (par exemple amande amère, bouleau, camphre et gaulthérie). Avant de procéder au traitement, il faut dépister toute allergie cutanée éventuelle en appliquant sur la peau une très petite quantité d'huile diluée. Il ne faut pas appliquer les huiles essentielles près des yeux et il faut toujours les diluer avec une huile spéciale ou de l'eau avant de les appliquer sur la peau. Il ne faut en faire aucun usage interne. On doit les conserver dans des bouteilles de verre foncé ; elles ne doivent pas être exposées ni aux rayons du soleil ni à la chaleur. Dans les ouvrages ou les articles de vulgarisation, on peut lire que de nombreuses huiles essentielles sont contre-indiquées en cas de grossesse parce qu'elles sont emménagogues (elles provoquent la menstruation). Par contre, selon de nombreux rapports, le recours à l'aromathérapie peut être utile pendant la grossesse et l'accouchement. Si la femme est enceinte, l'infirmière devrait lui conseiller de discuter de ce sujet avec son médecin avant d'utiliser des huiles essentielles.

Traitements énergétiques

Les traitements énergétiques consistent à utiliser et à manipuler l'énergie sous différentes formes, telle que l'énergie corporelle.

TOUCHER THÉRAPEUTIQUE

Malgré son nom, le **toucher thérapeutique (TT)** se fait sans contact; c'est une thérapeutique par laquelle le praticien croit pouvoir transmettre de l'énergie à une personne malade ou blessée pour favoriser le processus de guérison. Cette approche dérive de l'imposition des mains, bien qu'il ne s'agisse pas du même concept, et elle n'est pas sans rappeler certaines philosophies religieuses. Selon Dolores Krieger (1979), qui a lancé l'expression «toucher thérapeutique», il s'agit d'une méditation de guérison.

L'être humain est un champ énergétique – le «champ humain» – et l'énergie peut être canalisée délibérément d'une personne vers une autre. Il s'agit là des principes de base du toucher thérapeutique. Le champ humain s'étend au-delà de la peau et est perceptible par les sens entraînés du guérisseur (essentiellement, le toucher). On peut sentir ce champ énergétique très clairement à plusieurs centimètres de distance du corps. Un exemple courant de ce phénomène est la sensation d'envahissement de son espace intime qu'on ressent dans un ascenseur bondé, même si on ne touche personne.

Le corps et l'environnement sont considérés comme des systèmes ouverts qui échangent constamment énergie et matière. La structure du champ humain est perpétuellement influencée par les flux d'énergie échangés avec l'environnement. Chez une personne en bonne santé, il y a un équilibre entre le flux d'énergie entrante et le flux d'énergie sortante. En cas d'affection, de malaise ou de douleur, la structure du champ est perturbée; on constate alors une déperdition d'énergie, une perturbation des flux, une accumulation d'énergie ou un blocage d'énergie.

Le toucher thérapeutique correspond à l'intervention CISI/NIC n° 5465 et est défini ainsi: «canalisation de son énergie relationnelle à travers ses mains pour aider ou guérir une autre personne» (McCloskey et Bulechek, 2000, p. 590). Voici les étapes d'une séance de toucher thérapeutique:

1. Se centrer. Il s'agit de concentrer intérieurement son attention sur soi, pour ressentir détachement, sensibilité et équilibre.
2. Évaluer la personne selon un processus de «balayage» de la tête aux pieds. L'infirmière place la paume de ses mains à une distance de 2,5 à 5 cm de la peau de la personne. Ce processus vise à déceler les asymétries dans le flux d'énergie (par exemple chaleur, froid, picotements, congestion, pression, vide et autres sensations).

3. Déplacer les mains dans un mouvement ample, en gardant les paumes dirigées vers le corps de la personne, à partir de la région où la pression a été ressentie vers le bas, le long des os longs du corps.
4. Une infirmière experte dans le domaine pourra aussi transférer de l'énergie à la personne. L'infirmière doit savoir quelle forme d'énergie utiliser, comment moduler cette énergie et où l'appliquer. Ce transfert aidera la personne à restructurer son énergie. La forme d'énergie a différents effets et est liée aux couleurs: le bleu est sédatif; le jaune est stimulant et énergisant; le vert harmonise. L'infirmière module ces formes d'énergie en visualisant mentalement la couleur (par exemple la lumière qui passe à travers un vitrail bleu). Elle peut appliquer l'énergie directement sur une région congestionnée qu'elle a repérée ou sur l'un des *chakras* (canaux spéciaux qui servent de porte d'entrée à l'énergie provenant de l'environnement et qui sont situés dans la région du plexus solaire ou du thorax). Le transfert d'énergie contribue à restaurer l'équilibre du champ énergétique et favorise l'autoguérison.

Jusqu'à présent, personne n'a vraiment mesuré les champs d'énergie et les flux d'énergie du toucher thérapeutique. On n'a pas réussi à démontrer que l'énergie circulait bel et bien entre le thérapeute et la personne. Ces constatations poussent certains à croire que le véritable pouvoir du TT est lié à deux phénomènes: le formidable regain d'énergie psychologique que procure le fait de recevoir un «traitement» qui guérit, par un praticien convaincu, et la relation interpersonnelle suscitée par le TT.

REIKI

En japonais, **reiki** signifie «énergie vitale universelle». Originaire du Tibet, le reiki est considéré comme un art et une science spirituelle. Son but est d'«énergiser», d'équilibrer et d'harmoniser le corps et l'esprit en agissant sur l'être dans son ensemble, principalement par l'imposition des mains sur le corps; toutefois, tous les sens peuvent être utilisés comme canaux permettant de transmettre l'énergie du reiki. Le praticien place ses mains sur la personne et laisse l'énergie circuler. La quantité et l'efficacité du flux d'énergie dépendraient de l'ouverture et des besoins de la personne plutôt que de la direction transmise par le praticien. Habituellement, le reiki suppose un contact direct entre le praticien et la personne, mais il se pratique aussi à distance.

La formation en reiki comporte trois niveaux. Le premier niveau porte surtout sur la position des mains. Il s'agit de stimuler l'énergie vibratoire qui permet l'autoguérison ainsi que la transmission de l'énergie à d'autres personnes. Le deuxième niveau assure une plus grande ouverture à la canalisation et à la transformation par l'augmentation de la force des traitements. Il permet de pratiquer aussi le reiki à distance. Le troisième niveau, celui du maître, favorise l'ouverture de la dimension du soi et prépare le praticien à enseigner (Wans, 2001; Nield-Anderson et Ameling, 2000).

ACUPUNCTURE

Le traitement d'**acupuncture** vise à restaurer l'équilibre et à libérer le flux du qi afin d'aider le corps à se guérir. Pour ce faire, on insère de fines aiguilles stériles dans des points précis situés le long des méridiens dans différentes régions du corps (figure 13-5 ■). Une fois que les aiguilles sont insérées dans les points, on peut les chauffer, les activer à l'aide d'un léger courant électrique ou les manipuler directement avec les doigts. On brûle parfois du moxa, une plante médicinale, au-dessus des points d'acupuncture pour favoriser le flux du qi.

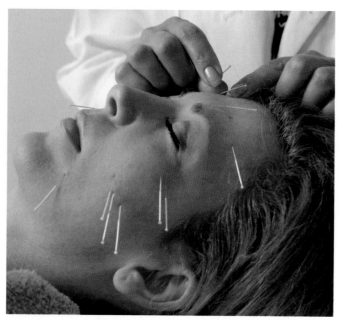

FIGURE 13-5 ■ En acupuncture, on insère de fines aiguilles stériles dans la peau. Source : Yoav Levy/Phototake NYC.

L'acupuncture a fait son apparition aux États-Unis dans les années 1970, après la visite historique et largement médiatisée du président Nixon en Chine. En 1997, les NIH, chapeautés par le National Department of Health and Human Services, ont officiellement reconnu l'acupuncture en affirmant qu'il y avait suffisamment de preuves de son efficacité pour faire accepter son usage par la médecine traditionnelle et pour encourager la réalisation d'études supplémentaires sur ses effets physiologiques et cliniques (Acupuncture, 1997). Comme conséquence de cette reconnaissance officielle, de nombreux professionnels de la santé ont intégré l'acupuncture dans les traitements médicaux traditionnels.

Selon les études, l'acupuncture soulage la douleur postopératoire et les nausées liées à la grossesse et à la chimiothérapie (Acupuncture, 1997). L'acupuncture est efficace dans le traitement de nombreuses affections, notamment les accidents vasculaires cérébraux, les maux de tête, les douleurs lombaires chroniques, les crampes menstruelles, les douleurs musculaires, le syndrome du canal carpien, les dépendances et l'asthme. Par ailleurs, l'acupuncture peut aider à réduire la consommation d'analgésiques ou le recours à l'anesthésie.

Selon l'Ordre des acupuncteurs du Québec (OAQ, 2010), on compte actuellement près de 600 acupuncteurs agréés au Québec. Pour obtenir le droit de pratiquer l'acupuncture au Québec, le thérapeute doit détenir un diplôme d'études collé-

giales en acupuncture ou l'équivalent. Au Québec, la seule formation collégiale en acupuncture reconnue par l'Ordre des acupuncteurs du Québec est donnée par le Collège de Rosemont. Le programme est échelonné sur trois ans et est le seul qui donne accès aux examens d'agrément de l'Ordre. L'utilisation des aiguilles à usage unique est obligatoire depuis le 1er avril 2003.

Systèmes médicaux parallèles

L'intérêt suscité par les ACPS orientées vers les thérapies médicales parallèles ne cesse de croître. En effet, la population exige un plus grand choix et prend de plus en plus en main ses soins de santé. Certaines personnes choisissent de recourir d'abord aux ACPS en général et ensuite aux ACPS orientées vers les thérapies médicales parallèles pour régler des problèmes de santé comme les maux de dos. D'autres ont recours aux ACPS quand la médecine traditionnelle ne répond pas à leurs besoins ou à leurs attentes. De plus en plus de médecins connaissent bien les ACPS et proposent aux personnes qui les consultent d'y recourir dans les cas appropriés.

Médecine chinoise traditionnelle

Présente dans toute l'Asie, la **médecine chinoise traditionnelle (MCT)** a cours depuis des milliers d'années. Elle prend naissance dans un système complexe qui intègre des théories médicales, des théories philosophiques et une longue tradition empirique documentée. Même si la théorie et la pratique de la MCT ont évolué différemment en Asie et en Europe, les fondements philosophiques sous-jacents restent les mêmes : à la base, la santé de l'être humain et l'environnement sont étroitement liés. Les modalités d'intervention de la MCT comprennent l'acupuncture, l'herboristerie, l'exercice, l'alimentation et le massage.

La médecine chinoise traditionnelle repose sur deux principes : (1) l'énergie vitale du corps, le **qi** (ou **chi**) – les deux mots se prononcent *tchi* –, circule le long de méridiens (canaux ou voies) ; (2) on peut avoir accès à cette énergie et agir sur elle par l'entremise de points anatomiques précis qui se trouvent à la surface du corps. La maladie est décrite comme un déséquilibre ou une interruption du flux du qi.

Homéopathie

Jusqu'à la fin du XVIIIᵉ siècle, la médecine occidentale traditionnelle utilisait essentiellement des saignées et des purgatifs toxiques à base de mercure. De 1790 à 1810, Samuel Hahnemann, médecin et chimiste allemand, a procédé à une série d'expériences et a conclu que les substances médicinales produisaient un ensemble de symptômes semblables à ceux des affections à combattre chez des gens en bonne santé (Micozzi, 2000). Ses observations l'ont conduit à élaborer la théorie de l'**homéopathie**, terme dérivé du grec *homoios*, « semblable », et *pathos*, « maladie ». Selon la théorie de l'homéopathie, la bonne

13

substance médicinale qui peut soulager un ensemble de symptômes est celle qui produit naturellement ces symptômes chez une personne en bonne santé. C'est le principe de similitude, auquel on renvoie couramment à l'aide de l'expression « guérir le mal par le mal » (en anglais, *like cures like*).

Habituellement, les remèdes homéopathiques se composent de substances végétales, animales ou minérales diluées dans de l'eau ou de l'alcool et agitées vigoureusement. On peut diluer et agiter le remède à plusieurs reprises, jusqu'à ce que toute trace visible de produit chimique issu de la substance initiale ait disparu. Paradoxalement, plus la dilution est grande, plus le remède est puissant. Selon Cassileth (1998, p. 37), les homéopathes expliquent cette contradiction apparente en affirmant que l'eau et l'alcool contiennent, sous la forme de fréquences électromagnétiques, la trace infinitésimale de l'ingrédient actif qui s'y trouvait. Cassileth critique cette explication, alors que Goldberg, Anderson et Trivieri (2002) mentionnent des études sur l'imagerie par résonance magnétique nucléaire évoquant des relevés caractéristiques d'activité subatomique dans plusieurs remèdes homéopathiques. Cassileth s'appuie sur un raisonnement chimique pour critiquer l'homéopathie, alors que Goldberg et ses collaborateurs font appel à la physique quantique et à la nouvelle médecine des champs énergétiques. L'homéopathie fait ainsi l'objet de nombreux débats et elle est souvent contestée. En 2010, une étude britannique a conclu que l'engouement pour l'homéopathie pourrait être attribuable à un effet placebo (Willis *et al.*, 2010), sans que son efficacité clinique ait été prouvée. Cependant, une étude publiée en 2010 a constaté que quatre préparations homéopathiques différentes pouvaient détruire en laboratoire des cellules du sein cancéreuses par cytotoxicité (Frekel *et al.*, 2010 ; Moss, 2010). L'action de deux d'entre elles s'est révélée semblable à celle du paclitaxel (Taxol), le produit le plus utilisé en chimiothérapie contre le cancer du sein. Les auteurs ont conclu que les remèdes homéopathiques évalués dans leur étude semblent prometteurs sur les plans prophylactique et thérapeutique, ce qui justifiait, selon eux, la poursuite des recherches (cité dans Passeport-santé.net, 2010b).

Au Québec, l'homéopathie n'a pas encore le statut de profession reconnue. Les médecins qui désirent pratiquer l'homéopathie le font discrètement puisque leur corporation professionnelle y pose des limites importantes. Par exemple, un médecin aurait le droit de traiter un patient par l'homéopathie uniquement après avoir épuisé toutes les solutions possibles proposées par la médecine classique (Passeportsanté.net, 2010b). Par ailleurs, le registre des membres actifs du Syndicat professionnel des homéopathes du Québec (SPHQ) indique que ses membres ne sont généralement pas diplômés en médecine. En accord avec l'European Central Council of Homeopaths, le SPHQ estime qu'il faut 1 500 heures de cours pour la formation d'un bon homéopathe, et ce, malgré l'absence de réglementation officielle au Québec.

Naturopathie

La naturopathie a vu le jour en Europe au cours des XVIIIe et XIXe siècles ; elle a connu son plein essor aux États-Unis du milieu du XIXe siècle et jusque dans les années 1930, période où la médecine traditionnelle a presque complètement pris le dessus. Contrairement à la médecine ayurvédique indienne (qui intègre le corps, le psychisme, l'esprit et les sens) ou à la médecine chinoise traditionnelle, la naturopathie ne s'appuie pas sur des postulats théoriques très différents de ceux de la médecine occidentale classique (Cassileth, 1998). Toutefois, les naturopathes évitent les médicaments vendus en pharmacie et basent leur exercice sur les six principes suivants (Downey, 2000) :

1. La nature a un pouvoir de guérison.
2. On traite la personne dans son ensemble.
3. Il ne faut causer aucun mal.
4. On repère et on traite la cause.
5. On fait de la prévention.
6. Le médecin est un enseignant.

L'exercice de la **naturopathie** met l'accent sur la nutrition, les plantes médicinales, l'homéopathie, l'acupuncture, l'hydrothérapie (par exemple stations thermales, irrigation du côlon, thérapies chaud-froid et enveloppements), la médecine physique (par exemple massage, exercice et manipulations), la relation thérapeutique et les interventions chirurgicales mineures.

Au Québec, aucune loi n'encadre la naturopathie, mais sa pratique n'est pas illégale. Le Collège de naturopathie du Québec à Montréal (2008) précise qu'il s'agit « simplement d'une profession non encore légalement reconnue par l'Office des professions du Québec ». Présentement, après des études en naturopathie, on peut devenir membre du Syndicat professionnel des naturopathes du Québec ou membre de la Corporation des praticiens en médecines douces du Québec.

🧍 LES ÂGES DE LA VIE

PERSONNES ÂGÉES

Les disciplines de méditation et de mouvement, comme le tai-chi, le yoga et le qi gong, sont très bénéfiques pour la personne âgée. Leur pratique peut aussi être utile à la personne handicapée. En voici quelques avantages :

- Amélioration de la souplesse et de la mobilité
- Amélioration du tonus cardiovasculaire
- Amélioration de l'équilibre
- Augmentation de la force musculaire
- Accroissement de la socialisation (si l'activité se fait en groupe)

Les arts créatifs, comme la musique, le dessin et l'écriture, encouragent souvent la réflexion sur le passé et le présent et contribuent à maintenir la vivacité d'esprit, ce qui favorise le bien-être et permet d'affronter les changements liés au vieillissement.

Deux des ACPS auxquelles la personne âgée recourt le plus souvent, la chiropratique et l'herboristerie, posent des problèmes en matière de sécurité. Au cours de l'examen clinique, l'infirmière doit donc y prêter une attention particulière. On n'a pas encore établi l'innocuité des manipulations vertébrales destinées à soulager des douleurs lombaires chez la personne âgée. Par ailleurs, les interactions médicamenteuses entre les plantes médicinales et les médicaments chimiques peuvent être nocives et présenter un risque plus élevé pour la personne âgée qui souffre de troubles chroniques ou d'insuffisance rénale ou hépatique (Foster, Philips, Hamei et Eisenberg, 2000).

Révision du chapitre

MOTS CLÉS

Acupression (digitopuncture), **294**

Acupuncture, **302**

Approches complémentaires et parallèles en santé (ACPS), **284**

Aromathérapie clinique, **301**

Chiropratique, **294**

Conscience incarnée, **289**

Corps-esprit (corps-psyché), **289**

Holisme, **287**

Homéopathie, **303**

Humour, **299**

Hypnose, **299**

Imagerie mentale (visualisation), **296**

Massage thérapeutique (massothérapie), **292**

Médecine chinoise traditionnelle (MCT), **303**

Méditation, **297**

Modulation de l'activité mentale, **290**

Musicothérapie, **298**

Naturopathie, **304**

Neuropeptides, **290**

Plantes médicinales, **300**

Prière d'intercession, **298**

Psychoneuroimmunologie, **290**

Qi (chi), **303**

Réflexologie, **293**

Reiki, **302**

Relaxation progressive, **294**

Rétroaction biologique (*biofeedback*), **295**

Santé holistique, **287**

Soins de santé holistiques, **287**

Soins infirmiers holistiques, **288**

Thérapies complémentaires, **284**

Thérapies corps-esprit, **294**

Toucher thérapeutique (TT), **302**

Transduction de l'information, **290**

Yoga, **296**

CONCEPTS CLÉS

- Selon Jonas (1996, p. 1), les approches complémentaires et parallèles en santé se définissent selon un processus social ; il s'agit de thérapeutiques ne faisant pas partie du système dominant de prise en charge de la santé et de la maladie.

- Une importante proportion de personnes qui ont une affection grave ou chronique recourent aux ACPS et font aussi appel à la médecine traditionnelle ; cependant, la plupart de ces personnes n'en informent pas leur médecin.

- Les soins infirmiers holistiques visent à améliorer la guérison de la personne dans sa globalité, de sa naissance à sa mort.

- Les penseurs holistes avancent que le savoir, les pensées, les souvenirs, les émotions, la conscience et les comportements sont inscrits dans tout le corps.

- Le système limbique hypothalamique, dont le siège se trouve dans le cerveau et qui est biochimiquement relié à toutes les autres parties du corps, facilite l'intégration des pensées, des émotions et des sensations sur le plan physiologique et au niveau cellulaire.

- Les thérapies axées sur la manipulation corporelle les plus courantes sont le massage thérapeutique, la réflexologie, l'acupression et le reiki. L'infirmière qui veut acquérir des compétences dans ces domaines doit suivre une formation spécialisée.

- Dans les thérapies corps-esprit, la personne cherche à redresser ou à équilibrer ses processus mentaux dans le but de favoriser la guérison ; cependant, les partisans de ces thérapies doivent éviter de promouvoir le concept non holistique selon lequel l'esprit dominerait la matière.

- En rétroaction biologique, on utilise un thermomètre ou un électromyogramme pour aider la personne à distinguer entre les moments où elle est détendue et ceux où elle est tendue. Elle peut ainsi apprendre à réduire ses réactions physiologiques dans les affections liées au stress.

- L'objectif du yoga est l'illumination (ou union avec Dieu) grâce à la maîtrise du soi ou à l'unification du corps, du psychisme et de l'esprit.

- On pratique la méditation pour pacifier le psychisme, se concentrer sur l'instant présent

et libérer la peur, l'inquiétude, l'anxiété et les doutes liés au passé ou à l'avenir. Il n'est dès lors pas surprenant de constater que les processus physiologiques liés à l'excitation et au stress tendent à diminuer pendant la méditation.

- La médecine chinoise traditionnelle repose sur le principe de l'énergie vitale du corps, le qi (ou chi), qui circule le long de méridiens (canaux ou voies) ; on peut agir sur cette énergie par l'entremise de points anatomiques précis qui se trouvent à la surface du corps. Une affection est décrite comme un déséquilibre ou une interruption du flux du qi.

- La chiropratique repose sur l'hypothèse que le maintien de l'alignement de la colonne vertébrale et des articulations facilite le flux de l'énergie dans tout le corps.

- Selon la théorie de l'homéopathie, la substance médicinale adéquate qui correspond à un ensemble de symptômes donnés est celle qui produit naturellement ces symptômes chez une personne en bonne santé. On parle de guérison selon le principe de similitude (« guérir le mal par le mal »).

13

Références

Abbot, N. C. (2000). Healing as a therapy for human disease : A systematic review. *Journal of Alternative and Complementary Medicine, 6*(2), 159-169.

Achilles, R. (2001). Définition des approches complémentaires et parallèles en santé. Dans R. Achilles *et al.* (dir.), *Perspectives sur les approches complémentaires et parallèles en santé. Recueil de textes préparés à l'intention de Santé Canada.* Ottawa : Santé Canada, Réseau des

soins de santé. Document consulté le 10 novembre 2010 de http://www.hc-sc.gc.ca/hppb /soinsdesante/pdf/perspectives_define.pdf.

Acupuncture. (1997). *NIH Consensus Statement Online, 15*(5), 1-34. Document consulté le 7 avril 2003 de http://consensus.nih.gov/cons/ 107/107_statement.htm.

Andersson, G. B. J., Lucente, T., Davis, A. M., Kappler, R. E., Lipton, J. A., et Leurgans, S. (1999). A comparison of osteopathic spinal

manipulation with standard care for patients with low back pain. *New England Journal of Medicine, 341,* 1465-1468.

Ang-Lee, M. K., Moss, J., et Yuan, C. S. (2001). Herbal medicines and perioperative care. *Journal of the American Medical Association, 286,* 208-216.

Arab, L. (2000). What physicians need to know about medicinal herbs. Dans M. Hager (dir.), *Education of health professionals in complementary/alternative medicine.* New York: Josiah Macy Jr. Foundation.

Association chiropratique canadienne (ACC). (2010). Document consulté le 15 novembre 2010 de http://www.chiropracticcanada.ca/fr-ca/AboutUs/ChiropracticInCanada.aspx.

Association des chiropraticiens du Québec (ACQ). (2010). Document consulté le 15 novembre 2010 de http://www.chiropratique.com/fr/index.php.

Association des massothérapeutes du Québec (AMQ). (2008). *Code de déontologie.* Document consulté le 15 novembre 2010 de http://www.amquebec.qc.ca/_userfiles/file/deontologie.pdf.

Astin, J. (1998). Why patients use alternative medicine. *Journal of the American Medical Association, 279,* 1548-1553.

Aviles, J. M., Whelan, E., Hernke, D. A., Williams, B. A., Kenny, K. E., O'Fallon, W. M., *et al.* (2001). Intercessory prayer and cardiovascular disease progression in a coronary care unit population: A randomized controlled trial. *Mayo Clinic Proceedings, 76,* 1192-1198.

Bartol, G. M., et Courts, N. F. (2000). The psychophysiology of body-mind healing. Dans B. M. Dossey, L. Keegan et C. E. Guzzetta (dir.), *Holistic nursing: A handbook for practice* (3e éd.) (p. 69-88). Gaithersburg, MD: Aspen.

Benner, P., et Wrubel, J. (1989). *The primacy of caring: Stress and coping in health and illness.* New York: Addison-Wesley.

Blumenthal, M. (dir.). (1998). *The complete German Commission E monographs: Therapeutic guide to herbal medicines.* Boston: Integrative Medicine Communications.

Bruyn, T. de (2001). Rapport d'étape: questions de politiques associées aux approches complémentaires et parallèles en santé. Dans R. Achilles *et al.* (dir.), *Perspectives sur les approches complémentaires et parallèles en santé. Recueil de textes préparés à l'intention de Santé Canada.* Ottawa: Santé Canada, Réseau des soins de santé. Document consulté le 15 novembre 2010 de http://www.hc-sc.gc.ca/hppb/soinsdesante/pdf/perspectives_stock.pdf.

Buckle, J. (2002). *Clinical aromatherapy in nursing.* Don Mills, Ontario: Oxford University Press Canada.

Busse, J., Heaton, G., Wu, P., *et al.* (2005). Disclosure of natural product use to primary care physicians: a cross-sectional survey of naturopathic clinic attendees. *Mayo Clin Proc, 80*(5), 616-623.

Canadian Holistic Nurses Association (CHNA). (2009). Document consulté le 15 novembre 2010 de http://chna.ca/.

Cassileth, B. R. (1998). *The alternative medicine handbook: The complete reference guide to alternative and complementary therapies.* New York: W. W. Norton.

CATIE. (2004). *Un guide pratique des plantes médicinales pour les personnes vivant avec le VIH. Quelques exemples de formules mixtes. Réglementation des produits de santé naturels.* Document consulté le 15 novembre 2010 de http://www.catie.ca/herb_f.nsf/toc/A41C1F9AE8810D3585256E63005CA3C3?OpenDocument.

Charte d'Ottawa pour la promotion de la santé. (1986). Document consulté le 10 novembre 2010 de http://www.aspq.org/DL/charte.pdf.

Chavez, M. L., et Chavez, P. I. (2000). Herbal medicine. Dans D. W. Novey (dir.), *Clinician's complete reference to complementary and alternative medicine* (p. 545-565). St. Louis, MO: Mosby.

Cherkin, D., Deyo, R. A., Battie, M., Street, J., et Barlow, W. (1998). A comparison of physical therapy, chiropractic manipulation, and provision of an educational booklet for the treatment of patients with low back pain. *New England Journal of Medicine, 339,* 1021-1029.

Collège de naturopathie du Québec à Montréal. (2008). *Saviez-vous que?* Document consulté le 15 novembre 2010 de http://www.cnqm.qc.ca/index.php?option=content&task=blogsection&id=8.

Consortium of Academic Health Centers for Integrative Medicine (CAHCIM). (2004). Document consulté le 15 novembre 2010 de http://www.imconsortium.org/html/membership.php.

Cooper, A. A., et McKee, H. J. (2000). Who is practicing? Dans M. Hager (éd.), *Education of health professionals in complementary/alternative medicine.* New York: Josiah Macy Jr. Foundation.

Coward, H., et Ratanakul, P. (dir.). (1999). *A cross-cultural dialogue on health care ethics.* Waterloo, Ontario: Wilfrid Laurier University Press.

DeAngelis, T. (2002). A bright future for PNI. *Monitor on Psychology, 33*(6). Document consulté le 7 avril 2003 de http://www.apa.org/monitor/jun02/brightfuture.html.

Dossey, L. (1993). *Healing words: The power of prayer and the practice of medicine.* San Francisco: Harper.

Dossey, B. M., et Keegan, K. (2009). *Holistic nursing. A handbook for practice.* Sudbury, Mass.: Jones and Bartlett Publishers.

Downey, C. (2000). Naturopathic medicine. Dans D. W. Novey (dir.), *Clinician's complete reference to complementary and alternative medicine* (p. 274-282). St. Louis, MO: Mosby.

Dumais, M. E., Foley, M. C., Janssen, L., *et al.* (2006). *Profil d'utilisation des médecines alternatives et complémentaires dans la population.* Stage d'externat en santé communautaire, Faculté de médecine et des sciences de la santé, Université de Sherbrooke.

Dunbar, F. (1945). *Psychosomatic diagnosis.* New York: Paul B. Haebar.

Eisenberg, D. M., Davis, R. B., Ettner, S. L., Appel, S., Wilkey, S., Van Rompay, M., et Kessler, R. C. (1998). Trends in alternative medicine use in the United States, 1990-1997: Results of a follow-up national survey. *Journal of the American Medical Association, 280*(18), 1569-1575.

Eisenberg, D. M., Kessler, R. C., Foster, C., Norlock, F. E., Calkins, D. R., et Delbanco, T. L. (1993). Unconventional medicine in the United Sates. *New England Journal of Medicine, 328,* 246-252.

Ernst, E., Resch, K. L., Mills, S., Hill, R., Mitchell, A., Willoughby, M., *et al.* (1995). Complementary medicine – A definition. *British Journal of General Practice, 45,* 506.

Foster, D. F., Philips, R. S., Hamei, M. B., et Eisenberg, D. M. (2000). Alternative medicine use in older Americans. *Journal of the American Geriatrics Society, 48,* 1560-1565.

Frenkel, M., Mishra, B. M., Sen, S., Yang, P., Pawlus, A., Vence, L., Leblanc, A., Cohen, L., Banerji, P. et Banerji, P. (2010). Cytotoxie effects of ultra-diluted remedies on breast cancer cells. *International Journal of Oncology, 36*(2), 395-403.

Fulder, S. (1998). The basic concepts of alternative medicine and their impact on our views of health. *The Journal of Alternative and Complementary Medicine, 4*(2), 147-158.

Goldberg, B., Anderson, J. W., et Trivieri, L. (2002). *Alternative medicine: The definitive guide* (2e éd.). Berkeley, CA: Ten Speed Press.

Groupe consultatif sur les approches complémentaires et parallèles en santé. (2001). Vers un système intégratif de santé. Dans R. Achilles *et al.* (dir.), *Perspectives sur les approches complémentaires et parallèles en santé. Recueil de textes préparés à l'intention de Santé Canada.* Ottawa: Santé Canada, Réseau des soins de santé. Document consulté le 10 novembre 2010 de http://www.hc-sc.gc.ca/hppb/soinsdesante/pdf/perspectives_integrate.pdf.

Groupe Angus Reid Inc. (1998). *Use and danger of alternative medicines and practice: Parts I and II,* sondage mené auprès de la population par CTV et le Groupe Angus Reid en août 1997.

Guzzetta, C. E. (2000). Music therapy: Hearing the melody of the soul. Dans B. M. Dossey, L. Keegan et C. E. Guzzetta (dir.), *Holistic nursing: A handbook for practice* (3e éd.) (p. 585-610). Gaithersburg, MD: Aspen.

Hepatic toxicity possibly associated with kava-containing products — United States, Germany, and Switzerland, 1999-2002. (2002). *Morbidity and Mortality Weekly Report 51*(47), 1065-1067.

Jacobson, E. (1938). *Progressive relaxation.* Chicago: University of Chicago Press.

Jonas, W. (1996). Dr. Jonas addresses advisory council. *Complementary and Alternative Medicine at the NIH, 3*(1). Bethesda, MD: Office of Alternative Medicine at the National Institutes of Health.

Krieger, D. (1979). *The therapeutic touch: How to use your hands to help or heal.* Englewood Cliffs, NJ: Prentice Hall.

MacIntyre, R. C., Holzemer, W. L., et Philippek, M. (1997). Complementary and alternative medicine in HIV/AIDS part I: Issues and context. *Journal of the Association of Nurses in AIDS Care, 8*(1), 23-31.

McCloskey, J. C., et Bulechek, G. M. (dir.). (2000). *Nursing interventions classification (NIC)* (3e éd.). St. Louis, MO: Mosby.

Micozzi, M. S. (2000). A taxonomy of complementary and alternative medicine. Dans M. Hager (dir.), *Education of health professionals in complementary/alternative medicine.* New York: Josiah Macy Jr. Foundation.

Moss, R. (2010). A tipping point for homeopathy? *Cancer Decisions.* Document consulté le 15 novembre 2010 de http://www.cancerdecisions.com.

National Center for Complementary and Alternative Medicine (NCCAM). (2010). *What is complementary and alternative medicine?* National

Institutes of Health. Document consulté le 15 novembre 2010 de http://nccam.nih.gov /health/whatiscam/.

National Center for Health Statistics. Centers for Disease Control and Prevention. (2008). *2007 National Health Interview Survey (NHIS). Public Use Data Release. NHIS Survey Description.* Hyattsville, Maryland: Auteur. Document consulté le 22 mars 2011 de ftp://ftp.cdc.gov/pub/ health_ statistics/nchs/dataset_documentation/ NHIS/2007/srvydesc.pdf.

Newman, M. A. (1986). *Health as expanding consciousness.* St. Louis, MO: Mosby.

Nield-Anderson, L., et Ameling, A. (2000). Reiki: A complementary therapy for nursing practice. *Journal of Psychosocial Nursing & Mental Health Services, 39*(4), 42-9.

Ordre des acupuncteurs du Québec. (2010). Document consulté le 15 novembre 2010 de http://www.ordredesacupuncteurs.qc.ca.

Ordre des infirmières et infirmiers du Québec (OIIQ). (2010a). *Perspectives de l'exercice de la profession d'infirmière.* Montréal: Auteur. Document consulté le 10 novembre 2010 de http://www.oiiq.org/uploads/publications/ autres_publications/263NS_Perspectives_ 2010 _Fr.pdf.

Ordre des infirmières et infirmiers du Québec (OIIQ). (2010b). *Le champ d'exercice et les activités réservées des infirmières.* Mise à jour du guide publié en 2003. Montréal: Auteur. Document consulté de http://www.oiiq.org/ uploads/publications/cadre_legal/Guide ExerciceInfirmier.pdf.

Organisation mondiale de la santé (OMS). (1948). *Définition de la santé par l'Organisation mondiale de la santé.* Préambule adopté par la Conférence internationale sur la santé, New York, 19-22 juin 1946, signé le 22 juillet 1946 par les représentants de 61 États (Actes officiels de l'Organisation mondiale de la santé, n° 2, p. 100) et entré en vigueur le 7 avril 1948.

Parse, R. R. (1981). *Man-living-health: Theory of nursing.* New York: Wiley.

Passeportsanté.net. (2010a). *Phytothérapie. (Herboristerie).* Document consulté le 15 novembre 2010 de http://www.passeportsante. net/fr/Therapies/Guide/Fiche.aspx?doc= phytotherapie_th.

Passeportsanté.net. (2010b). *Homéopathie.* Document consulté le 15 novembre 2010 de http:// www.passeportsante.net/fr/Therapies/Guide/ Fiche.aspx?doc=homeopathie_th.

Pélissier-Simard, L., et Xhignesse M. (2008a). Qu'est-ce que la médecine intégrative? Capsule de formation continue. *Le Médecin du Québec, 43*(1), 21-22. Document consulté le 10 novembre 2010 de http://www.fmoq.org/ Lists/FMOQDocumentLibrary/fr/Le%20M% C3%A9decin%20du%20Qu%C3%A9bec/ Archives/2000%20-%202009/021-022Capsule 0108.pdf.

Pélissier-Simard, L., et Xhignesse, M. (2008b). Les approches complémentaires en santé. Comprendre pour bien conseiller. *Le Médecin du Québec. 43*(1), 23-30. Document consulté le 10 novembre 2010 de http://www.fmoq.org/ Lists/FMOQDocumentLibrary/fr/Le%20M%C3 %A9decin%20du%20Qu%C3%A9bec/Archive s/2000%20-%202009/023-030DreP%C3%A9 lissierS0108.pdf.

Pepin, J., Kérouac, S., et Ducharme, F. (2010). *La pensée infirmière* (3e éd.). Montréal: Chenelière Éducation.

Portail des médecines douces du Québec. (2007). *Massothérapeutes au Canada.* Document consulté le 22 mars 2011 de http://www.cpmdq. com/modules/xoopsfaq/index.php?cat_id=5.

Ramsey, C., Walker, M., et Alexander, J. (1999). Alternative medicine in Canada: Use and public attitudes. *Public Policies Sources, 21.* Vancouver: The Fraser Institute. Document consulté le 10 novembre 2010 de http://www.fraserinstitute. ca/admin/books/files/Altmed(v8).pdf.

Rakel, D., et Faass, N. (2006). *Complementary medecine in clinical practice.* Sudbury, Mass.: Jones & Bartlett.

Rogers, M. E. (1970). *An introduction to the theoretical basis of nursing.* Philadelphie: F. A. Davis.

Ruedy, J., Kaufman, D. M., et MacLeod, H. (1999). Alternative and complementary medicine in Canadian medical schools: A survey. *Canadian Medical Association Journal, 160*(6), 816-817.

Santé Canada. (2005a). *Les approches complémentaires et parallèles en santé… l'autre piste conventionnelle?* Document consulté de http:// www.hc-sc.gc.ca/sr-sr/pubs/hpr-rpms/bull/ 2003-7-complement/method-fra.php.

Santé Canada. (2005b, mars). Enquête *de référence menée sur les produits de santé naturels auprès de consommateurs.* Ottawa: Auteur. Document consulté le 15 novembre 2010 de http://www.hc-sc.gc.ca/dhp-mps/pubs/natur/ eng_cons_survey_fra.php.

Santé Canada. (2009). *Concepts de promotion de la santé: les produits de santé naturels et les approches complémentaires et parallèles en santé.* Document consulté le 10 novembre 2010 de http://www.hc-sc.gc.ca/dhp-mps /pubs/complement/index-fra.php.

Santé Canada. (2010). *Produits de santé naturels.* Document consulté le 22 mars 2011 de http:// www.hc-sc.gc.ca/dhp-mps/compli-conform/ info-prod/prodnatur/index-fra.php.

Schaub, B. G., et Dossey, B. M. (2000). Imagery: Awakening the inner healer. Dans B. M. Dossey, L. Keegan et C. E. Guzzetta (dir.), *Holistic nursing: A handbook for practice* (3e éd.) (p. 539-581). Gaithersburg, MD: Aspen.

Schulz, V. (2001). Incidence and clinical relevance of the interactions and side effects of Hypericum preparations. *Phytomedicine, 8*(2), 152-160.

Selye, H. (1956). *The stress of life.* New York: McGraw-Hill.

Smuts, J. (1926). *Holism and evolution.* New York: Macmillan.

Tataryn, D., et Verhoef, M. (2001). Intégration de l'approche conventionnelle et des approches complémentaires et parallèles en santé: vision d'une démarche. Dans R. Achilles *et al.* (dir.), *Perspectives sur les approches complémentaires et parallèles en santé. Recueil de textes préparés à l'intention de Santé Canada.* Ottawa: Santé Canada, Réseau des soins de santé. Document consulté le 10 novembre 2010 de http://www.phac-aspc.gc.ca/publicat/ pcahc-pacps/pdf/perspectives_combine.pdf.

Verhoef, M. (1998). *Complementary medicine: Impact on physicians.* Texte présenté à la conférence Complementary Medicine in the Mainstream.

Watson, J. (1988). *Nursing: Human science and human care.* New York: National League for Nursing.

Wans, J. (2001). *Espace développement personnel. Reiki / Yoga de l'émanation.* Document consulté le 11 février 2005 de http://www.esdepe.com/ reiki/reiki.php.

Willis, P., *et al.* (2010). *Evidence Check 2: Homeopathy.* Science and Technology Committee, House of Commons, British Parliament.

York University Centre for Health Studies (YUCHS). (1999a). *Les approches complémentaires et parallèles en santé. Un aperçu canadien. Base conceptuelle.* Document préparé pour Santé Canada (Direction des stratégies et systèmes pour la santé, Direction générale de la promotion et des programmes de santé). Toronto: Auteur. Document consulté le 9 novembre 2010 de http://www.yorku.ca/ychs/Publications.htm.

York University Centre for Health Studies (YUCHS). (1999b). *Les approches complémentaires et parallèles en santé. Un aperçu canadien. Les consommateurs.* Document préparé pour Santé Canada (Direction des stratégies et systèmes pour la santé, Direction générale de la promotion et des programmes de santé). Toronto: Auteur. Document consulté le 9 février 2005 de http://www.yorku.ca/ychs/Publications.htm.

13

Partie 4

La démarche de soins infirmiers est une méthode structurée et centrée sur la personne qui a pour but de favoriser la planification et l'exécution d'interventions infirmières appropriées. Pour effectuer cette démarche, l'infirmière recueille et analyse les données de la situation afin de déterminer les besoins non comblés de la personne et ses problèmes de santé actuels ou potentiels, pour être en mesure de planifier les interventions infirmières, de les réaliser et au besoin de les ajuster selon l'évolution de la situation et l'atteinte des résultats escomptés. À toutes les étapes de la démarche, l'infirmière travaille en étroite collaboration avec le client pour individualiser les soins et les traitements qu'elle lui administre en établissant avec lui une relation de confiance mutuelle.

Démarche de soins infirmiers

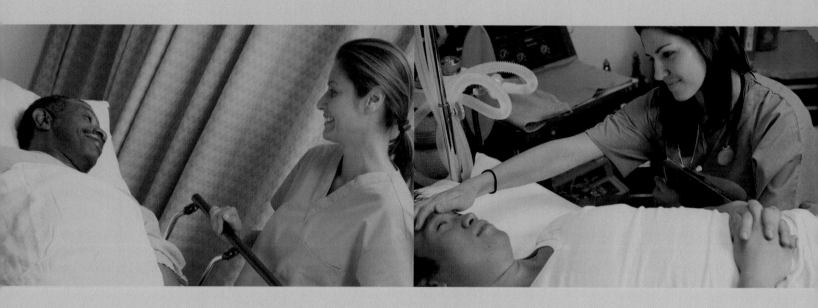

Chapitre 14

Adaptation française :
Suzie Rivard, inf., B.Sc.
Enseignante, Programme de soins infirmiers
Collège de Trois-Rivières

Avec la participation de :
Johanne Turcotte, B.Sc., Inf., M.A.
Anciennement :
Directrice des soins infirmiers, de la qualité,
de l'éthique et de la santé physique
CSSS de Matane
Enseignante et coordonnatrice
de programme en Soins infirmiers
Cégep de Matane

Pensée critique et pratique infirmière

La nature de la discipline ainsi que la complexité de la pratique professionnelle placent régulièrement l'infirmière devant des situations exigeant d'elle un jugement clinique pertinent et approprié. Quotidiennement, elle doit prendre des décisions pour résoudre des situations complexes. Ces décisions ont un impact majeur sur l'évolution de la situation de santé des personnes. La pensée critique, la pensée créatrice, le processus de prise de décision ainsi que le processus de résolution de problèmes, ou démarche systématique de soins infirmiers, contribuent à soutenir son jugement. L'infirmière est appelée à appliquer un processus rigoureux de prise de décision à chacune des étapes de la démarche de soins infirmiers. Cette démarche comporte différentes étapes qui lui permettent de déterminer les besoins de la personne ainsi que ses problèmes vécus ou anticipés, puis de proposer un plan d'action (plan de traitement, plan de soins et de traitements infirmiers, plan d'intervention interdisciplinaire, etc.) pour résoudre la situation. Le plan thérapeutique infirmier, quant à lui, rend compte des décisions qu'elle prend pour assurer un suivi clinique prioritaire. L'infirmière experte maîtrise ces processus et les soumet à la pensée créative et à la pensée critique ; la première lui permet d'utiliser son imagination pour explorer différemment les situations et identifier des solutions de rechange ; la seconde l'amène à réfléchir sur chacun des processus appliqués, à les questionner, à les recadrer pour s'assurer de leur rigueur, de leur qualité et de leur pertinence. « La **pensée critique** est l'art de penser à ce que vous pensez pendant que vous pensez à améliorer votre façon de penser » (traduction libre de Paul, 1995, citée dans Scheffer et Rubenfeld, 2000). Tous ces processus sont interdépendants et hautement nécessaires dans la profession d'infirmière.

Pensée critique

La pratique infirmière ne peut être caractérisée par la prudence, la compétence et les habiletés que si l'exercice de la pensée critique y joue un rôle essentiel. Étant donné la quantité et l'évolution rapide des connaissances que l'infirmière doit posséder, celle-ci ne saurait devenir une clinicienne efficace si elle se contentait des connaissances acquises lors de sa formation initiale. L'évolution technologique, la complexité des situations de santé ainsi que le manque de personnel ont une incidence directe sur le jugement que l'infirmière porte dans son milieu de travail. Constamment sollicitée, elle est dans l'obligation d'adopter ce processus intellectuel pour répondre aux exigences, aux besoins et aux attentes des clients. Les décisions que l'infirmière doit prendre relativement aux soins et aux traitements l'obligent souvent à penser et à agir dans des situations où la prise de décision est une démarche complexe. Par conséquent,

14

OBJECTIFS D'APPRENTISSAGE

Après avoir étudié ce chapitre, vous pourrez :

- Décrire les habiletés et les attitudes qui définissent la pensée critique.
- Énumérer les composantes de la pensée critique.
- Établir des liens entre la démarche de soins infirmiers, la pensée critique, la résolution de problèmes et le processus de prise de décision.
- Appliquer le concept de pensée critique à diverses situations cliniques.

elle doit adopter les attitudes nécessaires à l'exercice de la pensée critique et maîtriser les habiletés connexes afin de pouvoir analyser, interpréter et évaluer les informations recueillies.

L'infirmière a recours à la pensée critique dans diverses circonstances :

■ *Lorsqu'elle doit utiliser des connaissances propres à des domaines autres que le sien.* Puisque, dans son travail, l'infirmière doit considérer les réactions humaines de manière holistique, elle doit chercher des informations pertinentes dans des domaines autres que le sien (donc établir des liens interdisciplinaires) ; cela lui permet de donner une signification aux données recueillies auprès du client et de planifier les interventions appropriées. Les divers programmes de formation infirmière comprennent l'enseignement de notions de biologie, de sciences sociales et de sciences humaines afin que les connaissances et les habiletés des infirmières reposent sur des données scientifiques de disciplines variées. Par exemple, cela permet à une infirmière qui doit soigner une personne souffrant de plaies de pression de mettre à profit ses connaissances en nutrition, en physiologie et en physique pour déterminer et mettre en application le plan thérapeutique afin de prévenir l'exacerbation des lésions et de favoriser la cicatrisation. Prenons un autre exemple : pour l'infirmière travaillant en pédiatrie, l'étude de la psychologie et notamment des différents stades de développement est nécessaire pour comprendre l'évolution comportementale des enfants ; cet apprentissage aura une influence sur son attitude professionnelle et sur sa pensée critique. Son travail doit souvent prendre la forme de jeux, et elle doit adapter le but de ses interventions à la capacité de l'enfant, compte tenu de son âge.

■ *Lorsqu'elle doit composer avec le changement dans des circonstances stressantes.* L'infirmière doit souvent prendre en charge des situations de santé instables. Les traitements, les médicaments et la technologie évoluent constamment ; de plus, l'état de santé d'une personne peut changer très rapidement. L'infirmière ne peut donc pas toujours s'en remettre aux procédés de routine. Par exemple, connaître le procédé habituel d'administration des médicaments n'est pas suffisant pour qu'elle puisse s'occuper d'une personne que les injections effraient ou que le traitement médicamenteux rebute. Dans une situation inattendue, la pensée critique permet à l'infirmière de discerner les signaux importants, de réagir promptement et d'adapter ses interventions aux besoins particuliers de la personne. Prenons l'exemple d'une personne qui, après une intervention chirurgicale, est installée à l'unité de soins. Au départ, son état n'exige qu'un suivi standard, mais, peu de temps après, son état se dégrade, et des signes d'œdème aigu du poumon surviennent. L'infirmière utilise sa pensée critique pour intervenir immédiatement et stabiliser l'état de ce client.

■ *Lorsqu'elle doit prendre des décisions importantes.* L'infirmière prend toutes sortes de décisions très importantes. Ces décisions doivent être judicieuses, car elles ont des répercussions sur le bien-être des clients, voire sur leur survie. L'infirmière doit exercer sa pensée critique pour obtenir les informations nécessaires à la prise de décision et pour bien les interpréter. Elle doit, par exemple, faire appel à son jugement pour discerner, parmi toutes ses observations sur la personne, celles

qu'elle doit communiquer sans délai au médecin et celles qu'elle notera dans le dossier afin que le médecin en prenne connaissance lors de sa tournée. Le plan thérapeutique infirmier (PTI) est un outil de documentation qui permet à l'infirmière de démontrer le jugement clinique qu'elle a exercé lors de la prise de décisions. L'infirmière a l'entière responsabilité de le déterminer et de le rédiger en y inscrivant les paramètres de surveillance clinique nécessaires (constats de l'évaluation et directives) et de l'ajuster au besoin.

La créativité est une des composantes importantes de l'exercice de la pensée critique. L'infirmière qui l'intègre à son processus de pensée est capable de trouver des solutions originales à des problèmes particuliers. La **créativité** est une forme de pensée qui engendre des idées et des produits nouveaux. Dans le domaine de la résolution de problèmes et de la prise de décision, elle est définie comme la capacité de concevoir et de mettre en œuvre des solutions inédites qui soient les meilleures pour promouvoir le bien-être de la clientèle. Selon le sixième énoncé descriptif de la profession, la qualité de vie, « l'infirmière s'assure que les interventions procurent du bien-être au client » (Ordre des infirmières et infirmiers du Québec [OIIQ], 2010), et ce, quelle que soit l'unité dans laquelle elle travaille.

L'infirmière doit mettre à profit sa créativité dans toute circonstance imprévue, lorsque les interventions traditionnelles n'y sont pas appropriées. Prenons l'exemple de Denise St-André, une infirmière en soins à domicile qui s'occupe d'une fillette de neuf ans, Martine. Celle-ci respire difficilement à la suite d'une intervention chirurgicale à l'abdomen. Le médecin a prescrit un traitement avec un spiromètre de stimulation (ou spiromètre incitatif), un appareil qui favorise la dilatation des alvéoles pulmonaires. Martine a peur de l'appareil et se fatigue rapidement durant les traitements. Denise lui propose alors de faire des bulles avec du liquide savonneux et un cerceau au bout d'une baguette. Martine adore faire des bulles. Denise, quant à elle, sait que l'effort respiratoire que cette activité exige favorisera tout autant la dilatation des alvéoles pulmonaires. Aussi conseille-t-elle à Martine de faire des bulles entre ses traitements de spirométrie de stimulation.

Pour penser de manière créative, l'infirmière doit connaître le problème en cause, l'avoir circonscrit et s'être renseignée sur les faits et les principes qui le sous-tendent. Dans l'exemple que nous venons de présenter, Denise St-André connaît l'anatomie et la physiologie de la fonction respiratoire ainsi que l'objectif visé par la spirométrie de stimulation. De plus, elle comprend la croissance et le développement de l'enfant. Pour aider Martine, elle s'appuie sur ses connaissances et imagine une solution créative. La créativité permet à l'infirmière :

■ d'avoir rapidement un grand nombre d'idées ;
■ de faire preuve de souplesse, c'est-à-dire d'être capable de modifier sa façon de voir les choses rapidement et facilement ;
■ de trouver des solutions appropriées et originales aux problèmes ;
■ d'agir de façon autonome et d'avoir confiance en elle-même, même sous pression ;
■ de faire preuve d'inventivité ;
■ d'aider le client à trouver des moyens pour participer au plan d'intervention ;

- d'encourager le client à prendre en charge sa situation en partie ou en totalité.

Un geste quotidien qui semble bien anodin pour les gens en santé peut devenir un bon atout pour faciliter à la fois la compréhension, la collaboration et les interventions pour les parties engagées dans la prise en charge d'un client.

Modèle de la pensée critique

L'exercice de la pensée critique et le développement du jugement clinique sont des processus très complexes. Kataoka-Yahiro et Saylor (1994) ont établi un modèle de pensée critique spécifiquement adapté au développement du jugement clinique et qui vise l'acquisition, par l'infirmière, d'une pratique professionnelle supérieure. Ce modèle comprend cinq éléments, à savoir les connaissances, l'expérience, les habiletés, les attitudes et les normes de la pensée critique.

Connaissances

L'infirmière a besoin de connaissances dans différents domaines scientifiques afin de pouvoir reconnaître, analyser et interpréter les données recueillies. Ces connaissances lui permettent de mieux déterminer la situation d'une personne et de formuler ainsi un plan de soins et de traitements infirmiers (PSTI) plus approprié. Les connaissances sont à la base du processus de la pensée critique. Selon le septième énoncé descriptif de la profession, l'engagement professionnel, «l'infirmière s'engage dans un processus de formation continue et de mise à jour des connaissances» (OIIQ, 2010). En tant que professionnelle de la santé, elle doit s'assurer que ses savoirs sont adaptés à ses tâches et les actualiser constamment.

Expérience

Avec l'expérience, les connaissances se raffinent, se nuancent; un «savoir pratique tacite» (Schön, 1994) se développe. L'expérience permet à l'infirmière de développer ses habiletés d'observation, de collecte des données, d'analyse, de raisonnement et de jugement clinique ainsi que ses habiletés relationnelles. Elle permet à l'infirmière de cheminer vers l'expertise (Benner, 1984), d'acquérir et de développer les différentes habiletés et attitudes propres à la pensée critique, par la réflexion dans l'action.

Habiletés

Les processus mentaux complexes, tels que l'analyse, la résolution de problèmes et la prise de décision, nécessitent l'utilisation de diverses habiletés cognitives propres à la pensée critique. Ces habiletés sont l'analyse critique, le raisonnement inductif et déductif, de même que la capacité de formuler des inférences valides, de distinguer les faits des opinions, d'évaluer la crédibilité des sources d'information, de clarifier les concepts et de formuler des hypothèses valides.

L'**analyse critique** consiste à se poser un ensemble de questions par rapport à une situation ou à une idée particulière, afin de conserver l'essentiel d'une information et d'en rejeter le superflu. Ce type de questionnement n'est pas séquentiel; il se ramène plutôt à une série de critères de jugement. Il n'est pas nécessaire de se poser toutes les questions dans toutes les situations, mais il faut les connaître toutes afin de choisir et prioriser celles qui sont appropriées dans une situation donnée. Le philosophe grec Socrate, né vers 470 avant Jésus-Christ, considérait que l'exercice de la pensée critique est une habileté intellectuelle qui permet d'examiner méthodiquement son propre processus de pensée et celui des autres. Il a élaboré une méthode pour se poser des questions et trouver des réponses. La liste des questions socratiques à se poser dans l'analyse critique est présentée à l'encadré 14-1. La technique du **questionnement socratique** permet de discerner et d'examiner des hypothèses, de faire ressortir des contradictions, d'étudier des points de vue multiples et de distinguer les connaissances des simples croyances; bref, de scruter le fond des choses. L'infirmière devrait recourir fréquemment au questionnement socratique, par exemple lorsqu'elle écoute un rapport de fin de quart de travail, passe en revue une anamnèse ou une note d'évolution, planifie des interventions ou discute des soins et des traitements d'une personne avec des collègues.

ENCADRÉ 14-1
QUESTIONNEMENT SOCRATIQUE

Questions sur la question (le problème)
- Cette question est-elle claire, compréhensible et correctement posée?
- Cette question est-elle importante?
- Cette question pourrait-elle être subdivisée en plusieurs questions?
- Comment une autre personne énoncerait-elle cette question?

Questions sur les hypothèses
- Semblez-vous présumer qu'il en est vraiment ainsi?
- Que pourriez-vous supposer de différent? Pourquoi?
- Après réflexion, cette hypothèse est-elle toujours valable?

Questions sur le point de vue
- Vous semblez accepter le point de vue de X. Pourquoi?
- Que dirait une personne qui n'est pas d'accord avec votre point de vue?
- Comment pourriez-vous envisager cette situation sous un autre angle?

Questions sur les preuves et les justifications
- Pouvez-vous prouver ce que vous avancez?
- Existe-t-il des raisons de douter de ces preuves?
- Qu'est-ce qui vous fait croire que vous avez raison?
- Qu'est-ce qui pourrait vous faire changer d'idée?

Questions sur les répercussions et les conséquences
- Quel effet pourrait avoir cette proposition?
- Quelle est la probabilité que cet effet se produise?
- Quelles autres propositions existe-t-il?
- Quelles seraient les conséquences de l'application de ces autres propositions?

14

Le **raisonnement inductif** consiste à formuler des généralisations à partir d'un ensemble de faits ou d'observations. Lorsqu'on les considère comme un ensemble, des informations éparses et fragmentaires peuvent parfois mener à une interprétation particulière. Par exemple, devant une personne qui présente des muqueuses sèches, une diminution de l'élasticité de la peau, des yeux creux et une urine concentrée, l'infirmière peut formuler une généralisation et avancer comme hypothèse que cette personne présente des signes de déshydratation. À l'opposé, le **raisonnement déductif** procède du général au particulier. L'infirmière s'appuie sur une structure ou un modèle conceptuel pour faire une interprétation descriptive de l'état de la personne. En se fondant sur la hiérarchie des besoins de Maslow, par exemple, l'infirmière pourrait classer les données et définir le problème de la personne à partir de ses besoins physiologiques d'élimination, de nutrition ou de protection. En utilisant un modèle conceptuel, elle peut faire des comparaisons avec des normes préétablies.

En fait, on pourrait dire qu'utiliser le raisonnement inductif équivaut à regarder les pièces éparses d'un casse-tête et à tenter de décrire l'image; plus on assemble de pièces, plus l'image se précise. Selon le raisonnement déductif, à l'inverse, on observe l'image imprimée sur la boîte du casse-tête et on classe les pièces selon la forme, la couleur ou quelque autre critère.

L'analyse critique exige aussi que l'infirmière *distingue différents types d'énoncés: les faits, les inférences, les jugements et les opinions.* La figure 14-1 ■ présente une définition et un exemple d'application de chacun de ces types d'énoncés. L'établissement de liens entre les faits et les inférences et la compréhension des conséquences en portant un jugement adéquat pour prévenir, détecter et intervenir aident grandement l'infirmière à réfléchir. La pensée critique comporte aussi une autre composante importante: l'évaluation de la *crédibilité des sources d'information*. L'infirmière se doit de remettre en question ce qu'elle lit et ce qu'elle entend. Aussi est-elle appelée à consulter des documents de sources diverses, telles les recherches, ou à interroger différentes personnes pour vérifier l'exactitude des informations. Bien qu'une pratique infirmière fondée sur des résultats probants issus de la recherche facilite la prise de décision, il faut se souvenir que le jugement clinique ne perd pas pour autant son importance.

Les *concepts* sont des représentations mentales, générales et abstraites d'objets réels. Chaque personne développe ses conceptions à partir de ses expériences, de l'apport des autres, d'études et d'autres activités. Pour bien comprendre une situation, l'infirmière et le client doivent s'entendre sur la signification des concepts. Ainsi, avant de répondre à une personne qui se dit atteinte d'une tumeur, l'infirmière doit vérifier ce que cette personne entend par le terme « tumeur ». Emploie-t-elle le mot au sens médical (masse solide) ou dans son acception populaire (cancer)? Si l'infirmière et le client ne s'entendent pas ne serait-ce que sur le sens d'un terme, il leur sera difficile de continuer d'avancer dans la même direction. Le travail de partenariat exige qu'il y ait un consensus entre les deux parties, qui réponde à la fois aux besoins et aux attentes du client ainsi qu'aux obligations professionnelles de l'infirmière.

Les êtres humains vivent leur vie selon un certain nombre d'*hypothèses* générées par leur vécu, leurs expériences, leur réseau de soutien et leurs antécédents. Certains estiment que la nature de l'être humain est fondamentalement généreuse, tandis que d'autres lui attribuent des intentions intéressées. L'infirmière peut croire que la vie vaut la peine d'être vécue quelles que soient les circonstances, alors que la personne qu'elle soigne peut juger que la qualité de la vie est plus importante que sa durée. Si l'une et l'autre reconnaissent que leurs choix reposent sur ces hypothèses, il sera plus facile pour elles de collaborer et de convenir d'un plan de soins et de traitements acceptable. Des difficultés peuvent surgir si l'infirmière et la personne ne prennent pas le temps de vérifier quelles sont les hypothèses qui sous-tendent leurs croyances et leurs actions.

Attitudes

Certaines attitudes sont essentielles au développement de la pensée critique. Si on accepte l'hypothèse qu'une personne rationnelle est motivée à se développer, à apprendre et à croître, on peut croire que cette personne voudra exercer son esprit critique et qu'elle privilégiera dans sa vie certaines façons d'être et d'agir. L'infirmière qui exerce sa pensée critique s'efforce d'acquérir des attitudes ou des traits de caractère spécifiques (encadré 14-2) (Paul, 1995).

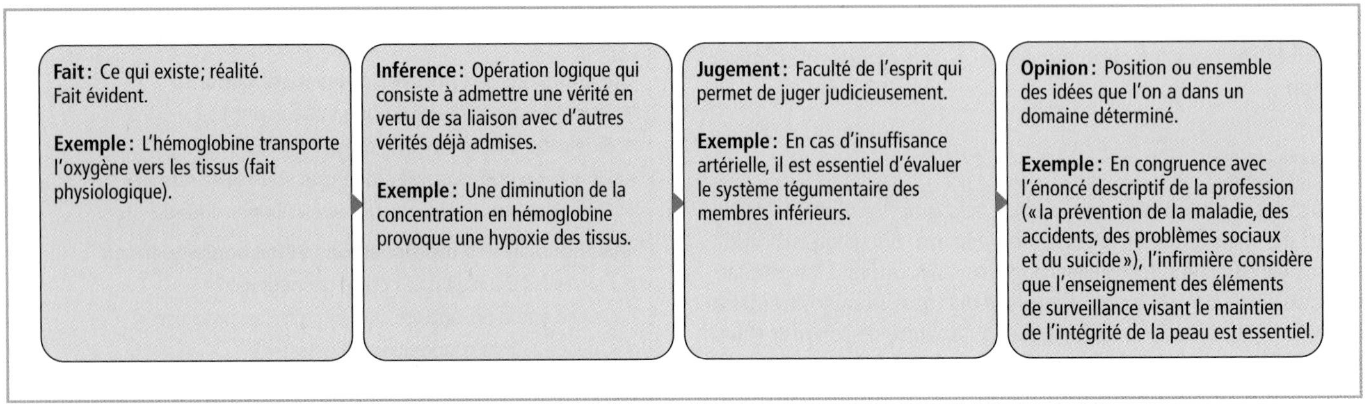

Fait: Ce qui existe; réalité. Fait évident.

Exemple: L'hémoglobine transporte l'oxygène vers les tissus (fait physiologique).

Inférence: Opération logique qui consiste à admettre une vérité en vertu de sa liaison avec d'autres vérités déjà admises.

Exemple: Une diminution de la concentration en hémoglobine provoque une hypoxie des tissus.

Jugement: Faculté de l'esprit qui permet de juger judicieusement.

Exemple: En cas d'insuffisance artérielle, il est essentiel d'évaluer le système tégumentaire des membres inférieurs.

Opinion: Position ou ensemble des idées que l'on a dans un domaine déterminé.

Exemple: En congruence avec l'énoncé descriptif de la profession (« la prévention de la maladie, des accidents, des problèmes sociaux et du suicide »), l'infirmière considère que l'enseignement des éléments de surveillance visant le maintien de l'intégrité de la peau est essentiel.

FIGURE 14-1 ■ Distinction entre les types d'énoncés.

ENCADRÉ 14-2
ATTITUDES FAVORISANT LA PENSÉE CRITIQUE

- Indépendance intellectuelle
- Équité
- Compréhension de l'égocentrisme et du sociocentrisme
- Prudence
- Courage
- Intégrité
- Persévérance
- Confiance dans le raisonnement
- Intérêt pour l'exploration des sentiments et des émotions
- Curiosité

INDÉPENDANCE INTELLECTUELLE

Exercer sa pensée critique nécessite de penser par soi-même. De nombreuses croyances acquises pendant l'enfance fournissent des explications qui paraissent plausibles, mais qui ne sont pas toujours fondées. L'infirmière qui exerce sa pensée critique examine ses croyances à la lumière des connaissances qu'elle acquiert au fil de ses expériences. Elle considère un éventail d'idées, en tire des apprentissages, puis formule ses propres jugements à leur sujet. L'infirmière doit avoir une ouverture d'esprit constante et considérer différentes façons de mettre en pratique ses compétences. Le septième énoncé descriptif de la profession, soit l'engagement professionnel, appuie cette indépendance intellectuelle par le biais de l'identité professionnelle : « L'infirmière s'engage envers sa profession [...] construit son identité professionnelle » (OIIQ, 2010).

ÉQUITÉ

L'infirmière qui exerce sa pensée critique est équitable, c'est-à-dire qu'elle évalue tous les points de vue selon les mêmes critères et qu'elle évite de fonder ses jugements sur des préjugés. Une attitude équitable pousse l'infirmière à considérer des points de vue opposés et à tenter de comprendre pleinement de nouvelles idées avant de les rejeter ou de les accepter. En exerçant sa pensée critique, elle s'efforce de rester ouverte à la possibilité de changer d'opinion à la lumière d'une nouvelle information. Par exemple, elle doit écouter les opinions de tous les membres d'une famille, jeunes ou âgés, tout comme elle doit établir une différence entre ses valeurs personnelles et professionnelles chaque fois qu'elle recourt à la pensée critique.

COMPRÉHENSION DE L'ÉGOCENTRISME ET DU SOCIOCENTRISME

L'adepte de la pensée critique admet que ses propres préjugés ainsi que les pressions sociales peuvent parfois biaiser sa pensée. Elle cherche activement à déceler ses propres préjugés et à les garder à l'esprit chaque fois qu'elle doit effectuer une réflexion ou prendre une décision, afin de ne pas être aveuglée par eux. Prenons par exemple le cas d'une infirmière qui consacre beaucoup de temps à expliquer à une personne comment prévenir la réapparition d'un problème, mais qui se bute à un mur d'indifférence, comme dans le cas des campagnes antitabac. Cette infirmière présuppose que toutes les personnes gardent la motivation de prévenir la maladie, du simple fait qu'elle-même a cette motivation. Il s'agit là d'un raisonnement égocentrique qui l'amène à mal évaluer le désir d'apprendre d'une personne. L'une et l'autre perdent leur temps. Si l'infirmière avait pris connaissance des antécédents et des croyances de cette personne à l'égard du problème, c'est-à-dire si elle avait recueilli suffisamment de faits, elle aurait pu discerner un problème plus conforme aux priorités, aux besoins et aux attentes de cette dernière ; elle aurait alors élaboré avec celle-ci un plan de soins et de traitements plus approprié.

PRUDENCE

Faire preuve de prudence, c'est avoir conscience des limites de ses connaissances. L'infirmière qui exerce sa pensée critique est disposée à admettre les lacunes de son savoir, à pousser plus loin la recherche d'informations et à modifier ses jugements à la lumière de nouvelles connaissances. Elle n'adhère pas d'emblée aux croyances répandues, car elle sait que celles-ci ne sont pas toujours fondées ; elle sait, de plus, que son jugement pourrait être modifié si elle prenait connaissance de faits nouveaux et de résultats probants qui lui étaient jusqu'alors inconnus. Par exemple, une infirmière qui travaille en milieu hospitalier pourrait douter fortement qu'une femme âgée soit capable de s'occuper de son mari qui vient de subir un accident vasculaire cérébral. L'infirmière doit cependant admettre qu'il lui est impossible de connaître exactement les aptitudes et les ressources extérieures de ce couple. Elle doit donc recueillir plus de données et investiguer plus en profondeur pour préciser les forces et les faiblesses de la personne et de son réseau de soutien.

COURAGE

Faire preuve de courage, c'est examiner objectivement ses propres idées et ses propres opinions, surtout celles qui risquent de susciter des réactions très défavorables. Il est plus facile d'acquérir ce type de courage lorsqu'on reconnaît que les croyances peuvent être fausses ou tendancieuses. Les valeurs et les croyances ne sont pas toujours rationnelles. Les seules croyances rationnelles sont celles qui ont été évaluées et qui reposent sur des données objectives et des justifications solides, tels les résultats de laboratoire qui indiquent des valeurs de référence nécessaires à la poursuite du processus thérapeutique. Par ailleurs, il arrive qu'on se rende compte que certaines croyances comportent des éléments discutables ou encore qu'il existe une part de vérité dans des idées qu'on avait préalablement jugées dangereuses ou fausses. Il faut du courage pour modifier sa pensée dans un cas semblable, surtout si le non-conformisme entraîne des sanctions sociales graves. Par exemple, nombre d'infirmières pensaient autrefois qu'il ne fallait pas laisser la famille de la personne assister aux interventions d'urgence, comme la réanimation cardiorespiratoire (RCR). Elles croyaient en effet que les membres de la famille seraient traumatisés par cette expérience et qu'ils ne feraient qu'entraver le travail de l'équipe de soins. Par contre, d'autres infirmières étaient plutôt d'avis qu'il ne fallait pas systématiquement exclure la famille et que cette exclusion pourrait même devenir dans certains cas une source très importante d'anxiété. Cette divergence d'opinions a poussé des infirmières à faire des recherches, lesquelles

14

ont démontré que la présence des membres de la famille n'est nuisible ni pour eux, ni pour l'infirmière, ni pour la personne soignée.

INTÉGRITÉ

Faire preuve d'intégrité, c'est, entre autres, examiner ses propres croyances et connaissances avec autant de rigueur qu'on examine celles des autres. Une adepte de la pensée critique remet ses connaissances et ses croyances en question de façon aussi prompte et implacable qu'elle le fait avec celles d'une autre personne. Elle est disposée à admettre qu'il existe des contradictions entre ses propres croyances de même qu'entre ses croyances et celles d'autrui; elle est aussi disposée à évaluer ces contradictions. Par exemple, une infirmière peut croire que le soin des plaies nécessite toujours l'emploi d'une technique stérile. Or, l'infirmière qui exerce sa pensée critique remettra cette croyance en question après avoir lu un article sur l'utilisation de la technique propre et ses effets sur les soins de certaines plaies. Par exemple, les techniques de réfection de pansements ne seront pas identiques si le client se trouve dans une unité de soins de longue durée ou dans une unité de chirurgie ou de soins aigus.

RECHERCHE EN SCIENCES INFIRMIÈRES

LA FORMATION, L'EXPÉRIENCE ET L'APTITUDE À LA PENSÉE CRITIQUE SONT-ELLES RELIÉES À LA PRISE DE DÉCISIONS CLINIQUES?

Cette étude pilote a exploré la prémisse selon laquelle il existerait un lien entre la formation et l'expérience des infirmières en soins intensifs et leur capacité de prendre des décisions cliniques cohérentes, d'une part, et entre une aptitude à la pensée critique, mesurée par des tests de compétences et d'habiletés, et la prise de décision, d'autre part. Cinquante-quatre infirmières détentrices d'un baccalauréat ou d'une maîtrise en sciences infirmières, travaillant auprès d'adultes dans des unités de soins intensifs d'hôpitaux universitaires, ont participé à cette étude. Les résultats ont montré que, globalement, plus la situation clinique était complexe, moins les décisions prises par ces infirmières étaient cohérentes. On a constaté que l'intuition, en tant que stratégie de prise de décision, a été le plus étroitement reliée à des décisions cohérentes. On n'a relevé aucun lien entre le niveau de formation ou le nombre total d'années d'expérience et la capacité de prendre des décisions cohérentes. On a cependant observé un certain lien entre le nombre d'années d'expérience en soins intensifs et une cohérence dans la prise de décision.

Implications: Cette étude renforce le fait que la prise de décision et la pensée clinique sont des aptitudes complexes dans des situations cliniques réelles. Le fait que les résultats aient montré une plus grande cohérence dans la prise de décision lorsque les infirmières qui se sont servies de leur intuition avaient un plus grand nombre d'années d'expérience clinique en soins intensifs (et non tout simplement en soins infirmiers généraux) permet de penser qu'il existerait un type de pensée infirmière dans cette spécialité clinique qui n'évolue pas nécessairement avec une expérience accrue en soins généraux et que le mode de pensée des infirmières qui choisissent de travailler en soins intensifs pourrait être une caractéristique qui leur est inhérente.

Source: Hicks, F. D., Merritt, S. L., et Elstein, A. S. (2003). Critical thinking and clinical decision making in critical care nursing: A pilot study. *Heart and Lung 32*, 169-180.

PERSÉVÉRANCE

L'infirmière qui exerce sa pensée critique fait preuve de persévérance dans la recherche de solutions efficaces aux problèmes, ce qui lui permet de percevoir clairement les concepts en cause et de discerner les enjeux connexes dans une situation donnée, et ce, en dépit des difficultés et des frustrations qui peuvent survenir. La perplexité et la frustration sont des états désagréables qui peuvent engendrer des réactions rapides et faciles; toutefois la personne qui exerce sa pensée critique ne doit pas céder à la tentation de la facilité et de la rapidité. Les questions importantes sont souvent complexes et déroutantes; par conséquent, il faut à l'infirmière beaucoup de réflexion et de recherche pour trouver des réponses appropriées à celles-ci. Elle ne doit cesser ses efforts qu'après avoir trouvé une solution et l'avoir appliquée. Ainsi, les infirmières en milieu scolaire dépensent beaucoup d'énergie à sensibiliser les jeunes à l'utilisation du condom. Dans ce domaine, les mentalités progressent, quoique très lentement. Dans le même ordre d'idées, la sensibilisation de la population aux problèmes de santé mentale représente de nos jours un défi sociétal de taille. Les mythes et les préjugés sont des obstacles à la prévention de la maladie et à la promotion de la santé. Malgré ces difficultés, les différentes pistes de solutions et d'interventions en cours devraient contribuer à l'atteinte des résultats escomptés, et la persévérance est bien sûr de mise.

CONFIANCE DANS LE RAISONNEMENT

L'adepte de la pensée critique croit que le raisonnement et la réflexion apportent des conclusions valables. Elle fait toujours confiance au raisonnement et utilise pour examiner les arguments chargés d'émotion les mêmes normes que celles dont elle se sert pour évaluer la pensée critique. Elle se pose notamment les questions suivantes: Cet argument est-il juste? Repose-t-il sur des preuves suffisantes? Prenons l'exemple d'un groupe d'infirmières qui cherchent le meilleur moyen de répartir entre elles les jours de congé. Devraient-elles fonder cette répartition sur l'ancienneté, s'en remettre au hasard (tirage au sort), donner préséance aux collègues mères de famille, ou encore utiliser la méthode «première arrivée, première servie»? L'infirmière doit soumettre au raisonnement chacune de ces options, en prenant en considération les avantages et les inconvénients de chaque possibilité pour objectiver sa décision.

La personne qui exerce sa pensée critique doit être capable à la fois de raisonnement inductif et de raisonnement déductif. La confiance accordée au processus de réflexion grandit à mesure que l'infirmière apprend à le maîtriser et à le perfectionner. Celle-ci ne craindra pas les désaccords; elle s'inquiétera même des adhésions trop rapides. Cette infirmière pourra servir de modèle à ses collègues, les inspirer et les encourager à adopter, elles aussi, le mode de la pensée critique. Compte tenu de l'urgence de la situation, l'infirmière doit prendre le temps de faire la part des choses avant de prendre une décision.

INTÉRÊT POUR L'EXPLORATION DES SENTIMENTS ET DES ÉMOTIONS

L'infirmière qui exerce sa pensée critique sait que les émotions peuvent influer sur ses intentions et que celles-ci reposent souvent sur des sentiments. Penser de manière rationnelle et critique, c'est admettre que les sentiments sont réels et qu'on se doit de les reconnaître. Il convient cependant de les analyser afin de déterminer s'ils naissent de réalités ou d'interprétations, de souvenirs ou de peurs. L'infirmière doit analyser les sentiments et discerner ceux qui nuisent à l'exercice d'une pensée critique claire afin de les maîtriser ou de les modifier. Imaginons par exemple qu'une personne se blesse avec un appareil défectueux qu'on a négligé de réparer malgré les avertissements de l'infirmière. Celle-ci peut alors éprouver de la colère, de la culpabilité et de la frustration. Elle pourrait penser de prime abord que la personne devrait entamer des poursuites en justice. Elle peut cependant prendre les mesures suivantes pour composer avec ses émotions négatives :

1. Remettre à plus tard l'action qu'elle envisage pour éviter d'agir sous le coup de conclusions hâtives et de décisions impulsives.
2. Faire part de ses sentiments à une collègue.
3. Dissiper une partie de l'énergie engendrée par l'émotion en faisant une activité physique.
4. Réfléchir à la situation et évaluer si la réponse émotive était appropriée.

Lorsque son émotion sera dissipée, l'infirmière pourra tirer objectivement les conclusions qui s'imposent et prendre les décisions appropriées. De plus, dans ce cas-ci, on doit également prendre en considération l'avis de la personne blessée et les effets de l'incident sur elle.

CURIOSITÉ

Une personne qui exerce sa pensée critique se pose constamment des questions comme les suivantes : Pourquoi croyons-nous cela ? Quelles sont les causes de ce phénomène ? Faut-il nécessairement que cela se passe ainsi ? Existe-t-il une autre façon de faire ? Qu'arriverait-il si nous faisions les choses autrement ? Qu'est-ce qui nous pousse à croire qu'il doit en être ainsi ? L'infirmière curieuse peut parfois être attachée aux approches traditionnelles, mais elle ne craint pas de les remettre en question et de vérifier leur bien-fondé. L'infirmière peut se poser ce genre de questions lorsqu'elle a à déterminer, par exemple, à qui revient la responsabilité d'une intervention comme le prélèvement de sang par canule artérielle aux soins intensifs ou à la salle d'opération (à savoir aux infirmières ou aux inhalothérapeutes).

Normes

Comment déterminer si l'on exerce vraiment sa pensée critique ? Paul et Elder (1999) ont proposé un ensemble de normes universelles en réponse à cette question ; elles sont présentées au tableau 14-1. L'établissement d'une liste explicite de normes permet de déterminer plus rigoureusement si on exerce ou non la pensée critique, ce qui augmente la fidélité et la validité de cette aptitude et, par le fait même, la pertinence des interventions. On peut s'assurer qu'un raisonnement répond aux normes de la pensée critique en se posant les questions du tableau des normes intellectuelles de Paul et Elder (1999). Chacune de ces normes correspond à une des composantes de la pensée critique (figure 14-2 ■). Ces composantes sont présentées sous forme de diagramme circulaire, parce qu'elles ne sont pas hiérarchisées et qu'on peut les considérer dans n'importe quel ordre.

TABLEAU 14-1
NORMES UNIVERSELLES DE LA PENSÉE CRITIQUE

Norme	Exemples de questions
Clarté	Existe-t-il un exemple concret qui pourrait m'aider à comprendre la situation présente ? Y a-t-il une illustration capable de représenter ce que je veux dire ?
Véracité	Comment puis-je m'assurer de la vérité de cette affirmation ?
Pertinence	En quoi cela m'est-il utile dans la situation présente ? Quel rapport y a-t-il avec le problème ?
Logique	Est-ce que cette affirmation est une conclusion qui découle des faits ? Est-ce que l'ensemble a un sens ?
Ouverture d'esprit	Quels sont les autres points de vue sur cette question ?
Précision	Puis-je être plus précise ?
Importance	Lequel de ces faits est le plus significatif ?
Exhaustivité	Ai-je omis d'importants aspects de la question ?
Équité	Est-ce que je tiens compte de l'opinion des autres ? Est-ce que je suis impartiale ?
Profondeur	Qu'est-ce qui rend ce problème si complexe ? Quelles sont les difficultés à considérer ?

Source : Paul, R., et Elder, L. (1999). *The miniature guide to critical thinking : Concepts and tools* (p. 7-9). Santa Rosa, CA : Foundation for Critical Thinking.

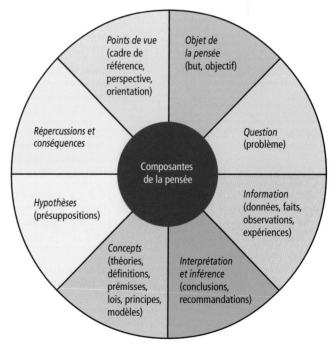

FIGURE 14-2 ■ Composantes de la pensée. Source : Paul, R., et Elder, L. (1999). *The miniature guide to critical thinking : Concepts and tools* (p. 2). Santa Rosa, CA : Foundation for Critical Thinking.

Application de la pensée critique dans la pratique infirmière

L'infirmière peut bien faire son travail sans recourir constamment à la pensée critique. Un grand nombre des décisions qu'elle prend requièrent peu de réflexion, ou n'en requièrent pas. C'est ainsi, par exemple, qu'elle décide, compte tenu du temps dont elle dispose, de changer un pansement après sa pause. Certaines tâches infirmières, comme l'utilisation d'un appareil courant, nécessitent des habiletés psychomotrices et un minimum de réflexion. Cependant, des habiletés plus complexes, inhérentes à la pensée critique, sont nécessaires dès que l'infirmière doit interpréter des résultats ou faire face à une situation imprévue ou à un problème exceptionnel. L'infirmière expérimentée développe tout au long de sa carrière des habiletés découlant de son expertise, de son vécu, de ses discussions antérieures, etc. La novice, quant à elle, doit prendre plus de temps ou consulter ses collègues lorsqu'elle a une hésitation.

La **démarche de soins infirmiers** est une méthode rationnelle servant à planifier et à prodiguer des soins infirmiers individualisés. Les différentes étapes de cette démarche (collecte des données, analyse, interprétation et diagnostic infirmier et [ou] problème retenu, planification, interventions et évaluation) sont expliquées dans les prochains chapitres. Le tableau 14-2 présente les correspondances entre les composantes de la pensée selon Paul et Elder (1999) et les étapes de la démarche de soins infirmiers; chacune des étapes de cette démarche est illustrée par un exemple clinique. L'infirmière doit constamment exercer sa pensée critique dans le cadre de son travail. Les cas étudiés en commun par l'équipe interdisciplinaire permettent à chaque membre de cette équipe d'exprimer son opinion; c'est à partir de cet exercice que l'infirmière peut bâtir sa pensée

TABLEAU 14-2

COMPOSANTES DE LA PENSÉE CRITIQUE APPLIQUÉES À LA DÉMARCHE DE SOINS INFIRMIERS

Composante de la pensée selon Paul et Elder	Étape de la démarche de soins infirmiers	Application clinique
Informations (données objectives et subjectives, faits, observations, expériences)	Collecte des données	*Données :* Un homme de 45 ans, d'origine italienne, se plaint de maux de tête intenses ; surplus de poids de 9 kg ; pression artérielle à 180/95 mm Hg. Il dit qu'il prend son médicament antihypertenseur seulement quand il a mal à la tête. Travailleur autonome (horticulteur), il vit avec sa femme, sa belle-mère et quatre enfants. Considérant ces données, l'infirmière qui exerce sa pensée critique cherchera à en savoir plus sur cette personne, sur les valeurs culturelles rattachées à sa conception de la santé, ainsi que sur les motifs du comportement décrit. Si l'infirmière néglige d'exercer sa pensée critique et d'obtenir des données supplémentaires, les objectifs qu'elle formulera, les diagnostics infirmiers et (ou) le problème retenu ainsi que les interventions qu'elle proposera risqueront d'être inopportuns. Question à se poser : Quelles sont les raisons qui incitent ce client à ne pas respecter le traitement prescrit ?
Objet de la pensée pour l'infirmière (but, objectif)	Analyse	*Objectif :* Améliorer l'observance du traitement médicamenteux afin de soulager les céphalées et de prévenir un accident vasculaire cérébral (AVC). Grâce à l'exercice de la pensée critique, l'infirmière tentera de déterminer les objectifs de ce client et aussi d'en fixer d'autres, d'un commun accord avec celui-ci.
Question (problème)	Analyse	La pensée critique incite l'infirmière à différer la formulation de son diagnostic infirmier et (ou) du problème retenu jusqu'au moment où elle obtiendra des données supplémentaires et connaîtra les priorités du client. Elle évitera ainsi d'établir prématurément un diagnostic infirmier et (ou) de retenir un problème en se fondant sur des données insuffisantes.
Points de vue (cadre de référence, perspective, orientation)	Analyse	Grâce à la pensée critique, l'infirmière se doute que le point de vue du client peut différer du sien et s'en informe auprès de lui. Même si elle valorise la prévention, conformément au système de valeurs qui prévaut dans la médecine occidentale, elle accepte que cette personne puisse avoir sa propre conception de la santé et de la maladie, du traitement et des mesures de prévention.
Interprétation et inférence (conclusions et recommandations)	Analyse	L'exercice de la pensée critique amène l'infirmière à reconnaître que l'usage inconstant du médicament prescrit peut avoir plusieurs causes (comme le fait de vouloir éviter des effets secondaires désagréables ou de croire que la maladie dépend de la volonté divine et ne peut être prévenue). Les connaissances scientifiques justifient encore plus sa démarche. Par conséquent, elle n'établira pas de diagnostic infirmier et (ou) ne retiendra pas un problème tant qu'elle n'aura pas obtenu des données supplémentaires. Sans le recours à la pensée critique, l'infirmière pourrait en arriver à des interprétations inopportunes, inadéquates et superficielles (par exemple croire que le problème de cette personne réside dans un manque de connaissances).

TABLEAU 14-2 *(suite)*

Composante de la pensée selon Paul et Elder	Étape de la démarche de soins infirmiers	Application clinique
Hypothèses (présuppositions)	Diagnostic infirmier et (ou) problème retenu	La pensée critique amène l'infirmière à élaborer des hypothèses à partir des données recueillies et des objectifs ou résultats escomptés établis d'un commun accord avec le client. L'exercice de la pensée critique permet à l'infirmière de ne pas formuler des hypothèses non fondées (par exemple, l'infirmière ne croira pas qu'un simple enseignement améliorerait l'observance du traitement ou encore que cette personne est réellement motivée à prévenir un AVC).
Concepts (théories, définitions, prémisses, lois, principes, modèles)	Planification des interventions	Conformément aux exigences de la pensée critique, l'infirmière s'appuie sur des concepts relatifs à la motivation, à la théorie du changement et à la diversité culturelle pour comprendre le comportement du client et sa motivation à changer. Si l'infirmière ne fait reposer son travail que sur des concepts simplistes (comme «les connaissances provoquent un changement»), elle risque de faire fausse route. Les réactions du client dépassent son savoir; en effet, la compréhension et les acquis de la personne n'entraînent pas automatiquement des changements de comportement. Le désir de changer n'est qu'un point de départ.
Répercussions et conséquences	Interventions	L'infirmière fidèle à la pensée critique tient compte des répercussions et des conséquences des stratégies infirmières choisies avant de rédiger le plan de soins et de traitements infirmiers (PSTI), le plan thérapeutique infirmier (PTI) ou tout autre plan d'intervention. Le PSTI, comprenant des objectifs et des résultats escomptés, repose sur une évaluation continuelle des valeurs culturelles, des croyances et des besoins de la personne. L'infirmière qui néglige de recourir à la pensée critique risque de choisir des interventions inefficaces (par exemple un enseignement qui viserait seulement à combler un manque de connaissances sur le médicament prescrit). La pensée critique permet à l'infirmière de reconnaître que le manque de connaissances pourrait n'être qu'un des éléments du problème. La pensée critique est aussi utile pour soutenir la pertinence du PTI. Le PTI vise à rendre explicite les directives choisies par l'infirmière à la suite d'un processus de prise de décision où elle a déterminé les besoins ou les problèmes qui nécessitent un suivi particulier parce qu'ils auront des conséquences sur l'évolution de la situation de santé de la personne ou qu'ils risquent d'en avoir.
Interprétation et inférence (conclusions, recommandations)	Évaluation	L'infirmière qui exerce sa pensée critique fonde son évaluation des résultats escomptés et de l'efficacité de ses interventions infirmières par rapport aux résultats obtenus ainsi que sur des critères précis et mesurables. Elle vérifie aussi, de façon rationnelle, si les résultats ont été validés. Si l'infirmière n'exerçait pas sa pensée critique, la personne qu'elle soigne risquerait de continuer à prendre son médicament de façon irrégulière; à son tour, l'infirmière en déduirait peut-être que l'apprentissage fait par cette personne est inefficace et qu'elle a besoin d'un enseignement supplémentaire.

Source: Paul, R., et Elder, L. (1999). *The miniature guide to critical thinking: Concepts and tools.* Santa Rosa, CA: Foundation for Critical Thinking.

critique. L'infirmière clinicienne recourt à la pensée critique non seulement pendant les soins aux clients, mais aussi au moment d'établir les priorités de la journée. Quant à l'infirmière gestionnaire, elle utilise les attitudes et les habiletés propres à la pensée critique pour analyser les situations et planifier des stratégies visant le changement ou la résolution de conflits.

Résolution de problèmes

L'infirmière qui suit un processus de **résolution de problèmes** obtient des informations qui clarifient la nature des problèmes et qui la mettent sur la piste de solutions possibles. Elle évalue ensuite soigneusement ces solutions, puis choisit la meilleure pour le client. La collaboration et le partenariat sous-entendent la participation de toutes les parties qui s'investissent dans le processus de résolution de problèmes, et prioritairement celle du client lui-même, qui demeure toujours au centre des préoccupations de l'infirmière. Elle continue d'observer sans relâche la situation afin de s'assurer que la solution choisie est efficace et le demeure. Elle ne relègue pas pour autant les autres solutions aux oubliettes. Elle les garde en réserve au cas où la première ne donnerait pas les résultats escomptés. Aussi, le problème pourrait se présenter chez un autre client pour qui l'une des solutions non retenues dans une situation pourrait s'avérer fort appropriée, chaque histoire de santé étant individuelle. C'est ainsi que la découverte d'une solution dans une situation donnée enrichit le bagage de connaissances de l'infirmière et la prépare à résoudre des problèmes dans des situations semblables. La démarche de soins infirmiers est un processus qui aide l'infirmière à mettre à profit son aptitude à résoudre des problèmes.

Il existe diverses techniques de résolution de problèmes. Les plus couramment employées sont l'approche par tâtonnement, l'intuition, la méthode scientifique classique et la méthode scientifique modifiée. Voici une brève explication de chacune d'entre elles.

14

APPROCHE PAR TÂTONNEMENT

L'approche par tâtonnement (aussi appelée approche par essais et erreurs) consiste à faire un certain nombre de tentatives pour régler un problème, jusqu'à ce qu'une solution appropriée en émerge. Cette technique présente un désavantage important : elle ne permet pas de connaître clairement les raisons de l'efficacité d'une solution, puisqu'on n'analyse pas systématiquement chacune des tentatives. De plus, l'approche par tâtonnement est périlleuse en soins infirmiers, dans la mesure où l'application d'une solution inadéquate pourrait causer un préjudice à la personne soignée.

INTUITION

L'**intuition** est la faculté de comprendre ou d'apprendre sans recourir au raisonnement de manière consciente. Dans le langage courant, on la désigne aussi par les termes suivants : « sixième sens », « pressentiment », « instinct » ou « flair ». Certains considèrent que l'intuition n'est pas une technique de résolution de problèmes valide en soins infirmiers, puisqu'elle ne repose sur rien de précis et de rationnel, et qu'elle pourrait, de ce fait, s'avérer néfaste pour la personne soignée. D'autres estiment plutôt qu'elle repose sur l'acquisition de connaissances et d'expérience, et considèrent donc qu'il est légitime et essentiel de lui faire une place dans le jugement clinique. Quoi qu'il en soit, l'infirmière doit posséder les connaissances nécessaires pour exercer en milieu clinique et les utiliser dans sa pratique. L'expérience clinique lui permet de discerner, dans une situation donnée, les éléments qui lui serviront dans sa recherche de solutions appropriées.

L'intuition s'affine avec l'expérience ; ainsi, l'infirmière juge plus rapidement les situations qu'elle a rencontrées fréquemment. On entend parfois des infirmières dire : « J'avais un pressentiment. » Le recours à l'intuition n'empêche pas ces infirmières d'être fidèles à la pensée critique. En effet, elles analysent les données de la situation à laquelle elles font face, et leur expérience leur permet de discerner rapidement ce qui est primordial et d'agir en conséquence. Par exemple, dans une unité de soins intensifs, l'infirmière accorde un surcroît d'attention à une personne si elle perçoit que son état risque de changer soudainement.

L'approche intuitive en résolution de problèmes est en voie d'acquérir ses lettres de noblesse dans la pratique infirmière, mais elle n'est pas recommandée pour les infirmières novices ou les étudiantes infirmières. Celles-ci, en effet, ne possèdent généralement pas des connaissances et une expérience clinique suffisantes pour leur permettre de formuler rapidement, à partir de leur intuition, un jugement solide.

MÉTHODE SCIENTIFIQUE CLASSIQUE ET MÉTHODE SCIENTIFIQUE MODIFIÉE

La méthode scientifique classique, dont il a été question au chapitre 2 ⬅, est une technique codifiée, logique et systématique de résolution de problèmes. Cependant, elle ne donne sa pleine efficacité que dans les situations que l'on domine entièrement. Les professionnels de la santé, contrairement à la plupart des autres chercheurs, travaillent auprès d'êtres humains

dans des situations difficiles à maîtriser. Par exemple, les effets d'un régime alimentaire sur la santé sont plus difficiles à mesurer chez un être humain que chez un animal, car ils peuvent différer selon l'origine ethnique, le mode de vie et les préférences personnelles. Les professionnels de la santé ont donc besoin d'adapter la méthode scientifique pour résoudre les problèmes qui se présentent à eux.

La pensée critique joue un rôle important dans la méthode scientifique modifiée, comme dans tout processus de résolution de problèmes qui demande à l'infirmière d'évaluer l'ensemble des solutions possibles et de choisir la plus appropriée.

DÉMARCHE DE SOINS INFIRMIERS

Dans sa pratique, l'infirmière utilise une démarche systématique qui lui permet de recueillir des données, de les analyser et interpréter, de choisir des diagnostics infirmiers pertinents et (ou) le problème retenu, d'escompter des résultats ou de fixer des objectifs, de planifier des interventions, de les exécuter et de les évaluer. La pensée critique s'exerce à toutes les étapes de cette démarche. Toute nouvelle donnée influence la pensée critique et l'infirmière doit à tout moment modifier son processus et s'ajuster à l'évolution de la situation clinique.

Prise de décision

Le processus de résolution de problèmes comprend des prises de décision, et ce, à toutes les étapes de la démarche de soins infirmiers. Or, l'infirmière doit aussi prendre des décisions dans des situations où il n'est pas nécessaire de passer par tout le processus de résolution de problèmes. Ces décisions reposent parfois sur des valeurs (respecter la confidentialité du dossier), ou portent sur la gestion du temps (apporter la literie propre dans la chambre en même temps que les médicaments), sur les horaires (faire la toilette du client avant les heures de visite) et sur les priorités (distinguer les interventions urgentes de celles que l'on peut remettre à plus tard). Le plan de travail sert de balise à la planification de la journée, et l'infirmière doit en tenir compte pour prioriser ses interventions tout au long de son service.

La **prise de décision** est un processus inhérent à la pensée critique, qui permet de déterminer les interventions qui favoriseront le plus l'atteinte d'un objectif ou d'un *résultat escompté*. On doit prendre une décision chaque fois que l'on est en présence de possibilités qui s'excluent l'une l'autre, ou lorsqu'on a le choix entre agir et ne pas agir. Ainsi, une fois lancée dans sa carrière, l'infirmière doit décider si elle travaillera en milieu hospitalier ou communautaire, et si elle joindra ou non les rangs de telle ou telle association professionnelle.

Lorsque plusieurs clients présentent simultanément des besoins différents, l'infirmière doit établir des priorités et décider quelles interventions elle exécutera en premier. Elle peut alors : (1) considérer les avantages et les inconvénients de chaque option ; (2) s'appuyer sur la hiérarchie des besoins de Maslow ; (3) déterminer quelles tâches elle pourrait déléguer ; (4) utiliser une autre méthode d'établissement des priorités. Non seulement l'infirmière doit-elle prendre elle-même des décisions, mais elle doit aussi aider les clients à en prendre. Par exemple, elle est appelée à donner des renseignements ou à fournir des ressources à une personne qui doit prendre une décision à propos d'un traitement qu'on lui propose. Les hospitalisations écourtées obligent les clients à prendre de plus en plus en charge leur problème de santé. De ce fait, l'infirmière doit prendre des décisions non seulement en ce qui concerne ses propres interventions, mais aussi en ce qui a trait à la participation des clients qui doivent s'adapter à leur nouvelle situation ou à leur problème de santé.

Le tableau 14-3 décrit les étapes du processus de prise de décision.

Acquisition des attitudes et des habiletés propres à la pensée critique

Après s'être familiarisée avec la pensée critique, la résolution de problèmes et le processus de prise de décision, l'infirmière doit prendre conscience de son propre mode de pensée et de ses propres habiletés intellectuelles. Les habiletés inhérentes à la pensée critique et une attitude critique s'acquièrent par l'exercice et la pratique. La pensée critique n'est pas une faculté que l'on possède ou dont on est dépourvu; on l'acquiert et on

TABLEAU 14-3
ÉTAPES DU PROCESSUS DE PRISE DE DÉCISION

Étape	Description et interventions infirmières
1. Déterminer le but visé.	L'infirmière détermine la raison pour laquelle une décision s'impose et ce sur quoi elle doit porter.
2. Établir les critères.	L'infirmière doit répondre à trois questions pour établir les critères de la prise de décision: Quel est le résultat escompté? Que faut-il préserver? Que faut-il prévenir? Par exemple, en présence d'une personne qui éprouve de la douleur, une infirmière établirait les critères suivants: a) Quel est le résultat escompté? Le soulagement de la douleur. b) Que faut-il préserver? Le fonctionnement physique, cognitif et psychologique de la personne ainsi que son bien-être. c) Que faut-il prévenir? Les atteintes du système nerveux central et du système respiratoire, de même que les nausées.
3. Pondérer les critères.	Cette étape consiste à établir des priorités ou à classer les interventions par ordre croissant d'importance, et ce, dans une situation précise. Puisque la pondération dépend de la situation, une intervention classée comme primordiale dans un cas peut revêtir moins d'importance dans un autre. Si, par exemple, la personne souffrante est atteinte d'un cancer en phase terminale, le soulagement de la douleur prime la prévention des effets secondaires de l'analgésique. Le jugement clinique, la perspicacité, la clairvoyance et l'intuition sont essentiels pour répondre aux besoins de premier plan et pour prévenir des complications. La prévention des détériorations postopératoires l'emporte sur la tentation de céder à la personne qui refuse de se lever du lit et de s'asseoir dans un fauteuil au lendemain d'une chirurgie.
4. Déterminer les solutions possibles.	La quatrième étape consiste à déterminer toutes les solutions qui permettent de répondre aux critères établis. Dans les situations cliniques, l'infirmière peut retenir les solutions parmi un ensemble d'interventions ou de stratégies infirmières. Elle peut, par exemple, soulager la douleur au moyen de médicaments (oraux ou injectables, administrés au besoin ou selon un horaire fixe), ou encore à l'aide d'une intervention non pharmacologique, c'est-à-dire à l'aide d'une approche de rechange (comme la visualisation, la technique de respiration profonde, etc.).
5. Analyser les solutions possibles.	L'infirmière analyse les solutions possibles afin de faire un choix justifié de façon rationnelle qui puisse répondre aux critères établis. Par exemple, en présence de douleur causée par une intervention chirurgicale abdominale effectuée le matin même, il est possible que les approches de rechange soient insuffisantes et que les médicaments par voie orale, bien qu'efficaces, agissent trop lentement. L'administration d'opioïdes par voie intraveineuse constituerait probablement le meilleur choix dans ces circonstances.
6. Anticiper.	L'infirmière doit anticiper les éventuels problèmes liés au choix d'une intervention; elle doit aussi faire preuve de créativité afin d'élaborer un plan visant à prévenir ces problèmes, à en amoindrir les effets ou à les surmonter. Si, par exemple, elle opte pour un opioïde par voie intraveineuse, elle doit songer aux mesures de sécurité appropriées, tels un antidote et une source d'oxygène d'appoint. Il faut qu'elle réfléchisse avant l'intervention à toutes les conséquences positives et négatives de son geste thérapeutique.
7. Exécuter.	L'infirmière met sa décision à exécution. Elle amorce, par exemple, le traitement analgésique.
8. Évaluer le résultat.	À cette étape, comme à chaque instant de la démarche de soins infirmiers, l'infirmière détermine l'efficacité de son plan et vérifie si elle a atteint son objectif initial. Par exemple, elle demande au client de situer la douleur qu'il ressent sur une échelle numérique qualitative de la douleur, par exemple l'échelle de 0 à 10, 0 signifiant l'absence de douleur et 10 la pire douleur imaginable.

14

♀ LES ÂGES DE LA VIE

DÉCISIONS RELATIVES AUX SOINS À PRODIGUER AUX ENFANTS ET AUX PERSONNES ÂGÉES

Enfants

Le plus souvent, ce sont les parents qui prennent des décisions relativement aux soins de santé de leurs enfants. Les enfants plus âgés peuvent participer à la prise de ces décisions, selon leur âge. Comme l'a expliqué Piaget, la capacité de raisonnement des enfants et leur aptitude à la pensée critique se développent graduellement. L'infirmière doit connaître le mode de pensée des enfants à chacun des stades de leur développement, et savoir dans quelle mesure on peut les faire participer à la prise de décisions relatives à leurs soins de santé.

- Pendant leur développement, les nourrissons progressent de l'exercice des réflexes vers des comportements répétitifs simples et ensuite vers des comportements imitatifs, grâce à l'apprentissage de la notion de cause et d'effet et de celle de la permanence des objets. Bien qu'ils ne puissent s'engager dans un processus de prise de décision, il faut les rassurer et les calmer pendant qu'on leur prodigue des soins.

- Les trottineurs et les enfants d'âge préscolaire sont très égocentriques et se trouvent au stade de la pensée magique. Ils ne peuvent saisir les conséquences des soins, mais on doit les leur expliquer dans un langage qu'ils peuvent comprendre. La thérapie par le jeu et le recours à des poupées et à des jouets peuvent les aider à s'adapter aux soins ; parfois même, on peut leur proposer des choix (par exemple « Veux-tu que je change ton pansement avant ou après le petit-déjeuner ? »).

- Les enfants d'âge scolaire se trouvent à l'étape de la pensée concrète. Ils comprennent des explications simples et directes,

explorent le matériel de soins et peuvent même aider, à leur niveau, le professionnel de la santé pendant une intervention. Leur participation aux soins aide à les rendre plus prêts à coopérer et moins anxieux.

- Les adolescents sont de plus en plus capables de recourir à un mode de pensée abstraite. Comme ils peuvent prendre la plupart des décisions relatives à leurs soins, il faut les consulter activement au même titre que les autres membres de la famille.

Personnes âgées

Il est important de faire participer les adultes à la prise de décision et à la planification des soins infirmiers. Cependant, cela est particulièrement difficile dans le cas des personnes âgées qui présentent des déficits cognitifs, par exemple celles souffrant de la maladie d'Alzheimer. L'infirmière doit laisser à ces personnes un maximum de maîtrise et de latitude, tout en donnant des consignes aussi simples et directes que possible afin de se faire comprendre. Les personnes âgées dont la fonction cognitive est altérée sont pour la plupart incapables d'effectuer plusieurs tâches en même temps, voire de penser à ce qui suivra le moment présent. En adaptant ses explications et ses échanges au niveau du fonctionnement cognitif des personnes qu'elle soigne, l'infirmière respecte leur dignité tout en leur permettant de participer à leurs propres soins aussi longtemps que possible. Une fois que la personne âgée n'est plus capable de s'engager dans des activités d'autosoins, comme prendre son bain, ou dans des activités de maintien de la santé, comme changer un pansement, l'infirmière doit trouver des solutions de rechange pour l'aider.

---

l'utilise plus ou moins efficacement. Certaines personnes sont particulièrement douées pour remettre en question ce qu'elles observent ; d'autres sont portées à croire toutes les informations qu'elles trouvent, quelle qu'en soit la source ; d'autres, enfin, ne se positionnent qu'après avoir rigoureusement évalué la crédibilité des informations. La pensée critique n'est pas chose facile. La résolution de problèmes et la prise de décision comportent des risques. On n'obtient pas toujours les résultats escomptés. Cependant, tout le monde peut exercer la pensée critique d'une façon ou d'une autre et parvenir ainsi à résoudre des problèmes et à prendre des décisions efficacement.

Autoévaluation

L'infirmière doit réfléchir à certaines des attitudes qui favorisent la pensée critique, comme la curiosité, l'équité, la prudence, le courage et la persévérance. Elle a tout intérêt à procéder à une autoévaluation rigoureuse afin de déterminer les attitudes qu'elle possède déjà et celles qu'elle doit cultiver. Elle peut procéder à cette autoévaluation individuellement, avec une collègue ou en groupe. Dans un premier temps, elle détermine les attitudes qu'elle maîtrise et qui forment l'assise de sa pensée, de même que les attitudes qui lui manquent. Ensuite, elle cherche à se remémorer les décisions qu'elle a regrettées ; elle analyse les attitudes qu'elle avait alors adoptées et les processus intellectuels qu'elle avait mis en œuvre ; elle peut tout aussi bien demander à une collègue de confiance d'évaluer ces attitudes et ces processus. Il est important que l'infirmière fasse un inven-

taire de ses forces et de ses faiblesses en matière d'habiletés et d'attitudes, ce qui prouve son professionnalisme et sa volonté de parfaire les savoirs qu'elle acquiert en exerçant sa profession. Cette introspection lui permet de prendre conscience de ses propres comportements, qui lui permettront, à leur tour, d'améliorer ses connaissances, ses habiletés et ses attitudes. Pour ce faire, elle doit prendre en considération les lois qui régissent sa profession et les autres lois et règlements qui régissent sa pratique.

Tolérance à l'ambiguïté

L'infirmière doit faire des efforts conscients en vue de cultiver chez elle les attitudes favorisant la pensée critique. Pour développer son sens de l'équité, elle peut, par exemple, rechercher activement des opinions contraires aux siennes ; elle s'exerce ainsi à comprendre les autres points de vue et à faire preuve d'ouverture d'esprit. L'être humain a naturellement tendance à rechercher des informations conformes à ses croyances et à ignorer les faits contraires à ses idées. D'ailleurs, cela vaut tant pour l'infirmière que pour le client. Les personnes âgées, par exemple, ont beaucoup de difficulté à accepter les nouvelles technologies, le virage ambulatoire, et même le fait qu'un diagnostic de cancer n'équivaut plus nécessairement à une mort imminente. En revanche, elles possèdent un vaste bagage de connaissances et d'expériences ; souvent, elles savent mieux que les professionnels de la santé ce qui leur convient. L'infirmière doit cultiver sa tolérance lorsqu'elle fait face à des idées contraires à ses croyances et s'exercer à réserver son jugement.

14

Réserver son jugement suppose que l'on tolère l'ambiguïté pendant un certain temps. Une question complexe ne trouve pas toujours de réponse claire et rapide, et exige que l'on diffère la formulation d'un jugement. Il arrive que l'infirmière doive répondre «Je ne sais pas» pendant un temps et tolérer cette ignorance jusqu'à ce qu'elle ait une meilleure connaissance de la situation. Elle doit cependant repenser à la question, et finir par donner une réponse au client ou au collègue de travail l'ayant posée. Si elle ne trouve pas de réponse, elle ne pourra plus assurer la continuité des soins et le suivi clinique. Il n'est pas toujours possible de réserver son jugement dans les situations d'urgence, lorsqu'une réaction rapide s'impose, mais d'autres situations le permettent.

Recherche de situations favorisant la réflexion

L'infirmière a tout intérêt à assister à des conférences ou à des séances de formation où l'on fait l'examen objectif de plusieurs dimensions d'un même phénomène et où la divergence d'opinions est valorisée. Il est vital de cultiver une attitude d'ouverture, en recourant au questionnement socratique ou à une autre technique. L'infirmière doit bien connaître les critères d'évaluation de la pensée critique et les appliquer à sa propre démarche réflexive. L'infirmière qui reste constamment attentive à ses propres modes de pensée (au moment même où elle pense) est en mesure de détecter ses propres erreurs.

Création de milieux propices à la pensée critique

L'infirmière ne peut ni acquérir ni conserver les attitudes propres à la pensée critique dans l'isolement. Celle qui occupe une position d'autorité doit être particulièrement sensible au climat qu'elle établit pour l'épanouissement de la réflexion; elle doit faire en sorte que le milieu où elle évolue soit stimulant, qu'on y valorise la divergence d'opinions et l'étude objective des idées et des opinions. L'infirmière doit prendre en considération le point de vue de personnes ayant une autre culture ou religion, qui appartiennent à une autre classe socioéconomique ou dont la structure familiale ou l'âge sont différents. En tant que chef de file, l'infirmière doit inciter ses collègues à étudier les faits attentivement avant de tirer des conclusions et à résister aux pressions du groupe ou à ne pas s'incliner aveuglément devant la volonté de celui-ci. Le personnel infirmier recevant des étudiantes en stage doit favoriser les apprentissages tant au niveau de la personne que de la future infirmière. Selon l'engagement professionnel de la pratique, l'infirmière, dans l'exercice de sa profession (OIIQ, 2010):

- collabore avec les établissements d'enseignement et facilite les stages des étudiantes;
- contribue à l'encadrement des externes en soins infirmiers et des candidates à l'exercice de la profession d'infirmière;
- partage son expertise et adresse des commentaires constructifs à ses collègues infirmières;
- est fière de sa profession.

Révision du chapitre

MOTS CLÉS

Analyse critique, **313**	Pensée critique, **311**	Raisonnement inductif, **314**
Créativité, **312**	Prise de décision, **320**	Résolution de problèmes, **319**
Démarche de soins infirmiers, **318**	Questionnement socratique, **313**	
Intuition, **320**	Raisonnement déductif, **314**	

14

CONCEPTS CLÉS

- L'infirmière doit acquérir les habiletés et les attitudes propres à la pensée critique afin d'exercer sa profession de manière prudente, avec compétence et habileté.
- La pensée critique est une activité mentale systématique qui guide les croyances et les actions.
- L'infirmière doit exercer sa pensée critique lorsqu'elle intègre à sa pratique les connaissances propres à d'autres domaines, compose avec le changement dans des contextes stressants et prend des décisions importantes reliées aux soins des clients. L'infirmière qui intègre la créativité dans sa pensée est capable de trouver des solutions originales à des problèmes spécifiques.
- La créativité renforce la pensée critique. L'infirmière créative émet de nombreuses idées

rapidement, fait preuve de souplesse, trouve des solutions originales aux problèmes, tend à être plus indépendante et à avoir plus confiance en elle-même, et manifeste une plus forte individualité.

- Les habiletés propres à la pensée critique sont l'analyse critique, le raisonnement inductif, le raisonnement déductif ainsi que la capacité de formuler des inférences valides, de distinguer les faits et les opinions, d'évaluer la crédibilité des informations, de clarifier les concepts et d'avancer des hypothèses valables.
- Les attitudes propres à la pensée critique sont l'indépendance intellectuelle, le sens de l'équité, la compréhension de l'égocentrisme et du sociocentrisme, la prudence, le courage, l'intégrité, la persévérance, la confiance

dans le raisonnement, l'intérêt pour l'exploration des sentiments et des émotions, et, enfin, la curiosité.

- La pensée critique s'exerce conjointement avec divers processus cognitifs d'ordre supérieur, dont la résolution de problèmes et la prise de décision. Il existe un certain nombre de techniques de résolution de problèmes: l'approche par tâtonnement, l'intuition, la méthode scientifique classique et la méthode scientifique modifiée. La démarche de soins infirmiers à laquelle l'infirmière a recours est une démarche spécifiquement adaptée à la pratique infirmière.
- Selon Paul et Elder (1999), les composantes de la pensée sont l'objet de la pensée, la question à l'étude, l'information, l'interprétation et l'inférence, les concepts, les hypothèses,

les répercussions et les conséquences, et, enfin, les points de vue. L'exercice de la pensée critique requiert que l'on tienne compte de ces composantes pour résoudre des problèmes et prendre des décisions.

■ La démarche de soins infirmiers et l'exercice de la pensée critique sont des processus interdépendants mais non identiques. Ces deux processus sont étroitement liés à la résolution de problèmes, à la prise de décision et à la créativité.

■ L'infirmière doit prendre des décisions tant dans sa vie professionnelle que privée. Les étapes du processus de prise de décision sont les suivantes : déterminer le but visé, établir les critères, pondérer les critères, déterminer les solutions possibles, analyser les solutions possibles, anticiper, exécuter et évaluer le résultat.

■ Toute personne est capable d'exercer sa pensée critique à un niveau ou à un autre. La pensée critique se développe par la pratique. Pour parfaire ses attitudes et ses habiletés en matière de pensée critique, l'infirmière peut procéder à une autoévaluation, apprendre à tolérer l'ambiguïté, rechercher les situations où la réflexion est favorisée et créer des milieux propices à la pensée critique.

Références

Benner, P. (1984) *From novice to expert*. Menlo Park, CA : Addison-Wesley.

Kataoka-Tahiro, M., et Saylor, C. (1994). A critical thinking model for nursing judgment. *Journal of Nursing Education, 8*(33), 351.

Ordre des infirmières et infirmiers du Québec (OIIQ). (2010). *Perspectives de l'exercice de la profession d'infirmière*. Montréal : Auteur.

Paul, R. W. (1995). *Critical thinking : How to prepare students for a rapidly changing world*. Santa Rosa, CA : Foundation for Critical Thinking.

Paul, R. W., et Elder, L. (1999). *The miniature guide to critical thinking : Concepts and tools*. Santa Rosa, CA : Foundation for Critical Thinking.

Scheffer, B. K., et Rubenfeld, M. G. (2000). A consensus statement on critical thinking in nursing. *Journal of Nursing Education, 39*, 352-359.

Schön, D. A. (1994). *Le praticien réflexif. À la recherche du savoir caché de l'agir professionnel*. Montréal : Les Éditions logiques.

Chapitre 15

Adaptation française :
Suzie Rivard, inf., B.Sc.
Enseignante, Programme de soins infirmiers
Collège de Trois-Rivières
Avec la participation de :
Johanne Turcotte, B.Sc., Inf., M.A.
Anciennement :
Directrice des soins infirmiers, de la qualité,
de l'éthique et de la santé physique
CSSS de Matane
Enseignante et coordonnatrice
de programme en Soins infirmiers
Cégep de Matane

OBJECTIFS D'APPRENTISSAGE

Après avoir étudié ce chapitre, vous pourrez :

- Décrire les différentes étapes de la démarche de soins infirmiers.
- Énumérer les principales caractéristiques de la démarche de soins infirmiers.
- Indiquer les quatre principales activités associées à la collecte des données.
- Expliquer le but de la collecte des données.
- Faire la distinction entre les données subjectives et les données objectives ainsi qu'entre les données primaires et les données secondaires.
- Nommer trois méthodes de collecte des données et illustrer par des exemples l'utilité de chacune d'elles.
- Comparer l'approche directive et l'approche non directive pendant une entrevue.
- Comparer les questions ouvertes et les questions fermées, en donner des exemples et en énumérer les avantages et les inconvénients.
- Décrire les aspects importants du cadre de l'entrevue.
- Comparer divers modèles théoriques pouvant servir à structurer l'anamnèse.

Collecte des données

Le terme «démarche de soins infirmiers» utilisé dans cet ouvrage a été créé par Hall en 1955. Quelques années plus tard, Johnson (1959), Orlando (1961) et Wiedenbach (1963) ont désigné ainsi la série d'étapes dont est constituée la prestation de soins infirmiers. Depuis lors, diverses théoriciennes ont décrit cette démarche et proposé différentes manières d'en ordonner les étapes.

Le but de la démarche de soins infirmiers est de déterminer l'état de santé d'une personne, d'une famille ou d'une communauté, de déceler ses problèmes, ses besoins courants et potentiels en matière de santé, d'établir un plan de soins et de traitements infirmiers (PSTI) pour répondre aux besoins et aux problèmes décelés, d'exécuter et d'évaluer les résultats obtenus afin d'ajuster et de réorienter les soins. L'Ordre des infirmières et infirmiers du Québec (OIIQ, 2010) définit cette démarche comme étant une «façon méthodique de procéder, qui peut être appliquée en soins infirmiers ; elle comprend la collecte et l'interprétation des données, la planification et la mise en œuvre des interventions ainsi que l'évaluation de l'atteinte des objectifs (ou des résultats escomptés)». Pour effectuer cette démarche, l'infirmière doit développer diverses habiletés et attitudes à chacune de ses étapes.

La première étape de cette démarche est la collecte des données ou recherche des données pertinentes pour cerner la situation de santé de la personne lors de la consultation ou de l'admission dans le système de santé. L'OIIQ (2010) définit cette première étape de l'évaluation clinique comme l'évaluation initiale. Différents modèles conceptuels (Roy, Orem, McGill, etc.) peuvent orienter et servir de guide pour recueillir, regrouper et classer les données obtenues par différentes sources.

La recherche de nouvelles données doit également se poursuivre en cours d'épisode de soins (évaluation en cours d'évolution). L'évaluation initiale et l'évaluation en cours d'évolution sont des activités fondamentales du processus de la démarche de soins puisqu'elles lui servent d'assises et orientent les décisions subséquentes.

15

Vue d'ensemble de la démarche de soins infirmiers

Le recours à la démarche de soins infirmiers en pratique clinique a gagné en popularité à partir de 1973, grâce à l'ouvrage intitulé *Standards of clinical nursing practice*, publié par l'American Nurses Association (ANA, 1998), qui comporte une description de ses étapes. Dans son document décrivant les perspectives de l'exercice de la profession d'infirmière, l'OIIQ énumère les cinq étapes

15

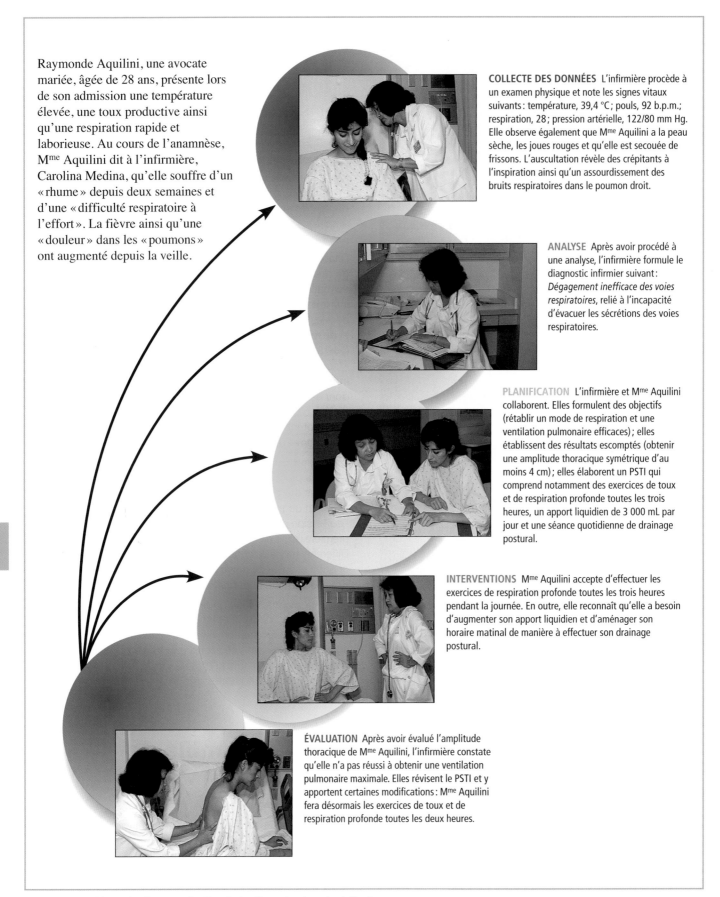

Raymonde Aquilini, une avocate mariée, âgée de 28 ans, présente lors de son admission une température élevée, une toux productive ainsi qu'une respiration rapide et laborieuse. Au cours de l'anamnèse, Mme Aquilini dit à l'infirmière, Carolina Medina, qu'elle souffre d'un « rhume » depuis deux semaines et d'une « difficulté respiratoire à l'effort ». La fièvre ainsi qu'une « douleur » dans les « poumons » ont augmenté depuis la veille.

COLLECTE DES DONNÉES L'infirmière procède à un examen physique et note les signes vitaux suivants : température, 39,4 °C ; pouls, 92 b.p.m. ; respiration, 28 ; pression artérielle, 122/80 mm Hg. Elle observe également que Mme Aquilini a la peau sèche, les joues rouges et qu'elle est secouée de frissons. L'auscultation révèle des crépitants à l'inspiration ainsi qu'un assourdissement des bruits respiratoires dans le poumon droit.

ANALYSE Après avoir procédé à une analyse, l'infirmière formule le diagnostic infirmier suivant : *Dégagement inefficace des voies respiratoires*, relié à l'incapacité d'évacuer les sécrétions des voies respiratoires.

PLANIFICATION L'infirmière et Mme Aquilini collaborent. Elles formulent des objectifs (rétablir un mode de respiration et une ventilation pulmonaire efficaces) ; elles établissent des résultats escomptés (obtenir une amplitude thoracique symétrique d'au moins 4 cm) ; elles élaborent un PSTI qui comprend notamment des exercices de toux et de respiration profonde toutes les trois heures, un apport liquidien de 3 000 mL par jour et une séance quotidienne de drainage postural.

INTERVENTIONS Mme Aquilini accepte d'effectuer les exercices de respiration profonde toutes les trois heures pendant la journée. En outre, elle reconnaît qu'elle a besoin d'augmenter son apport liquidien et d'aménager son horaire matinal de manière à effectuer son drainage postural.

ÉVALUATION Après avoir évalué l'amplitude thoracique de Mme Aquilini, l'infirmière constate qu'elle n'a pas réussi à obtenir une ventilation pulmonaire maximale. Elles révisent le PSTI et y apportent certaines modifications : Mme Aquilini fera désormais les exercices de toux et de respiration profonde toutes les deux heures.

FIGURE 15-1 ■ Exemple d'une application de la démarche de soins infirmiers.

de la démarche de soins infirmiers comme suit: collecte et interprétation des données, planification et mise en œuvre des interventions et évaluation de l'atteinte des objectifs (ou résultats escomptés) (OIIQ, 2010). La *Loi sur les infirmières et les infirmiers* du Québec met en évidence l'importance de cette démarche dans l'exercice de la profession en définissant le champ de pratique de la façon suivante: «L'exercice infirmier consiste à évaluer l'état de santé d'une personne, à déterminer et à assurer la réalisation du plan de soins et de traitements infirmiers, à prodiguer les soins et les traitements infirmiers et médicaux dans le but de maintenir la santé, de rétablir et de prévenir la maladie ainsi qu'à fournir les soins palliatifs» (*Loi sur les infirmières et les infirmiers*, art. 36.). Cette loi reconnaît clairement que, dans son rôle, l'infirmière doit porter un jugement clinique dans un grand nombre de circonstances, quel que soit l'établissement dans lequel elle travaille. C'est ce qui distingue les tâches de l'infirmière de celles des autres professionnels de la santé; en effet, son évaluation est en étroite relation avec ses interventions et ses directives infirmières ultérieures. La figure 15-1 ■ illustre la démarche de soins infirmiers dans une situation clinique mettant en cause le système respiratoire, tandis que la figure 15-2 ■ donne une vue d'ensemble du modèle McGill, que nous étudierons tout au long des étapes de la démarche de soins.

Étapes de la démarche de soins infirmiers

Les termes employés pour décrire les étapes de la démarche de soins infirmiers varient d'une école de pensée à l'autre. Par exemple, le terme «collecte» peut être remplacé par «recherche», «analyse», par «diagnostic infirmier», et «interventions», par «exécution». Dans cet ouvrage, nous adopterons les termes «collecte», «analyse» et «interventions». Quoi qu'il en soit, les activités de l'infirmière qui se conforme à la démarche de soins infirmiers restent les mêmes; seul le modèle de référence change.

Le tableau 15-1 présente une vue d'ensemble des cinq étapes de la démarche de soins infirmiers. Chacune de ces étapes est traitée en profondeur dans les chapitres suivants. Les étapes de la démarche de soins infirmiers ne sont pas des entités distinctes; elles se chevauchent et s'enchaînent de manière continue (figure 15-3 ■). La collecte des données, par exemple, que l'on considère généralement comme la première étape, s'effectue en continu, principalement au cours de l'étape des interventions et lors de l'évaluation. Par exemple, lorsque l'infirmière administre un médicament (intervention), elle poursuit en même temps la collecte des données en notant la coloration de la peau, le niveau de conscience, etc.

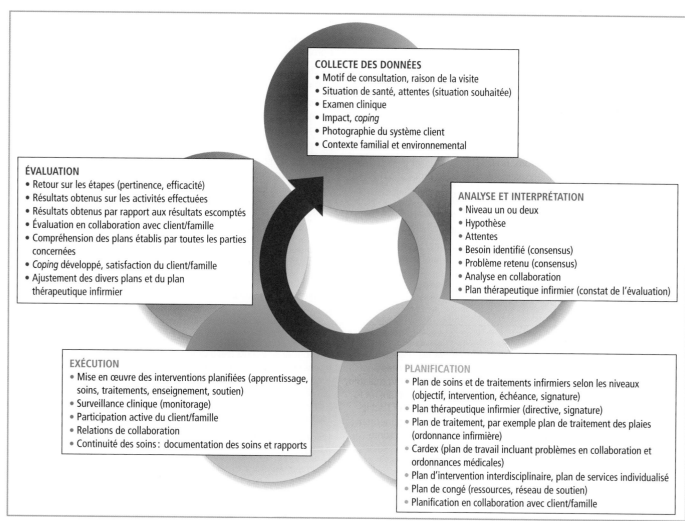

COLLECTE DES DONNÉES
• Motif de consultation, raison de la visite
• Situation de santé, attentes (situation souhaitée)
• Examen clinique
• Impact, *coping*
• Photographie du système client
• Contexte familial et environnemental

ANALYSE ET INTERPRÉTATION
• Niveau un ou deux
• Hypothèse
• Attentes
• Besoin identifié (consensus)
• Problème retenu (consensus)
• Analyse en collaboration
• Plan thérapeutique infirmier (constat de l'évaluation)

PLANIFICATION
• Plan de soins et de traitements infirmiers selon les niveaux (objectif, intervention, échéance, signature)
• Plan thérapeutique infirmier (directive, signature)
• Plan de traitement, par exemple plan de traitement des plaies (ordonnance infirmière)
• Cardex (plan de travail incluant problèmes en collaboration et ordonnances médicales)
• Plan d'intervention interdisciplinaire, plan de services individualisé
• Plan de congé (ressources, réseau de soutien)
• Planification en collaboration avec client/famille

EXÉCUTION
• Mise en œuvre des interventions planifiées (apprentissage, soins, traitements, enseignement, soutien)
• Surveillance clinique (monitorage)
• Participation active du client/famille
• Relations de collaboration
• Continuité des soins: documentation des soins et rapports

ÉVALUATION
• Retour sur les étapes (pertinence, efficacité)
• Résultats obtenus sur les activités effectuées
• Résultats obtenus par rapport aux résultats escomptés
• Évaluation en collaboration avec client/famille
• Compréhension des plans établis par toutes les parties concernées
• *Coping* développé, satisfaction du client/famille
• Ajustement des divers plans et du plan thérapeutique infirmier

FIGURE 15-2 ■ Vue d'ensemble de la démarche de soins infirmiers selon le modèle McGill.

TABLEAU 15-1

VUE D'ENSEMBLE DE LA DÉMARCHE DE SOINS INFIRMIERS

Étape et description	Raison d'être	Activités
Collecte des données Obtenir Organiser Valider Consigner les données relatives au client.	Constituer un ensemble de renseignements et de données sur la situation de santé du client, sur ses réactions à sa situation de santé et sur sa capacité et celle de ses proches à répondre à ses besoins de santé.	Recueillir les données subjectives et objectives. Établir l'anamnèse. Procéder à un examen physique. Lire le dossier clinique du client. Prendre connaissance de la documentation scientifique. Consulter les proches aidants. Consulter des professionnels de la santé. Mettre les données à jour au besoin. Communiquer et consigner les données.
Analyse Analyser les données. Formuler le diagnostic infirmier et (ou) le problème retenu. Formuler les constats de l'évaluation (PTI).	Dresser la liste des problèmes reliés aux soins infirmiers et la liste de ceux à traiter en collaboration. Prioriser les problèmes. Établir les priorités de suivi clinique (PTI).	Interpréter et analyser les données. Comparer les données aux normes. Classer les données (formuler des hypothèses provisoires). Discerner les lacunes et les contradictions. Déterminer les forces du client, les facteurs favorisants, les risques encourus, les diagnostics infirmiers et les problèmes. Formuler des diagnostics infirmiers et des énoncés de problèmes à traiter en collaboration. Déterminer les diagnostics infirmiers à inscrire dans le plan de soins et de traitements infirmiers (PSTI). Décider des problèmes ou des besoins prioritaires à inscrire dans le plan thérapeutique infirmier (PTI).
Planification Déterminer la manière de prévenir, d'atténuer ou de résoudre les problèmes discernés. Prendre en considération les forces du client. Procéder à des interventions infirmières organisées, individualisées et orientées vers les objectifs fixés.	Élaborer un PSTI individualisé en lien avec le diagnostic infirmier ou le problème de santé. Rédiger les directives du PTI. Rédiger le plan de traitement (plaie). Collaborer à la rédaction des problèmes traités en interdisciplinarité : plan d'intervention interdisciplinaire (PII) et plan de services individualisé (PSI).	Établir des priorités et des objectifs ainsi que des résultats escomptés en collaboration avec le client. Indiquer les objectifs et les résultats escomptés. Choisir des stratégies ou des interventions infirmières. Consulter d'autres professionnels de la santé. Rédiger les ordonnances infirmières dans le plan de traitement, dans le PSTI et les directives dans le PTI. Transmettre le PTI aux professionnels de la santé et aux membres de l'équipe de soins concernés.
Interventions Procéder aux interventions infirmières planifiées et superviser les interventions effectuées par les autres membres de l'équipe de soins.	Aider le client à atteindre les objectifs et à obtenir les résultats escomptés ; favoriser son bien-être ; prévenir la maladie, les accidents, les problèmes sociaux et le suicide ; rétablir la santé ; faciliter l'adaptation à une altération du fonctionnement ; donner un sens à sa situation de santé ou à mourir dans la dignité.	Procéder à une nouvelle collecte des données. Déterminer les besoins du client en matière d'assistance. Effectuer la surveillance requise. Exécuter les interventions infirmières planifiées, inscrites dans les divers plans. Signaler les interventions infirmières accomplies. Consigner les soins prodigués, les traitements infirmiers ainsi que les réactions du client à ces soins et à ces traitements. Faire des comptes rendus verbaux et (ou) écrits, au besoin. Superviser l'exécution des tâches confiées aux autres membres du personnel infirmier.

15

TABLEAU 15-1 *(suite)*

Étape et description	Raison d'être	Activités
Évaluation Mesurer le degré d'atteinte des objectifs ou d'obtention des résultats escomptés. Porter un jugement critique sur l'état de santé du client.	Déterminer s'il convient de maintenir ou de modifier le PSTI ou encore d'y mettre un terme. Ajuster le PTI selon l'évolution de l'état de santé du client. Ajuster le plan de traitement infirmier. Déterminer, en collaboration avec les autres professionnels, s'il convient de maintenir ou de modifier le PII ou le PSI.	Collaborer avec le client et recueillir des données relatives aux résultats escomptés. Juger si les objectifs ont été atteints ou si les résultats escomptés ont été obtenus. Établir le rapport entre les interventions infirmières et les résultats obtenus. Tirer des conclusions quant à l'évolution du problème de santé. Maintenir ou modifier le PSTI, le plan de traitement infirmier au besoin, ou cesser la prestation de soins infirmiers. Consigner l'atteinte des objectifs et les modifications apportées au PSTI. Indiquer dans le PTI si le problème a été résolu. Ajuster les constats et (ou) les directives infirmiers inscrits dans le PTI. Collaborer avec les autres professionnels pour l'évaluation du PII ou du PSI.

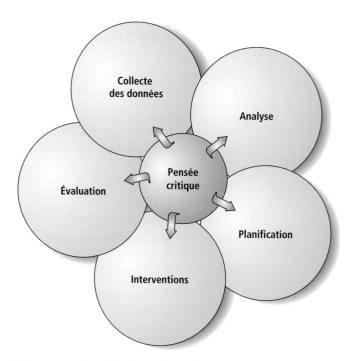

FIGURE 15-3 ■ Les cinq étapes interdépendantes de la démarche de soins infirmiers. La qualité de chaque étape dépend de la qualité de celle qui la précède. Chaque étape fait appel à la pensée critique et au jugement clinique.

Toutes les étapes de la démarche de soins infirmiers sont interdépendantes et s'influencent réciproquement. Si l'infirmière procède à une collecte des données inadéquate, elle formulera des diagnostics infirmiers incomplets ou incorrects et ces inexactitudes se répercuteront également sur les étapes de la planification, des interventions et de l'évaluation. Par conséquent, à tout moment, l'infirmière devrait revoir les étapes précédentes pour bien préciser les éléments qui s'y rapportent. Ainsi, la démarche de soins infirmiers s'adapte mieux à la situation clinique en question.

Caractéristiques de la démarche de soins infirmiers

La démarche de soins infirmiers possède des caractéristiques particulières qui permettent à l'infirmière de réagir promptement aux variations de l'état de santé du client. Elle vise la résolution de problèmes et la prise de décision; elle est interpersonnelle et coopérative; elle s'applique universellement et son élaboration découle de la pensée critique et du jugement clinique.

■ Les données obtenues à chaque étape permettent d'orienter la suivante. Les résultats de l'évaluation influent sur la prochaine collecte des données. Il s'ensuit que la démarche de soins infirmiers consiste en une série d'actions récurrentes (cycliques) qui changent continuellement (dynamiques) et qui ne sont pas constantes (toujours en évolution).

■ Le client est au centre de la démarche de soins infirmiers. L'infirmière établit le PSTI en fonction des problèmes de la personne et non de ses propres objectifs de soins. Lors de la collecte des données, elle détermine les habitudes et les besoins du client afin d'en tenir compte dans le PSTI.

■ La démarche de soins infirmiers est une variante du processus de résolution de problèmes (chapitre 14 ⊕) et de la théorie des systèmes (chapitre 11 ⊕). On peut considérer qu'elle est parallèle à la démarche employée par les médecins (démarche médicale). En effet, ces deux démarches ont en commun les points suivants: (1) elles s'amorcent par une collecte des données et une analyse; (2) elles font reposer l'action (l'intervention ou le traitement) sur un énoncé du problème (le diagnostic infirmier ou le diagnostic médical);

15

(3) elles comprennent une phase d'évaluation. Cependant, la démarche médicale et la démarche de soins infirmiers se distinguent l'une de l'autre dans la mesure où la première est axée sur les systèmes physiologiques et le processus morbide alors que la seconde concerne davantage les réactions de la personne à la maladie.

■ Toutes les étapes de la démarche de soins infirmiers font place à la prise de décision. L'infirmière peut déployer une grande créativité quant au moment et à la manière d'utiliser les données pour prendre des décisions. Elle n'est pas soumise à des actions figées et dispose d'un éventail d'habiletés et de connaissances, ce qui favorise l'individualisation du PSTI.

■ La démarche de soins infirmiers est interpersonnelle et coopérative. Elle exige que l'infirmière communique directement et régulièrement avec les clients et leur famille afin de répondre à leurs attentes. Elle suppose également que l'infirmière collabore avec ses collègues de l'équipe de soins et de l'équipe interdisciplinaire en vue de prodiguer des soins de qualité.

■ La démarche de soins infirmiers s'applique universellement, c'est-à-dire qu'elle structure les soins infirmiers dans tous les secteurs des soins de santé, auprès des personnes de tous les groupes d'âge.

■ L'infirmière doit faire preuve de diverses habiletés lui permettant de recourir à la pensée critique pour accomplir la démarche de soins. Le tableau 15-2, qui présente des exemples à cet égard, montre comment on peut exploiter les attitudes énumérées à l'encadré 14-2 (p. 315). En utilisant ses connaissances scientifiques et en les tenant à jour, l'infirmière définit son identité professionnelle et parvient à appliquer au quotidien sa pensée critique pour l'évaluation de toutes les situations de santé

Étape de la collecte des données

L'étape de la **collecte des données** consiste à obtenir, à organiser, à valider et à consigner des informations (figure 15-4 ■). Selon les divers modèles de soins, y compris le modèle McGill, la collecte des données est la prémisse de l'évaluation de la situation clinique. Elle sert à recueillir l'ensemble des données importantes pour l'analyse et l'interprétation de la situation de santé et permet à l'infirmière de se former une opinion éclairée au sujet des problèmes et des besoins du client. «L'évaluation de la condition physique et mentale des personnes symptomatiques devient l'assise de l'exercice et distingue les infirmières et les médecins des autres professionnels» (OIIQ, 2003).

L'étape de la collecte des données se réalise à l'aide d'outils spécifiques. Il existe quatre types d'outils de collecte des données: la collecte des données initiale, la collecte des données centrée sur un problème particulier, la collecte des données effectuée dans une situation d'urgence et la collecte des données répétée après un intervalle. La collecte des données porte en grande partie sur les réactions du client à un problème de santé, notamment sur sa capacité de prendre en charge son état de santé. Elle doit tenir compte des besoins perçus du client, de ses

TABLEAU 15-2 EXEMPLES DE RECOURS À LA PENSÉE CRITIQUE DANS LA DÉMARCHE DE SOINS INFIRMIERS	
Étape de la démarche de soins infirmiers	**Actions relevant de la pensée critique**
Collecte des données	Faire des observations fiables.
	Distinguer les données les plus pertinentes.
	Distinguer les données les plus importantes.
	Valider les données.
	Organiser les données.
	Classer les données en fonction d'un modèle théorique.
	Discerner les présupposés.
Analyse	Discerner des tendances et des relations parmi les indicateurs, ou résultats escomptés.
	Déceler les lacunes dans les données.
	Faire des inférences.
	Différer son jugement si les données sont insuffisantes.
	Établir des liens interdisciplinaires.
	Énoncer le problème.
	Examiner les présupposés.
	Comparer les tendances aux normes.
	Déceler les facteurs qui aggravent le problème.
Planification	Formuler des généralisations valables.
	Appliquer les connaissances d'une situation à l'autre.
	Établir des critères d'évaluation.
	Formuler des hypothèses.
	Établir des liens interdisciplinaires.
	Établir des priorités parmi les besoins de la personne.
	Généraliser des principes issus d'autres sciences.
Interventions	Appliquer ses connaissances aux interventions.
	Vérifier les hypothèses.
Évaluation	Déterminer si les hypothèses sont justes.
	Procéder à une évaluation critériée.

Source: Wilkinson, J. M. (2001). *Nursing process & critical thinking* (3e éd.) (p. 65-66). Upper Saddle River, NJ: Pearson Education Nursing.

problèmes de santé, de ses expériences connexes, de ses valeurs et de son mode de vie. Pour atteindre une efficacité optimale, la collecte des données doit être directement reliée à un problème particulier, par exemple la santé et les stratégies d'adaptation. Par conséquent, l'infirmière doit faire preuve de jugement au moment de choisir les éléments à inclure dans la collecte des données.

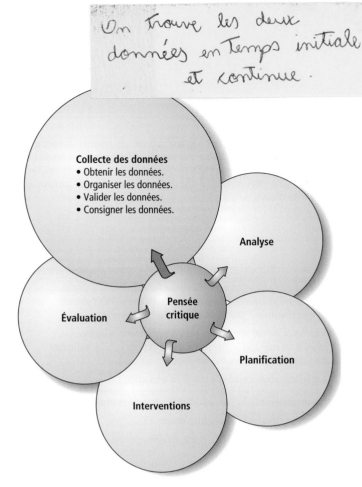

On trouve les deux données en temps initiale et continue.

Collecte des données
• Obtenir les données.
• Organiser les données.
• Valider les données.
• Consigner les données.

Analyse

Évaluation

Pensée
critique

Planification

Interventions

FIGURE 15-4 ■ Étape de la collecte des données. L'étape de la collecte des données comprend quatre actions interreliées.

Obtention des données

L'infirmière doit obtenir des données sur l'état de santé de la personne de manière systématique et continue. Elle doit s'efforcer de n'omettre aucune donnée importante et de rendre compte fidèlement des variations de l'état de santé de cette personne.

L'ensemble des renseignements obtenus sur une personne est constitué de l'anamnèse (encadré 15-1), des résultats des examens physiques effectués par l'infirmière et par le médecin, des résultats des examens paracliniques ainsi que des renseignements fournis par d'autres professionnels de la santé.

L'infirmière doit recueillir des données tant sur les antécédents de la personne que sur ses problèmes de santé actuels. Par exemple, des antécédents de réaction allergique à la pénicilline constituent une donnée très importante. De même, l'infirmière doit savoir si la personne a subi des interventions chirurgicales, si elle a eu recours à d'autres services de soins de santé et si elle souffre d'affections chroniques. Par ailleurs, elle s'informera sur sa situation actuelle et recueillera des données sur la douleur, le mode de digestion, les habitudes de sommeil et les pratiques religieuses, par exemple. La relation partenariat-collaboration préconisée par le modèle McGill fonde la collecte des données sur la compréhension mutuelle de la situation et sur l'importance que le client/famille lui accorde.

Types de données

Il existe deux types de données, les données subjectives et les données objectives. Les **données subjectives**, aussi appelées **symptômes** ou **données indirectes**, ne sont perceptibles que par la personne concernée et ne peuvent être décrites ou vérifiées que par elle. Les démangeaisons, la douleur et les sentiments d'inquiétude comptent parmi les données subjectives. De même, les sensations, les sentiments, les valeurs, les croyances, les attitudes ainsi que la perception de l'état de santé et de la situation personnelle appartiennent à la catégorie des données subjectives. Tout ce qui concerne le client mérite d'être investigué ; toute donnée, si minime soit-elle, peut influer sur la poursuite de la démarche.

Les **données objectives**, également appelées **signes** ou **données directes**, sont observables et peuvent être mesurées ou vérifiées par rapport à une norme reconnue. On peut les voir, les entendre, les toucher ou les sentir et on peut les obtenir au moyen de l'examen physique et des examens paracliniques. Une anomalie de la coloration de la peau ou une mesure de la pression artérielle sont des données objectives. Au cours de l'examen physique, l'infirmière obtient des données objectives, entre autres par l'inspection, la palpation, la percussion et l'auscultation, qui corroborent les données subjectives. On doit considérer que les renseignements fournis par les membres de la famille et les autres professionnels de la santé constituent des données subjectives, à moins qu'ils n'expriment des faits. Supposons par exemple qu'une personne déclare : «Papa est très désorienté aujourd'hui.» Il s'agit là d'une donnée subjective. En revanche, si elle déclare : «Papa ne se souvenait pas de son adresse ni de son numéro de téléphone aujourd'hui», cela constitue une donnée objective.

Une collecte des données complète, composée tant de données subjectives que de données objectives, fournit une série de valeurs de base auxquelles l'infirmière pourra comparer les données recueillies, en se fondant sur ses connaissances théoriques, en faisant des liens et en établissant des différences. Le tableau 15-3 présente quelques exemples de données subjectives et objectives.

Sources de données

Quelles que soient les sources d'information (client, personnes significatives de son entourage, professionnels de la santé, dossier clinique du client et documentation scientifique), on doit les considérer sous tous les angles et de tous les points de vue.

CLIENT

La meilleure source de données est généralement le client lui-même, à moins qu'il ne soit trop malade, trop jeune ou trop désorienté pour communiquer clairement. Certaines données subjectives ne peuvent être fournies que par lui. Selon la situation, une personne autorisée par la loi peut agir à titre de tuteur ou de représentant légal du client et prendre des décisions pour en favoriser le bien-être.

15

1. Renseignements personnels

Nom, adresse, âge, sexe, situation de famille, emploi, religion et source habituelle des soins médicaux.

2. Motif de la consultation ou raison de la visite

Il s'agit de la réponse que donne la personne à la question : «Qu'est-ce qui ne va pas ? » ou «Qu'est-ce qui vous amène à l'hôpital ou à la clinique ? » Il faut noter le motif de la consultation tel que la personne l'exprime.

3. Maladie actuelle

Le PQRST est une méthode systématique qui permet de recueillir et d'organiser les données sur le symptôme principal présenté par la personne. Largement utilisé pour l'évaluation de la douleur rétrosternale, cet instrument s'applique à l'évaluation de problèmes de santé divers.

Notion		Explication	Exemples de questions
P	Provoquer	Explorer non seulement les facteurs qui ont provoqué l'apparition du symptôme, mais aussi ceux qui l'ont aggravé.	Qu'est-ce qui déclenche votre essoufflement ? Qu'est-ce qui l'a provoqué ? Quelque chose l'a-t-il aggravé ?
	Pallier	Déterminer les éléments qui soulagent le symptôme.	Avez-vous utilisé un moyen ou un traitement quelconque, prescrit ou non, ou adopté une position pour vous soulager ? Lesquels ? Avez-vous été soulagé ? Que faites-vous lorsque vous êtes essoufflé ?
Q	Qualité	Décrire qualitativement le symptôme.	À quoi ressemble la sensation que vous avez eue ?
	Quantité	Quantifier le symptôme.	Comment décrivez-vous votre douleur ?
		Différencier la douleur neuropathique (douleur issue de l'atteinte du système nerveux) de la douleur nociceptive (stimulation d'un récepteur cutané, musculaire, articulaire, viscéral).	Est-ce que votre essoufflement vous empêche de faire certaines activités ? En quoi votre douleur influe-t-elle sur vos activités ?
R	Région	Préciser la région où se manifeste le symptôme.	Pouvez-vous indiquer l'endroit où se situe le malaise contribuant à votre essoufflement ?
	Irradiation	Déterminer si d'autres régions sont affectées par le symptôme.	Y a-t-il une autre région dans laquelle ce malaise est présent ? Gagne-t-il d'autres régions ? Lesquelles ?
S	Symptômes associés	Demander si d'autres symptômes accompagnent le symptôme principal.	Y a-t-il d'autres malaises ou sensations inhabituelles qui accompagnent votre symptôme ?
		Indiquer si d'autres signes accompagnent le symptôme principal.	Y a-t-il d'autres signes qui accompagnent votre malaise ?
T	Temps, durée	Déterminer le moment où le symptôme est apparu, ainsi que sa durée, et dire s'il s'est modifié depuis.	Depuis quand ce malaise est-il présent ? Est-il toujours là ou se manifeste-t-il de façon intermittente ?
		Distinguer la douleur chronique de la douleur aiguë.	
		Déterminer le nombre d'apparitions du symptôme par unité de temps (heure, jour, semaine).	Combien de fois l'avez-vous ressenti durant la dernière journée ou la dernière semaine ?

Source : Jarvis, C., et Chapados, C. (2004). *Physical examination and health assessment.* St-Louis, Missouri : Saunders.

4. Antécédents

Affections infantiles telles que varicelle, oreillons, rougeole, rubéole, infections streptococciques, scarlatine, rhumatisme articulaire et autres affections importantes.

Immunisations reçues pendant l'enfance et date du dernier vaccin antitétanique.

Allergies aux médicaments, aux animaux, aux insectes ou à d'autres agents environnementaux et nature de la réaction allergique.

Accidents et blessures : circonstances, date et lieu de l'accident, type de blessure subie, traitement reçu et complications, s'il y a lieu.

Hospitalisations pour affections graves : motifs, dates, interventions chirurgicales subies, rétablissement et complications, s'il y a lieu.

Médicaments : tout médicament pris en ce moment, qu'il soit sous ordonnance ou en vente libre, tel que l'aspirine, un vaporisateur nasal, des vitamines ou un laxatif.

5. Antécédents familiaux

Pour établir les facteurs de risque d'affections, l'infirmière questionne la personne sur l'âge et l'état de santé de ses frères et sœurs, parents et grands-parents ou, s'ils sont morts, sur la cause de leur décès. L'infirmière doit accorder une attention particulière à certaines affections comme la maladie coronarienne, le cancer, le diabète, l'hypertension artérielle, l'obésité, les allergies, l'arthrite, la tuberculose, les saignements, l'alcoolisme et les troubles mentaux.

15

ENCADRÉ 15-1 *(suite)*

6. Mode de vie

Habitudes personnelles: importance, fréquence et durée de la consommation de substances comme le tabac, l'alcool, le café, les colas, le thé ou les drogues récréatives.

Habitudes alimentaires: aliments habituellement consommés au cours d'une journée ordinaire, régime particulier, nombre de repas et de collations par jour, personne qui fait les courses et la cuisine, habitudes alimentaires spécifiques à la culture et allergies alimentaires.

Habitudes de sommeil: heures habituelles du coucher et du lever, troubles du sommeil et remèdes utilisés le cas échéant.

Activités de la vie quotidienne (AVQ): difficultés éprouvées lors de l'accomplissement des activités habituelles, comme l'alimentation, la toilette, l'habillement, l'élimination et la locomotion.

Tâches de la vie quotidienne: difficultés éprouvées dans la préparation des repas, les courses, le transport, l'entretien du domicile, la lessive; capacité d'utiliser le téléphone, de gérer ses finances et de prendre ses médicaments.

Loisirs et passe-temps: activités physiques, tolérance à l'activité physique, passe-temps et autres centres d'intérêt, vacances.

7. Données sociales

Relations familiales et amitiés: réseau de soutien en période de stress (Qui apporte à la personne l'aide dont elle a besoin?), effets de la maladie sur la famille et problèmes familiaux se répercutant sur la personne. Voir également la section sur la collecte des données relatives à la famille au chapitre 11 ⊂⊃.

Origine ethnique: coutumes et croyances en matière de santé; pratiques culturelles susceptibles d'influer sur les soins de santé et le rétablissement. Voir également la section sur le multiculturalisme au chapitre 12 ⊂⊃.

Études: nombre d'années d'études et difficultés d'apprentissage, s'il y a lieu.

Antécédents professionnels: emploi actuel, nombre de jours d'absence dus à la maladie, accidents de travail, risques d'affection ou d'accident au travail, changements d'emplois rendus nécessaires à la suite d'une affection, situation professionnelle du conjoint ou de la conjointe, garde des enfants, degré de satisfaction au travail.

Situation financière: assurances; effets de l'affection sur la situation financière.

Domicile et voisinage: mesures de sécurité à domicile et adaptations nécessitées par un handicap physique de la personne, intolérance à l'activité, activités de la vie quotidienne; évaluation du voisinage et de la proximité des services communautaires nécessaires.

8. Données psychologiques

Principaux facteurs de stress que la personne rencontre et perception qu'elle en a.

Stratégie d'adaptation habituelle à un problème grave ou à un stress intense.

Communication: capacité de verbaliser correctement les émotions; communication non verbale (mouvements oculaires, gestes, utilisation du toucher); interactions avec les proches aidants; congruence du comportement verbal et non verbal.

9. Recours aux services de santé

Toutes les ressources en santé auxquelles la personne a recours en ce moment et a eu recours dans le passé: médecin de famille, spécialistes (ophtalmologiste, gynécologue, etc.), dentiste, guérisseurs, approches complémentaires et parallèles en santé (ACPS) (phytothérapie, naturopathie, etc.), clinique, établissements de soins; degré de satisfaction par rapport aux soins reçus; accessibilité aux soins de santé.

15

TABLEAU 15-3
EXEMPLES DE DONNÉES SUBJECTIVES ET OBJECTIVES

Données subjectives	Données objectives
«Je me sens toute faible quand je fournis un effort.»	Pression artérielle à 90/50. Pouls apexien à 104. Pâleur de la peau et diaphorèse.
Le client se plaint de crampes à l'abdomen. Il dit: «J'ai mal au ventre.»	A vomi 100 mL d'un liquide teinté de vert. Abdomen ferme et légèrement distendu. Bruits intestinaux perçus à l'auscultation dans les quatre quadrants.
«Je suis essoufflée.»	Murmures vésiculaires clairs dans les deux poumons; assourdis dans le lobe inférieur droit.
La conjointe dit: «Il ne semble pas aussi triste aujourd'hui.»	Le client a pleuré pendant l'entrevue.
«J'aimerais rencontrer l'aumônier avant l'opération.»	Le client tient une Bible ouverte. Il a placé une petite croix en argent sur sa table de chevet.

PERSONNES SIGNIFICATIVES

Les personnes significatives, tels les membres de la famille, les proches aidants ou les amis qui connaissent bien le client, peuvent compléter ou corroborer les renseignements communiqués par celui-ci. Ils peuvent fournir des informations sur son milieu de vie, sa réaction à la maladie, le stress qu'il subissait avant de tomber malade ainsi que sur les attitudes de la famille par rapport à la maladie et à la santé.

Ces personnes significatives constituent une source de données privilégiée dans le cas d'un client très jeune, inconscient ou désorienté. Dans certains cas (notamment en présence d'une personne qui a subi des mauvais traitements physiques ou psychologiques), la personne qui fournit les renseignements désire parfois garder l'anonymat. Si le client possède toutes ses facultés, l'infirmière doit obtenir son consentement avant d'interroger une autre personne. Elle doit également indiquer dans la collecte des données le nom de la personne qui lui a fourni les renseignements.

PROFESSIONNELS DE LA SANTÉ

La collecte des données étant un processus continu, les rapports verbaux et écrits des autres professionnels de la santé constituent des sources potentielles d'information sur l'état de santé du client. Les infirmières, les travailleurs sociaux, les médecins et les physiothérapeutes, par exemple, peuvent posséder des renseignements sur le client à la suite de leurs rencontres antérieures ou actuelles avec lui. Le partage des informations entre professionnels revêt une importance particulière pour assurer le suivi et la continuité des soins lors des transitions entre le domicile et l'établissement de soins, entre deux unités de soins, entre deux établissements de santé ou tout simplement entre deux quarts de travail.

DOSSIER CLINIQUE DU CLIENT

Le dossier clinique du client contient les renseignements obtenus par les divers professionnels de la santé. L'infirmière doit prendre connaissance du dossier avant son entrevue afin d'éviter de poser des questions dont les réponses sont déjà connues et d'établir des points de départ. Le dossier inclut la collecte des données, soit les résultats de l'examen clinique et physique, les diagnostics, les plans d'intervention et les évaluations, tant de l'équipe médicale, infirmière, interdisciplinaire que multidisciplinaire, les notes d'évolution des soins, les résultats d'examens paracliniques, les antécédents médicaux, le compte rendu opératoire, ainsi que les notes concernant l'évolution de la maladie et les consultations rédigées par les médecins. Ce dossier représente, par conséquent, une source de renseignements sur le profil de santé et de maladie passé et présent du client. De plus, il renseigne l'infirmière sur les stratégies d'adaptation, le mode de vie, les affections antérieures et les allergies.

Les autres intervenants de l'équipe multidisciplinaire, les travailleurs sociaux, les diététistes et les physiothérapeutes, par exemple, peuvent fournir à l'infirmière des données pertinentes que le client ne peut transmettre lui-même. Ainsi, l'infirmière peut consulter le rapport d'une travailleuse sociale sur les conditions de vie du client ou celui d'une infirmière à domicile sur ses stratégies d'adaptation à son environnement.

Les résultats des examens paracliniques apportent également à l'infirmière de précieux renseignements sur l'état de santé du client. Par exemple, la mesure de la glycémie permet d'adapter la dose d'un médicament hypoglycémiant par voie orale. Il faut comparer tous les résultats des analyses de laboratoire avec les normes établies par le laboratoire ou l'établissement de soins pour l'âge, le sexe, etc. Le chapitre 33 ⟨🔗⟩ traite des examens paracliniques les plus courants.

L'infirmière doit toujours prendre connaissance des informations contenues dans le dossier de santé du client à la lumière de sa situation actuelle. Si, par exemple, le dossier médical le plus récent date de 10 ans, il est fort probable que le mode de vie et les stratégies d'adaptation de cette personne ont changé. Par ailleurs, les dossiers antérieurs peuvent être très utiles lorsqu'il s'agit, par exemple, d'établir les antécédents de personnes âgées souffrant de troubles de la mémoire.

DOCUMENTATION SCIENTIFIQUE

Les revues spécialisées et les ouvrages de référence peuvent fournir à l'infirmière un complément d'information. L'infirmière peut consulter la documentation scientifique pour prendre connaissance notamment de résultats probants et se renseigner sur les sujets suivants :

- Normes auxquelles comparer les résultats (tableaux de tailles et de poids, tâches développementales d'un groupe d'âge, résultats des examens paracliniques, etc.)
- Mode de vie d'une culture donnée
- Croyances religieuses d'un groupe
- Données à recueillir dans un cas particulier
- Interventions infirmières et critères d'évaluation associés à un problème particulier
- Diagnostics médicaux, traitements et pronostics

Méthodes de collecte des données

La principale méthode de collecte des données est l'examen clinique, qui comprend l'anamnèse et l'examen physique. Dans la pratique, l'infirmière utilise, entre autres, l'observation, l'entrevue et l'examen physique de façon simultanée. C'est ainsi que, pendant l'entrevue, elle observe, questionne et retient les points à vérifier lors de l'examen physique.

OBSERVATION

Chaque fois que l'infirmière entre en contact avec la personne ou ses proches, elle doit faire appel à l'observation. *Observer* consiste à recueillir des données à l'aide des sens. L'observation est une activité consciente et systématique, une habileté que l'on développe au moyen de l'effort et de la méthode. L'observation sollicite essentiellement la vue, mais aussi l'odorat, l'ouïe et le toucher. Le tableau 15-4 présente des exemples de données obtenues grâce à utilisation des sens.

L'observation consiste à recueillir, à déceler, à choisir et à organiser les données. L'infirmière qui remarque chez le client une rougeur du visage doit envisager des liens possibles avec la température corporelle, le degré d'activité, la température

TABLEAU 15-4
UTILISATION DES SENS PERMETTANT L'OBSERVATION

Sens	Exemples de données recueillies
Vue	Apparence générale (carrure, poids approximatif, posture, mise) ; signes de malaise ou d'indisposition ; expressions du visage et gestes ; coloration de la peau et lésions cutanées ; anomalies du mouvement ; comportement non verbal (signes de colère ou d'anxiété, par exemple) ; présence d'articles religieux ou traditionnels (livres, images, chandelles, porte-bonheur, par exemple)
Odorat	Odeurs corporelles et haleine
Ouïe	Bruits respiratoires, cardiaques et intestinaux ; communication ; langue parlée ; capacité d'engager des conversations ; capacité de répondre aux autres ; orientation par rapport au temps, au lieu et aux personnes ; pensées et sentiments à l'égard de soi, des autres et de l'état de santé
Toucher	Température et humidité de la peau ; force musculaire (préhension, par exemple) ; fréquence, rythme et amplitude du pouls ; lésions révélées par la palpation (nodules, par exemple)

ambiante et la pression artérielle. Elle n'est pas à l'abri des erreurs dans le choix et l'organisation des données. Ainsi, elle peut ne pas remarquer certains signes inattendus ou ne correspondant pas aux idées préconçues qu'elle entretient à l'égard du problème de santé du client. L'infirmière doit souvent se concentrer sur les données les plus pertinentes pour éviter la surcharge d'informations. Par exemple, une infirmière qui travaille auprès des nouveau-nés apprend à ignorer les bruits habituels des appareils installés dans la pouponnière, mais réagit promptement aux pleurs et aux mouvements des bébés.

L'infirmière expérimentée est souvent capable de faire des observations importantes (comme noter un changement de l'état respiratoire ou de la coloration de la peau) et de procéder en même temps à une intervention (comme aider le client dans ses soins d'hygiène ou surveiller une perfusion intraveineuse). L'étudiante et l'infirmière novice doivent apprendre à observer et à accomplir des tâches simultanément. C'est en cours d'apprentissage que les compétences s'acquièrent.

L'infirmière doit procéder aux observations de manière à n'omettre aucun élément important. Les infirmières choisissent leur propre méthode pour observer les faits dans un ordre déterminé et se concentrent en priorité sur la personne. Par exemple, une infirmière entre dans la chambre d'une personne et observe :

1. des signes cliniques de détresse (pâleur ou rougeur, respiration laborieuse et comportements indicateurs de douleur ou de détresse psychologique, par exemple) ;
2. des facteurs de risque, réels ou anticipés, qui menacent la sécurité de la personne (ridelles du lit abaissées, par exemple) ;

3. la présence d'appareils fonctionnant simultanément (matériel pour intraveineuse et administration d'oxygène, par exemple) ;
4. l'environnement immédiat, y compris les autres personnes qui se trouvent dans la chambre.

ENTREVUE

L'**entrevue** est une communication ou une conversation essentielle dont le but est d'obtenir ou de donner des informations, de circonscrire les problèmes qui préoccupent l'infirmière et le client, d'évaluer le degré d'un changement, d'enseigner, de donner du soutien ou encore de prodiguer des conseils ou un traitement. L'entrevue sert notamment à établir l'anamnèse du client lors de son admission.

L'entrevue peut être directive ou non directive. L'**entrevue directive** est fortement structurée et vise l'obtention de renseignements particuliers. L'infirmière en établit l'objectif et en régit le déroulement, au début du moins. Le client répond aux questions mais a rarement l'occasion d'en poser lui-même ou d'exprimer ses inquiétudes quant à sa santé. On recourt fréquemment à l'entrevue directive lorsque l'on veut obtenir et donner des informations et que l'on dispose de peu de temps (en situation d'urgence, par exemple).

Dans une **entrevue non directive**, l'infirmière laisse le client décider de l'objectif, du sujet et du rythme des échanges. L'entrevue non directive est axée sur l'établissement d'un rapprochement, c'est-à-dire qu'elle sert aux deux parties à mieux se comprendre l'une l'autre.

L'entrevue pendant laquelle on effectue l'anamnèse associe généralement l'approche directive et l'approche non directive. Tout d'abord, l'infirmière interroge le client à propos de ses préoccupations. S'il se préoccupe de son intervention chirurgicale, par exemple, l'infirmière prend le temps d'analyser ce sentiment avec lui et lui offre son soutien. Si elle se limitait à en prendre note sans s'étendre sur le sujet, elle pourrait donner l'impression au client qu'elle ne tient pas compte de ses préoccupations ou les ignore.

Planification de l'entrevue. Avant de commencer une entrevue, l'infirmière révise les informations disponibles comme le compte rendu opératoire, les renseignements relatifs à l'affection courante et la documentation scientifique pertinente. Elle relit également l'outil de collecte des données en usage dans l'établissement afin de déterminer les données qu'elle doit obligatoirement recueillir et celles qu'elle peut obtenir si elle pense qu'elles seront utiles. Dans les cas où elles ne disposent pas d'un tel outil, la plupart des infirmières rédigent un plan d'entrevue, qui les aide à se souvenir des questions à poser. Le plan d'entrevue se présente sous la forme d'une liste de sujets subdivisés plutôt que sous la forme d'une série de questions. Il va sans dire que l'entrevue prend des formes différentes selon l'unité dans laquelle l'infirmière travaille. Toutefois, il faut se rappeler que le but premier de l'entrevue est la collecte des données. Le chapitre 20 ⌕ explique le déroulement de l'entrevue en considérant les trois parties qui la composent.

15

CONSEILS PRATIQUES

LA COMMUNICATION PENDANT UNE ENTREVUE

- Écoutez attentivement, utilisez tous vos sens et parlez lentement et clairement.
- Employez des mots que la personne comprend et donnez des explications additionnelles, au besoin.
- Veillez à ce que vos questions s'enchaînent logiquement.
- Posez une seule question à la fois. Les questions à double réponse forcent la personne à faire un choix et peuvent la dérouter, elle autant que l'infirmière.
- Laissez à la personne la liberté de considérer les sujets de son propre point de vue et non du vôtre ou de celui de quelqu'un d'autre.
- N'imposez pas vos valeurs.
- Évitez les exemples personnels ; par exemple, ne dites pas : « Si j'étais vous… »
- Exprimez de façon non verbale le respect, la compassion, l'intérêt et l'acceptation.
- Tolérez le silence et utilisez-le pour aider la personne à clarifier ses pensées et à les organiser.
- Maintenez le contact visuel ; demeurez calme, détendue et empathique.

EXAMEN PHYSIQUE

L'examen physique représente une des dimensions de la collecte des données qui contribue à l'évaluation de l'état de santé de la personne. Pour effectuer l'examen physique, l'infirmière utilise l'inspection, l'auscultation, la palpation et la percussion (chapitre 29 ◔⃝).

L'examen physique se déroule de manière systématique. Selon ses préférences, l'examinatrice peut procéder de la tête aux pieds (**approche céphalocaudale**) ou encore système par système ou organe par organe. En règle générale, l'infirmière commence par noter ses impressions sur l'apparence générale et l'état de santé du client, par exemple l'âge, la carrure, l'état mental, l'état nutritionnel, le langage et le comportement. Elle prend ensuite certaines mesures comme celles des signes vitaux, de la taille et du poids. Si elle a choisi l'approche céphalocaudale, elle examine la tête, le cou, le thorax, l'abdomen et les membres. Si elle a choisi l'approche par système (**examen des systèmes**), c'est-à-dire qu'elle veut faire une brève évaluation du fonctionnement de divers organes ou systèmes, elle examine un par un le système respiratoire, le système cardiovasculaire, le système nerveux, etc. Au cours de l'examen physique, l'infirmière évalue toutes les parties du corps et compare les résultats avec ceux de chaque partie symétrique (les poumons, par exemple). Nous traitons en détail de ces techniques aux chapitres 28 et 29 ◔⃝.

L'infirmière peut procéder à un examen physique complet ou s'attarder sur un problème particulier (une rétention urinaire, par exemple).

OUTILS DE COLLECTE DES DONNÉES

La figure 15-5 ■ présente un formulaire d'établissement d'une collecte des données utilisé lors d'un examen des systèmes selon les modes fonctionnels de santé de Gordon. Les données obtenues au moyen de cet examen, tels le poids, la température corporelle et la pression artérielle, doivent être comparées à des normes. La figure 15-6 ■ donne un exemple de collecte des données utilisée pour l'évaluation du risque de suicide. À la lecture de ces deux collectes, on remarque une différence quant au contenu des questions. Il est essentiel que l'infirmière cible les questions selon les raisons de l'évaluation et adapte ainsi sa démarche au problème de santé. Ces outils ne sont donnés qu'à titre d'exemples. Ils peuvent différer d'un établissement à l'autre et il appartient à l'infirmière de se familiariser avec eux, sans oublier que le but demeure toujours le même : procéder à la collecte des données avec pertinence et concision.

Organisation des données

L'infirmière doit organiser les données recueillies de manière systématique, soit par écrit, soit à l'aide d'un ordinateur. La présentation de cet outil de collecte des données variera selon l'état de santé de la personne ; dans une unité de soins orthopédiques, par exemple, l'outil de collecte des données utilisé contiendra surtout des données sur le système musculosquelettique.

Modèles théoriques en soins infirmiers

La plupart des établissements d'enseignement ainsi que les établissements de soins possèdent leurs propres outils de collecte des données. Un grand nombre de ces outils sont fondés sur des théories de soins infirmiers (chapitre 3 ◔⃝). Nous présentons ici quelques modèles afin de faire ressortir leurs différences et de montrer que l'infirmière n'est pas limitée au modèle fourni par l'outil de collecte des données. Parmi les plus courants figurent le modèle des autosoins d'Orem, le modèle de l'adaptation de Roy, le modèle des besoins fondamentaux d'Henderson, la typologie des modes fonctionnels de santé de Gordon et le modèle McGill.

Gordon (2002) postule l'existence de 11 modes fonctionnels de santé (encadré 15-2). Dans son vocabulaire, le mot « mode » désigne un enchaînement de comportements récurrents. L'infirmière recueille des données tant sur les comportements dysfonctionnels que sur les comportements fonctionnels. En utilisant la typologie de Gordon pour organiser les données, l'infirmière peut voir apparaître ces modes.

Orem, Taylor et Renpenning (2000) distinguent huit besoins universels en matière d'autosoins (encadré 15-3). Roy et Andrews (1999), pour leur part, définissent les données à recueillir selon le modèle de l'adaptation de Roy et classent les comportements observables en quatre catégories : physiologie, concept de soi, rôle social et interdépendance (encadré 15-4). Virginia Henderson, quant à elle, élabore un répertoire de quatorze besoins fondamentaux auxquels l'infirmière se réfère pour faire la collecte des données (chapitre 3 ◔⃝).

La figure 15-5 présente un exemple d'outil de collecte des données initiale proposé par Carpenito-Moyet (2009) et structuré en fonction des modes fonctionnels de santé de Gordon compte

(suite p. 343)

QUESTIONNAIRE D'ÉVALUATION INITIALE

Date _16 avril 2011_ Heure d'arrivée _15:15_ Personne à joindre _Son mari_ Nº de téléphone _____

PROVENANCE: _____ du domicile (seul) _____ du domicile avec un parent
_____ du centre de soins de longue durée _____ sans domicile
_____ du domicile avec (préciser) __✓__ des urgences
_____ autre _____

MODE D'ARRIVÉE: _____ Fauteuil roulant __✓__ Sur pied _____ Civière

MOTIF DE L'HOSPITALISATION: _«Rhume» depuis 2 semaines. Dyspnée à l'effort._
«Douleur dans les poumons.» «Le médecin dit que j'ai une pneumonie.»

DERNIÈRE HOSPITALISATION: Date _2008_ Motif _Accouchement_

ANTÉCÉDENTS MÉDICAUX: _Aucun problème important_
Appendicectomie 1989 — Thyroïdectomie 2003

MÉDICAMENTS

(sur ordonnance et en vente libre)	POSOLOGIE	DERNIÈRE DOSE	FRÉQUENCE
Synthroid	0,1 mg/jour	4 avril	8:00

PERCEPTION ET GESTION DE LA SANTÉ
CONSOMMATION

De tabac: __✓__ Non _____ A abandonné (date) _____ Pipe _____ Cigare
_____ Cigarette 1 paquet/jour _____ 1 à 2 paquets/jour
_____ 2 paquets/jour _____ Paquets/année x années de tabagisme
D'alcool: __✓__ Non Type _____ Quantité _____ /jour _____ /sem _____ /mois
D'autres drogues: __✓__ Non _____ Oui Type _____ Consommation _____
Allergies (médicaments, aliments, ruban adhésif, teinture): _Pénicilline_
Réactions: _Éruption, nausées_

ACTIVITÉ ET EXERCICE
DEGRÉ D'AUTONOMIE

0 = Autonome   1 = Aide adaptée   2 = Aide d'une personne
3 = Aide d'une personne et aide adaptée   4 = Dépendant/Invalide

	0	1	2	3	4
Manger et boire	✓				
Se laver			✓ Lorsque fatiguée faiblesse		
Se vêtir et soigner son apparence	✓		✓		
Utiliser les toilettes	✓				
Se déplacer dans le lit	✓				
Effectuer des transferts	✓				
Se déplacer	✓				
Monter les escaliers	✓				
Faire les courses	✓				
Cuisiner	✓		✓ Lorsque fatiguée		
Entretenir le domicile	✓				

AIDE ADAPTÉE: __✓__ Aucune _____ Béquilles _____ Chaise d'aisances _____ Déambulateur
_____ Canne _____ Attelle ou orthèse _____ Fauteuil roulant _____ Autres

CODE: (1) Ne s'applique pas (2) Information non disponible
(3) N'est pas une priorité pour le moment (4) Autres (Préciser dans les notes d'observation)

FIGURE 15-5 ■ Anamnèse de Mme Raymonde Aquilini à l'aide d'un outil de collecte des données basé sur les 11 modes fonctionnels de Gordon. Adapté de Carpenito-Moyet, L. J. (2009). *Manuel de diagnostics infirmiers* (p. 745-748), Traduction de la 12e édition. Saint-Laurent: Éditions du Renouveau Pédagogique.

15

NUTRITION ET MÉTABOLISME

Régime spécial/Suppléments
Diète liquide

Diète imposée antérieurement : ___ Oui ✓ Non

Appétit : ___ Normal ___ Augmentation ✓ Diminution ___ Diminution du goût
___ Nausées ___ Vomissements ___ Stomatite

Variations du poids dans les 10 derniers mois : ✓ Non _____ kg pris ou perdus

Difficulté à avaler (dysphagie) : ✓ Non ___ Solides ___ Liquides

Prothèses dentaires : ___ Supérieure (___ Partielle ___ Complète)
___ Inférieure (___ Partielle ___ Complète)
Portées par la personne ___ Oui ✓ Non

Antécédents de problèmes de peau ou de cicatrisation : ✓ Non ___ Cicatrisation anormale
___ Éruption cutanée ___ Sécheresse
___ Transpiration abondante

ÉLIMINATION

Habitudes d'élimination intestinale : _1_ Nbre de selles/jour _15 avril 11_ Date de la dernière selle
___ Dans les limites de la normale ___ Constipation
___ Diarrhée ___ Incontinence
___ Stomie : Type : ___ Appareil ___
Autonomie dans ses soins ✓ Oui ___ Non

Habitudes d'élimination urinaire : ✓ Dans les limites de la normale ___ Pollakiurie   _Ø débit,_
___ Dysurie ___ Nycturie ___ Miction impérieuse   _Ø fréquence_
___ Hématurie ___ Rétention   _depuis 2 jours_

Incontinence : ✓ Non ___ Oui ___ Complète ___ Diurne ___ Nocturne ___ Sporadique
___ Difficulté à se retenir ___ Difficulté à atteindre les toilettes à temps

Aides techniques : ___ Cathétérisme intermittent
___ Sonde à demeure ___ Sonde externe
___ Culotte d'incontinence ___ Implant pénien : type _____

SOMMEIL ET REPOS

Habitudes : _6_ h/nuit ___ Sieste l'avant-midi ✓ Sieste l'après-midi
Se sent reposé après avoir dormi ___ Oui ✓ Non _Toux_

Problèmes : ___ Non ___ Réveil précoce ___ Insomnie ___ Cauchemars

COGNITION ET PERCEPTION

État mental : ✓ Alerte ___ Aphasie sensorielle (réceptive)
___ Pertes de mémoire ___ Bonne orientation
___ Confusion ___ Résistance ✓ Apathie

Élocution : ✓ Normale ___ Empâtée ___ Incompréhensible ___ Aphasie motrice (expressive)
Langue parlée _Français_ Interprète _____

Capable de lire : ✓ Oui ___ Non _____

Capable de communiquer : ✓ Oui ___ Non _____

Capable de comprendre : ✓ Oui ___ Non _Bonne connaissance du diagnostic_

Degré d'anxiété : ___ Faible ✓ Moyen ___ Grave ___ Panique

Habiletés d'interaction : ✓ Appropriées ___ Autres
Tension muscles faciaux tremblements

Ouïe : ___ Dans les limites de la normale ___ Déficience auditive (__) droite (__) gauche
Surdité (__) droite (__) gauche ___ Appareil auditif _Ø_ Acouphènes

Vue : ___ Dans les limites de la normale ___ Verres correcteurs ___ Lentilles cornéennes
___ Déficience visuelle (__) droite (__) gauche
___ Cécité (__) droite (__) gauche
_Ø_ Prothèse (__) droite (__) gauche

Vertiges : ___ Oui ✓ Non

Malaise/Douleur : ___ Non ✓ Aiguë ___ Chronique Description _Douleur thoracique_
vive associée à la toux

Méthodes de soulagement de la douleur : _Repos_

FIGURE 15-5 ■ *(suite)*

ADAPTATION ET TOLÉRANCE AU STRESS – PERCEPTION DE SOI ET CONCEPT DE SOI

Principales inquiétudes concernant l'hospitalisation ou la maladie (problèmes financiers, perte d'autonomie): *A confié la garde de sa fille de 3 ans à sa voisine, retard au travail*

Perte ou changement important au cours de la dernière année: ✓ Non ___ Oui _____

SEXUALITÉ ET REPRODUCTION

Dernière menstruation (date): *1er avril 2011*
Troubles menstruels hormonaux: ✓ Non ___ Oui _____
Dernier frottis vaginal (test Pap) (date): _____
Auto-examen mensuel des seins/des testicules: ___ Oui ___ Non
Préoccupations d'ordre sexuel liées à la maladie: *Non* _____

RELATION ET RÔLE

Profession: *Avocate*
Situation professionnelle: ✓ Salarié ___ Invalidité temporaire
___ Invalidité permanente ___ Sans emploi
Réseau de soutien: ✓ Conjoint ✓ Voisins/Amis ___ Aucun
✓ Membres da la famille partageant le même domicile
___ Membres de la famille résidant ailleurs
___ Autres _____
Inquiétudes de la famille concernant l'hospitalisation: *Non évalué présentement en raison de la fatigue*

VALEURS ET CROYANCES

Religion: *Catholique*
Restrictions imposées par la religion: ✓ Non ___ Oui (préciser) _____
Désire rencontrer l'aumônier: ✓ Non ___ Oui _____

EXAMEN PHYSIQUE (DONNÉES OBJECTIVES)

1. Données cliniques

Âge *28 ans* Taille *1,55 m* Poids *56,7 kg* (réel/approximatif)
Température *39,4 °C*
Pouls: ___ Fort ✓ Faible ___ Régulier ___ Irrégulier *92/min*
Pression artérielle: ✓ Bras droit ___ Bras gauche ___ Assis ___ Couché *122/80*

2. Respiration/Circulation

Fréquence *28/min*
Qualité: ___ Dans les limites de la normale ___ Profonde ___ Rapide ___ Laborieuse
✓ Autres *Superficielle, dyspnée*
Toux: ___ Non ✓ Oui/Description *Productive, crachats rosés et épais*

Bruits respiratoires:
Lobe supérieur droit ___ Dans les limites de la normale
___ Légers ___ Absents ✓ Adventices
Lobe supérieur gauche ___ Dans les limites de la normale
___ Légers ___ Absents ___ Adventices
Lobe inférieur droit ___ Dans les limites de la normale
___ Légers ___ Absents ✓ Adventices
Lobe inférieur gauche ___ Dans les limites de la normale
___ Légers ___ Absents ___ Adventices

Pouls pédieux droit: ✓ Bien frappé ___ Faible ___ Imperceptible
Pouls pédieux gauche: ✓ Bien frappé ___ Faible ___ Imperceptible

15

FIGURE 15-5 ■ *(suite)*

3. Métabolisme et téguments

PEAU :

Couleur: ___ Dans les limites de la normale ✓ Pâleur ___Cyanose
___ Teint terreux ___ Ictère ___ Autres____

Température: ___ Dans les limites de la normale ✓ Chaude ___ Froide

Turgescence: ___ Dans les limites de la normale ___ Faible

Œdème: ✓ Non ___ Oui/Description/Siège_____

Lésions: ✓ Aucune ___ Oui/Description/Siège_____

Contusions: ✓ Aucune ___ Oui/Description/Siège_____

Rougeurs: ___ Non ✓ Oui/Description/Siège *Joue*_____

Prurit: ✓ Non ___ Oui/Description/Siège_____

Sondes: Préciser _____

BOUCHE :

Gencives: ___ Dans les limites de la normale ___ Plaque blanche ___ Lésions
___ Autres_____

Dentition: ___ Dans les limites de la normale
___ Autres_____

ABDOMEN :

Bruits intestinaux: ✓ Présents ___ Absents

4. Sens et système nerveux

Pupille :

Symétrie ✓

Gauche • • • • • ● ● ●

Droite • • • • • ● ● ●

Réaction à la lumière

Gauche: ✓ Oui ___ Non/Préciser _____

Droite: ✓ Oui ___ Non/Préciser _____

Yeux: ✓ Normaux ___ Écoulement ___ Rougeur ___ Autres_____

5. Appareil locomoteur

Amplitude des mouvements: ✓ Pleine ___ Autres _____

Équilibre et démarche: ✓ Stable ___ Instable

Force de préhension: ✓ Égale ___ Forte ___ Parésie/Paralysie (Bras ___ Droit ___ Gauche)

Muscles des jambes: ✓ Égaux ___ Forts ___ Parésie/Paralysie
(Jambe ___ Droite ___ Gauche)

PLANIFICATION DU CONGÉ

Conditions de vie: Vit seul ___ Vit avec *mari et enfant*____ Sans résidence connue _____

Destination prévue après le congé: ✓ Domicile ___ Ne sait pas ___ Autres _____

Recours antérieur à des services communautaires:
___ Soins à domicile/Soins palliatifs ___ Centre de jour pour adultes ___ Groupes religieux
___ Autres_____
___ Cuisine roulante ___ Aide ménagère/Aide pour les soins
___ Maintien à domicile ___ Groupe de soutien

Moyen de transport pour quitter le centre hospitalier:
✓ Voiture ___ Ambulance ___ Autobus/Taxi
___ Ne sait pas encore

Aide financière prévue après le congé: ___ Non ___ Oui

Possibilités de difficulté dans les autosoins: ✓ Non ___ Oui

Aides adaptées nécessaires: ✓ Non ___ Oui

Demande de consultation (inscrire la date) :
Coordinatrice du congé _____ Soins à domicile _____
Services sociaux _____

Remarques *Douleur thoracique vive associée à la toux et dyspnée à l'effort. Se dit incapable de faire sa séance d'exercices quotidienne depuis une semaine. Sa toux est soulagée «si elle s'assoit et ne bouge pas». Nausées associées à la toux. «Frissons» occasionnels. Anxieuse à l'occasion et se dit alors: «Je ne peux pas respirer.» Bien mise mais «trop fatiguée pour se maquiller». Amplitude thoracique <3 cm, aucun battement des ailes du nez et aucune utilisation des muscles accessoires. Bruits respiratoires assourdis du côté droit et crépitants à l'inspiration dans les parties supérieure et inférieure droites du thorax. Estime son réseau de soutien «bon» (relation avec son mari). Est «inquiète» à propos de sa fille. Dit que son mari sera à l'extérieur de la ville jusqu'à demain. A confié la garde de sa fille de 3 ans à la voisine. S'inquiète aussi à propos de son travail (elle est avocate). «Je ne rattraperai jamais le temps perdu», dit-elle. A bu de l'eau à midi mais n'a pris aucune nourriture aujourd'hui. Accepte de fournir des échantillons d'urine pour une analyse des urines de 24 h. Installation d'une perfusion IV Dextrose 5 % 1 000 mL dans le bras droit, 100 mL/h. Remplissage capillaire en 4 secondes. Garder la tête du lit relevée pour faciliter la respiration.*

SIGNATURE/TITRE *Carolina Medina, inf.* Date *16 avril 2011*

FIGURE 15-5 ■ *(suite)*

Direction des soins infirmiers

Outil d'évaluation du risque suicidaire

Vérifier la présence de chaque facteur et attribuer 1 point par facteur présent. Additionner les points et inscrire le total.

Indicateurs	Jour	Soir	Nuit
Sexe (homme)	/1	/1	/1
Âge (entre 15 et 24 ans) (45 ans et plus)	/1	/1	/1
Dépression Ensemble des manifestations suivantes : – perturbation habitudes de sommeil – perte de poids récente – désespoir ou culpabilité – diminution d'intérêt des activités de la vie quotidienne – agitation psychomotrice – irritabilité ou tristesse – diminution de la concentration – pensée de mort	/1	/1	/1
Tentative suicidaire antérieure	/1	/1	/1
Abus, dépendance alcool/drogue	/1	/1	/1
Altération de la pensée – désorganisation – désorientation	/1	/1	/1
Idées suicidaires Les caractéristiques suivantes peuvent être présentes : – bas niveau de contrôle – bas niveau de tolérance à la frustration	/1	/1	/1
Plan suicidaire organisé : – méthode prévue – habilité à entreprendre le plan – ne parvient pas à se projeter dans l'avenir	/1	/1	/1
Perception de l'usager d'avoir un soutien social pauvre	/1	/1	/1
Maladie chronique aiguë ou maladie mentale Événement stressant récent	/1	/1	/1
Total	**/10**	**/10**	**/10**

- La présence d'un plan suicidaire spécifique organisé (exemple : date, endroit ou moyen) signifie que la personne se situe à un haut niveau de risque suicidaire. Si l'usager a un plan organisé ou un délire avec des idées prédominantes de se faire mal ou de se tuer, le score total devient automatiquement 10. L'usager se situe donc au niveau 4 du risque suicidaire. *(Traduit et adapté de « Sad Persons Scale », Patterson, Dohn, Bird & Patterson, 1983.)*

Signature de l'infirmière, date, heure	Jour :
Signature de l'infirmière, date, heure	Soir :
Signature de l'infirmière, date, heure	Nuit :

FIGURE 15-6 ■ Outil de collecte des données employé dans une situation d'urgence : évaluation du risque de suicide.
Source : Hôpital du Sacré-Cœur de Montréal.

15

Évaluation du risque suicidaire selon le total obtenu :

Score de l'instrument statistique	Niveau de risque suicidaire	Fréquence des observations à évaluer avec l'instrument clinique
0-3	**1.** Risque très minime	Observation q heure
4-5	**2.** Risque minime	Observation q 30 minutes
6-7	**3.** Risque modéré	Mesures de prévention du suicide Observation q 15 minutes
8-10	**4.** Risque élevé	Mesures de prévention du suicide Observation constante

Exemple de questions à poser afin d'explorer les pensées suicidaires :

- Avez-vous des périodes où vous pensez à vous blesser ou à vous enlever la vie?
- Quelle est la fréquence de ces périodes? Est-ce plusieurs fois par jour, par semaine, par mois, ou autre?
- Ces pensées sont-elles intermittentes ou constantes?
- Qu'est-ce qui déclenche ces pensées?
- Avez-vous pensé à des moyens ou à un plan pour mettre fin à vos jours?
  (Ce plan est-il réaliste compte tenu des moyens à la disposition de l'usager?)
- Avez-vous exprimé vos pensées suicidaires ou votre plan suicidaire avec quelqu'un d'autre?

Indicateurs pour l'évaluation de la fréquence des observations reliées au risque suicidaire :

Pas de besoin d'observation	Observation q heure	Observation q 30 minutes	Observation q 15 minutes	Observation constante	Contentions ou isolement
Dit ne plus ou ne pas avoir d'idée suicidaire. Démontre de la congruence entre son verbal et son non verbal. Est assidu au traitement. A une perception de soutien adéquat. Verbalise ses préoccupations au niveau des émotions.	Verbalise ses idées suicidaires avec facilité; Ou Verbalise de façon superficielle. N'a pas de plan suicidaire. N'a pas d'intention. Coopère au traitement. Est peu en retrait. A fait de multiples tentatives antérieures.	Verbalise ses idées suicidaires sans plan ou intention, avec difficulté. A la perception de ne pas avoir de soutien social adéquat. N'est pas assidu au traitement. Démontre des sentiments de frustration, colère. Affect labile. Mutisme ou peu de verbalisation. Fuit tout contact avec l'entourage. Est intoxiqué. Perception distordue de la réalité. Hyperactivité. Démontre peu d'habileté à la résolution de problèmes. Évite le contact visuel.	Changement soudain du niveau d'activité (hyper-activité) Verbalise ses idées suicidaires avec une intention, mais sans plan précis; Ou Projette de se suicider à l'aide d'un moyen létal, mais n'a pas la possibilité de se procurer le moyen privilégié pour son suicide. Refuse un contrat de non-passage à l'acte.	Projette de se suicider à l'aide d'un moyen létal. Le moyen privilégié pour son suicide est accessible. Fait des gestes suicidaires. Se procure des objets qui serviront à se faire du mal ou à se tuer. Ne parvient plus à se projeter dans l'avenir. Tient un discours où tout justifie le suicide.	Tentative de suicide devant le personnel. Ne peut résister à son impulsion malgré l'observation et la présence constante.
Facteurs contribuant à l'état suicidaire (conflits avec l'entourage, événement psychosocial récent perçu comme source de stress, changement récent dans l'état de santé, etc.)					

FIGURE 15-6 ■ *(suite)*

ENCADRÉ 15-2
TYPOLOGIE DES 11 MODES FONCTIONNELS DE SANTÉ SELON GORDON

- *Perception et gestion de la santé.* Manière dont la personne perçoit sa santé et son bien-être et manière dont elle veille à sa santé.
- *Nutrition et métabolisme.* Consommation de nourriture et de liquide par rapport aux besoins métaboliques et aux besoins d'approvisionnement.
- *Élimination.* Modalités de l'excrétion (intestinale, vésicale et cutanée).
- *Activité et exercice.* Modalités de l'exercice, de l'activité, des loisirs et du temps libre.
- *Sommeil et repos.* Modalités du sommeil, du repos et de la détente.
- *Cognition et perception.* Modalités des fonctions sensorielles, perceptives et cognitives.
- *Perception de soi et concept de soi.* Manière dont la personne se conçoit et se perçoit (concept de soi, valeur, confort, image corporelle, état affectif).
- *Rôle et relations.* Manière dont la personne s'acquitte de son rôle et entretient ses relations sociales.
- *Sexualité et reproduction.* Degré de satisfaction de la personne à l'égard de sa sexualité ; manière dont elle vit sa fonction de reproduction.
- *Adaptation et tolérance au stress.* Manière dont la personne compose en général avec le stress et efficacité de ses stratégies en matière de tolérance au stress.
- *Valeurs et croyances.* Valeurs, croyances (y compris les croyances spirituelles) et objectifs qui guident les choix et les décisions de la personne.

Source : Gordon, M. (2002). *Manual of nursing diagnosis* (10e éd.) (p. 2-5). St. Louis, MO : Mosby. Reproduit avec l'autorisation de l'auteur.

ENCADRÉ 15-3
MODÈLE DES AUTOSOINS D'OREM

1. Maintien d'un apport suffisant d'air.
2. Maintien d'un apport suffisant d'eau.
3. Maintien d'un apport suffisant de nourriture.
4. Prestation de soins associés à l'élimination.
5. Maintien d'un équilibre entre l'activité et le repos.
6. Maintien d'un équilibre entre la solitude et les interactions sociales.
7. Prévention des risques d'atteinte à la vie, au fonctionnement et au bien-être.
8. Promotion du fonctionnement et du développement humains au sein des groupes sociaux, d'une manière conforme au potentiel humain, aux limites humaines connues et au désir humain de normalité. (Le terme «normalité» désigne ici ce qui est humain par essence et ce qui est en accord avec les caractéristiques génétiques, les caractéristiques constitutionnelles et les talents des personnes.)

Source : Orem, D. E., Taylor, S. G., et Renpenning, K. M. (2000). *Nursing concepts of practice* (6e éd.) (p. 225). St. Louis, MO : Mosby. Reproduit avec l'autorisation de l'auteur.

ENCADRÉ 15-4
MODÈLE DE L'ADAPTATION DE ROY

1. Besoins physiologiques
   - Activité et repos
   - Nutrition
   - Élimination
   - Liquide et électrolytes
   - Oxygénation
   - Protection
   - Régulation : température
   - Régulation : sens
   - Régulation : système endocrinien
2. Concept de soi
   - Soi physique
   - Soi psychologique
3. Rôle social
4. Interdépendance

Source : Roy, C., et Andrews, H. A. (1999). *The Roy adaptation model : The definitive statement* (2e éd.). Upper Saddle River, NJ : Prentice-Hall. Reproduit avec l'autorisation de Pearson Education, Inc., Upper Saddle River, NJ.

tenu de l'état de santé de Raymonde Aquilini. L'encadré 15-5 présente les données de la figure 15-5, organisées selon les 11 modes fonctionnels de santé de Gordon.

Comme il a été mentionné précédemment, le contenu de la collecte des données demeure toujours en lien étroit avec le profil du client ciblé. Une entrevue au service des urgences diffère fortement d'une entrevue effectuée pour admettre une personne à un centre de soins de longue durée. L'infirmière doit donc faire preuve de discernement pour choisir les questions servant à mener à terme son évaluation.

ENCADRÉ 15-5
DONNÉES RELATIVES À RAYMONDE AQUILINI, ORGANISÉES SELON LES MODES FONCTIONNELS DE SANTÉ

Perception et gestion de la santé
- Connaît et comprend le diagnostic médical.
- Fournit un historique complet de ses maladies et de ses interventions chirurgicales.
- Observe le programme thérapeutique prescrit (Synthroid).
- Décrit en détail l'évolution de sa maladie.
- S'attend à recevoir une antibiothérapie et à «rentrer chez elle dans un jour ou deux».
- Déclare prendre habituellement «trois repas par jour».

Activité et exercice
- Aucune atteinte locomotrice.
- Difficulté à dormir en raison de la toux.
- «Incapable de respirer en position couchée.»
- Dit qu'elle «se sent faible».
- Dyspnée à l'effort.
- Fait quotidiennement de l'activité physique.

ENCADRÉ 15-5 *(suite)*
DONNÉES RELATIVES À RAYMONDE AQUILINI, ORGANISÉES SELON LES MODES FONCTIONNELS DE SANTÉ

Nutrition et métabolisme

- Taille : 1,58 m (5 pi 2 po) ; poids : 56 kg (125 lb).
- Prend habituellement « trois repas par jour ».
- « Pas d'appétit » depuis qu'elle a le « rhume ».
- N'a pas mangé aujourd'hui ; dernière prise de liquide à 12:00.
- Nausées.
- Température orale : 39,4 °C.
- Diminution de l'élasticité de la peau.

Élimination

- Aucun problème généralement.
- Diminution de la fréquence des mictions et du débit urinaire depuis 2 jours.
- Dernière selle hier, formée, décrite comme « normale ».

Sommeil et repos

- Dort six heures par nuit.
- Fait une sieste l'après-midi.
- Dit ne pas se sentir reposée après avoir dormi.

Cognition et perception

- Aucune atteinte sensorielle.
- Pupilles à 3 mm, symétriques, réactives.
- Orientée par rapport au temps, au lieu et aux personnes.
- Alerte mais fatiguée.
- Réagit adéquatement aux stimuli verbaux et physiques.
- Mémoire à court et à long terme intacte.
- Se dit « essoufflée » à l'effort.
- Se plaint de « douleur dans les poumons », surtout associée à la toux.
- Frissons.
- Fait état de nausées.

Adaptation et stress

- Anxieuse : « Je ne peux pas respirer. »
- Tension des muscles du visage ; tremblements.
- Se dit préoccupée par son travail : « Je ne rattraperai jamais le temps perdu. »

Perception de soi et concept de soi

- Se dit « préoccupée » et « inquiète » d'avoir confié sa fille à la voisine jusqu'au retour de son mari.
- Bien mise, se dit « trop fatiguée pour se maquiller ».

Sexualité et reproduction

- Dernière menstruation le 1er avril 2005.
- Pas de troubles menstruels hormonaux.
- Pas de préoccupations d'ordre sexuel liées à la maladie.

Rôles et relations

- Vit avec son mari et leur fille de trois ans.
- Mari à l'extérieur de la ville ; de retour demain après-midi.
- Enfant gardée par une voisine jusqu'au retour du mari.
- Dit avoir de « bonnes » relations avec ses amis et ses collègues.
- Exerce la profession d'avocate.

Valeurs et croyances

- Catholique.
- Ne demande aucun rite particulier, sauf le sacrement des malades.
- Classe moyenne ; professionnelle.
- Ne désire pas rencontrer un prêtre pour le moment.

Médication et antécédents

- Synthroid 0,1 mg par jour.
- Appendicectomie, thyroïdectomie partielle.

Examen physique

- Âge : 28 ans.
- Taille : 1,58 m (5 pi 2 po) ; poids : 56 kg (125 lb).
- Température : 39,4 °C.
- Pouls radial de faible amplitude, régulier.
- Pression artérielle : 122/80, en position assise.
- Peau très chaude et pâle, joues très rouges.
- Muqueuses sèches et pâles.
- Respiration superficielle ; amplitude respiratoire < 3 cm.
- Toux productive : petite quantité d'expectorations rose pâle.
- Crépitants à l'inspiration, entendus lors de l'auscultation dans les parties inférieure et supérieure droites des poumons.
- Bruits respiratoires assourdis du côté droit.
- Abdomen souple et non distendu.
- Cicatrices chirurgicales anciennes : partie antérieure du cou, quadrant inférieur droit de l'abdomen.
- Diaphorèse.

Parallèlement au cas de Raymonde Aquilini, et pour nos besoins d'apprentissage, nous étudierons un autre cas, soit celui d'Emma Duclos, en passant par les différentes étapes de la démarche de soins infirmiers à l'aide du modèle McGill (chapitre 3 ⊙).

UTILISATION DU MODÈLE MCGILL : ÉTAPE 1 – RECHERCHE DE DONNÉES

Moyra Allen, pionnière de l'enseignement des sciences infirmières, a développé le modèle McGill en introduisant trois notions indissociables : le client, la famille et l'infirmière. La dimension partenariat entre soignant/personne/famille prend ainsi tout son sens et ces trois entités sont incluses dans l'application de la démarche de soins. L'évaluation initiale permet donc à l'infirmière de recueillir des données pour avoir dès l'admission une image globale de la situation du client en explorant tous les angles et dimensions et prévoir déjà les besoins après le congé.

Les questions qu'elle pose portent sur les éléments suivants : le problème de santé, ses répercussions (impacts), le *coping*, les contextes familial et environnemental, tout en tenant compte de l'importance que le client/famille accorde au problème de santé (chapitre 3 ⊙). Les répercussions de la maladie sont celles qui modifient le quotidien du client, et ce, au niveau de toutes les dimensions humaines : physique, psychologique, sociale, biologique, spirituelle. Le **coping**, quant à lui, sous-entend « les efforts déployés par le client/famille afin de composer avec sa situation problématique » (Birot, Dervaux et Pegon, 2005). Dans un contexte de maladie, les stratégies d'adaptation influent sur le *coping*. Par exemple, une personne âgée qui subit une intervention chirurgicale orthopédique et qui dispose de ressources extérieures facilitant son adaptation à la maladie aura un environnement plus propice à une prise en charge adéquate que celle qui vit un isolement social. Le *coping* englobe non seulement les réactions du client, mais aussi de tout son entourage. Dans l'optique de ce modèle, les soins infirmiers impliquent une relation d'échange entre les parties, d'où l'importance d'une confiance mutuelle. Cette phase de la démarche permet à l'infirmière « d'explorer avec le client comment il perçoit sa situation, quelles sont les ressources qu'il utilise et celles dont il dispose. Il est important de connaître vers quoi tend le client pour retrouver ou améliorer son état de santé et jusqu'à quel point il est prêt à s'investir dans son processus de prise en charge » (Birot *et al.*, 2005). L'infirmière doit aider le client à exprimer ses opinions et à réfléchir sur sa situation de santé, déterminer ses besoins d'apprentissage, de même que l'encourager à utiliser ses compétences et à résoudre ses problèmes. La figure 15-7 ■ présente les éléments sur lesquels l'infirmière effectue sa collecte des données.

Pour mieux expliquer cette étape, voyons comment une collecte des données devrait être effectuée. Prenons le cas d'Emma Duclos, une travailleuse autonome, qui se présente en début de nuit à l'urgence à cause de douleurs abdominales. Emma Duclos élève seule ses enfants, mais ses parents l'aident beaucoup. Elle dispose également d'un solide réseau de soutien. Cependant, elle s'inquiète pour ses enfants et ne veut absolument pas être hospitalisée, car elle doit s'occuper de la rentrée scolaire. Comme elle est travailleuse autonome, elle s'inquiète aussi de sa clientèle, qu'elle risque de perdre à cause d'une hospitalisation prolongée. Le reste des données recueillies sont indiquée au tableau 15-5. Certains ouvrages en soins infirmiers font état d'un ajout au PQRST : le U pour *understanding*. Le PQRST devient alors le PQRSTU. Voyer (2011) explique la portée de cet acronyme dans l'examen clinique.

L'infirmière qui l'accueille doit se poser sont les questions suivantes :

- Quels sont les éléments à prioriser pendant l'investigation ?

- Quels sont les éléments ultérieurs à mettre en lumière ?

- Quels sont les éléments à retenir relativement aux contextes familial et environnemental ?

- Quelles sont les attentes de chacune des parties ?

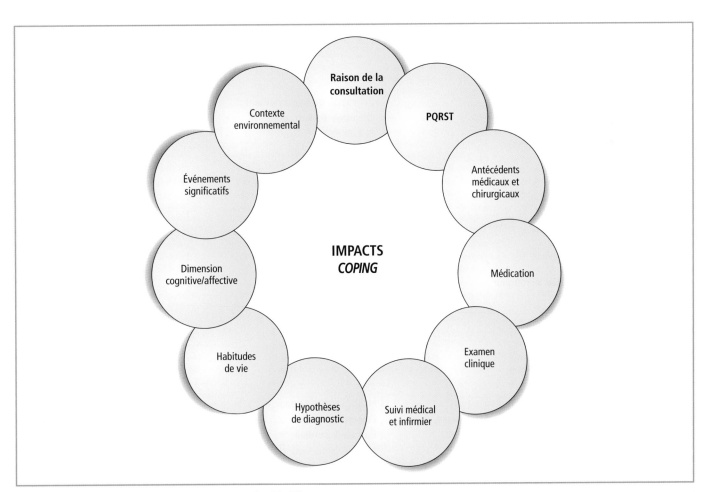

FIGURE 15-7 ■ Collecte des données selon le modèle McGill.

TABLEAU 15-5

SITUATION ACTUELLE DE LA CLIENTE/FAMILLE

Situation de santé ou problème	Impacts	*Coping*
Raison de la consultation et évaluation de la douleur (PQRST)		**Forces/potentiel**
Se présente pour douleurs abdominales	Difficulté à bouger	Réseau de soutien aidant
P : douleur continue, non soulagée par les médicaments	Incapacité de demeurer en place	Parents très présents
Q : coup de poignard, à 8/10, intermittent à régulier, durée environ 1 minute	La cliente adopte une position antalgique	**Obstacle** Absence gênante pour les enfants
R : Q. I. G., irradiant au creux épigastrique		**Collaboration**
S : selles teintées de sang, diarrhées, ballonnement, crampes abdominales		Veut rencontrer le médecin et partir immédiatement
T : 2 semaines		**Motivation**
Antécédents médicaux et chirurgicaux		Veut recevoir des narcotiques
Maladie de Crohn depuis 5 ans		
Deux accouchements sans problème		
Aucune chirurgie		
Médication		
Aucun médicament sauf de la cortisone pendant les phases aiguës de la maladie		
Suivi médical et infirmier		**Forces/potentiel**
Examen médical annuel		Rigoureuse dans son suivi
Examen physique Systèmes :		
■ cardiorespiratoire :		
– PA : 130/90 Pls : 94 rég.		
– R : 12 rég. SaO_2 : 98 %		
– Murmures vésiculaires normaux droits/gauches		
■ digestif :	Sensation de ballonnement	
– pas de nausées ni de vomissements	Crampes abdominales	
– souper léger vers 18 h, aucune collation	Faiblesse	
– bruits intestinaux : 40/min	Manque d'appétit	
	Altération de la faim	
■ intestinal/urinaire :		
– aucune constipation		
– diarrhée intermittente depuis 2 sem.		
– pas de brûlures à la miction		
– ébranlement : tubules rénaux normaux		
■ locomoteur :	Douleur incontrôlable	
– démarche et équilibre adéquats		
■ tégumentaire :		
– peau sèche, aucune plaie ni rougeur		
■ immunitaire :	Aucun rash	
– aucune allergie alimentaire	Légers frissons	
– aucune allergie médicamenteuse		
– T : 39 °C		
■ endocrinien :		
– pas de déséquilibre hormonal		
Dimension cognitive/affective :	Hospitalisation possible	
La cliente dit : « Je crois que c'est la maladie qui revient. »	Chirurgie possible	
Beaucoup d'inquiétude pour la rentrée scolaire, seule, anxieuse ++	Fatigue/insomnie	
Dort très peu depuis 2 sem.	Ne peut s'occuper de la rentrée scolaire	
Travailleuse autonome		

15

TABLEAU 15-5 *(suite)*

Situation de santé ou problème	Impacts	*Coping*
	Anxieuse Peur de la perte de sa clientèle Budget déséquilibré Conjoint absent	
Habitudes de vie Ni tabagisme, ni prise de drogues Alcool à l'occasion Activités sportives 2/3 fois par sem. Importance accordée à la nutrition Insomnie depuis 2 sem.		
Événements significatifs Conjoint parti Rentrée scolaire sous peu	Sentiment de responsabilité à l'égard de ses filles ; croit que ce n'est pas le bon moment pour une récidive	

La figure 15-8 ■ présente les attentes de chacune des parties et la recherche d'une entente qui pourrait les satisfaire. Le tableau 15-6 présente les résultats des épreuves de laboratoire de cette cliente, et la figure 15-9 ■ illustre le **génogramme** et l'**écocarte** de la cliente (chapitre 12 ⬥).

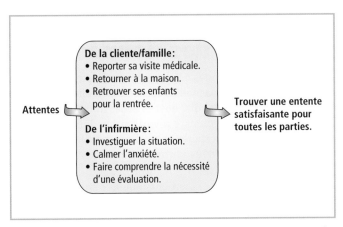

FIGURE 15-8 ■ Attentes des parties et recherche d'une entente satisfaisante pour tous.

Modèles centrés sur le bien-être

L'infirmière utilise des modèles centrés sur le bien-être pour aider la personne à discerner les risques pour sa santé et à analyser les habitudes de vie, les croyances, les valeurs et les attitudes qui influent sur son degré de bien-être. Ces modèles comprennent généralement les éléments suivants :

- Bilan de santé
- Évaluation de la condition physique

TABLEAU 15-6
RÉSULTATS DES ÉPREUVES DE LABORATOIRE

Composant	Résultats chez Emma Duclos	Résultats normaux chez la femme adulte
Sodium (Na)	142 mmol/L	De 135 à 145 mmol/L
Potassium (K)	3,2 mmol/L	De 3,5 à 5,0 mmol/L
Chlorure (Cl)	95 mmol/L	De 95 à 105 mmol/L
Hémoglobine (Hb)	130 g/L	De 120 à 160 g/L
Hématocrite (Ht)	0,42	De 0,37 à 0,47
Leucocytes (globules blancs)	18×10^9/L	De 5 à 10×10^9/L

- Évaluation nutritionnelle
- Analyse des facteurs de stress
- Mode de vie et habitudes de santé
- Croyances sur la santé
- Santé sexuelle
- Santé spirituelle
- Relations sociales
- Évaluation des risques pour la santé

Voir le chapitre 10 ⬥ pour un complément d'information.

Modèles non infirmiers

Pour organiser les données, l'infirmière aurait avantage à utiliser aussi des théories et des modèles issus d'autres disciplines. Comme ceux-ci sont plus étroits que le modèle nécessaire en

15

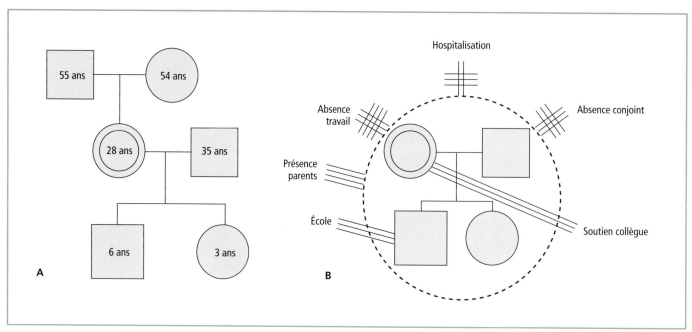

FIGURE 15-9 ■ *A*, Génogramme et *B*, écocarte d'Emma Duclos.

soins infirmiers, l'infirmière doit habituellement les associer à d'autres approches pour obtenir une collecte des données complète.

MODÈLE DES SYSTÈMES PHYSIOLOGIQUES

Le modèle des systèmes physiologiques est axé sur les anomalies des systèmes suivants :

- Système tégumentaire
- Système respiratoire
- Système cardiovasculaire
- Système nerveux
- Système locomoteur
- Système gastro-intestinal
- Système génito-urinaire
- Système reproducteur
- Système immunitaire

HIÉRARCHIE DES BESOINS DE MASLOW

La hiérarchie des besoins de Maslow permet de classer les données selon les catégories suivantes :

- Besoins physiologiques (reliés à la survie)
- Besoin de sécurité
- Besoin d'amour et d'appartenance
- Besoin d'estime de soi
- Besoin de réalisation

Voir le chapitre 11 ⊂⊃ pour un complément d'information.

THÉORIES DU DÉVELOPPEMENT

L'infirmière peut utiliser certaines théories du développement physique, psychosocial, cognitif et moral dans certaines situations. Voici quelques-unes de ces théories :

- Théorie des tâches développementales de Havighurst
- Théorie psychanalytique de Freud
- Théorie du développement psychosocial d'Erikson
- Théorie cognitive de Piaget
- Théorie du développement moral de Kohlberg

Validation des données

Les informations obtenues à l'étape de la collecte des données doivent être complètes, factuelles et exactes, car elles constituent la base indispensable des diagnostics et des interventions infirmiers. La **validation** consiste à vérifier les données afin de s'assurer qu'elles sont exactes et qu'elles reposent sur des faits précis. Valider les données permet à l'infirmière de mener à bien les tâches suivantes :

- S'assurer que les renseignements obtenus sont complets.
- Confirmer la concordance des données objectives et des données subjectives correspondantes.
- Interroger la personne à propos de certaines informations qui sembleraient mériter davantage d'attention.
- Distinguer les indicateurs des inférences. Les **indicateurs** sont les données subjectives ou objectives que l'infirmière peut observer directement ; en d'autres termes, il s'agit de ce que la personne dit ou de ce que l'infirmière peut voir, entendre, palper, sentir ou mesurer. Les **inférences** sont les interprétations ou les conclusions que l'infirmière formule à partir des indicateurs. Par exemple, l'infirmière observe les indicateurs d'une incision (l'incision est rouge, chaude et enflée) et infère que l'incision est infectée.
- Éviter de sauter aux conclusions et de faire une interprétation prématurée de la nature des problèmes.

Il n'est pas nécessaire de valider toutes les données. L'infirmière peut, par exemple, considérer comme factuelles des données telles que la taille, le poids, la date de naissance et la plupart des résultats des épreuves de laboratoire exprimés selon des échelles précises. En règle générale, l'infirmière procède à une validation si elle décèle des écarts entre les données obtenues pendant l'entrevue (données subjectives) et les données obtenues pendant l'examen physique (données objectives), ou encore si la personne se contredit pendant la collecte des données. Le tableau 15-7 présente des lignes directrices pour la validation des données.

Pour effectuer une collecte des données juste, l'infirmière doit être consciente de ses partis pris, de ses valeurs et de ses croyances personnelles; elle doit en outre distinguer les faits des inférences, des interprétations et des hypothèses (chapitre 14 ⊙). Par exemple, en présence d'un homme qui se tient la main sur la poitrine, l'infirmière pourrait être tentée de croire qu'il éprouve une douleur thoracique alors qu'en réalité c'est à la main qu'il a mal.

Pour recueillir des données complètes et adéquates, l'infirmière doit vérifier ses hypothèses sur le comportement physique ou psychologique de la personne. Pour en revenir à l'exemple précédent, elle doit demander à l'homme pourquoi il se tient la main sur la poitrine. La réponse de la personne confirmera les hypothèses de l'infirmière ou l'incitera à poursuivre sur ce sujet. La figure 15-5 indique que l'infirmière a

ausculté le cœur et les poumons de Raymonde Aquilini afin de valider les données «douleur aux poumons» et «dyspnée à l'effort». L'infirmière qui néglige de vérifier ses hypothèses risque d'établir une collecte des données inexacte ou incomplète. Dans le cas d'Emma Duclos, dont nous avons parlé plus haut, l'infirmière commence son investigation en procédant à l'examen physique de l'abdomen, puisque la douleur dans ce cas est prioritaire. Elle se pose certaines questions afin d'établir des liens avec la cause éventuelle de ces douleurs abdominales et les répercussions de cette visite à l'urgence. Cette interrogation oriente la collecte des données pour que les éléments recueillis soient pertinents et précis.

Consignation des données

Pour terminer l'étape de la collecte des données, l'infirmière consigne les données par écrit dans le dossier individualisé de chaque client. La consignation des écrits est une tâche essentielle. En effet, en plus d'informer le médecin et les autres professionnels sur l'état de santé du client, elle assure la continuité des soins donnés par tous les membres du personnel. Dans *Perspectives de l'exercice de la profession d'infirmière* (OIIQ, 2010), l'énoncé descriptif du processus thérapeutique dit que l'infirmière «consigne au dossier du client tous les renseignements cliniques nécessaires pour suivre l'évolution de son état de

TABLEAU 15-7
VALIDATION DES DONNÉES

Ligne directrice	Exemple
Comparer les données subjectives et les données objectives afin de vérifier si les déclarations de la personne concordent avec les observations.	Il faut comparer la perception de la personne qui dit «avoir très chaud» à une mesure de la température corporelle.
Clarifier et faire préciser tout énoncé vague ou ambigu.	*Personne*: Ça fait six semaines que je me sens souvent malade. *Infirmière*: Décrivez-moi comment vous vous sentez. Qu'entendez-vous par «souvent»?
S'assurer que les données correspondent à des indicateurs et non à des inférences.	*Observation*: peau sèche et diminution de l'élasticité de la peau. *Inférence*: déshydratation. *Action*: recueillir les données additionnelles nécessaires à la formulation d'une inférence à l'étape de l'analyse. Par exemple, déterminer l'apport liquidien de la personne, le débit urinaire, l'aspect de l'urine et la pression artérielle.
Vérifier deux fois les données inhabituelles.	*Observation*: un pouls au repos de 30 battements par minute ou une pression artérielle de 210/95. *Action*: reprendre la mesure en utilisant un autre appareil; ou demander à une autre personne de le faire et vérifier si elle recueille la même donnée.
Détecter les facteurs qui peuvent nuire à la précision des mesures.	Un nourrisson en pleurs présente une fréquence respiratoire anormale: il faudra donc le calmer avant de mesurer sa respiration. Mauvaise utilisation ou dysfonctionnement des appareils.
Consulter des ouvrages de référence (manuels, revues spécialisées, rapports de recherche) pour trouver des explications aux phénomènes.	Une infirmière observe de petites éminences violettes ou bleu-noir sous la langue d'une personne âgée. Elle pense tout d'abord qu'il s'agit d'une anomalie mais, après avoir consulté un ouvrage sur les changements physiques associés au vieillissement, elle en déduit que de telles varicosités sont normales.

santé et assurer la continuité des soins et des traitements, y compris les données relatives aux évaluations cliniques, les problèmes relevés, le PTI et ses ajustements, les interventions effectuées, les résultats obtenus ainsi que les réactions du client. Elle voit à la mise à jour du dossier ». L'infirmière doit consigner les données de manière factuelle, sans les interpréter. Par exemple, elle consignera comme suit la composition d'un petit

déjeuner (données objectives) : « 240 mL de café, 120 mL de jus, 1 œuf et 1 rôtie » ; elle évitera d'écrire « bon appétit », ce qui constituerait un jugement. En effet, les mots « bon appétit » ou « appétit normal » n'ont pas le même sens pour tout le monde. Par souci d'exactitude, l'infirmière consigne les données subjectives telles qu'énoncées par la personne ; sinon, elle risque de modifier le sens de ses paroles (chapitre 19).

Révision du chapitre

MOTS CLÉS

Approche céphalocaudale, **336**	Données subjectives, **331**	Génogramme, **347**
Collecte des données, **330**	Écocarte, **347**	Indicateur, **348**
Coping, **345**	Entrevue, **335**	Inférence, **348**
Données directes, **331**	Entrevue directive, **335**	Signes, **331**
Données indirectes, **331**	Entrevue non directive, **335**	Symptômes, **331**
Données objectives, **331**	Examen des systèmes, **336**	Validation, **348**

CONCEPTS CLÉS

- La démarche de soins infirmiers est une méthode systématique et rationnelle qui permet de planifier et de prodiguer des soins infirmiers individualisés aux personnes, aux groupes et aux communautés.

- Le but de la démarche de soins infirmiers est de déterminer l'état de santé d'une personne, d'une famille ou d'une communauté, de déceler ses problèmes et ses besoins actuels et potentiels en matière de santé, d'établir un plan de soins et de traitements infirmiers (PSTI) pour répondre aux besoins décelés, d'exécuter et d'évaluer à cette fin des interventions infirmières précises.

- La démarche systématique peut être utilisée dans tous les secteurs des soins de santé. Elle est cyclique, dynamique, centrée sur la personne, interpersonnelle et coopérative ; de plus, elle s'applique universellement et s'appuie sur la résolution de problèmes et la prise de décision.

- La démarche de soins comprend cinq étapes interdépendantes : la collecte des données, l'analyse et l'interprétation des données, la planification, l'intervention et l'évaluation.

- L'étape de la collecte des données consiste à obtenir, à organiser, à valider et à consigner les données.

- L'analyse consiste à formuler un jugement clinique (diagnostic infirmier) à propos des besoins ou des problèmes de santé actuels ou potentiels d'une personne, à déterminer les problèmes à traiter en collaboration.

- L'infirmière formule également les constats de l'évaluation qui nécessitent un suivi clinique particulier et les consigne dans le plan thérapeutique infirmier (PTI).

- La planification consiste à établir des priorités, à définir des objectifs et des résultats escomptés, à rédiger un PSTI et un plan de traitement. Elle permet la collaboration infirmière au plan d'intervention interdisciplinaire (PII) et au plan de services individualisé (PSI). L'infirmière inscrit dans le PTI les directives nécessaires au suivi clinique prioritaire.

- L'intervention est la mise en œuvre des interventions infirmières. Elle comprend toutes les activités accomplies pour promouvoir la santé, prévenir les complications, traiter les affections actuelles et faciliter l'adaptation de la personne aux anomalies chroniques de sa santé.

- L'évaluation consiste à comparer les réactions de la personne avec les objectifs établis afin de vérifier si ces objectifs ont été atteints. Cette étape comprend la révision et la modification du PSTI et du PTI ainsi que la collaboration à la révision du PII et du PSI.

- La collecte des données suppose une participation active de l'infirmière et du client afin d'obtenir des données subjectives et objectives quant à l'état de santé de la personne.

- La source primaire des données est le client lui-même. Les autres sources sont les personnes significatives de son entourage, les professionnels de la santé, le dossier clinique et la documentation scientifique.

- Les données subjectives sont constituées des perceptions du client, que l'infirmière recueille la plupart du temps au cours de l'établissement de son anamnèse.

- Les données objectives sont les données directes, observées et recueillies pendant l'examen physique, ou des données obtenues par la consultation des examens paracliniques ou de certains renseignements recueillis par les autres professionnels.

- Une méthode importante de collecte des données est l'examen clinique, qui comprend l'anamnèse et l'examen physique.

- L'observation est une activité consciente et systématique qui fait appel aux sens.

- L'infirmière procède à une entrevue tant directive que non directive (en posant des questions ouvertes et des questions fermées) pour établir l'anamnèse de la personne.

- Les modèles de soins infirmiers permettent de structurer et d'organiser les données obtenues.

- L'étape de la collecte des données doit être complète et exacte, car elle constitue la pierre angulaire des étapes ultérieures de la démarche systématique.

- L'infirmière doit valider certaines données. Elle peut valider les données objectives à l'aide des données subjectives et vice versa. Elle doit consigner les données de manière factuelle, sans laisser place aux interprétations et aux inférences.

15

Références

American Nurses Association (ANA). (1998). *Standards of clinical nursing practice* (2ᵉ éd.). Kansas City, MO: Auteur.

Birot, P., Dervaux, M. P., et Pegon, M. (2005, mars). Méthodologie: Le modèle McGill. *Recherche en soins infirmiers, 80*, 28-38.

Carpenito-Moyet, L. J. (2009). *Manuel de diagnostics infirmiers*, Traduction de la 12ᵉ édition. Saint-Laurent: Éditions du Renouveau Pédagogique.

Gordon, M. (2002). *Manual of nursing diagnosis* (10ᵉ éd.). St. Louis, MO: Mosby.

Hall, L. (1955). Quality of nursing care. *Public Health News.* Newark, NJ: State Department of Health.

Johnson, D. E. (1959). A philosophy of nursing. *Nursing Outlook, 7,* 198-200.

Ordre des infirmières et infirmiers du Québec (OIIQ). (2003). *Notre profession prend une nouvelle dimension. Des pistes pour mieux comprendre la* Loi sur les infirmières et les infirmiers *et en tirer avantage dans notre pratique.* Montréal: Auteur.

Ordre des infirmières et infirmiers du Québec (OIIQ). (2010). *Perspectives de l'exercice de la profession d'infirmière.* Montréal: Auteur.

Orem, D. E., Taylor, S. G., et Renpenning, K. M. (2000). *Nursing: Concepts of practice* (6ᵉ éd.). St. Louis, MO: Mosby.

Orlando, I. (1961). *The dynamic nurse-patient relationship.* New York: Putnam.

Roy, C., et Andrews, H. A. (1999). *The Roy adaptation model: The definitive statement* (2ᵉ éd.). Upper Saddle River, NJ: Prentice Hall.

Voyer, P. (2011). *Le PQRST ou le PQRSTU.* Document consulté le 4 février 2011 de http://www.fsi.ulaval.ca/3150.html.

Wiedenbach, E. (1963). The helping art of nursing. *American Journal of Nursing, 63*(11), 54.

15

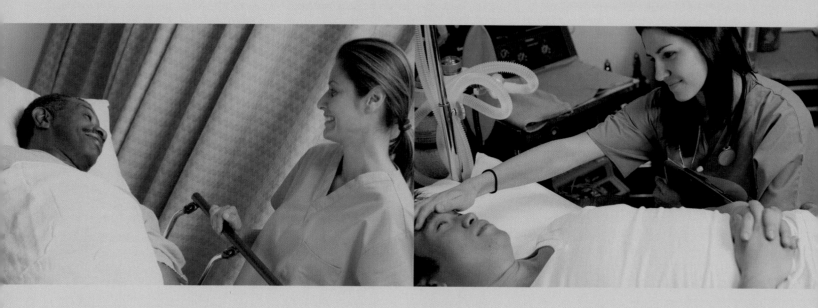

Chapitre 16

Adaptation française :
Suzie Rivard, inf., B.Sc.
Enseignante, Programme de soins infirmiers
Collège de Trois-Rivières
Avec la participation de :
Johanne Turcotte, B.Sc., Inf., M.A.
Anciennement :
Directrice des soins infirmiers, de la qualité,
de l'éthique et de la santé physique
CSSS de Matane
Enseignante et coordonnatrice
de programme en Soins infirmiers
Cégep de Matane

Analyse et interprétation des données

L'analyse et l'interprétation des données constituent la deuxième étape de la démarche de soins infirmiers. Tout au long de cette démarche, l'infirmière exerce constamment son jugement clinique, mais c'est à la deuxième étape que les fondements du raisonnement critique sont particulièrement importants ; en effet, c'est à ce moment de la démarche que l'infirmière devra répondre à diverses questions, formuler des diagnostics infirmiers, déterminer des constats ou déceler des problèmes/besoins (modèle McGill), dont découleront toutes les interventions ultérieures (figure 16-1 ■).

L'Ordre des infirmières et infirmiers du Québec (OIIQ) ne prend pas position concernant l'élaboration ou non de diagnostics infirmiers après l'étape d'« interprétation des données ». C'est-à-dire que le résultat de l'analyse et de l'interprétation peut prendre différentes formes et être désigné selon différentes terminologies. Toutefois, il demeure essentiellement le même : celui de la détermination d'un besoin ou d'un problème sur lequel l'infirmière peut agir, de concert avec le client. D'ailleurs, chaque établissement de soins ou d'enseignement adopte son propre modèle conceptuel sur lequel se bâtit la pratique infirmière. Cependant, quel que soit le modèle conceptuel utilisé, l'infirmière doit être apte à justifier son raisonnement et son analyse par les connaissances théoriques : les résultats probants qui sous-tendent les données recueillies à l'étape précédente. Elle doit rechercher des balises et des fondements scientifiques pour reconnaître et formuler le diagnostic infirmier ou le problème lié à la situation clinique étudiée.

L'OIIQ décrit le soin, l'une des quatre assises de l'exercice de la profession d'infirmière, comme étant un processus dynamique qui « englobe l'évaluation et la surveillance de l'état de santé physique et mentale, la détermination du plan thérapeutique infirmier (PTI) et du plan de soins et traitements infirmiers (PSTI), les activités liées aux soins et aux traitements infirmiers et médicaux ainsi que l'information, le conseil professionnel, l'enseignement, l'orientation et le soutien au client » (OIIQ, 2010). L'infirmière qui procède à l'étape d'analyse et d'interprétation des données s'assure qu'elle répond aux exigences professionnelles touchant la surveillance ainsi que la détermination du PTI et du PSTI, plans qui seront élaborés à l'étape suivante de la démarche.

Dans ce chapitre, nous décrirons le diagnostic infirmier, la façon de le formuler et ses répercussions sur les interventions infirmières, selon NANDA International et selon Carpenito-Moyet (2009). Nous définirons les lignes directrices de l'analyse des données et de la formulation de diagnostics infirmiers, qui peuvent être adaptées selon le modèle conceptuel privilégié par l'établissement de soins ou d'enseignement. De plus, nous

16

OBJECTIFS D'APPRENTISSAGE

Après avoir étudié ce chapitre, vous pourrez :

- Distinguer divers types de diagnostics infirmiers.
- Énumérer les composantes d'un diagnostic infirmier.
- Comparer les diagnostics infirmiers, les diagnostics médicaux et les problèmes à traiter en collaboration.
- Déterminer les étapes fondamentales du processus de formulation du diagnostic infirmier.
- Décrire diverses manières de rédiger des diagnostics infirmiers.
- Expliquer les caractéristiques du diagnostic infirmier.
- Énumérer des erreurs courantes dans la rédaction de diagnostics infirmiers.
- Décrire l'évolution du diagnostic infirmier et rendre compte des travaux actuels dans ce domaine.
- Énumérer les avantages d'une taxinomie des diagnostics infirmiers.
- Saisir l'importance de la surveillance clinique et de sa documentation dans le plan thérapeutique infirmier (PTI).
- Situer la norme de documentation du PTI par rapport à la démarche de soins infirmiers et au plan de soins et de traitements infirmiers (PSTI).

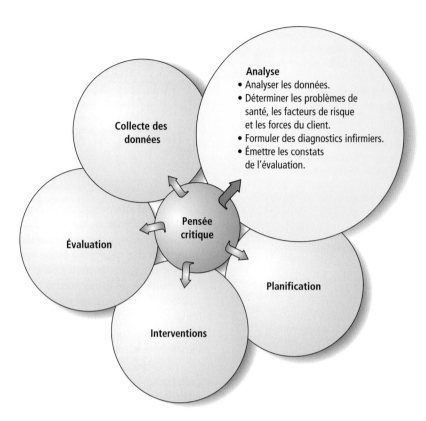

FIGURE 16-1 ■ Analyse. L'analyse, étape cruciale de la démarche de soins infirmiers, consiste à interpréter les données de l'examen clinique, à déterminer les forces et les difficultés du client, à formuler des diagnostics infirmiers et (ou) les problèmes de santé et à émettre les constats de l'évaluation.

verrons les concepts de problème ou de besoin tels que développés dans le modèle McGill.

Le diagnostic infirmier a été reconnu internationalement lors du Premier Colloque canadien (First Canadian Conference), tenu à Toronto en 1977, et du Colloque international de soins infirmiers (International Nursing Conference), tenu à Calgary en 1987. En 1982, l'assemblée réunie au colloque adopta l'appellation North American Nursing Diagnosis Association (NANDA) ou Association nord-américaine pour le diagnostic infirmier (ANADI), reconnaissant ainsi la participation et la contribution des infirmières tant américaines que canadiennes.

La vocation de la NANDA, qui s'appelle maintenant NANDA-I (North American Nursing Diagnosis Association International) est de mettre au point, d'améliorer et de promouvoir une taxinomie des diagnostics infirmiers d'usage général chez les infirmières professionnelles. Une **taxinomie** est une classification ou un ensemble de catégories fondées sur un ou plusieurs principes. La NANDA-I regroupe des infirmières praticiennes, des spécialistes de la pratique clinique, des enseignantes, des gestionnaires, des directrices d'établissements d'enseignement, des théoriciennes et des chercheuses. En 1989, est fondée l'Association nord-américaine pour le diagnostic infirmier section Montréal (ANADIM) et, en 2001, l'Association québécoise des classifications de soins infirmiers (AQCSI). L'AQCSI a comme mission de participer à la création des différentes classifications de soins infirmiers, soit la classification des diagnostics infirmiers, la classification des interventions de soins infirmiers (CISI), communément appelée NIC pour Nursing Interventions Classification, et la classification des résultats de soins infirmiers (CRSI), communément appelée NOC pour Nursing Outcomes Classification. En 2002, l'AQCSI signe, conjointement avec l'Association francophone européenne des diagnostics infirmiers (AFEDI), la traduction française de la taxinomie 2003-2004 de la NANDA-I : *Diagnostics infirmiers : définitions et classification*. Cette collaboration se poursuit depuis cette date.

Diagnostics infirmiers

Pour utiliser efficacement le concept de diagnostic infirmier dans l'établissement et l'exécution d'un PSTI, l'infirmière doit connaître la signification des termes employés ainsi que les types et les composantes des diagnostics infirmiers.

Définitions

Le terme «diagnostiquer» désigne l'action de déterminer un problème au moyen d'un raisonnement, tandis que le terme «**diagnostic**» désigne la conclusion ou l'énoncé auxquels on aboutit à propos de la nature du problème. Un **diagnostic infirmier** décrit un problème que présente la personne et sur lequel l'infirmière peut agir; il se compose d'un **intitulé** (**énoncé diagnostique**) accompagné des **facteurs favorisants** (**étiologie**). Tous les énoncés de diagnostic dont l'infirmière peut se servir font partie de la liste approuvée et publiée par la NANDA-I.

La définition officielle du diagnostic infirmier adoptée en 1990 par la NANDA se lit comme suit: «Un diagnostic infirmier est un jugement clinique sur les réactions aux problèmes de santé présents ou potentiels, ou aux processus de vie d'une personne, d'une famille ou d'une collectivité. Le diagnostic infirmier sert de base pour choisir les interventions de soins visant l'atteinte des résultats dont l'infirmière est responsable» (Carpenito-Moyet, 2009). Cette définition a les conséquences suivantes:

- L'infirmière est la personne qui pose les diagnostics infirmiers, même si d'autres membres de l'équipe de soins peuvent lui fournir des données et exécuter certaines interventions.
- Le champ du diagnostic infirmier comprend seulement les états de santé que l'infirmière est habilitée à traiter. Par exemple, les infirmières ne possèdent pas la formation leur permettant de diagnostiquer et de traiter des affections comme le diabète; la loi définit cette tâche comme un acte médical. Les infirmières peuvent néanmoins diagnostiquer et traiter des problèmes associés au diabète, tels que *Connaissances insuffisantes*, *Stratégies d'adaptation inefficaces* et *Alimentation excessive*.
- Un diagnostic infirmier est le résultat d'un jugement clinique que l'on ne porte qu'à la suite d'une collecte des données rigoureuse et systématique.
- Les diagnostics infirmiers décrivent un continuum d'états de santé: altérations de la santé, présence de facteurs de risque et possibilités de croissance personnelle.

Types de diagnostics infirmiers

Il existe cinq types de diagnostics infirmiers: le diagnostic actuel, le diagnostic de promotion de la santé, le diagnostic de type risque, le diagnostic de syndrome et le diagnostic de bien-être.

1. Un **diagnostic infirmier actuel** décrit un problème présent au moment de la collecte des données, tel que *Mode de respiration inefficace* et *Anxiété*. Il est fondé sur la présence de signes et de symptômes et il est confirmé cliniquement par la présence de caractéristiques essentielles.

2. Un **diagnostic de promotion de la santé** décrit par la NANDA-I (2010) est le résultat d'«un jugement clinique sur la motivation et sur le désir d'un individu, d'une famille ou d'une collectivité à augmenter son bien-être et à améliorer son potentiel de santé, en démontrant sa motivation à adopter des conduites spécifiques, favorables à la santé, telles que l'alimentation et l'exercice physique».

3. Un **diagnostic infirmier de type risque** est le résultat d'un jugement clinique relatif à la présence de **facteurs de risque**, selon lequel une personne, une famille ou une communauté est plus vulnérable et plus susceptible de présenter des réactions humaines à un problème de santé. Par exemple, toute personne admise dans un établissement de soins risque de contracter une infection, mais davantage encore une personne atteinte de diabète ou présentant un affaiblissement du système immunitaire. L'infirmière décrira donc l'état de santé d'une telle personne au moyen du diagnostic *Risque d'infection*.

4. Un **diagnostic infirmier de syndrome** est un diagnostic associé à un ensemble d'autres diagnostics (Alfaro-LeFevre, 1998). La liste de la NANDA-I contient actuellement six diagnostics de syndrome. Ainsi, le diagnostic *Risque de syndrome d'immobilité* s'applique aux personnes qui présentent un dysfonctionnement au niveau du système musculosquelettique ou du système nerveux, par exemple la sclérose en plaques ou la maladie de Parkinson. Les diagnostics infirmiers qui soustendent ce syndrome peuvent être: *Mobilité physique réduite*, *Risque d'atteinte à l'intégrité de la peau*, *Risque d'intolérance à l'activité*, *Risque de constipation*, *Risque d'infection*, *Risque d'accident*, *Risque de sentiment d'impuissance* et *Échanges gazeux perturbés*.

5. Un **diagnostic infirmier de bien-être** «décrit les réactions d'un individu, d'une famille ou d'une collectivité disposé ou

16

 RECHERCHE EN SCIENCES INFIRMIÈRES

QU'EST-CE QUI CONSTITUE UN DIAGNOSTIC DE SYNDROME?

La liste des diagnostics infirmiers approuvés par la NANDA-I ne comprend qu'un petit nombre de syndromes. L'objectif de l'étude descriptive effectuée en 2001 par Cruz et Pimenta était de considérer la douleur chronique comme un syndrome et non comme un diagnostic infirmier unique. Or, un syndrome a ceci de particulier qu'il recouvre un ensemble de diagnostics. Dans le cadre de cette étude, les auteurs ont interrogé et examiné 114 personnes aux prises avec une douleur qui durait depuis au moins 3 mois; dans 60 % des cas, cette douleur était cancéreuse; dans 40 % des cas, elle ne l'était pas. En s'appuyant sur les données recueillies auprès de ces personnes, les auteurs ont établi la liste des diagnostics infirmiers et elles ont totalisé 544 diagnostics pour le groupe. Un diagnostic était considéré comme un élément du syndrome si sa fréquence se situait au-dessus du 75ᵉ percentile et s'il était présent tant dans les cas de douleur cancéreuse que dans les cas de douleur non cancéreuse. Les six diagnostics qui répondaient aux critères finals étaient les suivants: constipation/risque de constipation, habitudes de sommeil perturbées, mobilité physique réduite, connaissances insuffisantes, anxiété et intolérance à l'activité. Les auteurs reconnaissent que leur étude comporte des limites importantes et soulignent notam-

ment les difficultés associées à la recherche sur des concepts très subjectifs.

Implications: Si l'on veut que le diagnostic infirmier soit accepté comme moyen standardisé pour décrire l'état de la personne et pour communiquer avec les autres membres de l'équipe de soins, il faut poursuivre la recherche afin de favoriser la validation et la notation des diagnostics. Les auteurs de cette recherche ont fait avancer à grands pas l'étude de la fiabilité et de la validité des diagnostics infirmiers; de plus, le seul fait qu'elles aient effectué leur recherche au Brésil contribue à une reconnaissance internationale. Leurs résultats font ressortir quelques-unes des difficultés rencontrées dans l'étude de diagnostics tels que la douleur, qui repose davantage sur les déclarations de la personne que sur des signes objectifs. Les auteurs recommandent à juste titre que leurs travaux soient répétés et postulent qu'une recherche portant cette fois sur la douleur aiguë pourrait faire progresser l'étude des diagnostics de syndrome de douleur.

Source: Cruz, D. A. L. M., et Pimenta, C. A. M. (2001). Chronic pain: Nursing diagnosis or syndrome?, *Nursing Diagnosis, 12*, 117-127.

motivé à atteindre un niveau supérieur de bien-être » (NANDA International, 2010). La personne, la famille ou la communauté souhaitent atteindre un niveau de santé optimal, et l'infirmière agit comme guide dans la recherche de leurs forces, de leurs ressources et de leurs besoins afin d'établir un PSTI qui les aidera à atteindre un niveau supérieur de bien-être. Pour ce faire, deux éléments doivent être présents : le désir d'accéder à un niveau supérieur de bien-être et un état ou un fonctionnement actuel efficace. *Bien-être spirituel : motivation à améliorer son* est un diagnostic infirmier de bien-être.

Composantes du diagnostic infirmier

Un diagnostic infirmier est un état confirmé cliniquement par la présence de caractéristiques essentielles. Pour énoncer un diagnostic infirmier, on doit inclure les quatre composantes suivantes : (1) l'intitulé (énoncé diagnostique) ; (2) la définition ; (3) les caractéristiques déterminantes ; (4) les facteurs favorisants (l'étiologie). Chacune de ces composantes remplit une fonction particulière et permet de déterminer la pertinence du diagnostic infirmier relatif au problème de santé en présence ainsi que sa formulation.

INTITULÉ (ÉNONCÉ DIAGNOSTIQUE)

La première partie du diagnostic infirmier, l'intitulé, décrit le problème de la personne et l'énonce de façon précise et concise à l'aide d'un mot ou d'un groupe de mots. Il exprime les difficultés que connaît la personne ou encore une réaction qui motive l'intervention infirmière, et sert à orienter la formulation des objectifs de soins et des résultats escomptés. Dans le cas de l'infirmière expérimentée, l'intitulé peut aussi lui permettre d'entrevoir quelques interventions futures.

Pour avoir une utilité clinique, l'intitulé doit être précis, par exemple *Connaissances insuffisantes (régime thérapeutique)* et *Connaissances insuffisantes (adaptation du régime alimentaire)*.

Certains termes reviennent souvent dans les énoncés diagnostiques de la NANDA-I, comme les suivants :

- *altéré* : relatif à un affaiblissement, à une réduction, à une détérioration (par exemple communication, élimination urinaire)
- *inefficace* : qui ne produit pas l'effet désiré (par exemple allaitement maternel, stratégies d'adaptation)
- *risque de* : plus forte probabilité d'apparition du problème (par exemple infection, trauma)
- *perturbé* : relatif à une baisse de l'importance, de la quantité ou du degré (par exemple image corporelle, habitudes de sommeil)
- *déficit* : ce qui est manquant ou diminué (par exemple de soins personnels : s'alimenter, de volume liquidien)
- *atteinte* : dommage physique ou physiologique (par exemple intégrité de la peau, muqueuse buccale)
- *insuffisant* : qui ne produit pas suffisamment l'effet désiré (par exemple irrigation tissulaire, connaissances)

DÉFINITION

La deuxième partie du diagnostic infirmier concerne la définition. Tous les énoncés diagnostiques approuvés par la NANDA-I possèdent une définition qui en précise le sens. À titre d'exemple, vous trouverez la définition de l'énoncé diagnostique *Intolérance à* au tableau 16-1, laquelle est appuyée par les caractéristiques déterminantes et les facteurs favorisants.

CARACTÉRISTIQUES DÉTERMINANTES

La troisième partie du diagnostic infirmier, les **caractéristiques déterminantes**, regroupe les manifestations cliniques, soit les

16

TABLEAU 16-1
COMPOSANTES DU DIAGNOSTIC INFIRMIER

Intitulé (énoncé diagnostique)	Définition	Caractéristiques déterminantes	Facteurs favorisants (étiologie)
Intolérance à l'activité	Diminution de la capacité physiologique de tolérer le degré d'activité voulu ou requis (Magnan, 1987)	**Essentielles :** Durant l'activité : faiblesse, étourdissement, dyspnée. Trois minutes après l'activité : étourdissement, dyspnée, fatigue à l'effort, fréquence respiratoire de plus de 24 respirations par minute, fréquence cardiaque de plus de 95 battements par minute **Secondaires :** Pâleur ou cyanose, confusion, vertige	Facteurs physiopathologiques : affections cardiaques, comme l'angine, les arythmies, l'insuffisance cardiaque, affections respiratoires, comme la bronchopneumopathie chronique obstructive, affections circulatoires, comme l'anémie, affections métaboliques, comme l'infection, affections endocriniennes, comme le cancer, affections entraînant un déficit énergétique, comme l'obésité, et affections entravant le transport de l'oxygène, comme l'hypovolémie Facteurs liés au traitement, comme une intervention chirurgicale Facteurs liés au contexte, comme la sédentarité, la douleur, le stress, les conditions climatiques extrêmes Facteurs liés à la croissance et au développement, comme la vieillesse, qui entraîne une baisse de la force musculaire ainsi que de la qualité des perceptions sensorielles

signes et les symptômes, qui justifient la présence d'un énoncé diagnostique infirmier particulier. Par exemple, une caractéristique essentielle du *Deuil* est une perte réelle ou ressentie (personne, objet, fonction, statut, religion) signalée par la personne. Des caractéristiques secondaires de ce diagnostic, c'est-à-dire qui peuvent être présentes ou non, pourraient être des larmes, une incapacité à se concentrer ou des sentiments de tristesse, de déni, de culpabilité ou de colère.

FACTEURS FAVORISANTS (ÉTIOLOGIE)

La quatrième composante du diagnostic infirmier, l'étiologie, indique la cause probable du problème de santé, oriente les soins infirmiers et permet à l'infirmière d'individualiser le PSTI. Comme le montre le tableau 16-1, les facteurs favorisants de l'*Intolérance à l'activité* peuvent être de nature physiopathologique, comme une insuffisance cardiaque, ou liés au traitement, comme une intervention chirurgicale, ou au contexte, comme la sédentarité, etc. Il est essentiel de bien cerner les facteurs favorisants, puisque chacun dicte des interventions infirmières particulières. Par ailleurs, le tableau 16-2 présente des exemples de problèmes ayant différentes étiologies et nécessitant, par conséquent, différentes interventions.

DIFFÉRENCE ENTRE LE DIAGNOSTIC INFIRMIER, LE DIAGNOSTIC MÉDICAL ET LES PROBLÈMES TRAITÉS EN COLLABORATION

Un diagnostic infirmier exprime un jugement infirmier et décrit un état que l'infirmière est autorisée à traiter. Il décrit, en fait, les réactions humaines physiques, socioculturelles, psychologiques ou spirituelles d'une personne à une affection ou à un problème de santé. Ces réactions diffèrent considérablement d'une personne à l'autre, comme le montre l'exemple suivant:

Marguerite Blain, 70 ans, et Christine Villeneuve, 20 ans, sont toutes deux atteintes de polyarthrite rhumatoïde. La maladie évolue de la même façon dans les deux cas. En effet, les examens radiologiques indiquent que l'étendue de l'inflammation et le nombre d'articulations atteintes sont semblables chez ces deux personnes, et elles éprouvent toutes deux des douleurs presque constantes. Or, Mme Blain considère sa maladie comme un aspect normal du vieillissement et elle y réagit par une attitude d'acceptation. Mme Villeneuve, quant à elle, réagit par la colère et l'hostilité à l'égard des autres, car elle perçoit sa maladie comme une atteinte à son identité personnelle, qui l'empêche d'accomplir son rôle et diminue son estime de soi.

Un diagnostic médical, quant à lui, est formulé par un médecin et décrit un état que seul un médecin est habilité à traiter. Le diagnostic médical est axé sur un processus morbide, c'est-à-dire sur des réponses physiopathologiques précises, relativement uniformes, chez toutes les personnes. Dans l'exemple ci-dessus, bien que les réactions soient différentes, le diagnostic médical demeure identique pour les deux personnes puisque le tableau clinique illustre sensiblement les mêmes atteintes physiques.

Voir le chapitre 17 🔗 pour une description des interventions infirmières autonomes et selon une ordonnance.

Les problèmes traités en collaboration sont un type de problème potentiel, devant lequel l'infirmière intervient au moyen d'interventions autonomes et en suivant les ordonnances médicales. Les **interventions infirmières autonomes** associées à ce type de problème sont axées principalement sur la surveillance de l'état de la personne, la prévention des complications, le dépistage d'un problème ou son aggravation, ce qui dicte tant des interventions médicales que des interventions infirmières.

TABLEAU 16-2
EXEMPLES D'INTERVENTIONS INFIRMIÈRES ASSOCIÉES À DIVERSES ÉTIOLOGIES

Intitulé (énoncé diagnostique)	Personnes	Étiologies	Exemples d'interventions infirmières
Constipation	Albert Martin	Usage prolongé de laxatifs	De concert avec M. Martin, élaborer un plan visant l'abandon graduel des laxatifs ; enseigner la composition d'un régime alimentaire riche en fibres.
	Jean Lussier	Inactivité et apport liquidien insuffisant	Aider M. Lussier à mettre au point un programme d'activité physique à domicile ; obtenir des informations sur son horaire quotidien et sur le type de liquides qu'il aime consommer ; l'aider à élaborer un plan visant à incorporer une quantité suffisante de liquides dans son régime alimentaire.
Allaitement maternel inefficace	Zoé Julien	Engorgement mammaire	Expliquer à Mme Julien comment se masser les seins avant l'allaitement ; lui conseiller d'appliquer des compresses chaudes ou de prendre une douche chaude avant d'allaiter.
	Johanne Henri	Inexpérience et manque de connaissances	Recommander à Mme Henri d'allaiter son bébé quand il le demande ; lui montrer comment s'assurer que son bébé tète et avale le lait ; lui enseigner les différentes manières de tenir son bébé pendant qu'elle l'allaite.

16

Les problèmes à traiter en collaboration sont en lien étroit avec une affection ou un traitement particulier, qui découle toujours de complications possibles ou prévisibles, pouvant surgir dans le cas de ce type de problème. Un problème à traiter en collaboration peut s'énoncer comme suit : « Complications potentielles de la pneumonie : atélectasie, insuffisance respiratoire, épanchement pleural, péricardite et méningite. »

Une affection donnée n'est pas toujours associée aux mêmes diagnostics infirmiers ; le même diagnostic infirmier peut, quant à lui, être associé à un nombre indéterminé d'affections. Par exemple, toutes les femmes en post-partum présentent des problèmes à traiter en collaboration semblables, dont « Complication potentielle de la grossesse : hémorragie de la délivrance ». Il s'agit d'éléments identiques, à surveiller chez toutes les nouvelles mamans, mais toutes ne font pas l'objet des mêmes diagnostics infirmiers. Certaines d'entre elles manifestent un *Exercice du rôle parental perturbé* (retard de l'attachement parent-enfant), d'autres présentent des *Connaissances insuffisantes*. Le tableau 16-3 présente une comparaison entre les diagnostics infirmiers, les diagnostics médicaux et les problèmes à traiter en collaboration.

Processus de formulation du diagnostic infirmier

Le processus de formulation du diagnostic infirmier repose sur deux habiletés propres à la pensée critique : l'analyse et la synthèse ou l'interprétation des données selon le modèle McGill. La pensée critique est le processus cognitif au cours duquel une personne révise les données et considère les explications possibles avant de se former une opinion. L'analyse est l'action de décomposer un tout en ses éléments constitutifs. La synthèse, à l'opposé, consiste à rassembler les parties en un tout, qui n'est pas similaire à celui du départ. L'infirmière décortique les données pour arriver à formuler la suite de sa démarche.

Les infirmières expérimentées accomplissent le processus de formulation du diagnostic infirmier de manière quasi-automatique. Dès qu'elles entrent dans la chambre d'une personne, elles peuvent observer des données significatives à propos de cette dernière et en tirer des conclusions. Grâce à leurs connaissances, à leurs expériences et à leurs habiletés, elles semblent accomplir cette démarche intellectuelle sans se référer

TABLEAU 16-3
COMPARAISON ENTRE LES DIAGNOSTICS INFIRMIERS, LES DIAGNOSTICS MÉDICAUX ET LES PROBLÈMES À TRAITER EN COLLABORATION EN PRÉSENCE D'UNE AFFECTION CARDIAQUE

Catégorie	Diagnostic infirmier	Diagnostic médical	Problème à traiter en collaboration
	Intolérance à l'activité, reliée à une diminution du débit cardiaque.	Infarctus du myocarde.	Complication potentielle de l'infarctus du myocarde : insuffisance cardiaque congestive.
Nature	Décrit les réactions humaines à un processus morbide ou à un problème de santé ; formé d'une, de deux ou de trois parties et comprenant le plus souvent un problème et une étiologie.	Décrit l'affection ; ne tient pas compte des autres réactions humaines ; se résume généralement en trois mots au maximum.	Axé sur les réactions humaines, principalement sur les complications physiologiques de l'affection, les examens paracliniques ou les traitements ; formé de deux parties décrivant respectivement la situation ou l'affection et la complication potentielle.
Orientation et responsabilité du diagnostic	Orienté vers la personne ; l'infirmière est responsable du diagnostic.	Orienté vers l'affection ; le médecin seul est responsable du diagnostic.	Orienté vers la physiopathologie ; l'infirmière est responsable du diagnostic.
Ordonnances de traitement	L'infirmière prescrit la plupart des interventions visant la prévention et le traitement infirmier.	Le médecin prescrit les principales interventions visant la prévention et le traitement.	L'infirmière collabore avec le médecin et les autres professionnels de la santé pour la prévention et le traitement (ordonnance médicale nécessaire) en vue d'une résolution définitive du problème.
Rôle de l'infirmière	Traitement et prévention.	Exécution des ordonnances médicales et surveillance de l'état de la personne.	Prévention et observation en vue de détecter l'apparition de complications ou surveillance de l'état de la personne.
Interventions infirmières	Autonomes.	Selon une ordonnance individuelle ou collective.	Quelques interventions autonomes, axées surtout sur la prévention et la surveillance, et **interventions selon une ordonnance.**
Durée	Peut changer fréquemment.	Demeure tant que l'affection est présente.	Présent tant que dure l'affection ou le problème.
Classification	La classification existe et est utilisée, mais non acceptée universellement.	La classification est bien établie et est acceptée par la profession médicale.	Aucune classification universellement acceptée.

aux étapes de la formulation. L'infirmière novice, quant à elle, a besoin de lignes directrices pour comprendre et formuler les diagnostics infirmiers. Le processus de formulation du diagnostic infirmier comprend trois étapes :

- Analyse des données
- Détermination des problèmes de santé, des facteurs de risque et des forces de la personne
- Formulation des diagnostics infirmiers

Analyse des données

Dans le processus de diagnostic, l'analyse des données comprend les étapes suivantes :

1. Comparer les données aux normes (relever les indicateurs significatifs).
2. Regrouper les indicateurs (formuler des hypothèses provisoires).
3. Discerner les lacunes et les contradictions.

Chez l'infirmière expérimentée, ces trois étapes sont simultanées ; elles ne se suivent pas.

COMPARER LES DONNÉES AUX NORMES

L'infirmière se base sur ses connaissances et sur son expérience pour comparer les données aux normes et relever les indicateurs significatifs et pertinents. Il faut traiter l'information, donner un sens aux relations établies, déterminer l'importance de ces données dans le contexte. Une **norme** est une mesure, une règle, un modèle ou un schème généralement accepté. L'infirmière utilise un éventail de normes, telles que les courbes de croissance

et de développement, les signes vitaux généralement observés ainsi que les valeurs de référence pour les examens sanguins. Un indicateur est considéré comme significatif s'il répond à l'un des critères suivants (Gordon, 2002) :

- *Il signale un changement favorable ou défavorable dans l'état de santé ou les habitudes, bonnes ou mauvaises, de la personne.* Par exemple, la personne déclare : « Depuis quelque temps, je suis essoufflée quand je monte un escalier » ou « Il y a trois mois que je n'ai pas fumé ».
- *Il s'écarte de la norme pour la population.* Les habitudes d'une personne peuvent correspondre à celles de sa culture, mais non à celles de la société en général. Une personne peut considérer, par exemple, qu'il est normal de prendre des repas très légers et d'avoir peu d'appétit. Toutefois, cette habitude pourrait réduire la productivité de cette personne et dicter alors une exploration.
- *Il indique un retard de développement.* Pour discerner les indicateurs significatifs, l'infirmière doit connaître les changements normaux qui accompagnent la croissance et le développement. Par exemple, un nourrisson devrait s'asseoir tout seul à l'âge de neuf mois. S'il en est incapable, l'infirmière doit pousser plus loin son évaluation afin de détecter un éventuel retard de développement.

Le tableau 16-4 présente des exemples d'indicateurs ainsi que les normes auxquelles on peut les comparer.

REGROUPER LES INDICATEURS

Regrouper les indicateurs consiste à chercher des relations entre les faits et à déterminer si l'on est en présence de tendances,

TABLEAU 16-4		
COMPARAISON ENTRE LES INDICATEURS ET LES NORMES		
Type d'indicateur	**Exemples**	**Normes**
Écart par rapport à la norme dans la population	Femme ayant une petite ossature. Taille : 1,58 m (5 pi 2 po). Poids : 109 kg (240 lb).	Les courbes de taille et de poids indiquent que le poids santé pour une femme de 1,58 m (5 pi 2 po) ayant une petite ossature est de 49 à 53 kg (de 108 à 121 lb).
Retard de développement	Enfant de 17 mois. Ses parents indiquent qu'il n'a pas encore essayé de parler. L'enfant babille et rit aux éclats.	Les enfants prononcent généralement leur premier mot entre 10 et 12 mois.
Changements dans l'état de santé habituel de la personne	La personne dit : « Je n'ai pas faim ces jours-ci. » N'a mangé que 15 % de la nourriture qui lui a été servie au petit déjeuner. A perdu 13 kg (28,6 lb) au cours des 3 derniers mois.	L'être humain prend habituellement trois repas équilibrés par jour. Les adultes ont généralement un poids stable.
Comportement dysfonctionnel	La mère de Nadine indique que sa fille n'a pas quitté sa chambre depuis deux jours. Nadine est âgée de 16 ans. Nadine ne fréquente plus l'école et n'a plus de contacts sociaux.	Les adolescents aiment généralement côtoyer leurs pairs et attachent beaucoup d'importance au groupe social. La fréquentation de l'école est une composante du comportement fonctionnel.
Changements dans le comportement habituel de la personne	Mme Simard rapporte que son mari se met facilement en colère depuis quelque temps. « Il a même crié après le chien hier. » « Il semble très tendu. »	M. Simard est habituellement détendu et affable. C'est un homme aimable et doux avec les animaux.

16

si les données représentent des incidents isolés et si elles sont significatives. C'est en quelque sorte le début de la synthèse ou de l'interprétation des données et de l'établissement de liens.

L'infirmière peut regrouper les données de manière inductive (tableau 16-5), en combinant les données recueillies de ma-nière à former un schème. Elle peut aussi employer une approche déductive, c'est-à-dire s'appuyer sur un modèle théorique, comme la typologie des modes fonctionnels de santé de Gordon (encadré 15-2, p. 343), et classer les données subjectives et objec-tives dans les catégories appropriées (tableau 15-3, p. 333).

TABLEAU 16-5
FORMULATION DE DIAGNOSTICS INFIRMIERS POUR RAYMONDE AQUILINI

Modes fonctionnels de santé	Regroupements des données	Inférences (hypothèses provisoires)	Diagnostics infirmiers
Perception et gestion de la santé			Aucun problème. *Forces*: semble avoir un mode de vie sain, comprend et observe les programmes thérapeutiques.
Nutrition et métabolisme (y compris l'hydratation)	«Pas d'appétit» depuis qu'elle a le «rhume». N'a pas mangé aujourd'hui. Nausées depuis deux jours. Dernière prise de liquide à 12 h aujourd'hui. Température buccale : 39,4 °C. Peau chaude et pâle, joues rouges. Muqueuses sèches. Diminution de l'élasticité de la peau. *Indicateur tiré du mode d'élimination:* diminution de la fréquence et du débit urinaires depuis deux jours.	*Alimentation déficiente.*	*Alimentation déficiente*, reliée à une diminution de l'appétit et aux nausées ainsi qu'à une augmen-tation de la vitesse du métabo-lisme (consécutive au processus morbide). *Force:* maintien du poids santé.
		Déficit de volume liquidien.	*Déficit de volume liquidien*, relié à un apport insuffisant pour remplacer les pertes liquidiennes consécutives à la fièvre, à la diaphorèse et à l'anorexie.
Élimination	Diminution de la fréquence et du débit urinaires depuis deux jours.	Il s'agit de données relatives à l'élimination, mais elles corres-pondent en réalité aux symp-tômes d'un problème de volume liquidien associé au mode de nutrition et de métabolisme.	Aucun problème d'élimination.
Activité et exercice	Difficulté à dormir à cause de la toux. «Incapable de respirer en position couchée. »	*Habitudes de sommeil perturbées.*	*Habitudes de sommeil pertur-bées*, reliées à la toux, à la douleur, à l'orthopnée, à la fièvre et à la diaphorèse.
	Dit qu'elle «se sent faible». Dyspnée à l'effort. *Indicateurs tirés du mode de cognition et de perception:* Alerte mais fatiguée. «J'ai les idées claires, je me sens seule-ment faible. » *Indicateur tiré du mode cardiovasculaire:* pouls radial : 92, régulier, amplitude diminuée.	*Intolérance à l'activité.*	*Intolérance à l'activité*, reliée à la faiblesse générale ainsi qu'au déséquilibre entre les besoins et l'apport en oxygène. *Forces:* ne présente aucune atteinte musculosquelettique; a habituellement un degré d'éner-gie satisfaisant et fait régulière-ment de l'activité physique.
Cognition et perception	Fait état de douleur thoracique, associée à la toux principalement.	*Douleur aiguë.*	*Douleur aiguë* (thoracique), reliée à la toux consécutive à la pneu-monie.
	Alerte mais fatiguée. «J'ai les idées claires, je me sens seule-ment faible. »	Il s'agit de données relatives à la perception et à la cognition, mais elles traduisent des symptômes de problèmes découlant du mode d'activité et d'exercice.	*Force:* aucun déficit cognitif ou sensoriel.

TABLEAU 16-5 *(suite)*

Modes fonctionnels de santé	Regroupements des données	Inférences (hypothèses provisoires)	Diagnostics infirmiers
Rôles et relations	Mari à l'extérieur de la ville ; de retour demain après-midi. Enfant gardée par une voisine jusqu'au retour du mari.	*Dynamique familiale perturbée,* reliée à la maladie de la mère et à l'absence momentanée du père. Les indicateurs sont aussi reliés à un problème du mode d'adaptation et de tolérance au stress.	Risque de *Dynamique familiale perturbée,* relié à la maladie de la mère et à l'incapacité momentanée du père de s'occuper de son enfant. *Force :* voisine disponible et prête à l'aider.
Perception de soi et concept de soi	Déclare qu'avoir confié sa fille à la voisine jusqu'au retour de son mari la rend anxieuse et inquiète.	L'indicateur est le symptôme d'un problème découlant du mode d'adaptation et de la tolérance au stress.	Aucun problème de perception de soi et de concept de soi.
Adaptation et stress	Anxieuse : « Je ne peux pas respirer. » Tension des muscles du visage ; tremblements. Se dit préoccupée par son travail : « Je ne rattraperai jamais le temps perdu. » *Indicateurs tirés du mode de rôles et de relations :* Mari à l'extérieur de la ville ; de retour demain après-midi. Enfant gardée par une voisine jusqu'au retour du mari. *Indicateur tiré du mode de perception de soi et du concept de soi :* déclare qu'avoir confié sa fille à la voisine la rend anxieuse et inquiète.	*Anxiété,* reliée aux difficultés respiratoires, à l'incapacité de travailler et à la garde de son enfant.	*Anxiété,* reliée aux difficultés respiratoires et à l'inquiétude à l'égard du travail et de l'exercice du rôle parental.
Médicaments et antécédents	Aucun indicateur significatif.	Aucun problème.	Aucun problème.
Examen physique			
Système cardiovasculaire	Pouls radial : 92, régulier, amplitude diminuée.	Les indicateurs ne sont que des symptômes ; symptômes de problèmes d'exercice, de repos ainsi que d'oxygénation.	Aucun problème cardiovasculaire.
Oxygénation	Peau chaude et moite, teint pâle. Respiration superficielle ; amplitude respiratoire < 3 cm. Toux productive : petite quantité d'expectorations épaisses rose pâle. Crépitants inspiratoires aux lobes inférieur et supérieur du poumon droit. Bruits respiratoires assourdis du côté droit. Muqueuses sèches et pâles.	*Dégagement inefficace des voies respiratoires,* relié au processus morbide.	*Dégagement inefficace des voies respiratoires,* relié à la présence de sécrétions visqueuses et à une faible amplitude respiratoire consécutive à la douleur, au déficit de volume liquidien et à la fatigue.
Peau	Cicatrices chirurgicales anciennes : partie antérieure du cou, quadrant inférieur droit de l'abdomen.	Aucun problème en ce moment.	Anciens problèmes ; résolus.

16

L'infirmière expérimentée sait regrouper les données à mesure qu'elle les recueille et les interprète. C'est ainsi qu'on l'entendra dire : « Je commence à avoir une idée de… » ou « Cet indicateur n'a pas sa place dans le tableau. » L'infirmière novice, quant à elle, ne possède pas les connaissances ni l'expérience clinique qui l'aideraient à reconnaître les indicateurs. Elle doit donc noter rigoureusement toutes les données recueillies, y rechercher des indicateurs anormaux et consulter des ouvrages de référence pour comparer les données aux caractéristiques déterminantes ainsi qu'aux facteurs étiologiques des diagnostics infirmiers approuvés.

Le regroupement des données suppose que l'infirmière fasse des inférences. Elle interprète la signification possible des indicateurs et émet des hypothèses provisoires à propos des groupes d'indicateurs. Le tableau 16-5 présente les données relatives à Raymonde Aquilini (dont il a été question au chapitre 15 ⊙⊙) regroupées en fonction de diagnostics infirmiers approuvés par la NANDA-I.

DISCERNER LES LACUNES ET LES CONTRADICTIONS

Un examen clinique rigoureux et une collecte complète des données permettent de réduire le plus possible les lacunes et les contradictions dans les données. L'infirmière doit cependant procéder à une validation au moment de l'analyse afin de s'assurer que les données sont complètes et exactes.

Les contradictions entre les données peuvent provenir d'erreurs de mesure, d'attentes irréalistes ainsi que de déclarations douteuses ou incohérentes. Par exemple, lors de la collecte des données, une personne rapporte qu'elle n'a pas consulté de médecin depuis 15 ans. Or, pendant l'examen physique, elle affirme que son médecin prend sa pression artérielle tous les ans. L'infirmière devra élucider toutes les contradictions de la personne avant de pouvoir établir un profil valide. Voir la section «Validation des données» au chapitre 15 ⊙⊙ (p. 348).

Détermination des problèmes de santé, des facteurs de risque et des forces de la personne

Après avoir analysé les données, l'infirmière détermine les forces et les problèmes de la personne, de concert avec elle. Il s'agit essentiellement d'un processus de prise de décision (chapitre 14 ⊙⊙).

PROBLÈMES ET FACTEURS DE RISQUE

Après avoir regroupé les données, l'infirmière collabore avec la personne pour discerner les problèmes qui justifient la formulation provisoire de diagnostics actuels ou de type risque. Elle doit en outre déterminer si le problème de cette personne correspond à un diagnostic infirmier, à un diagnostic médical ou à un problème à traiter en collaboration (figure 16-2 ■ et tableau 16-3). Au tableau 16-5 sont regroupés aussi bien les données que les indicateurs significatifs relatifs à Raymonde Aquilini; ils sont extraits de la figure 15-4 ■ (p. 331). Dans ce tableau, on trouve également huit problèmes décelés par les deux parties (cliente et infirmière): *Alimentation déficiente*, *Déficit de volume liquidien*, *Habitudes de sommeil perturbées*, *Intolérance à l'activité*, *Douleur aiguë*, *Dynamique familiale perturbée*, *Anxiété* et *Dégagement inefficace des voies respiratoires*.

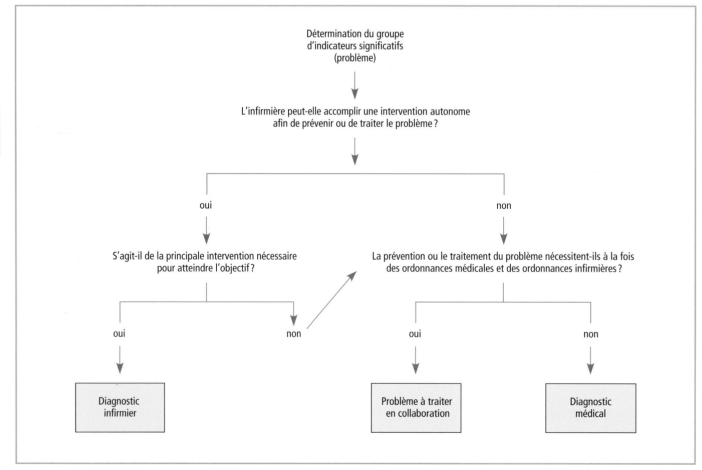

FIGURE 16-2 ■ Arbre décisionnel permettant de distinguer les diagnostics infirmiers, les diagnostics médicaux et les problèmes à traiter en collaboration.

Il est à noter que certaines données indiquent de prime abord un problème possible, mais que cette éventualité peut disparaître après un regroupement des données. Ainsi, la donnée «Diminution de la fréquence et du débit urinaires depuis deux jours» laisse croire à un problème d'élimination urinaire. Cependant, après analyse, l'infirmière écarte cette possibilité après avoir lié cette donnée à celles associées à *Déficit de volume liquidien*, toutes ces données étant regroupées dans le mode fonctionnel «nutrition et métabolisme».

DÉTERMINATION DES FORCES

À ce stade de l'analyse, l'infirmière détermine les forces, les ressources et les capacités d'adaptation de la personne, de concert avec elle. La plupart des gens perçoivent leurs problèmes et leurs faiblesses plus clairement que leurs atouts et leurs forces, qu'ils ont tendance à tenir pour acquis. En procédant à l'inventaire de ses forces, la personne peut acquérir une image de soi et un concept de soi plus justes. Ses forces l'aideront dans certains cas à mobiliser son potentiel de santé et de rétablissement. Parmi les forces possibles, maintenir un poids santé, par exemple, est un atout qui permet à la personne de mieux supporter une intervention chirurgicale. Le fait de ne pas fumer et celui de ne pas souffrir d'allergies constituent d'autres exemples de forces.

Pour trouver les forces de la personne, l'infirmière peut consulter l'anamnèse (problèmes de santé actuels, antécédents liés à l'état de santé, domicile, études, loisirs, exercice, travail, famille et amis, croyances religieuses et sens de l'humour, par exemple), les résultats de l'examen physique ainsi que son dossier médical. Le tableau 16-5 montre quelques-unes des forces discernées chez Raymonde Aquilini.

Formulation des diagnostics infirmiers

La plupart des diagnostics infirmiers comprennent deux ou trois parties, mais il existe des variantes de ce schème de base. L'encadré 16-1 montre les types de formulation de diagnostics infirmiers.

ENCADRÉ 16-1
TYPES DE DIAGNOSTICS INFIRMIERS

Une partie: P (problème)
Deux parties: P (problème) + E (étiologie)
Trois parties: P (problème) + E (étiologie) + S (signes et symptômes)

DIAGNOSTIC DE BASE EN DEUX PARTIES

Le diagnostic de base en deux parties comprend les éléments suivants:
1. Un *problème* (P): la réaction de la personne (énoncé de diagnostic conforme à la taxinomie de la NANDA-I)
2. Une *étiologie* (E): les facteurs favorisants

Ces deux parties sont jointes par l'expression «relié à» et non «dû à» ou «causé par». Ces deux dernières expressions dénotent une relation de cause à effet. L'expression «relié à», en revanche, marque une simple relation. L'encadré 16-2 présente deux exemples de diagnostics infirmiers avec les deux parties nécessaires à la formulation.

ENCADRÉ 16-2
DIAGNOSTIC DE BASE EN DEUX PARTIES

Problème	Relié à	Étiologie
Constipation,	reliée à	l'usage prolongé de laxatifs.
Allaitement maternel inefficace,	relié à	l'engorgement mammaire.

Certains diagnostics infirmiers approuvés par la NANDA-I contiennent le mot «préciser». Cela signifie que l'infirmière doit compléter ce type de diagnostic en décrivant de façon plus précise le problème. Ces diagnostics demeurent néanmoins formés de deux parties, par exemple: *Non-observance (préciser); non-observance (du régime alimentaire pour diabétique)*, reliée au déni de la maladie.

DIAGNOSTIC DE BASE EN TROIS PARTIES

Le diagnostic de base en trois parties, appelé **forme PES**, comprend les deux éléments cités précédemment et un troisième, qui s'énonce comme suit:

Les *signes* et les *symptômes* (S): les caractéristiques déterminantes manifestées par la personne.

L'infirmière peut se servir de la forme PES (encadré 16-3) pour les diagnostics établis, car elle a déjà déterminé les signes et les symptômes. Cette forme ne convient pas aux diagnostics possibles ou potentiels, car la personne n'en manifeste encore ni les signes ni les symptômes.

La forme PES est surtout recommandée pour les infirmières novices, car les signes et les symptômes justifient le choix du diagnostic et rendent la formulation de l'énoncé plus explicite.

ENCADRÉ 16-3
DIAGNOSTIC DE BASE EN TROIS PARTIES (FORME PES)

Problème	Relié à	Étiologie	Manifesté par	Signes et symptômes
Diminution situationnelle de l'estime de soi,	reliée au	rejet par son mari,	manifestée par	l'hypersensibilité à la critique; elle déclare: «Je ne sais pas si je m'en sortirai toute seule» et elle rejette toute rétroaction positive.

L'inconvénient de ce type de diagnostic est qu'il permet une très longue énonciation, ce qui peut rendre obscurs le problème ainsi que l'étiologie. Les signes et les symptômes doivent être aisément repérables, car ils facilitent la planification des interventions infirmières. Pour éviter de décrire trop longuement le problème, l'infirmière peut consigner les signes et les symptômes dans ses notes plutôt que dans le PSTI. Il est également possible d'énumérer les signes et les symptômes dans le PSTI, en dessous du diagnostic infirmier, en regroupant les données subjectives (S) et les données objectives (O). De cette manière, les signes et les symptômes sont faciles à repérer, et le problème et l'étiologie ressortent clairement. Par exemple :

Non-observance (du régime alimentaire pour diabétique), reliée à une colère non résolue à l'égard du diagnostic, comme le révèlent les données subjectives et objectives suivantes :

S – « J'oublie de prendre mes pilules. »

« Je ne peux pas me passer d'aliments sucrés. »

O – Poids : 98 kg (215 lb) ; gain de 4,5 kg (10 lb)

Pression artérielle : 190/100

DIAGNOSTIC EN UNE PARTIE

Certains diagnostics, tels les diagnostics centrés sur le bien-être et les diagnostics de syndrome, sont formés uniquement d'un énoncé de diagnostic approuvé par la NANDA-I. Cette dernière précise à chaque occasion la formulation des énoncés de diagnostic, de sorte qu'on peut en déduire directement des interventions infirmières, en laissant même l'étiologie de côté. Par exemple, l'ajout d'une étiologie à *Syndrome du traumatisme de viol* ne rendrait le diagnostic ni plus descriptif ni plus utile. Un autre exemple est *Syndrome d'immobilité,* qui regroupe un ensemble de diagnostics infirmiers réels ou potentiels.

La liste actuelle des diagnostics de la NANDA-I comprend quelques diagnostics de bien-être, tels *Bien-être spirituel, Allaitement maternel efficace, Recherche d'un meilleur niveau de santé* et *Deuil.* On classe généralement ces diagnostics dans les diagnostics en une partie, mais on peut les rendre plus explicites en ajoutant un élément descriptif, comme dans *Recherche d'un meilleur niveau de santé* (régime alimentaire pauvre en lipides).

VARIANTES DES DIAGNOSTICS DE BASE

Voici quelques variantes possibles des diagnostics de base en une, deux ou trois parties :

1. L'infirmière écrit *étiologie inconnue,* si elle constate la présence des caractéristiques déterminantes, mais qu'elle ne connaît ni la cause ni les facteurs favorisants, par exemple *Non-observance (du régime thérapeutique),* reliée à une étiologie inconnue.

2. L'infirmière utilise l'expression « facteurs complexes » lorsque les facteurs étiologiques sont si nombreux ou si complexes qu'elle ne peut les résumer en une phrase. Tel peut être le cas d'une perturbation chronique de l'estime de soi, par exemple *Diminution chronique de l'estime de soi,* reliée à des facteurs complexes. Dans ce cas, pour obtenir plus de détails sur ce diagnostic infirmier, l'infirmière consulte la collecte des données ou les notes évolutives (dont il sera question au chapitre 17 ⊂⊃).

3. L'infirmière emploie le mot « possible » pour qualifier soit le problème, soit l'étiologie si elle pense qu'il lui faut des données additionnelles, par exemple *Diminution chronique possible de l'estime de soi,* reliée à la perte de l'emploi et au rejet par la famille ; *Possibilité d'opérations de la pensée perturbées,* reliée à des lieux inconnus. Par conséquent, l'infirmière doit prêter une attention particulière aux manifestations cliniques de la personne, car en cours d'évaluation certains éléments peuvent se préciser.

4. L'infirmière précise l'étiologie à l'aide des mots « consécutif à », ce qui rend le diagnostic plus descriptif et plus utile. Le segment de phrase qui suit « consécutif à » désigne souvent une physiopathologie ou un processus morbide, par exemple *Risque d'atteinte à l'intégrité de la peau,* relié à une diminution de la circulation périphérique consécutive au diabète.

5. L'infirmière spécifie l'énoncé de diagnostic officiel. Par exemple, l'énoncé de diagnostic *Atteinte à l'intégrité de la peau* n'indique pas l'endroit exact où le problème se manifeste. Pour préciser ce diagnostic, l'infirmière peut donc écrire : *Atteinte à l'intégrité de la peau* (cheville extérieure gauche), reliée à une diminution de la circulation périphérique.

PROBLÈMES À TRAITER EN COLLABORATION

Carpenito-Moyet (2009) propose que l'énoncé de tous les problèmes à traiter en collaboration (interdisciplinaires) commence par l'expression « Complication possible (CP) ». L'infirmière doit inclure dans le diagnostic tant les complications possibles dont elle surveille l'apparition que l'affection ou le traitement susceptible de les entraîner. Par exemple, dans le cas où la personne a subi un traumatisme crânien pouvant entraîner une augmentation de la pression intracrânienne, l'infirmière devrait écrire ce qui suit :

Complication possible du traumatisme crânien :
Augmentation de la pression intracrânienne

Quand l'infirmière surveille l'apparition d'un groupe de complications associées à une affection, elle indique la maladie en question, qu'elle fait suivre par la liste des complications :

Complications possibles de l'hypertension gravidique :
Crises convulsives, détresse fœtale, œdème pulmonaire, insuffisance hépatique et rénale, déclenchement prématuré du travail, hémorragie cérébrale

Dans certains cas, l'étiologie peut faciliter la détermination des interventions. L'infirmière devrait écrire l'étiologie : (1) si elle veut clarifier l'énoncé du problème ; (2) si elle peut l'exprimer de manière concise ; (3) si elle facilite la détermination des interventions infirmières. Voir les exemples présentés à l'encadré 16-4.

QUALITÉ DE LA FORMULATION DU DIAGNOSTIC

L'infirmière doit veiller non seulement à la forme du diagnostic infirmier, mais aussi à son contenu. Le diagnostic infirmier doit en effet être exact, concis, descriptif et précis. L'infirmière doit toujours valider ses diagnostics auprès de la personne et comparer les signes et les symptômes de cette dernière aux caractéristiques déterminantes retenues par la NANDA-I. En ce qui concerne les diagnostics de type risque, l'infirmière compare

PROBLÈMES À TRAITER EN COLLABORATION

Maladie/situation	Complication	Reliée à	Étiologie
Complication possible de l'accouchement:	Hémorragie,	reliée à	l'atonie utérine. la rétention de fragments du placenta. la distension vésicale.
Complication possible du traitement diurétique:	Arythmie,	reliée à	la diminution de la concentration sérique de potassium.

les facteurs de risque de la personne à ceux qui figurent sur la liste de la NANDA-I. Elle doit tout d'abord rédiger les diagnostics infirmiers, puis vérifier s'ils répondent aux lignes directrices pour la rédaction présentées au tableau 16-6. Par exemple, au point 4 du tableau 16-6, sous la rubrique de la formulation incorrecte, il est facile de comprendre que s'il y a ulcération de la région sacrale, on n'en est plus au stade du «risque de...». Il y aurait donc un autre diagnostic infirmier à formuler, en lien direct avec l'ulcération. Par contre, la formulation «*Risque élevé d'atteinte à l'intégrité de la peau*, relié à l'immobilité» peut toujours

être pertinente puisque d'autres endroits du corps peuvent être atteints.

Prévention des erreurs de raisonnement

Toute activité humaine est sujette à l'erreur, et le diagnostic infirmier ne fait pas exception à la règle. L'infirmière peut commettre des erreurs à n'importe quelle étape du processus de formulation du diagnostic infirmier, soit la collecte des

TABLEAU 16-6
LIGNES DIRECTRICES POUR LA RÉDACTION D'UN DIAGNOSTIC INFIRMIER

Ligne directrice	Formulation correcte	Formulation incorrecte ou ambiguë
1. Faire porter le diagnostic sur un problème et non sur un besoin.	*Déficit de volume liquidien* (problème), relié à la fièvre.	*Apport hydrique* (besoin), relié à la fièvre.
2. Formuler le diagnostic de manière appropriée sur le plan juridique.	*Atteinte à l'intégrité de la peau*, reliée à l'immobilité (appropriée juridiquement).	*Atteinte à l'intégrité de la peau*, reliée à une mise en position inadéquate (allusion à une responsabilité juridique).
3. Éviter les jugements.	*Détresse spirituelle*, reliée à l'incapacité d'assister à la messe, consécutive à l'immobilité (aucun jugement).	*Détresse spirituelle*, reliée à la rigueur des règles entourant l'assistance à la messe (jugement).
4. Éviter les redondances.	*Risque élevé d'atteinte à l'intégrité de la peau*, relié à l'immobilité.	*Risque élevé d'atteinte à l'intégrité de la peau*, relié à l'ulcération de la région sacrale (réaction et cause probable équivalentes).
5. Veiller à exprimer correctement la cause et l'effet (c'est-à-dire à bien indiquer que l'étiologie cause le problème ou en favorise l'apparition).	*Douleur aiguë: céphalée intense*, reliée à la crainte d'une dépendance aux stupéfiants.	*Douleur*, reliée à une céphalée intense.
6. Formuler le diagnostic de manière précise afin d'orienter la planification des interventions infirmières.	*Atteinte de la muqueuse buccale*, reliée à une diminution de la salivation, consécutive à une radiothérapie du cou (formulation précise).	*Atteinte de la muqueuse buccale*, reliée à un agent toxique (formulation imprécise).
7. Employer la terminologie infirmière plutôt que la terminologie médicale pour décrire la réaction de la personne.	*Risque de dégagement inefficace des voies respiratoires*, relié à l'accumulation de sécrétions dans les poumons (terminologie infirmière).	*Risque de pneumonie* (terminologie médicale).
8. Employer la terminologie infirmière plutôt que la terminologie médicale pour décrire la cause probable de la réaction de la personne.	*Risque de dégagement inefficace des voies respiratoires*, relié à l'accumulation de sécrétions dans les poumons (terminologie infirmière).	*Risque de dégagement inefficace des voies respiratoires*, relié à l'emphysème (terminologie médicale).

16

données, l'analyse, ainsi que le regroupement des données. Cependant, il est important qu'elle formule ses diagnostics avec un maximum d'exactitude ; à cette fin, elle peut utiliser certaines habiletés propres à la pensée critique.

Les conseils suivants aideront l'infirmière à éviter les erreurs dans la formulation d'un diagnostic infirmier :

■ *Vérifier.* L'infirmière doit avancer des explications possibles aux données, mais se rappeler que tous les diagnostics restent provisoires jusqu'au moment de la vérification. Elle doit amorcer et terminer le processus de formulation du diagnostic infirmier en parlant avec la personne et sa famille. Au moment de la collecte des données, elle leur demande quels sont leurs problèmes de santé et à quoi ils les attribuent. À la fin du processus, elle les invite à vérifier ses hypothèses et ses diagnostics.

■ *Acquérir des connaissances solides et de l'expérience clinique.* L'infirmière doit appliquer des connaissances reliées à différentes disciplines pour discerner les indicateurs significatifs et formuler des hypothèses à partir des données. Par exemple, ses connaissances en chimie, en anatomie et en pharmacologie l'aideront à considérer sous un angle différent les données relatives à la personne. Toutes les connaissances antérieures ont une incidence sur le processus de la démarche de soins infirmiers, et l'infirmière ne doit pas ignorer ses acquis. Bien au contraire, elle doit les utiliser à bon escient.

■ *Posséder des connaissances pratiques sur les observations courantes.* L'infirmière doit connaître les normes en matière de signes vitaux, d'examens paracliniques, de développement du langage, de bruits respiratoires, etc. De plus, elle doit déterminer ce qui est normalement observé pour une personne en particulier, en tenant compte de son âge, de sa constitution physique, de son mode de vie, de sa culture et de sa perception de la normalité. Par exemple, la pression artérielle optimale moyenne pour un adulte est de 120/80 mm Hg. L'infirmière peut cependant mesurer une pression artérielle de 90/50 mm Hg qui soit parfaitement normale pour une personne en particulier. L'infirmière doit autant que possible comparer les résultats obtenus aux valeurs de base de la personne.

■ *Consulter des ressources.* Dès qu'elles ont le moindre doute quant à un diagnostic, les infirmières novices ainsi que les infirmières expérimentées devraient consulter les ressources appropriées : ouvrages spécialisés, ouvrages rédigés par des collègues infirmières et par d'autres professionnels de la santé. En outre, l'infirmière doit consulter un manuel de diagnostics infirmiers afin de déterminer si les signes et les symptômes de la personne correspondent véritablement à l'énoncé de diagnostic choisi.

■ *Fonder les diagnostics infirmiers sur des schèmes, c'est-à-dire sur des comportements qui se poursuivent dans le temps plutôt que sur des événements isolés.* Par exemple, Raymonde Aquilini est contrariée aujourd'hui, car elle a dû confier sa fille à une voisine, mais ce sentiment disparaîtra sans doute demain sans nécessiter une intervention infirmière. Par conséquent, l'infirmière qui évaluera l'état de santé de Mme Aquilini à l'admission ne devrait pas formuler le diagnostic *Dynamique familiale perturbée,* puisque ce problème n'est pas récurrent.

■ *Exercer la pensée critique.* Les habiletés propres à la pensée critique aident l'infirmière à éviter les erreurs de raisonnement, comme les généralisations excessives, les stéréotypes et les présupposés (chapitre 14 ⟱).

Amélioration continue des diagnostics infirmiers

Dans la première taxinomie, les diagnostics infirmiers étaient classés par ordre alphabétique. Certains reprochaient à cette présentation son manque de rigueur scientifique et lui auraient préféré une structure hiérarchique. En 1982, l'ANADI adopta le principe directeur des « neuf modes de l'homme unifié », qu'elle renomma en 1984 principe des « neuf modes de réactions humaines ».

Depuis lors, la taxinomie a subi une série de révisions, de refontes et d'ajouts, et elle porte aujourd'hui le nom de « Taxinomie II » (NANDA International, 2010). En fait, il s'agissait de trouver une façon de classifier les diagnostics infirmiers qui tiendrait compte de leur évolution et de l'augmentation du nombre de propositions de nouveaux diagnostics infirmiers. Dans la nouvelle taxinomie, les diagnostics infirmiers sont groupés selon des domaines et des classes (figure 16-3 ■).

Encore aujourd'hui, la révision et la refonte des diagnostics se poursuivent au fil des colloques. Les infirmières soumettent des diagnostics infirmiers au comité de révision des diagnostics, qui les étudie et les évalue en fonction du dossier présenté. C'est au comité de direction de la NANDA-I de se prononcer pour ou contre l'approbation d'un diagnostic proposé. Les diagnostics figurant sur la liste de la NANDA-I sont approuvés à des fins d'usage clinique et d'étude, mais ils peuvent être modifiés ultérieurement. Un bon nombre d'entre eux n'ont fait l'objet que d'une étude très limitée.

Les groupes de recherche examinent le travail qu'accomplissent les infirmières sur les plans du diagnostic, de l'intervention et des résultats escomptés afin de clarifier et de faire connaître leur rôle dans le système de soins de santé. L'élaboration d'un langage standardisé permettra aussi aux infirmières de mettre sur pied un ensemble minimal de données infirmières en vue de l'informatisation des dossiers.

Utilisation du modèle McGill : étape 2 – analyse et interprétation

Après la collecte des données, l'infirmière n'est pas seule responsable de déterminer la nature du problème ; « elle ne décide pas a priori ce qui est bon ou mauvais pour la personne » (Gottlieb et Feeley, 2006, cités dans Paquette-Desjardins et Sauvé, 2008). Le rôle de l'infirmière n'est pas seulement de répondre à une

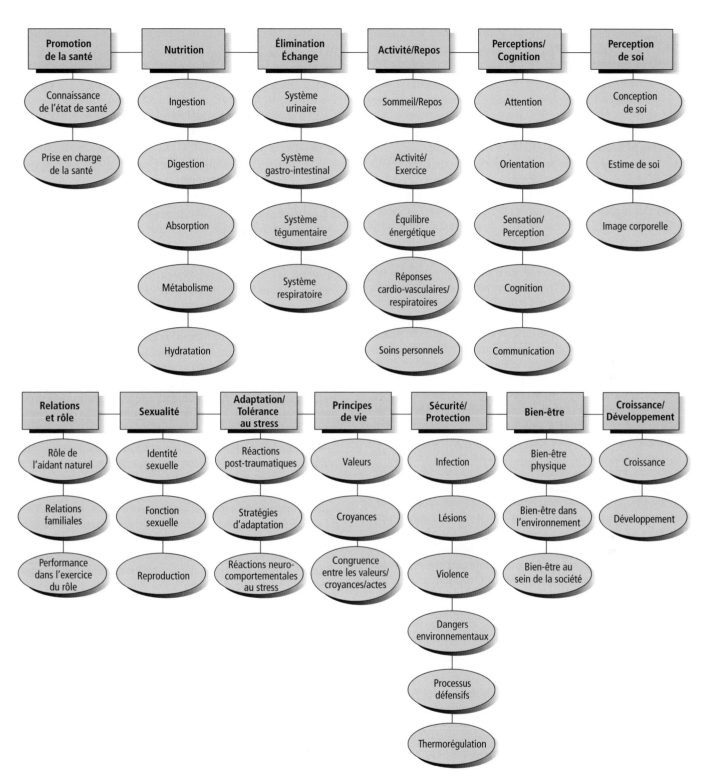

FIGURE 16-3 ■ Taxinomie II : domaines et classes. Source : NANDA International. (2010). *Diagnostics infirmiers : Définitions et classification 2009-2011* (p. 466-467). Issy-les-Moulineaux : Elsevier Masson.

attente, mais aussi de négocier et de discuter pour énoncer en collaboration l'orientation des soins et des traitements. Comme nous l'avons expliqué au chapitre 15 ⊝ , la relation qui s'établit entre l'infirmière et le client/famille est une relation de partenariat-collaboration. Gardons cependant à l'esprit le fait que

tout partenariat peut évoluer de manière imprévisible. L'infirmière doit donc parfois faire preuve de souplesse dans ses rapports avec les personnes dont elle s'occupe. Ses soins ne doivent pas être ancrés dans un cadre rigide. Les parties communiquent dans le but de définir le problème et de se mettre d'accord, le problème étant une difficulté sur laquelle le client/famille n'a plus de pouvoir. Dans cette optique, un diagnostic médical ne constitue pas un problème, mais les réactions à ce diagnostic peuvent devenir un problème ou un besoin.

À l'étape de l'analyse et de l'interprétation des données, l'infirmière :

1. Se pose des questions sur SA vision de la situation en énumérant les problèmes ou les besoins qu'elle perçoit.

2. Avance des hypothèses de travail, ce qui suscite sa curiosité. Elle se posera des questions comme les suivantes : Qu'est-ce qui entretient la présence de ce problème ? Qu'est-ce qui influence la réaction du client/famille à ce problème de santé ? L'hypothèse facilite la découverte de solutions permettant de résoudre le problème et de développer des stratégies de *coping*. Aucune vérité absolue ne sort de cette étape. Bien au contraire, toute hypothèse mérite d'être considérée. Il s'agit de valider chacune des hypothèses auprès du client/famille pour pouvoir s'orienter vers l'étape suivante de la démarche, soit la planification des interventions. Tout en considérant la perception du client/famille, l'infirmière doit utiliser son jugement clinique et toujours évaluer l'urgence de la situation. Pour orienter ses interventions adéquatement, elle doit déterminer à quel niveau se situe le client/famille : au niveau 1, qui correspond à la compréhension ou non de la situation, ou au niveau 2, qui indique la compréhension des changements et donc la capacité de participer au processus d'adaptation à la situation. Pour que la personne soit sensibilisée à son problème et soit prête à le prendre en charge, elle doit d'abord comprendre ce qui lui arrive. Ainsi, lorsqu'un diagnostic de diabète insulinodépendant est posé, l'infirmière devra s'assurer que le client comprend bien sa maladie avant de lui enseigner les types d'insuline à utiliser ou la nécessité de faire de l'exercice afin d'équilibrer sa glycémie. Selon Gottlieb et Ezer (2001), les responsabilités de l'infirmière se rapportent au principe de collaboration entre les parties. Ainsi, elle doit : déterminer sa propre perception ; justifier son jugement, favoriser le partage de perceptions ; établir une relation de partenariat ; connaître les souhaits du client ; guider le client durant la phase de négociation ; répertorier l'ensemble des possibilités ; établir le niveau de compréhension du client ; encourager une participation active du client ; jouer le rôle de facilitatrice du processus.

À cette étape, l'infirmière doit exercer son jugement clinique et mettre à profit sa capacité à évaluer la pertinence des données. En se référant à l'étape précédente, elle doit trier les données recueillies, les organiser et les regrouper pour comprendre la situation globale du client. Elle doit collaborer étroitement avec celui-ci et sa famille et revoir avec eux les répercussions du problème de santé, leurs stratégies d'adaptation (*coping*), leurs préoccupations, les perceptions et les attentes réciproques, ainsi que les hypothèses de travail ou les changements retenus. Cette collaboration permettra à l'infirmière de préciser avec le client un problème ou un besoin prioritaire qu'elle s'efforcera de résoudre ou de satisfaire avec sa collaboration.

Le tableau 16-7 présente l'analyse des éléments hors normes observés chez Emma Duclos (chapitre 15 ⊙).

Dans cet exemple, nous pouvons déceler quatre problèmes importants :

1. La fragilité sur le plan psychologique (intervention autonome)

2. et 3. Les résultats des épreuves de laboratoire, selon lesquels cette cliente souffre d'une déshydratation et d'une infection, qui s'ajoutent aux autres manifestations physiques notées lors de la collecte des données (intervention selon une ordonnance)

4. la présence d'une douleur abdominale importante (intervention selon une ordonnance)

Après avoir organisé les données, l'infirmière doit, en s'appuyant sur ses connaissances et son expérience, évaluer l'urgence de la situation et prioriser les éléments. Dans le cas d'Emma Duclos, les premières interventions prendront une direction différente de celle voulue par la cliente. En effet, la dimension physique est prioritaire à cause du déséquilibre électrolytique, des douleurs et de la réaction immunitaire, et l'infirmière doit tenir compte de l'urgence de la situation. Ces éléments doivent être pris en charge en collaboration avec un autre membre de l'équipe interdisciplinaire puisque l'infirmière doit travailler avec le médecin (sédation pour soulager la douleur, administration d'un soluté pour traiter la déshydratation et d'un antibiotique pour enrayer l'infection). Cependant, la prise en charge de l'anxiété fait l'objet d'une intervention infirmière autonome. La figure 16-4 ■ indique la priorisation des données selon l'urgence de la situation.

Emma Duclos se trouve apparemment au niveau 2, puisqu'elle reconnaît son problème et qu'elle voudrait y apporter un changement, mais plus tard. En tenant compte du délai que la cliente demande, l'infirmière conclut qu'elle doit obtenir la collaboration de celle-ci pendant l'exploration de ses problèmes de santé. Sous cet angle, la cliente se trouve au niveau 1. N'oublions pas que les hypothèses de l'infirmière doivent être validées en partenariat avec la cliente. Nous parlerons au chapitre 17 ⊙ des types d'interventions selon les différents diagnostics (médical, infirmier) et des problèmes traités en collaboration.

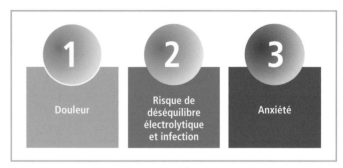

FIGURE 16-4 ■ Priorisation des données concernant Emma Duclos.

La figure 16-5 ■ présente les éléments à retenir à cette étape de la démarche de soins infirmiers par rapport à l'autonomie de l'infirmière : le problème et les hypothèses. Par ailleurs, après réception des résultats des épreuves de laboratoire, précisons que l'ordonnance médicale indique la nécessité d'installer la perfusion suivante : DE 5 % / NaCl 0,45 % + KCl 40 meq à 100 mL/h.

16

TABLEAU 16-7

LIGNES DIRECTRICES POUR LA RÉDACTION D'UN DIAGNOSTIC INFIRMIER

Situation de santé ou problème	Impacts	*Coping*
Raison de la consultation et évaluation de la douleur (PQRST) Se présente pour douleurs abdominales P : douleur continue, non soulagée par les médicaments Q : coup de poignard, à 8/10, intermittent à régulier, durée environ 1 minute R : Q. I. G., irradiant au creux épigastrique S : selles teintées de sang, diarrhées, ballonnement, crampes abdominales T : 2 semaines	Difficulté à bouger Incapacité de demeurer en place La cliente adopte une position antalgique	**Forces/potentiel** Réseau de soutien aidant Parents très présents **Obstacle** Absence gênante pour les enfants **Collaboration** Veut rencontrer le médecin et partir immédiatement **Motivation** Veut recevoir des narcotiques
Antécédents médicaux et chirurgicaux Maladie de Crohn depuis 5 ans Deux accouchements sans problème Aucune chirurgie		
Médication Aucun médicament sauf de la cortisone pendant les phases aiguës de la maladie		
Suivi médical et infirmier Examen médical annuel		**Forces/potentiel** Rigoureuse dans son suivi

Examen physique
Systèmes :
■ cardiorespiratoire :
  – PA : 130/90 Pls : 94 rég.
  – R : 12 rég. SaO$_2$: 98 %
  – Murmures vésiculaires normaux droits/gauches
■ digestif :
  – pas de nausées ni de vomissements
  – souper léger vers 18 h, aucune collation
  – bruits intestinaux : 40/min
	Sensation de ballonnement
	Crampes abdominales
	Faiblesse
	Manque d'appétit
	Altération de la faim	

■ intestinal/urinaire :
  – aucune constipation
  – diarrhée intermittente depuis 2 sem.
  – pas de brûlures à la miction
  – ébranlement : tubules rénaux normaux
■ locomoteur :
  – démarche et équilibre adéquats
■ tégumentaire :
  – peau sèche, aucune plaie ni rougeur
■ immunitaire :
  – aucune allergie alimentaire
  – aucune allergie médicamenteuse
  – T : 39 °C
■ endocrinien :
  – pas de déséquilibre hormonal
	Douleur incontrôlable
	
	Aucun rash
	Légers frissons	

Dimension cognitive/affective : La cliente dit : « Je crois que c'est la maladie qui revient. » Beaucoup d'inquiétude pour la rentrée scolaire, seule, anxieuse ++ Dort très peu depuis 2 sem. Travailleuse autonome	Hospitalisation possible Chirurgie possible Fatigue/insomnie Ne peut s'occuper de la rentrée scolaire	

16

TABLEAU 16-7 *(suite)*
LIGNES DIRECTRICES POUR LA RÉDACTION D'UN DIAGNOSTIC INFIRMIER

Situation de santé ou problème	Impacts	*Coping*
	Anxieuse	
	Peur de la perte de sa clientèle	
	Budget déséquilibré	
	Conjoint absent	
Habitudes de vie		
Ni tabagisme, ni prise de drogues		
Alcool à l'occasion		
Activités sportives 2/3 fois par sem.		
Importance accordée à la nutrition		
Insomnie depuis 2 sem.		
Événements significatifs	Sentiment de responsabilité à l'égard de ses filles; croit que ce n'est pas le bon moment pour une récidive	
Conjoint parti		
Rentrée scolaire sous peu		

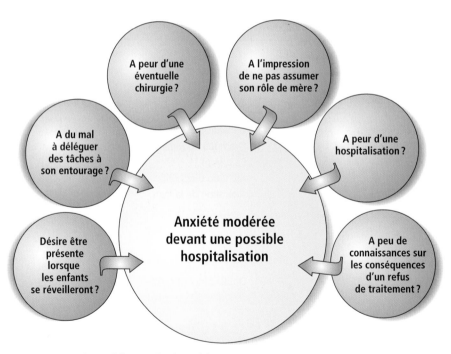

FIGURE 16-5 ■ Le problème et les hypothèses.

Plan thérapeutique infirmier

Le **plan thérapeutique infirmier** (**PTI**) a été introduit dans la pratique infirmière en janvier 2003, après la redéfinition du champ d'exercice de l'infirmière. La refonte de l'article 36 de la *Loi sur les infirmières et les infirmiers* a reconnu et donné à ces professionnels une responsabilité beaucoup plus grande en regard de l'évaluation de la condition clinique du client. Selon l'OIIQ (2006), cette refonte a permis de préciser trois activités réservées élargissant le rôle infirmier en ce qui concerne l'évaluation clinique et a introduit la notion de PTI:

- Évaluer la condition physique et mentale d'une personne symptomatique.
- Exercer une surveillance clinique de la condition des personnes dont l'état présente des risques, incluant le monitorage et l'ajustement du PTI.
- Effectuer le suivi infirmier des personnes présentant des problèmes de santé complexes.

Le PTI introduit dans cette nouvelle définition du champ d'exercice a alors été défini ainsi par l'OIIQ (2006) :

> Déterminé et ajusté par l'infirmière à partir de son évaluation clinique et consigné au dossier du client, le plan thérapeutique infirmier dresse le profil évolutif des problèmes et des besoins prioritaires du client. Il fait également état des directives infirmières données en vue d'assurer le suivi clinique du client et qui portent notamment sur la surveillance clinique, les soins et les traitements. Couvrant le continuum de soins et de services, le plan thérapeutique infirmier peut englober un ou plusieurs épisodes de soins.

Ces nouvelles obligations légales élargissent le champ de compétence professionnelle de l'infirmière. Pour y répondre, l'OIIQ (2009) précise, dans un document intitulé *Mosaïque des compétences cliniques de l'infirmière : compétences initiales*, les neuf dimensions professionnelles que l'infirmière doit maîtriser minimalement pour démontrer sa compétence professionnelle. L'une de ces dimensions de l'évaluation clinique, les constats de l'évaluation, est la « formulation du jugement posé par l'infirmière lors de l'évaluation initiale et l'évaluation en cours d'évolution ». Ces deux formes d'évaluation se traduisent dans des « activités visant à déterminer le profil de santé du client » et des « activités de surveillance et d'évaluation des résultats obtenus chez le client, y compris l'analyse et l'interprétation des données recueillies à cette fin ». Ces activités rejoignent les deux premières étapes de la démarche de soins infirmiers : collecte et analyse.

Par la suite, selon les constats de l'évaluation effectuée, l'infirmière prend des décisions importantes pour répondre aux exigences de la situation et assurer la sécurité, la qualité et la continuité des soins de la clientèle. Ces décisions permettent d'établir des priorités de soins et de suivi clinique, de planifier, d'intervenir correctement ou de s'assurer que l'intervention requise sera effectuée (renseigner, déterminer le plan de traitement d'une plaie, soulager la douleur, assurer une présence thérapeutique, etc.), puis de poursuivre l'évaluation en cours d'évolution pour réajuster ses décisions en fonction de l'évolution de la situation. Ces activités s'inscrivent dans les trois étapes suivantes de la démarche de soins infirmiers : planification, interventions, évaluation.

En s'appuyant sur les divers champs de connaissances ainsi que sur des résultats probants et en utilisant les habiletés acquises au cours de sa vie professionnelle, l'infirmière améliore la qualité de son jugement, de ses décisions et de ses interventions afin de répondre adéquatement aux besoins de la clientèle et d'atteindre le but de la pratique professionnelle, qui est de :

> rendre la personne (famille, groupe, collectivité) apte à prendre sa santé en charge selon ses capacités et les ressources que lui offre son environnement, quelle que soit l'étape de vie qu'elle traverse et quelle que soit la

phase de sa maladie. Elle vise également à rendre la personne capable d'assurer son bien-être et d'avoir une bonne qualité de vie (OIIQ, 2009).

« Compte tenu de l'importance du plan thérapeutique infirmier, pour la sécurité du malade et pour la qualité des soins, l'Ordre des infirmières et infirmiers du Québec a décidé d'en rendre la documentation obligatoire à compter du 1er avril 2009 » (OIIQ, 2006). C'est par une norme adoptée par le Bureau de l'Ordre qu'à compter d'avril 2009, la rédaction du PTI est devenue obligatoire et que cet outil de documentation doit demeurer au dossier du client. Toutes les infirmières doivent compléter un PTI pour chaque client hospitalisé ou hébergé dans un centre hospitalier ou un centre de soins de longue durée (CHSLD) ainsi que pour toute consultation qui nécessite un suivi particulier dans les autres secteurs de pratique. L'OIIQ offre sur son site internet une formation en ligne sur le PTI.

Le PTI est composé de trois parties distinctes mais interreliées : les constats de l'évaluation, le suivi clinique et les signatures (figure 16-6 ■). L'infirmière doit inscrire dans le PTI :

- *Les constats de l'évaluation* : problèmes et besoins prioritaires du client (constats jugés importants pour établir un profil clinique évolutif de la situation de santé du client et pour assurer le suivi clinique requis).
- *Le suivi clinique* : les directives (indications cruciales pour assurer la surveillance clinique, les soins, les traitements et les autres interventions requises par le client).
- *Sa signature*, car la détermination et l'ajustement du PTI engagent sa responsabilité professionnelle.

Qui dit évolutif dit changements. Par conséquent, la rédaction du PTI se fonde sur différentes sources d'information, soit l'anamnèse, l'examen physique, les diagnostics médicaux, les résultats des examens diagnostiques, les PTI antérieurs, etc., ainsi que sur le jugement critique de l'infirmière, une fois qu'elle a recueilli et interprété toutes ces données. Pour bien faire comprendre les constats et les directives de l'évaluation, leur formulation doit être brève, claire et précise. Aussitôt qu'une inscription est ajoutée au PTI, l'infirmière doit initialiser les deux premières parties (constat de l'évaluation et suivi clinique) et signer son nom au complet à la troisième partie.

En outre, l'infirmière doit justifier ses décisions cliniques et l'ajustement du PTI dans ses notes d'évolution et tout autre outil permanent de documentation disponible dans son établissement.

Le PTI est donc un outil de documentation qui permet de rendre compte des décisions prises par les infirmières et d'en garder une copie officielle au dossier du client. Pour le rédiger, l'infirmière doit développer les compétences nécessaires à l'évaluation clinique, affiner son jugement clinique, établir des priorités, approfondir ses connaissances sur la surveillance, la gestion des risques et l'intervention thérapeutique, et être soucieuse de la documentation et de la continuité des soins. Le PTI est une illustration du rôle de leadership de l'infirmière au sein de l'équipe de soins ainsi que de la reconnaissance de ses jugements, décisions et interventions professionnels. Ce n'est pas un outil de planification des soins, mais il a des liens avec les autres outils que l'infirmière utilise pour effectuer la collecte des données (évaluation clinique), planifier les soins et le suivi,

16

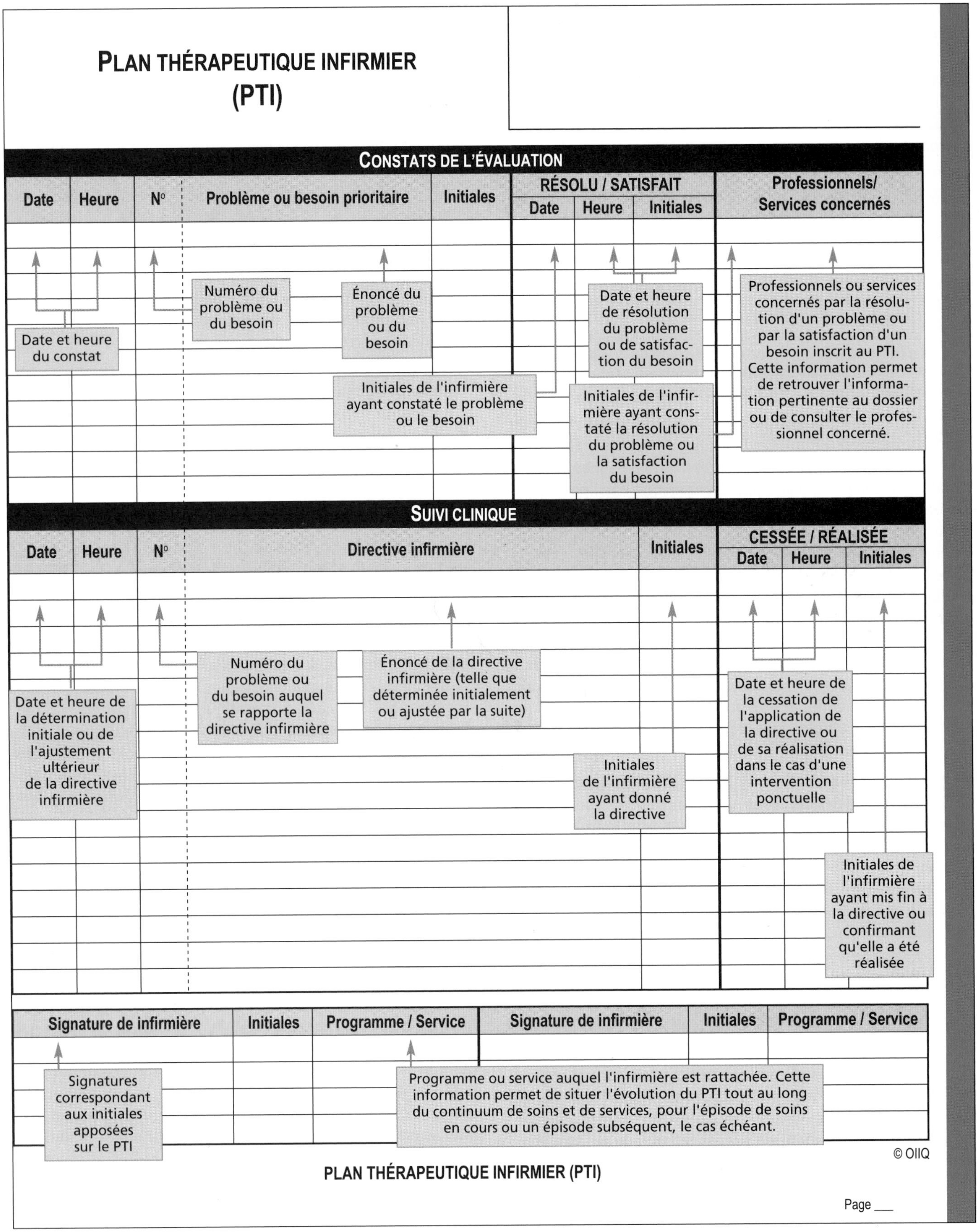

PLAN THÉRAPEUTIQUE INFIRMIER (PTI)

CONSTATS DE L'ÉVALUATION

| Date | Heure | N° | Problème ou besoin prioritaire | Initiales | RÉSOLU / SATISFAIT | | | Professionnels/ Services concernés |
					Date	Heure	Initiales	

Date et heure du constat

Numéro du problème ou du besoin

Énoncé du problème ou du besoin

Initiales de l'infirmière ayant constaté le problème ou le besoin

Date et heure de résolution du problème ou de satisfaction du besoin

Initiales de l'infirmière ayant constaté la résolution du problème ou la satisfaction du besoin

Professionnels ou services concernés par la résolution d'un problème ou par la satisfaction d'un besoin inscrit au PTI. Cette information permet de retrouver l'information pertinente au dossier ou de consulter le professionnel concerné.

SUIVI CLINIQUE

| Date | Heure | N° | Directive infirmière | Initiales | CESSÉE / RÉALISÉE | | |
					Date	Heure	Initiales

Date et heure de la détermination initiale ou de l'ajustement ultérieur de la directive infirmière

Numéro du problème ou du besoin auquel se rapporte la directive infirmière

Énoncé de la directive infirmière (telle que déterminée initialement ou ajustée par la suite)

Initiales de l'infirmière ayant donné la directive

Date et heure de la cessation de l'application de la directive ou de sa réalisation dans le cas d'une intervention ponctuelle

Initiales de l'infirmière ayant mis fin à la directive ou confirmant qu'elle a été réalisée

Signature de infirmière	Initiales	Programme / Service	Signature de infirmière	Initiales	Programme / Service

Signatures correspondant aux initiales apposées sur le PTI

Programme ou service auquel l'infirmière est rattachée. Cette information permet de situer l'évolution du PTI tout au long du continuum de soins et de services, pour l'épisode de soins en cours ou un épisode subséquent, le cas échéant.

© OIIQ

PLAN THÉRAPEUTIQUE INFIRMIER (PTI)

Page ___

FIGURE 16-6 ■ Plan thérapeutique infirmier. Source: Ordre des infirmières et infirmiers du Québec (OIIQ). (2006). *L'intégration du plan thérapeutique infirmier à la pratique clinique. Application de la Loi 90* (p. 31). Montréal: Auteur.

et documenter les soins et les traitements infirmiers et médicaux donnés (cardex, notes d'évolution, PSTI, PII, etc.).

Comme le souligne l'OIIQ (2006): «[...] pour respecter les directives de soins et pour compléter les informations contenues dans le plan thérapeutique infirmier, l'infirmière doit parfois consulter d'autres outils documentaires liés à la planification des soins, comme les notes d'observation, les formulaires d'enregistrement systémique et le plan de cheminement clinique». Par exemple, lorsque le plan thérapeutique comprend la directive «Appliquer le plan de traitement des plaies», l'infirmière ou l'infirmière auxiliaire doivent consulter le plan de traitement des plaies pour effectuer les interventions requises. Lors de la planification des interventions, il faut prendre en considération les liens qui existent entre les différents plans. La figure 16-7 ■ présente ces liens.

Pour illustrer les liens entre les divers outils de documentation, prenons l'exemple d'une personne alitée, exposée au risque d'atteinte à l'intégrité de la peau, risque accentué par sa difficulté à se mouvoir. Dans son cas, divers plans peuvent être élaborés:

■ Le plan de soins et de traitements infirmiers (PSTI), qui indique les interventions infirmières autonomes telles que tourner le client toutes les 2 heures, aider le client à se lever et à rester assis dans un fauteuil 3 fois par jour pendant 30 minutes, etc.

■ Le plan de traitement médical, qui indique les ordonnances: les médicaments à administrer pour soulager la douleur et les levers autorisés

■ Le plan thérapeutique infirmier (PTI), qui souligne le risque de plaie de pression dans les constats de l'évaluation et qui indique dans les directives l'obligation de procéder à l'examen clinique du système tégumentaire à intervalles réguliers, une consultation de l'équipe interdisciplinaire et un renvoi au plan de traitement des plaies (PT) si le risque se traduit par une plaie

■ Le plan d'intervention interdisciplinaire (PII), qui décrit les diverses interventions effectuées par chacun des professionnels concernés (physiothérapeute, ergothérapeute, nutritionniste) afin de prévenir l'apparition d'une plaie de pression, c'est-à-dire les moyens mis en place par le physiothérapeute pour faciliter les déplacements, les surfaces thérapeutiques proposées par l'ergothérapeute, la validation de l'alimentation par la nutritionniste, etc.

Le PTI n'est pas un outil de planification des soins comme l'est le PSTI. C'est une note évolutive versée au dossier du client, qui fait état des décisions cliniques prises à son égard. Le tableau 16-8 compare le PTI au PSTI.

L'infirmière doit justifier la détermination et l'ajustement qu'elle fait du PTI dans les notes d'évolution ou tout autre outil permanent de documentation. Elle a également la responsabilité de s'assurer que tous les membres de l'équipe de soins respectent les directives du PTI. Ceux-ci interviennent selon les directives du PTI dès l'admission (renseignements trouvés dans des PTI antérieurs); durant la période de soins (hospitalisation ou suivi ambulatoire); lors du congé ou du transfert (transmission d'informations, s'il y a lieu). Selon les constats de l'évaluation,

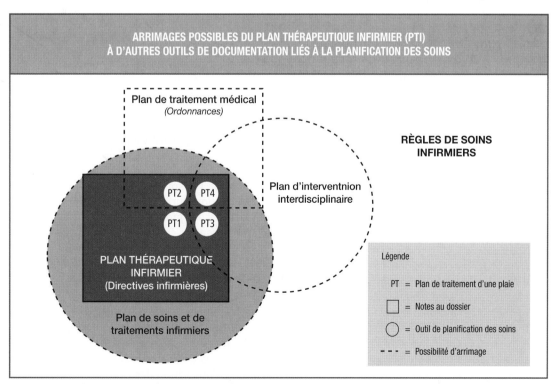

FIGURE 16-7 ■ Arrimages possibles du plan thérapeutique infirmier (PTI) à d'autres outils de documentation liés à la planification des soins. Source: Ordre des infirmières et infirmiers du Québec (OIIQ). (2006). *L'intégration du plan thérapeutique infirmier à la pratique clinique. Application de la Loi 90*. Montréal: Auteur.

TABLEAU 16-8

COMPARAISON ENTRE LE PLAN THÉRAPEUTIQUE INFIRMIER ET LE PLAN DE SOINS ET DE TRAITEMENTS INFIRMIERS

Élément de comparaison	Plan thérapeutique infirmier (PTI)	Plan de soins et de traitements infirmiers (PSTI)
Cadre d'application	Norme professionnelle – note d'évolution à caractère obligatoire, qui regroupe au dossier les décisions de l'infirmière liées au suivi clinique du client.	Outil de planification des soins dont la forme et l'application varient selon les milieux cliniques.
Documentation des activités d'évaluation	Problèmes et besoins prioritaires constatés par l'infirmière et requérant un suivi particulier ou pouvant avoir une incidence sur le suivi clinique du client.	Information variable sur les problèmes ciblés et les résultats escomptés.
Documentation des activités d'intervention	Directives infirmières qui sont cruciales pour le suivi clinique des problèmes et des besoins prioritaires du client, déterminées en tenant compte des orientations de l'équipe multidisciplinaire.	Ensemble des interventions, y compris les soins et les traitements médicaux prescrits, dont la réalisation est planifiée et assurée par l'infirmière, en intégrant les directives infirmières et en tenant compte des recommandations de l'équipe multidisciplinaire.
Niveau de précision	Succinct ➢ Indication	Détaillé ➢ Description
Cible temporelle	Un ou plusieurs épisodes de soins. Continuum de soins et de services.	Épisode de soins en cours. Continuum de soins et de services, selon le contexte de pratique.
Informations chronologiques	Il fournit un profil clinique évolutif et rend compte du suivi clinique effectué.	Mis à jour périodiquement ou au besoin, il rend compte de la planification en cours.
Trace	Consigné au dossier du client, il fournit la trace des décisions de l'infirmière liées au suivi clinique du client.	Souvent effacé lorsque mis à jour et détruit au congé du client.

Source : Ordre des infirmières et infirmiers du Québec (OIIQ). (2006). *L'intégration du plan thérapeutique infirmier à la pratique clinique. Application de la Loi 90* (p. 17). Montréal : Auteur.

les infirmières doivent parfois travailler en étroite relation avec d'autres professionnels dont elles peuvent indiquer la consultation dans le PTI et avec lesquels elles peuvent rédiger un plan d'intervention interdisciplinaire (PII) et, au besoin, un plan de services individualisé (PSI) lorsque d'autres établissements (par exemple un établissement d'enseignement dans le cas d'un enfant d'âge scolaire) sont concernés par la problématique.

Comment établir le plan thérapeutique infirmier

Jugés importants par l'infirmière, les **constats** de l'évaluation concernent les problèmes réels ou potentiels ainsi que les besoins prioritaires. Un problème ou un besoin devient prioritaire s'il demande un suivi clinique particulier ou s'il modifie le suivi clinique du client. Ces problèmes et besoins prioritaires constituent un profil clinique macroscopique, c'est-à-dire que l'infirmière inscrit la date du constat initial, les changements significatifs décelés lors du suivi clinique, la résolution du problème ou la satisfaction du besoin. Par exemple, elle inscrira au PTI le constat « infection de la plaie », sans faire état de l'évolution quotidienne de la qualité des exsudats. Les observations quotidiennes seront documentées dans les notes de l'infirmière qui

sous-tendent la rédaction du constat. Celui-ci devient le point de départ et l'assise de la rédaction du suivi clinique. Plus il est précis, plus le suivi sera pertinent et adapté à la situation. La pertinence du constat dépend des questions que l'infirmière se pose (figure 16-8 ■).

Le constat concerne un problème prioritaire ou un besoin qui a un effet significatif sur le problème de santé actuel. Prenons l'exemple d'une personne diabétique qui arrive à l'hôpital pour subir une hémicolectomie. Le premier constat est évidemment le motif de l'hospitalisation (raison) soit, dans le cas présent, l'intervention chirurgicale. Cependant, comme le diabète a une incidence sur le problème clinique actuel, il devient le deuxième constat. Dans ce cas, l'infirmière établit les constats selon ses connaissances et les liens qui existent entre les maladies et (ou) les traitements ; le diabète est lié, d'une part au processus de cicatrisation de la plaie et, d'autre part, aux conséquences d'une hospitalisation sur la régulation de la glycémie.

Les antécédents médicaux de ce client exigent une surveillance clinique plus étroite que le suivi postopératoire standard chez une personne n'ayant aucune maladie. L'encadré 16-5 présente les deux constats à faire dans ce cas. En indiquant l'année d'apparition des diverses maladies, l'infirmière peut présumer que le client connaît ses troubles de santé, les moyens de les prendre en charge et les signes d'un déséquilibre.

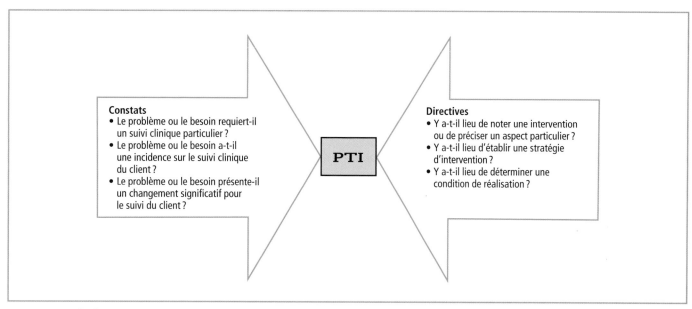

FIGURE 16-8 ■ Critères de pertinence pour le contenu du plan thérapeutique infirmier. Source : Adapté de l'Ordre des infirmières et infirmiers du Québec (OIIQ). (2006). *L'intégration du plan thérapeutique infirmier à la pratique clinique. Application de la Loi 90*. Montréal : Auteur.

ENCADRÉ 16-5

CONSTATS DE L'ÉVALUATION D'UN CLIENT DIABÉTIQUE QUI DOIT SUBIR UNE INTERVENTION CHIRURGICALE

1. Hémicolectomie (récidive de diverticulite)
2. Risque de déséquilibre glycémique (diabète diagnostiqué en 2003)

La deuxième partie du PTI, soit le suivi clinique, décrit les **directives** infirmières (ou indications). Ces indications sont spécifiques et individualisées et portent sur les interventions requises à la suite du ou des constats. Les directives infirmières sont toujours déterminées et ajustées par l'infirmière et doivent toujours débuter par un verbe d'action. Selon l'OIIQ (2006), ces directives peuvent donner des indications visant à :

1. Réaliser une intervention ou en préciser un aspect particulier (par exemple évaluer la plaie chaque semaine).
2. Définir une stratégie d'intervention (par exemple procéder à l'enseignement en présence de la fille du client).
3. Déterminer une condition de réalisation (par exemple appliquer le plan de traitement de plaie tous les 3 jours SI le pansement n'est pas saturé).

Les directives infirmières peuvent porter sur différentes facettes d'un problème de santé :

■ *Surveillance clinique* : effectuer des examens et des tests diagnostiques effractifs conformément à une ordonnance (L.I.I., art. 36).

■ *Soins et traitements* : décider de l'utilisation de mesures de contention (L.I.I., art. 36).

■ *Enseignement* : prodiguer de l'enseignement sur les différents types d'insuline à un patient dont le diabète vient d'être diagnostiqué.

■ *Réalisation d'une activité précise* : administrer ou non un vaccin.

Bien que la rédaction du PTI relève de l'infirmière, les directives peuvent parfois concerner les autres membres de l'équipe soignante, par exemple les infirmières auxiliaires, les préposés aux bénéficiaires et les membres de la famille. Par conséquent, l'infirmière doit préciser les personnes auxquelles ses directives s'adressent. Par ailleurs, elle devra inscrire sur le plan de travail du préposé aux bénéficiaires les directives le concernant, puisque celui-ci n'est pas autorisé à consulter le dossier du client. Elle devra aussi trouver un moyen de transmettre aux membres de la famille et aux amis les directives qui s'adressent à eux. Le tableau 16-9 indique les directives qui découlent des constats de l'encadré 16-5.

Les constats et les directives sont des écrits qui soustendent les priorités et les indications à suivre en situation postopératoire ; les cibles de ces directives (c'est-à-dire les personnes

TABLEAU 16-9

DIRECTIVES DÉCOULANT DES CONSTATS D'ÉVALUATION DU CLIENT DIABÉTIQUE

Numéro du constat	Directives infirmières
1	Assurer le suivi clinique postopératoire standard.
2	Aviser inf. si apparition de signes d'hypoglycémie : sudation abondante, tremblements, palpitations, nervosité, anxiété, faim, somnolence, etc. [+dir. verb. client ; + dir. p. trav. PAB].
	Évaluer la pertinence de l'application du protocole d'ordonnance collective de la glycémie.
	Aviser inf. de l'évolution du processus de cicatrisation de la plaie lors de la réfection du pansement.

auxquelles elles s'adressent) doivent en prendre connaissance et exécuter les interventions dictées par ces directives :

- Directive 1 : perfusion, examen physique, pansement, douleur, niveau de conscience, etc.
- Directive 2 : glycémie et hypoglycémiant selon le protocole, état physique du client, etc.

Par conséquent, la documentation des soins doit confirmer que les directives inscrites dans le PTI ont été respectées.

Finalement, au bas du formulaire, on doit trouver la signature de la personne qui a inscrit ses initiales. Cette partie est aussi importante que les deux autres, car elle confère au dossier une valeur juridique.

La figure 16-9 ■ présente les constats du PTI pour Emma Duclos ; sa rédaction a été commencée dès l'arrivée de la cliente à l'urgence.

Tout au long de l'hospitalisation, l'infirmière évalue quotidiennement le PTI et se questionne sur la pertinence des écrits. Pour que ce questionnement soit efficace, il doit répondre aux critères de pertinence tant des constats que des directives (figure 16-8 ■).

♟ LES ÂGES DE LA VIE

LES PERSONNES ÂGÉES

Les personnes âgées malades présentent souvent des problèmes multiples associés à des besoins physiques et psychosociaux complexes. Si l'infirmière a procédé à une évaluation rigoureuse et précise, elle pourra choisir des diagnostics infirmiers qui lui permettront d'aborder tous les problèmes, tout en accordant la priorité aux besoins particuliers. Supposons, par exemple, qu'une personne atteinte d'insuffisance cardiaque grave soit admise dans un établissement de soins. L'infirmière se concentrera sans délai sur *Débit cardiaque diminué* et *Excès de volume liquidien* et choisira des interventions qui remédieront rapidement à ces problèmes. Puis, à mesure que ceux-ci s'atténueront, elle pourra accorder plus d'attention à d'autres diagnostics infirmiers, comme *Intolérance à l'activité* et *Connaissances insuffisantes*, reliées à un nouveau régime thérapeutique. Tous ces diagnostics font partie intégrante du problème médical qu'est l'insuffisance cardiaque, mais chacun est associé à des interventions infirmières et à des résultats escomptés particuliers. L'infirmière doit par ailleurs s'attarder aux forces de la personne tout au long de la démarche systématique.

Révision du chapitre

MOTS CLÉS

Caractéristiques déterminantes, **356**	Diagnostic infirmier de syndrome, **355**	Interventions selon une ordonnance, **358**
Constat, **374**	Diagnostic infirmier de type risque, **355**	Intitulé (énoncé diagnostique), **354**
Diagnostic, **354**	Directives, **375**	Norme, **359**
Diagnostic de promotion de la santé, **355**	Forme PES, **363**	Plan thérapeutique infirmier (PTI), **370**
Diagnostic infirmier, **354**	Facteurs de risque, **355**	Taxinomie, **354**
Diagnostic infirmier actuel, **355**	Facteurs favorisants (étiologie), **354**	
Diagnostic infirmier de bien-être, **355**	Interventions infirmières autonomes, **357**	

CONCEPTS CLÉS

- La vocation de la North American Nursing Diagnosis Association (NANDA), aujourd'hui appelée NANDA International, est d'établir, d'améliorer et de promouvoir une taxinomie des diagnostics infirmiers.

- Diagnostiquer consiste à déterminer un problème au moyen d'un raisonnement fondé sur la pensée critique.

- Les normes de la profession d'infirmière rendent l'infirmière responsable de la formulation des diagnostics infirmiers et des problèmes de santé, même si d'autres professionnels peuvent lui fournir des données ou prodiguer des soins.

- Un diagnostic infirmier est le résultat d'un jugement clinique sur les réactions d'une personne à un problème de santé actuel ou potentiel ou à un processus biologique.

- Le diagnostic infirmier sert de base au choix d'interventions de soins visant l'atteinte des résultats dont l'infirmière est responsable.

- Les cinq types de diagnostics infirmiers sont le diagnostic actuel (ou établi), le diagnostic de promotion de la santé, le diagnostic de type risque, le diagnostic de syndrome et le diagnostic de bien-être. Certains considèrent un sixième type, soit le diagnostic possible.

- Un diagnostic infirmier est formé de quatre composantes : l'intitulé (énoncé diagnostique), la définition, les caractéristiques et les facteurs favorisants. Chacune de ces composantes remplit une fonction particulière.

- Le diagnostic infirmier diffère du diagnostic médical et du problème à traiter en collaboration quant à l'orientation, à la durée et au rôle de l'infirmière.

- Un problème à traiter en collaboration est un problème de type risque que l'infirmière se charge de résoudre aussi bien au moyen d'interventions autonomes que d'interventions prescrites par le médecin.

- Le processus de diagnostic comprend trois étapes : l'analyse des données, la détermination des problèmes de santé, des facteurs de risque et des forces de la personne, et la formulation de diagnostics.

- Pendant l'étape de l'analyse et du traitement des données, l'infirmière compare celles-ci aux normes afin de relever les indicateurs significatifs, regroupe les indicateurs et discerne les lacunes et les contradictions.

- Les indicateurs significatifs sont ceux qui : (1) signalent un changement dans l'état de santé ou les habitudes de la personne ; (2) s'écartent des normes de la population ; (3) indiquent un retard de développement.

- Il est important de déterminer aussi bien les forces que les problèmes de la personne.

- La forme de base du diagnostic infirmier est *Problème*, relié à *étiologie*. Il en existe cependant quelques variantes.

16

PLAN THÉRAPEUTIQUE INFIRMIER (PTI)

Emma Duclos

CONSTATS DE L'ÉVALUATION

Date	Heure	N°	Problème ou besoin prioritaire	Initiales	RÉSOLU / SATISFAIT			Professionnels/ Services concernés
					Date	Heure	Initiales	
2011-02-14	02:00	1	Récidive de la maladie de Crohn (Dx: 2006)					M.D.
		2	Risque de refus de traitement	D. T.				

SUIVI CLINIQUE

Date	Heure	N°	Directive infirmière	Initiales	CESSÉE / RÉALISÉE		
					Date	Heure	Initiales
2011-02-14	02:00	1	Procéder à l'examen clinique abdominal q 2 h.				
			Aviser inf. si augmentation de la T° ≥ 1 °C.				
			Aviser inf. si signes de subocclusion: nausées, vomissements,				
			distension et douleur abdominales [+ dir. verb. cliente].				
			Noter l'aspect des selles [dir. p. trav. PAB].				
		2	Aviser inf. si veut quitter.				
			Discuter des risques inhérents à un report de traitement				
			sur son état de santé et des ressources disponibles dans				
			son environnement pour la soutenir.	D. T.			

Signature de infirmière	Initiales	Programme / Service	Signature de infirmière	Initiales	Programme / Service
Donald Trudel, inf.	D. T.	Unité urgence			

© OIIQ

PLAN THÉRAPEUTIQUE INFIRMIER (PTI)

Page _____

FIGURE 16-9 ■ Plan thérapeutique infirmier d'Emma Duclos.

■ La taxinomie des diagnostics infirmiers est en constante évolution.

■ La recherche évolue vers la constitution d'un langage infirmier standardisé comprenant les diagnostics infirmiers de la NANDA-I, une classification des interventions infirmières et une classification des résultats escomptés.

■ Le plan thérapeutique infirmier (PTI) permet à l'infirmière de mettre à profit son jugement clinique lors de l'inscription de constats pertinents et significatifs de la situation du client.

■ Le PTI contient les directives de l'infirmière qui s'appuient sur ses constats de l'évaluation et le suivi clinique.

Références

Alfaro-LeFevre, R. (1998). *Applying the nursing process. A step-by-step guide* (4e éd.). Philadelphie/New York: Lippincott.

Bulechek, G. M., Butcher, H. K., et McCloskey Dochterman, J. (2010). *Classification des interventions de soins infirmiers CISI/NIC*, Traduction française de la 5e édition américaine. Issy-les-Moulineaux: Elsevier Masson.

Carpenito-Moyet, L. J. (2009). *Manuel de diagnostics infirmiers,* Traduction de la 12e édition. Saint-Laurent: Éditions du Renouveau Pédagogique.

Gottlieb, L . N., et Ezer, H. (dir.). (2001). *A perspective on health, family, learning and collaborative nursing.* Montréal: McGill University School of Nursing.

Gordon, M. (2002). *Manual of nursing diagnosis* (10e éd.). St. Louis, MO: Mosby.

Johnson, M., et Maas, M. (dir.). (1999). *Classification des résultats de soins infirmiers CRSI/NOC.* Paris: Masson.

Magnan, M. A. (1987). *Activity intolerance: Toward a nursing theory of activity*, communication au Fifth Annual Symposium of the Michigan Nursing Diagnosis Association, Detroit.

NANDA International. (2010). *Diagnostics infirmiers: Définitions et classification 2009-2011.* Issy-les-Moulineaux: Elsevier Masson.

Ordre des infirmières et infirmiers du Québec (OIIQ). (2006). *L'intégration du plan thérapeutique infirmier à la pratique clinique. Application de la Loi 90.* Montréal: Auteur.

Ordre des infirmières et infirmiers du Québec (OIIQ). (2009). *Mosaïque des compétences cliniques de l'infirmière: compétences initiales.* Montréal: Auteur.

Ordre des infirmières et infirmiers du Québec (OIIQ). (2010). *Perspective de l'exercice de la profession d'infirmière.* Montréal: Auteur.

Paquette-Desjardins, D., et Sauvé, J. (2008). *Modèle conceptuel et démarche clinique: outils de soutien aux prises de décision.* Montréal: Beauchemin.

16

Chapitre 17

Adaptation française :
Suzie Rivard, inf., B.Sc.
Enseignante, Programme de soins infirmiers

Collège de Trois-Rivières
Avec la participation de :
Johanne Turcotte, B.Sc., Inf., M.A.
Anciennement :
Directrice des soins infirmiers, de la qualité,
de l'éthique et de la santé physique
CSSS de Matane
Enseignante et coordonnatrice
de programme en Soins infirmiers
Cégep de Matane

Planification

La planification, troisième étape de la démarche de soins infirmiers, exige de l'infirmière des aptitudes en matière de jugement clinique, de prise de décision et de résolution de problèmes, conditions nécessaires lui permettant d'atteindre les résultats escomptés de soins. Elle doit se reporter à l'étape précédente de la démarche pour formuler des objectifs de soins infirmiers et déterminer les **interventions infirmières** qui permettront de prévenir, d'atténuer ou d'éliminer les problèmes de santé du client (figure 17-1 ■). « Les activités d'intervention réfèrent à des processus de soins visant à améliorer la situation de santé d'un client. Elles incluent la planification et la mise en œuvre des interventions » (Ordre des infirmières et infirmiers du Québec [OIIQ], 2002). L'étape de la planification débouche sur la constitution d'un plan de soins et de traitements infirmiers (PSTI) et d'un plan thérapeutique infirmier (PTI).

La planification incombe principalement à l'infirmière, mais la participation du client et de ses proches aidants est essentielle à l'efficacité du PSTI, plus particulièrement lorsqu'il s'agit de services ambulatoires et de soins à domicile. Il ne faut cependant pas oublier que le degré de participation du client dépend de son état physique et psychologique ainsi que de son milieu de vie et de l'aide qu'il reçoit de son entourage (famille, amis).

OBJECTIFS D'APPRENTISSAGE

Après avoir étudié ce chapitre, vous pourrez :

- Distinguer la planification initiale de la planification continue et de la planification du congé.
- Énumérer les différentes activités que comporte le processus de planification.
- Expliquer comment personnaliser le plan de soins et de traitements infirmiers (PSTI).
- Nommer les lignes directrices de la rédaction de PSTI.
- Nommer les facteurs dont l'infirmière doit tenir compte dans l'établissement d'un ordre de priorité des diagnostics infirmiers ou des problèmes retenus.
- Donner la raison d'être des objectifs de soins infirmiers et des résultats escomptés.
- Décrire le rapport existant entre, d'une part, les objectifs de soins et les résultats escomptés, et, d'autre part, les diagnostics infirmiers et les problèmes retenus.
- Nommer les lignes directrices de la rédaction d'objectifs de soins et de résultats escomptés.
- Décrire la Classification des résultats de soins infirmiers et expliquer comment se servir de ces résultats et des indicateurs dans la planification des soins.
- Expliquer le processus de détermination et de choix d'interventions infirmières.
- Énumérer les cinq composantes d'une ordonnance infirmière.
- Décrire la Classification des interventions de soins infirmiers et expliquer comment se servir de ces interventions et des activités dans la planification des soins.

Types de planification

L'infirmière doit amorcer la planification dès son premier contact avec la personne et la poursuivre jusqu'à la fin de la relation infirmière-client, soit au moment du congé, le plus souvent.

Planification initiale

C'est habituellement l'infirmière qui effectue l'examen clinique au moment de l'admission de la personne et qui élabore le PSTI initial. L'infirmière a l'avantage d'observer la personne à l'aide de ses sens (tableau 15-4) ; elle peut, par conséquent, recueillir des informations intuitives qu'une anamnèse écrite ne pourrait fournir à elle seule. La planification doit commencer aussitôt que possible après l'examen initial, d'autant plus que, de nos jours, les séjours dans les centres hospitaliers sont de plus en plus courts.

Planification continue

L'infirmière qui s'occupe d'une personne doit procéder à une planification continue. Elle doit poursuivre l'individualisation du PSTI initial à mesure qu'elle obtient de nouveaux renseignements et qu'elle évalue les réactions de la personne aux soins. Par ailleurs, l'infirmière doit procéder à une planification continue au début de son quart de travail, au moment où elle doit

17

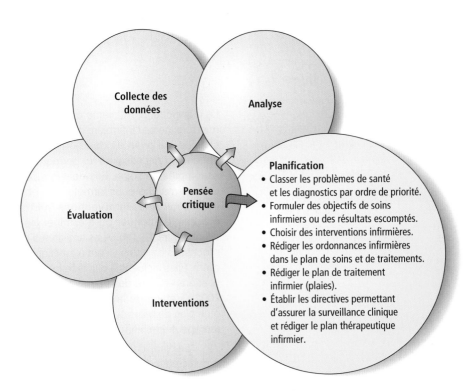

Planification
- Classer les problèmes de santé et les diagnostics par ordre de priorité.
- Formuler des objectifs de soins infirmiers ou des résultats escomptés.
- Choisir des interventions infirmières.
- Rédiger les ordonnances infirmières dans le plan de soins et de traitements.
- Rédiger le plan de traitement infirmier (plaies).
- Établir les directives permettant d'assurer la surveillance clinique et rédiger le plan thérapeutique infirmier.

FIGURE 17-1 ■ Planification. À la troisième étape de la démarche de soins infirmiers, l'infirmière et le client établissent des objectifs de soins ou prévoient des résultats escomptés; ils choisissent des interventions infirmières visant à prévenir, à atténuer ou à éliminer les problèmes de santé présents.

déterminer les soins à prodiguer. Pendant tout son service, elle ajuste sa planification en vue de:

1. Déterminer si l'état de santé de la personne a changé.
2. Établir les soins à apporter en priorité pendant son quart de travail.
3. Décider des problèmes à traiter pendant son quart de travail.
4. Coordonner ses activités de manière à aborder plus d'un problème à la fois, à chacun de ses contacts avec la personne.

Planification du congé

La **planification du congé** est le processus qui consiste à prévoir les besoins de la personne après sa sortie de l'établissement de santé, à trouver les moyens d'y répondre et à l'adresser à un autre professionnel de la santé, si le besoin de ressources extérieures se fait sentir. Il s'agit d'un élément crucial du processus de soins; il devrait donc apparaître dans le PSTI de chaque client. Comme nous le rappelions plus haut, étant donné que la durée moyenne des séjours dans les centres de soins actifs tend à diminuer, beaucoup de personnes ont encore besoin de soins après leur congé. Certaines d'entre elles sont transférées dans d'autres établissements de soins (comme les ressources intermédiaires [RI] ou les centres d'hébergement et de soins de longue durée [CHSLD]), alors que d'autres reçoivent plutôt des soins à domicile. L'infirmière doit amorcer une planification efficace du congé dès le premier contact avec la personne; elle doit donc procéder à une évaluation complète et continue afin de connaître

les besoins à long terme de cette dernière. Pour plus d'informations sur la planification du congé, consulter la section intitulée «Continuité des soins», au chapitre 7 ⊕ (p. 157).

Élaboration du plan de soins et de traitements infirmiers

L'étape de la planification de la démarche de soins infirmiers débouche sur la conception d'un plan de soins et de traitements infirmiers informel ou formel.

Un **plan de soins et de traitements infirmiers informel** est une stratégie qui n'existe qu'à l'état virtuel, dans l'esprit de l'infirmière. Il fait référence à un processus intellectuel de planification. Par exemple, en usant de son jugement clinique, une infirmière peut se dire: «Mme Phaneuf est très fatiguée. Je devrai répéter l'enseignement quand elle sera reposée.»

Un **plan de soins et de traitements infirmiers formel** est un guide manuscrit ou informatisé qui présente de façon structurée les informations relatives aux soins de la personne. Ce type de plan «comprend l'ensemble des interventions à caractère curatif ou palliatif déterminées par l'infirmière, selon des pratiques cliniques reconnues, afin de régler un problème de santé spécifique, d'en soulager les symptômes ou d'en prévenir la détérioration» (OIIQ, 2003b). Son avantage le plus évident est de faciliter la continuité et le suivi des soins.

Un **plan de soins et de traitements infirmiers type** (ou **standardisé**) est un plan formel qui décrit les soins infirmiers à prodiguer aux personnes ayant des besoins communs (toutes les personnes ayant subi un infarctus du myocarde, par exemple).

Un **plan de soins et de traitements infirmiers individualisé** est un plan adapté aux besoins précis d'une personne en particulier, c'est-à-dire aux besoins qui ne sont pas pris en considération dans le PSTI type. Il importe que tout le personnel soignant recherche les mêmes résultats et qu'il emploie le plus possible les méthodes qui se sont révélées efficaces chez une personne en particulier.

L'infirmière utilise aussi le PSTI formel pour déterminer, d'une part, quels renseignements elle doit consigner dans les notes d'évolution (dont il sera question plus loin) et, d'autre part, quelles tâches elle peut confier à d'autres membres du personnel. L'infirmière qui s'appuie sur les diagnostics infirmiers pour formuler des objectifs et choisir des interventions infirmières obtient un plan individualisé et holistique, qui lui permettra de répondre aux besoins particuliers de la personne.

Le PSTI précise les tâches que les infirmières doivent accomplir pour résoudre les problèmes décrits par les diagnostics infirmiers et obtenir les résultats escomptés. L'infirmière amorce la constitution du plan au moment de l'admission de la personne ; elle en fait une mise à jour continue tout au long de l'hospitalisation, afin de tenir compte des variations de l'état de santé de cette personne et du degré auquel les objectifs ont été atteints. Pendant l'étape de la planification, l'infirmière doit : (1) distinguer, parmi les problèmes de la personne, ceux qui exigent la rédaction d'un PSTI individualisé de ceux qu'elle peut résoudre au moyen de plans types ou standardisés ; (2) rédiger des résultats escomptés et des ordonnances infirmières individualisés pour les problèmes dont la résolution exige des soins plus poussés.

En vue d'établir le PSTI le plus approprié possible, l'infirmière doit également communiquer avec les autres professionnels de l'équipe interdisciplinaire afin de s'assurer qu'ils poursuivent tous le même but, condition *sine qua non* pour atteindre les objectifs établis à cette étape.

Cet outil de planification, dont la forme et l'application varient selon les milieux cliniques, regroupe des informations sur les problèmes infirmiers ciblés, les résultats escomptés, les interventions et les échéances, qui déterminent la date à laquelle on devrait vérifier si les objectifs ont été atteints ou non. De plus, selon l'établissement de santé, il peut inclure l'ensemble des interventions, y compris les soins et les traitements médicaux prescrits, dont la réalisation incombe à l'infirmière. L'encadré 17-1 présente les divers éléments nécessaires pour rédiger et documenter un PSTI. Pendant leur service, les infirmières doivent vérifier si le résultat obtenu correspond au résultat escompté, qu'il ait été atteint ou non. S'il ne correspond pas, elles devront réviser les étapes précédentes.

Contrairement au PSTI, qui est un outil de planification, le **plan thérapeutique infirmier** (PTI) est une note d'évolution à caractère obligatoire, qui fait état des problèmes et des besoins prioritaires (constats de l'évaluation), définis par l'infirmière, et qui requièrent un suivi particulier (chapitre 16 ⌾). Par consé-

---

ENCADRÉ 17-1
DOCUMENTS SERVANT À L'ÉLABORATION ET À LA DOCUMENTATION D'UN PLAN DE SOINS ET DE TRAITEMENTS INFIRMIERS

- Liste complète des problèmes du client
- Fiches cardex, qui permettent une vision rapide, concise et à jour de l'anamnèse du client, de ses besoins fondamentaux et des plans de soins et de traitements en collaboration
- Différents documents imprimés pour la résolution des problèmes (protocoles, politiques et procédés, plans de soins et de traitements infirmiers types)
- Plan de cheminement clinique
- Planification du congé
- Plan d'enseignement

Source : Wilkinson, J. M. (2001). *Nursing process & critical thinking* (3e éd.) (p. 436). Upper Saddle River, NJ : Prentice Hall. Traduit et reproduit avec l'autorisation de Pearson Education, Inc., Upper Saddle River, NJ.

---

quent, pour résoudre le problème ou satisfaire le besoin qu'elle a constaté, l'infirmière doit déterminer une série de **directives** pour assurer le suivi clinique d'un client (surveillance de son état ainsi que des soins et des traitements qui lui sont administrés).

Méthodes types de planification des soins

La plupart des centres hospitaliers ont mis au point un ensemble de PSTI types ou standardisés décrivant les soins infirmiers essentiels à donner à des groupes de personnes ayant des besoins communs (toutes les personnes atteintes de pneumonie, par exemple). Le personnel infirmier doit mettre au point les PSTI types, les protocoles, les politiques et les procédures, et les approuver dans le but : (1) de s'assurer qu'ils respectent au moins les normes minimales ; (2) d'améliorer l'efficacité des infirmières, grâce à la planification d'activités fréquemment répétées auprès d'un grand nombre de personnes dans une unité de soins.

Le plan de soins et de traitements infirmiers type est un guide imprimé consignant l'ensemble des soins infirmiers reliés à un problème qui survient fréquemment (par exemple un diagnostic infirmier particulier ou encore tous les diagnostics infirmiers associés à une certaine affection). Les PSTI types sont rédigés du point de vue des soins qu'une personne peut s'attendre à recevoir. La figure 17-4 ■ présentée plus loin donne un exemple de PSTI type dans une unité de chirurgie générale. Les PSTI types possèdent les caractéristiques suivantes :

- Ils sont conservés avec le PSTI individualisé dans l'unité de soins. Ils sont intégrés au dossier médical permanent au moment du congé.
- Ils contiennent une description détaillée des interventions et, compte tenu des politiques et des procédures de l'établissement, des éléments ajoutés ou retranchés.
- Ils sont généralement rédigés conformément à la démarche de soins infirmiers :

Problème → Objectifs/résultats escomptés →
Interventions infirmières → Évaluation

■ Ils comprennent fréquemment des listes de vérification, des lignes en blanc ou des espaces vierges permettant à l'infirmière d'individualiser ses objectifs et ses interventions.

Tout comme les PSTI types, les **protocoles** sont des documents imprimés qui indiquent les activités habituellement nécessaires chez un groupe particulier de personnes. Par exemple, un établissement peut se doter d'un protocole pour l'admission à l'unité de soins intensifs, pour l'administration de sulfate de magnésium à une femme atteinte de prééclampsie ou encore pour les soins à prodiguer à une personne recevant une analgésie continue par voie épidurale. Les protocoles peuvent inclure aussi bien des ordonnances médicales que des interventions infirmières. Selon les établissements, ils sont intégrés ou non au dossier permanent de la personne. Les **politiques** et les **procédures** décrivent les conduites à tenir dans des situations fréquentes. Par exemple, les centres hospitaliers se dotent de politiques relatives au nombre de visiteurs qu'une personne peut recevoir. Un certain nombre de politiques et de procédures sont analogues aux protocoles, en ce qu'ils précisent la conduite à tenir dans des cas particuliers, un arrêt cardiaque, par exemple. Lorsqu'une politique porte sur une situation reliée aux soins d'une personne, on y fait habituellement référence dans le PSTI (par exemple «Diriger la personne vers les services sociaux conformément au *Manuel des politiques*»). Les politiques font partie des dossiers de l'établissement et ne sont pas intégrées au PSTI ni au dossier permanent de la personne.

La **règle de soins infirmiers** (OIIQ, 2005) «constitue un outil privilégié pour encadrer les activités de soins infirmiers et orienter les intervenants concernés afin d'assurer la qualité des soins infirmiers offerts et la sécurité de la clientèle». Elle détermine les activités des divers intervenants professionnels et non professionnels qui œuvrent dans le cadre de différents programmes, services ou milieux de soins. Chaque activité clinique est ciblée par les directives qui concernent spécifiquement chacun des intervenants (par exemple la marche à suivre pour les soins de plaie, la vaccination, la posologie de l'insuline administrée à domicile).

Une **ordonnance** constitue une prescription donnée à un professionnel par un médecin, par un dentiste ou par un autre professionnel habilité par la loi, ayant notamment pour objet les médicaments, les traitements, les examens ou les soins à prodiguer à une personne ou à un groupe de personnes dans des circonstances bien établies, de même que les contre-indications possibles. L'ordonnance peut être individuelle ou collective (article 39.3 du *Code des professions*, OIIQ, 2003b).

En ce qui a trait à l'**ordonnance individuelle**, soulignons les caractéristiques suivantes: la personne doit préalablement être vue par le médecin; l'ordonnance ne vise que la personne; une ordonnance imprimée équivaut à une ordonnance individuelle, pourvu qu'elle soit signée par un médecin après son évaluation de la personne. Une ordonnance téléphonique peut cependant être donnée par un professionnel à la suite de la transmission de l'évaluation par l'infirmière. Cette ordonnance doit respecter les règles établies dans l'établissement et être contresignée par le professionnel (médecin, dentiste) dans un court délai (habituellement 24 heures).

L'**ordonnance collective**:

s'adresse à un groupe de personnes [et] peut être exécutée par des professionnels désignés comme habilités à le faire. Elle leur permet d'exercer les activités qui leur sont réservées sans avoir à attendre d'ordonnance individuelle dans les conditions suivantes: le client n'a pas à être vu préalablement par le médecin; pour répondre à des situations d'urgence, à des situations dites de routine ou des situations cliniques prédéterminées; peut exiger une évaluation préalable de la condition de santé du client. L'ordonnance collective précise le ou les professionnels visé(s); la ou les catégorie(s) de clientèle; le lieu; les indications (les circonstances); les contre-indications; les précautions et les directives applicables, le cas échéant (OIIQ, 2003b).

L'ordonnance collective remplace dorénavant l'**ordonnance permanente**, qu'on trouvait dans le *Règlement sur les actes visés à l'article 31 de la Loi médicale qui peuvent être posés par des classes de personnes autres que des médecins* (OIIQ, 2003b). L'ordonnance collective est liée aux activités réservées et permet aux infirmières de «procéder à des tests diagnostiques, d'administrer et d'ajuster des médicaments, d'effectuer des traitements médicaux à des groupes particuliers et d'initier des mesures diagnostiques et thérapeutiques, sans attendre une ordonnance individuelle» (OIIQ, 2003b). Dans une unité de soins intensifs, par exemple, une ordonnance collective peut autoriser les infirmières à administrer d'urgence un médicament antiarythmique à la suite d'un changement dans l'électrocardiogramme. Dans un autre contexte, comme celui des soins à domicile, le médecin peut rédiger une ordonnance collective qui permet à l'infirmière d'obtenir des analyses sanguines pour une personne qui a reçu un certain traitement pendant une période déterminée. Par ailleurs, dans le cas d'un client hospitalisé dans une unité de soins généraux (chirurgie/médecine), qui fait une crise d'hypoglycémie, l'infirmière peut prendre les mesures nécessaires en vertu d'une ordonnance collective. La figure 17-2 ■ présente un exemple d'ordonnance collective.

Qu'ils soient manuscrits, informatisés ou types, les PSTI doivent être individualisés et adaptés aux besoins particuliers de chaque personne. En pratique, un PSTI se compose habituellement de parties imprimées et de parties manuscrites. L'infirmière utilise les plans types pour les problèmes prévisibles et fréquents, et elle rédige à la main des plans individualisés pour les problèmes précis et pour ceux qui nécessitent une attention particulière. Ainsi, un PSTI type pour toutes les «personnes atteintes de pneumonie selon le diagnostic médical» comprendrait probablement un diagnostic infirmier de *Déficit de volume liquidien* et rappellerait à l'infirmière qu'elle doit évaluer l'état d'hydratation de la personne. Ce type de diagnostic infirmier est courant dans les unités de médecine ou de chirurgie; c'est pourquoi il existe un plan type qui précise les soins dont ont besoin la plupart des personnes présentant un *Déficit de volume liquidien* (figure 17-3 ■). L'infirmière de Raymonde Aquilini en a obtenu un. Cependant, le diagnostic infirmier *Risque de dynamique familiale perturbée* n'est pas commun à toutes les personnes atteintes de pneumonie; il est propre à Mme Aquilini. Son infirmière devra par conséquent écrire à la main les objectifs et les interventions de mise dans ce cas particulier.

ORDONNANCE COLLECTIVE

ORDONNANCE:
Administration d'acétaminophène pour soulager la douleur ou l'inconfort relié à la fièvre.

NUMÉRO:	1.3
DATE:	Décembre 2003
RÉVISÉE:	

PROFESSIONNELS VISÉS:
➤ Les infirmières et infirmières auxiliaires

CLIENTÈLES VISÉES:
➤ Tous les usagers âgés de 18 ans et plus
   SAUF: La clientèle de chirurgie hors des soins intensifs

UNITÉS OU SERVICES CONCERNÉS:
➤ Toutes les unités de soins
   SAUF: L'urgence

- -

1. INTENTION THÉRAPEUTIQUE
➤ Soulagement de la douleur légère à modérée et/ou de l'inconfort relié à la fièvre.

2. PRESCRIPTIONS
➤ Pour le soulagement de la douleur:
  - Acétaminophène 650 mg (comprimés ou suppositoires) 4 fois par jour PRN.

➤ Pour le soulagement de l'inconfort relié à la fièvre:
  - Acétaminophène 650 mg (comprimés ou suppositoires) aux 4 heures PRN.

➤ Respecter l'intervalle minimum de 4 heures entre les doses d'acétaminophène.

➤ Dose maximale d'acétaminophène par jour:
  - 4 000 mg/jour

➤ **Pour les usagers des Soins intensifs présentant une T° rectale > 38,5 °C:**
  - Prélever 2 hémocultures (si non fait dans les dernières 48 heures).
  - Prélever 2 cultures d'expectorations.

➤ **Pour les usagers des unités de courte durée psychiatrique présentant une T° buccale > 38,5 °C ou T° rectale > 39,0 °C:**
  - Prélever 2 hémocultures.
  - Prélever 1 culture d'urine.

➤ **Pour les usagers hospitalisés en pneumologie ou en hématooncologie présentant une T° > 38,5 °C:**
  - Prélever 2 hémocultures (si non fait dans les dernières 48 heures).

➤ Durée de traitement maximale:
  - 24 heures.
  - 3 jours pour le soulagement de la douleur musculosquelettique en soins de longue durée.

3. CONDITIONS D'APPLICATION

3.1. Indications
➤ Soulagement de la douleur légère à modérée principalement:
  - céphalées
  - douleurs musculosquelettiques sans signe d'inflammation
➤ Soulagement de l'inconfort relié à la présence de la fièvre.
➤ Pour les usagers n'ayant pas de médication PRN prescrite par le médecin traitant pour soulager la douleur ou réduire la fièvre.

3.2. Contre-indications
➤ Allergie ou intolérance connue à l'acétaminophène.
➤ Condition hépatique sévère connue.
➤ Clientèle de chirurgie hors des soins intensifs.

- -

FIGURE 17-2 ■ Ordonnance collective: administration d'acétaminophène pour soulager la douleur ou le malaise relié à la fièvre.
Source: Centre hospitalier régional de Lanaudière, Joliette.

4. PROCÉDURES

4.1. Précautions et directives

➢ Vérifier s'il y a allergie ou intolérance à l'acétaminophène chez l'usager.

➢ Aviser le médecin s'il est impossible d'instaurer le traitement.

➢ Aviser le médecin **si les douleurs musculosquelettiques, sans signe d'inflammation, ne sont pas soulagées après une administration d'acétaminophène aux doses maximales après 24 heures en soins de courte durée et 3 jours en soins de longue durée et de courte durée psychiatrique.**

➢ Aviser le médecin **si les céphalées ne sont pas soulagées après 24 heures.**

➢ Aviser le médecin **si la fièvre persiste plus de 24 heures.**

➢ Aviser le médecin si les céphalées ou la fièvre sont associées à des nausées, vomissements, étourdissements, troubles de l'ouïe ou de la vue, perte de mémoire, changement de comportement.

4.2. Techniques

➢ Consulter les techniques de soins:
- 1.6 «Administrer un médicament par voie orale»
- 1.9.1 «Insertion d'un suppositoire rectal»

4.3. Éléments de surveillance

➢ Niveau de douleur et soulagement chez l'usager.

OU

➢ Température corporelle.

4.4. Complication

➢ Réaction d'allergie ou d'intolérance à l'acétaminophène.

4.5. Modalités de résolution de complication

➢ Aviser le médecin.

5. INFORMATIONS À CONSIGNER AU DOSSIER

➢ Condition de l'usager avant l'administration du médicament.

➢ Date et heure de l'administration.

➢ Nom, concentration et forme pharmaceutique du médicament.

➢ Posologie et voie d'administration.

➢ Réactions de l'usager avec évaluation du soulagement de la douleur, s'il y a lieu.

6. DOCUMENTS DE RÉFÉRENCE

N/A

FIGURE 17-2 ■ *(suite)*

Formes du plan de soins et de traitements infirmiers

Le PSTI prend des formes différentes selon les établissements et selon les modèles conceptuels utilisés, mais il comprend généralement quatre colonnes ou catégories, soit: (1) les diagnostics infirmiers; (2) les objectifs de soins ou les résultats escomptés; (3) les interventions ou ordonnances infirmières; (4) l'évaluation. Dans certains établissements, les infirmières utilisent un plan en trois colonnes; l'évaluation apparaît alors dans la colonne des objectifs de soins ou dans les notes de l'infirmière. Ailleurs, on trouve un plan en cinq colonnes; la colonne des diagnostics infirmiers est alors précédée d'une section contenant les données de l'examen clinique. La figure 17-4 ■ présente un PSTI type, utilisé dans une unité de chirurgie générale.

PLANS DE SOINS ET DE TRAITEMENTS INFIRMIERS RÉDIGÉS EN MILIEU D'APPRENTISSAGE

Les PSTI servent aussi d'outils d'apprentissage dans les établissements d'enseignement. Ces plans sont plus longs et plus détaillés que les PSTI utilisés en milieu de travail. Certaines enseignantes demandent aux étudiantes d'écrire à la main une longue partie du plan afin que cette tâche leur donne l'occasion d'approfondir leurs connaissances et de se perfectionner. Il arrive aussi aux enseignantes d'ajouter une colonne intitulée «Justification scientifique» pour que l'étudiante puisse citer ses sources de recherche documentaire et lier la théorie à une situation clinique. Cette **justification scientifique** permet à l'enseignante de suivre le processus intellectuel de l'étudiante et de vérifier sa capacité à établir des liens et à prioriser les diagnostics infirmiers ou le problème/besoin, compte tenu des

PLAN DE SOINS ET DE TRAITEMENTS INFIRMIERS TYPE: DÉFICIT DE VOLUME LIQUIDIEN

Facteurs favorisants	Résultats escomptés	Ordonnances infirmières (préciser la fréquence)
√ Diminution de l'apport nutritionnel par voie orale	√ Débit urinaire > 30 mL/h	√ Mesurer les ingesta et les excreta toutes les _1 h_.
√ Nausées	√ Densité de l'urine entre 1,005 et 1,025	√ Peser la personne tous les jours.
_ Dépression	√ Concentration sérique de Na⁺ normale	√ Demander un dosage des électrolytes sériques _1 fois ou jusqu'au retour à la normale_.
√ Fatigue, faiblesse	√ Muqueuses humides	√ Vérifier l'élasticité de la peau et l'hydratation des muqueuses toutes les _8 h_.
_ Déglutition difficile	√ Bonne élasticité de la peau	√ Prendre la température toutes les _4 h_.
_ Autres: _____	√ Aucune perte de poids	√ Administrer le traitement par voie intraveineuse (surveiller la personne conformément au protocole d'administration d'un traitement par voie intraveineuse) _1000 mL D₅ LR à 100 mL/h_.
√ Pertes liquidiennes excessives	√ Apport liquidien de 8 h = _400 mL par voie orale_	√ Offrir des liquides toutes les _1 h_. Type: _clairs, froids_
√ Fièvre ou augmentation de la vitesse du métabolisme		√ Indiquer à la personne la quantité et le type de liquides à boire ainsi que la fréquence de la consommation.
√ Diaphorèse	Autres:	√ Vérifier si la personne comprend le type de pertes liquidiennes qu'elle présente ; procéder à l'enseignement approprié.
√ Vomissements		√ Soins de la bouche PRN avec _rince-bouche_.
_ Diarrhée		√ Prendre les mesures nécessaires pour faire baisser la température (par exemple baisser le chauffage, retirer les couvertures et offrir des liquides froids).
_ Brûlures		Autres ordonnances infirmières: _____ _Vérifier la densité de l'urine toutes les 8 heures._
_ Autres: _____		

Caractéristiques

√ Apport insuffisant

√ Bilan négatif des ingesta et des excreta

√ Sécheresse des muqueuses

√ Diminution de l'élasticité de la peau

_ Urine concentrée

_ Hypernatrémie

√ Pouls rapide et mal frappé

_ Baisse de la pression artérielle

_ Perte de poids

Plan établi par : _C. Medina_   **Date** _2011-04-15_

Évaluation du plan de soins et de traitements et des résultats escomptés : _____ **Date** _____

Évaluation du plan de soins et de traitements et des résultats escomptés : _____ **Date** _____

Patient : _Raymonde Aquilini_

FIGURE 17-3 ■ Plan de soins et de traitements infirmiers type pour le diagnostic infirmier *Déficit de volume liquidien*.

PLAN DE SOINS INFIRMIERS : CHIRURGIE GÉNÉRALE

ALIMENTATION	ÉLIMINATION	HYGIÈNE	MOBILITÉ

Diète :
 Collation :
 Autonome : ☐
 Avec aide : ☐
 Dosage : ☐
 Limite liq. :
 Gavage :
	Autonome : ☐ Avec aide : ☐
	 1ère miction post-op ☐
	       post-sonde ☐
	 Culotte : ☐
	 Levine : #
	 Date :
	 Sonde : #
	 date :
		Autonome : ☐
		 Avec aide : ☐
		
		 Prothèses Buccales
		       H B
		
		 RESPIRATION
		 Aérosol :
		 O₂ :
		 Humidité :
			Autonome : ☐
			 Avec aide : ☐
			 Fauteuil : ☐
			 Alité : ☐
			 1re levée post-op ☐
			 Exercices passifs ☐
			 Bas anti-embolique ☐
			 Désorientation :
			       T E P

PROBLÈMES	RÉSULTATS ESCOMPTÉS (L'USAGER / FAMILLE)	ATTEINT OU NON	RAISON	DATE ET INITIALES
Difficulté à libérer les voies respiratoires (toux, sécrétions)	– Procède à des exercices profonds ou inspirométrie 5 minutes chaque heure. – Alterne ses positions favorisant l'expansion pulmonaire. – S'hydrate suffisamment. – Tousse et expectore.			
Rétention urinaire et constipation	– Élimine de façon régulière. – S'hydrate suffisamment. – S'alimente avec une diète appropriée.			
Douleurs / Inconfort	– Évalue sa douleur et avise. – Exprime le soulagement complet de sa douleur.			
Risques d'infection	– Est exempt de processus infectieux.			
Enseignement	– Feuillet informatif reçu. – Connaît les soins spécifiques à sa chirurgie et sa convalescence.			

DATE	TRAITEMENTS	DATE	TRAITEMENTS
	Pansement : Changer die ou prn		Épidurale : ☐ Rachimorphe : ☐ PCA : ☐
	Type :		Date :
	Si aucun écoulement, plaie à l'air, nettoyer prn		Suivi téléphonique pour chirurgie moins de 24-48 Hres : ☐
	Autres :		

Date :   Signature de l'infirmière   No. lit :

FIGURE 17-4 ■ Plan de soins et de traitements infirmiers type en contexte de chirurgie générale.
Source : Centre hospitalier Pierre-Le Gardeur, Terrebonne.

circonstances cliniques. Par ailleurs, toutes les informations contenues dans un PSTI peuvent être organisées et représentées au moyen d'un schéma.

Un **schéma** est un diagramme dans lequel les idées ou les données sont inscrites à l'intérieur de figures géométriques (cercles, rectangles, etc.) formant des ensembles reliés par des lignes ou des flèches qui représentent leurs rapports logiques. La créativité joue un rôle important dans l'élaboration des schémas. Ceux-ci peuvent en effet prendre différentes formes et contenir diverses catégories de données, selon l'interprétation que fait le client de ces données et selon son état de santé. Le schéma relatif à Raymonde Aquilini, qui apparaît à la page 401, rend compte de la collecte des données, des diagnostics infirmiers, des résultats de soins infirmiers et des interventions infirmières. Les flèches qui y figurent représentent l'enchaînement des étapes de la démarche de soins infirmiers.

PLANS DE SOINS ET DE TRAITEMENTS INFORMATISÉS

Un nombre croissant d'infirmières utilisent l'ordinateur pour créer et conserver des PSTI types ou individualisés. L'infirmière accède au PSTI à partir d'un terminal situé à son poste de travail ou dans la chambre du patient. Pour un PSTI individualisé, le logiciel propose une série de diagnostics parmi lesquels l'infirmière choisit celui ou ceux qui sont appropriés. Le logiciel présente alors automatiquement les objectifs, les actions et les interventions infirmières reliés aux diagnostics choisis ; l'infirmière en fait une sélection et saisit ceux qui ne figuraient pas dans le menu. Elle peut alors lire le PSTI à l'écran ou en imprimer une copie de travail mise à jour.

PLAN DE CHEMINEMENT CLINIQUE

Un **plan de cheminement clinique** est un plan type élaboré par les membres de l'équipe interdisciplinaire, qui décrit les soins à prodiguer aux personnes pour lesquelles on a établi un diagnostic (médical, généralement) répandu et prévisible. Aussi appelé cheminement critique ou suivi systématique de la clientèle, le plan de cheminement clinique indique l'enchaînement des soins qui doivent être donnés chaque jour de la période d'hospitalisation prévue pour le problème de santé en question. Comme le PSTI, le plan de cheminement clinique peut contenir des précisions sur les objectifs et les interventions infirmières reliés aux problèmes du client (y compris les diagnostics infirmiers). Il contient, en outre, les traitements que devront exécuter les autres membres de l'équipe soignante.

Le plan de cheminement clinique comprend généralement autant de colonnes que de jours d'hospitalisation prévus (voir le chapitre 6 ⓠ, pour plus de détails); on trouve dans chaque colonne les interventions à réaliser et les résultats à atteindre au cours de la journée correspondante.

La figure 17-5 ■ présente un exemple de plan de cheminement clinique d'un suivi systématique de clientèle MPOC.

PLAN D'INTERVENTION INTERDISCIPLINAIRE

Le **plan d'intervention interdisciplinaire** (**PII**) correspond à l'ensemble des «interventions planifiées de façon concertée par les membres de l'équipe interdisciplinaire, en collaboration avec le client et ses proches, le cas échéant, en vue de répondre aux besoins du client au cours d'un épisode de soins, intra et interétablissement» (Leprohon, Lessard et OIIQ, 2003). Tout comme le cheminement clinique, le PII est un plan d'intervention élaboré par les membres de l'équipe interdisciplinaire; cependant, alors que le cheminement clinique est établi pour un problème de santé précis, le PII est destiné à une personne en particulier. Il doit être obligatoirement conservé dans le dossier du client.

PLAN DE SERVICES INDIVIDUALISÉ

Le **plan de services individualisé** (**PSI**) se définit comme un «outil de planification, de coordination et d'intégration de services individualisés visant globalement à donner un sens, une direction à la personne et à son milieu, dans le cheminement de leurs actions, des actions des intervenants, des programmes,

SUIVI SYSTÉMATIQUE DE CLIENTÈLE MPOC : CHEMINEMENT CLINIQUE

	PHASE 1-EXACERBATION	PHASE 2-STABILISATION	PHASE 3-CONGÉ
	JOURS 1 ET 2	**JOURS 3, 4 ET 5**	**JOURS 6 ET 7** **Et jusqu'au congé**
MÉDICAMENTS, SOLUTÉS	- Selon precriptions médicales	- Selon prescriptions médicales	- Selon prescriptions médicales
EXAMENS DIAGNOSTICS ET PRÉLÈVEMENTS	- Culture des expectos si non faite à l'urgence - Débit de pointe pré et post-aérosol DIE - Glucomètre QID - Saturométrie à l'air ambiant avec S.V. - VEMS si prescrit	- Saturométrie à l'air ambiant avec S.V. - Débit de pointe pré et post-aérosol DIE - Glucomètre BID à heures alternées si stable	- Saturométrie à l'air ambiant avec S.V. - Débit de pointe pré et post-aérosol DIE - Glucomètre BID à heures alternées si stable - Gaz capillaire avant congé si prescrit
RESPIRER	<u>Oxygénation :</u> selon prescription <u>Aérosolthérapie :</u> Ventolin et Atrovent selon ordonnance et protocole de substitution <u>Indicateurs de l'état de santé :</u> - S.V. TID et PRN, sauf T° Q4h - Auscultation Q8hr et PRN - Encourager à expectorer - Surveillance : signes d'hypoxie et hypercapnée, caractères de la respiration, toux, expectos, signes d'anxiété et présence d'œdème	<u>Oxygénation :</u>-selon prescription <u>Aérosolthérapie :</u> - Selon protocole de substitution - Auto-administration si possible <u>Indicateurs de l'état de santé :</u> - S.V. DIE, sauf T° TID - Auscultation et Surveillance idem Evaluation de la respiration : - Amélioration à la mobilisation - Client verbalise son mieux-être	<u>Oxygénation :</u>-selon prescription <u>Aérosolthérapie :</u> - Selon protocole de substitution - Auto-administration si possible <u>Indicateurs de l'état de santé :</u> - S.V. die - Auscultation et Surveillance idem Evaluation de la respiration : - Respiration adéquate dans toutes les activités
ACTIVITÉS ET AVQ	- Activités selon tolérance - Faciliter l'expansion pulmonaire	- Activités selon tolérance - Démontrer l'importance des activités quotidiennes	- AVQ selon le niveau de tolérance - Encourager à la marche
BOIRE ET MANGER	- Poids à l'admission - Dosage Q8hres. - Diète MPOC ou selon prescription - Apport liquidien de 2000 cc die ou selon prescription - Consultation diétothérapie PRN	- Diète et apport liquidien idem - Noter en % quantité prise aux repas et collations. - Dosage Q8hres	- Diète et apport liquidien idem - Dosage Q8hres - Expliquer l'importance de la diète et de l'apport adéquat de liquide
ACCUEIL ET PLANIFICATION DU CONGÉ	- Renseigner le client et la famille sur les raisons d'admission et le cheminement clinique - Remplir la collecte de données	- Identifier les problèmes de retour à domicile - Consultation au travailleur social PRN - Préparation des éléments requis pour retour à domicile (oxygène, compresseur, etc.)	- Prévoir modalités de retour à domicile : transport, heure de départ, accompagnant - Remettre prescriptions médicales et rendez-vous

ENSEIGNEMENT ET COMMUNICATION	- Enseigner ou vérifier techniques :
	  - respiration diaphragmatique,
	  - à lèvres pincées
	  - technique de toux controlée
	- Si stéroïdes :hygiène buccale
	- Permettre de verbaliser son anxiété
		- Auto-administration de l'aérosol-doseur
		- Signes et symptômes de détérioration
		- Exercices de relaxation
		- Effets des médicaments et prise judicieuse
		- Importance de la mobilisation et des périodes de repos
			- Importance de cesser le tabac
			- Importance des vaccins
			- Amélioration du milieu de vie
			- Ressources communautaires
			- **VÉRIFIER LA COMPRÉHENSION DE L'ENSEIGNEMENT REÇU**

DATE	Jour 1 : Jour 2 :	Jour 3 : Jour 4 : Jour 5 :	Jour 6 : Jour 7 : Jours 8 et suivants : continuer selon jrs. 6 et 7

FIGURE 17-5 ■ Plan de cheminement clinique, pour une clientèle présentant une MPOC. Source : Centre hospitalier Pierre-Le Gardeur, Terrebonne.

des établissements et des divers organismes, tout en tenant compte du contexte culturel et légal. Dans le cadre de cette définition, le plan de services comprend des buts, des objectifs, des moyens, un échéancier, des éléments d'évaluation et des personnes responsables » (Champagne, 1992).

Un article de loi (L.R.Q., c. S-4.2, 1991, art. 103) soutient l'obligation de la rédaction de PSI :

> Lorsqu'un usager d'une catégorie déterminée par règlement pris en vertu du paragraphe 27° de l'article 505 doit recevoir, pour une période prolongée, des services de santé et des services sociaux nécessitant, outre la participation d'un établissement, celle d'autres intervenants, l'établissement qui dispense la majeure partie des services en cause ou celui des intervenants désigné après concertation entre eux doit lui élaborer le plus tôt possible un plan de services individualisé.

Lignes directrices pour la rédaction du plan de soins et de traitements infirmiers

L'infirmière doit suivre les lignes directrices suivantes lorsqu'elle rédige un PSTI :

1. *Dater et signer le plan.* La date de rédaction du plan est un élément essentiel à l'évaluation, à la révision et à la planification ultérieures. La signature de l'infirmière témoigne de sa responsabilité à l'égard de la personne soignée et de la profession, puisqu'elle permet d'évaluer l'efficacité des actions infirmières particulières.

2. *Inscrire des en-têtes.* Inscrire les en-têtes «Diagnostics infirmiers», «Objectifs de soins/résultats escomptés», «Interventions infirmières» et «Évaluation». Préciser la date à laquelle on doit évaluer si chacun des objectifs a été atteint ou non.

3. *Utiliser des symboles, des abréviations et des mots clés plutôt que des phrases complètes.* L'infirmière doit par exemple écrire «Nettoyer la plaie avec NACl bid» au lieu de «Nettoyer la plaie du patient avec une solution saline physiologique matin et soir».

4. *Écrire avec le plus de précision possible.* L'infirmière doit indiquer avec précision le moment prévu pour une intervention, d'autant que la durée des quarts de travail varie entre 8 et 12 heures. L'ordonnance «Changer le pansement à tous les quarts de travail» est vague, car elle peut signifier qu'il faut changer le pansement 2 fois en 24 heures ou 3 fois en 24 heures, selon la durée des quarts de travail. L'ambiguïté a des conséquences encore plus graves lorsqu'on indique qu'il faut administrer les médicaments «à tous les quarts de travail». L'infirmière doit s'assurer qu'elle communique clairement, en inscrivant des heures précises.

5. *Faire référence aux manuels de procédures ou aux autres sources d'information au lieu d'indiquer toutes les étapes.* L'infirmière écrira par exemple «Voir le manuel de procédures pour les soins d'une trachéotomie» ou joindra à son document un PSTI type pour des procédures comme les soins préopératoires et postopératoires.

6. *Adapter le plan aux particularités de la personne en y indiquant, par exemple, ses préférences en ce qui a trait à l'horaire des soins et aux méthodes utilisées.* Cette façon de faire montre que l'infirmière respecte l'individualité du client et qu'elle lui donne le sentiment qu'il a une emprise sur la situation. Ainsi, l'intervention infirmière «Donner de préférence du jus de pruneau au déjeuner» témoigne du fait que l'infirmière a pris soin de proposer un choix de boissons à ce client.

7. *Tenir compte de la prévention des affections et du maintien de la santé autant que des aspects curatifs des soins.* Par exemple, l'ordonnance «Faire pratiquer des exercices d'amplitude des mouvements pour les membres atteints, toutes les 2 heures» vise à prévenir les contractures ainsi qu'à conserver la force musculaire et la mobilité articulaire.

8. *Prévoir des interventions destinées à l'évaluation continue de la personne.* Par exemple, l'infirmière peut inscrire l'ordonnance «Inspecter l'incision toutes les 8 heures».

9. *Mentionner les activités en collaboration et les activités de coordination.* L'infirmière peut, par exemple, rédiger des ordonnances visant à obtenir l'opinion d'une nutritionniste ou d'un physiothérapeute.

10. *Planifier le congé et prévoir les besoins de soins à domicile.* L'infirmière qui rédige le plan doit, dans certains cas, consulter l'infirmière en santé communautaire, les travailleurs sociaux et les autres professionnels qui fourniront à la personne les informations et le matériel nécessaires. Si les plans d'enseignement et de congé sont longs et complexes, l'infirmière doit les placer en annexe, au lieu de les inclure dans le PSTI.

La rédaction du PSTI est un processus dynamique. Il faut adapter ce plan à mesure que l'état du client évolue et que l'évaluation continue de sa situation montre qu'il faut y apporter des modifications.

Processus de planification

Le processus de planification des soins comprend les activités suivantes :

- Formuler des objectifs de soins infirmiers ou des résultats escomptés.
- Choisir des interventions infirmières.
- Rédiger les ordonnances infirmières dans le PSTI.
- Rédiger les directives infirmières à inclure dans le PTI en relation avec les constats élaborés à l'étape précédente.
- Déterminer de nouvelles directives en fonction de l'évolution de la situation de soins (ajout, modification ou résolution des constats).

Classer les problèmes de santé et les diagnostics par ordre de priorité

L'infirmière procède avec le client, si la situation de ce dernier le permet, à l'**établissement d'un ordre de priorité** concernant les diagnostics infirmiers à prendre en charge et les interventions nécessaires. Au lieu d'analyser un à un les résultats de l'étape précédente de la démarche, l'infirmière peut les regrouper selon que leur priorité est élevée, moyenne ou faible. Ainsi, quel que soit le modèle théorique qu'elle utilise, elle considérera que les problèmes qui mettent la vie du client en danger, comme un arrêt cardiaque ou respiratoire, sont les plus urgents (priorité élevée). Par ailleurs, des problèmes qui menacent la santé ou l'intégrité physique de la personne, tels qu'une affection aiguë

17

ou des stratégies d'adaptation inefficaces, sont moins urgents, bien qu'ils restent prioritaires, car ils peuvent entraîner un retard de développement ainsi que des changements physiques ou psychologiques destructeurs (leur priorité sera moyenne). D'autres problèmes de santé, comme la consommation de drogues et un concept de soi perturbé relié à une amputation, peuvent être dévastateurs tant pour la personne que pour sa famille ; ils feront partie des priorités moyennes. Enfin, les problèmes engendrés par le développement normal, de même que ceux qui nécessitent un soutien infirmier minimal, seront traités en dernier (faible priorité). À cette étape, le jugement critique de l'infirmière est essentiel pour assurer la continuité des soins. Au tableau 17-1, nous présentons l'ordre de priorité attribué aux diagnostics infirmiers de Raymonde Aquilini, cliente

TABLEAU 17-1

CLASSEMENT PAR ORDRE DE PRIORITÉ DES DIAGNOSTICS INFIRMIERS FORMULÉS POUR RAYMONDE AQUILINI

Diagnostic infirmier	Priorité	Justification scientifique
Dégagement inefficace des voies respiratoires, relié : (1) à la présence de sécrétions visqueuses consécutive à un *Déficit de volume liquidien* ; (2) à une faible amplitude thoracique consécutive à la douleur et à la fatigue.	Élevée	La diminution de l'efficacité de la fonction respiratoire est un problème qui menace la survie de Mme Aquilini. L'infirmière doit avant toute chose favoriser l'oxygénation en intervenant sur l'étiologie du problème.
Déficit de volume liquidien : apport insuffisant pour remplacer les pertes liquidiennes, relié à la fièvre et à la diaphorèse.	Élevée	Un grave *Déficit de volume liquidien* peut être mortel. Le problème n'est pas d'une extrême urgence chez Mme Aquilini, mais l'infirmière lui attribue une priorité élevée, car il compte parmi les facteurs qui contribuent au *Dégagement inefficace des voies respiratoires*. On a déjà amorcé des mesures en collaboration pour améliorer l'hydratation (administration de liquides par voie intraveineuse). L'infirmière doit évaluer et favoriser l'hydratation immédiatement et de manière continue.
Anxiété, reliée : (1) aux difficultés respiratoires ; (2) à l'exercice des rôles professionnel et parental.	Moyenne	L'inquiétude de Mme Aquilini quant à l'exercice de ses rôles professionnel et parental ne constitue pas une menace pour sa survie. De plus, le traitement du problème prioritaire *Dégagement inefficace des voies respiratoires* éliminera l'une des causes du problème (la dyspnée). D'ici là, l'infirmière doit apporter un soulagement des symptômes d'anxiété au cours des épisodes de dyspnée, car l'anxiété extrême pourrait compromettre davantage l'oxygénation en entraînant une respiration inefficace et une augmentation du taux d'utilisation de l'oxygène.
Risque de dynamique familiale perturbée, relié à l'affection de la mère et à l'absence momentanée du père.	Faible	La voisine de Mme Aquilini s'occupe de son enfant. Si le mari revient au moment prévu, le risque de perturbation ne deviendra pas un réel problème. Aucune intervention n'est nécessaire pour l'instant, sauf le maintien de l'évaluation et du réconfort.
Alimentation déficiente, reliée à une diminution de l'appétit, aux nausées et à l'augmentation de la vitesse du métabolisme, consécutives au processus morbide.	Faible	Ce problème ne menace pas la santé de Mme Aquilini à l'heure actuelle, mais il pourrait le faire s'il persistait. Il disparaîtra vraisemblablement dans un jour ou deux, en même temps que le problème médical. La priorité de ce problème deviendra moyenne si le problème médical qui en est la cause n'est pas résolu rapidement.
Déficit de soins personnels : se laver et effectuer ses soins d'hygiène, relié à la faiblesse consécutive au dégagement inefficace des voies respiratoires et aux habitudes de sommeil perturbées.	Faible	Ce problème est causé par les problèmes plus prioritaires et, par conséquent, il se résoudra en même temps qu'eux. D'ici là, l'infirmière se limitera à aider Mme Aquilini dans ses soins personnels pour lui permettre de ménager ses forces.
Habitudes de sommeil perturbées, reliées à la toux, à la douleur, à l'orthopnée, à la fièvre et à la diaphorèse.	Faible	Le manque de sommeil constitue une menace pour la santé. Ce problème contribue à un autre problème, *Dégagement inefficace des voies respiratoires*, mais n'en est pas la cause principale. La place de ce problème dans l'ordre de priorité changera quand l'infirmière aura répondu aux besoins d'oxygénation et d'hydratation de Mme Aquilini.
Douleur (thoracique) aiguë, reliée à la toux consécutive à la pneumonie.	Problème absent du PSTI	L'infirmière n'a pas inclus *Douleur (thoracique) aiguë* dans le PSTI, car elle doit considérer ce problème comme l'étiologie d'*Habitudes de sommeil perturbées* et de *Dégagement inefficace des voies respiratoires*. L'étiologie de la douleur (toux et pneumonie) sera traitée au moyen de médicaments (interventions en collaboration). Les interventions infirmières autonomes viseraient le problème plutôt que son étiologie et seraient les mêmes que pour *Dégagement inefficace des voies respiratoires*.

17

dont il a été question aux chapitres 15 et 16 ⚭. Il indique, par exemple, que Raymonde Aquilini est anxieuse à cause de la garde de son enfant, mais que ce diagnostic infirmier est d'une priorité moins élevée que *Dégagement inefficace des voies respiratoires*.

Les infirmières s'appuient souvent sur la hiérarchie des besoins de Maslow pour établir un ordre de priorité (chapitre 11 ⚭, figure 11-8 ■, p. 247). Selon cette hiérarchie, la satisfaction des besoins physiologiques, comme le besoin d'air, de nourriture et d'eau, est essentielle au maintien de la vie; elle a, par conséquent, préséance sur la satisfaction des besoins de sécurité et d'activité. En outre, les besoins reliés à la croissance, comme l'estime de soi, ne sont pas considérés comme fondamentaux, tout simplement parce que les besoins qui se trouvent en haut de la pyramide ne peuvent être satisfaits avant que les besoins essentiels soient comblés. Par exemple, au chapitre de la réalisation de soi, une étudiante en soins infirmiers ne peut réussir ses études si ses besoins physiologiques d'air, d'eau, de nourriture, etc., n'ont pas été satisfaits. Il faut donc qu'elle subvienne à ses besoins les plus élémentaires avant de pouvoir passer un examen ou se présenter à un stage au meilleur de sa forme. C'est ainsi que, selon cette hiérarchie, des diagnostics infirmiers comme *Dégagement inefficace des voies respiratoires* et *Échanges gazeux perturbés* priment *Anxiété* et *Stratégies d'adaptation inefficaces*.

Il n'est pas nécessaire de résoudre tous les problèmes dont la priorité est élevée ou moyenne avant de s'occuper des autres. L'infirmière peut résoudre partiellement un problème dont la priorité est élevée ou moyenne, qui peut relever des problèmes traités en collaboration, puis s'attaquer à un diagnostic infirmier moins pressant. Du reste, l'infirmière s'occupe souvent de plusieurs diagnostics simultanément, puisque les clients présentent généralement plus d'un problème. L'ordre des priorités varie à mesure que changent les réactions, les problèmes et les traitements du client. Dans l'établissement d'un ordre de priorité, en dehors de l'urgence du problème de santé, l'infirmière doit tenir compte des facteurs suivants:

1. *Valeurs et croyances du client en matière de santé.* Il est possible que l'infirmière et le client ne partagent pas les mêmes valeurs reliées à la santé. Par exemple, une personne peut penser, contrairement à l'infirmière, qu'il est plus important de rester à la maison auprès de ses enfants que de traiter un problème de santé. Une telle divergence doit faire l'objet d'une franche discussion entre l'infirmière et cette personne. Cependant, l'infirmière doit prendre l'initiative d'établir l'ordre de priorité si le problème met en jeu le pronostic vital du client.

2. *Priorités de la personne soignée.* L'infirmière favorise la coopération du client en le faisant participer à l'établissement de l'ordre de priorité et à la planification des soins. Il arrive toutefois que la façon dont celui-ci perçoit ce qui est important ou non puisse entrer en conflit avec les connaissances que possède l'infirmière à propos des complications ou des problèmes possibles. Une personne âgée peut juger, par exemple, qu'il est plus important pour elle de se reposer que d'être changée de position. Pour sa part, l'infirmière connaît les complications possibles d'un repos prolongé au lit (faiblesse musculaire et apparition de plaies de pression); elle doit donc en informer la personne et exécuter l'intervention nécessaire.

3. *Ressources de l'infirmière et de la personne soignée.* L'ordre de priorité attribué à un problème peut varier selon la disponibilité des ressources financières, matérielles et humaines. L'infirmière qui visite les personnes à domicile, par exemple, n'a pas accès aux mêmes ressources que celle qui travaille dans un établissement de soins. Si l'infirmière ne dispose pas des ressources nécessaires, elle doit parfois différer la résolution d'un problème ou orienter la personne vers d'autres services. Par ailleurs, les ressources de la personne, qu'il s'agisse d'argent ou de stratégies d'adaptation, doivent être prises en compte lors de l'établissement d'un ordre de priorité. C'est ainsi qu'une personne sans emploi peut reporter à plus tard un traitement dentaire; de même, une femme qui s'occupe de son mari atteint d'une maladie en phase terminale peut se sentir incapable d'observer les conseils d'une diététiste qui lui recommande de perdre du poids.

4. *Traitement médical.* Les priorités que l'infirmière établit doivent concorder avec les traitements exécutés par les autres professionnels de la santé. Par exemple, même si elle place en tête des priorités le fait qu'un client recommence à marcher, elle devra modifier cet ordre dans le PSTI si le médecin prescrit un repos prolongé au lit. Elle pourra plus tard enseigner des exercices facilitant la marche ou même les faire pratiquer si l'état de santé du client le permet. L'infirmière n'a pas à ignorer le diagnostic infirmier relié à la marche, mais elle doit différer les interventions qui s'y rattachent.

Formuler des objectifs de soins infirmiers ou des résultats escomptés

Après avoir établi un ordre de priorité, l'infirmière, en collaboration avec la personne soignée, assigne des objectifs à chaque diagnostic infirmier. Dans un PSTI, les **objectifs de soins** et les **résultats escomptés** représentent, sous forme de réactions observables, ce que la personne devra accomplir grâce aux interventions infirmières. Certaines auteures d'ouvrages en soins infirmiers emploient indifféremment les expressions «objectif de soins» et «résultat escompté». D'autres auteurs utilisent plutôt les termes: «objectif», «objectif du patient», «objectif de la personne» ou «critère de résultat».

Le présent ouvrage fait une distinction entre les deux expressions: on y définit l'objectif de soins comme un énoncé général sur l'état de la personne, et le résultat escompté comme un critère spécifique et observable servant à déterminer si l'objectif a été atteint. Cette distinction apparaît nettement dans l'exemple suivant:

Objectif de soins (général):	amélioration de l'état nutritionnel
Résultat escompté (spécifique):	gain de poids de 2 kg d'ici 1 mois

Si l'infirmière exprime les objectifs de soins en termes généraux, comme dans cet exemple, elle doit indiquer tant les objectifs de soins que les résultats escomptés dans le PSTI. Elle peut regrouper les deux éléments en un seul énoncé en les reliant par l'expression «manifesté par»:

Amélioration de l'état nutritionnel, manifestée par un gain de poids de 2 kg d'ici 1 mois

Le fait d'écrire l'objectif général en premier peut aider l'infirmière à déterminer les résultats escomptés qui s'imposent. L'objectif général demeure un point de départ pour la planification. Les résultats spécifiques et observables sont utilisés pour évaluer les progrès de la personne. Le tableau 17-2 présente à la fois les objectifs de soins et les résultats escomptés formulés pour deux diagnostics infirmiers.

CLASSIFICATION DES RÉSULTATS DE SOINS INFIRMIERS

Les infirmières utilisent systématiquement les sources de données depuis que Florence Nightingale a commencé à transcrire et à analyser l'état de santé des patients et les réseaux de soins pendant la guerre de Crimée. L'analyse, l'évaluation et l'utilisation des prestations de soins infirmiers au sein du système de santé ont été pendant longtemps utilisées sporadiquement et souvent réservées à une discipline spécifique, comme la pratique médicale (McCloskey, Bulechek, Dochterman et Maas, 2000). C'est à la fin des années 1950 que la recherche infirmière a pris son envol. Depuis, le savoir scientifique occupe une place de choix et montre que l'infirmière, de par sa formation supérieure, peut participer à la production de nouvelles connaissances pour la pratique professionnelle.

Au cours de cette dernière décennie, des chercheuses ont mis au point une taxinomie, appelée **Classification des résultats de soins infirmiers** (**CRSI** ou **NOC**, pour *Nursing Outcomes Classification*), qui cherche à systématiser les résultats escomptés visés par les interventions infirmières (Johnson, Maas et Moorhead, 2000). Cette classification porte sur sept domaines (par exemple santé physiologique ou santé familiale), subdivisés à leur tour en classes (par exemple nutrition, pour la santé physiologique, et bien-être familial, pour la santé familiale). Chaque résultat compris dans la classification est accompagné d'un code de quatre chiffres et d'une définition. Le tableau 17-3 présente la classification d'un résultat de soins infirmiers (CRSI/NOC) associé au mouvement et ses indicateurs (voir plus loin la définition de ce terme).

Un résultat de soins infirmiers s'apparente à un objectif de soins au sens courant du terme. On le définit comme « un état, un comportement ou une perception mesurables de la personne soignée ou d'une personne aidante, considérés comme une variable, sensibles aux interventions infirmières et largement influencés par elles » (Johnson *et al.*, 2000, p. 25). Les résultats des soins infirmiers sont énoncés en termes généraux et ont un caractère conceptuel. Pour pouvoir mesurer un résultat, il faut se servir des différents indicateurs de ce résultat et choisir ceux qui correspondent à la situation de la personne. Un **indicateur** est « un état observable, un comportement, ou encore une perception ou une évaluation signalées par la personne » (Johnson *et al.*, 2000, p. 25); il est semblable à un résultat escompté, terme utilisé dans le langage courant. On formule un indicateur en termes neutres, mais on le mesure à l'aide de l'échelle en cinq points qui accompagne le résultat. Dans un PSTI, l'infirmière doit écrire le titre du résultat des soins infirmiers, les indicateurs qui s'appliquent à la personne et une cote de 1 à 5 qu'on vise à atteindre pour chaque indicateur. Pour résumer: les comportements et (ou) les attitudes du client représentent les résultats escomptés, c'est-à-dire ce que l'infirmière vise à obtenir chez cette personne, pour arriver au résultat final des soins ou au but qu'elle souhaite atteindre à la fin de sa démarche. Voici un exemple: Les voies respiratoires du client resteront dégagées (résultat final des soins ou but à atteindre), grâce à des exercices de spirométrie, toutes les heures pendant 5 minutes, et au transfert dans un fauteuil 3 fois par jour, où il restera assis pendant 30 minutes (résultats escomptés ou comportements attendus du client). Ainsi, pour le résultat présenté au tableau 17-3 et relié au premier diagnostic infirmier du tableau 17-2, les résultats escomptés individualisés se liraient comme suit:

Niveau de mobilité:

Exécution des transferts (5, complètement autonome)

Déplacement: marche (4, autonome avec appareil fonctionnel)

Traduit en langage courant, ce résultat escompté se lirait comme suit: «La personne présentera une amélioration de la mobilité, manifestée par la capacité d'effectuer les transferts de manière autonome et de marcher à l'aide d'un appareil fonctionnel (déambulateur).»

TABLEAU 17-2
FORMULATION D'OBJECTIFS DE SOINS ET DE RÉSULTATS ESCOMPTÉS À PARTIR DE DIAGNOSTICS INFIRMIERS

Diagnostic infirmier	Objectifs de soins	Résultats escomptés
Mobilité physique réduite: incapacité de faire porter son poids sur la jambe gauche, reliée à une inflammation de l'articulation du genou	Amélioration de la mobilité Capacité de faire porter son poids sur la jambe gauche	Se déplacera à l'aide de béquilles d'ici à la fin de la semaine. Se tiendra debout sans aide d'ici à la fin du mois.
Dégagement inefficace des voies respiratoires, relié à un effort de toux insuffisant consécutif à la sensibilité de l'incision et à la peur de rompre les points de suture	Dégagement efficace des voies respiratoires	Poumons clairs à l'auscultation pendant toute la période postopératoire. Aucune pâleur de la peau ni cyanose 12 heures après l'intervention chirurgicale. Aura un effort de toux suffisant dans les 24 heures suivant l'intervention chirurgicale.

17

TABLEAU 17-3
RÉSULTAT DE SOINS INFIRMIERS CRSI/NOC ASSOCIÉ AU MOUVEMENT ET INDICATEURS

Domaine I: Physiologie de base
Classe C: Gestion d'immobilité
Résultat: Niveau de mobilité
Définition: Capacité de se mouvoir volontairement

Niveau de mobilité	Est totalement dépendant	A besoin de l'aide d'une personne et d'aides techniques	A besoin de l'aide d'une personne	A besoin d'aides techniques	Est complètement autonome
Indicateurs					
Équilibre	1	2	3	4	5
Changement de position	1	2	3	4	5
Mouvement musculaire	1	2	3	4	5
Mouvement articulaire	1	2	3	4	5
Transfert	1	2	3	4	5
Déplacement: marche	1	2	3	4	5
Déplacement: fauteuil roulant	1	2	3	4	5
Autres (préciser):	1	2	3	4	5

Source: Johnson, M., et Maas, M. (dir.). (1999). *Classification des résultats de soins infirmiers CRSI/NOC* (p. 197), Traduction française par l'ANFIIDE et l'AFEDI. Paris: Masson.

FONCTIONS DES OBJECTIFS DE SOINS ET DES RÉSULTATS ESCOMPTÉS

Les objectifs de soins et les résultats escomptés remplissent les fonctions suivantes:

1. Ils facilitent la planification des interventions infirmières en leur donnant une orientation précise. L'infirmière trouve les idées d'intervention plus facilement si les résultats escomptés expriment clairement et précisément les effets qu'elle espère obtenir.

2. Ils servent de critères pour l'évaluation des progrès du client. Les résultats escomptés sont formulés à l'étape de la planification de la démarche de soins infirmiers, mais ils servent aussi de critères pour mesurer l'efficacité des interventions infirmières et les progrès du client à l'étape de l'évaluation (chapitre 18 ⊕).

3. Ils permettent au client et à l'infirmière de déterminer le moment précis où le problème devra être résolu.

4. Ils motivent le client et l'infirmière en leur donnant un sentiment d'accomplissement. Lorsqu'ils atteignent les objectifs fixés, ils constatent que leurs efforts en valaient la peine. Ils sont ainsi plus motivés à rester fidèles au plan, surtout lorsque s'imposent de difficiles changements du mode de vie.

De plus, selon le modèle McGill, les objectifs remplissent les fonctions suivantes:

5. Ils indiquent le comportement que souhaite atteindre le client/famille.

6. Ils montrent le lien direct avec le problème retenu à l'étape de l'analyse et de l'interprétation des données.

OBJECTIFS À COURT TERME ET À LONG TERME

On peut définir des objectifs à court terme ou à long terme. «Augmentation de la mobilité du membre supérieur, manifestée par l'élévation du bras droit jusqu'à la hauteur de l'épaule d'ici vendredi» est un exemple d'objectif à court terme; «La personne retrouvera le plein usage de son bras droit d'ici six semaines» en est un de résultat escompté (objectif du client) à long terme. Les objectifs à court terme sont utiles pour: (1) la personne qui a besoin de soins de santé pendant une brève période; (2) la personne qui est rebutée par des objectifs lointains, difficiles à atteindre, et qui a besoin de la gratification que procure l'atteinte d'un objectif rapproché. Dans un établissement de soins de courte durée, l'infirmière passe la majeure partie de son temps à répondre aux besoins immédiats des personnes; la plupart des objectifs qu'elle poursuit sont donc à court terme. Elle doit néanmoins formuler des objectifs à long terme pour esquisser les grandes lignes de la planification du congé, du suivi des soins ou des soins à domicile. L'infirmière formule aussi des objectifs à long terme à l'intention de personnes atteintes d'affections chroniques et de personnes vivant en centre d'hébergement et de soins de longue durée, en maison de convalescence et en centre de réadaptation.

RELATION ENTRE LES OBJECTIFS DE SOINS ET LES DIAGNOSTICS INFIRMIERS

Les objectifs de soins sont formulés à partir des diagnostics infirmiers, et plus précisément de leur premier segment (le problème), où est décrite la réaction indésirable, autrement dit ce qui doit changer. Par exemple, dans le cas du diagnostic infirmier *Risque de déficit de volume liquidien,* relié à la diarrhée et à un apport insuffisant consécutif aux nausées, l'objectif de soins principal se lirait comme suit :

Maintien d'un équilibre hydrique, manifesté par une élimination urinaire et fécale correspondant à l'apport liquidien, une élasticité normale de la peau et des muqueuses humides

Dans cet exemple, l'objectif général (équilibre hydrique) s'oppose au problème (*Déficit de volume liquidien*) et est suivi d'une liste de résultats escomptés observables. Si on obtient ces résultats, on aura la preuve que le problème *Déficit de volume liquidien* a été résolu (tableau 17-1).

Pour chaque diagnostic infirmier, l'infirmière doit formuler au moins un résultat escompté qui, s'il est obtenu, sera une preuve directe de la résolution du problème. Lorsque l'infirmière établit des objectifs de soins et des résultats escomptés, elle doit se poser les questions suivantes :

1. Quel est le problème ?
2. Quelle est la réaction désirable opposée ?
3. Quels seront l'apparence ou le comportement de la personne si la réaction désirable est obtenue ? (Que pourrais-je voir, entendre, mesurer, palper, sentir ? Autrement dit, que pourrais-je observer à l'aide de mes sens ?)
4. Que doit faire la personne et comment doit-elle le faire pour prouver que le problème a été résolu ou qu'elle est capable de le résoudre ?

COMPOSANTES DES OBJECTIFS DE SOINS ET DES RÉSULTATS ESCOMPTÉS

L'énoncé des objectifs de soins et des résultats escomptés doit habituellement comprendre les quatre éléments suivants :

1. *Sujet.* Le sujet est un nom qui désigne la personne, une partie de son corps ou un de ses attributs, comme le pouls ou le débit urinaire. Il arrive souvent qu'on omette le sujet dans les objectifs de soins ; on sous-entend alors, sauf indication contraire, que le sujet est la personne soignée.

2. *Verbe.* Le verbe exprime une action que la personne doit accomplir : faire, apprendre, expérimenter, etc. L'infirmière doit employer des verbes qui expriment des comportements observables, comme « administrer », « montrer » et « marcher ». L'encadré 17-2 présente quelques exemples de verbes d'action.

3. *Complément.* L'infirmière peut ajouter un complément au verbe afin d'indiquer les conditions dans lesquelles l'action sera accomplie. Ce complément indique l'objet, le lieu, le temps ou la manière. Il n'est pas nécessaire d'ajouter de complément si les critères de performance expriment clairement ce que l'on recherche.

4. *Critère de performance.* Le critère indique la norme par rapport à laquelle on évaluera la performance ou encore le degré d'exécution de l'action. Il peut contenir des précisions sur le moment, la vitesse, l'exactitude, la distance et la qualité de l'action. Pour formuler des critères de temps, d'exactitude, de distance et de qualité, l'infirmière se pose respectivement les questions suivantes : Dans combien de temps ? À quel degré ? Jusqu'où ? Selon quelles normes ?

Le tableau 17-4 présente les composantes des résultats escomptés. Autant ceux-ci seront précis, autant il sera facile d'appliquer la prochaine étape, soit celle de l'évaluation, expliquée au chapitre 18 ⃝. Le tableau 17-5 contient les résultats de soins infirmiers et les indicateurs pour Raymonde Aquilini.

ENCADRÉ 17-2
EXEMPLES DE VERBES D'ACTION

Aider	Déplacer	Nommer
Appliquer	Déterminer	Parler
Assembler	Discuter	Partager
Asseoir (s')	Distinguer	Préparer
Boire	Dormir	Rendre compte
Choisir	Effectuer	Respirer
Comparer	Énoncer	Sélectionner
Décrire	Énumérer	Tourner (se)
Définir	Expliquer	Verbaliser
Démontrer	Injecter	

TABLEAU 17-4
COMPOSANTES DES RÉSULTATS ESCOMPTÉS

Sujet	Verbe	Complément	Critère de performance
La personne	boira	2 500 mL de liquide	tous les jours (temps).
La personne	s'administrera	la dose exacte d'insuline	en respectant la technique d'asepsie (norme de qualité).
La personne	énumérera	trois risques associés au tabagisme (après avoir consulté de la documentation)	(degré d'exactitude exprimé par « trois risques »).
La personne	se rappellera	cinq symptômes du diabète avant son congé	(degré d'exactitude exprimé par « cinq symptômes »).
La personne	marchera	jusqu'au bout du corridor sans l'aide d'une canne	au moment du congé (temps).
La cheville de la personne	mesurera	moins de 25 cm de circonférence	dans 48 heures (temps).
La personne	exécutera	les exercices d'amplitude du mouvement de la jambe qui lui ont été enseignés	toutes les 8 heures (temps).
La personne	indiquera	quels sont les aliments riches en sel parmi ceux d'une liste	avant son congé (temps).
La personne	expliquera	la raison d'être de sa médication	avant son congé (temps).

TABLEAU 17-5

RÉSULTATS DE SOINS INFIRMIERS ET INDICATEURS POUR RAYMONDE AQUILINI

Diagnostic infirmier*	Résultat de soins infirmiers et indicateurs
Dégagement inefficace des voies respiratoires, relié à la présence de sécrétions visqueuses et à une faible amplitude thoracique consécutives au déficit de volume liquidien, à la douleur et à la fatigue	État respiratoire: échanges gazeux, manifestés par: ■ Absence de pâleur et de cyanose (peau et muqueuses) ■ Utilisation d'une technique appropriée de respiration et de toux après enseignement ■ Toux productive ■ Amplitude thoracique symétrique d'au moins 4 cm Dans les 48 à 72 heures ■ Poumons clairs à l'auscultation ■ Fréquence respiratoire: 12-22/min; pouls: < 100 battements/min ■ Inspiration d'un volume normal d'air avec spiromètre d'incitation
Déficit de volume liquidien: apport insuffisant pour remplacer les pertes liquidiennes, relié aux vomissements, à la fièvre et à la diaphorèse	Équilibre hydrique, manifesté par: ■ Débit urinaire supérieur à 30 mL/h ■ Densité de l'urine entre 1,005 et 1,025 ■ Bonne élasticité de la peau ■ Muqueuses humides ■ Exprime son besoin d'un apport liquidien par voie orale
Anxiété, reliée aux difficultés respiratoires ainsi qu'à l'exercice des rôles professionnel et parental	Diminution de l'anxiété, manifestée par: ■ L'écoute des consignes relatives aux techniques de respiration et de toux, et leur utilisation, même pendant les périodes de dyspnée ■ La verbalisation de sa compréhension de l'affection, des examens paracliniques et des traitements (d'ici la fin de la journée) ■ La diminution des manifestations de peur et d'anxiété; aucune manifestation d'ici les 12 prochaines heures ■ Une voix calme, non saccadée ■ Une fréquence respiratoire de 12-22 respirations/min ■ L'expression libre de ses inquiétudes et la recherche de solutions possibles au sujet de l'exercice des rôles professionnel et parental
Risque de dynamique familiale perturbée, relié à l'affection de la mère et à l'absence temporaire du père	Stratégies d'adaptation familiale, manifestées par: ■ Des dispositions satisfaisantes pour la garde de son enfant ■ Une communication efficace avec son mari et la recherche des solutions avec lui ■ L'expression des sentiments par les membres de la famille et un soutien mutuel
Alimentation déficiente, reliée à une diminution de l'appétit, aux nausées et à une augmentation de la vitesse du métabolisme, consécutives au processus morbide	État nutritionnel: apports nutritifs, manifestés par: ■ La consommation d'aliments correspondant à au moins 85 % de chaque repas ■ Le maintien de son poids actuel ■ La capacité d'expliquer l'importance d'une bonne alimentation ■ Un gain d'appétit signalé par la cliente
Déficit de soins personnels: se laver et effectuer ses soins d'hygiène, relié à l'intolérance à l'activité consécutive au dégagement inefficace des voies respiratoires et aux habitudes de sommeil perturbées	Soins personnels: activités de la vie quotidienne, manifestées par: ■ La capacité de marcher jusqu'à la salle de bain sans présenter de dyspnée, de fatigue, de respiration inefficace ni d'essoufflement ■ Dans les 24 heures, la capacité de faire sa toilette au lit avec aide; dans les 48 heures, la capacité de faire sa toilette au lavabo avec aide; dans les 72 heures, la capacité de se laver sous la douche sans présenter de dyspnée ■ L'expression de sa satisfaction relativement à ses soins d'hygiène et de la facilité de les poursuivre
Habitudes de sommeil perturbées, reliées à la toux, à la douleur, à l'orthopnée et à la diaphorèse	Sommeil, manifesté par: ■ La capacité de dormir pendant la nuit ■ Le sentiment de se sentir reposée ■ L'absence d'orthopnée

* Les diagnostics infirmiers, élaborés et classés à l'étape précédente de la démarche, sont présentés par ordre de priorité.

17

LIGNES DIRECTRICES POUR LA RÉDACTION D'OBJECTIFS DE SOINS ET DE RÉSULTATS ESCOMPTÉS

Les lignes directrices suivantes aideront l'infirmière à rédiger de façon appropriée des objectifs de soins et des résultats escomptés :

1. Exprimer les objectifs de soins et les résultats escomptés du point de vue des réactions de la personne et non de celui des activités infirmières. Pour ce faire, inscrire d'abord le sujet, puis un verbe. Éviter les tournures comme « laisser la personne » et « permettre à la personne », qui indiquent ce que l'infirmière espère accomplir et non ce que la personne soignée fera.

   Tournure appropriée : La personne boira 100 mL d'eau toutes les heures (comportement de la personne).

   Tournure fautive : Maintenir l'hydratation de la personne (action infirmière).

2. S'assurer que les résultats escomptés sont réalistes, compte tenu des capacités de la personne, de ses limites, ainsi que de la période de temps indiquée, le cas échéant. Les limites de la personne concernent sa situation financière, sa possibilité de se procurer le matériel nécessaire aux soins, son soutien familial, son accès aux services sociaux, son état physique et mental, et le temps. Par exemple, le résultat escompté « Mesurera exactement l'insuline » peut être irréaliste pour une personne atteinte de cataractes.

3. Veiller à ce que les objectifs de soins et les résultats escomptés soient compatibles avec les traitements prodigués par d'autres professionnels. Par exemple, le résultat « Augmentera de 15 minutes par jour le temps passé hors du lit » est incompatible avec une ordonnance médicale de repos au lit.

4. Formuler chaque objectif à partir d'un seul diagnostic infirmier. L'infirmière s'assure ainsi que les interventions planifiées sont clairement reliées au diagnostic, ce qui facilite l'évaluation des soins. Par exemple, l'objectif « La personne augmentera son apport alimentaire et améliorera sa capacité de s'alimenter elle-même » est incorrect, car il découle de deux diagnostics infirmiers différents, soit *Déficit de soins personnels : s'alimenter* et *Alimentation déficiente*.

5. Exprimer les résultats sous forme d'actions observables et mesurables. Éviter les mots vagues ainsi que ceux qui demandent une part d'interprétation ou de jugement de l'observateur. Par exemple, les expressions « augmenter l'activité physique quotidienne » et « accroître ses connaissances en nutrition » peuvent prendre différentes significations et donner lieu à des désaccords au moment de l'évaluation. Elles peuvent convenir à un objectif général, mais n'ont ni la clarté ni la précision nécessaires pour guider l'infirmière quand viendra le temps d'évaluer les réactions de la personne.

6. S'assurer que la personne accorde de l'importance aux objectifs de soins et aux résultats escomptés. Certains résultats supposent des choix que la personne doit faire elle-même ou en collaboration avec l'infirmière. C'est le cas notamment des résultats reliés aux problèmes d'estime de soi, de communication et d'exercice du rôle parental.

   Certaines personnes savent précisément ce qu'elles désirent accomplir par rapport à leur problème de santé, tandis que d'autres ne connaissent même pas tous les résultats qu'il est possible d'obtenir. L'infirmière doit écouter activement la personne pour déterminer ses valeurs personnelles, ses objectifs et les résultats qu'elle compte obtenir par rapport à ses problèmes actuels. En règle générale, les personnes sont motivées et déploient l'énergie nécessaire pour atteindre les objectifs qu'elles considèrent comme importants.

   L'encadré 17-3 présente les caractéristiques, selon Carpenito (1995), à considérer lors de la formulation d'objectifs à court terme et à long terme.

ENCADRÉ 17-3
CARACTÉRISTIQUES DES OBJECTIFS

L'objectif doit être :	et contenir les éléments suivants :
■ prioritaire	■ sujet
■ observable	■ verbe d'action
■ précis	■ contexte de réalisation
■ mesurable	■ critère de performance
■ réalisable	■ date d'échéance

Choisir des interventions infirmières

Les interventions infirmières sont les actions qu'une infirmière accomplit pour atteindre les objectifs de soins ou les résultats escomptés. Les interventions qu'elle choisit d'effectuer doivent viser à éliminer ou à atténuer les facteurs favorisants (deuxième segment) des diagnostics infirmiers ou, selon le modèle McGill, à valider les hypothèses relatives à la présence d'un problème ou d'un besoin pour la personne et (ou) la famille.

Lorsqu'il est impossible de modifier les facteurs favorisants, comme dans le cas de *Douleur*, reliée à l'incision chirurgicale, et d'*Anxiété*, reliée à une étiologie inconnue, l'infirmière doit choisir des interventions qui traiteront les signes et les symptômes (caractéristiques) du problème de santé.

Les interventions associées aux diagnostics infirmiers de type risque devraient viser à atténuer les facteurs de risque, qui apparaissent aussi dans le deuxième segment des diagnostics.

En fonction du modèle conceptuel utilisé, les interventions infirmières varient selon la cause du problème ou du niveau auquel se trouve le client par rapport à son trouble de santé. Par conséquent, on ne peut faire un choix d'interventions approprié que si l'on a déterminé correctement les facteurs favorisants à l'étape de l'analyse. Le diagnostic *Intolérance à l'activité*, par exemple, a plusieurs étiologies possibles : douleur, faiblesse, mode de vie sédentaire, anxiété, arythmies cardiaques, etc.

TYPES D'INTERVENTIONS INFIRMIÈRES

L'infirmière détermine les interventions qu'elle doit effectuer et les consigne par écrit à l'étape de *planification* de la démarche de soins infirmiers, mais elle ne les accomplit qu'à l'étape suivante, justement appelée « interventions ». Les interventions infirmières comprennent des soins directs et indirects, de même que des traitements amorcés par l'infirmière, le médecin et d'autres professionnels de la santé. Un soin direct est une intervention exécutée lors d'une interaction avec la personne soignée. Un soin indirect est une intervention exécutée en l'absence de la personne, mais en son nom ; il peut s'agir d'une collaboration interdisciplinaire ou d'une activité de gestion du milieu de soins.

17

Les **interventions autonomes** sont les activités que l'infirmière est autorisée à amorcer en se basant sur ses connaissances et ses compétences. Les tâches accomplies par l'infirmière lui sont dictées autant par le diagnostic infirmier que par le diagnostic médical. Le diagnostic infirmier est relié aux **fonctions autonomes** de l'infirmière, c'est-à-dire aux aspects des soins de santé propres à la profession d'infirmière et distincts du traitement médical proprement dit.

L'infirmière a droit de regard sur l'inscription des interventions. Après avoir diagnostiqué une *Atteinte de la muqueuse buccale*, l'infirmière planifie des soins de la bouche et les prodigue elle-même ou les délègue à un autre membre de l'équipe de soins. Les interventions autonomes comprennent les soins physiques, l'évaluation continue, la surveillance clinique, le soutien et le réconfort psychologique, l'enseignement, la consultation (ou counselling), la gestion du milieu de soins, l'orientation de la personne vers d'autres professionnels de la santé et l'ajustement du PSTI.

Au Québec, le champ de pratique des infirmières a été élargi par la *Loi modifiant le Code des professions et d'autres dispositions législatives dans le domaine de la santé* (2003); par cette loi, le gouvernement reconnaît formellement le «rôle accru des infirmières, en leur accordant une plus grande autonomie». Par exemple, lors de l'évaluation initiale de l'état de santé d'une personne, l'infirmière peut dorénavant instaurer des mesures diagnostiques et thérapeutiques selon une ordonnance; de même, elle peut décider d'utiliser ou non des mesures de contention, et administrer ou modifier des traitements médicaux selon une ordonnance.

Nous avons déjà défini les diagnostics infirmiers au chapitre 16 ⊂⊃ : il s'agit des problèmes de la personne qu'il est possible de traiter principalement au moyen d'interventions infirmières autonomes. McCloskey et al. (2000) désignent ces interventions par l'expression « traitements amorcés par l'infirmière ». L'infirmière qui accomplit une intervention autonome détermine si la personne a besoin de certaines interventions infirmières; elle exécute ces interventions ou les confie à d'autres membres du personnel infirmier. Elle est responsable de ses décisions et de ses actions; elle doit donc rendre des comptes à cet égard.

Les **interventions selon une ordonnance** sont les activités que l'infirmière accomplit à la suite d'une ordonnance médicale, sous la surveillance du médecin ou conformément à des méthodes spécifiées. Il incombe à l'infirmière d'expliquer les ordonnances médicales, d'en évaluer la nécessité et de les exécuter. L'infirmière peut rédiger ses interventions de manière à adapter l'ordonnance médicale en fonction de l'état de la personne. Par exemple, pour l'ordonnance médicale «Ambulation progressive selon la tolérance» (résultat médical escompté), l'infirmière peut écrire ce qui suit dans le PSTI (comportement ou attitude du client):

1. S'asseoir sur le bord du lit pendant 5 min, 12 heures après l'intervention chirurgicale.
2. Se tenir à côté du lit 5 minutes, 24 heures après l'intervention chirurgicale; surveiller l'apparition de pâleur, d'étourdissements et de faiblesse.
3. Vérifier le pouls avant et après le déplacement. Ne pas poursuivre si le pouls > 110.

Le médecin prescrit des analgésiques à la plupart des personnes chez qui un diagnostic infirmier de *douleur* est posé. L'infirmière doit respecter la dimension médicale, c'est-à-dire qu'elle doit administrer des analgésiques (par exemple Dilaudid 2 mg, par voie sous-cutanée, toutes les 3 ou 4 heures et de l'acétaminophène 650 mg, par voie orale, toutes les 6 heures).

Mais de nombreuses interventions infirmières autonomes peuvent aussi soulager la douleur (comme l'imagerie guidée ou l'enseignement du mode de soutien d'une incision). Pour résoudre le problème du client, l'infirmière doit poursuivre en même temps les interventions autonomes et les interventions selon une ordonnance.

Quel que soit le type d'intervention, l'infirmière doit l'inscrire au PSTI. Au besoin, si un suivi clinique prioritaire est nécessaire, elle doit aussi l'inscrire au PTI qui, comme nous l'avons expliqué au chapitre 16 ⊂⊃ , dresse le tableau clinique évolutif des problèmes et des besoins prioritaires du client et énonce les directives infirmières en vue d'assurer le suivi clinique (OIIQ, 2006).

Les **interventions en collaboration** sont des actions que l'infirmière accomplit de concert avec d'autres membres de l'équipe de soins, tels les physiothérapeutes, les travailleurs sociaux, les nutritionnistes et les médecins, en collaboration avec le client et ses proches. Le PII, qui en découle, témoigne du chevauchement des responsabilités et de la collégialité des relations entre les personnes soignantes. Par exemple, dans le cas où le médecin prescrit des séances de physiothérapie pour enseigner à une personne la façon de marcher avec des béquilles, l'infirmière doit prendre contact avec le service de physiothérapie et coordonner les soins de la personne de manière à y intégrer les séances. Au retour de la personne dans l'unité de soins, l'infirmière l'aidera à marcher avec ses béquilles et collaborera avec le physiothérapeute pour évaluer ses progrès.

Le temps consacré aux différentes interventions (autonomes, selon une ordonnance et en collaboration) varie selon le domaine clinique, le type d'établissement et les attributions particulières de l'infirmière.

Selon l'article 2 de la *Loi modifiant le Code des professions et d'autres dispositions législatives dans le domaine de la santé*, l'expression «**activités réservées**» désigne:

> un ensemble d'opérations ou d'interventions qui doivent être réalisées dans le cadre d'un champ d'exercice de la profession. Même si elles sont souvent libellées en termes généraux de façon à permettre l'évolution des pratiques, elles sont toujours balisées par la description du champ d'exercice. Ces activités sont réservées en raison du risque de préjudice lié à leur réalisation ainsi que des compétences requises et des connaissances exigées pour les exercer. Elles ont été retenues parce qu'elles peuvent: présenter un caractère irrémédiable; être complexes; être invasives; impliquer un haut niveau de technicité; être contre-indiquées dans certaines situations; faire appel à l'usage de médicaments; causer ou entraîner des effets secondaires, des complications, une atteinte à l'intégrité physique ou causer le décès; comporter un potentiel d'abus physique ou émotif; causer ou entraîner la perte d'un droit (OIIQ, 2003a).

L'encadré 4-2, à la page 76 du chapitre 4 🔗, présente la liste des activités réservées à l'infirmière.

ANALYSE DES CONSÉQUENCES D'UNE INTERVENTION

En règle générale, un certain nombre d'interventions sont possibles à partir de chaque diagnostic infirmier. Il incombe à l'infirmière de choisir celles qui ont le plus de chances de produire les résultats escomptés. Une intervention peut entraîner plus d'une conséquence, et l'infirmière doit tout d'abord en peser les risques et les bienfaits. Par exemple, l'intervention «Fournir une information précise» peut engendrer les effets suivants chez la personne :

- Augmentation de l'anxiété
- Diminution de l'anxiété
- Désir de s'entretenir avec le médecin
- Désir de quitter le centre hospitalier
- Détente

L'infirmière doit faire appel à ses connaissances et à son expérience pour déterminer les conséquences de chaque intervention. Ainsi, son expérience peut lui avoir enseigné que le fait de donner des informations le soir précédant l'intervention chirurgicale risque d'accroître l'anxiété de la personne, et que le maintien des rituels précédant le sommeil aura, au contraire, un effet calmant. L'infirmière décidera alors d'informer la personne le plus tôt possible avant l'intervention chirurgicale.

CRITÈRES POUR LE CHOIX DES INTERVENTIONS INFIRMIÈRES

Après avoir soupesé les conséquences des diverses interventions possibles, l'infirmière choisit celle qui semble la plus efficace. Elle prend sa décision en se basant sur ses connaissances scientifiques, les résultats probants issus des recherches et son expérience, mais elle doit aussi tenir compte de l'opinion du client.

Les critères suivants aideront l'infirmière à choisir les meilleures interventions possible. Une intervention doit être :

- sûre et adaptée à l'âge et à l'état de santé de la personne. Par exemple, un premier lever après une intervention chirurgicale sera d'une durée beaucoup plus courte que le lever cinq jours plus tard ;
- réalisable, compte tenu des ressources disponibles. Par exemple, une infirmière peut souhaiter qu'une personne âgée vérifie quotidiennement sa glycémie. Pour se conformer à cette ordonnance de manière autonome, cependant, cette personne doit avoir une vue, une cognition et une mémoire intactes. Si ce n'est pas le cas, elle devra recevoir tous les jours la visite d'une infirmière ;
- adaptée aux valeurs, aux croyances et à la culture de la personne ;
- compatible avec les autres traitements. Par exemple, si le médecin interdit les aliments solides, l'infirmière devra renoncer à servir une collation en soirée jusqu'à ce que l'état de santé de la personne le permette ;
- fondée sur les connaissances scientifiques, les résultats probants et l'expérience propres au domaine des soins infirmiers ou à d'autres sciences pertinentes (autrement dit, s'appuyant sur une justification scientifique) ;

- conforme aux normes établies par la loi, les associations professionnelles et les politiques de l'établissement. De nombreux établissements se sont dotés de politiques (comme les règles relatives aux heures de visite et les protocoles en cas d'arrêt cardiaque) visant à régir les activités des professionnels de la santé et à protéger les clients. Si une infirmière se rend compte qu'une politique ne sert pas les intérêts des clients, elle a le devoir de porter la situation à l'attention des autorités compétentes.

Rédiger les ordonnances infirmières dans le plan de soins et de traitements infirmiers

Après avoir choisi les interventions infirmières appropriées, l'infirmière les inscrit dans le PSTI sous forme d'ordonnances infirmières. Une **ordonnance infirmière** est une demande d'exécuter les activités infirmières individualisées, qui aideront la personne à atteindre les objectifs de soins établis. L'infirmière qui la formule et celle qui l'exécute sont responsables de l'ordonnance. Le PSTI établi pour Raymonde Aquilini (p. 399-400) contient des exemples d'ordonnances infirmières. La quantité de détails qui figurent sur une ordonnance infirmière dépend, dans une certaine mesure, du personnel soignant qui l'exécutera. Le tableau 17-6 présente les composantes d'une ordonnance infirmière.

DATE

L'infirmière date les ordonnances au moment où elle les rédige et chaque fois qu'elle les révise, c'est-à-dire régulièrement, à des intervalles qui dépendent des besoins de la personne. Par exemple, le PSTI est revu et corrigé de manière continuelle dans une unité de soins intensifs, et selon la politique de l'établissement dans un CHSLD.

VERBE D'ACTION

L'ordonnance commence par un verbe qui doit être le plus précis possible. Par exemple, «Expliquer (à la personne) le mode d'action de l'insuline» est plus précis que «Renseigner (la personne) sur l'insuline». De même, «Mesurer et noter la circonférence de la cheville gauche tous les jours à 9 h» est plus précis que «Évaluer quotidiennement l'œdème de la cheville gauche». Parfois, la seule présence d'un adverbe peut suffire à préciser l'ordonnance infirmière. C'est ainsi que «Enrouler fermement un bandage autour de la jambe gauche» est plus précis que «Enrouler un bandage autour de la jambe gauche».

CHAMP D'ACTION

Le champ d'action correspond à l'objet de l'ordonnance et à son lieu d'exécution. Dans l'exemple précédent, il s'agit du bandage et de la jambe gauche. L'infirmière pourrait aussi préciser si le pied et les orteils seront laissés à l'air libre.

INDICATION DE TEMPS

L'indication de temps exprime le moment, la durée ou la fréquence de l'intervention, par exemple «Aider la personne à prendre un bain tous les jours à 7 heures» et «Administrer l'analgésique 30 minutes avant la séance de physiothérapie».

17

TABLEAU 17-6

COMPOSANTES D'UNE ORDONNANCE INFIRMIÈRE

Date	Verbe d'action	Champ d'action	Indication de temps	Signature
2011-02-14	Surveiller	les manifestations d'intérêt envers les activités de groupe	à chaque contact avec la personne.	J. Jodoin
2011-02-14	Recommander	(à la personne) d'éviter de boire des liquides aux repas si elle a des nausées	pendant le quart de soir, 2011-02-14.	J. Jodoin
2011-02-14	Rembourrer	les ridelles du lit	pendant les périodes d'agitation et de désorientation.	C. Vanier
2011-02-14	Discuter	(avec la famille de la personne) des besoins en matière d'aide aux soins à domicile	vendredi.	L. Chung
2011-02-14	Palper	le fond de l'utérus pour en évaluer la fermeté	toutes les heures × 2, puis toutes les 4 h × 24 h.	C. Parent

SIGNATURE

La signature de l'infirmière qui émet l'ordonnance engage sa responsabilité et donne une valeur juridique à ce document.

CATÉGORIES D'ORDONNANCES INFIRMIÈRES

Lorsque les circonstances le dictent, une infirmière ne sera jamais blâmée de trop utiliser son sixième sens. L'infirmière expérimentée aura plus de facilité à amorcer le processus de rédaction d'une ordonnance infirmière, alors que la novice aura besoin d'aide et devra revoir les données scientifiques pour mener à bien cette tâche. Selon le problème que présente la personne, l'infirmière rédige des ordonnances d'observation, de prévention, de traitement ou de promotion de la santé.

Les *ordonnances d'observation* prescrivent des évaluations visant à détecter l'apparition d'une complication ou encore les réactions d'une personne aux soins infirmiers et aux autres traitements. Les ordonnances d'observation que rédige l'infirmière portent tant sur les problèmes actuels que sur les problèmes possibles ou sur les risques. «Ausculter les poumons toutes les 8 heures», «Être à l'affût de l'apparition de rougeurs sur le sacrum» et «Consigner les ingesta et les excreta toutes les heures» sont des exemples d'ordonnances d'observation.

Les *ordonnances de prévention* indiquent les soins qu'il est nécessaire de donner pour prévenir les complications ou réduire les facteurs de risque. Elles sont associées principalement aux diagnostics possibles ou de type risque et aux problèmes traités en collaboration. En voici deux exemples: «Changer de position, tousser et respirer profondément toutes les 2 heures» et «Si le fond de l'utérus est œdémateux, masser jusqu'au retour de la fermeté (prévention d'une hémorragie de la délivrance)».

Les *ordonnances de traitement* décrivent l'enseignement, les demandes de consultation, les soins physiques et les autres soins reliés à des diagnostics infirmiers actuels. Une même ordonnance peut être axée soit sur la prévention, soit sur le traitement, selon le problème. Ainsi, les exemples d'ordonnance précédents peuvent aussi porter sur un traitement: l'ordonnance «Changer de position, tousser et respirer profondément toutes les 2 heures» peut viser à traiter un problème respiratoire exis-

tant, et l'ordonnance «Si le fond de l'utérus est œdémateux, masser jusqu'au retour de la fermeté» peut être destinée au traitement d'une hémorragie de la délivrance déjà présente.

L'infirmière rédige des *ordonnances de promotion de la santé* si elle formule un diagnostic centré sur le bien-être ou si la personne ne présente aucun problème de santé. Les interventions ainsi prescrites aident la personne à atteindre un degré supérieur de bien-être et à actualiser son potentiel global de santé, comme dans les exemples suivants: «Expliquer l'importance de séances quotidiennes d'activité physique» et «Faire l'essai de techniques de stimulation du nourrisson».

Utilisation du modèle McGill: étape 3 – planification des soins et des traitements infirmiers

L'outil de planification du modèle McGill est présenté ici en trois colonnes: objectif de la personne-famille, interventions/services/ressources et échéancier. Il importe de dire que ce modèle peut être mis sous une autre forme. L'entité client/famille, avec ses besoins et ses attentes, demeure au centre des interventions infirmières. Compte tenu des réactions de la personne à son problème de santé, il faut prévoir dans la planification des interventions pour aider le client à: «conscientiser son problème ou à définir le besoin» (niveau 1), ou à « trouver une réponse au problème ou satisfaire le besoin» (niveau 2).

Les interventions qui relèvent du niveau 1 engloberont des activités qui mèneront à la compréhension du problème ou du besoin, alors que celles qui relèvent du niveau 2 engloberont des activités visant à obtenir une meilleure prise en charge du problème de santé par la personne concernée.

Lorsque l'objectif visé par l'infirmière et celui visé par le client ne concordent pas, une négociation est requise. Par exemple, si un client refuse de recourir à la spirométrie pour réduire le risque de pneumonie, alors que l'infirmière veut

PLAN DE SOINS ET DE TRAITEMENTS INFIRMIERS

DESTINÉ À RAYMONDE AQUILINI

DIAGNOSTIC INFIRMIER : DÉGAGEMENT INEFFICACE DES VOIES RESPIRATOIRES, RELIÉ À LA PRÉSENCE DE SÉCRÉTIONS VISQUEUSES ET À UNE FAIBLE AMPLITUDE THORACIQUE CONSÉCUTIVES AU DÉFICIT DE VOLUME LIQUIDIEN, À LA DOULEUR ET À LA FATIGUE

Résultats de soins infirmiers et indicateurs	Ordonnances infirmières	Justifications scientifiques
État respiratoire : échanges gazeux, manifestés par : ■ Absence de pâleur et de cyanose (peau et muqueuses) ■ Utilisation d'une technique appropriée de respiration et de toux après enseignement ■ Toux productive ■ Amplitude thoracique symétrique d'au moins 4 cm Dans les 48 à 72 h : ■ Poumons clairs à l'auscultation ■ Fréquence respiratoire : 12-22/min ; pouls : < 100 battements/min ■ Inspiration d'un volume normal d'air avec spiromètre d'incitation	Vérifier l'état respiratoire toutes les 4 h : fréquence, amplitude, effort, couleur de la peau, muqueuses, quantité et couleur des crachats. Prendre connaissance des radiographies pulmonaires, des résultats de l'analyse des gaz sanguins et de la mesure du volume inspiré avec le spiromètre d'incitation si possible. Surveiller l'état de conscience. Ausculter les poumons toutes les 4 h. Mesurer les signes vitaux toutes les 4 h (T°, PA, pls, saturométrie). Enseigner des techniques de toux et de respiration. Rappeler à la patiente de les pratiquer et l'y aider toutes les 3 h. Administrer un expectorant selon l'ordonnance ; établir l'horaire le plus propice à son efficacité. Maintenir la personne en position Fowler ou semi-Fowler. Administrer les analgésiques selon l'ordonnance. Avertir le médecin si la douleur ne s'atténue pas. Administrer de l'oxygène à l'aide de lunettes nasales, selon l'ordonnance. Fournir une source portative d'oxygène à la personne si elle sort de l'unité (pour se rendre au service de radiographie, par exemple). Aider la personne à pratiquer son drainage postural tous les jours à 9 h 30. Administrer l'antibiotique prescrit de manière à conserver une concentration sanguine constante. Surveiller l'apparition d'une éruption cutanée, d'un trouble gastro-intestinal ou d'autres effets secondaires.	Il est important de vérifier si l'on s'approche ou s'éloigne de l'objectif. Le problème *Dégagement inefficace des voies respiratoires* nuit à l'oxygénation, ce qui se manifeste par la pâleur, la cyanose, la léthargie et la somnolence. Une oxygénation insuffisante entraîne une augmentation du pouls. Les analgésiques opioïdes peuvent entraîner une diminution de la fréquence respiratoire. Une respiration superficielle nuit à l'oxygénation. Les techniques permettront à la personne d'expectorer les sécrétions. La personne aura peut-être besoin d'encouragement et de soutien en raison de la fatigue et de la douleur. L'expectorant détache les sécrétions et en facilite l'expulsion. La gravité favorise la dilatation des poumons en allégeant la pression exercée par l'abdomen sur le diaphragme. Les analgésiques soulagent la douleur pleurétique en bloquant les voies de la douleur et en modifiant la perception de la douleur, ce qui favorise la dilatation du thorax. Une douleur persistante peut indiquer l'imminence de complications. L'oxygène d'appoint fournit un supplément d'oxygène aux cellules, même si la quantité d'air inspirée et expirée est diminuée. L'effort respiratoire s'en trouve allégé. La gravité favorise l'ascension des sécrétions dans les voies respiratoires. L'antibiotique combat l'infection par son effet bactériostatique ou bactéricide, selon le type. Il est nécessaire de maintenir une concentration sanguine constante pour empêcher la multiplication des agents pathogènes. Les allergies aux antibiotiques sont fréquentes.

17

PLAN DE SOINS ET DE TRAITEMENTS INFIRMIERS *(suite)*

DESTINÉ À RAYMONDE AQUILINI

DIAGNOSTIC INFIRMIER : DÉFICIT DE VOLUME LIQUIDIEN : APPORT INSUFFISANT POUR REMPLACER LES PERTES LIQUIDIENNES, RELIÉ AUX VOMISSEMENTS, À LA FIÈVRE ET À LA DIAPHORÈSE (FIGURE 17-3 ■)
DIAGNOSTIC INFIRMIER : ANXIÉTÉ, RELIÉE AUX DIFFICULTÉS RESPIRATOIRES AINSI QU'À L'EXERCICE DES RÔLES PROFESSIONNEL ET PARENTAL

Résultats de soins infirmiers et indicateurs	Ordonnances infirmières	Justifications scientifiques
Diminution de l'anxiété, manifestée par les actions suivantes :		
■ Écoute et observe les consignes relatives aux techniques de respiration et de toux, et les utilise même pendant les périodes de dyspnée.	Demeurer avec la personne pendant les épisodes de dyspnée ; la rassurer en lui disant qu'on restera à ses côtés.	La présence d'une personne soignante compétente atténue la peur d'être incapable de respirer.
■ Verbalise sa compréhension de l'affection, des examens paracliniques et des traitements (d'ici la fin de la journée).	Rester calme ; paraître confiante. Encourager la personne à respirer lentement et profondément.	La diminution de l'anxiété aidera la personne à maintenir un mode de respiration efficace.
■ Diminution des manifestations de peur et d'anxiété ; aucune manifestation d'ici les 12 prochaines heures.	Pendant un épisode de dyspnée, expliquer brièvement les traitements et les procédés.	Une attitude calme et confiante rassure la personne.
■ Voix calme, non saccadée.	Après l'épisode aigu, fournir des renseignements détaillés sur la nature de l'affection, les traitements et les examens paracliniques.	Se concentrer sur la respiration peut donner à la personne un sentiment de maîtrise et diminuer son anxiété.
■ Fréquence respiratoire : 12-22/min.		L'anxiété et la douleur nuisent à l'apprentissage. Le fait de savoir à quoi s'attendre atténue l'anxiété.
■ Exprime librement ses inquiétudes à propos de l'exercice de ses rôles professionnel et parental, et énumère les solutions possibles à ce problème.	Si la personne le tolère, l'inciter à exprimer et à expliciter ses préoccupations quant à son enfant et à son travail.	Il est plus facile de maîtriser l'anxiété quand on en connaît la source. L'absence prolongée du mari constituerait une caractéristique déterminante pour ce diagnostic infirmier.
	Noter si son mari revient au moment prévu. Sinon, instaurer le PSTI pour *Dynamique familiale perturbée*.	

prévenir les complications, les deux devront trouver un terrain d'entente pour arriver à atteindre l'objectif des soins, en l'occurrence le dégagement des voies respiratoires.

Il va sans dire que l'objectif établi par l'infirmière et le client doit être relié au problème décelé à l'étape précédente de la démarche de soins. C'est la raison pour laquelle il faut formuler les objectifs de façon qu'ils représentent une suite logique dans le suivi clinique du client. Prenons comme exemple que le problème d'une cliente est la « difficulté à se déplacer ». Dans ce cas, l'objectif fixé devrait être le suivant : « La cliente marchera seule dans le corridor, en utilisant sa marchette, 3 fois par jour, d'ici 5 jours » plutôt que « La cliente marchera dans le corridor », qui n'est pas un objectif précis, selon les caractéristiques des objectifs présentées à l'encadré 17-3.

Pour atteindre l'objectif relatif au client, l'infirmière devra choisir des interventions appropriées et, pour ce faire, elle s'appuiera sur ses hypothèses relativement au problème ou au besoin. En se posant des questions pour découvrir la cause du problème ou encore du refus du client ou de la famille de collaborer pour le résoudre, l'infirmière avancera des hypothèses

à partir desquelles elle choisira des interventions adéquates et pertinentes pour atteindre l'objectif fixé. L'encadré 17-4 énumère les caractéristiques que les interventions infirmières doivent posséder pour être adéquates et pertinentes.

Pour s'assurer que ses interventions ont été efficaces et que l'objectif fixé a été atteint, l'infirmière doit prévoir la date à laquelle elle doit réévaluer le PSTI. Lors de cette nouvelle évaluation, elle doit pouvoir répondre à un certain nombre de questions, par exemple :
■ L'objectif ou le résultat escompté a-t-il été atteint ou non ?
■ La formulation de l'objectif reflète-t-il le problème retenu ?
■ Les interventions s'appuient-elles sur les hypothèses avancées ?

L'évaluation effectuée à cette étape de la démarche de soins doit permettre à l'infirmière de faire le bilan des apprentissages de la personne/famille, et de mettre fin aux interventions ou de les ajuster, au besoin. Il lui faut donc recueillir de nouvelles données pour évaluer la pertinence du PSTI. Pour mieux expliquer cette étape cruciale de la démarche, reprenons le cas d'Emma Duclos, dont il a été question dans les chapitres

⬡ SCHÉMA DU PLAN DE SOINS ET DE TRAITEMENTS INFIRMIERS

DÉGAGEMENT INEFFICACE DES VOIES RESPIRATOIRES (ÉCHANGES GAZEUX)

R. A.
28 ans ♀
Pneumonie possible

→ Recueillir les données →

- Rhume × 2 semaines
- Dyspnée à l'effort
- Fièvre, douleurs thoraciques
- Orthopnée
- Frissons occasionnels
- ↓ apport × 2 jours
- T: 39,4 °C; P: 92; R:22, superficielle; PA: 122/80

- Muqueuses sèches; peau chaude et pâle
- Joues rouges
- ↓ bruits respiratoires crépitants à l'inspiration, au LID
- Amplitude thoracique 3 cm; toux
- Crachats épais rose pâle
- Léthargique, faible/fatiguée

Poser un diagnostic infirmier ↓

Dégagement inefficace des voies respiratoires r/a, sécrétions visqueuses, amplitude thoracique consécutive à déficit de volume liquidien, douleur thoracique et fatigue

Résultat escompté ↓

Dégagement efficace des voies respiratoires (échanges gazeux), manifesté par:
- Absence de pâleur et de cyanose
- Technique appropriée de toux et de respiration
- Toux productive
- Amplitude thoracique symétrique de 4 cm

Dans les 48 à 72 heures

- Poumons clairs à l'auscultation
- Fréquence respiratoire: 12-22 min; pouls: < 100 battements/min
- Inspiration d'un volume normal d'air avec spiromètre d'incitation

Intervention infirmière

Surveiller | Enseigner | Administrer | Effectuer

Activité: Techniques de toux et de respiration profonde
Activité: Rappeler et superviser toutes les 3 h
Activité: Antibiotiques
Activité: Oxygène
Activité: Expectorants
Activité: Analgésiques
Activité: Drainage postural tous les jours
Activité: T, pls, PA et saturométrie toutes les 4 h
Activité: Gaz sanguins, radiographies pulmonaires, volume inspiratoire prn
Activité: État de conscience
Activité: Fréquence, amplitude et effort respiratoires, couleur, muqueuses et crachats toutes les 4 h

17

ENCADRÉ 17-4

ÉLÉMENTS À PRENDRE EN CONSIDÉRATION LORS DE LA PLANIFICATION AFIN QUE LES INTERVENTIONS SOIENT ADÉQUATES ET PERTINENTES

- Considérer l'objectif ou le résultat escompté à atteindre.
- Formuler les interventions selon l'importance du problème et les hypothèses.
- Spécifier à qui s'adressent les interventions.
- Clarifier avec le client ce que celui-ci veut accomplir.
- Privilégier les apprentissages du client/énoncer ce que le client doit apprendre.

- Obtenir l'approbation du client relativement au contenu du plan d'intervention.
- Assumer un rôle actif dans l'élaboration du plan.
- Intégrer des interventions axées sur la relation d'aide et l'enseignement.

Source : Gottlieb, L. N., et Ezer, H. (dir.). (2001). *A perspective on health, family, learning and collaborative nursing.* Montréal : McGill University School of Nursing.

---

précédents. Maintenant que la cliente a été hospitalisée, l'infirmière juge bon d'élaborer un PSTI. Le tableau 17-7 présente son PSTI et la figure 17-6 ■, l'ajustement de son PTI.

Le PSTI présenté pour Emma Duclos contient des interventions que l'infirmière peut effectuer de façon autonome, sans devoir recourir à un traitement médical ou à d'autres formes de collaboration pour atteindre son objectif de soins. Par contre, une fois reçus les résultats des épreuves de laboratoire (tableau 15-6), elle devra s'attaquer aux problèmes physiques en collaboration avec d'autres intervenants. Par exemple, à cause du déséquilibre électrolytique, Emma Duclos est exposée au risque de déshydratation. Pour prévenir ce risque, l'infirmière devra collaborer avec les autres membres de l'équipe soignante. Nous verrons au chapitre suivant (tableau 18-1, p. 418) la façon de documenter les soins prodigués en collaboration.

Activités réservées

Au Québec, le Règlement sur les actes visés à l'article 36 de la *Loi sur les infirmières et les infirmiers* qui peuvent être posés par des classes de personnes autres que des infirmières ou des infirmiers est maintenu en vigueur pour une période indéterminée afin de permettre aux infirmières auxiliaires de continuer à poser certains actes qui ne figurent pas parmi les activités qui leur sont réservées. L'application des nouvelles dispositions législatives nécessite une période de transition entre la délégation d'actes et ces dispositions. À cette fin, l'Office des professions du Québec a élaboré, en collaboration avec les ordres concernés, des tableaux de concordance entre, d'une part, les actes compris dans les règlements de délégations d'actes médicaux et infirmiers et, d'autre part, les activités réservées aux différents professionnels. Ces tableaux visent à démontrer qu'en vertu des nouvelles dispositions législatives, les professionnels peuvent poser les actes qui leur étaient antérieurement délégués et à préciser les nouvelles conditions d'exercice applicables (OIIQ, 2003b, p. 15).

La **délégation d'actes** encore présente dans certains milieux, aux États-Unis par exemple, se définit comme « le fait, pour une personne, de transférer à une autre la responsabilité de l'exécution d'une activité tout en conservant l'obligation de rendre compte du résultat » (American Nurses Association [ANA], 1992). La délégation est donc distincte de l'**affectation**, qui se définit comme « le fait, pour une personne, de transférer à une autre personne de niveau hiérarchique inférieur ou égal la responsabilité d'une activité *de même que l'obligation de rendre compte* » (c'est nous qui soulignons) (ANA, 1992, annexe I, nos 5-6).

TABLEAU 17-7

PLAN DE SOINS ET DE TRAITEMENTS INFIRMIERS DESTINÉ À EMMA DUCLOS

Objectif de la personne-famille	Interventions/services/ressources	Échéancier
2011-02-14 Affirmera que son anxiété a diminué d'ici la fin de la journée.	**Infirmière, infirmière auxiliaire :** ■ Se montrer disponible et empathique. Pratiquer l'écoute active pendant les soins. ■ Permettre l'utilisation de mécanismes d'adaptation (pleurs, marche) en tout temps. ■ Permettre l'expression des sentiments. ■ Définir les besoins/attentes de la cliente. ■ Dresser la liste des personnes pouvant fournir de l'aide. ■ Enseigner la respiration profonde pour favoriser la relaxation. **Cliente :** ■ Établir la liste de ses ressources extérieures. ■ Verbaliser l'expression de ses sentiments. ■ Recourir à la technique de respiration profonde. ■ Communiquer avec son réseau de soutien. ■ Comprendre la nécessité de l'hospitalisation.	☐ Atteint : ☐ Non atteint : Date : Signature :

PLAN THÉRAPEUTIQUE INFIRMIER (PTI)	Emma Duclos

CONSTATS DE L'ÉVALUATION

Date	Heure	N°	Problème ou besoin prioritaire	Initiales	RÉSOLU / SATISFAIT Date	Heure	Initiales	Professionnels/ Services concernés
2011-02-14	02:00	1	Récidive de la maladie de Crohn (Dx: 2006)					M.D.
		2	Risque de refus de traitement	D. T.	2011-02-14	10:00	S. R.	
2011-02-14	08:00	3	Risque de déficit nutritionnel	S. R.				Diététiste

SUIVI CLINIQUE

Date	Heure	N°	Directive infirmière	Initiales	CESSÉE / RÉALISÉE Date	Heure	Initiales
2011-02-14	02:00	1	Procéder à l'examen clinique abdominal q 2 h.		2011-02-14	12:00	S. R.
			Aviser inf. si augmentation de la T° ≥ 1 °C.				
			Aviser inf. si signes de subocclusion: nausées, vomissements,				
			distension et douleur abdominales [+ dir. verb. cliente].				
			Noter l'aspect des selles [dir. p. trav. PAB].				
		2	Aviser inf. si veut quitter.				
			Discuter des risques inhérents à un report de traitement		2011-02-14	12:00	S. R.
			sur son état de santé et des ressources disponibles dans				
			son environnement pour la soutenir.	D. T.			
	08:00	3	Aviser diététiste de la nécessité d'évaluation alimentaire par inf.		2011-02-14	13:00	S. R.
			Compléter le bilan alimentaire q repas [+ dir. plan de trav. PAB].	S. R.			
	12:30	1	Dir. verb. cliente: Sonner dès que selles pour évaluation objective				
			Procéder à l'examen clinique abdominal q 4 h.	S. R.			

Signature de infirmière	Initiales	Programme / Service	Signature de infirmière	Initiales	Programme / Service
Donald Trudel, inf.	D. T.	Unité urgence			
Suzie Rivard, inf., B.Sc.	S. R.	Unité B3			

© OIIQ

PLAN THÉRAPEUTIQUE INFIRMIER (PTI)

Page _____

FIGURE 17-6 ■ Plan thérapeutique infirmier destiné à Emma Duclos.

Au Québec, la part de responsabilité de chaque professionnel est précisée dans la *Loi modifiant le Code des professions et d'autres dispositions législatives dans le domaine de la santé* (Loi 90) :

> La détermination d'un plan de traitement n'inclut ni sa réserve de la réalisation et ni la surveillance de la réalisation. C'est donc dire que l'exécution du plan de traitement déterminé peut être confiée à quiconque, pourvu que ce soit en conformité avec les activités par ailleurs réservées aux autres professionnels. Le partage des activités entre les professionnels de la santé ne modifie aucunement les règles applicables en matière de responsabilité professionnelle. Chacun des professionnels continue d'être responsable de ses seules erreurs dans la détermination du plan de traitement. Ainsi, le professionnel qui détermine le plan de traitement ne peut voir sa responsabilité engagée par le personnel qui l'exécute pour le compte d'un établissement. Par contre, si le professionnel participe à la réalisation du plan de traitement, l'adapte ou le modifie au fur et à mesure de sa réalisation, il verra sa responsabilité engagée en partage avec les autres intervenants, dans la mesure de ses propres fautes (L.Q., 2002, c. 33).

Classification des interventions infirmières

Les membres de l'Iowa Intervention Project (2001) ont classé les interventions infirmières et réalisé une taxinomie, appelée **Classification des interventions de soins infirmiers** (**CISI** ou **NIC**, pour *Nursing Interventions Classification*) (Bulechek, Butcher et McCloskey Dochterman, 2010). Cette taxinomie comprend trois niveaux, soit : (1) les domaines ; (2) les classes ; (3) les interventions proprement dites. Toutes les interventions CISI/NIC sont reliées à un diagnostic de la NANDA-I. L'infirmière peut donc trouver, pour un diagnostic précis, des interventions suggérées, puis faire un choix parmi ces dernières en s'appuyant sur son jugement et ses connaissances et l'adapter à la situation réelle. Pour le diagnostic *Privation de sommeil*, par exemple, l'infirmière trouvera 13 interventions visant la résolution du problème et 9 interventions optionnelles (encadré 17-5). Quant à l'intervention *Toucher*, elle entre dans la classe « Aide aux stratégies d'adaptation » (encadré 17-6 pour les activités qui permettent à l'infirmière de l'utiliser).

ENCADRÉ 17-5
EXEMPLES D'INTERVENTIONS CISI/NIC RELIÉES AU DIAGNOSTIC INFIRMIER

SOMMEIL (PRIVATION DE)

Définition : périodes prolongées d'éveil sans qu'il y ait suspension naturelle et périodique de la vigilance.

Interventions infirmières suggérées afin de résoudre le problème

- Amélioration de la capacité d'adaptation
- Amélioration du sommeil*
- Aménagement du milieu ambiant : bien-être
- Conduite à tenir devant la douleur
- Conduite à tenir en face d'une démence
- Diminution de l'anxiété
- Gestion de la médication
- Limitation de la dépense énergétique
- Méditation
- Photothérapie (luminothérapie) : régulation de l'humeur et du sommeil
- Relaxation musculaire progressive
- Surveillance : sécurité
- Visualisation

Interventions supplémentaires et optionnelles

- Aide à la subsistance
- Artthérapie
- Conduite à tenir lors de nausées
- Conduite à tenir lors des vomissements
- Massage
- Médiation par la présence d'un animal
- Musicothérapie
- Thérapie par la réminiscence
- Traitement de l'incontinence urinaire : énurésie

Source : Bulechek, G. M., Butcher, H. K., et McCloskey Dochterman, J. (2010). *Classification des interventions de soins infirmiers CISI/NIC*, Traduction française de la 5e édition américaine. Issy-les-Moulineaux : Elsevier Masson.

ENCADRÉ 17-6
EXEMPLE D'UNE LISTE D'ACTIVITÉS ASSOCIÉE À UNE INTERVENTION INFIRMIÈRE CISI/NIC

TOUCHER

Définition : utilisation d'un contact tactile afin de favoriser le bien-être et la communication.

Activités

- Évaluer son propre bien-être lors de l'utilisation du toucher avec les patients et les membres de la famille.
- Évaluer la disposition du patient à être touché.
- Évaluer le contexte environnemental avant de proposer le toucher.
- Déterminer quelle partie du corps est la plus sensible au toucher et la durée du toucher qui produira la réponse la plus positive chez la personne touchée.

- Respecter les tabous d'ordre culturel relatifs au toucher.
- Donner une étreinte rassurante, si nécessaire.
- Passer les bras autour des épaules du patient, si nécessaire.
- Tenir la main du patient afin de lui apporter du soutien psychologique.
- Presser avec douceur le poignet, la main ou l'épaule d'un patient gravement malade.

ENCADRÉ 17-6 *(suite)*

- Masser le dos en synchronisme avec la respiration du patient, si nécessaire.
- Passer doucement la main sur les différentes parties du corps suivant un mouvement rythmique et lent, si nécessaire.
- Masser la peau autour des régions douloureuses, si nécessaire.
- Susciter chez les parents les gestes habituels pour apaiser et calmer leur enfant.
- Tenir le nourrisson ou l'enfant fermement et douillettement.
- Encourager les parents à toucher le nouveau-né ou l'enfant malade.
- Entourer un enfant prématuré de couvertures enroulées (faire un nid).

- Emmailloter le nourrisson douillettement dans une couverture afin de garder ses bras et ses jambes contre son corps.
- Placer l'enfant sur le corps de la mère immédiatement après la naissance.
- Encourager la mère à tenir l'enfant.
- Encourager les parents à masser l'enfant.
- Faire la démonstration de techniques pour apaiser les enfants.
- Fournir une sucette appropriée pour la succion non nutritive chez les nouveau-nés.
- Fournir des exercices de stimulation orale préalablement à l'alimentation entérale chez les enfants prématurés.
- Évaluer les effets du toucher.

Source: Bulechek, G. M., Butcher, H. K., et McCloskey Dochterman, J. (2010). *Classification des interventions de soins infirmiers CISI/NIC*, Traduction française de la 5e édition américaine. Issy-les-Moulineaux: Elsevier Masson.

L'infirmière qui inscrit des ordonnances infirmières individualisées dans un PSTI doit consigner les activités plutôt que les titres des interventions.

La classification des interventions infirmières présente de nombreux avantages tant globalement, pour la profession infirmière, que pour chacune des infirmières, qu'elles soient praticiennes, enseignantes ou gestionnaires (encadré 17-7).

ENCADRÉ 17-7
AVANTAGES DE LA CLASSIFICATION DES INTERVENTIONS INFIRMIÈRES

- Illustre le rôle prépondérant joué par les infirmières dans le système de dispensation des soins.
- Uniformise et donne une définition des connaissances de base relatives à la formation et à la pratique infirmière.
- Facilite le choix approprié d'interventions infirmières.
- Facilite la transmission de traitements en soins infirmiers à d'autres infirmières et professionnels de la santé.
- Permet aux chercheurs d'examiner l'efficacité et le coût des soins infirmiers.
- Aide les formateurs à élaborer des programmes de formation qui s'articulent mieux avec la pratique clinique.

- Facilite l'apprentissage du processus de prise de décision clinique par les infirmières novices.
- Permet aux gestionnaires de mieux planifier les besoins en personnel et en matériel.
- Facilite le développement et l'utilisation de systèmes d'information infirmiers.
- Fait connaître au public la nature des soins infirmiers.

Source: Bulechek, G. M., Butcher, H. K., et McCloskey Dochterman, J. (2010). *Classification des interventions de soins infirmiers CISI/NIC,* Traduction française de la 5e édition américaine. Issy-les-Moulineaux: Elsevier Masson.

 LES ÂGES DE LA VIE

PERSONNES ÂGÉES

Pour un grand nombre de personnes âgées qui vivent dans un établissement de soins prolongés, les interventions et la médication varient peu au fil du temps. Néanmoins, il est important de réviser le PSTI régulièrement, car l'état de santé d'une personne âgée peut s'améliorer ou s'aggraver de manière subtile. L'infirmière doit rester attentive et parer à ces deux éventualités afin de pouvoir modifier au besoin les résultats escomptés et les interventions. L'infirmière doit viser des résultats réalistes en tenant compte de la condition physique et psychologique de la personne, de son état mental, de même que de son réseau de soutien. Elle doit s'attendre à les obtenir de manière graduelle et, par conséquent, décomposer l'ensemble de sa démarche en plusieurs petites étapes. Ainsi, une personne qui a subi un accident vasculaire cérébral peut mettre plusieurs semaines à réapprendre à se brosser les dents ou à se vêtir. L'atteinte de tels objectifs, bien qu'ils soient modestes, confère à la personne un sentiment d'accomplissement et la motive à continuer. Cet exemple montre l'importance de la collaboration entre l'infirmière et les autres professionnels de la santé, tels les physiothérapeutes et les ergothérapeutes, dans l'élaboration du PSTI.

Révision du chapitre

MOTS CLÉS

Activité réservée, **396**

Affectation, **402**

Classification des interventions de soins infirmiers (CISI/NIC), **404**

Classification des résultats de soins infirmiers (CRSI/NOC), **391**

Délégation d'actes, **402**

Directives, **381**

Établissement d'un ordre de priorité, **388**

Fonctions autonomes, **396**

Indicateur, **391**

Interventions autonomes, **396**

Interventions en collaboration, **396**

Interventions infirmières, **379**

Interventions selon une ordonnance, **396**

Justification scientifique, **384**

Objectifs de soins, **390**

Ordonnance, **382**

Ordonnance collective, **382**

Ordonnance individuelle, **382**

Ordonnance infirmière, **397**

Ordonnance permanente, **382**

Plan de cheminement clinique, **386**

Plan de services individualisé (PSI), **387**

Plan de soins et de traitements infirmiers formel, **380**

Plan de soins et de traitements infirmiers individualisé, **381**

Plan de soins et de traitements infirmiers informel, **380**

Plan de soins et de traitements infirmiers type (ou standardisé), **381**

Plan d'intervention interdisciplinaire (PII), **387**

Plan thérapeutique infirmier, **381**

Planification du congé, **380**

Politiques, **382**

Procédures, **382**

Protocoles, **382**

Règle de soins infirmiers, **382**

Résultats escomptés, **390**

Schéma, **386**

CONCEPTS CLÉS

- La planification est le processus qui consiste à mettre au point les activités infirmières nécessaires pour prévenir, réduire ou éliminer les problèmes de santé d'une personne.

- La planification fait intervenir l'infirmière, la personne, ses proches aidants et les autres membres de l'équipe soignante.

- Les hospitalisations de courte durée nécessitent une planification rigoureuse du congé.

- L'infirmière doit adapter les plans de soins et de traitements infirmiers types, et les associer à des plans de soins et de traitements infirmiers individualisés pour répondre aux besoins particuliers de la personne.

- Le plan de soins et de traitements infirmiers donne les grandes lignes nécessaires pour individualiser les soins prodigués au client de façon autonome.

- Le processus de planification comprend les activités suivantes : le classement des problèmes de santé et des diagnostics infirmiers par ordre de priorité, la formulation des objectifs de soins et des résultats escomptés, le choix des interventions infirmières et la rédaction des ordonnances infirmières dans un plan de soins et de traitements infirmiers.

- L'infirmière consulte d'autres infirmières ou d'autres professionnels de la santé pour vérifier les informations, apporter des changements ou obtenir des renseignements supplémentaires en vue d'atteindre les objectifs de soins.

- L'infirmière attribue un ordre de priorité aux diagnostics infirmiers (priorité élevée, moyenne ou faible). Pour ce faire, elle consulte le client, si son état le permet.

- Les objectifs de soins et les résultats escomptés servent à planifier les interventions infirmières qui permettront d'obtenir les changements désirés chez le client.

- La Classification des résultats de soins infirmiers (CRSI/NOC) est une taxinomie des résultats de soins infirmiers qui décrit des états, des comportements ou des perceptions mesurables manifestés à la suite des interventions infirmières. Chaque résultat de soins infirmiers est accompagné d'une définition, d'une échelle de mesure et d'indicateurs.

- Les résultats escomptés décrivent des réactions précises et mesurables chez la personne ; ils aident l'infirmière à évaluer l'efficacité de ses interventions.

- Les objectifs de soins et les résultats escomptés découlent du premier segment du diagnostic infirmier.

- L'infirmière exprime les objectifs de soins et les résultats escomptés sous forme de comportements du client.

- Les interventions et les activités infirmières sont axées sur les facteurs favorisants (deuxième segment du diagnostic infirmier).

- Les interventions infirmières sont les actions que l'infirmière accomplit pour aider la personne à atteindre les objectifs de soins infirmiers.

- Les interventions infirmières autonomes sont les interventions que l'infirmière est autorisée à prescrire ou à confier à d'autres membres du personnel infirmier.

- L'infirmière anticipe les conséquences de chaque stratégie infirmière en s'appuyant sur ses connaissances et son expérience.

- La Classification des interventions de soins infirmiers (CISI/NIC) est une taxinomie des interventions infirmières. Les interventions sont reliées aux diagnostics infirmiers de la NANDA-I. Chacune possède un titre et une définition, et est associée à une liste d'activités qui permettent à l'infirmière d'exécuter son intervention.

17

Références

American Nurses Association (ANA). (1992). *The American Nurses Association position statement on registered nurse utilization of unlicensed personnel.* Kansas City, MO : Auteur.

Bulechek, G. M., Butcher, H. K., et McCloskey Dochterman, J. (2010). *Classification des interventions de soins infirmiers CISI/NIC,* Traduction française de la 5ᵉ édition américaine. Issy-les-Moulineaux : Elsevier Masson.

Carpenito, L. J. (1995). *Diagnostics infirmiers. Applications cliniques.* Saint-Laurent : Éditions du Renouveau Pédagogique.

Champagne, N. (1992, juin). Plan de services individualisé ; concept théorique et pratique. *Revue francophone de la déficience intellectuelle, 3*(1), 59-61.

Iowa Intervention Project. (2001). Determining cost of nursing interventions : A beginning… *Nursing Economics, 19,* 146-160.

Johnson, M., et Maas, M. (dir.) (1999). *Classification des résultats de soins infirmiers CRSI/NOC.* Paris : Masson.

Johnson, M., Maas, M., et Moorhead, S. (dir.). (2000). *Nursing outcomes classification (NOC)* (2ᵉ éd.). St. Louis, MO : Mosby.

Leprohon, J., Lessard, L.-M., et OIIQ (2003, novembre). *Plan thérapeutique infirmier et son arrimage avec le plan d'intervention interdisciplinaire. Document préliminaire,* 2ᵉ version. Montréal : Direction scientifique OIIQ.

McCloskey, J. C., Bulechek, G. M., Dochterman, J., et Maas, M. (dir.). (2000). *Nursing diagnoses, outcomes, and interventions : NANDA, NOC and NIC linkages.* St. Louis, MO : Mosby.

NANDA International. (2010). *Diagnostics infirmiers : Définitions et classification 2009-2011.* Issy-les-Moulineaux : Elsevier Masson.

Ordre des infirmières et infirmiers du Québec (OIIQ). (2002). *Énoncé de principes sur la documentation des soins infirmiers.* Montréal : Auteur.

Ordre des infirmières et infirmiers du Québec (OIIQ). (2003a). *Loi 90. Loi modifiant le Code des professions et d'autres dispositions législatives dans le domaine de la santé, Cahier explicatif.*

Document consulté le 21 mars 2005 de http://www.oiiq.org/infirmieres/lois_reglements_pdf/Cahier-explicatif-PL90-5.pdf.

Ordre des infirmières et infirmiers du Québec (OIIQ). (2003b). *Guide d'application de la nouvelle Loi sur les infirmières et les infirmiers et de la Loi modifiant le Code des professions et d'autres dispositions législatives dans le domaine de la santé.* Montréal : Auteur.

Ordre des infirmières et infirmiers du Québec (OIIQ). (2005). *Orientation pour une utilisation judicieuse de la règle des soins infirmiers.* Montréal : Auteur.

Ordre des infirmières et infirmiers du Québec (OIIQ). (2006). *L'intégration du plan thérapeutique infirmier à la pratique clinique. Application de la Loi 90.* Montréal : Auteur.

17

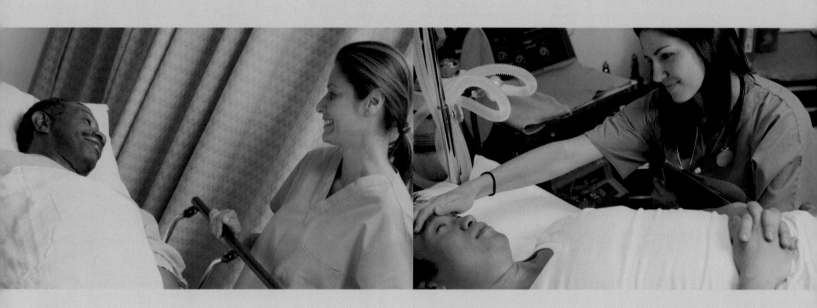

Chapitre 18

Adaptation française :
Suzie Rivard, inf., B.Sc.
Enseignante, Programme de soins infirmiers
Collège de Trois-Rivières

Avec la participation de :
Johanne Turcotte, B.Sc., Inf., M.A.
Anciennement :
Directrice des soins infirmiers, de la qualité,
de l'éthique et de la santé physique
CSSS de Matane
Enseignante et coordonnatrice
de programme en Soins infirmiers
Cégep de Matane

Interventions infirmières et évaluation

La démarche de soins infirmiers est orientée vers l'action, centrée sur la personne et axée sur les résultats. Après avoir élaboré un plan de soins et de traitements infirmiers (PSTI) fondé sur la collecte des données et l'analyse, l'infirmière en assure la réalisation, prodigue les soins et les traitements infirmiers et médicaux prescrits, et évalue ensuite les résultats obtenus. L'évaluation lui indique si elle doit maintenir, modifier ou interrompre le PSTI. Comme à toutes les autres étapes de la démarche, l'infirmière encourage la personne et ses proches à participer aux soins dans toute la mesure du possible.

Interventions infirmières

Selon la définition CISI/NIC, l'étape des **interventions** de la démarche de soins infirmiers consiste à accomplir et à documenter les **activités**, c'est-à-dire les actions infirmières nécessaires à la mise en œuvre des PSTI (ou ordonnances infirmières). L'infirmière accomplit ou délègue les activités reliées aux interventions prévues à l'étape de la planification, après quoi elle consigne ces activités ainsi que les réactions de la personne qu'elle soigne.

Comme le stipule la *Loi sur les infirmières et les infirmiers* (L.I.I.), « l'infirmière évalue l'état de santé d'une personne, détermine et assure la réalisation du plan de soins et de traitements infirmiers, prodigue les soins et les traitements infirmiers et médicaux visant à maintenir ou à rétablir la santé et à prévenir la maladie, et assure la prestation de soins palliatifs ».

Bien que l'infirmière puisse agir au nom du client (en l'orientant, par exemple, vers une ressource en santé communautaire pour des soins à domicile), les normes de sa profession l'incitent à favoriser la participation de ce dernier et celle de sa famille à toutes les étapes de la démarche. Le degré de participation du client dépend évidemment de son état de santé. Alors que des personnes inconscientes, par exemple, dépendent totalement du personnel soignant, certaines personnes ont besoin d'un minimum de soins infirmiers et sont capables d'assumer la responsabilité de leurs autosoins.

Lien entre l'étape des interventions et les autres étapes de la démarche de soins infirmiers

D'une part, les activités infirmières entreprises à l'étape des interventions reposent sur les trois premières étapes de la démarche de soins infirmiers, soit la collecte des données, l'analyse et la planification. D'autre part, l'infirmière individualise les soins et adapte les interventions aux besoins immédiats de la personne et de sa famille, en tenant compte de leurs réactions,

OBJECTIFS D'APPRENTISSAGE
Après avoir étudié ce chapitre, vous pourrez :

■ Expliquer le lien entre l'étape d'exécution des interventions et les autres étapes de la démarche de soins infirmiers.

■ Décrire les cinq phases de l'étape de l'exécution des interventions.

■ Nommer trois catégories d'habiletés nécessaires pour mener à bien les interventions infirmières.

■ Énoncer les lignes directrices que l'infirmière doit observer à l'étape d'exécution des interventions.

■ Expliquer le lien entre l'étape de l'évaluation et les autres étapes de la démarche de soins infirmiers.

■ Décrire les cinq phases de l'étape de l'évaluation.

■ Décrire les étapes de la révision et de la modification du plan de soins et de traitements infirmiers (PSTI) et du plan thérapeutique infirmier (PTI).

■ Nommer les deux composantes de l'énoncé d'évaluation.

■ Faire la distinction entre l'amélioration de la qualité des soins et l'assurance de la qualité des soins.

■ Décrire les éléments de structure, de processus et de résultats que comporte l'évaluation de la qualité des soins.

18

des résultats obtenus, de leurs ressources, de leur environnement ainsi que de leurs stratégies (Paquette-Desjardins et Sauvé, 2008 ; Ordre des infirmières et infirmiers du Québec [OIIQ], 2002).

L'infirmière, tout en accomplissant les ordonnances infirmières, profite de chaque contact avec la personne pour poursuivre sa collecte des données ; elle procède alors à des observations pour déterminer les réactions de celle-ci aux activités infirmières et discerner l'apparition de nouveaux problèmes. Supposons, par exemple, qu'un PSTI prévoie l'intervention *Soins des voies respiratoires* ; l'une des activités infirmières correspondant à cette intervention consiste, selon le PSTI, à ausculter les poumons toutes les quatre heures. En accomplissant cette activité, l'infirmière recueille des données en même temps qu'elle exécute l'intervention, tâche qui demande qu'elle porte un jugement critique sur les résultats obtenus et qu'elle modifie le PSTI, au besoin, sans attendre la date d'évaluation de l'objectif (échéance). Dans l'exemple ci-dessus, elle pourrait modifier cette activité, en prenant la décision d'ausculter les poumons toutes les deux heures.

Les activités infirmières ne sont pas toutes reliées à une intervention dictée par un diagnostic infirmier. En usant de son jugement critique, l'infirmière peut à tout moment intervenir pour assurer la sécurité et le bien-être de la personne. Par exemple, si elle soupçonne la présence d'un déséquilibre liquidien, elle peut décider de procéder à un bilan des ingesta et des excreta, sans nécessairement faire un lien avec un diagnostic infirmier. Certaines activités habituelles constituent en elles-mêmes des collectes des données. Par exemple, toutes les personnes ont des besoins en matière d'hygiène, d'alimentation et d'élimination. Les actions qu'accomplit l'infirmière pour aider les personnes à satisfaire ces besoins peuvent comporter une part de collecte des données. Ainsi, il arrive que l'infirmière qui fait la toilette d'une personne âgée observe une rougeur dans la région sacrée. De même, l'infirmière qui vide un sac collecteur d'urine mesure 200 mL d'urine brunâtre à odeur prononcée. Ce sont des données nouvelles dont elle devra tenir compte et qu'elle devra inscrire dans le dossier du client.

Habiletés nécessaires pour entreprendre des interventions infirmières

Pour mener à bien le PSTI, l'infirmière doit posséder des habiletés cognitives et interpersonnelles et connaître certaines méthodes de soins qu'elle utilisera à divers degrés et dans divers ordres, selon les activités. Ainsi, l'insertion d'une sonde vésicale exige des habiletés cognitives (connaissance des principes d'asepsie et des étapes de la méthode de soins en vigueur dans l'établissement), des habiletés interpersonnelles (pour informer et rassurer la personne) et des habiletés techniques (mise en place d'un champ stérile et manipulation du matériel).

Les **habiletés cognitives** (habiletés intellectuelles) comprennent la résolution de problèmes, la prise de décision, la pensée critique et la créativité. Les connaissances théoriques sont essentielles à l'utilisation des habiletés cognitives. Si l'infirmière néglige ces éléments, elle ne pourra pas prendre les mesures qui s'imposent dans chaque cas particulier. Elle doit

absolument développer ses habiletés cognitives pour être capable de se remettre en question, de réfléchir et de prendre des décisions efficaces et éclairées dans chaque cas particulier (chapitre 14 ⌒).

Les **habiletés interpersonnelles** correspondent à toutes les activités, verbales et non verbales, reliées aux interactions directes entre des personnes. L'efficacité d'une activité repose souvent sur les habiletés de communication de l'infirmière, essentielles dans ses interactions avec les clients. Un bon exemple, dans ce cas, serait l'enseignement des soins de stomie à un client qui doit quitter le centre hospitalier et rentrer chez lui. Pour ce faire, l'infirmière recourt à la communication thérapeutique pour cerner les besoins du client et être comprise par lui. En tant que membre de l'équipe soignante, l'infirmière doit par ailleurs travailler efficacement avec ses collègues pour assurer le suivi clinique et la continuité des soins. Elle doit posséder des habiletés interpersonnelles pour accomplir toutes ses activités, qu'il s'agisse de prodiguer des soins, de rassurer les personnes, de défendre leurs intérêts, de les aiguiller vers divers services, de les conseiller ou de les soutenir. La capacité de mettre à contribution son savoir, ses attitudes, ses sentiments, son intérêt et sa connaissance des valeurs culturelles et du mode de vie des clients est au nombre des habiletés interpersonnelles que doit posséder toute infirmière. Pour maîtriser ces habiletés, elle doit d'abord acquérir une conscience de soi et faire preuve d'empathie (chapitres 20 et 24 ⌒).

Les **habiletés techniques** sont des compétences d'ordre pratique, comme la manipulation du matériel, l'administration d'une injection, la mise en place d'un pansement ainsi que le déplacement et le changement de position des personnes. Ces habiletés sont aussi appelées tâches, procédures ou habiletés psychomotrices.

Les habiletés techniques sont indissociables des connaissances et, dans bien des cas, de la dextérité. Mais elles sont tout aussi indissociables des habiletés interpersonnelles. En effet, pendant qu'elle exécute une technique ou applique une méthode de soins, l'infirmière doit l'expliquer au client et le rassurer, le cas échéant.

Comme nous venons de l'expliquer, ces habiletés sont interreliées et ne vont pas l'une sans l'autre. Par exemple, l'administration d'un culot sanguin suppose que l'infirmière sait ce que cette méthode de soins représente, et qu'elle en connaît la raison (habileté cognitive), qu'elle peut en expliquer les bienfaits au client (habileté interpersonnelle) et, finalement, qu'elle accomplit l'intervention correctement (habileté technique). Le nombre d'habiletés techniques que l'infirmière doit acquérir a considérablement augmenté au cours des dernières années en raison des progrès de la technologie, dans les centres de soins actifs en particulier.

Processus de l'étape des interventions

Nous expliquons ici le processus de l'étape des interventions, qui comprend habituellement cinq phases (figure 18-1 ■). Comme le montre cette figure, plusieurs rôles sous-tendent les interventions qui constituent cette étape de la démarche : exécution des soins et des traitements, soutien au client pour l'aider

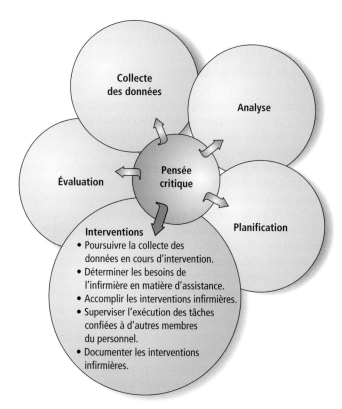

FIGURE 18-1 ■ Interventions. La quatrième étape de la démarche de soins infirmiers consiste à réaliser les interventions infirmières et à les documenter.

à prendre en charge sa situation, assistance pendant les activités de la vie quotidienne, évaluation des résultats des activités de l'équipe soignante, enseignement, transmission d'informations pour assurer la continuité de soins (encadré 18-1).

POURSUIVRE LA COLLECTE DES DONNÉES EN COURS D'INTERVENTION

Juste avant d'accomplir une intervention, l'infirmière doit procéder à une collecte des données afin de s'assurer que l'intervention est encore nécessaire. L'état de la personne peut en effet avoir changé et il faut alors en tenir compte, même si le PSTI comporte une ordonnance infirmière. Par exemple, on a posé chez Ginette Lafrance le diagnostic *Habitudes de sommeil perturbées*, reliées à l'anxiété et à un environnement inconnu. Si l'infirmière constate que Mme Lafrance dort, elle ne lui administre pas le massage du dos qu'elle avait planifié pour l'aider à se détendre.

L'existence de nouvelles données peut obliger l'infirmière à modifier ses priorités ou ses activités. Par exemple, une infirmière commence à enseigner à Mme Lévesque la manière de s'injecter de l'insuline, mais s'aperçoit bientôt que celle-ci n'est pas concentrée. La discussion révèle qu'elle s'inquiète pour sa vue et craint de devenir aveugle. Consciente que le stress nuit à l'apprentissage, l'infirmière interrompt temporairement la leçon et recourt à la communication thérapeutique pour diminuer le stress causé par la nouvelle préoccupation de Mme Lévesque. Elle peut aussi lui indiquer qu'elle prendra, par la suite, rendez-vous avec un médecin pour qu'il examine ses yeux.

L'infirmière inclut également des interventions d'évaluation, par exemple le monitorage, qui permet d'évaluer continuellement les réactions du client (OIIQ, 2010). Ces interventions découlent de l'ajustement du PSTI tout au long de chaque quart de travail, compte tenu de l'évolution de l'état de la personne. Les changements, qu'ils soient sporadiques ou constants, demandent à l'infirmière qu'elle reconsidère ses interventions prioritaires, car le PSTI est régi par les besoins immédiats et les réactions de la personne.

DÉTERMINER LES BESOINS DE L'INFIRMIÈRE EN MATIÈRE D'ASSISTANCE

Bien que dans certains hôpitaux on procède actuellement à la réorganisation des tâches, il arrive souvent que l'infirmière ait besoin d'être assistée par un collègue de travail (une autre infirmière, une infirmière auxiliaire ou un préposé aux bénéficiaires) pour accomplir certaines interventions indiquées dans le PSTI, et ce, pour l'une des raisons suivantes :

■ L'infirmière compromettrait sa sécurité si elle exécutait l'activité seule (aider une personne obèse et instable à marcher, par exemple).

■ L'assistance atténuerait le stress imposé à la personne (changer de position une personne que tout mouvement fait souffrir, par exemple).

■ L'activité se situe dans le champ de compétence de l'autre professionnel ou membre du personnel infirmier, qui peut exécuter cette intervention adéquatement (ponction veineuse exécutée par une infirmière auxiliaire ou changement de position dans le lit exécuté par le préposé aux bénéficiaires), ce qui libère l'infirmière pour d'autres interventions.

■ L'infirmière ne possède pas les connaissances ou les habiletés nécessaires à l'accomplissement d'une activité (changement des tubulures d'une perfusion intraveineuse par voie centrale ou manipulation d'une nouvelle pompe volumétrique, par exemple).

ACCOMPLIR LES INTERVENTIONS INFIRMIÈRES

Il est important que l'infirmière explique à la personne les interventions qu'elle s'apprête à accomplir, les sensations que la personne est susceptible d'éprouver, la conduite à tenir, ainsi que les buts qu'on poursuit et le résultat que l'on cherche à obtenir. De nombreuses activités exigent par ailleurs que l'on respecte l'intimité de la personne (changement de pansement, installation de sonde), en fermant les portes, en tirant les rideaux ou en couvrant la personne de draps, par exemple. L'infirmière coordonne les soins de la personne tout au long de l'hospitalisation, mais garde aussi à l'esprit la planification du congé ; elle est donc appelée à : (1) prendre des rendez-vous pour celle-ci dans divers services (laboratoire, radiographie, physiothérapie, inhalothérapie) ; (2) servir d'agent de liaison au sein de l'équipe de soins ; (3) assurer la continuité des soins, en tenant compte des ressources externes, une fois que le client a quitté le centre hospitalier.

Pendant qu'elle s'engage dans l'exécution des interventions, l'infirmière doit observer les lignes directrices suivantes :

■ *Fonder les interventions infirmières sur les connaissances scientifiques, la recherche en soins infirmiers et les normes de pratique*

18

professionnelles actuelles. L'infirmière doit connaître la justification scientifique ainsi que les effets secondaires et les complications possibles de toutes les interventions. Supposons, par exemple, qu'une personne préfère prendre un médicament après les repas, mais si l'ingestion d'aliments nuit à l'absorption de ce médicament, l'infirmière doit alors lui expliquer la raison pour laquelle elle ne peut souscrire à sa préférence. Prenons comme autre exemple celui d'une personne qui reçoit toutes les trois ou quatre heures des analgésiques narcotiques. L'infirmière doit connaître l'effet de chaque dose et aussi l'effet cumulatif de toutes les doses. Selon l'énoncé descriptif du «processus thérapeutique», l'infirmière «évalue les effets des soins, des traitements et des médicaments que reçoit le client et s'informe auprès de lui de ses réactions» (OIIQ, 2010). L'administration d'analgésiques narcotiques implique une observation attentive des réactions de la personne pour prévenir des complications respiratoires ou allergiques, ce qui sous-entend la mise à contribution des habiletés cognitives nécessaires.

■ *Comprendre les ordonnances à exécuter et les remettre en question dans le cas contraire.* L'infirmière a le devoir de mettre en œuvre de manière judicieuse les plans thérapeutiques. Elle doit donc connaître chaque intervention, sa raison d'être et ses contre-indications (comme des allergies), et être informée des changements de l'état de santé de la personne qui pourraient se répercuter sur l'ordonnance. Si on trouve dans le PSTI l'ordonnance «faire lever le client et l'installer dans le fauteuil pendant 30 minutes, en matinée», mais qu'au moment où l'infirmière s'apprête à accomplir cette tâche, le client connaît un épisode d'hypotension, elle devrait faire preuve de jugement et laisser ce dernier au lit jusqu'au moment où elle pourra l'évaluer davantage. Ainsi, l'infirmière qui constate qu'une personne s'étouffe en avalant des comprimés doit demander au médecin de prescrire le médicament sous forme liquide ou sous forme écrasable.

■ *Adapter et individualiser les activités.* Les croyances, les valeurs, l'âge, l'état de santé et le milieu de vie de la personne sont des facteurs qui peuvent influer sur le succès d'une activité. L'infirmière doit connaître les valeurs et la culture du client et ajuster ses interventions en conséquence, dans la mesure où celles-ci ne le mettent pas en danger.

■ *Assurer la sécurité.* L'article 45 du *Code de déontologie* précise que «l'infirmière ne doit pas faire preuve de négligence lors de l'administration d'un médicament. À cette fin, l'infirmière ou l'infirmier doit notamment avoir une connaissance suffisante du médicament et respecter les principes et méthodes concernant son administration» (L.R.Q., c. C-26, art. 87). Le manque de connaissances (classe, mécanisme d'action, effets secondaires, effet souhaitable sur le trouble de santé, doses usuelles, contre-indications, interactions médicamenteuses) peut entraîner des préjudices graves à la clientèle. En plus de connaître la dose appropriée selon la voie prescrite, l'infirmière doit aussi vérifier qu'il s'agit de la bonne personne, du bon médicament, de la bonne posologie, de la bonne heure et de la bonne voie d'administration. Dans un autre ordre d'idées, la *Loi sur les infirmières et les infirmiers* stipule que l'utilisation judicieuse des mesures de contention est une activité inhérente à la pratique infirmière. Par conséquent, l'infirmière

doit user de son jugement clinique lors de l'exécution de cette tâche, pour assurer la sécurité du client tout en respectant sa dignité.

■ *Enseigner, soutenir et réconforter.* Ce sont là des activités infirmières autonomes qui favorisent l'efficacité des PSTI.

■ *Adopter l'approche holistique.* L'infirmière doit toujours considérer la personne dans sa globalité et analyser ses réactions dans toutes les dimensions, soit biologique, sociale, environnementale, psychologique, spirituelle, etc.

■ *Respecter la dignité de la personne et renforcer son estime de soi.* Assurer l'intimité de la personne et l'inciter à prendre ses décisions de manière autonome sont deux façons de respecter sa dignité et de renforcer son estime de soi.

■ *Encourager la personne à participer activement aux interventions infirmières.* La participation active donne à la personne un sentiment d'autonomie et de maîtrise. Cependant, les individus n'aspirent pas tous au même degré de participation. Leur volonté de participer et d'être autonomes dépend de la gravité de leur affection, de leur culture, de leurs peurs ainsi que de leur compréhension de l'affection et des interventions. L'infirmière doit s'ajuster au client et à son rythme et trouver des stratégies d'apprentissage adaptées à chaque individu. Dans une même situation, deux personnes se prendront en charge de façon différente, compte tenu de leur vécu, de leur expérience, de leur facilité de compréhension, de leur réseau social, de leurs intérêts, de leur motivation, etc.

Pour accomplir ses interventions, l'infirmière doit exécuter des méthodes de soins (autrefois appelées «techniques de soins»). Afin de permettre aux infirmières d'assurer la sécurité de la clientèle, les milieux de soins ainsi que les maisons d'enseignement peuvent adhérer à l'Association québécoise d'établissements de santé et de services sociaux (AQESSS). Le site Internet de l'AQESSS offre des informations quant à l'exécution des méthodes de soins. L'adhésion à l'AQESSS demeure un choix institutionnel, et les méthodes de soins doivent parfois être adaptées à l'établissement selon le matériel disponible, ses politiques et sa clientèle. Par exemple, l'infirmière qui doit administrer un culot globulaire peut se référer à l'AQESSS pour mettre à jour ses connaissances sur le processus de transfusion ainsi que sur les éléments de surveillance requis.

SUPERVISER L'EXÉCUTION DES TÂCHES CONFIÉES À D'AUTRES MEMBRES DU PERSONNEL

L'infirmière est responsable des soins administrés au client; lorsque certaines tâches sont accomplies par d'autres membres du personnel soignant, elle doit s'assurer que leur intervention est conforme au PSTI. Elle peut demander aux autres soignants de documenter leurs activités dans le dossier du client, d'en rendre compte verbalement ou de remplir les formulaires appropriés. L'infirmière doit prendre connaissance des résultats ou des réactions indésirables et agir en conséquence, ce qui peut supposer qu'elle modifie le PSTI.

DOCUMENTER LES INTERVENTIONS INFIRMIÈRES

L'étape des interventions se termine par la documentation des interventions et des réactions du client dans les notes de l'infirmière. Ces notes d'évolution font partie de son dossier permanent. L'infirmière ne doit pas consigner les soins à l'avance, car une nouvelle collecte des données peut lui indiquer que l'intervention est impossible ou inutile. Supposons, par exemple, qu'une infirmière soit autorisée à administrer une injection sous-cutanée de 10 mg de sulfate de morphine, mais qu'elle constate que la fréquence respiratoire du client est de six respirations par minute. Elle conclut que l'administration de morphine (un dépresseur du système respiratoire) est contre-indiquée dans ce cas, et elle signale la fréquence respiratoire du client à un supérieur immédiat et au médecin.

L'infirmière peut documenter au dossier les activités habituelles ou récurrentes (comme les soins de la bouche) à la fin de son quart de travail. Entre-temps, elle consigne ces interventions sur une feuille de travail personnelle. Certaines interventions infirmières doivent être notées tout de suite après leur exécution. C'est le cas en particulier de l'administration de médicaments, tels que les analgésiques narcotiques ou les hypoglycémiants par voie orale ou par injection. Le dossier des clients doit en effet être à jour, précis et accessible aux autres infirmières et professionnels de la santé. Une documentation diligente protège le client contre les erreurs et lui évite, par exemple, de recevoir deux fois la même dose de médicament.

L'infirmière communique ses activités tant verbalement que par écrit. Si l'état d'une personne connaît des variations rapides, dont le supérieur immédiat ou le médecin veulent être informés, l'infirmière peut être appelée à effectuer des comptes rendus verbaux. Par ailleurs, l'infirmière rend compte de l'état de la personne lorsque cette dernière est transférée dans une autre unité ou un autre établissement, et lorsque son quart de travail se termine. Elle peut alors communiquer de vive voix, au moyen d'un enregistrement ou par écrit. Nous traitons en détail des dossiers et des rapports au chapitre 19 ⚭ .

Utilisation du modèle McGill : étape 4 – réalisation des soins et des traitements infirmiers

Selon le modèle McGill (chapitres 15, 16 et 17 ⚭), le client/famille demeure au centre des activités infirmières. L'infirmière doit aider le client à intégrer les apprentissages nécessaires à sa situation de santé. Bien qu'elle travaille toujours en collaboration avec lui, elle a la responsabilité d'évaluer régulièrement le contexte et de tenir compte des résultats de cette évaluation pour faire face aux urgences ou aux situations de crise, le cas échéant. Par ailleurs, les besoins ou les attentes de la personne ne concordent pas toujours avec les priorités déterminées par l'infirmière. Depuis que la durée des hospitalisations a été fortement écourtée, les interventions de l'infirmière se sont considérablement écartées de l'approche traditionnelle. Encourager le client à exprimer sa perception de la situation, favoriser au maximum l'engagement du client/famille, tenir compte des croyances du client/famille, aider le client/famille à prendre position, les inciter à participer à la résolution de problèmes, etc., sont autant d'actions qui distinguent l'approche McGill de l'approche traditionnelle. Lorsque les interventions infirmières sont poursuivies selon le modèle McGill, le client/ famille ne joue plus un rôle de figurant qui n'a pas son mot à dire, mais plutôt celui d'un acteur qui détient un rôle important dans les soins. L'infirmière, quant à elle, joue un certain nombre de rôles primordiaux, comme le montre l'encadré 18-1.

Il va sans dire que, selon cette approche, l'infirmière doit utiliser des stratégies favorisant des attitudes d'ouverture et de respect mutuel. Une fois qu'une relation de confiance a été bien établie entre les deux parties, l'infirmière, compte tenu de ses connaissances scientifiques et de son expérience, peut exprimer ses opinions et faire connaître son évaluation de la situation. Il faut cependant qu'elle explique chaque fois quel est le but de ses interventions.

Avant et pendant la mise en œuvre du PSTI, l'infirmière doit constamment évaluer la situation pour assurer la sécurité et le bien-être du client/famille en tout temps (chapitre 17 ⚭). Ce rôle lui confère un certain pouvoir au sein de l'équipe de soins et le droit de participer à toutes les décisions thérapeutiques concernant le client. Son point de vue doit être pris en considération, car son travail lui permet de connaître à fond chaque dossier.

Dans un même ordre d'idées, il peut arriver que le client/famille ne partage pas l'opinion de l'infirmière sur un sujet et que celle-ci juge qu'il fait fausse route. Elle doit alors l'inciter à considérer la situation sous un autre angle. Par exemple, si une personne venant de subir une intervention chirurgicale refuse de se lever pour s'installer dans un fauteuil, prétextant qu'elle veut se reposer, bien que ce désir soit très légitime, l'infirmière doit lui expliquer qu'un lever précoce évitera l'apparition de complications, favorisera le regain d'énergie et augmentera l'estime de soi. Dans un cas comme celui-ci, elle doit donner des explications en faisant preuve d'ouverture et de respect. Certaines tournures de phrase se révéleront bien plus efficaces que d'autres, car elles montreront au client et (ou) aux membres de sa famille qu'ils sont respectés en tant qu'individu à part entière et que leur participation aux soins est essentielle. Des questions exploratrices du type « Comment voyez-_vous_ votre maladie ? » ou « Pouvez-_vous_ m'aider à mieux comprendre… » permettent non seulement à l'interlocuteur

18

ENCADRÉ 18-1
RÔLES DE L'INFIRMIÈRE

- Experte (transmettre des connaissances issues de données scientifiques).
- Collaboratrice (soutenir le client/famille tout au long de l'épisode de soins).
- Agente de liaison (établir des liens avec les ressources extérieures).
- Soignante (assurer la surveillance clinique, refaire les pansements, administrer les traitements et les médicaments, etc.).
- Modèle (adopter des attitudes et des comportements que le client/famille peut suivre).
- Personne qui écoute (être attentive à la communication verbale et non verbale).
- Motivatrice (inciter le client /famille à se servir de ses forces).

Source : Gottlieb, L. N. (1997). Health promotion : Two contrasting styles in community nursing. Dans L. N. Gottlieb et H. Ezer (dir.), *A perspective in health, family, teaching and collaborative nursing.* Montréal : McGill University School of Nursing.

d'exprimer ses opinions, mais lui montrent aussi qu'elles comptent. Par ailleurs, des phrases comme «Nous pourrions travailler… Par la suite, nous déciderons de…» incitent aussi le client/famille à s'impliquer dans les soins et renforcent la collaboration et la relation thérapeutique.

La figure 18-2 ■ présente les notes d'évolution accompagnant le PSTI et le PTI d'Emma Duclos ainsi que le problème traité en collaboration. Ces notes portent sur l'anxiété inscrite dans le PSTI ainsi que sur les constats et les directives inscrits dans le PTI. Les problèmes en collaboration sont inclus dans la documentation des soins.

Évaluation

Évaluer consiste à porter un jugement. Bien que tout au long de la démarche l'infirmière applique ses connaissances scientifiques et son expérience et que, grâce à son jugement, elle modifie sans cesse les soins et les traitements en conséquence, l'évaluation des soins en bonne et due forme constitue la cinquième et dernière étape de la démarche de soins infirmiers. Dans le contexte des soins infirmiers, l'**évaluation** est une activité planifiée, continuelle et systématique par laquelle le client et les professionnels de la santé déterminent: (1) le degré d'atteinte des objectifs ou d'obtention des résultats; (2) l'efficacité du PSTI. Il n'en reste pas moins que l'évaluation des réactions du client est un processus continu et qu'il constitue un aspect important de la démarche, car ce sont ces réactions qui aident l'infirmière à décider si elle doit maintenir, modifier ou cesser le PSTI, et si elle doit ajuster le PTI.

L'évaluation réalisée pendant l'accomplissement d'une ordonnance infirmière ou tout de suite après permet à l'infirmière de modifier sur-le-champ une intervention. L'évaluation effectuée à intervalles réguliers (une fois par semaine pour la personne traitée à domicile, par exemple) révèle le chemin parcouru vers l'atteinte de l'objectif et permet à l'infirmière de modifier le PSTI et d'en corriger les lacunes au besoin. Pendant l'hospitalisation, l'évaluation se poursuit jusqu'à ce que la personne atteigne ses objectifs de santé ou résultats escomptés. L'évaluation réalisée au moment du congé, quant à elle, porte sur l'atteinte des objectifs et sur les capacités du client en matière de soins personnels dans l'optique des soins de suivi.

Par l'évaluation, l'infirmière témoigne de sa responsabilité et de son obligation de rendre compte de ce qu'elle fait; l'évaluation lui permet aussi de témoigner de l'intérêt qu'elle porte aux résultats des activités infirmières et de sa volonté de renoncer aux actions inefficaces pour adopter des méthodes plus fructueuses.

Lien entre l'étape de l'évaluation et les autres étapes de la démarche de soins infirmiers

Le succès de l'étape de l'évaluation repose sur celui des étapes précédentes. La collecte des données doit être précise et complète afin que l'infirmière puisse formuler des diagnostics infirmiers et des résultats escomptés appropriés. Les résultats escomptés doivent être exprimés en termes concrets, c'est-à-dire sous forme de comportements, afin qu'on puisse s'y reporter pour évaluer les réactions de la personne. Et il va sans dire que, sans l'étape des interventions, au cours de laquelle l'infirmière traduit le plan en actions, il n'y aurait rien à évaluer.

L'évaluation et la collecte des données se chevauchent. Comme nous l'avons déjà mentionné, la collecte des données est continue et se poursuit lors de chaque contact avec la personne. Or, la finalité de la collecte des données varie selon les étapes de la démarche. À l'étape de la collecte des données proprement dite, l'infirmière recueille des données en vue de formuler des diagnostics infirmiers. À l'étape de l'évaluation, elle recueille des données en vue de vérifier l'atteinte des objectifs et de mesurer l'efficacité des soins et des traitements infirmiers. L'action de recueillir des données ne change pas; la différence réside dans: (1) le moment où elle a lieu; (2) l'usage qu'on entend faire des données; (3) le but recherché.

Processus d'évaluation des réactions de la personne

À l'étape de la planification, l'infirmière établit les résultats escomptés (indicateurs) sur lesquels elle s'appuiera pour mesurer l'atteinte de l'objectif. Les résultats escomptés ont deux fonctions: déterminer le type de données d'évaluation à recueillir et fournir une norme par rapport à laquelle on jugera ultérieurement les données, soit l'atteinte de l'objectif. Par exemple, pour les résultats escomptés suivants, toutes les infirmières qui s'occuperont de cette personne en particulier sauront quelles données il leur faut recueillir:

- L'apport liquidien quotidien sera de 2 500 mL ou plus.
- Le débit urinaire équivaudra à l'apport liquidien.
- Le volume d'urine résiduelle sera inférieur à 100 mL.

Le processus d'évaluation comporte six phases (figure 18-3 ■).

RECUEILLIR DES DONNÉES RELATIVES AUX RÉSULTATS ESCOMPTÉS

Pour parvenir à porter un jugement clinique, l'infirmière doit généralement recueillir tant des données objectives que des données subjectives.

Certaines données objectives nécessitent une part d'interprétation. Parmi les données de ce type, on trouve, par exemple, le degré d'élasticité de la peau d'une personne déshydratée (pli cutané) ou le degré d'agitation d'une personne qui éprouve de la douleur (diaphorèse, faciès grimaçant). L'infirmière qui doit interpréter des données objectives a parfois intérêt à demander l'avis d'autres infirmières qui l'aideront à discerner si un changement s'est produit. Par ailleurs, il arrive aussi que l'infirmière doive interpréter des données subjectives. C'est le cas notamment lorsqu'une personne se plaint de nausées ou de douleur. Pour interpréter des données subjectives, l'infirmière doit s'appuyer soit sur les dires de la personne («La douleur a empiré depuis le déjeuner»), soit sur les indicateurs (observations) des données subjectives. Dans ce cas, l'agitation accrue, l'accélération

DT9064

OBSERVATIONS DE L'INFIRMIÈRE

Page ____

MME EMMA DUCLOS

DR HÉLÈNE RIVARD

CIVIÈRE 000 / CHAMBRE 111-11

DATE			HEURE	INTERVENTIONS, OBSERVATIONS, SIGNATURES
Année	Mois	Jour		
2011	02	14	02:00	Explications données sur la situation de santé et l'importance d'obtenir les résultats
			:	d'examen. Convenons d'attendre le compte-rendu avant que Mme quitte le centre.
			:	Dit : «D'accord, je vais demeurer avec vous et prendre mon mal en patience.» À
			:	la réception des résultats de laboratoire, visite du Dr Hélène Rivard. Hospitalisation
			:	demandée et D/E 5 % NaCl 0,45 % + KCl 40 mEq installé au pli du coude droit
			:	avec cathéter # 20 à 100mL/h. Lors du transfert, Mme manifeste de la négation
			:	et pleure. Rapport verbal donné à Laurence Rivard inf. lors de l'arrivée à l'unité
			:	de soins./Donald Trudel, inf.
			04:00	Arrivée de Mme en chaise roulante accompagnée de l'infirmier. Lui ai expliqué
			:	l'environnement et installé la cloche d'appel à sa portée. Informée de ma disponibi-
			:	lité. Soluté en cours et dosage ingesta/excreta débuté dès l'arrivée à l'unité.
			08:00	Rapport verbal donné à Suzie Rivard/Laurence Rivard, inf.
			08:15	Se plaint de douleur intense au QIG à 7 sur une échelle de 0 à 10 sous forme de
			:	crampes et de fréquence intermittente. Sédatif administré. Pleure et répète «Pourquoi
			:	cela m'arrive-t-il? Ce n'est pas le bon moment». Incitée à parler de son problème. A
			:	dit qu'elle a des craintes par rapport à la durée de l'hospitalisation et une possible chirur-
			:	gie. Explications données et invitée à se reposer.
			10:30	Exprime soulagement, douleur diminuée à 2/10. Examens abdominal et tégumentaire :
			:	abdomen plat et souple, bruits intestinaux hyperactifs 35/min., sensibilité au QIG, faible
			:	turgescence de la peau, muqueuses buccales humides, T 38 °C. Faciès détendu. Dit
			:	«Tout va bien à la maison, les enfants sont en sécurité, ils m'ont dit: maman guérit bien
			:	avant de revenir à la maison ». Technique de respiration profonde démontrée, bonne
			:	exécution et bonne collaboration.
			12:30	Sonne, dit avoir eu une selle liquide, peu abondante et légèrement teintée rouge. Incapable
			:	de constater et lui ai demandé de sonner lors des prochaines selles. / Suzie Rivard, inf.
			:	B.Sc.
			:	
			:	
			:	
			:	

AH-412 DT9064 (rév. 04-10)   **OBSERVATIONS DE L'INFIRMIÈRE**   Suite au verso

18

FIGURE 18-2 ■ Notes d'évolution des soins accompagnant le PSTI, le PTI et les problèmes en collaboration d'Emma Duclos.

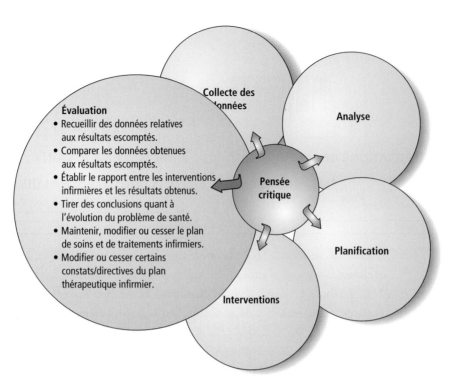

FIGURE 18-3 ■ Évaluation. La cinquième étape de la démarche de soins, l'évaluation, consiste à mesurer l'atteinte de l'objectif et l'efficacité du plan de soins et de traitements infirmiers ainsi que la pertinence des constats et des directives infirmiers du plan thérapeutique infirmier.

du pouls et de la fréquence respiratoire, la contraction des muscles faciaux, un abdomen rigide et une sensibilité abdominale à la palpation sont des indicateurs de la présence de douleur. L'infirmière doit documenter les données de manière concise et précise afin de faciliter la phase suivante du processus d'évaluation.

COMPARER LES DONNÉES OBTENUES AUX RÉSULTATS ESCOMPTÉS

Si on a réalisé efficacement les deux premières phases du processus d'évaluation, il est relativement simple de déterminer si on a obtenu ou non le résultat escompté. Ensemble, l'infirmière et le client comparent les réactions de ce dernier aux résultats recherchés. Le client a-t-il bu 2 500 mL de liquides en 24 heures ? A-t-il éliminé sensiblement la même quantité que l'apport quotidien ? Ces deux éléments, associés au bilan des ingesta et des excreta, permettent de déterminer si le bilan est positif ou négatif. L'infirmière peut alors parvenir à l'une des trois conclusions suivantes :

1. L'objectif a été atteint : la réaction de la personne équivaut au résultat escompté.
2. L'objectif a été partiellement atteint : un objectif à court terme a été atteint, mais non l'objectif à long terme, ou encore le résultat escompté n'a été obtenu qu'en partie.
3. L'objectif n'a pas été atteint.

Après avoir déterminé si l'objectif a été atteint, l'infirmière écrit un énoncé d'évaluation (dans ses notes ou dans le PSTI). Un **énoncé d'évaluation** est composé de deux parties, soit une conclusion et une justification. La conclusion indique si l'objectif

a été atteint, s'il a été partiellement atteint ou s'il n'a pas été atteint. La justification consiste en une énumération des réactions de la personne qui motivent la conclusion, par exemple :

Objectif atteint : apport liquidien par voie orale supérieur de 300 mL au débit urinaire ; bonne élasticité de la peau ; muqueuses humides

Le PSTI qui figure aux pages 423 à 425 contient des énoncés d'évaluation relatifs à Raymonde Aquilini. (Dans la pratique, les énoncés d'évaluation ne figurent pas dans les PSTI, mais plutôt dans les notes de l'infirmière.) Les données comprises dans la colonne intitulée « Énoncés d'évaluation » représentent les réactions de Mme Aquilini aux soins observées par l'infirmière de nuit, le lendemain de l'admission. Si les résultats des soins infirmiers sont accompagnés d'indicateurs, on compare les cotes des échelles après intervention à celles que l'on a mesurées initialement. La colonne intitulée « Motifs du maintien ou de la modification des ordonnances infirmières » figure particulièrement dans les PSTI élaborés en milieu de formation. Ce PSTI n'est pas un modèle utilisé dans tous les établissements de santé. L'essentiel, à cette étape de la démarche, est d'user de son jugement pour évaluer la pertinence des soins et d'en assurer la continuité d'un quart de travail à l'autre.

ÉTABLIR LE RAPPORT ENTRE LES INTERVENTIONS INFIRMIÈRES ET LES RÉSULTATS OBTENUS

La quatrième phase du processus d'évaluation consiste à déterminer s'il existe un rapport entre les interventions infirmières et les résultats obtenus. On ne doit jamais présumer qu'une activité infirmière est le seul facteur qui permette de déterminer si un résultat escompté a été atteint totalement ou partiellement ou encore qu'il n'a pas été atteint. La participation de la personne et la modification de son état clinique font partie des facteurs qui influent sur le rapport entre les interventions et les résultats obtenus.

Supposons, par exemple, qu'une personne nommée Sophie Riendeau soit obèse et qu'elle doive perdre 14 kg. Au moment d'élaborer le PSTI, l'infirmière et la personne conviennent de l'objectif suivant: «Perdra 1,4 kg d'ici au 7 avril 2011.» Le PSTI prévoit la stratégie suivante: «Expliquer à Mme Riendeau comment planifier et préparer ses repas de manière à consommer 3 600 kJ par jour.» Le 7 avril 2011, Mme Riendeau se pèse et constate qu'elle a perdu 1,8 kg. L'objectif est non seulement atteint, mais dépassé. Il est facile de supposer que la stratégie s'est révélée très efficace. Cependant, avant de l'affirmer, il est important de recueillir des données supplémentaires pour comprendre de quelle façon Mme Riendeau est arrivée à ce résultat. En lui posant des questions, l'infirmière pourrait en effet s'apercevoir que Mme Riendeau: (1) a planifié un apport énergétique quotidien de 3 600 kJ, a préparé ses repas en conséquence et les a consommés; (2) a planifié un apport énergétique quotidien de 3 600 kJ, mais n'a pas préparé les repas appropriés; (3) n'a pas compris la manière de planifier l'apport énergétique quotidien de 3 600 kJ et a laissé tomber.

Si la première possibilité se confirme, l'infirmière peut conclure sans crainte de se tromper que la stratégie a effectivement aidé Mme Riendeau à perdre du poids. Mais si l'infirmière apprend que c'est la deuxième ou la troisième possibilité qui s'est réalisée, elle doit conclure que la stratégie n'a pas eu d'effet sur le résultat. Elle doit alors recueillir des données sur les vraies raisons pour lesquelles la cliente a perdu du poids et sur la manière d'orienter ses interventions futures.

TIRER DES CONCLUSIONS QUANT À L'ÉVOLUTION DU PROBLÈME DE SANTÉ

À partir du jugement formulé sur l'atteinte des objectifs, l'infirmière détermine si le PSTI a permis de résoudre, d'atténuer ou de prévenir les problèmes de la personne.

Si les objectifs ont été atteints, l'infirmière peut tirer l'une des conclusions suivantes à propos du problème:

■ Le problème courant décrit dans le diagnostic infirmier a été résolu, ou le problème possible a été prévenu et les facteurs de risque ont disparu. L'infirmière note que les objectifs ont été atteints et cesse les soins reliés à ce problème.

■ Le problème possible décrit dans le diagnostic infirmier a été prévenu, mais les facteurs de risque existent toujours. L'infirmière laisse le problème dans le PSTI. Tant que le mot «risque» est valable et pertinent dans une situation donnée, le PSTI est conservé. Par exemple, pour une personne en traction orthopédique, bien que l'intégrité de la peau soit maintenue, le risque de plaie demeure, et le sera tant et aussi longtemps que la personne ne pourra bouger. Bien que l'objectif «Conservera une peau saine et sans rougeurs» soit atteint, il existe toujours un *Risque d'atteinte à l'intégrité de la peau*.

■ Le problème actuel persiste, même si certains objectifs ont été atteints. Supposons par exemple que le PSTI comporte le résultat escompté suivant: «Boira 3 000 mL de liquides par jour.» Certaines données prouvent que ce résultat a été obtenu, mais d'autres (par exemple les muqueuses buccales sèches) indiquent qu'il existe toujours un *Risque de déséquilibre de volume liquidien*. En réalité, ce n'est pas seulement l'atteinte de l'objectif qu'on évalue, mais aussi tous les indicateurs de la réalisation de cet objectif. Par conséquent, l'infirmière doit poursuivre ses interventions.

Si les objectifs ont été partiellement atteints ou qu'ils n'ont pas été atteints, l'infirmière peut tirer l'une des conclusions suivantes:

■ Le PSTI doit être révisé et adapté à la situation. Les révisions peuvent avoir lieu à l'étape de la collecte des données, de l'analyse, de la planification ou des interventions.

   OU

■ Il n'est pas nécessaire de réviser le PSTI: la personne a tout simplement besoin de plus de temps pour atteindre les objectifs; seule la date d'évaluation doit donc être modifiée. Avant de formuler ce jugement, l'infirmière doit trouver les raisons pour lesquelles les objectifs n'ont été que partiellement atteints et se demander notamment si elle a procédé trop tôt à l'évaluation.

MAINTENIR, MODIFIER OU CESSER LE PLAN DE SOINS ET DE TRAITEMENTS INFIRMIERS

À la date d'évaluation inscrite au PSTI, l'infirmière tire des conclusions sur l'état du client et, selon ces conclusions, elle maintient, modifie ou cesse le PSTI. Puisque la loi n'oblige pas l'infirmière à conserver le PSTI au dossier du client, elle peut en rayer des parties, les surligner à l'aide d'un crayon feutre à encre transparente ou inscrire «Cessé» et la date. Par ailleurs, le PTI doit être gardé au dossier du client. L'infirmière doit donc inscrire les données à l'encre par ordre chronologique.

Que les objectifs aient été atteints ou non, l'infirmière doit prendre un certain nombre de décisions à propos du maintien, de la modification ou de l'interruption des soins infirmiers reliés à chaque problème. Avant d'apporter des modifications ponctuelles, elle doit trouver les raisons pour lesquelles le plan dans son ensemble n'a pas été totalement efficace. Cela suppose qu'elle le revoie entièrement et se penche sur chacune des étapes de la démarche de soins. Le tableau 18-1 présente une liste de vérification destinée à la révision du PSTI. Cette liste est présentée sous forme de questions fermées; sa seule finalité est de faire ressortir les aspects que l'infirmière doit étudier de plus près.

Collecte des données. Les lacunes ou les erreurs contenues dans la collecte des données se répercutent sur toutes les étapes ultérieures de la démarche de soins, de même que sur le PSTI. Si les données sont incomplètes, l'infirmière doit procéder à une nouvelle collecte et noter les données ainsi obtenues. Il peut arriver que les nouvelles données obligent l'infirmière à formuler de nouveaux diagnostics infirmiers, objectifs et ordonnances. Toutes les données doivent être considérées et méritent d'être retenues en vue des étapes ultérieures. Toute donnée,

TABLEAU 18-1
LISTE DE VÉRIFICATION POUR ÉVALUER LA DÉMARCHE DE SOINS INFIRMIERS

Collecte des données	Analyse	Planification	Interventions
Les données sont-elles complètes et précises? Ont-elles été confirmées? Les nouvelles données obtenues exigent-elles qu'on modifie le PSTI et le PTI?	Les diagnostics infirmiers sont-ils pertinents et exacts? Les diagnostics infirmiers reposent-ils sur les données? L'état du problème a-t-il changé (problème actuel ou de type risque)? Les diagnostics sont-ils formulés clairement? Ont-ils été formulés dans une forme appropriée? Est-ce que certains diagnostics doivent cesser parce que le problème n'existe plus?	**Résultats escomptés** A-t-on formulé de nouveaux diagnostics infirmiers qui exigent que l'on établisse de nouveaux objectifs? Les objectifs sont-ils réalistes? A-t-on prévu suffisamment de temps pour l'atteinte des objectifs? Les objectifs portent-ils sur tous les aspects du problème? La personne est-elle toujours d'accord avec les objectifs? Les priorités de la personne ont-elles changé? **Ordonnances infirmières** A-t-on formulé de nouveaux diagnostics infirmiers ou de nouveaux objectifs qui exigent que l'on rédige de nouvelles ordonnances infirmières? Les ordonnances infirmières semblent-elles reliées aux objectifs? Les ordonnances infirmières ont-elles toutes une justification scientifique? Les ordonnances infirmières sont-elles claires, précises et détaillées? Les ordonnances infirmières portent-elles sur tous les aspects des objectifs? A-t-on accès à de nouvelles ressources? A-t-on exécuté les ordonnances infirmières?	A-t-on demandé l'opinion de la personne à toutes les étapes de la démarche? Les objectifs et les interventions infirmières étaient-ils acceptables pour la personne? Les soignants possèdent-ils les connaissances et les compétences nécessaires pour accomplir les interventions correctement? A-t-on donné des explications à la personne avant d'accomplir les interventions?

si minime soit-elle, peut influer grandement sur la suite du processus.

Analyse. Si les données se révèlent incomplètes, il est possible que l'infirmière doive formuler de nouveaux diagnostics ou problèmes. Si, au contraire, les données sont complètes, elle doit déterminer si les problèmes ont été correctement déterminés, s'il en est qui sont prioritaires et si les diagnostics infirmiers sont pertinents. Après avoir formulé des jugements sur l'état du client, l'infirmière révise la formulation des diagnostics infirmiers ou en ajoute de nouveaux de manière à tenir compte des données les plus récentes. Comme à l'étape précédente, l'infirmière travaille en partenariat avec le client qui, mieux que quiconque, peut l'informer sur son état pour l'aider à analyser et à interpréter les données.

Planification. Si un diagnostic infirmier ou un problème n'est pas pertinent ou approprié, l'infirmière doit évidemment réviser les objectifs ou les résultats escomptés correspondants. Mais si le diagnostic infirmier ou le problème est approprié, elle doit s'assurer que les objectifs ou les résultats escomptés sont réalistes et atteignables, puis les corriger au besoin. Elle doit également vérifier si les priorités ont changé et si le client les approuve toujours. L'infirmière doit penser à formuler des objectifs correspondant aux nouveaux diagnostics.

Interventions. À cette étape, l'infirmière vérifie si ses interventions ont contribué à l'atteinte des objectifs et si elles étaient

les meilleures qu'il était possible de choisir. En effet, il se peut que les diagnostics infirmiers ou les problèmes aident à atteindre les objectifs, mais qu'on n'ait pas choisi les interventions les plus propices pour les atteindre. Les nouvelles ordonnances infirmières peuvent correspondre soit à l'évolution des besoins de la personne en matière de soins, soit à des changements d'horaire, soit à une réorganisation des interventions infirmières visant le regroupement des activités semblables ou la prolongation des périodes de repos ou d'activité du client.

Même si toutes les parties du PSTI semblent satisfaisantes, il se peut que sa mise en œuvre ait fait obstacle à l'atteinte des objectifs. Avant de choisir de nouvelles interventions, l'infirmière doit vérifier si les ordonnances infirmières prévues dans le plan ont été exécutées. Elles peuvent en effet avoir été omises parce qu'elles étaient soit ambiguës, soit irréalistes en raison de contraintes de budget, de ressources humaines ou de matériel, par exemple.

Après avoir apporté les corrections nécessaires, l'infirmière réalise le PSTI modifié et recommence le cycle de la démarche de soins. Le PSTI destiné à Raymonde Aquilini, aux pages 423 à 425, a été modifié à la suite de l'évaluation de l'atteinte des objectifs et de la révision de la démarche. Les parties que l'infirmière désirait éliminer sont rayées, tandis que les ajouts apparaissent en italique.

Quelle que soit l'étape de la démarche et tout au long du processus thérapeutique, l'infirmière doit prouver ses connaissances et sa compétence pendant qu'elle prodigue des soins et administre des traitements. L'encadré 18-2 résume les stipulations de l'article 44 du *Code de déontologie des infirmières et infirmiers* relativement à l'obligation de l'infirmière d'assurer constamment, au cours de toutes ses interventions, la sécurité du client.

ENCADRÉ 18-2
OBLIGATIONS DE L'INFIRMIÈRE RELATIVEMENT À LA SÉCURITÉ DU CLIENT

- Intervenir promptement auprès du client lorsque l'état de santé de ce dernier l'exige.
- Assurer la surveillance requise par l'état de santé du client.
- Prendre les moyens raisonnables pour assurer la continuité des soins et traitements.

Source : *Code de déontologie des infirmières et infirmiers*, c. I-8, r. 44.1. *Code des professions* (L.R.Q., c. C-26, art. 87).

Utilisation du modèle McGill : étape 5 – évaluation de l'atteinte des objectifs

En collaboration avec le client/famille, l'infirmière tente de comprendre le cheminement qui a mené à l'atteinte ou non de l'objectif. Cette façon de procéder aide le client/famille à prendre conscience des changements qui sont intervenus dans l'état de santé ainsi que des apprentissages réalisés. Ces acquis leur permettront de continuer leur cheminement vers un meilleur état de santé. Selon le modèle McGill, cette étape donne au client la possibilité d'acquérir plus d'autonomie et de renforcer sa capacité de résoudre des problèmes. Par ailleurs, elle permet à l'infirmière d'évaluer la différence entre la situation initiale du client et celle dans laquelle il se trouve au moment de l'évaluation. Les paramètres de l'évaluation sont les suivants : l'atteinte des objectifs, les moyens mis en œuvre par le client/famille pour améliorer ses stratégies d'adaptation, les résultats obtenus sur le plan du mieux-être grâce aux soins infirmiers, la satisfaction que le client/famille a tiré du processus thérapeutique (donnée subjective) et sa compréhension des interventions et du processus visant l'acquisition d'une plus grande autonomie. L'infirmière reprend les étapes antérieures autant de fois que c'est nécessaire, apporte les modifications nécessaires, rajuste ses interventions en conséquence et fait une nouvelle évaluation pour vérifier si les objectifs ont été atteints ou non. Il va sans dire que les deux parties jouent un rôle actif dans l'évaluation et ont chacune leur part de responsabilité. Mais c'est toujours l'infirmière qui doit porter un jugement clinique en tenant compte constamment de l'urgence de la situation. L'encadré 18-3 présente les rôles de l'infirmière à cette étape de la démarche.

Retrouvons Emma Duclos. Le lendemain de la rédaction du PSTI, l'infirmière l'évalue pour une première fois. Elle sait qu'une hospitalisation imprévue demande au client un certain temps avant qu'il arrive à l'accepter ou à s'y résigner. La réaction du client dépend de sa personnalité, de son contexte familial, de son milieu de vie et de sa capacité à faire face à une maladie nouvelle ou récurrente. En évaluant la capacité d'adaptation (*coping*) d'Emma Duclos et les comportements qu'elle a adoptés,

---

ENCADRÉ 18-3
RÔLES DE L'INFIRMIÈRE À L'ÉTAPE DE L'ÉVALUATION

L'infirmière doit :
- Évaluer les réactions physiques et mentales du client.
- Faire preuve de jugement clinique.
- Vérifier la pertinence des plans de soins et de traitements infirmiers.
- Évaluer les apprentissages chez le client pour l'aider à prendre en charge sa situation.
- Inciter le client à participer à l'évaluation de sa situation.
- Maintenir le cadre d'apprentissage.
- Ajuster le plan thérapeutique infirmier.

---

l'infirmière déterminera si la cliente a pu exprimer ou non ses sentiments. Initialement, Emma Duclos refuse de se faire hospitaliser et se montre très bouleversée. Avec l'aide de l'infirmière, Emma a pu verbaliser ce qu'elle ressentait et a accepté par la suite de faire les exercices de respiration profonde pour relaxer. L'objectif inscrit au PSTI (tableau 17-7, p. 402) est donc atteint. L'infirmière qui constate ce fait coche la case « Atteint » et appose sa signature. Cependant, elle doit toujours garder à l'esprit que ce processus change sans cesse. Les notes d'évolution (figure 18-2 ■) ainsi que le PTI (figure 17-6 ■, p. 403) documentent les événements qui se sont déroulés à l'arrivée d'Emma Duclos à l'unité de soins.

Évaluation de la qualité des soins infirmiers

L'infirmière évalue non seulement l'atteinte des objectifs chez une personne en particulier, mais aussi la qualité globale des soins donnés à un groupe de personnes. Il s'agit là d'un aspect essentiel de sa responsabilité professionnelle. La qualité des soins « correspond à une approche d'amélioration continue des résultats centrée sur la personne. Elle constitue un concept dynamique se modifiant suivant l'évolution scientifique, technologique et la multiplicité des attentes des patients » (Lefort et Deletoille, 2001).

ASSURANCE DE LA QUALITÉ

Un **programme d'assurance de la qualité (AQ)** est un processus systématique et continu qui vise à promouvoir l'excellence des soins de santé. On croit généralement que l'assurance de la qualité se situe à l'échelle d'un établissement, mais elle peut tout aussi bien porter sur le rendement d'une infirmière en particulier que sur les soins de santé fournis dans un pays entier. L'assurance de la qualité suppose l'évaluation de trois composantes des soins : les structures, les processus et les résultats. Chaque forme d'évaluation exige des méthodes et des critères distincts, et chacune a un objet particulier.

L'**évaluation des structures** porte sur le milieu dans lequel les soins sont donnés. Elle vise à répondre à la question suivante : Quel est l'effet du milieu sur la qualité des soins ? On prend en considération les caractéristiques environnementales et organisationnelles qui influent sur les soins, tels la composition de l'équipe de soins, l'organisation des soins, le matériel et les équipements, les politiques et les protocoles.

18

L'**évaluation des processus** concerne la manière dont l'infirmière utilise la démarche de soins infirmiers et dont les soins sont donnés. Elle vise à répondre aux questions suivantes: Les soins sont-ils appropriés aux besoins de la personne? Les soins sont-ils complets et donnés de façon compétente et diligente? Les éléments d'évaluation du processus portent, par exemple, sur l'évaluation et la surveillance cliniques, les soins et les traitements, l'enseignement à la personne et à ses proches, la préparation au transfert et au congé, et la documentation des soins. Ils sont assortis de critères comme «Vérifie le bracelet d'identité de la personne avant d'administrer un médicament» et «Exécute un examen pulmonaire, y compris une auscultation, et en note les résultats une fois par quart de travail».

L'**évaluation des résultats** touche les changements observables dans l'état de santé de la personne à la suite des soins infirmiers. Les critères de résultat sont exprimés sous forme de réactions de la personne ou de descriptions de l'état de santé, comme dans le cas de l'évaluation qui a lieu dans le cadre de la démarche de soins infirmiers. Selon l'OIIQ (2001), un indicateur de résultat est « un indice, un repère spécifique d'une situation clinique, observable et mesurable, visant à évaluer l'effet d'une ou de plusieurs interventions en soins infirmiers. Il permet de poser un jugement sur les interventions et sur les résultats qui en découlent». Les éléments d'évaluation des résultats portent, entre autres, sur l'acquisition de connaissances et d'habiletés d'autosoins, et sur l'absence de complications et d'incidents évitables. Par exemple, on cherche des réponses aux questions suivantes: «Combien de personnes contractent une pneumonie à la suite de la mise en place d'une prothèse de la hanche?» ou «Combien de personnes ayant subi une colostomie souffrent d'une infection qui retarde leur congé?» La figure 18-4 ■ présente un modèle hypothétique des liens entre les trois éléments de la qualité des soins infirmiers (soit les structures, les processus et les résultats).

AMÉLIORATION DE LA QUALITÉ

L'**amélioration de la qualité** est aussi désignée par les expressions suivantes: «amélioration continue de la qualité», «gestion de la qualité totale», «amélioration des performances» et «amélioration continue». Selon Schroeder (1994, p. 3), l'amélioration de la qualité est «la recherche d'une amélioration constante de tous les procédés utilisés dans toutes les parties d'une organisation en vue de satisfaire et de dépasser les attentes du client».

L'amélioration de la qualité se distingue de l'assurance de la qualité par trois différences majeures: (1) l'amélioration de la qualité porte sur les soins de la personne plutôt que sur les structures organisationnelles; (2) elle est axée sur les processus plutôt que sur les individus; (3) comme son nom l'indique, elle vise à *améliorer* la qualité des soins plutôt qu'à l'*assurer*. Les démarches d'amélioration de la qualité visent souvent à discerner et à corriger les problèmes d'un système, par exemple le dédoublement des services dans un centre hospitalier ou la correction des lacunes des services.

Selon l'OIIQ (2001), l'amélioration continue de la qualité des soins infirmiers est un «changement progressif et positif des interventions en soins infirmiers assurant une mise à jour et une qualité toujours plus grande de l'exercice infirmier. Ce changement fait appel à l'engagement des infirmières, à une pensée critique et à la mise en place de projets novateurs».

Selon Morin (2001), l'amélioration de la qualité est «l'identification et l'évaluation des changements systématiques pour améliorer la qualité des structures, des processus et/ou des résultats de soins sur la base des appréciations des usagers de soins autant que la base des indicateurs de performance professionnelle et systémique». Les indicateurs permettant d'évaluer la performance professionnelle sont déterminés en grande partie à partir des assises de l'exercice de la profession d'infirmière (Lefort et Deletoille, 2001), soit l'ensemble des croyances et des valeurs qui sous-tendent la façon de voir la personne (famille, groupe ou collectivité), la santé, l'environnement et le soin, qui orientent l'exercice de la profession d'infirmière (OIIQ, 2010).

Au Québec, il existe deux instruments globaux d'évaluation de la qualité des soins infirmiers (IGEQSI). L'un de ces instruments est destiné à la mesure et à l'évaluation de la qualité des soins infirmiers fournis dans les établissements de soins de courte durée; l'autre est destiné à la mesure et à l'évaluation de la qualité dans les établissements de soins de longue durée. Le premier instrument a été créé au Québec par le professeur Raymond Grenier, de l'Université de Montréal, et Jeanine Drapeau, infirmière clinicienne à l'hôpital Notre-Dame de Montréal. Grenier et Drapeau proposent de mesurer et d'évaluer six dimensions de la qualité des soins infirmiers, et ce, pour les structures (organisation et fonctionnement de l'unité), les processus (pratiques professionnelles en soins infirmiers) et les résultats (perception du client et bienfaits qu'il en retire). Les 6 dimensions sont précisées par un ensemble de 31 normes, lesquelles deviennent opérationnelles sous forme de critères ou d'indicateurs de qualité, au nombre de 400 environ. L'exemple suivant montre comment cet instrument permet de formuler la mesure et l'évaluation de la qualité des soins: dimension 1: le PSTI est formulé; norme: le PSTI est formulé par écrit; critère: on trouve au dossier le ou les problèmes de la personne, et ces problèmes ont été mis à jour (Grenier et Drapeau, 1989).

Ce modèle permet d'avoir une vue globale des soins prodigués au client par toutes les équipes soignantes sur les plans de la qualité et de la continuité des soins, ainsi que sur celui de la sécurité de la prise en charge.

VÉRIFICATION DES SOINS INFIRMIERS

Une *vérification* est un examen des dossiers. Une *vérification rétrospective* est une évaluation du dossier d'une personne qui a reçu son congé. Une *vérification simultanée* est une évaluation des soins donnés à une personne pendant son séjour dans un établissement. Ces vérifications visent à déterminer si on a satisfait aux critères d'évaluation établis; elles s'effectuent au moyen d'entrevues, d'observations directes des soins infirmiers et de révisions des dossiers cliniques.

L'évaluation des soins peut aussi prendre la forme d'un *examen par les pairs*. Autrement dit, les infirmières évaluent la pratique d'autres infirmières également qualifiées, en s'appuyant sur des critères préétablis.

Il existe deux types d'examen par les pairs, soit l'examen individuel et la vérification des soins infirmiers. L'examen individuel porte sur le rendement d'une infirmière en particulier;

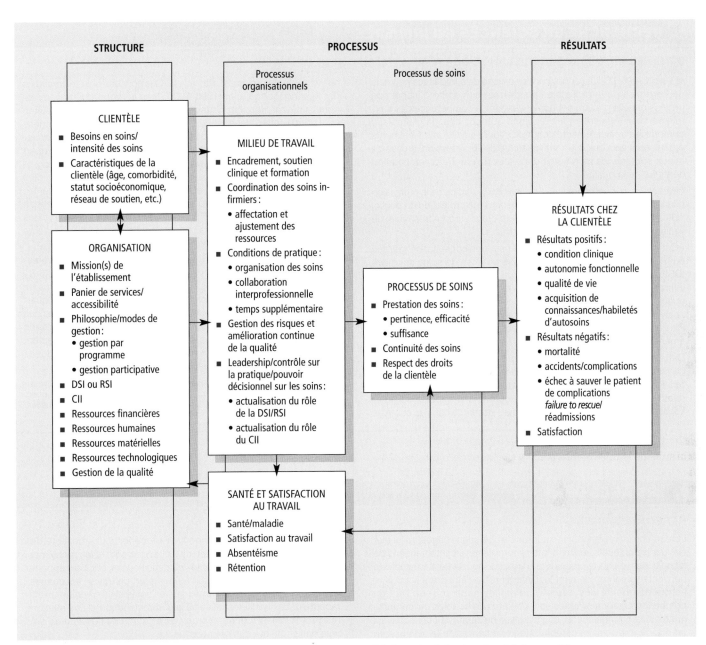

FIGURE 18-4 ■ Modèle hypothétique des liens entre les éléments de la qualité des soins infirmiers, inspiré des modèles de Kovner (2001) et de Eisenberg, Bowman et Foster (2001) et proposé par l'OIIQ. Source : Ordre des infirmières et infirmiers du Québec (OIIQ). (2001). *Étude sur la qualité des soins infirmiers dans les établissements de santé du Québec. Recommandations du Bureau de l'Ordre des infirmières et infirmiers du Québec.* Montréal : Auteur.

la vérification des soins infirmiers porte, quant à elle, sur les dossiers. L'infirmière doit se faire un point d'honneur de consigner toutes ses interventions. Si elle omet des données, les vérificatrices supposeront qu'elle n'a pas prodigué les soins. L'OIIQ se soucie de la qualité des soins offerts et, par le fait même, de la protection du public ; il s'est donc doté d'un comité d'inspection professionnelle qui a pour mandat général de surveiller l'exercice de la profession par les membres et d'enquêter sur la compétence de tout membre, s'il y a lieu.

Comme nous l'avons constaté, les cinq étapes de la démarche sont en constant mouvement, ce qui nous incite à remettre continuellement en question le déroulement de chacune d'entre elles et à rester à l'affût d'éventuelles complications. Nous ne répéterons jamais assez que ces étapes sont interdépendantes et qu'à tout moment l'infirmière doit user de son jugement critique. De la collecte des données à l'évaluation, en passant par l'analyse et interprétation, la planification et l'exécution des interventions, l'infirmière doit travailler avec rigueur et vérifier si sa démarche est en accord avec l'évolution de l'état de santé du client. La démarche de soins infirmiers est axée sur les besoins et les attentes de celui-ci et de sa famille et l'infirmière doit travailler en partenariat avec eux quel que soit le milieu dans lequel elle exerce : soins de courte ou de longue durée, soins à domicile, etc.

RECHERCHE EN SCIENCES INFIRMIÈRES

QU'EN EST-IL DE LA SURVEILLANCE DE LA QUALITÉ AU QUÉBEC?

« Depuis 1996, l'OIIQ a adopté une approche de surveillance générale de l'exercice de la profession qui permet au comité d'inspection professionnelle d'examiner non seulement la compétence des infirmières, mais également les résultats obtenus chez la clientèle, y compris les accidents et les complications, ainsi que les éléments organisationnels qui affectent l'exercice de la profession, en vue de mieux soutenir les infirmières dans leur démarche d'amélioration continue de la qualité.

« Préoccupé par les conditions actuelles de l'exercice de la profession d'infirmière et leurs conséquences eu égard à la protection du public, l'OIIQ a décidé, en décembre 2000, de créer un comité spécial de vigilance sur la qualité des soins infirmiers.

« Cette étude s'appuie principalement sur une consultation réalisée au moyen d'un sondage auprès des directrices de soins infirmiers (DSI), des responsables de soins infirmiers (RSI) et des conseils des infirmiers et infirmières (CII) dans le cadre des travaux du comité spécial de vigilance sur la qualité des soins infirmiers, et sur des analyses de régression effectuées à partir des résultats du sondage. Plusieurs de ces résultats se retrouvent dans diverses études nord-américaines récentes. »

Cette étude sur la qualité des soins infirmiers a permis d'inventorier certaines situations problématiques de soins infirmiers dans les établissements de santé du Québec et de dégager des tendances relatives à leur évolution. Parmi les constats, il importe de noter l'omission de soins et de traitements qui s'accentue dans un contexte où l'intensité des soins est à la hausse. Ces constats ont été confirmés par le sondage mené en 1998-1999 dans le cadre des travaux de l'International Hospital Outcomes Reasearch Consortium (Aiken *et al.*, 2001, cités dans OIIQ, 2001), qui fournit certaines données concernant l'omission de soins. « Plusieurs des infirmières canadiennes consultées indiquent avoir omis, durant leur dernier quart de travail, différentes interventions de soins qu'elles jugeaient nécessaires, entre autres: élaborer ou mettre à jour les plans de soins (47,4 %); parler aux patients et les réconforter (43,6 %); donner les soins de la peau (34,7 %); prodiguer l'enseignement au patient et à sa famille pour le congé (13,7 %). À cet égard, seulement 30 % des répondantes croient que leurs patients sont capables de gérer leurs soins lorsqu'ils ont leur congé. »

Implications: Cette situation inquiète un certain nombre de professionnels de la santé: « Dans un contexte où l'intensité des soins infirmiers est à la hausse, l'omission des soins s'accentue en soins de courte durée et en soins de longue durée, de l'avis de plus du quart des répondantes, et la planification des soins se détériore dans ces deux secteurs d'activités ainsi qu'en santé communautaire. L'omission ou l'insuffisance des activités de prévention, plus particulièrement en santé communautaire, fait partie des situations problématiques actuelles et tend à s'accentuer. »

Source: Ordre des infirmières et infirmiers du Québec (OIIQ). (2001). *Étude sur la qualité des soins infirmiers dans les établissements de santé du Québec. Recommandations du Bureau de l'Ordre des infirmières et infirmiers du Québec.* Montréal: Auteur.

LES ÂGES DE LA VIE

PERSONNES ÂGÉES

Lorsqu'une infirmière travaille auprès des personnes âgées, il lui faut évaluer les objectifs, les résultats escomptés et les interventions de façon continue et faire preuve d'une vigilance constante. Les situations peuvent évoluer rapidement, et l'infirmière doit être prête à modifier l'ordre de priorité dès que les problèmes apparaissent. Un bon nombre de personnes âgées sont atteintes de troubles qui compromettent la communication, qu'il s'agisse de l'aphasie consécutive à un accident vasculaire cérébral, de la démence, de la sclérose en plaques ou d'autres affections neurologiques. L'infirmière doit donc redoubler d'ingéniosité pour pouvoir procéder à une collecte des données non verbales et détecter les changements et les problèmes. Si ses évaluations sont fréquentes et méticuleuses, elle peut apporter rapidement (voire au cours d'un même quart de travail) les changements qui s'imposent pour améliorer les soins et intervenir plus efficacement. Les habiletés reliées à la communication et aux relations interpersonnelles sont aussi cruciales à l'étape de l'évaluation qu'à celle de la collecte des données initiale.

18

PLAN DE SOINS ET DE TRAITEMENTS INFIRMIERS

POUR RAYMONDE AQUILINI, MODIFIÉ À LA SUITE DES INTERVENTIONS ET DE L'ÉVALUATION

DIAGNOSTIC INFIRMIER : DÉGAGEMENT INEFFICACE DES VOIES RESPIRATOIRES, RELIÉ À LA PRÉSENCE DE SÉCRÉTIONS VISQUEUSES ET À UNE FAIBLE AMPLITUDE THORACIQUE CONSÉCUTIVES AU DÉFICIT DE VOLUME LIQUIDIEN, À LA DOULEUR ET À LA FATIGUE

Résultats de soins infirmiers et indicateurs	Énoncés d'évaluation	Ordonnances infirmières*	Motifs du maintien ou de la modification des ordonnances infirmières
État respiratoire : échanges gazeux, manifestés par :		Vérifier l'état respiratoire toutes les 4 h : fréquence, amplitude, effort, couleur de la peau, muqueuses, quantité et couleur des crachats.	L'évaluation indique que le problème n'est pas résolu. Maintenir les ordonnances infirmières afin d'en suivre l'évolution.
■ Absence de pâleur et de cyanose (peau et muqueuses)	Résultat partiellement obtenu. La peau et les muqueuses ne sont pas cyanosées, mais sont encore pâles.	Prendre connaissance des radiographies pulmonaires, des résultats de l'analyse des gaz sanguins, de la saturométrie, du pouls et de la mesure du volume inspiré avec le spiromètre d'incitation si possible.	
■ Utilisation d'une technique appropriée de respiration et de toux après enseignement	Résultat partiellement obtenu. La personne utilise la technique appropriée quand sa douleur est soulagée par des analgésiques opioïdes.	Surveiller l'état de conscience.	
■ Toux productive	Résultat obtenu. La personne expectore des quantités modérées de crachats épais, jaunes et teintés de rose.	Ausculter les poumons toutes les 4 h.	
■ Amplitude thoracique symétrique d'au moins 4 cm	Résultat non obtenu. Amplitude thoracique = 3 cm.	Mesurer les signes vitaux toutes les 4 h (T°, PA, pls, saturométrie).	
■ Poumons clairs à l'auscultation dans les 48 à 72 h	Résultat non obtenu. Crépitants à l'inspiration dans les parties antérieures et postérieures droites du thorax.	Enseigner des techniques de toux et de respiration. Rappeler à la patiente de les pratiquer et l'y aider toutes les 3 h. *Soutenir et encourager.* (2011-04-09, J. V.)	La personne utilise les techniques appropriées et n'a pas besoin d'un enseignement supplémentaire. Elle peut encore avoir besoin de soutien et d'encouragement en raison de la fatigue et de la douleur.
■ Fréquence respiratoire : 12-22/min ; pouls : 92 battements/min	Résultat partiellement obtenu. Fréquence respiratoire : 26/min ; pouls : 80 battements/min	Administrer un expectorant selon l'ordonnance ; établir l'horaire le plus propice à son efficacité.	
■ Inspiration d'un volume normal d'air avec spiromètre d'incitation	Résultat non obtenu. Volume courant de 350 mL seulement. *(Évalué le 2011-04-08, J. V.)*	Maintenir la personne en position Fowler ou semi-Fowler. Administrer les analgésiques selon l'ordonnance. Avertir le médecin si la douleur ne s'atténue pas.	
		Administrer de l'oxygène à l'aide de lunettes nasales, selon l'ordonnance. Fournir une source portative d'oxygène à la personne si elle sort de l'unité (pour se rendre au service de radiographie, par exemple).	La personne recevra probablement son congé dès que l'hydratation sera rétablie et que la fièvre aura disparu.

18

PLAN DE SOINS ET DE TRAITEMENTS INFIRMIERS *(suite)*

POUR RAYMONDE AQUILINI, MODIFIÉ À LA SUITE DES INTERVENTIONS ET DE L'ÉVALUATION

DIAGNOSTIC INFIRMIER : DÉGAGEMENT INEFFICACE DES VOIES RESPIRATOIRES, RELIÉ À LA PRÉSENCE DE SÉCRÉTIONS VISQUEUSES ET À UNE FAIBLE AMPLITUDE THORACIQUE CONSÉCUTIVES AU DÉFICIT DE VOLUME LIQUIDIEN, À LA DOULEUR ET À LA FATIGUE

Résultats de soins infirmiers et indicateurs	Énoncés d'évaluation	Ordonnances infirmières*	Motifs du maintien ou de la modification des ordonnances infirmières
		Aider à pratiquer le drainage postural tous les jours à 9 h 30. *Le 2011-04-12, enseigner la nécessité de continuer au besoin à domicile.* (2011-04-12, J. V.) Administrer l'antibiotique prescrit de manière à conserver une concentration sanguine constante. Surveiller l'apparition d'une éruption cutanée, d'un trouble gastro-intestinal ou d'autres effets secondaires.	

DIAGNOSTIC INFIRMIER : ANXIÉTÉ, RELIÉE AUX DIFFICULTÉS RESPIRATOIRES AINSI QU'À L'EXERCICE DES RÔLES PROFESSIONNEL ET PARENTAL

Résultats de soins infirmiers et indicateurs	Énoncés d'évaluation	Ordonnances infirmières*	Motifs du maintien ou de la modification des ordonnances infirmières
Diminution de l'anxiété, manifestée par : ■ Écoute et observe les consignes relatives aux techniques de respiration et de toux, même pendant les périodes de dyspnée.	Résultat obtenu. La personne a pratiqué les techniques de toux pendant les périodes de dyspnée.	Demeurer avec la personne pendant les épisodes de dyspnée ; la rassurer en lui disant qu'on restera à ses côtés.	
■ Verbalise sa compréhension de la maladie, des examens paracliniques et des traitements (d'ici à la fin de la journée).	Résultat obtenu. Voir les notes de l'infirmière de soir. La personne a dit : « Je sais qu'il faut que j'essaie de respirer profondément, même quand ça fait mal. » Elle a fait une démonstration de l'utilisation appropriée du spiromètre d'incitation et dit comprendre qu'elle doit l'utiliser. Elle comprend que la perfusion intraveineuse sert à l'hydratation et à l'administration d'antibiotiques. *(Évalué le 2011-04-08, J. V.)*	Rester calme, paraître confiante.	
■ Diminution de l'expression de la peur et de l'anxiété.	Résultat obtenu. La personne a dit : « Je sais que je peux obtenir assez d'air, mais j'ai encore mal quand je respire. »	Encourager la personne à respirer lentement et profondément.	
■ Voix calme, non saccadée.	Résultat obtenu. La personne parle d'une voix calme.	Pendant un épisode de dyspnée, expliquer brièvement les traitements et les procédés.	

PLAN DE SOINS ET DE TRAITEMENTS INFIRMIERS *(suite)*

POUR RAYMONDE AQUILINI, MODIFIÉ À LA SUITE DES INTERVENTIONS ET DE L'ÉVALUATION

DIAGNOSTIC INFIRMIER : ANXIÉTÉ, RELIÉE AUX DIFFICULTÉS RESPIRATOIRES AINSI QU'À L'EXERCICE DES RÔLES PROFESSIONNEL ET PARENTAL

Résultats de soins infirmiers et indicateurs	Énoncés d'évaluation	Ordonnances infirmières*	Motifs du maintien ou de la modification des ordonnances infirmières
■ Fréquence respiratoire : 12-22/min.	Résultat non obtenu. Fréquence respiratoire : 26-36/min	~~Après l'épisode aigu, fournir des renseignements détaillés sur la nature de l'affection, les traitements et les examens paracliniques.~~ *Réévaluer si la personne a besoin d'informations sur son état, son traitement ou les épreuves. (2011-04-10, J. V.)*	La personne a reçu des informations détaillées et a prouvé qu'elle les comprenait. Elle n'a pas besoin qu'on les lui répète.
■ Exprime librement ses inquiétudes à propos de l'exercice de ses rôles professionnel et parental, et énumère les solutions possibles à ce problème.	Résultat partiellement obtenu. Le sujet a été abordé brièvement pendant le quart de soir. N'a pas été abordé pendant le quart de nuit, car la patiente avait besoin de repos. *(Évalué le 2011-04-08, J. V.)*	Si la personne le tolère, l'inciter à exprimer et à expliciter ses préoccupations quant à son enfant et à son travail. Étudier les solutions possibles au besoin. Noter si son mari revient au moment prévu. Sinon, instaurer le PSTI pour *Dynamique familiale perturbée. (À faire le 2011-04-12, quart de jour.) (2011-04-11, J. V.)*	Il est important de tenir cette discussion immédiatement afin qu'on puisse prendre des dispositions pour la garde de l'enfant au besoin.

* Les parties du plan de soins et de traitements infirmiers que l'infirmière désirait éliminer sont rayées, tandis que les ajouts apparaissent en italique.

Révision du chapitre

18

MOTS CLÉS

CONCEPTS CLÉS

■ L'étape des interventions est la mise en œuvre des interventions planifiées par les infirmières.

■ L'étape des interventions est accompagnée d'une nouvelle collecte des données.

■ Le succès de l'étape des interventions et de l'étape de l'évaluation repose en partie sur la qualité des étapes précédentes, soit la collecte des données, l'analyse et la planification.

■ La mise en œuvre des stratégies infirmières exige des habiletés cognitives, interpersonnelles et techniques.

■ Avant d'accomplir une ordonnance, l'infirmière procède à une collecte des données afin de s'assurer que l'ordonnance est toujours appropriée.

■ L'infirmière doit déterminer si elle a besoin d'assistance pour exécuter une intervention de manière compétente, sûre et acceptable pour la personne qu'elle soigne.

■ L'étape des interventions se termine par la documentation des interventions et des réactions de la personne.

■ Après la mise en œuvre du plan de soins et de traitements infirmiers (PSTI), l'infirmière évalue l'état de santé de la personne et détermine si le PSTI a permis d'atteindre les objectifs de soins.

■ Pendant l'hospitalisation du client et tout autre suivi nécessaire au cours de l'épisode de soins, l'infirmière rédige et modifie, au besoin, le plan thérapeutique infirmier (PTI).

■ Les résultats escomptés ou les objectifs formulés à l'étape de la planification servent de critères pour l'évaluation des progrès et de l'état de santé de la personne.

■ Les résultats escomptés ou objectifs servent à déterminer les données à recueillir pour l'évaluation de l'état de santé de la personne.

■ La révision du PSTI permet de prendre des décisions à propos de l'état du problème et de passer en revue chaque phase de la démarche de soins infirmiers.

■ En vertu des normes de la profession, l'infirmière a la responsabilité et l'obligation de rendre des comptes en matière de réalisation et d'évaluation du PSTI ainsi que de l'inscription des interventions réalisées dans tout outil de documentation des soins, y compris le PTI.

■ L'assurance de la qualité porte sur les structures, les processus et les résultats des soins infirmiers.

■ L'amélioration de la qualité est une conception générale et une démarche qui sont propres à un établissement; sa validité ne repose pas nécessairement sur une inspection par un organisme externe.

Références

Bulechek, G. M., Butcher, H. K., et McCloskey Dochterman, J. (2010). *Classification des interventions de soins infirmiers CISI/NIC*, Traduction française de la 5e édition américaine. Issy-les-Moulineaux : Elsevier Masson.

Grenier, R., et Drapeau, J. (1989). *Développement d'un instrument global d'évaluation de la qualité des soins infirmiers, l'IGEQSI, et étude de ses qualités métrologiques*. Montréal : Université de Montréal, Faculté des sciences infirmières.

Johnson, M., et Maas, M. (dir.). (1999). *Classification des résultats de soins infirmiers CRSI/NOC*. Paris : Masson.

Lefort, M.-C., et Deletoille, V. (2001, juin). Les indicateurs de qualité au service d'une culture de l'amélioration continue des soins infirmiers. *Recherche en soins infirmiers, 65*, 5-13.

Morin, D. (2001). *Activité de formation continue. Comment élaborer des indicateurs de résultats ?* Québec : Université Laval.

NANDA International. (2010). *Diagnostics infirmiers : Définitions et classification 2009-2011*. Issy-les-Moulineaux : Elsevier Masson.

Ordre des infirmières et infirmiers du Québec (OIIQ). (2001). *Guide d'autoapprentissage sur l'utilisation des Perspectives de l'exercice de la profession d'infirmière dans le cadre d'une démarche d'amélioration continue*. Montréal : Auteur.

Ordre des infirmières et infirmiers du Québec (OIIQ). (2002). *Énoncé de principes sur la documentation des soins infirmiers*. Montréal : Auteur.

Ordre des infirmières et infirmiers du Québec (OIIQ). (2010). *Perspectives de l'exercice de la profession d'infirmière*. Montréal : Auteur.

Paquette-Desjardins, D., et Sauvé, J. (2008). *Modèle conceptuel et démarche clinique, outils de soutien aux prises de décision*. Montréal : Beauchemin.

Schroeder, P. (1994). *Improving quality and performance : Concepts, programs and techniques*. St. Louis, MO : Mosby.

Chapitre 19

Adaptation française :
Suzie Rivard, inf., B.Sc.
Enseignante, Programme de soins infirmiers
Collège de Trois-Rivières

Avec la participation de :
Johanne Turcotte, B.Sc., Inf., M.A.
Anciennement :
Directrice des soins infirmiers, de la qualité,
de l'éthique et de la santé physique
CSSS de Matane
Enseignante et coordonnatrice
de programme en Soins infirmiers
Cégep de Matane

OBJECTIFS D'APPRENTISSAGE

Après avoir étudié ce chapitre, vous pourrez :

- Exposer les raisons qui justifient la documentation des soins infirmiers.
- Saisir les considérations professionnelles et juridiques reliées à la documentation des soins infirmiers.
- Comparer deux systèmes de tenue de dossier : le dossier orienté vers la source et le dossier orienté vers les problèmes professionnels et juridiques reliés à la documentation des soins infirmiers.
- Comparer différentes méthodes de documentation des soins infirmiers : la méthode des notes narratives, la méthode SOAPIER, la méthode APIE, la méthode de gestion de cas, la méthode des notes ciblées (*focus charting*) et la méthode des notes d'exception.
- Préciser les particularités et les caractéristiques du dossier informatisé.
- Expliquer la façon dont l'infirmière se sert des divers formulaires contenus dans le dossier de la personne (feuilles de surveillance, collecte des données, PTI, PSTI, cardex, plan de congé ou d'orientation vers un autre professionnel, rapport d'incident-accident) pour rendre compte des étapes de la démarche de soins infirmiers.
- Décrire le rôle de l'infirmière dans l'échange d'informations entre collègues.
- Comparer les dossiers à constituer pour les personnes traitées dans un établissement de soins actifs, dans un établissement de soins de longue durée et à domicile.
- Exposer les caractéristiques d'une documentation des soins infirmiers efficace et conforme aux normes légales et déontologiques.
- Exposer les lignes directrices de la communication des données relatives au client.
- Interpréter les abréviations et les symboles communément utilisés dans les dossiers.

Tenue de dossier

Pour prodiguer des soins de qualité aux clients, il est essentiel que le professionnel de la santé sache communiquer efficacement. La communication s'effectue généralement au moyen de discussions, de rapports et de dossiers. Une **discussion** est un échange verbal d'idées entre des professionnels de la santé dans le but de définir un problème ou d'élaborer des stratégies pour le résoudre. Un **rapport** est une communication verbale, écrite ou informatisée, qui vise à transmettre des informations. Par exemple, l'infirmière fait toujours, à la fin de son quart de travail, un rapport de relève ou un rapport interservices sur les personnes qu'elle soigne. Un **dossier** est un document écrit ou informatisé. Plus précisément, un **dossier clinique** est un document officiel, à caractère légal, qui constitue la preuve des soins prodigués au client. L'action d'inscrire des données dans le dossier d'une personne est appelée **consignation**, **inscription** ou **notation**.

«Tout membre de l'Ordre des infirmières et infirmiers du Québec doit constituer et tenir un dossier pour chacun de ses clients, qu'il exerce la profession à temps plein ou à temps partiel, seul ou en société, à son propre compte ou pour le compte d'un membre de l'Ordre ou d'une société de membres de l'Ordre» (*Règlement sur les effets, les cabinets de consultation et autres bureaux des membres de l'Ordre des infirmières et infirmiers du Québec*, 1997).

Chaque établissement de soins se dote de politiques en matière de dossiers et de rapports, et l'infirmière est tenue de se conformer à celles qui sont en vigueur là où elle travaille. Les établissements définissent des règles précisant les évaluations et les interventions qui doivent être consignées par l'infirmière et celles qui peuvent être notées par le personnel infirmier. Les méthodes de tenue de dossier et les formulaires utilisés varient selon les établissements, mais tous les dossiers contiennent les mêmes renseignements, lesquels doivent être pertinents, complets, précis, confidentiels et individualisés (Smith et Dougherty, 2001). L'encadré 19-1 présente les éléments que les membres de l'Ordre des infirmières et infirmiers du Québec (OIIQ) doivent consigner dans le dossier des personnes qu'ils soignent.

Compte tenu de l'importance du plan thérapeutique infirmier (PTI) pour la sécurité et la qualité des soins donnés, le Bureau de l'OIIQ a adopté en avril 2006 la norme suivante concernant la documentation du PTI et a décidé de la rendre obligatoire dès avril 2009. Cette norme s'énonce comme suit :

L'infirmière consigne au dossier de chaque client, dans un outil de documentation distinct, le plan thérapeutique infirmier qu'elle détermine ainsi que les ajustements qu'elle y apporte selon l'évolution clinique du client et l'efficacité des soins et traitements qu'il reçoit (OIIQ, 2006).

ENCADRÉ 19-1

ÉLÉMENTS QUE LES MEMBRES DE L'OIIQ DOIVENT CONSIGNER DANS LE DOSSIER DES PERSONNES QU'ILS SOIGNENT

1. La date d'ouverture du dossier et de chaque consultation.

2. Le nom, le sexe, la date de naissance, l'adresse et le numéro de téléphone du client.

3. Le nom et l'adresse du médecin traitant ou du médecin de famille ou de tout autre professionnel de la santé.

4. Le motif de la consultation et les services professionnels requis.

5. Les renseignements pertinents relatifs à l'évaluation de la situation de santé du client, y compris l'examen physique.

6. S'il y a lieu, une copie de tout contrat de service ou la description de toute entente particulière concernant la nature et les modalités d'une intervention de soins et une copie du consentement aux soins et aux services.

7. Toutes les informations relatives à la planification des interventions de soins.

8. Une description sommaire des services professionnels rendus, notamment des soins prodigués au client, y compris les recommandations et les conseils de santé ainsi que les réactions du client aux interventions de soins.

9. Les informations relatives à tout acte relié à une ordonnance médicale.

10. Les informations pertinentes relatives à l'orientation du client vers un autre professionnel de la santé.

11. Tous les rapports relatifs à des examens, consultations, traitements faits par d'autres professionnels.

12. Les renseignements transmis à des tiers, et les documents d'autorisation signés par le client.

13. Les informations relatives aux horaires professionnels et à toute autre somme facturée au client.

Le membre de l'Ordre signe ou initialise chaque note versée au dossier du client.

Décision, 96-12-19, a. 2.

Source : *Règlement sur les effets, les cabinets de consultation et autres bureaux des membres de l'Ordre des infirmières et infirmiers du Québec.* (1997). L.R.Q. c. I-8, r. 7.01. Reproduction autorisée par Les Publications du Québec.

Documentation des soins infirmiers

La **documentation des soins infirmiers** est une activité essentielle de la pratique infirmière consistant à consigner l'ensemble de l'information relative aux soins infirmiers du client dans son dossier, que celui-ci soit informatisé ou non. La documentation des soins infirmiers réfère également au résultat de cette activité et inclut les données pertinentes permettant de suivre l'évolution de l'état de santé physique et mentale du client, de communiquer les décisions cliniques concernant sa situation de santé, de témoigner des soins, traitements et autres interventions planifiés et dispensés ainsi que des résultats obtenus à la suite des interventions et ce, dans une perspective de continuité des soins (OIIQ, 2002).

Elle constitue une responsabilité professionnelle inhérente à la pratique infirmière et elle a pour but de communiquer des informations. Selon la mosaïque des compétences cliniques

initiales de l'infirmière, élaborée par l'OIIQ, et qui consiste à présenter une vision globale de l'exercice en définissant des compétences en interaction qui permettent de cerner le domaine de la compétence professionnelle de l'infirmière,

l'infirmière prend divers moyens pour assurer la communication de l'information pertinente afin d'assurer la continuité des soins lors des changements d'équipe, au moment des pauses et des repas, ou lorsque le client est dirigé vers une autre unité ou vers un autre établissement de santé, ou lorsqu'un autre professionnel de la santé est consulté (OIIQ, 2001).

L'infirmière est apte à :

- Informer le médecin des changements survenus dans l'état de santé du client.

- Transmettre à une autre infirmière ou à un autre professionnel de la santé, au besoin et en temps opportun, des renseignements relatifs à l'état du client, en déterminer la nature, selon la situation, et assurer la coordination et le suivi de la consultation, le cas échéant.

- Prendre les mesures appropriées visant à assurer la continuité et le suivi des soins intraétablissement et interétablissements, ainsi qu'avec les organismes et les groupes communautaires.

- Consigner au dossier les données pertinentes, les problèmes de santé du client, les objectifs de soins, les interventions effectuées, les médicaments et les traitements administrés ainsi que les résultats obtenus (OIIQ, 2001).

Considérations d'ordre professionnel et légal relatives à la documentation des soins infirmiers

Considérations d'ordre professionnel

D'un point de vue professionnel, trois principes de base de la documentation des soins infirmiers prévalent : le soutien clinique à la pratique infirmière ; la contribution à la continuité des soins ; l'apport à l'évaluation de la qualité des soins dans une perspective d'amélioration continue. Conformément à ces principes, le contenu de la documentation des soins infirmiers doit comporter des

informations pertinentes, exactes et complètes pour assurer des soins sécuritaires et de qualité. Son organisation doit permettre un accès facile et rapide à cette information et favoriser la complémentarité des divers outils cliniques utilisés (OIIQ, 2002).

Le *soutien clinique* est essentiel pour assurer la sécurité et la qualité des soins au cours d'un épisode de soins. La documentation des soins infirmiers doit faire

état des besoins du client et de ses attentes, de l'évolution de sa situation de santé telle qu'évaluée par l'infirmière, de la prise de décisions cliniques de l'infirmière et des éléments sur lesquels elle appuie ces décisions, des soins, des traitements, des autres interventions planifiées et effectuées et des résultats obtenus (OIIQ, 2002).

Quant au principe de la *contribution de la documentation des soins infirmiers à la continuité des soins,* il favorise la qualité des soins tant au niveau interdisciplinaire qu'interétablissements, pour assurer le continuum de soins et de services. Tous les professionnels concernés sont ainsi renseignés sur le client, sur l'évolution de sa situation de santé et sur le PTI. Selon les *Perspectives de l'exercice de la profession d'infirmière*, « l'infirmière, dans l'exercice de sa profession, doit prendre les moyens nécessaires pour assurer la continuité des soins » (OIIQ, 2010).

La documentation des soins infirmiers constitue un apport très utile à l'*évaluation de la qualité des soins infirmiers*, car elle procure des données relatives aux éléments organisationnels, aux éléments de l'exercice professionnel et aux résultats obtenus chez les clients.

Plus précisément, l'énoncé descriptif du « processus thérapeutique », qui figure dans *Perspectives de l'exercice de la profession d'infirmière*, précise que l'infirmière

> consigne au dossier du client tous les renseignements cliniques nécessaires pour suivre l'évolution de son état de santé et assurer la continuité des soins et des traitements, y compris les données relatives aux évaluations cliniques, les problèmes relevés, le plan thérapeutique infirmier et ses ajustements, les interventions effectuées, les résultats obtenus ainsi que les réactions du client. Elle voit à la mise à jour du dossier du client (OIIQ, 2010).

Considérations d'ordre légal

> Le *Code des professions* (art. 60.5 et 60.6), le *Code de déontologie des infirmières et infirmiers*, le *Règlement sur les effets, les cabinets de consultation et autres bureaux des membres de l'Ordre des infirmières et infirmiers du Québec* (art. 2, 3, 9 et 10) ainsi que le *Règlement sur l'organisation et l'administration des établissements* (art. 20, 45, 50, 51 et 53) précisent les responsabilités de l'infirmière quant à la tenue du dossier, à l'exactitude des informations consignées et à l'accès au dossier (OIIQ, 2002).

> La *Charte des droits et libertés de la personne* (art. 5 et 9), le *Code civil du Québec* (art. 35, 37 et 41), le *Code des professions* (art. 60.4), la *Loi sur les services de santé et les services sociaux* (art. 17 à 23), la *Loi sur l'accès aux documents des organismes publics et sur la protection des renseignements personnels* (art. 53 et 62) et la *Loi sur la protection des renseignements personnels dans le secteur privé* (art. 10) définissent l'accessibilité aux informations dans la perspective des droits de la clientèle, notamment celui à la confidentialité (OIIQ, 2002).

Selon le *Code des professions*, « le professionnel doit respecter le secret de tout renseignement de nature confidentielle qui vient à sa connaissance dans l'exercice de sa profession » (*Code des professions*, L.R.Q., c. C-26).

Le dossier du client fait partie de ces renseignements. Seuls y ont accès les professionnels de la santé qui participent à ses soins. L'établissement est propriétaire du dossier, mais le client a le droit de le consulter et d'en obtenir une copie. L'établissement peut cependant imposer des droits de copie et assujettir la consultation du dossier à certaines exigences, comme la présence d'un représentant de l'établissement apte à répondre aux questions. Cependant,

> le professionnel peut en outre communiquer un renseignement protégé par le secret professionnel, en vue de prévenir un acte de violence, dont un suicide, lorsqu'il a un motif raisonnable de croire qu'un danger imminent de mort ou de blessures graves menace une personne ou un groupe de personnes identifiables. Toutefois, le professionnel ne peut alors communiquer ce renseignement qu'à la ou aux personnes exposées à ce danger, à leur représentant ou aux personnes susceptibles de leur porter secours. Le professionnel ne peut communiquer que les renseignements nécessaires aux fins poursuivies par la communication (*Code des professions*, L.R.Q., c. C-26).

Par ailleurs, il est possible, toujours selon le *Code des professions* (L.R.Q., c. S-4.2), de refuser à toute personne de 14 ans et plus l'accès à son dossier lorsque la divulgation des informations qui y sont contenues entraînerait vraisemblablement pour elle ou pour un tiers un préjudice grave.

La plupart des établissements permettent aux étudiants et aux professionnels de la santé diplômés de consulter les dossiers cliniques des clients à des fins de formation et de recherche et de les utiliser lors de réunions, de séances de formation, d'études de cas et de travaux écrits. L'étudiant ou le professionnel qui est tenu, en vertu d'un code de déontologie rigoureux, de respecter la confidentialité des informations doit s'abstenir de nommer les personnes et de s'exprimer oralement ou par écrit de façon telle qu'on puisse les identifier. Par ailleurs, il est aussi strictement interdit de parler ouvertement en public (autobus, restaurants, etc.) des cas cliniques rencontrés pendant une journée de stage.

Confidentialité des dossiers informatisés

Comme les dossiers sont de plus en plus souvent informatisés, les établissements de soins de santé ont élaboré des politiques et des procédés visant à assurer la confidentialité des dossiers enregistrés sous forme électronique. L'infirmière peut consulter facilement les dossiers médicaux autant des clients hospitalisés que de ceux suivis à l'externe. C'est la raison pour laquelle le principal problème lié aux documents informatisés est la confidentialité. Voici quelques directives en ce sens :

1. Ne jamais révéler à quiconque des mots de passe ou les autres mécanismes d'accès aux dossiers et changer de mot de passe chaque fois que les politiques de l'établissement l'exigent.
2. Savoir qui a le droit d'accéder aux renseignements confidentiels.
3. Garder à l'esprit les questions liées à la protection des renseignements personnels informatisés et prendre des précautions pour éviter la divulgation de ces renseignements.
4. Ne jamais effacer des renseignements. Ne jamais accéder à des renseignements qui ne sont pas requis à des fins professionnelles.

Fonctions du dossier clinique

Le dossier clinique du client remplit certaines fonctions : il constitue un moyen de communication interne et externe, permet l'évaluation des résultats escomptés inscrits dans le

19

PSTI et dans le PTI, rend compte des activités réalisées par l'infirmière, et favorise la recherche et l'éducation. Par conséquent, il obéit à des obligations d'ordre légal et déontologique. Le dossier est un élément fondamental pour la cohérence et la continuité des soins, car il indique tous les types de soins : préventifs, curatifs, palliatifs, ainsi que ceux ayant une visée éducative.

Communication

Les différents professionnels de la santé qui participent aux soins d'une personne communiquent entre eux par l'intermédiaire d'un dossier. Celui-ci permet d'éviter la fragmentation, la répétition et le retard des soins et informe en même temps sur les réactions de la personne aux soins prodigués. Par exemple, un physiothérapeute qui enseigne l'utilisation de béquilles à un client hospitalisé à l'unité d'orthopédie pourra consulter dans le dossier les notes des infirmières décrivant les réactions de ce client aux déplacements. Le dossier aide donc à maintenir la cohérence et la continuité de soins.

Planification des soins

Chaque professionnel de la santé s'appuie sur la documentation contenue dans le dossier pour planifier les soins qu'il donnera à la personne. Un médecin, par exemple, peut prescrire un antibiotique à un client après avoir vu dans son dossier que sa température demeure élevée et que les épreuves de laboratoire indiquent la présence d'un microorganisme. L'infirmière, quant à elle, se reporte aux résultats de la collecte des données initiale et continue pour évaluer l'efficacité du PSTI.

Vérification

Une vérification est un examen des dossiers qui permet de s'assurer de la qualité des soins (chapitre 18 ⊂⊃). À titre d'exemple, le comité d'inspection professionnelle de l'OIIQ peut procéder à une vérification de l'exercice professionnel, tant collective qu'individuelle, grâce à des questionnaires remplis autant par des cadres en soins infirmiers que par des membres professionnels de l'OIIQ. Divers sujets sont étudiés, par exemple le PTI ou des situations cliniques. De plus, des visites d'inspection dans les établissements de santé permettent de formuler des recommandations relatives au contexte organisationnel et à la qualité des soins prodigués.

Recherche

Le dossier constitue une source précieuse de données pour les chercheurs participant par exemple à une étude sur une maladie ou sur son traitement. Les données dérivées de l'observation d'un certain nombre de personnes atteintes d'une même affection peuvent fournir des informations utiles sur les soins d'autres personnes.

Éducation

Le dossier constitue un outil d'apprentissage pour les étudiants du domaine de la santé. Il fournit un éventail de renseignements détaillés sur la personne, tels que son état de santé, les stratégies thérapeutiques efficaces et les facteurs influant sur l'issue des problèmes de santé, comme une blessure ou une affection. Il est donc une source importante de renseignements qui favorisent le développement d'un jugement clinique et la mise en pratique des connaissances théoriques.

Document légal

Le dossier du client est un document légal qui peut habituellement être utilisé comme preuve devant un tribunal. Cependant, en raison du caractère confidentiel des renseignements qu'il a fournis à son médecin, le client peut refuser que son dossier soit ainsi divulgué, sauf si le tribunal ou le coroner, dans l'exercice de ses fonctions, l'ordonne. Il est bon de se rappeler que, pour un tribunal, des soins qui n'ont pas été inscrits dans le dossier sont des soins qui n'ont pas été donnés. L'infirmière doit cependant se souvenir qu'il n'est pas nécessaire de tout écrire. Elle doit justement faire preuve de discernement et noter dans le dossier du client uniquement des informations pertinentes.

Analyse des soins de santé

Les gestionnaires du système de soins de santé peuvent se servir des informations contenues dans les dossiers pour calculer les coûts des divers services et définir les problèmes et les besoins en matière d'organisation des services ou d'achat de fournitures spéciales, hors normes, pour des soins particuliers (pansements, matériel pour soins de stomies, etc.).

Systèmes de tenue de dossier et méthodes de documentation des soins infirmiers

Divers systèmes de tenue de dossier et méthodes de documentation des soins infirmiers qui « réfèrent à l'organisation des données relatives aux soins infirmiers de la personne et varient dans le degré de structure qu'elles confèrent à la rédaction des notes d'évolution » (OIIQ, 2002) sont actuellement en usage dans les établissements de soins de santé. Le dossier doit décrire l'état du client et rendre compte de toutes les étapes de la démarche de soins infirmiers. À cette fin, l'infirmière documente les soins infirmiers en remplissant différents formulaires faisant partie du dossier clinique (tableau 19-1). Les **notes d'évolution** que rédige l'infirmière comprennent des renseignements sur les progrès qu'accomplit le client pour atteindre les résultats escomptés. Elles contiennent donc, en plus des résultats des collectes des données, un compte rendu des problèmes du client et des interventions infirmières. La forme des notes d'évolution dépend des méthodes de documentation des soins infirmiers ou du système de tenue de dossier utilisés dans l'établissement. Deux systèmes sont couramment employés : le dossier orienté vers la source et le dossier orienté vers les problèmes. Les méthodes de documentation les plus courantes sont la méthode des notes narratives, la méthode des notes ciblées (*focus charting*), la méthode SOAPIER, la méthode APIE, dont fait partie la méthode de gestion de cas, et la méthode des notes d'exception.

TABLEAU 19-1

DOCUMENTATION DES SOINS INFIRMIERS SELON LES ÉTAPES DE LA DÉMARCHE DE SOINS

Étape*	Formulaires
Collecte des données	Collecte des données, diverses feuilles de paramètres de surveillance
Analyse	PSTI, cheminement clinique, PTI, notes d'évolution, liste des diagnostics infirmiers, des problèmes ou des hypothèses
Planification	PSTI, cheminement clinique, PTI, plan de traitement des plaies
Interventions	Notes d'évolution, feuilles de paramètres de surveillance
Évaluation	Notes d'évolution

* Toutes les étapes sont notées dans le résumé du plan de congé et d'orientation vers un autre professionnel.

Bien que le dossier informatisé soit de plus en plus répandu dans les établissements de santé québécois, il peut aussi contenir des notes manuscrites.

Systèmes de tenue de dossier

DOSSIER ORIENTÉ VERS LA SOURCE

Le **dossier orienté vers la source** constitue le dossier traditionnel. Ce dossier réserve une section à chaque discipline et à chaque service. Il contient une feuille d'admission, des feuilles de données médicales (ordonnances, antécédents, notes d'évolution, anamnèse), des notes de l'infirmière et des données provenant des autres professionnels de la santé. Les informations relatives à un problème particulier sont disséminées dans tout le dossier. Ainsi, les données relatives à une personne atteinte d'hémiplégie gauche (paralysie du côté gauche du corps) figurent dans différents documents : la feuille des antécédents médicaux, la feuille des ordonnances médicales, les notes de l'infirmière, le rapport du physiothérapeute et de l'ergothérapeute, le rapport du travailleur social. Le dossier orienté vers la source permet de repérer distinctement et plus facilement les formulaires et les informations propres à chaque discipline des soins de santé. Par contre, lorsque les renseignements relatifs à un problème en particulier sont disséminés dans tout le dossier, il est difficile d'établir la chronologie des problèmes et des progrès de la personne. Le tableau 19-2 présente une liste des éléments d'un dossier orienté vers la source.

TABLEAU 19-2

ÉLÉMENTS D'UN DOSSIER ORIENTÉ VERS LA SOURCE

Documents	Contenu
Feuille d'admission (page de garde)	Nom, date de naissance, âge, sexe Numéro d'assurance maladie Adresse Situation familiale ; nom du plus proche parent ou de la personne à prévenir en cas d'urgence Date, heure et diagnostic à l'admission Allergies aux aliments ou aux médicaments Nom du médecin traitant Renseignements relatifs aux assurances Numéro de dossier
Collecte des données	Données recueillies par l'infirmière au moment de la préadmission, de l'admission et en cours d'hospitalisation
Graphiques	Température, pouls, fréquence respiratoire, pression artérielle, saturation en oxygène, poids et mesures spéciales comme le bilan des ingesta et des excreta
Feuilles de soins usuels	Activité, régime alimentaire, toilette, élimination
Feuilles de surveillance spéciale	Évaluation des plaies de pression, par exemple
Fiches de médicaments/ profil pharmacologique	Registre de tous les médicaments pris par la personne Feuille d'administration : nom, posologie, voie d'administration, date et heure de l'administration des médicaments Nom et initiales de la personne administrant le médicament
Documentation des soins (suite logique de la démarche de soins)	Notes d'évolution relatives aux différents plans d'intervention PTI et ses modifications Soins infirmiers particuliers, y compris l'enseignement et la réaction du client Plaintes et stratégies d'adaptation du client

19

TABLEAU 19-2 *(suite)*
ÉLÉMENTS D'UN DOSSIER ORIENTÉ VERS LA SOURCE

Documents	Contenu
Examen clinique	Antécédents personnels et familiaux, problèmes actuels, diagnostic infirmier de type risque ou actuel, résultats de l'examen physique, problème retenu (McGill)
Feuilles des ordonnances médicales	Médicaments et traitements prescrits par le médecin (inscription de la date, de l'heure et signature)
Notes d'évolution du médecin	Rapport sur l'évaluation de l'état de santé: observations, traitements, progrès de la personne, diagnostics, etc.
Examens paracliniques	Rapports de laboratoire et des examens en radiologie et en tomodensitométrie, par exemple
Rapports de consultation	Rapports des consultations, observations et suggestions des médecins spécialistes impliqués dans le dossier: physiothérapie, inhalothérapie, cardiologie, gynécologie, etc.
Résumé du plan de congé et d'orientation	Résumé qui commence à l'admission et se termine lors du congé et qui comprend les problèmes de soins infirmiers, des renseignements généraux et des données d'orientation vers un autre professionnel (CLSC, enseignement)

DOSSIER ORIENTÉ VERS LES PROBLÈMES

Le **dossier orienté vers les problèmes** (**DOP**) a été mis au point par Lawrence Weed dans les années 1960. Il permet de classer les données en fonction des problèmes de la personne plutôt que de la source des informations. Les différents membres de l'équipe de soins contribuent à l'établissement de la liste des problèmes, du PSTI et des notes d'évolution. Chaque problème actuel ou possible est accompagné d'un PSTI, ainsi que des notes d'évolution.

Le dossier orienté vers les problèmes présente deux grands avantages: (1) il favorise la collaboration; (2) il s'ouvre sur une liste des problèmes qui signale les besoins de la personne et facilite la surveillance de l'évolution de chaque problème. Cette méthode de consignation des données comporte cependant des lacunes: (1) la capacité de se conformer à la méthode de notation varie chez les infirmières; (2) il faut répéter les collectes des données et les interventions qui s'appliquent à plus d'un problème.

Le DOP comprend quatre éléments de base: une collecte des données, un PSTI, des notes d'évolution et une *liste des problèmes*. Au besoin, on y ajoute des feuilles de surveillance et des notes sur le congé. La liste des problèmes (figure 19-1 ■) est issue de la collecte des données et fait état des besoins physiologiques, psychologiques, sociaux, culturels, spirituels, développementaux et environnementaux de la personne. Toutes les personnes soignantes peuvent contribuer à l'établissement de cette liste. Celle-ci est placée habituellement au début du dossier et sert d'index pour les notes d'évolution numérotées. Les problèmes y sont énumérés selon leur déroulement chronologique. La liste est mise à jour au fur et à mesure de l'apparition et de la résolution des problèmes. Les médecins y décrivent les problèmes sous forme de diagnostics médicaux, d'interventions chirurgicales ou de symptômes, et l'infirmière, sous forme de diagnostics infirmiers. Il peut être nécessaire de «redéfinir» les problèmes à mesure que l'état de la personne change ou que l'on obtient de nouvelles données à son sujet. Pour signaler qu'un problème est résolu, on raye l'énoncé et on n'utilise plus dorénavant le numéro qu'il portait.

Méthodes de documentation

MÉTHODE DES NOTES NARRATIVES

La **méthode des notes narratives** est souvent utilisée dans un système de tenue de *dossier orienté vers la source*. Cette méthode permet de noter de façon continue et chronologique tous les événements, soins, traitements et autres interventions se rapportant à la personne, ainsi que les réactions de cette dernière. «Elle est essentielle à la documentation des soins infirmiers et, de par sa nature, est universelle et peut être jumelée à toute autre méthode de documentation» (OIIQ, 2002). La méthode des notes narratives donne beaucoup de latitude à l'infirmière lors de la consignation des informations; ainsi, cette dernière peut décrire les particularités ou les spécificités de la personne, les changements dans sa situation de santé et les interventions infirmières, expliquer les décisions cliniques prises et faire état des résultats obtenus. Selon cette méthode, les notes d'évolution sont moins structurées; toutefois, on peut la combiner à une autre méthode, comme la méthode SOAPIER ou la méthode APIE (voir ci-après). La figure 19-2 ■ présente un exemple de notes narratives traditionnelles et la figure 19-3 ■, de notes narratives à caractère abrégé.

MÉTHODE SOAPIER

La **méthode SOAPIER** est très utilisée. Voici la signification de chacune des lettres composant le sigle (SOAPIER) de cette méthode de documentation des soins infirmiers:

- Les *données subjectives* (S) sont les renseignements fournis par la personne elle-même. Elles correspondent à ses perceptions et à la description de ses problèmes (chapitre 15 ⬡). L'infirmière note textuellement les paroles de la personne dans la mesure du possible; sinon, elle les résume. Elle ne doit transcrire que les données subjectives qu'elle juge importantes et pertinentes.
- Les *données objectives* (O) sont les données mesurables ou observables (comme les signes vitaux, les résultats des

Numéro	Date d'inscription	Date de résolution	Problème de la personne
1	2011-01-03		AVC entraînant une hémiplégie dr. et une faiblesse du côté g.
1A	2011-01-03		Déficit de soins personnels (effectuer ses soins d'hygiène, se laver, soigner son apparence, s'alimenter).
1B	2011-02-09		Mobilité physique réduite (incapable de changer de position dans le lit). *Redéfini 2011-02-10*
1C	2011-03-03		Incontinence urinaire complète. *Redéfini 2011-03-04*
1D	2011-03-05		Dysphasie.
2	2011-03-09		Constipation reliée à l'immobilité. *Redéfini 2011-03-10*
3	2011-03-09		Antécédents de dépression.
4	2011-03-09		Hypertension artérielle.
~~5~~	~~2010-05-06~~	~~2010-05-11~~	~~Prurit.~~
2	2011-05-14		Risque de constipation relié à un apport insuffisant de fibres alimentaires.
1C	2011-03-15		Incontinence urinaire la nuit par besoin impérieux.
1B	2011-03-16		Mobilité physique réduite (a besoin de l'aide de 2 personnes lors d'un transfert et pour marcher).

FIGURE 19-1 ■ Liste des problèmes dans un DOP. Notez que les problèmes 1B, 1C et 2 ont été redéfinis aux dates indiquées et que les nouveaux énoncés ont été ajoutés au bas de la liste.

lié aux directives

NOTES DE L'INFIRMIÈRE		*○ il faut être capable de donner un suivis*
Date	Heure	
2011-02-06	14:00	Fait effectuer des exercices passifs d'amplitude des mouvements pour le bras et la jambe g.
		Exercices actifs assistés pour le bras et la jambe g. A des traces de grattage sur les
		avant-bras dr. et g. Dit: «La peau du dos et des bras me démange depuis une semaine.»
		Pas d'éruption visible. Aucun antécédent de prurit. Allergique à l'Elastoplast mais sa peau n'a
		pas été au contact de cet adhésif. Ai avisé le Dr Wong. _____
		Lui ai recommandé d'éviter de se gratter. _____
		L'ai aidé à se couper les ongles. _____
		René Bastien, inf. _____
	14:30	Appliqué de la calamine sur le dos et les bras. _____
		Incontinence urinaire. Agité. _____
		Problème signalé au médecin. _____
		René Bastien, inf. _____

FIGURE 19-2 ■ Exemple de notes narratives traditionnelles.

épreuves de laboratoire et des radiographies, l'examen clinique, le bilan des ingesta et des excreta).

■ L'*analyse de la situation à partir des données recueillies* (A) est l'interprétation des données subjectives et objectives. Lors de l'évaluation initiale, l'infirmière établit la liste des problèmes à partir de la collecte des données, de sorte que la note A devrait constituer un énoncé du problème. Dans toutes les notes rédigées par la suite relativement au problème,

CENTRE HOSPITALIER PIERRE-LE GARDEUR

OBSERVATIONS EN SOINS INFIRMIERS

DATE : _A_ / _M_ / _J_

Heure d'arrivée :	Arrivé de :		Accompagné de :	Transport :

Transféré du :		Au :	

NOTES D'OBSERVATION DIRIGÉES	Hre et init N	Hre et init J	Hre et init S	HEURE	PARTICULARITÉS	Init
RESPIRATION O_2 N____% VMo LNo HHo J____% VMo LNo HHo S____% VMo LNo HHo					Légende : bradypnée-tachypnée-polypnée-hyperpnée-ronchis-crépitants-râles-murmures vésiculaires-sibilants insp. exp.-toux-expectoration-aspiration – évaluation post-traitement-trachéotomie	
Auscultation						
Spirométrie q _____						
Moniteur cardiaque						
Eupnéique						
ALIMENTATION Diète_____					Légende : nausées-vomissements	
Degré d'autonomie_____						
Déj.___% Dîner___% Souper___%						
Gavage via :_____ ____mL/h						
Type_____ Horaire_____						
Rés. gastrique						
Limite liquidienne_____mL						
Dosage I/E						
ÉLIMINATION Continence _____					Légende : 1ière miction-particularités des selles-urines-cathétérisme-irrigation vésicale	
Stomie : _____						
Sonde _____						
Levine : clampé ☐ Low ☐						
Intermittent ☐ Continu ☐						
H_2O ☐						
Liquide gastrique						
HYGIÈNE Lit ☐ Lavabo ☐ Douche ☐					Légende : seul-aide partielle MS-MI-Tronc-fesse-surveillance-stimulation-consignes-totale-lève-patient	
Aspect peau _____						
Degré autonomie _____						
MOBILISATION Aide requise _____					Légende : plâtre-attelle-Mobilimb-traction-canne-quadripode-marchette	
Repos lit _____						
Fauteuil _____						
Étape / N____ J____ S____						
Position alternée q 2 h						
Dort aux tournées						
M. sup. élevé ☐ D ☐ G ☐						
M. inf. élevé ☐ D ☐ G ☐						
Couleur-chaleur-mobilisation-sensibilité						
Bas A/E ☐ Orthèse ☐						

654750 (Rév. 10-2002)

FIGURE 19-3 ■ Notes narratives à caractère abrégé. Source : Centre hospitalier Pierre-Le Gardeur, Terrebonne.

19

Notes d'observation dirigées		Hre et init N	Hre et init J	Hre et init S	Heure	Particularités	Init
ACCÈS VEINEUX	Site : _____ Microperfuseur ☐ Papillon S/C ☐ Soluté Perméable, aucune rougeur, aucun œdème					Légende : prélèvements-sous-clavière	
SÉCURITÉ	Côtés de lit X 1 ☐ X 2 ☐ Contentions (à spécifier) Surveillance q _____						
PANSEMENT IMMOBILISATION	Site : _____ Propre Solution _____ Pansement utilisé _____ Drain _____ Hémovac _____					Légende : lésion de pression	

Légende : Forme : brûlure-crampe-serrement-élancement-inconfort

	HEURE	LOCALISATION	FORME	INTENSITÉ	FACTEURS PRÉCIPITANTS	SÉD. OUI NON	SUIVI DE LA DOULEUR-PARTICULARITÉS	Init
DOULEUR								

ENSEIGNEMENT / COMMUNICATION / USAGER / FAMILLE — Légende : humeur - attitude - collaboration - orientation - communication verbale - non verbale

NOTES SUPPLÉMENTAIRES

EXAMEN

PLAN CONGÉ — Transport planifié : Comment : Accompagné de : Prescriptions remises : Heure de départ : Destination : Cartes remises : Rendez-vous remis :

INIT. SIGNAT.

N   J   S

FIGURE 19-3 ■ *(suite)*

la note A devrait décrire l'état et le degré de progrès de la personne et non simplement répéter le diagnostic infirmier ou la description du problème.

- L'*intervention planifiée devant les problèmes ou les diagnostics infirmiers définis* (P) correspond à l'ensemble des mesures prévues pour résoudre le problème. Le PSTI et le PTI sont rédigés par l'infirmière. Les révisions, les ajustements et les évaluations sont consignés dans les notes d'évolution de l'infirmière. Quant à l'infirmière auxiliaire, elle doit en faire la lecture et exécuter les interventions qui relèvent de sa compétence.

- Les *interventions* (I) sont les interventions spécifiques accomplies par les infirmières et les autres professionnels de la santé. On peut également y inscrire les activités d'autosoins.

- L'*évaluation* (E) comprend les réponses et les réactions de la personne aux interventions infirmières et aux traitements médicaux. Les renseignements consignés sous cette rubrique font référence aux éléments de la collecte des données.

- La *révision* (R) fait état des modifications apportées au PSTI à la suite de l'évaluation. Les changements peuvent concerner la formulation des résultats escomptés, les interventions et les ressources utilisées qui présentent un lien direct avec l'évolution de l'état de santé de la personne.

MÉTHODE APIE

La **méthode APIE** permet de regrouper les renseignements en quatre catégories (analyse, problèmes, interventions et évaluation des soins infirmiers). Le dossier est composé d'une feuille de surveillance et de notes d'évolution. La **feuille de surveillance** est structurée en fonction de critères d'évaluation particuliers, comme les besoins fondamentaux ou les modes fonctionnels de santé. L'échelle de temps peut être divisée en intervalles variant de quelques minutes à quelques mois. Dans une unité de soins intensifs, par exemple, on peut prendre la pression artérielle d'une personne toutes les minutes, tandis que dans une clinique de soins ambulatoires on peut mesurer la glycémie d'une personne tous les mois.

Après la collecte des données, l'infirmière inscrit les problèmes ou les diagnostics infirmiers dans les notes d'évolution, la plupart du temps sous forme de diagnostics infirmiers. S'il n'existe pas de diagnostic infirmier approuvé lui permettant de décrire un problème donné, elle crée un énoncé en respectant la forme habituelle des diagnostics infirmiers : réaction de la personne, facteurs favorisants et caractéristiques déterminantes (chapitre 16 ⚭).

Voici la signification du sigle «APIE» :

- L'*analyse* des problèmes que l'infirmière doit faire en lien avec la collecte des données est désignée par la lettre A.

- Les *problèmes* que l'infirmière doit résoudre sont désignés à l'aide de la lettre P, suivie d'un numéro, P5, par exemple, s'il y a cinq problèmes.

- Les *interventions* que l'infirmière doit mettre en œuvre pour remédier aux problèmes sont désignées par la lettre I, suivie du numéro du problème correspondant, donc I5, dans notre exemple.

- Les activités d'*évaluation* de l'efficacité des interventions de l'infirmière sont désignées par la lettre E accompagnée du numéro du problème correspondant, E5 dans notre exemple.

Le modèle APIE permet d'incorporer dans les notes d'évolution un PSTI continu. Par conséquent, il évite à l'infirmière d'élaborer et de mettre à jour un plan distinct. Elle doit cependant réviser toutes ses notes avant de donner des soins afin de déterminer les problèmes actuels et de repérer les interventions efficaces. La figure 19-4 ■ présente des exemples de notes d'évolution selon les modèles SOAPIER et APIE.

MÉTHODE DE GESTION DE CAS

La **méthode de gestion de cas** vise la prestation de soins de qualité et efficients lors d'un séjour d'une durée déterminée. La planification et la notation des soins reposent sur une approche interdisciplinaire ; ils requièrent de plus l'utilisation d'un *plan de cheminement clinique*. Ce formulaire précise les objectifs que certains groupes de personnes doivent atteindre chaque jour de leur hospitalisation, de même que les interventions qui leur sont nécessaires. Le cheminement clinique des clients atteints de maladie pulmonaire obstructive chronique (MPOC) est illustré à la figure 17-5 ■ (p. 387). Au chapitre 6 ⚭, nous avons expliqué les grandes lignes du cheminement clinique des clients atteints d'une maladie chronique. Par ailleurs, les personnes ayant subi un infarctus du myocarde, qui suivent un programme de réadaptation, ont effectué le cheminement clinique les ayant amenées à la fin du processus de soins.

Un objectif non atteint est appelé **écart**. Il représente une observation entre ce qui est fait et ce qui doit être fait. Il s'agit d'une anomalie qui se répercute sur les soins planifiés ou les réactions de la personne aux soins. Lorsque l'infirmière observe un écart, elle rédige une note pour rendre compte de l'événement inattendu, de sa cause et des actions entreprises, ou encore pour justifier les mesures mises en œuvre pour y remédier. La figure 19-5 ■ présente un exemple de notation des écarts. Pour pouvoir constater un écart, l'infirmière doit avoir planifié au préalable des objectifs à atteindre, ce qui lui permet de porter un jugement clinique sur la situation et d'évaluer les différences constatées et leurs conséquences.

La méthode de la gestion de cas favorise la collaboration entre l'infirmière et les membres de l'équipe soignante, contribue à écourter les séjours et permet d'accélérer le rétablissement du client. Par contre, le formulaire de cheminement clinique convient surtout à la personne qui a peu de besoins particuliers et pour laquelle on a formulé seulement un ou deux diagnostics. Il est plus difficile de consigner sur ce type de formulaire les données relatives à une personne chez laquelle on a posé des diagnostics multiples (une personne qui présente une fracture de la hanche, une pneumonie, le diabète et des plaies de pression, par exemple) ou à une personne qui présente des symptômes imprévisibles (une personne atteinte d'un trouble neurologique entraînant des crises convulsives, par exemple). Une autre méthode devient alors nécessaire pour consigner les notes de façon précise et pertinente (voir ci-après).

MÉTHODE DES NOTES CIBLÉES (*FOCUS CHARTING*)

Selon l'OIIQ (2002),

la **méthode des notes ciblées** (*focus charting*) est centrée sur les besoins du client et sur l'évolution de sa situation de santé. Elle consiste à cibler les éléments

Modèle SOAPIER

2011-05-07 *Soins infirmiers :*
14:00

N° 5 Prurit généralisé.

S – « La peau de mon dos et de mes bras me démange depuis
une semaine. »

O – La peau paraît intacte ; pas d'irritation ou d'éruption visible.
Marques de grattage sur les avant-bras droit et gauche.
Allergique à l'Elastoplast mais sa peau n'a pas été au contact
de cet adhésif.

Aucun antécédent de prurit.

A – Bien-être altéré (prurit) : cause inconnue.

P – Indiquer d'éviter de se gratter.

– Appliquer de la calamine au besoin.

– Couper les ongles pour prévenir les éraflures.

– Poursuivre l'observation pour détecter une réapparition du
prurit associée à des aliments ou à des médicaments.

– Diriger vers le médecin pour examen.

I – Lui ai indiqué d'éviter de se gratter. Appliqué de la calamine
sur le dos et les bras à 14 : 30. L'ai aidé à se couper les
ongles. Signalé le problème au médecin.

16:00

E – Dit : « J'ai encore des démangeaisons. La lotion ne m'a pas
soulagé. »

R – Retirer la calamine et appliquer un onguent d'hydrocortisone
selon l'ordonnance.

René Bastien, inf.

Modèle APIE

2011-05-07
14:00

A – Prurit généralisé relié à une cause inconnue.

Dit : « La peau de mon dos et de mes bras me démange depuis
une semaine. » La peau paraît intacte ; pas d'irritation
ou d'éruption visible. Marques de grattage sur les avant-bras droit
et gauche. Allergique à l'Elastoplast mais sa peau n'a pas été
au contact de cet adhésif. Aucun antécédent de prurit.

P – Indiquer d'éviter de se gratter.

– Appliquer de la calamine au besoin.

– Couper les ongles pour prévenir les éraflures.

– Poursuivre l'observation pour détecter une réapparition du
prurit associée à des aliments ou à des médicaments.

– Diriger vers le médecin pour examen.

I – Lui ai indiqué d'éviter de se gratter. Appliqué de la calamine
sur le dos et les bras à 14 : 30.

L'ai aidé à se couper les ongles.

Signalé le problème au médecin.

E – Dit : « J'ai encore des démangeaisons. La lotion ne m'a pas
soulagé. »

René Bastien, inf.

FIGURE 19-4 ■ Exemples de notes d'évolution présentées selon les modèles SOAPIER et APIE.

> Une personne a subi une amputation transtibiale. Trois jours après l'intervention, sa température est de 38,8 °C. Elle ne tousse pas et ses poumons sont clairs. L'infirmière remarque une rougeur et une lésion cutanée au sacrum. Dans le formulaire du cheminement clinique, les objectifs prévus pour le jour 3 sont les suivants : « Température orale de 37,7 °C » et « Peau intacte sur les éminences osseuses ». L'infirmière doit donc inscrire les écarts suivants :

Date et heure	Écarts	Causes	Actions exécutées/Plans
2011-02-04	Température élevée	Infection possible	2011-02-06 — Cultures sanguines x selon l'ordonnance.
9:00			Prendre la température toutes les heures. Surveiller
			les ingesta et les excreta, l'hydratation et l'état mental.
2011-02-05	Atteinte à l'intégrité	La personne ne change	2011-02-06 — Tourner la personne sur le côté g.
11:30	de la peau : plaie de	de position dans le lit	La changer de côté toutes les 2 h pendant ses périodes
	pression sur le sacrum	que si on le lui rappelle.	de veille. Lui rappeler à chacune des visites de changer
			de position. Appliquer un pansement Duoderm après
			le bain.

FIGURE 19-5 ■ Exemple de consignation des écarts (cheminement clinique).

nécessitant une intervention en soins infirmiers (problème de santé spécifique, signe ou symptôme, altération de l'état de santé du client, etc.). Ainsi, cette méthode permet d'assurer une continuité logique entre le plan thérapeutique infirmier et les notes distinctes de notes d'évolution, ce qui facilite la recherche d'information. Souple dans son utilisation, cette méthode permet de structurer les notes d'évolution sous la forme DAR (données, actions, résultats obtenus) tout en les regroupant en fonction des éléments ciblés.

19

Dans certains établissements, la rédaction de notes est aussi présentée sous la forme DIR (données, interventions, résultats obtenus). Cette méthode de documentation est utilisée particulièrement dans les CLSC.

MÉTHODE DES NOTES D'EXCEPTION

La **méthode des notes d'exception** se caractérise principalement par l'importance qu'elle accorde à ce qui dévie de la normalité. En effet, l'infirmière note seulement les résultats anormaux ou importants ou encore ceux qui s'écartent de la norme. Cette méthode présente l'avantage d'éliminer les longues notes répétitives et de faire uniquement ressortir les changements dans l'état de santé de la personne. Cependant, elle requiert une évaluation critique de l'état de santé du client. Se fondant sur ses connaissances scientifiques, l'infirmière porte un jugement sur la réalité clinique et note ce qui est en dehors des normes inscrites sur le formulaire. Certains auteurs (Allan et Englebright, 2000) jugent cependant que ce système de consignation ne fournit pas aux professionnels de la santé toutes les informations dont ils ont besoin pour détecter les problèmes éventuels. Des oublis d'inscription sont possibles et ils se répercutent sur l'ensemble du travail. En effet, il ne faut pas oublier que plusieurs professionnels qui s'occupent du même cas ont accès au dossier. Donc, des données incomplètes ont des répercussions importantes sur le suivi et la continuité des soins. De leur côté, Burke et Murphy (2000) estiment que l'établissement de santé doit s'assurer que le dossier clinique comprend non seulement tous les éléments voulus, mais aussi que le système de notation respecte les exigences des organismes de réglementation et d'accréditation. Cette méthode, qui peut être utilisée de concert avec la méthode de *gestion de cas* (voir plus haut), est basée sur la mise en place de trois éléments principaux :

- l'élaboration de critères prédéterminés concernant l'évaluation, l'intervention et les résultats escomptés.
- l'accessibilité des données de soins au chevet du client, afin de permettre l'inscription immédiate des données.
- l'élaboration de formulaires d'enregistrement systématique comprenant plus particulièrement des paramètres de surveillance relatifs à l'état de santé physique du client, à des interventions et à des résultats escomptés (OIIQ, 2002).

Outils de documentation des soins infirmiers

Formulaires d'enregistrement systématique

Les **formulaires d'enregistrement systématique** constituent une forme de notes d'évolution. Ils sont également utilisés pour documenter les activités d'intervention et permettent à l'infirmière d'enregistrer des données de manière rapide et concise et de les regrouper afin d'obtenir un bilan des interventions et des résultats relatifs à un aspect de la situation de santé de la personne. Ces formulaires d'enregistrement systématique

permettent de voir en un clin d'œil l'évolution des données et indiquent instantanément une hausse ou une baisse par rapport aux résultats normaux.

SURVEILLANCE DES SIGNES VITAUX

La **surveillance des signes vitaux**, présentée sous forme de graphique, indique la température, le pouls, la fréquence respiratoire, la pression artérielle, le poids et, dans certains établissements, d'autres données cliniques importantes, comme le jour de l'admission, le jour de l'opération, les selles, l'appétit et l'activité (figure 19-6 ■).

BILAN HYDRIQUE

Le **bilan hydrique** indique les quantités et les voies de l'apport et de la déperdition hydriques (chapitre 45 ⬡). Il permet de prendre conscience des risques de déséquilibre hydrique et de noter si le bilan est positif ou négatif.

FICHE DE MÉDICAMENTS

La **fiche de médicaments** indique la date de chaque ordonnance, la date de péremption du médicament ou de l'ordonnance, le nom du médicament, la posologie, la voie et l'horaire d'administration, et, habituellement, les allergies de la personne (chapitre 34 ⬡). La fiche de médicaments contient aussi un espace réservé à la signature de l'infirmière. Alors que certaines feuilles proviennent de la pharmacie et contiennent toutes les données relatives au médicament selon ses modalités d'administration, d'autres doivent être remplies à la main par le personnel.

SURVEILLANCE DE L'ÉTAT DE LA PEAU

La **surveillance de l'état de la peau** permet de consigner les résultats des examens de la peau. Le formulaire peut comprendre un certain nombre de sections où l'infirmière précise le stade de la lésion, le type et la couleur des écoulements, le résultat des cultures et les traitements (plan de traitement infirmier). Par ailleurs, plusieurs échelles peuvent être utilisées pour évaluer le risque d'apparition de plaies de pression. Par exemple, selon le résultat obtenu grâce à l'échelle de Braden, l'infirmière évalue le niveau de risque d'atteinte à l'intégrité de la peau. Ainsi, elle peut intervenir en conséquence et prévenir l'apparition de lésions cutanées.

Formulaires d'évaluation et d'intervention

Les formulaires d'évaluation présentent des différences selon les clientèles (par exemple postopératoire, santé mentale), le contexte de l'évaluation (évaluation initiale ou en cours d'évolution) et le secteur d'activité (par exemple urgences, soins intensifs, soins de longue durée, soins à domicile). Ils peuvent prendre la forme d'un questionnaire d'entrevue, d'une grille d'observation et d'examen clinique, d'un formulaire d'enregistrement systématique ou de notes au dossier (OIIQ, 2002).

COLLECTE DES DONNÉES

La **collecte des données** est un formulaire que l'infirmière remplit lors de l'admission de la personne dans l'unité de soins.

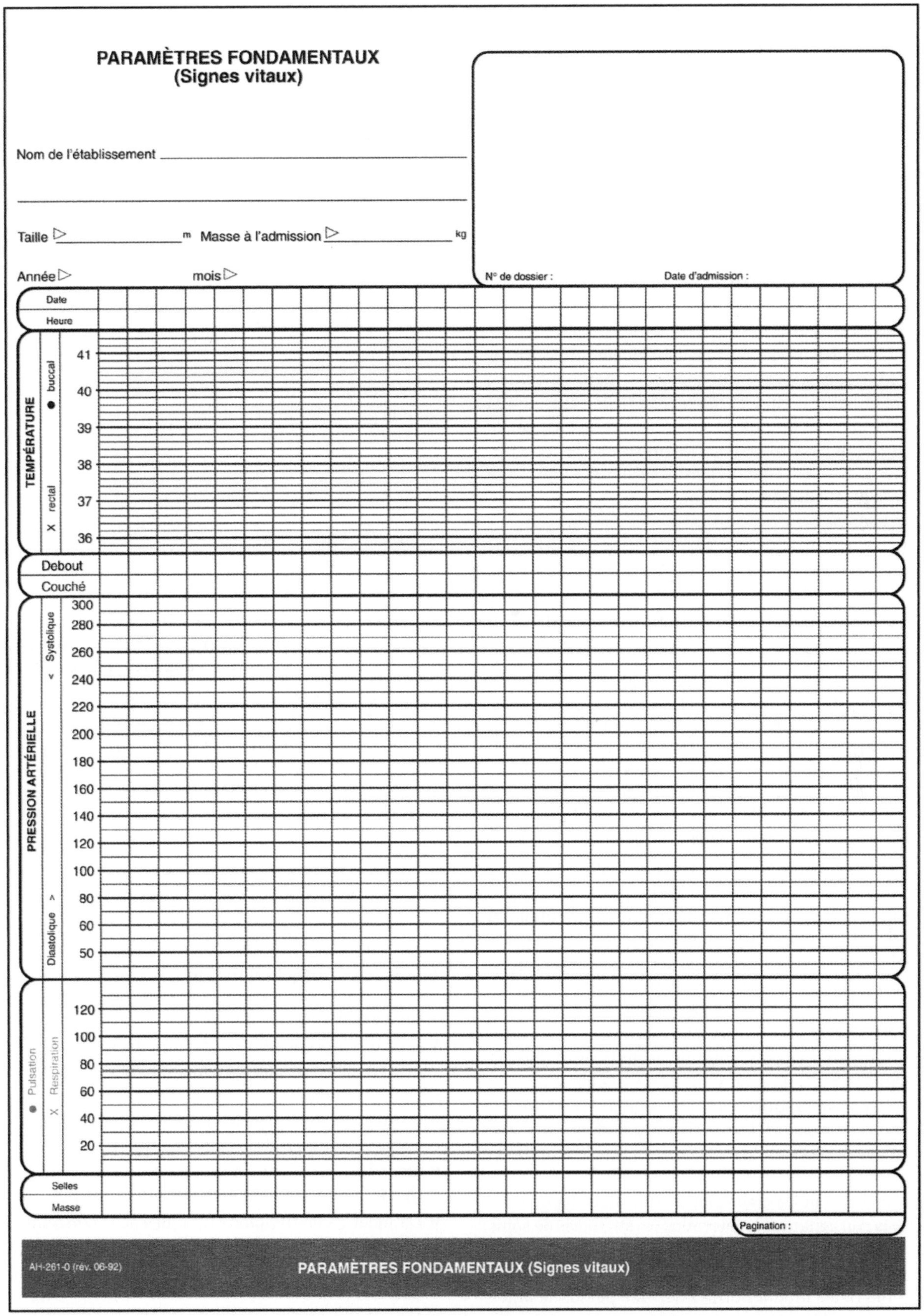

PARAMÈTRES FONDAMENTAUX
(Signes vitaux)

Nom de l'établissement ______________________

____

Taille ▷ ________ m Masse à l'admission ▷ ________ kg

Année ▷ mois ▷

N° de dossier : Date d'admission :

Date

Heure

TEMPÉRATURE — ● buccal / X rectal : 41, 40, 39, 38, 37, 36

Debout

Couché

PRESSION ARTÉRIELLE — v Systolique / ^ Diastolique : 300, 280, 260, 240, 220, 200, 180, 160, 140, 120, 100, 80, 60, 50

● Pulsation / X Respiration : 120, 100, 80, 60, 40, 20

Selles

Masse

Pagination :

AH-261-0 (rév. 06-92) PARAMÈTRES FONDAMENTAUX (Signes vitaux)

FIGURE 19-6 ■ Exemple de graphique des signes vitaux. Source : Ordre des infirmières et infirmiers du Québec (OIIQ). (2010). *Guide de préparation à l'examen professionnel de l'Ordre des infirmières et infirmiers du Québec*. Westmount : OIIQ.

19

Comme nous l'avons indiqué au chapitre 15 ⚭, ce formulaire peut être structuré selon les systèmes physiologiques, les capacités fonctionnelles, les problèmes de santé et les facteurs de risque, un modèle de soins infirmiers ou encore selon le champ d'activité de l'unité (obstétrique, pédiatrie, psychiatrie, etc.). Il contient notamment l'anamnèse de la personne, les résultats de l'examen physique, les examens paracliniques initiaux, les antécédents, la pharmacothérapie, etc. La collecte des données est mise à jour à mesure que l'état de santé de la personne se détériore ou s'améliore. L'infirmière inscrit généralement les résultats des collectes des données sur des feuilles de surveillance ou sur des notes d'évolution.

PLAN THÉRAPEUTIQUE INFIRMIER

Outil ayant une valeur juridique, le **plan thérapeutique infirmier (PTI)** donne l'occasion à l'infirmière de se démarquer en tant que professionnelle. Rédigé et modifié par elle seule, le PTI indique les besoins ou les problèmes prioritaires (constats) de la personne et les interventions (directives) axées sur les constats de l'évaluation. Par conséquent, il relie l'évaluation initiale à l'évolution de l'état clinique du client.

Nous avons défini le PTI au chapitre 17 ⚭. La figure 16-6 ■ (p. 372) présente le formulaire officiel du PTI, élaboré par l'OIIQ en 2006.

PLAN DE SOINS ET DE TRAITEMENTS INFIRMIERS

Le **plan de soins et de traitements infirmiers (PSTI)** permet à l'infirmière de rédiger des ordonnances infirmières qui se rapportent aux problèmes actuels ou possibles du client. Les médecins, quant à eux, rédigent des ordonnances médicales, des plans de soins médicaux et des rapports de consultation demandés par d'autres médecins. Selon le système de tenue de dossier utilisé, le PSTI est conservé à l'extérieur du dossier, ou bien inscrit dans les notes d'évolution et d'autres formulaires du dossier. Il existe deux types de PSTI: le plan de soins et de traitements infirmiers traditionnel et le plan de soins et de traitements infirmiers type (chapitre 17 ⚭).

- Le **plan de soins et de traitements infirmiers traditionnel** est élaboré entièrement à l'intention d'une personne en particulier et porte sur les besoins précis de cette dernière. Sa forme varie suivant les établissements et les caractéristiques de l'unité de soins. La plupart du temps, le PSTI traditionnel comprend trois colonnes: la première est consacrée aux diagnostics infirmiers, la deuxième, aux résultats escomptés, et la troisième, aux interventions infirmières. Selon le modèle McGill, ce plan a aussi trois colonnes: la première est consacrée aux objectifs du C/F (client/famille), la deuxième, aux interventions, et la troisième, à l'échéancier, c'est-à-dire la date de l'évaluation de l'atteinte de l'objectif.
- Le **plan de soins et de traitements infirmiers type** vise à accélérer la consignation. Il détermine les stratégies de soins et les actions correspondantes aux diverses situations cliniques. Par exemple, dans un CHSLD, un PSTI indiquera les objectifs et les interventions chez une personne alitée incapable de se déplacer seule. Il peut être structuré selon les pratiques de l'établissement et favoriser ainsi la prestation de soins infirmiers de grande qualité. L'infirmière doit indi-

vidualiser les PSTI types afin de répondre adéquatement aux besoins particuliers des clients.

CARDEX

Le **cardex** est un ensemble de fiches informatisées ou de fiches manuscrites placées dans un fichier portatif. Ces fiches sont individualisées. Cette méthode permet à l'infirmière de consigner en peu de mots le profil de chaque personne ainsi que les soins et les traitements à lui prodiguer quotidiennement. Le cardex facilite la consultation des données pour tous les professionnels de la santé qui ont accès au dossier du client. Dans la plupart des établissements, il ne fait pas partie du dossier permanent du client et peut donc être détruit au moment où la personne quitte le centre hospitalier. Il sert alors de repère pour les soins quotidiens et l'infirmière note au crayon à mine les modifications au fur et à mesure que la situation l'exige. Une grande partie des informations contenues dans le cardex sont consignées par l'infirmière, mais tout intervenant qui participe aux soins d'une personne joue un rôle clé dans la constitution et la mise à jour de la fiche. Cette mise à jour, qui a lieu aussi souvent qu'il y a des modifications en cours de journée, est essentielle pour assurer la continuité des soins et la sécurité des clients. Tout cardex, qu'il soit sur papier ou informatisé, devrait comprendre un espace dans lequel la personne qui le révise ou le corrige pourra inscrire la date et ses initiales. Le cardex peut comprendre des informations qui relèvent autant des besoins de base de tout être humain que de prescriptions médicales. Selon le milieu clinique, voici un répertoire des données susceptibles d'être inscrites:

- Renseignements généraux sur la personne (nom, numéro de chambre, âge, particularités relatives à des soins imposés par la religion, date d'admission, nom du médecin, diagnostic, nature et date de l'intervention chirurgicale, nom de la personne à contacter en cas de besoin, etc.).
- Allergies.
- Liste des médicaments, dates des ordonnances de chacun des médicaments et heures auxquelles ils doivent être administrés. Si les informations reliées à la pharmacothérapie sont informatisées, elles ne seront pas inscrites dans le cardex.
- Liste des perfusions intraveineuses (début, fin, changements de tubulure, changements du point de perfusion, réfection du pansement, voie centrale).
- Liste des procédés et des traitements quotidiens (irrigations, changements de pansement, drainage postural, mesure des signes vitaux, oxygénothérapie, etc.).
- Liste des examens paracliniques demandés (radiographies, épreuves de laboratoire, endoscopie, etc.).
- Liste des consultations professionnelles (médecin, physiothérapeute, ergothérapeute, diététiste, etc.).
- Données sur les besoins physiques de la personne et sur son degré d'autonomie dans la pratique des autosoins (régime alimentaire, dispositifs pour l'élimination, capacité à se déplacer, hygiène, mesures de sécurité, etc.).
- Liste des problèmes ou des diagnostics infirmiers et des objectifs formulés, et liste des interventions infirmières visant à atteindre les objectifs et à résoudre les problèmes.

19

- Liste des ressources du réseau de la santé et des ressources communautaires qui participent aux soins.
- Besoins d'enseignement.
- Coordonnées des personnes-ressources.

PLAN DE CONGÉ

Le **plan de congé** doit être rédigé par l'infirmière au moment où la personne est transférée dans une autre unité ou dans un autre établissement ou prise en charge à domicile. Nous avons décrit au chapitre 7 ⊕ la planification du congé et la préparation du client au retour à domicile. Si on transmet le plan de congé directement à la personne et à sa famille, il est impératif de formuler les directives de manière compréhensible. Actuellement, de plus en plus souvent, les formulaires de planification du congé sont envoyés par télécopie. Ainsi, bien que le client n'ait pas encore quitté le centre hospitalier, les demandes de suivi de soins et de traitements sont déjà envoyées à l'endroit voulu, par exemple le CLSC. L'infirmière y inscrit les coordonnées du client, le moyen de transport utilisé, les problèmes de santé résolus et non résolus, le niveau d'autonomie, le réseau de soutien et ses dernières observations reliées aux prescriptions médicales, comme l'état de la plaie et le type de pansement. Selon le cas, elle inscrira aussi les médicaments, les traitements et les activités en langage courant et sans utiliser d'abréviations médicales pour éviter toute ambiguïté. Toutes les directives relatives au congé, l'enseignement prodigué à la personne, ainsi que son état physique, mental et émotionnel avant le transfert sont également des éléments qu'il pourrait être nécessaire de transmettre.

DEMANDE DE SERVICES INTERÉTABLISSEMENTS

On utilise désormais au Québec une **demande de services interétablissements** (**DSIE**), nouvel outil informatisé bidirectionnel d'échange d'informations cliniques, conçu pour les demandes de services interétablissements ou intraétablissement. Cet outil permet à tous les types d'établissements d'avoir accès à des demandes de services relatifs à des soins ou à des services à court, à moyen ou à long terme. Faciles à consulter, les demandes contiennent toutes les informations cliniques nécessaires pour assurer un suivi adapté aux besoins de la personne. La DSIE se compose d'un formulaire principal, qui comprend des informations regroupées, telles que la provenance de la demande, l'identification de la personne et l'étude de la demande (la nature de la demande, par exemple aide à domicile ou hébergement temporaire), les problèmes ou les facteurs ayant motivé la demande, les informations médicales, les ressources actuelles et le délai d'intervention recommandé (figure 19-7 ■). Selon les besoins, d'autres documents peuvent composer la demande de services, par exemple les suivants: sommaire de l'autonomie (figure 19-8 ■); thérapie intraveineuse; périnatalité; avis sur la possibilité de maintien à domicile; arthroplastie de la hanche; bronchopneumonie chronique obstructive; etc. La normalisation des formulaires de DSIE a été effectuée avec la collaboration de représentants du réseau de la santé et de représentants du ministère de la Santé et des Services sociaux du Québec. Pour obtenir des informations supplémentaires, on peut consulter le site http://www.sogique.qc.ca/dsie.

RAPPORT D'INCIDENT-ACCIDENT

Chaque personne a le droit d'être informée de tout accident ou incident susceptible d'entraîner des conséquences sur son état de santé ou sur son bien-être, et le professionnel a l'obligation de déclarer ce fait dans un **rapport d'incident-accident** et, selon la procédure de l'établissement, de remplir ou de faire remplir un rapport de divulgation. Ces documents seront conservés au dossier. Le *Code de déontologie des infirmières et infirmiers* prévoit que l'infirmière doit signaler tout incident ou accident, si minime soit-il, qui résulte de son intervention ou de son omission, ou encore de l'intervention ou de l'omission d'un autre professionnel. Elle doit le faire immédiatement et officiellement au moment où elle en constate la présence en informant l'infirmière chef ou le médecin, en inscrivant une note au dossier de la personne ou encore en remplissant un rapport d'incident ou d'un accident. Une infirmière qui prend conscience d'un incident ou d'un accident ne doit pas tenter de le dissimuler. Bien au contraire, elle doit prendre les mesures qui s'imposent pour le corriger, l'atténuer ou y remédier. Prenons l'exemple d'une perfusion intraveineuse de dextrose à 5 % avec NaCl à 0,45 % et KCl 40 mEq. En réalité, le médecin a prescrit du dextrose à 5 % avec NaCl à 0,45 % à 50 mL/h. Bien que le sac de soluté ait été installé par une collègue, l'infirmière qui découvre cette erreur doit la déclarer pour assurer la sécurité du client. De plus, comme elle sait que le KCl a la propriété de modifier le taux sérique de potassium, qui à son tour a une incidence sur la fonction cardiaque, elle ne doit pas se contenter de déclarer l'erreur ; elle doit aussi la corriger. Toute faute, quelle qu'elle soit, doit absolument être signalée. « L'erreur est humaine, mais le camouflage est délibéré et il pourrait priver le client des soins nécessaires pour contrer les conséquences d'un incident ou d'un accident » (OIIQ, 2003b). Voici des exemples d'incidents ou d'accidents qu'il faut signaler sur le formulaire :

- Erreur dans le processus d'administration d'un médicament
- Omission accidentelle d'un traitement
- Blessures causées par la manipulation d'appareils
- Chute sur un plancher fraîchement lavé

Il est à noter que les accidents de travail ne doivent pas être signalés sur ce rapport.

Dossier informatisé

Étant donné la quantité importante de données relatives aux soins de santé, l'informatisation des dossiers est de plus en plus fréquente. Le **dossier informatisé** permet à l'infirmière d'accéder aux données, d'en ajouter de nouvelles, de créer et de réviser des PSTI et de rendre compte des progrès de la personne. L'infirmière note les soins aussitôt qu'elle les donne par l'intermédiaire du terminal installé au chevet de chaque client, d'un terminal portatif ou encore d'un terminal central. Cependant, tous les établissements de santé n'ont pas recours à cette méthode de documentation, bien qu'elle soit très pratique. Ses avantages pour les professionnels de la santé sont les suivants : accès facile aux résultats des examens paracliniques (qui peuvent être consultés directement à l'écran, sans attendre l'arrivée d'une télécopie, laquelle, en plus, pourrait être difficile à lire), délais d'attente écourtés et appels téléphoniques

○ Complet   ○ Incomplet

Besoins, Aimée (1)

No. Demande:
06-00003339-1-20031007-1

Provenance de la demande

Destinataire

Établissement: **DEMO CLSC CB**   Téléphone: **(418) 123-2572**
Mission(s): **CLSC**   Télécopieur: **(418) 456-2572**

Service / Programme:

Centrale Info-Santé

Centrale Info-Santé: **DEMO Centrale Info-Santé CB**   Téléphone: **(418) 444-4444**
                                                            Télécopieur: **(418) 444-4445**

Expéditeur

Établissement: **DEMO Centre Info-Santé CB**   Téléphone: **(418) 527-5211**
Service / Programme: Télécopieur: **(418) 661-8164**

Intervenants

Nom: Profession: Téléphone: Poste:

**Généralement, personne qui
complète la DSIE et/ou intervenants
impliqués dans le dossier**

Consentement

L'usager consent à la référence et à la transmission de l'information à son sujet: ○ oui ○ non

Identification

Numéro de dossier: **1**

Nom à la naissance: **Bonsoins**   Prénom: **Aimée**
Sexe: ○ M ● F   Nom usuel:

Adresse permanente: **2, rue de l'Hôpital**   Adresse temporaire:
Ville: **Québec** Code postal: **G1J 2Z8**   Ville: Code postal:
Téléphone (permanent): **(418) 123-4567**   Téléphone (temporaire):
Téléphone (travail):   No. de poste
Courriel:

CLSC d'appartenance: **CLSC-CHSLD Basse-Ville-Limoilou-Vanier**

Date de naissance: **1960-08-11** (aaaa-mm-jj)   Âge: **43 ans 2 mois**
État civil: **Célibataire**   Lieu de naissance: **Québec**
No. d'assurance maladie: **BONA11586013**   Exp. (année/mois):
Langue de communication: **Français**   Communauté culturelle: **Français**

Nom du/de la conjoint(e):   Prénom:
Date de naissance: (aaaa-mm-jj)   Âge: ans

Nom du père: **Bonsoins**   Prénom: **Arthur**
Nom de la mère à la naissance: **St-Cyr**   Prénom: **Yvette**

FIGURE 19-7 ■ DSIE (demande de services interétablissements): formulaire principal de la demande de services.
Source: Ministère de la Santé et des Services sociaux, © MSSS.

19

Personnes ressources

Nom :   Prénom :   Lien :   Préciser si cette personne est
Bonsoins   **Diane**   **Soeur**   **Tuteur**

Téléphone (résidence) :   Téléphone (travail) :   Courriel :   Langue de communication :
No de poste :   **Français**

Nom :   Prénom :   Lien :   Préciser si cette personne est

Téléphone (résidence) :   Téléphone (travail) :   Courriel :   Langue de communication :
No de poste :   **Français**

Type de résidence

Permanente (lieu de résidence) : **Domicile**
● **Maison**   ○ **HLM**
○ **Logement/appartement**   ○ **Chambre**
Temporaire (lieu de séjour) :
Situation de vie : **Personne seule**
Occupation : **Au travail**

Étude de la demande

Nature de la demande

Thérapie intraveineuse :

☒ **Prescription médicale**   ○ **À domicile**   ○ **À venir**
Médecin :   Téléphone :
Signature : **X** _____   Date : (aaaa-mm-jj)
Préciser :

Problèmes ou facteurs menant à la demande (d'ordre bio-psychosocial – préciser le diagnostic et les antécédents – ou liés aux habitudes de vie, aux activités de la vie quotidienne (AVQ), aux tâches domestiques (AVD), etc.)

Préciser la situation actuelle :

Type d'épisode de soins :

Date visite : (aaaa-mm-jj)

Antécédents : **Aucun**
PLAIE

2003-08-11   /   /

2003-08-11   /   /

2003-08-11   /   /

2003-08-11   /   /

2003-08-11   /   /

Diagnostic principal : ▼

Autre(s) diagnostic(s) : ▼

Préciser :

Complication(s) :

FIGURE 19-7 ■ *(suite)*

⊠ **Chirurgie(s)**

Date : (aaaa-mm-jj)　　　　　　　Type :　　　　　　　　　　Complication(s) :

　　　　　Préciser :

⊠ **Examen(s) diagnostique(s)**

Date : (aaaa-mm-jj)　　　　　　　Examen :　　　　　　　　　Résultats :

Informations médicales

Hospitalisation (date de la plus récente) : de (aaaa-mm-jj) à (aaaa-mm-jj) Nombre de fois depuis 1 an :
Nom de l'établissement :
Raisons :

Suivi

Nom　　　　　　　Spécialité　　　　　　CH / Clinique / Adresse　　　　Prochain
　　　　　　　　　　　　　　　　　　　　　　　　　　　　　　rendez-vous :

　　　　　Préciser :

▶　　Médecin traitant :　　　　　　　　　　Spécialité :

▶　　Médecin consultant :　　　　　　　　　Spécialité :
　　　Adresse :　　　　　　　　　　　　　　Téléphone :

▶　　Médecin de famille :　　　　　　　　　Téléphone :
　　　Adresse :　　　　　　　　　　　　　　Télécopieur :
　　　Avisé le : (aaaa-mm-jj)

Endroit du suivi :

Médicaments au départ (nom, dose et fréquence) :

Nom de la pharmacie :
Téléphone de la pharmacie :

● **Allergie(s) (médicament - alimentation - environnement)** ○ **Aucune**
　Allergie(s) médicament : [▼]
　Allergie(s) alimentation : **Viande rouge**
　Allergie(s) environnement :
　Préciser :

Bactérie multirésistante : **ERV**
　Bactérie multirésistante test :
　Bactérie multirésistante échantillon du test :
　Dans le cadre de notre politique de prévention des bactéries multirésistantes, cette recherche a été faite le : (aaaa-mm-jj)
　Préciser :

Intolérance(s) :
Pronostic connu de l'usager ○ **Oui** ○ **Non**

Profil nutritionnel

Diète :
⊠ **Dénutrition**
Niveau : ○ **Légère**　　○ **Modérée**　　○ **Élevée**
Traitement : ☐ **Oral**　☐ **Entéral**　☐ **Parentéral**
Préciser :

Fournitures médicales, aides techniques, équipement remis etc. :

Ressources actuelles (aide, services, ressources financières)

Famille, entourage (implication effective ou potentielle) :

FIGURE 19-7 ■ *(suite)*

Services communautaires, publics et privés :
Régime de protection :
Parent ayant la garde :
Agent payeur :

Remarques et autres informations

☒ **L'usager est suivi dans le cadre d'un projet**

Nom du projet :   Personne contact dans le projet :

Téléphone :   Courriel :

☒ **OEMC complété**   Date :

☐ **OEMC joint**   sections : ☐ **Évaluation de l'autonomie (Bleu)**

☐ **Évaluation de l'autonomie - clientèle de soins court terme (Mauve)**

☐ **Profil évolutif de l'autonomie (Orangé)**

☐ **Plan d'intervention et d'allocation de services (Rose)**

☐ **Tableau de soins**

Autres documents acheminés :

Délai d'intervention suggéré

◯ **Immédiatement**   ◯ **Moins de 48 heures**   ◯ **Moins d'une semaine**   ◯ **Moins de 2 semaines**

Préciser :

☐ **Guichet unique**

Gestionnaire de cas / Intervenant : **Réfère au «Guichet**   Établissement :
unique», intervenant du réseau responsable du dossier
de l'usager

Téléphone :   No. de poste :   Télécopieur :

Courriel :

Commentaires :

FIGURE 19-7 ■ *(suite)*

moins fréquents. Grâce au dossier informatisé, le médecin qui rend visite à un client peut immédiatement l'informer du résultat de sa coloscopie, par exemple.

Grâce à l'informatisation des dossiers, l'infirmière n'a plus besoin d'une panoplie de feuilles de surveillance, car elle peut afficher désormais l'information pertinente sous diverses formes. Elle peut, par exemple, obtenir les résultats d'une analyse sanguine, l'horaire de toutes les interventions chirurgicales prévues pour les personnes d'une unité, une liste des interventions suggérées pour un diagnostic infirmier, le graphique des signes vitaux ou encore l'impression de toutes les notes d'évolution concernant une personne. De nombreux systèmes informatiques peuvent même produire une liste des tâches pour chaque quart de travail, accompagnée d'une liste des traitements, des procédés et des médicaments dont la personne a besoin.

L'ordinateur facilite grandement la planification et la documentation des soins infirmiers. L'infirmière peut choisir un certain nombre d'interventions et de réactions de la personne dans une liste ou encore saisir des notes narratives. L'informatisation des dossiers cliniques facilite aussi l'échange d'informations entre les établissements.

Tenue de dossier dans les établissements de soins de longue durée

Bien qu'un certain nombre de personnes atteintes d'affections chroniques, traitées dans les établissements de soins de longue

19

DSIE — Demande de Services Interétablissements

○ Complet   ○ Incomplet

Sommaire de l'autonomie

☒ **Habitudes de vie**	**Problème**	**Si l'usager a des problèmes ou incapacités, préciser:**
1. Alimentation	○ **Non** ○ **Oui**	
2. Sommeil	○ **Non** ○ **Oui**	
3. Consommation de tabac	○ **Non** ○ **Oui**	
4. Consommation d'alcool et de drogue	○ **Non** ○ **Oui**	
5. Activités personnelles et de loisirs	○ **Non** ○ **Oui**	

☒ **A.V.Q.**	**Incapacité**	**Si l'usager a des problèmes ou incapacités, préciser:**
1. Se nourrir	○ **Non** ○ **Oui**	☐ **Sonde naso-gastrique** ☐ **Gastrostomie**
2. Se laver	○ **Non** ○ **Oui**	
3. S'habiller	○ **Non** ○ **Oui**	☐ **Bas de soutien**
4. Entretenir sa personne	○ **Non** ○ **Oui**	
5. Fonction vésicale	○ **Non** ○ **Oui**	☐ **Culotte d'incontinence** ☐ **Condom urinaire** ☐ **Sonde à demeure**
6. Fonction intestinale	○ **Non** ○ **Oui**	☐ **Culotte d'incontinence** ☐ **Stomie**
7. Utiliser les toilettes	○ **Non** ○ **Oui**	☐ **Chaise d'aisances** ☐ **Bassine** ☐ **Urinal**

☒ **Mobilité**	**Incapacité**	**Si l'usager a des problèmes ou incapacités, préciser:**
1. Transferts	○ **Non** ○ **Oui**	☐ **Positionnement particulier** ☐ **Lève-personne** ☐ **Planche de transfert**
2. Marcher à l'intérieur	○ **Non** ○ **Oui**	☐ **Canne simple** ☐ **Tripode** ☐ **Quadripode** ☐ **Marchette**
3. Installer prothèse ou orthèse	○ **Non** ○ **Oui**	
4. Se déplacer en fauteuil roulant à l'intérieur	○ **Non** ○ **Oui**	

FIGURE 19-8 ■ DSIE (demande de services interétablissements): sommaire de l'autonomie.
Source: Ministère de la Santé et des Services sociaux, © MSSS.

☐ **Fauteuil roulant simple**

☐ **Fauteuil roulant à conduite unilatérale**

☐ **Fauteuil roulant motorisé**

☐ **Triporteur**

☐ **Quadriporteur**

5. Utiliser les escaliers	○ **Non** ○ **Oui**	
6. Circuler à l'extérieur	○ **Non** ○ **Oui**	

☒ **Communication**	**Incapacité**	**Si l'usager a des problèmes ou incapacités, préciser:**
1. Voir	○ **Non** ○ **Oui**	
		☐ **Verres correcteurs**
		☐ **Loupe**
2. Entendre	○ **Non** ○ **Oui**	
		☐ **Appareil auditif**
3. Parler	○ **Non** ○ **Oui**	
		☐ **Ordinateur**
		☐ **Tableau de communication**

☒ **Fonctions mentales**	**Incapacité**	**Si l'usager a des problèmes ou incapacités, préciser:**
1. Mémoire	○ **Non** ○ **Oui**	
2. Orientation	○ **Non** ○ **Oui**	
3. Compréhension	○ **Non** ○ **Oui**	
4. Jugement	○ **Non** ○ **Oui**	
5. Comportement	○ **Non** ○ **Oui**	

☒ **Tâches domestiques (AVD)**	**Incapacité**	**Si l'usager a des problèmes ou incapacités, préciser:**
1. Entretenir la maison	○ **Non** ○ **Oui**	
2. Préparer les repas	○ **Non** ○ **Oui**	
3. Faire les courses	○ **Non** ○ **Oui**	
4. Faire la lessive	○ **Non** ○ **Oui**	
5. Utiliser le téléphone	○ **Non** ○ **Oui**	
6. Utiliser les moyens de transport	○ **Non** ○ **Oui**	
7. Prendre ses médicaments	○ **Non** ○ **Oui**	
		☐ **Pilulier**
8. Gérer son budget	○ **Non** ○ **Oui**	

☒ **Situation psychosociale**	**Problème**	**Si l'usager a des problèmes ou incapacités, préciser:**
1. Histoire sociale	○ **Non** ○ **Oui**	
2. Milieu familial	○ **Non** ○ **Oui**	
3. Aidants principaux	○ **Non** ○ **Oui**	
4. Réseau social	○ **Non** ○ **Oui**	
5. Ressources communautaires, publiques et privées	○ **Non** ○ **Oui**	

19

FIGURE 19-8 ■ *(suite)*

6. État affectif	◯ **Non** ◯ **Oui**	
7. Perception de l'usager	◯ **Non** ◯ **Oui**	
8. Sexualité	◯ **Non** ◯ **Oui**	
9. Croyances et valeurs personnelles	◯ **Non** ◯ **Oui**	

☒ **Conditions économiques**	**Problème**	**Si l'usager a des problèmes ou incapacités, préciser:**
1. Capacité de faire face à ses obligations	◯ **Non** ◯ **Oui**	

☒ **Environnement physique**	**Problème**	**Si l'usager a des problèmes ou incapacités, préciser:**
1. Conditions du logement	◯ **Non** ◯ **Oui**	**Accès:** ☐ **Ascenseur** ☐ **Escalier intérieur, nombre de marches:** ☐ **Escalier extérieur, nombre de marches:**
2. Sécurité personnelle et environnementale	◯ **Non** ◯ **Oui**	
3. Accessibilité	◯ **Non** ◯ **Oui**	
4. Proximité des services	◯ **Non** ◯ **Oui**	

FIGURE 19-8 ■ *(suite)*

durée, n'aient besoin que de soins intermédiaires et d'un certain degré d'aide pour accomplir les **activités de la vie quotidienne (AVQ)** (comme se laver et se vêtir), chez d'autres, des soins spécialisés et constants sont nécessaires et elles peuvent être complètement dépendantes sur tous les plans. La tenue de dossier dans les établissements de soins de longue durée est assujettie aux normes professionnelles, aux règlements fédéraux et provinciaux ainsi qu'aux politiques internes.

L'infirmière doit se familiariser avec les lois et les règlements qui régissent la tenue de dossier dans les établissements de soins de longue durée. Selon les éléments de l'exercice infirmier en soins de longue durée (OIIQ, 2004), l'infirmière consigne dans les documents cliniques (qu'ils soient sur papier ou informatisés) les différentes données, à mesure que les événements se produisent; elle communique les renseignements indispensables à la continuité des soins (modification de l'état de santé, interventions effectuées, résultats obtenus, surveillance à apporter, etc.) à la collègue qui prend en charge la personne au moment d'un changement d'équipe, d'une pause ou d'un repas; elle s'assure que les membres de l'équipe de soins reçoivent les informations pertinentes pour donner des soins adaptés (degré d'autonomie dans les AVQ, déficits cognitifs, habitudes de vie, attentes de la personne et de ses proches, etc.); elle s'informe auprès de ses collègues des autres quarts de travail afin de mieux connaître le fonctionnement de la personne au cours d'une période de 24 heures et d'y adapter ses interventions; elle rassure la personne et ses proches lors d'un transfert et les informe des modalités de communication mises en place pour assurer la continuité et le suivi des soins (OIIQ, 2004).

On doit élaborer des outils de documentation des soins infirmiers, tels que les collectes des données et les grilles d'observation, ainsi que des instruments de mesure, tels le **SMAF (système de mesure de l'autonomie fonctionnelle)** et l'échelle de Braden (mesure du risque d'apparition de plaies de pression), et les mettre à la disposition de l'unité. Le SMAF (Voyer, 2006), qui comporte 29 paramètres, évalue les besoins en mesurant les incapacités et les handicaps pour:

1. Déterminer les soins à prodiguer.

2. Apprécier les capacités résiduelles.

3. Préserver au maximum l'autonomie fonctionnelle.

Cinq composantes sont ciblées par le SMAF: activités de la vie quotidienne (AVQ), mobilité, communication, fonctions mentales et **activités de la vie domestique (AVD)**. Dans les CHSLD, on utilise le questionnaire SMAF en fonction de l'objet de l'évaluation. Il s'agit d'un outil d'évaluation utilisé à l'échelle provinciale.

Par ailleurs, se servant des travaux de l'Organisation mondiale de la santé (OMS), Hébert (1997) propose l'interaction de trois composantes dans la mesure de l'autonomie fonctionnelle: la déficience (maladie), l'incapacité (limites imposées par la maladie) et le handicap (rôle du réseau de soutien). Ainsi une personne atteinte de sclérose en plaques (déficience), présentant une dépendance motrice (incapacité) et ayant un réseau de soutien très aidant (handicap), pourrait mieux faire face à sa situation qu'une autre qui est socialement isolée.

Les politiques et les procédures propres à l'établissement concernant l'évaluation et la réévaluation périodique de l'état de santé de la personne doivent être mis en application. À titre d'exemple, l'infirmière peut avoir à rédiger un *résumé* des soins infirmiers au moins une fois par semaine en ce qui a trait aux personnes recevant des soins spécialisés, et toutes les deux semaines en ce qui concerne les personnes recevant des soins intermédiaires. Le résumé doit rendre compte des éléments suivants :

- Problèmes particuliers notés dans le PSTI
- État mental
- Activités de la vie quotidienne
- État hydrique et nutritionnel
- Mesures de sécurité nécessaires
- Médicaments
- Traitements
- Mesures de prévention
- Évaluation des changements de comportement (si la personne prend des médicaments psychotropes ou présente des problèmes comportementaux)

La rubrique *Conseils pratiques – Tenue de dossier dans les établissements de soins de longue durée* fournit plus de détails à ce sujet.

 CONSEILS PRATIQUES

TENUE DE DOSSIER DANS LES ÉTABLISSEMENTS DE SOINS DE LONGUE DURÉE

- Remplissez les formulaires d'évaluation et rédigez le PSTI dans les délais prescrits par les organismes de réglementation.
- Notez les visites et les appels téléphoniques que font les membres de la famille, les amis ou d'autres proches pour s'enquérir de l'état de santé du client.
- Rédigez les résumés de soins infirmiers et les notes d'évolution selon les normes prescrites par les organismes de réglementation.
- Révisez le PSTI tous les trois mois ou chaque fois que l'état du client change.
- Notez et signalez au médecin et à la famille dans les 24 heures tout changement dans l'état du client.
- Notez toutes les mesures prises à la suite d'un changement dans l'état du client.
- Rédigez le PTI.
- Modifiez le PTI selon l'état du client.
- Assurez-vous que les notes d'évolution rendent compte des progrès du client en vue d'atteindre les résultats escomptés définis dans le PSTI.

 LES ÂGES DE LA VIE

PERSONNES ÂGÉES

Un grand nombre de personnes âgées vivant dans les établissements de soins de longue durée souffrent d'affections chroniques qui entraînent la plupart du temps des changements d'état subtils. Lorsqu'un problème se manifeste, cependant, il s'agit d'un trouble grave qui nécessite une attention immédiate, comme une fracture de la hanche, un AVC ou une pneumonie. Il est donc important de garder la documentation des soins infirmiers à jour pour se préparer à l'éventualité d'un transfert dans un établissement de soins spécialisés. La rédaction d'un résumé du plan d'orientation de la personne vers d'autres professionnels facilite alors le suivi des soins et la communication entre les différents membres du personnel infirmier.

Notation des soins à domicile

Parfois seule intervenante à accéder au domicile du client, l'infirmière doit créer et maintenir des partenariats avec celui-ci et ses proches aidants, ainsi qu'avec les ressources professionnelles et communautaires requises selon les besoins, afin d'assurer la continuité des soins et des services (OIIQ, 2010).

Par ailleurs, «toutes les données pertinentes relatives à l'évaluation clinique sont notées et conservées au dossier, car elles sont indispensables pour suivre l'évolution de la situation de santé du client» (OIIQ, 2003a).

À titre d'exemple, l'infirmière documente et rapporte tout incident ou accident susceptible de causer une infection ou une surinfection. Elle évalue la plaie, s'il y a lieu, et surveille son évolution à l'aide de paramètres appropriés, information qu'elle consigne systématiquement au dossier de la personne. Elle assure le monitorage de la douleur en utilisant une échelle de mesure de l'intensité de la douleur et en notant les différents paramètres, tels que l'endroit, la durée, les facteurs aggravants, l'irradiation, etc. Les feuilles utilisées pour les soins à domicile peuvent différer de celles employées en milieu hospitalier ; cependant, le but demeure identique : inscrire toutes les données relatives à la situation, faire preuve de jugement clinique, planifier les interventions et les exécuter, évaluer à tout moment l'évolution de l'état du client et ses réactions, l'orienter vers des ressources extérieures, s'il y a lieu. Le PTI demeure obligatoire pour les soins à domicile et on doit utiliser le formulaire recommandé par l'OIIQ.

Directives relatives à la documentation des soins infirmiers

Le dossier clinique est un document légal qui peut servir de preuve dans une cour de justice ; en le constituant, le personnel soignant doit donc tenir compte de nombreux facteurs. En effet, il doit non seulement assurer la confidentialité du dossier, mais aussi se conformer à des normes juridiques.

Date et heure

On doit indiquer la date et l'heure de chaque inscription. Cette information est essentielle non seulement pour des raisons légales, mais aussi pour la sécurité de la personne. On note la date sous la forme année/mois/jour et l'heure selon la période de 24 heures, par exemple «2011-03-15, 20:30».

Fréquence

Il faut se conformer à la politique de l'établissement pour ce qui est de la fréquence des inscriptions au dossier et adapter cette fréquence à l'état de la personne. Ainsi, il faut mesurer et

19

consigner une pression artérielle instable plus fréquemment qu'une pression artérielle stable. En règle générale, on doit consigner une évaluation ou une intervention dès que possible pour une raison fort simple : si le client est transféré d'urgence aux soins intensifs, l'infirmière pourra présenter un dossier clinique à jour. Cependant, elle doit documenter les soins au fur et à mesure, et ne jamais consigner des soins *avant* de les avoir prodigués. Ainsi, il est interdit d'inscrire l'administration de substances narcotiques ou d'insuline avant de les avoir données. Lorsqu'elle administre un médicament prescrit PRN (au besoin), l'infirmière doit justifier les raisons de son intervention, en l'occurrence l'évaluation de la douleur sur l'échelle PQRST ou un déséquilibre glycémique, respectivement. Rappelons que l'infirmière doit apposer sa signature après avoir noté chaque intervention relative à l'administration de narcotiques ou d'hypoglycémiants.

Lisibilité

On doit écrire lisiblement afin d'éviter les erreurs d'interprétation. L'infirmière doit se conformer aux politiques de l'établissement pour ce qui est des notes manuscrites.

Permanence

On utilise toujours une encre foncée afin d'assurer la **permanence** des inscrits au dossier et d'éviter toute modification. Les inscriptions écrites à l'encre foncée ressortent clairement dans les microfilms et les photocopies et il faut se conformer aux politiques de l'établissement pour ce qui est du type de stylo et d'encre à utiliser. Dans certains établissements, on demande d'utiliser une couleur différente pour chaque quart de travail : rouge pour la nuit, bleu pour le jour et vert pour le soir, ce qui facilite grandement la recherche d'une information.

Terminologie

Beaucoup d'abréviations sont universelles, mais d'autres sont propres à certains pays ou à certaines régions. De plus, quelques abréviations ont plusieurs significations, ce qui peut porter à confusion. Ainsi, « AG » peut signifier « antigène », « acide gras » ou « anesthésie générale », « TS » peut signifier « temps de saignement » ou « tentative de suicide », et « IRA » peut signifier « insuffisance rénale aiguë » ou « insuffisance respiratoire aiguë ». C'est pourquoi les dirigeants d'un grand nombre d'établissements sont tenus de mettre au point et de faire approuver la liste de leurs abréviations d'usage. On doit utiliser seulement les abréviations, les symboles et les termes acceptés par l'établissement où l'on travaille afin d'éviter de compromettre la sécurité des personnes. Si on n'est pas certain d'une abréviation, on écrit le mot au long. Le tableau 19-3 présente la liste des symboles le plus souvent employés.

TABLEAU 19-3
QUELQUES SYMBOLES FRÉQUEMMENT UTILISÉS

Symbole	Signification
>	Plus grand que
<	Plus petit que
=	Égal à
↑	Augmentation
↓	Diminution
♀	Femme
♂	Homme
°	Degré
×	Fois (multiplié par)

 CONSEILS PRATIQUES

NOTIONS DE SOINS À DOMICILE

« Dans un contexte de soins à domicile, assurer la continuité des soins présente des difficultés particulières en ce qui a trait à l'accès à l'information et à la coordination des soins. Il importe donc de prendre différentes mesures à cet effet.

« L'infirmière s'assure que toute l'information clinique pertinente liée à l'évaluation initiale et à l'évaluation en cours d'évolution, que le plan [de soins et de traitements infirmiers] et les ajustements qu'elle y apporte sont consignés au dossier du client. Cette information clinique doit toujours être à jour. Le recours à des feuilles d'enregistrement systématique peut faciliter le suivi de différents aspects de la situation de santé (ex. : douleur, plaie, glycémie, dépistage, signes vitaux) ainsi que l'évaluation des résultats obtenus.

« Le plan [de soins et de traitements infirmiers] ainsi que toutes les données pertinentes sur la situation de santé du client et sur son évolution doivent être accessibles aux infirmières appelées à prendre la relève. [...]

« Lorsque l'infirmière confie des soins à domicile à d'autres membres du personnel infirmier, dans le cadre du plan [de soins et de traitements infirmiers], elle s'assure que ceux-ci ont accès à toute l'information pertinente pour leurs interventions.

« L'infirmière collabore avec les membres de l'équipe interdisciplinaire pour répondre aux divers besoins du client. [...]

« Ainsi, l'infirmière du soutien à domicile, qu'elle soit l'infirmière responsable ou remplaçante, prend les moyens nécessaires pour transmettre l'information pertinente en temps opportun au client, aux autres infirmières, au médecin traitant et aux professionnels de la santé en lien avec le suivi du client, que ce soit intra ou interétablissements. [...]

« Lorsque la condition du client le nécessite ou qu'une situation d'urgence se présente, l'infirmière l'oriente vers la ressource institutionnelle appropriée et s'assure de transmettre l'information pertinente. [...]

« Le système de documentation des soins infirmiers doit permettre de suivre l'évolution de la situation de santé des clients et faciliter la continuité des soins, notamment en assurant l'arrimage constant de l'information disponible à l'infirmière au domicile et de celle consignée au dossier du client. »

Source : Ordre des infirmières et infirmiers du Québec (OIIQ). (2003). *L'exercice infirmier en santé communautaire. Soutien à domicile.* Montréal : Auteur.

19

CONSEILS PRATIQUES

DIRECTIVES RELATIVES À LA DOCUMENTATION DES SOINS INFIRMIERS

À FAIRE

Consigner un changement dans l'état de la personne, puis démontrer qu'on a pris les mesures nécessaires.

Lire les notes de l'infirmière avant de donner des soins afin de déterminer si l'état de la personne a changé.

Faire preuve de diligence. Même s'il vaut mieux consigner une action tardivement plutôt que ne pas la consigner du tout, il faut dans la mesure du possible consigner les soins immédiatement après les avoir donnés.

Donner des descriptions objectives, précises et factuelles.

Corriger les erreurs de notation.

Consigner toutes les activités d'enseignement.

Citer textuellement les paroles de la personne en utilisant des guillemets (données subjectives).

Consigner les réactions de la personne aux interventions.

Réviser ses notes pour s'assurer qu'elles sont claires et traduisent exactement sa pensée.

À ÉVITER

Laisser un espace blanc à remplir par une collègue du quart de travail suivant.

Consigner une action (procédé, administration d'un médicament, etc.) à l'avance.

Employer des termes vagues (par exemple «semble à l'aise» et «a passé une bonne nuit»).

Faire une inscription à la place d'une autre personne.

Effacer ou corriger une inscription, même à la demande d'un supérieur ou d'un médecin.

Inscrire des jugements ou des préjugés (en employant des mots comme «geignard» ou «désagréable»).

Salwa Assis, DAE — *diplôme d'attestation par équivalence*

Justesse de l'orthographe

L'exactitude des dossiers exige de la rigueur en ce qui a trait à l'orthographe des mots. Si on doute de la graphie d'un mot, on doit consulter le dictionnaire ou un autre ouvrage de référence. Des médicaments complètement différents peuvent néanmoins avoir des orthographes qui se ressemblent, par exemple l'épirubicine (antinéoplasique) et l'épinéphrine (bronchodilatateur), ou le dimenhydrinate (Gravol), qui est un antiémétique, et la diphenhydramine (Benadryl), qui est un antihistaminique. C'est aussi la raison pour laquelle il est parfois difficile de bien comprendre une ordonnance mal rédigée. Les ordonnances informatisées représentent à cet égard un net avantage.

> **ALERTE CLINIQUE** • Les fautes d'orthographe donnent une impression défavorable au lecteur et, par conséquent, nuisent à la crédibilité de l'infirmière. •

Signature   *DAE*

Toute inscription dans les notes de l'infirmière doit être signée par son auteure. L'infirmière doit faire suivre sa signature de l'abréviation correspondant à son titre:

Étudiante inf.	étudiante en soins infirmiers (niveau collégial) ou en sciences infirmières (niveau universitaire)
C.E.P.I.	candidate à l'exercice de la profession
Inf.	infirmière
Inf. aux.	infirmière auxiliaire
Inf., B.Sc.	infirmière bachelière
Inf. clin.	infirmière clinicienne
Inf., M.Sc.	infirmière possédant une maîtrise
Inf., Ph.D.	infirmière possédant un doctorat
IPS	infirmière praticienne spécialisée

Certains établissements tiennent une liste de signatures afin de permettre aux infirmières inscrites d'apposer seulement leurs initiales dans les dossiers. Le code attribué à chaque infirmière tient lieu de signature dans les dossiers informatisés.

Exactitude

Le nom et les renseignements signalétiques de la personne doivent apparaître sur chaque page du dossier, sous forme imprimée ou manuscrite. On doit vérifier si on a en main le bon dossier avant d'y faire une inscription. On ne doit pas identifier les dossiers uniquement par le numéro de chambre de la personne. Il faut toujours vérifier le nom de la personne et être particulièrement attentif si deux personnes portent le même nom de famille.

«L'**exactitude** des données inscrites au dossier du client conditionne la valeur du contenu de la documentation des soins infirmiers eu égard au soutien clinique à la pratique» (OIIQ, 2002). Les données doivent exprimer des faits ou des observations et non des opinions ou des interprétations.

> L'inexactitude des données peut entraîner la prise de décisions erronées et des préjudices au client. De plus, tout jugement de valeur et toute interprétation non validée du comportement du client auprès de ce dernier nuisent à la précision des données et peuvent desservir l'infirmière dans ses activités cliniques (OIIQ, 2002).

Ainsi, il est plus exact d'écrire que la personne «a refusé la médication» (fait) que d'écrire qu'elle «est récalcitrante» (opinion). De même, il vaut mieux consigner que la personne «pleurait» (observation) que d'indiquer qu'elle «était déprimée» (interprétation). Quand une personne exprime son inquiétude devant un diagnostic ou un problème, on doit citer ses paroles textuellement, par exemple: *Dit: «Je m'inquiète pour ma jambe.»* Il faut éviter les mots vagues qui peuvent avoir différentes interprétations, par exemple «gros», «bon» ou «normal». Ainsi, on écrira «Ecchymose de 2 cm sur 3 cm» plutôt que «Grosse ecchymose».

19

Si on fait une erreur de notation, on raye le texte, on écrit *inscription erronée* à côté ou au-dessus et on appose ses initiales ou sa signature (selon la politique de l'établissement). Il ne faut pas essayer de faire disparaître le texte à l'aide de rayures, d'une gomme à effacer ou de liquide correcteur, car l'inscription initiale doit demeurer visible. Si le dossier est informatisé, on doit se conformer aux politiques de l'établissement en ce qui a trait à la correction des erreurs de notation.

> **ALERTE CLINIQUE** • Évitez d'écrire le mot « erreur » quand vous faites une erreur de notation. Certains pensent que ce mot attire l'attention lors d'une poursuite judiciaire et peut laisser sous-entendre que la personne a subi un tort à la suite d'une erreur professionnelle. •

Il faut faire ses inscriptions sur des lignes consécutives, mais ne rien écrire entre les lignes. Si un énoncé ne remplit pas complètement une ligne, on tire un trait jusqu'au bout de la ligne de manière à empêcher les ajouts. Enfin, on signe l'inscription en précisant le prénom, le nom et le titre abrégé.

Ordre chronologique

On note les événements selon l'ordre chronologique. « La présentation chronologique des soins infirmiers et des événements, le cas échéant, avec les dates et heures correspondantes, permet de suivre l'évolution de la situation de santé du client et d'évaluer les résultats obtenus à la suite des interventions » (OIIQ, 2002). Par exemple, il s'agit de faire état de la collecte des données, des interventions infirmières puis des réactions de la personne. Ensuite, il faut mettre la liste des problèmes à jour, au besoin. Par ailleurs, si on oublie de consigner une intervention, on doit inscrire au dossier une note tardive en précisant bien la date et l'heure, par exemple :

2011-03-14 – 14:00. Note tardive du 2011-03-14 – 10:00. Premier lever postopératoire effectué avec l'aide de deux personnes, fait trois pas pour se rendre jusqu'à son fauteuil, accuse un léger étourdissement en position debout pendant le déplacement. A pu rester dans son fauteuil 15 minutes d'affilée, réinstallé dans son lit par la suite.

Lorsque la note tardive représente un fait, une intervention ou un résultat ayant eu lieu les jours précédents, l'infirmière doit l'inscrire pendant son quart de travail courant, sans tenir compte de l'ordre chronologique.

Pertinence

La pertinence de la documentation des soins infirmiers représente son bien-fondé en regard de la situation de santé de la personne, des décisions cliniques de l'infirmière, des interventions, de leurs résultats et de la continuité des soins. L'OIIQ (2002) donne quelques exemples, tels que l'état de la peau chez une personne alitée ; les données obtenues à l'auscultation pulmonaire chez une personne ayant des problèmes respiratoires ; les caractéristiques des signes neurovasculaires chez une personne porteuse d'un plâtre à la jambe ; les étapes franchies par la personne relativement à l'enseignement préparatoire du congé et à son degré de compréhension à chaque étape.

Il faut noter seulement les informations qui se rapportent directement aux problèmes de santé et aux soins de la personne. Les autres renseignements personnels transmis par la personne ne doivent pas figurer dans le dossier. La consignation de renseignements inopportuns pourrait être considérée comme une atteinte à la réputation ou à la vie privée. Si, par exemple, une personne confie à l'infirmière qu'elle était héroïnomane il y a 20 ans, cette dernière *ne* doit *pas* consigner ce renseignement dans son dossier, sauf s'il a un effet direct sur son problème de santé. Par contre, si une femme enceinte hospitalisée à cause d'une pneumonie confie à l'infirmière qu'elle est victime de violence conjugale, bien que cette confidence n'ait pas de lien avec le motif de l'hospitalisation, si l'infirmière juge qu'il est raisonnable de croire qu'un danger imminent guette cette femme et son futur bébé, en vertu de l'article 60-4 du *Code des professions* (voir plus haut), elle peut communiquer ce renseignement à des personnes susceptibles de lui porter secours.

Complétude

L'infirmière ne peut consigner toutes les données qu'elle obtient au sujet d'une personne. Cependant, elle doit veiller à la **complétude** des inscrits, c'est-à-dire que l'information qu'elle consigne doit être complète et utile tant pour la personne que pour les professionnels de la santé.

Les notes de l'infirmière doivent rendre compte de la démarche de soins. « Elles doivent permettre de soutenir et d'expliquer les décisions diagnostiques et thérapeutiques de l'infirmière à partir des informations sur lesquelles elle fonde son jugement clinique et des liens qu'elle établit avec l'évaluation de la situation de santé du client » (OIIQ, 2002). On doit noter les collectes des données, les problèmes ou les diagnostics infirmiers, les interventions infirmières, les commentaires et les réactions de la personne aux interventions, les progrès accomplis afin d'atteindre les objectifs et les communications avec les autres membres de l'équipe de soins.

Il faut aussi consigner les soins qui ont été *omis* en raison de l'état de la personne ou d'un refus de sa part. Dans ce cas, on indique les soins omis, le motif de leur omission et le nom de la personne qui en a été informée.

> **ALERTE CLINIQUE** • Notez les interventions usuelles comme les changements de position, même si elles vous semblent évidentes et banales. Ne présumez pas que vos lecteurs comprendront qu'elles sont « sous-entendues ». •

Concision

Comme la complétude, la concision favorise l'efficacité de la communication. On peut omettre le mot « patient » au début d'une phrase et écrire, par exemple : « Transpire abondamment. Respiration superficielle, irrégulière, 28/min. » On termine chaque énoncé par un point. Bien que le dossier appartienne à l'établissement de soins, tout le contenu qui s'y rattache (paramètres, consultations, observations, ordonnances, etc.) est identifié au nom du client, communément appelé patient. Bien que ce ne soit pas une erreur de l'écrire, il n'est pas nécessaire de le faire puisqu'il est évident que les écrits sont en lien avec le patient.

Prudence

L'exactitude et la complétude des dossiers confèrent une protection légale à l'infirmière, aux autres membres du personnel soignant, à l'établissement de soins de santé et à la personne soignée. Admissible en cour comme document légal, le dossier clinique constitue une preuve de la qualité des soins donnés. Les jurés et les avocats le considèrent habituellement comme la meilleure preuve des actes dont la personne a bénéficié (Iyer et Camp, 1999). En cas de poursuite judiciaire, une infirmière peut être condamnée pour faute professionnelle par manque de preuves, car aucun tribunal ne tiendra compte d'une intervention qui n'est pas inscrite au dossier, même si elle a été exécutée.

> **ALERTE CLINIQUE** • Une tenue de dossier rigoureuse, fondée par exemple sur la démarche de soins infirmiers, constitue la meilleure défense à opposer aux accusations d'erreurs professionnelles. •

Afin d'assurer sa protection sur le plan légal, l'infirmière doit se conformer non seulement aux normes de pratique professionnelle, mais aussi aux politiques et aux règlements définis par l'établissement en matière d'intervention et de notation, et ce, dans toutes les situations, en particulier dans celles qui présentent un risque élevé. En voici un exemple :

11:00 – Se plaint d'étourdissements. Ridelles du lit relevées ; lui ai recommandé de rester au lit et d'appeler en appuyant sur la sonnette, si elle a besoin d'aide.

11:30 – Personne trouvée par terre à côté de son lit. Dit : « Je suis passée toute seule par-dessus les ridelles. » Lui ai demandé si elle avait mal. A répondu : « Ça va, mais je suis un peu étourdie. » L'ai aidée à remonter dans son lit. PA 100/60, P90, R24. Ai avisé le Dr R. Nadon. R. Lépine, inf.

Organisation

La documentation des soins infirmiers doit être organisée de façon à permettre « un accès facile et rapide à des informations pertinentes et favoriser la complémentarité des divers outils cliniques utilisés » (OIIQ, 2002).

Rapports

Un rapport sert à communiquer des renseignements précis à une personne ou à un groupe. Qu'il soit verbal ou écrit, il doit être concis et divulguer des informations pertinentes sans détails superflus. Outre les rapports de relève et les rapports téléphoniques, l'infirmière rédige des rapports pour communiquer des

informations ou des opinions à d'autres professionnels de la santé en ce qui concerne les soins d'un client, lors des réunions de planification des soins et des réunions d'étude de cas, par exemple.

Rapport de relève

L'infirmière rédige un **rapport de relève** à la fin de chaque quart de travail. Ce rapport s'adresse à toutes les infirmières qui commencent leur quart de travail et contient un résumé des besoins des différents clients (début de l'enseignement de l'utilisation du spiromètre, par exemple), des soins sporadiques à prodiguer qui ne sont pas inscrits au cardex (heure d'une ponction veineuse en vue de la perfusion d'héparine intraveineuse) et des éléments à surveiller (mesure des excreta urinaires après le retrait d'une sonde vésicale, par exemple). Le rapport de relève a donc pour fonction principale d'assurer le suivi des soins. Il peut être verbal, écrit ou enregistré sur bande magnétique. Le rapport verbal permet à l'interlocuteur de poser des questions ; le rapport écrit et le rapport enregistré sont souvent plus brefs et moins explicites. Parfois, l'infirmière écrit son rapport au chevet de la personne et elle peut alors la faire participer à l'échange d'informations. L'encadré 19-2 présente les éléments clés d'un rapport de relève.

Rapport téléphonique

Les professionnels de la santé transmettent souvent des informations par téléphone. L'infirmière peut faire part au médecin d'un changement dans l'état de santé d'une personne. Elle peut informer une collègue d'une autre unité de soins du transfert d'un client. Enfin, elle peut recevoir les résultats du service de radiologie. L'infirmière qui reçoit un **rapport téléphonique** doit consigner la date et l'heure de l'appel, le nom de son interlocuteur ainsi que le sujet dont il est question, puis signer l'inscription qu'elle a fait au dossier. Si elle n'est pas certaine d'avoir bien compris l'information qui lui est transmise par téléphone, elle doit la répéter à son interlocuteur afin de vérifier si elle est juste.

Exemple : 2011-10-14 – 10:35 Ht indiqué au téléphone par P. Messier, technicienne de laboratoire : 0,39. D. Brissette, inf.

On doit faire preuve de concision et de précision si on fait un rapport téléphonique à un médecin. Il faut se présenter et se situer par rapport à la personne :

Exemple : « Ici Jeannine Gaudreault, infirmière. Je vous appelle au sujet de Mme Dorothée Desmarais. C'est moi qui lui donne les soins pendant le quart de 8:00 à 16:00. »

Dans un rapport téléphonique, l'infirmière fait habituellement mention du nom de la personne, de son diagnostic, des changements de son profil, des variations des signes vitaux par rapport aux valeurs initiales, des résultats des analyses de laboratoire et des interventions infirmières pertinentes. L'infirmière doit avoir le dossier de la personne sous la main afin de pouvoir fournir un complément d'informations au médecin. Après avoir fait un rapport téléphonique, l'infirmière note au dossier la date, l'heure et le contenu de la conversation.

Exemple : Dorothée Desmarais a été admise à 12:00 ; se plaint de douleur de type brûlure dans le quadrant supérieur droit de l'abdomen. PA 120/80, P100, R20 à l'admission. Demerol

19

ENCADRÉ 19-2
ÉLÉMENTS CLÉS DU RAPPORT DE RELÈVE

- Présentez l'information de manière ordonnée (en suivant l'ordre des numéros de chambre dans un établissement de soins, par exemple).

- Identifiez chaque personne (nom, numéro de sa chambre, numéro de son lit, par exemple).

- Pour une nouvelle personne admise, indiquez le motif de son admission ou bien son diagnostic médical, son âge, son état général, son PSTI ainsi que son PTI, la date de son intervention chirurgicale, les examens paracliniques qu'elle a subis et les traitements qu'elle a reçus depuis son arrivée et le nom de ses proches.

- Mentionnez les changements importants dans l'état de la personne et présentez les informations de manière chronologique (c'est-à-dire en suivant l'ordre des étapes de la démarche de soins), par exemple : « M. Roland Vermette a dit qu'il ressentait une douleur sourde dans le mollet gauche à 14:00. L'inspection n'a révélé aucun autre signe. La douleur dans le mollet pourrait être reliée à une diminution de la circulation sanguine. Le repos et l'élévation des jambes sur un tabouret pendant 30 min l'ont soulagé de sa douleur. »

- Soyez précise, par exemple : « Mme Jocelyne Barrette a reçu 6 mg de morphine IV à 20:00 » et non « Mme Jocelyne Barrette a reçu de la morphine pendant la soirée ».

- Faites état des besoins émotionnels particuliers de chaque personne. Ainsi, une personne qui vient d'apprendre qu'elle est atteinte d'une tumeur et qu'elle devra subir une laryngectomie a besoin d'exprimer ce qu'elle ressent avant de recevoir un enseignement préopératoire.

- Indiquez les ordonnances infirmières et médicales.

- Faites état des transferts et des congés.

- Indiquez clairement les soins prioritaires et ceux que les personnes doivent recevoir au début du quart de travail. Lors du rapport de relève de 7:00, par exemple, l'infirmière pourrait dire : « Il faut prendre les signes vitaux de M. Li à 7:30 et remplacer son sac de soluté à 8:00. » Inscrivez ces renseignements à la fin de votre rapport, car on retient mieux les données présentées au début et à la fin d'une énumération.

- Soyez brève en ce qui concerne des renseignements généraux ou des soins usuels (par exemple, il est inutile d'indiquer qu'il faut prendre les signes vitaux à 8:00 et à 12:00 si telle est la norme dans l'unité).

- Ne mentionnez pas les visites, sauf si elles posent problème, et n'indiquez pas non plus que des visiteurs ont participé à l'enseignement ou aux soins. Le soutien social et les visites sont habituels dans un établissement de soins de santé.

---

100 mg IM administré à l'admission. À 15:15, PA 100/40, P120, R30. Douleur inchangée. Pâle et transpire abondamment. Rapport téléphonique au Dr Lebrun à 15:30. T. Bourdages, inf.

Ordonnances téléphoniques et verbales

Il arrive souvent que les médecins prescrivent un traitement ou un médicament par téléphone. La plupart des établissements se dotent de politiques précises à ce sujet. C'est ainsi que, dans la plupart des cas, seules les personnes habilitées légalement à exécuter l'ordonnance sont autorisées à recevoir des ordonnances par téléphone.

On doit écrire l'ordonnance sous la dictée du médecin et la lire à haute voix pour en vérifier l'exactitude. Il ne faut pas hésiter à poser des questions au médecin si une ordonnance paraît ambiguë, inusitée (posologie exceptionnellement élevée, par exemple) ou non appropriée pour la personne. On transcrit ensuite l'ordonnance sur la feuille d'ordonnances du médecin, en précisant qu'il s'agit d'une ordonnance verbale (OV) ou téléphonique (OT). Les directives relatives aux ordonnances téléphoniques sont présentées dans l'encadré 19-3. Le médecin doit contresigner l'ordonnance dans le délai prescrit par les politiques de l'établissement, qui est habituellement de 24 heures.

Exemple : 2011-10-14 – 11:15 administrer un bolus de NaCl 500 mL en une heure. OT Dr René Audy / Suzie Rivard, inf., B.Sc.

Réunion de planification des soins

Lors des réunions de planification des soins, les infirmières discutent des solutions possibles aux problèmes d'un client, comme son incapacité d'accepter un événement ou l'absence de progrès en vue d'atteindre un résultat escompté. Plusieurs types d'équipes travaillent sur un même dossier, certaines individuellement, qui visent un but précis, d'autres, conjointement, pour atteindre un but commun. L'interdisciplinarité dans les soins de santé fait référence au travail d'équipe exécuté par les soignants de différentes disciplines (Voyer, 2006). D'autres termes désignent ce type de travail d'équipe, selon la contribution de chacun des professionnels : **multidisciplinarité** (interaction de savoirs de différentes disciplines sans qu'il y ait nécessairement de communication entre elles) ; **pluridisciplinarité** (association de différentes sciences pour arriver à une meilleure efficacité) ; **interdisciplinarité** (collaboration de diverses compétences professionnelles ciblant un même but). Ainsi, à l'occasion d'une réunion de planification des soins, les infirmières peuvent demander à une travailleuse sociale de présenter les problèmes familiaux d'un enfant gravement brûlé ou à une diététiste d'exposer les problèmes nutritionnels d'une personne diabétique.

L'efficacité des réunions de planification des soins repose sur le respect mutuel, c'est-à-dire sur l'ouverture aux idées des autres en dépit des divergences de valeurs, d'opinions et de croyances. L'infirmière doit être réceptive aux idées de ses collègues et les écouter sans porter de jugement, même si elle n'y adhère pas.

Réunion d'étude de cas

Une réunion d'étude de cas est une rencontre entre deux infirmières ou plus au chevet d'un client. Elle vise à :

- Obtenir des informations qui faciliteront la planification des soins infirmiers.

- Permettre au client de participer aux discussions concernant ses soins.

- Évaluer les soins infirmiers que le client a reçus.

ENCADRÉ 19-3
DIRECTIVES RELATIVES AUX ORDONNANCES TÉLÉPHONIQUES

1. Prenez connaissance des règlements qui précisent les personnes habilitées à donner et à recevoir des ordonnances verbales et téléphoniques.

2. Prenez connaissance de la politique de l'établissement en ce qui a trait aux ordonnances téléphoniques. (Dans certains établissements, on exige qu'une deuxième infirmière écoute la conversation et consigne l'ordonnance.)

3. N'acceptez pas d'ordonnance d'un prescripteur que vous ne connaissez pas.

4. Demandez au prescripteur de parler lentement et clairement.

5. Si vous ignorez l'orthographe d'un nom de médicament, demandez au prescripteur de l'épeler.

6. Si le médicament, la posologie ou le changement prescrit ne vous paraissent pas convenir à ce client, faites-le savoir au prescripteur.

7. À la fin de la conversation, lisez l'ordonnance au prescripteur. N'utilisez pas d'abréviations (dites, par exemple, «trois fois par jour» plutôt que «tid»).

8. Écrivez l'ordonnance sur la feuille d'ordonnances du médecin. Notez la date et l'heure et indiquez qu'il s'agit d'une ordonnance téléphonique (OT). Apposez votre signature suivie de votre titre.

9. Pour consigner les posologies, écrivez toujours un chiffre avant une virgule décimale (0,3 mL, par exemple).

10. Écrivez le mot «unité» au long (par exemple «20 unités d'insuline» et non «20 U d'insuline»).

11. Transcrivez l'ordonnance.

12. Conformez-vous au protocole de l'établissement en ce qui a trait au délai dans lequel le prescripteur doit signer l'ordonnance (généralement, 24 heures).

Source: Cirone, N. (1998). Taking orders by phone? *Nursing, 28*(8), 56; d'après Mosby, Inc. (1999). *Surefire documentation: How, what and when nurses need to document* (p. 271-273). St. Louis: Auteur.

ALERTE CLINIQUE • Dans la mesure du possible, rédigez le rapport de relève dans un lieu où vous serez à l'abri des oreilles indiscrètes et où vous risquerez moins d'être dérangée afin de pouvoir respecter le caractère confidentiel des données transmises. •

Pendant une réunion d'étude de cas, l'infirmière qui donne les soins au client résume les besoins de celui-ci et les interventions accomplies. Ce type de communication se révèle bénéfique tant pour le client que pour l'infirmière. En effet, le client peut prendre part à la discussion, et l'infirmière peut le voir et inventorier le matériel qu'elle aura à utiliser pour ses soins. Pour favoriser la participation du client, l'infirmière doit employer un langage adapté et compréhensible pour lui. Utiliser la terminologie médicale aurait pour effet de l'exclure des conversations.

RECHERCHE EN SCIENCES INFIRMIÈRES

LES DOSSIERS REFLÈTENT-ILS LE TRAVAIL RÉELLEMENT ACCOMPLI PAR LES INFIRMIÈRES?

En 1998, Brooks a utilisé la méthode des cas multiples en recherche qualitative pour effectuer une étude-pilote qui consistait à étudier les perceptions qu'avaient les infirmières de la fonction et de l'importance de la tenue des dossiers, ainsi que les obstacles à cette démarche. Dans le cadre de cette recherche, elle a posé à sept infirmières travaillant dans une unité de soins généraux une série de questions ouvertes portant sur leur manière de communiquer, de raisonner et de prendre des décisions à propos d'une personne qui avait été leur patiente ce jour-là. Brooks a ensuite comparé les commentaires des infirmières au contenu des dossiers et elle leur a demandé d'analyser les différences entre leur «travail réel» et les données qu'elles avaient consignées.

En classant les données selon leur contenu, Brooks a pu dégager un certain nombre de thèmes. Toutes les infirmières ont déclaré qu'elles accordaient de l'importance à la tenue de dossier; cependant, elles étaient déçues du peu d'utilisation qu'on faisait de leurs notes («Une grande partie de ce que nous consignons n'a pas tellement d'importance»). Elles considéraient notamment que la surcharge de travail et les formulaires «encombrants» constituaient des obstacles à la tenue de dossier. Elles laissaient sous-entendre qu'elles ne possédaient ni le vocabulaire ni la motivation nécessaires pour consigner les comportements et les problèmes autres que physiques des patients.

Brooks a relevé des divergences entre les questions soulevées par les infirmières et les données notées dans les dossiers. Par exemple,

les infirmières ont expliqué qu'une partie de leur temps était consacrée à des activités comme calmer l'anxiété des patients en période préopératoire et déterminer si une désorientation était d'apparition récente ou ancienne. Leur façon de décrire la situation des clients démontrait un jugement intuitif et empathique («Il a besoin de prendre le temps d'en parler»). Elles élaboraient des stratégies qu'elles communiquaient verbalement à leurs collègues au moment de la relève («Tu dois passer du temps avec lui»). Pourtant, les dossiers étaient construits selon un modèle médical et contenaient principalement des résultats d'examens physiques. La plupart des infirmières ont été surprises par l'écart entre la nature des soins qu'elles notaient et ceux qu'elles disaient valoriser.

Implications: L'étude-pilote de Brooks laisse supposer que les infirmières ne notent pas fidèlement leurs activités. Les infirmières qui ont participé à cette étude accordaient de l'importance aux questions de comportement mais communiquaient leur opinion verbalement plutôt que d'en rendre compte dans les dossiers. Or, en ne faisant pas état du travail qu'elles ont réellement accompli, les infirmières minimisent leur contribution aux soins de santé. Avec l'avènement de la gestion de cas dans le système des soins de santé, il est capital que les infirmières communiquent leurs connaissances et leurs stratégies. Elles doivent laisser dans les dossiers les marques de l'approche holistique qui leur est propre.

Source: Brooks, J. T. (1998). An analysis of nursing documentation as a reflection of actual nurse work. *MEDSURG Nursing, 7*(4), 189-196.

19

Révision du chapitre

MOTS CLÉS

Activités de la vie domestique (AVD), **448**

Activités de la vie quotidienne (AVQ), **448**

Bilan hydrique, **438**

Cardex, **440**

Collecte des données, **438**

Complétude, **452**

Consignation, **427**

Demande de services interétablissements (DSIE), **441**

Discussion, **427**

Documentation des soins infirmiers, **428**

Dossier, **427**

Dossier clinique, **427**

Dossier informatisé, **441**

Dossier orienté vers la source, **431**

Dossier orienté vers les problèmes (DOP), **432**

Écart, **436**

Exactitude, **451**

Feuille de surveillance, **436**

Fiche de médicaments, **438**

Formulaires d'enregistrement systématique, **438**

Inscription, **427**

Interdisciplinarité, **454**

Méthode APIE, **436**

Méthode de gestion de cas, **436**

Méthode des notes ciblées (*focus charting*), **436**

Méthode des notes d'exception, **438**

Méthode des notes narratives, **432**

Méthode SOAPIER, **432**

Multidisciplinarité, **454**

Notation, **427**

Notes d'évolution, **430**

Permanence, **450**

Plan de congé, **441**

Plan de soins et de traitements infirmiers (PSTI), **440**

Plan de soins et de traitements infirmiers traditionnel, **440**

Plan de soins et de traitements infirmiers type, **440**

Plan thérapeutique infirmier (PTI), **440**

Pluridisciplinarité, **454**

Rapport, **427**

Rapport d'incident-accident, **441**

Rapport de relève, **453**

Rapport téléphonique, **453**

SMAF (système de mesure de l'autonomie fonctionnelle), **448**

Surveillance de l'état de la peau, **438**

Surveillance des signes vitaux, **438**

CONCEPTS CLÉS

■ Le dossier clinique du client est un document légal qui prouve qu'il a reçu des soins.

■ L'infirmière a le devoir de respecter la confidentialité des dossiers.

■ Le dossier clinique sert à de nombreuses fins : la communication, la planification des soins, la vérification, la recherche, l'éducation et l'analyse des soins de santé. Il obéit également à des obligations d'ordre légal.

■ Il existe différents systèmes de tenue de dossier et méthodes de documentation des soins infirmiers : dossier orienté vers la source, dossier orienté vers les problèmes, méthode des notes narratives, méthode SOAPIER, méthode APIE (analyse, problèmes, interventions, évaluation), méthode des notes ciblées (*focus charting*), méthode de gestion de cas, méthode des notes d'exception et dossier informatisé.

■ Dans le système de tenue de dossier orienté vers la source, les données sont classées selon les disciplines des soins de santé.

■ Dans le système de tenue de dossier orienté vers les problèmes, les données sont classées selon les problèmes de santé du client.

■ La méthode de la gestion de cas vise la prestation de soins efficients et de qualité lors d'un séjour d'une durée déterminée.

■ L'ordinateur facilite la planification et la tenue de dossier. Grâce au terminal de chevet, l'infirmière peut consigner immédiatement ses interventions et les résultats de ses évaluations.

■ Le cardex facilite la consultation des données par divers professionnels de la santé.

■ Les notes d'évolution rendent compte des progrès accomplis par le client en vue d'atteindre les résultats escomptés. La façon dont elles sont présentées dépend de la méthode de documentation ou du système de tenue de dossier utilisé dans l'établissement.

■ Dans les établissements de soins de longue durée, la forme et le contenu des dossiers varient selon le type de soins prodigués et les exigences des organismes de réglementation.

■ L'infirmière doit se conformer à des normes légales en ce qui concerne la tenue de dossier. Elle doit écrire lisiblement, utiliser une encre foncée, indiquer la date et l'heure de ses inscriptions, employer une terminologie appropriée, soigner son orthographe et signer ses inscriptions. Elle doit en outre inscrire toutes les données en ordre chronologique en faisant preuve d'exactitude, de pertinence, de complétude, de concision, de prudence et d'organisation.

■ Un rapport sert à communiquer des informations en vue d'améliorer la qualité des soins.

Références

Allan, J., et Englebright, J. (2000). Patient-centered documentation. *Journal of Nursing Administration, 30*(2), 90-96.

Burke, L. J., et Murphy, J. (2000). Letters to the editor : Patient documentation. *Journal of Nursing Administration, 30*(7/8), 342.

Charte des droits et libertés de la personne, L.R.Q., c. C-12.

Code civil du Québec, L.Q. 1991, c. 64.

Code de déontologie des infirmières et infirmiers (projet et règlement). (2002). 134 G.O. II, 394.

Code des professions, L.R.Q., c. C-26.

Hébert, R. (1997). Functional decline in old age. *Canadian Medical Association Journal, 157*, 1037-1045

Iyer, P. W., et Camp, N. H. (1999). *Nursing documentation : A nursing process approach* (3e éd.) St. Louis, MO : Mosby.

Loi sur l'accès aux documents des organismes publics et sur la protection des renseignements personnels, L.R.Q., c. A-2.1.

Loi sur la protection des renseignements personnels dans le secteur privé, L.R.Q., c. P-39.1.

19

Loi sur les services de santé et les services sociaux, L.R.Q., c. S.-4.2.

Ordre des infirmières et infirmiers du Québec (OIIQ). (2001). *La mosaïque des compétences cliniques initiales de l'infirmière. Compétences initiales.* Montréal: Auteur.

Ordre des infirmières et infirmiers du Québec (OIIQ). (2002). *Énoncé de principes sur la documentation des soins infirmiers.* Montréal: Auteur.

Ordre des infirmières et infirmiers du Québec (OIIQ). (2003a). *Lignes directrices. L'exercice infirmier en santé communautaire. Soutien à domicile.* Montréal: Auteur.

Ordre des infirmières et infirmiers du Québec (OIIQ). (2003b, septembre/octobre). Les inci-dents et les accidents maintenant dénoncés. *Le Journal, 1*(1).

Ordre des infirmières et infirmiers du Québec (OIIQ). (2004). *L'exercice infirmier en soins de longue durée. Au carrefour du milieu de soins et du milieu de vie.* Montréal: Auteur.

Ordre des infirmières et infirmiers du Québec (OIIQ). (2006). *L'intégration du plan thérapeutique infirmier à la pratique clinique. Application de la loi 90.* Montréal: Auteur.

Ordre des infirmières et infirmiers du Québec (OIIQ). (2010). *Perspectives de l'exercice de la profession d'infirmière.* Montréal: Auteur.

Règlement sur les effets, les cabinets de consultation et autres bureaux des membres de l'Ordre des infirmières et infirmiers du Québec. (1997). L.R.Q. c. I-8, r. 7.01.

Smith, C. M., et Dougherty, M. (2001). Practice brief: Requirements for the acute care record. *Journal of AHIMA, 72*(3), 56A-56G.

Voyer, P. (2006). *Soins infirmiers aux aînés en perte d'autonomie. Une approche adaptée aux CHSLD.* Saint-Laurent: Éditions du Renouveau Pédagogique.

19

Partie 5

Une communication efficace est un élément essentiel de la relation infirmière-client et du rôle de leader. Les infirmières sont des expertes dans toutes les formes de communication ; elles savent que les gestes, les expressions et les autres éléments du langage corporel transmettent souvent des messages plus efficacement et plus exactement que les mots. L'infirmière ne réagit pas seulement au contenu factuel du message, mais tient compte des sentiments exprimés de manière verbale ou non verbale. La relation infirmière-client facilite un aspect vital du rôle de l'infirmière, celui de l'enseignement, qui est une forme de communication destinée à générer un apprentissage chez ce dernier.

Aspects essentiels du rôle de l'infirmière

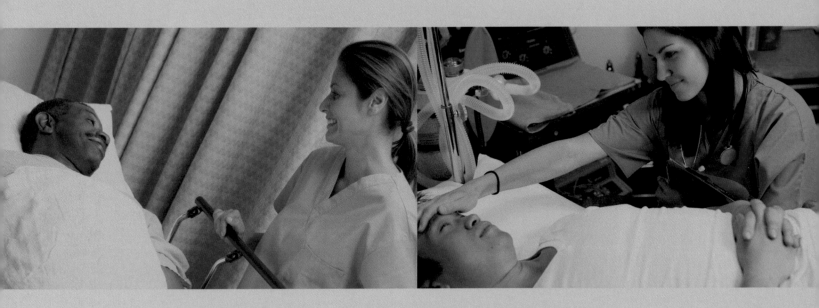

Chapitre 20

Adaptation française:
Mario Bilodeau, inf.
Certificat en santé mentale, certificat en soins critiques
Enseignant, Programme de soins infirmiers
Collège François-Xavier-Garneau

Caring, compassion et communication thérapeutique

OBJECTIFS D'APPRENTISSAGE

Après avoir étudié ce chapitre, vous pourrez:

- Discuter de la théorie des soins infirmiers en relation avec le caring.
- Décrire les principaux aspects de la compassion chez les infirmières.
- Décrire les facteurs qui influent sur le processus de communication.
- Aborder la communication thérapeutique de l'infirmière-client en tant que processus dynamique.
- Décrire certaines attitudes et habiletés en relation d'aide.
- Décrire les quatre étapes de la relation d'aide.
- Nommer les catégories de groupes orientés vers la promotion de la santé.
- Énumérer les caractéristiques des groupes efficaces.
- Expliquer la manière dont les infirmières déploient leurs aptitudes à communiquer à chaque étape de la démarche des soins infirmiers.

Caring

La plupart des infirmières considèrent le **caring** comme un aspect essentiel de la pratique infirmière. Aux yeux de Madeleine Leininger (2001), le caring constitue la principale dimension de cette profession; il la caractérise, la distingue et l'unifie (p. 35). D'après cette auteure, si l'on peut prodiguer le caring sans que la guérison s'ensuive, on ne saurait guérir sans caring. Bien sûr, il s'agit d'un phénomène universel, mais son expression, ses méthodes et ses modèles varient selon les cultures.

Pour Roach (2002), le caring est un modèle humain d'être ou « le critère d'humanité le plus courant et le plus authentique » (p. 28). La plupart des gens sont bienveillants par nature et développent leurs habiletés de caring en étant fidèles à eux-mêmes, vrais et sincères. Roach définit les six attributs du caring, qu'elle appelle les six C, soit la compassion, la compétence, la confiance, la conscience, la convergence et le comportement (encadré 20-1). Selon elle, chacun de ces six C reflète des valeurs particulières et sous-tend des actions méritoires par lesquelles l'infirmière peut démontrer des comportements de caring.

Leininger (2001, p. 58) définit le caring de différentes façons (encadré 20-2). Selon elle, le personnel soignant devrait fonder son travail non seulement sur la compréhension des soins, mais aussi sur celle des valeurs, des croyances en matière de santé et des modes de vie des clients de différentes cultures. Jean Watson (2005, 1999, 1985) situe, elle aussi, le caring au centre de la pratique infirmière. C'est pour ainsi dire l'idéal moral de l'infirmière qui non seulement soigne, mais nourrit l'intention et la volonté de le faire. Le caring s'appuie sur un ensemble de valeurs humanistes dont, entre autres, la bienveillance, l'ouverture à l'autre, l'amour de soi et des autres. Miller (1995) définit le caring comme « une pratique intentionnelle qui engendre la sécurité physique et émotionnelle de même qu'une réelle réciprocité entre deux ou plusieurs personnes. En effet, le caring fait appel aussi bien à la bienveillance de l'infirmière qu'à celle du client » (p. 32). La personne qui pratique le caring prend la défense des clients et leur assure les conditions nécessaires à leur croissance et à leur développement (Gordon, Benner et Noddings, 1996).

Selon Gadow (1984) et Noddings (1984), le caring peut se manifester sans qu'il y ait action ou communication verbale et être tout aussi aidant et réconfortant, si c'est ce que désire le client.

ENCADRÉ 20-1
LES SIX C DU CARING EN SOINS INFIRMIERS

Compassion

Sentiment qui permet de comprendre les relations qu'on noue avec les autres ; capacité de partager leurs joies, leurs peines, leurs douleurs et leurs accomplissements. Participation à l'expérience d'autrui.

Compétence

Connaissances, capacité de jugement, habiletés, énergie, expérience et motivation permettant de répondre adéquatement à autrui dans l'exercice de ses fonctions et dans les limites de ses responsabilités professionnelles.

Confiance

Qualité qui sous-tend des relations fiables. Capacité de se sentir à l'aise avec soi, le client et la famille.

Conscience

Sens moral et éthique ; sentiment éclairé du bien et du mal. Pleine conscience de ses propres responsabilités.

Convergence

Accord entre ses désirs et ses obligations et choix délibéré d'agir conformément à eux.

Comportement

Maintien, attitude, habillement et langage en harmonie avec une présence empreinte de caring. Capacité de démontrer par sa conduite qu'on est une personne qui respecte les autres et qui exige qu'on la respecte.

Source : Adapté de Roach, M. S. (2002). *Caring: The human model of being* (2ᵉ éd.). Ottawa : CHA Press.

ENCADRÉ 20-2
LE CARING D'APRÈS LEININGER

- Le caring se traduit essentiellement par des gestes d'aide et de soutien envers une personne ou un groupe en état de besoin ou qui le deviendra.
- Le caring améliore l'état de santé des personnes et des collectivités. Il stimule chez les personnes ou les groupes des activités saines et des apprentissages susceptibles de les aider, qui correspondent à ce que leur culture définit, consacre ou sanctionne.
- Le caring est indispensable à la survie, à la croissance et au développement humains.
- Le caring fait appel à divers comportements et attitudes : la compassion, le réconfort, l'implication, la coopération, l'empathie, l'enseignement, l'appui, l'intérêt, l'engagement, les instructions et les soins relatifs à la santé, l'assistance, l'amour, le dévouement, la présence, la protection, l'aide au rétablissement de la santé, le partage, la stimulation, l'allègement du stress, le soulagement, le soutien, la surveillance, la tendresse, l'émotion et la confiance.

Le caring produit des effets variés : il favorise la réalisation de soi ou la croissance personnelle, préserve la dignité et le sens de la valeur personnelle, stimule l'autoguérison et diminue le stress. Il peut aussi bien ne produire aucun résultat concret, étant lui-même le but de l'action. Sa valeur réside souvent dans le processus lui-même – qui en est un d'engagement et de relation.

Compassion

Il n'y a pas de soins infirmiers sans cette dimension fondamentale du caring qu'est la compassion. Depuis Florence Nightingale, on confond souvent la profession d'infirmière avec la compassion du fait que les infirmières consolent, soutiennent, encouragent, aident et insufflent force et espoir, autant d'attitudes qui traduisent la compassion.

Il faut cependant faire bien attention. Comme la compassion peut être synonyme de pitié, il est extrêmement important que l'infirmière, et tout professionnel de la santé, soit à l'affût des sentiments de tristesse qui risquent de l'envahir. Il ne s'agit pas d'éprouver sans cesse de la pitié, car cela suppose que l'on va faire tout et plus pour soulager les souffrances. Si l'on se sent envahi par la tristesse, afin de se protéger, il faudrait adopter une attitude d'empathie qui, elle, est beaucoup plus appropriée.

Processus de compassion

L'infirmière fait preuve de compassion lorsqu'elle partage le désespoir et la douleur d'une personne souffrante. En faisant écho au sentiment de la personne souffrante, l'infirmière la réconforte et lui redonne des forces. La **compassion**, souvent comparée à l'empathie, est un processus complexe qui « peut se manifester par des gestes discrets et furtifs, comme toucher le client, ou encore par des interventions plus soutenues, comme l'écouter » (Morse, 1996, p. 6). Le processus de compassion est guidé par le client qui en signale le besoin d'une façon ou d'une autre, mais c'est l'infirmière qui choisit l'approche souhaitable. Il ne s'agit pas pour autant d'un processus univoque : comme le client s'efforce souvent lui-même d'augmenter son bien-être, l'infirmière encourage cette participation, et le réconfort engendré par la compassion relève alors de l'un et de l'autre.

Finalité de la compassion : le réconfort

Le **réconfort** (*comfort*), que visent les comportements et les attitudes de compassion, renouvelle et augmente le pouvoir du client sur lui-même et le sentiment de maîtrise, qui ne peuvent que le stimuler, favoriser chez lui une attitude positive et l'inviter à la participation.

BESOINS EN MATIÈRE DE RÉCONFORT

Kolcaba (1995, 1991) définit les besoins de réconfort sous quatre angles : physique, psychospirituel, social et environnemental.

- Sous l'angle physique, les besoins en matière de réconfort renvoient aux sensations corporelles et aux problèmes physiologiques associés au diagnostic médical.
- Sous l'angle psychospirituel, les besoins en matière de réconfort renvoient à l'intériorité et touchent notamment la perception et l'estime de soi, la sexualité et le sens de la vie. Ils concernent aussi, le cas échéant, la relation du client avec un ordre ou un être supérieur.
- Sous l'angle social, les besoins en matière de réconfort envisagent les relations interpersonnelles dans le contexte familial ou autre.

■ Sous l'angle environnemental, les besoins en matière de réconfort concernent les éléments du cadre physique où se déroule l'expérience personnelle du client, comme la lumière, le bruit, l'ambiance, la couleur, la température et les matières naturelles plutôt que les produits synthétiques. Ils peuvent aussi englober l'alimentation et le langage propres à une culture donnée.

TYPES DE RÉCONFORT

Kolcaba distingue trois types de réconfort : le soulagement, la satisfaction et la transcendance. Le *soulagement* s'installe quand un besoin spécifique trouve une réponse. Celle-ci peut être incomplète, partielle, passagère et même ne durer qu'un court instant, mais elle permet au client de reprendre certaines activités ou d'aborder paisiblement la mort. La *satisfaction* réside dans un état de calme ou signale une joie sereine. Elle peut indiquer un soulagement total de malaises persistants plutôt qu'un soulagement passager de malaises graves, mais elle ne vient pas forcément à la suite d'un malaise. Dans tous les cas, la satisfaction permet à la personne de poursuivre efficacement ses activités. La *transcendance* désigne le réconfort particulier qui va, pour ainsi dire, au-delà des problèmes ou de la douleur. Ce type de réconfort diffère des deux autres en ce que la personne se trouve énergisée ou aspirée vers une performance inhabituelle ; c'est le stade ultime du soulagement et de la satisfaction. Une telle intensité de réconfort requiert des moyens exceptionnels pour surmonter la douleur, l'incapacité ou d'autres difficultés. Elle est engendrée par des affections ou des blessures qui entraînent des changements corporels permanents, par exemple chez les victimes d'arthrite invalidante, de douleurs intenses ou d'un traumatisme médullaire.

Soins de réconfort

On peut procurer du réconfort à un client directement et indirectement, c'est-à-dire par l'intermédiaire d'autres membres du personnel ou de la famille ou encore par le biais de l'environnement (par exemple, assurer le calme ambiant, une bonne coordination du personnel soignant et un soutien aux membres de la famille ou à d'autres proches). Des mesures s'imposent dès que le client manifeste de la détresse ou un malaise, ou qu'il exprime un besoin particulier. Puisqu'il existe de nombreux types de malaise à des degrés d'intensité variables, la créativité et l'innovation sont de mise, si l'infirmière veut répondre par des mesures particulières individualisées. Celles-ci s'expriment souvent dans des gestes tout simples : apporter une couverture chaude, offrir une tasse de thé ou appliquer une crème hydratante, pourvu que l'infirmière connaisse les besoins plus fondamentaux d'ordre médical et infirmier dans le cas, par exemple, de plaies ouvertes, de douleur, d'infection, d'obstruction des voies respiratoires, de confusion, etc. Comme nous l'avons déjà mentionné, les soins de réconfort englobent les domaines psychospirituel, social et environnemental. S'exprimer d'une voix calme, reconnaître et accepter les émotions, faire don de sa présence et encourager la prise de décision sont autant de soins de réconfort. Soutenir la famille et les amis et les encourager à venir rendre visite au client figurent parmi les soins de réconfort de type social. Mettre à profit l'environnement peut se résumer à ouvrir une fenêtre ou à ranger la chambre. Le tableau 20-1 présente des exemples de stratégies de communication thérapeutique inhérentes à la compassion et axées sur le réconfort.

Puisque les soins de réconfort visent un mieux-être, on peut les évaluer en comparant le degré de bien-être du client avant et après l'intervention. En milieu hospitalier, poursuivre le bien-être absolu est illusoire. Il incombe plutôt à l'infirmière d'encourager et d'aider le client à surmonter les obstacles afin d'obtenir un maximum de bien-être.

Communication

Le terme « communication » revêt plusieurs sens suivant les contextes. Il peut s'agir d'un échange d'informations, d'idées ou d'opinions entre deux ou plusieurs personnes ; on recourt alors à la parole et à l'écoute, ou à l'écriture et à la lecture, ou à des gestes et à des attitudes corporelles. Cependant, peindre, danser, raconter des histoires et exprimer sa sexualité sont aussi des moyens de communiquer.

La communication peut viser des buts plus intimes ou plus profonds que l'échange d'idées ou d'opinions. Elle peut exprimer des émotions ou favoriser une interaction plus personnelle et sociale entre des personnes. Dans un couple, il est fréquent que l'un des conjoints se plaigne du fait que l'autre ne communique pas. Certains adolescents constatent un fossé entre les générations – ils sont incapables de communiquer avec émotion ou dans une certaine ouverture d'esprit avec un parent ou une personne en position d'autorité. Parfois, on dit d'une infirmière qu'elle est efficace mais manque de ce qu'on appelle une *bonne écoute*. Pour notre propos, le terme **communication** comprend ici tous les moyens d'échanger des informations ou des émotions entre deux personnes ou plus. C'est là un fondement des relations humaines et, notamment, de la pratique infirmière.

Le but de toute communication est d'obtenir une réponse. Il s'agit donc d'un processus qui a pour double objectif d'influencer les autres et d'obtenir des informations. La communication est efficace ou elle ne l'est pas. Dans le premier cas, il faut qu'il y ait partage d'informations, de pensées ou d'émotions entre deux ou plusieurs personnes. Dans le second cas, la transmission d'informations ou d'émotions est entravée ou bloquée.

L'infirmière qui sait communiquer efficacement réussit mieux à recueillir les données d'évaluation, à amorcer les interventions, à évaluer leurs résultats, à promouvoir les changements qui favorisent la santé et à éviter les problèmes juridiques associés à la pratique infirmière. Le processus de communication thérapeutique repose sur une relation de confiance avec le client et ses proches et, en retour, une bonne relation infirmière-client s'établit à la faveur d'une communication thérapeutique efficace.

La communication peut être d'ordre intrapersonnel, interpersonnel ou peut concerner un groupe. Tant l'émetteur d'un message que le récepteur poursuivent, en effet, un *monologue intérieur*. L'émetteur pense à la formulation de son message avant de le transmettre, il y pense pendant qu'il l'envoie et une fois qu'il a été reçu. Cela se produit constamment, si

20

TABLEAU 20-1

EXEMPLES DE STRATÉGIES DE COMMUNICATION THÉRAPEUTIQUE INHÉRENTES À LA COMPASSION ET AXÉES SUR LE RÉCONFORT

Stratégie	Description	Exemples de réponses données par les infirmières
Attitude d'empathie	Exprimer la compréhension des émotions et des comportements du client, ainsi que des expériences qu'il a vécues. Reconnaître la difficulté de la situation. Se mettre à la place de l'autre.	«Je crois comprendre que cela soit difficile pour vous.» «Je comprends combien c'est difficile pour vous.» «Dans cette situation, il est très normal d'éprouver ce que vous ressentez.»
Interventions positives	Informer, encourager et stimuler le client.	«Vous réussissez très bien; c'est un procédé très difficile.» «Ce n'est pas facile de franchir ces étapes, mais vous allez mieux. Vous faites du bon travail!» «La plupart des familles dans cette situation ressentent et pensent la même chose que vous.»
Toucher thérapeutique	Dans les situations appropriées, maintenir un contact physique avec le client, le rassurer et le réconforter.	«Aimeriez-vous que je vous tienne la main pendant le procédé?» «Je vais masser votre épaule pendant un petit moment, jusqu'à ce que le médicament contre la douleur commence à faire effet.»
Compétences physiques et techniques appropriées	Diminuer l'anxiété et favoriser le bien-être par des actes compétents et efficaces.	«L'installation de cette perfusion IV ne prendra que quelques minutes, vous semblez avoir de très belles veines.» «Nous faisons ce procédé très souvent. Y a-t-il des questions auxquelles nous n'avons pas répondu?»
Vigilance	Manifester la qualité de l'engagement envers le client.	«Je reviens voir comment vous allez.» «Je serai absente pendant environ 30 minutes. Si vous avez besoin de moi avant, sonnez et je viendrai.»

bien que la communication intrapersonnelle peut nuire à la capacité d'entendre correctement le message conçu par l'émetteur (figure 20-1 ■).

Processus de communication

Dans la communication directe, il y a un émetteur, un message, un récepteur, ainsi qu'une réponse ou une rétroaction (figure 20-2 ■). Dans sa forme la plus simple, la communication est un processus bilatéral: un message est envoyé, puis reçu. Puisque le but de la communication est de susciter une réponse, le processus est permanent et les rôles s'interchangent: le récepteur du message devient l'émetteur d'une réponse et l'émetteur initial devient le récepteur de celle-ci.

ÉMETTEUR

L'*émetteur* (une personne ou un groupe) qui souhaite envoyer un message peut être considéré comme un *codeur de source,* ce qui laisse entendre que l'émetteur a une idée à transmettre ou, en tout cas, un motif pour communiquer (source), et qu'il doit mettre cette idée ou ce motif en forme transmissible. Le **codage** réside dans le choix de signaux ou de symboles particuliers (codes) qui serviront à la transmission du message: des mots d'une certaine langue, une manière de les combiner et le recours à tel ton de voix et, le cas échéant, à tels gestes. Dans le cas d'un récepteur francophone, l'émetteur choisira probablement des mots français.

MESSAGE

Le deuxième élément du processus de communication est le *message* lui-même: ce qui est dit ou écrit, le langage corporel qui accompagne les mots et la manière dont le message est transmis. Le moyen de transmettre le message constitue le canal de communication, et il peut s'adresser à l'un ou l'autre des sens du récepteur: la vue, l'ouïe, le toucher. Il importe que le canal soit adapté au message et en assure la plus grande clarté possible.

Dans certaines circonstances, communiquer face à face peut porter davantage que téléphoner ou écrire. Enregistrer des messages sur cassette ou les communiquer par l'intermédiaire de la radio ou d'Internet convient mieux quand on s'adresse à un auditoire. La communication écrite sert à fournir de longues explications ou à conserver un message. Le canal non verbal du toucher est souvent très efficace (figure 20-3 ■).

RÉCEPTEUR

Le *récepteur,* troisième élément du processus de communication, est la personne à qui s'adresse le message, qui doit écouter, observer et être attentive. Cette personne est le *décodeur* qui doit saisir ce que l'émetteur a voulu dire (interprétation). Cette perception met plusieurs sens à profit pour recevoir les messages verbaux et non verbaux. Le **décodage** implique d'abord l'intégration du message perçu dans les connaissances et l'expérience emmagasinées par le récepteur, puis la clarification du sens. Le décodage du récepteur sera d'autant plus fidèle à l'intention

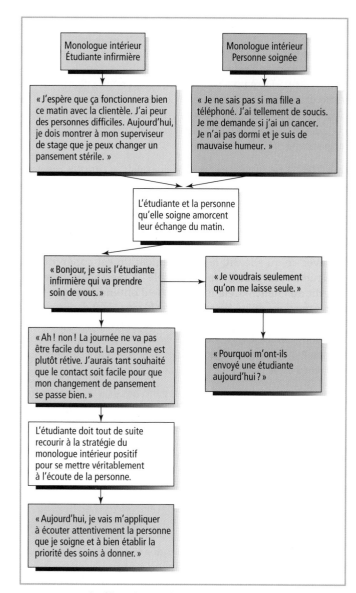

FIGURE 20-1 ■ Améliorer le monologue intérieur de l'étudiante infirmière.

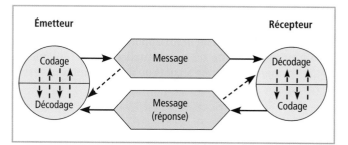

FIGURE 20-2 ■ Le processus de communication. Les flèches pointillées illustrent la communication intrapersonnelle (monologue intérieur). Les lignes pleines illustrent la communication interpersonnelle.

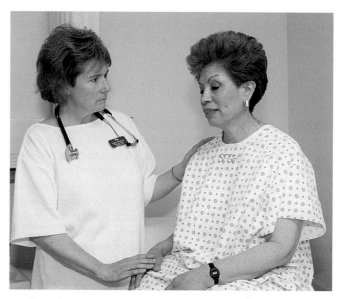

FIGURE 20-3 ■ Des formes appropriées de toucher correspondent à de véritables soins.

de l'émetteur que leurs connaissances, leurs expériences et leurs antécédents socioculturels se ressemblent. La communication est jugée efficace quand le sens du message décodé par le récepteur correspond à l'intention de l'émetteur. La communication est inefficace lorsque le message envoyé n'est pas interprété par le récepteur en conformité avec l'intention de l'émetteur. Lorsque la communication est malhabile ou contradictoire, seul le message non verbal sera retenu. Par exemple, M. Côté est anxieux parce qu'il vient d'apprendre qu'il sera opéré de nouveau. En entrant dans la chambre, l'infirmière s'apprête à lui expliquer la nature du médicament contre la douleur qu'elle

 RECHERCHE EN SCIENCES INFIRMIÈRES

LE BAVARDAGE ET LA CONVERSATION SOCIALE SONT-ILS DES TECHNIQUES DE COMMUNICATION THÉRAPEUTIQUE EFFICACES ?

L'étude de Fenwick, Barclay et Schmeid (2001) visait à évaluer l'utilité du bavardage ou de la conversation sociale à titre de techniques de communication dans le domaine des soins à la famille en milieu néonatal. Les chercheurs ont d'abord effectué une analyse théorique de 60 heures d'entrevues menées auprès de 28 femmes, une analyse thématique de 50 heures d'entrevues menées auprès de 20 infirmières et une analyse de contenu de 398 échanges enregistrés entre des infirmières et des parents. Les résultats de la recherche montrent que les échanges verbaux entre une mère et une infirmière ont une influence positive sur la confiance éprouvée par la mère, sur son sentiment de maîtrise et sur son impression d'attachement à l'enfant. Bavarder, ici, n'est pas loin de partager.

Implications : Cette étude confirme que le bavardage ou la conversation avec la mère représente pour l'infirmière un outil clinique très efficace pour faciliter les rapports interpersonnels. Ce type de propos donne un visage humain à la relation d'aide.

Source : Fenwick, J., Barclay L., et Schmeid, V. (2001). Chatting : An important clinical tool in facilitating mothering in neonatal nurseries. *Journal of Advanced Nursing, 33*, 583-593.

20

va lui donner. M. Côté lui répond d'un ton cassant (ce qui est inhabituel chez lui) qu'il connaît bien ce médicament et qu'il était grand temps qu'elle le lui apporte. L'infirmière qui ne prendrait pas la peine de contextualiser cette réplique de M. Côté passerait outre une anxiété qu'il a pourtant bien besoin de partager.

RÉPONSE

Le message que le récepteur envoie à l'émetteur en guise de réponse constitue le quatrième élément du processus de communication. On l'appelle aussi **rétroaction** (ou **feedback**); celle-ci peut prendre la forme verbale, non verbale ou les deux. Un hochement de tête ou un bâillement sont des exemples de communication non verbale. La rétroaction permet éventuellement à l'émetteur de corriger ou de reformuler son message.

Modes de communication

Les deux principaux modes de communication sont la communication verbale et la communication non verbale, aussi appelée *paralangage*. La **communication verbale** utilise la parole ou l'écriture, tandis que la **communication non verbale** recourt à d'autres moyens, tels que les gestes, l'expression faciale ou le toucher, entre autres. Bien que les deux modes de communication soient souvent simultanés, l'essentiel de la communication n'est pas verbal. Bien comprendre la communication non verbale permet à l'infirmière de gérer efficacement la communication thérapeutique et de consolider sa relation thérapeutique.

COMMUNICATION VERBALE

La communication verbale est en grande partie sous le contrôle du moi conscient puisque l'émetteur choisit les mots pour formuler son message. Le vocabulaire varie évidemment selon les interlocuteurs et leur culture, leur milieu socioéconomique, leur âge et leur éducation. Il existe donc diverses manières d'échanger des idées et une multitude de mots pour formuler des messages. De plus, une large gamme d'émotions circule entre des gens qui parlent.

Lorsqu'elle choisit les mots qu'elle prononcera ou écrira, l'infirmière veille: (1) au rythme et à l'intonation; (2) à la simplicité; (3) à la clarté et à la concision; (4) au moment de l'intervention et à la pertinence du contenu; (5) à l'adaptabilité; (6) à la crédibilité; (7) éventuellement à l'humour.

RYTHME ET INTONATION. Le rythme et l'intonation qui accompagnent le message ont une incidence sur l'effet et les sentiments qu'il provoquera. L'intonation traduit l'enthousiasme, la tristesse, le mécontentement ou l'amusement. Le rythme signale l'intérêt, l'anxiété, l'ennui ou la peur. Par exemple, parler lentement et avec douceur à un client anxieux peut aider à le calmer.

SIMPLICITÉ. S'exprimer avec simplicité, c'est choisir des mots courants ainsi que des formules concises et produire un contenu exhaustif. S'il est nécessaire que l'infirmière possède un vocabulaire spécialisé et comprenne les termes techniques, tout le monde n'est pas en mesure de les saisir. L'infirmière évitera, par exemple, de parler de vasoconstriction ou de cholécystec-

tomie avec le client; elle l'entretiendra des mêmes réalités dans des mots simples et appropriés à son bagage culturel. Par exemple, au lieu de dire: «Demain, l'infirmière vous posera un cathéter afin de prélever un spécimen de votre urine», elle pourra dire: «Demain, l'infirmière prélèvera un échantillon de votre urine en insérant un petit tube dans votre vessie.» On peut dès lors s'attendre à ce que l'interlocuteur lui demande si cette intervention est nécessaire ou douloureuse: il a donc saisi le message.

CLARTÉ ET CONCISION. Un message clair et court se révélera efficace. La clarté d'expression suppose de recourir à des termes précis et la concision, d'utiliser le moins de mots possible. Il est préférable qu'un message ne contienne qu'une seule idée. Le résultat est un message simple et clair. Lorsque le comportement de l'infirmière ou son langage non verbal est en harmonie avec ce qu'elle dit, la communication est cohérente ou congruente. On produira par exemple un message cohérent si l'on dit au client: «Cela m'intéresse d'entendre ce que vous avez à me dire» en lui faisant face, en le regardant dans les yeux et en se penchant légèrement vers lui. En fait, il s'agit de bien faire comprendre tous les aspects de la situation ou des circonstances. Parler lentement et articuler avec soin jouent également en faveur de la clarté.

MOMENT DE L'INTERVENTION ET PERTINENCE DU CONTENU. Quand elle veut communiquer, il est important que l'infirmière tienne compte du moment de l'intervention et de la pertinence du contenu. Le message aura beau être clair et concis, si le moment est mal choisi ou si le message est sans lien avec les préoccupations ou les intérêts de l'interlocuteur, il ne passera pas.

Il importe donc d'être sensible aux besoins et aux inquiétudes du client. Un client hanté par la peur du cancer n'aurait pas la disponibilité nécessaire pour accueillir un discours sur les soins préopératoires et postopératoires entourant une chirurgie de la vésicule biliaire. En revanche, il apprécierait peut-être d'avoir l'occasion d'exprimer son inquiétude et de recevoir un encouragement. D'autres moments plus opportuns se présenteront certainement pour lui fournir les explications requises.

Il est également judicieux de ne pas poser plusieurs questions à la fois. Par exemple, si l'infirmière dit d'un trait: «Bonjour, madame Tremblay, comment allez-vous ce matin? Avez-vous bien dormi? Votre mari vient vous voir avant l'opération, n'est-ce pas?», l'interlocutrice a bien des chances d'être étourdie plutôt qu'apaisée. Poser une question suppose également qu'on attende la réponse avant de formuler quelque commentaire. Des chercheurs ont observé qu'en donnant au client le temps d'engager une conversation ou de bavarder, l'infirmière établit d'emblée un rapport significatif avec lui (Fenwick, Barclay et Schmeid, 2001), ce qui ne peut que faciliter la communication thérapeutique.

ADAPTABILITÉ. Adapter une communication verbale, c'est la modifier au fur et à mesure que l'interlocuteur y réagit. Cette adaptabilité réclame de l'infirmière une bonne sensibilité à l'autre, une fine observation et la capacité de réfléchir sur le coup afin de personnaliser ses messages. Par exemple, une infirmière qui saluerait un client excessivement souffrant d'un

«Bonjour!» enthousiaste modifierait tout de suite son approche en le voyant se tordre de douleur et lui offrirait à la place une écoute attentive ou lui manifesterait de la compassion.

CRÉDIBILITÉ. Être crédible, c'est se montrer digne de foi, inspirer confiance et transmettre des messages fiables. Là se trouve le cœur d'une communication thérapeutique efficace. Ce sont la cohérence, le sérieux et l'honnêteté de l'infirmière qui lui valent d'être crédible. Être crédible suppose qu'elle soit bien informée, certaine de ce qu'elle dit et que ses connaissances relativement aux messages à livrer soient à jour. Une infirmière inspire d'autant plus confiance qu'elle reste consciente de ses limites : «Je ne peux pas répondre à cette question, mais je vais trouver quelqu'un qui pourra le faire.»

HUMOUR. L'humour est un atout extraordinaire pour la relation infirmière-client, à condition qu'on y recoure judicieusement. Il permet la détente dans des situations difficiles; on connaît d'ailleurs les vertus thérapeutiques du rire tant sur le plan physique que sur le plan émotionnel. Toutefois, il faut que le client soit au diapason et que l'infirmière ait le sens de l'humour, ce qui n'est pas le propre de tout le monde. Ahern (1995) formule ainsi les règles d'utilisation de l'humour :

- Connaître la raison pour laquelle on utilise l'humour et les conséquences de son utilisation.
- Connaître les principes théoriques associés à l'utilisation de l'humour en relation d'aide.
- Évaluer le type de personnalité du client: quel type d'humour préfère-t-il? De quel groupe culturel est-il issu? Quelle est son histoire personnelle?
- Recourir à l'humour au moment opportun.
- Tenir compte du contexte et des circonstances: le client est-il anxieux, en état de panique ou délirant? L'infirmière ressent-elle de l'animosité à son égard? L'environnement rend-il l'expression de l'humour peu souhaitable?
- Se sentir à l'aise avec l'utilisation de l'humour.

COMMUNICATION NON VERBALE

On appelle parfois *langage corporel* la communication non verbale, qui renvoie aux gestes, aux mouvements du corps, au toucher et à l'apparence physique, notamment les bijoux ou autres parures portés. Le langage corporel est souvent plus révélateur que la communication verbale du fait qu'il est plus spontané et moins maîtrisé (figure 20-4 ■). La communication non verbale peut aussi bien renforcer que contredire le contenu exprimé verbalement. Dire, par exemple : «Je serais heureuse de m'asseoir un instant et de parler avec vous» tout en jetant nerveusement des coups d'œil à sa montre produit une contradiction flagrante, et il est à peu près certain que l'interlocuteur tiendra pour vrai le message non verbal.

L'infirmière a tout intérêt à observer puis à interpréter les comportements non verbaux: l'apparence physique, la posture, l'allure générale, l'expression faciale et la gestuelle. Quelles que soient ses constatations, elle doit les interpréter avec circonspection, quitte à les vérifier soigneusement par la suite.

Le client dont les processus mentaux sont altérés (comme celui qui souffre de schizophrénie ou de démence) peut éprouver

FIGURE 20-4 ■ La communication non verbale est parfois plus efficace et plus révélatrice que les mots. *A*, Chez ces deux femmes, la posture indique l'ouverture à la communication. *B*, La posture du récepteur indique une résistance soit au contenu, soit à la communication.

des difficultés d'expression majeures. Cela rend d'autant plus importante l'observation du langage non verbal quand on veut détecter les émotions ou les sentiments de cette personne. Ce faisant, l'infirmière manifeste de la compassion et son acceptation du client, ce qui ne peut que servir les futurs échanges visant la consolidation de la relation thérapeutique et de la confiance.

Toutes les cultures ne donnent pas le même sens aux mêmes gestes. Si un sourire ou une poignée de main sont des signes sympathiques aux yeux d'un Québécois, un Russe pourrait y voir de l'arrogance ou de la frivolité.

L'infirmière ne peut pas toujours interpréter correctement d'emblée les expressions non verbales. Au sein d'un même groupe culturel, un sentiment peut se traduire différemment en langage corporel: certains expriment la colère par des gestes saccadés ou des mouvements agressifs, tandis que d'autres resteront figés dans un silence glacial. Il se peut même qu'une mesure défensive fasse sourire certaines personnes sous l'effet

20

de la colère, comme il arrive qu'on ait le fou rire dans un salon mortuaire. Par conséquent, l'infirmière devrait confirmer auprès du client l'interprétation de ses observations. Par exemple, elle peut demander: «Vous semblez avoir pleuré. Y a-t-il quelque chose qui vous inquiète?»

APPARENCE PHYSIQUE. La tenue vestimentaire, le choix des bijoux et autres parures en disent long sur une personne. Même si la manière de se vêtir reste très personnelle et rend compte jusqu'à un certain point de l'image de soi, elle peut signaler également le statut social, le niveau de culture, parfois l'appartenance religieuse ou ethnique. Certaines personnes hospitalisées se rassurent en portant des breloques ou des amulettes. Leur demander la signification symbolique de tel objet peut servir d'amorce à une véritable communication thérapeutique.

La manière dont une personne est vêtue indique souvent comment elle se sent. Les gens fatigués ou malades peuvent n'avoir ni l'énergie ni le désir de soigner leur tenue vestimentaire. Lorsqu'un client dont l'apparence est toujours impeccable se met à la négliger, on peut penser que son estime de soi est diminuée ou qu'il est très souffrant. Il suffit de l'interroger délicatement pour en avoir le cœur net. Inversement, des améliorations notoires dans l'apparence peuvent signifier que le client se sent mieux: ainsi en est-il de l'homme qui demande à être rasé ou de la femme qui réclame un shampoing ou sa trousse de maquillage.

DÉMARCHE ET ATTITUDE. La manière de marcher et de se déplacer traduit souvent l'humeur et la santé d'une personne, sinon la perception qu'elle a d'elle-même. Une posture droite et un pas décidé indiquent une saine énergie. Une attitude nonchalante et une démarche traînante évoquent, au contraire, un état plus ou moins dépressif ou quelque malaise physique. Une attitude tendue, des mouvements saccadés et un pas plutôt marqué peuvent indiquer l'anxiété ou la colère. Même les postures assises ou couchées sont révélatrices d'un état d'esprit ou d'humeurs. Là encore, l'infirmière gagne à vérifier les impressions que lui laissent les comportements observés: «Vous semblez avoir du mal à vous déplacer. Éprouvez-vous de la douleur? Que puis-je faire pour vous aider à mieux vous sentir?»

EXPRESSION FACIALE. Rien n'exprime autant qu'un visage (figure 20-5 ■). Surprise, peur, colère, dégoût, joie et tristesse transparaissent presque automatiquement, à moins qu'une grande maîtrise des muscles ne permette de cacher la véritable émotion. À défaut d'un message clair, il importe de sonder plus profondément le sens de l'expression. Évidemment, certaines expressions faciales revêtent une signification universelle: le sourire marque la joie; des lèvres pincées, la tête rejetée en arrière et des yeux pointés sous le nez de l'interlocuteur expriment plutôt du mépris. Cependant, une juste interprétation réclame de tenir compte d'autres indices: physiques, environnementaux, familiaux et culturels.

L'infirmière doit faire attention à ce que ses propres expressions communiquent. Le client ne tarde pas à lire son expression et remarque, par exemple, son malaise ou ses incertitudes. Un client terrifié par un prochain diagnostic surveillera le regard ou l'attitude de l'infirmière afin de détecter la réponse

FIGURE 20-5 ■ L'expression du visage de l'infirmière est rassurante et réconfortante.

redoutée, que celle-ci ne connaît d'ailleurs probablement pas. Le client dont le visage est marqué par une chirurgie cherchera des signes de dégoût sur le visage de son interlocutrice. Il est impossible de maîtriser toutes ses expressions faciales, mais il importe dans certaines circonstances de ne pas laisser paraître des sentiments tels que la peur ou le dégoût, tout en demeurant authentique.

Le contact visuel est un autre élément essentiel de la communication thérapeutique. Dans de nombreuses cultures, le contact visuel est une manière de reconnaître l'autre et de signaler la volonté de maintenir la communication. L'émetteur lance un coup d'œil à son interlocuteur pour attirer son attention avant de lui parler. Le client faible ou sans défense détournera souvent le regard pour éviter le contact visuel si le message reçu l'embarrasse ou si l'interlocuteur est trop autoritaire.

GESTES. Les gestes des mains et du corps peuvent accentuer et clarifier les paroles prononcées, sinon exprimer un état d'esprit ou transmettre un message fondamental sans que soit prononcée la moindre parole. Un père qui attend des nouvelles de la chirurgie que subit sa fille peut se tordre les mains, taper du pied, se ronger les ongles ou marcher de long en large. Tout cela en dit long sur son état d'esprit. Il n'y a rien de mieux qu'un geste, par exemple, pour indiquer la grosseur ou la forme d'un objet. Un «au revoir» de la main ou le fait de s'élancer vers une chaise sont des gestes on ne peut plus clairs pour tout le monde. Toutefois, certains gestes revêtent une signification particulière dans une culture donnée. En Amérique du Nord, balancer la main pour dire «va-t'en» signifie «viens ici» ou «reviens» dans certaines cultures asiatiques.

Chez le client présentant un problème de communication, comme la surdité, les mains jouent un rôle inestimable. De nombreux malentendants apprennent d'ailleurs le langage gestuel. Un client incapable, pour quelque raison que ce soit, de répondre verbalement peut s'inventer un système de communication manuelle. Par exemple, lever l'index une fois signifie «oui» et deux fois, «non»; d'autres signaux peuvent être mis au point par l'infirmière et le client pour augmenter le niveau de la communication.

LES ÂGES DE LA VIE

COMMUNICATION

Nourrissons

- Enseigner aux parents l'importance du toucher, car les nourrissons communiquent par l'intermédiaire de leurs sens.
- Utiliser un ton doux et calme, ainsi que le contact visuel.

Trotteurs et enfants d'âge préscolaire

- Leur donner le temps d'exprimer complètement leurs pensées sans les interrompre.
- Donner des réponses simples à leurs questions compte tenu de leur capacité restreinte de maintenir l'attention.
- Demander à un enfant de dessiner est un moyen de susciter la communication.

Enfants d'âge scolaire

- Parler à l'enfant en se plaçant au niveau de ses yeux pour éviter de l'intimider.
- Quand on parle avec les parents, offrir à l'enfant de prendre part à l'échange.

Adolescents

- Prendre le temps d'établir un rapport avec l'adolescent.
- Exercer l'écoute attentive.
- Éviter de critiquer et de réagir même aux propos dérangeants.

Facteurs qui influencent le processus de communication

De nombreux facteurs jouent sur le processus de communication thérapeutique : le niveau de développement, le sexe, les valeurs et les perceptions, l'espace personnel, la territorialité, les rôles et les relations, l'environnement et les attitudes interpersonnelles.

NIVEAU DE DÉVELOPPEMENT

La personnalité évolue tout au long de la vie, et ce, sur plusieurs plans, dont le langage, les caractéristiques psychosociales et les capacités intellectuelles. Lorsqu'elle a déterminé le niveau de développement d'un client, l'infirmière peut y adapter ses messages ou ses interventions. Recourir à des poupées, à des jeux et choisir des termes simples sont autant de moyens judicieux pour expliquer un procédé à un enfant. L'adolescent appréciera des explications plus détaillées vu sa capacité de raisonner dans l'abstrait, alors qu'un dirigeant d'entreprise souhaitera probablement le plus de renseignements techniques possible. La personne âgée qui a une longue expérience du système de santé aura des réactions particulières et comprendra les choses autrement. L'âge entraîne parfois des problèmes d'acuité visuelle ou auditive qui ne sont pas sans influer sur les relations interpersonnelles.

SEXE

Dès leur plus jeune âge, les garçons et les filles communiquent différemment. Les filles vont souvent opter pour le langage pour obtenir une confirmation, calmer une dispute et établir une intimité, tandis que les garçons s'en servent volontiers pour affirmer leur indépendance et marquer leur statut au sein d'un groupe. Ces différences peuvent subsister à l'âge adulte, et cela explique qu'un même message peut avoir une résonance différente chez un homme et chez une femme.

VALEURS ET PERCEPTIONS

Les *valeurs* orientent les comportements, et les perceptions renvoient à la manière personnelle de comprendre un événement. Puisque chaque personne déploie ses propres traits de personnalité, adhère à un système de valeurs personnel et intègre son lot particulier d'expériences, chacune perçoit les choses, interprète les messages ou traverse les expériences différemment. Supposons qu'une infirmière ferme le rideau autour du lit d'un client en larmes et le laisse tout seul. Celui-ci pourrait se dire : « L'infirmière pense que je vais déranger les autres ; je ne devrais pas pleurer », ou encore : « Cette infirmière a la gentillesse de préserver mon intimité ou mon besoin de solitude. » Dans la mesure où l'infirmière a pu sonder un tant soit peu les valeurs que privilégie le client, elle saura mieux comment agir ; quoi qu'il en soit, elle gagne toujours à confirmer ou à corriger ses propres perceptions et celles de l'autre pour éviter les obstacles à la communication.

ESPACE PERSONNEL

L'**espace personnel** est la distance que les gens souhaitent garder lorsqu'ils sont en contact avec les autres. La **proxémie** est l'étude de l'espace que franchissent les personnes en interactions et de la distance qu'elles entendent conserver. La classe moyenne nord-américaine établit des distances bien définies selon le type de relation de même que des tons de voix et un langage corporel particuliers. On a distingué quatre distances en fonction de quatre types de communication, chacune comportant une phase rapprochée et une phase éloignée. Tamparo et Lindh (2008) donnent les exemples suivants :

1. *Distance intime* : contact à 45 cm
2. *Distance personnelle* : de 45 cm à 1,2 m
3. *Distance sociale* : de 1,2 m à 3,6 m
4. *Distance publique* : de 3,6 m à 4,5 m

La *distance intime* est caractérisée par le contact physique, des sensations de chaleur et d'odeurs corporelles et un ton de voix peu élevé. La vision est intense, restreinte à une petite part du corps de l'autre et elle peut être déformée. L'infirmière se tient souvent à distance intime, par exemple pour câliner un bébé, accompagner un client malvoyant ou aider un client alité à changer de position, pour examiner une incision ou immobiliser un enfant à l'occasion d'une injection. C'est en vertu de l'autoprotection naturelle et instinctive que les gens gardent un certain espace libre autour d'eux, lequel varie selon les personnes et les cultures. Quand un interlocuteur s'approche trop, on recule spontanément d'un pas ou deux. L'infirmière est souvent obligée de franchir l'espace intime des clients soit pour accomplir des gestes cliniques, soit pour réconforter. Dans ces circonstances, elle gagne à les en prévenir. Habituellement, elle respecte la distance intime des clients.

La *distance personnelle* engage moins que la distance intime. Le ton de voix est modéré, la chaleur et les odeurs corporelles

20

sont moins évidentes. Le contact physique n'est pas exclu, par exemple serrer la main ou tapoter l'épaule de l'interlocuteur. À cette distance, on peut voir mieux le client dans sa totalité, ce qui permet de mieux observer ses comportements non verbaux et les expressions de son visage. La distance personnelle caractérise souvent la communication infirmière-client, par exemple quand l'infirmière discute avec quelqu'un, lui donne des médicaments ou installe une perfusion intraveineuse. Se tenir à distance personnelle facilite l'engagement et permet le partage d'idées et de sentiments, mais cela peut également créer des tensions si la distance empiète trop sur l'espace personnel de l'interlocuteur (figure 20-6 ■). À la limite de 1,2 m, toutefois, l'engagement est moindre et l'échange se borne plutôt au badinage ou aux conversations plus ou moins neutres.

La *distance sociale* est caractérisée par une perception claire de toute la personne. La chaleur et les odeurs corporelles sont imperceptibles, le contact visuel est plus subtil et le ton de voix assez élevé pour que d'autres puissent entendre. La communication est par conséquent plus formelle et ne fait appel qu'aux sens de la vue et de l'ouïe. L'espace intime est protégé et à l'abri du toucher ou de l'échange de pensées et de sentiments personnels. Cette distance favorise l'activité et les mouvements. Elle convient quand il s'agit de communiquer avec plusieurs personnes à la fois ou lorsqu'on dispose de peu de temps pour la communication, par exemple lorsque l'infirmière fait sa tournée ou salue quelqu'un en passant. Si la distance sociale est de rigueur pour exécuter les tâches quotidiennes, en abuser peut créer un froid dans la communication. Par exemple, l'infirmière qui se tient à la porte d'une chambre et demande : « Comment allez-vous aujourd'hui ? » doit s'attendre à une réponse évasive qui ne serait pas la même dans l'espace personnel.

La *distance publique* requiert un ton de voix fort et clair ainsi qu'une prononciation soignée. Les visages et les formes des personnes sont bien découpés, mais l'individualité disparaît. Cette distance convient aux communications de groupe ou carrément publiques.

FIGURE 20-6 ■ Un espace personnel est en jeu dans les communications aussi bien sociales que professionnelles. Empiéter sur l'espace personnel crée des tensions.

TERRITORIALITÉ

La **territorialité** englobe l'espace et les choses qu'une personne tient pour siens. Le territoire comporte des limites visibles. Par exemple, un client hospitalisé délimite souvent son territoire par les rideaux tirés autour du lit ou par les murs de sa chambre privée. La tendance universelle à marquer son territoire demande le respect de tout le personnel soignant puisque son envahissement entraîne une réaction spontanée. Par exemple, il suffit de déplacer une chaise et de l'approcher d'un lit voisin pour que le client sente son territoire violé. Il vaut toujours mieux demander la permission quand on touche d'une manière ou d'une autre aux objets placés dans un territoire donné.

RÔLES ET RELATIONS

Le statut de chacun et le type de relations entre l'émetteur et le récepteur influent sur le processus de communication. Le statut d'étudiante en soins infirmiers, d'enseignant, de client, de médecin ou de parent influe sur le contenu de la communication et sur les réponses obtenues. Le choix des mots, la structure de la phrase et le ton de la voix varieront considérablement en fonction du statut de la personne qui parle et de celui de l'interlocuteur. En outre, la relation particulière qui s'établit entre les personnes qui communiquent n'est pas sans poids. Un premier contact ne ressemble en rien à une communication de longue date.

ENVIRONNEMENT

Les gens communiquent habituellement mieux dans un milieu confortable. Les températures extrêmes, le bruit intense et une pièce mal aérée peuvent nuire à la communication. De plus, le manque d'intimité peut empêcher une personne de se confier. Par exemple, un homme inquiet de la capacité de sa conjointe à prendre soin de lui après sa sortie de l'hôpital peut se priver d'en parler si d'autres personnes peuvent entendre. Les distractions causées par l'environnement peuvent nuire à la communication, sinon la dénaturer.

ATTITUDES INTERPERSONNELLES

Nos attitudes transmettent nos croyances, nos pensées et nos sentiments envers les gens et les événements. Les autres les perçoivent rapidement tant elles sont éloquentes. Les attitudes, telles que l'écoute attentive (voir plus loin), le caring, la compassion, le respect chaleureux et l'acceptation inconditionnelle, facilitent la communication, tandis que la condescendance, l'indifférence et la froideur l'inhibent.

Le *caring* et la *compassion* procurent un sentiment d'intimité émotionnelle. De telles attitudes reflètent un souci réel et profond des clients. Le caring se traduit par des sentiments, des pensées, des aptitudes et des connaissances. Il est exigeant sur le plan de l'énergie psychique et, bien qu'il ne soit pas toujours gratifié en retour, il conduit habituellement à une communication et à une compréhension plus profondes. La compassion, communiquée par le sourire et un souci du bien-être de l'autre, manifeste de la chaleur et de la considération (Brammer et McDonald, 2002).

L'attitude de *respect chaleureux* tient compte de la valeur et de l'unicité de chaque personne. Elle reconnaît la particularité

20

et la spécificité des espoirs et des sentiments de l'autre même s'ils ont quelque chose d'universel. Tout le monde a besoin d'être unique et, en même temps, semblable aux autres. Une particularité trop accentuée peut conduire à l'isolement et représenter une menace. L'infirmière témoigne un respect chaleureux quand elle écoute avec attention et qu'elle est ouverte à ce qu'on lui exprime même si elle n'est pas d'accord; quand elle manifeste de l'intérêt au client; quand elle fait valoir l'importance de cette personne en faisant confiance à son potentiel, à sa capacité de prendre des décisions et à son autonomie. Elle peut découvrir de nouvelles façons d'aborder des situations inédites en écoutant de manière professionnelle le point de vue d'autrui.

L'attitude d'*acceptation inconditionnelle*, qui est en lien étroit avec le respect chaleureux, n'approuve pas ni ne désapprouve; elle n'est qu'attention aux sentiments exprimés. Une telle attitude de la part de l'infirmière donne libre cours aux confidences et à l'expression des émotions; elle permet surtout d'être soi-même en face de l'autre qui ne jugera pas. L'infirmière peut évidemment se montrer plus directive lorsque les comportements ou les situations dans lesquelles se trouvent le client, elle-même ou d'autres personnes de l'entourage sont néfastes. Aider le client à exprimer adéquatement ses sentiments fait partie du rôle éducatif de l'infirmière.

Communication thérapeutique

La **communication thérapeutique** favorise la compréhension et peut aider à établir une relation constructive entre l'infirmière et le client qu'elle soigne. Contrairement à la relation sociale, qui ne comporte pas nécessairement un but ou un sens particulier, la relation d'aide est axée sur le client et orientée vers l'atteinte d'un objectif.

L'infirmière est appelée à répondre non seulement au contenu du message verbal du client, mais aussi aux sentiments exprimés. Il importe de bien saisir comment le client voit la situation et ce qu'il éprouve avant de répondre. Le contenu de la communication, ce sont les mots et les pensées exprimés, détachés des sentiments. Quelquefois, la pensée exprimée en mots ne correspond pas aux émotions sous-jacentes; bref, la congruence n'est pas toujours au rendez-vous. Par exemple, une femme peut déclarer, les larmes aux yeux: «Je suis heureuse qu'il m'ait quittée; il était très cruel.» Comment réagir alors? Pour répondre aux mots, l'infirmière pourrait simplement les reformuler ainsi: «Vous êtes heureuse qu'il vous ait quittée» et, pour tenir compte des *sentiments*: «Tout cela semble vous attrister.» Une telle réponse aide le client à prendre conscience de ses émotions, ce qui vaut toujours mieux que de les refouler. Dans certaines circonstances, l'infirmière sent qu'elle doit explorer davantage l'état psychique du client afin de recourir si nécessaire à d'autres ressources pour lui venir en aide.

Il faut du temps pour apprivoiser certaines émotions fortes, qui sont plus ou moins épuisantes. Ce travail psychique est nécessaire avant de passer à autre chose, par exemple acquérir de nouvelles compétences ou planifier l'avenir. Cela est encore plus vrai en milieu hospitalier lorsque des clients apprennent qu'ils vont mourir. Certains mettent des heures, des jours et même des semaines avant d'être prêts à entreprendre une action précise. Certains ont besoin de temps pour eux-mêmes, d'autres, de quelqu'un qui les écoute; certains ont besoin d'aide pour reconnaître et exprimer leurs émotions, et d'autres requièrent un soutien pour appuyer leurs décisions à propos de l'avenir. Les techniques ou les habiletés de communication thérapeutique facilitent l'interaction; elles mettent l'accent sur les besoins et les émotions du client (tableau 20-2). Les stratégies de la communication thérapeutique inhérentes à la compassion et axées sur le réconfort figurent dans le tableau 20-1.

ÉCOUTE ATTENTIVE

L'**écoute attentive** est dite active parce qu'elle en appelle à tous les sens, tandis que l'écoute passive ne concerne que ce qu'on entend. Sur le plan de la communication, c'est certainement l'une des attitudes les plus importantes en soins infirmiers puisqu'elle est inhérente à toutes les techniques de communication. L'écoute attentive est un processus actif qui exige énergie et concentration pour appréhender le message tant verbal que non verbal dans sa globalité et en vérifier la congruence. L'écoute attentive perçoit aussi bien le contenu que les sentiments sous-jacents sans sélectionner ce qu'on voudrait bien entendre: l'infirmière ne met pas l'accent sur ses propres besoins mais sur ceux du client. L'écoute attentive conduit tout naturellement à la bienveillance et elle traduit l'intérêt de l'infirmière envers le client, ce qui encourage celui-ci à s'exprimer (figure 20-7 ■).

Appréhender le message dans sa globalité suppose qu'on l'écoute jusqu'au bout, sans interrompre l'interlocuteur. L'infirmière (le récepteur) gagne à s'accorder un délai avant de réagir, ce qui lui donne le temps de réfléchir et, éventuellement, de poser des questions pour préciser ce qui manque de clarté ou pour obtenir de plus amples informations.

Qu'on le veuille ou non, tout le monde a des préjugés, et l'infirmière a tout intérêt à reconnaître les siens et à s'en protéger afin de pouvoir accueillir des messages dont le contenu ne rencontre pas ses propres valeurs ou ses propres croyances. Rondeau (1992) conseille de laisser le client ou l'émetteur du message clore la conversation. Si c'était l'infirmière, son interlocuteur pourrait croire qu'elle juge son message peu important.

FIGURE 20-7 ■ La posture de l'infirmière indique la qualité de son écoute.

20

TABLEAU 20-2
TECHNIQUES OU HABILETÉS DE COMMUNICATION THÉRAPEUTIQUE

Technique	Description	Exemples
Utiliser le silence.	Accepter des pauses ou des silences qui peuvent durer de plusieurs secondes à plusieurs minutes sans intervenir ni donner de réponse verbale.	S'asseoir calmement (ou marcher) avec le client et attendre, en prêtant attention, qu'il soit capable de formuler ses pensées et ses sentiments.
Fournir des pistes qui incitent à poursuivre.	Recourir à des phrases ou à des questions qui : (1) encouragent le client à verbaliser ; (2) favorisent le choix d'un sujet de conversation ; (3) facilitent la poursuite de la verbalisation.	«Pouvez-vous me dire ce que cela représente pour vous ?» «Peut-être aimeriez-vous me parler de…» «Cela vous aiderait-il de parler de vos sentiments ?» «Par quoi aimeriez-vous commencer ?» «Et ensuite ?»
Parler de manière précise ou exploratoire.	Utiliser des formulations spécifiques plutôt que générales, exploratoires plutôt que formelles.	«Mesurez votre douleur sur une échelle de 0 à 10.» (Affirmation spécifique) «Avez-vous mal ?» (Affirmation générale) «Vous ne semblez pas vous préoccuper de votre diabète.» (Affirmation exploratoire) «Vous ne vous préoccupez pas du tout de votre diabète et vous ne le ferez jamais.» (Affirmation formelle)
Poser des questions ouvertes ou des questions fermées.	Poser des questions ouvertes (q. o.) qui invitent le client à explorer (détailler, clarifier, décrire, comparer ou illustrer) ses pensées et ses sentiments. Les questions ouvertes portent seulement sur le sujet qui doit être abordé et demandent des réponses développées. Les questions fermées (q. f.) sont utiles lorsque le client a de la difficulté à communiquer et elles permettent d'obtenir des réponses courtes et précises.	«J'aimerais que vous m'en disiez plus.» (q. o.) «Comment vous êtes-vous senti ensuite ?» (q. o.) «Qu'est-ce qui vous a amené à l'hôpital ?» (q. o.) «Qu'en pensez-vous ?» (q. o.) «Vous m'avez dit qu'hier vous avez ressenti de la douleur. Avez-vous mal maintenant ?» (q. f.) «Quel âge avez-vous ?» (q. f.)
Recourir au toucher.	Certaines formes de toucher peuvent renforcer le sentiment de compassion. Puisque la forme que prennent les contacts tactiles varie énormément selon les personnes, les familles et les cultures, l'infirmière doit être attentive aux différences entre les attitudes et les pratiques du client et les siennes.	Entourer les épaules du client avec son bras. Placer sa main sur sa main. Massage. Pratiquer le toucher thérapeutique.
Reformuler ou paraphraser.	Utiliser l'écoute active pour saisir le message du client et lui répéter ensuite ses pensées ou ses sentiments dans des mots semblables. Cela prouve que l'infirmière a écouté et compris le message pour ce qu'il est, et permet au client d'avoir une idée plus claire de ce qu'il veut dire.	*Client :* «Je n'ai rien pu manger hier soir – même pas le dessert.» *Infirmière :* «Vous me dites que n'avez pas eu d'appétit hier.» *Client :* «Oui, après le départ de ma famille, j'étais bouleversé.» *Client :* «J'ai de la difficulté à parler aux étrangers.» *Infirmière :* «Vous trouvez cela difficile de parler à des gens que vous ne connaissez pas ?»
Clarifier le sens.	Aider le client à rendre le message plus compréhensible dans son ensemble. Cela sert quand il est plus difficile de reformuler les phrases ou lorsque la communication se révèle décousue ou confuse. Pour clarifier ce qui a été dit, l'infirmière peut reformuler le cœur du message ou dire au client qu'elle ne comprend pas bien et lui demander de répéter ou de reprendre son message. L'infirmière peut aussi clarifier son propre message.	«Je ne sais pas quoi penser.» «Je ne suis pas certaine que je comprends ce que vous venez de dire.» «Pourriez-vous me répéter cela, s'il vous plaît ?» «Pouvez-vous m'en dire davantage ?» «Je veux dire ceci et non cela.» «Ce n'était pas très clair, je suis désolée. Laissez-moi vous expliquer de nouveau.»
Faire préciser.	Aider le client à préciser et à rendre sa pensée plus concrète. Cela permet de diminuer la complexité du problème, de réduire le sentiment d'impuissance et de cerner les éléments précis du problème.	*Client :* «Personne ne me comprend.» *Infirmière :* «Y a-t-il une personne en particulier qui ne comprend pas votre situation ?» *Client :* «J'ai mal partout.» *Infirmière :* «Indiquez-moi les endroits précis où vous ressentez de la douleur.»

TABLEAU 20-2 *(suite)*

Technique	Description	Exemples
Vérifier une perception ou chercher à confirmer une interprétation.	Vérifier le sens de certains mots plutôt que le sens du message dans son ensemble.	*Cliente:* « Mon mari ne m'offre jamais de cadeaux. » *Infirmière:* « Vous voulez dire qu'il ne vous a jamais offert de cadeaux à Noël et à votre anniversaire ? » *Cliente:* « Je ne devrais pas dire jamais. Il me donne quelque chose à Noël et à ma fête, mais il ne pense jamais à m'offrir quoi que ce soit à d'autres moments. »
Proposer.	Offrir un moment de présence, manifester un intérêt ou essayer de comprendre le client ; lui donner l'occasion de recevoir de l'attention sans rien demander en retour ni poser de condition.	« Je vais rester avec vous jusqu'à ce que votre fille arrive. » « Nous pouvons nous asseoir ici tranquillement pendant un moment ; nous n'avons pas besoin de parler, à moins que vous ne souhaitiez le faire. » « Si vous voulez, je vais vous aider à vous habiller pour retourner à la maison. »
Donner des renseignements.	Donner au client, de manière simple et directe, des renseignements précis, sollicités ou non. Lorsque l'infirmière ne peut pas répondre, elle le dit en précisant qui fournira les renseignements ou quand viendra la réponse.	« Votre chirurgie est prévue à 11 h demain matin. » « Vous allez sentir que ça tire un peu lorsqu'on retirera le tube de votre abdomen. » « Je n'ai pas la réponse à votre question, mais Mme Roy, l'infirmière responsable, pourra vous répondre. »
Reconnaître.	Reconnaître sans faire de jugement que le client a changé de comportement, qu'il a fait un effort ou a contribué à la communication. La reconnaissance peut être accompagnée ou non de compréhension, verbale ou non verbale.	« Vous avez taillé votre barbe et votre moustache, et vous vous êtes lavé les cheveux ! » « J'ai remarqué que vous plissez les yeux. Avez-vous de la difficulté à voir ? » « Aujourd'hui, vous êtes allé deux fois plus loin en vous appuyant sur votre déambulateur. »
Préciser le temps ou le moment.	Aider le client à situer un événement ou un fait dans le temps.	*Client:* « J'ai vomi ce matin. » *Infirmière:* « Était-ce après le déjeuner ? » *Client:* « J'ai l'impression d'avoir dormi pendant des semaines. » *Infirmière:* « Vous avez été opéré lundi et aujourd'hui nous sommes mardi. »
Présenter la réalité.	Aider le client à faire une distinction entre ce qui est réel et ce qui ne l'est pas.	« Cette sonnerie de téléphone vient du téléviseur. » « Je vois des ombres projetées par les rideaux. » « Votre magazine est ici dans le tiroir. Il n'a pas été volé. »
Faire preuve de rigueur.	Aider le client à dépasser les généralités pour percevoir correctement la réalité et la juste proportion des choses.	*Cliente:* « Je suis stupide et maladroite. » *Infirmière:* « Vous avez trébuché sur le tapis. »
Mettre l'accent sur l'essentiel (départage de l'essentiel et de l'accessoire).	Aider le client à en dire davantage sur le sujet qui le préoccupe. L'infirmière doit attendre que le client ait fini de s'exprimer avant de souligner ce qui est important. Cela peut être une idée ou un sentiment ; cependant, l'infirmière met souvent l'accent sur un sentiment afin d'aider le client à reconnaître une émotion cachée derrière les mots.	*Client:* « Ma femme dit qu'elle va s'occuper de moi, mais je ne pense pas qu'elle puisse le faire, il faut qu'elle s'occupe des enfants, ils sont toujours en train de lui demander quelque chose – de l'aide pour les devoirs, leurs vêtements ou ce qu'il y aura pour souper. » *Infirmière:* « Il me semble que vous vous inquiétez de savoir comment elle va s'y prendre. »
Refléter le contenu (reflet simple).	Renvoyer vers le client les idées, les questions ou le contenu exprimés afin de lui permettre d'explorer ses propres pensées relativement à une situation.	*Cliente:* « Que puis-je faire ? » *Infirmière:* « D'après-vous, qu'est-ce qui serait utile ? » *Cliente:* « Croyez-vous que je doive en parler à mon mari ? » *Infirmière:* « Vous ne semblez pas certaine que vous devriez en parler à votre mari. »
Refléter les sentiments.	Renvoyer vers le client les émotions exprimées afin de lui permettre d'explorer ses propres sentiments relativement à une situation.	« Vous semblez vous sentir bien seule depuis la mort de votre mari. » « Les ordres de votre patron semblent vous mettre en colère. »

20

TABLEAU 20-2 *(suite)*

TECHNIQUES OU HABILETÉS DE COMMUNICATION THÉRAPEUTIQUE

Technique	Description	Exemples
Résumer (synthèse) et planifier.	Énoncer les principaux éléments d'une discussion afin d'en dégager les points plus importants. Cette technique est utile à la fin d'une entrevue ou pour réviser un enseignement. On l'utilise souvent comme introduction d'un plan de soins et de traitements infirmiers.	«Pendant la dernière demi-heure, nous avons parlé de…» «Demain après-midi, nous approfondirons cette question.» «Dans quelques jours, je verrai avec vous ce que vous avez appris sur les effets et les actions de votre insuline.» «Demain, si vous y tenez, je lirai dans votre journal personnel les sentiments que vous y exprimez.»
Confronter.	Relever délicatement et avec respect les incohérences entre les idées, les sentiments et les actions. Cette technique permet d'offrir de nouvelles perspectives qui pourront motiver le client à changer de comportement. Elle requiert de la délicatesse et du doigté si l'on veut éviter que le client se sente évalué ou jugé. Ne pas confondre avec l'affrontement.	*Client:* «Ma blessure est douloureuse, ne me touchez pas, ne touchez pas à mon pansement.» *Infirmière:* «Je comprends que vous soyez très souffrant; cependant, le fait de refaire votre pansement permettra à votre plaie de guérir plus rapidement. C'est probablement ce que vous souhaitez. Je peux cependant vous offrir un médicament qui vous soulagera.»
Utiliser les transitions.	Orienter la communication de façon que le client ne s'éloigne pas trop du sujet.	*Client:* «Cloué au lit, je me sens inutile depuis cette chirurgie. Ma sœur s'est fait opérer l'an dernier et elle a de la difficulté à remonter la pente depuis.» *Infirmière:* «Revenons à votre situation; je comprends qu'il vous est difficile d'accepter le fait de devoir demeurer au lit présentement.»
Rechercher les solutions.	Synthétiser l'information afin d'aider le client à prendre conscience des différentes possibilités qui s'offrent à lui.	*Client:* «Je ne sais plus quoi faire.» *Infirmière:* «Jusqu'à présent, une solution a été envisagée. En voyez-vous d'autres qui pourraient vous aider?»
Élucider.	Relever les sentiments qui ne sont pas dits mais qui peuvent être déduits d'après le contexte ou la communication. Favoriser une compréhension complète d'une situation. Cette technique se rapproche de l'interprétation mais découle d'un cadre de référence théorique.	«Vous n'avez pas de contacts avec votre frère et votre mère, seulement avec votre père, ce qui vous pousse à vous identifier à lui.»

En résumé, l'écoute attentive compte parmi les plus hautes compétences, mais, heureusement, elle s'apprend au fur et à mesure qu'on la met en pratique. Il y a plusieurs façons de manifester son attention pendant qu'on écoute une personne: le hochement de tête, un murmure comme «hum hum» ou «mmm», qui scande l'écoute, ou encore déclarer: «Je vois ce que vous voulez dire.» Chaque infirmière déploie ses propres manières et communique sa disponibilité pour peu qu'elle écoute vraiment plutôt que de feindre d'écouter. Le temps investi dans l'écoute n'est jamais du temps perdu. «Les infirmières qui savent vraiment écouter peuvent témoigner que non seulement cela ne requiert globalement pas plus de temps de leur part mais qu'au contraire, cette écoute contribue, dans bien des cas, à accélérer leurs démarches de soins.» (Lazure, 1987, p. 15)

MANIFESTATION DE SA PRÉSENCE

Egan (2006) définit cinq manières spécifiques de manifester sa présence, c'est-à-dire d'être vraiment là quand on communique avec quelqu'un. Dans ce cadre de référence, l'écoute est l'acte par excellence qui signale l'attention à l'autre. Les cinq actions caractérisant une présence physique de qualité, c'est-à-dire qui font appel à l'engagement personnel, figurent dans l'encadré 20-3.

Relation d'aide

La relation infirmière-client est appelée par certains *relation interpersonnelle*, par d'autres, *relation thérapeutique*, et par d'autres encore, **relation d'aide**. L'aide est un processus axé sur la croissance qui vise essentiellement les deux objectifs fondamentaux suivants (Egan, 2006):

1. Aider le client à gérer ses problèmes en devenant plus efficace et en apprenant à exploiter ou à mieux exploiter les occasions de croissance qui se présentent.

2. Aider le client à mieux s'aider lui-même dans la vie quotidienne.

Une relation d'aide peut durer des semaines ou à peine quelques minutes. Les clés du succès d'une telle relation sont: (1) la confiance et l'acceptation mutuelles établies entre l'infirmière et le client; (2) la conviction chez le client que l'infirmière se préoccupe réellement de lui et souhaite l'aider.

La relation d'aide est tributaire des caractéristiques personnelles et professionnelles de l'infirmière et du client. L'âge, le sexe, l'apparence, le diagnostic, l'éducation, les valeurs, l'origine culturelle ou ethnique, la personnalité, les attentes et l'environnement peuvent influer sur l'établissement de la

- Bien se situer en face du client dans une attitude franche qui laisse entendre: «Je suis disponible.» Se situer de biais traduit un intérêt moindre.

- Adopter une posture ouverte: ni les bras ni les jambes ne sont croisés, ce qui pourrait être perçu comme une attitude défensive. La posture ouverte montre une disponibilité à la communication comme il en est d'une porte grande ouverte donnant sur un bureau ou une maison.

- Se pencher légèrement vers le client. Les gens s'avancent naturellement vers l'interlocuteur pour dire ou entendre quelque chose: on se place devant la classe, on approche une chaise pour s'asseoir près d'un ami ou on se penche au-dessus d'une table en étendant les bras devant soi. Bref, l'infirmière manifeste une attitude d'engagement quand elle se penche vers le client.

- Maintenir le contact visuel. Le contact des yeux, si possible à la même hauteur, signale la reconnaissance de l'autre personne et le désir de poursuivre la communication. Il s'agit ici d'un contact visuel qui va de soi: ni trop fixe, ni intimidant ou calculateur.

- Se détendre le plus possible. Une détente absolue est certes impossible puisqu'une telle écoute implique une certaine concentration, mais il s'agit de prendre son temps pour répondre, de s'accorder des pauses si nécessaire, d'équilibrer les périodes de tension et de détente et de faire des gestes naturels.

Ces cinq actions caractérisant une présence physique de qualité doivent évidemment être adaptées aux besoins particuliers du client dans une situation donnée. Par exemple, en commençant une entrevue, il n'est peut-être pas approprié de se pencher vers le client, ce qui sera en revanche tout à fait approprié quand une relation plus intime sera établie. Cela vaut aussi pour le contact visuel, qui est habituellement constant lorsque les interlocuteurs sont très engagés dans l'interaction.

relation infirmière-client. Tenir compte de tous ces facteurs, acquérir de bonnes aptitudes pour la communication et avoir un intérêt sincère pour le client et son bien-être permettront à l'infirmière d'établir une véritable relation d'aide. Les caractéristiques de la relation d'aide sont énumérées dans l'encadré 20-4.

Développement de la relation d'aide

Quel que soit le contexte de sa pratique, l'infirmière établit un certain type de relation d'aide qui implique la poursuite d'objectifs communs de concert avec la personne aidée ou, si le client est incapable de participer, avec ses proches aidants. Bien qu'une formation en techniques de consultation (counselling) soit toujours utile, on peut déployer un certain nombre d'attitudes en relation d'aide même si on n'a pas suivi de formation spécialisée.

EXEMPLES D'ATTITUDES THÉRAPEUTIQUES EN RELATION D'AIDE

- Adopter des attitudes interpersonnelles, comme le *caring*, la *compassion*, le *respect chaleureux*, et l'*acceptation inconditionnelle* (que nous avons déjà vus).

Une relation d'aide:

- Est un lien intellectuel et émotionnel entre l'infirmière et le client qu'elle soigne, axé sur cette personne.
- Respecte le client, notamment:
  - En maximisant sa participation aux décisions et aux traitements.
  - En tenant compte de ses appartenances ethniques et culturelles.
  - En tenant compte de ses relations familiales et de ses valeurs.
- Respecte la confidentialité.
- Met l'accent sur le bien-être du client.
- S'établit sur la confiance, l'acceptation et le respect mutuels.

- Appliquer les principes de l'écoute attentive.

- Être *empathique*. Selon Egan (2006), l'**empathie** «peut être vue comme un processus intellectuel qui implique une juste compréhension de la situation émotionnelle et du point de vue de l'autre» et aussi comme une réponse émotionnelle à la personne aidée. L'écoute empathique est une manière d'«être avec» le client dans le but de saisir qui il est et de quoi son univers est fait. Pour que la personne aidée saisisse bien à son tour qu'elle a été comprise, une réponse empathique est nécessaire. En fin de compte, l'empathie revient à la compassion et au caring; elle exprime la relation d'aide et favorise la guérison. Elle consiste à communiquer de telle manière que l'interlocuteur sente qu'on comprend bien ses émotions, ses comportements et son expérience. Elle se démontre par la reformulation sur les plans conceptuel, affectif et comportemental (reflet de contenu et de sentiment, élucidation), de sorte que le client se sente moins seul avec ses problèmes.

- Être *authentique, honnête*. C'est de vivre en harmonie avec ses pensées et ses sentiments, ce qui se traduit par une attitude congruente et empreinte de spontanéité. La relation sera d'autant plus efficace si l'infirmière n'hésite pas à reconnaître son ignorance ou son malaise en disant par exemple: «Pour l'instant, je ne peux répondre à cela» ou «Je ne suis pas à l'aise de discuter de cette question». Elle gagne à ne pas nier un problème, par exemple si un client affirme: «Je suis dans le pétrin, n'est-ce pas?»

- Être *authentique, se révéler (révélation de soi)*. Les témoignages personnels jouent parfois en faveur de la relation entre l'infirmière et la personne aidée. L'infirmière peut, par exemple, signaler: «Je me souviens de (évoquer une situation semblable), j'étais en colère parce que je me suis sentie négligée.» Cela dit, l'infirmière doit user de prudence: si elle se met trop en scène, la personne aidée se sentira éclipsée. Egan (1998) attribue cinq facettes à l'authenticité (encadré 20-5).

- Être *crédible*. Le client détecte très rapidement dans quelle mesure l'infirmière se sent ou non réellement concernée par sa situation.

- Être *congruent* mène à une **communication congruente**; les aspects verbaux et non verbaux du message concordent tout à fait. La congruence favorise une correspondance entre les émotions et leur expression, traduites consciemment dans

20

ENCADRÉ 20-5
FACETTES DE L'AUTHENTICITÉ
(HONNÊTETÉ ET RÉVÉLATION DE SOI)

- L'aidant authentique évite de se réfugier ou de se complaire dans le rôle de conseiller.
- La personne authentique est spontanée.
- La personne authentique ne se tient pas sur la défensive.
- La personne authentique n'est pas en contradiction avec elle-même – elle est cohérente et n'affirme pas une chose alors qu'elle pense ou ressent autre chose.
- La personne authentique est capable de se révéler elle-même (de partager) à bon escient.

---

le comportement. Le client fera davantage confiance à l'infirmière dont le mode de communication se révèle congruent, ce qui, bien sûr, ne peut que favoriser la communication thérapeutique. La congruence n'est pas difficile à vérifier. Si, de son côté, l'infirmière apprend à connaître les clients qu'elle soigne, ces derniers ne manquent pas de flair pour décoder l'expression ou le langage corporel de celle qui les soigne. Quand la congruence fait défaut, c'est habituellement la communication non verbale qui traduit la vérité. Par exemple, si l'infirmière qui enseigne à un client les soins relatifs à une colostomie déclare : « Vous n'aurez aucun problème » tout en faisant une mimique inquiète ou dégoûtée, il est fort probable qu'elle perdra la confiance de son interlocuteur.

- Faire preuve d'*immédiateté*. Au-delà du message, il existe entre le client et l'infirmière un niveau d'échange qui se situe dans le moment présent, dans l'immédiat, qui parle de la qualité de leur relation et qui permet de comprendre comment un événement du passé ou à venir vient influer sur le vécu présent du client. C'est une manière de vivre intensément le moment présent avec le client. Par exemple, une femme qui pleure vous dit : « Il y a un an que mon mari est décédé. » Vous constatez que cette situation affecte cette personne présentement et que ces émotions influent sur votre relation. Il peut être approprié de déclarer : « Vous éprouvez beaucoup de peine en ce moment ; désirez-vous que nous reportions à plus tard votre enseignement sur le diabète ? »

Afin que la relation d'aide soit efficace, il importe de considérer les éléments suivants :

- Faire preuve d'ingéniosité. Il y a plusieurs manières d'aborder un problème, mais on choisit celle qui favorisera le plus l'atteinte des objectifs établis tout en prenant soin de respecter les valeurs du client.
- Déterminer les différences culturelles et en tenir compte (chapitre 12 ⊕). Il faut notamment recourir à un interprète si on ne comprend pas la langue du client.
- Protéger la confidentialité. Dans le but de garantir la confidentialité, on ne doit communiquer des renseignements sur le client qu'à d'autres professionnels de la santé et uniquement pour des raisons reliées aux soins ou aux traitements.
- Connaître son rôle et ses limites. Chaque personne déploie des forces et manifeste des faiblesses. Si l'infirmière se sent incapable de faire face à certains problèmes, elle doit prévenir le client et lui recommander de faire appel au professionnel

approprié. Il importe de bien circonscrire les fonctions et les rôles, c'est-à-dire ce qu'on attend du client, de l'infirmière et du médecin.

Obstacles à la relation d'aide

Il importe de reconnaître les obstacles à une communication efficace ou les réponses non thérapeutiques (tableau 20-3), entre autres ne pas écouter, mal décoder le message émis et tenir davantage compte de ses propres intérêts que de ceux du client.

Étapes de la relation d'aide

Le processus de la relation d'aide peut se découper en quatre étapes, chacune renvoyant à des tâches et à des compétences précises. La relation doit passer par toutes ces étapes, dans l'ordre, puisqu'il s'agit d'une séquence, chaque étape préparant la suivante. L'infirmière peut déterminer les progrès d'une relation si elle observe les étapes suivantes : préparation (ou préinteraction), introduction (ou orientation), déroulement (ou exploitation, travail ou émergence des identités) et conclusion (ou fin de la relation). Le tableau 20-4 résume les tâches, les attitudes et les habiletés liées à chacune des étapes de la relation d'aide.

ÉTAPE DE PRÉPARATION (PRÉINTERACTION)

L'étape de préparation ressemble à l'étape de planification qui précède une entrevue. Dans la plupart des situations, l'infirmière dispose de renseignements sur le client avant la rencontre initiale : son nom, son adresse, son âge, ses antécédents médicaux et sociaux. La planification de la première visite peut susciter une certaine anxiété chez l'infirmière. Si elle accueille ses propres sentiments et pointe les renseignements qui doivent faire l'objet de la rencontre, elle parviendra probablement à des résultats positifs. La préparation doit se situer sur les plans intellectuel et psychologique.

ÉTAPE D'INTRODUCTION (ORIENTATION)

L'étape d'introduction, appelée aussi *étape préalable à l'aide*, a ceci d'important qu'elle donne le ton à tout ce qui va suivre. Pendant cette première rencontre, le client et l'infirmière s'observent mutuellement et se font une idée du comportement de l'autre. Les trois stades de cette étape d'introduction sont l'amorce de la relation, la clarification du problème ainsi que la structuration et la formulation du contrat (Brammer et McDonald, 2002). À cette étape, l'infirmière et le client commencent à se connaître et établissent les bases d'un rapport de confiance.

Une fois les présentations faites, l'infirmière peut tout d'abord échanger des généralités avec le client pour le mettre à l'aise : le temps qu'il fait et ce qu'il ferait s'il était à la maison, etc.

Pendant la première partie de l'étape d'introduction, il est possible que le client manifeste des résistances. Les *comportements de résistance* sont ceux qui freinent l'engagement, la collaboration ou le changement. Ils peuvent venir d'une difficulté à reconnaître le besoin d'aide ou d'une peur de la dépendance ;

TABLEAU 20-3
OBSTACLES À LA RELATION D'AIDE

Technique	Description	Exemples
Stéréotyper.	Exprimer des opinions générales et simplistes à propos de groupes de gens, des opinions fondées sur des expériences trop limitées pour être valables. Ces réponses catégorisent les clients et nient leur individualité.	« Les enfants de deux ans sont détestables. » « Les femmes se plaignent tout le temps. » « Les hommes ne pleurent pas. » « La plupart des gens n'ont aucune douleur après ce genre de chirurgie. »
Approuver ou désapprouver.	Dire qu'on est d'accord ou en désaccord s'apparente à un jugement critique qui laisse entendre que le client a raison ou tort et, par conséquent, que l'infirmière est en droit de juger. Ce genre de réponse empêche la personne de réfléchir à partir de ce qu'elle ressent et peut la mettre sur la défensive.	*Client :* « Je ne crois pas que le Dr Legrand soit un bon médecin. Il ne semble pas s'intéresser aux personnes qu'il soigne. » *Infirmière :* « Le Dr Legrand est le responsable du service de chirurgie et c'est un excellent chirurgien. »
Se tenir sur la défensive.	Essayer de protéger une personne ou un service de santé contre des commentaires négatifs, ce qui empêche le client d'exprimer ses véritables inquiétudes. L'infirmière laisse entendre : « Vous n'avez pas le droit de vous plaindre. » Les réponses défensives protègent l'infirmière des faiblesses administratives dans les services de santé, notamment de ses propres faiblesses.	*Client :* « Les infirmières de nuit ne font que s'asseoir et parler pendant toute la nuit. Elles n'ont pas répondu à mon appel pendant au moins une heure. » *Infirmière :* « Vous ne devez pas oublier que nous courons littéralement toute la nuit. Vous n'êtes pas la seule personne que nous soignons, vous savez. »
Mettre au défi.	Répondre de telle manière que le client se sente obligé de prouver son affirmation ou son point de vue. Ce genre de réponse signifie que l'infirmière néglige de tenir compte des sentiments de cette personne, l'obligeant à défendre son point de vue.	*Client :* « Après avoir pris la pilule rouge, j'ai eu la nausée. » *Infirmière :* « Pensez-vous que je vous ai donné la mauvaise pilule ? » *Client :* « Je me sens comme si j'allais mourir. » *Infirmière :* « Comment pouvez-vous penser ça alors que votre pouls est à 60/minutes ? » *Client :* « Je crois que mon mari ne m'aime pas. » *Infirmière :* « Vous ne pouvez pas dire cela : il vient vous voir tous les jours ! »
Être trop curieux.	Poser des questions par curiosité plutôt qu'avec l'intention de venir en aide au client. Indiscrète, cette attitude viole l'intimité du client. Demander « pourquoi », c'est souvent se montrer trop curieux et cela place la personne sur la défensive. Attention aux questions de type « pourquoi » et à leur utilisation qui peuvent ressembler à une accusation.	*Client :* « J'allais vite et je n'ai pas vu le signal d'arrêt. » *Infirmière :* « Pourquoi alliez-vous si vite ? » *Client :* « Je n'ai pas demandé au médecin quand il serait ici. » *Infirmière :* « Pourquoi ne l'avez-vous pas fait ? »
Mettre à l'épreuve.	Poser des questions qui obligent le client à admettre quelque chose. Ces questions ne laissent que peu de choix de réponses et satisfont les besoins de l'infirmière plutôt que ceux du client.	« Où vous croyez-vous ? » (Oblige le client à admettre qu'il doit se soumettre aux soins sans discuter.) « Croyez-vous que je ne suis pas occupée ? » (Oblige le client à admettre que l'infirmière est réellement occupée.)
Rejeter.	Refuser d'aborder certains sujets avec le client. Souvent, cette esquive donne au client le sentiment que l'infirmière non seulement ne s'intéresse pas à la communication avec lui, mais le rejette.	« Je ne veux pas discuter de cela. Parlons de… » « Parlons d'autre chose que des deux sujets que vous venez de mentionner. » « Je ne peux pas vous parler maintenant. C'est le temps de la pause. »
Changer de propos et de sujet.	Diriger la communication vers des sujets qui intéressent l'infirmière plutôt que tenir compte des préoccupations du client est souvent un réflexe d'autodéfense devant un sujet angoissant. Ce genre de réponse signale que l'infirmière dirigera les conversations et que le client ferait mieux de ne pas insister.	*Client :* « J'ai eu des relations sexuelles avec une autre femme, car mon épouse me repousse constamment ces derniers temps. Est-ce si mal que ça ? » *Infirmière :* « Depuis combien de temps êtes-vous marié ? »

20

TABLEAU 20-3 *(suite)*
OBSTACLES À LA RELATION D'AIDE

Technique	Description	Exemples
Rassurer de manière injustifiée.	Utiliser des clichés, des affirmations ou donner des conseils pour réconforter le client. Ce genre de réponse empêche le client d'exprimer ses inquiétudes, ses sentiments et ses pensées.	« Bientôt, vous irez mieux. » « Je suis certaine que tout va s'arranger. » « Ne vous inquiétez pas. »
Porter un jugement.	Donner son opinion et approuver ou désapprouver les réponses obtenues, moraliser ou mettre en évidence ses propres valeurs. Ce genre de réponse signifie que le client doit penser comme l'infirmière, ce qui favorise le sentiment de dépendance.	« C'est bien (mal). » « Vous ne devriez pas faire ça. » « Ce n'est pas suffisant. » « Ce que vous avez fait est très mal (bien). »
Donner un avis d'ordre général.	Dire quoi faire au client. Ce genre de réponse empêche un lien d'égalité avec l'infirmière. Cependant, donner un avis à titre de spécialiste peut se révéler thérapeutique.	*Client :* « Dois-je quitter ma maison et aller dans une résidence ? » *Infirmière :* « Si j'étais vous, j'irais dans une résidence où vous auriez des repas tout préparés. »

TABLEAU 20-4
TÂCHES, ATTITUDES ET HABILETÉS LIÉES À CHACUNE DES ÉTAPES DE LA RELATION D'AIDE

Étape	Tâches	Attitudes et habiletés
Préparation	L'infirmière passe en revue les données dont elle dispose sur le client, les évalue, tient compte des problèmes qui pourraient survenir et se prépare à la rencontre. Elle se fixe des objectifs concernant sa rencontre avec le client.	Organiser la collecte des données ; reconnaître ses limites et trouver de l'aide si nécessaire. Authenticité (ouverture aux autres).
Introduction 1. Amorce de la relation	L'infirmière et le client se présentent l'une à l'autre. Si c'est l'infirmière qui entame la relation, il est important qu'elle explique le rôle qu'elle va jouer afin que le client sache à quoi s'attendre. Si c'est le client qui amorce la relation, l'infirmière doit l'aider à exprimer ses préoccupations et les raisons pour lesquelles il demande de l'aide. Les questions générales et ouvertes sont très utiles à cette étape : « Qu'avez-vous à l'esprit aujourd'hui ? »	Avoir une attitude détendue et ouverte met le client à l'aise. Certains clients ont de la difficulté à se laisser aider. Exploration. Respect chaleureux.
2. Clarification du problème	Il est possible que, au départ, le client ne voie pas le problème clairement ; la principale tâche de l'infirmière sera donc de l'aider à le clarifier.	Écouter attentivement, reformuler, clarifier. L'erreur la plus fréquente est de poser trop de questions au client. Il convient mieux de dégager les priorités. Empathie, authenticité.
3. Structuration et formulation du contrat (obligations à respecter tant par l'infirmière que par le client)	L'infirmière et le client manifestent un début de confiance et conviennent verbalement : (1) d'un endroit où se rencontrer, de la fréquence et de la durée des rencontres ; (2) de l'objectif global de la relation d'aide ; (3) de la manière dont les questions confidentielles seront traitées ; (4) des tâches à accomplir ; (5) de la durée de la relation d'aide et de ce qui en indiquera la fin.	Mettre en œuvre les compétences en communication énumérées ci-dessus et surmonter les comportements de résistance qui apparaissent.
Déroulement	L'infirmière et le client poursuivent les tâches décrites à l'étape d'introduction, approfondissent la confiance mutuelle et leur relation. Un lien de caring s'instaure.	

TABLEAU 20-4 *(suite)*

Étape	Tâches	Attitudes et habiletés
1. Exploration et compréhension des idées et des sentiments	L'infirmière aide le client à explorer ses idées et ses sentiments tout en apprenant à le comprendre. Le client examine ses idées et ses sentiments en rapport avec ses problèmes, et acquiert des aptitudes d'écoute et une meilleure compréhension de son propre comportement.	Écouter et être présente, faire preuve d'empathie, sde respect, d'authenticité, de rigueur, d'immédiateté et de clarification, et accepter la confrontation. Les compétences acquises par le client sont l'écoute non défensive et la compréhension de lui-même.
2. Facilitation de l'action	L'infirmière élabore un plan en tenant compte des capacités du client et fixe des objectifs à court et à long terme. Le client apprend à courir des risques (c'est-à-dire accepter que le résultat puisse être un échec autant qu'un succès). L'infirmière doit insister sur les réussites et aider le client à reconnaître l'échec avec réalisme.	Savoir prendre des décisions et fixer des objectifs. De plus, pour l'infirmière, appliquer des stratégies de renforcement; pour le client, prendre des risques. Confrontation, clarification, respect chaleureux.
Conclusion	Il faut préparer la fin imminente des entrevues surtout avec des clients dépendants. Donc, il faut les préparer avant, dire, par exemple: «Aujourd'hui, c'est notre avant-dernière rencontre.» Le client accepte que la relation actuelle prenne fin sans anxiété ou régression dans la dépendance.	Pour l'infirmière, faire une synthèse des compétences; pour le client, gérer ses problèmes de manière autonome. Respect chaleureux, authenticité, écoute, clarification, immédiateté.

ils peuvent signaler la peur de découvrir et d'affronter ses sentiments ou une anxiété devant les changements à opérer dans les comportements qui font problème. Les résistances peuvent aussi provenir de la peur ou de l'anxiété que suscite l'approche plus ou moins adéquate de l'infirmière.

L'infirmière peut contrer les comportements de résistance par une attitude compatissante, en s'intéressant véritablement au client et en faisant preuve de compétence. De tels comportements favorisent l'établissement de la **confiance**, qui consiste à pouvoir compter sur quelqu'un sans être envahi par trop de doutes ou de questions à son sujet. La confiance, c'est croire que l'autre personne dispose de ce qu'il faut pour nous aider et que, le cas échéant, elle le fera. Faire confiance à une personne revient à prendre des risques, car le client se rend vulnérable en exprimant ses idées et ses sentiments et en adoptant une certaine attitude devant l'infirmière. C'est précisément ce qu'un lien de confiance permet de faire.

À la fin de l'étape d'introduction, le client devrait:
- Commencer à faire confiance à l'infirmière.
- Considérer l'infirmière comme une professionnelle capable de l'aider.
- Reconnaître chez l'infirmière l'honnêteté, l'ouverture et le souci de l'autre.
- Croire que l'infirmière essaiera de le comprendre et de respecter ses croyances et ses valeurs culturelles.
- Être sûr que l'infirmière respectera la confidentialité.
- Se sentir à l'aise de confier à l'infirmière ses sentiments et d'autres préoccupations personnelles.
- Comprendre le but de la relation d'aide et les rôles des deux personnes concernées.
- Sentir que l'infirmière met activement en place un plan de soins et de traitements infirmiers adéquat.

DÉROULEMENT

Pendant que se déroule la relation d'aide, l'infirmière et le client en viennent à saisir l'individualité ou l'unicité de l'autre, à l'apprécier et à montrer un souci mutuel. Le caring est un souci profond et réel du bien-être d'autrui, et l'empathie s'accroît à mesure qu'il se développe. Cette étape comporte deux stades principaux: d'abord, explorer et comprendre les idées et les sentiments, et ensuite faciliter l'action. L'infirmière aide le client à approfondir ses idées, ses sentiments et ses actions ainsi qu'à structurer un plan d'action dans le but d'atteindre des objectifs précis.

EXPLORER ET COMPRENDRE LES IDÉES ET LES SENTIMENTS. À ce stade, l'infirmière déploie entre autres les attitudes et les habiletés suivantes:

- *Écoute et réponses empathiques.* L'infirmière écoute attentivement et communique d'une manière telle que le client sait qu'elle a bien saisi ce qu'il dit et ressent. Elle répond au contenu, aux sentiments ou aux deux, selon le cas. Le langage non verbal de l'infirmière a toute son importance; par exemple, elle fait preuve d'empathie en hochant la tête, en regardant l'autre personne, en ayant des gestes calmes et mesurés.

- *Respect chaleureux; authenticité; révélation de soi; rigueur; confrontation* (ces notions ont été vues précédemment).

Pendant le premier stade du déroulement, l'interaction gagne en intensité et des sentiments tels que la colère, la honte et la timidité peuvent émerger. Si l'infirmière maîtrise bien les attitudes et les habiletés relatives à cette étape et si le client a la volonté de poursuivre la découverte de lui-même, il aura de plus en plus conscience de ses comportements et de ses sentiments.

20

FACILITER L'ACTION. Finalement, le client doit prendre des décisions et entreprendre des actions afin de parvenir à plus d'autonomie. La responsabilité de l'action lui appartient. Cependant, l'infirmière collabore aux décisions, soutient les initiatives et peut proposer des options ou donner des renseignements supplémentaires.

CONCLUSION

On s'attend souvent à ce que la fin d'un engagement relationnel soit difficile et suscite une ambivalence. Pourtant, si les étapes précédentes se sont bien déroulées, le client jettera probablement un regard positif sur sa situation et se sentira capable de faire face à ses problèmes sans le soutien de l'infirmière. Néanmoins, puisque des liens se sont tissés, il est naturel d'éprouver un sentiment de perte, et chacun des deux doit trouver une manière de dire au revoir. Il est donc conseillé de planifier la fin de la relation au cours des rencontres précédentes, c'est-à-dire prévenir le client qu'il reste deux rencontres et lui demander de préparer ses derniers commentaires ou questions. Il existe plusieurs manières de franchir la fin d'un engagement. Résumer ce qui a été vécu ou revenir sur l'ensemble du déroulement peut susciter un sentiment de réussite, par exemple, lorsqu'on compare le début de la relation à ce qu'elle est maintenant. Il importe pour les deux personnes concernées que chacune exprime ouvertement les émotions soulevées par l'imminence de la séparation, ce qui, évidemment, doit s'amorcer avant la dernière rencontre. Cela prépare la personne à l'autonomie, bien que, dans certaines situations, on doive lui recommander de consulter quelqu'un d'autre; on peut aussi proposer une rencontre supplémentaire si cela paraît nécessaire. La communication par téléphone ou par courriel peut faciliter la transition vers l'indépendance.

Communication de groupe

Dès la naissance, nous entrons dans un groupe et, à toutes les étapes de la vie, nous interagissons avec d'autres: famille, pairs, équipes sportives, collègues de travail, groupes sociaux, groupe religieux, etc. Un **groupe** est constitué de deux personnes ou plus qui partagent des besoins et des objectifs, dont les actions produisent des effets sur chacune et qui, par conséquent, sont liées entre elles et séparées de toutes les autres situées à l'extérieur. Les groupes poursuivent des objectifs qui, autrement, seraient plus ou moins inatteignables. Par exemple, en mettant en commun les idées et les expériences de plusieurs personnes, un groupe peut parvenir à régler un problème qu'une personne seule aurait du mal à résoudre; de plus, les informations peuvent se diffuser plus rapidement dans un groupe que si l'on devait les transmettre à chaque individu pris isolément.

Dynamique de groupe

La communication entre les membres d'un groupe est appelée **dynamique de groupe**. Le type de communication sera déterminé par un certain nombre de facteurs et de variables interdépendants. Chaque membre influe sur la dynamique d'un groupe en fonction de ses motivations à participer, de sa ressemblance ou non avec les autres membres, de la maturité dont le groupe fait preuve dans l'expression de ses sentiments et en fonction de l'objectif poursuivi par le groupe.

La dynamique particulière d'un groupe exerce une influence sur son évolution ou sa progression et sur son efficience. L'efficience dépend des trois principaux facteurs suivants: l'unité ou la cohésion de ses membres, le réajustement de ses structures en fonction d'une meilleure efficacité et l'atteinte de ses objectifs. Les caractéristiques de l'efficacité d'un groupe figurent au tableau 20-5.

Catégories de groupes en soins de santé

La vie professionnelle de l'infirmière se déroule en grande partie dans des groupes, allant de la dyade (groupe de deux personnes) aux grandes organisations professionnelles, par exemple les équipes de quarts de travail, les équipes interdisciplinaires, ou les groupes d'enseignement aux clients ou aux employés. À titre de participante à un groupe, l'infirmière peut jouer plusieurs rôles: membre ou leader, enseignante ou étudiante, superviseure ou stagiaire, etc.

Dans le domaine des soins de santé, les groupes de travail, d'enseignement, d'entraide, de ressourcement et de croissance, de thérapie et de soutien social sont les plus courants. Ils se caractérisent par des ressemblances et des différences, et le rôle tenu par l'infirmière y varie.

GROUPES DE TRAVAIL

Le groupe de travail est le plus couramment relié à la pratique infirmière: comités de planification en soins de santé, comités de services infirmiers, comités d'équipe de soins infirmiers, groupes de discussion sur les soins infirmiers et réunions du personnel hospitalier. Dans ces groupes, l'accent porte généralement sur l'accomplissement de tâches spécifiques dont la structure est d'emblée définie par le leader ou les membres. Les méthodes varient en fonction des tâches.

Le leader d'un groupe de travail, appelé le plus souvent président, doit être accepté par les membres et déployer les qualités appropriées, surtout celle qui consiste à mettre les tâches en valeur. Il incombe au président de définir les tâches spécifiques, de veiller à la qualité de la communication, de favoriser l'expression des opinions et de proposer des solutions. Les membres du comité sont en général sélectionnés sur la foi de leur fonction et de leurs états de service plutôt qu'à partir de leurs traits de caractère. La participation des membres est fonction de leur tâche. D'habitude, l'échéance du travail de groupe est fixée préalablement. Voici deux exemples. Vu l'ampleur de l'épidémie de grippe, un groupe de travail a été mis sur pied pour collaborer avec le comité d'immunisation du Québec. Il a pour fonctions de superviser l'application du programme et de le réviser si nécessaire, de préparer un plan en cas de pandémie et d'organiser les mesures de contrôle et les soins cliniques. En 2002, au Québec, on assistait à la formation d'un groupe de travail sur l'expertise dans le domaine des technologies de l'information en soins infirmiers.

TABLEAU 20-5
CARACTÉRISTIQUES DE L'EFFICACITÉ D'UN GROUPE

Facteur	Groupe efficace	Groupe inefficace
Atmosphère	Confortable et détendue ; les membres manifestent leur intérêt et leur engagement au travail.	Tendue ; manque d'intimité ou faible niveau d'engagement personnel dans le groupe.
But	Les objectifs, les tâches et les résultats attendus sont clairs, bien compris et modifiés si nécessaire en cours de route afin d'atteindre les buts visés grâce à la collaboration de chacun.	Les buts ne sont pas clairs, sont mal compris ou sont imposés.
Leadership et participation des membres	Le leadership est démocratique et assuré par divers membres selon l'évolution des connaissances et de l'expérience.	Le leadership est autoritaire ; le leader est trop dominant ou les membres, trop dépendants. La participation des membres est inégale et certains s'imposent trop.
Communication	Ouverte ; l'expression des idées et des sentiments est encouragée.	Fermée ; seule la production d'idées est encouragée. Les sentiments sont ignorés. Des membres peuvent avoir des « intentions cachées » ou des objectifs personnels qui vont à l'encontre des objectifs du groupe.
Prise de décision	Par le groupe, bien que les procédés puissent varier selon la situation.	Souvent par l'autorité en place ou par une ou deux personnes influentes, donc peu démocratique. Les conflits sont ignorés.
Cohésion	Facilitée par la valorisation des membres du groupe, par l'expression ouverte des sentiments, de la confiance et du soutien.	Le leader réclame tout le crédit des réussites. Les commentaires s'apparentent davantage à la critique et sont axés sur les caractéristiques personnelles.
Tolérance aux conflits	Les conflits ou les désaccords sont soigneusement étudiés et le groupe cherche des solutions.	La peur des conflits empêche la prise de décision et freine la croissance.
Pouvoir	Déterminé par les capacités et les connaissances des membres. Le pouvoir est partagé.	Déterminé par le rôle joué dans le groupe. L'obéissance à l'autorité prime. On cherche qui aura le pouvoir, lequel est basé sur les besoins émotionnels des individus.
Résolution de problèmes	Excellente ; la critique constructive est de mise, franche, relativement facile et orientée vers la résolution de problèmes.	Pas très bonne ; la critique est souvent destructrice et prend la forme d'attaques personnelles ouvertes ou dissimulées.
Créativité	Favorisée.	Découragée.

GROUPES D'ENSEIGNEMENT

Les groupes d'enseignement visent principalement à informer les participants, par exemple par l'intermédiaire de groupes de formation permanente et de groupes d'aide aux clients. De nombreux sujets sont étudiés par ces groupes, entre autres les techniques d'accouchement, les méthodes de régulation des naissances, les compétences parentales, la nutrition, la gestion des affections chroniques comme le diabète, l'exercice physique chez les personnes d'âge mûr, les directives aux membres des familles quant au suivi des clients à domicile. Une infirmière à la tête d'un groupe d'enseignement doit posséder les compétences liées à la démarche d'enseignement et d'apprentissage (chapitre 21 ⊂⊃). À titre d'exemple, le Centre hospitalier d'Ottawa offre un service clinique et un programme d'éducation populaire en matière d'endocrinologie et de métabolisme ainsi que de diabète et de troubles lipidiques. Les cliniques d'asthme installées dans plusieurs centres hospitaliers du Québec offrent un programme d'information aux clients atteints et à leur famille.

GROUPES D'ENTRAIDE

Les groupes d'entraide comportent un petit nombre de personnes aux prises avec un même problème de santé ou menacées par une même difficulté sociale ; elles se soutiennent mutuellement soit sur le plan de la santé, soit sur le plan de la vie quotidienne ou d'un problème particulier. Les groupes d'entraide reposent essentiellement sur la conviction que les membres partageant un même problème social ou de santé en ont une compréhension que personne d'autre ne peut avoir.

À titre d'exemples de problèmes traités par des groupes d'entraide, mentionnons la mort fœtale, les compétences parentales, la grossesse chez les adolescentes, le divorce, la toxicomanie, le cancer, la ménopause, la maladie mentale, le diabète, le sida, la santé des femmes, la prestation de soins aux personnes âgées, la souffrance, etc. Le groupe des Alcooliques Anonymes aura joué le rôle de précurseur dans ce domaine et il demeure exemplaire. La Société Alzheimer du Québec, la Fondation de la surdité de Montréal, la Société canadienne de la schizophrénie

20

et Virage Montréal, destiné aux personnes atteintes du cancer et à leurs proches, en sont d'autres exemples. Dans l'encadré 20-6, on indique les avantages des groupes d'entraide.

Voici les principales fonctions de l'infirmière au sein d'un groupe d'entraide :

- Aider les clients en difficulté à former un groupe en prenant soin de déterminer qui pourrait tenir la fonction d'animateur.

- Partager son expérience et aider les membres du groupe à acquérir les aptitudes et les compétences nécessaires.

- Renseigner les clients sur les groupes d'entraide pertinents.

- Participer à un groupe d'entraide en tant que membre si cela semble approprié. L'infirmière devient alors personne-ressource ; elle n'endosse pas la fonction de leader.

- Intervenir dans les moments de crise.

GROUPES DE RESSOURCEMENT ET DE CROISSANCE

Les groupes de ressourcement et de croissance visent à développer les forces personnelles liées aux défis relationnels et à les actualiser dans un groupe. L'objectif global est d'améliorer le fonctionnement de la personne au sein du groupe dans lequel elle retourne à la suite d'un retrait : emploi, famille ou communauté. Dès le départ, des techniques sont mises de l'avant en fonction des objectifs, par exemple étudier les modèles de communication, le processus de groupe ou la résolution de problèmes. Puisque, dans ces groupes, l'accent est mis sur les problèmes interpersonnels reliés à des situations particulières, l'action porte sur la confrontation avec la réalité et, plus concrètement, sur ce qui a lieu dans le présent. Il incombe aux membres de corriger dans l'expérience du groupe les modèles de relation et de communication inadéquats. On apprend le processus de groupe en participant, en s'engageant et en effectuant des exercices guidés. Au Québec, une multitude de centres et d'organismes offrent des services du genre. Le site atelier-vie.com, par exemple, présente le centre d'écoute l'AIDANT (Association pour l'intégration et le développement de l'aide naturelle et thérapeutique).

ENCADRÉ 20-6
AVANTAGES DES GROUPES D'ENTRAIDE

- Les membres sont susceptibles d'éprouver un sentiment de parenté, et c'est là toute la philosophie du regroupement, dont la devise pourrait être : « Vous n'êtes pas seul. »

- Les membres peuvent confier leurs émotions et écouter les autres exprimer leurs difficultés ; ils savent d'entrée de jeu qu'ils partagent une expérience semblable.

- L'atmosphère du groupe reflète généralement l'acceptation, le soutien, l'encouragement et le caring mutuels.

- Les membres plus anciens peuvent servir de modèle aux nouveaux et leur inspirer des réalisations à première vue impossibles.

- Le groupe offre aux membres la possibilité d'aider autant que d'être aidés – un élément essentiel pour retrouver l'estime de soi à la suite ou sous le coup de graves difficultés.

RECHERCHE EN SCIENCES INFIRMIÈRES

L'ÉDUCATION SUR L'ASTHME DANS INTERNET

« L'éducation des clients asthmatiques doit faire partie intégrante du traitement de leur maladie ; c'est ce que recommande la Conférence canadienne de consensus sur l'asthme. » (Boulet *et al.*, 1999, cités par Boulet, 2003) Comme 47 % des ménages québécois ayant accès à Internet consultaient en 2000 des sites dévolus à la santé selon l'Institut de la statistique du Québec (2001), on en a déduit que « Internet offre des possibilités extraordinaires pour l'éducation des clients asthmatiques. Il permet de démocratiser la diffusion de l'information et favorise l'échange entre les clients atteints pour une meilleure autogestion de leur maladie ». Aussi l'auteure conclut-elle à « l'importance de travailler, de concert avec le Réseau québécois de l'asthme et de MPOC [BPCO], à l'élaboration d'un répertoire des sites Web intéressants liés à l'éducation sur l'asthme pour les professionnels de la santé et le grand public ».

Implications : « L'amélioration de l'accès à Internet et de ses possibilités permettra une utilisation accrue du Web dans l'éducation pour la santé. »

Source : Boulet, S. (2003, mars-avril). L'éducation sur l'asthme dans Internet. *L'infirmière du Québec*, 38-41.

GROUPES DE THÉRAPIE

Les groupes de thérapie visent une meilleure connaissance de soi, la gestion adéquate du stress et l'amélioration des comportements liés à la santé. Les membres d'un groupe de thérapie sont sélectionnés par des professionnels de la santé à la suite d'entrevues approfondies qui permettent de discerner leur personnalité, leurs comportements et leurs besoins, et de désigner le groupe de thérapie qui convient. La durée de l'expérience n'est généralement pas fixée d'avance, mais plutôt déterminée par le thérapeute ou les membres du groupe. « De victime à survivante, je deviens une vivante » constitue un exemple de groupe de thérapie ; il s'adresse aux femmes victimes d'inceste ou d'agressions sexuelles. « Vi-Sa-Vi (vivre sans violence) » s'adresse aux hommes violents.

GROUPES DE SOUTIEN LIÉS AU TRAVAIL

Beaucoup d'infirmières, notamment celles qui travaillent dans un service de soins palliatifs, à l'urgence et aux soins intensifs, sont soumises à un haut degré de stress professionnel. Un certain nombre de catégories de groupes de soutien liés au travail visent une meilleure gestion du stress. Les membres au fait des conditions de travail qui les affectent s'aident mutuellement à déployer plus de créativité, d'efficacité et d'enthousiasme professionnels. Par exemple, une infirmière propose à une collègue d'envisager de nouvelles stratégies d'intervention. Les participants peuvent aussi partager les joies de la réussite et les frustrations de l'échec en prêtant une écoute attentive, donc sans donner d'avis ni porter de jugement. Il est préférable que ce type de soutien social ait lieu en dehors du milieu de travail. L'Association québécoise des soins palliatifs, par exemple, offre de la formation et du soutien au personnel intéressé afin de l'aider et de le soutenir dans ses fonctions et dans les situations difficiles. Au Québec, certains groupes s'intéressent présentement à la lutte contre la discrimination et la violence au travail.

⛎ LES ÂGES DE LA VIE

COMMUNICATION THÉRAPEUTIQUE AVEC LES PERSONNES ÂGÉES

Il est possible que la personne âgée souffrant de problèmes physiques ou cognitifs exige des interventions infirmières pour améliorer ses compétences en communication. Voici quelques exemples courants :

- Problèmes sensoriels de vision, d'audition ou autres
- Déficience intellectuelle, par exemple dans les cas de démence
- Problèmes neurologiques à la suite d'un accident vasculaire cérébral ou d'autres affections neurologiques, tels que l'aphasie ou autres séquelles psychomotrices
- Problèmes psychologiques tels que la dépression

Lorsqu'on reconnaît les besoins spécifiques d'un client et qu'on a recours aux personnes-ressources appropriées, on peut grandement améliorer sa socialisation et sa qualité de vie. Voici quelques interventions susceptibles d'améliorer la communication avec les clients qui montrent des besoins spécifiques :

- S'assurer que les appareils et les accessoires fonctionnels (lunettes, prothèses auditives) sont utilisés et fonctionnent correctement.
- Diriger le client vers les ressources appropriées, par exemple en orthophonie.
- Utiliser, si possible, des techniques de soutien à la communication telles que les tableaux de communication, les ordinateurs ou les images.
- Réduire les distractions au minimum.
- Employer des phrases courtes et simples et ne traiter que d'un sujet à la fois – si nécessaire, réaffirmer et répéter ce qui a été dit.
- Toujours faire face au client en lui parlant – arriver par derrière peut effrayer.
- Inviter la famille et les amis à participer aux conversations.
- Dans les conversations individuelles ou de groupe, faire appel aux souvenirs afin de cultiver la mémoire et d'améliorer l'actualisation des forces personnelles et l'estime de soi chez la personne âgée.
- Si des incohérences se glissent entre l'expression verbale et l'expression non verbale, se fier davantage à l'expression non verbale. Clarifier ce qui a été compris et prêter attention aux émotions qui facilitent le caring et l'acceptation mutuelle. Découvrir ce qui a pris de l'importance dans la vie du client et ce qui a du sens à ses yeux en vue de garder le plus possible son intérêt en éveil. Même les choses simples, par exemple ses propres rituels du coucher, prennent de l'importance si le client en est privé pendant le séjour au centre hospitalier ou dans un centre d'hébergement.

Communication thérapeutique et démarche de soins infirmiers

La communication thérapeutique est une composante essentielle de la démarche de soins infirmiers. L'infirmière déploie ses compétences en communication à chaque étape de cette démarche. D'ailleurs, la communication thérapeutique est d'autant plus importante que les clients ont des difficultés à communiquer en raison notamment de problèmes sensoriels, cognitifs ou de troubles associés au langage.

Démarche de soins infirmiers

Collecte des données

Pour évaluer les capacités de communication d'un client, l'infirmière note tout ce qui, chez lui, pourrait nuire à la communication ainsi que sa manière de communiquer. N'oublions pas que sa culture peut lui dicter quand et comment parler. Le langage varie évidemment avec le temps et les processus de maturation. Auprès des enfants, l'infirmière observe les sons, les gestes et le vocabulaire.

▨ Obstacles à la communication thérapeutique

Des obstacles variés peuvent nuire à la capacité d'adresser, de recevoir ou de comprendre un message, notamment les problèmes sensoriels ou les troubles associés au langage, la déficience intellectuelle, les problèmes structurels et la paralysie. L'infirmière gagne à évaluer chaque cas pour déceler ces obstacles.

PROBLÈMES DE LANGAGE. Utiliser la langue qui permet la meilleure communication et, si nécessaire, faire appel à un bon interprète. Quand la langue maternelle de l'infirmière correspond à une langue seconde chez le client, ils peuvent rencontrer des difficultés de communication.

PROBLÈMES SENSORIELS. Entendre, voir, toucher ou ressentir ce qui se passe dans le corps et humer sont étroitement liés à la communication. Par exemple, la surdité peut considérablement déformer le contenu d'un message ; une mauvaise vision entrave la perception des messages non verbaux tels que le sourire ou la gestuelle ; l'incapacité de humer ou de ressentir peut empêcher la personne de signaler des blessures ou de percevoir la présence de fumée. Pour le client qui présente d'importants problèmes de surdité, suivre les étapes suivantes :

- Procurer un bracelet (ou un collier ou un insigne) MedicAlert qui indique une perte d'audition.
- Vérifier si le client dispose d'une prothèse auditive et, le cas échéant, vérifier si celle-ci fonctionne et s'il s'en sert.
- Vérifier si le client s'efforce de voir votre visage et de lire sur vos lèvres.
- Vérifier si le client communique par gestes.

DÉFICIENCE INTELLECTUELLE. Toute affection qui altère le fonctionnement cognitif (accident vasculaire cérébral, maladie d'Alzheimer, tumeurs et traumatismes au cerveau) peut jouer sur les compétences verbales : arrêt total de la parole, prononciation ardue, perte plus ou moins grave du vocabulaire. Certains médicaments, tels que les sédatifs, les antidépresseurs et les neuroleptiques, peuvent également diminuer les capacités verbales (phrases incomplètes ou faible articulation).

L'infirmière observe comment le client réagit ou répond lorsqu'on lui pose une question : S'exprime-t-il avec aisance ou est-il hésitant ? Choisit-il les mots justes ? Est-il capable de suivre des instructions et de bien les exécuter ? Peut-il répéter des mots et des phrases ? Puis l'infirmière observe les capacités de

20

lecture : Peut-il suivre des instructions écrites ? Peut-il répondre correctement en pointant un mot parmi d'autres ? Peut-il lire à voix haute ? S'il ne peut lire des phrases complètes, peut-il reconnaître des lettres ou des mots ? L'infirmière utilise des mots écrits clairement et en gros caractères lorsqu'elle évalue de telles compétences.

Si le client est inconscient, l'infirmière est attentive à tout ce qui pourrait manifester une possibilité de communication (par le toucher, par la parole). Elle peut poser une question qui ne demande qu'un oui ou un non en guise de réponse, telle que « M'entendez-vous ? », et être vigilante à tout signe non verbal, par exemple un hochement de tête en guise de « oui » ou de « non » ; elle peut demander au client de lui serrer la main ou de battre des paupières une fois pour oui et deux fois pour non.

PROBLÈMES STRUCTURELS. Les problèmes structurels des cavités buccales ou nasales ou du système respiratoire peuvent altérer l'usage de la parole, entre autres une fente palatine, les tubes pharyngés, tels que le tube endotrachéal, ou la trachéostomie, la laryngectomie (ablation du larynx). Une dyspnée sévère (essoufflement) peut aussi rendre l'expression verbale difficile.

PARALYSIE. Si la déficience verbale se conjugue à une paralysie des membres supérieurs qui entrave la capacité d'écrire, l'infirmière observe si le client peut pointer, hocher la tête, hausser les épaules ou battre des paupières. N'importe lequel de ces moyens peut servir de base à un système de communication.

Style de communication

Reconnaître le style de communication d'une personne requiert un examen de ses capacités verbales et de son langage non verbal. En plus des contraintes physiques, certaines affections psychologiques (la dépression ou la psychose) influent sur la capacité de communiquer : la personne peut répéter constamment les mêmes mots ou phrases, faire des associations d'idées dont la cohérence nous échappe ou carrément perdre ses idées.

COMMUNICATION VERBALE. Lorsqu'elle évalue les capacités verbales, l'infirmière tient compte de trois aspects : le contenu des messages, les thèmes abordés et les émotions verbalisées. De plus, elle examine les aspects suivants :

- La manière de communiquer : lente, rapide, calme, spontanée, hésitante, évasive, etc.
- Le vocabulaire du client et, surtout, les modifications qui le marquent (par exemple, une personne qui ne jure jamais et qui se met à prononcer des jurons peut manifester par là un surcroît de stress, une régression ou une affection)
- Des signes verbaux d'hostilité, d'agressivité, d'arrogance, de résistance, d'anxiété dans la communication ou encore un verbiage incessant
- Des difficultés de communication telles qu'une mauvaise articulation, le bégaiement, la difficulté de prononcer certains sons, une certaine confusion dans le discours, l'incapacité de faire des phrases, des associations d'idées illogiques, la fuite des idées ou l'incapacité de trouver les mots pour exprimer quelque chose ou désigner des objets
- Le refus ou l'incapacité de parler

COMMUNICATION NON VERBALE. Pour connaître le mode de communication non verbal d'une personne, il importe de tenir compte de ce qui relève de sa culture et de prêter une attention particulière aux expressions faciales, aux gestes, aux mouvements du corps, à l'affect, au ton de voix, à la posture et au contact visuel.

Analyse et interprétation

Certaines composantes de la communication peuvent faire l'objet d'un diagnostic infirmier lorsqu'« une personne présente une diminution, un retard dans l'utilisation des symboles ou n'a pas la capacité de recevoir, de traiter, de transmettre et d'utiliser un système de symboles, c'est-à-dire de transmettre ce qui a un sens » (Wilkinson, 2005, p. 80). Les problèmes de communication relevés peuvent être d'ordre *réceptif* (difficultés d'audition) ou d'ordre *expressif* (difficultés d'élocution).

Wilkinson (2005) souligne que le diagnostic infirmier *Communication verbale altérée* peut ne pas convenir quand les problèmes de communication résultent d'une affection psychiatrique ou d'un problème d'adaptation. Dans ces circonstances, le diagnostic infirmier *Peur* ou *Anxiété* serait probablement plus approprié. Voici d'autres diagnostics infirmiers (NANDA-I, 2010) dans lesquels le problème de communication agit à titre de *facteur favorisant* (étiologique) :

- *Anxiété*, reliée aux troubles de la communication verbale
- *Comportement à risque pour la santé*, relié aux troubles de la communication verbale
- *Diminution situationnelle de l'estime de soi*, relié aux troubles de la communication verbale
- *Isolement social*, relié aux troubles de la communication verbale
- *Interactions sociales perturbées*, reliées aux troubles de la communication verbale

Planification

Une fois établi le diagnostic sur le plan de la communication verbale, l'infirmière circonscrit avec le client les résultats visés et, ensemble, ils planifient les moyens d'y parvenir. Globalement, dans le cas d'un client caractérisé par une *Communication verbale altérée*, on cherche à réduire ou à éliminer les facteurs nuisibles à la communication. Des interventions infirmières spécifiques seront planifiées en fonction de l'analyse étiologique. Voici certains résultats qui permettent d'évaluer l'efficacité des interventions infirmières en regard des objectifs visés.

Le client :
- Parvient à exprimer que ses besoins sont satisfaits.
- Commence à établir une méthode de communication :
  - Répond par « oui » ou « non » aux questions claires en utilisant la parole ou en appliquant le signe physique convenu (battre des paupières, serrer une main).
  - Applique des techniques verbales ou non verbales pour faire connaître ses besoins.
- Perçoit les messages correctement, comme en témoignent ses réponses verbales ou non verbales.

- Communique efficacement:
  - En s'exprimant dans sa langue.
  - En recourant aux services d'un traducteur ou d'un interprète.
  - Par des gestes.
  - En utilisant un tableau de mots ou un tableau d'images.
  - Au moyen d'un ordinateur.
- Recouvre la majeure partie de ses capacités initiales.
- Manifeste moins de crainte, d'anxiété, de frustration et paraît moins déprimé.
- Utilise les ressources appropriées.

Interventions infirmières

Les interventions infirmières visant à faciliter la communication avec le client présentant des problèmes associés au langage ou à la parole consistent à modifier certains éléments de l'environnement, à donner du soutien, à appliquer des mesures susceptibles d'améliorer la communication thérapeutique, et à renseigner le client et ses proches aidants.

Modifier l'environnement

Un environnement calme et favorable à la concentration appuie les efforts de communication chez le client et chez l'infirmière, ce qui accroît les chances de réussite sur ce plan. Un éclairage adéquat s'impose quand on veut transmettre des messages non verbaux, à plus forte raison si l'acuité visuelle ou auditive fait défaut. Une atmosphère paisible joue contre l'anxiété. On ne doit pas perdre de vue que toute difficulté de communication risque d'engendrer de la frustration, de l'anxiété, de la dépression ou de l'hostilité. En revanche, la communication donne une impression de sécurité et fait échec au sentiment d'isolement ou à la confusion qu'entraînent souvent les difficultés à communiquer. Dans tous les cas, l'infirmière reste aux aguets des progrès, reconnaît le moindre effort et les souligne.

Donner du soutien

L'infirmière encourage le client et le rassure d'une manière ou d'une autre, notamment par le toucher. Quand elle ne parvient pas à comprendre le client, l'infirmière lui en fait part afin qu'il puisse clarifier son langage verbal ou non verbal. Elle vérifie également dans quelle mesure elle se fait bien comprendre elle-même. L'utilisation de questions ouvertes (qui demandent un développement) et fermées (qui ne demandent qu'une réponse très brève, comme « oui » ou « non ») servent à vérifier l'efficacité de la communication. Par exemple, l'infirmière veut parler à Maria Perez, dont le français est approximatif, du régime alimentaire qui accompagne la maladie de Crohn: « Comprenez-vous ce que vous devez manger? » Maria peut bien répondre « oui » en hochant la tête, mais cela ne permet pas à l'infirmière de savoir si son message a été bien compris. L'infirmière devrait plutôt formuler son message ainsi: « Qu'est-ce que vous devrez manger qui sera bon pour vous lorsque vous serez de retour à la maison? » L'infirmière peut, par son langage corporel (gestes, posture, expression du visage et contact visuel), exprimer son accord et son approbation.

Appliquer des mesures susceptibles d'améliorer la communication thérapeutique

En premier lieu, on doit détecter la manière dont le client recevra le mieux les messages: en écoutant, en regardant, par l'intermédiaire du toucher ou avec l'aide d'un interprète. Employer une formulation simple et concrète, puis discuter de sujets qui intéressent le client constituent des moyens utiles. On gagne souvent à mettre en œuvre des stratégies de communication thérapeutique variées telles que les tableaux de mots ou d'images, ou le papier et les crayons.

Souvent, lorsque le client ne s'exprime pas couramment dans la langue du milieu, l'aide d'un interprète peut faciliter la communication. Certains hôpitaux disposent d'interprètes. Si le proche aidant qui accompagne le client offre de faire office d'interprète, il importe d'en demander à celui-ci la permission afin de garantir la confidentialité. L'interprète, quel qu'il soit, sera prié de traduire le plus fidèlement possible, c'est-à-dire sans glisser ses propres commentaires ou ses propres interprétations du sens.

Donner des informations au client et à ses proches aidants

Le client et ses proches aidants gagnent à être préparés à faire face à des problèmes de communication, par exemple avant une intubation ou une chirurgie de la gorge. Lorsque le problème est anticipé, le client est souvent moins anxieux une fois la difficulté présente.

Évaluation

L'évaluation porte sur la communication tant du client que de l'infirmière.

Communication du client

Dans le but d'évaluer les résultats en matière de communication, l'infirmière écoute activement, observe les signaux non verbaux et utilise ses compétences en communication thérapeutique pour déterminer dans quelle mesure l'échange a été efficace. Voici quelques critères indiquant que les objectifs ont été atteints: « Le client a utilisé le tableau d'images pour exprimer ses besoins. » « Le client raconte: "J'ai écouté ma fille plus attentivement hier et j'ai découvert comment elle se sent par rapport à son divorce." »

Communication de l'infirmière

Pour évaluer l'efficacité de sa propre communication, l'infirmière utilise souvent le **compte rendu d'entretien** (ou analyse d'interaction). Il s'agit d'un rapport textuel (mot à mot) de la conversation. Il peut être enregistré ou écrit et il comporte également toutes les interactions non verbales entre le client et l'infirmière.

Un tableau sur deux colonnes constitue un bon moyen de rédiger un compte rendu d'entretien. Dans la première colonne, l'infirmière consigne ce qu'elle et le client ont dit, ainsi

20

que les comportements non verbaux associés à l'échange. Dans la seconde colonne, l'infirmière inscrit l'analyse de ses réponses. Dans un processus d'apprentissage d'analyse d'interaction, une description plus détaillée de la situation et de l'analyse est souvent exigée. L'encadré 20-7 présente un exemple d'un compte rendu d'entretien en trois points : (1) le comportement du client (ce que j'observe) ; (2) les réactions de l'infirmière (ce que je pense et ressens) ; (3) les actions de l'infirmière (ce que je dis et

---

ENCADRÉ 20-7
EXEMPLE D'UN COMPTE RENDU D'ENTRETIEN

CONTEXTE (description des lieux et des personnes)

J. R., un homme de 48 ans, est hospitalisé depuis plusieurs années pour ataxie, diabète insulinodépendant, iléostomie et plaies de pression demandant des traitements réguliers. Il a de la difficulté à parler et à se mouvoir à cause de l'ataxie. Il doit fournir beaucoup d'efforts afin de prononcer les mots correctement. Assis dans son fauteuil roulant, il regarde les gens autour de lui. J'arrive devant lui, souriante, et je lui fais part de la température froide qui me rappelle que le temps des fêtes approche. Je lui demande s'il a hâte à Noël et quels seraient ses souhaits pour le Nouvel An.

1. LE COMPORTEMENT DU CLIENT (ce que j'observe, mes perceptions)

J. R. est assis dans son fauteuil, il me regarde en m'écoutant attentivement, puis il se détourne pour regarder fixement devant lui d'un air triste. Il ne sourit pas, il ne bouge pas. Après quelques instants de silence, il me répond : « Mon souhait serait de guérir de ma maladie. Mais les médecins ne me guérissent pas. »

■ **Analyse**

– **La communication non verbale du client vient renforcer ou non sa communication verbale :** Renforcer : J. R. a le regard triste, il regarde fixement devant lui et son message exprime de la déception (observation).
– **Mon interprétation du message communiqué par le client :** J. R. parle de son souhait profond et de la chronicité de sa maladie. Il voulait communiquer l'espoir qu'il entretient de guérir et le fait qu'il n'accepte pas sa maladie (acceptation inconditionnelle, écoute attentive).

2. LES RÉACTIONS DE L'INFIRMIÈRE DEVANT LES COMPORTEMENTS DU CLIENT (ce que je pense et ressens, et pourquoi)

La question posée était axée davantage sur l'amorce d'une conversation que sur le désir d'avoir une réponse précise. En observant la réaction de J. R., je constate le sérieux de son commentaire. Mon attitude de départ et mes sentiments changent, je me sens un peu mal à l'aise du fait que je me demande comment réagir. Cependant, je trouve intéressant qu'il s'ouvre à moi sur le sujet, malgré la chronicité de sa maladie. Je perçois qu'il désire communiquer ; certains objectifs de communication se précisent et devront être confirmés avec lui. Je me dis qu'avec une telle maladie j'aurais probablement le même souhait. J'ai senti de la tristesse chez J. R., qui a pratiquement perdu toute illusion quant à l'éventualité d'une guérison. Je ressens moi-même une certaine tristesse.

■ **Analyse**

– **Mes pensées et mes sentiments sont liés ou non au comportement du client :** J'adapte rapidement mes pensées et mes sentiments en fonction de ce que J. R. me communique. Mon attitude « légère » se transforme en une attitude plus calme et sérieuse. Je désire communiquer de façon thérapeutique, écouter activement et permettre à J. R. de continuer à s'exprimer. Je démontre une attitude de respect chaleureux et d'acceptation.
– **Le comportement verbal du client influe sur mes pensées :** Le fait que J. R. s'exprime sérieusement sur le sujet m'amène à opter pour une attitude qui démontre davantage de la

compassion. Je me demande comment réagir de façon thérapeutique. Je me sens concernée par ce que J. R. communique. Je me mets à sa place et je pense à ce qu'il peut ressentir (écoute attentive, empathie, acceptation inconditionnelle). Je constate que, malgré la chronicité de sa maladie, il oscille entre l'espoir et le désespoir (respect chaleureux).

– **Mes pensées et mes sentiments se sont traduits dans mes gestes :** Mes sentiments se sont traduits par le désir de rendre la communication plus intime. Je démontre à J. R. que je suis disponible pour l'écouter (écoute attentive, manifestation physique). La correspondance entre mes sentiments et mes gestes démontre de la congruence.

3. LES ACTIONS DE L'INFIRMIÈRE (ce que je dis et fais)

Je me suis accroupie devant J. R., je lui ai pris la main et d'une voix plus basse et calme je lui ai dit : « Vous êtes découragé que les médecins ne trouvent pas de moyens pour vous guérir de votre maladie ? » Après un long silence, il me fait signe que oui de la tête ; je lui fais aussi un signe de la tête et, après quelques secondes, je lui demande : « Comment vous percevez-vous avec cette maladie ? »

■ **Analyse**

– **Ma communication non verbale vient ou non appuyer ce que je ressens :** Oui : en m'accroupissant près de J. R., en baissant la voix et en tenant sa main (le toucher), la communication devient plus intime, ce qui correspond à ce que je ressens, à mon désir d'écouter et d'entrer en communication thérapeutique avec lui.
– **Ce que je communique au client :** Je communique mon désir de poursuivre la communication (création d'un climat intime, poursuite de la discussion) et je lui pose une question fermée qui permet de faire un reflet de sentiment (empathie) et d'obtenir une confirmation. Le moment de silence respecté a permis à J. R. de réfléchir à ma question, de formuler une réponse et, dans sa situation (ataxie), de s'exprimer à son rythme (respect chaleureux). De plus, ce silence était rempli d'intérêt et d'attention pour ce qu'il communique. La deuxième question (ouverte) permet d'aller plus loin dans l'expression de ses sentiments et de son vécu (élucidation : sentiments qui ne découlent pas des paroles mais qui peuvent être déduits par la communication). Le signe de la tête fait entre les deux questions afin de garder un contact constant avec J. R. représente une invitation à poursuivre et une rétroaction.
– **Ce qui motive chez moi ce genre d'intervention :** Le souci d'aider J. R. à exprimer ses émotions et de maintenir une relation de confiance et de confidentialité.
– **Mes paroles ou mes gestes ont influé sur la réponse du client :** Sachant que je considérais son commentaire, J. R. a donc continué dans le même sens en répondant à la question suivante.
– **Mes paroles et mes gestes ont-ils facilité ou non l'échange ? :** Oui, le climat étant devenu plus intime, J. R. est incité à poursuivre la conversation. Quant à moi, j'ai pu me concentrer sur lui et l'accompagner tant physiquement que psychologiquement.

fais). Chacun de ces points est analysé à l'aide de questions spécifiques.

Le contenu et la signification des interactions sont analysés à partir de la théorie de la communication. Par exemple, pour chacune des affirmations de l'infirmière, on note les compétences en communication utilisées, leur justification et leur efficacité. Tous les obstacles à une communication efficace peuvent être précisés ; on peut aussi formuler une autre réponse. Un tel travail permet d'accroître la sensibilité de l'infirmière, de circonscrire ses habiletés et de découvrir les compétences à améliorer.

Communication entre les professionnels de la santé

Une communication efficace entre les professionnels de la santé favorise la communication thérapeutique entre l'infirmière et le client. Plus de 60 % des erreurs de médication sont le résultat d'une mauvaise communication interpersonnelle (Maxfield, Grenny, McMillan, Patterson et Switzler, 2005). Les infirmières ne communiquent pas de la même façon que les médecins. Par exemple, les infirmières cherchent habituellement à obtenir un consensus, alors que les médecins cherchent à écarter les solutions de rechange (Liendeke et Sieckert, 2005). Pour Beyea (2004), le style de communication des infirmières est narratif ou descriptif alors que celui des médecins se concentre sur un besoin ou un problème. De telles différences peuvent rendre la collaboration difficile.

Une communication sans ambages favorise la sécurité du client. Les personnes qui communiquent ainsi sont honnêtes, directes et compétentes, tout en accueillant les nouvelles idées et en respectant les droits de chacun. Une caractéristique importante d'une communication sans ambages est l'utilisation d'énoncés qui commencent par « je » plutôt que par « vous ». Des phrases qui commencent par « vous » contiennent habituellement des reproches et mettent l'interlocuteur sur la défensive ; celles qui commencent par « je » invitent à la discussion. Par exemple, l'infirmière qui dit au médecin « Je m'inquiète de » gagne l'attention de ce dernier et met en évidence le fait que le travail en collaboration profitera au client. Mais, lorsqu'elle exprime verbalement son inquiétude au sujet du client, il est primordial qu'elle parle clairement, que son discours soit concis et organisé et qu'elle connaisse à fond le cas du client en question. Les infirmières doivent être conscientes de la mince frontière qui sépare une communication sans ambages d'une communication agressive. Une communication sans ambages est l'expression ouverte d'idées et d'opinions, mais qui respecte les droits, les opinions et les idées d'autrui. Une communication agressive est une affirmation catégorique des opinions et des droits légitimes de la personne qui parle, sans respecter les droits et les opinions des autres et sans en tenir compte (Catalano, 2006).

Révision du chapitre

MOTS CLÉS

Caring, **461**	Communication thérapeutique, **471**	Décodage, **464**	Proxémie, **469**
Codage, **464**	Communication verbale, **466**	Dynamique de groupe, **480**	Réconfort, **462**
Communication, **463**	Compassion, **462**	Écoute attentive, **471**	Relation d'aide, **474**
Communication congruente, **475**	Compte rendu d'entretien, **485**	Empathie, **475**	Rétroaction (feedback), **466**
Communication non verbale, **466**	Confiance, **479**	Espace personnel, **469**	Territorialité, **470**
		Groupe, **480**	

CONCEPTS CLÉS

■ Savoir communiquer est une compétence fondamentale dans le domaine des soins infirmiers ; la communication thérapeutique est un processus dynamique visant à recueillir des données d'évaluation, à enseigner, à guider, à prodiguer des soins et à faire preuve de compassion.

■ Le caring constitue l'aspect essentiel de la pratique infirmière. Idéal moral de la pratique infirmière, il comporte la volonté et l'intention de donner des soins dans une attitude de compassion.

■ Le caring peut favoriser la croissance des clients, encourager le maintien de leur dignité et leur sentiment de valeur personnelle, stimuler l'autoguérison et diminuer le stress.

■ La compassion caractérise tout particulièrement les soins infirmiers ; c'est une dimension essentielle du caring.

■ Les besoins de réconfort concernent les aspects physique, psychospirituel, social et environnemental. Il importe que l'infirmière soit bien renseignée, qualifiée et novatrice afin de déployer des stratégies bien adaptées au client, d'où découlera un esprit de compassion.

■ Il existe trois types de réconfort : le soulagement, la satisfaction et la transcendance.

■ La communication est un processus interpersonnel entre l'émetteur et le récepteur d'un message. Ce processus comprend aussi les messages intrapersonnels, ou monologues intérieurs, qui peuvent influer sur le message, sur son interprétation et sur la réponse obtenue ou donnée.

■ Puisque l'émetteur doit coder le message et déterminer les canaux appropriés pour le transmettre, puisque le récepteur doit recevoir le message, le décoder et ensuite y répondre, le processus de communication se compose de quatre éléments : l'émetteur, le message, le récepteur et la rétroaction.

20

- Pour évaluer l'efficacité d'une communication verbale, on doit tenir compte des éléments suivants : le rythme et l'intonation, la simplicité, la clarté et la concision, le moment et la pertinence, l'adaptabilité, la crédibilité et l'humour.

- La communication non verbale est souvent plus révélatrice des idées et des sentiments d'une personne que la communication verbale ; elle se transmet à travers l'apparence physique, la démarche et l'attitude, l'expression faciale et les gestes.

- Lorsqu'elle évalue le comportement verbal et non verbal d'un client, l'infirmière tient compte des influences culturelles tout en gardant à l'esprit qu'une simple expression non verbale peut exprimer une variété de sentiments et que les mots peuvent avoir des significations différentes selon les cultures.

- Lorsque la communication est efficace, les expressions verbales et non verbales sont congruentes.

- De nombreux facteurs influent sur le processus de communication : le niveau de développement, le sexe, les valeurs privilégiées et les perceptions, l'espace personnel (distance intime, personnelle, sociale et publique), la territorialité, les rôles et les relations, l'environnement et les attitudes interpersonnelles (écoute attentive, caring, compassion, respect chaleureux, acceptation inconditionnelle).

- La communication thérapeutique favorise la compréhension et peut aider à établir une relation caractérisée entre l'infirmière et le client. Elle est axée sur le client et elle est orientée vers l'atteinte d'objectifs.

- L'écoute attentive est certainement une des attitudes les plus importantes en soins infirmiers, car elle est inhérente à toutes les techniques de communication thérapeutique.

- Les attitudes thérapeutiques en relation d'aide sont les attitudes interpersonnelles, l'écoute attentive, l'empathie, l'authenticité (honnêteté et révélation de soi), la crédibilité, la congruence et l'immédiateté.

- De nombreuses techniques facilitent la communication thérapeutique : le silence, la proposition de pistes qui incitent à poursuivre, le langage précis ou exploratoire, des questions ouvertes ou fermées selon le besoin, le toucher, la reformulation ou les paraphrases, la clarification du sens, la spécificité, la vérification des perceptions ou la confirmation d'une interprétation, la proposition, des renseignements supplémentaires, la reconnaissance de ce qui a lieu, la précision du temps ou du moment, le rappel de la réalité, la rigueur, le départage de l'essentiel et de l'accessoire, le reflet (simple et de sentiment), la synthèse, la planification, la confrontation, la transition, la recherche de solutions et l'élucidation.

- Les techniques à proscrire en relation d'aide sont : stéréotyper, approuver ou désapprouver, se tenir sur la défensive, mettre au défi, être trop curieux, mettre à l'épreuve, rejeter, changer de sujet, rassurer de manière injustifiée, porter un jugement et donner un avis d'ordre général.

- Une relation d'aide infirmière-client efficace stimule la croissance personnelle du client.

- Les quatre étapes de la relation d'aide sont : la préparation (préinteraction), l'introduction (orientation), le déroulement (travail) et la conclusion ; chaque étape est caractérisée par des tâches et des compétences qui font appel à des aptitudes spécifiques chez l'infirmière.

- L'infirmière interagit avec des groupes de clients et de collègues dans toutes sortes de situations. Pour qu'un groupe fonctionne de manière rationnelle et efficiente, il est fondamental que l'infirmière connaisse les caractéristiques d'un groupe efficace et d'un groupe inefficace.

- Pour aider le client qui présente des difficultés de communication, l'infirmière peut modifier l'environnement, donner du soutien, appliquer des mesures susceptibles d'améliorer la communication et donner des informations au client et à son entourage.

- L'infirmière recourt souvent au compte rendu d'entretien pour évaluer sa propre manière de communiquer. Cet outil lui permet d'analyser tant le processus que le contenu de la communication.

Références

Ahern, E. (1995, juillet-août). L'humour a-t-il sa place en relation d'aide ?, *L'infirmière du Québec*, 36-41.

Beyea, S. C. (2004). Improving verbal communication in clinical care. *AORN Journal, 79*(5), 1053-57.

Brammer et McDonald, L. M. (2002). *The helping relationship : Process and skills* (8ᵉ éd.). Englewood Cliffs, NJ : Prentice Hall.

Catalano, J. T. (2006). *Nursing now ! Today's issues, tomorrow's trends* (4ᵉ éd.). Philadelphie, PA : Davis.

Egan, G. (1998). *The skilled helper : A problem-management approach to helping* (6ᵉ éd.). Pacific Grove, CA : Brooks/Cole.

Egan, G. (2006). *The skilled helper : A problem-management approach to helping* (8ᵉ éd.). Pacific Grove, CA : Brooks/Cole.

Fenwick, J., Barclay, L., et Schmeid, V. (2001). Chatting : An important clinical tool in facilitating mothering in neonatal nurseries. *Advances in Nursing Science, 24*, 34-49.

Gadow, S. (1984). Touch and technology : Two paradigms of patient care. *Journal of Religion and Health, 23*(1), 63-69.

Gordon, S., Benner, P., et Noddings, N. (1996). *Caregiving.* Philadelphie : University of Pennsylvania Press.

Kolcaba, K. Y. (1991). A taxonomic structure for the concept of comfort. *Image : Journal of Nursing Scholarship, 23*, 237-240.

Kolcaba, K. Y. (1995). Comfort as process and product merged in holistic nursing art. *Journal of Holistic Nursing, 13*(2), 117-131.

Lazure, H. (1987). *Vivre la relation d'aide. Approche théorique et pratique d'un critère de compétence de l'infirmière.* Mont-Royal : Décarie.

Leininger, M. M. (2001). *Care : The essence of nursing and health.* Thorofare, NJ : Charles B. Slack.

Liendeke, L. L., et Sieckert, A. M. (2005). Nurse-physician workplace collaboration. *Journal of Issues in Nursing, 10*(1). Manuscrit 4. Document consulté le 2 février 2005 de http://www.nursingworld.org/oijn/topic26//tpc26_4.htm.

Maxfield, D., Grenny, J., McMillan, R., Patterson, K., et Switzler, A. (2005). *Silence kills : The seven crucial conversations for healthcare.* Provo, UT : VitalSmarts.

Miller, K. L. (1995). Keeping the care in nursing care. Our biggest challenge. *JONA, 25*(11), 29-32.

Morse, J. (1996). The science of comforting. *Reflections, 22*(4), 6-7.

NANDA International. (2010). *Diagnostics infirmiers : Définitions et classification 2009-2011.* Issy-les-Moulineaux : Elsevier Masson.

Noddings, N. (1984). *Caring : A feminine approach to ethics and moral education.* Berkeley : University of California Press.

Roach, M. S. (2002). *Caring : The human model of being* (2ᵉ éd). Ottawa : CHA Press.

Rondeau, K. V. (1992). Effective communication means really listening. *Canadian Journal of Medical Technology, 52*(2), 78-80.

Tamparo, C.T., et Lindh, W. Q. (2008). *Therapeutic communications for health professionals* (2ᵉ éd.). Albany, NY : Delmar : Thompson Learning.

Watson, J. (1999). *Nursing : Human science and human care. A theory of nursing.* Boston : Jones & Bartlett.

Watson, J. (2005 ; 1985). *Nursing : Human science and human care.* Norwalk, CT : Appleton-Century-Crofts.

Wilkinson, J. M. (2005). *Nursing diagnosis handbook with NIC interventions and NOC outcomes* (8ᵉ éd.). Upper Saddle River, NJ : Prentice Hall Health.

20

Chapitre 21

Adaptation française :
Alain Huot, B.Sc. inf., M.Éd., Ph.D.(c)
Chargé de cours
Université du Québec à Rimouski

OBJECTIFS D'APPRENTISSAGE

Après avoir étudié ce chapitre, vous pourrez :

- Justifier l'importance du rôle d'enseignante de l'infirmière.
- Décrire les caractéristiques de l'apprentissage.
- Comparer l'andragogie, la pédagogie et la géragogie.
- Exposer les théories de l'apprentissage suivantes et les façons dont l'infirmière peut les utiliser : béhaviorisme, cognitivisme et humanisme.
- Décrire les trois domaines de l'apprentissage : cognitif, affectif, psychomoteur.
- Reconnaître les facteurs qui influent sur l'apprentissage.
- Évaluer les besoins d'apprentissage des apprenants et l'environnement propice à l'apprentissage.
- Déterminer les diagnostics infirmiers, les résultats escomptés et les interventions qui correspondent aux besoins d'apprentissage.
- Décrire les aspects essentiels d'un plan d'enseignement.
- Énoncer les règles d'action d'un enseignement efficace.
- Discuter des méthodes à utiliser pour enseigner à des personnes d'origine culturelle différente.
- Distinguer les méthodes d'évaluation de l'apprentissage.
- Documenter de manière appropriée les activités liées à l'enseignement et à l'apprentissage.

Enseignement

L'enseignement au client et aux membres de sa famille est un aspect essentiel de la pratique et constitue un des rôles fondamentaux de l'infirmière. En vertu des lois qui régissent les soins infirmiers, on considère généralement l'enseignement comme une fonction étroitement liée à la pratique infirmière. L'enseignement constitue donc une responsabilité légale et professionnelle qui incombe à l'infirmière, et il s'intègre sur plusieurs plans à la notion de « soins » selon les *Perspectives de l'exercice de la profession d'infirmière* (Ordre des infirmières et infirmiers du Québec [OIIQ], 2010) :

- « Les soins infirmiers aident la personne à acquérir des mécanismes d'adaptation qui lui permettront de prévenir ou de surmonter les problèmes de santé et les situations de crise » (p. 10).

- « Les soins infirmiers aident la personne à apprendre comment accroître le répertoire de ses ressources personnelles pour assumer ses responsabilités en matière de santé et acquérir des habiletés d'autosoins » (p. 10).

L'enseignement à la personne comporte un certain nombre de facettes, notamment la promotion, la protection et le maintien de la santé. Il a comme objet la diminution des facteurs de risque pour la santé, l'augmentation du degré de bien-être de la personne et l'adoption de mesures visant expressément à favoriser la santé. L'encadré 21-1 présente la liste des domaines propres à l'enseignement en matière de santé.

ENCADRÉ 21-1
DOMAINES PROPRES À L'ENSEIGNEMENT EN MATIÈRE DE SANTÉ

Promotion de la santé

- Augmentation du niveau de bien-être
- Sujets liés à l'épanouissement et au développement
- Planification des naissances
- Hygiène
- Nutrition
- Pratique de l'exercice
- Gestion du stress
- Changement des habitudes de vie
- Ressources accessibles dans la communauté

Prévention des problèmes de santé

- Dépistage (par exemple glycémie, pression artérielle, cholestérol sanguin, test de PAP, mammographie, vision, audition, examens paracliniques de routine, examens d'imagerie médicale)
- Diminution des facteurs de risque pour la santé (par exemple consommation d'aliments riches en cholestérol)
- Mesures particulières pour la protection de la santé (par exemple vaccination, utilisation de condoms, utilisation d'un écran solaire, soins à apporter au cordon ombilical)
- Premiers soins
- Sécurité (par exemple utilisation de la ceinture de sécurité, du casque protecteur ou du déambulateur)

21

ENCADRÉ 21-1 *(suite)*
DOMAINES PROPRES À L'ENSEIGNEMENT EN MATIÈRE DE SANTÉ

Rétablissement de la santé

- Renseignements sur les examens paracliniques, les diagnostics, les traitements et les médicaments
- Compétences nécessaires pour prendre soin de soi-même ou pour donner des soins à un membre de sa famille
- Ressources dans les milieux de soins et dans la communauté

Adaptation aux problèmes de santé et aux déficiences de fonctionnement

- Adaptation du mode de vie
- Aptitudes à résoudre les problèmes
- Adaptation aux changements de l'état de santé
- Stratégies de résolution des problèmes actuels (par exemple autoadministration d'intraveineuses, médicaments, régime alimentaire, limitation des activités, prothèses)
- Stratégies de résolution des problèmes à venir (par exemple crainte de la douleur dans le cas d'un cancer en phase terminale, chirurgies à venir, traitements)
- Renseignements sur les traitements et les résultats escomptés
- Recommandations aux autres établissements ou services de santé
- Amélioration du concept de soi, dont font partie l'estime de soi et l'image de soi
- Assistance aux personnes en deuil

Enseignement

L'**enseignement** est un ensemble structuré d'activités qui favorise l'apprentissage. Le processus d'enseignement est conçu dans l'intention de conduire à un apprentissage particulier.

Dans le processus enseignement-apprentissage, il y a nécessairement une interaction dynamique entre l'apprenant et l'enseignant. Le processus d'enseignement utilise les mêmes composantes que le processus de communication. Ainsi, la communication devient l'assise de l'enseignement. Chaque participant du processus communique à l'autre des informations, des émotions, des perceptions et des attitudes. La démarche d'enseignement et la démarche de soins infirmiers sont très semblables (tableau 21-1).

L'infirmière enseigne à des personnes différentes dans diverses situations : le client, sa famille ou ses proches ; à l'hôpital, à la maison ou en centre d'hébergement et de soins de longue durée (CHSLD) ; à de petits ou à de grands groupes, par exemple dans le contexte de programmes d'éducation à la santé.

L'infirmière enseigne aussi à des consœurs et à des collègues, tant dans les établissements d'enseignement, tels que les collèges et les universités, que dans des établissements de santé, tels que les hôpitaux et les CHSLD.

Enseignement au client et à sa famille

L'infirmière donne parfois une formation individuelle ou personnalisée. Elle peut, par exemple, montrer à la personne comment prendre soin de ses plaies lorsqu'elle change son pansement ; elle peut enseigner à une personne qui souffre de troubles cardiaques des notions de nutrition, et lui expliquer la nécessité de faire de l'exercice et d'adopter un mode de vie et des comportements qui l'aideront à réduire le risque d'infarctus. L'infirmière doit parfois aussi enseigner à des membres de la famille ou à des proches qui prennent soin d'une personne malade. Par exemple, l'infirmière qui travaille en obstétrique ou en pédiatrie enseigne le soin des enfants aux parents ou à d'autres proches.

Puisque la durée des séjours à l'hôpital diminue, il est possible que le temps dévolu à l'enseignement soit plus court. L'infirmière doit donner à la personne et à sa famille un enseignement qui leur permettra de passer de manière sûre d'un niveau de soins à un autre et elle doit également planifier de façon appropriée le suivi de l'enseignement à la maison. Le plan de suivi doit comprendre tant les renseignements sur ce qui a été enseigné à la personne avant son transfert ou son congé que ce qu'il lui reste à apprendre pour pouvoir prendre soin d'elle-même à la maison ou dans un autre contexte (chapitre 7 ⟲).

TABLEAU 21-1
COMPARAISON ENTRE LA DÉMARCHE D'ENSEIGNEMENT ET LA DÉMARCHE DE SOINS INFIRMIERS

Étape	Démarche d'enseignement	Démarche de soins infirmiers
1	Recueillir les données ; analyser les forces et les faiblesses de la personne.	Recueillir les données ; analyser les forces et les faiblesses de la personne.
2	Faire une évaluation pédagogique.	Formuler un diagnostic infirmier.
3	Préparer un plan d'enseignement : ■ Rédiger les objectifs d'apprentissage. ■ Choisir le contenu et établir un échéancier. ■ Choisir les stratégies d'enseignement.	Planifier les objectifs et les résultats escomptés ; déterminer les interventions appropriées.
4	Mettre en œuvre le plan d'enseignement.	Mettre en œuvre le plan de soins et de traitements infirmiers.
5	Évaluer l'atteinte des objectifs d'apprentissage selon les résultats escomptés pour la personne.	Évaluer l'atteinte des objectifs selon les résultats escomptés.

21

Enseignement à la communauté

L'infirmière collabore souvent à des programmes de formation en santé communautaire, soit à titre de bénévole (par exemple pour un organisme tel que la Croix-Rouge ou pour une association de planification des naissances), soit à titre de salariée dans le cadre de son travail dans un établissement de santé ou d'enseignement. L'enseignement à la communauté peut s'adresser à des groupes de personnes qui s'intéressent à certains aspects de la santé et prendre la forme de cours portant sur la nutrition, la RCR ou la diminution de facteurs de risque liés aux affections cardiovasculaires ; il peut aussi s'agir de programmes de sécurité en cyclisme ou en natation. Ces programmes peuvent en outre être conçus pour de petits groupes ou s'adresser à des individus, tels que les cours prénataux ou les cours de planification familiale.

Enseignement aux autres membres du personnel des services de santé

L'infirmière enseigne aussi à des collègues. Celle qui exerce sa profession dans un établissement sera appelée à contribuer à la formation clinique des étudiantes infirmières et à mettre son expérience au service des nouvelles diplômées ou des nouvelles arrivantes. L'infirmière spécialiste pourra partager ses connaissances avec les novices dans un domaine de spécialisation donné.

L'infirmière enseigne aussi à d'autres professionnels de la santé en participant, par exemple, à la formation des étudiants stagiaires en médecine ou dans des disciplines paramédicales. À ce titre, elle explique souvent aux autres professionnels de la santé le rôle qu'elle joue et la manière dont elle peut les aider dans les soins à donner. Il lui arrive aussi de former d'autres professionnels de la santé, en les aidant à acquérir des connaissances ou des compétences qui se rattachent à la pratique infirmière, comme les interventions non pharmaceutiques visant à soulager la douleur.

En d'autres mots, selon les *Perspectives de l'exercice de la profession d'infirmière* (OIIQ, 2010, p. 21) :

L'infirmière, dans l'exercice de sa profession :

- collabore avec les établissements d'enseignement et facilite les stages des étudiantes […] ;
- partage son expertise et adresse des commentaires constructifs à ses collègues infirmières […].

Apprentissage

« Apprendre est l'un des plus grands plaisirs de la vie. C'est aussi l'une des conditions essentielles de l'existence » (Leclerc et Rowan, 1992, p. 11).

Chaque personne a des besoins d'apprentissage variés. Chez l'apprenant, un **besoin d'apprentissage** correspond au désir ou à la nécessité d'apprendre quelque chose qu'il ne connaît pas. Les besoins d'apprentissage comprennent l'acquisition de connaissances d'ordre intellectuel ; de compétences ou de capacités physiques ; de nouveaux comportements, ou

la modification de certains comportements. L'**apprentissage** constitue un changement d'attitude ou de capacité qui laisse des traces durables et qui ne peut être mis sur le seul compte de la croissance. L'apprentissage résulte en un changement de comportement (rubrique *Enseignement – Caractéristiques de l'apprentissage*).

2+2 ENSEIGNEMENT

CARACTÉRISTIQUES DE L'APPRENTISSAGE

L'apprentissage est :

- Une expérience de vie personnelle et intrinsèque
- Une découverte individuelle du sens et de la pertinence des idées
- Une conséquence de l'expérience
- Un processus de collaboration et de coopération
- Un processus évolutif
- Un processus à la fois intellectuel et émotionnel

Le désir de la personne d'apprendre et d'agir en fonction de son apprentissage est un aspect important de cette démarche ; on l'appelle **observance**. Dans le contexte des soins de santé, l'observance est la concordance entre un avis donné à la personne au sujet de sa santé et le comportement de celle-ci par la suite. L'observance est réelle lorsqu'une personne reconnaît et accepte son besoin d'apprendre, et qu'elle adopte ensuite des comportements qui confirment que l'apprentissage a été assimilé. Par exemple, une personne atteinte de diabète comprend d'abord qu'elle doit suivre un régime alimentaire particulier ; par la suite, elle le planifie et le suit rigoureusement. Cependant, le terme « observance » est perçu de manière négative par bon nombre de personnes puisqu'il peut sous-entendre que l'apprenant est en situation de soumission et qu'il y a par conséquent conflit entre le droit de prendre lui-même les décisions relatives à sa santé et le fait qu'un professionnel de la santé lui dise quoi faire.

Le terme « **adhésion** » est lui aussi utilisé fréquemment dans la documentation traitant des soins de santé. Il correspond à l'acceptation d'un mode de vie ou d'un traitement ou bien à l'engagement de le respecter. Selon Bastable (2008, p. 201), tant l'observance que l'adhésion renvoient à la « capacité de maintenir des traitements favorables à la santé, traitements qui sont établis en grande partie par un professionnel de la santé ».

L'**andragogie** est l'art et la science d'enseigner aux adultes, alors que la **pédagogie** est la discipline qui permet d'aider les enfants à apprendre et désigne, par extension, toute méthode d'enseignement, sans égard à l'âge des apprenants. Quant à la **géragogie**, elle renvoie à la démarche qui vise à stimuler et à favoriser l'apprentissage chez les personnes âgées (John, 1988).

Les concepts andragogiques suivants peuvent servir de repères à l'infirmière qui enseigne à des adultes (Knowles, 1984) :

- À mesure qu'une personne acquiert de la maturité, elle passe de la dépendance à l'indépendance.
- L'apprentissage résultant des expériences précédentes d'une personne peut être utilisé comme moyen d'enseignement.

21

- La réceptivité à l'apprentissage est souvent liée à une tâche développementale ou à un rôle social.
- L'adulte apprend plus facilement lorsque la matière enseignée peut être utilisée immédiatement et non uniquement dans un avenir indéterminé.

Théories de l'apprentissage

Les théories qui portent sur la manière dont les gens apprennent et sur les raisons pour lesquelles ils le font remontent au XVIIᵉ siècle. Les trois principales théories de l'apprentissage sont le béhaviorisme, le cognitivisme et l'humanisme.

BÉHAVIORISME

La théorie du béhaviorisme a d'abord été mise de l'avant par Edward Thorndike qui, dans la perspective de l'enseignement, affirmait que l'apprentissage devait se fonder sur le comportement de l'apprenant. Parmi les principaux béhavioristes, on compte aussi I. Pavlov (1927), B. F. Skinner (1953) et A. Bandura (1971).

Selon la pensée béhavioriste, un acte est appelé « réponse » lorsqu'il résulte des effets d'un stimulus. Les béhavioristes observent attentivement les réponses et manipulent ensuite l'environnement de manière à induire le changement souhaité. Ainsi, pour modifier l'attitude et la réponse d'une personne, un béhavioriste modifiera le stimulus, l'environnement ou le résultat, une fois la réponse obtenue (Bastable, 2008, p. 54).

Les travaux de Skinner et de Pavlov ont mis l'accent sur le conditionnement des réponses comportementales à un stimulus entraînant une réponse ou un comportement. Pour augmenter la probabilité d'obtenir une réponse, Skinner introduit l'importante notion de **renforcement positif** (par exemple une expérience agréable, telle que des éloges et des encouragements) pour favoriser la répétition d'une action. De son côté, Bandura affirme que la plus grande partie de l'apprentissage est le fruit de l'observation et de l'enseignement plutôt que le résultat évident d'un comportement par essais et erreurs. Les recherches de Bandura mettent l'accent sur l'**imitation**, le processus par lequel la personne copie ou reproduit ce qu'elle observe, et sur le **modelage**, le processus par lequel une personne apprend en observant le comportement des autres.

Certains programmes conçus pour traiter des problèmes de santé tels que l'alcoolisme, le tabagisme et l'obésité sont inspirés de l'approche béhavioriste (Redman, 1993).

L'infirmière doit demeurer consciente du fait qu'elle contribue grandement à l'apprentissage en renforçant les comportements de la personne, même en dehors du contexte d'un enseignement formel (Lauzon et Adam, 1996).

COGNITIVISME

Selon cette théorie, on considère l'apprentissage comme une activité cognitive. Autrement dit, l'apprentissage est avant tout un processus mental, intellectuel ou réflexif. L'apprenant structure et traite l'information. Un individu choisit les perceptions de manière sélective, et ses caractéristiques personnelles influent sur la façon dont il perçoit un signal. Les tenants du cognitivisme accordent en outre beaucoup d'importance aux éléments du contexte social, émotionnel et physique dans lequel l'apprentissage se poursuit, tels que la relation enseignant-apprenant et l'environnement. Les approches cognitives tiennent également compte de la réceptivité développementale et individuelle (la motivation). La relaxation et la visualisation utilisées pour soulager la douleur et l'anxiété sont des applications de l'approche cognitiviste de l'apprentissage (Redman, 1993).

Parmi les principaux théoriciens du cognitivisme, on compte J. Piaget (1966), K. Lewin (1951) et B. Bloom (1956). Piaget établit cinq principaux stades dans le développement cognitif : sensorimoteur, préopératoire, intuitif, opératoire concret et opératoire formel. Pour sa part, Lewin avance que l'apprentissage comporte quatre types différents de changements : changement de la structure cognitive, changement de la motivation, changement du sentiment d'appartenance au groupe et gain de maîtrise musculaire. Sa théorie du changement, très connue, comporte trois stades : dégel, changement et regel (chapitre 22 ⊘).

Bloom a déterminé trois domaines d'apprentissage : cognitif, affectif et psychomoteur. Le **domaine cognitif** est le domaine de la « pensée » et des habiletés intellectuelles ; il compte six aptitudes mentales et processus de réflexion, soit l'acquisition des connaissances, la compréhension, l'application, l'analyse, la synthèse et l'évaluation. Le **domaine affectif**, ou domaine des « sentiments » et des attitudes, comporte des catégories qui précisent le degré de « profondeur de la réponse émotionnelle d'une personne aux tâches » (Bastable, 2008, p. 398). Il comprend les sentiments, les émotions, les intérêts, les attitudes et la reconnaissance. Le **domaine psychomoteur** est le domaine des « aptitudes » et des habiletés motrices (par exemple savoir donner une injection).

Selon cette approche, l'infirmière adapte son enseignement en fonction des représentations symboliques que la personne se fait à partir de ses connaissances et de ses expériences antérieures (Redman, 1993). Ces interventions « amènent la personne à prendre conscience de l'influence de ses pensées et de ses sentiments négatifs sur son comportement, et à les remplacer par des pensées et des sentiments positifs » (Poulin, 1993, citée dans Lauzon et Adam, 1996).

Dans chaque plan d'enseignement, l'infirmière devrait inclure les trois domaines établis par Bloom. Par exemple, enseigner à une personne comment irriguer une colostomie relève du domaine psychomoteur, mais une partie importante du plan d'enseignement destiné à un colostomisé consiste à lui enseigner pourquoi on utilise une quantité donnée de liquide et à quel moment l'irrigation doit être effectuée, ce qui relève du domaine cognitif ; par ailleurs, aider la personne à accepter la colostomie et à garder une bonne estime de soi relève du domaine affectif.

HUMANISME

Le modèle humaniste de l'apprentissage met l'accent sur les qualités tant cognitives qu'affectives de l'apprenant. Abraham Maslow (1970) et Carl Rogers (1961, 1969) font partie des représentants éminents de cette école de pensée. D'après la théorie humaniste, l'apprentissage est motivé, autodéterminé et autoévalué. Chaque personne est considérée comme un ensemble unique de facteurs biologiques, psychologiques, sociaux, culturels et spirituels. L'apprentissage met l'accent sur l'autoperfectionnement et sur la réalisation de son plein potentiel; il est plus efficace si l'apprenant se sent directement visé. L'autonomie et l'autodétermination sont importantes; l'apprenant détermine ses besoins d'apprentissage et prend l'initiative de les satisfaire. De cette manière, il devient un participant actif et assume la responsabilité de répondre à ses besoins d'apprentissage individuels. Selon cette approche, l'enseignant devient davantage un «facilitateur» de l'apprentissage (Lauzon et Adam, 1996).

Utilisation des théories de l'apprentissage

Les principales caractéristiques de la **théorie béhavioriste de l'apprentissage** comprennent la reconnaissance attentive de ce qui doit être enseigné et la remise immédiate d'une récompense lorsque les réponses sont appropriées. Toutefois, la théorie ne s'applique pas facilement à des situations d'apprentissage complexes et limite le rôle de l'apprenant dans le processus d'apprentissage. Pour mettre en pratique la théorie béhavioriste, l'infirmière agit comme suit:

- Elle prévoit suffisamment de temps pour la pratique, tout en effectuant d'emblée une vérification et une nouvelle démonstration.
- Elle donne la possibilité à l'apprenant de résoudre ses problèmes par tâtonnement (essais et erreurs).
- Elle choisit des stratégies d'enseignement qui atténuent les éléments de distraction et suggèrent la bonne réponse.
- Elle félicite l'apprenant de son comportement adéquat et lui donne une rétroaction positive à intervalles réguliers tout au long de l'expérience d'apprentissage.
- Elle fournit à l'apprenant des modèles du comportement souhaité.

La principale caractéristique de la **théorie cognitive de l'apprentissage** est la reconnaissance du niveau de développement de l'apprenant, de ses motivations et de son environnement. Toutefois, il arrive que l'enseignant n'ait aucune prise sur certains des facteurs motivationnels et environnementaux. Pour mettre en pratique la théorie cognitive, l'infirmière agit comme suit:

- Elle fournit un milieu social, émotionnel et physique propice à l'apprentissage.
- Elle favorise une relation enseignant-apprenant positive.
- Elle choisit des méthodes d'enseignement multisensorielles puisque les sens influent sur la perception.
- Elle reconnaît que les caractéristiques personnelles influent sur la manière dont les signaux sont perçus et met au point les méthodes d'enseignement nécessaires pour cibler les différents styles d'apprentissage.
- Elle évalue la réceptivité développementale individuelle à l'apprentissage et adapte ses méthodes d'enseignement au développement de l'apprenant.
- Elle choisit des objectifs comportementaux et des méthodes d'enseignement qui touchent aux domaines d'apprentissage cognitif, affectif et psychomoteur.

La **théorie humaniste de l'apprentissage** met surtout l'accent sur les sentiments et les attitudes des apprenants, sur la nécessité pour la personne de déterminer ses besoins d'apprentissage et d'en assumer la responsabilité, ainsi que sur sa motivation, le poussant à acquérir son autonomie et son indépendance. Pour mettre en pratique la théorie humaniste, l'infirmière agit comme suit:

- Elle fait preuve d'empathie dans sa relation avec la personne.
- Elle encourage l'apprenant à établir lui-même des objectifs et favorise l'autoapprentissage.
- Elle favorise l'apprentissage actif chez l'apprenant en jouant le rôle d'animatrice, de conseillère ou de personne-ressource.
- Elle fournit à l'apprenant les renseignements pertinents et lui pose les questions adéquates pour l'encourager à trouver les réponses.

Facteurs influant sur l'apprentissage

L'infirmière doit être attentive aux nombreux facteurs qui peuvent faciliter ou gêner l'apprentissage de la personne, particulièrement lorsque le temps consacré à l'enseignement est limité.

MOTIVATION

La **motivation**, c'est le désir d'apprendre. Elle a une grande influence sur la rapidité d'apprentissage et sur la quantité d'informations qu'une personne peut assimiler. La motivation est en général plus grande lorsqu'une personne reconnaît un besoin et croit qu'elle pourra le combler grâce à l'apprentissage. Il ne suffit pas que l'infirmière détermine et formule le besoin; il faut également que l'apprenant en fasse lui-même l'expérience. La tâche de l'infirmière consiste souvent à aider la personne à constater le problème et à déterminer le besoin. Il arrive parfois que la personne ou ses proches aient besoin d'assistance pour découvrir les informations adaptées à la situation avant de pouvoir constater l'existence d'un besoin. Par exemple, il sera peut-être nécessaire de renseigner une personne atteinte d'une affection cardiaque sur les méfaits de la cigarette avant qu'elle ne puisse reconnaître la nécessité d'arrêter de fumer, ou d'expliquer à un adolescent ce qui peut se produire si on ne traite pas une infection transmissible sexuellement et par le sang (ITSS) avant qu'il n'accepte qu'un traitement est nécessaire.

RÉCEPTIVITÉ

Dans le domaine de l'apprentissage, la **réceptivité** est la manifestation de comportements ou de signaux qui reflètent la motivation de la personne à apprendre à un moment donné. La réceptivité indique non seulement le désir ou la volonté d'apprendre, mais aussi la capacité de le faire à un moment précis. Par exemple, une femme peut manifester le désir d'apprendre à changer elle-même un pansement, tout en étant incapable d'en faire l'apprentissage parce qu'elle éprouve de la douleur. L'infirmière peut alors proposer à cette personne un médicament analgésique pour qu'elle se sente plus à l'aise et, par conséquent, mieux disposée à apprendre. Il incombe à l'infirmière de favoriser la réceptivité des personnes.

PARTICIPATION ACTIVE

Lorsque l'apprenant participe activement au processus d'apprentissage, la démarche devient beaucoup plus significative. Si l'apprenant prend part à la planification et à la discussion

21

de façon active, l'apprentissage devient plus facile et l'assimilation des connaissances, meilleure (figure 21-1 ■). L'apprentissage actif favorise la pensée critique, ce qui permet à l'apprenant de résoudre plus efficacement les problèmes. La personne qui s'engage activement dans l'apprentissage des soins de santé qui lui sont destinés sera probablement plus apte à les mettre en pratique. Par exemple, la personne qui s'intéresse vraiment au régime alimentaire prescrit saura davantage intégrer les principes appris dans ses préférences, ses habitudes en matière de nutrition et sa culture. L'apprentissage passif (par exemple assister à une conférence ou regarder un film) n'optimise pas l'apprentissage.

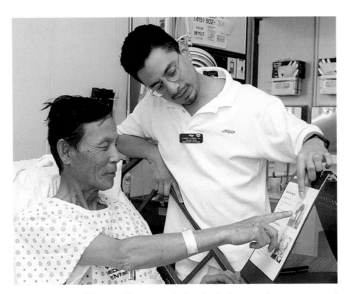

FIGURE 21-1 ■ L'apprentissage est plus facile lorsque la personne est intéressée et peut y participer activement.

PERTINENCE

La connaissance ou la compétence à acquérir doit être tout à fait pertinente pour l'apprenant. La personne apprend plus facilement quand elle peut associer de nouvelles connaissances à ses connaissances et expériences antérieures. Par exemple, une personne qui souffre d'hypertension artérielle, qui a un excès de poids et qui éprouve des symptômes tels que la fatigue et des maux de tête prendra davantage conscience de la nécessité de perdre du poids si elle se souvient avoir eu davantage d'énergie quand elle avait quelques kilos en moins. Tout au long du processus d'apprentissage, l'infirmière doit faire valoir à la personne la pertinence de l'enseignement.

RÉTROACTION

La **rétroaction** est une information qui associe la performance d'une personne à un objectif souhaité. Elle doit être significative pour l'apprenant. Ainsi, la rétroaction qui s'ajoute à la pratique de compétences psychomotrices aide la personne à acquérir ou à renforcer ces compétences. Les compliments, les commentaires favorables et les suggestions de méthodes différentes sont autant de manières de favoriser le comportement souhaité et de donner une rétroaction positive. Les observations négatives, qu'elles tournent en ridicule, qu'elles soient inspirées par la

colère ou qu'elles tiennent du sarcasme, peuvent amener la personne à abandonner l'apprentissage ; ce genre de rétroaction peut inciter la personne à fuir l'enseignant dans le but d'éviter la « punition ».

SOUTIEN NON CRITIQUE

Un individu apprend mieux quand il sent qu'il sera accepté sans être critiqué. Il apprend moins bien quand il s'attend à ce qu'on le juge « mauvais » ou « bon ». Une fois que l'apprenant a réussi à accomplir une tâche ou à assimiler un concept, il devient plus confiant dans sa capacité d'apprendre. Il a moins peur d'échouer et il sera probablement plus motivé. Les apprenants qui ont vécu l'expérience de la réussite sont plus confiants et plus en mesure de faire face à un échec.

ORGANISATION DE LA MATIÈRE DU SIMPLE AU COMPLEXE

L'apprentissage est plus facile lorsque le matériel utilisé est organisé de manière logique et progresse du simple au complexe. Cela permet à l'apprenant de bien saisir la nouvelle information, de la comprendre sans avoir à effectuer d'apprentissage préalable et de bien l'assimiler. Évidemment, les notions de « simple » et de « complexe » sont relatives et dépendent du niveau de l'apprenant ; ainsi, ce qui paraît simple à un individu peut être complexe pour un autre.

RÉPÉTITION

La répétition des concepts clés et des faits importants facilite l'assimilation de nouvelles connaissances. La mise en pratique des compétences psychomotrices, en particulier lorsque l'infirmière donne de la rétroaction, améliore les performances liées à ces compétences et facilite leur transposition dans d'autres contextes.

CHOIX DU MOMENT

Il est plus facile de mémoriser l'information et d'assimiler les compétences psychomotrices lorsque le temps écoulé entre l'apprentissage et sa mise en pratique est court ; plus cet intervalle est long, plus l'apprenant risque d'oublier l'apprentissage. Par exemple, on peut utiliser de la documentation écrite et audiovisuelle pour expliquer à une femme hospitalisée comment s'administrer de l'insuline. Toutefois, si on ne lui donne pas la possibilité de mettre en pratique son apprentissage avant son congé, elle éprouvera probablement des difficultés à se le rappeler. On facilitera son apprentissage si on l'encourage à se faire ses injections pendant son séjour à l'hôpital.

ENVIRONNEMENT

Parce qu'il diminue le risque de distractions et apporte un bien-être physique et psychologique, un environnement adéquat facilite l'apprentissage. L'éclairage doit être approprié et ne doit pas être éblouissant ; la pièce doit être bien ventilée et la température ambiante doit être agréable. La plupart des étudiants savent à quel point il est difficile de faire un travail intellectuel dans une pièce surchauffée, dont l'atmosphère étouffante nuit à la concentration et provoque la somnolence. Les bruits peuvent aussi distraire l'étudiant et nuire à l'écoute ou à la réflexion.

21

Dans le contexte hospitalier, l'infirmière doit choisir un moment où il n'y a pas de visiteurs et où elle ne sera pas interrompue.

Pour certains sujets d'apprentissage, la confidentialité est essentielle. Par exemple, lorsqu'une personne apprend à irriguer une colostomie, la présence d'autres personnes peut être embarrassante et l'empêcher de bien apprendre. Toutefois, si cette personne est anxieuse, elle pourra être rassurée par la présence d'un proche.

Plusieurs facteurs peuvent nuire à l'apprentissage. Quelques-uns des obstacles à l'apprentissage parmi les plus fréquents sont présentés au tableau 21-2.

ÉTAT PSYCHOLOGIQUE

Les émotions, telles que la peur ou la colère, le deuil ou l'annonce d'un mauvais pronostic, certains états mentaux comme la dépression, tout comme un degré élevé d'anxiété, qui provoque souvent l'agitation chez l'individu et l'empêche de se concentrer, peuvent gêner l'apprentissage. Il se peut que la personne ou les membres de sa famille qui se trouvent dans un état émotif perturbé n'entendent pas ce qu'on leur dit ou n'en retiennent qu'une partie. On peut atténuer une réponse émotive, telle que la peur ou l'anxiété, en donnant à la personne en question des informations qui dissiperont son incertitude. Le médecin peut prescrire des anxiolytiques à la personne ou aux membres d'une famille qui sont très angoissés, afin de leur procurer un état psychologique qui les rendra plus réceptifs à l'apprentissage.

ÉTAT PHYSIOLOGIQUE

Des états physiologiques particuliers, tels que les problèmes de santé graves, la douleur ou les difficultés de perception sensorielle, peuvent gêner l'apprentissage en empêchant l'apprenant de se concentrer ou simplement d'y consacrer son énergie. Avant de commencer son enseignement, l'infirmière doit essayer d'éliminer, dans la mesure du possible, les obstacles physiologiques à l'apprentissage, par exemple en donnant à la personne des analgésiques et en lui permettant de se reposer.

TABLEAU 21-2
OBSTACLES À L'APPRENTISSAGE

Obstacle	Explication	Intervention infirmière
Affection aiguë	La personne a besoin de toutes ses forces et de toute son énergie pour lutter contre l'affection.	Reporter l'enseignement jusqu'à ce que la personne se sente mieux.
Douleur	La douleur nuit à la capacité de concentration.	Évaluer et soulager la douleur avant l'enseignement.
Pronostic	La personne peut être préoccupée par son état de santé et être incapable de se concentrer sur de nouveaux renseignements.	Remettre l'enseignement à un moment plus propice.
Biorythmes	Les performances mentales et physiques suivent un rythme circadien.	Choisir un moment qui convient à la personne.
Émotion (par exemple anxiété, déni, tristesse)	Les émotions demandent beaucoup d'énergie et empêchent la personne de se concentrer sur l'apprentissage.	S'occuper d'abord des émotions de la personne et vérifier ses impressions.
Langue	La personne peut éprouver certaines difficultés de compréhension liées à la langue de communication.	Faire appel à un interprète ou à une infirmière qui s'exprime bien dans la langue de la personne.
Âge Personne âgée Enfant	La personne âgée peut être incommodée par des problèmes de vision, d'audition et de motricité. L'enfant a une capacité d'attention de courte durée et un vocabulaire différent.	Adapter le plan d'enseignement à la personne selon ses difficultés sensorielles et motrices. Planifier des périodes d'apprentissage plus courtes et plus actives.
Culture et religion	Il existe des restrictions d'ordre culturel ou religieux portant sur la transmission de certaines connaissances (par exemple la limitation des naissances et la contraception).	Évaluer les besoins d'ordre culturel ou religieux de la personne avant de planifier les activités d'enseignement.
Handicap physique	Une déficience visuelle, auditive, sensorielle ou motrice peut nuire à la capacité de compréhension de la personne.	Planifier des activités d'enseignement adaptées aux capacités physiques de la personne (par exemple fournir des outils d'apprentissage audio à une personne aveugle ou de la documentation en gros caractères à une personne atteinte d'une déficience visuelle).
Handicap mental	Une déficience cognitive peut avoir des répercussions sur la capacité d'apprentissage de la personne.	Évaluer la capacité d'apprentissage de la personne et planifier les activités d'enseignement en conséquence ; prévoir un enseignement plus complet à l'intention du proche aidant.

21

ASPECTS CULTURELS

La langue et les valeurs culturelles peuvent aussi constituer des obstacles à l'apprentissage. De toute évidence, la personne qui ne comprend pas bien la langue parlée par l'infirmière ne saisira pas grand-chose à ce qu'elle lui dit. Par ailleurs, il est possible que la médecine traditionnelle entre en conflit avec les croyances et les pratiques culturelles d'une personne en matière de guérison. Pour être efficace, l'infirmière doit tenir compte de ce conflit dès le départ; autrement, il est possible que la personne respecte peu ou ne respecte pas du tout le traitement. L'écart qui sépare les valeurs véhiculées par les membres de l'équipe de soins et celles de l'apprenant peut aussi être un obstacle à l'enseignement. Par exemple, une personne dont la culture ne valorise pas la minceur aura peut-être de la difficulté à apprendre comment suivre un régime amaigrissant.

CAPACITÉS PSYCHOMOTRICES

Lorsqu'elle planifie son enseignement, l'infirmière doit connaître les compétences psychomotrices de la personne et savoir que son état de santé peut influer sur ces compétences. Par exemple, une personne âgée souffrant d'arthrose grave aux mains sera peut-être incapable de nouer un bandage. Les capacités physiques suivantes sont importantes dans l'acquisition de compétences psychomotrices:

1. *Force musculaire.* Une personne âgée qui ne peut se lever seule d'une chaise parce qu'elle manque de force musculaire dans les jambes ne pourra pas apprendre à sortir seule d'une baignoire.
2. *Coordination motrice.* Marcher exige une bonne motricité globale, alors qu'il faut une bonne motricité fine pour manier des ustensiles (par exemple manger à l'aide d'une fourchette). Une personne qui souffre de sclérose latérale amyotrophique (SLA) à un stade avancé ayant atteint les membres inférieurs sera probablement incapable d'utiliser un déambulateur.
3. *Énergie.* La plupart des habiletés psychomotrices exigent une dépense énergétique, et l'apprentissage de ces compétences demande davantage d'énergie. La personne âgée ou malade a souvent peu d'énergie; on doit planifier l'apprentissage et l'exécution de ces compétences à des moments où elle est relativement en forme.
4. *Acuité sensorielle.* La plupart des apprentissages reposent sur la vue (par exemple marcher avec des béquilles, changer un pansement, remplir une seringue avec un médicament). Souvent, la personne qui a des problèmes de vision aura besoin d'aide pour exécuter ce genre de tâches.

Infirmière et éducatrice

L'infirmière a un rôle primordial d'éducatrice. Le client et sa famille sont en droit de recevoir une éducation à la santé de manière à pouvoir prendre des décisions éclairées. Au cours de l'enseignement donné à une personne et aux membres de sa famille, l'infirmière est justement en mesure de promouvoir des habitudes de vie saines grâce à ses connaissances en matière de santé, de processus de changement et de théories de l'apprentissage.

Démarche de soins infirmiers

Collecte des données

La collecte des données concernant les besoins d'apprentissage inclut les données relatives à l'examen clinique, soit l'anamnèse et l'examen physique, et elle tient compte du soutien dont la personne bénéficie. On doit aussi prendre en considération les caractéristiques individuelles qui peuvent influer sur le processus d'apprentissage: l'étape de développement, la réceptivité, la motivation et, par exemple, la capacité de lire et de comprendre, sans oublier les obstacles au changement tels que la personne les perçoit (chapitre 8 ⊂⊃).

L'infirmière peut également puiser dans son expérience de travail avec des personnes qu'elle a déjà rencontrées et qui éprouvaient les mêmes difficultés de santé. Par ailleurs, comme les besoins d'apprentissage d'une personne changent à mesure que son état de santé évolue, l'infirmière doit les réévaluer constamment.

▬ Anamnèse

Certains éléments de l'anamnèse peuvent fournir des indications concernant les besoins d'apprentissage de la personne: (1) l'âge; (2) la compréhension et la perception des problèmes de santé; (3) les croyances et les pratiques en matière de santé; (4) les facteurs culturels; (5) les facteurs économiques; (6) le style d'apprentissage; (7) le réseau de soutien. La rubrique *Entrevue d'évaluation – Besoins d'apprentissage et caractéristiques de la personne* propose des exemples de questions à poser au cours de l'entretien pour obtenir les renseignements pertinents. Il s'agit surtout de questions ouvertes.

ÂGE. L'âge fournit des renseignements sur le niveau de développement et peut servir d'indicateur pour les approches à adopter et le contenu de l'enseignement à offrir en matière de santé. Chez l'enfant d'âge scolaire et l'adolescent, des questions simples permettent d'évaluer les connaissances. Observer un enfant qui joue fournit des renseignements sur son développement moteur et intellectuel ainsi que sur ses relations interpersonnelles. Converser avec une personne âgée et l'interroger permet de voir ses difficultés mnésiques, ses limites psychomotrices, ses problèmes de perception sensorielle ou ses difficultés d'apprentissage (rubrique *Les âges de la vie*).

COMPRÉHENSION ET PERCEPTION DES PROBLÈMES DE SANTÉ. La perception qu'a la personne de ses problèmes de santé actuels et l'inquiétude qu'elle manifeste à ce sujet peuvent fournir de bonnes indications sur son niveau de connaissances en matière de santé. Afin de déceler les besoins d'aide possibles, l'infirmière doit être attentive aux répercussions des problèmes éprouvés sur les activités habituelles de la personne. Ainsi, l'infirmière peut proposer des renseignements, des ressources et des services offerts dans la communauté à une personne qui est incapable de s'autoadministrer des soins à la maison ou qui a besoin d'assistance pour le faire.

21

ENTREVUE D'ÉVALUATION

BESOINS D'APPRENTISSAGE ET CARACTÉRISTIQUES DE LA PERSONNE

Principal problème de santé

- Dites-moi ce que vous savez sur votre problème de santé actuel. Selon vous, quelle en est la cause?
- Qu'est-ce qui vous inquiète dans ce problème?
- De quelle manière ce problème influe-t-il sur vos activités courantes? Qu'est-ce que vous ne pouvez plus faire (par exemple dans votre travail, vos loisirs, les courses et les travaux ménagers)?
- Que faites-vous ou qu'avez-vous fait à la maison pour résoudre le problème? Cela vous aide-t-il?
- Si vous avez commencé des traitements, vous ont-ils permis de régler votre problème?
- Si ces traitements vous causent des difficultés, quelles sont-elles (par exemple des inconvénients, le coût élevé ou des malaises)?
- Parlez-moi des examens (chirurgie, traitement) que vous allez subir.

Croyances en matière de santé

- Comment est votre état de santé dans l'ensemble?
- D'habitude, que faites-vous pour rester en bonne santé?
- En ce qui concerne votre santé, croyez-vous être une personne à risque en raison de vos antécédents familiaux, de votre âge, de votre régime alimentaire, de votre emploi, de vos activités physiques ou de certaines habitudes de vie (par exemple l'usage du tabac)?
- Quels changements accepteriez-vous de faire pour diminuer les risques liés à ces problèmes ou pour améliorer votre état de santé?

Facteurs culturels

- Quelle langue parlez-vous et écrivez-vous le plus souvent?
- Allez-vous consulter un autre professionnel de la santé?
- Prenez-vous des produits naturels ou des médicaments couramment utilisés au sein de votre groupe culturel?
- Suivez-vous des traitements qui sont courants au sein de votre groupe culturel?

- Le médecin que vous voyez présentement est-il au courant que vous prenez ces médicaments et que vous suivez ces traitements?
- Votre médecin vous a-t-il déjà donné des conseils ou prescrit des traitements qui entrent en conflit avec vos valeurs ou vos croyances?
- Si jamais vous n'étiez pas d'accord avec votre médecin, que feriez-vous?

Style d'apprentissage

- Quel âge avez-vous?
- Quel est votre niveau de scolarité?
- Aimez-vous lire?
- De quelle façon obtenez-vous des renseignements sur la santé (par exemple en consultant un médecin, une infirmière, un pharmacien ou un site Internet, ou encore en lisant des magazines ou des livres)?
- De quelle manière préférez-vous apprendre de nouvelles choses?
  1. En lisant.
  2. En discutant.
  3. En regardant un film ou en assistant à une démonstration.
  4. À l'aide d'Internet.
  5. En écoutant un enseignant.
  6. En regardant d'abord comment les choses se font et en les faisant ensuite.
  7. De façon individuelle ou en groupe.

Réseau de soutien

- Aimeriez-vous qu'un membre de votre famille ou un ami vous aide à apprendre ce que vous devez savoir pour pouvoir prendre soin de vous?
- Selon vous, qui serait intéressé à apprendre avec vous ce qu'il faut savoir?

LES ÂGES DE LA VIE

PERSONNES ÂGÉES

«Quels que soient le projet éducatif dans lequel elle s'engage, son niveau d'instruction et son statut social, la personne âgée cherche toujours à apprendre pour vivre, pour être et se sentir utile, et pour donner un sens à sa vie» (Chené et Fleury, 1990, citées dans Lauzon et Adam, 1996).

Carré (1981), cité dans Lauzon et Adam (1996), affirme que «l'éducation des aînés permet de lutter contre les stéréotypes sociaux relatifs à la vieillesse, en ce qu'elle aide les personnes âgées à se construire un nouveau rôle social, leur permet de recouvrer leur confiance en soi et leur confirme qu'on peut apprendre à tout âge».

La personne âgée souffre souvent d'affections chroniques qui exigent de nombreux traitements ainsi qu'une quantité importante de médicaments. L'enseignement doit donc porter, comme pour le reste de la population, sur la promotion de la santé et du bien-être et sur la prévention des affections et des accidents. Cependant, les besoins de la personne âgée sont souvent plus grands lorsqu'il s'agit d'apprendre à vivre avec ses problèmes de santé et de fonctionner au mieux tout en maintenant le meilleur état de santé possible. Pour motiver l'adulte âgé à apprendre, le matériel pédagogique doit être pratique et vraiment significatif, particulièrement quand il s'agit de

nouvelles informations. Lorsqu'on enseigne à la personne âgée, il faut notamment tenir compte des points suivants:

- Donner la priorité à la promotion de la santé et aborder les domaines suivants:
  - Exercice
  - Nutrition
  - Habitudes qui la gardent hors de danger
  - Régularité des examens de santé
  - Compréhension de la médication
- Établir des objectifs réalistes pour la personne et les membres de sa famille.
- Si on utilise une aide visuelle, choisir une impression en gros caractères et en couleurs contrastantes.
- Accorder davantage de temps à l'enseignement et permettre à la personne de se reposer de temps en temps.
- Répéter les informations au besoin.
- Demander à la personne de répéter le geste (la compétence psychomotrice) qu'on vient de lui enseigner (par exemple faire une injection d'insuline).

21

♀️ LES ÂGES DE LA VIE *(suite)*

- Déterminer de quelle manière la personne obtient les renseignements qu'elle possède sur la santé (par exemple journaux, magazines, télévision).
- Utiliser des exemples se rapportant à la vie quotidienne de la personne.
- Prêter attention aux problèmes de perception sensorielle, tels que les problèmes d'audition et de vision.
- Utiliser l'approche avec laquelle la personne est le plus à l'aise (en groupe ou en rencontre individuelle).
- Si la non-observance est un problème, chercher à savoir pourquoi – il peut s'agir de problèmes financiers, de problèmes de transport, de difficultés d'accès à des soins médicaux, etc.

La personne âgée a vécu toutes sortes d'expériences et a beaucoup appris par elle-même. Il faut la respecter et lui permettre d'utiliser ses forces pour résoudre un problème. Le renforcement positif et l'évaluation continue sont des facteurs importants de l'efficacité dans une démarche d'enseignement auprès de la personne âgée.

Source: Stanley, M., et Beare, P. G. (1999). *Gerontological nursing* (2ᵉ éd.) (p. 55-56). Philadelphie: F. A. Davis.

Préférences de la personne âgée en matière de style d'apprentissage

Une étude a démontré que les personnes autonomes, âgées de 64 à 88 ans, préfèrent que les activités d'apprentissage se tiennent à la fin de l'avant-midi et en présence d'un enseignant, et que le travail avec les pairs soit possible. Ces personnes privilégient un environnement d'apprentissage formel, elles aiment que l'enseignant fasse une présentation structurée et elles veulent pouvoir apprendre par des interactions plutôt que de se faire dire de lire une brochure. Elles préfèrent recourir à l'audition plutôt qu'à la vue. L'infirmière doit se rappeler qu'il est important de fournir aux personnes vieillissantes des renseignements d'ordre technique sur la promotion de la santé et du mieux-être.

Source: VanWyne, E. A. (2001). A key to successful aging: Learning-style patterns of older adults. *Journal of Gerontological Nursing*, 27(9), 6-15.

ENFANTS

On dit souvent que les parents sont les premiers enseignants de leur enfant et aussi les plus importants. Chaque interaction entre l'enfant et un parent (ou un enfant et un autre adulte) est une occasion d'apprentissage, souvent inconscient. Parfois, les résultats sont ceux que le parent recherchait et désirait, mais d'autres fois, non.

Pour conscientiser davantage les parents à l'enseignement qu'ils font, l'infirmière peut les sensibiliser à la notion de *boucle d'enseignement* et leur montrer comment appliquer plus consciemment une stratégie formelle d'enseignement dans de nombreuses interactions avec l'enfant.

La boucle d'enseignement consiste en quatre comportements d'enseignement que le parent peut adopter pour transmettre à l'enfant des consignes verbales, jouer le rôle de modèle à suivre et lui donner une rétroaction.

Comportement d'alerte: Gagner l'attention de l'enfant en l'appelant par son nom, en le touchant ou en faisant un certain bruit.

Comportement d'information: Donner à l'enfant une courte consigne précise à propos de ce qu'on attend de lui ou faire la démonstration du comportement souhaitable (par exemple: «Fais ça, comme ça...»).

Réaction de l'enfant: Laisser l'enfant s'exercer à la tâche, jouer avec le jouet et explorer le matériel à utiliser. Lui laisser assez de temps tout en lui imposant une certaine structure et en lui donnant une orientation.

Renforcement: Donner à l'enfant un renforcement positif ou négatif à propos de la tâche à exécuter (par exemple: «Tu as très bien versé le lait.» ou «Non, ce n'est pas exactement comme ça qu'il faut tourner cette manivelle. Essaie de l'autre côté». Ainsi, l'enfant sait s'il s'est bien acquitté de cette tâche et sera encouragé à continuer d'apprendre.

Source: Steart, D., et Stewart, M. (1973). The observation of Anglo-Mexican and Chinese mothers teaching their young sons. *Child Development*, 44, 320-337.

CROYANCES ET PRATIQUES EN MATIÈRE DE SANTÉ. Dans tout plan d'enseignement, il est important de tenir compte des croyances et des pratiques de la personne en matière de santé. Cependant, même quand l'infirmière est convaincue qu'une personne doit modifier ses croyances en matière de santé, elle doit savoir que ce n'est pas toujours possible, puisque les convictions liées à la santé découlent de nombreux facteurs.

FACTEURS CULTURELS. Les groupes culturels ont leurs propres croyances et coutumes, et bon nombre de ces dernières se rapportent à l'alimentation, à la santé, à la maladie et aux habitudes de vie. Par conséquent, il est important de connaître la manière dont les coutumes et les valeurs véhiculées par l'individu influeront sur ses besoins d'apprentissage. Même si la personne semble bien comprendre le contenu de l'enseignement en matière de santé, il se peut quand même qu'elle ne le mette pas en pratique à la maison parce que les coutumes traditionnelles prennent le dessus (chapitre 12 ⊂⊃).

FACTEURS ÉCONOMIQUES. Les facteurs économiques peuvent aussi avoir des répercussions sur l'apprentissage. Ainsi, une personne qui n'a pas les moyens de s'offrir un ordinateur ou qui n'a pas accès à un de ces appareils peut trouver difficile d'apprendre à l'aide du programme assisté par ordinateur que l'infirmière lui propose.

STYLES D'APPRENTISSAGE. Les styles d'apprentissage ont fait l'objet de nombreuses recherches. Il n'y a pas une manière d'apprendre qui soit universelle. Certaines personnes sont plus visuelles que d'autres et apprennent mieux en observant. D'autres personnes ont de la difficulté à visualiser une activité, et elles comprennent davantage en manipulant le matériel et en découvrant comment il fonctionne. D'autres encore apprennent bien en lisant, à condition que le contenu soit bien présenté. Dans le cas de certaines personnes, c'est l'apprentissage en groupe qui est le plus efficace parce qu'elles peuvent être en relation avec d'autres. Pour d'autres, l'acquisition de connaissances peut être facilitée par l'importance accordée à la compétence et à ses aspects logiques. Enfin, ce sont les aspects émotifs et interpersonnels qui motiveront davantage certaines personnes et favoriseront leur apprentissage.

L'infirmière a rarement le temps ou les compétences nécessaires pour évaluer un apprenant, déterminer son style d'apprentissage et adapter son enseignement en conséquence;

cependant, elle peut lui demander de préciser la manière dont il a le mieux réussi ses apprentissages par le passé et d'exprimer ses préférences en la matière. De nombreuses personnes savent ce qui les aide à apprendre, et l'infirmière peut utiliser cette information pour planifier son enseignement. Utiliser plusieurs techniques d'enseignement et varier les activités sont de bons moyens d'assortir les apprenants et les styles d'apprentissage. Une technique particulière peut être très efficace avec un individu, alors que d'autres approches conviendront à des personnes dont le style d'apprentissage est différent.

RÉSEAU DE SOUTIEN. L'infirmière évalue le réseau de soutien de la personne afin de déterminer si celle-ci dispose d'aide à l'apprentissage et de soutien. Un membre de la famille ou un proche peut aider la personne à utiliser les compétences apprises et à persévérer dans de nouvelles habitudes de vie une fois à la maison.

Examen physique

Pour être efficace, l'infirmière doit développer les compétences nécessaires en examen physique de même qu'une bonne base de connaissances théoriques (Jarvis, 2009, p. 144). L'examen physique d'une personne fournit des indications utiles, telles que son état mental, son niveau d'énergie et son état nutritionnel, sur ses besoins d'apprentissage. Il permet aussi de recueillir des renseignements sur sa capacité physique d'apprendre et de prendre soin d'elle-même. Par exemple, les aptitudes visuelles et auditives ainsi que la coordination musculaire influent sur le choix du contenu et des approches pédagogiques à utiliser.

Réceptivité à l'apprentissage

La personne qui est disposée à apprendre se comporte souvent différemment de celle qui ne l'est pas : la première cherchera des informations (par exemple en posant des questions, en lisant des livres ou des articles, en parlant aux autres et, de manière générale, en manifestant de l'intérêt) ; la seconde évitera le sujet ou fuira la situation lorsque l'infirmière abordera la question de l'enseignement (par exemple, si l'infirmière lui propose de trouver un moment opportun pour lui montrer comment changer son pansement, elle pourra répondre : « Oh ! Ma femme va s'en occuper »).

L'infirmière évalue les divers aspects de la réceptivité de la personne :

- *Réceptivité physique.* La personne est-elle capable de se concentrer sur autre chose que son état physique ? La douleur, la fatigue et l'immobilité accaparent-elles tout son temps et toute son énergie ?
- *Réceptivité émotionnelle.* Sur le plan émotif, la personne est-elle prête à apprendre comment prendre soin d'elle-même ? Une personne extrêmement anxieuse, déprimée ou acceptant mal son état de santé sera peu réceptive.
- *Réceptivité cognitive.* La personne est-elle capable de penser clairement ? Les effets de l'anesthésie et des analgésiques altèrent-ils son niveau de conscience ?

L'infirmière peut favoriser la réceptivité d'une personne en fournissant à cette dernière un soutien physique et émotionnel pendant la convalescence. Lorsque l'état de la personne se stabilise sur les plans physique et émotif, l'infirmière peut lui fournir des occasions d'apprendre.

Motivation

La motivation est liée au désir d'apprendre et elle est généralement plus grande lorsque la personne est réceptive, qu'elle reconnaît son besoin d'apprentissage et que les informations proposées ont un sens pour elle. Cependant, il est parfois difficile d'évaluer la motivation. Grâce à son aptitude à communiquer, l'infirmière peut obtenir des renseignements (par exemple « Cette fois, je suis vraiment prêt à perdre du poids ») qui lui sont très utiles pour savoir si la personne est réceptive à un changement. Par ailleurs, les comportements non verbaux, tels que le manque d'intérêt ou d'attention et le fait de manquer des rendez-vous, peuvent indiquer une baisse de motivation.

L'infirmière peut augmenter la motivation de la personne à l'apprentissage de plusieurs façons :

- En faisant le lien entre l'apprentissage et un élément que la personne valorise beaucoup, et en aidant cette dernière à voir la pertinence de l'apprentissage.
- En aidant la personne à rendre les situations d'apprentissage agréables et non menaçantes.
- En encourageant l'autodétermination et l'indépendance.
- En affichant une attitude positive par rapport aux capacités d'apprentissage de la personne.
- En soutenant et en encourageant continuellement la personne qui cherche à apprendre (c'est-à-dire en lui donnant un renforcement positif).
- En créant une situation d'apprentissage dans laquelle la personne a toutes les chances de réussir (le succès dans les petites tâches encourage la poursuite de l'apprentissage).
- En aidant la personne à reconnaître les avantages d'un changement de comportement.

Littératie en santé

La littératie en santé est l'emploi des habiletés cognitives et sociales déterminant la motivation et la capacité des individus à accéder aux informations, à les comprendre et à les utiliser, de manière à prendre des décisions pour promouvoir et maintenir une bonne santé (Nutbeam, 2008 ; Rootman, Kaszap et Frankish, 2006). La littératie en santé fait essentiellement référence à la capacité de lecture. Mayer et Rushton (2002) affirment que des millions d'adultes ont une capacité de lecture équivalant à un niveau scolaire de cinquième année, alors que la plupart des publications sur les soins de santé sont destinées à des personnes dont la scolarité se situe entre la première et la troisième année du secondaire ou même à un niveau plus élevé. Une personne dont la capacité de lecture et d'écriture est faible a un vocabulaire limité et de la difficulté à comprendre des informations orales ou écrites. Or, une faible capacité de lecture et d'écriture va souvent de pair avec une mauvaise santé (Schultz, 2002 ; Winslow, 2001). En effet, selon l'Enquête internationale sur l'alphabétisation et les compétences des adultes (2005), les deux tiers des adultes québécois (66 %) n'ont pas la capacité de lecture nécessaire pour prendre soin adéquatement de leur santé. Le cas est le même pour 61 % des personnes de 16 à 65 ans et pour 95 % des personnes âgées de plus de 65 ans (Statistique Canada et Ressources humaines de développement des compétences Canada [RHDC], 2005). C'est un défi pour l'infirmière que d'enseigner à des personnes qui ont de la difficulté à lire et à écrire ou qui en sont incapables ; cependant, cet enseignement est extrêmement important, justement parce que ces personnes ont souvent besoin qu'on leur enseigne comment améliorer leurs habitudes en matière de santé.

Les facteurs associés à une faible capacité de lecture et d'écriture sont notamment la pauvreté, le chômage, l'appartenance à une minorité ou le fait d'être immigrant, le fait de n'avoir pas fréquenté l'école secondaire et le fait d'être âgé (Schultz, 2002, p. 46). Cependant, il est difficile d'évaluer les capacités de lecture et d'écriture d'une personne parce que cette dernière peut être très gênée d'admettre qu'elle ne sait pas lire. Les comportements suivants peuvent amener l'infirmière à entrevoir une incapacité en matière de lecture :

- La personne fait habituellement preuve de non-observance.
- La personne affirme avec insistance qu'elle possède déjà l'information qu'on veut lui transmettre.
- La personne se trouve des excuses afin de ne pas lire les modes d'emploi (par exemple dire que ses lunettes sont brisées ou affirmer vouloir le faire à un autre moment).

Il existe plusieurs méthodes pour évaluer la capacité de lecture d'une personne qui doit consulter de la documentation écrite. L'infirmière qui rédige du matériel pédagogique relatif à la santé doit l'écrire de façon que les personnes qui ont de la difficulté à lire puissent comprendre (rubrique *Enseignement – Élaborer du matériel didactique écrit*). Winslow (2001) affirme que les personnes ayant de bonnes aptitudes pour la lecture ne sont

pas offusquées lorsqu'elles lisent de la documentation facile à lire et qu'elles préfèrent ce genre de documents. Cependant, même la directive écrite la plus simple ne sera d'aucune utilité pour la personne dont la capacité de lecture est faible ou inexistante (rubrique *Enseignement – Enseigner à une personne ayant une faible capacité de lecture et d'écriture*).

ALERTE CLINIQUE • Les ouvrages consultés révèlent que la majorité des personnes ayant une capacité de lecture très faible affirment pourtant qu'elles « lisent bien ». •

2+2 ENSEIGNEMENT

ÉLABORER DU MATÉRIEL DIDACTIQUE ÉCRIT

- Adopter un niveau de langue ne dépassant pas le niveau d'une cinquième année.
- Utiliser la forme active de préférence à la forme passive.
- Utiliser des mots simples d'une ou deux syllabes (par exemple « faire » au lieu d'« effectuer » ou « donner » au lieu d'« administrer »).
- Utiliser des gros caractères (de 14 à 16 points).
- Utiliser des phrases courtes.
- Commencer par les renseignements les plus importants.
- Au besoin, utiliser des photos, des illustrations ou des bandes dessinées.
- Faire une mise en page aérée.
- Demander une rétroaction aux infirmières et aux personnes visées.

Sources : Mayer, G. G. (2002). Writing easy-to-read teaching aids. *Nursing, 32*(3), 48-49 ; Winslow, E. H. (1998). Research for practice : Caring for patients with limited literacy. *American Journal of Nursing, 98*(7), 55, 57 ; Doak, C. C., Doak, L. G., et Root, J. H. (1996). *Teaching patients with low literacy skills* (2e éd.). Philadelphie : J. B. Lippincott.

 RECHERCHE EN SCIENCES INFIRMIÈRES

LES 72 PREMIÈRES HEURES : QUELS SONT LES BESOINS D'INFORMATION DES PROCHES D'UNE PERSONNE QUI A SUBI UN TRAUMATISME CRÂNIEN GRAVE ?

« Dans un environnement où abondent les situations d'urgence ainsi qu'aux soins intensifs, les membres des familles éprouvent une perte de contrôle face à l'événement et aux soins prodigués à leur proche. Très peu de renseignements fournis sont intégrés, puisque les membres des familles vivent intensément l'événement de crise. » St-Denis, Coutu-Wakulczyk, Popiea et Labbé (2003) ont mené une étude exploratoire qui a permis de déterminer le degré de dysphorie (insomnie, difficulté à se concentrer, perte d'appétit, agitation et perte d'intérêt pour les activités quotidiennes) et les besoins d'information des proches d'une victime d'un traumatisme crânien grave. Les principaux besoins relevés étaient les suivants : des informations préliminaires portant sur l'état de la personne, avant son admission à l'urgence ou aux soins intensifs ; la raison des traitements ; les ressources d'aide disponibles pour résoudre les problèmes familiaux. Mirr (1991), citée dans St-Denis *et al.* (2003), mentionne que « les familles expriment le besoin d'information, mais hésitent à faire les démarches pour l'obtenir, et elles se dirigent vers les infirmières faute de pouvoir parler au médecin, qui est perçu comme une source fiable ». Les interventions infirmières doivent donc inclure la trans-

mission d'informations aux membres de la famille ou des mesures destinées à faciliter les échanges entre ces derniers et le médecin. Après avoir constaté un niveau élevé de dysphorie, l'infirmière doit « juger des besoins les plus appropriés tout en adaptant l'information aux perceptions des membres de la famille, à l'âge, au niveau de langue et à la scolarité ».

Implications : On peut retenir des pistes intéressantes pour mieux cibler le rôle de l'infirmière en salle d'urgence et combler plus adéquatement les besoins des membres de la famille dès leur arrivée à l'hôpital. Pour être en mesure de mieux répondre aux besoins exprimés, il existe des interventions, telles qu'« évaluer les expériences antérieures et inciter les familles à poser leurs questions ». Il importe de reconnaître « l'importance de la perception de chacun et la qualité de l'expression des besoins et des sentiments dont, entre autres, ceux qui caractérisent l'affect négatif ».

Source : St-Denis, Y., Coutu-Wakulczyk, G., Popiea, E., et Labbé, R. (2003, août). À la suite d'un traumatisme crânien grave d'un proche, les 72 premières heures... pour la famille. *L'Infirmière canadienne/The Canadian Nurse, 4*(7), 5-10.

21

2+2 ENSEIGNEMENT

ENSEIGNER À UNE PERSONNE AYANT UNE FAIBLE CAPACITÉ DE LECTURE ET D'ÉCRITURE

- Utiliser des méthodes d'enseignement variées et nombreuses : montrer des illustrations ; lire les renseignements importants à voix haute ; organiser de petits groupes de discussion ; recourir aux jeux de rôles.
- Mettre l'accent sur les points importants et donner des exemples.
- Limiter la quantité d'informations donnée au cours d'une rencontre. Il est préférable de tenir plusieurs rencontres de courte durée, chacune portant sur un sujet précis, que de donner beaucoup d'informations au cours d'une rencontre plus longue.
- Répéter les informations pour aider la personne à les retenir plus facilement.
- Demander une rétroaction : poser des questions précises à la personne sur les informations présentées ou lui demander de les répéter dans ses propres mots.
- Faire des liens entre les notions nouvellement apprises et les connaissances antérieures de la personne, son travail ou ses habitudes de vie.
- Éviter les documents volumineux et les exposés en grand groupe.

Sources : Schultz, M. (2002). Low-level literacy skills needn't hinder care. *RN, 65*(4), 45-48 ; Hong, O. S. (2001). Limited English proficiency workers : Health and safety education. *AAOHN, 49*(1), 21-26 ; Bastable, S. (2008). *Nurse as educator : Principles of teaching and learning for nursing practice* (3ᵉ éd.) (p. 273-276). Boston : Jones and Bartlett.

Analyse et interprétation

Il y a deux manières de concevoir le diagnostic infirmier d'une personne ayant des besoins d'apprentissage : comme la principale difficulté ou le plus important problème que vit la personne ; comme le facteur favorisant d'un diagnostic infirmier associé à la réaction de la personne à une dysfonction ou à des problèmes de santé (rubrique *Diagnostics infirmiers, résultats de soins infirmiers et interventions*).

Besoin d'apprentissage comme diagnostic infirmier

La NANDA-I propose les diagnostics infirmiers suivants quand les besoins d'apprentissage décelés constituent un problème fondamental :

- *Connaissances insuffisantes* : situation d'une personne qui manque d'informations ou se montre incapable d'expliquer ses connaissances sur un sujet donné (NANDA-I, 2010)

Lorsque le diagnostic *Connaissances insuffisantes* est posé, c'est parce que la personne cherche des informations en matière de santé ou que l'infirmière a déterminé un besoin d'apprentissage. Le domaine où le manque est constaté doit être inclus dans le diagnostic. Voici, selon la NANDA-I, des exemples de diagnostics de *Connaissances insuffisantes* constituant un problème important :

- *Connaissances insuffisantes (régime à faible teneur énergétique)*, reliées au manque d'expérience associée à une thérapie prescrite récemment
- *Connaissances insuffisantes (risques d'accidents à la maison)*, reliées à un refus de reconnaître une santé qui décline et à un manque d'intérêt pour l'apprentissage

Wilkinson (2005) précise que si des *Connaissances insuffisantes* constituent le problème principal, l'objectif doit être le suivant : «La personne doit acquérir des connaissances sur…» L'infirmière doit fournir des informations qui modifieront le comportement de la personne plutôt que mettre l'accent sur les comportements causés par le manque de connaissances.

Voici un deuxième diagnostic infirmier fondé sur un besoin d'apprentissage :

- *Non-observance* : comportement de la personne ou de l'aidant naturel non en accord avec le programme de traitement ou de promotion de la santé, convenu entre la personne (ou la famille ou la collectivité) et le professionnel de la santé. En présence d'un accord mutuel, le comportement de la personne ou de l'aidant naturel peut être partiellement conforme ou non conforme au programme et peut compromettre les résultats cliniques escomptés (NANDA-I, 2010).

ALERTE CLINIQUE • La *Non-observance* est souvent perçue comme un diagnostic infirmier négatif. Il faut donc s'assurer que l'énoncé des causes est neutre et ne comporte pas de jugement. •

Le diagnostic infirmier de *Non-observance* doit être utilisé avec prudence. En général, ce diagnostic est établi pour une personne qui *souhaite* adhérer au traitement, mais qui en est empêchée pour des raisons diverses (Wilkinson, 2005). Les facteurs qui poussent la personne à ne pas se conformer à l'enseignement en matière de santé sont notamment une mauvaise compréhension de ce qui lui a été enseigné, l'expérience antérieure d'effets négatifs liés au traitement, des ressources financières insuffisantes pour suivre le traitement normal, des obstacles linguistiques ou un enseignement de mauvaise qualité donné par l'équipe soignante. Le diagnostic de *Non-observance ne* devrait *pas* être établi pour une personne incapable de suivre les directives (par exemple à cause d'une déficience cognitive) ni pour une personne qui décide de son plein gré de refuser un traitement médical ou de ne pas le suivre (Wilkinson, 2005, p. 323).

ALERTE CLINIQUE • Une fois déterminée l'étape de changement où se situe la personne, il est plus facile d'établir les interventions utiles à la poursuite du changement. •

Connaissances insuffisantes comme facteur favorisant

Une autre manière d'aborder les besoins d'apprentissage qu'on a déterminés pour une personne consiste à indiquer que les connaissances insuffisantes sont le facteur favorisant (ou la deuxième partie) du diagnostic infirmier. Ce type de diagnostic infirmier est rédigé comme suit :

- *Risque de (préciser)*, relié à des connaissances insuffisantes (préciser)

21

DIAGNOSTICS INFIRMIERS, RÉSULTATS DE SOINS INFIRMIERS ET INTERVENTIONS

BESOIN D'ENSEIGNEMENT

Collecte des données	*Diagnostic infirmier: Définition*	Exemple de résultat de soins infirmiers: *Définition*	Indicateurs	Intervention choisie: *Définition*	Exemples d'activités
L'infirmière apporte à M. Gagnon la première dose d'un médicament que le médecin lui a prescrit. Elle lui demande si on lui a déjà expliqué la teneur de ce médicament et les raisons de le prendre. Il répond par la négative.	*Connaissances insuffisantes (informations sur un médicament), reliées à l'utilisation d'un médicament nouvellement prescrit: Situation d'une personne qui manque d'informations ou se montre incapable d'expliquer ses connaissances sur un sujet donné.*	Connaissance: médicament: *Niveau de compréhension de l'utilisation en toute sécurité des traitements médicamenteux.*	Importants: ■ Relevé du nom correct du médicament. ■ Description des actions du médicament. ■ Description des effets secondaires du médicament. ■ Description des précautions à prendre avec le médicament.	Éducation: médication prescrite: *Préparation d'une personne à prendre correctement, sans risque, le médicament prescrit et à surveiller ses effets.*	■ Donner à la personne le nom générique et le nom commercial du médicament. ■ Renseigner la personne sur le but et l'action du médicament. ■ Renseigner la personne sur la posologie, la voie d'administration et la durée d'utilisation du médicament. ■ Informer la personne sur les précautions particulières à la prise de ce médicament (par exemple ne pas conduire un véhicule).
Murielle Carbonneau, veuve et âgée de 74 ans, a des antécédents d'hypertension. Sa pression artérielle est de 150/96. Elle doit prendre quotidiennement un antihypertenseur. Lorsque l'infirmière lui demande si elle prend ses médicaments selon l'ordonnance, elle répond qu'elle les prend un jour sur deux parce qu'ils coûtent cher et qu'elle ne peut se permettre de les prendre chaque jour.	*Non-observance (du programme de traitement), reliée à un manque d'argent: Comportement de la personne ou de l'aidant naturel non en accord avec le programme de traitement ou de promotion de la santé, convenu entre la personne (ou la famille ou la collectivité) et le professionnel de la santé. En présence d'un accord mutuel, le comportement de la personne ou de l'aidant naturel peut être partiellement conforme ou non conforme au programme et peut compromettre les résultats cliniques escomptés.*	Observance: *Actions effectuées conformément aux conseils dispensés par les soignants afin de favoriser: santé, rétablissement et réhabilitation.*	Constamment démontrés: ■ Suit le programme thérapeutique prescrit. ■ Modifie son traitement selon l'avis des professionnels de la santé.	Aide à la subsistance: *Aide apportée à une personne ou à une famille dans le besoin pour trouver des denrées alimentaires, des vêtements ou un abri.*	■ Discuter avec la personne ou la famille des aides financières possibles. ■ Aider la personne ou la famille à remplir les formulaires requis, par exemple pour obtenir un logement et de l'aide financière.

21

Voici des exemples de diagnostics infirmiers qui précisent la nature du risque et l'objet de l'insuffisance de connaissances :

- *Risque de tension dans l'exercice du rôle parental,* relié à des connaissances insuffisantes (compétences dans les soins aux nourrissons)
- *Risque d'infection,* relié à des connaissances insuffisantes (infections transmissibles sexuellement et par le sang et leur traitement)
- *Anxiété,* reliée à des connaissances insuffisantes (ponction de la moelle osseuse)

Voici d'autres diagnostics infirmiers liés à des connaissances insuffisantes :

- *Risque d'accident*
- *Allaitement maternel inefficace*
- *Stratégies d'adaptation inefficaces*

La plupart des diagnostics infirmiers approuvés par la NANDA-I impliquent un enseignement et un apprentissage. Par exemple, le diagnostic *Constipation* indique qu'il faut revoir avec la personne les habitudes qui influent sur l'élimination, notamment le régime alimentaire, l'hydratation et l'exercice (ou l'activité physique).

Planification

L'élaboration d'un plan d'enseignement comporte une série d'étapes. Susciter dès le départ l'intérêt de la personne favorise la mise en œuvre d'un plan significatif et motivant pour elle. Ainsi, la personne qui aura participé à l'élaboration du plan d'enseignement atteindra probablement plus facilement les résultats escomptés (rubrique *Enseignement – Modèles de plan d'enseignement*).

2+2 ENSEIGNEMENT

MODÈLES DE PLAN D'ENSEIGNEMENT

Plan d'enseignement pour le soin des plaies

Évaluation de l'apprenant : Martin Houle, un étudiant de 24 ans, a subi une lacération de 7 cm à la partie antérieure basse de la jambe gauche pendant une partie de hockey. La blessure est nettoyée, suturée et pansée. On fixe un rendez-vous 10 jours plus tard pour enlever les points de suture. Le jeune homme précise qu'il habite dans une résidence d'étudiants et qu'il est capable de prendre soin de sa plaie si on lui montre comment le faire. Il parle couramment le français et il sait lire. On évalue qu'il se situe aux étapes de changement suivantes : « préparation » et « changement ».

Diagnostic infirmier : Connaissances insuffisantes (soin d'une plaie avec points de suture), reliées au manque d'expérience.

Objectif immédiat : M. Houle répond à des questions concernant le soin de sa plaie et montre qu'il a bien appris ce qu'on lui a enseigné en nettoyant la plaie et en changeant le pansement lui-même.

Objectif à moyen terme : Au rendez-vous à la clinique, M. Houle doit présenter une blessure en voie de guérison, sans signe d'infection, de perte de fonction, ni d'aucune autre complication, ce qui démontrera qu'il a bien intégré les connaissances relatives au soin de la plaie.

Objectif à long terme : L'application soutenue des connaissances permettra la guérison complète de la blessure sans infection ni autre complication.

Objectif d'apprentissage	Contenu	Méthode d'enseignement
À la fin de la séance d'enseignement, Martin Houle sera en mesure de :		
1. Décrire le processus de guérison normale d'une plaie.	I. Guérison normale d'une plaie.	Décrire la guérison normale d'une plaie à l'aide d'un document audiovisuel.
2. Décrire les signes et les symptômes de l'infection d'une plaie.	II. Infection Parmi les signes et les symptômes d'infection, on trouve notamment les suivants : plaie chaude au toucher, défaut d'alignement des lèvres de la plaie et écoulement de pus. La fièvre et une sensation de malaise général sont des signes d'infection généralisée.	Discuter des possibilités d'infection de la plaie avec la personne. Montrer une plaie infectée à l'aide d'un document audiovisuel. Fournir un document imprimé décrivant les signes et les symptômes d'une infection.
3. Préciser le matériel nécessaire au soin de sa plaie	III. Matériel nécessaire au soin de la plaie : a) Solution nettoyante (par exemple eau claire, eau et savon doux ou solution antimicrobienne). b) Matériel de pansement : pansement Telfa, gaze, ruban adhésif.	Montrer le matériel nécessaire au nettoyage et au pansement d'une plaie. Fournir une liste écrite du matériel nécessaire.
4. Nettoyer et panser adéquatement sa plaie.	IV. Démonstration du nettoyage et du pansement d'une plaie, sur la personne ou sur un mannequin.	Montrer à la personne comment nettoyer et panser une plaie, sur elle-même ou sur un mannequin. Fournir de la documentation décrivant la marche à suivre.

21

2+2 ENSEIGNEMENT *(suite)*

MODÈLES DE PLAN D'ENSEIGNEMENT

Objectif d'apprentissage	Contenu	Méthode d'enseignement
5. Décrire ce qu'il faut faire si des questions se posent ou si des complications surviennent.	V. Ressources disponibles, notamment les services téléphoniques (tels qu'Info-Santé), les cliniques médicales et les services d'urgence.	Discuter des ressources disponibles. Fournir de la documentation décrivant les ressources disponibles et le suivi du traitement.
6. Donner la date, l'heure et l'endroit du rendez-vous de suivi pour faire enlever les points de suture.	VI. Plan de suivi du traitement : moment et endroit.	Donner des indications écrites.

Évaluation : M. Houle :

1. Répondra aux questions concernant le soin de sa plaie.
2. Fera une démonstration de nettoyage et de pansement de sa plaie.
3. Donnera le nom et le numéro de téléphone de la personne-ressource à joindre en cas de besoin.
4. Donnera la date, l'heure et l'endroit du rendez-vous de suivi.

Plan d'enseignement inclus dans un cheminement clinique, suivi systématique de clientèle MPOC [BPCO]

Catégorie	Phase 1 – Exacerbation Jours 1 et 2	Phase 2 – Stabilisation Jours 3, 4 et 5	Phase 3 – Congé Jours 6 et 7 et jusqu'au congé
Enseignement et communication	■ Enseigner ou vérifier les techniques : – respiration diaphragmatique – respiration à lèvres pincées – technique de toux contrôlée ■ Si stéroïdes : hygiène buccale ■ Permettre de verbaliser son anxiété	■ Autoadministration de l'aérosol-doseur ■ Signes et symptômes de détérioration ■ Exercices de relaxation ■ Effets des médicaments et prise judicieuse ■ Importance de la mobilisation et des périodes de repos	■ Importance de cesser le tabac ■ Importance des vaccins ■ Amélioration du milieu de vie ■ Ressources communautaires ■ Vérifier la compréhension de l'enseignement reçu
Date et signature	Jour 1 : Jour 2 :	Jour 3 : Jour 4 : Jour 5 :	Jour 6 : Jour 7 : Jours 8 et suivants : continuer selon jours 6 et 7

Source : Centre hospitalier Pierre-Le Gardeur. *Suivi systématique de clientèle MPOC : cheminement clinique.* Terrebonne.

▨ Déterminer les priorités de l'enseignement

Il faut classer les besoins d'apprentissage de la personne par ordre de priorité. L'infirmière et la personne doivent faire ce travail ensemble, et les priorités de la personne doivent être considérées. Une fois les priorités établies, la personne est habituellement plus motivée et donc prête à se concentrer sur les autres besoins d'apprentissage. Par exemple, un homme qui veut tout savoir sur la coronaropathie peut être incapable d'apprendre comment modifier ses habitudes de vie tant que son besoin de savoir n'aura pas été satisfait. L'infirmière peut utiliser un cadre théorique pour établir les priorités (par exemple la hiérarchie des besoins selon Maslow ; voir le chapitre 11 ⊙⊃).

▨ Établir les objectifs d'apprentissage

On assimile les objectifs d'apprentissage aux objectifs des autres diagnostics infirmiers et on les rédige d'une manière semblable. Ils ressemblent aux objectifs visés par une personne :

■ Ils précisent le comportement ou la performance qu'on attend de l'apprenant et non le rôle de l'infirmière, par exemple : «Déterminer ses facteurs personnels de risque de cardiopathie» (performance de la personne) au lieu de «Informer la personne sur les facteurs de risque de cardiopathie» (rôle de l'infirmière).

■ Ils reflètent une activité observable ou mesurable. La performance peut être observable (par exemple marcher) ou non observable (par exemple additionner une colonne de chiffres). Cependant, il est nécessaire de pouvoir déduire si une activité non observable a été maîtrisée à l'aide d'une performance qui concrétise l'activité. Par exemple, la performance liée à un objectif peut être inscrite comme suit : «Choisir sur un menu des aliments pauvres en matières grasses» (observable) au lieu de «Comprendre en quoi consiste un régime pauvre en matières grasses» (non observable). L'encadré 21-2 propose des listes de verbes dont l'action est mesurable et qu'on peut utiliser pour formuler les objectifs d'apprentissage. Il faut éviter les verbes dont l'action n'est ni observable ni mesurable : «connaître», «comprendre», «croire», «apprécier», etc.

ENCADRÉ 21-2
EXEMPLES DE VERBES À UTILISER POUR FORMULER LES OBJECTIFS D'APPRENTISSAGE

Domaine cognitif	Domaine affectif	Domaine psychomoteur
Classer	Accepter	Arranger
Comparer	Amorcer	Assembler
Décrire	Assister	Bouger
Délimiter	Choisir	Calculer
Déterminer	Commencer	Changer
Distinguer	Discuter	Démontrer
Dresser la liste	Entreprendre	Mesurer
Écrire	Joindre (se)	Modifier
Énumérer	Manifester	Montrer
Établir	Partager	Ordonner
Évaluer	Participer	Organiser
Expliquer	Utiliser	
Nommer		
Planifier		
Reconnaître		
Relever		
Repérer		
Situer		

- Ils peuvent servir à ajouter des conditions ou des déterminants afin de clarifier le comportement à adopter et les circonstances (où, quand et comment), par exemple: «Expliquer *correctement* (condition) les quatre étapes de l'utilisation de béquilles.» «Irriguer sa colostomie *de manière autonome* (condition) en suivant les consignes apprises.» «*Effectuer ses injections sous-cutanées avant sa sortie de l'hôpital* (condition).»

- Ils comprennent un critère précisant le moment de chaque apprentissage, par exemple: «La personne énoncera trois facteurs qui influent sur le taux de sucre dans le sang *à la fin du deuxième cours sur le diabète*.»

Les objectifs d'apprentissage peuvent tenir compte des demandes de l'apprenant, en passant du concept le plus simple au concept le plus complexe. Par exemple, l'objectif d'apprentissage «La personne dressera la liste des facteurs de risque de cardiopathie» constitue un objectif peu élevé qui demande simplement à l'apprenant de faire la liste de tous les facteurs de risque de cardiopathie; il ne laisse pas entendre l'application des connaissances au comportement de l'apprenant. Par contre, l'objectif d'apprentissage «La personne fera la liste des facteurs de risque de cardiopathie qui la concernent» exige de la part de l'apprenant non seulement qu'il connaisse les facteurs de risque de cardiopathie en général, mais qu'il sache reconnaître, parmi ses propres comportements, ceux qui augmentent le risque pour lui-même d'avoir une cardiopathie.

En rédigeant les objectifs d'apprentissage, l'infirmière doit préciser (sur les plans cognitif, affectif et psychomoteur) les comportements que l'apprenant doit adopter et les connaissances qu'il doit avoir pour veiller de manière favorable sur son état de santé. Dans la plupart des cas, les besoins d'apprentissage dépassent la simple acquisition de données et comprennent

l'application des connaissances acquises par soi-même (rubrique *Diagnostics infirmiers, résultats de soins infirmiers et interventions*, p. 502).

Choisir le contenu

Le contenu, ou la matière à enseigner, est déterminé par les objectifs d'apprentissage. Par exemple, l'objectif «Situer les sites appropriés pour l'injection d'insuline» signifie que l'infirmière doit inclure, dans le contenu de l'enseignement, des informations sur les meilleurs points d'injection d'insuline. Pour ce faire, elle peut choisir des références parmi plusieurs sources d'information, notamment des livres et des revues spécialisées en soins infirmiers, et consulter des consœurs et des médecins. Les données colligées doivent cependant répondre aux critères suivants (rubrique *Résultats de recherche*):

- Elles doivent être précises.
- Elles doivent refléter la pratique courante (être à jour).
- Elles doivent s'appuyer sur les objectifs d'apprentissage.
- Elles doivent être cohérentes avec l'enseignement donné.
- Elles doivent être choisies en fonction du temps et des ressources disponibles pour l'enseignement.

RECHERCHE EN SCIENCES INFIRMIÈRES

STRATÉGIES DIÉTÉTIQUES POUR PRENDRE EN CHARGE LA MALADIE INTESTINALE INFLAMMATOIRE

Dans cette étude qualitative menée dans le sud de l'Ontario, Fletcher et Schneider (2006) ont évalué les besoins d'apprentissage de femmes atteintes de maladie intestinale inflammatoire. Les clients qui souffrent de cette maladie gastro-intestinale invalidante doivent apprendre à en prendre en charge les symptômes. Hormis l'apprentissage lié à l'alimentation, les participantes à cette étude ont également dû apprendre à gérer leur stress, à faire de bons choix de mode de vie, à reconnaître les aliments qui déclenchent les symptômes et à faire des choix alimentaires bons pour la santé.

Implications: Les infirmières doivent fournir aux clients des informations fondées sur des résultats probants sur les stratégies diététiques particulières et leur enseigner des façons d'élaborer des stratégies de toute une vie pour s'adapter à leur affection.

Source: Fletcher, P. C., et Schneider, M. A. (2006). Is there any food I can eat? Living with an inflammatory bowel disease and/or irritable bowel syndrome. *Clinical Nurse Specialist, 20*(5), 241-247.

Choisir les méthodes d'enseignement

L'infirmière doit choisir une méthode d'enseignement qui convient à la personne et qui est adaptée à la matière à enseigner (figure 21-2 ■). Par exemple, si la personne ne peut ou ne sait pas lire, il faut utiliser du matériel autre que de la documentation écrite; en général, une discussion de groupe n'est pas un bon moyen d'enseigner comment faire une injection; pour recourir à une discussion de groupe, l'infirmière doit être une animatrice compétente. Comme nous l'avons précisé précédemment, certaines personnes sont surtout visuelles et apprennent mieux en observant; d'autres apprennent mieux en écoutant la présentation des compétences à acquérir. Le tableau 21-3 présente brièvement quelques méthodes d'enseignement courantes.

21

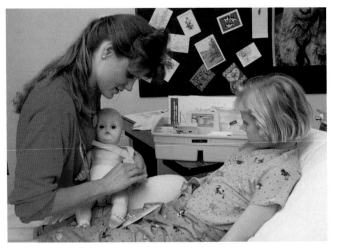

FIGURE 21-2 ■ Le matériel et les méthodes d'enseignement doivent être appropriés à la personne et à la matière à enseigner.

Organiser les expériences d'apprentissage

Pour venir en aide aux infirmières qui préparent leurs propres guides pédagogiques, certains organismes de santé ont élaboré des guides pour les cours les plus fréquents. Le contenu et les méthodes d'enseignement de ces guides sont normalisés, ce qui facilite le travail de planification et de mise en application. La normalisation des programmes d'enseignement assure la cohérence du contenu pour l'apprenant, ce qui réduit le risque de confusion en cas d'enseignement de pratiques variées. Par exemple, lorsqu'elle enseigne comment donner un bain à un nouveau-né, l'infirmière doit demeurer cohérente dans ses explications sur les savons qui sont appropriés aux soins de l'enfant et ceux qui ne le sont pas. Que l'infirmière utilise un programme conçu par d'autres ou élabore son propre plan d'enseignement, les règles d'action suivantes peuvent l'aider à organiser une expérience d'apprentissage :

TABLEAU 21-3
MÉTHODES D'ENSEIGNEMENT COURANTES

Méthode	Principaux domaines d'apprentissage	Caractéristiques et commentaires
Explication ou description (par exemple un exposé)	Cognitif	L'enseignant dirige le contenu et le rythme. L'apprenant est passif ; par conséquent, il enregistre moins de renseignements que s'il participait activement. C'est l'enseignant qui détermine la rétroaction. Cette stratégie convient à un groupe ou à une personne.
Dialogue	Affectif, cognitif	Cette stratégie favorise la participation de l'apprenant. Elle lui permet de renforcer et de répéter les notions expliquées. Elle permet d'aborder des sujets délicats.
Réponse aux questions	Cognitif	L'enseignant dirige presque tout le contenu et presque tout le rythme. L'enseignant doit bien comprendre chaque question et sa signification pour l'apprenant. Dans certaines cultures, il est impoli de la part de l'apprenant de poser des questions, au risque de mettre l'enseignant dans l'embarras. Cette stratégie convient à l'enseignement individuel et en groupe. Il faut parfois vérifier si l'apprenant est satisfait de la réponse (par exemple : « Cela répond-il à votre question ? »).
Démonstration	Psychomoteur	On utilise souvent cette méthode avec celle de l'explication. Cette stratégie convient à l'enseignement individuel et en petit ou grand groupe. L'apprenant n'utilise pas le matériel et est passif.
Découverte et résolution de problèmes	Cognitif, affectif	L'enseignant guide l'apprenant dans une situation de résolution de problèmes. L'apprenant participe activement à l'apprentissage, ce qui l'aide à retenir une grande partie de ce qu'il apprend.
Enseignement ou discussion de groupe	Affectif, cognitif	L'apprenant peut obtenir de l'aide d'un groupe de soutien. Les membres du groupe apprennent les uns des autres. L'enseignant doit s'assurer que la discussion ne s'égare pas et n'est pas dominée par un ou deux apprenants.
Mise en pratique	Psychomoteur	Cette stratégie permet les répétitions et la rétroaction immédiate. Elle permet l'intégration d'expériences concrètes.

21

TABLEAU 21-3 *(suite)*

Méthode	Principaux domaines d'apprentissage	Caractéristiques et commentaires
Documentation écrite, audiovisuelle et logicielle	Cognitif	Il peut s'agir de livres, de dépliants, de films, d'enseignement programmé ou d'apprentissage par ordinateur. L'apprenant suit son propre rythme. L'enseignant agit comme personne-ressource et n'a pas besoin d'être présent pendant l'apprentissage. Cette stratégie est probablement peu efficace si l'apprenant a une faible capacité de lecture. L'enseignant doit choisir du matériel conçu dans une langue appropriée pour l'apprenant (par exemple l'anglais).
Jeux de rôles	Affectif, cognitif	Cette stratégie amène l'apprenant à extérioriser ses attitudes, ses valeurs et ses émotions. Elle peut favoriser le développement de compétences en communication. L'apprenant doit participer activement à son apprentissage. L'enseignant doit créer un environnement favorable et qui ne comporte aucune menace afin de réduire le plus possible l'anxiété éprouvée par l'apprenant.
Modelage	Affectif, psychomoteur	L'enseignant présente des exemples d'attitudes et de compétences psycho-motrices.
Enseignement assisté par ordinateur (EAO)	Cognitif, affectif, psycho-moteur	L'apprenant est actif. Il suit son propre rythme. Il a accès au renforcement et à la révision à tout moment. Cette stratégie convient à l'apprentissage individuel et en groupe.

- Débuter avec un sujet qui concerne directement l'apprenant. Par exemple, avant d'apprendre comment se faire une injection d'insuline, un adolescent voudra plutôt savoir comment il peut modifier ses habitudes de vie et s'il peut continuer à jouer au hockey.

- Afin de donner confiance à l'apprenant, vérifier d'abord ce qu'il sait et aborder ensuite ce qu'il ne connaît pas. Parfois, on ne sait rien des connaissances et des compétences de la personne ; il faut alors obtenir ces renseignements en lui posant des questions ou en lui demandant de remplir un questionnaire (par exemple un prétest).

- Aborder le plus rapidement possible tout sujet anxiogène pour la personne. Un niveau d'anxiété élevé peut nuire à la concentration. Par exemple, une femme qui s'inquiète beaucoup de savoir comment elle pourra aider son mari à se mettre au lit sera probablement peu disposée à apprendre comment lui donner son bain tant qu'elle n'aura pas appris comment l'installer confortablement dans le lit.

- Enseigner la base avant de passer aux particularités et aux variantes (c'est-à-dire aller du simple au complexe). Il est déroutant d'avoir à tenir compte des aspects secondaires avant d'avoir bien maîtrisé les concepts de base. Par exemple, lorsqu'on enseigne à une personne comment insérer une sonde, il est préférable de lui enseigner le procédé de base avant de lui parler des interventions à effectuer si l'écoulement cesse après l'insertion.

- Planifier une période de révision et de questions ; l'apprenant pourra ainsi clarifier ce qu'il a appris.

Interventions infirmières

L'infirmière doit faire preuve de flexibilité dans la mise en pratique d'un plan d'enseignement parce qu'il est possible qu'il lui faille le modifier. L'apprenant peut se fatiguer plus rapidement que prévu ou être incapable d'assimiler rapidement beaucoup d'informations ; ses besoins peuvent se modifier en cours de route ou des facteurs externes peuvent surgir. Par exemple, une infirmière et un client stomisé ont planifié l'irrigation de la colostomie de ce dernier, mais, le moment venu, il souhaite obtenir des renseignements supplémentaires avant de la faire lui-même. Dans ce cas, l'infirmière modifie le plan d'enseignement et donne les informations nécessaires à l'apprenant, lui fournit de la documentation écrite au besoin et remet l'enseignement des compétences psychomotrices au jour suivant.

21

ALERTE CLINIQUE • Mettez un bloc-notes et un crayon à la disposition de la personne et encouragez-la à écrire les questions qu'elle veut poser à l'infirmière ou au médecin. •

ALERTE CLINIQUE • Si l'apprenant n'a aucune question, vous pouvez l'inciter à en poser en lui disant: «Les questions le plus fréquemment posées sont…» •

ALERTE CLINIQUE • Beaucoup d'infirmières se rendent compte qu'elles enseignent à la personne pendant qu'elles lui prodiguent des soins (par exemple en lui donnant des médicaments). Il ne faut pas oublier de consigner cet enseignement non formel dans le dossier. •

Par ailleurs, il est important que l'infirmière utilise des techniques d'enseignement qui facilitent l'apprentissage et réduisent ou éliminent les obstacles, tels que la douleur ou la fatigue.

Règles d'action de l'enseignement

La connaissance seule ne suffit pas pour motiver une personne à changer de comportement. L'information transmise à une personne ne la fait pas changer automatiquement d'attitude. Apprendre la façon de modifier un comportement et agir en tenant compte de cet apprentissage sont deux processus différents (Saarmann, Daugherty et Riegel, 2000, p. 281). Les étapes de changement, la volonté de la personne, sa perception du besoin de changement et les obstacles à ce changement sont autant d'éléments importants dont il faut tenir compte dans la mise en pratique d'un plan d'enseignement (chapitre 8 ⬀). Les règles d'action suivantes peuvent être utiles à l'infirmière pour mettre en pratique un plan d'enseignement avec une personne prête à modifier un comportement relatif à sa santé:

- La qualité de la relation enseignant-apprenant est primordiale. Une relation à la fois ouverte et constructive favorise l'apprentissage. Avant de planifier l'enseignement, il est important de connaître la personne visée et les facteurs, décrits plus haut, qui la concernent.
- Le recours aux connaissances antérieures de l'apprenant favorise l'acquisition de nouvelles compétences. Par exemple, une personne qui sait cuisiner peut utiliser ses connaissances lorsqu'un régime alimentaire spécial lui est imposé.
- C'est l'apprenant qui est le mieux placé pour choisir le moment le plus approprié à l'apprentissage. Dans la mesure du possible, il faut laisser la personne choisir le meilleur moment (par exemple lorsqu'elle se sent reposée ou qu'elle n'a pas d'autres activités prévues). Certains moments peuvent être propices à l'enseignement durant les soins, par exemple si l'apprenant pose des questions lorsqu'il est temps qu'il prenne ses médicaments (Hohler, 2004).
- L'infirmière doit être capable de communiquer avec clarté et concision avec l'apprenant. Les mots utilisés doivent avoir la même signification pour les deux parties. Pour certaines personnes, la consigne «ne pas mettre d'eau sur une région du corps» n'est pas contradictoire avec l'utilisation d'une serviette humide pour laver cette région; dans ce cas, il vaut mieux expliquer que la région ne doit jamais entrer en contact avec quelque forme d'humidité que ce soit.

- L'utilisation d'un vocabulaire non spécialisé facilite la communication. L'infirmière utilise souvent des termes et des abréviations qui ont un sens pour les autres professionnels de la santé, mais qui ne signifient à peu près rien pour la population en général. Pour quelqu'un qui ne travaille pas dans le domaine de la santé, même des mots comme «urine» ou «selles» peuvent n'avoir aucun sens, pas plus que certaines abréviations courantes dans le milieu, telles que SO (salle d'opération) ou SR (salle de réveil).
- Le rythme de l'enseignement influe sur l'apprentissage. L'infirmière doit être attentive à tout signe indiquant que le rythme est trop rapide ou trop lent. Ainsi, une personne qui semble confuse ou qui ne comprend pas les questions qu'on lui pose trouve sans doute le rythme trop rapide. Au contraire, si une personne semble s'ennuyer et perdre de l'intérêt, le rythme est peut-être trop lent ou la période d'enseignement trop longue pour elle, par exemple à cause de la fatigue.
- L'environnement peut nuire à l'apprentissage ou le favoriser; par exemple, le bruit ou les interruptions nuisent à la concentration, alors qu'un environnement agréable la favorise. La plupart des gens associent le lit au repos et au sommeil, mais pas à l'apprentissage. Lorsqu'une personne est dans une position et un endroit associés à une activité ou à la formation, cela peut l'aider à apprendre davantage. Par exemple, une personne qui visionne un DVD, bien installée dans son lit, pourra davantage être portée à somnoler que si elle visionnait le même DVD, assise sur une chaise placée au chevet de son lit.
- Le matériel pédagogique peut favoriser l'apprentissage et la concentration de l'apprenant. Afin de s'assurer que la personne apprend bien, l'infirmière doit utiliser du matériel qui ressemble à celui que la personne utilisera par la suite. Avant la séance, l'infirmière doit rassembler tout le matériel pédagogique et s'assurer que le matériel audiovisuel fonctionne bien (rubrique *Enseignement – Outils facilitant l'enseignement aux enfants*).
- L'enseignement qui fait appel à plus d'un sens facilite habituellement l'apprentissage. Par exemple, lorsqu'elle enseigne à une personne comment changer un pansement, l'infirmière lui explique (audition) comment faire le changement, lui montre (vue) comment faire et lui apprend comment manipuler (toucher) le matériel.
- L'apprentissage est plus efficace lorsque l'apprenant en découvre le contenu par lui-même. Comme la motivation et l'autonomie de l'apprenant améliorent son apprentissage, il est important de les soutenir; on peut le faire de diverses façons, entre autres: (1) en visant des objectifs précis, réalistes et accessibles; (2) en fournissant de la rétroaction à l'apprenant; (3) en l'aidant à tirer satisfaction de l'apprentissage; (4) en l'encourageant à explorer les sources d'information disponibles. Si certaines activités n'aident pas l'apprenant à atteindre ses objectifs, l'infirmière doit les réévaluer et, le cas échéant, les remplacer par d'autres. Ainsi, la meilleure façon de montrer à l'apprenant comment tenir une seringue n'est peut-être pas de le lui expliquer, mais bien de lui faire tenir la seringue dans la main. D'un point de vue pédagogique, la pratique se révèle souvent fort utile (figure 21-3 ■).

OUTILS FACILITANT L'ENSEIGNEMENT AUX ENFANTS

- *Visite.* Faire visiter à l'enfant l'hôpital, en particulier des salles de traitement, lui permet de voir des gens vêtus de leur uniforme, d'une combinaison de chirurgie ou d'une tenue de protection.
- *Habillement.* Permettre à l'enfant de toucher et de porter les vêtements qu'il verra ou qu'il aura à utiliser.
- *Livres à colorier.* Utiliser des livres à colorier pour préparer l'enfant aux traitements, à la chirurgie ou à l'hospitalisation ; lui montrer des illustrations des gens, de l'endroit et du matériel.
- *Livres de contes.* Les livres de contes décrivent les sensations que l'enfant éprouvera, les événements qu'il vivra et l'environnement où il se trouvera. Les parents peuvent lire plusieurs fois la même histoire à leur enfant avant qu'il ne soit mis en situation à l'hôpital ou qu'il ne reçoive les soins. Les jeunes enfants aiment ce genre de répétition.
- *Poupées.* À l'aide de poupées ou d'ours en peluche, mimer les procédés que l'enfant aura à subir, ce qui lui apportera le sentiment de maîtriser la situation (par exemple la mise en place d'un drain ou une injection).
- *Marionnettes.* Les marionnettes sont utiles dans les jeux de rôles pour fournir des informations à l'enfant et lui faire voir en quoi consiste l'expérience à venir ; leur utilisation favorise chez l'enfant l'expression de ses émotions.
- *Ateliers sur la santé.* Les ateliers sur la santé peuvent être utiles pour renseigner un enfant sur son corps et sur les bonnes habitudes de santé. Les ateliers peuvent porter sur les situations à haut risque que pourrait connaître l'enfant et les moyens de se protéger (par exemple la prévention des accidents, le risque d'empoisonnement ou tout sujet propre à la communauté dans laquelle l'enfant vit).

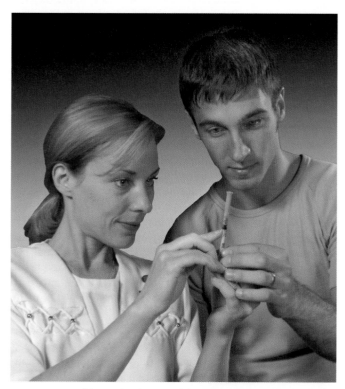

FIGURE 21-3 ■ D'un point de vue pédagogique, la pratique se révèle souvent fort utile.

- La répétition renforce l'apprentissage. Le résumé, la reformulation et la présentation du matériel sous un autre angle sont des moyens de répéter et de clarifier le contenu. Par exemple, après avoir discuté des particularités d'un régime alimentaire spécial, l'infirmière peut décrire en détail et de façon concrète le menu des repas d'une journée.
- Il importe de faire le lien entre ce qui est connu de l'apprenant et ce qui lui est inconnu, de façon à susciter chez lui des relations logiques : «Vous comprenez comment l'urine s'écoule dans la sonde à partir de la vessie. Maintenant, je vais vous montrer comment faire une injection de liquide pour qu'il s'écoule dans la sonde et parvienne à la vessie.» Cette façon de procéder aide l'apprenant à mieux saisir le sens de la suite de la démonstration.
- Quand on veut évaluer les changements de comportement qui témoignent de l'efficacité de l'apprentissage, il faut toujours tenir compte du contexte de vie et des ressources de la personne. Par exemple, dans le cas d'une personne qui ne possède pas de baignoire ou qui doit faire chauffer l'eau sur la cuisinière, il serait absurde de s'attendre à ce qu'elle prenne un bain chaud deux fois par jour.

■ Méthodes d'enseignement particulières

L'entretien individuel est la méthode d'enseignement la plus utilisée par l'infirmière. Cependant, elle peut choisir parmi une diversité de méthodes d'enseignement particulières : le contrat d'apprentissage, l'enseignement en groupe, l'enseignement assisté par ordinateur, la découverte et la résolution de problèmes ou la technique de modification du comportement. La stratégie choisie doit convenir à l'apprenant et correspondre aux objectifs d'apprentissage.

CONTRAT D'APPRENTISSAGE. En vertu d'un contrat d'apprentissage, la personne précise des objectifs et les moyens qu'elle entend prendre pour les atteindre. Voici un exemple de contrat d'apprentissage :

> Moi, Anne Martin, m'engage à faire de l'exercice de manière intensive pendant 20 minutes, 3 fois par semaine, pendant 2 semaines ; en récompense, je m'achèterai 6 roses jaunes.
>
> Anne Martin   A. Lamarche, infirmière
> Le 30 juillet 2010   Le 30 juillet 2010

Le contrat, rédigé et signé par l'apprenant et l'infirmière, peut inclure les objectifs d'apprentissage, les responsabilités de chaque partie ainsi que les méthodes de suivi et d'évaluation. Deux situations peuvent entraîner la modification du contrat : l'apprenant a atteint ses objectifs d'apprentissage et veut en viser de nouveaux ; ou il arrive à la conclusion qu'il est incapable d'atteindre les objectifs établis et souhaite les réviser (Rankin, Stallings et London, 2005). Le contrat d'apprentissage doit laisser place à la liberté, à la responsabilité et au respect mutuels.

ENSEIGNEMENT EN GROUPE. La formation en groupe, en plus d'être économique, donne l'occasion à l'apprenant de partager son expérience avec les autres et d'en tirer profit. Dans un petit

21

groupe, tout le monde peut participer aux discussions. Dans un groupe plus grand, il faut parfois avoir recours au cours magistral, au jeu de rôles ou à l'utilisation d'appareils audiovisuels.

Il est par ailleurs important que tous les participants aient des besoins communs (comme dans un cours prénatal ou une rencontre préopératoire). Il est en outre essentiel de tenir compte des aspects socioculturels pour former le groupe.

ENSEIGNEMENT ASSISTÉ PAR ORDINATEUR (EAO). L'enseignement assisté par ordinateur est populaire. Dans l'enseignement, on a d'abord utilisé l'ordinateur pour l'apprentissage cognitif. Aujourd'hui, toutefois, son utilisation est plus variée:

- Application des connaissances (par exemple, la personne répond à des questions après avoir lu des informations sur un sujet relatif à la santé).
- Compétences psychomotrices (par exemple, la personne remplit en simulation une seringue jusqu'à la ligne indiquant la bonne dose).
- Résolution de problèmes complexes (par exemple, la personne répond à des questions relatives à sa propre situation).

L'ordinateur a vraiment de multiples usages:

- Tant le professionnel de la santé que l'apprenant peuvent utiliser un ordinateur.
- Une famille ou trois à cinq personnes se regroupent devant un ordinateur; les participants utilisent une application logicielle à tour de rôle et chacun répond aux questions qui lui sont posées.
- Un grand groupe prend place devant un écran de projection sur lequel sont projetées les données affichées à l'écran de l'ordinateur; l'enseignant ou l'un des apprenants est au clavier.
- Des individus ou de petits groupes utilisent chacun un ordinateur; tous les ordinateurs sont reliés, soit en réseau, soit par Internet, et ils sont pourvus des mêmes applications. Par ailleurs, de plus en plus de foyers sont branchés à Internet, et les sources d'information sur l'éducation à la santé y sont nombreuses. On estime qu'entre 50,5 % et 54,7 % des Québécois utilisent Internet pour effectuer des recherches au sujet de la santé (Institut de la statistique du Québec [ISQ], 2009).

L'ordinateur permet à un individu d'apprendre à son propre rythme et selon ses besoins. Cependant, en petit groupe, cet avantage peut s'estomper, et un grand groupe fait davantage ressortir les différences de rythme d'apprentissage d'un individu à l'autre. C'est pourquoi il est préférable de regrouper des apprenants selon leurs besoins et leurs habiletés.

Que l'utilisation de l'ordinateur soit individuelle ou en grand groupe, les apprenants lisent et voient le contenu informationnel, répondent aux questions et reçoivent une rétroaction immédiate. La bonne réponse est habituellement indiquée par une couleur, un clignotement ou une appréciation écrite. Lorsque l'apprenant ne choisit pas la bonne réponse, le logiciel peut lui expliquer pourquoi et lui proposer de recommencer; dans ce cas, plusieurs logiciels offrent la possibilité à l'apprenant de réviser la matière. Il existe aussi des logiciels de simulation qui permettent à l'apprenant de manipuler des objets virtuels à l'écran afin d'acquérir des compétences psychomotrices; l'enseignement doit alors être suivi d'une séance de pratique, supervisée par l'enseignant, avec du matériel réel.

Les préjugés que certaines personnes entretiennent à l'égard de l'ordinateur peuvent constituer un obstacle à l'apprentissage. L'infirmière peut aider ces personnes et les rendre autonomes en leur expliquant en détail la marche à suivre: le lancement et l'exécution du programme; la mise en marche et l'arrêt de l'ordinateur; la manière et le moment d'insérer le cédérom. Une documentation d'accompagnement s'avère souvent très utile. Les catalogues des médias, les journaux professionnels et les bibliothèques spécialisées en soins de santé constituent des sources de renseignements sur les logiciels que l'infirmière peut utiliser pour l'enseignement. Les spécialistes des médias et les bibliothécaires des établissements de santé ou d'enseignement sont des personnes-ressources précieuses pour l'infirmière qui désire utiliser l'ordinateur comme outil de formation et ils l'aideront à trouver les logiciels appropriés. Le matériel pédagogique informatique est offert en différentes langues et est adapté à certains besoins visuels spéciaux ainsi qu'à différents niveaux de croissance et de développement.

DÉCOUVERTE ET RÉSOLUTION DE PROBLÈMES. Lorsqu'elle utilise la technique de découverte et de résolution de problèmes, l'infirmière commence par fournir certains renseignements de base à l'apprenant; elle lui pose ensuite une question ou elle lui présente une situation liée aux renseignements fournis. L'apprenant applique les nouveaux renseignements à la situation et décide ce qu'il faut faire. L'apprenant peut travailler seul ou en groupe. Cette technique convient bien à l'apprentissage en famille. L'enseignant guide les apprenants à travers le processus de réflexion nécessaire pour trouver la meilleure solution à la question ou la meilleure action à accomplir dans une situation donnée. On pourrait ici parler de «résolution d'un problème par anticipation». Par exemple, l'infirmière peut présenter à l'apprenant des informations sur le diabète et la régulation glycémique et lui demander de quelle manière il pourrait ajuster sa dose d'insuline ou son régime alimentaire advenant que sa glycémie matinale soit trop basse. La personne apprend ainsi quels comportements décisifs elle doit considérer pour trouver la meilleure solution au problème.

MODIFICATION DU COMPORTEMENT. La technique de modification du comportement s'appuie sur les hypothèses suivantes: (1) les comportements humains sont appris et peuvent être sélectivement renforcés, affaiblis, éliminés ou remplacés; (2) le comportement d'une personne appartient au domaine du conscient. D'après ces hypothèses, le comportement souhaitable est connu et apprécié, alors que le comportement indésirable est laissé de côté. La réaction de la personne constitue la clé du changement de comportement. Par exemple, on ne critique pas une personne qui fume une cigarette alors qu'elle essaie de cesser de fumer; il faut plutôt la féliciter ou la récompenser après une certaine période pendant laquelle elle a tenu le coup. Pour certaines personnes, il peut être utile d'associer un contrat d'apprentissage à la technique de modification du comportement et d'y inclure les caractéristiques suivantes:

- Utilisation du renforcement positif (par exemple les compliments)
- Participation de la personne à l'élaboration du programme d'apprentissage

- Absence de critique des comportements indésirables
- Attentes claires de la personne et de l'infirmière envers l'atteinte des objectifs d'apprentissage (c'est-à-dire la modification du comportement)

Enseignement transculturel

Les différences culturelles et ethniques entre l'infirmière et l'apprenant peuvent créer des obstacles supplémentaires dans le processus d'enseignement et d'apprentissage. Ces obstacles peuvent notamment comprendre les problèmes de langage et de communication, les différences dans les concepts liés au temps, et les contradictions entre les méthodes de traitement, les croyances liées à la santé et certains problèmes de santé particuliers à fréquence ou à risque élevés, qui peuvent être traités grâce à l'éducation à la santé (chapitre 12 ⊝). L'infirmière doit tenir compte des règles d'action suivantes lorsqu'elle enseigne à des personnes d'origine ethnique différente :

- *Se procurer le matériel pédagogique, la documentation et les directives dans la langue usuelle de l'apprenant.* L'infirmière qui est incapable de lire dans cette langue peut faire appel à un traducteur. Cela lui permettra d'évaluer la qualité de l'information et, au besoin, de procéder à une mise à jour avec l'aide du traducteur.
- *Utiliser des aides visuelles, telles que des illustrations, des graphiques ou des diagrammes pour faire comprendre le sens de son message.* On peut utiliser du matériel audiovisuel en français dans la mesure où la langue parlée est claire et le débit, suffisamment lent. Même si la personne a de la difficulté à comprendre le message verbal, le fait d'observer la démonstration d'une compétence ou d'un procédé peut lui être utile. Dans certaines circonstances, un interprète pourra clarifier le sens à l'apprenant. Certains DVD sont offerts en plusieurs langues ; l'infirmière peut alors se procurer la version appropriée.
- *Employer des termes concrets plutôt qu'abstraits.* Utiliser un langage simple (phrases courtes, mots courts) et présenter une seule idée à la fois.
- *Planifier des périodes de questions.* Ces périodes aident l'apprenant à distinguer les idées ou les compétences.
- *Éviter les termes médicaux ou le jargon des professionnels de la santé.* Par exemple, dire «prendre la pression artérielle» au lieu de «prendre les signes vitaux» ou «écouter le cœur» au lieu de «prendre le pouls apical».
- *S'assurer que l'information est bien comprise en écrivant les mots dont la prononciation suscite une difficulté.* Par exemple, pendant l'évaluation, écrire les nombres, les mots ou les phrases et demander à la personne de les lire pour vérifier si elle a bien compris.
- *Utiliser l'humour avec circonspection.* Il arrive que la traduction ou l'interprétation fausse la signification de ce qui a été dit.
- *Éviter les expressions familières.* Elles peuvent être interprétées littéralement.
- *Vérifier la signification des comportements ; ne pas présumer qu'une personne qui hoche la tête, garde un contact visuel ou sourit comprend nécessairement tout ce qui lui est enseigné.* Ces réactions peuvent être simplement l'expression d'une marque de respect. La personne peut penser qu'il ne faut pas embarrasser l'infirmière ou lui faire perdre du temps en posant des questions ou en manifestant son incompréhension.

- *Inviter et encourager la personne à poser des questions.* Faire comprendre à la personne qu'elle est fortement invitée à poser des questions et à faire ce qu'il faut pour obtenir les informations les plus précises possible. Lorsqu'on pose des questions afin d'évaluer si la personne a bien compris, il faut éviter les questions négatives, qui peuvent être mal interprétées par des personnes dont le français n'est pas la langue maternelle. Dites : «Voyez-vous jusqu'où vous pourrez plier votre hanche après la chirurgie ?» au lieu de : «Ne voyez-vous pas jusqu'où vous pourrez plier votre hanche après la chirurgie ?» Dans le cas de notions ou de compétences particulièrement difficiles à enseigner, l'infirmière peut dire : «La plupart des gens ont des difficultés avec cela. Puis-je vous aider à recommencer ?» Dans certaines cultures, il n'est pas convenable de manifester un besoin ; de même, exprimer sa confusion ou demander qu'on enseigne quelque chose à nouveau est considéré comme grossier.
- *Prendre en considération le sexe de la personne. Lorsqu'on explique des procédés ou un fonctionnement liés à certaines parties du corps, faire appel à une infirmière s'il s'agit d'une apprenante et à un infirmier s'il s'agit d'un apprenant.* Il faut tenir compte de la notion de pudeur propre à certaines cultures ou croyances et à ce qui est approprié ou non dans les relations homme-femme ; à cet effet, il est sage de faire appel à une infirmière (plutôt qu'à un infirmier) pour enseigner à une femme les soins d'hygiène personnelle, la planification des naissances, les infections transmissibles sexuellement et par le sang et tout autre sujet qui pourrait être délicat. Si on doit demander l'aide d'un interprète pendant qu'on donne les explications, il est préférable que ce soit une femme.
- *Inclure la famille dans la planification et l'enseignement.* Cela favorise la confiance et le respect mutuels. Déterminer la personne qui représente l'autorité familiale et l'associer à la planification et à la formation afin de faciliter l'adhésion et le soutien à l'enseignement lié à la santé. Dans certaines cultures, l'homme chef de famille est la personne à associer à l'enseignement qu'on veut donner ; dans d'autres cultures, ce peut être la femme la plus âgée de la famille.
- *Tenir compte des croyances et des conceptions liées au temps.* Il est possible que la personne soit plus centrée sur le présent que l'infirmière. Certains groupes culturels, comme les nouveaux immigrants et les gens défavorisés, qui luttent quotidiennement pour répondre aux besoins essentiels, accordent une importance primordiale au moment présent. La prévention des problèmes possibles peut avoir moins de signification pour ces personnes que pour d'autres. Ainsi, enseigner l'adoption de bonnes habitudes de vie (par exemple faire de l'exercice régulièrement ou manger de façon équilibrée afin de diminuer l'embonpoint) sera plus difficile si la personne est très centrée sur le présent. Dans pareil cas, l'infirmière peut mettre l'accent sur la prévention des problèmes à court terme plutôt qu'à long terme. Il arrive fréquemment que des personnes centrées sur le présent sautent des rendez-vous ou arrivent en retard. Pour pallier ce problème, l'infirmière peut organiser le transport de la personne ou accepter de la recevoir quand elle se présente plutôt que de lui fixer un autre rendez-vous, auquel elle ne viendra probablement pas de toute façon.

21

Dans les sociétés axées d'abord sur le moment présent, les horaires peuvent être très flexibles et les heures de sommeil ou de repas peuvent varier grandement. Il faut donc comprendre que la prise de médicaments « à l'heure du coucher ou avec un repas » ne signifie pas nécessairement que ces activités se produiront à la même heure chaque jour. C'est pourquoi l'infirmière doit évaluer la routine quotidienne de la personne avant de lui demander d'associer un traitement ou une prise de médicament à une activité ; en effet, l'infirmière ne peut présumer que cette activité a lieu à la même heure tous les jours. Lorsqu'elle enseigne l'horaire de la prise d'un médicament, l'infirmière doit vérifier si la personne dispose d'une horloge ou d'une montre et si elle peut lire l'heure.

- *Déterminer les pratiques et les croyances culturelles en matière de santé.* La non-observance de ce qui est enseigné est parfois liée à un conflit entre les croyances et la médecine traditionnelle. Elle peut aussi être liée à l'incompréhension ou au fatalisme, un système de croyances selon lequel les événements de la vie sont prédestinés et non modifiables par qui que ce soit. Pour favoriser l'observance du traitement, l'infirmière devra amener la personne à comprendre les causes de ses problèmes de santé et à les prévenir.

L'infirmière doit considérer avec respect les croyances culturelles de la personne en matière de traitement et tenter de distinguer celles qui sont en harmonie avec l'enseignement et celles qui ne le sont pas. Elle peut alors mettre l'accent sur les éléments concordants afin de favoriser l'intégration des nouveaux apprentissages aux pratiques familières à la personne. Cette dernière aura sans doute besoin qu'on lui explique pourquoi certaines méthodes de traitement traditionnelles sont nuisibles et comment l'approche et les méthodes recommandées amélioreront sa santé.

Évaluation

L'évaluation est un processus qu'on utilise de façon continue et à la fin de la démarche d'enseignement ; l'apprenant, l'infirmière et souvent les membres du réseau de soutien établissent alors ce qui a été appris.

Évaluation de l'apprentissage

Le processus d'évaluation de l'apprentissage est le même que celui visant à évaluer l'atteinte des objectifs pour d'autres diagnostics infirmiers. L'apprentissage est mesuré en fonction des objectifs choisis au cours de la planification du processus d'enseignement. Par conséquent, les objectifs ne servent pas uniquement à établir le plan d'enseignement, mais aussi à fournir des critères d'évaluation. Par exemple, on peut évaluer l'atteinte de l'objectif « Choisir des aliments pauvres en glucides » en demandant à la personne de nommer de tels aliments ou de les repérer dans une liste.

Le choix de la méthode d'évaluation dépend du type d'apprentissage. Dans l'*apprentissage cognitif*, l'apprenant montre ce qu'il a appris. Voici des exemples d'outils pour évaluer un apprentissage cognitif :

- Observation directe du comportement (par exemple observer la personne choisir une solution à un problème en utilisant une nouvelle compétence).
- Mesure des compétences acquises (par exemple à l'aide d'un test).
- Questions orales (par exemple demander à la personne de reformuler l'information ou de fournir des réponses verbales correctes à des questions).
- Autoévaluation et autosurveillance. Ces moyens peuvent être utiles au cours des appels téléphoniques de suivi et des visites à domicile. Il peut s'agir de l'évaluation de l'apprentissage de la personne selon son propre rythme ; c'est le cas de l'enseignement assisté par ordinateur, qui comprend souvent un volet d'autosurveillance.

La meilleure manière d'évaluer l'acquisition de *compétences psychomotrices* consiste à observer directement comment la personne exécute un procédé, tel qu'un changement de pansement ou la mise en place d'une sonde vésicale.

L'*apprentissage affectif* est plus difficile à évaluer. On peut constater les attitudes ou les valeurs apprises en écoutant la personne répondre aux questions, en remarquant sa manière de s'exprimer sur des sujets importants et en observant les comportements qui expriment ses sentiments ou ses valeurs. Par exemple, les parents ont-ils appris à valoriser la santé au point qu'ils ont fait vacciner leurs enfants ? La personne qui affirme accorder beaucoup d'importance à la santé utilise-t-elle des condoms lorsqu'elle a des rapports sexuels avec un nouveau partenaire ?

Grâce à l'évaluation, l'infirmière peut voir la nécessité de modifier ou de répéter le plan d'enseignement (par exemple si les objectifs n'ont pas été atteints ou l'ont été seulement en partie). Faire un suivi de l'enseignement à la maison ou par téléphone est souvent nécessaire dans le cas d'une personne qui sort d'un établissement de santé.

Un changement de comportement ne se produit pas nécessairement tout de suite après l'apprentissage. Il est fréquent que la personne accepte d'abord le changement sur le plan intellectuel et qu'elle modifie son comportement par étapes ou de manière périodique (par exemple, Mme Lavoie sait très bien qu'elle doit perdre du poids, mais elle suit son régime et fait de l'exercice seulement par intermittence). Si le nouveau comportement doit remplacer un comportement ancien, il doit prendre place graduellement ; autrement, l'ancien comportement peut l'emporter. L'infirmière doit aider une personne comme Mme Lavoie à modifier son comportement en lui permettant des écarts et en l'encourageant.

Évaluation de l'enseignement

Il est important que l'infirmière évalue son enseignement et le contenu de son plan d'enseignement de la même manière qu'elle évalue l'efficacité des interventions infirmières pour d'autres diagnostics infirmiers. L'évaluation doit tenir compte de tous les facteurs : le moment choisi, les méthodes d'enseignement, la quantité d'informations, l'utilité réelle de l'enseignement, etc. L'infirmière peut constater, par exemple, que

21

la personne a été submergée par une trop grande quantité d'informations, qu'elle s'est ennuyée ou, au contraire, qu'elle était motivée pour apprendre davantage.

Tant l'apprenant que l'infirmière doivent évaluer l'expérience d'apprentissage. L'apprenant peut dire à l'infirmière ce qui a été utile, intéressant, etc. Les questionnaires de rétroaction et les enregistrements vidéo des séances d'apprentissage peuvent aussi être efficaces.

L'infirmière ne doit pas éprouver un sentiment d'incompétence comme enseignante si la personne oublie certaines des choses qui lui ont été enseignées. L'oubli est normal et devrait même être prévu. Demander à la personne de prendre des notes sur ce qu'elle apprend, la faire répéter, lui remettre de la documentation sur la matière enseignée et lui permettre d'être active dans le processus d'apprentissage sont autant de moyens qui favorisent la mémorisation.

Documentation des soins infirmiers

La documentation du processus d'enseignement est essentielle parce qu'elle constitue une preuve reconnue que l'enseignement a bel et bien eu lieu et qu'elle permet de faire connaître cet enseignement aux autres professionnels de la santé. Si l'enseignement n'est pas documenté, du point de vue juridique, il n'existe pas.

De plus, il est important de documenter les réponses de l'apprenant et des proches aux activités d'enseignement. Qu'a fait la personne ou qu'a dit ou fait le proche aidant qui indique que l'apprentissage a eu lieu ? L'apprenant a-t-il montré sa maîtrise d'une compétence ou l'acquisition d'une connaissance ? L'infirmière enregistre ces données dans le dossier de la personne comme preuves de l'apprentissage. De nombreux établissements de soins de santé possèdent des formulaires relatifs à l'enseignement ; ces formulaires peuvent comprendre les diagnostics médicaux et infirmiers, le plan de traitement et l'enseignement destiné à la personne. Une fois l'enseignement terminé, l'apprenant et l'infirmière signent le formulaire et une copie est remise à l'apprenant ; cette copie constitue une attestation de l'enseignement et sert de renforcement au contenu étudié. Une deuxième copie du formulaire est placée dans le dossier de l'apprenant. Les parties du processus d'enseignement qui devraient être documentées dans le dossier sont les suivantes :

- Besoins d'apprentissage diagnostiqués
- Objectifs d'apprentissage
- Sujets enseignés
- Objectifs de la personne
- Besoins d'enseignement supplémentaires
- Ressources fournies

Le plan d'enseignement décrit les ressources que l'infirmière utilisera pour les séances d'enseignement. Il devrait aussi comprendre les éléments suivants :

- Informations transmises et compétences enseignées
- Méthodes d'enseignement utilisées
- Horaire et contenu de chaque séance d'enseignement
- Objectifs d'enseignement et méthodes d'évaluation

Révision du chapitre

MOTS CLÉS

Adhésion, **491**	Domaine psychomoteur, **492**	Motivation, **493**	Théorie béhavioriste de l'apprentissage, **493**
Andragogie, **491**	Enseignement, **490**	Observance, **491**	Théorie cognitive de l'apprentissage, **493**
Apprentissage, **491**	Géragogie, **491**	Pédagogie, **491**	
Besoin d'apprentissage, **491**	Imitation, **492**	Réceptivité, **493**	Théorie humaniste de l'apprentissage, **493**
Domaine affectif, **492**	Modelage, **492**	Renforcement positif, **492**	
Domaine cognitif, **492**		Rétroaction, **494**	

CONCEPTS CLÉS

- Donner à la personne et aux membres de sa famille un enseignement en matière de santé constitue un aspect fondamental de la pratique et du rôle de l'infirmière. Cette dernière doit aussi enseigner à des collègues, à du personnel auxiliaire, à des étudiants en soins infirmiers et à d'autres futurs professionnels des soins de santé, ainsi qu'à divers groupes de personnes dans le contexte de programmes d'éducation à la santé.

- L'apprentissage est un préalable au changement de comportement.
- Les trois principales théories de l'apprentissage sont le béhaviorisme, le cognitivisme et l'humanisme.
- Bloom (1956) a déterminé trois domaines d'apprentissage : cognitif, affectif et psychomoteur.
- De nombreux facteurs influent sur l'apprentissage, notamment la motivation, la récepti-

vité, la participation active, la pertinence, la rétroaction, le soutien non critique, l'organisation de la matière du simple au complexe, la répétition, le choix du moment, l'environnement, l'état psychologique, l'état physiologique, les aspects culturels et les capacités psychomotrices.

- L'enseignement, tout comme la pratique infirmière, consiste essentiellement en six activités : la collecte des données ; l'analyse des besoins d'apprentissage ; la planification (élaboration d'un plan d'enseignement) ; l'intervention (la mise en place de ce plan) ; l'évaluation des objectifs d'apprentissage et de l'efficacité de l'enseignement ; la documentation des activités liées à l'apprentissage.

■ Les méthodes d'apprentissage choisies par l'infirmière doivent être adaptées à la personne et au contenu à enseigner.

■ Un plan d'enseignement est un document écrit qui précise les objectifs d'apprentissage, le contenu à enseigner et les méthodes à utiliser. Le plan doit être révisé lorsque les besoins de la personne changent ou que les méthodes s'avèrent inefficaces.

■ L'évaluation de l'enseignement et de l'apprentissage est un processus qu'on utilise tant pendant la démarche d'enseignement qu'à la fin de celle-ci et qui permet à la personne, à l'infirmière et souvent aux membres du réseau de soutien de déterminer ce qui a été appris.

■ La documentation de l'enseignement dans le dossier de la personne est essentielle. Elle permet de faire connaître cet enseignement aux autres professionnels de la santé et elle constitue une preuve reconnue que l'enseignement a bel et bien eu lieu.

Références

Bandura, A. (1971). Analysis of modeling processes. Dans A. Bandura (dir.), *Psychological modeling.* Chicago : Aldine.

Bastable, S. B. (2008). *Nurse as educator : Principles of teaching and learning for nursing practice* (3e éd.). Boston : Jones and Bartlett.

Bloom, B. S. (dir.). (1956). *Taxonomy of education objectives. Book 1, Cognitive domain.* New York : Longman.

Bulechek, G. M., Butcher, H. K., et McCloskey Dochterman, J. (2010). *Classification des interventions de soins infirmiers CISI/NIC,* Traduction française de la 5e édition américaine. Issy-les-Moulineaux : Elsevier Masson.

Carpenito, L. J. (2003). *Manuel de diagnostics infirmiers,* Traduction de la 9e édition. Saint-Laurent : Éditions du Renouveau Pédagogique.

Carré, P. (1981). *Retraite et formation.* Paris : Éditions ERES.

Chené, A., et Fleury, M.-J. (1990). *La dimension relationnelle de la formation des personnes âgées.* Montréal : Université de Montréal, Publications de la faculté des sciences de l'éducation.

Hohler, S. E. (2004). Tips for better patient teaching. *Nursing, 34*(7), 32hn7-32hn8.

Institut de la statistique du Québec (ISQ). (2009) *Activités sur Internet des individus disposant d'une connexion Internet à domicile, selon le groupe d'âge au Québec en 2007.* Document consulté de http://www.stat.gouv.qc.ca/savoir/ indicateurs/tic/individus/tic_activite3_2007.htm.

Jarvis, C. (2009) *L'examen clinique et l'évaluation de la santé.* Montréal : Beauchemin.

John, M. T. (1988). *Geragogy : A theory for teaching the elderly.* New York : Haworth Press.

Johnson, M., Maas, M., et Moorhead, S. (2000). *Nursing outcomes classification (NOC)* (2e éd.). St. Louis, MO : Mosby.

Johnson, M., et Meridean, M. (dir.). (1999). *Classification des résultats de soins infirmiers CRSI/NOC.* Paris : Masson.

Knowles, M. S. (1984). *Andragogy in action.* San Francisco : Jossey-Bass.

Lauzon, S., et Adam, E. (1996). *La personne âgée et ses besoins : interventions infirmières.* Saint-Laurent : Éditions du Renouveau Pédagogique.

Leclerc, G., et Rowan. (1992). Nouveau regard sur la retraite. *Le Gérontophile, 14*(1), 9-12.

Lewin, K. (1951). *Field theory in social science.* New York : Harper and Row.

Maslow, A. H. (1970). *Motivation and personality.* New York : Harper and Row.

Mayer, G. G., et Rushton, N. (2002). Writing easy-to-read teaching aids. *Nursing, 32*(3), 48-49.

NANDA International. (2010). *Diagnostics infirmiers : Définitions et classification 2009-2011.* Issy-les-Moulineaux : Elsevier Masson.

Nutbeam, D. (2008).The evolving concept of health literacy. *Social Science & Medicine, 67,* 2072-2078.

Ordre des infirmières et infirmiers du Québec (OIIQ). (2010). *Perspectives de l'exercice de la profession d'infirmière.* Montréal : Auteur.

Pavlov, I. P. (1927). *Conditioned reflexes,* Traduit en anglais par G. V. Anrep. London : Oxford University Press.

Piaget, J. (1966). *Origins of intelligence in children.* New York : Norton.

Poulin, G. (1993). *Application d'un programme d'enseignement auprès d'une personne atteinte de MPOC et de son conjoint.* Rapport de stage de maîtrise, Université de Montréal, Faculté des sciences infirmières.

Rankin, S. H., Stallings, K. D., et London, F. (2005). *Patient education : In health and illness* (5e éd.). Philadelphie : Lippincott Williams & Wilkins.

Redman, B. K. (1993). *The process of patient education in nursing* (7e éd.). Saint Louis : Mosby Year Book.

Rogers, C. R. (1961). *On becoming a person.* Boston : Houghton-Mifflin.

Rogers, C. R. (1969). *Freedom to learn.* Columbus, Ohio : Chas. E. Merrill.

Rootman, I., Kaszap, M., et Frankish, J. (2006) *La littératie en santé : un concept en émergence. Promotion de la santé au Canada et au Québec : Perspectives critiques* (2e éd.) (p. 81-97). Québec : Les Presses de l'Université Laval.

Saarmann, L., Daugherty, J., et Riegel, B. (2000). Patient teaching to promote behavioral change. *Nursing Outlook, 48,* 281-287.

Schultz, M. (2002). Low literacy skills needn't hinder care. *RN, 65*(4), 45-48.

Skinner, B. F. (1953). *Science and human behavior.* New York : Macmillan.

Statistique Canada et Ressources humaines et développement des compétences Canada (RHDC). (2005). *Miser sur nos compétences. Résultats canadiens de l'Enquête internationale sur l'alphabétisation et les compétences des adultes.* Ottawa, Ministre de l'Industrie (No STC 89-617-MIF au catalogue).

Wilkinson, J. M. (2005). *Nursing diagnosis handbook with NIC interventions and NOC outcomes* (8e éd.). Upper Saddle River, NJ : Prentice Hall Health.

Winslow, E. H. (2001). Patient education materials. Can patients read them, or are they ending up in the trash ? *American Journal of Nursing, 101*(10), 33-38.

21

Chapitre 22

Adaptation française :
Sylvie Dubois, inf., Ph.D.
Professeure adjointe, Faculté des sciences infirmières
Université de Montréal
Adjointe à la recherche à la direction des soins infirmiers
Centre hospitalier de l'Université de Montréal (CHUM)
Chercheuse du CRCHUM, CIFI et GRIISIQ

OBJECTIFS D'APPRENTISSAGE

Après avoir étudié ce chapitre, vous pourrez :

- Comparer leadership et gestion.
- Distinguer les leaders formels des leaders informels.
- Comparer les différents styles de leadership.
- Définir les caractéristiques d'un leader efficace.
- Comparer les niveaux de gestion.
- Reconnaître les habiletés et les compétences nécessaires à l'infirmière gestionnaire.
- Décrire les quatre fonctions de gestion.
- Décrire quatre modèles ou processus utilisés en gestion de changement.
- Énoncer le rôle et les fonctions de l'infirmière leader et gestionnaire dans la planification et la mise en place d'un changement.

Leadership, gestion et délégation

Dans le système de soins de santé canadien, de plus en plus complexe et qui change rapidement, caractérisé par une pénurie d'infirmières qui ne cesse de s'aggraver, le leadership exercé par les infirmières pour assurer avec compétence la prestation de soins de qualité est plus important que jamais (Association des infirmières et infirmiers du Canada [AIIC], 2006). Selon le document intitulé *Vers 2020 : Visions pour les soins infirmiers* de l'AIIC, les infirmières seront appelées à travailler en équipes interdisciplinaires, formées d'un nombre croissant de professionnels de la santé. L'AIIC insiste sur le fait que les infirmières qui exercent un leadership doivent « s'axer sur la santé et le système de santé, et non seulement sur les infirmières et les soins infirmiers ». Les infirmières devront, en plus de défendre les droits des clients, des établissements de soins et des collectivités, résoudre des questions sociales (AIIC, 2006, p. 84). Les infirmières de la future génération doivent travailler avec efficacité et efficience pour répondre aux attentes du public et, surtout, pour devenir des leaders reconnus, qui prendront les rênes des changements positifs.

Infirmière leader et infirmière gestionnaire

L'infirmière est souvent en position de leader et doit fréquemment déléguer différents aspects des soins aux autres membres de son équipe. De plus, dans de nombreuses circonstances, elle assume des fonctions de gestion et agit comme agent de changement. Elle assure fréquemment ce double rôle de leader et de gestionnaire. Ces rôles sont liés ; cependant, même si le gestionnaire doit avoir des compétences en leadership et que le leader fait souvent office de gestionnaire, les deux rôles diffèrent.

Un **leader** exerce une influence sur les membres de son entourage et les incite à collaborer en vue d'atteindre un objectif précis. Les leaders sont souvent des visionnaires ; ils sont informés, articulés et confiants, et ils ont une bonne connaissance d'eux-mêmes. Ils ont habituellement de solides compétences en matière de relations interpersonnelles et excellent dans l'art d'écouter et de communiquer. Ils font preuve d'initiative ; ils ont les capacités et l'assurance nécessaires pour faire des changements innovateurs ou pour motiver les autres, les aider et leur servir de mentor. On trouve les leaders dans divers emplois, du chef d'équipe au directeur général ; ils agissent aussi comme bénévoles, notamment à titre de présidents d'une organisation professionnelle ou d'un conseil d'administration au sein de la communauté.

22

Un **gestionnaire** est l'employé d'une organisation à qui on a confié une autorité ou un pouvoir ; il a la responsabilité de planifier, de structurer, de coordonner et de diriger le travail d'autres employés ; il doit aussi établir et évaluer des normes. Le gestionnaire doit comprendre la structure et la culture de cette organisation. Il gère des ressources humaines, financières et matérielles. Il établit des objectifs, prend des décisions et résout des problèmes. Il instaure des changements et voit à leur mise en œuvre.

Les buts du **leadership infirmier** varient selon le contexte ; ils comprennent notamment : (1) l'amélioration de l'état de santé des personnes ou des membres de leur famille ; (2) l'augmentation de l'efficacité et du degré de satisfaction des collègues ; (3) l'amélioration de l'attitude et de la satisfaction à l'égard de la profession, aussi bien de la part du public que des membres du gouvernement.

L'infirmière gestionnaire est responsable de la gestion des soins prodigués ; dans un établissement de santé, elle peut occuper un poste de cadre, comme chef d'unité, coordonnatrice, adjointe ou directrice des soins infirmiers. À titre de gestionnaire, l'infirmière est responsable : (1) de la réalisation optimale des objectifs de l'établissement ; (2) de l'utilisation efficace des ressources ; (3) de la prestation de soins de qualité ; (4) de l'observation des normes en matière de soins, qu'il s'agisse des normes de l'établissement ou de la profession que de celles du gouvernement. L'infirmière gestionnaire est aussi responsable du perfectionnement des membres de son équipe.

Le tableau 22-1 fait ressortir les ressemblances et les différences entre le rôle du leader et celui du gestionnaire. La figure 22-1 ■ illustre une activité de l'infirmière leader et gestionnaire.

Leadership

Le leadership peut être formel ou informel. Le leader qui exerce un **leadership formel** est choisi par une organisation qui lui confie officiellement l'autorité de prendre des décisions et d'agir. Le leader qui exerce un **leadership informel** n'est pas

FIGURE 22-1 ■ Une infirmière leader et gestionnaire discute de l'attribution des tâches au moment du rapport de changement de quart.

désigné officiellement pour diriger les autres, mais en raison de son ancienneté, de son âge ou de ses capacités particulières, il est choisi comme leader par le groupe et joue un rôle important ; il exerce une influence sur ses collègues, sur ses compagnons de travail ou sur les autres membres de l'organisation, ce qui aide le groupe à atteindre les objectifs établis.

Théories du leadership

Les premières théories portant sur le leadership mettaient l'accent sur ce qu'est le leader (théories des traits caractéristiques), sur ce qu'il fait (théories du comportement) et sur la manière dont il adapte son style de leadership à la situation (théories de la contingence). Les théories portant sur le **style de leadership** décrivent les caractéristiques, les comportements et les motivations des personnes, ainsi que les choix qu'elles font pour exercer efficacement une influence sur les autres.

THÉORIES CLASSIQUES DU LEADERSHIP

D'après la théorie des traits caractéristiques, il arrive souvent que le leader possède certains traits de caractère et certaines habiletés, notamment le jugement, l'esprit de décision, la connaissance, la facilité d'adaptation, l'intégrité, le tact, la

TABLEAU 22-1
COMPARAISON ENTRE LES RÔLES DE LEADER ET DE GESTIONNAIRE

Leader	Gestionnaire
■ N'a pas nécessairement le titre officiel de «leader».	■ Est nommé à ce poste.
■ Possède le pouvoir et l'autorité nécessaires à l'application des décisions dans la mesure où ses collaborateurs sont d'accord avec lui.	■ Possède le pouvoir et l'autorité nécessaires à l'application des décisions.
■ Exerce une influence, formelle ou informelle, sur les autres personnes lors de l'établissement d'objectifs.	■ Agit en tenant compte des directives et des statuts et règlements.
■ Ne craint pas de courir des risques et d'explorer de nouvelles avenues.	■ Assure le maintien d'une structure ordonnée, contrôlée, rationnelle et équitable.
■ Établit des liens interpersonnels de manière intuitive et empathique.	■ Interagit avec les collègues conformément au rôle de chacun.
■ Se sent récompensé par ses réussites personnelles.	■ Se sent récompensé par l'atteinte des objectifs ou la réalisation de la mission de l'établissement.
■ N'est pas nécessairement compétent pour devenir gestionnaire.	■ Est gestionnaire tant qu'il conserve son poste.

22

popularité, l'esprit de collaboration et l'esprit d'indépendance. Les béhavioristes croient que c'est grâce à son éducation, à sa formation et à ses expériences de vie que le leader efficace acquiert un style de leadership autocratique, démocratique, de type laisser-faire ou administratif.

Le **leader** ayant un style **autocratique** (ou **autoritaire**) prend les décisions pour le groupe. D'après lui, les individus possèdent une motivation extérieure au groupe (leur force de motivation est extrinsèque et ils souhaitent être récompensés par les autres) et sont incapables de prendre des décisions de manière autonome. Semblable à un dictateur, le leader autocratique établit les directives, donne les ordres et dirige le groupe. Ce style de leadership rassure le groupe parce que les façons de procéder sont clairement définies et les activités, prévisibles. Dans ce contexte, la productivité peut être élevée. Cependant, les besoins en matière de créativité, d'autonomie et de motivation personnelle ne sont pas respectés, et le degré d'ouverture et de confiance entre le leader et les membres du groupe est faible ou inexistant. Souvent, les membres ne sont pas satisfaits de ce style de leadership ; il arrive toutefois que le style autocratique soit le plus efficace. Dans les situations d'urgence (par exemple, en cas d'arrêt cardiaque, d'incendie ou de catastrophe où il y a de nombreux blessés), il faut qu'une personne prenne des décisions sans être remise en question par les autres membres de l'équipe. Lorsque les membres d'un groupe sont incapables de prendre une décision ou ne souhaitent pas le faire, le style autoritaire permet de résoudre le problème et d'aller de l'avant. Ce style peut aussi être efficace lorsqu'un projet doit être terminé avec rapidité et efficacité.

Le **leader** ayant un style **démocratique** (**coopératif** ou **participatif**) favorise les discussions et les prises de décisions collectives. Ce leader agit comme un catalyseur ou un facilitateur, en guidant activement le groupe vers la réalisation de ses objectifs. La productivité et la satisfaction sont élevées parmi les membres du groupe, puisque tous contribuent à l'effort collectif. Le leader démocratique croit que les gens possèdent une motivation intérieure (leur force de motivation est intrinsèque

et ils veulent être satisfaits d'eux-mêmes), qu'ils sont capables de prendre des décisions et qu'ils valorisent l'autonomie. Ce style de leadership met l'accent sur la critique constructive, l'information, les suggestions et les questions. Ce leader doit croire en la capacité des membres du groupe d'atteindre les objectifs. Bien que le leadership démocratique soit moins efficace et plus exigeant que le leadership autoritaire, il favorise davantage la motivation personnelle et la créativité chez les membres du groupe, en plus de faire appel à leur esprit de coopération et de coordination. Ce style peut s'avérer très efficace dans les établissements de soins de santé.

Le **leader** ayant un style **de type laisser-faire** (**non directif** ou **permissif**) reconnaît les besoins du groupe en matière d'autonomie et d'esprit de discipline. Ce leader croit à l'approche non interventionniste ; il suppose que les membres du groupe possèdent des motivations internes. Toutefois, les membres peuvent agir de manière autonome et, parfois, se trouver à contre-courant du groupe en raison d'un manque de coopération et de coordination. Ce style de leadership est plus efficace quand les membres du groupe font preuve de maturité personnelle et professionnelle ; en effet, dès que le groupe a pris une décision, les individus s'engagent à la mettre en œuvre grâce à leur expérience. Les membres exécutent alors leurs tâches de manière autonome, dans leur champ de compétence respectif, alors que le leader agit à titre de personne-ressource. Le tableau 22-2 permet de comparer trois styles de leadership, soit autoritaire, démocratique et de type laisser-faire.

Le **leader** ayant un style **administratif** ne fait confiance à personne, pas plus à lui-même qu'aux autres ; lorsqu'il s'agit de prendre des décisions, il s'appuie plutôt sur les directives ou les statuts et règlements de l'établissement pour diriger le travail du groupe. Ce style de leadership suscite généralement l'insatisfaction chez les membres du groupe en raison de son inflexibilité et de la nature impersonnelle des relations qui régissent le groupe.

Selon les théoriciens de la contingence, le leader efficace adapte son style de leadership à chaque situation. Une théorie

TABLEAU 22-2
COMPARAISON DES STYLES DE LEADERSHIP AUTORITAIRE, DÉMOCRATIQUE ET DE TYPE LAISSER-FAIRE

Élément de comparaison	Leadership autoritaire	Leadership démocratique	Leadership de type laisser-faire
Degré de liberté	Peu de liberté	Un peu plus de liberté que le style autoritaire	Beaucoup de liberté
Degré de contrôle	Contrôle élevé	Contrôle modéré	Aucun contrôle
Niveau d'activité du leader	Élevé	Élevé	Très bas
Prise de responsabilité	Surtout par le leader	Partagée	Aucune par le leader (qui y renonce)
Résultats obtenus par le groupe	Beaucoup de résultats de bonne qualité	Résultats créatifs, de bonne qualité	Résultats variables, parfois de mauvaise qualité
Rendement	Très efficient	Moins efficient que dans le cas du style autoritaire	Pas du tout efficient

Source : Tappen, R. M. (2000). *Nursing leadership and management : Concepts and practice* (4ᵉ éd.) (p. 82). Philadelphie : F. A. Davis.

22

bien connue de la contingence est le **leadership situationnel**. Pour son application, on y attribue les habiletés suivantes : (1) reconnaissance du comportement centré sur la tâche à accomplir et du comportement centré sur les relations ; (2) prise en compte des capacités des membres du personnel ; (3) connaissance de la nature de la tâche à exécuter ; (4) sensibilité au contexte ou à l'environnement relié à la tâche. Le leader centré sur la tâche à accomplir s'intéresse à l'exécution de chaque tâche et, par conséquent, il accorde beaucoup d'importance aux activités qui favorisent la productivité du groupe. Le leader centré sur les relations interpersonnelles met l'accent sur les activités qui satisfont les besoins des membres du groupe. Contrairement aux leaders ayant un style autoritaire, démocratique et de type laisser-faire, ceux ayant un leadership situationnel s'adaptent à la réceptivité et à la bonne volonté des membres du groupe.

Lorsque les employés manquent d'assurance, qu'ils sont incapables d'accomplir la tâche ou qu'ils ne veulent pas l'exécuter, le leader utilise un style très directif : il leur donne des instructions précises et les supervise étroitement. Si le groupe est motivé et bien disposé, mais incapable d'exécuter la tâche, le leader adopte un style tout aussi directif ; cependant, il prend le temps d'expliquer les décisions et laisse la porte ouverte aux informations complémentaires. Lorsque le groupe est capable d'exécuter la tâche, mais qu'il manifeste de la réticence ou un manque d'assurance, le style utilisé est très centré sur les relations et peu sur la tâche à effectuer. Ce style favorise le partage des idées et la prise de décision. Enfin, le style du leader qui délègue est peu centré sur la tâche ou sur les relations ; il est utile dans les groupes réceptifs, capables d'accomplir la tâche et qui ont confiance dans leurs compétences. Un leader qui délègue donne au groupe la responsabilité de prendre et de mettre en œuvre les décisions.

THÉORIES CONTEMPORAINES DU LEADERSHIP

Les théoriciens contemporains font la distinction entre le leader dont le leadership est charismatique, transactionnel ou transformationnel ; ils ont aussi défini le leadership partagé.

Le **leader** dont le leadership est **charismatique** est plutôt rare ; son style se caractérise par la relation affective qui l'unit aux membres du groupe. La personnalité séduisante de ce leader suscite un fort sentiment d'engagement, tant envers lui-même qu'envers les causes qu'il défend et les croyances qui l'animent. Parce qu'ils croient en lui, les partisans de ce leader sont souvent prêts à traverser de grandes épreuves en vue de contribuer à l'atteinte des objectifs du groupe.

Le **leader** dont le leadership est **transactionnel** entretient des relations fondées sur l'échange de ressources précieuses aux yeux des membres du groupe. Il utilise des incitatifs pour favoriser la loyauté et la performance. Par exemple, afin d'avoir suffisamment de personnel pour assurer le quart de nuit, le chef d'unité peut proposer à une infirmière de faire ce quart de travail en échange d'une fin de semaine de congé. Ce leader est un peu conservateur, car il met l'accent sur les tâches quotidiennes en vue d'atteindre les objectifs organisationnels ; il cherche à comprendre et à satisfaire les besoins du groupe.

Quant au **leader** dont le leadership est **transformationnel**, il favorise la créativité, la prise de risques, l'engagement et la collaboration en permettant au groupe de participer à la vision de l'organisation. Son style est très stimulant pour les autres membres du groupe ; il s'assure ainsi de leur concours pour réaliser des objectifs clairs, intéressants et accessibles. Grâce au partage de valeurs, à l'honnêteté, à la confiance et à l'apprentissage continu, le leader donne du pouvoir au groupe. L'indépendance, la croissance personnelle et le changement sont alors plus accessibles à chacun.

En **leadership partagé**, on reconnaît qu'un groupe de professionnels est constitué de nombreux leaders : aucun membre du groupe n'est censé posséder plus de connaissances ou de capacités que les autres et c'est selon les défis à relever que le leadership nécessaire s'exerce. En soins infirmiers, les équipes autogérées (ou autonomes), le coleadership et la gestion participative sont des exemples de leadership partagé. Par ailleurs, la **gestion participative** est une approche qui favorise la prise de décision par l'ensemble des membres du groupe.

Leadership efficace

On a beaucoup écrit sur l'efficacité et le style du leadership (l'encadré 22-1 présente les comportements caractéristiques du leader efficace). Le leadership est une compétence qui se développe. Pour être un leader efficace, il faut comprendre certains facteurs, tels les besoins, les objectifs et la recherche de récompenses qui motivent les individus ; les habiletés en leadership et les activités du groupe ainsi que les compétences en

---

ENCADRÉ 22-1

COMPORTEMENTS CARACTÉRISTIQUES DU LEADER EFFICACE

- Le leader efficace exerce son leadership de façon naturelle.
- Il adapte son style de leadership à la situation, en tenant compte de la tâche à effectuer et des personnes concernées.
- Il évalue les effets de son comportement sur les autres et les effets du comportement des autres sur lui-même.
- Il est attentif aux forces qui favorisent le changement et à celles qui l'entravent.
- Il a une vision optimiste de la nature humaine.
- Il est énergique.
- Il est ouvert et favorise l'ouverture de manière à faire ressortir les questions importantes.
- Il facilite les relations interpersonnelles.
- Il planifie et organise les activités du groupe.
- Son comportement envers les membres du groupe est cohérent.
- Il délègue des tâches et des responsabilités dans le but d'aider les membres de son groupe à parfaire leurs capacités, plutôt que dans le seul but de faire exécuter les tâches.
- Il fait participer les membres à toutes les décisions.
- Il valorise et favorise la participation des membres du groupe.
- Il favorise la créativité.
- Il favorise la rétroaction des membres du groupe sur son style de leadership.

matière de relations interpersonnelles afin de pouvoir influencer les autres. Les principes du leadership efficace comprennent notamment la vision, l'influence et le pouvoir.

La **vision** est l'image mentale d'une situation future, à la fois possible et désirable. Le leader traduit ses visions en objectifs réalistes et il les communique aux autres membres du groupe, qui les acceptent et les adoptent.

L'**influence** est une stratégie informelle, utilisée pour obtenir la collaboration des autres membres du groupe sans avoir à exercer une autorité formelle. L'influence s'exerce par la persuasion et d'excellentes compétences en communication; elle est basée sur une relation de confiance.

Le **pouvoir** est la capacité d'exercer une influence. C'est la capacité de faire des gestes qui ont pour effet de modifier le comportement ou les attitudes d'un individu ou d'un groupe. Il y a quatre types de pouvoir, selon les fondements sur lesquels il s'édifie : le pouvoir accordé par la position, le pouvoir inhérent à la personnalité, le pouvoir généré par la tâche et le pouvoir généré par les relations.

Le **pouvoir accordé par la position** se fonde sur l'autorité qui émane du rôle ou du titre, et ce type de pouvoir implique la capacité de diriger des groupes et de distribuer les ressources. Le **pouvoir inhérent à la personnalité** émane de l'admiration des autres, et s'explique par des traits comme la force de caractère, la passion, l'inspiration et la sagesse. Le **pouvoir généré par la tâche** est la capacité d'influencer ceux qui peuvent aider à l'accomplissement d'une tâche ou d'un processus. Le **pouvoir généré par les relations** est engendré par le respect qu'inspirent à autrui les habiletés personnelles, les connaissances ou les compétences (Sullivan et Decker, 2009).

Un leader efficace doit faire preuve de sensibilité afin d'être un modèle positif; il doit témoigner de la sollicitude envers ses collègues et les personnes auxquelles il prodigue des soins. Comme c'est souvent le cas dans les professions liées à la santé et aux soins, on peut exercer un leadership humaniste, en mettant l'accent sur la dignité et la valeur de la personne. Les stratégies qui permettent d'exercer un leadership humaniste sont présentées dans l'encadré 22-2.

Gestion

Le gestionnaire a la tâche de voir à l'exécution du travail au sein de l'établissement. À cette fin, il remplit des rôles et des obligations qui varient selon son niveau de gestion et selon l'établissement dans lequel il travaille.

ALERTE CLINIQUE • C'est plus souvent en gravissant les échelons hiérarchiques qu'en poursuivant sa formation que l'infirmière atteint un poste de haute direction. Par ailleurs, les universités proposent une spécialisation en administration de la santé. •

ENCADRÉ 22-2
STRATÉGIES POUR EXERCER UN LEADERSHIP HUMANISTE

- Féliciter les membres du personnel et les collègues ou souligner leurs qualités.
- Entretenir des pensées positives à propos de soi-même et des autres.
- Donner avant de recevoir – donner à ses collègues et au personnel une raison de faire ce qu'on leur demande.
- Garder le sourire – cela suscite l'enthousiasme et la bonne volonté.
- Se souvenir du nom des personnes avec qui on travaille.
- Se comporter en pensée et en action comme une personne qui réussit.
- Saluer les autres de manière ouverte et positive.
- Rédiger des notes d'appréciation informelles; cela renforce une bonne performance.
- Sortir de son bureau ou du poste des infirmières; se faire un devoir de circuler parmi les collaborateurs.
- Parler moins et écouter davantage; favoriser la communication et le partage d'idées et d'informations.
- Au lieu de blâmer, de critiquer ou de se plaindre, chercher des moyens pour améliorer la situation ou résoudre les problèmes.

Source: Glennon, T. K. (1992). Empowering nurses through enlightened leadership. *Revolution: The Journal of Nurse Empowerment, 2*, 40-44.

Niveaux de gestion

La gestion de style traditionnel comprend trois niveaux (ou paliers) de responsabilité.

Le **cadre subalterne** gère le personnel et les activités quotidiennes d'un ou de plusieurs groupes de travail. Sa principale responsabilité est de motiver les employés et de les inciter à atteindre les objectifs fixés. Ce niveau de gestion comprend le personnel qui rend des comptes à la haute direction, notamment l'infirmière en soins intégraux, la chef d'équipe, l'infirmière gestionnaire de soins et l'assistante infirmière-chef (ou infirmière-chef adjointe).

Le **cadre intermédiaire** supervise un certain nombre de cadres subalternes et est responsable des activités dans les services qu'il supervise. Le cadre intermédiaire fait le lien entre les cadres subalternes et les cadres supérieurs. Il peut s'agir d'une infirmière-chef d'unité ou d'une coordonnatrice.

Le **cadre supérieur** est un dirigeant qui a comme responsabilité première d'établir les objectifs et d'élaborer des plans stratégiques. L'infirmière cadre supérieure est chargée de la gestion des soins infirmiers et de la pratique infirmière au sein de l'établissement de soins. Certaines infirmières gestionnaires sont aussi responsables des services auxiliaires, tels que la pharmacie, le laboratoire ou la diététique. Les infirmières qui occupent l'une de ces catégories de postes portent habituellement le titre de directrice des soins infirmiers.

Fonctions de gestion

La planification, l'organisation, la direction et la coordination sont les quatre fonctions de gestion qui permettent d'atteindre l'objectif global visé: la qualité des soins.

22

PLANIFICATION

La **planification** est un processus permanent qui comporte: (1) l'évaluation d'une situation; (2) l'établissement de buts et d'objectifs selon cette évaluation et selon les tendances; (3) l'élaboration d'un plan d'action qui établit les priorités, détermine les personnes responsables, précise les délais de réalisation et décrit les façons d'obtenir et d'évaluer les résultats escomptés. En fait, il s'agit de décider quoi faire, à quel moment, où et comment, et de déterminer qui s'en chargera et à l'aide de quelles ressources. La répartition des fonds, du personnel, du matériel et de l'espace constitue l'allocation des ressources. Le cadre supérieur consacre énormément de temps à planifier les objectifs et les services, ainsi qu'à déterminer le nombre et la catégorie d'infirmières et d'autres membres du personnel nécessaires à la prestation de ces services. Une infirmière de soins généraux passe moins de temps à planifier, mais, par ailleurs, elle gère son travail auprès des personnes qu'elle soigne, selon la démarche systématique.

La **gestion des risques** est un exemple d'activité inhérente à la fonction de planification. Elle consiste à mettre en place un système visant à réduire les dangers qui pourraient menacer les personnes soignées ou les membres du personnel. La gestion des risques comporte les étapes suivantes: anticipation et recherche des sources de risque; analyse, classification et hiérarchisation des risques; élaboration d'un plan d'action pour éviter et gérer les risques; collecte des données pour vérifier l'efficacité de la prévention et de la réduction des risques; évaluation et modification des programmes de réduction des risques. La communication entre toutes les personnes concernées est au centre de tout ce processus.

ORGANISATION

L'**organisation** est aussi un processus continu. Après avoir déterminé le travail à accomplir et évalué les ressources humaines et matérielles nécessaires, le gestionnaire décompose la somme de travail en tâches (ou unités) plus petites. Il doit déterminer les responsabilités de chacun, faire connaître ses attentes et établir la voie hiérarchique qui permettra d'assurer l'autorité et les communications. Bien que le cadre supérieur délègue la plus grande partie du travail, de la responsabilité et de l'obligation de rendre compte du travail des autres, il doit définir clairement les attentes du service en ce qui concerne les objectifs, les priorités, la description des tâches, les rapports hiérarchiques, les normes relatives aux soins infirmiers, les procédés et les politiques.

DIRECTION

La **direction** est le processus qui vise particulièrement l'exécution du travail. Le gestionnaire doit assigner la tâche à accomplir et faire connaître ses attentes, donner des instructions et des directives tout en continuant de prendre les décisions qui s'imposent. Le cadre supérieur consacre moins de temps à la direction qu'à la planification, à l'organisation et au contrôle. À ce niveau de gestion, diriger signifie généralement assurer la supervision des cadres intermédiaires, c'est-à-dire des personnes à qui on confie la gestion intermédiaire. L'infirmière assistante (assistante infirmière-chef d'unité) et l'infirmière de soins généraux consacrent moins de temps au travail de direction. Par exemple, l'assistante infirmière-chef d'unité dirige les quarts de travail en répartissant les tâches à effectuer et en coordonnant les horaires des repas et des pauses. L'infirmière de soins généraux organise les soins infirmiers, rédige les plans de soins et de traitements ainsi que les rapports de quart de travail et supervise les soins donnés par les autres.

COORDINATION

La **coordination** est le processus qui assure l'exécution des plans et l'évaluation des résultats; cette fonction de gestion comprend l'évaluation du personnel. Le gestionnaire évalue les résultats obtenus et les interventions effectuées par rapport aux normes établies ou aux résultats escomptés; il met ensuite l'accent sur ce qui est efficace ou entreprend de modifier ce qui ne l'est pas. Par exemple, le cadre supérieur évalue l'efficacité du recrutement, du roulement de personnel et du contrôle budgétaire. L'infirmière-chef d'unité évalue la performance des employés et l'infirmière détermine si ses interventions ont favorisé l'atteinte des résultats escomptés à l'égard des personnes soignées.

Principes de gestion

Le gestionnaire possède l'autorité, il assume la responsabilité et il ne peut se départir de son obligation de rendre compte de ses actions à ses supérieurs.

Par définition, l'**autorité** est le droit légitime de diriger les autres dans leur travail. Elle fait partie intégrante de la notion de gestion. L'autorité s'exprime par des gestes de leadership; elle est fortement déterminée par la situation et est toujours associée à la responsabilité et à l'obligation de rendre compte de ses actes. Le gestionnaire doit se sentir digne de l'autorité qui lui est confiée; l'autorité peut être minée par le manque de confiance en soi.

L'**obligation de rendre compte de ses actes** (ou **responsabilisation**) correspond à la capacité et à la volonté d'assumer la responsabilité de ses actions et d'accepter les conséquences de ses comportements. On peut considérer l'obligation de rendre compte de ses actes sous l'angle hiérarchique: niveau individuel, niveau de l'établissement, niveau professionnel et niveau sociétal. Au niveau individuel ou à celui de la personne soignée, la responsabilisation se traduit par l'intégrité éthique de l'infirmière. Au niveau de l'établissement, elle s'exprime dans l'énoncé de la philosophie et des objectifs des services infirmiers et dans l'évaluation des soins infirmiers. Au niveau professionnel, elle apparaît dans les normes de pratique établies par les associations infirmières nationales ou provinciales. Enfin, au niveau sociétal, la responsabilisation est intégrée dans les lois relatives à la pratique infirmière.

La **responsabilité** est l'obligation de mener une tâche à bien. Le gestionnaire est responsable de l'utilisation des ressources, des communications avec ses subordonnés et de la mise en œuvre des buts et des objectifs de l'organisation.

22

Aptitudes et compétences de l'infirmière gestionnaire

Pour être une gestionnaire efficace, l'infirmière doit avoir une pensée critique, bien communiquer, gérer les ressources avec efficacité, aider les employés à améliorer leur rendement, mettre sur pied et diriger des équipes, gérer les conflits et les horaires de travail et, enfin, amorcer et gérer le changement (voir au chapitre 8 ⌕ la section sur le modèle transthéorique).

PENSÉE CRITIQUE

La pensée critique est un processus cognitif créatif qui englobe la résolution de problèmes et la prise de décision (Sullivan et Decker, 2009). L'infirmière gestionnaire réfléchit logiquement, explore des hypothèses ou des solutions de rechange et examine les conséquences de ses actes (pour en apprendre davantage sur la pensée critique, voir le chapitre 14 ⌕).

COMMUNICATION

Le gestionnaire consacre la plus grande partie de son temps à la communication. Il est donc essentiel qu'il sache bien communiquer; d'ailleurs, cette compétence détermine souvent la réussite de son leadership. Le gestionnaire efficace communique verbalement et par écrit; il le fait avec beaucoup d'assurance, en exprimant ses idées de façon claire, juste et honnête.

Le gestionnaire recourt au **réseautage**, processus par lequel on établit des liens professionnels et qui favorise l'échange des idées, des connaissances et des informations ainsi que l'entraide et le soutien mutuel, ce qui contribue à la réalisation de ses objectifs professionnels.

GESTION DES RESSOURCES

L'obligation de rendre compte de ses actes constitue l'une des plus importantes responsabilités du gestionnaire, principalement dans le domaine des ressources humaines, financières et matérielles. Savoir établir correctement un budget et analyser les écarts entre les dépenses engagées et les dépenses prévues au budget sont des compétences essentielles à tout gestionnaire efficace.

Les gestionnaires des ressources humaines doivent prendre en considération la réaction au changement des diverses générations. Pour la première fois dans l'histoire des soins infirmiers, quatre générations d'infirmières travaillent côte à côte au sein du système de santé (Martin, 2004; Lavoie-Tremblay, Leclerc, Marchionni et Drevniok, 2010). Judith Berg (2006) divise les infirmières d'aujourd'hui dans les quatre grandes générations suivantes: la «génération silencieuse», la «génération des baby-boomers», la «génération X» et la «génération du nouveau millénaire».

GÉNÉRATION SILENCIEUSE (1933-1944). Les infirmières qui appartiennent à cette génération ont une éthique de travail traditionnelle et des compétences sur le plan de la pensée critique. Membres d'équipes loyales et disciplinées, elles sont toujours prêtes à partager avec leurs collègues leurs connaissances et leur expertise.

GÉNÉRATION DES BABY-BOOMERS (1945-1964). Ces infirmières forment la majorité de la population infirmière. Ce sont des travailleuses acharnées et les personnes qui ont grandement déterminé les progrès réalisés en soins infirmiers au cours des 20 dernières années.

GÉNÉRATION X (1965-1978). Ces infirmières sont autonomes et résilientes. Elles ont confiance en elles-mêmes et sont plus dévouées à leurs collègues et à leurs clients qu'à leur employeur. Elles sont prêtes à partager leur expertise avec leurs collègues et avec les clients. Elles sont plus enclines à se laisser guider par les souhaits des clients que par les règlements et les politiques de l'établissement qui les emploie.

GÉNÉRATION DU NOUVEAU MILLÉNAIRE OU GÉNÉRATION Y (1979-2000). Ces infirmières ont grandi durant l'ère de l'essor des technologies et elles manient avec aisance les ordinateurs, les jeux vidéo et les téléphones cellulaires. Ce sont des personnes multitâches, qui établissent facilement des rapports avec les membres de leur équipe, ainsi qu'avec les clients et leur famille.

AMÉLIORATION DU RENDEMENT DES EMPLOYÉS

Le gestionnaire dispose de nombreux moyens pour aider les employés à améliorer leur rendement. Il a la responsabilité de favoriser le perfectionnement des membres du personnel par la formation appropriée, que ce soit par une formation d'appoint sur les lieux de travail ou par la possibilité d'assister à des ateliers ou à des congrès professionnels. L'infirmière gestionnaire qui renforce l'autonomie des employés en leur donnant des informations, en leur offrant son soutien, et en leur fournissant des ressources et la possibilité de participer constatera que ces personnes s'impliquent davantage dans l'organisation, sont plus efficaces, ont une plus grande estime de soi et sont capables de mieux atteindre leurs buts.

En outre, le gestionnaire peut fournir un encadrement quotidien ou bien servir de mentor ou de précepteur aux employés. L'infirmière qui agit comme **mentor** consacre du temps et de l'énergie à une jeune infirmière et lui offre un soutien matériel pour la former, la guider, l'épauler, la conseiller et lui servir de modèle; cette relation est très enrichissante (AIIC, 2004). Il est reconnu que la présence d'un mentor est importante dans le cheminement professionnel.

En soins infirmiers cliniques, le terme «**préceptrice**» désigne l'infirmière expérimentée qui aide une novice à améliorer son jugement et ses compétences. La préceptrice apporte aussi son aide en ce qui a trait aux soins courants, aux politiques et aux méthodes de l'organisation et de l'unité (AIIC, 2004).

MISE EN PLACE ET GESTION DES ÉQUIPES

Le gestionnaire est responsable également de la mise en place et de la gestion des équipes de travail. Une bonne connaissance des processus de groupe facilite le travail du responsable, qui doit diriger le groupe et en faire une véritable équipe de travail. Le groupe évolue selon des étapes au cours desquelles les rôles et les relations sont déterminés. Les finalités du groupe en tant

22

qu'entité ainsi que les rôles de chacun doivent être clairs. Chaque membre doit sentir que sa contribution est reconnue tant par le gestionnaire que par les autres membres du groupe. Dans le domaine des soins de santé, l'équipe peut être constituée de travailleurs appartenant à diverses catégories: infirmière, thérapeute, préposé aux bénéficiaires, personnel de soutien, membre du clergé, etc. Tous les membres de l'équipe doivent avoir des compétences en matière de communication.

L'évaluation du travail du groupe constitue une autre responsabilité du gestionnaire. L'efficacité, l'efficience et la productivité sont trois mesures des résultats fréquemment utilisées. Dans le domaine des soins de santé, l'**efficacité** constitue une mesure de la qualité ou de la quantité des services fournis. L'**efficience** est la mesure des ressources utilisées dans la prestation des soins infirmiers. En soins infirmiers, la **productivité** est une mesure de la performance, tant sur le plan de l'efficacité que de l'efficience. On la mesure souvent par le ratio infirmière/personnes soignées (par exemple, une infirmière pour huit personnes) ou par le ratio infirmières/nombre d'heures de soins à prodiguer (par exemple, l'unité a besoin d'un minimum de cinq infirmières pour le quart de travail de 8 h à 16 h).

GESTION DES CONFLITS

Les infirmières gestionnaires sont souvent appelées à gérer des conflits qui opposent des personnes, des groupes ou des équipes. Les conflits peuvent être générés par des valeurs, des personnalités ou des philosophies contraires. En soins de santé, ils peuvent aussi être provoqués par la précarité des ressources. Les conséquences des conflits non résolus peuvent être graves. Des relations de camaraderie basées sur la confiance et le respect sont indispensables pour assurer des soins efficaces. Les conflits non résolus – et le manque de communication, d'aide et de confiance qui en découle souvent – peuvent exposer les infirmières et les clients à des risques inutiles (College of Nurses of Ontario [CNO], 2006a). L'aptitude à résoudre efficacement les conflits fait partie des attentes qu'on entretient à l'égard des infirmières. Des stratégies de communication, comme l'écoute active, l'observation des comportements non verbaux et une prise de position devant des comportements indésirables sans faire de jugements de valeur, engendrent entre les membres d'une équipe des relations basées sur le respect et la camaraderie. Mais ces stratégies ne sont qu'un premier pas vers la résolution des conflits. Les infirmières doivent explorer les causes des conflits et des comportements abusifs. Les lignes directrices du CNO (2006b) sur la prévention et la prise en charge des conflits (*Conflict prevention and management practice guidelines*) constituent un outil que les infirmières auraient intérêt à bien connaître.

Elles peuvent aussi recourir à de nombreuses autres méthodes de résolution des conflits, chacune ayant ses avantages et ses inconvénients. Parmi les plus courantes, citons la recherche de compromis, les négociations et la collaboration. Toute infirmière gestionnaire devrait être dûment formée afin de savoir utiliser ces méthodes de manière compétente. Les principes de base qui sous-tendent la prise en charge de tous les types de conflits sont les suivants: montrer du respect à l'égard de toutes les parties, éviter de blâmer les autres, favoriser les discussions pour éliminer les différends, recourir à des règles de base pendant les réunions pour favoriser l'équité, promouvoir l'écoute active, repérer les thèmes à débattre et explorer des solutions de rechange (Carroll, 2006; Huber, 2006).

GESTION DU TEMPS

L'infirmière gestionnaire efficace sait gérer son temps judicieusement et aide les autres à faire de même. De nombreux facteurs empêchent une bonne gestion du temps, comme la priorité donnée aux tâches que l'infirmière préfère exécuter, plutôt qu'à celles qu'elle doit accomplir, la survenue de crises qui distraient son attention et des demandes irréalistes de la part d'autrui. Des stratégies de gestion du temps que tous les gestionnaires, et toutes les infirmières, peuvent utiliser sont les suivantes: établir des objectifs et des priorités, déléguer les tâches adéquatement, examiner la manière dont le temps est géré, réduire au minimum la bureaucratie (informatiser le plus possible), établir des horaires réguliers pour éviter les interruptions et fixer des délais précis pour toutes les activités (Sullivan et Decker, 2009).

Infirmière et délégation

La **délégation** est le transfert, à une personne compétente, de la responsabilité et de l'autorité nécessaires à l'exécution d'une tâche qu'on lui confie. Une nuance s'impose: il ne s'agit pas ici de la délégation d'actes professionnels, mécanisme permettant le partage d'activités entre catégories de professionnels; la délégation dont il est question ici est une activité qui relève de la gestion. La personne à qui on délègue assume la responsabilité de l'exécution réelle de la tâche, tandis que la personne qui délègue a toujours l'obligation de rendre compte de ses décisions. La délégation est un outil qui permet au gestionnaire de consacrer davantage de temps aux tâches qui ne peuvent être déléguées. Elle permet aussi à la personne à qui on délègue d'améliorer ses compétences, ses capacités et son estime de soi ainsi que de garder un bon moral; de plus, elle favorise le travail d'équipe et l'atteinte des objectifs de l'organisation. En soins infirmiers, la délégation de tâches concerne les soins indirects – l'objectif établi est atteint grâce au travail d'une personne supervisée par l'infirmière – et comprend les étapes suivantes: définir la tâche, déterminer qui va l'exécuter, préciser les attentes, conclure une entente, superviser la performance et fournir une rétroaction à la personne qui a effectué la tâche.

L'infirmière délègue de plus en plus de tâches relevant des soins infirmiers à d'autres travailleurs du domaine de la santé, particulièrement depuis l'augmentation du recours au personnel infirmier autre que les infirmières. L'infirmière qui délègue une tâche à un autre travailleur de la santé a la responsabilité de choisir une personne qui possède les compétences requises tout en poursuivant elle-même l'évaluation des soins donnés. L'infirmière peut déléguer des tâches aux membres du **personnel infirmier (PI)** qui ne sont pas des infirmières: brancardiers, infirmières auxiliaires, aides familiales, préposés aux bénéficiaires, etc. La formation et l'expérience de ces personnes peuvent varier beaucoup ; ce sont des employés rémunérés, et il faut les distinguer des membres de la famille, des amis ou des proches aidants.

Au Québec, la *Loi modifiant le Code des professions et d'autres dispositions législatives dans le domaine de la santé* est entrée en vigueur le 30 janvier 2003. En particulier, la *Loi sur les infirmières et les infirmiers* précise le champ d'exercice de ce corps professionnel et les activités qui lui sont réservées. À cet égard, l'Ordre des infirmières et infirmiers du Québec (OIIQ) a décidé, en avril 2009, de rendre obligatoire une norme de documentation légale, soit le **plan thérapeutique infirmier** (**PTI**). Il est à noter que la notion de PTI est inédite et découle de la *Loi sur les infirmières et les infirmiers*. On ne trouve pas d'équivalent ailleurs. Ce plan dresse le profil clinique évolutif des problèmes et des besoins prioritaires du client et fait état du suivi clinique effectué au moyen de directives infirmières. Le PTI permet la traçabilité des décisions prises par l'infirmière ; il est donc déterminé et adapté par l'infirmière à partir de son évaluation clinique. Cet outil, consigné et conservé au dossier du client, favorise la collaboration interprofessionnelle et une concertation interdisciplinaire optimale (OIIQ, 2006). Les directives infirmières constituent un volet important du suivi clinique et permettent la contribution des autres membres de l'équipe de soins, tout en respectant le cadre de leurs activités décrites au *Code des professions*. C'est dans cette perspective que chaque membre, soit les infirmières auxiliaires, les non-professionnels (comme les préposés aux bénéficiaires, les auxiliaires familiales, etc.) et le client et ses proches, peut participer à l'établissement et à l'adaptation d'un PTI. Il est à noter que chaque membre de l'équipe est responsable quant aux directives qui s'appliquent à lui.

Aux États-Unis, c'est la législation de chaque État qui précise les actes propres à la pratique de la profession d'infirmière, les actes réservés à l'infirmière et les actes que celle-ci peut déléguer. Le National Council of State Boards of Nursing (NCSBN, 1995) traite de la délégation selon le caractère approprié de chacune de ses composantes : l'infirmière délègue la *tâche appropriée,* dans les *circonstances appropriées,* à la *personne appropriée,* en donnant à cette dernière les *directives* et les *renseignements appropriés,* tout en lui fournissant la *supervision appropriée* et l'*évaluation appropriée.*

Il est impossible de distinguer de manière exhaustive entre les tâches que l'infirmière peut déléguer à d'autres membres du personnel infirmier et les tâches qu'elle ne peut pas leur déléguer (voir les exemples de l'encadré 22-3). Par ailleurs, un membre du personnel infirmier autre qu'une infirmière ne peut pas déléguer de tâches.

Les principes qui guident l'infirmière dans la décision de déléguer une tâche assurent la sécurité de la personne soignée et la qualité des objectifs à atteindre (encadré 22-4). Dans chaque cas, l'infirmière doit établir si la tâche peut être confiée à tel membre du personnel infirmier par rapport à telle personne soignée. Le NCSBN a établi une grille d'évaluation que l'infirmière peut utiliser pour prendre une décision (tableau 22-3). Une fois prise la décision de déléguer certaines tâches, l'infirmière doit faire part des points suivants à l'employé concerné et s'assurer qu'il comprend bien ce qu'il doit faire :

ENCADRÉ 22-3
EXEMPLES DE TÂCHES QUE L'INFIRMIÈRE PEUT DÉLÉGUER ET DE TÂCHES QU'ELLE NE PEUT PAS DÉLÉGUER

Délégation possible
- Prise des signes vitaux
- Évaluation et consignation au dossier de l'alimentation et de l'élimination
- Transfert et déplacement d'une personne
- Soins postmortem
- Bain
- Alimentation
- Cathétérisme vésical (à domicile à l'aide d'une technique propre)
- Alimentation par sonde de gastrostomie (si le dispositif est déjà en place)
- Surveillance liée à la sécurité
- Pesée des personnes
- Changement de pansement simple
- Aspiration en cas de trachéostomie chronique
- Soins immédiats en réanimation cardiorespiratoire (RCR)

Délégation impossible
- Évaluation
- Interprétation des données
- Établissement d'un diagnostic infirmier
- Création d'un plan de soins et de traitements infirmiers
- Évaluation de l'efficacité des soins
- Application de techniques effractives
- Administration parentérale de médicaments
- Installation d'une sonde nasogastrique
- Ponction veineuse
- Décisions liées à l'utilisation de la contention
- Établissement d'un plan de traitement pour soigner une plaie
- Conseils par téléphone
- Triage des personnes à l'urgence

- Tâches précises à accomplir auprès de chaque personne
- Moment d'exécution de chaque tâche
- Résultats escomptés pour chaque tâche, notamment les limites et les circonstances qui nécessitent d'en référer à l'infirmière ainsi que les actes à accomplir en situation d'urgence
- Personnes-ressources à joindre au besoin
- Caractéristiques du rapport à faire après la réalisation de la tâche : moment et forme (rapport verbal ou écrit)

La même tâche à déléguer peut être appropriée pour un membre du personnel infirmier et inappropriée pour un autre ; en matière de délégation, il faut toujours tenir compte de l'expérience et des compétences individuelles. Il en va de même pour la personne soignée : selon les circonstances, il n'est pas toujours adéquat de déléguer la même tâche au même individu ; par exemple, on pourra demander à un membre du personnel infirmier de vérifier les signes vitaux d'une personne dont l'état est stable, mais on ne lui confiera pas cette tâche si l'état de la personne devient instable.

22

ENCADRÉ 22-4

CRITÈRES DÉCISIONNELS POUR DÉLÉGUER UNE TÂCHE À UN AUTRE MEMBRE DU PERSONNEL INFIRMIER

1. L'infirmière doit évaluer l'état de la personne soignée avant de déléguer une tâche qui concerne cette dernière.

2. La personne soignée doit être dans un état de santé stable ; si son état est chronique, il doit ne présenter aucun risque.

3. La personne soignée doit considérer la tâche déléguée comme une activité de routine.

4. La tâche ne doit pas exiger de grandes connaissances scientifiques ou de grandes compétences techniques.

5. La personne soignée devra se sentir en sécurité pendant l'exécution de la tâche.

6. La tâche doit avoir un résultat prévisible.

7. L'infirmière doit suivre la politique de l'établissement de santé en matière de délégation de tâches.

8. Pour chaque classe d'emploi représentée au sein de l'équipe de soins, l'infirmière doit connaître le champ d'exercice, les activités professionnelles, la description de tâches, les connaissances de base et les compétences.

9. L'infirmière doit être au courant des compétences propres à chaque individu. Elle ne doit pas perdre de vue le fait que, dans une même catégorie de soignants, chaque individu a ses caractéristiques propres ; ainsi, l'expérience de vie d'un individu peut le rendre incapable d'exécuter certaines tâches qui sont par ailleurs incluses dans la description de son emploi.

10. Si elle a un doute au sujet de la compétence d'un individu, l'infirmière peut soit observer ce dernier en train d'exécuter la tâche à déléguer, soit lui montrer ce qu'il faut faire et lui demander de le faire devant elle. Selon son évaluation, l'infirmière décide ensuite si elle peut déléguer ce genre de tâche à cet individu.

11. L'infirmière doit clarifier ses attentes en matière de responsabilité afin de s'assurer que la tâche sera exécutée.

12. L'infirmière doit instaurer un climat qui favorise la communication, l'enseignement et l'apprentissage. Par exemple, elle peut encourager les employés à poser des questions, écouter attentivement l'expression de leurs inquiétudes et profiter de toutes les occasions qui se présentent pour les former.

Il est important de souligner que l'infirmière n'est pas tenue légalement responsable des actes accomplis par un autre membre du personnel infirmier, mais que c'est elle qui doit rendre des comptes sur la qualité de la tâche exécutée et s'assurer que les soins appropriés sont fournis. La délégation de tâches peut s'avérer une stratégie très utile pour assurer la prestation de soins infirmiers complets et efficaces. Dans ce domaine comme dans d'autres, l'infirmière doit acquérir des compétences et les parfaire ; ainsi, si elle doute du bien-fondé de la délégation dans un cas particulier, elle doit demander conseil.

ALERTE CLINIQUE • Tout membre du personnel infirmier, y compris l'infirmière, de même que tout travailleur des services de santé, est responsable de ses propres actes. Quiconque ne se sent pas compétent pour accomplir une tâche qu'on veut lui déléguer doit la refuser. •

Changement

Le changement est le processus par lequel on modifie quelque chose. Le changement peut être l'acquisition de nouvelles connaissances ou l'enrichissement de connaissances actuelles à la lumière de nouveaux renseignements ; il peut aussi s'agir de l'acquisition de nouvelles compétences. Le changement constitue un aspect inhérent aux soins infirmiers, et l'infirmière est souvent un **agent de changement**, c'est-à-dire qu'elle amorce, stimule et réalise le changement.

Voici les principales caractéristiques d'un agent de changement :

- Il possède des compétences en communication et des habiletés en relations interpersonnelles, que ce soit avec les individus, les groupes, l'administration ou n'importe quel palier de l'organisation que le changement concerne.
- Il fait preuve d'expérience.
- Il connaît les ressources disponibles et la manière de les utiliser : individus, temps, fonds, installations, informations.
- Il possède les compétences nécessaires à la résolution des problèmes.
- Il possède les compétences nécessaires pour enseigner.
- Il est respecté par les individus que le changement concerne.
- Il est capable d'encourager et d'aider les individus que le changement concerne directement.
- Il a confiance en lui-même.
- Il est capable de prendre des risques.
- Il inspire confiance et donne de l'assurance aux autres.
- Il tolère bien les situations ambiguës.
- Il est capable de prendre des décisions.
- Il possède des connaissances de base diversifiées.
- Il possède un bon sens de l'emploi du temps.

Types de changement

Les organisations subissent habituellement trois types de changement : le changement développemental, le changement planifié et le changement non planifié.

Le **changement développemental** fait référence à tout changement anticipé et prévisible, qui se produit lorsqu'une organisation se développe et que ses opérations gagnent en complexité (Hibberd et Smith, 2006). Par exemple, l'infirmière leader doit être tout à fait consciente des besoins d'une organisation dont le personnel est passé de 20 à 100 membres en un court laps de temps et répondre à ces besoins. Il s'agit notamment des besoins suivants : fournir les ressources humaines, financières et technologiques nécessaires au travail de tous les jours, prévoir un espace de travail pour le personnel et lui fournir le matériel essentiel, et satisfaire les demandes de la clientèle à desservir. L'organisation doit également se munir d'un système informatique qui puisse soutenir les communications et d'un système documentaire.

Le **changement planifié** est un essai prévu et délibéré tenté par un individu, un groupe, une organisation ou un corps social plus vaste dans le but d'influer sur son propre statut ou sur celui d'une autre organisation ou situation. Des

TABLEAU 22-3

GRILLE D'ÉVALUATION POUR LA PRISE DE DÉCISION EN MATIÈRE DE DÉLÉGATION DE TÂCHES

Élément à examiner		Personne A	Personne B	Personne C	Personne D
Activité ou tâche	Décrire l'activité ou la tâche :				
Niveau de stabilité de l'état de santé de la personne	**Évaluer la stabilité de l'état de santé de la personne :** 0. L'état de santé de la personne est chronique/stable/prévisible. 1. L'état de santé de la personne est peu susceptible de changer. 2. L'état de santé de la personne est modérément susceptible de changer. 3. L'état de santé de la personne est fortement susceptible de changer.				
Niveau de compétence du membre du personnel infirmier	**Évaluer le niveau de compétence du membre du personnel infirmier en tenant compte à la fois de la tâche à déléguer et de la personne qui bénéficiera des soins :** 0. C'est un spécialiste des tâches qui lui seront déléguées. 1. Il possède une expérience des tâches qui lui seront déléguées. 2. Il possède une expérience des tâches qui lui seront déléguées, mais pas pour cette catégorie de personnes. 3. Il n'a aucune expérience des tâches qui devraient lui être déléguées ni de cette catégorie de personnes.				
Niveau de compétence de l'infirmière qui délègue	**Évaluer le niveau de compétence de l'infirmière à la fois en ce qui concerne les connaissances liées aux soins destinés à cette catégorie de personnes et le processus de délégation :** 0. Elle a une connaissance approfondie des tâches et des besoins liés à cette catégorie de personnes **et** c'est une spécialiste en délégation de tâches. 1. Elle a une connaissance approfondie des tâches et des besoins liés à cette catégorie de personnes et elle est expérimentée en délégation de tâches **ou** elle est expérimentée dans le domaine des tâches et des besoins liés à cette catégorie de personnes et c'est une spécialiste en délégation de tâches. 2. Elle est expérimentée et a une connaissance approfondie des tâches et des besoins liés à cette catégorie de personnes **et** elle est compétente en délégation de tâches. 3. Elle est expérimentée et a une connaissance approfondie des tâches ou des besoins liés à cette catégorie de personnes **ou** elle est compétente en délégation de tâches. 4. Elle n'est pas expérimentée dans le domaine des tâches et des besoins liés à cette catégorie de personnes **ni** en délégation de tâches.				
Risque de préjudices	**Évaluer le niveau de risque potentiel (probabilité de préjudice) que comporte pour la personne la tâche qui lui sera déléguée :** 0. Aucun. 1. Faible. 2. Modéré. 3. Élevé.				

22

TABLEAU 22-3 *(suite)*

GRILLE D'ÉVALUATION POUR LA PRISE DE DÉCISION EN MATIÈRE DE DÉLÉGATION DE TÂCHES

Élément à examiner		Personne A	Personne B	Personne C	Personne D
Activité ou tâche	Décrire l'activité ou la tâche :				
Fréquence	Évaluer l'expérience du membre du personnel infirmier dans l'exécution de la tâche qui lui sera déléguée : 0. Il l'exécute au moins une fois par jour. 1. Il l'exécute au moins une fois par semaine. 2. Il l'exécute au moins une fois par mois. 3. Il l'exécute moins d'une fois par mois. 4. Il ne l'exécute jamais.				
Niveau de prise de décision	Évaluer le niveau de prise de décision en tenant compte à la fois de la tâche à déléguer, de la personne (sur les plans cognitif et physique) et de l'état général de cette dernière : 0. Aucune prise de décision nécessaire. 1. Niveau de prise de décision faible. 2. Niveau de prise de décision modéré. 3. Niveau de prise de décision élevé.				
Degré d'autonomie de la personne	Évaluer le niveau d'aide requis par la personne en matière d'autosoins : 0. Aucune aide. 1. Peu d'aide. 2. Beaucoup d'aide. 3. Aide complète ou présence constante.				
	Résultat final				

Source : National Council of State Board Nursing (NCSBN). (1997). *Delegation decision-making grid.* Chicago : Auteur.

compétences en matière de résolution de problèmes, de prise de décision et de relations interpersonnelles constituent des facteurs importants dans un processus de changement planifié.

Le **changement non planifié** (ou spontané) est imposé par des individus ou des événements externes et il survient lorsque des circonstances inattendues entraînent des réactions. Ce genre de changement peut être anarchique et impossible à maîtriser, et les conséquences en sont imprévisibles. Un accident constitue un exemple de changement non planifié, qui survient sans que personne n'ait agi en ce sens. Un changement situationnel, ou naturel, peut aussi être considéré comme non planifié ; il survient sans que l'individu ou le groupe touché puisse intervenir. Une catastrophe naturelle en est un bon exemple. Les changements situationnels ne sont pas tous négatifs ; par exemple, lorsqu'un établissement de soins ouvre ou ferme des unités, une infirmière peut profiter de l'occasion pour changer de milieu de travail.

On peut considérer le changement sous un autre angle : est-il secret ou manifeste ? Un changement secret est caché ou il se produit sans que la personne touchée en ait conscience. L'aggravation lente et subtile d'une affection constitue un exemple de ce type de changement. À l'opposé, le changement est manifeste quand l'individu touché en est conscient. Par exemple, un appareil n'est plus disponible parce que l'établissement de soins a changé de fournisseur. Un individu qui vit

un changement manifeste peut éprouver de l'anxiété et il arrive fréquemment qu'il doive modifier son comportement, selon ses besoins ou ses objectifs.

ALERTE CLINIQUE • Lors de l'utilisation d'un modèle de changement, quel qu'il soit, les gestionnaires doivent garder à l'esprit le fait que le changement n'est jamais linéaire. Il peut faire des mouvements de va-et-vient en passant plusieurs fois par les mêmes étapes. Le gestionnaire ne peut prévoir jusqu'à quel point les membres du personnel sont prêts à changer. En effet, ils doivent peser les avantages et les risques de chacune des étapes avant de décider d'adopter un nouveau comportement. Le changement met en jeu les émotions, la cognition et le comportement (Prochaska, Redding et Evers, 2002). •

Modèles de changement

Lewin (1951) décompose le changement en trois étapes : dégel (ou décristallisation), mouvement (ou transition) et regel (ou cristallisation). Le dégel correspond à la reconnaissance du besoin de changement, à la détermination des forces favorables et des forces contraires, et à la découverte des solutions de rechange ; c'est aussi l'étape de la motivation. À la deuxième étape, celle du mouvement, les participants se mettent d'accord sur le fait que le *statu quo* n'est plus souhaitable, et le changement est alors planifié en détail avant d'être mis en place. À la dernière étape, celle du regel, le changement est intégré et stabilisé.

THÉORIE DU CHANGEMENT DE QUINN

Selon Quinn (2000a, 2000b), lorsque les organisations subissent des changements, il arrive souvent que le personnel s'épuise, manque d'énergie et se sente piégé, découragé ou frustré. Bien que la plupart des employés finissent par s'adapter à ces nouveaux changements, en s'y résignant ou en essayant de trouver des moyens de contourner les problèmes, Quinn incite les lecteurs à comprendre et à accepter le besoin de changer. Le processus de changement peut être lent et douloureux, mais ceux qui y participent doivent se résoudre à «changer en profondeur», c'est-à-dire à abandonner leur manière courante d'être, à s'adapter et à embrasser une nouvelle culture à l'échelle collective et individuelle.

MODÈLE TRANSTHÉORIQUE DE PROCHASKA

Le modèle transthéorique de Prochaska est utile pour expliquer la préparation au changement. Les cinq étapes du changement sont cycliques; ce sont la pré-intention, l'intention, la préparation, l'action et le maintien (voir la section sur le modèle transthéorique au chapitre 8).

PROCESSUS EN HUIT ÉTAPES DU CHANGEMENT DE KOTTER

Pour aider à combattre les comportements organisationnels communs et la résistance au changement, Kotter et Rathgeber (2006) proposent les huit étapes suivantes pour aider les leaders et les gestionnaires à diriger efficacement le changement.

Réunir les conditions propices:

1. *Donner un sentiment d'urgence.* Aider les autres à voir le besoin de changement et la nécessité d'agir immédiatement.
2. *Former l'équipe dirigeante.* Constituer une équipe puissante qui implantera le changement. Les membres de cette équipe doivent avoir des compétences de leadership, une crédibilité, des aptitudes à la communication, de l'autorité et des habiletés d'analyse.

Décider de la marche à suivre:

3. *Élaborer une vision et une stratégie du changement.* Permettre à chacun d'expliquer sa propre vision relativement à la façon de transformer le passé en une réalité future.

Mettre en œuvre:

4. *Communiquer pour faire comprendre et accepter.* S'assurer que le plus grand nombre de personnes possible comprendra et acceptera la vision et la stratégie proposées.
5. *Inciter les autres à agir en les responsabilisant.* Faciliter le processus en vue de réaliser la vision, en éliminant les obstacles et en fournissant les ressources et le soutien nécessaires.
6. *Proposer des gains immédiats.* Mettre en évidence des succès visibles aussi rapidement que possible.
7. *Ne pas abandonner.* Mettre en œuvre le changement sans arrêt, jusqu'à ce que la vision soit réalisée.

Maintenir:

8. *Créer une nouvelle culture.* Promouvoir les nouveaux comportements et aider le groupe à les intégrer dans sa culture.

La probabilité d'acceptation du changement constitue un aspect important de la planification; il faut aussi déterminer le critère d'acceptation. Cette acceptation est souvent longue à venir, particulièrement lorsque le changement ne cadre pas avec la façon de penser de l'individu. La démarche d'acceptation est plus facile si on l'intègre dans le processus de changement. Dans la mesure du possible, le changement doit être introduit sur une petite échelle avant sa mise en place complète. Pour faciliter l'acceptation, l'agent de changement doit déterminer les forces favorables et les forces contraires en jeu (encadré 22-5). L'encadré 22-6 présente quelques stratégies pour vaincre la résistance au changement.

Toutes les infirmières sont touchées par le changement; en fait, personne n'y échappe. Les infirmières qui sont bien informées des traditions et des tendances actuelles en soins infirmiers, qui sont bien au fait des questions politiques, sociales, technologiques et économiques, feront des plans rationnels pour être toujours prêtes à profiter des occasions d'amorcer et de mettre en œuvre les changements nécessaires; elles se prépareront aussi à faire face aux changements qui pourraient avoir des répercussions, que ce soit dans leur milieu de travail, dans les organisations, dans la communauté ou au sein du gouvernement.

Selon l'AIIC, il est temps d'investir tous les efforts dans une nouvelle génération d'infirmières, leaders et gestionnaires (AIIC, 2006). L'un des objectifs pour 2020 est qu'au moins 20 % des infirmières soient issues des populations autochtones et des minorités visibles et qu'au moins 10 % des effectifs soient de sexe masculin. Les programmes de formation en soins

---

ENCADRÉ 22-5
FORCES FAVORABLES ET FORCES CONTRAIRES AU CHANGEMENT

Forces favorables

- Perception que le changement est stimulant
- Gain financier
- Perception que le changement améliorera la situation
- Visualisation de l'effet que produira le changement
- Possibilité de croissance personnelle, de reconnaissance, d'accomplissement et d'amélioration des relations

Forces contraires

- Crainte que quelque chose ayant une valeur personnelle soit perdu (par exemple, menace pour la sécurité d'emploi ou pour l'estime de soi)
- Compréhension erronée du changement et de ses conséquences
- Faible tolérance au changement liée à une insécurité intellectuelle ou affective
- Perception que le changement n'atteindra pas ses buts; incapacité d'avoir une vue d'ensemble
- Manque de temps ou d'énergie
- Crainte de perdre la possibilité d'adopter certains comportements particuliers

---

ENCADRÉ 22-6
STRATÉGIES POUR VAINCRE LA RÉSISTANCE AU CHANGEMENT

1. Discuter avec les opposants au changement. Trouver la source de leur opposition.

2. Clarifier l'information et fournir des renseignements précis.

3. Être ouvert aux remises en question, mais rester très clair à propos de ce qui ne doit pas changer.

4. Faire voir les conséquences négatives de la résistance (craintes par rapport à la survie de l'organisation, soins compromis, etc.).

5. Mettre l'accent sur les effets positifs du changement et les bénéfices pour le groupe. Cependant, ne pas consacrer trop d'énergie à analyser de manière rationnelle pourquoi le changement est bon ni pourquoi les arguments contre ce changement ne tiennent pas. La résistance au changement est souvent beaucoup plus émotive que rationnelle.

6. Réunir les opposants au changement et les partisans du changement. Encourager ces derniers à manifester de l'empathie aux opposants, à reconnaître les objections valables et à dissiper les peurs inutiles.

7. Maintenir un climat de confiance, de soutien et d'assurance.

8. Détourner l'attention. En déplaçant les préoccupations vers un problème « plus important » au sein de l'organisation, il est possible de détourner la force de résistance vers autre chose. Par exemple, on peut attirer l'attention sur un « phénomène menaçant » extérieur. Lorsque les membres d'un groupe ressentent une crainte plus grande liée à l'environnement global (comme la compétition ou des politiques gouvernementales restrictives), ils ont tendance à faire front commun.

9. Suivre la « politique du changement » : (1) analyser l'organigramme ; connaître le cadre d'autorité formel ; découvrir aussi le cadre informel ; (2) déterminer les personnes qui seront principalement touchées par le changement ; accorder de l'attention à celles qui sont immédiatement au-dessus et au-dessous du point de changement ; (3) se renseigner le plus possible sur ces personnes clés. Qu'est-ce qui les intéresse, les enthousiasme, les démobilise ? Quels sont leurs projets personnels et professionnels ? D'habitude, qui se rallie à l'opinion de quelle personne lorsqu'il y a des décisions importantes à prendre ? (4) Former un front commun avec les partisans du changement avant d'entamer le processus ; déterminer les personnes qui seront probablement d'accord et celles qui seront faciles à persuader ; discuter avec les gens de manière informelle pour contrer les objections et découvrir les opposants éventuels. Quels seront les coûts et les avantages de ce changement pour ces personnes – particulièrement, sur le plan politique ? Tout en maintenant vos objectifs, pouvez-vous modifier vos idées de façon à rallier davantage de personnes importantes ?

Source : Sullivan, E. J., et Decker, P. J. (2009). *Effective leadership and management in nursing* (7e éd.). Upper Saddle River, NJ : Prentice Hall.

---

infirmiers doivent promouvoir les occasions permettant de développer des compétences de leadership infirmier (AIIC, 2006 et 2009). Les infirmières peuvent apprendre et se perfectionner en vue de devenir des leaders en :

- profitant de chaque occasion pour générer des changements ;
- permettant aux autres d'exercer leur influence sur les changements ;
- s'aidant les unes les autres et, en particulier, en épaulant les jeunes infirmières ;
- acceptant de se responsabiliser sans cesse ;
- intégrant le *Code de déontologie des infirmières diplômées* dans leur travail quotidien ;
- intégrant les résultats des recherches, en participant à des recherches ;
- s'engageant dans une formation permanente ;
- établissant des relations stratégiques ;
- cultivant la souplesse et l'innovation ;
- prônant des soins améliorés aux clients (AIIC, 2005, p. 4).

ALERTE CLINIQUE • Le même changement peut être considéré comme une menace par une infirmière et comme une occasion à exploiter par une autre. •

Révision du chapitre

22

MOTS CLÉS

MOTS CLÉS *(suite)*

Plan thérapeutique infirmier (PTI), **523**	Pouvoir généré par la tâche, **519**	Pouvoir inhérent à la personnalité, **519**	Réseautage, **521**
Planification, **520**	Pouvoir généré par les relations, **519**	Préceptrice, **521**	Responsabilité, **520**
Pouvoir, **519**		Productivité, **522**	Style de leadership, **516**
Pouvoir accordé par la position, **519**			Vision, **519**

CONCEPTS CLÉS

■ L'infirmière assume souvent les rôles de leader et de gestionnaire. Le leader, qu'il soit employé ou bénévole, exerce une influence sur les autres et les amène à collaborer en vue d'atteindre un objectif précis, alors que le gestionnaire a la responsabilité de voir à l'exécution des tâches au sein d'une organisation. Il a également l'obligation de rendre compte de son travail.

■ Le gestionnaire planifie, organise, dirige et coordonne le travail au sein d'une organisation.

■ Il existe plusieurs styles de leadership, notamment : autocratique, démocratique, de type laisser-faire et administratif. Pour bien s'adapter à une situation, il faut souvent combiner ces styles. L'infirmière doit savoir quel style correspond le plus à sa personnalité et apprendre à intégrer des aspects d'autres styles à sa pratique.

■ L'infirmière gestionnaire fait partie du cadre organisationnel de l'établissement qui l'emploie. Les principes de gestion sont notamment l'autorité, l'obligation de rendre compte de ses actes (ou la responsabilisation) et la responsabilité.

■ À titre de gestionnaire, l'infirmière contribue : (1) à l'atteinte des objectifs de l'organisation ; (2) à l'utilisation efficace des ressources ; (3) à la prestation de soins de qualité ; (4) à l'observation, d'une part, des normes de l'établissement, de celles de la profession et de celles du gouvernement et, d'autre part, de la réglementation en matière de soins. L'infirmière gestionnaire est aussi responsable du perfectionnement des infirmières et des autres membres du personnel infirmier dans son groupe de travail.

■ La délégation est un outil que l'infirmière peut utiliser pour améliorer la productivité. L'infirmière transfère la responsabilité de la tâche et l'autorité nécessaire à une autre personne, mais elle a quand même l'obligation de rendre compte de ses actes.

Références

Association des infirmières et infirmiers du Canada (AIIC). (2004). *Atteindre l'excellence dans l'exercice de la profession – Guide sur le préceptorat et le mentorat*. Ottawa : Auteur. Document consulté le 11 novembre 2010 de http://www.cna-nurses.ca/CNA/documents/pdf/publications/Achieving_Excellence_2004_f.pdf.

Association des infirmières et infirmiers du Canada (AIIC). (2005). *Nursing leadership in a changing world. Nursing now : Issues and trends in canadian nursing, 18.* Document consulté le 11 novembre 2011 de http://www.cna-nurses.ca/CNA/documents/pdf/publications/NN_Nursing_Leadership_05_e.pdf.

Association des infirmières et infirmiers du Canada (AIIC). (2006). *Vers 2020 : Visions pour les soins infirmiers*. Ottawa : Auteur. Document consulté le 11 novembre 2010 de http://www. cna-nurses.ca/CNA/documents/pdf/publications/Toward-2020-f.pdf.

Association des infirmières et infirmiers du Canada (AIIC). (2009). *Le leadership de la profession infirmière*. Énoncé de position. Ottawa : Auteur. Document consulté le 26 novembre 2010 de http://www.cna-nurses.ca/CNA/documents/pdf/publications/PS110_Leadership_2009_f.pdf.

Berg, J. (2006). *Strength of the ages. The spectrum : Career management, 4.* Document consulté le 25 octobre 2007 de http://community nursingspectrumcom/Magazine Articles/article,cfm?AID-20490.

Carroll, P. (2006). *Nursing leadership and management : A practical guide.* New York : Thomson Delmar Learning.

College of Nurses of Ontario (CNO). (2006a). *Therapeutic nurse-client relationship, revised 2006.* Toronto : Auteur. Document consulté le 2 août 2010 de http://www.cno.org/docs/prac/41033_Therapeutic.pdf.

College of Nurses of Ontario (CNO). (2006b). *Conflict prevention and management practice guidelines.* Toronto : Auteur. Document consulté le 10 novembre 2010 de http://www.cno.org/docs/prac/47004_conflict_prev.pdf.

Hibberd, J., et Smith, D. L. (dir.). (2006). *Nursing leadership and management in Canada* (3e éd.). Toronto : Elsevier Canada.

Huber, D. (2006). *Leadership and nursing care management.* Philadelphie : Saunders, Elsevier (USA).

Kotter, J. P., et Rathgeber, H. (2006). *Our iceberg is melting.* New York : St. Martin's Press.

Lavoie-Tremblay, M., Leclerc, E., Marchionni, C., et Drevniok, U. (2010). The needs and expectations of generation Y nurses in the workplace. *Journal for nurses in staff development. JNSD : official journal of the National Nursing Staff Development Organization, 26*(1), 2-8 ; quiz 9-10.

Lewin, K. (1951). *Field theory in social science.* New York : Harper and Row.

Martin, C. (2004). Bridging the generation gap(s). *Nursing 2007, 34*(12), 62-63.

National Council of State Boards of Nursing (NCSBN). (1995). *Delegation : Concepts and decision-making process.* Chicago : Auteur.

Ordre des infirmières et infirmiers de Québec (OIIQ). (2006). *Le plan thérapeutique infirmier. La trace des décisions cliniques de l'infirmière.* Montréal : Auteur. Document consulté le 2 août 2010 de http://www.oiiq.org/uploads/publications/autres_publications/PTI_fr.pdf.

Prochaska, J.O., Redding, C. A., et Evers, K. E. (2002). The transethical model and stages of change. Dans K. Glanz, F. M. Lewis et B. K. Rimer (dir.), *Health behaviour and health education : Theory, research and practice* (3e éd.) (p. 99-120). San Francisco, CA : Jossey-Bass.

Quinn, R. E. (2000a). *Change the world : How ordinary people can accomplish extraordinary results.* San Francisco, CA : Jossey-Bass.

Quinn, R. E. (2000b). Changing others by changing ourselves. *Journal of Management Inquiry, 9*(2), 147-165.

Sullivan, E. J., et Decker, P. J. (2009). *Effective leadership and management in nursing* (7e éd.). Upper Saddle River, NJ : Pearson Prentice Hall.

22

Partie 6

Des soins efficaces et complets exigent de l'infirmière qu'elle manifeste de la compréhension, de l'empathie et de la compassion envers les personnes qui traversent un moment particulièrement difficile. L'infirmière doit rester attentive aux effets d'un manque d'estime de soi, d'une perte ou d'un deuil, ainsi qu'aux conséquences d'autres facteurs de stress sur la personne, sa famille et son entourage. Les personnes évolueront vers une plus saine image d'elles-mêmes et supporteront mieux le stress ou une épreuve si elles bénéficient d'une écoute attentive et reçoivent du réconfort dans une ambiance propice à l'expression des émotions.

Promotion de la santé psychosociale

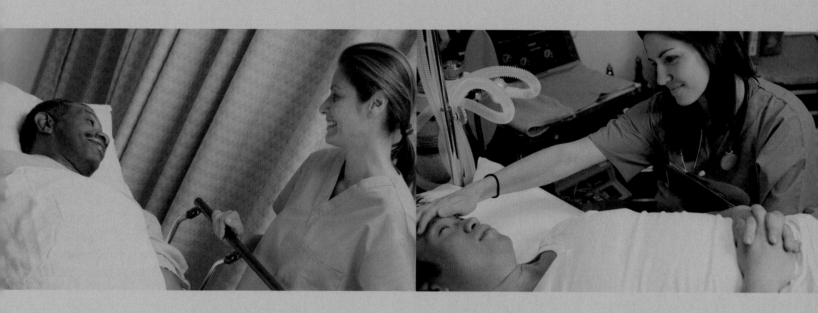

Chapitre 23

Adaptation française:
Blandine Jardon, Ph.D. (neurosciences)
Journaliste scientifique

OBJECTIFS D'APPRENTISSAGE

Après avoir étudié ce chapitre, vous pourrez:

- Présenter les dimensions anatomiques et physiologiques du processus de perception sensorielle.
- Décrire les facteurs qui déterminent la fonction sensorielle.
- Indiquer les facteurs susceptibles de causer ou d'aggraver les perturbations sensorielles.
- Décrire les principaux volets de l'évaluation de la fonction sensorielle.
- Définir les symptômes et les signes cliniques de la surcharge et de la privation sensorielles.
- Établir les diagnostics infirmiers et indiquer les résultats escomptés relativement aux particularités de la fonction sensorielle.
- Expliquer les interventions infirmières susceptibles de préserver ou d'améliorer la fonction sensorielle.
- Distinguer les caractéristiques du délire de celles de la démence.
- Définir des stratégies en vue de prévenir ou d'atténuer, chez la personne souffrant de confusion, les difficultés d'orientation dans le temps, dans l'espace ainsi que par rapport aux personnes et aux situations.
- Apporter une stimulation sensorielle structurée à une personne inconsciente.

Perception sensorielle

Un être humain ne saurait croître, se développer ni même survivre sans les sens. Les stimuli sensoriels donnent en effet de la saveur et de la valeur aux événements d'une vie. En revanche, toute altération des fonctions sensorielles peut sérieusement empêcher l'adaptation d'une personne à son milieu. Entre autres, les personnes hospitalisées dont les fonctions sensorielles se dégradent sont particulièrement vulnérables, et l'infirmière peut les aider à s'adapter à l'environnement complexe du centre hospitalier.

Dimensions du processus sensoriel

Le processus sensoriel comporte une double dimension: la réception et la perception. La **réception sensorielle** est le processus par lequel on reçoit tel stimulus ou telle information. Les stimuli sont soit internes, soit externes. Les stimuli externes sont d'ordre **visuel** (vue), **auditif** (ouïe), **olfactif** (odorat), **tactile** (toucher) ou **gustatif** (goût; les stimuli gustatifs peuvent également être internes). Les stimuli kinesthésiques et viscéraux sont internes. Les stimuli **kinesthésiques (proprioceptifs)** permettent de prendre conscience des mouvements des différentes parties du corps et de leurs positions respectives. Par exemple, c'est grâce à la **proprioception** que nous savons laquelle de nos deux jambes devance l'autre lorsque nous marchons. Reliée à la proprioception, la **stéréognosie** permet de percevoir et de reconnaître les objets par le seul toucher d'après leur taille, leur forme et leur texture. Un joueur de tennis, par exemple, n'a pas besoin de regarder la balle qu'il tient dans sa main pour être conscient de sa taille, de sa forme sphérique et de sa surface veloutée. L'adjectif «**viscéral**» se rapporte à tous les grands organes internes du corps. Ces organes se signalent à la conscience quand ils produisent un stimulus, par exemple la sensation d'un estomac creux ou satisfait. On parle de **perception sensorielle** quand les stimuli sont consciemment organisés et se traduisent en informations qui ont du sens.

Prendre conscience de ce qui nous entoure implique la coordination des quatre éléments suivants du processus sensoriel: un stimulus, un récepteur, la transmission des influx et la perception.

- *Stimulus.* Un agent ou une action qui stimule un récepteur nerveux (par exemple une onde sonore qui fait vibrer le tympan).
- *Récepteur.* La cellule nerveuse agit à titre de récepteur: elle convertit le stimulus en influx nerveux. La plupart des récepteurs sont spécifiques, c'est-à-dire sensibles à un seul type de stimuli (par exemple visuel, auditif ou tactile).
- *Mécanisme de transmission des influx.* L'impulsion se propage le long des nerfs jusqu'à la moelle épinière ou directement

jusqu'au cerveau (figure 23-1 ■). Par exemple, les influx auditifs se rendent jusqu'à l'organe de Corti situé dans l'oreille interne, puis se propagent le long du huitième nerf crânien jusqu'au lobe temporal du cerveau.

■ *Perception.* La perception, c'est-à-dire la saisie par la conscience des stimuli et leur interprétation, se produit dans le cerveau. Des cellules cérébrales spécialisées décodent la nature et la qualité de chaque stimulus sensoriel. Par exemple, des cellules du cortex auditif interprètent la signification d'un son et amorcent la réponse adéquate. Le niveau de conscience détermine en partie la perception des stimuli.

Mécanisme de vigilance (éveil)

Pour recevoir et interpréter des stimuli, le cerveau doit être aux aguets ou en état d'éveil ; c'est ce qu'on entend par « mécanisme de vigilance ». Le *système réticulaire activateur ascendant* (SRAA) du tronc cérébral est le médiateur de ce mécanisme. Le SRAA comporte un *système réticulaire facilitateur* (SRF) et un *système réticulaire inhibiteur* (SRI). Le SRF est responsable de l'état d'éveil aux stimuli ; la fonction du SRI s'oppose à celle du SRF.

Chaque personne dispose d'un seuil d'éveil optimal, c'est-à-dire d'un niveau de vigilance confortable, qu'on appelle **équilibre sensoriel**. Quand un stimulus survient au-delà ou en deçà du seuil d'équilibre, on doit s'adapter à l'insuffisance ou à l'excès

de stimulations sensorielles. Si le SRAA ne véhicule pas de stimulus vers le cerveau, celui-ci reste inactif.

C'est l'une des fonctions du cerveau de s'adapter à la plupart des stimuli sensoriels. Par exemple, les citadins finissent par ne plus entendre le grondement des voitures, alors que celui-ci importunerait les gens de la campagne de passage en ville. Tous les stimuli sensoriels ne déclenchent pas forcément une action ; certains sont entreposés par la mémoire, quitte à servir ultérieurement. La cognition est une fonction cérébrale qui fait appel à divers processus, tels que la pensée consciente, la perception de la réalité, la résolution de problèmes, le jugement et la compréhension.

On appelle **conscience** la capacité de percevoir les stimuli externes et les réactions corporelles, auxquels nous répondons ensuite par la pensée ou l'action. Une personne normalement vigilante et sans déficit cognitif peut assimiler une grande diversité d'informations en même temps. Il existe six états de conscience (tableau 23-1).

Altérations sensorielles

On s'habitue à certains stimuli sensoriels et on peut éprouver un malaise s'ils changent brusquement. Par exemple, les personnes qui entrent à l'hôpital sont exposées à une grande quantité de

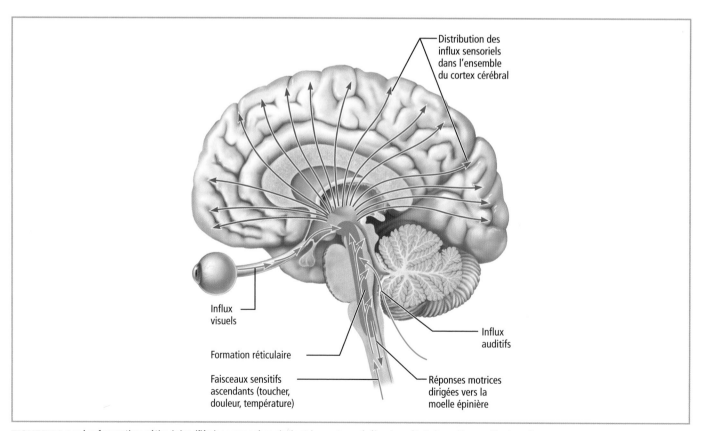

Distribution des
influx sensoriels
dans l'ensemble
du cortex cérébral

Influx
visuels

Formation réticulaire

Faisceaux sensitifs
ascendants (toucher,
douleur, température)

Influx
auditifs

Réponses motrices
dirigées vers la
moelle épinière

FIGURE 23-1 ■ La formation réticulaire (flèches roses) maintient le cortex cérébral en état de veille par l'entremise du SRAA. Les influx sensoriels (flèches mauves) sont acheminés au cortex via les noyaux thalamiques. Le système réticulaire descendant, inhibiteur et facilitateur (flèche rouge) joue un rôle dans la régulation du tonus musculaire et de la posture. Source : Marieb, E. N., et Hoehn, K. (2010). *Anatomie et physiologie humaines* (4e éd.) (p. 516). Saint-Laurent : Éditions du Renouveau Pédagogique.

TABLEAU 23-1
ÉTATS DE CONSCIENCE

État	Description
Vigilance	La personne est aux aguets; elle dispose de tous ses repères relatifs au temps, aux lieux et aux personnes; elle comprend les mots écrits et prononcés.
Désorientation	La personne n'arrive plus à se repérer par rapport à l'espace, au temps, aux personnes ou aux situations.
Confusion	La conscience diminue; la personne est facilement désorientée; sa mémoire lui fait défaut; elle n'interprète pas correctement les stimuli et fait des erreurs de jugement (interprétation inadéquate de la réalité).
Somnolence	La personne s'endort beaucoup, mais continue de réagir aux stimuli.
Semi-coma	La personne ne peut être ramenée à la conscience que par des stimuli puissants ou répétés.
Coma*	La personne ne répond pas aux stimuli verbaux. Elle peut encore réagir à une douleur intense, mais seulement par des gestes atypiques.

* Voir au chapitre 29 ⬚ l'échelle de coma de Glasgow, tableau 29-10.

stimuli inhabituels. Ce nouvel environnement sensoriel pourrait les désorienter et induire de la confusion (tableau 23-1).

Aujourd'hui, les infirmières connaissent bien les comportements causés par un tel bouleversement des stimuli environnementaux. Aussi s'efforcent-elles d'adapter, dans la mesure du possible, les couleurs, les sons, le climat d'intimité et les interactions sociales au milieu naturel des personnes. Certains facteurs peuvent occasionner des changements comportementaux, notamment la privation, la surcharge et les déficits sensoriels.

Privation sensorielle

On appelle **privation sensorielle** une diminution marquée des stimuli familiers ou leur disparition, ce qui entraîne un déséquilibre du SRAA: celui-ci ne parvient plus à maintenir la stimulation habituelle du cortex cérébral. Une telle diminution ou absence des stimuli familiers rend la personne beaucoup plus sensible aux nouveaux stimuli, ce qui peut les lui faire percevoir d'une manière déformée. Or, des perceptions mal interprétées risquent d'affecter la cognition et l'équilibre émotionnel. On trouve à l'encadré 23-1 un résumé des signes cliniques de la privation sensorielle.

Surcharge sensorielle

Une **surcharge sensorielle** se produit quand la personne n'arrive plus à traiter les stimuli sensoriels ambiants en raison soit de leur quantité, soit de leur intensité. Les trois facteurs suivants peuvent contribuer à la surcharge sensorielle:

- L'augmentation de la quantité ou de l'intensité des stimuli internes, par exemple la douleur, la dyspnée, l'angoisse
- L'augmentation de la quantité ou de l'intensité des stimuli externes, par exemple les bruits ambiants d'un hôpital, la multiplication des examens paracliniques et des nouveaux contacts
- L'incapacité de sélectionner les stimuli en raison de perturbations du système nerveux ou sous l'effet de médicaments qui surexcitent le mécanisme de vigilance

ENCADRÉ 23-1
SIGNES CLINIQUES DE LA PRIVATION SENSORIELLE

- Somnolence, sommeil, bâillements excessifs
- Réduction de la capacité d'attention, difficultés de concentration, moindre capacité de résoudre les problèmes
- Déficits mnésiques (trous de mémoire)
- Désorientation épisodique, confusion toute la journée ou seulement le soir et la nuit
- Inquiétude causée par des problèmes somatiques, par exemple des palpitations
- Hallucinations ou délire
- Pleurs, irritabilité, dépression
- Apathie, labilité émotionnelle

La surcharge sensorielle peut empêcher le cerveau de traiter correctement les stimuli, c'est-à-dire d'ignorer les stimuli sans importance et de répondre aux stimuli pertinents. Une personne exposée à un excès de stimuli parvient plus difficilement à interpréter et à percevoir correctement son environnement. Les pensées fusent dans toutes les directions, et l'agitation, l'accablement et un sentiment d'impuissance peuvent survenir. L'infirmière ne doit pas perdre de vue le fait que les stimuli visuels et auditifs connus du personnel hospitalier sont étrangers aux patients et peuvent provoquer une surcharge sensorielle. Celle-ci entraîne généralement une grande fatigue et une sursaturation cognitive: les informations ne passent plus. Plusieurs facteurs peuvent ajouter à la surcharge sensorielle, dont la douleur, le manque de sommeil et l'inquiétude. L'encadré 23-2 résume les signes cliniques les plus courants d'une surcharge sensorielle.

Déficits sensoriels

On appelle **déficit sensoriel** une diminution du processus de réception ou de perception (ou des deux) affectant un ou plusieurs sens. Par exemple, la cécité et la surdité sont des déficits

23

ENCADRÉ 23-2
SIGNES CLINIQUES DE LA SURCHARGE SENSORIELLE

- Sensation de fatigue extrême, somnolence
- Irritabilité, angoisse, agitation
- Désorientation épisodique ou permanente
- Affaiblissement des aptitudes à résoudre des problèmes et à accomplir des tâches
- Augmentation de la tension musculaire
- Dispersion de l'attention, agitation mentale (pensées furtives et désordonnées)

sensoriels. Quand un seul des cinq sens se trouve déficitaire, les autres peuvent compenser en s'affinant. Cependant, la perte soudaine d'un sens (par exemple la vue) entraîne presque toujours une désorientation.

Quand la fonction sensorielle se dégrade progressivement, la personne acquiert souvent des comportements compensatoires plus ou moins consciemment. Par exemple, si elle perd peu à peu l'ouïe de l'oreille droite, elle tournera instinctivement l'oreille gauche vers son interlocuteur. Quand la perte ou le déclin d'un sens survient tout à coup, la personne n'a pas de comportements compensatoires : il lui faudra plusieurs jours ou plusieurs semaines pour en acquérir.

Certaines affections neurologiques altèrent la proprioception et les perceptions tactiles. Par exemple, les anomalies de l'oreille interne, comme la maladie de Ménière, détériorent parfois la proprioception, rendant impossibles la station debout ou la marche.

Les personnes atteintes d'un ou de plusieurs déficits sensoriels sont davantage exposées à la privation et à la surcharge sensorielles. Par exemple, une personne atteinte d'un déficit visuel, qui ne peut ni lire, ni regarder la télévision, ni reconnaître un visage, sera probablement désorientée dans un centre hospitalier, qui n'a rien d'un environnement structuré en fonction d'un tel déficit. Une surcharge sensorielle risque donc de survenir. Par ailleurs, ses possibilités de déplacements et de socialisation étant souvent plus restreintes, cette personne peut souffrir d'une privation sensorielle.

Facteurs influant sur la fonction sensorielle

De nombreux facteurs jouent sur les processus sensoriels, notamment le stade de développement, le milieu culturel, le niveau de stress, certains médicaments, l'état de santé, le mode de vie et la personnalité.

Stade de développement

La perception des sensations influe grandement sur le développement intellectuel, social et physique des nourrissons et des enfants. Les nourrissons reconnaissent graduellement le visage de leur mère et des autres personnes de l'entourage immédiat, puis ils établissent progressivement avec elles les liens indispensables à leur développement affectif. Très tôt, la musique les entraîne dans des mouvements de danse avec les autres. Le dépistage des déficiences auditives devrait se faire avant que les nourrissons ne quittent la maternité. Si une atteinte auditive est diagnostiquée, il est alors possible d'amorcer rapidement un traitement et de prévenir ainsi certaines complications, notamment des problèmes d'acquisition du langage parlé. Un peu plus tard, l'enfant apprend à capter et à interpréter la signification des signaux visuels et auditifs indispensables à sa survie : une chaleur intense peut brûler ; un feu vert signifie qu'on peut traverser la rue. Les adultes disposent d'un vaste répertoire de réflexes qui répondent à des indices sensoriels. La détérioration ou la perte soudaine d'un sens ne peut qu'influer dramatiquement sur les habitudes d'une personne, quel que soit son âge. Par ailleurs, les changements physiologiques chez les personnes âgées ou certaines affections chroniques (par exemple le diabète, un AVC ou d'autres maladies neurologiques, comme la maladie de Parkinson) accroissent les risques d'altération de la fonction sensorielle, habituellement progressive dans ces cas-là.

Selon l'Association des sourds du Canada, en 2007, il y avait au pays approximativement 310 000 personnes en voie de devenir sourdes ou atteintes de surdité profonde et 2,8 millions de malentendants. Les personnes âgées se plaignent fréquemment d'une perte auditive. Il peut s'agir d'une *presbyacousie*, une surdité liée au vieillissement physiologique de l'oreille interne qui entraîne une perte d'audition, principalement des sons aigus, lesquels permettent une bonne perception des mots dans un environnement bruyant.

Milieu culturel

Certains facteurs, tels le milieu culturel, l'origine ethnique, l'appartenance religieuse ou le statut socioéconomique, déterminent en partie le seuil de stimuli qu'une personne considère comme acceptable. Des changements brusques dans l'environnement culturel peuvent provoquer une surcharge sensorielle ou un choc culturel ; pensons, par exemple, à de nouveaux arrivants dans un pays d'adoption dont la langue usuelle, les habitudes vestimentaires et les coutumes accusent une nette différence.

La privation de stimuli culturels ou des soins culturellement inadéquats se traduisent par un manque de soutien pertinent sur le plan culturel. Par **soins culturellement adaptés**, Spector (2000) entend les soins de santé qui tiennent compte des habitudes culturelles de la personne (p. 281). Elle souligne que cette caractéristique est en passe de devenir capitale dans le domaine de l'intervention médicale et infirmière (chapitre 12 ⌕). Ainsi, l'infirmière est appelée à considérer le seuil de tolérance sensorielle des personnes compte tenu de leur culture. Ainsi, le toucher, réconfortant dans une culture, est mal reçu dans une autre. Les symboles religieux ou culturels rassurent les uns et angoissent les autres. L'infirmière gagne à encourager chez les clients le recours à des symboles culturels apaisants et le maintien de leurs pratiques habituelles, si celles-ci ne mettent pas leur santé en danger.

Stress

Un grand stress occasionne souvent en lui-même une surcharge sensorielle chez les personnes qui, dès lors, voudront restreindre au minimum les stimuli ambiants. Par exemple, une personne qui doit faire face à une affection, à un séjour en centre hospitalier et à une panoplie d'examens paracliniques, ou qui souffre d'intenses douleurs physiques, préférera peut-être recevoir moins de visiteurs. Certaines personnes souhaitent le moins de bruit ou de lumière possible dans leur chambre. Par ailleurs, d'autres personnes seront satisfaites de recevoir suffisamment de stimuli sensoriels pour maintenir leur niveau habituel de stimulation corticale ou rechercheront une stimulation sensorielle en période de moindre stress.

Médicaments et état de santé

Certains médicaments modifient la sensibilité aux stimuli. Par exemple, les opioïdes et les sédatifs abaissent le niveau de conscience. Certains antidépresseurs peuvent également modifier les perceptions. L'interaction entre certains types de médicaments peut nuire à la fonction sensorielle. Les personnes âgées sont particulièrement vulnérables à cet égard et doivent être suivies de près. Certains médicaments (ototoxiques) peuvent léser le nerf auditif, ce qui détériore plus ou moins irréversiblement le sens de l'ouïe. C'est, entre autres, le cas de l'aspirine, du furosémide (Lasix), des aminosides (aminoglucosides) et de certains médicaments contre le cancer.

Certaines maladies ou lésions entravent la réception ou la perception sensorielles. Les affections suivantes peuvent porter directement atteinte aux organes sensoriels :

■ La rétinopathie diabétique, complication du diabète sucré, provoque de petites hémorragies pouvant mener à la cécité ; il s'agit d'ailleurs d'une des causes principales de la cécité au Canada.

■ Le glaucome, caractérisé par une augmentation de la pression intraoculaire qui altère la vision, mène tôt ou tard à une détérioration définitive du nerf optique.

■ Les cataractes, opacifications partielles ou totales du cristallin, rendent la vision floue.

■ Les otites moyennes récurrentes peuvent perforer le tympan et mener à une déficience auditive.

■ L'athérosclérose diminue le flux sanguin dans les organes récepteurs et dans le cerveau ; le flux sanguin diminué entraîne un abaissement du niveau de conscience et un temps de réaction retardé.

■ La sclérose en plaques, affection du système nerveux central, provoque des paralysies et des détériorations sensorielles de divers degrés.

Mode de vie et personnalité

Notre mode de vie détermine en partie notre seuil de tolérance aux stimuli. Par exemple, un employé d'usine s'acclimate à un large éventail de stimuli, comparativement au comptable qui travaille dans son sous-sol. Également, la personnalité n'est pas sans influence : certaines personnes aiment que leur environnement change constamment, alors que d'autres préfèrent mener une vie plus structurée et plus stable.

Démarche de soins infirmiers

Collecte des données

La collecte des données concernant la perception sensorielle couvre six volets : (1) l'anamnèse ; (2) l'évaluation de l'état mental ; (3) l'examen physique ; (4) le dépistage des personnes à risque de privation ou de surcharge sensorielle ; (5) l'environnement ; (6) le réseau de soutien social.

Anamnèse

L'anamnèse consiste à dresser le bilan des fonctions de perception sensorielle, du fonctionnement sensoriel habituel, des déficits sensoriels et des problèmes afférents. Dans certains cas, c'est l'entourage qui fournit les informations que l'infirmière ne peut obtenir de la personne ni en observant les symptômes. Les amis ou les membres de la famille indiqueront, par exemple, des signes récents de dégradation de l'ouïe : la personne ne prête plus autant d'attention aux autres ; elle présente des sautes d'humeur ; elle a du mal à suivre des consignes pourtant claires ; elle fait souvent répéter ; elle monte constamment le volume de la radio et de la télévision. L'infirmière devrait se renseigner sur les antécédents familiaux, notamment de glaucome et de diabète, sur le niveau d'exposition au bruit au travail ou pendant les loisirs, et vérifier si un bouchon de cérumen, formé souvent à cause d'une utilisation abusive de cotons-tiges, ne bloque pas la lumière du conduit auditif externe. La rubrique *Entrevue d'évaluation – Perception sensorielle* propose des exemples de questions pertinentes.

État mental

L'état mental constitue un volet majeur de l'évaluation des processus de perception sensorielle. Il s'agit, entre autres, de vérifier le niveau de conscience, l'orientation dans le temps, dans l'espace et par rapport aux personnes, la mémoire et l'attention de la personne (chapitre 29 ⊙). Il est important de noter que les détériorations sensorielles peuvent altérer le fonctionnement cognitif (Wahl et Heyl, 2003).

Examen physique

L'examen physique porte sur le fonctionnement des sens : la vue, l'ouïe, l'odorat, le goût, le toucher et la proprioception. L'examen devrait permettre de brosser un portrait assez précis des facultés visuelles et auditives de la personne, de même que de sa perception de la chaleur, du froid, du toucher superficiel, de la douleur dans les membres et de la position des parties de son corps. Certains tests spécifiques explorent un sens en particulier (voir les détails au chapitre 29 ⊙) :

■ *Acuité visuelle.* On peut utiliser l'échelle de Snellen ou des exercices de lecture (un journal, par exemple) et des tests relatifs aux champs visuels.

■ *Acuité auditive.* On peut observer la personne en train de dialoguer, et effectuer le test du chuchotement ou les épreuves de Rinne ou de Weber à l'aide d'un diapason.

ENTREVUE D'ÉVALUATION

PERCEPTION SENSORIELLE

Vue

- Comment qualifiez-vous votre vision (parfaite, très bonne, assez bonne, mauvaise)? Pouvez-vous lire le journal, regarder la télévision?
- Portez-vous des lunettes ou des verres de contact?
- Avez-vous noté des changements récents dans votre vision?
- Avez-vous du mal à voir les objets proches ou lointains?
- Avez-vous du mal à voir quand il fait sombre? Vous arrive-t-il de voir flou ou double, de voir des points bouger devant vos yeux, de percevoir des «trous» dans votre champ visuel? Êtes-vous parfois sensible à la lumière continue ou clignotante? Vous arrive-t-il de voir des halos autour des objets?
- À quand remonte votre dernière visite chez l'optométriste ou l'ophtalmologiste?

Ouïe

- Comment qualifiez-vous votre ouïe (parfaite, très bonne, assez bonne, mauvaise)?
- Portez-vous un appareil auditif?
- Avez-vous noté des changements récents dans votre audition?
- Pouvez-vous repérer l'origine et la direction des sons, distinguer les voix entre elles?
- Vous arrive-t-il d'avoir des vertiges ou des étourdissements?
- Avez-vous parfois des bourdonnements d'oreille, entendez-vous des tintements, des sifflements, des craquements, etc.? Avez-vous parfois l'impression d'avoir les oreilles bouchées?

Goût

- Avez-vous observé des changements récents dans votre perception du goût? Par exemple, distinguez-vous facilement le sucré, l'aigre, le salé et l'amer?
- Appréciez-vous toujours autant le goût des aliments?

Odorat

- Votre odorat a-t-il changé?
- Les aliments, les fleurs et les parfums ont-ils pour vous la même odeur qu'avant?
- Arrivez-vous à distinguer les aliments à leur odeur? Quand un plat brûle, le sentez-vous?
- Votre appétit a-t-il changé dernièrement? *(Certaines modifications de l'appétit sont attribuables à une détérioration de la fonction olfactive.)*

Toucher

- Éprouvez-vous des sensations de gêne ou des douleurs?
- Percevez-vous toujours aussi bien le chaud, le froid ou la douleur dans vos membres?
- Avez-vous parfois les doigts ou les orteils engourdis ou parcourus de picotements?

Proprioception

- Éprouvez-vous de la difficulté à percevoir la position des différentes parties de votre corps?
- Échappez-vous des objets plus fréquemment qu'autrefois?

- *Odorat.* On peut lui demander de reconnaître des odeurs familières.
- *Goût.* On peut lui demander de reconnaître trois saveurs (citron, sel, sucre).
- *Toucher.* On peut lui demander de reconnaître un objet par le toucher (stéréognosie), évaluer la sensibilité tactile en sondant la capacité de distinguer un bout pointu d'un bout arrondi et la capacité de discriminer deux points, et évaluer la perception du chaud, du froid, des vibrations ainsi que de la position d'un membre.

Le cas échéant, l'infirmière prend soin de vérifier si les auxiliaires sensoriels (lunettes, prothèses auditives) fonctionnent correctement et sont bien adaptés à l'état de la personne.

Dépistage des personnes à risque de privation ou de surcharge sensorielle

Il importe de dépister les personnes exposées à une altération des perceptions sensorielles afin de mettre en place des mesures préventives. L'encadré 23-3 décrit les personnes vulnérables à cet égard.

Environnement

L'infirmière doit tenir compte de l'environnement de la personne pour déterminer la quantité, l'intensité et la nature des stimuli

auxquels celle-ci est soumise. Un environnement trop pauvre en stimulations risque d'entraîner la privation sensorielle; un milieu trop riche, la surcharge sensorielle. Les environnements non stimulants n'offrent pas suffisamment d'activités physiques ni de contacts sociaux, familiaux ou amicaux. Sachant que l'exposition à des stimuli appropriés et significatifs réduit le risque de privation sensorielle, l'infirmière veillera à recommander des stimulations adéquates telles que:

- des appareils sonores (radio, magnétophone à cassettes, lecteur de disques compacts, baladeur numérique) ou visuels (téléviseur);
- une horloge, un calendrier;
- de la lecture ou des jouets pour les enfants;
- un nombre approprié de compagnons de chambre ayant des habitudes compatibles;
- un nombre approprié de visiteurs.

L'infirmière pourra également vérifier si la personne dispose à son domicile d'un magnétoscope, d'animaux domestiques et d'un éclairage adéquat, si elle est entourée de couleurs vives, etc.

Soucieuse de l'équilibre sensoriel des clients, l'infirmière vérifiera l'intensité de l'éclairage et du bruit ainsi que le rythme des interventions thérapeutiques, des examens paracliniques, etc.

PERSONNES EXPOSÉES À UNE PRIVATION OU À UNE SURCHARGE SENSORIELLE

Privation sensorielle

Sont considérées comme à risque les personnes:

- confinées dans un environnement monotone ou non stimulant (à la maison ou en établissement de soins);
- qui connaissent des problèmes visuels ou auditifs;
- dont la mobilité se trouve restreinte (quadriplégie, paraplégie, alitement, sous traction);
- incapables de traiter les stimuli (lésions cérébrales ou médicaments influant sur le système nerveux central);
- perturbées sur le plan émotionnel (dépression) et qui se replient sur elles-mêmes;
- qui ont peu de contacts sociaux, familiaux ou amicaux (par exemple les personnes d'une autre culture).

Surcharge sensorielle

Sont considérées comme à risque les personnes:

- qui souffrent ou expriment un malaise;
- qui sont atteintes d'une affection aiguë et séjournent dans une unité de soins de courte durée;
- qui font l'objet de soins intensifs (figure 23-2 ■) ou sont reliées à de nombreux dispositifs (intraveineuses, cathéters, sondes naso-gastriques ou endotrachéales, etc.);
- qui sont atteintes dans leurs capacités cognitives (par exemple traumatisme crânien).

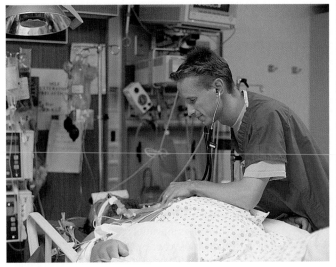

FIGURE 23-2 ■ L'unité de soins intensifs expose les personnes à une surcharge sensorielle.

ALERTE CLINIQUE • Êtes-vous consciente du niveau de bruit qui vous entoure et du bruit que vous produisez en soignant une personne? Il arrive très souvent que la norme de 45 décibels (dB) pour le sommeil et le repos ne soit pas respectée dans les centres hospitaliers. D'après certaines études, le niveau de bruit dans les unités de soins intensifs atteint souvent de 60 à 83 dB, ce qui représente un risque de surcharge sensorielle. •

Réseau de soutien social

L'impression d'isolement chez une personne est proportionnelle à la pauvreté du soutien social ou familial qu'elle reçoit. L'infirmière prend soin de vérifier: (1) si la personne vit seule; (2) qui sont ses visiteurs et la fréquence des visites; (3) si la personne manifeste des signes de privation sociale (évitement des contacts par crainte de situations embarrassantes ou de dépendance, image de soi négative, manque de communications significatives, expression insuffisante des craintes ou des inquiétudes, pourtant propice au développement des mécanismes d'adaptation).

Analyse et interprétation

Diagnostic infirmier principal: *Trouble de la perception sensorielle*

La NANDA International (2010) situe les diagnostics suivants dans la catégorie des anomalies de la perception sensorielle:

- *Trouble de la perception sensorielle (préciser: visuelle, auditive, kinesthésique, gustative, tactile, olfactive)*: réaction diminuée, exagérée, déformée ou perturbée à un changement dans la quantité ou le schéma des stimuli que reçoivent les sens (NANDA-I, 2010, p. 215). Dans ce cas, la perception est altérée par des facteurs physiologiques (douleur, manque de sommeil, etc.) ou par une affection, par exemple un accident vasculaire cérébral (Wilkinson, 2000).

- *Confusion aiguë*: perturbation transitoire touchant la conscience, l'attention, la cognition et la perception qui se développe sur une courte période de temps (NANDA-I, 2010, p. 219).

- *Confusion chronique*: détérioration irréversible, de longue date et/ou progressive, de la capacité d'interpréter les stimuli du milieu et des processus intellectuels, et qui se manifeste par des troubles de la mémoire, de l'orientation et du comportement (NANDA-I, 2010, p. 229).

- *Troubles de la mémoire*: oubli de bribes d'informations ou d'aptitudes acquises. Les troubles de la mémoire peuvent avoir des causes physiopathologiques ou situationnelles et être temporaires ou permanents (NANDA-I, 2010, p. 234).

On trouve à la rubrique *Diagnostics infirmiers, résultats de soins infirmiers et interventions* (p. 541) des exemples d'application clinique de certains de ces diagnostics de la NANDA-I, accompagnés des interventions et des résultats correspondants.

Trouble de la perception sensorielle comme facteur favorisant

La détérioration des perceptions sensorielles peut se répercuter sur d'autres dimensions de la santé, ce qui donne lieu à des

ALERTE CLINIQUE • On peut facilement confondre les diagnostics infirmiers *Trouble de la perception sensorielle* et *Opérations de la pensée perturbées*. Pour les différencier, rappelez-vous que le diagnostic infirmier *Trouble de la perception sensorielle* ne touche que les processus sensoriels : la personne n'interprète pas correctement les stimuli externes en raison d'un problème qui affecte l'un ou plusieurs de ses sens. Quand la personne n'interprète pas correctement la réalité en raison de problèmes psychologiques, c'est le diagnostic infirmier *Opérations de la pensée perturbées* qui s'applique. Il importe d'analyser soigneusement les données de l'examen clinique pour déterminer si les problèmes manifestés relèvent de l'un ou de l'autre diagnostic. •

diagnostics infirmiers corollaires. Dans ce cas, l'altération de la perception sensorielle est tenue pour la cause (le facteur favorisant) des problèmes secondaires.

Les diagnostics infirmiers suivants portent sur d'éventuels effets d'une altération de la perception sensorielle :

- *Risque d'accident*, relié à une altération de la fonction sensorielle (préciser). Par exemple :
  a) Déficience visuelle (perception erronée de la profondeur ou autre)
  b) Détérioration des sensations tactiles (problèmes neurologiques ou circulatoires)
  c) Diminution de l'odorat
  d) Déficience auditive
  e) Altération de la kinesthésie
- *Entretien inefficace du domicile*, relié à une altération de la perception sensorielle (baisse de la vue)
- *Risque d'atteinte à l'intégrité de la peau*, relié à une altération de la perception sensorielle (diminution des sensations tactiles)
- *Communication verbale altérée*, reliée à une altération de la perception sensorielle (préciser). Par exemple :
  a) Baisse du niveau de conscience
  b) Déficience auditive
  c) Surcharge sensorielle
  d) Privation sensorielle
- *Déficit de soins personnels : se laver et effectuer ses soins d'hygiène*, relié à une altération de la perception sensorielle (préciser). Par exemple :
  a) Déficience visuelle
  b) Détérioration de la kinesthésie
  c) Incapacité de percevoir une partie du corps ou sa position spatiale
- *Isolement social*, relié à une altération de la perception sensorielle (préciser). Par exemple :
  a) Déficience visuelle
  b) Déficience auditive

Planification

La planification établit, d'une part, des objectifs généraux indépendamment du milieu de vie et, d'autre part, des objectifs spécifiques de soins à domicile.

■ Objectifs généraux

Voici les objectifs généraux concernant les altérations de la perception sensorielle :

- Maintenir ou améliorer le fonctionnement actuel des sens.
- Maintenir ou améliorer la communication.
- Prévenir les accidents.
- Prévenir la surcharge et la privation sensorielles.
- Réduire l'isolement social.
- Maintenir ou rétablir la capacité de la personne à s'occuper d'elle-même (soins personnels) sans s'exposer à aucun danger.

La planification des soins pourra s'inspirer des interventions établies par l'Iowa Intervention Project (Bulechek, Butcher et McCloskey Dochterman, 2010). Il s'agit de sélectionner les interventions appropriées parmi les suivantes :

- Stimulation cognitive
- Amélioration de la communication : déficience auditive
- Amélioration de la communication : déficience visuelle
- Gestion de l'alimentation
- Aménagement du milieu ambiant
- Prévention des chutes
- Promotion d'une bonne mécanique corporelle
- Conduite à tenir en cas d'altération de la sensibilité périphérique
- Soutien psychologique
- Surveillance : sécurité

On trouve à la rubrique *Diagnostics infirmiers, résultats de soins infirmiers et interventions* des exemples de résultats de soins infirmiers et d'interventions infirmières.

■ Planification des soins à domicile

Pour la continuité des traitements, l'infirmière doit envisager les conditions que nécessitent les limitations sensorielles de la personne dans son milieu de vie (maison, appartement ou autres). En cas de limitations graves de ses perceptions sensorielles, la personne pourrait se voir dirigée vers une résidence spécialisée. Quoi qu'il en soit, un certain nombre de facteurs méritent d'être considérés avant qu'elle ne quitte l'établissement de soins de santé : la capacité de prise en charge personnelle, la disponibilité et les compétences des proches aidants, les ressources financières, les références (services sociaux ou autres) et les services à domicile nécessaires (rubrique *Évaluation pour les soins à domicile – Altérations de la perception sensorielle*). Dans la planification du congé, il importe de préciser les informations qu'on devra transmettre à la personne concernée et à son entourage. La section suivante traite des moyens à mettre en œuvre pour soutenir les fonctions visuelles et les fonctions auditives de la personne, et pour garantir la sécurité de son milieu de vie.

Interventions infirmières

L'infirmière s'efforce de promouvoir la meilleure santé possible en matière de fonctionnement sensoriel et, en cas d'altération, d'adapter les stimuli externes et d'aider la personne à composer au mieux avec ses déficiences sensorielles.

Démarche de soins infirmiers ⋯▶

DIAGNOSTICS INFIRMIERS, RÉSULTATS DE SOINS INFIRMIERS ET INTERVENTIONS

TROUBLES DE LA PERCEPTION SENSORIELLE

Collecte des données	Diagnostic infirmier: *Définition*	Exemple de résultat de soins infirmiers: *Définition*	Indicateurs	Intervention choisie: *Définition*	Exemples d'activités
Antoine Boisvert, un avocat de 52 ans, souffre de sclérose en plaques. Sa force musculaire et ses sensations tactiles déclinent depuis deux ans. Il se déplace en fauteuil motorisé. M. Boisvert vous dit qu'il n'arrive plus à percevoir les différences de température et que sa sensibilité tactile dans les membres inférieurs et dans les doigts a diminué. Mme Boisvert lui prête assistance pour le bain et la toilette.	*Risque d'accident: Situation dans laquelle une personne risque de se blesser car elle se trouve confrontée à des conditions qui dépassent ses capacités d'adaptation et de défense.*	Contrôle des risques: *Actions mises en œuvre afin d'éliminer ou de réduire les menaces réelles, individuelles et modifiables, qui pèsent sur la santé.*	Constamment démontrés: ■ Reconnaît le risque. ■ Surveille les facteurs de risque liés à l'environnement. ■ Développe des stratégies efficaces de contrôle des risques.	Identification des risques: *Analyse des facteurs de risque, détermination des risques pour la santé et établissement des priorités visant la réduction des risques pour un individu ou un groupe.*	■ Mettre en œuvre un processus d'évaluation du risque à l'aide d'instruments fiables et valides. ■ Déterminer le degré de fonctionnement, passé et actuel. ■ Déterminer les stratégies individuelles utilisées pour faire face aux événements. ■ Déterminer si les besoins fondamentaux sont satisfaits.
Emma Rigaud, 84 ans, est veuve et vit seule en appartement. Elle est complètement sourde de l'oreille droite, mais entend les mots prononcés clairement près de son oreille gauche. Elle vous dit qu'elle passe son temps à regarder la télévision et à écouter la radio (à plein volume). Elle a tendance à parler fort; quand les autres parlent, elle hoche la tête et sourit. Lui rendant visite, sa fille vous apprend qu'elle refuse de porter un appareil auditif. (Mme Rigaud affirme que ces appareils ne fonctionnent pas et qu'ils sont désagréables à porter.) La fille de Mme Rigaud remarque depuis peu que sa mère se replie sur elle-même, qu'elle s'absorbe dans ses pensées et qu'elle parle et rit toute seule.	*Trouble de la perception sensorielle (auditive): Réaction diminuée, exagérée, déformée ou perturbée à un changement dans la quantité ou le schéma des stimuli que reçoivent les sens.*	Comportement de compensation d'un déficit auditif: *Des mesures ciblées sont mises en œuvre pour définir le déficit auditif, suivre son évolution et le compenser.*	Souvent démontrés: ■ Se place de manière à mieux entendre. ■ Invite son entourage à utiliser des techniques qui l'aident à mieux entendre. ■ Utilise des dispositifs d'aide (par exemple voyants lumineux sur les téléphones, les détecteurs de fumée, la sonnette d'entrée).	Amélioration de la communication: déficience auditive: *Aide apportée à une personne souffrant d'une déficience auditive afin qu'elle accepte son état et qu'elle utilise des moyens pouvant lui permettre de surmonter sa déficience.*	■ Aider la personne à obtenir un rendez-vous pour un examen auditif, si nécessaire. ■ Prévenir la personne que les sons seront perçus différemment avec un appareil auditif. ■ Parler près de l'oreille qui entend le mieux. ■ Toucher la personne afin d'obtenir son attention.
	Communication verbale altérée: Absence, diminution ou lenteur de la capacité à recevoir, traiter et transmettre l'information et à utiliser un système de symboles.	Aptitude à communiquer: compréhension: *Capacité de recevoir, d'interpréter et d'exprimer des messages parlés, écrits et non verbaux.*	Légèrement perturbés: ■ Utilise le langage écrit. ■ Utilise le langage parlé. ■ Reconnaît les messages reçus.	Voir ci-dessus.	Voir ci-dessus, plus: ■ Garder l'appareil auditif propre. ■ Parler lentement et clairement; s'exprimer d'une manière concise; se placer directement face à la personne. ■ Utiliser des mots simples et faire des phrases courtes. ■ Utiliser du papier et un crayon ou encore l'ordinateur pour communiquer avec la personne.

ÉVALUATION POUR LES SOINS À DOMICILE

ALTÉRATION DE LA PERCEPTION SENSORIELLE

Personne et environnement

- *Soins personnels:* autonomie et adaptation au déficit sensoriel
- *Sécurité dans l'environnement physique:* éclairage, niveau de bruit, accessibilité, espace libre d'obstacles, escaliers, auxiliaires sensoriels (voyants clignotants sur les détecteurs de fumée ou les téléphones dans le cas d'une déficience auditive)
- *Ressources en matière de connaissances:* dispositifs d'aide disponibles; moyens de rendement optimal des autres sens; organismes locaux, régionaux ou nationaux d'information, de formation ou de soutien divers (par exemple Institut national canadien pour les aveugles, Institut Nazareth et Louis-Braille, Regroupement des aveugles et amblyopes du Québec, Fondation des aveugles du Québec, Mira, Association des sourds du Canada, Association des malentendants québécois, Association des devenus sourds et des malentendants québécois)
- *Autres ressources:* famille, amis, aide communautaire (centres pour personnes âgées, transport, organisations culturelles ou religieuses)

Sécurité des personnes

L'infirmière doit veiller à la sécurité des personnes qui souffrent de déficience sensorielle et qui sont hospitalisées; elle doit garder le lit dans la position la plus basse possible et placer le voyant d'appel à leur portée.

▨ Maintien d'un fonctionnement sensoriel adéquat

La détection rapide des altérations sensorielles aide à prévenir l'aggravation des problèmes connexes. Chez l'enfant qui n'est pas atteint d'un déficit sensoriel, le mécanisme d'éveil ou de vigilance agit dès la naissance, mais de façon indifférenciée. Les sens sont présents à la naissance, mais les fonctions correspondantes subissent certains changements au fil de la croissance.

Les nouveau-nés devraient être soumis à différents tests de dépistage des problèmes visuels et auditifs, de préférence avant de quitter l'hôpital ou au cours du premier mois de vie. Les nourrissons atteints d'une déficience auditive devraient bénéficier d'un programme d'intervention précoce du fait que le langage se développe au cours des trois premières années. Les enfants qui ont fréquemment des otites et toutes les personnes qui vivent ou travaillent dans un milieu très bruyant devraient passer régulièrement des examens de l'ouïe. Les professionnels de la santé conseilleront aux femmes qui envisagent une grossesse de se soumettre à des tests de dépistage de la syphilis et de la rubéole, souvent responsables de déficiences auditives chez les enfants. Idéalement, tous les nourrissons et enfants devraient être soumis régulièrement à des examens visuels afin que la cécité congénitale, le strabisme et les anomalies de la réfraction soient détectés le plus tôt possible.

Pour promouvoir et maintenir une fonction sensorielle saine, l'infirmière doit vérifier la diversité et l'intensité des stimuli externes. Il importe de stimuler les sensations diverses que procurent les couleurs, les sons, les textures, les odeurs et les positions du corps. Le cas échéant, l'infirmière indiquera aux parents comment stimuler les sens de leur nouveau-né ou de leur enfant. S'il s'agit d'une personne âgée, elle fera part à l'entourage familial des techniques de stimulation appropriées. En général, les activités sociales stimulent à la fois les sens et l'esprit.

Si la personne présente un risque de détérioration sensorielle, l'infirmière doit lui expliquer comment prévenir cette dégradation et lui présenter les mesures générales de maintien de la santé, dont l'examen régulier des yeux ou de la vision et un suivi rigoureux des affections chroniques, le diabète, par exemple (rubrique *Enseignement – Prévention des altérations sensorielles*).

▨ Adaptation des stimuli externes

Idéalement, dans l'établissement de soins de santé, les stimuli devraient être comparables à ceux que recevait habituellement la personne dans son milieu de vie. Dans la réalité, cependant, l'infirmière doit souvent prendre des mesures concrètes pour favoriser l'adaptation de la personne hospitalisée à la surcharge et à la privation sensorielles.

PRÉVENTION DE LA SURCHARGE SENSORIELLE. En cas de stimulations sensorielles excessives, l'infirmière s'efforcera de réduire le nombre et l'intensité des stimuli externes, soit en les supprimant, soit en aidant la personne à mieux les gérer ou à mieux y réagir.

Les verres teintés bloquent une part des rayons lumineux; les rideaux et les stores réduisent également les stimuli visuels. Les bouchons atténuent la stimulation auditive, de même que les casques d'écoute et une musique douce d'ambiance. L'odeur d'une plaie s'atténue quand elle est nettoyée régulièrement et le pansement, renouvelé.

Pour éviter une stimulation sensorielle excessive, l'infirmière peut également veiller à diminuer les imprévus, éviter les surprises trop intenses et aménager des périodes de repos sans interruptions, quitte à limiter le nombre ou la durée des visites. Elle pourrait aussi regrouper les interventions de telle façon que la personne puisse prolonger ses périodes de repos.

En signalant à la personne l'origine et la signification des bruits (par exemple la sonnerie qui signale qu'il faut changer la perfusion IV), l'infirmière l'aide à les organiser mentalement, et même à ne plus les entendre du tout. De son côté, la personne peut s'entraîner à réagir autrement aux stimuli. Par exemple, des techniques de relaxation peuvent atténuer l'angoisse et le stress malgré les stimulations sensorielles continuelles (chapitre 26 ⊙). L'encadré 23-4 présente des moyens de prévenir la surcharge sensorielle.

2+2 **ENSEIGNEMENT**

PRÉVENTION DES ALTÉRATIONS SENSORIELLES

- Prévoyez des examens de santé réguliers.
- Prévoyez des examens oculaires réguliers selon les recommandations du médecin ou du pédiatre. À noter que plus de 1 % des Canadiens souffrent du glaucome après 40 ans et que le glaucome est la deuxième cause de cécité chez les personnes de 50 ans et plus, d'où la pertinence d'un examen annuel (Alcon Canada, 2004 ; Novartis Ophtalmics Canada, 2004).
- Consultez rapidement un médecin dans les cas suivants : (1) signes d'une déficience visuelle : le nouveau-né ne réagit pas à la lumière ou il ne vous regarde pas ; (2) maux d'oreilles ou infections auriculaires ; (3) rougeur oculaire persistante, augmentation du volume lacrymal ou des sécrétions, formation d'une excroissance sur l'œil ou à proximité, asymétrie ou autre irrégularité des pupilles, sensation de malaise ou douleur.
- Faites vacciner les jeunes enfants contre les affections susceptibles de causer une déficience auditive (rubéole, oreillons, rougeole) selon le calendrier de vaccination proposé.
- Évitez de laisser à la portée des nourrissons et des trottineurs des objets pointus ou contondants (ciseaux, tournevis, etc.). Les enfants d'âge préscolaire ne devraient pas utiliser de ciseaux à bouts pointus sans la surveillance d'un adulte.
- Empêchez le trottineur de marcher ou de courir en tenant des objets longs ou pointus. Expliquez à l'enfant d'âge préscolaire qu'il doit se déplacer avec précaution quand il transporte des objets pointus ou contondants tels que des bâtons.
- Enseignez à l'enfant d'âge scolaire ou à l'adolescent le mode d'utilisation de l'équipement sportif (par exemple les bâtons de hockey) et des outils électriques.
- Portez toujours des lunettes de protection quand vous utilisez des outils électriques, conduisez une moto, vaporisez des produits toxiques, etc.
- Portez des protections auriculaires dans un environnement très bruyant ou comportant des bruits brefs mais forts (par exemple des explosions).
- Au soleil, portez des verres teintés pour vous protéger des rayons ultraviolets ; ne regardez jamais le soleil.

ENCADRÉ 23-4
PRÉVENTION DE LA SURCHARGE SENSORIELLE

- Réduire le plus possible l'éclairage, le bruit et les distractions inutiles. Si nécessaire, remettre à la personne des lunettes teintées et des bouchons pour les oreilles.
- Soulager la douleur selon les recommandations.
- Se présenter à la personne en se nommant et s'adresser à elle par son nom.
- Signaler les repères : horloges, calendriers, matériel, meubles.
- Si possible, offrir une chambre privée.
- Limiter le nombre et la durée des visites.
- Planifier les soins en tenant compte des périodes de repos souhaitables (au moins deux heures d'affilée si possible).
- Permettre à la personne de prévoir les interventions de soins (par exemple afficher l'horaire des soins à la portée du regard).

- Parler lentement et à voix basse.
- Fournir graduellement des informations nouvelles afin que la personne puisse les traiter et les assimiler à son rythme. Lui demander de les répéter pour éviter tout malentendu.
- Décrire à l'avance les examens, les tests et les procédés.
- Éliminer les odeurs nauséabondes. Vider les chaises d'aisances et les bassins de lit immédiatement après l'utilisation ; couvrir les lésions et les nettoyer aussi souvent que nécessaire ; le cas échéant, désodoriser la chambre à l'aide d'un produit ; aérer la pièce.
- Prendre le temps de discuter avec la personne de ses problèmes ; rectifier les malentendus.
- Aider la personne à appliquer les techniques destinées à réduire le stress.

PRÉVENTION DE LA PRIVATION SENSORIELLE. Si la personne risque une privation sensorielle, l'infirmière peut augmenter la quantité et l'intensité des stimuli externes : procurer des journaux, des livres, de la musique ou encourager la location d'un téléviseur afin de stimuler la vision et l'audition. Les objets agréables à toucher procurent des stimulations tactiles, de même que les animaux de compagnie, qui offrent en plus des possibilités d'interactions. Certaines horloges ou certains réveils indiquent différemment les heures du jour et de la nuit. Diverses plantes et la plupart des fleurs stimulent l'odorat.

L'infirmière veille à ce que la personne reçoive régulièrement des visiteurs et interagisse avec une variété de gens. La plupart des groupes religieux disposent d'un service de visites aux personnes confinées chez elles ou dans un établissement de soins. L'encadré 23-5 présente des mesures de prévention en matière de privation sensorielle.

Personnes atteintes d'un déficit sensoriel

Lorsqu'une personne accuse un déficit sensoriel, l'infirmière veille à ce qu'elle : (1) tire le meilleur parti possible de ce qui lui reste de sa fonction sensorielle en utilisant les outils disponibles à cet égard, notamment les plus récents fruits des progrès technologiques ; (2) mette les autres sens à contribution ; (3) communique d'une manière efficace ; (4) vive en sécurité.

AUXILIAIRES SENSORIELS. Les personnes atteintes de déficits visuels ou auditifs disposent de divers moyens pour atténuer leur limitation ou mieux l'assumer. L'encadré 23-6 en présente quelques exemples. Les auxiliaires sensoriels peuvent servir à domicile ou dans les établissements de soins de santé. Dans tous les cas, la personne a grand besoin du soutien de personnes-ressources pour s'adapter au déficit.

23

ENCADRÉ 23-5
PRÉVENTION DE LA PRIVATION SENSORIELLE

- Inviter la personne à porter des verres correcteurs ou un appareil auditif, s'il y a lieu.
- Appeler la personne par son nom et la toucher en lui parlant (à condition que ce genre de contact ne soit pas un geste culturel offensant).
- Communiquer fréquemment avec la personne et multiplier les interactions significatives (par exemple discuter des événements récents).
- Recommander à la personne de se prévaloir d'un appareil téléphonique, d'une radio ou d'une télévision, d'une horloge et d'un calendrier.
- Encourager l'usage d'éléments décoratifs, de photographies significatives. Demander à la famille et aux amis d'apporter des fleurs coupées ou des plantes.

- Vérifier la possibilité de garder un animal domestique (poisson, chat, oiseau, etc.) ou de profiter régulièrement de la présence d'un animal de compagnie.
- Augmenter la stimulation tactile par des soins physiques : massages du dos, coiffure, bains de pieds, etc.
- Favoriser les activités de groupe ou les visites d'amis ou de membres de la famille.
- Suggérer des mots croisés ou des jeux susceptibles de stimuler les fonctions mentales.
- Faciliter les changements d'environnement : par exemple se promener dans un centre commercial, dans l'unité de soins, s'asseoir de préférence près d'une fenêtre ou à proximité d'un lieu passant.
- Inviter la personne à se stimuler elle-même, par exemple en chantant, en fredonnant, en sifflotant ou en lisant à haute voix.

ENCADRÉ 23-6
AUXILIAIRES SENSORIELS POUR CORRIGER LES DÉFICITS VISUELS ET AUDITIFS

Déficits visuels

- Lunettes correctrices adéquates, propres et en bon état
- Éclairage adéquat dans la chambre, y compris des veilleuses
- Lunettes teintées ou stores aux fenêtres pour réduire l'intensité de la lumière
- Cadre de vie égayé de couleurs vives et contrastantes
- Loupe
- Cadran ou clavier téléphonique à gros caractères
- Horloge et montre à gros chiffres
- Montre tactile qui donne l'heure vocalement
- Codes de couleurs ou de textures sur les cuisinières, les laveuses, les boîtes de médicaments, etc.
- Pourtours colorés ou en relief sur les plats et les assiettes
- Livres et autres documents écrits en gros caractères

- Livres enregistrés ou en braille
- Chien-guide

Déficits auditifs

- Prothèse auditive et pile en bon état
- Labiolecture (lecture sur les lèvres)
- Interprétation gestuelle (langage des signes)
- Sonorité téléphonique amplifiée
- Appareil de télécommunication pour sourds ou malentendants
- Dispositifs d'amplification pour les sonnettes de portes et la sonnerie du téléphone
- Réveil clignotant
- Détecteur de fumée clignotant
- Papier et stylo à portée de la main

RECOURS ACCRU AUX AUTRES SENS. Quand une personne perd l'usage de l'un de ses sens, elle gagne grandement à compenser ce déficit par un rendement maximal des autres sens. Les techniques de stimulation à cet égard recoupent celles qui s'appliquent dans le cas d'une privation sensorielle, mais la stratégie doit être adaptée au déficit concerné. En cas de déficience visuelle, par exemple, il s'agit de stimuler l'ouïe, le goût, l'odorat et le toucher. La radio, les disques, les livres enregistrés, les horloges à carillon, les boîtes à musique et les mobiles sonores peuvent servir à stimuler l'ouïe. Les aliments riches en saveurs et en textures ainsi que ceux servis à des températures différentes stimulent les papilles gustatives. (Pour intensifier les réactions des papilles gustatives, la personne gagne à manger un aliment à la fois et à boire une gorgée d'eau avant chaque nouvel aliment qu'elle absorbe.) Les fleurs coupées, les parfums d'ambiance, le café fraîchement infusé et les pâtisseries ou plats au four stimulent l'odorat. Les accolades, les massages, le brossage des cheveux, la toilette, la diversité des tissus ainsi que les animaux domestiques sont d'excellents moyens de stimuler les récepteurs tactiles.

MAINTIEN D'UNE COMMUNICATION EFFICACE. Communiquer avec une personne présentant un déficit sensoriel commande un grand respect et doit jouer en faveur de son estime d'elle-même. Il importe toujours que les informations échangées soient exactes. Les malentendants doivent se concentrer davantage pour percevoir les mots, ce qui les fatigue plus vite. Ajoutée à la maladie, cette fatigue restreint encore plus la capacité d'entendre. Quant aux malvoyants, ils perçoivent moins les messages non verbaux et doivent par conséquent miser, pour comprendre, presque exclusivement sur les mots entendus et le ton de la voix. L'encadré 23-7 propose diverses techniques de communication efficace avec les personnes malentendantes ou malvoyantes.

SÉCURITÉ DE LA PERSONNE. L'infirmière applique les mesures de sécurité appropriées aux déficits sensoriels des personnes hospitalisées. Elle prend également soin de leur enseigner les précautions à prendre une fois qu'elles seront rentrées chez elles.

Déficits visuels

- Annoncez votre présence en entrant dans la chambre et identifiez-vous par votre nom.
- Restez constamment dans le champ de vision de la personne.
- Parlez d'un ton agréable et chaleureux. Évitez de parler plus fort que nécessaire, comme c'est souvent le cas.
- Expliquez ce que vous allez faire avant de toucher la personne.
- Expliquez-lui les bruits ambiants.
- Annoncez la fin de la conversation quand elle se termine et signalez que vous allez quitter la pièce.

Déficits auditifs

- Avant de parler à la personne, placez-vous dans son champ visuel ou touchez-la délicatement.
- Éliminez autant que possible les bruits ambiants avant de parler (par exemple fermez la radio ou baissez-en le volume).
- Parlez d'un ton normal, mais pas trop vite.
- Évitez de crier : cela ne rend pas la voix plus distincte et peut au contraire entraver la compréhension.
- Faites constamment face à la personne. Ne lui tournez pas le dos au milieu d'une phrase ou d'une conversation. Assurez-vous que votre visage est bien éclairé et que la personne le voit distinctement.

- N'ayez rien dans la bouche quand vous parlez (bonbon, gomme à mâcher, stylo, etc.). Évitez de couvrir vos lèvres de votre main.
- Maintenez le même volume de voix sans baisser le ton à la fin.
- Parlez le plus distinctement possible et exprimez-vous avec précision. Articulez particulièrement les consonnes. Utilisez d'autres mots si la personne a de la difficulté à comprendre les phrases.
- N'articulez cependant pas d'une manière exagérée ; cela déconcerte la personne autant que le marmonnement. Le cas échéant, mimez vos propos, écrivez-les ou utilisez le langage des signes.
- Choisissez soigneusement les termes que vous employez. Par exemple, la phrase : « Aimeriez-vous boire un verre d'eau fraîche ? » est moins difficile à comprendre pour un malentendant que : « Voulez-vous boire ? » La différence entre « 2 ans » et « 12 ans » est difficile à percevoir pour un malentendant ; l'expression « une douzaine d'années » présente moins de difficulté.
- Prononcez les noms propres très distinctement. Pour faciliter la compréhension, ajoutez-y des précisions, par exemple : « Jeanne, la réceptionniste » ou « la pharmacie Savard, au centre-ville ».
- Quand vous changez de sujet, ralentissez votre débit et vérifiez si la personne saisit bien que vous passez à autre chose. Pour faciliter la transition, prononcez un ou deux mots clés quand vous abordez le nouveau sujet.

DÉFICIT VISUEL. En établissement de santé, l'infirmière prendra les mesures suivantes :

- Indiquer à la personne l'emplacement des meubles et veiller à ce que l'espace de passage dans la chambre soit bien dégagé.
- Éliminer les obstacles dans les pièces et les couloirs ; signaler à la personne tout réaménagement éventuel du mobilier. Demander à l'équipe d'entretien d'appliquer également ces mesures de précaution.
- Disposer les objets personnels et les articles de toilette à portée de la main et préciser leur emplacement.
- Placer la sonnette d'appel à proximité de la personne et fixer son lit en position basse.
- Pour aider la personne à se déplacer, se tenir à côté d'elle tout en la devançant d'environ 30 cm et l'inviter à tenir son bras ; lui demander si elle préfère être à droite ou à gauche.
- S'assurer que la personne prend la bonne dose des bons médicaments (l'observance thérapeutique des personnes malvoyantes est souvent moins bonne) et guetter tout signe de dépression (conséquence fréquente du déficit visuel) afin d'intervenir de façon appropriée.

DÉFICIT AUDITIF. Si la personne ne peut pas entendre la sonnerie de sa pompe intraveineuse ou de son moniteur cardiaque, l'infirmière doit aller la voir régulièrement. Le cas échéant, elle pourra lui apprendre à repérer visuellement les coudes qui se forment dans la tubulure d'intraveineuse, les dérivations d'ECG déconnectées, etc. À leur domicile, les malentendants doivent se procurer des dispositifs qui amplifient les sons ou les convertissent en signal lumineux, notamment pour la sonnette de la porte, les détecteurs de fumée, le système d'alarme et même les pleurs de bébé. Les sonnettes des portes et les sonneries de réveil peuvent être amplifiées ou remplacées par un son de

fréquence plus basse ou par un bourdonnement. Ces appareils se vendent chez les détaillants d'auxiliaires auditifs, de téléphones ou d'appareils ménagers.

Les personnes âgées atteintes de troubles auditifs ont du mal à comprendre les phrases prononcées rapidement ou avec un accent. Elles ont besoin de plus de temps pour intégrer les informations verbales et le fait de parler trop rapidement leur laisse moins de temps pour reconnaître les signaux acoustiques et auditifs du langage (Gordon-Salant, 2005). Pour se faire comprendre par une telle personne, il est préférable de parler lentement et de bien articuler, surtout si l'on a un accent.

DÉFICIT OLFACTIF. Si la personne présente un déficit de l'odorat, l'infirmière lui indiquera les dangers que représentent pour elle les détergents toxiques, tels que l'ammoniaque. Certains produits risquent de l'empoisonner à son insu, surtout si elle les utilise dans une petite pièce mal aérée comme une salle de bain. La personne doit également veiller à ce que ses appareils au gaz (cuisinière, chauffe-eau ou autres) soient toujours en parfait état, car elle ne percevrait pas les odeurs en cas de fuite. L'empoisonnement alimentaire représente également un risque pour les personnes qui ne peuvent percevoir l'odeur de la viande avariée ou des produits laitiers suris. Il importe, par conséquent, qu'elles lisent les dates de péremption sur les emballages et qu'elles prennent l'habitude de vérifier la fraîcheur des aliments d'après leur texture et leur couleur.

DÉFICITS TACTILES. Les personnes dont le toucher est altéré sont moins sensibles à la chaleur et risquent d'autant plus de se brûler. Elles sont également plus exposées aux plaies causées par les pressions trop fortes ou trop soutenues sur les protubérances osseuses. Si les sensations thermiques sont affectées, il importe de diminuer la température du chauffe-eau et de vérifier

23

à l'aide d'un thermomètre la température de l'eau avant de prendre un bain, tout comme d'éviter d'utiliser des coussins chauffants et des bouillottes qui peuvent provoquer des brûlures. Les personnes dont la proprioception est diminuée doivent changer fréquemment de position.

Personnes atteintes de confusion mentale

La **confusion** peut survenir à tout âge, mais plus couramment pendant la vieillesse. Les professionnels de la santé sont nombreux à utiliser de façon interchangeable les termes «confusion aiguë» et «délire», les infirmières ayant tendance à privilégier le terme «confusion aiguë» et les médecins, celui de «délire» (McCurren et Cronin, 2003). Parmi les clients hospitalisés dans les unités de médecine générale, on observe de 6 à 30% de cas de délire, et parmi les personnes qui ont subi une chirurgie, de 7 à 52% de cas (Edwards, 2003). Le **délire** représente un problème fréquent dans les unités de soins intensifs, d'où son surnom de *syndrome* ou de *psychose des soins intensifs*. Dans les deux tiers des cas, ce type de délire est mal diagnostiqué ou non diagnostiqué à la fois par le médecin et l'infirmière (Hanley, 2004, p. 218).

Les personnes âgées hospitalisées sont exposées au risque de délire pour plusieurs raisons. Elles souffrent souvent de maladies chroniques (démence, maladie pulmonaire obstructive chronique, hypertension ou suites d'un AVC) et prennent donc de nombreux médicaments, notamment des anticholinergiques, des opioïdes et des sédatifs, qui peuvent augmenter le risque de délire. Les déficiences visuelles ou auditives qui affectent nombre d'entre elles, le fait de ne pas bien connaître les lieux, le manque de sommeil, le stress et la surcharge sensorielle augmentent le risque d'apparition du délire.

Les symptômes de la confusion sont souvent subtils. Dans la mesure du possible, il faut établir si elle est aiguë (délire) ou chronique (démence). Le délire survient brusquement et disparaît dès la suppression de sa cause. La **démence** est une forme chronique de confusion; elle se traduit par des symptômes graduels et irréversibles (par exemple maladie d'Alzheimer). Bien qu'il soit souvent difficile de distinguer ces deux formes de confusion (tableau 23-2), on s'efforce de traiter les causes afin de ramener la personne à son état normal. Les causes les plus fréquentes de la confusion sont les suivantes:

- *Effets secondaires de médicaments*; par exemple, une prise simultanée de plusieurs médicaments peut provoquer une potentialisation des effets, entraîner des interactions ou causer une intoxication médicamenteuse.
- *Perturbations physiologiques*, par exemple hypoxie, déshydratation, déséquilibre métabolique ou liquidien, troubles neurologiques, infections, carences alimentaires.
- *Perte brutale* d'une ou de plusieurs personnes chères.
- *Pertes multiples* en un court laps de temps.
- *Bouleversement du cadre de vie*.

TABLEAU 23-2
DISTINCTION ENTRE LE DÉLIRE ET LA DÉMENCE

Caractéristique	Délire ou confusion aiguë	Démence
Trait distinctif	Changement aigu de l'état mental.	Altération progressive et irréversible de la mémoire.
Début	Soudain, aigu.	Lent, insidieux.
Durée	Passagère. Peut durer quelques heures et jusqu'à moins d'un mois.	Chronique, graduelle, dure des mois ou des années.
Heure du jour	Aggravation au crépuscule ou la nuit.	Changements possibles au fil des heures.
Cycles veille-sommeil	Perturbés, souvent inversés.	Perturbés. Fragmentés. Réveils nocturnes fréquents.
Vigilance	Fluctuations. Vivacité d'esprit et orientation pendant le jour, mais confusion et désorientation la nuit.	Généralement normale.
Pensée	Désorganisée, déformée. Lente ou accélérée. Incohérente.	Altération du jugement. Perte de la faculté d'abstraction et difficulté à trouver ses mots.
Mémoire	Altération de la mémoire récente et immédiate.	Altération de la mémoire récente et à long terme.
Perception	Hallucinations visuelles, auditives et tactiles possibles. Fausse interprétation des expériences sensorielles réelles.	Illusions. Habituellement, les hallucinations sont absentes.
Facteurs en cause et de risque	Maladie cérébrale et cardiovasculaire, infections, vision et audition déficientes, changement de milieu, stress, manque de sommeil, polypharmacie, déshydratation.	Maladie d'Alzheimer, démence vasculaire.

Sources: Registered Nurses' Association of Ontario (RNAO). (2003). *Screening for delirium and depression in older adults* (p. 26). Toronto: Auteur; Berman, A., Snyder, S. J., Kozier, B., et Erb, G. (2008). *Fundamentals of nursing concepts, process and practice* (8ᵉ éd.) (p. 994). Upper Saddle River, NJ: Pearson and Prentice Hall.

Les personnes qui souffrent de confusion sont généralement conscientes de ne pas se trouver dans leur état normal et elles souhaitent de l'aide. L'encadré 23-8 propose une liste d'interventions infirmières susceptibles d'aider ces personnes à se repérer dans le temps et dans l'espace, et à s'orienter par rapport aux personnes ou aux situations (figure 23-3 ■).

ENCADRÉ 23-8
ORIENTATION : TEMPS, LIEUX, PERSONNES, SITUATIONS

Afin d'aider les personnes atteintes de confusion ou de délire :

- Portez un insigne d'identification bien lisible.
- Appelez la personne par son nom et identifiez-vous régulièrement : «Bonjour, M. Richard. Je m'appelle Béatrice Brochu. C'est moi qui suis votre infirmière aujourd'hui.»
- Indiquez la date, l'heure et le lieu aussi souvent que nécessaire : «Aujourd'hui, nous sommes le 5 décembre et il est 8 h du matin.»
- Demandez à la personne où elle se trouve et, si nécessaire, aidez-la à se situer (par exemple dans un centre d'hébergement).
- Placez un calendrier et une horloge dans la chambre. Marquez les jours fériés d'un autocollant ou d'un autre signe.
- Parlez distinctement et calmement à la personne ; laissez-lui le temps de comprendre ce que vous venez de lui dire et de vous répondre.
- Multipliez les occasions pour la personne de converser avec différents interlocuteurs.
- Placez les lunettes et les appareils auditifs à portée de la personne.
- Expliquez d'une manière claire et concise toutes vos tâches et les procédés de soins.

- Veillez à soulager la douleur, le cas échéant.
- Expliquez les sons, les odeurs ou les autres stimuli inhabituels pour renforcer chez la personne son sens de la réalité ; le cas échéant, corrigez son interprétation des situations ou des événements.
- Fixez les activités (repas, bain, siestes, traitements, loisirs, etc.) à la même heure chaque jour afin de rassurer la personne et laissez-lui suffisamment de temps de repos. Si possible, assignez-lui toujours les mêmes intervenants.
- Placez des objets familiers et significatifs tout autour, par exemple des photographies. Tenez sa chambre bien rangée. Le désordre des lieux accroît la confusion mentale.
- Incitez la personne à porter ses vêtements personnels et à ranger ses accessoires de toilette dans l'ordre où elle les utilise habituellement.
- Invitez la personne à maintenir ses activités et ses passe-temps habituels afin de souligner ses forces plutôt que ses difficultés.
- Quand vous partez, informez-en la personne et indiquez-lui quand vous reviendrez.

FIGURE 23-3 ■ L'infirmière doit souvent rappeler la date et l'heure aux personnes qui souffrent de confusion mentale ou de pertes de mémoire.

■ Personnes inconscientes

Le nombre de personnes qui survivent à un traumatisme crânio-cérébral est accru et la plupart d'entre elles seront plongées dans un coma plus ou moins grave, provoquant des séquelles importantes. Selon Gerber (2005, p. 98), le coma est un état d'inconscience profond dont la durée dépasse de deux à quatre semaines suivant une lésion cérébrale traumatique. L'époque est révolue où l'on stabilisait médicalement ces personnes avant de les envoyer en réadaptation, six mois plus tard, pour qu'elles

---

RECHERCHE EN SCIENCES INFIRMIÈRES

QUELS SONT LES FACTEURS DE RISQUE DE CHUTE AU COURS DE LA RÉADAPTATION APRÈS UN AVC ?

Campbell et Matthews (2010) ont effectué une revue de la littérature publiée de 1990 à 2009, en cherchant dans plusieurs bases de données, dont Medline, CINAHL, PsycInfo et Embase, des articles portant sur l'évaluation du risque de chute accidentelle après un AVC. Pour les 14 articles retenus, ils ont noté le niveau de preuve de chaque étude décrite. Selon ces études, il y aurait trois facteurs de risque importants de chute chez les personnes hospitalisées, en réadaptation post-AVC : des troubles de l'équilibre, une héminégligence visuospatiale et des difficultés dans l'exécution des activités de la vie quotidienne, dont les autosoins. L'association entre les chutes et le fonctionnement cognitif, la présence d'une incontinence ou de déficiences des champs visuels, ou encore le type d'AVC était moins claire. Par ailleurs, aucun résultat n'étayait dans ce contexte une association entre les chutes et l'âge, le sexe, le siège de l'AVC et les déficiences visuelles ou auditives. Les auteurs ont trouvé bizarre que le rôle des troubles de la cognition après un AVC dans les chutes ne soit pas mieux établi. Ils estiment qu'il serait nécessaire de concevoir un modèle qui guiderait les recherches scientifiques et la pratique clinique dans ce domaine.

Implications : Les facteurs de risque liés à l'AVC, soit les troubles de l'équilibre, l'héminégligence visuospatiale et les déficits d'autosoins, prédisent mieux le risque de chute que les facteurs de risque plus généraux, notamment l'âge, l'incontinence et les déficiences sensorielles. Le personnel hospitalier doit prendre des mesures préventives pour empêcher que les personnes qui sont exposées à ces facteurs de risque spécifiques ne chutent.

Source : Campbell, G. B., et Matthews, J. T. (2010). An integrative review of factors associated with falls during post-stroke rehabilitation. *Journal of Nursing Scholarship, 42*(4), 395-404.

LES ÂGES DE LA VIE

PERSONNES ÂGÉES

Le vieillissement entraîne souvent une dégradation des perceptions sensorielles (ouïe, vue, odorat, goût ou toucher). Certaines affections, plus fréquentes chez les personnes âgées, peuvent également contribuer à la détérioration des fonctions sensorielles, notamment les accidents vasculaires cérébraux et d'autres affections neurologiques, telles que la maladie de Parkinson. L'infirmière doit élaborer un programme personnalisé d'interventions pertinentes dans le but d'augmenter ou de réduire les stimulations sensorielles.

Dans les cas de déficits sensoriels, les soins infirmiers visent à préserver la sécurité de la personne et à stimuler ses facultés de communication. Le diagnostic infirmier *Opérations de la pensée perturbées* s'applique le plus souvent dans les cas de démence. Quoi qu'il en soit, les interventions infirmières visent les objectifs suivants: optimiser les capacités actuelles de la personne, maintenir ou accroître sa qualité de vie, respecter sa dignité, veiller à sa sécurité et communiquer avec elle.

ENCADRÉ 23-9
STIMULATIONS SENSORIELLES DE LA PERSONNE INCONSCIENTE

Auditives
- Présentez-vous à la personne.
- Dites-lui l'heure qu'il est, le mois, l'année, le lieu où elle se trouve et ce qui lui est arrivé.
- Indiquez-lui les soins que vous vous apprêtez à lui donner.
- Lisez-lui un livre à haute voix.
- Faites jouer l'enregistrement d'une voix qui lui est familière.
- Parlez-lui directement.

Visuelles
- Réglez le lit de façon que la personne soit en position assise verticale, maintenez-la en sécurité pendant la manœuvre (cette position permet une orientation visuelle normale).

Olfactives
- Prévoyez des stimuli aromatiques parmi ceux que la personne préfère (par exemple café, citron, eau de Cologne ou parfum).

Gustatives
- Pendant que vous soignez sa bouche, utilisez un dentifrice aromatisé à la menthe.
- Déposez différentes saveurs sur sa langue.

Tactiles
- Pendant sa toilette, ajoutez une stimulation tactile (par exemple variez la température et la texture de la débarbouillette, massez-lui le dos, brossez ses cheveux, frictionnez ses mains et ses pieds avec une lotion).

Kinesthésiques
- Faites bouger en amplitude les bras et les jambes de la personne.
- Changez-la de position.

---

soient stimulées. On pense que les personnes inconscientes souffrent de privation sensorielle parce qu'elles sont immobilisées dans un environnement froid et stérile, dépourvu des stimulations habituelles dont les êtres humains ont besoin. La tendance actuelle est de commencer plus tôt le programme de stimulation des personnes comateuses, pendant qu'elles sont encore aux soins intensifs.

Ce programme consiste à éveiller le SRAA par des stimulations sensorielles en vue de favoriser la récupération du cerveau. Nous donnons à l'encadré 23-9 des exemples de stimulations sensorielles que l'infirmière ou un membre de la famille peut apporter à la personne inconsciente. Il est important que l'environnement soit calme (afin de prévenir toute surcharge sensorielle) et que la stimulation soit faite lentement pour laisser du temps à une réponse éventuelle. Les séances durent un certain temps (par exemple de 30 à 45 minutes) et le nombre de séances par demi-journée varie. En effet, il faut laisser la personne se reposer et dormir, entre ces séances structurées de stimulation sensorielle.

Évaluation

Une fois les interventions mises en œuvre, l'infirmière doit vérifier dans quelle mesure les objectifs ont été atteints, et ce, à la lumière des résultats escomptés établis à l'étape de la planification. L'encadré *Diagnostics infirmiers, résultats de soins infirmiers et interventions* (p. 541) tout comme le *Plan de soins et de traitements infirmiers* présentent plusieurs exemples de résultats escomptés et leurs indicateurs. Si les objectifs n'ont pas été atteints, l'infirmière, la personne et, le cas échéant, les proches aidants devraient en établir les raisons avant de modifier le plan de soins et de traitements infirmiers.

PLAN DE SOINS ET DE TRAITEMENTS INFIRMIERS

TROUBLES DE LA PERCEPTION SENSORIELLE

Collecte des données		*Diagnostic infirmier*	Résultats de soins infirmiers et indicateurs*
Anamnèse Julie Berger, une veuve âgée de 80 ans, vient d'emménager dans un établissement de soins prolongés après avoir été opérée pour une cataracte. Elle éprouve depuis peu certaines difficultés d'audition. Inquiets de sa sécurité physique et de son manque de contacts sociaux, ses enfants l'ont incitée à quitter sa maison. Auparavant, Mme Berger a vécu dans sa maison, seule et de façon autonome, pendant 15 ans. Trois jours après son admission dans l'établissement de soins prolongés, l'infirmière constate que Mme Berger présente certains signes de confusion et de désorientation dans le temps, dans l'espace et par rapport aux personnes. Elle manifeste une certaine agitation et se replie sur elle-même. Ses phrases manquent de logique : « J'ai peur des étranges créatures qui vivent dans cet orphelinat », a-t-elle dit.	**Examen physique** Taille : 1,60 m (5 pi 3 po) Poids : 55,3 kg (122 lb) Température : 37 °C Pouls : 72 battements min Respirations : 18/min Pression artérielle : 128/74 mm Hg Épreuve de Rinne : négative **Examens paracliniques** Radiographie pulmonaire, hémogramme, analyse d'urine : tous négatifs	*Trouble de la perception sensorielle (surcharge sensorielle), relié au changement de cadre de vie et au déficit auditif, comme en témoignent la désorientation par rapport au temps, aux lieux et aux personnes, l'agitation et les perturbations du comportement.*	Orientation. Indicateurs constamment démontrés : ■ S'identifie soi-même. ■ Reconnaît les personnes clés. ■ Reconnaît les endroits habituels. ■ Énonce correctement le jour, le mois, l'année, la saison. ■ Communique ses besoins de façon efficace. Comportement de compensation d'un déficit auditif. Indicateurs souvent démontrés : ■ La personne se place de manière à mieux entendre. ■ Elle rappelle à son entourage les techniques à mettre en œuvre pour l'aider à mieux entendre. ■ Elle élimine les bruits ambiants. ■ Elle utilise un appareil auditif ou d'autres aides techniques.

Interventions infirmières et activités choisies*	Justifications scientifiques
Orientation par rapport à la réalité ■ Assurer un environnement physique et un programme quotidien stables.	*Les habitudes réduisent les chocs émotifs et la stimulation excessive et, par conséquent, préviennent l'aggravation de la confusion mentale.*
■ Assigner des intervenants que la personne connaît.	*Le fait de connaître les intervenants aide à réduire la confusion et facilite l'établissement d'un rapport.*
■ Permettre l'accès aux objets familiers, lorsque c'est possible.	*Le connu atténue la confusion.*
■ Créer un environnement comportant peu de stimuli pour une personne dont la désorientation augmente avec la stimulation.	*Toute perturbation de la quantité ou de la qualité des stimuli risque d'altérer l'état cognitif de la personne. La surcharge sensorielle bloque la perception des stimuli favorables.*
■ Prévoir des périodes suffisantes de repos et de sommeil durant le jour.	*Le repos atténue la stimulation excessive et la fatigue, deux facteurs susceptibles d'aggraver la confusion mentale.*
■ Adopter une approche calme lors de l'interaction avec la personne.	*Les entretiens sereins sont empreints de respect et celui-ci renforce le sentiment de dignité.*
■ S'adresser à la personne sur un ton clair, lent et au volume adéquat.	*Vu la difficulté d'audition, elle comprendra mieux en lisant sur les lèvres.*
■ Encourager la personne dans des activités concrètes, qui se concentrent sur un élément en dehors de soi, concret et orienté par rapport à la réalité.	*Les activités quotidiennes aident la personne à établir une distinction plus claire entre ses pensées et la réalité objective.*
Amélioration de la communication : déficience auditive ■ Aider la personne à utiliser des auxiliaires auditifs, si nécessaire.	*Ces dispositifs augmentent l'acuité auditive dans la mesure où ils sont correctement ajustés et utilisés régulièrement.*

23

PLAN DE SOINS ET DE TRAITEMENTS INFIRMIERS *(suite)*

TROUBLES DE LA PERCEPTION SENSORIELLE

Interventions infirmières et activités choisies*	Justifications scientifiques
■ Écouter attentivement la personne.	*L'écoute représente un volet essentiel de la relation infirmière-patient. Inefficace, elle mine la confiance et entrave la communication thérapeutique.*
■ Utiliser des mots simples et des phrases courtes.	*Les mots simples et les phrases courtes facilitent la compréhension, ce qui atténue l'angoisse.*
■ Toucher la personne afin d'obtenir son attention.	*Il importe d'attirer d'abord l'attention de la personne. La technique du contact n'est pas sans risque et demande l'approbation de la personne.*

ÉVALUATION

Les résultats escomptés ont été obtenus. Mme Berger reconnaît son infirmière attitrée à son visage et à son nom dès le troisième jour. Elle sait que Noël arrive dans trois semaines et elle attend avec impatience le moment où elle pourra faire des emplettes avec son groupe.

Elle se lave chaque matin et fait son lit elle-même. Sa fille lui a procuré des piles pour son appareil auditif, qu'elle utilise toute la journée.

* Les résultats, interventions et activités présentés ici sont simplement des exemples. Ils doivent être personnalisés en fonction du cas de chaque personne.

SCHÉMA DU PLAN DE SOINS ET DE TRAITEMENTS INFIRMIERS

TROUBLES DE LA PERCEPTION SENSORIELLE

J. B.
80 ans, ♀,
veuve

→ Recueillir les données →

- A vécu seule dans sa maison de manière autonome pendant 15 ans.
- Vient d'être opérée pour une cataracte.
- Éprouve certaines difficultés d'audition.
- Enfants inquiets pour sa sécurité physique et son manque de contacts sociaux; l'ont incitée à quitter sa maison.
- Est hospitalisée à l'unité de soins prolongés depuis trois jours.
- Présente des signes de confusion.

- Désorientée par rapport aux personnes, au temps et aux lieux.
- Agitée.
- Repliée sur elle-même.
- Ses phrases manquent de logique.
- « J'ai peur des étranges créatures qui vivent dans cet orphelinat », a-t-elle dit.
- Signes vitaux: dans les limites normales.
- Radiographie des poumons, hémogramme, analyse d'urine: rien à signaler.

Poser un diagnostic infirmier

Trouble de la perception sensorielle (surcharge sensorielle), relié au changement de cadre de vie et au déficit auditif

Résultat escompté | Résultat escompté

Le résultat escompté a été obtenu. La personne:
- reconnaît l'infirmière à son nom;
- sait que Noël arrive dans trois semaines;
- est impatiente d'aller faire des emplettes avec son groupe;
- se lave et fait son lit.

← Évaluation ←

Orientation. Indicateurs constamment démontrés:
- S'identifie elle-même, reconnaît les personnes clés, s'oriente correctement dans les endroits habituels, énonce correctement le jour, le mois, l'année, la saison.

Comportements visant à compenser un déficit auditif. Indicateurs souvent démontrés:
- La personne adopte des postures qui favorisent l'audition.
- Informe son entourage des techniques qui favorisent son audition.
- Élimine les bruits ambiants.
- Utilise un appareil auditif ou autres auxiliaires sensoriels.

→ Évaluation →

Le résultat escompté a été obtenu. La personne:
- utilise son appareil auditif toute la journée.

Intervention infirmière | Intervention infirmière

Orientation dans la réalité

Amélioration de la communication: déficience auditive

Activité — Procurer un environnement physique et un programme quotidien stables.

Activité — Permettre l'accès aux objets familiers, lorsque c'est possible.

Activité — Adopter une approche calme lors de l'interaction avec la personne.

Activité — Créer un environnement comportant peu de stimuli pour une personne dont la désorientation augmente avec la stimulation.

Activité — Encourager la personne dans des activités concrètes, qui se concentrent sur un élément en dehors de soi, concret et orienté par rapport à la réalité.

Activité — Prévoir des périodes suffisantes de repos et de sommeil durant le jour.

Activité — S'adresser à la personne sur un ton clair, lent et au volume adéquat.

Activité — Écouter attentivement la personne.

Activité — Aider la personne à utiliser des auxiliaires auditifs.

Activité — Toucher la personne afin d'obtenir son attention.

Activité — Utiliser des mots simples et des phrases courtes.

23

Révision du chapitre

MOTS CLÉS

Auditif, **533**
Confusion, **546**
Conscience, **534**
Déficit sensoriel, **535**
Délire, **546**
Démence, **546**

Équilibre sensoriel, **534**
Gustatif, **533**
Kinesthésique (proprioceptif), **533**
Olfactif, **533**
Perception sensorielle, **533**

Privation sensorielle, **535**
Proprioception, **533**
Réception sensorielle, **533**
Soins culturellement adaptés, **536**
Stéréognosie, **533**

Surcharge sensorielle, **535**
Tactile, **533**
Viscéral, **533**
Visuel, **533**

CONCEPTS CLÉS

■ Le processus sensoriel comporte une double dimension : la réception et la perception.

■ Les stimuli sensoriels peuvent être internes ou externes. Les stimuli visuels, auditifs, olfactifs, tactiles et gustatifs permettent de percevoir des éléments de l'environnement extérieur. Les stimuli proprioceptifs et viscéraux informent sur l'intérieur du corps. (Les stimuli proprioceptifs indiquent la position des différentes parties de notre corps ainsi que leurs mouvements.)

■ La perception sensorielle implique à la fois la saisie par la conscience des stimuli et leur interprétation (traduction en données significatives). Ce processus se déroule dans le cortex cérébral.

■ Grâce aux nombreux liens ascendants et descendants qu'il entretient avec les autres régions du cerveau, le système réticulaire activateur ascendant (SRAA) contrôle et régule les stimuli entrants. Selon le cas, le SRAA maintient, accroît ou inhibe la vigilance.

■ Bien éveillée, une personne normale peut assimiler simultanément une grande diversité d'informations et y répondre d'une manière adéquate en pensées ou en actes.

■ L'être humain est exposé à un risque de privation sensorielle quand ses stimuli diminuent en nombre ou en intensité, deviennent monotones ou perdent toute signification.

■ L'être humain est exposé à un risque de surcharge sensorielle quand il est soumis à des stimuli trop intenses ou trop nombreux et qu'il n'arrive pas à les traiter d'une manière adéquate. La personne se sent alors accablée et impuissante.

■ La privation et la surcharge sensorielles peuvent entraîner divers types de réactions, dont : des altérations perceptuelles (distorsions, déformations des perceptions, hallucinations légères) ; des perturbations cognitives (diminution du pouvoir de concentration ou de la capacité à résoudre les problèmes) ; des altérations affectives (apathie, angoisse, colère, dépression, sautes d'humeur).

■ Sont exposées au risque de privation sensorielle les personnes : (1) confinées à leur domicile ou dans un établissement de soins ; (2) alitées ou en isolement ; (3) soumises à des déficits sensoriels ; (4) soumises à un stress culturel ; (5) perturbées sur les plans affectif ou neurologique ; (6) soumises à une médication influant sur le système nerveux central.

■ Sont soumises au risque de surcharge sensorielle les personnes qui : (1) éprouvent des douleurs intenses ; (2) sont hospitalisées dans une unité de soins intensifs ; (3) sont intubées, reçoivent une perfusion intraveineuse continue, sont sous monitorage ou reliées à d'autres dispositifs thérapeutiques ; (4) présentent des perturbations du système nerveux.

■ Un certain nombre de facteurs déterminent la stimulation sensorielle, notamment le stade de développement, le milieu culturel, le niveau de stress, les médicaments et l'état de santé, le mode de vie et la personnalité.

■ La collecte des données concernant la perception sensorielle couvre les volets suivants : (1) anamnèse ; (2) évaluation de l'état mental ; (3) examen physique ; (4) dépistage des personnes à risque ; (5) environnement ; (6) réseau de soutien social.

■ Les diagnostics infirmiers de NANDA-I relatifs aux altérations des perceptions sensorielles sont les suivants : *Trouble de la perception sensorielle (visuelle, auditive, gustative, olfactive, tactile, kinesthésique) ; Confusion aiguë ; Risque de confusion aiguë ; Confusion chronique ; Troubles de la mémoire ; Isolement social ; Communication verbale altérée ; Risque d'atteinte à l'intégrité de la peau ; Déficit de soins personnels : se laver et effectuer ses soins d'hygiène, s'habiller, se nourrir ; Entretien inefficace du domicile ; et Risque d'accident.*

■ En cas d'altération de la perception sensorielle, les objectifs des soins visent notamment à : (1) maintenir ou améliorer le fonctionnement actuel des sens ; (2) maintenir ou améliorer la communication ; (3) prévenir les accidents ; (4) prévenir la privation et la surcharge sensorielles ; (5) réduire l'isolement social ; (6) maintenir ou rétablir la capacité de la personne à prendre soin d'elle-même en toute sécurité dans son environnement ; (7) réduire le risque de lésion des organes sensoriels.

■ Plusieurs interventions permettent de prévenir ou d'atténuer la privation, la surcharge et les déficits sensoriels, notamment : favoriser le maintien d'un fonctionnement sensoriel adéquat, adapter les stimuli externes, aider la personne à composer au mieux avec ses déficiences sensorielles.

■ L'infirmière doit informer les personnes souffrant d'un déficit sensoriel à propos des auxiliaires sensoriels susceptibles de soutenir la fonction sensorielle résiduelle ; des techniques en mesure de maximiser le rendement des autres sens ; des moyens de prévenir les accidents et les lésions corporelles.

■ Quand une personne présente une déficience visuelle ou auditive, l'infirmière et l'entourage doivent établir des mécanismes adaptés permettant de communiquer efficacement avec elle.

■ Pour les personnes inconscientes ou atteintes de confusion, les soins visent la meilleure orientation possible dans le temps, dans l'espace, et par rapport aux personnes et aux situations.

Références

Alcon Canada. (2004). *Glaucome*. Document consulté le 5 août 2004 de http://www.alconlabs.com/ca_fr/aj/disorders/glaucome.jhtml.

Association des sourds du Canada. (2007). *Statistiques portant sur les Sourds canadiens.* Document consulté le 13 février 2011 de http://www.cad.ca/statistiques_portant_sur_les_sourds_canadiens.php.

Carpenito-Moyet, L. J. (2006). *Nursing diagnosis: Application to clinical practice* (11e éd.). Philadelphie: Lippincott Williams & Wilkins.

Bulechek, G. M., Butcher, H. K., et McCloskey Dochterman, J. (2010). *Classification des interventions de soins infirmiers CISI/NIC*, Traduction française de la 5e édition américaine. Issy-les-Moulineaux: Elsevier Masson.

Edwards, N. (2003). Differentiating the three D's: Delirium, dementia, and depression. *Medsurg Nursing, 12*(6), 347-357.

Gerber, C. (2005). Understanding and managing coma stimulation: Are we doing everything we can? *Critical Care Nursing Quarterly, 28*(2), 94-108.

Gordon-Salant, S. (2005). Hearing loss and aging: New research findings and clinical implications. *Journal of Rehabilitation Research & Development, 42*(4 Suppl.2), S9-S24.

Hanley, C. (2004). Delirium in the acute care setting. *Medsurg Nursing, 13*(4), 217-225.

McCurren, C., et Cronin, S. N. (2003). Delirium: Elders tell their stories and guide nursing practice. *Medsurg Nursing, 12*(5), 318-323.

NANDA International. (2010). *Diagnostics infirmiers: Définitions et classification 2009-2011.* Issy-les-Moulineaux: Elsevier Masson.

Novartis Ophtalmics Canada. (2004). *Les affections de l'œil: le glaucome.* Document consulté le 5 août 2004 de http://www.novartisophtalmics.ca/f/eyes/glaucoma.shtml.

Spector, R. E. (2000). *Cultural diversity in health & illness* (5e éd.). Upper Saddle River, NJ: Prentice Hall Health.

Wahl, H., et Heyl, V. (2003). Connection between vision, hearing, and cognitive function. *Generations, 27*(1), 39-47.

Wilkinson, J. M. (2000). *Nursing diagnosis handbook with NIC interventions and NOC outcomes* (7e éd.). Upper Saddle River, NJ: Prentice Hall Health.

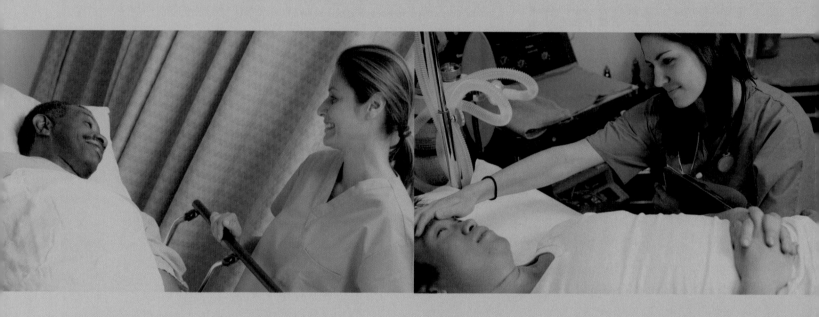

Chapitre 24

Adaptation française :
Caroline Longpré, inf., M.Sc.
Enseignante en soins infirmiers
Cégep régional de Lanaudière à Joliette

OBJECTIFS D'APPRENTISSAGE

Après avoir étudié ce chapitre, vous pourrez :

- Définir deux dimensions personnelles et deux dimensions sociales du concept de soi.
- Expliquer l'effet de l'accomplissement des tâches psychosociales sur le concept de soi et l'estime de soi selon la théorie d'Erikson.
- Décrire les quatre composantes du concept de soi.
- Indiquer les facteurs de stress les plus susceptibles d'influer sur le concept de soi et sur les stratégies d'adaptation.
- Présenter les principaux volets de l'évaluation de l'exercice du rôle.
- Énoncer les diagnostics infirmiers se rapportant au concept de soi.
- Décrire les interventions infirmières chez la personne présentant des perturbations du concept de soi.
- Indiquer des moyens d'accroître l'estime de soi.

Concept de soi

Le **concept de soi** tient à la perception mentale que l'on a de soi-même. Le maintien d'un concept de soi positif s'avère essentiel à une bonne santé mentale et physique. La personne qui possède un bon concept de soi se trouve en effet mieux outillée pour nouer des relations saines avec les autres, et elle résiste mieux aux affections psychologiques et physiques. Un concept de soi fort aide en outre à accepter les changements et à s'y adapter. Enfin, le regard que la personne porte sur elle-même détermine en partie ses interactions avec autrui.

La personne ayant un piètre concept de soi pourra le manifester par des sentiments d'inanité, de dégoût de soi, voire de haine de soi – sentiments qu'elle pourra projeter sur l'entourage dans certains cas. Ce type de sentiments engendre généralement chez elle tristesse et désespoir. De ce fait, elle ne disposera pas toujours de l'énergie nécessaire pour mener à bien ses tâches quotidiennes, même les plus simples. L'infirmière doit pouvoir reconnaître si une personne présente une perturbation de son concept de soi et déterminer les causes de cet état de fait pour l'aider à se considérer sous un jour plus favorable. Ainsi, « l'infirmière doit aider le client à utiliser et à accroître son répertoire personnel de ressources de façon à maintenir ou à améliorer sa santé et son bien-être, [...] et elle doit guider le client afin de l'aider à retrouver l'équilibre auquel il aspire » (Ordre des infirmières et infirmiers du Québec [OIIQ], 2010).

Concept de soi

Le concept de soi regroupe l'ensemble des perceptions qu'une personne a d'elle-même (par rapport à son physique, à ses valeurs et à ses convictions) et qui influent sur son comportement et sur sa santé. Il en découle que le concept de soi et la perception de sa santé sont étroitement liés (Vanhook, 2009). En général, ces perceptions de soi s'expriment par les termes « je » ou « moi ». Le concept de soi se présente comme une notion complexe, qui détermine nombre de dimensions personnelles et sociales de la vie d'une personne, notamment :

- Ce qu'elle pense, dit et fait
- La manière dont elle perçoit et traite les autres
- Les décisions qu'elle prend
- La capacité à donner de l'amour et à en recevoir
- La capacité à agir et à changer son univers

Le concept de soi compte deux dimensions personnelles et deux dimensions sociales :

- *La connaissance de soi.* Ce que la personne sait d'elle-même en tant qu'individu, par exemple sur ses capacités, sa nature et ses limites.
- *Les attentes envers soi.* Ce que la personne attend d'elle-même (ces attentes peuvent être réalistes ou irréalistes).
- *Le soi social.* La manière dont les autres et la société perçoivent la personne.

24

■ *L'évaluation sociale.* Le regard que la personne porte sur elle-même dans ses rapports aux autres, aux événements et aux situations.

On considérera comme «centrée sur elle-même», ou *égocentrique*, la personne qui accorde plus d'importance à la perception de soi qu'au regard que les autres portent sur elle. Cette personne s'efforce de répondre à ses propres attentes envers elle-même et se mesure uniquement à elle-même, non aux autres. À l'inverse, on considérera comme «centrée sur les autres», ou *allocentrique*, la personne qui cherche avant tout à obtenir l'approbation des autres et s'efforce de se conformer à leurs attentes; elle se compare à eux, se mesure à eux et s'évalue en fonction d'eux. Elle aura tendance à éviter d'affronter ses défauts et ne cherchera pas à y remédier; elle paraît incapable de s'affirmer et craint la désapprobation d'autrui. Un concept de soi positif résulte donc de l'autocentrage (un égocentrisme bien compris) et d'une prise en compte relativement minimale de l'opinion d'autrui.

L'infirmière doit posséder des compétences professionnelles précises pour évaluer comment une personne se perçoit et pour l'aider à acquérir ou à conserver un bon concept de soi. Cependant, la perception que l'infirmière a d'elle-même joue aussi un rôle important dans cette dynamique d'évaluation et d'entraide. L'infirmière qui connaît bien ses propres réactions, sentiments et traits de personnalité s'avère généralement plus à même de comprendre les besoins, les désirs, les émotions et les conflits des personnes qu'elle soigne. Si elle arrive à maintenir une perception positive d'elle-même, elle se donne également des moyens supplémentaires pour aider ces personnes à combler leurs propres besoins.

La *conscience de soi* résulte du croisement entre la perception de soi et la perception que les autres ont de soi. La personne, par exemple l'infirmière, qui dispose d'une juste conscience de soi se trouve en mesure de percevoir de façon cohérente le monde et les personnes qui l'entourent. L'approfondissement de la conscience de soi se présente comme un processus sans fin, qui exige du temps et de l'énergie. L'introspection en constitue un volet capital, l'infirmière devant tâcher de faire le point sur ses convictions, ses attitudes, ses motivations, ses points forts et ses limites, notamment (Eckroth-Bucher, 2001). Pour mieux se connaître, elle devra se livrer à l'introspection, travailler avec des collègues qui lui tiendront lieu de modèles, tenir compte des commentaires qui découlent des évaluations du rendement et tâcher de traduire ceux-ci en gestes concrets (Rowe, 1999).

Une fois qu'elle a une bonne compréhension et une juste conscience d'elle-même, l'infirmière se trouve mieux outillée pour respecter les autres et éviter de projeter ses convictions sur eux. En tant que personne prodiguant des soins, elle pourra alors mettre son jugement en veilleuse pour accorder toute son attention aux besoins des personnes qu'elle traite, même si ces besoins ne sont pas les mêmes que les siens. En cas de conflit, l'infirmière disposant d'une juste conscience de soi est en mesure d'analyser ses réactions au moyen de l'introspection et de questions ciblées, telles que :

■ Laquelle de mes attitudes provoque cette réaction chez la personne que je soigne ?

■ Pourquoi est-ce que je réagis de cette façon (par exemple peur, colère, angoisse, ennui, inquiétude) ?

■ Puis-je changer la manière dont je réagis à cette situation afin d'influencer positivement la réaction de la personne dont j'ai la responsabilité ? (Eckroth-Bucher, 2001, p. 38).

Hartrick (1997) souligne l'importance d'une **pratique relationnelle**, qui aide l'infirmière à comprendre les liens qu'elle tisse avec le client. Elle devra chercher à améliorer cinq habiletés relationnelles qui lui permettront de consolider une relation axée sur le *caring* :

1. *Initiative, authenticité et réceptivité,* ce qui implique un souci constant d'autrui.
2. *Mutualité et synchronisation,* ce qui fait référence à l'intériorisation consciente des expériences similaires vécues.
3. *Acceptation de la complexité et de l'ambiguïté,* ce qui renvoie à la capacité d'accueillir les incertitudes qui découlent d'expériences humaines complexes et d'y réagir.
4. *Intentionnalité,* ce qui sous-entend une congruence entre les valeurs qu'on possède et leur expression.
5. *Reproduction d'images,* ce qui fait référence à l'habileté de l'infirmière de reproduire en images les structures et les expériences qui font partie de sa vie et de celle de ses clients.

Une pratique relationnelle est une approche importante, car elle «aide les gens à comprendre et à clarifier la signification de leurs expériences relatives à la santé et à la guérison et favorise la découverte des choix et du pouvoir que ces expériences confèrent» (Hartrik, 1997).

Formation du concept de soi

Inexistant à la naissance, le concept de soi se développe chez la personne au fil de ses interactions avec son entourage.

Selon Erikson (1963), l'être humain doit tout au long de son existence, accomplir diverses tâches de développement qui correspondent aux huit stades du développement formant le cadre de sa théorie. La manière dont la personne accomplit ces tâches détermine en grande partie l'évolution de son concept de soi. Si elle s'avère incapable d'effectuer l'une ou l'autre de ces tâches, c'est-à-dire de s'adapter à une nouvelle étape de son développement, son estime de soi en souffre au moment de cet échec, mais aussi, très souvent, au fil des années. Le tableau 24-1 indique des comportements révélant, selon le cas, qu'une personne a réussi ou échoué dans l'accomplissement d'une tâche de développement.

On distingue trois grandes étapes dans le développement du concept de soi :

■ Le nourrisson constate qu'il est physiquement séparé de son environnement, qu'il s'en distingue.
■ L'enfant intériorise les attitudes de son entourage envers lui.
■ L'enfant et l'adulte intériorisent les normes de la société.

Le **concept de soi global** se définit comme «l'ensemble des perceptions et des convictions ou croyances qu'une personne entretient sur elle-même, ainsi que des attitudes qui en

TABLEAU 24-1
EXEMPLES DE COMPORTEMENTS CARACTÉRISTIQUES DES STADES DU DÉVELOPPEMENT PSYCHOSOCIAL SELON ERIKSON

Stade : tâche de développement	Comportements indiquant que l'adulte a réussi à accomplir la tâche	Comportements indiquant que l'adulte n'a pas réussi à accomplir la tâche
Premiers mois de la vie (nouveau-né et nourrisson) : Confiance/Méfiance	Demander et accepter de l'aide, et escompter en recevoir. Exprimer sa confiance envers une autre personne. Passer du temps avec les gens ; leur faire part de ses opinions et de son expérience.	Restreindre la conversation à des sujets superficiels. Refuser d'informer les autres. Se montrer incapable d'accepter de l'aide.
Petite enfance (trottineur) : Autonomie/Honte et doute	Accepter les règles du groupe, mais rester capable d'exprimer son désaccord, le cas échéant. Exposer ses opinions. Accepter de bonne grâce que certains de ses vœux ne se réalisent pas sur-le-champ.	Ne pas exprimer ses besoins. Ne pas exprimer son désaccord. S'inquiéter à l'excès de sa propreté en toutes circonstances.
Enfance : Initiative/Culpabilité	Aborder avec enthousiasme les projets nouveaux. S'intéresser à différents sujets ; manifester une grande curiosité. Faire preuve d'une pensée originale et personnelle.	Imiter les autres au lieu d'élaborer des idées personnelles. S'excuser à l'excès et ressentir un embarras extrême pour les erreurs les plus minimes. Se montrer craintif devant les nouveaux projets.
Âge scolaire : Compétence/Infériorité	Mener à terme les tâches entreprises. Savoir travailler avec les autres. Bien utiliser son temps.	Ne pas terminer les tâches entreprises. Ne pas aider les autres dans leurs projets. Ne pas organiser son travail.
Adolescence : Identité/Confusion des rôles	Affirmer son indépendance. Se préparer d'une manière réaliste à ses rôles futurs. Établir des relations personnelles étroites.	Ne pas assumer la responsabilité de son propre comportement. Accepter les valeurs des autres sans les remettre en question. Ne pas se fixer d'objectifs de vie.
Jeune adulte : Intimité/Isolement	Établir une relation étroite et intense avec une autre personne. Considérer les comportements sexuels comme acceptables et désirables. S'investir pleinement dans cette relation, même dans les moments de stress, de difficultés ou de sacrifice.	Rester seul. Éviter les relations interpersonnelles intimes.
Adulte d'âge mûr : Générativité/Stagnation (souci des autres/souci exclusif de soi-même)	Être disposé à s'ouvrir à une autre personne. Servir de guide aux autres. Établir un ordre de priorité entre les besoins (en reconnaissant les siens propres et ceux des autres).	Parler constamment de soi au lieu d'écouter les autres. Se montrer préoccupé de soi-même malgré les besoins des autres. S'avérer incapable d'accepter l'interdépendance.
Personne âgée : Intégrité personnelle/Désespoir	Se servir de son expérience pour aider les autres. Maintenir ses capacités dans certains domaines. Accepter ses propres limites.	Pleurer ; être apathique. Refuser les changements ou y résister. Exiger l'aide et l'attention des autres sans besoin réel.

découlent » (Legendre, 1993). Il correspond à la description la plus complète que cette personne pourrait donner d'elle-même à un instant donné. Le concept de soi global constitue également le cadre de référence à l'intérieur duquel la personne envisage le monde et vit les différentes circonstances de son existence. Certaines des perceptions et des convictions qui composent le concept de soi global tiennent à des énoncés de faits, tels que « Je suis une femme » ; « Je suis une mère » ; « Je suis petit ». D'autres renvoient à des dimensions moins tangibles de soi, telles que « Je suis compétent » ; « Je suis timide ».

La perception de soi et les convictions que la personne entretient sur elle-même exercent une influence sur son concept de soi. Celui-ci ne se résume cependant pas à la somme de ses parties, car la personne n'accorde pas la même importance à toutes les perceptions et convictions qu'elle a d'elle-même. En cela, le concept de soi se compare à une toile dont le centre abriterait les certitudes les plus vitales à l'identité de la personne, c'est-à-dire les **traits fondamentaux du concept de soi**, par exemple : «Je suis très intelligent/Je suis d'une intelligence moyenne»; «Je suis un homme/Je suis une femme». Sur cette toile, les perceptions de soi et les convictions moins importantes pour la personne figureraient à la périphérie, étant secondaires dans la définition du concept de soi. Il pourra s'agir, par exemple, d'assertions comme : «Je suis droitière/Je suis gauchère»; «Je suis sportif/Je ne suis pas sportif».

Le concept de soi repose sur la manière dont la personne se perçoit et se situe dans ces différents domaines :

- Résultats professionnels
- Capacités intellectuelles
- Apparence et attraits physiques
- Capacité de séduction et vie sexuelle
- Estime et affection reçues de l'entourage
- Capacité à affronter les problèmes et à les résoudre
- Autonomie et indépendance
- Talents particuliers

Le concept de soi évolue constamment. Certains événements ou situations pourront ainsi le modifier, en bien ou en mal. Cela dit, les traits fondamentaux du concept de soi d'une personne se trouvent généralement bien établis lorsque celle-ci atteint la maturité : ils président de la sorte à la manière dont elle se perçoit et dont elle pense que les autres la perçoivent. Par ailleurs, il existe un pendant au concept de soi, à savoir le **soi idéal**, qui correspond à ce que la personne pense qu'elle devrait être ou à ce qu'elle aimerait être. Le soi idéal repose sur la définition donnée du comportement optimal, que les normes, les valeurs, les aspirations et les objectifs personnels déterminent. Il paraît parfois réaliste, parfois irréaliste. Quand sa perception de soi ou l'image qu'elle a d'elle-même se rapproche du soi idéal, la personne n'aspire pas à devenir très différente de ce qu'elle croit déjà être. Un léger écart entre l'image de soi et le soi idéal peut inciter la personne à s'améliorer. Quand cet écart s'avère trop grand, en revanche, la personne risque de souffrir d'un manque d'estime de soi. La figure 24-1 ■ présente un modèle théorique du développement de l'estime de soi chez des enfants évoluant en contexte d'adaptation scolaire.

Comme tous les adultes, l'infirmière possède une image d'elle-même qui a contribué à définir diverses informations internes et externes qu'elle a recueillies au fil des ans. Influant sur son concept de soi, celles-ci peuvent découler de diverses sources telles que sa capacité à évaluer avec exactitude ses propres forces, son désir de suivre les traces de personnes qu'elle considère comme des modèles, les commentaires qu'elle reçoit de ses collègues et des personnes qu'elle soigne, etc.

Composantes du concept de soi

Le concept de soi se divise en quatre axes : l'identité personnelle, l'image corporelle, l'exercice du rôle et l'estime de soi.

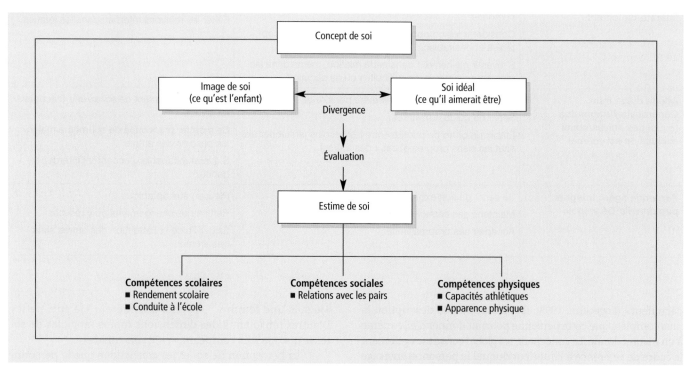

FIGURE 24-1 ■ Modèle théorique du développement de l'estime de soi chez les enfants en contexte d'adaptation scolaire.
Sources : Lawrence, D. (1988). *Enhancing self-esteem in the classroom*. London : Paul Chapman Publishing ; Harter, S. (1982). The perceived competence scale. *Child Development, 53*, 87-89. Cités dans http://www.uquebec.ca/edusante/mentale/estime_de_soi.htm.

24

Identité personnelle

L'**identité personnelle** correspond à la conscience que la personne a des caractéristiques qui la rendent unique, lesquelles évoluent tout au long de la vie. Une personne définira généralement son identité en recourant à son nom, à son sexe, à son âge, à son appartenance raciale, ethnique ou culturelle, à son travail ou à une autre fonction sociale, à ses talents et à d'autres éléments de son état civil (situation de famille, niveau d'instruction, etc.).

L'identité personnelle découle également des valeurs, des croyances et des convictions, de la personnalité et du caractère. Une personne pourra par exemple se révéler dynamique, chaleureuse, réservée, généreuse, égoïste, etc. L'identité personnelle se compose donc d'éléments tangibles et factuels, tels que le nom et le sexe, mais aussi d'éléments intangibles, tels que les valeurs et les convictions. En un mot, l'identité, c'est ce qui distingue une personne de toutes les autres.

Une personne qui possède une identité personnelle forte présentera un concept de soi cohérent, où se verront par ailleurs bien intégrés l'image corporelle, les rôles et l'estime de soi. En conséquence, cette personne éprouvera quant à sa personnalité un fort sentiment de continuité et d'unité, malgré la diversité de ses activités et les étapes de la vie. Elle se considérera en outre comme un être unique, distinct de tous les autres.

Image corporelle

L'**image corporelle** se rapporte à l'image du soi physique. Elle correspond à la manière dont la personne perçoit la taille, l'aspect et le fonctionnement de son corps dans son ensemble et de ses différentes parties. L'image corporelle comporte un volet cognitif et un volet affectif. Le volet cognitif comprend la connaissance que la personne a de son corps et de ses différentes parties dans leurs dimensions strictement concrète et physique. Le volet affectif tient aux sensations que ressent le corps, par exemple la douleur, le plaisir, la fatigue et le mouvement. L'image corporelle résulte de l'addition des perceptions propres à ces deux volets, c'est-à-dire de la somme des opinions et des attitudes conscientes et inconscientes d'une personne par rapport à son corps.

L'image corporelle englobe le fonctionnement du corps et de ses parties, mais aussi l'apparence physique et matérielle, reflétée dans les vêtements, le maquillage, la coiffure, les bijoux et autres parures intimement liées à la personne (figure 24-2 ■). Elle comprend également les prothèses (membres artificiels, prothèses dentaires, mèches postiches) et les appareils indispensables au fonctionnement du corps (fauteuil roulant, canne, lunettes, etc.). Les perceptions passées et actuelles de même que l'évolution du corps au fil du temps en font partie intégrante.

L'image corporelle d'une personne s'établit, d'une part, à partir des attitudes et des réactions des autres concernant son corps, et, d'autre part, à partir des explorations auxquelles elle se livre sur celui-ci. Par exemple, l'image corporelle du nourrisson se développe au fur et à mesure que les parents et les autres adultes de l'entourage réagissent à l'enfant par des sourires, des contacts physiques, des étreintes et des caresses, mais aussi

FIGURE 24-2 ■ L'image corporelle correspond à la somme des opinions et des attitudes conscientes et inconscientes d'une personne envers son propre corps.

au fil de ses propres explorations sensorielles, lorsque, par exemple, il tète, suce son pouce ou se trouve dans l'eau. Les valeurs culturelles et sociétales influent aussi sur l'image corporelle.

Depuis quelques années, les médias d'information et de divertissement déterminent en partie la manière dont les personnes se perçoivent et perçoivent les autres. À l'adolescence, les préoccupations relatives à l'image corporelle revêtent une importance considérable. Or, la personne «idéale» que les médias exhibent constitue rarement un modèle réaliste pour la grande majorité des gens, sinon un modèle complètement impossible à reproduire.

Quand l'image corporelle d'une personne s'avère presque similaire à son idéal corporel, celle-ci envisage généralement sous un jour favorable ses caractéristiques physiques et même non physiques. À cet égard, les normes culturelles influent considérablement sur l'idéal corporel. En Amérique du Nord, par exemple, à l'heure actuelle, on admire plutôt les corps minces et musclés.

Pour bien saisir la notion d'image corporelle, il faut également comprendre que tous n'accordent pas la même importance aux différentes parties du corps. Par exemple, certaines femmes

24

considèrent qu'il est crucial d'avoir une poitrine volumineuse, alors que d'autres n'y attachent aucune importance ; l'arrivée des premiers cheveux gris représente un véritable traumatisme pour certains hommes, mais n'est d'aucune conséquence pour d'autres.

La personne dont l'image corporelle est saine s'intéressera en général à sa santé et à son allure. Elle cherchera à se faire soigner quand elle est malade et entretiendra de bonnes habitudes de vie. En revanche, la personne qui a une image corporelle malsaine aura tendance à s'inquiéter outre mesure des affections mineures et à négliger certaines activités indispensables à sa santé, telles qu'un sommeil réparateur et une alimentation équilibrée, par exemple.

La personne qui souffre d'un trouble de l'image corporelle préférera peut-être ne pas se montrer en public ou encore ne pas regarder ni toucher la partie de son corps altérée par une affection ou un accident. D'autres personnes éprouveront des sentiments de désespoir, de désarroi, d'impuissance et d'extrême vulnérabilité, et adopteront même des comportements autodestructeurs : sous-alimentation, suralimentation ou tentatives de suicide.

Exercice du rôle

Différents rôles nous incombent au fil de notre existence. Le **rôle** correspond à l'ensemble des attentes qu'une personne doit combler et à l'ensemble des comportements qu'elle doit adopter du fait de la position qu'elle occupe. L'**exercice du rôle** mesure la pertinence des comportements de la personne par rapport aux attentes qu'on entretient à son égard dans le cadre de son rôle. On dit de la personne qui répond bien aux attentes sociales la concernant qu'elle *joue bien son rôle* ou qu'elle possède une bonne **maîtrise du rôle**. Ces attentes (les normes de comportement inhérentes au rôle) peuvent être définies par la société dans son ensemble, par un groupe culturel ou par une communauté plus restreinte à laquelle la personne appartient. Toute personne, ou presque, assume simultanément de nombreux rôles, tels ceux de mari, de père, de frère, de fils, d'employé, d'ami ou de membre d'un groupe spirituel ou religieux. Certains rôles, tels ceux de patient, d'étudiant ou de personne malade, sont passagers et sont donc d'une durée limitée. Le **développement du rôle** suppose qu'une forme de socialisation survient dans le rôle considéré. Par exemple, une étudiante en soins infirmiers développe son rôle d'infirmière au fil de la socialisation professionnelle qui s'effectue grâce aux relations qu'elle tisse avec les enseignantes, aux stages, aux cours, aux simulations en laboratoire et aux séminaires.

Pour se comporter d'une manière adéquate, la personne doit pouvoir se situer d'une manière exacte par rapport aux autres et savoir ce que la société attend d'elle dans le cadre des positions qu'elle occupe. Des attentes floues suscitent l'**ambiguïté du rôle** : la personne soumise à des attentes vagues ou contradictoires ne saura pas quoi faire ou comment le faire ; il lui sera en outre impossible de prévoir comment réagira son entourage à ses comportements. L'incapacité à maîtriser un rôle génère des sentiments de frustration et d'inadéquation, qui engendrent souvent une piètre estime de soi.

Les tensions dans l'exercice du rôle et les conflits de rôles influent sur le concept de soi. La personne soumise à des **tensions dans l'exercice du rôle** ressent de la frustration, car elle se sent déplacée et se croit inapte à jouer son rôle. Il est à noter que l'entourage est souvent à l'origine de ce sentiment d'inaptitude, bien que les tensions dans l'exercice du rôle résultent parfois des stéréotypes sexuels. Par exemple, une femme qui occupe un emploi traditionnellement dévolu aux hommes se verra souvent considérée *a priori* comme moins compétente ou moins apte à remplir son rôle.

Le **conflit de rôles** naît des tiraillements entre des attentes opposées ou incompatibles entre elles. On distingue à cet égard trois types de conflits. Les conflits interpersonnels se caractérisent par le fait que des personnes n'entretiennent pas les mêmes attentes par rapport à un même rôle. Par exemple, la mère et la grand-mère d'un enfant pourront ne pas s'entendre sur la manière de prendre soin d'une famille. Les conflits interrôles découlent de l'écart qui s'établit entre les attentes de différents groupes ou différentes personnes dans des circonstances où plusieurs rôles incombent à une même personne. Par exemple, une femme qui travaille à temps plein sera exposée à ce type de conflit si son mari compte sur elle pour régler en plus tous les problèmes relatifs aux enfants. Enfin, les conflits personne-rôle surviennent quand les attentes correspondant à un rôle enfreignent les valeurs, les croyances ou les convictions de la personne qui joue ce rôle. S'ils empêchent la personne de satisfaire ses besoins de réussite, d'indépendance et de reconnaissance, tous ces conflits de rôles peuvent provoquer des tensions, de l'embarras et une détérioration de l'estime de soi.

Estime de soi

L'**estime de soi** se rapporte au jugement qu'une personne porte sur sa propre valeur. Plus précisément, on peut la définir comme « l'aptitude d'éprouver un sentiment favorable à son propre endroit, lequel naît de la bonne opinion que la personne a d'elle-même et de la valeur qu'elle se donne » (Fourgeyrollas, Cloutier, Bergeron, Côté et St-Michel, p. 82). « Chaque individu se fait une idée de lui-même. Cette image de soi, qui est fortement influencée par tous les changements sociaux, se construit au fil des années et n'est jamais acquise pour toujours » (Duclos, Laporte et Ross, 1995). Pour Laporte (1997), l'estime de soi désigne la valeur qu'on se donne soi-même et le sentiment qu'on a de sa dignité, c'est-à-dire si l'on se sent digne d'être aimé, de réussir, etc. L'estime de soi correspond donc à l'adéquation (ou à l'écart) entre, d'une part, les normes et les objectifs de la personne et les résultats auxquels elle parvient, et, d'autre part, ceux des autres et de son soi idéal. Si le concept de soi d'une personne ne correspond pas à son soi idéal, elle aura une faible estime d'elle-même. L'estime de soi est ainsi un processus complexe et variable qui ne se limite pas au fait de s'aimer ou non, et ne se réduit pas à une simple connaissance de ses forces, de ses qualités et de ses talents. Elle suppose aussi une juste perception de ses difficultés et de ses limites (Duclos, 2009).

On distingue deux types d'estime de soi : l'estime de soi globale et l'estime de soi spécifique. L'**estime de soi globale** tient à l'affection et au respect (l'estime) qu'une personne se porte dans son ensemble. L'**estime de soi spécifique** correspond à l'acceptation ou à l'approbation d'une personne envers une partie précise d'elle-même. L'estime de soi spécifique détermine l'estime de soi globale. Si un homme se préoccupe beaucoup de son allure, son évaluation personnelle de son apparence déterminera en grande partie son estime de soi globale. À l'inverse, si cet homme ne valorise pas ses compétences culinaires, la qualité des plats qu'il cuisine n'exercera qu'une incidence minime sur son estime de soi globale. Ainsi, « le fait qu'un enfant évalue de façon négative ses compétences dans un domaine particulier n'influe pas pour autant sur le sentiment global de satisfaction qu'il peut ressentir par rapport à sa valeur personnelle » (Harter, 1982).

Si l'estime de soi dépend de soi, elle dépend aussi des autres. Dans les premières années de la vie, les jugements – acceptation ou désapprobation – que portent les parents sur l'enfant qu'ils élèvent influent directement sur l'estime de soi de l'enfant (Duclos, 2009). Ultérieurement, ce seront les compétitions et les comparaisons avec les autres qui détermineront l'estime de soi de l'enfant. À l'âge adulte, une personne jouira d'une estime de soi élevée si elle se sent importante (ou utile) et compétente, et si elle a le sentiment qu'elle peut relever la plupart des défis qui se présentent à elle et qu'elle maîtrise sa destinée. Duclos (2009) relève que les quatre composantes de l'estime de soi sont le sentiment de confiance, la connaissance de soi, le sentiment d'appartenance et le sentiment de compétence.

Les fondements de l'estime de soi s'établissent au fil des expériences vécues durant les premières années de la vie, généralement dans le contexte familial. Toutefois, le niveau d'estime de soi d'un adulte peut varier grandement jour après jour et même d'une heure à l'autre. En effet, la personne procède continuellement à une évaluation de ses interactions avec les gens et les objets qui l'entourent, laquelle détermine son estime de soi. Celle-ci peut conséquemment gagner ou diminuer en valeur. Les facteurs de stress majeurs, tels qu'une affection chronique ou une interruption prolongée de travail, peuvent abaisser consi-dérablement l'estime de soi, car ils conduisent souvent la personne à ne plus percevoir ses qualités et à accorder une importance démesurée à ses défauts. À cet égard, toute personne devrait s'efforcer de cerner d'une manière précise ses forces et ses faiblesses. Selon Duclos *et al.* (1995), la séquence circulaire qu'on trouve dans la figure 24-3 ■ représente l'estime de soi.

ALERTE CLINIQUE • Dans la hiérarchie des besoins définie par Maslow, l'estime de soi se situe immédiatement au-dessus de l'amour et de l'appartenance. Une fois ses besoins d'estime de soi comblés, la personne se trouve en mesure de se réaliser. •

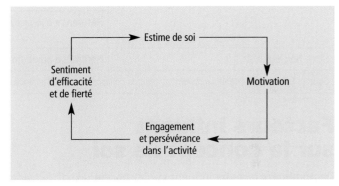

FIGURE 24-3 ■ Estime de soi selon Duclos, Laporte et Ross. Source : Duclos, G., Laporte, D., et Ross, J. (1995). *L'estime de soi de nos adolescents : guide pratique à l'intention des parents.* Montréal : Centre hospitalier universitaire de Montréal, Hôpital Sainte-Justine. Cités dans http://www.uquebec.ca/edusante/mentale/estime_de_soi.htm.

Le tableau 24-2 présente un modèle expérientiel-développemental qui résume les différentes structures, sous-structures et catégories faisant partie du concept de soi, selon L'Écuyer (1978, 1994).

TABLEAU 24-2
MODÈLE EXPÉRIENTIEL-DÉVELOPPEMENTAL DU CONCEPT DE SOI SELON L'ÉCUYER

Structure	Sous-structures	Catégories
Soi matériel	Soi somatique	Traits et apparence physiques Condition physique de santé
	Soi possessif	Possession d'objets Possession de personnes
Soi personnel	Image de soi	Aspirations Énumération des activités Sentiments et émotions Goûts et intérêts Capacités et aptitudes Qualités et défauts
	Identité du soi	Dénomination simple Rôle et statut Consistance Idéologie Identité abstraite

24

TABLEAU 24-2 *(suite)*

MODÈLE EXPÉRIENTIEL-DÉVELOPPEMENTAL DU CONCEPT DE SOI SELON L'ÉCUYER

Structures	Sous-structures	Catégories
Soi adaptatif	Valeur de soi	Compétence Valeur personnelle
	Activités du soi	Stratégies d'adaptation Autonomie Ambivalence Dépendance Actualisation Mode de vie
Soi social	Préoccupations et attitudes sociales	Réceptivité Domination Altruisme
	Référence à la sexualité	Références simples Attrait et expériences sexuelles
Soi – non-soi	Référence aux autres	

Source: L'Écuyer, R. (1994). *Le développement du concept de soi de l'enfance à la vieillesse.* Montréal: Presses de l'Université de Montréal.

Facteurs influant sur le concept de soi

De nombreux facteurs influent sur le concept de soi: le stade de développement; la famille et la culture; les facteurs de stress; les ressources; les antécédents de réussites et d'échecs; la maladie.

Stade de développement

Les facteurs qui influent sur le concept de soi changent au fil du développement de la personne. Par exemple, un bébé doit bénéficier d'un milieu encourageant, réconfortant et chaleureux pour acquérir une bonne estime de lui-même. Quelques années plus tard, l'enfant aura plutôt besoin de liberté pour explorer son environnement et pour apprendre.

Famille et culture

La famille et le milieu culturel déterminent en grande partie les valeurs d'un enfant en bas âge. Au fil des ans, les pairs de l'enfant (ses amis et ses compagnons de classe) joueront dans sa vie un rôle plus marqué et influenceront davantage son concept de soi. L'enfant qui se voit soumis à des attentes contradictoires venant de sa famille, de son milieu culturel et de ses pairs éprouve souvent de la difficulté à se définir d'une manière claire (figure 24-4 ■). Par exemple, les parents d'un jeune adolescent pourront exiger de lui qu'il ne boive pas d'alcool et qu'il passe son samedi soir en famille; en revanche, ses amis voudront qu'il se joigne à eux, l'invitant à consommer de la bière.

Facteurs de stress

Le stress peut renforcer le concept de soi, à condition que la personne relève les défis qu'il représente et règle les problèmes qu'il engendre. Le stress excessif suscite au contraire des mésa-

FIGURE 24-4 ■ Les jeunes sont souvent écartelés entre les attentes opposées de leur famille et de leurs pairs. Source: Jonathan Nourok/ PhotoEdit.

daptations ou des réactions inadéquates, telles que la consommation de drogues ou d'alcool, le repli sur soi et l'angoisse. La capacité d'une personne donnée à répondre d'une manière efficace aux sources de stress auxquelles elle est soumise dépend en grande partie de ses ressources personnelles.

Ressources

Les ressources d'une personne sont à la fois internes et externes. Les ressources internes correspondent notamment à la confiance et aux valeurs, tandis que les ressources externes concernent par exemple le réseau de soutien, les capacités financières et les institutions ou les organismes sur lesquels elle peut compter. En général, plus la personne dispose de ressources et les utilise, plus son concept de soi s'en trouve amélioré. Par ailleurs, tout être humain possède une valeur intrinsèque, indépendamment de ses possessions matérielles et de sa performance. Le plus important, c'est qu'il en soit conscient. De ce fait, l'estime de soi, qui est comme un réservoir conscient de ses forces et de ses capacités, est un important facteur de prévention des troubles du comportement et permet de relever des défis (Duclos, 2009).

Antécédents de réussites et d'échecs

La personne ayant souvent vécu des échecs finit généralement par se considérer comme incompétente. À l'inverse, la personne qui a connu un bon nombre de réussites acquiert un concept de soi positif, ce qui l'aide à remporter d'autres succès. Le jugement quant à la réussite ou à l'échec est souvent déterminé par la perception du **lieu de contrôle** (voir à ce sujet le chapitre 10 ⊝). La personne ayant un lieu de contrôle interne important croira que son succès est relié aux efforts qu'elle aura déployés dans une situation et s'adaptera plus aisément lorsque la situation l'exigera. Par contre, la personne ayant un lieu de contrôle externe croira qu'elle a peu d'emprise sur les événements et sur sa vie; elle sera ainsi moins motivée à changer.

Maladie

La maladie influe également sur le concept de soi. À cet égard, «l'infirmière aide le client à intégrer sa nouvelle image de lui-même» (OIIQ, 2010). Une femme ayant subi une mastectomie pourra se considérer comme moins attirante, et cela pourra influer sur son comportement et sur la valeur qu'elle s'accorde. Il a été démontré, par exemple, que le diagnostic de cancer du sein a pour effet de perturber en premier lieu l'image de soi (Beatty, Oxlad, Koczwara et Wade, 2008). Des facteurs de stress tels que la maladie et les altérations fonctionnelles dues au vieillissement suscitent des réactions très diverses selon les personnes; l'acceptation, le déni, le repli sur soi et la dépression constituent cependant des réactions habituelles. Il est parfois difficile de déterminer le lien qui se noue entre le concept de soi et la santé. Il a été démontré que la personne ayant un concept de soi positif peut avoir une meilleure santé parce qu'elle sera plus prête à suivre le plan thérapeutique (Burkhart et Rayans, 2005). De ce fait, le concept de soi et les comportements relatifs à la santé sont interreliés.

RECHERCHE EN SCIENCES INFIRMIÈRES

RÉALITÉ PSYCHOAFFECTIVE DES FEMMES ATTEINTES DE VULVODYNIE: DIFFICULTÉS RENCONTRÉES ET STRATÉGIES D'ADAPTATION DÉVELOPPÉES: UNE RECENSION DES PUBLICATIONS

Depuis les trois dernières décennies, on s'intéresse beaucoup à la vulvodynie – une gêne vulvaire chronique inexpliquée, sans pathologie sous-jacente. Une revue systématique de la littérature a été menée dans l'ensemble des bases de données scientifiques, telles que les Dissertation Abstracts, Current Contents et PsycINFO, pour présenter une revue de la littérature sur la réalité psycho-émotionnelle des femmes atteintes de vulvodynie.

Bien qu'on ait constaté certaines divergences dans les résultats de cette recherche, celle-ci a révélé que les femmes atteintes de vulvodynie sont souvent confrontées à des difficultés psychologiques et identitaires, engendrées par les normes sociales en matière de sexualité et de féminité. Pour faire face à ces difficultés, les femmes doivent développer différentes stratégies pour réduire le stress lié à la douleur et améliorer leur bien-être psychologique.

Implications: Les difficultés relationnelles et psychologiques des femmes atteintes de vulvodynie ne sont pas seulement dues à la douleur physique, mais aussi à la signification qu'elles attribuent à cette affection, souvent influencées par les attentes sociales liées à l'hétérosexualité et à la féminité. Par conséquent, il est important d'aider ces femmes en améliorant leur concept de soi et leurs connaissances sur les aspects psychosociaux de leur expérience en tenant compte de l'influence du contexte social.

Source: Une recension des écrits concernant la réalité psychoaffective des femmes ayant une vulvodynie: difficultés rencontrées et stratégies développées de Cantin-Drouin, M., Damant, D., et Turcotte, D. (2008, mai-juin). *Pain Research & Management. 13*(3), 255-63.

Démarche de soins infirmiers

Collecte des données

Une collecte des données exhaustive doit comporter une évaluation psychosociale de la personne et de sa famille (ou d'autres proches). Une telle évaluation fournit souvent des indices révélateurs de problèmes actuels ou possibles. Lorsqu'elle évaluera le concept de soi d'une personne, l'infirmière s'attardera sur les quatre composantes que nous avons précédemment définies, à savoir: (1) l'identité personnelle; (2) l'image corporelle; (3) l'exercice du rôle; (4) l'estime de soi.

Avant d'entreprendre une évaluation psychosociale, l'infirmière doit établir une bonne relation avec la personne afin de gagner sa confiance. Voici les directives à suivre lorsqu'on mène une telle évaluation:

- Faire l'entretien dans un endroit paisible et à l'écart.
- Limiter le plus possible les interruptions.
- Maintenir un bon contact visuel avec la personne.
- S'asseoir au même niveau qu'elle.
- Manifester de l'intérêt pour ses préoccupations.
- Accepter la personne pour ce qu'elle est, éviter de la critiquer, de froncer les sourcils ou de se montrer choquée.
- Poser des questions ouvertes pour inciter la personne à s'exprimer librement (les questions fermées permettent d'obtenir des informations plus précises).
- Éviter de poser inutilement des questions personnelles.
- Prendre des notes manuscrites avec discernement (pour éviter de donner l'impression de «consigner» des informations confidentielles, mais aussi pour mieux se concentrer sur ce qui est dit).
- Déterminer si la famille peut fournir des renseignements supplémentaires.
- Maintenir la confidentialité des informations.
- Rester consciente de ses propres préjugés et réticences susceptibles d'influer sur la collecte des données.
- Déterminer l'incidence de la culture sur le comportement de la personne.

24

L'infirmière doit également cerner les facteurs de stress pouvant influer sur les différentes composantes du concept de soi de la personne. L'encadré 24-1 présente certains facteurs de stress susceptibles de perturber le concept de soi.

ENCADRÉ 24-1
FACTEURS DE STRESS INFLUANT SUR LE CONCEPT DE SOI

Stress relatif à l'identité personnelle
- Modification de l'apparence (apparition de rides sur le visage, par exemple)
- Déclin des capacités physiques, mentales ou sensorielles
- Incapacité à atteindre ses objectifs
- Inquiétudes par rapport aux relations
- Inquiétudes relatives à la sexualité
- Soi idéal irréaliste

Stress relatif à l'image corporelle
- Perte d'un membre ou d'un organe (amputation, mastectomie, hystérectomie, etc.)
- Perte de fonctions corporelles (causée par un accident vasculaire cérébral, une lésion de la moelle épinière, une affection neuro-musculaire, l'arthrite, le déclin des capacités mentales ou sensorielles, etc.)
- Altérations du corps ou de la silhouette (en raison, par exemple, d'une grossesse, de brûlures graves, d'imperfections faciales, d'une colostomie, d'une trachéotomie, etc.)
- Idéal corporel irréaliste (configuration musculaire impossible à réaliser, par exemple)

Stress relatif à l'estime de soi
- Manque de commentaires positifs de la part des personnes significatives de l'entourage
- Échecs répétés
- Attentes irréalistes
- Relations marquées par la violence
- Détérioration ou perte de la sécurité financière

Stress relatif à l'exercice du rôle
- Perte d'un parent, du conjoint, d'un enfant ou d'un ami proche
- Changement ou perte dans le travail ou dans un autre rôle significatif
- Divorce
- Affection
- Attentes ambiguës ou contradictoires par rapport au rôle
- Incapacité à combler les attentes relatives au rôle

Une fois les facteurs de stress reconnus, l'infirmière doit déterminer de quelle manière la personne les perçoit. Si elle considère un événement stressant comme stimulant et incitant la personne à évoluer, la résolution du problème la valorisera, et elle sortira plus forte de cette épreuve. En revanche, si elle l'aborde d'une manière négative, désespérée ou défaitiste, l'épreuve risque plutôt de diminuer l'estime qu'elle a d'elle-même. L'infirmière devra également tâcher de déterminer quelles sont les stratégies d'adaptation de la personne ainsi que leur efficacité, au moyen de questions ciblées, telles que:

- Lorsque vous faites face à un problème ou à une situation stressante, comment les réglez-vous en général?
- Cette façon de faire fonctionne-t-elle?

ALERTE CLINIQUE • L'effet des facteurs de stress sur le concept de soi varie d'une personne à l'autre. Par exemple, les échecs répétés stimulent certaines personnes et les incitent à persévérer, alors qu'ils en découragent d'autres au point qu'elles abandonnent. •

▪ Identité personnelle

Quand elle évalue le concept de soi d'une personne, l'infirmière doit tout d'abord chercher à obtenir des informations sur l'identité personnelle de celle-ci, ce qui implique qu'il lui faut poser des questions portant sur ce qu'elle pense d'elle-même. La rubrique *Entrevue d'évaluation – Identité personnelle* en fournit quelques exemples.

ENTREVUE D'ÉVALUATION

IDENTITÉ PERSONNELLE
- Comment décririez-vous vos principales caractéristiques? Quel genre de personne êtes-vous, à votre avis?
- Qu'est-ce que les autres disent de vous? Comment vous décrivent-ils?
- Qu'est-ce que vous aimez en vous?
- Que savez-vous bien faire?
- Quels sont vos capacités, vos forces et vos talents personnels?
- Quel(s) aspect(s) de votre personne aimeriez-vous changer?
- Si vous pensez que quelqu'un ne vous aime pas, cela vous dérange-t-il beaucoup?

▪ Image corporelle

Si des signes indiquent une perturbation de l'image corporelle, l'infirmière doit procéder à une évaluation soigneuse afin de déterminer si la personne souffre de problèmes fonctionnels ou physiques. La perturbation peut résulter d'une difformité ou d'une dysfonction réelle ou appréhendée. En plus de recueillir les réponses de la personne concernant le problème en question, l'infirmière doit également évaluer les comportements qui y sont liés. La rubrique *Entrevue d'évaluation – Image corporelle* présente quelques exemples de questions à poser lors d'une telle évaluation.

ENTREVUE D'ÉVALUATION

IMAGE CORPORELLE
- Aimeriez-vous changer une ou plusieurs parties de votre corps?
- Vous sentez-vous capable de discuter de votre opération?
- Vous sentez-vous différent des autres ou inférieur à eux?
- Que pensez-vous de votre physique?
- Selon vous, comment l'opération modifiera-t-elle votre corps?
- Comment vos proches ont-ils réagi aux modifications de votre corps?

24

Exercice du rôle

L'infirmière doit établir le bilan des satisfactions et des insatisfactions de la personne quant à ses responsabilités et à ses rôles, qu'ils soient familiaux, professionnels, scolaires ou sociaux. Les rôles familiaux revêtent une importance toute particulière, car les relations familiales s'avèrent généralement étroites et intimes. Elles peuvent représenter une source d'encouragement, de réconfort et de soutien; elles peuvent par contre être marquées par la violence et les mauvais traitements, ce qui constitue alors une source importante de stress. L'infirmière pourra commencer à brosser le tableau des relations et des rôles familiaux en évaluant leurs aspects structurels: nombre de personnes dans la famille, leur âge, leur lieu de résidence. Pour obtenir des informations concernant les relations familiales de la personne et ses satisfactions et insatisfactions relativement à ses rôles professionnels et sociaux, l'infirmière pourra poser des questions telles que celles qu'on trouve à la rubrique *Entrevue d'évaluation – Exercice du rôle*, en veillant toujours à les adapter à la personne, notamment à son âge et à sa situation personnelle.

ENTREVUE D'ÉVALUATION

EXERCICE DU RÔLE

Relations familiales
- Parlez-moi de votre famille.
- Comment cela se passe-t-il à la maison?
- Comment décririez-vous vos relations avec votre conjoint (le cas échéant)?
- Comment décririez-vous vos relations avec les autres membres de votre famille?
- Comment les décisions importantes se prennent-elles dans votre famille?
- Quelles responsabilités assumez-vous dans votre famille?
- Avez-vous le sentiment de faire ce que l'on attend de vous et d'être comme votre entourage le souhaite?
- Aimeriez-vous changer certains de vos rôles ou de vos responsabilités?
- Êtes-vous fier de votre famille?
- Avez-vous le sentiment que votre famille est fière de vous?

Rôles professionnels et sociaux
- Aimez-vous votre travail?
- Comment vous entendez-vous avec vos collègues?
- Quels aspects de votre travail aimeriez-vous changer?
- Comment comblez-vous vos temps libres?
- Faites-vous partie de groupes, d'organismes ou d'associations dans votre communauté?
- Vous sentez-vous plus à l'aise lorsque vous vous trouvez seul, avec une autre personne ou en groupe?
- Quelle personne est la plus importante pour vous?
- Vers qui vous tournez-vous quand vous avez besoin d'aide?

Estime de soi

À l'aide des questions qui suivent, l'infirmière pourra déterminer le niveau d'estime de soi de la personne:

CONSIDÉRATIONS CULTURELLES

ÉVALUATION DU CONCEPT DE SOI

Il relève des responsabilités de l'infirmière d'établir une communication thérapeutique avec la personne et de rester sensible aux influences du milieu culturel sur les comportements et les besoins de celle-ci. Le contexte culturel doit non seulement faire l'objet d'une évaluation directe, mais aussi être considéré comme un facteur déterminant de la perception de soi (autoperception), de l'exercice du rôle (familial, professionnel ou social), de l'évaluation des facteurs de stress (majeurs ou mineurs) et des stratégies d'adaptation. Quand elle constate des comportements qui semblent évoquer une faible estime de soi, l'infirmière doit se demander si ceux-ci révèlent réellement une situation inquiétante ou s'ils correspondent simplement à des comportements culturels normaux pour la personne concernée. Elle doit également déterminer si la personne éprouve un conflit culturel engendré par une contradiction entre les croyances, les convictions et les attitudes de son milieu culturel d'origine et celles de son milieu de vie (milieu d'accueil).

- Êtes-vous satisfaite de votre vie?
- Que pensez-vous de vous-même?
- En ce moment, accomplissez-vous ce qui vous tient à cœur?
- Quels sont les objectifs qui sont importants dans votre vie?

La figure 24-5 ■ présente une échelle d'évaluation de l'estime de soi, proposée par Rosenberg, en 1965, traduite et validée par Vallières et Vallerand (1990). On recourt souvent à cette échelle dans le domaine de la recherche en sciences sociales. Elle permet d'évaluer la perception qu'a une personne de sa propre valeur, de prédire le comportement qu'elle adoptera dans diverses situations et de mesurer globalement ce qu'elle pense d'elle-même.

L'infirmière doit tout d'abord cerner les particularités propres au milieu culturel de la personne afin de ne pas se tromper dans l'interprétation de ses comportements. Ainsi, les comportements qui suivent peuvent révéler une faible estime de soi ou s'avérer tout à fait normaux dans certains milieux culturels:

- La personne évite de vous regarder dans les yeux.
- Elle se tient le dos voûté; elle bouge lentement.
- Son allure est négligée.
- La personne parle d'une manière hésitante; elle s'exprime par à-coups.
- Elle se montre extrêmement critique envers elle-même, en employant des phrases telles que: «Je suis méchante»; «Je suis laide»; «Les gens ne m'aiment pas», etc.
- Elle critique exagérément les autres.
- Elle est incapable d'accepter les commentaires positifs la concernant.
- Elle s'excuse constamment.
- Elle exprime des sentiments de désespoir, de désarroi et d'impuissance, en employant des phrases telles que: «Je me moque bien de ce qui peut arriver»; «Je ferai ce qu'on me dira»; «Quoi que je fasse, ce qui doit arriver arrivera», etc.

PERCEPTION PERSONNELLE

Pour chacune des caractéristiques ou descriptions suivantes, indiquez à quel point chacune est vraie pour vous en encerclant le chiffre approprié.

	Tout à fait en désaccord	Plutôt en désaccord	Plutôt en accord	Tout à fait en accord
1. Je pense que je suis une personne de valeur, au moins égale à n'importe qui d'autre.	1	2	3	4
2. Je pense que je possède un certain nombre de belles qualités.	1	2	3	4
3.* Tout bien considéré, je suis porté-e à me considérer comme un-e raté-e.	1	2	3	4
4. Je suis capable de faire les choses aussi bien que la majorité des gens.	1	2	3	4
5.* Je sens peu de raisons d'être fier-e de moi.	1	2	3	4
6. J'ai une attitude positive vis-à-vis moi-même.	1	2	3	4
7. Dans l'ensemble, je suis satisfait-e de moi.	1	2	3	4
8.* J'aimerais avoir plus de respect pour moi-même.	1	2	3	4
9.* Parfois je me sens vraiment inutile.	1	2	3	4
10.* Il m'arrive de penser que je suis un-e bon-ne à rien.	1	2	3	4

CLÉ DE CODIFICATION
Score de 10 à 16 : Estime de soi faible
Score de 17 à 33 : Estime de soi moyenne
Score de 33 à 40 : Estime de soi élevée

* Énoncé formulé négativement, inverser la cote d'évaluation.

FIGURE 24-5 ■ Échelle d'évaluation de l'estime de soi. Source : Vallières, E. T., et Vallerand, R. J. (1990). Échelle de l'estime de soi de Rosenberg (1965). Traduction et validation canadienne-française de l'échelle de l'estime de soi de Rosenberg. *Journal international de psychologie, 25*, 305-316. Reproduit avec l'autorisation de Psychology Press Ltd, http://www.psypress.co.uk/journals.asp.

Analyse et interprétation

Voici les diagnostics infirmiers de la NANDA-I (2010) se rapportant spécifiquement aux problèmes de concept de soi (Doenges, 2010) :

- *Identité personnelle perturbée*
- *Image corporelle perturbée*
- *Exercice inefficace du rôle*
- *Estime de soi perturbée*

La rubrique *Diagnostics infirmiers, résultats de soins infirmiers et interventions* donne des exemples d'applications cliniques de ces diagnostics, avec les interventions (CISI/NIC) et les résultats (CRSI/NOC) correspondants.

Les diagnostics infirmiers qui suivent peuvent également s'appliquer aux personnes souffrant d'une perturbation du concept de soi :

- *Anxiété*, reliée à une modification de l'apparence (amputation, mastectomie, etc.)
- *Inadaptation* à un changement dans l'état de santé
- *Deuil anticipé* ou *deuil problématique*, relié à une altération de l'apparence
- *Sentiment d'impuissance*
- *Conflit face au rôle parental*
- *Syndrome du traumatisme de viol*
- *Habitudes de sommeil perturbées*
- *Isolement social*
- *Détresse spirituelle*
- *Opérations de la pensée perturbées*

Planification

L'infirmière doit établir des plans de soins et de traitements infirmiers et des plans thérapeutiques infirmiers en collaboration avec la personne et son entourage, lorsque cela s'avère possible. Ces plans doivent tenir compte de l'état de santé de la personne, de son niveau d'angoisse, de ses ressources, de ses mécanismes d'adaptation et de ses horizons socioculturels et religieux. À cet égard, l'infirmière qui possède peu d'expérience auprès des personnes présentant des altérations du concept de soi aura avantage à consulter des collègues plus expérimentées, afin d'élaborer des plans vraiment efficaces et ciblés. L'infirmière et la personne fixeront ensemble des buts permettant à celle-ci d'améliorer son concept de soi.

Les buts varieront en fonction des caractéristiques et des diagnostics associés à la personne. On pourra de nouveau se reporter à la rubrique *Diagnostics infirmiers, résultats de soins infirmiers et interventions* pour des exemples d'objectifs visés et d'activités à mettre en œuvre. Voici des exemples d'interventions infirmières permettant de répondre aux besoins spécifiques d'une femme ayant subi une mastectomie :

- Établir et maintenir une relation de confiance avec la personne ; l'inciter, elle et ses proches, à exprimer leurs sentiments par rapport à la mastectomie.
- Écouter attentivement et avec intérêt les propos de la personne et de ses proches, et faire preuve d'empathie.
- Permettre à la personne de réagir par des comportements de deuil et de chagrin à la perte corporelle qu'elle vient de subir et à l'altération de son image corporelle.

24

DIAGNOSTICS INFIRMIERS, RÉSULTATS DE SOINS INFIRMIERS ET INTERVENTIONS

CONCEPT DE SOI PERTURBÉ ET PROBLÈMES RELATIFS AU RÔLE

Collecte des données	Diagnostic infirmier: *Définition*	Exemple de résultat de soins infirmiers: *Définition*	Indicateurs	Intervention choisie: *Définition*	Exemples d'activités
François Simon a subi une colostomie définitive voilà sept jours, en raison d'un cancer du côlon sigmoïde. Tandis que l'infirmière changeait le sac de colostomie, il a déclaré: «Ça me dégoûte.» Il évitait de regarder la stomie et a replié son bras sur ses yeux.	*Image corporelle perturbée: Confusion dans la représentation mentale du moi physique.*	Image corporelle: *Perception positive de son apparence personnelle et de son fonctionnement corporel.*	Souvent positifs: ■ Volonté de toucher la région de l'intervention chirurgicale ■ Adaptation aux changements du fonctionnement corporel	Amélioration de l'image corporelle: *Mise en œuvre de moyens pour que la personne améliore les perceptions conscientes et inconscientes de son image corporelle, et ses attitudes envers son corps.* Aide aux soins personnels: *Aide apportée à une personne dans ses activités de la vie quotidienne.*	■ Aider la personne à exprimer ce qu'elle pense et ressent par rapport au changement provoqué par la maladie et l'intervention chirurgicale. ■ L'aider à déterminer les parties de son corps qu'elle perçoit de manière positive. ■ Faciliter les échanges entre la personne et d'autres personnes vivant des expériences similaires. ■ Encourager l'autonomie, mais intervenir lorsque la personne est incapable d'accomplir une activité.
Sophie Ferraro, 73 ans, droitière, est hémiplégique du côté droit. «J'ai appris à me débrouiller au centre de réadaptation, dit-elle, mais mon pauvre mari est tout le temps obligé de m'aider pour préparer les repas et nettoyer la maison.»	*Exercice du rôle perturbé: Manque de congruence entre les comportements et le contexte, les normes et les attentes du milieu.*	Relation entre la personne et l'aidant naturel: *Relations et liens positifs entre l'aidant naturel et la personne soignée.*	Non perturbés: ■ Communication efficace ■ Compagnie ■ Résolution de problèmes en collaboration	Amélioration du rôle: *Aide à apporter à la personne, au proche aidant ou à la famille pour améliorer leurs relations, en clarifiant et en consolidant les comportements associés à leurs rôles particuliers.*	■ Aider la personne à définir des stratégies constructives pour mener à bien des changements de rôle. ■ Favoriser la tenue d'une discussion fructueuse, entre la personne et son mari, à propos de leurs attentes par rapport à leurs rôles respectifs.
Georges Pépin en est à sa première année de cégep, en arts et sciences. Bien qu'il assiste à tous ses cours et qu'il étudie tous les jours et même la fin de semaine, son père n'est jamais satisfait de ses notes. Il aimerait que Georges n'obtienne que des A. «J'ai toujours eu du mal à répondre aux attentes de mon père, explique l'étudiant. Il me considère comme moins intelligent que mon frère aîné.»	*Diminution chronique de l'estime de soi: Dévalorisation de longue date et entretien de sentiments négatifs à l'égard de soi-même ou de ses capacités.*	Estime de soi: *Jugement personnel sur sa valeur.*	Souvent positifs: ■ Acceptation de ses propres limites ■ Volonté de faire face aux autres ■ Description de ses succès scolaires	Amélioration de l'estime de soi: *Mise en œuvre de moyens afin que la personne développe une opinion plus favorable de sa valeur personnelle.*	■ Déterminer jusqu'à quel point la personne a confiance en son propre jugement. ■ Renforcer les points forts relevés par la personne. ■ Aider la personne à se fixer des objectifs réalistes. ■ Analyser ses succès antérieurs.

24

- Souligner ses points forts et ses mérites, et l'aider à se considérer dans sa globalité.
- Lui permettre d'exprimer ses inquiétudes par rapport aux altérations de son image corporelle et de son image de soi.
- L'inciter à prendre soin de sa plaie et à la panser elle-même.
- Lui fournir l'occasion de rencontrer d'autres femmes ayant subi une mastectomie ou des bénévoles de CancerConnection/Cancerj'écoute, un programme d'écoute téléphonique mis sur pied par la Société canadienne du cancer.
- L'aider à se procurer une prothèse mammaire temporaire, si elle le désire.
- Répondre à ses questions et lui donner des informations sur la reconstruction des seins.

Interventions infirmières

Pour que la personne acquière ou maintienne un concept de soi positif, l'infirmière doit l'aider à découvrir ou à mieux définir ses points forts. En cas d'altération du concept de soi, elle établira en outre une relation thérapeutique avec la personne et lui procurera des outils ciblés pour qu'elle puisse se livrer à examen introspectif et modifier son comportement en conséquence.

Détermination des points forts

Généralement, une personne en bonne santé percevra plus facilement ses problèmes et ses faiblesses que ses ressources et ses forces. Cette tendance paraît plus marquée chez la personne qui souffre d'une faible estime d'elle-même. En effet, celle-ci accordera plus d'importance à ses limites et à ses problèmes qu'à ses qualités. Si une personne éprouve des difficultés à découvrir et à définir les ressources et les points forts de sa personnalité, l'infirmière lui fournira des directives ou un cadre d'analyse approprié pour remédier à cet état de fait (encadré 24-2).

Les stratégies qui suivent permettront à l'infirmière d'aider la personne à prendre conscience de ses forces et à mieux les exploiter :

- Valoriser la confiance et l'assurance plutôt que l'autodénigrement.
- Repérer les forces de la personne et les faire ressortir.
- Encourager la personne à se fixer des objectifs réalistes.
- Dresser le bilan des buts qui ont été atteints et souligner ces réussites.
- Émettre des commentaires honnêtes et positifs.

Renforcement de l'estime de soi

Quand elle constate qu'une personne souffre d'une perturbation du concept de soi, l'infirmière doit établir une relation thérapeutique avec elle. Pour ce faire, elle doit non seulement avoir conscience de ses propres sentiments, réactions et principaux traits de personnalité, mais aussi posséder de bonnes compétences en communication (chapitre 20 ⊂⊃). Les techniques qui suivent lui permettront d'aider la personne à mieux définir ses problèmes et à restaurer son concept de soi :

ENCADRÉ 24-2
CADRE D'ANALYSE DES POINTS FORTS DE LA PERSONNALITÉ

Déterminer si la personne s'est intéressée, s'intéresse ou pourrait s'intéresser à l'une ou à l'autre des activités des domaines suivants :

- Bricolage et passe-temps
- Arts d'expression : écriture, peinture, croquis, musique, etc.
- Activités de plein air et sports (y compris en tant que spectateur d'événements sportifs)
- Études, formation et autres activités de perfectionnement des connaissances et des compétences (il ne faut pas perdre de vue que certaines personnes peuvent être autodidactes)
- Emploi ou autre forme de travail

Déterminer en outre les aspects suivants :

- La personne possède-t-elle un sens de l'humour ? Est-elle capable de rire d'elle-même ? Accepte-t-elle les taquineries de bonne grâce ?
- Quel est son état de santé (y compris ses fonctions corporelles et ses habitudes de vie) ?
- Quelles sont ses aptitudes particulières (compétences professionnelles ; aptitudes pour le jardinage ; capacité à percevoir et à apprécier la beauté ; facilité à résoudre les problèmes ; goût de l'aventure et de l'exploration ; dynamisme et persévérance ; etc.) ?
- Quelles sont ses qualités relationnelles ? (Possède-t-elle l'art de mettre les gens à l'aise ? Aime-t-elle la compagnie des autres ? Perçoit-elle facilement les sentiments et les besoins des personnes qui l'entourent ? Sait-elle écouter ?)
- Quelles sont ses forces d'un point de vue émotionnel ? (Sait-elle donner et recevoir de l'amour et de l'affection ? Sait-elle affronter ou tolérer la colère ? Peut-elle ressentir et exprimer des émotions très diverses ? Est-elle capable d'empathie ?)
- Quelles sont ses qualités spirituelles ? (A-t-elle des croyances ? Est-elle membre d'un groupe spirituel ou religieux et participe-t-elle à des événements de cette nature ?)

- Inviter la personne à analyser sa situation et à exprimer ses sentiments.
- L'inciter à poser des questions.
- Lui fournir une information exacte.
- Détecter dans ses propos les distorsions ou les aberrations, les normes ou les buts inadéquats ou irréalistes, et les catégorisations erronées.
- Analyser ses qualités et ses points forts.
- L'inciter à se voir d'une manière positive plutôt que négative.
- Éviter de la critiquer.
- Enseigner à la personne comment remplacer son monologue intérieur négatif (« Je n'arrive plus à marcher jusqu'au magasin ») par un discours positif (« Je marche jusqu'au coin de la rue tous les matins »). Le monologue intérieur négatif accentue un concept de soi négatif.

Il est à noter qu'il faut choisir certaines stratégies en fonction de l'âge de la personne (rubrique *Les âges de la vie – Renforcement de l'estime de soi*).

👥 LES ÂGES DE LA VIE

RENFORCEMENT DE L'ESTIME DE SOI

Enfant

- Pour disposer d'une bonne estime de soi, un enfant doit acquérir cinq caractéristiques de base : (1) confiance et sécurité ; (2) identité ; (3) sentiment d'appartenance ; (4) motivation, poursuite de buts ; (5) compétence personnelle.

- Certains comportements de l'entourage peuvent aider l'enfant à acquérir une forte estime de soi : manifestations d'amour et d'acceptation ; fermeté ; cohérence ; établissement d'attentes claires. L'amour et l'acceptation montrent à l'enfant que ses parents, ses enseignants ou les autres personnes qui s'occupent de lui agissent dans son intérêt et veulent son bien. Pour manifester ces sentiments, les adultes doivent consacrer du temps à l'enfant – l'écouter, lui lire des histoires ou les lire avec lui, jouer avec lui ou simplement rester en sa compagnie. Les contacts physiques (étreintes, caresses) s'avèrent en général réconfortants pour l'enfant et lui montrent qu'il est aimé.

- La fermeté et la cohérence établissent les règles à suivre et les sanctions en cas d'écarts. Ces limites procurent à l'enfant un milieu de vie sûr et prévisible. En définissant pour l'enfant des attentes élevées mais raisonnables, les adultes lui montrent qu'ils lui font confiance et qu'ils croient en ses capacités. Chaque fois qu'il satisfait à l'une de ces attentes, l'enfant gagne en assurance. Il faut que ces règles et ces normes soient suffisamment raisonnables et générales pour guider l'enfant dans les situations inédites, par exemple chez un voisin, dans la cour d'un ami ou en classe. L'enfant a besoin de normes dans les domaines suivants : la manière de traiter les autres ; le respect de la propriété d'autrui ; l'importance de l'honnêteté ; les habitudes quotidiennes (les préparatifs matinaux, les devoirs, les tâches ménagères, le coucher).

- L'enfant doit bénéficier de commentaires positifs venant des gens qui comptent beaucoup pour lui : ses parents, ses grands-parents, ses frères et ses sœurs aînés, ses enseignants, ses amis. Les commentaires que l'enfant reçoit peuvent être plus importants que les résultats qu'il a réellement obtenus. Les félicitations ou les encouragements consolident l'identité et le concept de soi.

- Pour motiver l'enfant, les adultes doivent établir des attentes raisonnables, l'aider à se fixer des buts stimulants mais réalistes, manifester leur confiance dans ses capacités et l'aider à approfondir et à élargir ses centres d'intérêt, ses talents et ses aptitudes. Les buts fournissent à l'enfant une direction à suivre et une base pour mesurer sa réussite. Ils contribuent par conséquent à l'acquisition d'un bon concept de soi.

- L'enfant qui grandit dans une famille dont les membres se valorisent beaucoup les uns les autres acquiert généralement un bon concept de soi et se porte plus d'estime et d'affection. En aidant l'enfant à atteindre les objectifs qu'il chérit, les adultes l'amènent à avoir plus confiance en lui, à se sentir plus compétent et à devenir autonome.

Adolescent

- Confier à l'adolescent des responsabilités de plus en plus importantes. Il est fondamental que l'adolescent remporte des succès et soit obligé de faire face à l'échec, et qu'il soit exposé aux conséquences de ses comportements (positives ou négatives, selon le cas).

- Établir avec l'adolescent un dialogue sain sur ses préoccupations, qu'il s'agisse de ses problèmes ou de ses erreurs.

- Le féliciter de ses efforts ; souligner l'ensemble de la démarche ayant mené à la réalisation d'un objectif, non seulement le but atteint.

- Lui demander son avis et ses suggestions.

- L'encourager à prendre part aux décisions le concernant ; manifester de l'intérêt pour ses opinions et de la confiance en son jugement.

- Éviter de le comparer à d'autres personnes, de le ridiculiser ou de le punir en public.

- L'aider à se fixer des normes et des buts réalistes.

Adulte

- Analyser avec l'adulte la notion d'estime de soi ; déterminer l'effet de son estime de soi sur ses actions ou ses comportements passés ; définir l'incidence qu'elle pourrait avoir sur ses attitudes et ses décisions actuelles et futures.

- Aider l'adulte à dresser le bilan des forces intérieures et extérieures qui affermissent son estime de soi.

- Lui montrer qu'on le sait capable d'affronter ses difficultés et de trouver ou de retrouver le bonheur et la joie.

- Éviter de le comparer à d'autres personnes.

- Le dissuader de parler de lui-même en termes négatifs.

- L'inciter à recourir aux affirmations susceptibles d'accroître l'estime de soi, par exemple « Je m'aime » ou « Je suis quelqu'un de bien ».

- L'inciter à fréquenter des personnes qui le soutiennent et l'encouragent, c'est-à-dire qui exercent sur lui une influence positive.

- Souligner ses réussites passées (majeures ou mineures).

- L'aider à dresser le bilan de ses qualités et à relire souvent cette liste.

- L'inviter à aider les autres, à leur rendre service : les bons gestes nous valorisent à nos propres yeux.

Personne âgée

La personne âgée souffre souvent d'une détérioration de son estime de soi à cause de la dépendance croissante qui la lie à son entourage. La vieillesse s'accompagne en outre de changements importants : réduction du revenu ; déclin de l'état de santé ; décès d'amis et de proches ; retraite.

En plus d'appliquer les interventions qui précèdent concernant les adultes, l'infirmière mettra en œuvre les techniques suivantes pour aider la personne âgée à améliorer son estime de soi :

- Inviter la personne à participer à la planification de ses propres soins.

- L'écouter exprimer ses inquiétudes.

- L'aider à cerner ses propres forces et à les mettre en œuvre.

- L'encourager à prendre part à des activités qui lui permettront de remporter des succès.

- Lui rappeler qu'elle est appréciée et le lui montrer. L'appeler par son nom et lui demander son avis.

- L'inviter à garder le fil de ses souvenirs. Pour ce faire, elle pourra écrire ou enregistrer son autobiographie, ou conter les anecdotes et les événements de sa vie à ceux qui l'entourent.

- Veiller à ce qu'elle soit toujours traitée avec respect et à ce que sa dignité et son intimité soient préservées en toutes circonstances.

- L'inviter à prendre part à des activités créatives qui feront appel à ses ressources : musique, arts, soirées de contes, confection de courtepointes, photographie, etc.

- Établir avec elle des objectifs réalistes lui permettant d'atteindre des buts. Cette stratégie contribue grandement à stimuler l'estime de soi.

24

Évaluation

Pour déterminer si la personne a atteint les résultats escomptés, l'infirmière analysera les données recueillies dans le cadre de ses interactions avec elle et avec ses proches (rubrique *Diagnostics infirmiers, résultats de soins infirmiers et interventions*, p. 567). Si les résultats escomptés n'ont pas été atteints, l'infirmière devra déterminer les raisons de cet échec. Les questions qui suivent l'aideront dans ce travail :

- D'anciennes dynamiques ou situations ont-elles resurgi, suscitant des comportements ou des sentiments nuisibles pour l'estime de soi ?

- De nouvelles situations stressantes se sont-elles produites, amenant la personne à douter de ses capacités et provoquant une détérioration de son estime de soi ou maintenant celle-ci à un niveau faible ?

- De nouveaux rôles ont-ils accentué le stress de la personne et ses difficultés d'adaptation ?

- L'entourage soutient-il la personne d'une manière adéquate dans les tentatives qu'elle déploie pour améliorer son estime de soi ?

- La personne a-t-elle communiqué avec les spécialistes ou les organismes qui lui avaient été recommandés ? Si oui, lui ont-ils fourni les services qu'elle espérait recevoir ?

- La personne s'était-elle donné trop peu de temps pour résoudre ses problèmes d'estime de soi ?

L'infirmière, la personne et son entourage doivent comprendre qu'il faut du temps et des efforts pour réorienter les convictions, les croyances, les sentiments et les comportements qui déterminent l'estime de soi. Contrairement à certains problèmes physiques qui peuvent guérir très vite, l'amélioration du concept de soi représente une entreprise de longue haleine dont la progression s'avère difficile à mesurer. De nouvelles crises peuvent amener la personne à douter d'elle-même et à renouer avec ses sentiments d'incompétence ou d'inadéquation. Toute personne peut cependant tirer parti de situations nouvelles pour apprendre des stratégies inédites qui l'aideront à mieux s'apprécier.

Révision du chapitre

MOTS CLÉS

Ambiguïté du rôle, **560**	Estime de soi spécifique, **560**	Rôle, **560**
Concept de soi, **555**	Exercice du rôle, **560**	Soi idéal, **558**
Concept de soi global, **556**	Identité personnelle, **559**	Tensions dans l'exercice du rôle, **560**
Conflit de rôles, **560**	Image corporelle, **559**	Traits fondamentaux du concept de soi, **558**
Développement du rôle, **560**	Lieu de contrôle, **563**	
Estime de soi, **560**	Maîtrise du rôle, **560**	
Estime de soi globale, **560**	Pratique relationnelle, **556**	

CONCEPTS CLÉS

- L'acquisition ou le maintien d'un concept de soi positif est indispensable au bien-être physique et psychologique.

- La perception qu'une personne a d'elle-même (perception de soi ou autoperception) ne correspond pas toujours à la façon dont les autres la voient ni à son moi idéal (c'est-à-dire ce qu'elle aimerait être).

- Les interactions avec les personnes significatives de l'entourage établissent les conditions qui détermineront le concept de soi tout au long de la vie.

- Dès qu'une personne devient capable de porter un regard sur elle-même, elle amorce un processus qui durera toute sa vie et par

lequel elle évaluera constamment sa valeur, ses qualités et ses défauts.

- L'enfant qui grandit dans une famille dont les membres se valorisent beaucoup les uns les autres apprend généralement à s'apprécier et à s'aimer lui-même.

- Les facteurs qui déterminent le concept de soi sont notamment le stade de développement, la famille et la culture, les facteurs de stress, les ressources, les antécédents de réussites et d'échecs, la maladie.

- L'infirmière doit examiner les quatre composantes du concept de soi : l'identité personnelle, l'image corporelle, l'exercice du rôle et l'estime de soi.

- Le concept de soi exerçant une influence majeure sur la santé, l'infirmière doit aider la personne souffrant de perturbations à cet égard à se considérer d'une façon plus positive et plus réaliste.

- Pour évaluer d'une manière efficace le concept de soi d'une personne, lui fournir l'aide et le soutien dont elle a besoin et l'inciter à modifier son comportement, il est essentiel que l'infirmière établisse une relation de confiance avec elle.

Références

Beatty, L., Oxlad, M., Koczwara, B., et Wade, T. D. (2008). The psychosocial concerns and needs of women recently diagnosed with breast cancer: A qualitative study of patient, nurse and volunteer perspectives. *Health Expectations, 11*, 331-342.

Bulechek, G. M., Butcher, H. K., et McCloskey Dochterman, J. (2010). *Classification des interventions de soins infirmiers CISI/NIC*, Traduction française de la 5e édition américaine. Issy-les-Moulineaux: Elsevier Masson.

Burkhart, P. V., et Rayans. M. K. (2005). Self-concept and locus of control: Factors related to children's adherence to recommended asthma regimen. *Pediatric Nursing, 31*, 404-409.

Doenges, M. E. (2010). *Diagnostics infirmiers, interventions et bases rationnelles* (5e éd.). Saint-Laurent: Éditions du Renouveau Pédagogique.

Duclos, G. (2009). *L'estime de soi des parents.* Montréal: Éditions du CHU Sainte-Justine.

Duclos, G., Laporte, D., et Ross, J. (1995). *L'estime de soi de nos adolescents: guide pratique à l'intention des parents.* Montréal: Centre hospitalier universitaire de Montréal, Hôpital Sainte-Justine.

Eckroth-Bucher, M. (2001). Philosophical basis and practice of self-awareness in psychiatric nursing. *Journal of Psychosocial Nursing & Mental Health Services, 39*(2), 32-39.

Erikson, E. H. (1963). *Childhood and society* (2e éd.). New York: Norton.

Fourgeyrollas, P., Cloutier, R., Bergeron, H., Côté, J., et St-Michel, G. (1998). *Classification québécoise, processus de production du handicap.* Québec: Réseau international sur le processus de production du handicap.

Harter, S. (1982). The perceived competence scale. *Child development, 53*, 87-97.

Hartrick, G. (1997). Relational capacity: The foundation for interpersonal nursing practice. *Journal of Advanced Nursing, 26*(3), 523-528.

Johnson, M., et Maas, M. (dir.). (1999). *Classification des résultats de soins infirmiers CRSI/NOC.* Paris: Masson.

Laporte, D. (1997). *Pour favoriser l'estime de soi des tout-petits.* Montréal: Éditions de l'Hôpital Sainte-Justine.

L'Écuyer, R. (1978). *Le concept de soi.* Paris: PUF.

L'Écuyer, R. (1994). *Le développement du concept de soi de l'enfance à la vieillesse.* Montréal: Presses de l'Université de Montréal.

Legendre, R. (1993). *Dictionnaire actuel de l'éducation.* Montréal: Guérin.

NANDA International. (2010). *Diagnostics infirmiers: Définitions et classification 2009-2011.* Issy-les-Moulineaux: Elsevier Masson.

Ordre des infirmières et infirmiers du Québec (OIIQ). (2010). *Perspectives de l'exercice de la profession d'infirmière.* Montréal: Auteur. Document consulté le 15 octobre 2010 de http://www.oiiq.org/uploads/publications/autres_publications/263NS_Perspectives_2010_Fr.pdf.

Rowe, J. (1999). Self-awareness: Improving nurse-client interactions. *Nursing Standard, 14*(8), 37-40.

Vallières, E. T., et Vallerand, R. J. (1990). Échelle de l'estime de soi de Rosenberg (1965). Traduction et validation canadienne-française de l'échelle de l'estime de soi de Rosenberg. *Journal international de psychologie, 25*, 305-316.

Vanhook, P. (2009). The domains of stroke recovery: A synopsis of the literature. *Journal of Neuroscience Nursing, 41*(1), 6-17.

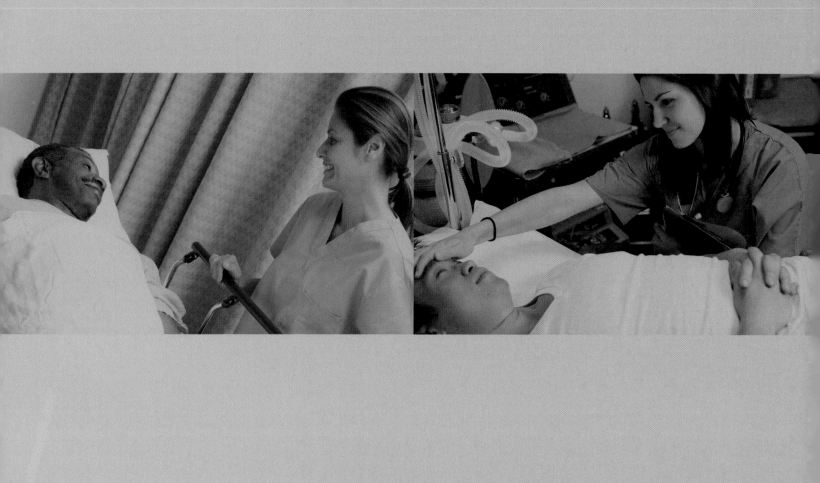

Chapitre 25

Adaptation française :
Liette St-Pierre, inf., Ph.D.
Professeure, Département des sciences infirmières
Université du Québec à Trois-Rivières

OBJECTIFS D'APPRENTISSAGE

Après avoir étudié ce chapitre, vous pourrez :

- Définir la santé sexuelle.
- Décrire les composantes psychologiques de la santé sexuelle.
- Décrire le développement sexuel et les préoccupations relatives à la sexualité pendant chacune des étapes de la vie.
- Indiquer les facteurs qui influent sur la sexualité.
- Énoncer les affections les plus courantes qui ont un effet sur la sexualité.
- Décrire les principales caractéristiques de la stimulation et du cycle de la réponse sexuelle.
- Décrire les changements physiologiques qui touchent les hommes et les femmes pendant le cycle de la réponse sexuelle.
- Reconnaître les dysfonctions sexuelles masculines et féminines.
- Effectuer un bilan des antécédents sexuels.
- Élaborer des stratégies d'information, de promotion et d'enseignement relativement aux structures reproductrices et à leur fonctionnement.
- Indiquer les diagnostics et les interventions infirmiers s'appliquant aux personnes qui présentent des difficultés d'ordre sexuel.

Sexualité

La sexualité est une composante essentielle de l'identité de l'individu. Elle détermine en grande partie ce que nous sommes, ainsi que notre bien-être émotionnel et notre qualité de vie. Tous les êtres humains possèdent en eux des capacités leur permettant de vivre et d'exprimer leur sexualité d'une manière positive et agréable. Il n'est pas indispensable d'être en couple pour vivre sa sexualité. L'idée selon laquelle nous aurions besoin d'une autre personne pour exprimer notre identité sexuelle est non seulement fausse, mais paralysante. Les professionnels de la santé doivent en outre savoir que les personnes ayant besoin de soins n'abandonnent pas pour autant leur sexualité pendant leur hospitalisation : la sexualité fait partie intégrante de l'être humain, quelles que soient les circonstances. La tâche de l'infirmière consiste à prodiguer des soins holistiques, c'est-à-dire qui tiennent compte de la globalité de la personne. À ce titre, elle doit mettre en œuvre des interventions ciblées pour optimiser la santé sexuelle des personnes auxquelles elle donne des soins.

L'approche holistique est globale, c'est-à-dire qu'elle considère que toutes les dimensions de l'être sont reliées et interagissent entre elles. La sexualité dépend ainsi des dimensions biologique, psychologique, sociologique, culturelle et spirituelle de la personne et, en retour, elle les détermine en partie. On ne saurait trop souligner l'importance de la sexualité dans la pratique des soins de santé. Ce sujet doit être abordé et traité dans toute sa subtilité et sa complexité.

Le terme « **sexe** » est celui que l'on utilise le plus couramment pour distinguer les hommes des femmes sur le plan biologique. Le terme « **genre** » désigne l'identité sexuelle des personnes, mais d'un point de vue personnel ou social plutôt que strictement biologique. Par ailleurs, le terme « sexe » s'emploie aussi pour décrire les organes génitaux externes, la sexualité, ainsi que les rapports sexuels en tant que tels : « Qu'est-ce que tu penses du sexe avant le mariage ? » « Le sexe est une dimension importante de la vie de couple. » La **sexualité** comporte de nombreuses composantes : le regard que la personne porte sur son propre corps, l'intérêt qu'elle éprouve envers les rapports sexuels, le besoin qu'elle a de toucher et d'être touchée physiquement, sa capacité à faire connaître ses besoins sexuels à son partenaire, la manière dont elle s'engage dans les rapports sexuels (satisfaisante ou insatisfaisante). Quand une personne suscite un plaisir érotique et s'y abandonne, elle a des rapports sexuels – mais elle explore également sa sexualité et elle l'exprime (Ellison, 2000).

La sexualité est une dimension dynamique de l'être humain qui évolue tout au long de son existence. L'état de santé de la personne ainsi que les changements qui accompagnent son développement peuvent lui imposer certains ajustements dans l'expression de sa sexualité ; la sexualité s'exprime toute la vie, mais de manières diverses selon les périodes et les circonstances.

Santé sexuelle

Tout comme la santé en général, la santé sexuelle est difficile à définir. La plupart des gens n'en ont pas conscience avant qu'elle ne soit compromise par une affection ou un obstacle quelconque. L'Organisation mondiale de la santé (OMS) proposait en 1975 cette définition de la **santé sexuelle**: «une intégration des dimensions somatiques, affectives, intellectuelles et sociales de l'être sexué qui favorise l'épanouissement personnel et l'enrichissement de la personnalité, de la communication et de l'amour» (p. 6). Cette définition reconnaît les dimensions biologiques, psychologique et socioculturelle de la sexualité. Les différentes caractéristiques de la santé sexuelle sont énumérées dans l'encadré 25-1.

La sexualité et le fonctionnement sexuel sont une partie intégrante de la santé globale et du bien-être de l'individu; ils doivent donc également faire l'objet d'évaluations infirmières et, si nécessaire, d'interventions. Ainsi, dans le cadre de ses fonctions, l'infirmière doit pouvoir évaluer sans porter de jugement les pratiques sexuelles de la personne qu'elle soigne, l'inviter à exposer ses inquiétudes et lui proposer des recommandations qui l'aideront à trouver ou à retrouver un bon niveau d'intimité et de fonctionnement sexuel.

Un grand nombre de personnes hésitent à aborder le thème de la sexualité avec les professionnels de la santé. Certains sont gênés, mal à l'aise; d'autres se reprochent d'avoir des problèmes sexuels à notre époque de grande liberté. Si le professionnel de la santé n'évoque pas lui-même le sujet, ces personnes risquent fort de retourner chez elles sans que leurs difficultés aient été résolues, ou même simplement détectées.

L'infirmière doit maîtriser au moins les six compétences suivantes afin de pouvoir aider les personnes à maintenir ou à recouvrer leur santé sexuelle:

- Connaissance d'elle-même et aisance par rapport à sa propre sexualité
- Reconnaissance de la sexualité en tant que domaine important de l'intervention infirmière et volonté d'aider des personnes qui vivent leur sexualité de manières très diverses
- Connaissance des étapes de la croissance et du développement sexuels tout au long de la vie
- Connaissance des dimensions fondamentales de la sexualité, notamment les répercussions des traitements et des problèmes de santé sur la sexualité et la fonction sexuelle, les interventions susceptibles de faciliter l'expression et le fonctionnement de la sexualité
- Compétences en communication thérapeutique
- Capacité à discerner que la personne et sa famille ont besoin d'être informées sur la sexualité par des documents écrits ou audiovisuels, mais aussi dans le cadre de discussions

L'encadré 25-2 vous aidera à faire le point sur vos propres valeurs et opinions au sujet de la sexualité.

ENCADRÉ 25-1
CARACTÉRISTIQUES DE LA SANTÉ SEXUELLE

- Bonnes connaissances de la sexualité et des comportements sexuels
- Capacité d'exprimer pleinement son potentiel sexuel, à l'exclusion de toute forme de coercition, d'exploitation ou d'abus sexuel
- Capacité à prendre des décisions autonomes relativement à sa propre vie sexuelle, dans le cadre de son éthique personnelle et sociale
- Expérience du plaisir sexuel en tant que source de bien-être physique, psychologique, intellectuel et spirituel
- Capacité à exprimer sa sexualité par la communication, le contact physique, la manifestation des sentiments et l'amour
- Droit de prendre des décisions libres et responsables relativement à la procréation
- Accès à des soins de santé de qualité pour la prévention et le traitement de tous les problèmes et troubles d'ordre sexuel

Source: World Association of Sexology. (1999). *Déclaration des droits sexuels.* 14e Congrès mondial de sexologie, Hong-Kong (République populaire de Chine). Reproduction autorisée. http://www.worldsexology.org.

ENCADRÉ 25-2
AUTOÉVALUATION DES VALEURS PERSONNELLES AU SUJET DE LA SEXUALITÉ

- Pour moi, la satisfaction sexuelle, c'est...
- Quand j'imagine mes parents faisant l'amour, je...
- Si je devais intervenir auprès d'une personne transsexuelle, je...
- Quand je pense aux homosexuels hommes et femmes et aux bisexuels, je...
- La masturbation, c'est...
- Pour moi, les rapports sexuels buccogénitaux, c'est...

Dimensions de la santé sexuelle

La santé sexuelle repose sur quatre piliers: l'image de soi sexuelle, l'image corporelle, l'identité sexuelle et l'orientation sexuelle. L'**image de soi sexuelle** est la manière dont la personne se considère en tant qu'être sexuel. L'image de soi sexuelle de la personne conditionne ses préférences: le choix de ses partenaires, les personnes vers lesquelles elle se sent attirée et les modalités de l'expression de sa sexualité – Quand? Où? Avec qui? Comment? Si elle est positive, l'image de soi sexuelle aide la personne à établir des relations intimes tout au long de sa vie. Si elle est négative, elle peut par contre entraver l'établissement de ces relations.

L'*image corporelle* constitue l'une des pierres angulaires du soi; elle est en évolution constante. Ainsi, la grossesse, le vieillissement, les traumatismes, la maladie et les traitements peuvent modifier l'apparence physique et le fonctionnement

---

ALERTE CLINIQUE • Selon leur origine et leur milieu culturel, leur âge, leur sexe, leur parcours et leur personnalité, les infirmiers et les infirmières n'ont pas la même aisance pour parler de sexualité avec les clients. Il leur incombe toutefois de prendre les dispositions nécessaires pour qu'un professionnel qualifié aborde le sujet avec chacune des personnes auxquelles ils prodiguent des soins. •

25

de la personne, et changer ainsi son image corporelle. Or, la sexualité est déterminée en grande partie par la manière dont nous voyons et percevons notre corps. Les gens qui aiment leur corps sont généralement très à l'aise avec l'activité sexuelle et l'apprécient. À l'inverse, ceux qui ont une mauvaise image de leur corps ont souvent tendance à répondre négativement à l'excitation sexuelle. L'insistance des médias à l'égard des canons de la beauté physique, en particulier des poitrines généreuses, a une influence majeure sur l'image corporelle des femmes. De leur côté, nombreux sont les hommes qui s'inquiètent de la taille de leur pénis. En Amérique du Nord, le pouvoir de séduction des hommes est encore associé aux dimensions de leur pénis et à la durée de leurs érections. La persistance de ce mythe peut nuire considérablement à l'image de soi corporelle des hommes qui ont du mal à atteindre l'érection.

L'**identité sexuelle** est l'image de soi en tant qu'homme ou en tant que femme. En plus de la caractérisation biologique, l'identité sexuelle repose sur des dimensions sociales et culturelles. Elle s'inscrit donc dans les normes définies par la culture et la société. L'identité sexuelle est le fruit d'une longue série d'étapes de développement qui peuvent, ou non, correspondre au sexe biologique de la personne considérée. Une fois qu'elle est établie, l'identité sexuelle peut difficilement changer.

L'adjectif « transgenre » s'applique à toutes les personnes dont l'identité ou l'expression sexuelle ne correspond pas à leur anatomie. Ce terme recouvre les catégories de personnes suivantes :

- *Travesti* : homme ou femme qui porte régulièrement des vêtements typiques de l'autre sexe. Le travestisme (ou transvestisme) constitue une expression de l'identité sexuelle, mais pas nécessairement de l'orientation : de nombreux travestis sont hétérosexuels.
- *Intersexué(e)* : personne dont les organes génitaux présentent à la fois des caractères masculins et féminins à la naissance. On employait autrefois le terme « hermaphrodite ».
- *Transsexuel non opéré* : personne s'identifiant de manière permanente à l'autre sexe – c'est-à-dire dont l'identité sexuelle est contraire à l'anatomie. De nombreux transsexuels suivent un traitement hormonal et, dans certains cas, subissent une ou plusieurs interventions chirurgicales dans le but de changer de sexe.
- *Transsexuel opéré* : personne ayant subi un changement de sexe partiel ou complet au moyen d'interventions chirurgicales.

Le *comportement sexuel* est l'expression de la virilité ou de la féminité (telle que la personne considérée la vit), mais aussi l'expression des comportements jugés adéquats pour son sexe. Toutes les sociétés attribuent des rôles bien précis aux hommes et aux femmes. Les petits garçons sont félicités quand ils se comportent « comme des hommes » ; les petites filles sont valorisées quand elles agissent de manière « féminine ».

Différents facteurs déterminent les comportements sexuels, notamment le physique, les opinions personnelles et sociétales rattachées à la définition même de la féminité et de la masculinité, les valeurs familiales et les valeurs culturelles. En Amérique du Nord, l'homme est censé se comporter en pour-voyeur de ressources financières pour sa famille, en partenaire sexuel (hétérosexuel), en père et en athlète. Des comportements précis, tels que porter des pantalons, déployer sa puissance physique, observer une certaine réserve dans l'expression de ses émotions, lui sont assignés. De leur côté, les femmes sont censées extérioriser leurs sentiments avec plus de liberté, voire d'exubérance, et manifester plus de douceur et de réserve dans leurs réactions physiques. La société leur accorde par ailleurs beaucoup plus de choix vestimentaires qu'aux hommes.

Ces stéréotypes sont largement remis en question depuis quelques années. Nombreux sont les hommes qui ont les cheveux longs, qui portent des boucles d'oreille et font usage de produits cosmétiques. À l'inverse, il n'est pas rare de voir des femmes porter des bottes grossières, des jeans et des costumes d'homme. Certains pères élèvent seuls leurs enfants avec amour et tendresse. Un certain nombre de femmes occupent des postes de haute direction ou de cadre supérieur et font preuve dans leur métier d'un sens aigu de la compétition et de l'affirmation de soi.

L'**orientation sexuelle** se définit par l'attirance que l'on éprouve envers les personnes de l'autre sexe, du même sexe, ou des deux sexes. Elle s'inscrit sur un axe dont les deux extrêmes sont l'hétérosexualité exclusive et l'homosexualité exclusive. Les personnes qui sont attirées par les deux sexes sont dites *bisexuelles*.

On comprend encore mal les mécanismes qui déterminent l'orientation sexuelle. Certaines théories biologiques l'expliquent par la génétique. Les théories psychologiques insistent plutôt sur le caractère déterminant des premiers apprentissages et des processus cognitifs. D'autres théories se situent au confluent de ces deux écoles de pensée et affirment que la génétique et l'environnement définissent conjointement l'orientation sexuelle.

Les estimations du pourcentage des homosexuels dans la population sont variables, mais se situent généralement aux alentours de 5 à 10 % chez les hommes et de 2 à 4 % chez les femmes (Rodgers, 2001). Il est toutefois impossible de mesurer avec précision la proportion d'homosexuels de la population nord-américaine, certains gais et certaines lesbiennes préférant tenir leur orientation secrète pour ne pas subir de discrimination.

Les professionnels de la santé doivent s'abstenir de porter quelque jugement de valeur que ce soit sur les personnes qui ont une orientation différente de la leur. Ils doivent aussi s'efforcer de transmettre cette tolérance à toutes les personnes qu'ils côtoient.

Développement de la sexualité

La sexualité se manifeste dès la conception et elle s'épanouit tout au long de la vie. Toutes les sociétés se dotent de normes qui balisent son expression. Le tableau 25-1 décrit les caractéristiques du développement sexuel à chaque âge et précise les interventions infirmières à mettre en œuvre ainsi que les informations à fournir aux clients.

TABLEAU 25-1
DÉVELOPPEMENT SEXUEL AU COURS DES ÂGES DE LA VIE

Stade de développement	Caractéristiques	Interventions infirmières et conseils pour informer la personne
Nourrisson De la naissance à 18 mois	Le bébé reçoit son identité sexuelle et sociale : fille ou garçon. Il se distingue petit à petit des autres. Ses parties génitales externes sont sensibles au toucher. Les petits garçons ont des érections péniennes et les petites filles, des sécrétions vaginales lubrifiantes.	Il est normal que l'enfant touche ses parties génitales. L'entourage doit savoir que ce comportement est très fréquent chez les enfants en bas âge.
Trottineur De 1 à 3 ans	L'identité sexuelle continue de se développer. L'enfant devient capable de distinguer les deux sexes et de reconnaître les personnes du même sexe que lui.	Il est normal que l'enfant explore son corps et caresse ses parties génitales. Il utilise des termes enfantins pour désigner les différentes parties de son corps. Il est important que les enfants des familles monoparentales soient en contact avec des adultes des deux sexes.
Enfant d'âge préscolaire De 4 à 5 ans	L'enfant prend de plus en plus conscience de lui-même. Il explore son propre corps et celui de ses camarades de jeux. Il apprend à nommer correctement les différentes parties du corps. Il apprend à contrôler ses émotions et son comportement. Il focalise son amour sur le parent de l'autre sexe.	Répondre d'une manière simple et honnête aux questions portant sur la provenance des enfants : « D'où viennent les bébés ? » Les parents ne doivent pas réagir d'une manière démesurée si l'enfant explore ses parties génitales et se masturbe, car l'enfant risquerait de considérer le sexe comme sale, « pas bien »…
Enfant d'âge scolaire De 6 à 12 ans	L'enfant s'identifie très fortement au parent du même sexe que lui. Il s'entoure plutôt d'amis du même sexe que lui. Il a de plus en plus conscience de lui-même. Il est extrêmement pudique et souhaite que son intimité soit respectée. Il maintient ses comportements d'autostimulation. Dans le cadre du développement de son image de soi globale, il apprend les rôles et les caractéristiques de son sexe tels qu'ils sont définis par la société. Vers l'âge de huit ou neuf ans, l'enfant commence à s'intéresser aux comportements sexuels spécifiques et pose souvent à ses parents des questions explicites sur la sexualité et la procréation.	Fournir aux parents et aux enfants l'occasion d'exprimer leurs préoccupations et de poser des questions sur la sexualité. Répondre à toutes les questions par des données factuelles et, le cas échéant, fournir des livres et autres documents sur les sujets abordés. Conseiller aux parents de discuter dans les grandes lignes des principaux thèmes de la sexualité avec leurs enfants dès qu'ils ont une dizaine d'années : rapports sexuels, menstruation, procréation. Remettre aux enfants des documents écrits, puis les analyser avec eux.
Adolescent De 12 à 18 ans	Les caractères sexuels primaires et secondaires se développent. La ménarche (apparition des premières règles) survient généralement pendant cette période. L'adolescent établit des relations avec d'éventuels partenaires. La masturbation est courante à cet âge. Un certain nombre d'adolescents sont actifs sexuellement.	Il est important que les adolescents soient informés sur les changements qui touchent leur corps. Le groupe d'amis joue un rôle très important à cette époque de la vie et contribue à la constitution des rôles sexuels sociaux. Les fréquentations et le flirt aident les adolescents à se préparer à leurs rôles d'adultes. Les parents exercent une influence importante sur les croyances, les convictions et les valeurs au sujet du comportement. Les adolescents ont besoin d'informations sur la contraception et sur la prévention des infections transmissibles sexuellement et par le sang (ITSS).
Jeune adulte De 18 à 40 ans	La plupart des jeunes adultes sont actifs sexuellement. Ils établissent leur propre mode de vie et leurs valeurs. Les couples partagent en général les obligations financières et les tâches ménagères.	Les jeunes adultes ont souvent besoin d'informations sur la prévention des grossesses non désirées (contraception ou abstinence). Ils ont besoin d'informations sur la prévention des ITSS.

TABLEAU 25-1 *(suite)*

Stade de développement	Caractéristiques	Interventions infirmières et conseils pour informer la personne
		Ils doivent savoir qu'il est important de maintenir une bonne communication avec leur partenaire pour comprendre ses besoins sexuels et pour surmonter les problèmes et les périodes de stress.
Adulte d'âge mûr De 40 à 65 ans	Les sécrétions hormonales baissent chez l'homme et chez la femme. La ménopause touche les femmes généralement entre 40 et 55 ans. Le climatère masculin survient graduellement. Les adultes d'âge mûr accordent plus d'importance à la qualité de leurs relations sexuelles qu'à leur nombre. Ils définissent leurs propres normes morales et éthiques.	À cet âge, hommes et femmes ont souvent besoin d'aide pour s'adapter à l'évolution de leurs rôles. Ils peuvent aussi avoir besoin de conseils pour redéfinir l'utilisation qu'ils font de leur énergie. Inciter les couples à voir les aspects positifs de cette étape de la vie.
Personne âgée À partir de 65 ans	En général, l'intérêt envers l'activité sexuelle persiste. Les relations sexuelles sont parfois moins fréquentes. Les sécrétions vaginales de la femme diminuent et sa poitrine s'atrophie. L'homme sécrète moins de sperme et a besoin de plus de temps pour atteindre l'érection et pour éjaculer.	La plupart des personnes âgées restent actives sexuellement. Les couples ont dans certains cas besoin de conseils pour adapter leurs besoins affectifs et sexuels à leurs limitations physiques.

De la naissance à 12 ans

Fille ou garçon: dès la naissance, l'entourage assigne un sexe (social) à l'enfant. À trois ans commence à se développer l'identité sexuelle. L'enfant d'âge préscolaire découvre son corps et celui des autres. Les comportements sexuels sociaux s'acquièrent à l'âge scolaire.

Comme le prouvent les ultrasons, le fœtus de sexe masculin peut avoir des érections plusieurs mois avant la naissance. Les érections se poursuivent après la naissance. Puisque chez les nouveau-nées, on constate à la naissance une lubrification vaginale, on peut présumer qu'elle peut se produire avant la naissance également. Lorsque les nourrissons découvrent leurs doigts et leurs orteils, ils découvrent également leurs parties génitales. Bien qu'ils semblent éprouver une sensation agréable lorsqu'on touche leurs parties génitales, on ne peut parler dans leur cas d'une expérience sexuelle. Vers l'âge de trois ans, l'enfant commence à se masturber de façon plus délibérée, et l'orgasme est assez fréquent, bien que les garçons n'éjaculent qu'après la puberté. Vers l'âge de deux ans et demi ou trois ans, les enfants savent à quel sexe ils appartiennent et commencent à comprendre les différences entre les parties sexuelles des filles et des garçons.

Vers l'âge de 9 ou de 10 ans commencent à se manifester les changements physiques qui caractérisent la puberté – les seins commencent à se former et les premiers poils pubiens apparaissent. Avec la maturation des surrénales, la production d'œstradiol et de testostérone augmente, ce qui contribue aux premières expériences d'attirance sexuelle vers une autre personne.

Adolescent

Les caractères sexuels primaires et secondaires se développent au début de l'adolescence, vers l'âge de 12 ou 13 ans. Il est important que les adolescents soient bien informés sur les changements qui surviennent dans leur corps. Chez les garçons, les testicules et le scrotum grandissent, la peau qui recouvre le scrotum devient plus foncée, les poils pubiens poussent, la sudation axillaire s'amorce. Il faut environ cinq à six ans pour que les parties génitales de l'adolescent atteignent leur taille adulte. Chez la fille, le bassin et les hanches s'élargissent, la poitrine se développe, les poils pubiens poussent, la sudation axillaire s'amorce, les sécrétions vaginales deviennent laiteuses et passent d'un pH alcalin à un pH acide.

Bien qu'il soit difficile d'extrapoler des données statistiques sur des vastes populations à des populations particulières, il est généralement accepté que l'expérimentation sexuelle commence actuellement à un plus jeune âge que durant les décennies passées. Une étude a révélé que les premières expériences sexuelles ont eu lieu entre l'âge de 10 et de 16 ans chez le tiers d'un échantillon d'environ 10 000 jeunes adultes (Kaestle, Halpern, Miller et Ford, 2005).

Il est primordial que les filles soient informées sur la **menstruation** (**règles**), écoulements sanguins mensuels qui commencent à la puberté, ainsi que sur les mesures précises d'hygiène qui y sont associées. La plupart des adolescentes ont des règles irrégulières, surtout au début de leur puberté, et elles peuvent éprouver un fort sentiment de honte si elles tachent leurs sous-vêtements ou leurs vêtements. On doit par conséquent leur expliquer les signes subtils annonçant l'éminence des règles: gonflement et sensibilité accrue des seins, rétention d'eau (sensation d'être enflée, apparition de boutons ou éruptions cutanées, etc.). Par ailleurs, on devra les renseigner sur les différentes protections féminines existant sur le marché (par exemple serviettes ou tampons). Les parents et l'infirmière conseilleront à l'adolescente de bien se laver les mains avant

25

de mettre un tampon, de changer fréquemment de tampon, d'alterner tampons et serviettes, et d'utiliser de préférence des serviettes pour la nuit. Ces précautions éviteront le risque d'infection. Pour prévenir les odeurs désagréables et les infections, la jeune fille doit nettoyer soigneusement ses parties génitales et s'essuyer de l'avant vers l'arrière.

La **dysménorrhée** (règles douloureuses) est très courante chez les adolescentes. Elle se caractérise par des désagréments qui peuvent durer entre quelques heures et trois jours : crampes, douleurs dans le bas-ventre qui irradient jusque dans le dos et le haut des cuisses, nausées, vomissements, diarrhée, maux de tête. La dysménorrhée est causée par de fortes contractions utérines qui provoquent de l'ischémie et donc des crampes douloureuses. On peut atténuer ces symptômes par diverses mesures : repos (rester couchée), analgésiques ordinaires (aspirine ou autres), application de chaleur sur l'abdomen, exercices physiques ciblés, rétroaction biologique (chapitre 13 ⊂⊃), prise d'antiinflammatoires non stéroïdiens, tels que l'ibuprofène (Motrin ou Advil).

Tous les adolescents aimeraient être davantage renseignés sur leurs comportements sexuels, mais la gêne les empêche souvent d'aborder le sujet avec leurs parents. Il incombe aux infirmières, aux établissements scolaires et aux familles de leur procurer des informations exactes et complètes. Lors de la collecte des données, l'infirmière demandera à l'adolescent ce qu'il sait des relations sexuelles, de la contraception et de la procréation. Les informations dont les adolescents disposent reposent souvent sur des rumeurs et des mythes, très rarement sur des faits. L'infirmière donnera à l'adolescent des informations factuelles sur le sexe, les activités sexuelles et leurs conséquences, le droit de chacun d'exprimer sa sexualité d'une manière qui lui convienne et les responsabilités qui lui incombent relativement à l'activité sexuelle.

Les infections transmissibles sexuellement et par le sang (ITSS) sont les infections bactériennes les plus fréquentes chez les adolescents. Les filles et les garçons de cette tranche d'âge ont besoin d'informations exhaustives et claires sur ces maladies, leur prévention et leur traitement. Le tableau 25-2 dresse la liste des symptômes des principales ITSS pour lesquelles les adolescents devraient toujours consulter un médecin. L'infirmière informera également les adolescents sur les différentes méthodes de contraception : abstinence, pilule, diaphragme, dispositif intra-utérin (stérilet), méthode du calendrier (abstinence périodique ; continence périodique ; méthode des rythmes), condom.

Jeune adulte et adulte d'âge mûr

Nombreux sont les hommes et les femmes qui commencent à établir des relations intimes à long terme au début de l'âge adulte. Ces relations peuvent prendre diverses formes : fréquentation sans cohabitation, cohabitation amoureuse ou encore mariage. Par ailleurs, certaines personnes ne tissent pas de rapports intimes durables avant la fin de l'âge adulte ; d'autres ne formeront jamais de couple de leur vie.

Les jeunes hommes et les jeunes femmes se demandent souvent ce qui constitue une réponse sexuelle normale, tant pour eux-mêmes que pour leurs partenaires. Dans les relations hétérosexuelles, ce problème survient parfois en raison des différences fondamentales qui distinguent les hommes des femmes, autant dans leurs attentes que dans leurs réactions. Les couples gais et lesbiens ont généralement moins de difficultés dans ce domaine. Il est important que les partenaires du couple se fassent mutuellement connaître leurs besoins dès le début de leur fréquentation afin que leur relation intime s'établisse sur de bonnes bases et se développe de manière satisfaisante pour les deux. Les jeunes adultes doivent par ailleurs se rappeler que les besoins et les attentes sexuels changent au fil du temps ; chacun des deux partenaires doit par conséquent rester à l'écoute de l'autre et répondre à ses besoins.

Les sécrétions hormonales des deux sexes baissent à l'âge mûr, ce qui déclenche le climatère, étape de la vie appelée **ménopause** chez la femme. Cette étape affecte généralement l'image de soi sexuelle, l'image corporelle et l'identité sexuelle de la personne.

Pendant toute la période qui précède la ménopause (périménopause), les femmes sont sujettes aux bouffées de chaleur, à l'instabilité vasomotrice, aux perturbations du sommeil, à la sécheresse vaginale, à l'atrophie des voies génitales, aux sautes d'humeur et aux changements touchant la peau, les cheveux et les ongles. L'incidence de l'ostéoporose et des affections cardiovasculaires augmente. La prise de poids représente souvent une source d'inquiétude pour les femmes pendant cette période. Jusqu'à tout récemment, l'hormonothérapie substitutive (HTS) était très souvent prescrite pour éliminer les symptômes de la ménopause. Des recherches récentes ayant indiqué qu'elle accroît le risque d'affection cardiaque et de cancer du sein, les femmes renoncent de plus en plus à ces traitements et les remplacent par des produits naturels, tels que le soja, afin d'atténuer les désagréments de la périménopause. Comme les œstrogènes, la testostérone est sécrétée par les ovaires et les glandes surrénales, et elle décline graduellement au fil des ans. Or, des travaux de recherche ont démontré que cette hormone stimule le désir sexuel (libido) et la réponse sexuelle chez de nombreuses femmes (Berman et Berman, 2001).

Le climatère masculin n'est pas aussi pénible à supporter que la ménopause, car les changements se font de manière plus graduelle. La plupart des spécialistes estiment même que les hommes ne traversent pas de véritable âge critique et que la baisse de leur libido serait plutôt reliée au déclin de leurs forces physiques et au vieillissement généralisé des tissus corporels. Même si le taux de testostérone diminue avec les ans, les hommes peuvent rester fertiles jusqu'à un âge très avancé.

Personne âgée

Les personnes âgées donnent généralement de la sexualité une définition beaucoup moins restrictive que les personnes plus jeunes. Elles y intègrent le simple toucher, les étreintes, les accolades, les gestes romantiques (par exemple offrir des roses ou en recevoir), la chaleur humaine, l'affection, l'élégance, la coquetterie, la joie, la spiritualité et la beauté. L'intérêt envers l'acte sexuel ne disparaît pas avec l'âge. Les hommes ont cependant besoin de plus de temps pour atteindre l'érection et pour

TABLEAU 25-2
SIGNES CLINIQUES DES INFECTIONS TRANSMISSIBLES SEXUELLEMENT ET PAR LE SANG (ITSS)

Infection	Adolescent/Homme	Adolescente/Femme
Gonorrhée	Miction douloureuse ; urétrite avec écoulement blanchâtre pouvant devenir purulent.	Parfois asymptomatique ; ou bien : écoulement vaginal ; douleurs ; miction anormalement fréquente.
Syphilis	Chancre non douloureux qui est situé généralement sur le gland, et qui guérit en quatre à six semaines ; symptômes secondaires : éruption cutanée ; fièvre modérée ; inflammation des ganglions lymphatiques. (Les symptômes secondaires persistent entre six semaines et six mois après la guérison du chancre.)	Chancre sur le col de l'utérus ou autre zone génitale (il guérit en quatre à six semaines) ; symptômes : les mêmes que chez l'homme.
Condylomes acuminés (crêtes-de-coq ; acanthome infectieux ; végétations vénériennes)	L'infection est causée par le virus de la verrue humaine (virus du papillome). Elle se manifeste par des lésions isolées ou des lésions par grappes qui se développent sur le prépuce ou en dessous, autour du méat urinaire ou sur le gland. Ces lésions sont dures et jaune grisâtre dans les régions cutanées sèches ; elles sont roses ou rouges, molles et en forme de chou-fleur dans les zones humides.	Certaines souches du virus de la verrue humaine peuvent favoriser le développement du cancer du col de l'utérus. Les lésions touchent la partie inférieure du canal vaginal, le périnée, les lèvres vaginales, les parois intérieures du vagin et le col de l'utérus.
Infections à *Chlamydia*	Miction anormalement fréquente ; écoulement urétral clair ou mucopurulent.	Les adolescentes/femmes sont souvent porteuses. Écoulement vaginal ; dysurie ; miction anormalement fréquente.
Trichomonase	Démangeaisons légères ; humidité à l'extrémité du pénis ; écoulement urétral léger au petit matin. La plupart des adolescents/hommes sont asymptomatiques.	Démangeaisons et rougeurs de la vulve et de la peau à l'intérieur des cuisses.
Candidose (infection à *Candida albicans*)	Démangeaisons ; irritation ; écoulements ; plaques de matière blanchâtre sous le prépuce.	Rougeurs et excoriation de la vulve.
Syndrome d'immunodéficience acquise (sida)	Les symptômes apparaissent entre plusieurs mois et plusieurs années après l'infection virale. La personne est davantage prédisposée aux autres affections, car son immunité naturelle perd de son efficacité. En l'absence d'autres causes, les symptômes suivants peuvent être révélateurs de la maladie : sudation nocturne excessive persistante ; fatigue extrême ; perte de poids importante ; inflammation des ganglions lymphatiques du cou, des aisselles ou des aines ; diarrhée persistante ; éruptions cutanées ; vision floue ou maux de tête chroniques ; toux forte et sèche ; tunique épaisse gris-blanc sur la langue ou dans la gorge.	
Herpès génital (*Herpes simplex* des parties génitales)	L'herpès primaire se manifeste par des lésions douloureuses ou de grandes vésicules discrètes (espacées) qui n'éclatent qu'après plusieurs semaines. L'herpès récidivant cause plus de démangeaisons que de douleur, et il dure entre quelques heures et 10 jours.	

👥 LES ÂGES DE LA VIE

PERSONNES ÂGÉES

C'est bien quand les adultes se chuchotent sous les couvertures. Leur extase est plutôt soupir feuillu que braiement [sic] et le corps est le véhicule, pas le but. Ils cherchent, les adultes, quelque chose au-delà, bien au-delà et bien bien en dessous de la chair. [...] Ils sont intérieurement l'un vers l'autre [...].

Cette citation, extraite de *Jazz*, de Toni Morrison, Prix Nobel de littérature 1993, dépeint très exactement la sexualité des personnes âgées. La sexualité ne change pas quand on vieillit, mais la façon de l'exprimer évolue. Quand une personne âgée se sent bien avec elle-même, elle peut sans aucun problème continuer de tisser des relations significatives avec autrui. Nous étudierons dans ce chapitre les changements sexuels associés à l'âge ainsi que les autres facteurs susceptibles d'altérer le fonctionnement sexuel. Toute infirmière sensible à ces changements et aux défis qu'ils représentent pour la personne âgée sera mieux outillée pour définir des interventions efficaces, tout en aidant les personnes auxquelles elle donne des soins à préserver leur dignité et leur estime de soi.

éjaculer ; l'érection exige une stimulation génitale directe plus soutenue ; le volume de l'éjaculat diminue ; l'intensité des contractions orgasmiques peut être plus faible. La période réfractaire qui suit l'orgasme tend également à s'allonger avec les années.

Les femmes plus âgées ne perdent pas la possibilité d'atteindre des orgasmes multiples et peuvent même constater un accroissement de leur désir sexuel après la ménopause. Cependant, la ménopause et la diminution du taux d'œstrogènes font diminuer la lubrification et l'élasticité vaginales ; par ailleurs, les différentes phases du cycle de la réponse sexuelle peuvent s'allonger. La sécheresse vaginale ainsi que certaines affections chroniques (par exemple le diabète ou l'arthrite) rendent parfois les activités sexuelles douloureuses (dyspareunie), notamment la pénétration. Le manque d'intimité peut également poser problème aux personnes âgées qui vivent chez leurs enfants ou dans un établissement de soins ou de réadaptation.

Facteurs influant sur la sexualité

De nombreux facteurs exercent une influence importante sur la sexualité de l'individu : le stade de développement (voir plus haut), le milieu culturel, les valeurs religieuses, la morale personnelle, l'état de santé et les traitements médicamenteux.

Milieu culturel

La sexualité est largement régie par le milieu culturel. Ainsi, la culture détermine en grande partie la nature sexuelle des vêtements, les règles relatives au mariage, les normes du comportement et des responsabilités sociales ainsi que les pratiques sexuelles. Les attitudes sociétales varient considérablement d'un groupe culturel à l'autre. Certains laissent les enfants se livrer à des jeux sexuels seuls ou avec d'autres enfants du même sexe ou de l'autre sexe ; d'autres répriment ces expérimentations. L'homosexualité et le coït prémarital et extraconjugal sont tolérés dans certaines cultures, mais complètement prohibés dans d'autres. La polygamie (coexistence de plusieurs épouses) ou la polyandrie (coexistence de plusieurs époux) constitue la norme dans certaines sociétés, alors que d'autres imposent la monogamie ou la monoandrie. Les rôles des femmes et des hommes varient aussi considérablement d'une culture à l'autre. Par exemple, dans la tradition iranienne, les femmes ne sont pas autorisées à travailler à l'extérieur de la maison.

Diverses pratiques sexuelles caractérisent les sociétés, notamment les rites pubertaires, la parure corporelle, l'excision du clitoris et autres mutilations génitales féminines (MGF). En Afrique et chez les Aborigènes d'Australie, la circoncision (ablation du prépuce) compte au nombre des rites pubertaires des adolescents de sexe masculin. Dans certains pays, telle la République démocratique du Congo, la scarification (formation de cicatrices très visibles) est utilisée comme technique de parure du corps féminin. Par exemple, à quatre ou cinq ans, des cicatrices en forme de bourrelets (chéloïdes) peuvent être dessinées sur le corps des petites filles du haut de la poitrine jusqu'à l'aine. L'excision du clitoris et d'autres mutilations génitales chez les fillettes sont toujours pratiquées en Afrique : elles consistent à couper le clitoris, les petites lèvres ou les grandes lèvres ; l'infibulation consiste à coudre ensemble les grandes lèvres pour fermer le vagin. La justification de ces mutilations sexuelles varie d'une société à l'autre. L'infibulation sert parfois à garantir la virginité de la jeune mariée. L'excision clitoridienne réduit considérablement la libido de la femme et diminue ainsi le risque d'adultère féminin. En 1980, l'OMS et le Fonds des Nations

Unies pour l'enfance (UNICEF) ont recommandé à l'unanimité l'abolition de toutes les formes de mutilation génitale féminine. En 1996, le Congrès des États-Unis a adopté une loi aux termes de laquelle la pratique d'une mutilation sexuelle sur une fille de moins de 18 ans est désormais considérée comme un crime fédéral (Brady, 1998).

L'infirmière doit être consciente des facteurs culturels et elle doit en tenir compte dans ses interventions lorsqu'elle fournit des renseignements sur la sexualité ; en effet, les personnes auxquelles elle prodigue des soins (ainsi que les autres professionnels de la santé) peuvent avoir un point de vue très différent du sien. Pour en savoir plus sur l'influence de la culture sur les soins de santé, voir le chapitre 12 .

Valeurs religieuses

La religion exerce une influence importante sur l'expression de la sexualité. Elle fournit des lignes de conduite qui encadrent le comportement sexuel et définissent les circonstances dans lesquelles celui-ci peut être considéré comme acceptable. Elle circonscrit aussi les comportements sexuels interdits et énonce les sanctions en cas d'infraction. Selon le cas, ces règles peuvent être précises et strictes ou, au contraire, générales et flexibles. Ainsi, certaines religions considèrent toutes les activités sexuelles autres que le rapport homme/femme comme contraires à la nature et estiment que la virginité doit absolument être préservée jusqu'au mariage.

De nombreuses valeurs religieuses vont à l'encontre des manières de vivre plus souples adoptées dans la société occidentale depuis quelques dizaines d'années – depuis ce que l'on a appelé la « révolution sexuelle ». Par exemple, les relations sexuelles avant le mariage, la maternité hors mariage, l'homosexualité et l'avortement ne suscitent plus autant de réprobation qu'autrefois. Ces conflits entre valeurs religieuses et valeurs sociales provoquent chez certaines personnes une angoisse très profonde, voire des dysfonctions sexuelles.

Morale personnelle

Même si la morale fait partie intégrante de la religion, de nombreuses personnes soustraient leur réflexion morale aux prescriptions religieuses dans le cas précis de la sexualité. Des personnes et des groupes se sont ainsi dotés d'un code de conduite écrit ou non écrit reposant sur des principes éthiques ou moraux. Tel comportement considéré comme bizarre, pervers ou mauvais par certains peut sembler tout à fait naturel et souhaitable à d'autres. Ainsi, la masturbation, les relations sexuelles buccogénitales et anales et le travestisme ne sont pas unanimement acceptés ni rejetés dans la société. D'une manière générale, notre société tolère de nombreuses formes d'expression sexuelle, à condition qu'elles soient pratiquées entre adultes consentants et en privé, et qu'elles ne présentent aucun danger. Afin d'éviter que leur vie sexuelle soit entièrement régie par les décisions de l'un des partenaires au détriment de l'autre, certains couples ont besoin d'explorer différentes expressions de la sexualité et de garder une communication constante à ce sujet.

État de santé

Pour atteindre et maintenir le bien-être sexuel, il faut être en bonne santé sur les plans psychologique, corporel et affectif. De nombreux problèmes de santé peuvent en effet entraver l'expression de la sexualité.

Tout au long de sa formation, l'infirmière apprendra quels sont les effets secondaires de nombreuses affections sur la sexualité, telles que les cardiopathies, le diabète, les maladies articulaires, le cancer et les troubles mentaux. Elle étudiera aussi les conséquences de chirurgies comme l'hystérectomie, la prostatectomie et autres interventions radicales, qui portent atteinte à l'image corporelle. Les blessures à la moelle épinière, les amputations traumatiques ou les accidents qui défigurent ont un effet négatif sur le fonctionnement sexuel. La présence d'une ITSS chez l'un des partenaires entraîne la crainte de conta-mination chez l'autre et, souvent, l'évitement de tout contact sexuel. Dans certains cas, la présence de l'ITSS est ignorée par le porteur et la transmission a bel et bien lieu.

Traitements médicamenteux

Les effets secondaires d'un certain nombre de médicaments délivrés sur ordonnance affectent le fonctionnement sexuel. Le tableau 25-3 décrit les effets de certains médicaments sur la sexualité. Par exemple, les antidépresseurs ralentissent parfois l'éjaculation. L'homme peut alors craindre de devenir impuis-sant. Par contre, si la personne est plutôt sujette à l'éjaculation précoce, l'antidépresseur «règle» en quelque sorte ce problème. Certaines drogues, telles que la marijuana, les amphétamines et la cocaïne, stimulent le fonctionnement sexuel. D'autres, au contraire, l'entravent: opioïdes, stéroïdes anabolisants, etc.

TABLEAU 25-3
EFFETS DES MÉDICAMENTS, DE L'ALCOOL ET DES DROGUES SUR LA FONCTION SEXUELLE

Médicament	Effets possibles*
Alcool	Consommation modérée : stimule le fonctionnement sexuel. Consommation prolongée et (ou) en grande quantité : diminue le désir sexuel ; favorise la dysfonction orgas-mique et l'impuissance.
Alphabloquants	Incapacité à éjaculer.
Amphétamines	Réduction de la motivation sexuelle ; orgasme retardé.
Nitrate d'amyle	Intensification de l'orgasme ; vasodilatation ; évanouissements.
Stéroïdes anabolisants	Baisse de la motivation sexuelle ; chez l'homme, atrophie des testicules et infertilité.
Anxiolytiques	Baisse de la libido ; chez la femme, dysfonction orgasmique ; chez l'homme, éjaculation retardée.
Anticonvulsivants	Baisse de la libido ; atténuation de la réponse sexuelle.
Antidépresseurs	Baisse de la libido ; chez la femme, orgasme retardé ou dysfonctions orgasmiques ; chez l'homme, éjaculation retardée ou absence d'éjaculation ; érection douloureuse.
Antihistaminiques	Diminution de la lubrification vaginale ; baisse du désir.
Antihypertenseurs	Baisse de la libido ; incapacité érectile ; dysfonction éjaculatoire.
Antipsychotiques	Baisse de la libido ; chez la femme, dysfonction orgasmique ; chez l'homme, éjaculation retardée ou absente.
Barbituriques	À faible dose : augmentation du plaisir sexuel. À forte dose : baisse du désir sexuel ; dysfonction orgasmique ; impuissance.
Bêtabloquants	Baisse de la libido.
Cardiotoniques	Baisse de la libido.
Cocaïne	Intensification des sensations sexuelles.
Diurétiques	Consommation prolongée : baisse du désir et dysfonction sexuelle.
Marijuana	Diminution de la lubrification vaginale ; baisse du désir sexuel ; dysfonction érectile.
Opioïdes	Effets identiques à ceux de la cocaïne, sauf : utilisation prolongée – baisse du taux de testostérone et baisse de la production spermatique. Inhibition du désir sexuel et de la réponse ; dysfonctions érectile et éjaculatoire.

* L'infirmière et la personne qu'elle soigne doivent déterminer la nature exacte des médicaments utilisés, qu'ils soient en vente libre ou sur ordonnance, car les effets peuvent varier considérablement d'un produit à l'autre au sein d'une même catégorie.

25

Réponse sexuelle et jeux sexuels

La réponse sexuelle et les jeux sexuels font intervenir les dimensions affective, psychologique, physique et spirituelle de la personne – tous paramètres qui déterminent en grande partie la satisfaction sexuelle. Il incombe à l'infirmière d'aider les clients à exprimer leur sexualité d'une manière saine. Pour ce faire, elle doit connaître parfaitement le cycle de la réponse sexuelle.

Cycle de la réponse sexuelle

Les phases habituelles de la réponse sexuelle humaine se produisent dans le même ordre chez l'homme et chez la femme, quelle que soit leur orientation sexuelle. Par ailleurs, que l'activité sexuelle soit motivée par un amour véritable ou par un désir charnel totalement exempt d'attachement, la réponse sexuelle se développe selon le même schéma. Le tableau 25-4 résume les changements physiologiques survenant à chacune des étapes de ce cycle.

TABLEAU 25-4
CHANGEMENTS PHYSIOLOGIQUES DU CYCLE DE LA RÉPONSE SEXUELLE

Phase du cycle de la réponse sexuelle	Signes présents chez les deux sexes	Signes présents seulement chez l'homme	Signes présents seulement chez la femme
Excitation/ plateau	Intensification de la tension musculaire à mesure que l'excitation augmente Rougeur (généralement sur la poitrine) Érection des mamelons	Érection du pénis; augmentation de la taille du gland à mesure que l'excitation augmente Apparition de quelques gouttes de liquide lubrifiant pouvant contenir du sperme	Érection du clitoris Lubrification vaginale Dans certains cas, la taille des lèvres est doublée ou triplée Gonflement des seins Élargissement et allongement des deux tiers intérieurs du vagin; gonflement et resserrement du tiers extérieur du vagin Élévation de l'utérus
Orgasme	Augmentation de la fréquence respiratoire, parfois jusqu'à 40 respirations par minute Spasmes involontaires des groupes musculaires de tout le corps Diminution des perceptions sensorielles Contractions involontaires du sphincter anal Apogée de la fréquence cardiaque (110-180 bpm), de la fréquence respiratoire (40/min ou plus) et de la pression artérielle (systolique: 30-80 mm Hg; et diastolique: 20-50 mm Hg au-dessus de la normale)	Contractions rythmiques expulsives du pénis à 0,8 seconde d'intervalle Émission du liquide séminal dans l'urètre prostatique par contraction du canal déférent et des organes connexes (phase 1 de l'émission éjaculatoire) Fermeture du sphincter intérieur de la vessie juste avant l'éjaculation (pour éviter l'éjaculation rétrograde, c'est-à-dire l'acheminement du sperme dans la vessie) Orgasme possible sans éjaculation Émission du sperme par l'urètre pénien et le méat urétral Puissance de l'éjaculation: variable d'un homme à l'autre et selon les circonstances; elle diminue cependant après les deux ou trois premières contractions (stade 2 de l'émission)	Plate-forme orgasmique: environ 5 à 12 contractions à 0,8 seconde d'intervalle Contraction des muscles du plancher pelvien (périnée) et des muscles utérins Déroulement de l'orgasme: variable – par exemple contractions et pics mineurs; orgasmes multiples; ou orgasme simple et intense, similaire à celui de l'homme
Résolution	Disparition de la vasodilatation en 10 à 30 minutes; disparition de tous les signes de myotonie dans les 5 minutes suivant l'orgasme Parties génitales et poitrine: retour à l'état antérieur à l'excitation (taille et forme) Disparition de l'excitation sexuelle dans l'ordre inverse de son apparition Retour à la normale de la fréquence cardiaque, de la fréquence respiratoire et de la pression artérielle Autres réactions: somnolence, détente, bouffées d'émotions fortes (par exemple pleurs ou rires)	Période réfractaire au cours de laquelle le corps ne répond plus aux stimulations sexuelles; durée: de quelques instants à plusieurs heures ou plusieurs jours, selon l'âge et d'autres facteurs	

25

Le cycle de la réponse sexuelle s'amorce dans le cerveau : c'est la phase du **désir** qui se caractérise par une attirance sexuelle consciente. Les stimuli de l'excitation sexuelle, qu'on appelle généralement stimuli érotiques, peuvent être réels ou symboliques. La vue, l'ouïe, l'odorat, le toucher et l'imagination (les fantasmes) peuvent susciter l'excitation. Le désir sexuel varie considérablement d'une personne à l'autre, mais aussi d'un moment à l'autre chez une même personne. Quand les désirs sexuels conscients sont supprimés ou occultés, la réponse physiologique en est généralement entravée, voire empêchée. Les facteurs psychologiques constituent la cause première du manque de désir sexuel. Cependant, les médicaments, les drogues et les déséquilibres hormonaux peuvent aussi le bloquer.

La phase de l'**excitation/plateau** se caractérise par deux changements physiologiques importants (figure 25-1 ■). La vasodilatation est une augmentation de l'afflux sanguin dans différentes parties du corps. Elle se manifeste par l'érection du pénis ou du clitoris et par un gonflement des lèvres vaginales, des testicules et des seins. La vasodilatation stimule les récepteurs sensoriels situés dans ces parties du corps. Ces récepteurs informent alors le cerveau conscient (cortex) de leur état d'excitation. Le cortex interprète généralement cette excitation comme étant le signe d'une sensation agréable. Si la stimulation se poursuit, la vasocongestion augmente jusqu'à cesser brusquement, lors de l'orgasme, ou jusqu'à s'atténuer progressivement. De la même façon, la *myotonie*, une augmentation de la tension musculaire, peut s'intensifier jusqu'à l'orgasme ou atteindre un sommet anorgasmique pour s'estomper ensuite.

La phase de l'**orgasme** est l'apogée involontaire de la tension sexuelle. Elle s'accompagne d'une forte décharge physiologique et psychologique. On la considère généralement comme le maximum mesurable de l'activité sexuelle. Bien que tout le corps y participe, l'orgasme se ressent principalement dans la région pelvienne. Il dure en moyenne de 10 à 30 secondes chez l'homme, et de 10 à 50 secondes chez la femme. L'homme a généralement une *éjaculation* (émission de sperme) au moment de l'orgasme. Les garçons prépubères et les hommes âgés atteignent l'orgasme sans éjaculer.

La phase de la **résolution** est celle du retour au calme : l'excitation disparaît. Elle dure généralement de 10 à 15 minutes après l'orgasme, ou plus longtemps en l'absence d'apogée orgasmique. Cette phase est très variable chez la femme : certaines atteignent plusieurs fois l'orgasme, puis amorcent une phase plus longue de résolution.

Jeux sexuels

La notion de « jeux sexuels » évoque immédiatement dans les esprits l'acte sexuel proprement dit : on imagine deux personnes emportées par une passion torride. En fait, la majeure partie de notre activité sexuelle ne correspond pas à cette description.

Tout au long de la vie, les fantasmes sexuels ainsi que le sexe en solitaire constituent les exutoires sexuels les plus courants pour les hommes comme pour les femmes, pour les célibataires comme pour les personnes en couple, et pour les hétérosexuels comme pour les homosexuels et les bisexuels. La *masturbation* est l'aventure, la liaison permanente que chacun d'entre nous entretient avec lui-même, à chaque âge de sa vie. C'est par elle que nous découvrons nos sensations érotiques et que nous nous familiarisons avec notre réponse sexuelle. La masturbation mutuelle apporte souvent aux partenaires intimité et plaisir sexuel et elle leur permet ainsi d'avoir des relations génitales quand ils se sentent prêts. La masturbation à deux constitue par ailleurs une solution de rechange sûre aux rapports sexuels génitaux non protégés (Dodson, 2002).

Le contact sexuel buccogénital d'homme à femme ou de femme à femme s'appelle *cunnilingus*. Il consiste à embrasser, à lécher ou à sucer les parties génitales féminines : mont de Vénus, vulve, clitoris, petites et grandes lèvres, vagin. La *fellation* est une forme de stimulation buccale qui consiste à lécher et à sucer le pénis. Le *69* est la stimulation buccogénitale simultanée et mutuelle des deux partenaires. Les mythes et les préjugés constituent des facteurs majeurs de réticence pour les personnes qui n'ont jamais essayé les relations sexuelles buccogénitales.

L'anus étant une région très innervée, la *stimulation anale* peut représenter une source importante de plaisir sexuel. Elle s'effectue avec les doigts, la bouche ou des jouets sexuels (vibromasseur ou autres). L'anus est entouré de muscles puissants et le rectum n'est pas lubrifié naturellement. Avant d'insérer un doigt ou le pénis dans le rectum, il faut donc s'assurer d'utiliser un lubrifiant hydrosoluble et le partenaire récepteur doit être détendu.

Chez les personnes plus âgées, certains facteurs physiques tels que le niveau d'énergie, la douleur et l'immobilité forcée peuvent avoir un impact important sur les jeux sexuels. La maladie, la faiblesse physique, la dépression et les affections chroniques, qui provoquent des douleurs ou entraînent des incapacités, font généralement baisser la libido. Enfin, un certain nombre de médicaments vendus sur ordonnance peuvent également atténuer le désir sexuel (tableau 25-3).

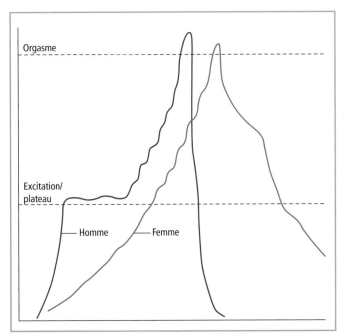

FIGURE 25-1 ■ Cycle de la réponse sexuelle.

25

Les *rapports génitaux* constituent une forme d'activité sexuelle très courante chez les couples hétérosexuels. La pénétration vaginale apporte généralement beaucoup de satisfaction physique et affective aux partenaires. Il existe de nombreuses positions pour ce type de rapport. La plus courante consiste à s'allonger l'un sur l'autre (l'homme sur la femme ou la femme sur l'homme). Les partenaires peuvent également être allongés sur le côté, debout, assis ou en levrette (la femme étant à quatre pattes et l'homme debout ou agenouillé derrière elle). Les stimulations péniennes ou manuelles du clitoris sont plus faciles quand les partenaires sont allongés sur le côté, ou placés en levrette, ou quand l'homme est allongé sur le dos et la femme sur lui. Le choix des activités sexuelles et des positions dépend du degré de confort physique que recherchent les partenaires et de leurs convictions, valeurs et points de vue sur ces différentes pratiques.

Pendant la pénétration, l'homme fait glisser son pénis d'avant en arrière dans le vagin par poussées rythmées de ses hanches. La femme peut également bouger au gré du va-et-vient de son partenaire. Ces mouvements durent jusqu'à ce que l'un des deux partenaires (ou les deux) atteigne l'orgasme. Il est rare et difficile qu'ils jouissent en même temps (orgasme simultané). Après le coït, les étreintes, les caresses et les baisers augmentent le sentiment d'intimité des partenaires.

L'autre type de rapport sexuel génital est la *relation anale*, au cours de laquelle l'un des partenaires introduit son pénis dans l'anus et le rectum de l'autre. La pénétration anale est pratiquée surtout par les hommes homosexuels, mais également par un certain nombre de couples hétérosexuels. Les positions possibles sont les mêmes que pour la relation pénienne-vaginale, avec les adaptations rendues nécessaires par le fait que la pénétration se fait par l'anus et non par le vagin.

À l'heure actuelle, le port du condom s'avère indispensable pour éviter la propagation des affections survenant à l'occasion des relations génitales, qu'elles soient vaginales ou anales. Les régions anale et rectale étant dépourvues de mécanismes d'autolubrification, les partenaires doivent enduire le condom d'un lubrifiant. Par ailleurs, comme l'intestin abrite de façon naturelle une flore bactérienne susceptible de causer des infections dans les autres parties du corps, il convient de retirer le condom après la pénétration anale et d'en mettre un nouveau avant de réintroduire le pénis dans un autre orifice corporel.

Altérations de la fonction sexuelle

La plupart des gens considèrent qu'il est très important d'avoir une vie sexuelle satisfaisante. Cependant, nombreux sont ceux qui éprouvent à un moment ou à un autre de leur vie des difficultés passagères, les empêchant de répondre à la stimulation sexuelle ou de maintenir cette réponse. D'autres, beaucoup moins nombreux, ont de tels problèmes à long terme.

Dysfonctions sexuelles masculines

On distingue trois dysfonctions sexuelles masculines : la dysfonction érectile, l'éjaculation précoce et l'éjaculation retardée. La **dysfonction érectile**, qu'on appelle communément **impuissance**, est l'incapacité à atteindre ou à maintenir une érection suffisante pour connaître une satisfaction d'ordre sexuel et pour satisfaire son ou sa partenaire. Elle peut être causée par des facteurs physiologiques ou psychologiques. Les facteurs physiologiques

---

 PHARMACOLOGIE

INHIBITEURS DE LA PHOSPHODIASTÉRASE DE TYPE 5 (IPDE5)
citrate de sildénafil (Viagra), *tadalafil* (Cialis), *vardénafil* (Levitra)

Client sous médicaments administrés pour corriger le dysfonctionnement érectile (DE)

En présence d'un dysfonctionnement érectile, malgré la stimulation, le pénis ne peut atteindre ou maintenir un degré d'érection suffisant pour permettre un rapport sexuel, souvent à cause d'un apport de sang trop faible. Les médicaments inhibent la décomposition des enzymes et autres substances qui entraînent la relaxation musculaire, favorisant ainsi une irrigation sanguine adéquate du pénis. Par conséquent, ces médicaments n'augmentent pas la libido ni ne guérissent le DE, mais favorisent l'atteinte et le maintien de l'érection.

Responsabilités de l'infirmière

- Les médicaments administrés pour corriger le dysfonctionnement érectile sont contre-indiqués chez les hommes dont l'hypertension n'est pas maîtrisée, ainsi que chez ceux ayant subi un AVC ou qui souffrent de problèmes hépatiques ou rénaux, de cécité ou de troubles sanguins.
- Les hommes qui présentent une déformation anatomique du pénis doivent consulter leur médecin avant de prendre ce type de médicaments.
- Comme ces médicaments ont des teneurs différentes, leur posologie devra probablement être adaptée.

Enseignement au client et à ses proches

- Expliquer au client que les précautions à prendre lors de la prise de ces médicaments sont les mêmes que celles qu'on doit prendre en général avant tout rapport sexuel. Le risque d'issues défavorables des rapports sexuels après la prise de ces médicaments n'est pas accru.
- Prévenir les hommes qui prennent des dérivés nitrés d'ordonnance (comme la nitroglycérine) ou des nitrites d'amyle (« poppers ») pour leurs effets euphorisants qu'ils ne doivent pas prendre d'IPDE5.
- Informer le client qu'il faut prendre ce médicament environ une heure avant une activité sexuelle (au plus tôt, dans les quatre heures qui précèdent) et pas plus souvent qu'une fois par jour.
- Expliquer les effets secondaires à signaler immédiatement au médecin : perte de la vision, érection qui dure plus de quatre heures.
- Informer le client que les autres effets secondaires peuvent être les maux de tête, les douleurs musculaires, les bouffées vasomotrices ou la congestion nasale.
- Prévenir le client que ces médicaments n'empêchent pas la grossesse ni la transmission des ITSS.

Remarque : Avant d'administrer un médicament, quel qu'il soit, consulter un manuel de pharmacothérapie récemment publié ou une autre source fiable.

sont notamment les suivants : (1) trouble neurologique attribuable à des lésions de la moelle épinière, lésions des nerfs génitaux ou du nerf périnéal, intervention chirurgicale majeure (par exemple résection intestinale abdominale-périnéale ou prostatectomie périnéale radicale), diabète de type 1, sclérose en plaques, maladie de Parkinson ; (2) consommation prolongée de drogues ou de médicaments, par exemple : alcool, sédatifs, héroïne, antidépresseurs, antipsychotiques, phénothiazines et antihypertenseurs.

Les facteurs psychologiques se manifestent généralement d'une manière soudaine plutôt que graduelle. Ce sont par exemple : (1) les doutes de l'homme quant à sa masculinité ou à sa capacité à accomplir l'acte sexuel ; (2) la fatigue, la colère ou le stress ; (3) une expérience sexuelle traumatisante (par exemple un rejet) ; (4) l'ennui ressenti à l'égard du ou de la partenaire (Rosen, 2000).

L'**éjaculation précoce** se caractérise par le fait que l'homme ne peut pas retarder son éjaculation suffisamment pour satisfaire son ou sa partenaire. En général, l'éjaculation survient alors même que le pénis a été très peu stimulé. Elle se produit souvent soit au tout début de la pénétration (du vagin, de la bouche ou de l'anus), soit immédiatement après. Elle s'explique dans certains cas par le fait que l'homme a été longtemps contraint d'atteindre rapidement l'orgasme ou qu'il a été soumis de manière prolongée à des exigences trop élevées quant à sa « performance » sexuelle.

L'**éjaculation retardée** est une difficulté ou une incapacité à éjaculer dans les temps habituellement observés. Très souvent, l'homme a du mal à atteindre l'orgasme avec tous ses partenaires, pas seulement avec l'un ou l'une d'entre eux. Comme la dysfonction érectile, l'éjaculation retardée peut être causée par des facteurs physiques ou psychologiques.

Dysfonctions sexuelles féminines

On distingue quatre dysfonctions sexuelles chez la femme : la baisse de la libido, le trouble de l'excitation sexuelle, le trouble de l'orgasme et les troubles sexuels avec douleur. La **baisse du désir sexuel (inappétence sexuelle, anaphrodisie, trouble de la libido)** se caractérise par l'absence persistante ou récurrente de pensées sexuelles ou par un manque complet d'intérêt pour l'activité sexuelle. Différentes circonstances peuvent altérer le désir. Par exemple, la grossesse peut l'atténuer si la femme éprouve une sensation de malaise physique, si elle craint de blesser le fœtus ou si elle se sent moins attirante. Les changements hormonaux post-partum ainsi que la fatigue et l'angoisse qui accompagnent toute femme qui vient d'avoir un enfant peuvent aussi diminuer le désir sexuel. Les mères qui allaitent sécrètent beaucoup de prolactine, une hormone qui atténue considérablement la motivation sexuelle. D'autres facteurs peuvent également intervenir : médicaments, dépression, ménopause (Berman et Berman, 2001).

Le **trouble de l'excitation sexuelle** se définit par l'incapacité d'atteindre ou de maintenir un niveau adéquat de lubrification vaginale, ou par l'atténuation marquée des sensations clitoridiennes et labiales (génitales). Un certain nombre de facteurs peuvent être en cause : diminution de l'afflux sanguin vaginal ou clitoridien, lésions des nerfs génitaux, dépression clinique, etc.

Le **trouble de l'orgasme (trouble orgasmique, trouble orgastique, anorgasmie)** se définit par la difficulté ou l'incapacité à atteindre l'orgasme malgré la stimulation et l'excitation. Si ce trouble a toujours été présent, on le qualifie de *trouble orgasmique primaire*. S'il est attribuable à une intervention chirurgicale, à un trauma ou à une insuffisance hormonale, il s'agit d'un *trouble orgasmique secondaire* (Berman et Berman, 2001).

Les **troubles sexuels avec douleur** sont les suivants : dyspareunie, vaginisme et douleurs génitales. La *dyspareunie* se caractérise par des rapports sexuels rendus douloureux par une lubrification inadéquate, des cicatrices, une affection vaginale ou un déséquilibre hormonal. Le *vaginisme* se définit par des spasmes musculaires involontaires du tiers inférieur du vagin, qui rendent l'introduction du pénis très douloureuse, voire impossible. Il s'agit le plus souvent d'une réponse conditionnée. Les *douleurs génitales* sont des douleurs provoquées par toutes les stimulations sexuelles autres que la pénétration ; leurs causes sont diverses : infections vaginales, mutilations génitales, vestibulite (inflammation du pourtour de l'orifice vaginal) (Berman et Berman, 2001).

Effets des médicaments sur la fonction sexuelle

Bon nombre de drogues et de médicaments vendus sur ordonnance peuvent modifier la libido et la réponse sexuelle, par exemple les dépresseurs du système nerveux central (opioïdes) ; les tranquillisants (anxiolytiques), tels que les barbituriques et les benzodiazépines ; les anticholinergiques (cholinolytiques), tels que l'atropine ; les médicaments cardiovasculaires (antiarythmiques, antihypertenseurs, diurétiques, bêtabloquants, etc.) ; les antidépresseurs et les antipsychotiques ; et enfin l'alcool et les drogues (marijuana, etc.). Il est important d'informer les personnes sur l'effet que pourraient avoir les drogues ou les médicaments qu'elles consomment sur leur fonction sexuelle. Le tableau 25-3 décrit les effets les plus courants de différents produits.

Démarche de soins infirmiers

Collecte des données

Une collecte des données doit systématiquement comporter un bilan de la santé sexuelle de la personne. La nature et la quantité des données recueillies dépendent du contexte – des raisons pour lesquelles la personne sollicite l'intervention d'un professionnel de la santé, mais aussi des interactions entre sa sexualité et ses autres problèmes de santé. La compétence professionnelle de l'infirmière détermine également la précision de l'évaluation de la santé sexuelle.

D'une manière générale, l'infirmière doit établir les antécédents sexuels pour toutes les catégories de personnes suivantes :

- Les personnes qui consultent pour une grossesse, un problème de stérilité, la contraception ou une ITSS.
- Les personnes qui souffrent d'une affection ou suivent un traitement susceptible d'altérer leur fonctionnement sexuel (diabète, problèmes gynécologiques, affection cardiaque, etc.).
- Les personnes qui présentent actuellement un trouble ou un problème d'ordre sexuel.

Anamnèse

L'établissement des antécédents sexuels dans le cadre d'une collecte des données s'avère essentiel pour certaines personnes, secondaire pour d'autres. Quoi qu'il en soit, il reste indispensable d'aborder le sujet de la sexualité afin de permettre à la personne d'exposer ses préoccupations ou ses problèmes éventuels. En établissant les antécédents de la personne, l'infirmière doit donc au moins poser une question ciblée telle que : « Avez-vous constaté des changements dans votre vie sexuelle qui pourraient être causés par votre maladie ou par les médicaments que vous prenez actuellement ? » Pour favoriser l'instauration d'une bonne communication avec la personne qu'elle interroge, elle pourra également dire : « En tant qu'infirmière, je m'intéresse à tous les aspects de votre santé. Qu'ils aient des problèmes de santé ou non, les gens se posent souvent des questions sur la sexualité. Ce thème est abordé dans la collecte des données afin que nous puissions établir une approche thérapeutique vraiment complète. »

L'infirmière ne doit jamais avoir d'*a priori* sur la personne, car cette attitude pourrait l'empêcher d'établir avec exactitude la collecte des données. En partant de l'hypothèse que tous les êtres sont identiques sur ce plan, elle sera davantage réceptive qu'en estimant *a priori* que telle personne est sexuellement active et que telle autre ne l'est pas ; que telle personne a plusieurs partenaires et que telle autre est monogame ; que telle personne se masturbe et que telle autre ne le fait pas. Enfin, l'infirmière doit être consciente du fait qu'elle risque de détériorer ses relations avec les personnes en leur imposant ses valeurs personnelles.

On trouve à la rubrique *Entrevue d'évaluation – Antécédents sexuels* des exemples de questions que l'infirmière peut poser à la personne dans le cadre de l'établissement des antécédents de santé, mais seulement vers la fin de l'entretien, une fois qu'elle aura consolidé sa relation avec elle.

Examen physique

Dans certains établissements ou services, l'examen physique des parties génitales fait partie intégrante de l'examen de routine. L'infirmière doit à ce sujet consulter le protocole de son établissement. Pour en savoir plus sur l'examen physique, voir le chapitre 29 🔗. Si la personne n'a pas été examinée depuis au moins un an, ou si la dernière collecte des données révèle une possibilité de problème, l'infirmière effectuera un examen physique. La collecte des données peut notamment révéler les problèmes suivants :

- Stérilité, grossesse ou ITSS soupçonnées
- Écoulement, masse ou changement dans la couleur, la taille ou la forme d'une partie de l'appareil génital

---

📋 ENTREVUE D'ÉVALUATION

ANTÉCÉDENTS SEXUELS

- Êtes-vous actif sexuellement en ce moment ? Avez-vous des rapports avec des hommes, avec des femmes ou avec les deux ?
- Avec un ou plusieurs partenaires ?
- Quelles sont les dimensions positives et négatives de votre activité sexuelle ?
- Avez-vous des problèmes de désir sexuel ? d'excitation ? d'orgasme ? de satisfaction sexuelle ?
- Les relations sexuelles sont-elles douloureuses pour vous ?
- [En cas de problèmes] Quelle incidence ces problèmes ont-ils sur la manière dont vous vous percevez ? Quelle influence ont-ils sur votre partenaire et sur votre relation ?
- Pensez-vous que votre maladie risque d'altérer votre fonctionnement sexuel ?
- Votre sexualité future préoccupe-t-elle votre partenaire ? Quelles sont ses principales inquiétudes à ce sujet ?
- Avez-vous d'autres questions ou préoccupations concernant la sexualité ?

- Changements dans la fonction urinaire
- Nécessité d'un test de Papanicolaou
- Nécessité d'une méthode contraceptive

Détection des personnes à risque

Les facteurs de risque concernant les altérations de l'activité et des comportements sexuels sont notamment les suivants :

- Altération d'une structure ou d'une fonction corporelle attribuable à un trauma, à une grossesse, à un accouchement récent, à des anomalies anatomiques des parties génitales, ou bien à une affection (voir plus haut dans ce chapitre la section « État de santé », qui décrit les affections les plus susceptibles d'entraver la sexualité)
- Violences physiques, psychosociales, émotionnelles ou sexuelles ; agressions sexuelles
- Défigurement en raison d'une brûlure, d'altérations cutanées, d'un nævus, d'une cicatrice (par exemple mastectomie) et d'une stomie
- Traitements médicamenteux entraînant des problèmes sexuels (tableau 25-3)
- Incapacité physique, temporaire ou durable, empêchant la personne de se laver, de s'habiller, de se maquiller ou de se coiffer – et donc, de rester séduisante
- Conflits entre les convictions personnelles et la doctrine religieuse
- Perte du ou de la partenaire
- Manque de connaissances ou informations erronées sur la sexualité et son expression

Analyse et interprétation

Un certain nombre de diagnostics infirmiers de la NANDA-I s'appliquent spécifiquement à la sexualité, notamment :

- *Habitudes sexuelles perturbées*
- *Dysfonctionnement sexuel*

Démarche de soins infirmiers ⋯▶

La rubrique *Diagnostics infirmiers, résultats de soins infirmiers et interventions* donne des exemples d'applications cliniques de ces diagnostics de la NANDA-I, avec des interventions infirmières et des résultats de soins infirmiers.

Les problèmes d'ordre sexuel peuvent également constituer la cause (le facteur étiologique) d'autres affections, notamment les suivantes :

- *Connaissances insuffisantes*, par exemple sur la conception, les ITSS, la contraception, les changements normaux du fonctionnement sexuel au fil des étapes de la vie – insuffisance causée par un manque d'informations, des informations inexactes ou des mythes concernant la sexualité
- *Douleur*, reliée à une insuffisance de la lubrification vaginale ou à une intervention chirurgicale génitale

⌨ DIAGNOSTICS INFIRMIERS, RÉSULTATS DE SOINS INFIRMIERS ET INTERVENTIONS

DIFFICULTÉS D'ORDRE SEXUEL

Collecte des données	Diagnostic infirmier : *Définition*	Exemple de résultat de soins infirmiers : *Définition*	Indicateurs	Intervention choisie : *Définition*	Exemples d'activités
Marthe Oudon, 55 ans, déclare qu'elle souffre de douleurs et de brûlures vaginales quand elle fait l'amour avec son mari. Elle a eu ses dernières règles il y a 14 mois. Mᵐᵉ Oudon indique que son mari s'inquiète de ne pas la voir participer comme d'habitude à leurs ébats amoureux.	*Dysfonctionnement sexuel : Changement dans le fonctionnement sexuel, perçu comme insatisfaisant, dévalorisant ou inadéquat.*	État de vieillissement physique : *Changements physiques normaux chez l'adulte vieillissant.*	Aucun écart par rapport aux normes : ■ Activité sexuelle.	Éducation à la santé : *Élaborer et donner des instructions et des expériences d'apprentissage pour faciliter l'adoption volontaire d'un comportement de santé à l'intention des individus, des familles, des groupes et des communautés.*	■ Déterminer les connaissances actuelles dans le domaine de la santé et des comportements liés au style de vie de la personne et de sa famille. ■ Inclure des stratégies visant à accroître l'estime de soi de la personne. ■ Enseigner à la personne des stratégies pouvant l'aider à atténuer les douleurs et les sensations désagréables.
Laurent Stubert, 52 ans, prend de la réserpine (Serpasil), un antihypertenseur. Il déclare qu'il ne s'intéresse plus du tout au sexe depuis quelques mois et qu'il a du mal à maintenir l'érection lors des rapports sexuels.	*Habitudes sexuelles perturbées : Expression d'inquiétude face à sa sexualité.*	Fonctionnement sexuel : *Intégration des dimensions physiques, socio-affectives et intellectuelles de la sexualité.*	Souvent démontrés : ■ Maintien de l'érection pénienne. ■ Satisfaction sexuelle (le cas échéant, avec les accessoires nécessaires). ■ Technique sexuelle adaptée, selon les besoins.	Consultation en matière de sexualité : *Utilisation d'une approche centrée sur la nécessité d'apporter des changements à la pratique sexuelle ou d'améliorer la capacité à faire face à un phénomène ou à un trouble d'ordre sexuel.*	■ Discuter de l'effet de la médication sur la sexualité. ■ Discuter d'autres formes d'expression de la sexualité acceptables pour la personne. ■ Mettre la personne en communication avec d'autres membres de l'équipe soignante, par exemple le médecin (qui évaluera les possibilités de prescrire un autre antihypertenseur ou des médicaments pour corriger la dysfonction érectile, par exemple du citrate de sildénafil [Viagra]) ; ou l'urologue (qui pourra envisager la mise en place d'une prothèse, des injections péniennes ou d'autres interventions).

- *Anxiété*, reliée à la diminution ou à la disparition du désir sexuel ou à la détérioration du fonctionnement sexuel
- *Peur*, reliée à des violences sexuelles subies ou à la dyspareunie
- *Image corporelle perturbée* (par exemple à la suite d'une mastectomie), reliée à une impression persistante d'être rejeté(e) par le ou la partenaire

Planification

Dans le domaine de la santé sexuelle, les principaux objectifs des interventions infirmières sont les suivants :

- Maintenir, rétablir ou améliorer la santé sexuelle.
- Approfondir les connaissances de la personne sur la sexualité et la santé sexuelle.
- Prévenir les ITSS ou empêcher leur propagation.
- Prévenir les grossesses non désirées.
- Accroître le degré de satisfaction de la personne par rapport à son fonctionnement sexuel.
- Améliorer l'image de soi sexuelle de la personne.

La rubrique *Diagnostics infirmiers, résultats de soins infirmiers et interventions* fournit des exemples de résultats et d'interventions se rapportant à certains de ces objectifs. Pour aider les personnes à améliorer leur santé et leur fonctionnement sexuels, l'infirmière doit surtout les informer – par exemple sur les sujets suivants : le fonctionnement sexuel normal de l'homme et de la femme, les effets des médicaments sur la sexualité, la prévention des ITSS et par le sang ainsi que l'autoexamen des seins ou des testicules. De plus, l'infirmière doit aider les personnes à préserver leur image de soi sexuelle. Pour ce faire, elle prendra les précautions suivantes :

- Assurer à la personne un niveau d'intimité satisfaisant quand elle lui prodigue des soins de santé ou d'hygiène intime.
- Faire participer le ou la partenaire de la personne aux soins physiques.
- Accorder toute l'attention voulue à l'apparence physique (hygiène, coiffure, parure) et à l'habillement de la personne.
- Laisser à la personne toute l'intimité nécessaire pour satisfaire ses besoins sexuels, soit seule, soit avec son ou sa partenaire (dans les limites imposées par son état de santé physique).

Interventions infirmières

L'infirmière doit déterminer les interventions à mettre en œuvre selon les renseignements qu'elle a recueillis auprès de la personne et selon les diagnostics infirmiers qu'elle a établis. Un grand nombre de ces interventions visent à prévenir les problèmes auxquels la personne est exposée, ou à l'informer sur les changements à prévoir dans son fonctionnement sexuel et sur les mesures à prendre pour s'y adapter.

Information sur la santé sexuelle

L'infirmière doit être en mesure d'informer les personnes sur la santé sexuelle. En effet, la plupart des problèmes sexuels sont le fruit de l'ignorance, et beaucoup d'autres pourraient être évités si les personnes avaient reçu un enseignement sexuel plus rigoureux. On distingue deux domaines d'information particulièrement importants : le fonctionnement sexuel (y compris l'autoexamen) et le comportement sexuel responsable.

FONCTIONNEMENT SEXUEL. L'infirmière doit aider les personnes à comprendre leur anatomie et le fonctionnement de leur corps afin qu'elles aient une vie sexuelle plus épanouie. Par exemple, les femmes qui connaissent l'anatomie de leurs parties génitales comprennent généralement la manière dont leur corps répond à la stimulation sexuelle. Hommes et femmes doivent être informés des différents types de stimulation qui génèrent le plaisir et suscitent l'excitation. L'infirmière doit également insister sur la nécessité pour les partenaires d'établir et de maintenir une communication franche. Les femmes auront avantage à se familiariser avec les exercices de Kegel, qui consistent à contracter puis à détendre le muscle pubococcygien (muscle qui se contracte quand on se retient d'uriner). Les exercices de Kegel présentent de nombreux avantages : augmentation du tonus musculaire du périnée (plancher pelvien) ; augmentation de la lubrification vaginale à l'excitation sexuelle ; accroissement des sensations au moment de la pénétration ; stimulation de la sensibilité génitale ; intensification du resserrement du vagin autour de la base du pénis ; accélération du retour à la normale du muscle périnéal après l'accouchement ; assouplissement des cicatrices d'épisiotomie (Berman et Berman, 2001). Les exercices de Kegel sont expliqués au chapitre 42 ; en effet, ces exercices sont également pratiqués au cours de la rééducation vésicale, dont traite ce chapitre.

Dans le cadre des soins de santé prodigués à la personne, l'infirmière doit exposer les changements physiologiques qui surviennent à l'occasion des principales crises du développement. Elle décrira ainsi les effets de la puberté, de la grossesse, de la ménopause et de l'andropause sur la fonction sexuelle. Si la personne a développé une affection ou doit subir une intervention chirurgicale susceptible d'altérer son fonctionnement sexuel, l'infirmière lui indiquera les effets possibles du traitement (médicamenteux ou autre) et les changements qu'elle devra apporter dans sa vie sexuelle. Par exemple, la personne devra adopter d'autres positions ou attendre quelque temps avant de reprendre son activité sexuelle si elle vient d'être victime d'un infarctus.

Les parents ont généralement besoin d'aide pour répondre aux questions que leurs enfants leur posent dès l'âge préscolaire et pour leur procurer des informations adaptées à leur âge. Les parents doivent donner une éducation sexuelle à leurs enfants dès leur plus jeune âge ; cependant, les autres enfants, les enseignants, les médias et même les jouets informent aussi les petits garçons et les petites filles sur les questions d'ordre sexuel.

Même si, de nos jours, la plupart des gens sont de mieux en mieux informés sur les sujets portant sur la sexualité et sur le fonctionnement sexuel, certaines personnes continuent d'entretenir des mythes et d'avoir des préjugés dans ce domaine. La plupart de ces opinions fausses se transmettent au sein des familles de génération en génération ou font partie des convictions collectives propres à la culture. L'infirmière doit déterminer ce que la personne sait ou croit savoir sur la sexualité et lui fournir des informations exactes, exhaustives et à jour. Le tableau 25-5 dresse la liste des mythes les plus courants.

TABLEAU 25-5
MYTHES SEXUELS LES PLUS RÉPANDUS

Mythe	Fait
La plupart des hommes de plus de 70 ans souffrent d'une dysfonction érectile.	Le vieillissement ne provoque pas nécessairement la détérioration ou la perte de la capacité sexuelle. Son déclin s'explique dans certains cas par une maladie ou les traitements médicamenteux.
La masturbation provoque l'instabilité mentale.	La masturbation est un comportement sain et très répandu.
L'activité sexuelle affaiblit l'organisme.	Rien n'indique que l'activité sexuelle affaiblisse les gens.
L'orgasme féminin augmente les probabilités de grossesse.	La conception et l'orgasme n'ont aucun lien entre eux.
Les filles bien ne doivent pas jouir/n'ont pas droit à l'épanouissement sexuel.	Une femme à l'aise avec sa sexualité exige d'être satisfaite sexuellement et prend les mesures nécessaires pour atteindre ce but.
Les gros pénis apportent plus de satisfaction sexuelle aux femmes que les petits.	Rien n'indique que les gros pénis procurent plus de plaisir aux femmes.
L'alcool est un stimulant sexuel.	L'alcool est un relaxant et un dépresseur du système nerveux central. L'alcoolisme chronique prédispose à la dysfonction érectile.
Il est dangereux d'avoir des rapports sexuels pendant les règles (par exemple la pénétration pourrait endommager les tissus vaginaux).	Aucun motif physiologique ne plaide en faveur de l'abstinence pendant les règles.
Il faut toujours faire l'amour en position allongée l'un sur l'autre : c'est la seule position coïtale qui soit moralement acceptable.	Les partenaires ont avantage à adopter la position qui leur procure le plus de plaisir et qui plaît à tous les deux.

AUTOEXAMEN. Pratiqués chaque mois, l'autoexamen des seins (AES), pour les femmes, et l'autoexamen des testicules (AET), pour les hommes, contribuent grandement à la détection précoce des affections ; ils permettent ainsi d'opter pour des traitements moins complexes et accroissent les probabilités de guérison. L'infirmière doit souligner que la plupart des masses découvertes lors de ces autoexamens ne sont pas cancéreuses, mais qu'il est très important de consulter un médecin dès qu'une anomalie est constatée afin de faire établir un diagnostic précis. Dans le cadre de la collecte des données, l'infirmière doit expliquer la méthode de l'autoexamen, vérifier que la personne la comprend bien et l'inviter à la pratiquer sur-le-champ pour s'assurer qu'elle l'a bien comprise. L'autoexamen des seins ou des testicules comporte deux volets : l'inspection et la palpation.

Plus de 33 000 nouveaux cas de cancers du sein sont diagnostiqués au Canada chaque année ; 95 % d'entre eux touchent des femmes (Statistique Canada, 2004). Les hommes qui présentent un taux élevé d'œstrogènes ou dont les antécédents familiaux révèlent une incidence élevée du cancer du sein doivent toutefois apprendre, eux aussi, la technique de l'AES, car ils sont plus à risque. De préférence, cet autoexamen doit être pratiqué à date fixe – par exemple une semaine après la menstruation (quand la sensibilité et le gonflement des seins causés par la rétention liquidienne ont disparu) ou le même jour de chaque mois (pour les hommes et les femmes ménopausées). À force de s'examiner régulièrement, la femme (ou l'homme) finit par bien connaître la forme et la texture de sa poitrine. Les étapes de l'AES sont très similaires à celles de l'examen des seins prati-

qué par l'infirmière. Pour en savoir plus sur la technique exacte de l'AES, voir la rubrique *Enseignement – Autoexamen des seins.*

Voir la **MÉTHODE DE SOINS** 3-6 : **Examen des seins et des aisselles**.

Le cancer testiculaire a touché 1 639 Canadiens entre 1995 et 1997 (Cansim, Statistique Canada, 2009). La pratique mensuelle de l'AET dès l'âge de 15 ans constitue pour l'homme un moyen efficace de connaître cette partie de son corps et, par conséquent, de détecter la formation possible d'une tumeur cancéreuse à un stade précoce offrant d'excellentes probabilités de guérison. L'autoexamen doit être effectué de préférence après une douche ou un bain chaud, quand le scrotum est détendu. Pour en savoir plus sur cette technique, voir la rubrique *Enseignement – Autoexamen des testicules.*

ALERTE CLINIQUE • Les infirmiers et les infirmières auraient généralement avantage à demander l'autorisation du parent ou du tuteur qui accompagne l'enfant avant d'enseigner l'AET aux adolescents. •

COMPORTEMENT SEXUEL RESPONSABLE. Les trois composantes essentielles d'un comportement sexuel responsable sont la prévention des ITSS, la prévention des grossesses non désirées et la lutte contre le harcèlement et la violence sexuels.

Prévention des ITSS. L'information des personnes sur la santé sexuelle doit accorder une place importante aux mesures de

AUTOEXAMEN DES SEINS

Examen devant le miroir

Observez tout changement dans la taille ou la forme des seins; les masses et les indurations (épaississement de la peau); les éruptions et les irritations cutanées; les plis et les fossettes inhabituels; les écoulements et les changements touchant les mamelons (par exemple position ou asymétrie).

Examinez vos seins dans toutes les positions décrites ci-dessous.

- Debout, face au miroir, les bras pendant de chaque côté du corps ou les mains sur les hanches; tournez le corps vers la droite, puis vers la gauche pour vous voir de profil; vérifiez si certaines zones de vos seins ne sont pas aplaties.
- Penchez le haut du corps vers l'avant (à partir de la taille), les bras levés au-dessus de la tête.
- Tenez-vous droite, debout, les bras tendus au-dessus de la tête; faites descendre puis remonter lentement vos bras de chaque côté de votre torse. Observez les mouvements inhabituels des seins sur la paroi thoracique.
- Pressez vos mains fermement l'une contre l'autre au niveau du menton, les coudes levés à la hauteur des épaules.

Palpation: position couchée

- Placez un oreiller sous votre épaule droite, puis glissez votre main droite sous votre tête. Cette position répartit les tissus mammaires d'une manière plus égale.

- Pour détecter d'éventuelles masses, joignez l'index, le majeur et l'annulaire de la main gauche et palpez votre sein droit du bout de ces trois doigts serrés l'un contre l'autre.
- Pressez votre sein contre la paroi thoracique suffisamment fort pour vous familiariser avec la texture des tissus mammaires. Il est normal de sentir une ligne de tissus plus fermes dans la partie inférieure de la courbe du sein.
- Faites glisser vos doigts autour du mamelon avec de petits mouvements circulaires jusqu'à ce que vous ayez couvert toute la surface du sein.
- Abaissez votre bras le long du corps et palpez l'aisselle: cette région comporte également des tissus mammaires.
- Répétez cet examen pour le sein gauche, avec les doigts de la main droite.

Palpation: position assise ou debout

- Réexaminez les deux seins en position droite (assise ou debout), l'un des bras étant replié derrière la tête. Cette position aide à palper la partie supérieure extérieure et la zone vers l'aisselle, deux régions très exposées au cancer du sein.
- Facultatif: Pratiquez l'AES sous la douche. Les mains savonneuses glissent plus facilement sur la peau mouillée.

Signalez sans tarder tout changement à votre médecin.

AUTOEXAMEN DES TESTICULES

- Choisissez un jour fixe pour votre examen mensuel – par exemple le premier ou le dernier jour du mois.
- Pratiquez l'examen quand vous prenez une douche ou un bain.
- Placez une main en coupe sous un testicule pour le soutenir. Placez les doigts de l'autre main sous le testicule, le pouce au-dessus. (Cette façon de procéder est parfois plus facile si la jambe du côté du testicule est levée.)
- Faites rouler le testicule entre le pouce et les autres doigts et observez la présence éventuelle de masses, d'indurations (épaississements de la peau) ou de zones plus résistantes à la palpation (figure 25-2 ■). Tout le testicule doit être souple et lisse.
- Palpez l'épididyme, un canal situé dans la partie postérieure supérieure du testicule. L'épididyme doit être souple, mais moins lisse que le reste du testicule. Répétez l'examen pour l'autre testicule.
- Repérez le cordon spermatique, ou canal déférent, qui monte du scrotum jusqu'à la base du pénis. Il doit être lisse et ferme au toucher.

- Observez vos testicules à l'aide d'un miroir pour relever toute masses dans la peau testiculaire.
- Signalez sans tarder toute masse ou autre changement à votre médecin.

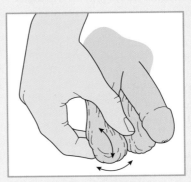

FIGURE 25-2 ■ La palpation consiste notamment à faire rouler le testicule entre le pouce et les autres doigts.

prévention des ITSS (figure 25-3 ■). (Il est à noter que les infections à *Trichomonas* et à *Candida* peuvent également être contractées en dehors des rapports sexuels.) L'augmentation de l'incidence de ces affections est attribuable à deux facteurs: (1) l'évolution de la moralité sexuelle, qui favorise la multiplication des activités sexuelles; (2) le nombre moyen de partenaires sexuels par personne, qui tend à augmenter. La notion d'ITSS suscite généralement des sentiments de culpabilité, de honte et de crainte; il n'est donc pas rare que les personnes infectées hésitent longuement avant de consulter un professionnel de la santé. L'infirmière doit fournir toutes les informations sur ces affections, leur prévention et les traitements précoces. La plupart des ITSS peuvent être guéries rapidement; par contre, d'autres ont des conséquences graves. Par exemple, l'infection génitale haute (syndrome inflammatoire pelvien) peut endommager définitivement les structures reproductrices de la femme, voire

FIGURE 25-3 ■ L'infirmière doit fournir aux adolescents des informations correspondant à leur âge relativement aux ITSS et à la sexualité. Source: Will Hart/PhotoEdit.

entraîner la stérilité. Le sida reste à ce jour incurable. Les craintes que suscite cette affection incitent de nombreuses personnes à modifier leurs comportements sexuels, par exemple à utiliser systématiquement un condom pour la pénétration.

Le tableau 25-2, présenté plus haut, énumère les principaux signes d'ITSS qui devraient inciter à consulter un professionnel de la santé. La rubrique *Enseignement – Prévention des ITSS et de la contamination par le VIH* décrit différentes méthodes pour se prémunir contre les ITSS et dans le cas des personnes infectées, pour éviter de les propager.

Prévention des grossesses non désirées. Les informations relatives à la prévention des grossesses non désirées s'adressent aux adolescents, mais aussi aux couples qui veulent planifier l'arrivée de leur premier enfant, espacer les naissances ou limiter la taille

2+2 ENSEIGNEMENT

PRÉVENTION DES ITSS ET DE LA CONTAMINATION PAR LE VIH

- Limiter le nombre des partenaires sexuels.
- Utiliser systématiquement un condom en cas de relations homosexuelles et multipartenaires, et dans le cas de toute autre relation représentant un risque de transmission des ITSS.
- Parler ouvertement avec ses partenaires sexuels des méthodes à mettre en œuvre pour atténuer le niveau de risque de contagion et leur exposer honnêtement ses antécédents d'ITSS.
- S'abstenir de toute activité sexuelle à risque avec un partenaire qui est porteur soupçonné ou avéré d'une ITSS.
- Consulter un professionnel de la santé dès que l'on pense avoir été exposé à une ITSS ou dès que l'on constate des signes d'ITSS.
- Si une ITSS est diagnostiquée, avertir tous ses partenaires et les inciter à se faire examiner et traiter.
- Éviter les transfusions de sang ou de produits sanguins qui ne sont pas indispensables. Pour les interventions chirurgicales électives, opter dans toute la mesure du possible pour la transfusion autologue (ou autotransfusion, transfusion réalisée avec son propre sang, prélevé avant l'intervention chirurgicale).

RECHERCHE EN SCIENCES INFIRMIÈRES

QUELLES SONT LES CONNAISSANCES ET LES PRATIQUES SEXUELLES DES ÉTUDIANTS?

Une enquête préliminaire menée aux États-Unis auprès de 84 étudiants a permis de faire le point sur les connaissances et les perceptions au sujet des différents thèmes relatifs à la sexualité, dont la définition des pratiques sexuelles sûres, les attentes à l'égard des activités sexuelles et la planification des rencontres d'ordre sexuel (von Sadovszky, Keller et McKinney, 2002). L'analyse des réponses apportées aux trois questions ouvertes et fermées n'a pas révélé d'écart significatif dans les attentes sexuelles entre les participants à pratiques sûres et les participants à pratiques risquées. D'après l'analyse des résultats, les rapports sexuels planifiés n'étaient pas non plus nécessairement plus sûrs que les rapports spontanés. Enfin, la plupart des étudiants qui ont participé à cette étude ignoraient les mesures de sécurité en matière de pratiques sexuelles. Ils estimaient ainsi que certaines pratiques risquées étaient parfaitement sûres. Par exemple, ils utilisaient le condom uniquement pour la pénétration vaginale; ils pensaient que le contraceptif oral les protégeait; de plus, ils assimilaient les relations buccogénitales à une activité non sexuelle.

Implications: L'infirmière doit toujours déterminer avec exactitude les connaissances et les convictions de la personne sur les activités sexuelles, notamment en ce qui concerne les ITSS et les grossesses non désirées.

Source: D'après Sadovszky, V. von, Keller, M., et McKinney, K. (2002). College students' perceptions and practices of sexual activities in sexual encounters. *Journal of Nursing Scholarship, 34*, 133-138.

de leur famille. L'infirmière doit connaître les différentes méthodes de contraception disponibles ainsi que leurs avantages, leurs inconvénients, leurs contre-indications, leur taux d'efficacité, leur taux d'innocuité et leurs coûts (figure 25-4 ■). L'analyse des différentes méthodes contraceptives dépasse les limites de ce manuel. L'encadré 25-3 décrit succinctement ces techniques. De plus, il est à noter que l'avortement n'est pas inclus dans cet encadré, car il ne s'agit pas d'une méthode contraceptive mais d'une intervention qui est faite après la conception.

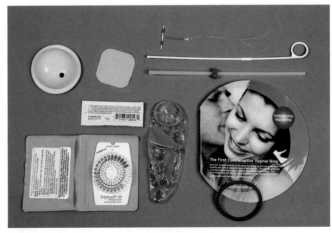

FIGURE 25-4 ■ Méthodes de contraception.

25

ENCADRÉ 25-3
MÉTHODES CONTRACEPTIVES

- Abstinence
- Coït interrompu : retrait du pénis avant l'éjaculation
- Méthode du calendrier : détermination des jours fertiles et abstinence pendant ces périodes
- Barrières mécaniques : diaphragme, cape cervicale, condom
- Barrières chimiques : insertion d'une mousse, d'une crème, d'un gel ou d'un suppositoire spermicide dans le vagin avant la pénétration
- Dispositif intra-utérin (DIU ; stérilet)
- Contraceptif hormonal : anovulant (pilule contraceptive), implant contraceptif sous-cutané de progestatif synthétique
- Stérilisation chirurgicale : ligature des trompes ; vasectomie

---

Consultation portant sur les altérations de la fonction sexuelle

Afin d'aider les personnes présentant des altérations de la fonction sexuelle, l'infirmière pourra notamment recourir au modèle PLISSIT, élaboré par Annon (1974). Ce modèle compte quatre étapes graduelles représentées en anglais par l'acronyme « PLISSIT » :

P   *Permission giving* : Permission
LI *Limited information* : Information limitée
SS *Specific Suggestions* : Suggestions spécifiques
IT *Intensive therapy* : Traitement intensif

À chacune des étapes de cette démarche, l'infirmière fournit à la personne des informations de plus en plus spécialisées. La mise en œuvre du modèle exige donc des connaissances et des compétences de plus en plus pointues. Toutes les infirmières devraient être en mesure de franchir les trois premières étapes sans problème.

PERMISSION. Certaines personnes pensent parfois qu'elles ont besoin d'une « permission » pour s'affirmer en tant qu'êtres sexués, pour poser des questions, pour manifester leur affection et pour s'exprimer sexuellement. Lors de l'étape de la permission, la tâche de l'infirmière consiste à montrer, par la parole et par l'attitude, que les pensées sexuelles, les fantasmes et les activités sexuelles entre adultes consentants et avertis sont parfaitement acceptables – c'est-à-dire permis. L'infirmière doit tout d'abord montrer qu'elle est consciente des inquiétudes de la personne, même de celles qui ne sont pas exprimées. Elle doit faire comprendre à la personne que les besoins sexuels et l'intérêt envers la sexualité font partie intégrante de la santé et, le cas échéant, du rétablissement.

Si la personne se remet d'un infarctus, l'infirmière pourra par exemple lui poser les questions suivantes :

« Maintenant que vous allez mieux, pouvez-vous imaginer les répercussions de votre crise cardiaque sur votre vie sexuelle ? »

« Avez-vous discuté avec votre partenaire des conséquences possibles de cette maladie sur votre vie sexuelle ? »

INFORMATION LIMITÉE. L'infirmière doit fournir à la personne des informations exactes, mais également concises. Par exemple,

elle définira la normalité (par rapport au problème de santé) ; elle décrira l'impact des affections, des traitements, des blessures, des lésions ou des interventions chirurgicales sur la sexualité et le fonctionnement sexuel ; ou encore elle informera la personne des effets du vieillissement sur la vie sexuelle.

Pour reprendre notre exemple précédent, l'infirmière pourrait expliquer à la personne l'effet de son infarctus sur sa vie sexuelle de la manière suivante :

« Votre crise cardiaque n'aura aucun effet sur votre capacité de réponse sexuelle. La plupart des gens peuvent reprendre leurs activités sexuelles au bout de quatre à six semaines. Je vous recommande toutefois de vous le faire confirmer par votre médecin. »

« La plupart des personnes qui ont souffert de problèmes cardiaques craignent de reprendre leurs activités sexuelles, car elles font augmenter les fréquences respiratoire et cardiaque. Le programme d'activité physique progressif qui vous a été prescrit augmentera cependant votre tolérance à l'activité sexuelle. »

Après un accouchement ou après une affection (par exemple un infarctus), l'infirmière doit généralement indiquer à la personne les activités sexuelles qu'elle peut pratiquer sans aucun risque et les effets que ses traitements pourraient avoir sur son fonctionnement sexuel. Elle devra en particulier aborder les points suivants :

- Le moment où la personne pourra reprendre ses activités sexuelles
- Les activités sexuelles à risque, et quelle en est la raison
- Les adaptations à prévoir pour avoir une vie sexuelle satisfaisante
- Les effets secondaires des médicaments prescrits sur le fonctionnement sexuel ainsi que les problèmes nécessitant de consulter un médecin pour un ajustement de la posologie des médicaments ou encore un changement de médication

SUGGESTIONS SPÉCIFIQUES. Pour cette troisième étape du modèle PLISSIT, l'infirmière doit posséder des compétences et des connaissances très spécialisées sur la sexualité et le fonctionnement sexuel, notamment en ce qui concerne l'effet des troubles de santé et des traitements, et l'efficacité respective des différentes interventions possibles. Elle fera différentes recommandations pour aider la personne à adapter son activité sexuelle et vivre au mieux sa sexualité. Elle l'informera par exemple sur les mesures d'atténuation de la sécheresse vaginale, les positions les plus appropriées après une arthroplastie totale de la hanche, les pratiques sexuelles sûres et celles à éviter après un infarctus, les précautions à prendre avec les divers appareillages de stomie, les sondes de Foley, les plâtres et autres accessoires médicaux (comme les prothèses). Si elle travaille dans une unité de soins cardiaques, l'infirmière doit aussi posséder des connaissances approfondies sur les modifications à apporter à la vie sexuelle pendant la période de réadaptation cardiaque. Les infirmières qui interviennent auprès de personnes ayant subi des lésions à la moelle épinière doivent posséder des informations exactes et complètes sur les conséquences sexuelles de ces lésions en fonction de leur emplacement.

Si nous prenons l'exemple de la personne qui se remet d'un infarctus, l'infirmière pourra lui proposer ce qui suit :

« Beaucoup de personnes se demandent quelles sont les positions les plus appropriées lors des rapports sexuels. Vous pouvez adopter toutes les positions qui vous semblent confortables, à vous ainsi qu'à votre partenaire, par exemple la position couchée sur le côté ou la position allongée, votre partenaire étant sur vous. »

TRAITEMENT INTENSIF. Donné par une infirmière clinicienne ou un sexothérapeute, le traitement intensif doit être envisagé quand les trois premières étapes du processus de consultation se sont révélées inefficaces. Il peut, par exemple, porter sur la motivation sexuelle, le mariage ou l'image de soi.

Réponse aux comportements sexuels déplacés

L'infirmière est parfois exposée à différents types de comportements sexuels déplacés, agressifs ou non. Ce sont par exemple les attitudes et les gestes suivants :

■ La personne, homme ou femme, se dénude inutilement.
■ Elle demande à l'infirmière de lui prodiguer des soins physiques intimes alors qu'elle est parfaitement apte à s'en charger elle-même (par exemple lui laver les parties génitales).
■ Elle effleure ou saisit les parties génitales de l'infirmière ou bien ses fesses.
■ Elle lui tient des propos de nature incontestablement sexuelle.
■ Elle lui propose d'avoir des rapports sexuels.
■ Elle siffle ou exprime par la parole qu'elle trouve l'infirmière belle, désirable, etc.
■ Elle parle à une autre personne de sa chambre ou à des visiteurs de l'infirmière « sexy » qui s'occupe d'elle ou des activités sexuelles qu'elle aimerait faire avec elle.

Un certain nombre de raisons peuvent expliquer ces comportements déplacés :

■ La personne est angoissée ; elle craint de ne pas retrouver son niveau de fonctionnement sexuel habituel après son hospitalisation.
■ À cause de l'hospitalisation, de la lésion ou de la blessure, de la maladie, du traitement, de l'absence d'un partenaire ou du manque d'intimité, ses besoins de contacts et de proximité sexuels ne sont pas satisfaits.
■ Elle interprète mal le comportement de l'infirmière et s'imagine, à tort, qu'elle la provoque ou l'aguiche.
■ Elle a besoin qu'on la rassure, qu'on lui confirme qu'elle reste un être sexué et qu'elle est encore attirante.
■ Elle a besoin d'attention.
■ Elle est dans un état de confusion. Les altérations et les traumas neurologiques peuvent amener une personne à parler d'une manière très crue et salace, à se masturber publiquement, à s'exhiber ou à toucher l'infirmière d'une manière inconvenante.
■ Elle a besoin de sentir qu'elle a une prise sur son environnement. Les personnes hospitalisées ont souvent l'impression de perdre toute emprise sur leur vie à cause de l'hospitalisation elle-même, de leurs blessures ou lésions, ou de leur maladie.
■ Elle a besoin d'affirmer son pouvoir.
■ Elle croit qu'il lui est possible de flirter avec l'infirmière, car certains médias décrivent les membres de cette profession comme étant disponibles, portées sur le sexe et expérimentées.

Avant de mettre en œuvre quelque intervention que ce soit, l'infirmière doit s'assurer que le comportement dérangeant est effectivement déplacé, et qu'il ne constitue pas de la part de la personne une tentative d'expression d'un besoin physique. Par exemple, la personne peut se dénuder parce qu'elle a de la fièvre ; tirer sur son pénis si la sonde la gêne ou l'irrite ; attraper la blouse de l'infirmière dans le cas où elle ne peut pas communiquer par la parole. L'encadré 25-4 décrit les stratégies infirmières à mettre en œuvre en cas de comportements sexuels déplacés.

ENCADRÉ 25-4
STRATÉGIES INFIRMIÈRES EN CAS DE COMPORTEMENTS SEXUELS DÉPLACÉS

■ Dites à la personne que son comportement n'est pas acceptable, par exemple : « Je n'aime vraiment pas ce que vous me dites. » « Je vois que vous vous êtes déshabillé. Je reviendrai dans 10 minutes et je vous aiderai à prendre votre petit-déjeuner quand vous aurez remis vos vêtements. »
■ Indiquez à la personne l'effet que son comportement produit sur vous : « Votre attitude et vos paroles me mettent mal à l'aise. Cela me dérange et j'ai beaucoup de mal à vous prodiguer les soins dont vous avez besoin. »
■ Indiquez le comportement que vous exigez de la part des personnes auxquelles vous donnez des soins : « Je ne veux pas que vous m'appeliez "Chérie". Appelez-moi par mon nom, je vous prie. » « Je voudrais que vous soyez habillé quand je suis dans votre chambre. Si vous avez chaud ou si vos vêtements vous gênent, dites-le-moi et je prendrai les mesures nécessaires pour régler le problème. »
■ Établissez des limites claires : retirez la main de la personne, regardez-la dans les yeux et dites-lui : « Ne faites pas ça ! »
■ Concentrez de nouveau l'attention de la personne vers ses préoccupations réelles et ses craintes. Proposez-lui de discuter avec

elle de ses préoccupations d'ordre sexuel : « Toute la matinée, vous m'avez fait des remarques très personnelles de nature sexuelle sur vous-même. Quand les gens font ça, c'est parfois parce qu'ils s'inquiètent pour leur vie sexuelle et qu'ils se demandent quelles seront les répercussions de leur maladie sur leur sexualité. Avez-vous des craintes à me confier ou des questions à me poser à ce sujet ? »
■ Rapportez l'incident à l'assistante, à l'infirmière chef ou à l'infirmière clinicienne.
■ Analysez l'incident avec elle ; faites le point sur les émotions que cela suscite en vous ; déterminez les interventions possibles.
■ Désignez une infirmière qui sera plus à l'aise pour aborder la question du comportement déplacé et qui saura établir avec la personne une relation adéquate par rapport aux circonstances.
■ Définissez clairement les conséquences de ce comportement déplacé s'il se maintient : évitement ; cessation des services ; impossibilité d'aider la personne à résoudre ses problèmes sous-jacents.

25

Évaluation

L'équipe infirmière vérifiera si les objectifs définis lors de la planification ont été atteints. Pour ce faire, elle reprendra la liste des résultats escomptés, également définis lors de la planification. Si certains des résultats voulus n'ont pas été obtenus, l'infirmière analysera les causes de cet échec. Elle se posera par exemple les questions suivantes:

- Les facteurs de risque avaient-ils été correctement cernés?
- La personne a-t-elle exposé toutes ses préoccupations et toutes ses craintes à l'égard de la sexualité?

- La personne était-elle plus à l'aise après avoir discuté de sexualité?
- La personne a-t-elle compris les informations que l'infirmière lui a transmises?
- Les informations qui ont été transmises à la personne étaient-elles conciliables avec ses valeurs culturelles et religieuses?
- La personne était-elle prête à aborder ses problèmes sexuels en vue de les résoudre?

Révision du chapitre

MOTS CLÉS

Baisse du désir sexuel (inappétence sexuelle; anaphrodisie; trouble de la libido), **585**
Désir, **583**
Dysfonction érectile, **584**
Dysménorrhée, **578**
Éjaculation précoce, **585**

Éjaculation retardée, **585**
Excitation/plateau, **583**
Genre, **573**
Identité sexuelle, **575**
Image de soi sexuelle, **574**
Impuissance, **584**
Ménopause, **578**

Menstruation (règles), **577**
Orgasme, **583**
Orientation sexuelle, **575**
Résolution, **583**
Santé sexuelle, **574**
Sexe, **573**
Sexualité, **573**

Trouble de l'excitation sexuelle, **585**
Trouble de l'orgasme (trouble orgasmique; trouble orgastique; anorgasmie), **585**
Troubles sexuels avec douleur, **585**

CONCEPTS CLÉS

- La sexualité joue un rôle important dans le développement de l'identité personnelle, des relations interpersonnelles, de l'intimité et de l'amour.
- Dans l'acception la plus large du terme, la sexualité touche toutes les dimensions de l'être et du comportement.
- De très nombreux facteurs participent au développement de la sexualité; en particulier, les paramètres biologiques et psychologiques interviennent à tout âge.
- Les facteurs qui déterminent la sexualité sont notamment les suivants: stade de développement, culture, valeurs religieuses, morale personnelle, affections et traitements médicamenteux.
- L'évaluation des risques sexuels et des problèmes sexuels avérés fait partie intégrante de l'examen infirmier de base. Cette évaluation doit également être effectuée quand les propos ou le comportement de la personne ou de son entourage semblent révéler l'existence d'un problème, ou quand la personne est atteinte d'une maladie susceptible d'entraîner des problèmes sexuels.

- L'infirmière doit faire le point sur les convictions et les habitudes sexuelles de la personne, y compris les facteurs qui déterminent ses comportements et ses attitudes par rapport à la sexualité.
- Pour établir et maintenir des relations sexuelles satisfaisantes, toute personne aurait avantage à bien comprendre les stimuli sexuels et les formes de la réponse sexuelle.
- Pour intervenir d'une manière efficace auprès des personnes souffrant de problèmes d'ordre sexuel, l'infirmière doit posséder des connaissances précises et complètes sur la sexualité; cerner et accepter ses propres valeurs et comportements sexuels et ceux des autres; et enfin, se sentir très à l'aise pour recueillir et transmettre des informations sur la sexualité.
- Les adultes sont exposés à différents types de problèmes sexuels: dysfonction érectile, éjaculation précoce, éjaculation retardée, trouble de l'excitation sexuelle, trouble de l'orgasme, vaginisme, dyspareunie, douleurs vaginales, baisse du désir sexuel.
- Les diagnostics infirmiers s'appliquant aux personnes ayant des problèmes sexuels se

rapportent aux nombreux facteurs qui peuvent y être associés: altération d'une structure ou d'une fonction corporelle, manque d'informations ou connaissances insuffisantes sur les questions d'ordre sexuel, violences physiques ou psychologiques, conflits de valeurs, perte du partenaire ou absence d'un partenaire.

- Les interventions infirmières consistent en grande partie à informer la personne sur la sexualité et sur la fonction sexuelle, sur les comportements sexuels responsables (en particulier, la prévention des ITSS et des grossesses non désirées) et sur l'autoexamen des seins ou des testicules.
- Pour faciliter ses interventions de conseil auprès des personnes dont la fonction sexuelle est altérée, l'infirmière pourra utiliser les trois premières étapes du modèle PLISSIT: la permission, l'information limitée et les suggestions spécifiques. La quatrième étape, celle du traitement intensif, nécessite habituellement l'intervention d'une infirmière clinicienne ou d'un sexothérapeute.

Références

Annon, J. (1974). *The behavioral treatment of sexual problems. Vol. 1. Brief therapy.* New York: Harper & Row.

Berman, J., et Berman, L. (2001). *For women only.* New York: Henry Holt and Company.

Brady, J. M. (1998). Female genital mutilation. *Nursing, 28*(9), 50-51.

Bulechek, G. M., Butcher, H. K., et McCloskey Dochterman, J. (2010). *Classification des interventions de soins infirmiers CISI/NIC,* Traduction française de la 5ᵉ édition américaine. Issy-les-Moulineaux: Elsevier Masson.

Cansim. Statistique Canada. (2009). *Étude: la prévalence du cancer dans la population* canadienne. Document consulté le 27 février 2011 de http://www.statcan.gc.ca/daily-quotidien.

Dodson, B. (2002). *Orgasms for two: The joy of partner sex.* New York: Harmony Books.

Ellison, C. R. (2000). *Women's sexualities.* Oakland, CA: New Harbinger.

Johnson, M., et Maas, M. (dir.). (1999). *Classification des résultats de soins infirmiers CRSI/NOC.* Paris: Masson.

Kaestle, C. T., Halpern, C. E., Miller, W. C., et Ford, C. A. (2005). Young age at first sexual intercourse and sexually transmitted infections in adolescents and young adults. *American Journal of Epidemiology, 161,* 774-780.

NANDA International. (2010). *Diagnostics infirmiers: Définitions et classification 2009-2011.* Issy-les-Moulineaux: Elsevier Masson.

Organisation mondiale de la santé (OMS). (1975). *Education and treatment in human sexuality: The training of health professionals.* Genève: Auteur.

Rodgers, J. E. (2001). *Sex: A natural history.* New York: Times Books.

Rosen, R. C. (2000). Medical and psychological interventions for erectile dysfunction. Dans S. R. Leiblum et R. C. Rosen (dir.), *Principles and practice of sex therapy* (3ᵉ éd.) (p. 276-304). New York: Guilford Press.

Statistique Canada. (2004). *Registre canadien du cancer (cancer du sein).* Document consulté de http://www.statcan.ca.

25

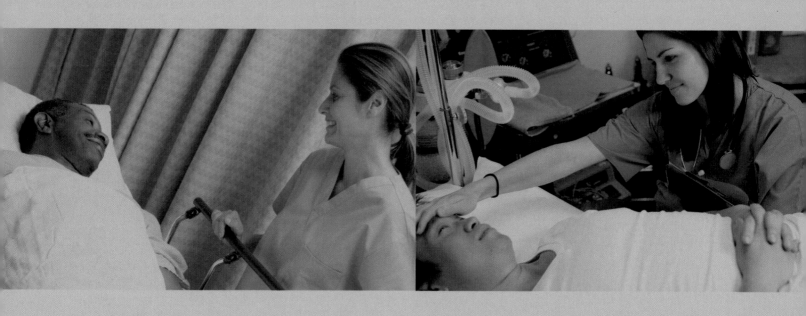

Chapitre 26

Adaptation française :
Mario Bilodeau, inf., Certificat en santé mentale,
certificat en soins critiques
Enseignant, Programme de soins infirmiers
Collège François-Xavier-Garneau

OBJECTIFS D'APPRENTISSAGE

Après avoir étudié ce chapitre, vous pourrez:

- Distinguer le stress selon qu'il est vu comme un stimulus, une réponse ou une transaction.
- Décrire les trois phases du syndrome général d'adaptation, proposées par Selye.
- Définir les indicateurs physiologiques, psychologiques et cognitifs du stress.
- Définir les quatre niveaux de l'anxiété.
- Définir les comportements liés aux mécanismes de défense.
- Analyser les différents types d'adaptation et les stratégies correspondantes.
- Définir les principaux volets de l'évaluation du stress et des stratégies d'adaptation de la personne.
- Énoncer les diagnostics infirmiers se rapportant au stress.
- Décrire les interventions infirmières qui aident à diminuer le stress et à mieux le gérer.

Stress et adaptation

Le stress est un phénomène universel qui n'épargne personne. Ainsi, les parents parleront du stress qu'ils subissent à cause de leurs enfants ; les travailleurs, du stress de la vie professionnelle ; les écoliers et les étudiants, de celui des travaux et des examens. Le stress peut être causé par des circonstances positives ou négatives : une jeune femme peut être stressée par les préparatifs de son mariage alors qu'un diplômé peut l'être tout autant lorsqu'il s'apprête à relever les défis de son premier emploi.

Il est important de définir le stress, parce que c'est une réaction qui nous aide à appréhender la personne en tant qu'être réagissant d'une manière globale (physiquement, mentalement et spirituellement) à toutes sortes de changements qui jalonnent son quotidien.

Définition du stress

Le **stress** est un ensemble de réactions de l'organisme à toute modification qui vient perturber son équilibre habituel. Un **agent stressant** (qu'on appelle aussi «stresseur») est un stimulus qui agresse l'organisme, le mettant en état de stress. En réponse à un agent stressant, nous déployons des *stratégies d'adaptation* (*réactions d'adaptation*; *réponses adaptatives*; *mécanismes d'adaptation*).

Sources de stress

Il existe d'innombrables sources de stress. On peut distinguer les agents stressants internes et externes ou encore, développementaux et situationnels. Les *agents stressants internes* sont générés par l'organisme (par exemple cancer ou dépression). Les *agents stressants externes* viennent de l'extérieur (par exemple déménagement, décès d'un proche, pressions exercées par les pairs). Les *agents stressants développementaux* sont prévisibles, car ils surviennent à des moments bien précis au cours du développement de la personne. En effet, à chaque stade de son développement, la personne doit accomplir certaines tâches (tableau 26-1) pour pouvoir prévenir ou diminuer le stress. Les *agents stressants situationnels* sont imprévisibles et peuvent perturber l'équilibre de la personne à tout moment de sa vie. Ils sont tantôt positifs, tantôt négatifs. En voici quelques exemples:

- Décès d'un membre de la famille
- Mariage ou divorce
- Naissance d'un enfant
- Nouvel emploi
- Maladie

L'ampleur que prendra l'effet positif ou négatif de ces événements dépend dans une certaine mesure du stade de

TABLEAU 26-1

EXEMPLES DE TÂCHES ET D'AGENTS STRESSANTS QUI SURVIENNENT PENDANT LES DIFFÉRENTS STADES DU DÉVELOPPEMENT

Stade du développement	Tâches qui génèrent du stress
Enfance	Commencer l'école. Établir des relations avec les autres enfants et prendre sa place dans le groupe. Régler les problèmes de rivalité avec les autres enfants.
Adolescence	S'adapter aux changements physiques. Établir des relations comportant une attirance sexuelle. Acquérir de l'autonomie. Choisir un métier ou une profession.
Début de l'âge adulte	Former un couple. Quitter le domicile familial. Gérer les problèmes quotidiens. Entreprendre une carrière. Poursuivre ses études. Élever ses enfants.
Âge mûr	Accepter les changements physiques qui accompagnent le vieillissement. Maintenir son statut social et son niveau de vie. Aider ses enfants devenus adolescents à acquérir de l'autonomie. S'adapter au vieillissement de ses propres parents.
Vieil âge	Accepter le déclin de la santé et des capacités physiques. Changer de domicile. S'adapter à la retraite et à la diminution du revenu. Composer avec la mort du conjoint et des amis ; se préparer à sa propre mort.

développement de la personne. Ainsi, la mort de l'un des parents peut être un événement plus stressant pour un enfant de 12 ans que pour un adulte de 40 ans.

Effets du stress

Le stress peut avoir des conséquences physiques, affectives, intellectuelles, sociales et spirituelles. Ses effets sont généralement de plusieurs ordres à la fois, car le stress touche la personne dans son intégralité. Physiquement, le stress peut perturber l'homéostasie. Sur le plan émotif, la personne stressée éprouve souvent des sentiments négatifs ou adopte des comportements autodestructeurs. Intellectuellement, le stress peut diminuer les capacités de perception et de résolution de problèmes. Les relations sociales risquent de pâtir du stress. Spirituellement, il n'est pas rare que le stress ébranle les convictions et les valeurs de la personne. Enfin, le stress peut provoquer ou aggraver de nombreuses affections (figure 26-1 ■).

Modèles du concept de stress

Les modèles du concept de stress aident l'infirmière à déterminer les agents stressants qui interviennent dans une circonstance particulière et à prévoir les réactions de la personne à cet égard.

Ces modèles font référence à différents cadres conceptuels lui permettant également d'aider la personne à renforcer ses capacités d'adaptation et à modifier ses réponses nuisibles ou inadaptées. Les trois principaux modèles de stress sont le modèle du stimulus, le modèle de réponse et le modèle transactionnel.

Modèles du stimulus

Selon les **modèles du stimulus**, le stress est défini comme un stimulus, un événement ou un ensemble de circonstances qui provoquent des réactions physiologiques ou psychologiques susceptibles d'accroître la prédisposition d'une personne à la maladie. Dans des travaux désormais classiques, Holmes et Rahe (1967) attribuent une valeur numérique à 43 changements ou événements pouvant jalonner l'existence. Cette échelle des événements stressants sert à évaluer les répercussions des bouleversements vécus depuis peu de temps par une personne, comme un divorce, une grossesse ou la retraite. Dans cette optique, tous ces événements sont considérés comme stressants, qu'ils soient positifs ou négatifs.

D'autres chercheurs ont proposé ensuite leurs propres échelles. Il importe cependant de les utiliser avec discernement, car l'intensité du stress associé à un événement donné varie considérablement d'une personne à l'autre. Par exemple, le divorce peut fortement traumatiser certaines personnes, mais ne causer qu'une anxiété légère à d'autres. En outre, bon nombre

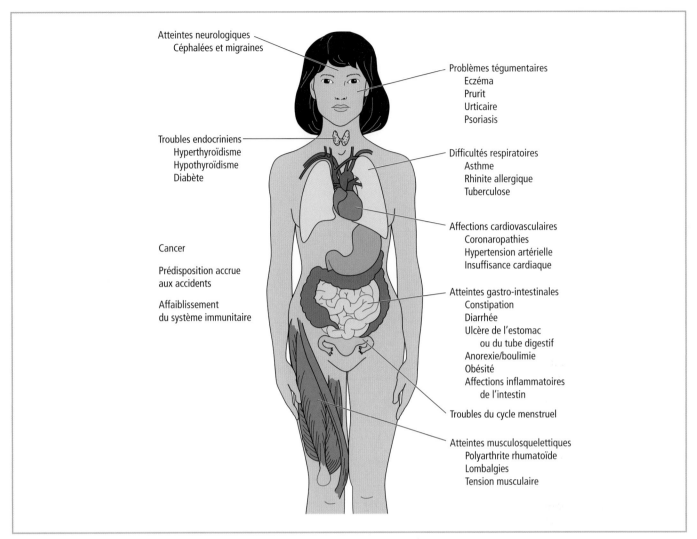

Atteintes neurologiques
Céphalées et migraines

Problèmes tégumentaires
Eczéma
Prurit
Urticaire
Psoriasis

Troubles endocriniens
Hyperthyroïdisme
Hypothyroïdisme
Diabète

Difficultés respiratoires
Asthme
Rhinite allergique
Tuberculose

Affections cardiovasculaires
Coronaropathies
Hypertension artérielle
Insuffisance cardiaque

Cancer

Prédisposition accrue
aux accidents

Affaiblissement
du système immunitaire

Atteintes gastro-intestinales
Constipation
Diarrhée
Ulcère de l'estomac
ou du tube digestif
Anorexie/boulimie
Obésité
Affections inflammatoires
de l'intestin

Troubles du cycle menstruel

Atteintes musculosquelettiques
Polyarthrite rhumatoïde
Lombalgies
Tension musculaire

FIGURE 26-1 ■ Quelques problèmes de santé pouvant être causés ou aggravés par le stress. Source : Edlin, G., Golanty, E., et Brown, K. M. (2007). *Health and wellness : A holistic approach* (9ᵉ éd.) (p. 46). Boston : Jones & Barlett. (Adaptation autorisée)

des échelles proposées ne tiennent pas compte de l'âge, du statut socioéconomique ni de la culture, ou n'ont pas été validées par rapport à ces paramètres.

Modèles de réponse

Le stress peut également être considéré comme une réponse. Ainsi, Selye (1956, 1976) le définit comme une réaction non spécifique de l'organisme à n'importe quelle demande de l'environnement. Pour Schafer (2000), le stress est un état d'activation du corps et de l'esprit en réponse aux sollicitations.

Le stress, tel que défini par Selye, se caractérise par un enchaînement de réactions physiologiques qui constituent le **syndrome général d'adaptation** (**SGA**) ou *syndrome de stress*. Pour distinguer la cause du stress de la réponse au stress, Selye (1976) propose la notion d'*agent stressant* (ou stresseur) pour définir tout facteur (événement, agent) qui agresse l'organisme et provoque une rupture de l'homéostasie. Le stress étant donc

une réponse, on ne peut l'observer qu'à travers les modifications organiques qu'il provoque. Cette réponse (le syndrome de stress ou SGA) se manifeste par la sécrétion de certaines hormones du stress et donc par des changements dans la structure et dans la composition chimique de l'organisme. Les organes touchés par le stress sont notamment les organes digestifs, les glandes surrénales et les organes lymphatiques. Quand la personne est soumise à un stress prolongé, ses glandes surrénales s'hypertrophient, ses organes lymphatiques (le thymus, la rate et les ganglions lymphatiques) s'atrophient et des ulcères sont susceptibles de se former sur la paroi de l'estomac.

En plus de s'adapter globalement (adaptation générale), l'organisme peut réagir au stress localement, c'est-à-dire que la réponse ne se manifeste qu'au niveau d'une partie du corps ou d'un seul organe. On parle dans ce cas-là de **syndrome local d'adaptation** (**SLA**). L'inflammation est une forme de SLA. D'après Selye (1976), le SGA et le SLA comptent trois phases : alarme, résistance et épuisement (figure 26-2 ■).

26

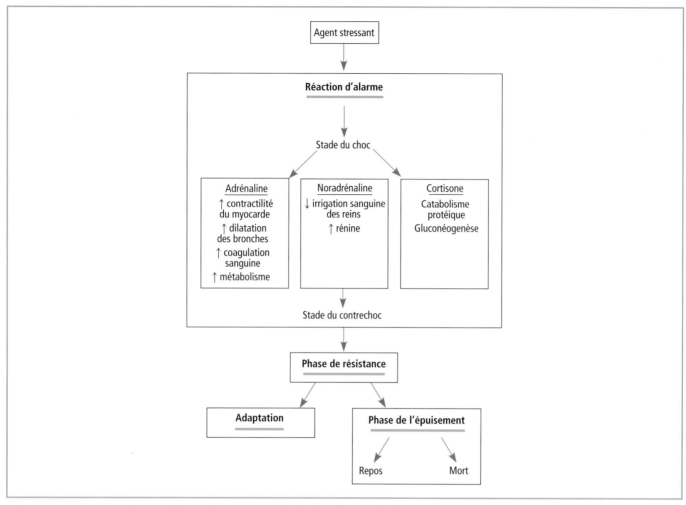

FIGURE 26-2 ■ Les trois phases de l'adaptation au stress : la réaction d'alarme, la résistance et l'épuisement.

RÉACTION D'ALARME

La première réponse d'adaptation au stress est la **réaction d'alarme**, qui mobilise les défenses de l'organisme. Selye (1976) subdivise cette phase en deux stades : le choc et le contrechoc.

À l'étape du **choc**, la personne peut percevoir l'agent stressant d'une manière consciente ou inconsciente. Dans les deux cas, son système nerveux autonome est activé et déclenche la libération d'importantes quantités d'adrénaline et de cortisone. La personne est alors prête à fuir ou à lutter. Cette réaction de lutte ou de fuite est de courte durée ; elle dure en général de 1 minute à 24 heures.

Le second stade de la réaction d'alarme est le **contrechoc**. À ce stade, les changements organiques qui se sont produits au stade du choc s'inversent. Par conséquent, c'est au stade du choc que la personne est la plus apte à réagir.

PHASE DE RÉSISTANCE

La seconde phase du SGA et du SLA est celle de la **résistance** ; c'est pendant cette phase que l'organisme cherche à s'adapter. En d'autres termes, il tente de composer avec l'agent stressant et d'exposer à cette agression la plus petite région corporelle capable de le tolérer.

PHASE DE L'ÉPUISEMENT

La troisième phase est celle de l'**épuisement**. Elle intervient lorsque l'organisme ne peut plus maintenir les stratégies d'adaptation mises en œuvre durant la phase de résistance, tous les moyens utilisés pour s'adapter à l'agent stressant étant épuisés. Si l'adaptation n'a pas permis de surmonter le stress, celui-ci peut affecter l'organisme tout entier. À la fin de cette phase, ou bien l'organisme peut se reposer et retourner à la normale ou bien il risque la mort. L'issue de cette phase dépend en grande partie des ressources énergétiques adaptatives que la personne possède, de l'intensité du stress et des ressources adaptatives externes (par exemple l'oxygène).

Le syndrome général d'adaptation, tel que Selye l'a défini en 1976, représente une série de réactions physiologiques au stress de l'organisme tout entier (figure 26-2 ■). L'agent stressant active le système nerveux sympathique qui, à son tour, stimule l'hypothalamus. Celui-ci sécrète des hormones de libération de la corticotrophine (CRH ; corticolibérine). Sous l'effet de la CRH, le lobe antérieur de l'hypophyse sécrète de la corticotrophine (ACTH). Durant une période de stress, la médullosurrénale, quant à elle, sécrète de l'adrénaline et de la noradrénaline, à la suite de l'activation du système nerveux sympathique. Parmi les réactions physiologiques déclenchées par les sécrétions d'adrénaline, les plus notables sont les suivantes :

1. Élévation de la contractilité du myocarde (tachycardie), entraînant l'élévation du débit cardiaque (augmentation de l'amplitude du pouls) et un apport sanguin accru aux muscles volontaires.
2. Dilatation des bronches, ce qui augmente la consommation d'oxygène (augmentation de la fréquence et de l'amplitude respiratoires).
3. Mobilisation accrue des mécanismes de coagulation sanguine.
4. Accélération du métabolisme cellulaire.
5. Accélération de la mobilisation des graisses pour accroître les réserves énergétiques et pour synthétiser d'autres éléments indispensables à l'organisme.

Les principaux effets de la noradrénaline sont la diminution de l'irrigation sanguine des reins (donc une diminution du débit urinaire) et l'augmentation des sécrétions de rénine. La rénine stimule la production de l'angiotensine qui, par son effet vasoconstricteur sur les artérioles, entraîne une élévation de la pression artérielle. Au total, tous ces effets hormonaux des surrénales permettent à la personne affectée par le stress de fournir des efforts physiques bien plus importants qu'en temps normal.

Modèles transactionnels

Les modèles dits « transactionnels » du stress s'appuient sur les travaux de Lazarus (1966). Celui-ci reproche aux théories qui définissent le stress comme un stimulus ou comme une réponse de ne pas tenir compte des variations individuelles. En effet, ces modèles n'expliquent pas pourquoi certaines personnes seulement réagissent au stress d'une manière efficace, ni pourquoi certaines autres (mais pas toutes) peuvent s'y adapter pendant un laps de temps plus long.

Lazarus reconnaît que certaines demandes et pressions de l'environnement causent du stress chez la plupart des gens. Il souligne cependant que toutes les personnes ou tous les groupes ne réagissent pas de la même façon aux agents stressants (leur sensibilité et leur vulnérabilité ne sont pas les mêmes) ni ne les interprètent de la même façon. Devant une affection, par exemple, telle personne pourra réagir par le déni ; telle autre, par l'anxiété ; telle autre encore, par la dépression. Pour expliquer les différences notées chez différentes personnes se trouvant dans des situations comparables, Lazarus prend en considération les processus cognitifs qui interviennent entre l'agression et la réaction à celle-ci, mais aussi les facteurs qui influent sur ces processus. Contrairement à Selye, qui s'intéresse essentiellement aux réactions physiologiques, Lazarus intègre dans sa théorie du stress les réponses psychologiques.

La **théorie transactionnelle du stress** de Lazarus fait appel à un ensemble de stratégies cognitives, affectives et d'adaptation ou de *coping* qui émanent de la relation dynamique, mutuellement réciproque et bidirectionnelle que la personne entretient avec son environnement. La personne et son environnement sont indissociables : chacun d'eux influe sur l'autre et est déterminé par lui. Selon cette théorie, le stress est provoqué par une demande interne ou externe, égale ou supérieure aux capacités

d'adaptation de la personne ou du système social (Monat et Lazarus, 1991). Les stratégies d'adaptation ou de *coping* sont les moyens par lesquels un individu tente de composer avec les changements qu'il perçoit dans son environnement.

Indicateurs du stress

Les indicateurs du stress se répartissent en trois catégories : physiologiques, psychologiques et cognitifs.

Indicateurs physiologiques

C'est notre perception de l'agent stressant qui détermine notre réponse au stress. L'activation des fonctions neurologiques et endocriniennes provoque les signes et les symptômes physiologiques du stress. On trouve à l'encadré 26-1 la liste de ces signes et symptômes.

Indicateurs psychologiques

Le stress se traduit par différentes manifestations psychologiques, notamment l'anxiété, la peur, la colère, la dépression et

---

ENCADRÉ 26-1
SIGNES ET SYMPTÔMES DU STRESS

- Quand l'organisme est exposé à une menace sérieuse, les pupilles se dilatent pour améliorer la perception visuelle.
- La diaphorèse s'intensifie pour contrebalancer l'élévation de la température corporelle causée par l'accélération du métabolisme.
- La fréquence et l'amplitude des pulsations cardiaques augmentent pour permettre un acheminement plus efficace des nutriments et des déchets du métabolisme.
- La peau pâlit à la suite de la constriction des vaisseaux sanguins périphériques, provoquée par la noradrénaline.
- La sécrétion de minéralocorticoïdes stimule la rétention de sodium et d'eau, ce qui accroît le volume sanguin.
- La respiration devient plus rapide et plus profonde à cause de la dilatation des bronches.
- Le débit urinaire baisse.
- La bouche devient parfois sèche.
- Le péristaltisme ralentit, ce qui provoque parfois constipation et flatulences.
- Devant une menace importante, la vivacité d'esprit augmente.
- La tension musculaire s'intensifie afin de préparer l'organisme à la réaction de lutte ou de fuite.
- La glycémie s'élève à cause de la gluconéogenèse et de la sécrétion accrue de glucocorticoïdes.

ALERTE CLINIQUE • Lorsque l'anxiété est de légère à modérée, elle favorise l'adoption de comportements visant un but précis. Elle constitue à cet égard une stratégie d'adaptation efficace. Ainsi, l'anxiété légère peut inciter les étudiants à revoir plus sérieusement leurs notes de cours avant l'examen. Par contre, l'anxiété grave a souvent des effets destructeurs. •

26

les mécanismes inconscients de défense. Certaines de ces réactions d'adaptation s'avèrent très utiles ; d'autres constituent plutôt un obstacle, selon les circonstances et selon le laps de temps pendant lequel il faut les maintenir.

ANXIÉTÉ

L'**anxiété** est une réaction courante au stress. Elle se caractérise par un sentiment de malaise ; elle engendre l'appréhension, la terreur, des prémonitions de danger et une impression de totale impuissance devant une menace imminente ou plus lointaine, mais jamais clairement définie, qui semble peser sur l'individu lui-même ou sur ses proches. L'anxiété peut être éprouvée au niveau conscient, subconscient ou inconscient. Elle se distingue de la peur par les quatre caractéristiques suivantes :

- Contrairement aux facteurs qui provoquent la peur, ceux qui suscitent l'anxiété ne sont pas toujours faciles à reconnaître.
- L'anxiété est générée par un événement prévu ou redouté, mais toujours futur. La peur naît d'un danger (réel ou perçu) présent.
- L'anxiété est une sensation vague ; la peur est une sensation concrète.
- L'anxiété provient de conflits psychologiques ou émotionnels ; la peur repose sur des paramètres physiques et psychologiques distincts.

On distingue quatre niveaux d'anxiété.

1. L'anxiété légère induit une vigilance légèrement supérieure à la normale, ce qui accroît les perceptions, favorise l'apprentissage et stimule les capacités productives. La plupart des gens en bonne santé éprouvent à l'occasion une telle anxiété, qui peut prendre la forme d'une légère inquiétude, les incitant à poser des questions, à s'informer.

2. L'anxiété modérée porte l'état de vigilance à un stade légèrement supérieur : la personne est tendue, nerveuse, soucieuse. Ses capacités de perception se restreignent. Elle se concentre sur un aspect particulier de la situation et s'intéresse moins aux activités et aux paramètres périphériques.

3. L'anxiété grave consume presque toute l'énergie de la personne touchée ; elle exige une intervention ciblée. Les perceptions de la personne sont encore moins claires qu'au stade précédent. Incapable de percevoir la réalité telle qu'elle est, la personne ne se concentre plus que sur un détail particulier de la situation anxiogène.

4. La panique est un degré d'anxiété à tel point insupportable que la personne n'a plus aucune emprise sur les événements. Elle est beaucoup plus rare que les autres formes d'anxiété. Les perceptions peuvent être altérées au point que la personne a une vision complètement distordue de la réalité.

On trouve au tableau 26-2 les indicateurs de ces niveaux d'anxiété.

TABLEAU 26-2
INDICATEURS DU NIVEAU D'ANXIÉTÉ

Catégorie d'indicateurs	Niveau d'anxiété			
	Légère	**Modérée**	**Grave**	**Panique**
Modification de l'expression orale	Propension à poser un plus grand nombre de questions	Voix chevrotante et plus aiguë	Propos difficiles à comprendre	Propos parfois complètement incompréhensibles
Changements dans l'activité motrice	Légère agitation Insomnie	Tremblements, tics, fébrilité Tension musculaire accrue	Activité motrice accrue, incapacité de se détendre Expression du visage qui traduit l'angoisse	Activité motrice accrue, agitation Tremblements, coordination motrice très déficiente Réactions imprévisibles
Modification des perceptions et de l'attention	Agitation et vigilance accrues Tentatives d'adaptation par l'apprentissage	Diminution du champ de l'attention Capacité de concentration maintenue, mais attention sélective Légère diminution des capacités d'apprentissage	Incapacité de se concentrer ou de maintenir l'attention Propension à se laisser distraire Détérioration importante des capacités d'apprentissage	Exagération ou distorsion des perceptions Incapacité de comprendre, d'apprendre et de fonctionner
Changements respiratoires et cardiovasculaires	Aucun	Légère accélération de la fréquence et de l'amplitude respiratoires et cardiaques	Tachycardie, hyperventilation	Dyspnée, palpitations, suffocation, sensation d'oppression dans la poitrine ou douleurs thoraciques
Autres changements	Aucun	Légers symptômes gastriques (impression d'avoir l'estomac noué)	Maux de tête, étourdissements, nausées et vomissements	Pressentiment d'un danger imminent Paresthésie, diaphorèse excessive

Sources : Carpenito-Moyet, L. J. (2006). *Nursing diagnosis : Application to clinical practice* (11ᵉ éd.) (p. 97-109). Philadelphie : Lippincott ; Fontaine, K. L, et Fletcher, J. S. (2003). *Mental health nursing* (5ᵉ éd.) (p. 273). Upper Saddle River, NJ : Pearson Education, Inc.

PEUR

La **peur** est un sentiment d'appréhension provoqué par un danger possible ou imminent, la douleur ou une autre menace perçue. La peur peut être éveillée par un événement passé, par une menace immédiate ou par un danger futur. L'objet de cette peur peut être réel ou imaginaire. Par exemple, une étudiante infirmière peut éprouver de la peur à l'idée qu'elle va bientôt devoir effectuer une intervention clinique. Elle peut avoir peur de faire un geste maladroit qui risque de nuire à la première personne qu'elle devra soigner ou redouter que celle-ci refuse d'être soignée par une étudiante.

COLÈRE

La **colère** est un état émotionnel caractérisé par un sentiment d'animosité ou de mécontentement extrême. Certaines personnes se sentent coupables quand elles sont en colère car, tout au long de leur enfance, on leur a dit qu'il ne fallait pas se fâcher, que la colère était répréhensible. Il faut savoir toutefois que la colère peut être exprimée verbalement d'une manière qui reste acceptable. Elle doit alors être considérée comme une émotion positive et comme un signe de maturité affective car, dans ce cas, elle favorise la croissance, l'épanouissement et des échanges fructueux.

L'expression verbale de la colère peut être le signe d'un malaise psychologique ou d'un appel à l'aide pour surmonter le stress. Par contre, l'*hostilité* est un acte d'opposition manifeste qui engendre des comportements nocifs et destructeurs. L'*agression* est une attaque injustifiée ou un acte ou un comportement blessant, destructeur ou menaçant. La *violence* est le recours à la force physique pour blesser, exploiter ou faire mal. La colère exprimée verbalement se distingue de l'hostilité, de l'agression et de la violence – mais, si elle n'est pas contenue, elle peut déboucher sur la violence et la destruction.

L'expression verbale de la colère est constructive si elle répond à certains critères : la personne fâchée doit exposer à son interlocuteur son état d'esprit et bien lui expliquer ce qui l'exaspère ou la met en colère. Cette clarté de la communication permet d'extérioriser la colère, de sorte que l'interlocuteur puisse en prendre conscience et, peut-être, la comprendre et l'apaiser. L'expression de la colère permet de « se vider le cœur » et empêche l'escalade des sentiments de rancune ou d'hostilité.

DÉPRESSION

La dépression est une réaction très courante à des événements jugés écrasants ou négatifs. La **dépression** se caractérise par un sentiment profond de tristesse, de désespoir et de découragement ainsi que par l'impression de ne rien valoir, d'être vide. Elle touche chaque année des millions de Nord-Américains. Les signes et les symptômes de la dépression ainsi que sa gravité varient grandement selon la personne touchée et l'événement déclencheur. Les symptômes affectifs de la dépression sont notamment l'épuisement, la fatigue extrême, la tristesse, le sentiment d'être vide ou engourdi. Au nombre des signes comportementaux de la dépression figurent l'irritabilité, le manque de concentration, la difficulté à prendre des décisions, la perte de la libido, les pleurs fréquents, les troubles du sommeil et le repli sur soi. Les signes physiques de la dépression sont

en particulier la perte d'appétit, la perte de poids, la constipation, les maux de tête et les étourdissements. La plupart des gens connaissent de brefs épisodes de dépression à la suite d'un événement particulièrement stressant, par exemple la mort d'un être cher ou la perte d'un emploi. Par contre, la dépression prolongée doit être prise très au sérieux et traitée.

MÉCANISMES DE DÉFENSE

Les **mécanismes de défense** sont des mécanismes inconscients d'adaptation ou, pour paraphraser Sigmund Freud (1946), des mécanismes mentaux qui se développent quand la personnalité cherche à se défendre, à établir des compromis entre des impulsions contradictoires ou à atténuer des tensions internes. Les mécanismes de défense sont mis en œuvre par l'inconscient pour prémunir la personne contre l'anxiété. Ils peuvent être à cet égard considérés comme des précurseurs des mécanismes d'adaptation conscients qui aideront en fin de compte à résoudre le problème à l'origine du stress. Comme certaines réponses verbales ou motrices, les mécanismes de défense atténuent la tension. On trouve au tableau 26-3 la description de ces mécanismes et des exemples de bonnes et de mauvaises stratégies d'adaptation.

Indicateurs cognitifs

Les réponses rationnelles au stress, comme la résolution de problèmes, la structuration, la maîtrise de soi, la répression et le fantasme, portent le nom d'indicateurs cognitifs. La *résolution de problèmes* consiste à analyser à fond une situation menaçante et à mettre en œuvre une démarche précise pour aboutir à une solution. Au cours de ce processus, la personne évalue le problème ou la situation, les définit ou les analyse, dresse le bilan de ses possibilités d'action, choisit celle qui lui semble la plus adaptée, la met en œuvre, puis détermine si la solution retenue a donné le résultat escompté.

La *structuration* consiste à modifier les circonstances, de sorte que l'événement redouté ne se produise pas. Par exemple, l'infirmière peut structurer un entretien de façon à ne poser à la personne qu'elle évalue que des questions fermées et directes. La structuration s'avère productive dans certains cas. Ainsi, les personnes qui voient leur dentiste deux fois par an pour leur examen de routine afin d'éviter des problèmes dentaires graves recourent, ce faisant, à une forme productive de structuration.

La *maîtrise de soi* est l'adoption d'une attitude ou d'une expression faciale sereine ou déterminée destinée à montrer qu'on domine la situation. Devant une menace, la maîtrise de soi peut s'avérer utile si elle rassure et prévient ainsi les débordements de panique, les décisions hasardeuses et les gestes contreproductifs. Poussée à l'extrême, elle peut cependant retarder la résolution des problèmes et empêcher la personne de recevoir ou d'accepter l'aide de ses proches qui peuvent la juger, à tort, parfaitement capable de se débrouiller, voire froide, indifférente ou distante.

La *répression* est le rejet volontaire et conscient d'un sentiment ou d'une pensée : « Je n'ai pas envie de m'en occuper aujourd'hui. Je le ferai demain. » Cette réaction atténue passagèrement le stress, mais elle ne règle pas le problème. Si la

26

TABLEAU 26-3
MÉCANISMES DE DÉFENSE

Mécanisme de défense	Exemple(s)	Utilité/But
Compensation: dissimulation d'une faiblesse par la mise en valeur d'une qualité plus avantageuse ou par un exploit dans un domaine moins menaçant.	Un garçon trop petit pour jouer au football devient l'étoile de l'équipe de course à pied de son école.	La compensation permet à la personne de surmonter ses faiblesses et de réussir malgré elles.
Déni: refus de reconnaître des réalités jugées inacceptables en les refoulant dans l'inconscient.	Bien qu'elle sache que son père est atteint d'un cancer généralisé, une femme continue d'organiser une réunion familiale prévue dans six mois.	Le déni aide la personne à se protéger pendant un certain temps de toutes les répercussions d'un événement traumatisant.
Déplacement: transfert d'une charge affective de son objet ou de sa personne véritable sur un élément substitutif.	Lors d'une dispute conjugale, un homme se fâche tellement qu'il frappe une porte pour se décharger de l'agressivité qu'il ressent envers sa femme.	Le déplacement permet de transférer des émotions négatives sur un objet ou sur une personne représentant un danger moindre.
Identification: processus par lequel un individu se constitue sur le modèle d'une personne respectée ou redoutée, en vue d'atténuer sa propre anxiété.	Une jeune diplômée à qui l'on confie un poste de confiance adopte les comportements d'un professeur qu'elle admirait particulièrement.	L'identification permet à l'individu de ne pas s'autodévaloriser.
Intellectualisation: mécanisme de résistance permettant de traiter un problème difficile ou douloureux en termes rationnels et généraux afin de s'épargner les émotions désagréables qu'il devrait en principe susciter.	Une personne venant de perdre son père dans un accident de voiture déclare: « De toute façon, il n'aurait pas voulu vivre handicapé. »	L'intellectualisation protège de la douleur causée par un événement traumatisant.
Introjection: forme d'identification consistant à intérioriser des normes et des valeurs qui peuvent même aller à l'encontre des normes et des valeurs habituelles.	« Il faut toujours dire la vérité, même si tu risques d'être punie », explique un enfant de sept ans à sa petite sœur. Il a intériorisé cette valeur prônée par ses parents et son enseignante.	L'introjection aide l'individu à éviter la punition et les représailles sociales. Elle joue un rôle particulièrement important dans la consolidation du surmoi de l'enfant.
Minimisation: refus de reconnaître la portée de son propre comportement.	Un homme déclare: « Ma femme raconte des histoires! Je n'étais quand même pas ivre au point de ne pas pouvoir conduire… »	La minimisation aide la personne à atténuer sa responsabilité dans le cas d'un comportement inacceptable.
Projection: rejet sur autrui ou sur les circonstances de la responsabilité de ses propres lacunes, erreurs, désirs et pensées inacceptables.	Une femme dont l'enfant doit redoubler accuse l'enseignant d'être incompétent et le tient ainsi pour responsable de l'échec de l'enfant.	La projection permet de nier ses propres lacunes et erreurs. Elle préserve donc l'image de soi.
Rationalisation: justification d'un comportement irrecevable par le recours à une logique douteuse et à des motifs socialement acceptables mais qui, en fait, ne sont pas à l'origine du comportement en question.	Une mère donne une bonne fessée à son jeune enfant, puis rationalise son geste en se disant que, de toute façon, la couche a amoindri la douleur.	La rationalisation aide l'individu à accepter son incapacité de concrétiser ses buts ou de se comporter conformément aux normes.
Formation réactionnelle: attitude psychologique affichée pour cacher un désir refoulé, et adoptée en réaction contre celui-ci.	Bien qu'un cadre supérieur en veuille à son patron de faire appel à un cabinet de consultants pour réorganiser son service, il affirme qu'il trouve l'idée formidable et se montre excessivement poli et coopératif.	La formation réactionnelle permet à la personne d'extérioriser ce qu'elle ressent d'une manière qui soit acceptable.
Régression: retour à un niveau de fonctionnement antérieur, plus confortable, comportant moins de responsabilités.	Un adulte hurle et trépigne de colère parce qu'il n'obtient pas ce qu'il veut. Un homme atteint d'une grave affection refuse de faire des efforts et se laisse laver et nourrir par l'infirmière.	La régression permet de retourner à un stade du développement où la personne avait besoin d'être rassurée et prise en charge et où elle l'acceptait volontiers.
Refoulement: processus mental par lequel des pensées, des émotions et des désirs qui seraient insupportables sont réprimés dans l'inconscient.	Ayant vu son meilleur ami mourir dans un accident de voiture, un adolescent perd tout souvenir des circonstances de cet événement tragique.	Le refoulement protège la personne des effets dévastateurs d'un événement traumatisant jusqu'à ce qu'elle possède les ressources nécessaires pour l'affronter.

26

TABLEAU 26-3 *(suite)*

Mécanisme de défense	Exemple(s)	Utilité/But
Sublimation: mécanisme inconscient par lequel des pulsions primitives, agressives ou sexuelles se transforment en conduites dirigées vers des buts et des objets acceptables sur le plan social.	Une personne ayant une libido exacerbée s'investit dans un mouvement religieux prêchant l'abstinence.	La sublimation permet à la personne d'éviter les comportements irrationnels et impulsifs.
Substitution: remplacement d'un objet hautement valorisé, inacceptable ou inaccessible, par un autre moins valorisé, moins acceptable ou plus accessible.	Une femme voudrait épouser un homme qui ressemble en tous points à son défunt père, mais se contente d'un soupirant qui lui ressemble physiquement.	La substitution permet à la personne d'atteindre certains objectifs en s'évitant le plus possible les frustrations et les déceptions.
Annulation rétroactive: conduite visant à effacer par la parole ou par un geste des pensées, des impulsions ou des actes que la personne se reproche et qu'elle souhaite réparer pour atténuer son sentiment de culpabilité.	Un père gifle son enfant et lui offre un cadeau le lendemain. Un enseignant fait passer à ses étudiants un examen trop facile, puis établit un barème de notation si strict qu'il est pratiquement impossible d'obtenir une bonne note.	L'annulation rétroactive permet de se sentir moins coupable et de réparer ses erreurs.

Source: Fontaine, K. L, et Fletcher, J. S. (2003). *Mental health nursing* (5ᵉ éd.) (p. 11-12). Upper Saddle River, NJ: Pearson Education, Inc.
Traduit et reproduit avec l'autorisation de Pearson Education, Inc.

personne ignore un conflit et fait semblant qu'il n'existe pas parce qu'elle craint de souffrir, elle n'obtiendra jamais un véritable soulagement de ses symptômes.

Le *fantasme* (ou *rêve éveillé*) est une production de l'imagination par laquelle le moi cherche à échapper par des faux-semblants à l'emprise de la réalité. En imagination, la personne voit tous ses vœux et désirs comblés ou alors, elle « réécrit l'histoire » en lui donnant une issue plus heureuse. Elle peut ainsi reconsidérer les faits sous un angle moins menaçant, régler ses problèmes quotidiens et faire des projets d'avenir. Par exemple, une femme qui attend les résultats de sa biopsie mammaire peut imaginer que le chirurgien lui dira: « Rassurez-vous, vous n'avez pas le cancer. » Les fantasmes peuvent être utiles, s'ils permettent de résoudre le problème auquel on est confronté. Par exemple, la femme de notre exemple précédent pourra se dire: « Même si le médecin m'annonce que j'ai le cancer, il n'y aura pas de quoi désespérer s'il me dit que je peux être traitée. » Le fantasme peut par contre s'avérer destructeur et contreproductif quand on y recourt pour fuir la réalité.

Adaptation

L'**adaptation** est l'aptitude à modifier un comportement pour résoudre un problème ou pour accepter une situation nouvelle. Les **stratégies d'adaptation** (ou **mécanismes d'adaptation**) sont un ensemble de réactions innées ou acquises par lesquelles un individu modifie son comportement pour répondre aux changements qui surviennent dans son environnement ou pour surmonter un problème. Pour Folkman et Lazarus (1991), l'adaptation est l'effort cognitif et comportemental que fournit l'individu pour répondre à des demandes externes ou internes qu'il considère comme égales ou supérieures à ses ressources (p. 210).

On distingue deux catégories de stratégies d'adaptation: celles qui visent à régler le problème et celles qui visent à apaiser des tensions de nature affective. Les *stratégies d'adaptation visant la résolution des problèmes* sont celles que l'individu déploie pour améliorer sa situation en y apportant des modifications ou en prenant d'autres mesures concrètes. Les *stratégies d'adaptation visant l'apaisement d'une tension de nature affective* regroupent les actes et les pensées qui atténuent le sentiment de malheur; elles n'améliorent pas la situation concrètement, mais elles aident l'individu à se sentir mieux.

On peut aussi classer les stratégies d'adaptation selon leur portée dans le temps. Les *stratégies d'adaptation à long terme* peuvent être constructives et réalistes. Par exemple, la personne qui confie son problème à ses proches afin de mieux cerner sa situation et de s'en sortir utilise une stratégie d'adaptation à long terme.

D'autres stratégies qui s'inscrivent dans le long terme sont celles qui visent à apporter un changement positif au mode de vie: adopter une alimentation saine, faire régulièrement de l'exercice physique, maintenir un bon équilibre entre le travail et les loisirs, prendre des décisions dans l'optique de régler le problème et non sous le coup de la colère ou d'une autre réaction négative.

Les *stratégies d'adaptation à court terme* peuvent atténuer passagèrement le stress de manière à le rendre tolérable mais, en définitive, elles n'aident pas vraiment la personne à affronter la réalité efficacement. Elles peuvent même s'avérer nuisibles ou destructrices. Voici quelques exemples de stratégies à court terme: consommer de l'alcool ou de la drogue, croire aveuglément que tout finira par s'arranger, céder aux autres pour éviter les manifestations de colère.

Les stratégies d'adaptation varient considérablement d'une personne à l'autre et sont souvent déterminées par la perception de l'événement stressant. En gros, trois stratégies

26

d'adaptation sont envisageables : modifier l'agent stressant, s'y ajuster ou l'éviter. La personne peut modifier sa stratégie d'adaptation chaque fois qu'elle réexamine sa situation. Quelles que soient les circonstances, on a toujours le choix entre au moins deux manières de s'adapter. Certaines personnes privilégient l'évitement, d'autres prennent les problèmes à bras-le-corps, d'autres encore recherchent constamment de nouvelles informations ou s'en remettent à leurs croyances religieuses.

Les stratégies d'adaptation peuvent être efficaces ou inefficaces. Les *stratégies d'adaptation efficaces* aident la personne à prendre en charge les événements stressants en atténuant le plus possible la détresse causée par les difficultés de parcours. Les *stratégies d'adaptation inefficaces* (*contraignantes ou inadaptées*) risquent d'infliger une détresse indue à la personne concernée et à ses proches ou à celles qui sont touchées d'une quelconque façon par l'événement stressant. La documentation en sciences infirmières établit généralement une distinction entre les stratégies d'adaptation efficaces et inefficaces. Même si la stratégie d'adaptation adoptée par une personne ne semble pas toujours très appropriée, l'infirmière doit se rappeler que l'adaptation est toujours intentionnelle.

L'efficacité des stratégies d'adaptation dépend de plusieurs paramètres, notamment :

- Le nombre, la durée et l'intensité des agents stressants
- Les expériences antérieures de la personne
- Le réseau de soutien social auquel elle peut faire appel
- Les caractéristiques personnelles

Si les agents stressants persistent trop longtemps, ils peuvent entraver les capacités d'adaptation de la personne et accroître sa prédisposition à une affection. Les personnes qui doivent s'occuper d'un membre de leur famille à domicile sont soumises à la longue à une forme bien particulière de stress, qui porte le nom de **fardeau des proches aidants**. Ce stress provoque généralement des réponses telles que la fatigue chronique, les troubles du sommeil et l'hypertension artérielle. Le stress prolongé peut aussi provoquer la dépression. Quand les stratégies d'adaptation ou les mécanismes de défense (tableau 26-3) ont perdu toute efficacité, la personne est exposée à des problèmes interpersonnels, à des difficultés professionnelles ainsi qu'à une détérioration marquée de sa capacité de répondre à ses besoins fondamentaux (tableau 26-4).

TABLEAU 26-4

EXEMPLES D'EFFETS DU STRESS SUR LES BESOINS FONDAMENTAUX DE L'ÊTRE HUMAIN

Besoins	Exemples
Besoins physiologiques	Modification des habitudes d'élimination Modification de l'appétit Modification des habitudes de sommeil
Besoin de se sentir en sécurité	Nervosité ; sentiment d'être menacé Fixation sur les agents stressants, aux dépens des mesures de sécurité
Besoin d'aimer et besoin d'appartenance	Isolement ; repli sur soi Dépendance excessive Blâme rejeté sur autrui, jugé responsable de tous les problèmes
Estime de soi	Incapacité d'établir des relations avec autrui Propension à surinvestir le travail Multiplication des tentatives pour attirer l'attention
Réalisation de soi	Tendance à ne se préoccuper que de ses propres problèmes Manque d'emprise sur soi et sur les événements Incapacité d'accepter la réalité

Démarche de soins infirmiers

Collecte des données

L'infirmière doit toujours évaluer le stress et les mécanismes d'adaptation de la personne en deux étapes : (1) l'anamnèse ; (2) l'examen physique destiné à déceler des indicateurs de stress (ongles rongés, nervosité, fluctuations du poids, etc.) et des problèmes de santé causés ou aggravés par le stress (par exemple eczéma ou asthme). Pendant l'anamnèse, l'infirmière doit interroger la personne sur les facteurs de stress et les événements stressants qu'elle considère comme les plus importants dans sa vie, sur les principaux signes et symptômes que le stress provoque chez elle et sur les stratégies d'adaptation qu'elle déploie habituellement. Dans le cadre de l'examen physique, l'infirmière observera les manifestations verbales, motrices, cognitives et physiques du stress. Elle se rappellera cependant que si les stratégies d'adaptation cognitive sont efficaces, le stress peut ne pas provoquer des signes et des symptômes cliniquement manifestes.

L'infirmière doit en outre s'intéresser aux tâches que la personne doit accomplir pour bien se développer sur les plans psychologique et physique. Tout être humain passe par plusieurs stades développementaux de la petite enfance à la vieillesse et doit réaliser les tâches correspondant à chacune de ces étapes. S'il néglige l'une de ces tâches, s'il ne résout pas les problèmes qui en découlent, son niveau de stress augmentera à mesure qu'il avancera en âge. Par exemple, si le bébé n'apprend pas dès le tout début de sa vie à faire confiance aux personnes qui l'entourent, cette méfiance risque de l'accompagner tout au long de son existence, d'entraver ses relations, et même de provoquer

des dysfonctions, un surcroît de stress et la mise en œuvre de stratégies d'adaptation inefficaces. La connaissance des tâches développementales aide l'infirmière à mieux cerner les agents stressants qui pèsent sur la personne et sa façon d'y répondre (tableau 26-1). La rubrique *Entrevue d'évaluation – Stress et modalités d'adaptation* donne quelques exemples de questions permettant de recueillir des données sur le stress que subit une personne et sur les stratégies d'adaptation qu'elle met en œuvre.

📋 ENTREVUE D'ÉVALUATION

STRESS ET MODALITÉS D'ADAPTATION

- Sur une échelle de 1 à 10, comment situeriez-vous le stress que vous subissez dans chacun des domaines suivants? (1 = très faible; 10 = extrêmement élevé)
  1. Maison
  2. Études, travail
  3. Situation financière
  4. Maladie récente ou perte d'un être cher
  5. Santé personnelle
  6. Responsabilités familiales
  7. Relations avec les amis
  8. Relations avec les parents ou les enfants
  9. Relations conjugales ou amoureuses
  10. Hospitalisation récente
  11. Autres (préciser)
- Depuis combien de temps êtes-vous exposé à ces agents stressants?

- Comment abordez-vous les situations stressantes, en général? Si la personne ne décrit pas avec précision ses réactions habituelles, proposez-lui les pistes de réponse suivantes.
  1. Je pleure.
  2. Je me mets en colère.
  3. Je parle à quelqu'un. (À qui?)
  4. Je me replie sur moi.
  5. Je cherche à contrôler les gens et les événements.
  6. Je vais faire une promenade ou un autre exercice physique.
  7. J'essaie de trouver une solution.
  8. Je prie.
  9. Je ris, je plaisante ou je fais des blagues.
  10. Je médite ou je me sers d'autres techniques de relaxation, par exemple le yoga ou la visualisation.
- De quelle manière vos façons de faire vous aident-elles? De quelle manière vous nuisent-elles?

Analyse et interprétation

Les diagnostics infirmiers de la NANDA-I (2010) se rapportant au stress et à l'adaptation sont notamment les suivants (par ordre alphabétique):

- *Anxiété*: vague sentiment de malaise, de gêne ou de crainte accompagné d'une activation du système nerveux autonome; sa source est souvent non spécifique ou inconnue pour la personne. Sentiment d'appréhension généré par l'anticipation du danger. Il s'agit d'un signal qui prévient d'un danger imminent et qui permet à l'individu de réagir devant la menace.

- *Conflit décisionnel (préciser)*: incertitude quant à la ligne de conduite à adopter lorsque le choix entre des actes antagonistes implique un risque, une perte ou une remise en cause des valeurs personnelles.

- *Déni non constructif*: tentative consciente ou inconsciente d'une personne de désavouer la connaissance ou la signification d'un événement afin de réduire son anxiété ou sa peur, au détriment de sa santé.

- *Inadaptation à un changement dans l'état de santé*: incapacité de modifier son mode de vie ou ses comportements en adéquation avec un changement dans l'état de santé.

- *Peur*: réponse à la perception d'une menace consciemment reconnue comme un danger.

- *Stratégies d'adaptation inefficaces*: incapacité d'évaluer correctement les facteurs de stress, de décider ou d'agir de manière appropriée ou de se servir des ressources disponibles.

- *Stratégies d'adaptation défensives*: système d'autodéfense contre tout ce qui semble menacer une image positive de soi, se traduisant par une surestimation systématique de sa propre personne.

- *Stratégies d'adaptation familiales compromises*: le soutien, le réconfort, l'aide et l'encouragement que fournit habituellement une personne affectivement importante (membre de la famille ou ami) sont compromis, inefficaces ou insuffisants. La personne n'a donc pas suffisamment de soutien pour prendre en charge le travail d'adaptation qu'exige son problème de santé.

- *Stratégies d'adaptation familiales invalidantes*: comportement de la personne affectivement importante (ou autre) qui rend celle-ci et la personne soignée incapables d'accomplir efficacement le travail d'adaptation nécessaire aux problèmes de santé.

- *Syndrome d'inadaptation à un changement de milieu*: perturbations physiologiques ou psychosociales résultant d'un changement de milieu.

- *Syndrome posttraumatique*: réponse inadaptée et prolongée à un événement traumatique et accablant.

- *Tension dans l'exercice du rôle de l'aidant naturel*: difficulté à exercer le rôle de soignant naturel.

La rubrique *Diagnostics infirmiers, résultats de soins infirmiers et interventions* donne des exemples d'applications cliniques de ces diagnostics de la NANDA-I, ainsi que les interventions et les résultats de soins infirmiers correspondants.

26

DIAGNOSTICS INFIRMIERS, RÉSULTATS DE SOINS INFIRMIERS ET INTERVENTIONS

STRESS ET DIFFICULTÉS D'ADAPTATION

Collecte des données	Diagnostic infirmier: Définition	Exemple de résultat de soins infirmiers: Définition	Indicateurs	Intervention choisie: Définition	Exemples d'activités
Daniel Joly, un comptable de 67 ans, a subi un infarctus. «J'ai très peur, dit-il. Mon père est mort d'une crise cardiaque à l'âge de 68 ans. J'ai peur, mais je ne pense pas pouvoir arrêter de fumer ni commencer à faire de l'exercice et à changer mon alimentation.»	*Inadaptation à un changement dans l'état de santé: Incapacité de modifier son mode de vie ou ses comportements en adéquation avec un changement dans l'état de santé.*	Acceptation de son propre état de santé: *Adaptation à sa situation de santé.*	Importants: ■ Reconnaissance de la réalité de la situation de santé. ■ Témoignage d'estime de soi positive. ■ Clarification des valeurs.	Consultation psychosociale: *Utilisation d'une approche centrée sur les besoins, les difficultés ou les sentiments d'une personne et de ses proches afin d'améliorer ou de soutenir leur capacité d'adaptation, leur capacité à résoudre des problèmes ainsi que leurs relations interpersonnelles.*	■ Adopter une attitude empathique, cordiale, empreinte de sincérité. ■ Fournir des informations adaptées aux besoins. ■ Utiliser des techniques visant à faciliter la réflexion et la clarification des idées pour amener la personne à mieux exprimer ses inquiétudes.
Sonia Paquin, 33 ans, est mère de 3 enfants. Elle vient de reprendre le travail après avoir consacré huit ans à sa famille. «Je suis extrêmement fatiguée depuis que j'ai recommencé à travailler, dit-elle. Je n'arrive pas à entretenir ma maison comme je le devrais, et je ne suis presque jamais avec les enfants. Je suis trop fatiguée pour aller faire les courses et pour assister aux parties de base-ball de mon fils. Tout le monde m'aide, et personne ne se plaint. Mais je ne peux pas m'empêcher de penser qu'ils préféreraient que je sois encore à la maison pour faire des gâteaux et jouer avec les enfants. Je crois que je ne dors pas bien et j'ai très souvent mal à la tête.»	*Conflit décisionnel (Stress émotionnel et physique causé par le conflit entre les responsabilités professionnelles et familiales): Incertitude quant à la ligne de conduite à adopter lorsque le choix entre des actes antagonistes implique un risque, une perte ou une remise en cause des valeurs personnelles.*	Prise de décision: *Capacité à choisir entre deux ou plusieurs options.*	Souvent démontrés: ■ Cerne les options. ■ Détermine les ressources nécessaires pour étayer chaque option. ■ Effectue des choix entre les options.	Aide à la prise de décision: *Information et soutien à fournir à une personne qui doit prendre une ou des décisions relatives aux soins nécessaires à sa santé.*	■ Renseigner la personne sur les différentes options ou solutions. ■ L'aider à peser les avantages et les inconvénients de chacune des possibilités. ■ Inciter la personne à formuler ses objectifs concernant les soins.

Planification

L'infirmière établit son plan de soins et de traitements en fonction de l'état de santé de la personne (par exemple sa capacité de reprendre le travail), de son niveau d'anxiété, des ressources dont elle dispose, de ses mécanismes d'adaptation, de ses particularités socioculturelles et de son appartenance religieuse. Dans la mesure du possible, elle établira ce plan en collaboration avec la personne soignée et les membres de sa famille. Si elle possède peu d'expérience de travail auprès des personnes souffrant de stress, l'infirmière pourra consulter une collègue plus

26

expérimentée pour élaborer un plan de soins et de traitements individualisé. Par ailleurs, en collaboration avec la personne, elle définira des objectifs en vue d'améliorer ou de modifier les réponses habituelles aux agents stressants.

Les objectifs généraux des interventions infirmières en vue de diminuer le stress sont les suivants:

- Éliminer ou atténuer l'anxiété.
- Améliorer la capacité de la personne de s'adapter aux circonstances ou aux événements qui la stressent.
- Renforcer sa capacité d'exercer correctement ses rôles.

On trouvera également à la fin du présent chapitre un *Plan de soins et de traitements infirmiers* (p. 613-615) et un *Schéma du plan de soins et de traitements infirmiers* (p. 617) indiquant des interventions et des activités choisies.

Planification des soins à domicile

Les personnes qui souffrent de stress ont parfois besoin de soins infirmiers continus ou du soutien des services communautaires pour améliorer leurs capacités d'adaptation. Pour déterminer les interventions et le suivi indispensables, l'infirmière doit faire le point sur la manière dont la personne et sa famille se sont adaptées au stress par le passé et reconnaître les agents stressants qui les touchent actuellement. On indique à la rubrique *Évaluation pour les soins à domicile – Stress et adaptation* les données à recueillir pour planifier les soins à domicile et pour évaluer le suivi.

Interventions infirmières

Bien que le stress fasse partie intégrante de la vie quotidienne, il n'en reste pas moins une expérience personnelle. Ainsi, une situation donnée peut être très stressante pour telle personne, et ne constituer qu'un désagrément mineur pour telle autre. De plus, les stratégies de réduction du stress fonctionnent plus ou moins bien selon la personne en cause. Pour choisir le type d'intervention qui correspondra le mieux à la personne, l'infir-

mière doit donc tout d'abord déterminer d'une manière précise ses besoins et ses réactions.

Stratégies d'amélioration de la santé

L'infirmière peut proposer différentes stratégies de gestion du stress, par exemple faire de l'exercice, mieux s'alimenter, se reposer suffisamment et gérer son temps d'une manière plus efficace.

EXERCICE PHYSIQUE. Pratiqué régulièrement, l'exercice améliore la santé physique et émotionnelle. Sur le plan physiologique, il procure notamment les bienfaits suivants: augmentation du tonus musculaire; amélioration de la fonction cardiorespiratoire; baisse ou stabilisation du poids. Sur le plan psychologique, l'activité physique présente les avantages suivants: atténuation des tensions; sentiment de bien-être; détente. En général, les lignes directrices sur la santé recommandent de faire de l'exercice pendant 30 à 45 minutes, au moins 3 fois par semaine.

ALIMENTATION. Pour rester en bonne santé et pour augmenter la résistance au stress, il est indispensable de bien manger. Les personnes qui souhaitent atténuer les effets négatifs du stress (par exemple irritabilité, hyperactivité, anxiété) devront éviter les excès de caféine, de sel, de sucre et de matières grasses, mais aussi les carences en vitamines et en minéraux. On trouvera au chapitre 40 ⬚ des recommandations sur une alimentation saine et équilibrée.

> **ALERTE CLINIQUE** • Nombreux sont les gens qui affectionnent un ou des aliments particuliers. Ils consomment ces aliments pour se réconforter. •

REPOS ET SOMMEIL. Le repos en général, et le sommeil en particulier, sont revitalisants et aident à mieux gérer le stress. Pour aider la personne à se reposer et à dormir suffisamment, l'infirmière doit parfois prendre des mesures visant à augmenter

---

✓ ÉVALUATION POUR LES SOINS À DOMICILE

STRESS ET ADAPTATION

Personne atteinte de stress
- *Connaissances:* compréhension de la nature des agents stressants
- *Stratégies d'adaptation courantes:* efficacité des stratégies d'adaptation courantes et volonté d'apprendre de nouvelles techniques de gestion du stress
- *Capacités d'autosoins:* ressources physiques, affectives, sociales et financières permettant d'atténuer ou d'éliminer les agents stressants
- *Attentes à l'égard de l'exercice des rôles:* perception du besoin de reprendre les rôles antérieurs et analyse des agents stressants inhérents à ces rôles

Famille
- *Connaissances:* compréhension de la nature des agents stressants auxquels est soumise la personne et de l'influence de ces agents sur les proches

- *Stratégies d'adaptation familiales:* efficacité des stratégies d'adaptation des membres de la famille et des autres proches et volonté de ces personnes d'apprendre de nouvelles techniques de gestion du stress
- *Perception des rôles:* perception des membres de la famille et des autres proches de la nécessité que la personne reprenne ses rôles familiaux et professionnels antérieurs
- *Disponibilité et compétences du réseau de soutien:* sensibilité de l'entourage aux besoins physiques et affectifs de la personne; capacité de l'entourage à la soutenir dans son cheminement

Communauté
- *Ressources:* accessibilité et connaissance des sources possibles d'assistance pour la gestion du stress, par exemple massothérapeute, psychothérapeute, psychologue, groupe de soutien, etc.

le bien-être (par exemple administration d'anxiolytiques ou de somnifères) ou lui enseigner des techniques de relaxation et d'apaisement. (Voir plus loin les techniques de relaxation.)

GESTION DU TEMPS. Les personnes qui savent bien gérer leur temps sont généralement moins stressées que celles qui le gèrent mal, car elles ont le sentiment d'avoir plus d'emprise sur leurs horaires. Quand une personne se sent écrasée par ses responsabilités, l'infirmière peut l'aider à classer ses différentes tâches par ordre de priorité et, si possible, à trouver des moyens d'alléger les exigences que lui imposent les différents rôles qu'elle doit exercer. Par exemple, les mères qui travaillent pourront envisager de confier certaines tâches ménagères aux membres de leur famille ou engager quelqu'un pour l'entretien ménager. Pour bien gérer son temps, il faut aussi savoir limiter les sollicitations de l'entourage en se rappelant qu'il n'est pas toujours possible de toutes les satisfaire. L'infirmière pourra aider la personne à définir les sollicitations de l'extérieur auxquelles elle peut répondre sans s'imposer un trop grand stress, et celles qu'elle devrait ignorer complètement ou en partie. Pour mieux gérer son temps et ne pas se sentir débordée, la personne pourra se fixer chaque jour ou chaque semaine une plage réservée à certaines tâches bien précises. Les stratégies de gestion du temps doivent tenir compte des responsabilités de la personne et des tâches qui lui tiennent à cœur, mais aussi l'aider à établir des objectifs réalistes à cet égard. Par exemple, l'infirmière devrait amener la personne à se demander si elle peut à la fois garder sa maison toujours propre et jouer tous les jours avec ses enfants; s'il lui est impossible de mener à bien ces deux objectifs, elle devra déterminer lequel est celui qui lui tient le plus à cœur. Les personnes qui se sentent à court de temps doivent passer en revue les différentes activités de leur vie et les classer en trois catégories, selon leur véritable importance: souhaitables; plutôt nécessaires; absolument indispensables. Elles pourront ensuite se fixer des objectifs moins contraignants et définir des attentes plus réalistes envers elles-mêmes.

Soulagement de l'anxiété

Dans son travail quotidien, l'infirmière doit souvent prendre des mesures concrètes pour soulager le stress et l'anxiété de la personne. Par exemple, elle peut l'inciter à inspirer profondément avant de lui administrer une injection. Elle peut aussi décrire les interventions auxquelles elle sera soumise et les sensations qu'elles peuvent entraîner ou lui faire un massage pour l'aider à se détendre. Elle peut enfin proposer son appui à la personne et à sa famille pendant une affection. L'infirmière doit savoir qu'il est parfois nécessaire d'agir vite pour éviter que l'anxiété ne se propage. En effet, elle est «contagieuse» et peut facilement contaminer l'entourage: les membres de la famille, les autres personnes soignées qui se trouvent dans son entourage, les professionnels de la santé. Nous présentons à l'encadré 26-2 des recommandations d'ordre général qui pourront aider les personnes anxieuses ou stressées à se détendre.

Soulagement de la colère

Les infirmières ont souvent du mal à composer avec la colère que peuvent manifester les personnes qu'elles soignent, et ce, pour deux raisons:

- Il est rare qu'une personne déclare ouvertement qu'elle est fâchée ou qu'elle donne les raisons de sa contrariété. Elle aura

---

ENCADRÉ 26-2
RECOMMANDATIONS CONCERNANT LE SOULAGEMENT DU STRESS ET DE L'ANXIÉTÉ

- Écoutez attentivement; essayez de comprendre le point de vue de la personne sur sa situation.
- Créez une ambiance dans laquelle la personne se sent en confiance; faites-lui sentir que vous l'écoutez. Montrez-vous empathique.
- Déterminez si la personne est capable de prendre part à l'élaboration du plan de soins et de traitements. Proposez-lui différentes possibilités d'action, mais sans lui offrir trop de choix pour ne pas la submerger.
- Si nécessaire, restez auprès de la personne pour la rassurer; ainsi, elle se sentira en sécurité et aura moins peur.
- Diminuez autant que faire se peut les agents stressants qui l'entourent: réduisez les bruits; limitez le nombre de personnes lui rendant visite si elle est d'accord; si possible, faites le nécessaire pour que ce soit toujours la même infirmière qui lui prodigue des soins.
- Le cas échéant, prenez les mesures de prévention du suicide qui s'imposent.
- Adressez-vous à la personne de façon claire, en utilisant des mots simples.
- Aidez la personne à accomplir les tâches suivantes:
  - Définir les situations qui provoquent ou accroissent son anxiété et dresser la liste des manifestations de l'anxiété les plus courantes chez elle.
  - Le cas échéant, exprimer verbalement ses sentiments, ses perceptions ou ses craintes.
  - Cerner ses forces et ses atouts.
  - Définir ses mécanismes habituels d'adaptation et établir la distinction entre les mécanismes efficaces et inefficaces.
  - Élaborer de nouvelles stratégies de gestion du stress, par exemple exercices physiques, massages, détente progressive, etc.
  - Dresser le bilan des ressources et des réseaux de soutien à sa disposition.
- Donnez les renseignements suivants:
  - Il est essentiel de faire de l'exercice, d'avoir une alimentation équilibrée et de bénéficier d'un bon repos et d'un sommeil réparateur pour régénérer ses forces et pour renforcer ses capacités d'adaptation.
  - De nombreux groupes peuvent venir en aide, selon les besoins: Alcooliques anonymes; Association troubles anxieux du Québec (ATAC); services de prévention du suicide; groupes de soutien pour les parents; Direction de la protection de la jeunesse.
  - Il existe des programmes didactiques qui peuvent aider la personne à mieux gérer son temps ou à s'affirmer auprès de son entourage; elle peut aussi s'inscrire dans un groupe de méditation pour apprendre à mieux se détendre.

plutôt tendance à refuser les traitements, à injurier le personnel hospitalier, à le menacer ou à le critiquer d'une manière excessive et brutale. Ses revendications traduisent rarement la véritable cause de son exaspération.

■ Cette colère peut effrayer ou irriter l'infirmière. Celle-ci risque alors de réagir d'une manière qui exacerbe la susceptibilité de son interlocuteur et peut même le rendre violent. Dans de telles circonstances, l'infirmière a souvent tendance à se comporter de manière à soulager son propre stress plutôt que celui de la personne soignée.

Voici les stratégies que proposent Fontaine et Fletcher (1999) pour aider l'infirmière à composer avec la colère de la personne soignée :

■ Définir et comprendre la manière dont on réagit habituellement aux sentiments de colère et à leur expression.

■ Accepter le fait que la personne a le droit de se sentir fâchée ; ses sentiments sont bien réels et ne doivent pas être minimisés ou ignorés.

■ S'efforcer de comprendre la signification de cette colère.

■ Demander à la personne la raison de sa colère : les facteurs qui la déclenchent ou l'exacerbent.

■ Aider la personne à se « réapproprier » sa colère : ne pas se considérer comme responsable de ses émotions.

■ La laisser parler de son irritation.

■ L'écouter et agir le plus calmement possible.

■ Une fois la discussion terminée, prendre le temps de faire le point sur ses émotions et sur ses réactions en en parlant à des collègues.

L'infirmière a le devoir de s'assurer que la personne en colère et celles qui l'entourent sont en sécurité. Elle doit connaître les règlements de l'établissement et savoir comment faire appel au personnel de sécurité ou aux autres membres de l'équipe soignante lorsqu'elle se sent menacée ou qu'une autre personne est en danger.

ALERTE CLINIQUE • Si elle se sent menacée par une personne en colère, l'infirmière doit tenter de l'apaiser en légitimant cette colère et en se montrant prête à l'écouter, dans la mesure où elle ne représente pas de danger pour elle-même et pour les autres. Sinon, l'infirmière doit se retirer immédiatement et (ou) demander de l'aide. •

Utilisation des techniques de relaxation

On peut recourir à différentes techniques de relaxation pour retrouver sa tranquillité d'esprit, relâcher les tensions et contrecarrer la réaction de lutte ou de fuite inhérente au SGA (voir plus haut). L'infirmière peut enseigner ces techniques et encourager la personne qu'elle soigne à y recourir chaque fois qu'elle se trouve dans une situation stressante, par exemple : (1) pendant le travail de l'accouchement ; (2) après une intervention chirurgicale, pour soulager la douleur ; (3) avant et pendant une intervention douloureuse. Des CD ou des DVD de relaxation sont offerts dans la plupart des grands magasins ou des librairies.

Nous avons indiqué au chapitre 13 ⊙⊙ certaines techniques de relaxation, notamment :

■ Exercices de respiration
■ Massages
■ Relaxation progressive
■ Visualisation
■ Rétroaction biologique
■ Yoga
■ Méditation
■ Toucher thérapeutique
■ Musicothérapie
■ Humour et rire

Intervention en situation de crise

La *crise* est un état de déséquilibre aigu, limité dans le temps, déclenché par un stress situationnel, développemental ou sociétal. La personne en crise est passagèrement incapable de s'adapter au stress au moyen de ses stratégies habituelles de résolution de problèmes. En général, elle perçoit sa situation d'une manière distordue et ne possède pas les ressources et les mécanismes d'adaptation dont elle aurait besoin dans les circonstances. On indique à l'encadré 26-3 les caractéristiques communes à toutes les crises.

L'**intervention en situation de crise** est une intervention de courte durée qui aide la personne à : (1) traverser la crise jusqu'à sa résolution ; (2) revenir à son niveau de fonctionnement antérieur. Cette intervention est destinée autant à la personne en crise qu'à celles qui l'entourent. Les interventions d'urgence ne relèvent pas d'une équipe spécialisée. Les personnes susceptibles d'intervenir dans les cas de crise peuvent être des infirmières, des médecins, des psychologues, des travailleurs sociaux, mais aussi des policiers, des enseignants et des conseillers scolaires, entre autres.

Puisqu'elle donne lieu à un état de déséquilibre pratiquement insupportable, la crise est nécessairement de courte durée. Il faut savoir toutefois que les personnes qui doivent surmonter une crise seules ont moins de chances de s'en sortir efficacement

ENCADRÉ 26-3
CARACTÉRISTIQUES COMMUNES DES CRISES

■ Toutes les crises sont soudaines. En général, la personne n'a pas conscience des signes avant-coureurs – même si son entourage voit parfois la crise « arriver ». La personne ou les membres de sa famille ont l'impression qu'ils ne sont pas suffisamment préparés à faire face à l'événement ou au traumatisme.

■ Que cette perception soit réaliste ou non, la personne en crise a généralement le sentiment que cet événement met sa vie en danger.

■ Les communications avec les proches sont coupées.

■ La personne en crise se sent éloignée de ses proches et des lieux qu'elle connaît bien.

■ Toutes les crises reposent sur une perte, qu'elle soit réelle ou perçue. La personne en crise ressent douloureusement la perte d'un objet ou d'une personne ; elle peut avoir perdu l'espoir, sentir qu'un rêve ne peut se concrétiser ou qu'elle doit renoncer à un projet qui lui tient particulièrement à cœur.

26

que celles qui bénéficient d'un bon soutien dans ces moments difficiles. En d'autres termes, l'aide d'autrui augmente les chances de trouver une issue positive à la crise. Souvent, les crises offrent à la personne même ou à sa famille une occasion importante de croissance et de changement.

Les étapes habituelles des interventions infirmières en situation de crise sont très similaires à celles de l'intervention d'urgence. Dans son évaluation, l'infirmière doit s'intéresser en tout premier lieu à la personne et au problème qu'elle affronte et recueillir des données à son sujet, tout comme au sujet de ses stratégies habituelles d'adaptation, de l'événement qui a déclenché la crise, de son réseau de soutien, de sa perception de la crise et de sa capacité de prendre en charge le problème. Ces données aideront l'équipe soignante à prendre des décisions futures sur le moment propice à l'intervention, sur le mode d'intervention qui s'impose et sur les personnes qui devront intervenir. Les diagnostics infirmiers sont déterminés par la manière dont la personne concernée perçoit l'événement et par la réponse qu'elle y apporte. Quand une personne est en état de crise, les diagnostics infirmiers les plus courants sont ceux que nous avons cités précédemment dans ce chapitre, auxquels s'ajoutent notamment : *Risque de violence envers soi*; *Risque de violence envers les autres*; *Syndrome du traumatisme de viol*; *Perte d'espoir*.

La planification de l'intervention d'urgence doit reposer sur une évaluation exacte et complète de la situation et être élaborée en collaboration avec la personne en crise et avec ses proches.

L'intervention comporte la consultation d'urgence et les visites à domicile. La **consultation en situation de crise** vise à résoudre les problèmes immédiats. Elle peut s'adresser à des personnes, à des groupes ou à des familles. Cette intervention se fait principalement au moyen d'entretiens téléphoniques avec des bénévoles, aidés par des conseillers professionnels. Ces lignes d'urgence sont généralement accessibles 24 heures sur 24 ; elles garantissent l'anonymat aux personnes qui appellent et leur permettent de se familiariser avec la démarche de demande d'aide. Les bénévoles suivent généralement un protocole indiquant les renseignements qu'ils doivent obtenir pour évaluer la nature et la gravité de la crise. Leur objectif est de planifier des actions ciblées en vue d'assurer un soulagement immédiat et, le cas échéant, un suivi à plus long terme.

Gestion du stress chez les étudiantes en soins infirmiers

Les étudiantes en soins infirmiers ont beaucoup de difficulté à gérer le stress, surtout au cours de la première année d'études. Les événements stressants sont notamment les premiers cours, l'établissement de relations personnelles avec des camarades de classe, les attentes à l'égard du rendement scolaire, la lourde charge de travail et le sentiment d'impuissance (Aoun, 2006). La technique des soins infirmiers est la plus difficile et exigeante de toutes les techniques, qu'on ne peut maîtriser qu'au prix d'un très grand nombre de nouveaux apprentissages. Afin de diminuer le stress et l'anxiété d'anticipation, il faut bien se préparer et utiliser dans ce but différents moyens : étudier tous les jours, revoir les concepts moins bien maîtrisés, pratiquer

régulièrement les nouvelles techniques apprises, respecter l'échéancier des études et des travaux en vue des différentes évaluations.

Un autre type d'anxiété est celui suscité par les stages cliniques, qui font peur aux étudiantes, pour différentes raisons : peur de l'inconnu, premiers contacts avec les clients et les équipes de soins, attentes et personnalité de l'enseignant par opposition à une évaluation qui devrait être objective. Pour diminuer le stress pendant les stages et surtout pour éviter que l'anxiété n'atteigne un niveau intolérable, une bonne préparation s'impose. Souvent, une grande source d'anxiété est la façon dont l'étudiante perçoit la personne responsable de l'évaluation (Aoun, 2006), qu'elle devrait cependant considérer comme un allié malgré son rôle. Pour diminuer leur stress, les étudiantes devrait se dire que cette personne n'est pas forcément en train de chercher la moindre erreur, car elle sait que les étudiantes sont en apprentissage. Dans son rôle, elle attend tout simplement que les étudiantes atteignent le niveau de compétences nécessaire au bon fonctionnement du service. Il est fortement recommandé aux étudiantes de valider leurs perceptions surtout au moment de l'évaluation du stage, car il serait dommage de ne pas bien réussir un stage en raison d'une fausse impression, issue de distorsions cognitives (Burns, 2008, p. 65-71). Le contrôle des pensées se classe parmi les principales méthodes employées pour gérer le stress (Chapelle et Monié, 2007, p. 73-89 ; Lapointe, 2005, p. 58 ; Boucher, 1997, p. 60). Les clés du succès (Bellerose et Dionne, 2009) sont le travail sur soi, l'autoévaluation, les recherches et la préparation. Plus vous êtes préparée (Lacourse, 2005, p. 33-36 ; Le Bras, 1999, p. 62-72), meilleure sera votre performance ; votre zone de confort s'élargira, ce qui vous permettra de satisfaire aux critères de compétences requises.

Gestion du stress des infirmières

Les infirmières ne sont pas à l'abri du stress et de l'anxiété. Chez elles, ces derniers sont générés autant par les personnes soignées que par les conditions de travail (en plus de leur situation personnelle) : manque de personnel, lourdeur croissante des cas à soigner, besoin de s'adapter à des horaires de travail qui changent souvent, obligation d'assumer des responsabilités sans y être suffisamment préparée, manque de soutien de la part des superviseurs et des collègues, visites à domicile dans des maisons où l'ambiance est déprimante, soins aux mourants, etc. La plupart des infirmières relèvent avec brio les défis émotionnels et physiques que comporte leur travail. Il arrive néanmoins qu'elles se sentent écrasées par l'ampleur de leurs tâches et qu'elles souffrent d'**épuisement professionnel**, un syndrome complexe de comportements qui s'apparente à la phase de l'épuisement du syndrome général d'adaptation. Il se caractérise par une extrême fragilité émotionnelle et physique, une attitude et une image de soi négatives et un sentiment d'impuissance et de désespoir.

Pour prévenir l'épuisement professionnel, l'infirmière pourra mettre en œuvre les mêmes techniques de gestion du stress qu'elle recommande aux personnes qu'elle soigne. Mais, tout d'abord, elle doit prendre conscience de son stress et rester attentive à ses réactions susceptibles d'annoncer une détérioration de son état d'esprit, par exemple sentiment d'être submergée, fatigue extrême, explosions de colère, symptômes physiques, consommation accrue de café, de tabac ou de drogues. Une fois qu'elle aura fait le point sur les agents stressants et qu'elle connaîtra bien ses réactions habituelles, l'infirmière déterminera les situations qui suscitent en elle les réactions les plus vives et prendra des mesures pour prévenir le stress ou l'atténuer. Ces quelques exemples l'aideront à trouver une stratégie efficace à cet égard :

- Prévoir un programme quotidien de relaxation et s'accorder des moments de détente lui permettant de s'engager dans des activités qui visent à réduire les tensions (par exemple lire, écouter de la musique, prendre un bain, méditer, etc.).
- Suivre un programme régulier d'exercices physiques pour canaliser l'énergie négative.
- Étudier les techniques d'affirmation de soi afin de surmonter son sentiment d'impuissance dans ses relations avec autrui. Apprendre à dire non quand c'est nécessaire.
- Apprendre à accepter les échecs – les siens et ceux des autres – et à les transformer en occasions d'apprentissage constructives. Reconnaître le fait que la plupart des gens font de leur mieux. Apprendre à demander de l'aide, à dire à ses collègues ce qu'elle ressent, mais aussi à soutenir ses collègues dans les moments difficiles.

- Accepter ce qui ne peut pas être changé. Dans chaque circonstance, il y a des limites qu'il faut respecter. Si les politiques et les règlements de l'établissement sont générateurs de stress, prendre part à l'élaboration de projets constructifs visant à les améliorer.
- Former des groupes professionnels de soutien pour mieux aborder, ensemble, les sentiments négatifs et les angoisses qui émergent en milieu de travail.
- Faire partie d'organismes professionnels spécialisés pour régler les problèmes survenant en milieu de travail.
- Si nécessaire, consulter un spécialiste pour y voir plus clair.

Évaluation

À la lumière des résultats de soins infirmiers définis à l'étape de la planification, l'infirmière recueillera les données nécessaires pour déterminer si les objectifs ont été atteints. On trouve à la rubrique *Diagnostics infirmiers, résultats de soins infirmiers et interventions* (p. 608) et dans le *Plan de soins et de traitements infirmiers* des exemples de résultats de soins infirmiers avec les indicateurs correspondants et les interventions infirmières.

Si les buts fixés n'ont pas été atteints, l'infirmière, la personne soignée et, le cas échéant, son entourage analyseront

---

PLAN DE SOINS ET DE TRAITEMENTS INFIRMIERS

STRATÉGIES D'ADAPTATION INEFFICACES

Collecte des données		Diagnostic infirmier	Résultats de soins infirmiers et indicateurs*
Anamnèse Reine Soucy, 55 ans, 4 enfants, est hospitalisée à cause d'un cancer du sein. Elle doit subir prochainement une mastectomie radicale modifiée. Mme Soucy a toujours été en bonne santé, jusqu'à ce qu'elle découvre une bosse au sein droit, il y a trois semaines. La perspective de cette intervention chirurgicale l'angoisse autant qu'elle angoisse son mari. « Je n'arrive pas à me faire à l'idée que l'on va m'enlever un sein », confie Mme Soucy à l'infirmière. « Vais-je encore pouvoir me regarder dans le miroir après ça ? » M. Soucy a dit à l'infirmière que Mme Soucy boit beaucoup d'alcool depuis que le diagnostic de cancer a été établi, et qu'elle néglige ses responsabilités domestiques. Elle pleure tout le temps et elle est convaincue qu'elle ne pourra pas continuer de faire son travail de dessinatrice de mode.	**Examen physique** Taille : 1,64 m (5 pi 5 po) Poids : 58 kg (158 lb) Température : 37 °C Pouls : 88 battements/min Respirations : 16/min Pression artérielle : 142/88 mm Hg **Examens paracliniques** Radiographie thoracique : négative Hémogramme et analyse d'urine : dans les limites normales	*Stratégies d'adaptation inefficaces*, reliées à un sentiment profond de vulnérabilité, généré par la perspective de la mastectomie, ainsi qu'en témoignent les propos de Mme Soucy (qui se dit incapable de faire face à la situation), sa consommation excessive d'alcool et son incapacité d'exercer son rôle au foyer.	Stratégie d'adaptation (*coping*), manifestée par les indicateurs suivants, souvent démontrés : - Détermine les modes d'adaptation efficaces et inefficaces. - Exprime un sentiment de maîtrise. - Signale une diminution des sentiments négatifs. - Modifie son style de vie si nécessaire. Soutien social, manifesté par les indicateurs suivants, importants : - Montre la volonté de demander de l'aide si nécessaire. - Témoigne du soutien psychologique donné par autrui.

✐ PLAN DE SOINS ET DE TRAITEMENTS INFIRMIERS *(suite)*

STRATÉGIES D'ADAPTATION INEFFICACES

Interventions infirmières et activités choisies*	Justifications scientifiques
Amélioration de la capacité d'adaptation ■ Établir un climat d'acceptation.	*Pour nouer une relation thérapeutique avec la personne et pour l'appuyer dans sa démarche de réflexion, il est indispensable d'établir d'abord un bon contact avec elle. Une ambiance où règnent la confiance et la compassion l'aidera à mieux cerner ses problèmes et à exprimer ses sentiments plus librement.*
■ Informer régulièrement Mme Soucy sur le diagnostic, le traitement et le pronostic.	*Ces renseignements donnent à la personne une base solide pour analyser ses sentiments et les différentes stratégies d'adaptation qu'elle peut déployer. Les personnes soumises à un stress intense ont souvent du mal à comprendre les faits, et il est important de les leur répéter souvent et de les expliquer clairement afin qu'elles puissent tirer des conclusions justes et prendre des décisions éclairées. Les données concrètes contribuent généralement à soulager le stress.*
■ Évaluer l'adaptation de Mme Soucy aux changements de son image corporelle, si nécessaire.	*L'altération de son image corporelle constitue sans doute un problème important pour cette personne. Pour mettre en œuvre des interventions thérapeutiques efficaces, l'équipe soignante doit analyser attentivement cette dimension. Très souvent, les stratégies d'adaptation changent quand on réexamine la situation sous un autre angle.*
■ Tenter de comprendre le point de vue de Mme Soucy dans une situation stressante.	*L'expression des émotions atténue généralement l'impact de l'agent stressant. Elle améliore les interactions thérapeutiques entre la personne et l'équipe soignante.*
■ Organiser les activités de façon à promouvoir l'autonomie de Mme Soucy.	*Ces activités aident la personne à mieux s'assumer, lui donnent le sentiment qu'elle maîtrise les événements et améliorent l'estime de soi.*
■ Analyser les stratégies d'adaptation déjà utilisées par Mme Soucy.	*L'analyse des stratégies d'adaptation actuelles et passées aide la personne et l'infirmière à consolider les stratégies efficaces, à cerner les stratégies inefficaces et à déterminer des compétences nouvelles, mieux adaptées à la situation actuelle. Cette analyse permet également de déceler le risque de gestes autodestructeurs.*
■ Encourager Mme Soucy à exprimer ses sentiments, ses perceptions et ses craintes.	*Les discussions franches et chaleureuses permettent de cerner les facteurs déclenchants et aggravants.*
■ Encourager Mme Soucy à reconnaître ses forces et ses habiletés.	*La personne sera ainsi mieux outillée pour élaborer des stratégies d'adaptation efficaces reposant sur ses forces et sur ses expériences antérieures. Ce bilan améliore l'image de soi et les capacités de gestion du stress.*
■ Encourager Mme Soucy à envisager les changements de rôle de façon réaliste.	*Les personnes soumises à un stress important perçoivent souvent la réalité d'une manière distordue ou entretiennent des attentes excessives. En demandant à Mme Soucy de décrire ses rôles, l'infirmière l'aide à se fixer des objectifs réalistes.*
■ Fournir des moyens constructifs d'évacuer les mouvements de colère et d'hostilité.	*Au lieu de se laisser miner par des émotions négatives, la personne pourra canaliser son surcroît d'énergie et adopter des comportements constructifs.*
■ Favoriser l'utilisation de mécanismes de défense appropriés à la situation.	*Le déni peut s'avérer thérapeutique pendant un moment, car il aide la personne à intégrer le problème et à atténuer ses tensions. À terme, cependant, le déni ainsi que d'autres mécanismes de défense semblables s'avèrent contreproductifs.*
Élargissement du réseau de soutien ■ Évaluer le degré de soutien familial.	*Le bilan des interactions familiales permettra de cerner les réseaux de soutien sur lesquels la personne peut compter, ainsi que les éventuelles carences à ce chapitre.*
■ Déterminer les obstacles au recours à des systèmes de soutien.	*Il est possible que la personne dispose de réseaux de soutien adéquats, mais qu'elle ne les utilise pas ou qu'elle les utilise mal.*
■ Faire participer la famille, les personnes significatives et les amis aux soins et à la planification.	*En appuyant la personne dans sa démarche d'acceptation des changements physiques qu'elle a subis, l'entourage l'aide à faire face à la situation nouvelle et à s'y adapter.*
■ Expliquer aux proches l'aide qu'ils peuvent apporter.	*Les membres de la famille et les amis sont souvent prêts à aider, mais ils ne savent pas toujours comment faire. En définissant avec l'entourage des stratégies précises (par exemple féliciter Mme Soucy et l'encourager pendant sa rééducation), l'infirmière lui permettra d'aider celle-ci à accepter les changements que son état de santé lui impose.*
■ Proposer à Mme Soucy de se joindre à un groupe d'entraide pour les personnes atteintes du cancer du sein.	*Les groupes d'entraide s'avèrent très utiles pour répondre à des besoins qui ne peuvent pas être satisfaits autrement, pour briser l'isolement social et pour faciliter la réappropriation d'une image de soi positive.*

26

PLAN DE SOINS ET DE TRAITEMENTS INFIRMIERS *(suite)*

STRATÉGIES D'ADAPTATION INEFFICACES

ÉVALUATION

L'objectif relatif à l'adaptation n'a pas été atteint. Après l'intervention chirurgicale, Mme Soucy s'est repliée sur elle-même. Pendant les soins, elle est restée passive et détournait le regard quand on retirait son pansement. Elle a refusé d'apprendre à manipuler la sonde de drainage de la plaie et n'a pas voulu parler de ce qu'elle ressentait ni de ses projets d'avenir. Comme les femmes qui ont subi une mastectomie ne sont en général hospitalisées que pendant quelques jours, il est possible que Mme Soucy ait simplement besoin d'un peu plus de temps pour s'adapter à sa situation. Il faut continuer à l'informer et à se montrer disponible pour l'écouter quand elle sera prête à exprimer ses sentiments. L'objectif de soutien social a été atteint en partie. Mme Soucy accepte que son mari lui prodigue des soins directs et qu'il la soutienne moralement et affectivement. L'équipe a consulté une travailleuse sociale et a décidé de garder Mme Soucy 24 heures de plus que prévu. Celle-ci a accepté que la travailleuse sociale contacte un groupe d'entraide pour les personnes atteintes du cancer du sein et qu'elle demande aux responsables de ce groupe de l'appeler.

* Les résultats, interventions et activités présentés ici sont simplement des exemples. Ils doivent être personnalisés en fonction du cas de chaque personne.

les raisons de cet échec, puis modifieront le plan de soins en conséquence. Il faudrait se poser, par exemple, les questions suivantes :

- Comment la personne perçoit-elle son problème ?
- Existe-t-il des problèmes sous-jacents qui n'ont pas été cernés au départ ?
- De nouveaux agents stressants ont-ils émergé, entravant les stratégies d'adaptation ?
- Les stratégies d'adaptation existantes étaient-elles suffisantes pour obtenir les résultats de soins infirmiers ?

- Quel est le point de vue de la personne sur l'efficacité des nouvelles stratégies d'adaptation ?
- A-t-elle mis correctement en œuvre les nouvelles stratégies d'adaptation ?
- Fait-elle bon usage des ressources à sa disposition ?
- Les membres de la famille et les autres proches lui procurent-ils un soutien adéquat ?

RECHERCHE EN SCIENCES INFIRMIÈRES

STRATÉGIES DE SOULAGEMENT DE L'ANXIÉTÉ PRÉOPÉRATOIRE

De nombreux chercheurs ont analysé la mise en œuvre des stratégies de réduction du stress chez les personnes qui doivent subir une intervention chirurgicale. Certaines de leurs études montrent que l'abaissement du niveau de stress améliore les chances de récupération. Par ailleurs, les publications scientifiques montrent que les gens ont tendance à réutiliser les stratégies d'adaptation qui se sont avérées utiles par le passé. Une étudiante en sciences infirmières (Grieve, 2002) a interrogé 150 personnes qui se trouvaient dans une unité de chirurgie d'un jour pour comprendre ce qu'elles ressentaient avant l'intervention ; elle a aussi observé l'utilisation que le personnel infirmier faisait des techniques de réduction du stress. La plupart des personnes ressentaient de l'anxiété devant l'intervention, notamment à cause de l'anesthésie et de la perte de conscience qu'elle suppose. Certaines personnes ont dit qu'elles utilisaient des stratégies d'adaptation actives (par exemple recueillir des renseignements), mais la plupart recouraient à des stratégies d'évitement (par exemple, elles essayaient de penser à autre chose), et ce, d'autant plus que leur niveau d'anxiété était élevé. Les deux techniques de réduction de l'anxiété les plus utilisées par les infirmières étaient le détournement de l'attention (par la conversation ou la musique) et la transmission d'informations.

Implications : La chercheuse conclut qu'il existe une corrélation entre les stratégies habituelles d'adaptation des personnes qui doivent subir une intervention chirurgicale et les stratégies mises en œuvre par le personnel infirmier. Elle ajoute cependant que les infirmières ne sont pas suffisamment conscientes du fait que les stratégies d'adaptation utilisées par les personnes en attente de l'intervention peuvent changer en fonction de l'intensité de leur anxiété. Elle se dit inquiète de constater que les infirmières n'ont pas toujours le temps de déterminer le mode d'adaptation de ces personnes et risquent ainsi de continuer à les informer au lieu de les divertir.

Source : Grieve, R. J. (2002). Day surgery preoperative anxiety reduction and coping strategies. *British Journal of Nursing, 11*, 670-673, 676-678.

26

LES ÂGES DE LA VIE

Adulte d'âge mûr

■ Les adultes d'âge mûr sont souvent considérés comme la «génération sandwich»: ils s'occupent de leurs enfants et de leurs petits-enfants, mais aussi de leurs parents, qui vieillissent et dont la santé est chancelante. Ces activités prennent tant de temps et minent leur énergie au point qu'ils peuvent rarement s'occuper d'eux-mêmes. L'infirmière doit être consciente de ce phénomène et proposer aux personnes d'âge mûr des ressources et des techniques susceptibles d'alléger leur fardeau.

Personnes âgées

■ Les personnes âgées subissent d'innombrables pertes et changements. Ces problèmes sont cumulatifs et peuvent, à terme, générer un stress extrême: la personne âgée a le sentiment d'étouffer sous le poids des épreuves. De nombreux agents stressants peuvent affliger les personnes âgées: altération de leur état de santé, déclin de leurs capacités fonctionnelles, perte d'autonomie, nécessité de quitter leur foyer, disparition de proches, obligation de prendre soin du conjoint ou d'un ami malade, etc. La plupart des personnes âgées ont relevé des défis d'importance dans leur jeunesse et ont acquis graduellement des stratégies d'adaptation efficaces. L'infirmière peut les aider à utiliser leurs stratégies et à les évaluer mais aussi, si nécessaire, à en acquérir de nouvelles. Le réseau de soutien social formel et informel peut souvent aider la personne âgée à accepter les changements et à diminuer le stress.

■ Différentes stratégies d'adaptation s'offrent aux personnes âgées: programmes d'exercice physique; techniques de relaxation; participation à des activités de groupe; alimentation saine et repos suffisant; activités créatives permettant de s'exprimer, par exemple peinture, musique et tenue d'un journal intime. Le cas échéant, l'infirmière aidera la personne âgée à trouver les ressources auxquelles elle a accès dans sa communauté. Il faut en tout premier lieu qu'elle considère la personne âgée comme un individu à part entière, différent de tous les autres, possédant une expérience de vie unique et des besoins qui lui sont propres et qui évoluent à mesure qu'elle avance en âge.

⊞ SCHÉMA DU PLAN DE SOINS ET DE TRAITEMENTS INFIRMIERS

STRATÉGIES D'ADAPTATION INEFFICACES

R. S.
55 ans
Diagnostic:
cancer du sein

→ Recueillir
les données →

- Bosse au sein, découverte il y a trois semaines. Personne très anxieuse; pleure souvent.
- Selon son mari, elle boit beaucoup d'alcool et néglige ses responsabilités familiales depuis que le diagnostic a été posé.
- Taille: 1,64 m (5 pi 5 po).

- Poids: 58 kg (158 lb).
- Température: 37 °C; pouls: 88 battements/min; respirations: 16/min; pression artérielle: 142/88 mm Hg.
- Radiographie thoracique: négative; hémogramme et analyse d'urine: dans les limites normales.

Poser un diagnostic infirmier

Stratégies d'adaptation inefficaces, reliées à un sentiment profond de vulnérabilité généré par la perspective de la mastectomie (ainsi qu'en témoignent les propos de Mme Soucy, qui se dit incapable de faire face à sa situation, sa consommation excessive d'alcool et son incapacité d'exercer son rôle au foyer familial)

Résultat escompté

Résultat escompté

Soutien social, manifesté par:
- la volonté de demander de l'aide si nécessaire.
- le soutien psychologique donné par autrui.

Stratégie d'adaptation (*coping*), manifestée par:
- la détermination des modes d'adaptation efficaces et inefficaces.
- l'expression d'un sentiment de maîtrise.
- la diminution des sentiments négatifs.
- la modification du mode de vie si nécessaire.

Intervention infirmière

Intervention infirmière

Élargissement du réseau de soutien

Amélioration de la capacité d'adaptation

Activité — Évaluer le degré de soutien familial.

Activité

Activité — Déterminer les obstacles au recours à des systèmes de soutien.

Activité — Informer régulièrement Mme Soucy sur le diagnostic, le traitement et le pronostic.

Activité — Tenter de comprendre le point de vue de Mme Soucy dans une situation stressante.

Activité

Activité

Activité

Activité — Organiser les activités de façon à promouvoir l'autonomie de Mme Soucy.

Activité — Encourager Mme Soucy à exprimer ses sentiments, ses perceptions et ses craintes.

Activité — Faire participer la famille, les personnes significatives et les amis aux soins et à la planification.

Activité

Activité

Activité — Établir un climat d'acceptation.

Activité — Encourager Mme Soucy à reconnaître ses forces et ses habiletés.

Activité — Expliquer aux proches l'aide qu'ils peuvent apporter.

Activité — Analyser les stratégies d'adaptation déjà utilisées par Mme Soucy.

Activité — Encourager Mme Soucy à envisager les changements de rôle de façon réaliste.

Proposer à Mme Soucy de se joindre à un groupe d'entraide pour les personnes atteintes du cancer du sein.

Évaluation — Évaluer l'adaptation de Mme Soucy aux changements de son image corporelle, si nécessaire.

Fournir des moyens constructifs d'évacuer les mouvements de colère et d'hostilité.

Évaluation — Favoriser l'utilisation de mécanismes de défense appropriés à la situation.

Résultat de soins infirmiers atteint en partie.
- Mme Soucy accepte que son mari lui prodigue des soins directs et qu'il la soutienne moralement et affectivement.
- Une travailleuse sociale a été consultée; l'équipe a été convaincue de garder Mme Soucy à l'hôpital 24 heures de plus.

Résultat de soins infirmiers non atteint.
- Après l'intervention chirurgicale, Mme Soucy s'est repliée sur elle-même. Pendant les soins, elle est restée passive et détournait le regard quand on retirait son pansement.
- Elle a refusé d'apprendre à manipuler la sonde de drainage de la plaie et n'a pas voulu parler de ce qu'elle ressentait ni de ses projets d'avenir.

26

Révision du chapitre

MOTS CLÉS

Adaptation, **605**

Agent stressant, **597**

Anxiété, **602**

Choc, **600**

Colère, **603**

Consultation en situation de crise, **612**

Contrechoc, **600**

Dépression, **603**

Épuisement, **600**

Épuisement professionnel, **612**

Fardeau des proches aidants, **606**

Intervention en situation de crise, **611**

Mécanismes de défense, **603**

Modèle du stimulus, **598**

Peur, **603**

Réaction d'alarme, **600**

Résistance, **600**

Stratégies d'adaptation (mécanismes d'adaptation), **605**

Stress, **597**

Syndrome général d'adaptation (SGA), **599**

Syndrome local d'adaptation (SLA), **599**

Théorie transactionnelle du stress, **601**

CONCEPTS CLÉS

■ Le stress est un état de tension physiologique et psychologique qui touche la personne dans sa globalité, c'est-à-dire dans ses dimensions physique, émotionnelle, intellectuelle, sociale et spirituelle.

■ Selon les modèles d'évaluation du stress, celui-ci peut être considéré comme un stimulus, une réponse ou une transaction.

■ Le syndrome général d'adaptation (SGA) est une réaction multisystémique au stress qui se manifeste en trois étapes : réaction d'alarme, résistance, épuisement.

■ Le syndrome local d'adaptation (SLA) est une réponse physiologique localisée qui se déroule, tout comme le SGA, en trois étapes. Par exemple, la réaction inflammatoire est un SLA.

■ Il existe des indicateurs physiologiques, psychologiques et cognitifs qui rendent compte du stress. Les indicateurs physiologiques traduisent une activité neurologique et endocrinienne accrue.

■ Les indicateurs psychologiques du stress les plus courants sont les suivants : l'anxiété, la peur, la colère et la dépression. L'anxiété, la réaction la plus commune au stress, peut être

légère, modérée ou grave ; elle peut même aller jusqu'à la panique. Les mécanismes de défense tels que le déni, la rationalisation, la compensation et la sublimation protègent la personne de l'anxiété.

■ Les indicateurs cognitifs (ou réponses rationnelles au stress) sont notamment la résolution de problèmes, la structuration, la maîtrise de soi, la répression et les fantasmes.

■ Les stratégies d'adaptation permettent de composer avec le stress. Elles varient considérablement d'une personne à l'autre. Elles peuvent cibler le problème ou les émotions, être de courte ou de longue durée, et s'avérer efficaces ou inefficaces.

■ L'efficacité des stratégies individuelles d'adaptation dépend du nombre des agents stressants en présence, de leur durée et de leur intensité, des expériences passées, des réseaux de soutien disponibles et des caractéristiques de la personne.

■ Le stress prolongé et les stratégies d'adaptation inefficaces empêchent la satisfaction des besoins fondamentaux de la personne et peuvent compromettre sa santé physique et mentale.

■ La collecte des données sur le stress se fait en deux temps : l'anamnèse (pour déterminer les agents stressants perçus par la personne et leur durée, et pour explorer les stratégies d'adaptation mises en œuvre) et l'examen physique (pour relever les indicateurs physiques du stress).

■ Les interventions infirmières auprès des personnes stressées visent les objectifs suivants : favoriser l'adoption de stratégies d'amélioration de la santé (exercice physique, alimentation saine, repos, sommeil réparateur, bonne gestion du temps) ; atténuer l'anxiété ; apaiser la colère ; enseigner des techniques de relaxation ; et, si nécessaire, intervenir d'urgence (en cas de crise).

■ Puisque, dans sa pratique, l'infirmière est confrontée à de nombreux agents stressants émanant des personnes soignées et du milieu de travail, elle est exposée à l'anxiété et à l'épuisement professionnel. Comme les personnes qu'elles soignent, les infirmières doivent prendre des mesures de réduction du stress.

Références

Aoun, T. (2006). *Les événements stressants et les stratégies de coping des étudiants infirmiers de première année en stage.* Congrès Faculté des sciences infirmières 2006. Université Saint-Joseph de Beyrouth. Document consulté le 7 février 2011 de http://www.fsi.usj.edu.lb/congres/pdftexteintegral/C18.pdf.

Bellerose, G., et Dionne, F. (2009). *Trousse de soins en stage.* Colloque des enseignantes et enseignants en soins infirmiers des collèges du Québec.

Boucher, D. (1997). *Vaincre le stress personnel et organisationnel.* Montréal : Éditions Nouvelles.

Bulechek, G. M., Butcher, H. K., et McCloskey Dochterman, J. (2010). *Classification des interventions de soins infirmiers CISI/NIC*, Traduction française de la 5ᵉ édition américaine. Issy-les-Moulineaux : Elsevier Masson.

Burns, D. D. (2008). *Être bien dans sa peau. Traitement éprouvé cliniquement pour vaincre la dépression, l'anxiété et les troubles de l'humeur.* Saint-Lambert : Les éditions Héritage.

Chapelle, F., et Monié, B. (2007). *Bon stress mauvais stress : mode d'emploi.* Paris : Jacob.

Folkman, S., et Lazarus, R. S. (1991). Coping and emotion. Dans A. Monat et R. S. Lazarus (dir.), *Stress and coping* (3ᵉ éd.). New York : Columbia University Press.

Fontaine, K. L., et Fletcher, J. S. (2003). *Mental health nursing* (5ᵉ éd.). Upper Saddle River, NJ : Pearson Education, Inc.

Freud, S. (1946). *The ego and the mechanisms of defense.* New York : International Universities Press.

Holmes, T. H., et Rahe, R. H. (1967). The social readjustment rating scale. *Journal of Psychosomatic Research, 11,* 213-218.

Johnson, M., et Maas, M. (dir.). (1999). *Classification des résultats de soins infirmiers CRSI/NOC.* Paris : Masson.

Lacourse, L. (2005) *On se calme... L'art de désamorcer le stress et l'anxiété.* Montréal : Un monde différent ltée.

Lapointe, R. (2005).*Thérapie contre le stress.* Montréal : Les Éditions Quebecor.

Lazarus, R. S. (1966). *Psychological stress and the coping process.* New York : McGraw-Hill.

Le Bras, F. (1999). *Les stages : premier pas vers l'emploi.* Paris : Marabout.

Monat, A., et Lazarus, R. S. (dir.). (1991). *Stress and coping* (3ᵉ éd.). New York : Columbia University Press.

NANDA International. (2010). *Diagnostics infirmiers : Définitions et classification 2009-2011.* Issy-les-Moulineaux : Elsevier Masson.

Schafer, W. (2000). *Stress management for wellness* (4ᵉ éd.). Stamford, CT : International Thomson Publishing.

Selye, H. (1956). *The stress of life.* New York : McGraw-Hill.

Selye, H. (1976). *The stress of life*, Édition révisée. New York : McGraw-Hill.

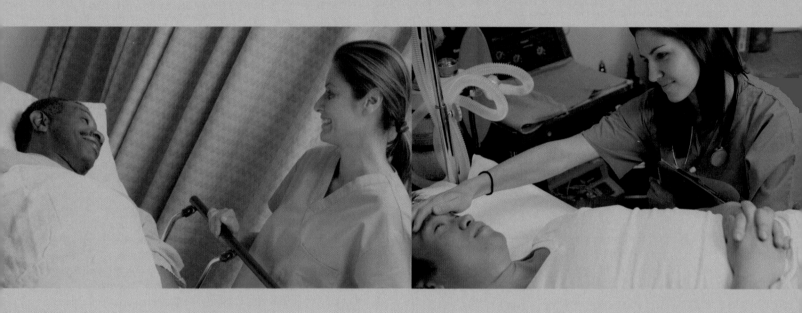

Chapitre 27

Adaptation française :
Mario Bilodeau, inf., Certificat en santé mentale,
certificat en soins critiques
Enseignant, Programme de soins infirmiers
Collège François-Xavier-Garneau

OBJECTIFS D'APPRENTISSAGE

Après avoir étudié ce chapitre, vous pourrez :

- Décrire les différents types de pertes et leurs causes.
- Présenter les théories définissant les stades du deuil.
- Définir les symptômes cliniques du deuil et du chagrin.
- Énoncer les facteurs qui déterminent les réactions au deuil et à la perte.
- Indiquer les mesures qui facilitent le processus du deuil.
- Analyser les signes cliniques de l'imminence de la mort et ceux du décès avéré.
- Décrire dans leurs grandes lignes quelques-uns des articles des chartes et des lois relatives aux différents aspects de la question, tels que le respect de l'autonomie et de la dignité humaine, le droit à l'intégrité, le mandat en cas d'inaptitude.
- Décrire les responsabilités légales de l'infirmière par rapport au décès et à l'égard de différents problèmes tels que les directives préalables, l'ordonnance de ne pas réanimer, l'euthanasie, la déclaration de décès, l'autopsie, l'enquête médicolégale et le don d'organes ou de tissus humains.
- Indiquer les mesures à prendre pour aider les personnes à mourir dans la dignité.
- Décrire le rôle de l'infirmière auprès de la famille du mourant et des autres personnes qui s'occupent de lui.
- Expliquer les soins que l'infirmière doit prodiguer à la dépouille.

Perte, deuil et mort

Tout le monde doit affronter un jour ou l'autre une perte, le deuil et la mort. Divers changements peuvent ainsi nous faire perdre des relations auxquelles nous tenions : déménagement dans une autre ville, séparation, divorce, mort d'un parent, d'un conjoint ou d'un ami. Certaines personnes doivent faire le deuil de rôles qu'elles ont joués, par exemple quand leurs enfants quittent la maison ou qu'elles prennent leur retraite après avoir travaillé toute leur vie dans la même entreprise. Les cambriolages et les catastrophes naturelles qui nous font perdre des objets auxquels nous étions attachés suscitent parfois des sentiments proches de ceux qui entourent la mort d'un être cher. Les guerres et les révolutions peuvent aussi nous obliger à faire le deuil de nos idéaux, par exemple la sécurité, la démocratie ou la liberté.

Dans le contexte clinique, l'infirmière rencontre des hommes et des femmes affligés par le déclin de leur santé, la perte d'un membre ou d'un organe, une affection en phase terminale, l'imminence de la mort (la leur ou celle d'un proche). L'infirmière qui travaille en soins à domicile ou en milieu communautaire intervient régulièrement auprès de personnes souffrant de pertes liées à une crise personnelle (divorce, séparation, etc.) ou à une tragédie collective (incendie, verglas, inondation, etc.). Quel que soit le contexte dans lequel elle travaille, l'infirmière doit donc bien comprendre l'importance que revêtent le chagrin et le sentiment de perte, et développer sa capacité à venir en aide aux personnes endeuillées.

L'infirmière travaille en outre auprès de personnes mourantes, de leur famille, de proches aidants et d'autres personnes qui en prennent soin. La mort peut toucher un fœtus (mort anténatale), un adolescent victime d'un accident de la route ou une personne âgée qui succombe à une affection chronique. Il est important que l'infirmière possède de solides connaissances sur toutes les dimensions de la mort : juridique, éthique, religieuse ou spirituelle, biologique et personnelle. Elle doit en outre prodiguer des soins compétents, sensibles et rassurants à toutes les personnes touchées.

Perte et chagrin

La **perte** est l'anomalie, l'indisponibilité ou la disparition (réelle ou redoutée) d'un bien ou d'un avantage particulièrement valorisé par la personne. On peut ainsi perdre son image corporelle d'autrefois, un être cher, un sentiment de bien-être, un emploi, des biens personnels, des convictions ou son estime de soi. Une affection et une hospitalisation entraînent souvent des pertes de natures diverses.

La perspective de la mort et la mort elle-même représentent des pertes majeures, tant pour la personne concernée que pour son entourage. Même si nous savons tous que la mort est inhérente à la condition humaine et qu'elle est donc inévitable à plus ou moins long terme, son imminence peut toutefois inciter certaines personnes à approfondir la connaissance qu'elles ont d'elles-mêmes et des autres. La mort est même parfois considérée comme la dernière occasion qui s'offre au mourant de pouvoir vivre des instants significatifs et épanouissants. Les gens qui subissent une perte s'interrogent en général sur le sens de cette épreuve. La plupart des chercheurs estiment d'ailleurs qu'il faut attribuer au malheur une signification pour s'en sortir. Soulignons néanmoins que les personnes qui ne cherchent pas à donner de sens particulier à leurs souffrances n'en sont pas déséquilibrées pour autant; par ailleurs, les gens qui trouvent un sens à l'adversité ne considèrent pas forcément cette interprétation comme une finalité, mais la voient plutôt comme une étape dans leur cheminement (Davis, Wortman, Lehman et Silver, 2000).

Typologie des pertes

On répartit les pertes en deux grandes catégories, selon qu'elles sont réelles ou perçues comme telles par une personne. Ces deux types de pertes peuvent être vécus par anticipation. Une **perte réelle** se caractérise par le fait qu'elle peut être reconnue par d'autres personnes. La **perte ressentie** (ou *perte perçue*) est vécue par la personne, mais les autres ne peuvent pas en vérifier l'existence. Les pertes psychologiques sont souvent de l'ordre de la perception, c'est-à-dire qu'elles ne sont pas directement vérifiables. Par exemple, une femme qui quitte son travail pour se consacrer à ses enfants peut avoir le sentiment de perdre son indépendance et sa liberté. La **perte anticipée** (ou *perte par anticipation*) est vécue avant que survienne l'événement qui en sera la cause effective. Par exemple, une femme dont le mari est mourant peut vivre une perte anticipée par rapport à sa mort prochaine.

On divise également les pertes en deux autres catégories: circonstancielles et développementales. La perte d'un emploi, la mort d'un enfant et la détérioration de ses capacités fonctionnelles, attribuable à une blessure ou à une affection aiguë, constituent des *pertes circonstancielles*. À l'inverse, les pertes qui surviennent au cours du développement normal de l'individu sont appelées *pertes développementales*; on peut, dans une certaine mesure, les prévoir et s'y préparer. Il peut s'agir du départ de ses enfants du foyer parental une fois qu'ils sont devenus adultes, du départ à la retraite ou de la mort de parents âgés.

De très nombreuses causes peuvent provoquer des pertes: (1) la disparition d'une dimension du soi – une partie du corps, une fonction physiologique ou une caractéristique psychologique; (2) la disparition d'un objet du milieu de vie; (3) l'abandon, volontaire ou non, du milieu habituel; (4) le départ ou la mort d'un être cher.

DIMENSIONS DU SOI

La perte d'une dimension du soi, même invisible pour les autres, altère toujours l'image corporelle que la personne a d'elle-même. Par exemple, si des marques de brûlures au visage sont bien visibles, il n'en va pas de même pour l'ablation d'une partie de l'estomac ou l'incapacité de montrer ses sentiments. Les réper-

cussions de ces pertes sur la personne dépendent en grande partie de l'atteinte qu'elles portent à son image corporelle.

Les capacités mentales et physiques se modifient considérablement au fil des ans. L'image de soi s'en trouve fragilisée. En général, la vieillesse est l'étape de la vie qui occasionne le plus de pertes – emploi, activités habituelles, indépendance, santé, amis et famille.

OBJETS DU MILIEU DE VIE

La perte d'objets du milieu de vie comprend: (1) la perte d'objets inanimés considérés comme importants, par exemple la disparition d'une somme d'argent ou l'incendie de la résidence familiale; (2) la perte d'objets animés (êtres vivants), par exemple un animal de compagnie.

MILIEU HABITUEL

Les personnes qui s'éloignent de leur milieu et du réseau social qui leur procurent depuis toujours un sentiment réconfortant de sécurité peuvent vivre cette séparation comme une perte. Ainsi, les enfants ressentent souvent une sensation de perte la première fois qu'ils quittent la maison pour aller à l'école. Les étudiants qui quittent le foyer pour fréquenter l'université vivent aussi une perte.

ÊTRES CHERS

Qu'elle soit causée par une affection, le divorce, la séparation ou la mort, la perte d'un être cher entraîne souvent des perturbations majeures. De plus, certaines affections provoquent des modifications de la personnalité telles que la famille et les amis ont le sentiment d'avoir «perdu» la personne qu'ils connaissaient, alors même qu'ils continuent de la fréquenter ou de lui rendre visite.

La mort d'un être cher représente une perte totale et permanente. Dans la société nord-américaine, on a beaucoup tendance à nier la mort, à l'escamoter. Les gens ont souvent du mal à parler de la mort et à fréquenter des mourants. En tant que société, nous recourons d'ailleurs sans hésiter à des mesures extraordinaires pour préserver la vie ou la prolonger.

Chagrin, deuil et rituels du deuil

Le **chagrin** (ou *affliction*) est constitué de l'ensemble des réactions suscitées par l'impact affectif de la perte. Il se manifeste dans les pensées, les sentiments et les comportements liés à la peine et à la détresse. Le chagrin est un processus essentiel au maintien d'une bonne santé mentale et physique. Il permet à la personne éprouvée de faire graduellement face à la perte pour finir par l'intégrer dans sa réalité. Le chagrin est aussi un processus social: il est plus sain de l'exprimer et de le vivre en compagnie d'autres personnes. Le **deuil** constitue la réponse subjective de la personne qui vient de perdre un être cher. Les **rituels du deuil** correspondent aux processus comportementaux qui permettent à la personne endeuillée d'atténuer ou d'éliminer l'affliction. Ils dépendent en général de la culture, des croyances spirituelles et des coutumes. L'affliction et les rituels du deuil peuvent accompagner non seulement la mort d'un être cher, mais aussi toute perte.

27

Comme le deuil peut avoir des effets dévastateurs sur la santé, il est important de composer sainement avec l'affliction. Celle-ci peut provoquer divers symptômes : angoisse, dépression, perte de poids, difficultés de déglutition, vomissements, fatigue extrême, maux de tête, étourdissements, évanouissements, vision trouble, éruptions cutanées, sudation excessive, perturbations du cycle menstruel, palpitations, douleurs dans la poitrine ou dyspnée. Les personnes endeuillées peuvent également constater des changements dans leur libido, leur pouvoir de concentration ou leurs habitudes liées à l'alimentation, au sommeil, aux activités et à la communication.

Bien que le deuil constitue généralement une certaine menace pour la santé, le chagrin sainement vécu peut amener la personne endeuillée à réévaluer ses points de vue et ses valeurs, à réorienter ses projets ainsi qu'à développer sa sensibilité et son ouverture d'esprit. Il arrive que la douleur causée par la perte ne disparaisse jamais complètement, même si elle s'atténue au fil du temps.

TYPOLOGIE DU CHAGRIN

La réaction d'affliction peut être brève ou anticipée, sans pour autant être considérée comme anormale. Le *chagrin abrégé* est sincère, mais de courte durée. La brièveté de l'affliction peut s'expliquer par le fait que l'objet perdu n'était pas d'une importance cruciale pour la personne ou qu'il a été remplacé assez vite par un autre objet jugé équivalent. Le **chagrin anticipé** est vécu avant l'arrivée de l'événement affligeant. Ainsi, la femme qui pleure son mari gravement malade, alors qu'il n'est pas encore mort, vit une partie de son chagrin par anticipation. Une jeune fille peut s'affliger à l'avance des cicatrices que laissera sur son corps l'opération chirurgicale qu'elle doit subir. Dans ces cas-là, comme la plupart des symptômes normaux du chagrin se manifestent avant l'événement, la réaction de la personne pourra être abrégée au moment où la perte sera bel et bien réelle.

Le *chagrin dissimulé* survient quand la personne ne peut pas exprimer son sentiment de perte à son entourage. Il est généralement lié aux événements dont on ne peut pas parler parce qu'ils sont socialement inacceptables, par exemple le suicide, l'avortement, l'abandon d'un enfant aux fins d'adoption. La fin de relations tenues secrètes peut également provoquer un chagrin dissimulé.

Le chagrin n'est pas toujours vécu sainement. Il peut notamment être inhibé ou ne jamais se résorber. Cette affliction pathologique est le **chagrin (ou deuil) dysfonctionnel**. Certains facteurs peuvent favoriser l'apparition d'un tel chagrin, par exemple une perte traumatique antérieure ou les circonstances de la perte actuelle. Les entraves culturelles ou familiales à l'expression de la souffrance, tout comme des relations tendues entre le survivant et le disparu ou le manque de soutien du survivant (Egan et Arnold, 2003), peuvent également causer la dysfonction ou l'aggraver.

Le *chagrin non résolu* est d'une longueur et d'une intensité inhabituelles. On le reconnaît aux mêmes signes que le chagrin normal, mais la personne endeuillée a du mal à exprimer sa souffrance, et elle peut nier la perte ou la pleurer bien au-delà du délai généralement observé. Le *chagrin inhibé* se caractérise par l'absence des symptômes normaux de l'affliction et leur remplacement par d'autres effets, par exemple somatiques.

Les comportements suivants peuvent être le signe d'un deuil dysfonctionnel :

- La personne endeuillée ne montre aucun signe de tristesse ; par exemple, une veuve ne pleure pas aux funérailles de son mari ou n'assiste pas à son enterrement.
- La personne endeuillée refuse de se rendre sur la tombe du disparu et d'assister aux services commémoratifs (même si ces coutumes font partie intégrante de sa culture).
- La personne endeuillée présente systématiquement des symptômes à la date anniversaire de la perte ou à l'occasion d'événements importants, tels que les anniversaires de naissance ou de mariage et la fête de Noël.
- La personne endeuillée développe un sentiment persistant de culpabilité et son estime de soi se détériore de façon importante.
- La personne endeuillée continue de chercher le disparu longtemps après la mort de ce dernier. Dans certains cas, elle peut même envisager de se suicider pour le retrouver.
- Un événement relativement mineur déclenche les symptômes de l'affliction chez la personne endeuillée.
- Longtemps après la mort de l'être cher, la personne endeuillée s'avère incapable d'en parler sereinement ; par exemple, sa voix se brise et les larmes lui montent aux yeux.
- Après la période normale d'affliction, la personne endeuillée présente des symptômes physiques analogues à ceux du disparu.
- Ses relations avec ses amis et ses parents se détériorent après la mort de l'être aimé.

Après la disparition d'un être cher, de nombreux facteurs peuvent entraver la résolution du chagrin :

- Les sentiments ambigus éprouvés envers le disparu – intenses, mais à la fois positifs et négatifs.
- La conviction de devoir « serrer les dents », se montrer fort ; la crainte de perdre ses moyens devant son entourage, de s'effondrer.
- Le cumul de pertes simultanées (par exemple, la personne perd toute sa famille en même temps) et le sentiment d'être écrasé par cette douleur.
- L'investissement affectif très important envers le disparu : la personne endeuillée refuse d'admettre son chagrin pour ne pas affronter la réalité de la perte.
- L'incertitude de la perte (par exemple, l'être cher est porté disparu et on ne sait pas s'il est encore en vie).
- L'insuffisance du réseau de soutien.

Stades du deuil et du chagrin

De nombreux chercheurs ont décrit les stades du chagrin en général et du deuil en particulier. La plus connue est sans doute Elisabeth Kübler-Ross (1969, 1974, 1975, 1978), qui distingue cinq stades dans l'évolution du deuil ou du chagrin : le déni, la colère, le marchandage, la dépression et l'acceptation (tableau 27-1).

27

TABLEAU 27-1
STADES DU DEUIL ET DU CHAGRIN SELON KÜBLER-ROSS : RÉACTIONS DE LA PERSONNE ENDEUILLÉE ET INTERVENTIONS INFIRMIÈRES

Stade	Réactions comportementales de la personne endeuillée	Interventions infirmières
Déni	La personne touchée par l'épreuve refuse de croire à ce qui lui arrive. Elle s'avère incapable de faire face aux problèmes d'ordre pratique (par exemple l'utilisation d'une prothèse après l'amputation d'une jambe). Dans certains cas, elle peut manifester une jovialité artificielle afin de prolonger cette étape de dénégation.	Réconfortez la personne endeuillée par vos paroles, sans l'encourager à persister dans le déni. Faites le point sur vos propres attitudes et comportements pour ne pas céder à la dénégation comme le fait la personne endeuillée.
Colère	La personne endeuillée et sa famille peuvent exprimer une colère assez vive envers l'infirmière ou le personnel de l'établissement, et ce, pour des désagréments qui ne les dérangeraient pas en temps normal.	Aidez la personne endeuillée à comprendre que la colère constitue une réaction tout à fait normale aux sentiments de perte et d'impuissance. Évitez de riposter par un repli sur vous-même ou des représailles ; ne considérez pas cette colère comme une attaque personnelle. Efforcez-vous de répondre aux besoins non satisfaits qui suscitent l'irritabilité des personnes concernées. Mettez en place des structures et des mécanismes de continuité qui rassureront la personne endeuillée et son entourage. Laissez la personne endeuillée exercer la plus grande maîtrise possible sur les différentes dimensions de sa vie.
Marchandage	La personne endeuillée tente de marchander pour éviter la perte. Elle peut éprouver des sentiments de culpabilité ou craindre d'être punie pour des fautes passées, réelles ou imaginaires.	Écoutez attentivement la personne endeuillée et incitez-la à s'exprimer pour la soulager de sa culpabilité et l'aider à évacuer ses craintes irrationnelles. Le cas échéant, proposez-lui un soutien spirituel.
Dépression	La personne endeuillée pleure la perte subie et tout ce à quoi elle doit renoncer du fait de cet événement. Elle peut se replier sur elle-même ou s'exprimer librement (par exemple dresser le bilan des pertes subies antérieurement : revers de fortune, perte d'emploi, etc.).	Laissez la personne endeuillée exprimer sa tristesse. Établissez avec elle une bonne communication non verbale : asseyez-vous paisiblement près d'elle, sans nécessairement chercher à engager la conversation. Montrez-lui votre sollicitude à l'aide de contacts physiques réconfortants.
Acceptation	La personne endeuillée s'habitue graduellement à l'idée de la perte. Elle peut dans certains cas se désintéresser de son environnement et de son entourage. Dans certains cas, elle peut souhaiter entreprendre des projets (par exemple faire son testament, faire mettre en place une prothèse ou modifier son mode de vie).	Faites comprendre à sa famille et à ses amis que la personne endeuillée a moins besoin de contacts sociaux. Invitez la personne endeuillée à participer le plus activement possible à son programme thérapeutique.

Engel (1964) avait d'abord distingué trois stades dans l'évolution du chagrin : le choc et le refus ; la prise de conscience ; la restitution et la guérison. Il la divise maintenant en six étapes : l'état de choc et l'incrédulité ; la prise de conscience ; la restitution ; la résolution de la perte ; l'idéalisation ; l'issue.

Quant à Sanders (1998), il divise le deuil en cinq stades : l'état de choc ; la prise de conscience ; la conservation et le retrait ; la guérison ; la renaissance (tableau 27-2).

Martocchio (1985) distingue les cinq stades du chagrin suivants : l'état de choc et l'incrédulité ; la mélancolie et la révolte ; l'angoisse, la désorganisation et le désespoir ; l'identification avec le deuil ; la réorganisation et le rétablissement.

Selon cet auteur, le processus du deuil ou du chagrin ne répond pas à des normes ni à une chronologie précises. Les moyens utilisés par la personne endeuillée pour intégrer la perte subie ainsi que l'efficacité de ses stratégies d'adaptation dépendent de son cheminement individuel, de son tempérament et d'autres caractéristiques personnelles. Par conséquent, les personnes touchées par une perte commune ne résolvent pas leur chagrin selon le même parcours ni au même rythme, même si elles se soutiennent mutuellement dans cette épreuve.

Un auteur prolifique sur le sujet, Rando (1984, 1986, 1991, 1993, 2000), propose trois stades de réaction au chagrin : l'évitement, la confrontation et l'adaptation. Le stade de l'évitement

TABLEAU 27-2
STADES DU DEUIL ET DU CHAGRIN SELON SANDERS

Stade	Description	Réactions comportementales
État de choc	La personne qui vient de perdre un être cher se sent désorientée; elle a l'impression de vivre dans un monde irréel; elle n'arrive pas à croire que cette perte est vraiment survenue. Très souvent, elle ne réussit pas à penser de façon logique. Ce stade peut durer de quelques minutes à plusieurs semaines.	Incrédulité Confusion mentale Agitation Impression d'irréalité Régression et sentiment d'impuissance et de vulnérabilité Tourment et angoisse Symptômes physiques: sécheresse de la bouche et de la gorge, soupirs, pleurs, baisse de la maîtrise musculaire, tremblements, perturbation du sommeil, perte d'appétit Symptômes psychologiques: obnubilation (trouble de la vigilance lié à la remémoration obsessionnelle du défunt); distanciation
Prise de conscience de la perte	Les amis et les membres de la famille reprennent leurs activités habituelles. La personne endeuillée mesure pleinement la perte subie.	Angoisse de la séparation Conflits Expression vive des besoins et des désirs émotionnels Stress prolongé Symptômes physiques: pleurs, perturbation du sommeil Symptômes psychologiques: colère, culpabilité, frustration, honte, hypersensibilité, incrédulité et déni, rêves ambigus au sujet de la personne disparue, impression de la présence de la personne disparue, peur de la mort
Conservation et retrait	La personne endeuillée a besoin d'être seule pour se protéger et refaire ses forces physiques et émotionnelles. Elle ne bénéficie plus du même soutien social qu'au début, et elle peut éprouver du désespoir, de l'impuissance et de la vulnérabilité.	Symptômes physiques: faiblesse, fatigue, besoin accru de sommeil, affaiblissement du système immunitaire Symptômes psychologiques: repli sur soi, pensées et souvenirs obsessionnels, travail de deuil et, finalement, renaissance de l'espoir
Guérison: le moment décisif	À ce stade, la personne endeuillée n'envisage plus avec autant de détresse la perspective de continuer à vivre sans l'être cher; elle apprend graduellement à vivre d'une manière plus indépendante.	Prise en charge de soi, retour de la maîtrise de soi Restructuration de l'identité Renoncement à certains rôles (par exemple celui de conjoint, d'enfant ou de parent) Symptômes physiques: regain d'énergie, retour à un sommeil normal, rétablissement du système immunitaire, guérison physique Symptômes psychologiques: pardon, oubli, recherche de sens, espoir
Renaissance	La personne endeuillée apprend à se définir autrement, à assumer l'entière responsabilité d'elle-même et à vivre sans l'être cher disparu.	Stabilité fonctionnelle Revitalisation Prise en charge des soins personnels Symptômes psychologiques: solitude, comportements réactionnels à l'occasion des anniversaires, établissement ou rétablissement des contacts avec autrui

Source: Sanders, C. M. (1998). *Grief: The mourning after: Dealing with adult bereavement* (2e éd.). New York: John Wiley and Sons.

décrit par Rando est analogue aux trois stades du déni, de la colère et du marchandage de Kübler-Ross ainsi qu'au stade de l'état de choc et de l'incrédulité d'Engel. La confrontation constitue l'étape la plus difficile à vivre pour la personne endeuillée. L'adaptation est un retour graduel à la normale: la personne reprend peu à peu ses activités habituelles, se sent de mieux en mieux et commence à prendre du recul par rapport à la perte subie.

Le pasteur Christophe Deville (2009), reprenant les travaux d'Elizabeth Kübler-Ross, distingue sept étapes que nous travesons pour composer avec une situation de transition. Ces sept étapes sont linéaires, bien qu'il soit possible de faire des retours en arrière, afin de «tourner la page». Ils peuvent permettre à toute personne de progresser, que l'épreuve qui l'afflige soit de nature sentimentale, professionnelle ou autre (encadré 27-1).

MANIFESTATIONS DU DEUIL ET DU CHAGRIN

Quand une personne subit une perte, l'infirmière doit évaluer l'état de celle-ci et des membres de sa famille pour déterminer à quel stade du deuil ou du chagrin se trouve chacun. Sur le plan physiologique, les personnes qui vivent une perte (réelle ou anticipée) manifestent une réaction de stress. L'infirmière peut mesurer les signes cliniques de cette réaction.

Certaines manifestations de chagrin sont normales : expression verbale de la perte subie, pleurs, perturbation du sommeil, perte d'appétit, difficultés de concentration. D'autres, cependant, sont caractéristiques d'un deuil ou d'un chagrin dysfonctionnel : période de déni anormalement longue, dépression, symptômes physiologiques graves, pensées suicidaires.

Facteurs influant sur les réactions en cas de perte ou de deuil

Un certain nombre de facteurs déterminent nos réactions à la suite d'une perte ou de la mort d'un être cher : l'âge, l'importance de la perte, le milieu culturel, les croyances spirituelles, le sexe, le niveau socioéconomique, l'efficacité du réseau de soutien, la cause de la perte ou de la mort de l'être cher. L'infirmière doit chercher à connaître ces facteurs et leur incidence sur la manière dont la perte est vécue par la personne et son entourage. Elle se rappellera néanmoins que ces facteurs (ainsi que leurs répercussions) varient considérablement d'une personne à l'autre.

ÂGE

L'âge détermine les capacités de compréhension et les réactions de la personne touchée par la perte. D'une manière générale, plus une personne a vécu d'événements douloureux, plus elle accepte les épreuves de la vie, les pertes et la mort.

Les proches ne meurent habituellement pas à intervalles réguliers. Il est par conséquent très difficile de s'y préparer. Les autres pertes qui jalonnent l'existence (par exemple la mort d'un animal de compagnie, le départ d'un ami, le vieillissement ou la perte d'un emploi) peuvent cependant aider à acquérir des stratégies d'adaptation efficaces et à se préparer, dans une certaine mesure, aux pertes plus grandes, comme la mort d'un être cher.

Enfance. Les enfants n'appréhendent pas la perte et la mort de la même façon que les adultes et ne sont pas touchés de la même manière. La perte d'un parent ou d'une autre personne significative peut entraver le développement de l'enfant et même provoquer une régression. Pour aider les jeunes enfants à surmonter cette épreuve, il faut leur donner les moyens de

---

ENCADRÉ 27-1
ÉTAPES À TRAVERSER DANS UNE SITUATION DE TRANSITION

Étape 1 – Choc : C'est une phase courte. L'annonce d'une rupture, conduisant à un constat, laisse la personne sans émotion apparente. Le terme de sidération peut tout à fait convenir pour qualifier la réaction de la personne face à l'information qu'elle reçoit. Exemple : *«Je te quitte.» «C'est fini, vous êtes viré.»*

Étape 2 – Déni : C'est le refus de croire l'information. La personne argumente ou conteste. Le rejet de l'information donne lieu à une discussion intérieure ou/et extérieure. Il ne faut cependant pas croire que la brièveté de cette phase signifie qu'elle n'est pas importante. Certaines personnes s'enferment dans cet état de déni, de refuge (préserver la chambre du disparu intacte, continuer à mettre son couvert, etc.). Exemple : *«Ce n'est pas vrai, pas possible...»*

Étape 3 – Colère : La confrontation avec les faits va engendrer une attitude de révolte, tournée vers soi et les autres, dont l'intensité varie selon la maturité affective de la personne. La pensée de la personne s'alimente de fortes contradictions. Elle peut s'emporter ou s'enfermer dans le plus grand mutisme. Des pulsions de vengeance peuvent ainsi la pousser à avoir des comportements qu'elle ne comprend pas elle-même. En fait, la personne est confrontée à l'impossibilité d'un retour à la situation initiale. Elle doit faire le deuil, et passe par de nombreuses émotions : reproches, remords, ressentiments, dégoût, répulsion, séduction ou agression. Exemple : *«C'est de leur faute, ils n'ont jamais rien fait pour moi.»*

Étape 4 – Tristesse : C'est un état de désespérance. Exemple : *«Ce n'est pas juste, pourquoi elle m'a fait ça à moi, qu'est-ce que je vais devenir ?»*

Étape 5 – Résignation : C'est l'abandon de cette lutte pendant laquelle la personne peut avoir le sentiment d'avoir tout essayé pour revenir à la situation initiale. Elle ne sait pas ce qu'elle peut faire de plus. Elle agit maintenant au gré des circonstances. Cette résignation peut être teintée de fatalisme. Exemple : *«C'est la vie, Dieu seul peut décider.»* La résignation est une étape importante du processus du deuil. Prenons comme exemple celui d'un jeune, âgé de 20 ans, victime d'un cancer incurable, qui apprend qu'il lui reste quelques mois à vivre. Il est très important d'accompagner la personne pendant cette étape du deuil, de l'accepter et de lui reconnaître le droit de la traverser à sa façon.

Étape 6 – Acceptation : À cette étape, la personne accepte la perte (de l'être cher, de la petite amie ou du travail). En l'acceptant, elle est capable de se souvenir des beaux moments, mais aussi des moins bons. Elle commence à avoir plus confiance en elle, se sent mieux et l'avenir ne semble pas aussi noir qu'avant. Exemple : *«J'y pense encore parfois, mais je m'en sors.»*

Étape 7 – Reconstruction : L'acceptation seule ne suffit pas. Il faut se reconstruire progressivement. La personne en deuil prend conscience qu'elle est en train de se réorganiser pour répondre aux obligations liées à toute vie en société. Se reconstruire amène à mieux se connaître, à découvrir ses ressources personnelles et à prendre conscience de son existence. Cette démarche développe la confiance en soi-même. Le sentiment de vulnérabilité fait place à une nouvelle énergie et, pour le croyant, une plus grande confiance en Dieu.

Source : Deville, C. (2009). Les 7 étapes du deuil (physique, social ou professionnel). *Spiritualité-communauté : Pasteurs de France.* Document consulté le 6 février 2011 de http://www.cdeville.fr/article-32408659.html.

reprendre leur développement affectif selon un cheminement et un rythme normaux.

Certaines personnes croient que les enfants n'ont pas autant besoin que les adultes de pleurer la mort de leurs proches. Dans une situation de crise, elles ont par conséquent tendance à écarter les enfants ou à chercher à les préserver de la douleur. Les enfants risquent alors d'être terrifiés, de se sentir seuls et abandonnés. Il faut absolument mettre en place des interventions judicieuses et ciblées auprès des enfants endeuillés, car les pertes qui surviennent dans l'enfance peuvent avoir des répercussions négatives très importantes sur les stades ultérieurs de l'existence.

Jeune âge adulte et âge mûr. À mesure que l'on avance en âge, les pertes se multiplient et s'intègrent dans le développement. Ainsi, les personnes d'âge mûr trouvent généralement la mort de leurs parents moins inacceptable que les adolescents. Certains chercheurs considèrent même que l'adaptation à la mort d'un parent âgé constitue une tâche développementale incontournable de l'âge mûr.

Les personnes d'âge mûr sont exposées à d'autres types de pertes. Elles peuvent, par exemple, subir une détérioration de leur état de santé ou de leurs fonctions corporelles, ou devoir renoncer à certains rôles. La manière dont l'adulte d'âge mûr réagit à ces épreuves dépend des pertes qu'il a déjà subies, de son estime de soi et de l'efficacité (force et disponibilité) de son réseau de soutien.

Vieil âge. Les personnes âgées sont exposées à des pertes de toutes sortes : déclin de la santé, de la mobilité et de l'autonomie ; abandon des rôles professionnels ; etc. La baisse des revenus et l'adaptation du mode de vie qui s'ensuit peuvent aussi provoquer un sentiment de perte ou de deuil.

Chez la personne âgée, la mort du conjoint représente une perte majeure, surtout s'il s'agit d'un couple vivant ensemble depuis de nombreuses années. La capacité d'aborder cette perte varie beaucoup d'une personne à l'autre. Par ailleurs, les recherches indiquent que les problèmes de santé augmentent après la mort du conjoint, et ce, chez les hommes comme chez les femmes (Shahar, Schultz, Shahar et Wing, 2001). Comme la mort survient surtout chez les personnes âgées et que leur nombre augmente en Amérique du Nord, l'infirmière doit posséder une bonne connaissance des problèmes que le deuil peut provoquer durant le vieil âge.

IMPORTANCE DE LA PERTE

L'importance d'une perte dépend entièrement des perceptions de la personne qui la subit. Ainsi, certaines personnes éprouvent un immense sentiment de perte après leur divorce, alors que d'autres considèrent cet événement comme une perturbation relativement mineure. Un certain nombre de facteurs déterminent l'importance perçue de la perte :

- La place qu'occupait la personne, la fonction ou l'objet disparu
- Le nombre et la portée des changements que la perte entraîne
- Les convictions, les croyances et les valeurs de la personne touchée

Les personnes âgées qui ont vécu de nombreuses épreuves tout au long de leur existence ne considèrent pas toujours les pertes anticipées (par exemple la perspective de leur propre mort) comme particulièrement effrayantes ou négatives. Elles peuvent même faire preuve d'apathie plutôt que de réactivité par rapport à ces événements. Par ailleurs, certaines personnes âgées ont bien plus peur de perdre leur autonomie ou de devenir un fardeau pour leur entourage que de mourir.

MILIEU CULTUREL

Le milieu culturel exerce une certaine influence sur les réactions aux pertes. La manière dont le chagrin s'exprime dépend des coutumes. À moins que l'individu fasse partie d'une structure familiale étendue, le chagrin reste généralement confiné à la famille nucléaire restreinte. Dans ces circonstances, la mort d'un proche laisse un grand vide, car les rôles qu'il assumait incombent désormais à quelques personnes. Dans certaines cultures, à l'inverse, le noyau familial regroupe plusieurs générations de parenté élargie. Toutes ces personnes vivent soit dans la même maison, soit dans le même quartier ou la même ville. Dans ce cas, la mort d'un proche a un effet moins fort, car les rôles qui incombaient autrefois au disparu peuvent être rapidement pris en charge par les nombreux autres membres de la famille.

Certaines personnes estiment que le chagrin appartient au domaine privé et doit se vivre intérieurement, dans la solitude. Elles ont par conséquent tendance à réprimer l'expression de l'affliction et à ne pas discerner ni nommer distinctement les émotions. Les gens qui ont appris très jeunes à toujours « serrer les dents » et à « se montrer courageux » ont souvent de la difficulté à exprimer leurs sentiments profonds et leur détresse devant une perte majeure.

Certains groupes culturels valorisent l'entraide, le soutien social et la libre expression du chagrin. Dans certaines communautés, les lamentations, les pleurs, la prostration et d'autres expressions flagrantes de la peine sont tout à fait acceptables et même encouragées. Dans d'autres communautés, on considère ces comportements comme excessifs et on privilégie une expression plus discrète, plus stoïque, du chagrin. Dans les groupes culturels caractérisés par des liens familiaux très forts, la famille procure à la personne endeuillée un soutien physique et affectif très important.

CROYANCES SPIRITUELLES

Les pratiques et les croyances spirituelles déterminent en grande partie la réaction de l'individu à la perte, mais aussi son comportement ultérieur. Dans la plupart des groupes religieux, on observe des coutumes et des rituels mortuaires bien précis. Ces traditions sont d'une importance capitale pour la personne et pour son entourage. Pour apporter aux personnes mourantes, à leur famille et à leurs amis un appui efficace à l'approche de la mort, l'infirmière doit bien comprendre les croyances et les pratiques qui leur sont propres (Moules, 1999 ; Wright, 1997, 1999).

SEXE

En Amérique du Nord, la répartition des rôles masculins et féminins définit en partie les réactions des hommes et celles des femmes devant une perte. Les hommes ont généralement appris à se montrer forts, à ne pas faire étalage de leurs sentiments en cas d'épreuve ou de deuil; la société accepte davantage que les femmes manifestent leur peine par les larmes. Quand il perd sa femme, l'homme assume l'essentiel des rituels du deuil, mais il doit aussi réprimer ses émotions et réconforter ses enfants.

Le sexe de la personne détermine aussi les répercussions psychologiques des anomalies corporelles. Un homme pourra considérer ses cicatrices au visage comme des marques de virilité, alors qu'une femme trouvera que les siennes l'enlaidissent. Dans ce cas, seule la femme vivra ces marques comme une perte.

NIVEAU SOCIOÉCONOMIQUE

Le niveau socioéconomique définit généralement le réseau de soutien disponible en cas de perte majeure. Ainsi, les personnes qui perdent leur conjoint ou qui deviennent handicapées sont moins démunies si elles bénéficient d'un régime d'assurance ou d'un régime de retraite généreux. À l'inverse, quand les difficultés économiques s'ajoutent à la perte, le cumul des problèmes peut inhiber les réactions de la personne touchée et retarder ou empêcher son rétablissement.

RÉSEAU DE SOUTIEN

Les proches de la personne endeuillée sont généralement les premiers à détecter ses besoins émotionnels, physiques et fonctionnels et à lui prêter assistance dans ces trois domaines. Cependant, les gens sont souvent mal à l'aise devant les pertes qui touchent leur entourage et ils manquent d'expérience à cet égard. Il n'est donc pas rare que le réseau de soutien se retire et prenne ses distances au lieu de se resserrer autour de la personne endeuillée pour l'appuyer. Par ailleurs, même si les membres de l'entourage procurent un appui important au moment de la perte, ils doivent souvent retourner assez vite à leurs activités habituelles. Dans ce cas, le soutien à long terme n'est pas assuré. Enfin, la personne endeuillée n'est pas toujours capable d'accepter le soutien que son entourage lui offre au moment où il le fait.

CAUSE DE LA PERTE OU DE LA MORT

Le point de vue des personnes et de la société sur la cause de la perte ou de la mort détermine en partie les réactions des personnes touchées. Certaines affections sont considérées comme «respectables» et suscitent par conséquent de la compassion. C'est le cas des affections cardiovasculaires. D'autres maladies peuvent être vues comme repoussantes ou moins dignes de sympathie. Quand la perte ou la mort est considérée comme indépendante de la volonté de la victime, elle paraît souvent plus acceptable que si elle avait pu être évitée – par exemple la mort d'un automobiliste qui conduisait en état d'ébriété. Les blessures et la mort survenant au cours des activités d'une personne qui jouit déjà de la considération générale (par exemple la mort d'un policier dans l'exercice de ses fonctions) attirent le respect; par contre, si les circonstances sont liées à des activités illégales, on trouvera souvent qu'il s'agit d'un juste châtiment.

Démarche de soins infirmiers

Collecte des données

Dans le cas des personnes qui viennent de subir une perte, on recueille les données au cours de trois étapes importantes: (1) anamnèse; (2) évaluation des ressources dont la personne dispose pour s'adapter à la perte; (3) examen physique. Au moment des bilans de santé de routine, l'infirmière doit toujours interroger la personne sur ses pertes actuelles et passées. Elle analysera en outre la nature de ces pertes et leur importance pour la personne.

Si la personne subit actuellement une perte ou qu'elle en a vécu une récemment, l'infirmière lui posera des questions plus précises. Nombreuses sont les personnes qui n'établissent pas toujours le lien de cause à effet entre leurs maux physiques et leurs réactions émotionnelles (par exemple le chagrin lié à un deuil). L'infirmière doit donc interroger la personne pour détecter les stress qui pourraient être causés par les pertes. Si la personne indique qu'elle a subi ou qu'elle est en train de subir des pertes majeures, l'infirmière analysera la manière dont cette personne aborde généralement les épreuves et dressera le bilan des ressources dont elle dispose pour s'adapter à la situation. Elle recueillera un certain nombre d'informations pour établir le plan de soins et de traitements infirmiers, notamment: état de santé général; autres facteurs personnels de stress; traditions, croyances et rituels culturels ou spirituels entourant la perte, le deuil et le chagrin; efficacité du réseau de soutien (rubrique *Entrevue d'évaluation – Perte, deuil et chagrin*). Si l'infirmière constate que la personne traverse un deuil dysfonctionnel, elle devra, dans certains cas, lui faire rencontrer un professionnel de la santé possédant de l'expérience dans le domaine. Quand l'examen physique révèle des signes et des symptômes physiques ou psychologiques graves, l'infirmière doit aussi mettre la personne en contact avec un spécialiste qui pourra répondre à ses besoins particuliers.

Analyse et interprétation

Les diagnostics infirmiers suivants peuvent s'appliquer au deuil et au chagrin (NANDA-I, 2010):

- *Deuil anticipé*: réactions intellectuelles et émotionnelles par lesquelles les individus (familles, collectivités) entament par un travail personnel le processus de modification du concept de soi selon la perception de la perte potentielle.
- *Deuil dysfonctionnel*: réactions intellectuelles et émotionnelles prolongées et infructueuses par lesquelles les individus (familles, collectivités) tentent de modifier, par un travail personnel, le concept de soi fondé sur la perception de la perte.

Le deuil et le chagrin peuvent également donner lieu à d'autres diagnostics infirmiers:

- *Dynamique familiale perturbée*: modification des relations familiales ou du fonctionnement familial. La perte exerce sur l'individu et sur sa famille un effet tel que les interactions et les rôles habituels s'en trouvent modifiés.

Démarche de soins infirmiers ⋯▶

☑ ENTREVUE D'ÉVALUATION

PERTE, DEUIL ET CHAGRIN

Pertes antérieures

- Avez-vous déjà perdu une personne ou un objet particulièrement important pour vous ?
- Avez-vous déjà déménagé ?
- Comment avez-vous vécu votre entrée à l'école ? Votre départ de la résidence familiale ? Vos débuts sur le marché du travail ? Votre retraite ?
- Êtes-vous encore physiquement capable de faire tout ce que vous faisiez plus jeune ?
- Certains de vos proches ou d'autres gens très importants pour vous sont-ils décédés ?
- Pensez-vous subir des pertes importantes prochainement ?

Poser les questions suivantes si la personne a déjà traversé un deuil :

- Parlez-moi de (la personne disparue). Comment avez-vous vécu le fait de perdre (la personne disparue) ?
- Avez-vous éprouvé alors des difficultés à dormir ? À manger ? À vous concentrer ?
- Quand c'est arrivé, qu'avez-vous fait pour vous sentir mieux ?
- Au moment de cette perte, avez-vous observé des pratiques spirituelles ou culturelles particulières ?
- Vers qui vous êtes-vous tourné quand vous vous sentiez trop bouleversé par (la perte) ?
- Combien de temps vous a-t-il fallu pour reprendre vos activités habituelles ?

Poser les questions suivantes si la personne est en train de subir une perte :

- Que vous a-t-on dit au sujet de (la perte) ? Y a-t-il autre chose que vous aimeriez savoir ou que vous ne comprenez pas ?
- Selon vous, quels sont les changements que (cette affection, cette intervention chirurgicale, ce problème) provoquera dans votre vie ? Comment pensez-vous que vous allez vivre sans (l'être ou l'objet perdu) ?
- Avez-vous déjà subi des pertes similaires ?
- Pensez-vous que cette perte puisse avoir certaines conséquences positives ? Si oui, lesquelles ?
- De quel genre d'aide pensez-vous avoir besoin ? Qui vous aidera à faire face à cette perte ?
- Y a-t-il dans votre entourage ou dans votre milieu des personnes ou des organismes qui pourraient vous aider ?

Pertes actuelles

- Avez-vous des difficultés à dormir ? À manger ? À vous concentrer ? À respirer ?
- Ressentez-vous des douleurs ou d'autres problèmes physiques nouveaux ?
- Que faites-vous pour mieux composer avec cette perte ?
- Prenez-vous des médicaments ou d'autres produits pour vous aider à faire face à cette perte ?

- *Stratégies d'adaptation inefficaces* : incapacité d'évaluer correctement les facteurs de stress, de décider ou d'agir de manière appropriée ou de se servir des ressources disponibles. La personne éprouve d'importantes difficultés à situer la perte d'une manière exacte par rapport aux autres dimensions et activités de sa vie.

- *Risque de sentiment de solitude* : état subjectif d'une personne exposée au risque d'éprouver une vague dysphorie causée par la perte de certaines relations humaines.

La rubrique *Diagnostics infirmiers, résultats de soins infirmiers et interventions* (p. 630) fournit des exemples d'applications cliniques de certains de ces diagnostics infirmiers de la NANDA-I et précise les résultats de soins infirmiers et les interventions correspondants.

Planification

Dans le cas des personnes qui pleurent la perte d'une fonction corporelle ou d'une partie de leur corps, l'objectif général des soins doit être de les aider à s'adapter à ce changement et à consacrer leur énergie physique et émotionnelle à la réadaptation. Dans le cas des personnes qui pleurent la perte d'un être cher, l'objectif consiste à les amener à se souvenir de cette personne sans être déchirées par la douleur, à réinvestir leur énergie émotionnelle dans leur propre vie et à s'adapter à la perte actuelle ou imminente.

▓ Planification des soins à domicile

Les personnes qui ont subi une perte (ou qui en anticipent une) ont parfois besoin de soins infirmiers à domicile pour s'adapter à cette épreuve. Pour établir la nature des soins de suivi, ainsi que le nombre et la fréquence des visites, l'infirmière déterminera le plus exactement possible la manière dont la personne et sa famille se sont adaptées aux pertes antérieures. Elle réévaluera également les capacités et les besoins de la personne afin d'assurer une préparation adéquate des soins à domicile. La rubrique *Évaluation pour les soins à domicile – Deuil et chagrin* dresse la liste des données à recueillir pour établir le plan des interventions à domicile et pour mener les évaluations de suivi.

Interventions infirmières

L'infirmière doit posséder un certain nombre de compétences professionnelles pour aider les clients qui doivent surmonter une perte et un chagrin : écouter attentivement, savoir garder le silence quand cela s'impose, poser des questions ouvertes et fermées, reformuler les propos de la personne, amener cette dernière à clarifier ce qu'elle ressent et résumer ses propos. Il est moins souhaitable de proposer des conseils et des recommandations à la personne, d'analyser ou d'interpréter la situation vécue par cette dernière ou de lui tenir des propos faussement rassurants. Pour maintenir l'efficacité de la communication avec la personne et ses proches, l'infirmière doit d'abord déterminer avec exactitude les paroles et les interventions dont ils ont besoin.

DIAGNOSTICS INFIRMIERS, RÉSULTATS DE SOINS INFIRMIERS ET INTERVENTIONS

DEUIL ET CHAGRIN

Collecte des données	Diagnostic infirmier: *Définition*	Exemple de résultat de soins infirmiers: *Définition*	Indicateurs	Intervention choisie: *Définition*	Exemples d'activités
Ramón, âgé de 15 ans, souffre de mucoviscidose pulmonaire. Lui et sa mère, Teresa Jiménez, attendent un donneur compatible pour une transplantation cardio-pulmonaire. «Nous avons été convoqués à l'unité de transplantation deux fois, précise Mme Jiménez, mais cela n'a pas fonctionné. Chaque fois, Ramón est très enthousiaste, mais il connaît une grande déception par la suite. Je n'arrive plus à manger ni à dormir tellement je suis inquiète. Je ne sais pas ce que je ferai si la transplantation n'a pas lieu. Mon fils est tout ce qui me reste depuis que mon mari nous a quittés, il y a six ans.»	*Deuil anticipé: Réactions intellectuelles et émotionnelles par lesquelles les individus (familles, collectivités) entament, par un travail personnel, le processus de modification du concept de soi selon la perception de la perte potentielle.*	Travail de deuil: *Adaptation à une perte actuelle ou imminente.*	Modérés: ■ Maintient le milieu de vie. ■ Recherche le soutien social. ■ Progresse dans les étapes du deuil.	Aide au travail de deuil: *Soutien à apporter à une personne afin qu'elle assume son deuil à la suite de la perte d'une personne ou d'un objet importants pour elle.*	■ Encourager la personne à discuter de ses expériences passées face au deuil. ■ Lui montrer son acceptation de discuter du deuil. ■ Déterminer les sources de soutien dans la communauté. ■ Encourager les progrès réalisés durant le processus de deuil.
La femme de Thomas Biron est morte il y a 14 mois à la suite de la rupture d'un anévrisme de l'aorte. Elle était âgée de 59 ans. M. Biron vit seul et n'a pas d'enfant. Il refuse de voir ses amis. Il se plaint de maux de tête fréquents, d'une incapacité à se concentrer dans son travail, d'un désintérêt complet envers la nourriture et d'insomnie matinale. Ces symptômes s'aggravent à l'approche de la date de l'anniversaire de naissance de sa femme et de celle de leur anniversaire de mariage. «Je n'ai toujours pas le courage d'aller sur sa tombe, dit M. Biron. Parfois, j'aimerais encore mieux mourir pour aller la retrouver de l'autre côté.»	*Deuil dysfonctionnel: Réactions intellectuelles et émotionnelles prolongées et infructueuses par lesquelles les individus (familles, collectivités) tentent, par un travail personnel, de modifier le concept de soi fondé sur la perception de la perte.*	Concentration: *Capacité de se focaliser sur un stimulus spécifique.*	Fréquemment démontrés: ■ Maintient son attention. ■ Maintient sa concentration sans se laisser distraire.	Gestion de l'humeur: *Assurer la sécurité, la stabilisation d'une personne présentant des variations dysfonctionnelles de l'humeur.*	■ Déterminer si la personne présente un risque pour sa sécurité ou celle d'autrui. ■ Aider la personne à maintenir un cycle veille-sommeil normal. ■ Lui donner l'occasion de pratiquer des activités physiques. ■ Lui enseigner des compétences en matière de prise de décisions. ■ Si nécessaire, lui procurer des services de psychothérapie ou le mettre en communication avec un spécialiste. ■ Aider la personne à surveiller de façon consciente son humeur.

27

✅ ÉVALUATION POUR LES SOINS À DOMICILE

DEUIL ET CHAGRIN

Personne

- *Connaissances :* l'information que possède la personne sur les conséquences de la perte

- *Capacité d'autosoins :* l'aptitude de la personne à prendre soin d'elle-même, compte tenu des anomalies de ses fonctions corporelles ou de son état de santé physique que la perte peut avoir causées

- *Adaptation actuelle :* le stade que la personne a atteint dans le processus de deuil

- *Manifestations actuelles du chagrin :* les signes et les symptômes normaux et anormaux ; les comportements liés à la culture ou à la spiritualité

- *Perception des rôles :* le point de vue de la personne sur l'obligation qu'elle a (ou non) de reprendre ses rôles familiaux ou professionnels

Famille

- *Connaissances :* les perceptions et les points de vue des différents membres de la famille par rapport à la perte

- *Disponibilité et compétences des membres du réseau de soutien :* la sensibilité de l'entourage par rapport aux besoins physiques et affectifs de la personne ; la capacité d'acceptation des membres de l'entourage

- *Perception des rôles :* le point de vue de la famille sur la nécessité pour la personne de reprendre (ou non) ses rôles familiaux et professionnels

Communauté

- *Ressources :* l'existence et l'accessibilité des ressources d'aide (par exemple les groupes de soutien, les centres religieux ou spirituels, les services de conseils)

Les communications doivent être pensées en fonction du stade du deuil ou du chagrin auquel la personne se trouve. En effet, la manière dont une personne perçoit ce qu'on lui dit et dont l'infirmière doit interpréter ce que celle-ci lui répond sera très différente selon que celle-ci se trouve au stade de la colère ou de la dépression.

En plus de recourir à des compétences communicationnelles efficaces, l'infirmière doit planifier les informations et l'aide qu'il lui faudra donner à la personne et à sa famille pour leur faire franchir les différentes étapes du deuil.

Faciliter le travail de deuil

- Analyser les valeurs ethniques, culturelles, religieuses et personnelles de la personne et de sa famille par rapport à l'expression du chagrin, et respecter ces valeurs.

- Indiquer à la personne ou à la famille les étapes habituelles du deuil ; souligner que certaines émotions et pensées sont normales (donc acceptables) et que les émotions labiles, la tristesse, la culpabilité, la colère, la peur et la sensation d'isolement se stabiliseront avec le temps et finiront par s'atténuer. L'anticipation des diverses réactions possibles peut aider à les atténuer au moment où elles se produiront.

- Inciter la personne à s'exprimer et à partager son chagrin avec les membres de son réseau de soutien. L'expression des sentiments renforce les relations humaines et facilite le travail de deuil.

- Indiquer aux membres de la famille des moyens qu'ils pourront utiliser pour inciter la personne à exprimer son chagrin – sans la bousculer, pour qu'elle « passe à autre chose », et sans lui imposer leur propre définition de la normalité des réactions devant l'épreuve. Si la personne est un enfant, encourager les membres de sa famille à faire preuve de franchise et de sincérité et à le laisser participer avec les autres aux activités entourant le deuil.

- Inciter la personne à reprendre ses activités normales selon un calendrier compatible avec le maintien d'une bonne santé physique et psychologique. Certaines personnes essaient de reprendre trop vite leurs habitudes. À l'inverse, une attente trop longue constitue parfois le signe d'un deuil dysfonctionnel.

Donner du soutien psychologique

- En plus d'appliquer les techniques de la communication thérapeutique, il faut aussi garder le silence quand il le faut et offrir à la personne une présence de qualité. Cette approche l'aidera à mieux cerner ses propres sentiments et lui montrera que l'infirmière la respecte et compatit avec elle.

- Montrer à la famille et aux autres proches qu'on comprend leur chagrin. Le réseau de soutien composé de la famille et des amis fait partie intégrante de l'univers de la personne.

- Proposer à la personne des choix qui favorisent son autonomie. Pendant cette période où son monde semble voler en éclats, elle doit avoir l'assurance qu'il lui reste une certaine emprise sur certaines dimensions de son existence.

- Donner à la personne et à son entourage des informations axées sur les ressources disponibles dans la communauté : membres du clergé, groupes de soutien, spécialistes en conseil ou en accompagnement, etc.

- Proposer d'autres sources d'information ou d'assistance (par exemple l'Association canadienne de soins palliatifs et l'Association québécoise de soins palliatifs).

Le schéma *Deuil et chagrin* (p. 648) donne quelques exemples d'interventions infirmières adaptées aux différents stades du deuil.

Évaluation

Il est difficile d'évaluer l'efficacité des soins infirmiers prodigués aux personnes affligées ou endeuillées, car les pertes et les épreuves entraînent en général des conséquences durables sur leur vie et déclenchent un long cheminement. L'évaluation doit se fonder sur les objectifs définis par la personne et sa famille.

27

Les objectifs et les résultats escomptés dépendent de la perte subie et de la personne touchée. La rubrique *Diagnostics infirmiers, résultats escomptés et interventions* (p. 630) fournit des exemples d'objectifs et de résultats à viser dans le cas des personnes affligées ou endeuillées.

Si les objectifs n'ont pas été atteints, l'infirmière déterminera les raisons de cet échec. Pour ce faire, elle vérifiera la justesse des diagnostics infirmiers antérieurs en examinant à nouveau la personne et pourra faire une réévaluation en se posant les questions suivantes :

- Les comportements d'affliction de la personne correspondent-ils à un deuil dysfonctionnel ou à un autre diagnostic infirmier ?
- Les résultats escomptés sont-ils irréalistes par rapport aux délais prévus ?
- La personne est-elle soumise à des facteurs de stress supplémentaires dont on n'a pas tenu compte dans le premier bilan et qui pourraient entraver la résolution du deuil ?
- Les décisions du plan de soins et de traitements ont-elles été mises en œuvre d'une manière constante, compétente, cohérente et compatissante ?

Mort et imminence de la mort

Chaque individu envisage la mort d'une manière personnelle. Cette conception se développe avec le temps – au fil de notre cheminement personnel, des pertes que nous subissons et de notre réflexion sur différentes notions abstraites et concrètes. En général, les enfants croient que la mort est un état temporaire ; les adultes savent qu'elle est irréversible et ils la craignent ; les personnes âgées trouvent parfois que la mort est préférable à une existence malheureuse, jalonnée de pertes et de détériorations successives de la qualité de vie. Le tableau 27-3 décrit des croyances caractéristiques des différents groupes d'âge. L'infirmière doit bien connaître ces stades du développement afin de comprendre les réactions des personnes devant l'éventualité de la mort.

Réactions à la mort et à son imminence

Que la mort nous touche personnellement ou qu'elle frappe une autre personne, les caractéristiques de l'épreuve ainsi que les conceptions individuelles qu'on entretient sur le sujet définissent nos réactions. Le point de vue sur les causes de la mort, les croyances spirituelles, l'accessibilité du réseau de soutien et d'autres facteurs liés au concept de la mort varient considérablement d'une personne à l'autre. On observe cependant certaines tendances qui ont permis aux chercheurs de discerner plusieurs stades dans les réactions (tableaux 27-1 et 27-2).

La personne mourante et les membres de sa famille éprouvent des sentiments de chagrin dès l'instant où ils prennent conscience de la perte. Le diagnostic infirmier *Deuil anticipé* comporte un certain nombre de traits particuliers : déni, culpabilité, colère, détresse, tristesse, modification des rapports sociaux et des modes de communication. Ces signes peuvent même inclure les pensées suicidaires, le délire et les hallucinations. Un diagnostic de *Peur* s'applique quand celle-ci résulte de la perception d'une menace consciemment étiquetée comme un danger (c'est-à-dire la mort d'une personne) et se manifeste par des signes très semblables à ceux du deuil et de l'affliction, notamment la tristesse, l'immobilité dysfonctionnelle, l'augmentation de la fréquence du pouls et de la fréquence respiratoire, la sécheresse de la bouche, l'anorexie, l'insomnie et les cauchemars. Le diagnostic *Perte d'espoir* concerne un état subjectif dans lequel une personne voit peu ou ne voit pas de solutions ou de choix personnels valables et est incapable de mobiliser ses forces pour son propre compte – quand la mort devient inévitable et que la personne n'imagine pas pouvoir surmonter l'épreuve. L'infirmière peut observer dans ce cas les signes suivants : apathie, pessimisme et incapacité à prendre des décisions. Si la personne entrevoit des solutions à ses problèmes tout en ayant l'impression de l'inefficacité de ses actes, le diagnostic infirmier sera plutôt *Sentiment d'impuissance*. Cette incapacité de maîtriser la situation actuelle peut se manifester par la colère, des comportements violents, l'agressivité, la dépression ou la passivité.

Les individus qui s'occupent de la personne mourante à titre professionnel (membres de l'équipe soignante) ou à titre personnel (famille et amis) sont tous touchés par l'imminence de la mort. Dans certains cas, un diagnostic infirmier de la NANDA-I, *Risque de tension dans l'exercice du rôle de l'aidant naturel*, s'applique. L'obligation d'assurer de façon continue un soutien physique, financier, psychologique et social important au mourant peut représenter une source majeure de stress pour l'entourage. Comme il est très souvent impossible de prévoir combien de temps s'écoulera entre le diagnostic de phase terminale et la mort, les personnes qui entourent le mourant peuvent à la longue ressentir une fatigue extrême, sombrer dans la dépression ou éprouver un grand sentiment de vide. Elles doivent en outre consacrer beaucoup de temps et de ressources au mourant, et ce, au détriment de leurs autres proches et de leurs activités personnelles – ce qui peut engendrer chez elles colère et ressentiment. Dans le cas d'une famille où règne habituellement une certaine harmonie, la mort peut amener l'infirmière à poser le diagnostic infirmier *Dynamique familiale perturbée*. Dans ce cas, la famille n'arrive plus à toujours répondre aux besoins physiques, affectifs ou spirituels de ses membres ; des difficultés à maintenir de bonnes communications et à résoudre les problèmes surgissent.

Les professionnels de la santé, y compris les infirmières, sont aussi exposés à certains risques de tension dans l'exercice du rôle d'aidant à cause de leurs interactions répétées avec des personnes mourantes et leur famille. La plupart des infirmières qui travaillent en oncologie, aux soins palliatifs ou aux soins intensifs, à l'urgence ou dans un autre service à taux de mortalité élevé ont en général choisi ces affectations. Elles peuvent néanmoins éprouver un sentiment d'échec lorsqu'une des personnes qu'elles soignent meurt. De même qu'il est indispensable aux personnes affligées ou endeuillées, le réseau de soutien s'avère

TABLEAU 27-3
CONCEPTION DE LA MORT SELON L'ÂGE

Âge	Croyances et attitudes
De la petite enfance à 5 ans	L'enfant ne comprend pas la notion de mort. Son expérience de la séparation détermine la manière dont il appréhendera plus tard la perte et la mort. Il croit que la mort est réversible, qu'elle se résume à une période de sommeil ou à une absence temporaire. Il considère l'immobilité et l'inactivité comme les principales caractéristiques de la mort.
De 5 à 9 ans	L'enfant comprend que la mort est définitive. Il est convaincu cependant que sa propre mort n'est pas inéluctable. Il associe la mort à l'agression ou à la violence. Il croit que les vœux, les désirs et certains actes (pourtant anodins) peuvent provoquer la mort.
De 9 à 12 ans	L'enfant comprend que la mort est l'issue inévitable de la vie. Il commence à appréhender sa propre mortalité ; cette prise de conscience se manifeste par un intérêt accru pour la vie après la mort ou par la peur de mourir.
De 12 à 18 ans	L'adolescent craint la mort douloureuse et l'agonie. Il rêve parfois de défier la mort et, dans cette optique, il adopte des comportements à risque (par exemple conduite dangereuse, toxicomanie, etc.). Il pense rarement à la mort et la considère plutôt dans ses dimensions religieuse et philosophique. Il peut sembler concevoir la mort en adulte, mais il reste souvent incapable de l'accepter sur le plan émotionnel. Il garde certaines conceptions des stades de développement antérieurs.
De 18 à 45 ans	L'attitude du jeune adulte devant la mort dépend en grande partie de ses croyances religieuses et culturelles.
De 45 à 65 ans	L'adulte d'âge mûr accepte l'idée de sa propre mortalité. Il subit la mort de ses parents et de certains amis. Il éprouve à l'occasion une grande angoisse devant la mort. Cette angoisse de la mort diminue dans ses périodes de bien-être émotionnel.
65 ans et plus	La personne âgée redoute les maladies prolongées. Elle subit la mort de plusieurs amis et membres de sa famille. Elle attribue différentes significations à la mort (par exemple la délivrance par rapport à la douleur ; les retrouvailles avec ses proches disparus, etc.).

ALERTE CLINIQUE • Les personnes qui ont perdu beaucoup d'êtres chers (par exemple dans les communautés durement frappées par le sida) ne ressentent pas nécessairement les pertes ultérieures plus intensément ou moins intensément que les personnes qui ont perdu moins de proches. •

également crucial pour les professionnels de la santé qui subissent des pertes douloureuses.

Beaucoup de personnes considèrent la mort comme l'événement le plus tragique qui puisse survenir ; elles n'aiment pas y penser ni en parler – surtout quand il s'agit de leur propre mort. Les infirmières n'échappent pas toujours à ce malaise. Pour s'occuper d'une manière efficace des personnes en phase terminale et de leur entourage, elles doivent prendre le temps d'analyser leurs propres sentiments à l'égard de la mort. Les infirmières que l'imminence de la mort met mal à l'aise ont tendance à empêcher les tentatives des personnes pour aborder le sujet. Elles recourent notamment aux techniques suivantes :

■ L'infirmière change de sujet : « Il vaut mieux penser à quelque chose de plus réjouissant ! » « Vous ne devriez pas dire des choses comme ça. »

■ Elle offre un faux réconfort : « Tout va bien se passer, vous allez voir ! »

■ Elle nie la réalité : « Vous dites des bêtises… » « Vous allez tous nous enterrer ! »

■ Elle fait preuve de fatalisme : « Il faut bien mourir un jour ou l'autre. » « Le bon Dieu vient nous chercher à notre heure. »

■ Par son attitude et ses paroles, elle empêche toute discussion : « La situation n'est pas aussi grave que vous le pensez. »

■ Elle se montre froide, distante, et elle cherche même à éviter la personne.

■ Elle organise les soins et aggrave ainsi les sentiments de dépendance et d'impuissance de la personne.

Les soins aux personnes mourantes ou endeuillées comptent parmi les responsabilités les plus complexes et les plus difficiles qui incombent à l'infirmière. Ils exigent notamment la mise en œuvre de toutes les compétences indispensables aux interventions globales sur les plans physiologique et psychosocial. Pour offrir des soins efficaces, l'infirmière doit avoir clairement conscience de ses propres conceptions et attitudes concernant les pertes, l'imminence de la mort et la mort elle-même. Ses points de vue et ses comportements ont en effet une incidence directe sur sa capacité à soigner la personne mourante ou endeuillée.

27

Décès : définition et signes cliniques

On définissait autrefois la **mort** à l'aide des signes cliniques suivants : cessation de la perception du pouls apexien (pouls apical ou choc de pointe), de la respiration et de la pression artérielle. Le décès était alors assimilé à la **mort cardiorespiratoire**. L'avènement des mécanismes artificiels de maintien de la respiration et de la circulation sanguine a toutefois rendu plus difficile la détermination de l'instant précis de la mort selon ces critères. L'Assemblée médicale mondiale a adopté en 1968 les critères suivants pour aider les médecins à déterminer le moment de la mort :

- Absence totale de réactions aux stimuli externes
- Absence de mouvements musculaires, en particulier ceux liés à la respiration
- Absence de réflexes
- Absence d'ondes cérébrales (encéphalogramme plat ou silence électrocortical)

Si la personne est placée sous respirateur artificiel, l'absence ininterrompue d'ondes cérébrales pendant au moins 24 heures constitue le signe de la mort. Ce n'est qu'à partir de ce moment-là que le médecin peut prononcer le décès. Les systèmes de maintien des fonctions vitales peuvent ensuite être débranchés.

La mort peut être également définie par le **décès neurologique (mort cérébrale)**. Celui-ci survient quand le cortex cérébral, le centre supérieur du cerveau, est définitivement détruit et qu'il y a arrêt total des fonctions cérébrales intégrées. L'activité cardiaque persiste, mais la fonction cérébrale est perdue à jamais, ainsi qu'en témoigne l'absence de réactions volontaires aux stimuli externes. Cet état se caractérise également par la disparition des réflexes céphaliques, l'apnée et la persistance du tracé isoélectrique de l'électroencéphalogramme (silence électrocortical) pendant au moins 30 minutes, et ce, sans que la personne soit en hypothermie ni intoxiquée par des dépresseurs du système nerveux central (*Stedman's Medical dictionary for health professions and nursing*, 2005). Pour les partisans de cette définition de la mort, l'individu se caractérise par son cortex cérébral, qui détermine la capacité de penser, l'action volontaire et le mouvement. Au pays, le Canadian Neurocritical Care Group a conçu un guide en six étapes permettant de prononcer un diagnostic de décès neurologique (figure 27-1 ■).

Aspects juridiques du décès

Les lois en vigueur ainsi que les règlements de l'établissement de soins déterminent le rôle légal de l'infirmière en cas de décès d'un client. Certaines lois au Québec régissent la prestation des soins de santé. Par exemple, les articles 3 à 78 de la *Loi sur les services de santé et les services sociaux* régissent les droits des usagers. L'article 17 de la *Loi sur le curateur public* traite des relations avec le majeur inapte. Finalement, les codes de déontologie des établissements, des médecins et des infirmières régissent les actes et les soins de ces professionnels de la santé (chapitre 5 ⓒⓑ). Au Québec, les établissements acceptent les protocoles et les ordonnances de non-réanimation précisant la portée des mesures effractives de maintien de la vie qui sont autorisées. Quand la personne a accepté de donner ses organes après sa

mort, les soins peuvent être compliqués par le fait que l'équipe infirmière et médicale doit déterminer les médicaments, les traitements et le matériel dont l'utilisation sera maintenue jusqu'au prélèvement des organes. La plupart de ces aspects juridiques de la mort suscitent un questionnement éthique majeur. Il est important que l'infirmière bénéficie du soutien des autres membres de son équipe pour déterminer les soins qui doivent être prodigués aux mourants et pour les mettre en œuvre.

DIRECTIVES PRÉALABLES

Les **directives préalables** (ou **directives de fin de vie**) permettent à toute personne d'indiquer les soins dont elle souhaite bénéficier, advenant qu'elle soit incapable de prendre des décisions ou de les transmettre. Ces directives sont fondées sur la reconnaissance du droit à l'autonomie et à l'inviolabilité de la personne. L'autonomie, telle qu'elle est définie par Blondeau (1986), est la capacité de la personne de raisonner, de choisir et d'exercer sa volonté. L'article 7 de la *Charte canadienne des droits et libertés* et l'article 1 de la *Charte québécoise des droits et libertés de la personne* consacrent le droit à l'autonomie et le droit à l'intégrité pour tout individu. Le droit au respect de la dignité humaine est pour sa part consacré par l'article 4 de la *Charte québécoise des droits et libertés de la personne*. Par ailleurs, le *Code civil du Québec* précise que « toute personne est inviolable et a droit à son intégrité » (art. 10) et que « nul ne peut être soumis sans son consentement à des soins, quelle qu'en soit la nature, qu'il s'agisse d'examens, de prélèvements, de traitements ou de toute autre intervention » (art. 11). La personne concernée et sa famille éprouvent souvent des difficultés à déterminer d'avance les traitements et les soins de fin de vie désirés. Pour les rassurer, l'équipe soignante leur expliquera que les directives préalables ne sont pas irréversibles : la personne peut changer d'avis en tout temps. Ainsi, si elle a choisi de renoncer à la respiration assistée pendant la phase terminale, elle pourra se raviser ou prendre le temps de revoir sa décision si le cas se présente.

L'infirmière doit déterminer si la personne et sa famille possèdent une connaissance suffisante des mesures de maintien des fonctions vitales. Les personnes qui ne travaillent pas dans le milieu de la santé n'ont pas toujours une idée très claire des techniques permettant de garder vivants les êtres humains malades ou blessés. Elles peuvent alors fonder leurs décisions sur des impressions erronées. L'infirmière doit les informer et soutenir la personne dans ses décisions, quelles qu'elles soient.

On distingue deux sortes de directives préalables : le testament biologique et le mandat en cas d'inaptitude. Le **testament biologique** (ou **testament de vie**) énonce des instructions précises sur les traitements médicaux que la personne refuse d'avance (respiration assistée ou autre), advenant qu'elle ne puisse plus prendre de décisions – par exemple si elle sombre dans un état végétatif prolongé ou qu'elle atteint la phase terminale de sa maladie et que la réanimation représente alors sa seule chance d'éviter la mort immédiate. Le testament biologique devrait en fait s'appeler *directives de fin de vie*. Au Québec, comme dans le reste du Canada, le testament de vie n'est pas reconnu par la loi. Or, certains soutiennent que ce document est une

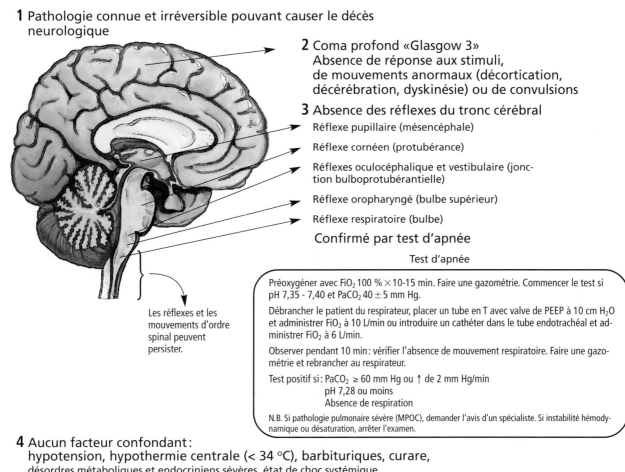

1 Pathologie connue et irréversible pouvant causer le décès neurologique

2 Coma profond «Glasgow 3»
Absence de réponse aux stimuli,
de mouvements anormaux (décortication,
décérébration, dyskinésie) ou de convulsions

3 Absence des réflexes du tronc cérébral

Réflexe pupillaire (mésencéphale)

Réflexe cornéen (protubérance)

Réflexes oculocéphalique et vestibulaire (jonction bulboprotubérantielle)

Réflexe oropharyngé (bulbe supérieur)

Réflexe respiratoire (bulbe)

Confirmé par test d'apnée

Test d'apnée

Préoxygéner avec FiO_2 100 % × 10-15 min. Faire une gazométrie. Commencer le test si pH 7,35 - 7,40 et $PaCO_2$ 40 ± 5 mm Hg.

Débrancher le patient du respirateur, placer un tube en T avec valve de PEEP à 10 cm H_2O et administrer FiO_2 à 10 L/min ou introduire un cathéter dans le tube endotrachéal et administrer FiO_2 à 6 L/min.

Observer pendant 10 min : vérifier l'absence de mouvement respiratoire. Faire une gazométrie et rebrancher au respirateur.

Test positif si : $PaCO_2$ ≥ 60 mm Hg ou ↑ de 2 mm Hg/min
pH 7,28 ou moins
Absence de respiration

N.B. Si pathologie pulmonaire sévère (MPOC), demander l'avis d'un spécialiste. Si instabilité hémodynamique ou désaturation, arrêter l'examen.

Les réflexes et les mouvements d'ordre spinal peuvent persister.

4 Aucun facteur confondant :
hypotension, hypothermie centrale (< 34 °C), barbituriques, curare,
désordres métaboliques et endocriniens sévères, état de choc systémique,
neuropathie des nerfs crâniens, trauma à l'œil ou à l'oreille moyenne et/ou interne

5 Deux examens cliniques, par deux médecins (indépendants de l'équipe de transplantation), dont au moins un examen au centre de prélèvement.

N.B.: * Nourrissons ≥ 30 jours et < 1 an, il est recommandé de faire les deux examens à des moments différents.

* Lors d'une atteinte cérébrale aiguë par ischémie/hypoxémie, un délai de 24 heures est recommandé avant de procéder à l'évaluation clinique du décès neurologique ou on peut effectuer un test auxiliaire.

Sources : The Canadian Neurocritical Care Group (Drs M.A. Beaulieu, S. Seshia, J. Teitelbaum et B. Young) (1999). *Guidelines for the diagnosis of brain death. Can J. Neurol. Sci., (26)* 64-66 ; Conseil canadien pour le don et la transplantation. (2003, 9-11 avril). *De l'atteinte cérébrale grave au diagnostic du décès neurologique.* Vancouver, B.C.

FIGURE 27-1 ■ Diagnostic du décès neurologique. Source : Québec-Transplant, 2005.

disposition légale puisqu'il s'inscrit dans la continuité du consentement libre et éclairé et qu'il implique la participation de la personne à la planification de ses soins. Selon d'autres personnes, comme il n'est spécifiquement inclus dans aucune loi, il n'a aucune valeur sur le plan juridique. Le testament biologique est l'expression des volontés de la personne ; il peut donc être fait verbalement, dans la mesure où deux témoins sont présents.

Le **mandat en cas d'inaptitude** est un document qui doit être signé devant notaire ou témoin et qui permet à toute personne majeure et saine d'esprit de nommer un mandataire (par exemple un membre de la famille ou une personne de confiance) qui verra à sa protection ou à l'administration de ses biens dans l'éventualité où elle deviendrait inapte à le faire (*Code civil du Québec*, art. 2131). Le mandat en cas d'inaptitude pourrait contenir un article portant sur le consentement aux soins, semblable au suivant :

Si je ne suis pas en mesure de consentir aux soins requis par mon état de santé ou de les refuser, mon mandataire doit le faire à ma place. À cet égard, il doit agir dans mon seul intérêt et tenir compte, dans la mesure du possible et comme le

27

prévoit la loi, des volontés que j'ai pu exprimer. Si mon manda-
taire est appelé à consentir à des soins, il doit prendre tous
les moyens pour en décider de manière éclairée, y compris
les discussions avec le médecin traitant et l'équipe soignante.
Si mon mandataire consent aux soins proposés, c'est avec
la conviction qu'ils seront bénéfiques et opportuns, et que
les risques ne seront pas disproportionnés aux bienfaits
escomptés.

Le mandat en cas d'inaptitude peut aussi inclure un article relatif aux volontés de fin de vie :

Dans toute décision relative aux soins requis en fin de vie,
mon mandataire doit tenir compte des éléments suivants :

— *Mon opposition à tout moyen diagnostique et thérapeu-*
tique qui serait disproportionné aux bénéfices escomptés
et qui ne ferait qu'accroître ou prolonger inutilement mes
souffrances et mon agonie.

— *Ma volonté de mourir dignement, tout en recevant les*
soins de soutien et de confort requis et une médication
propre à soulager mes souffrances, même si celle-ci a
pour effet indirect de hâter le moment de ma mort.

Selon Beaudoin (2002), membre du Barreau du Québec, le mandat en cas d'inaptitude a certaines limites : entre autres, comme il s'agit d'un document écrit, il ne peut pas tenir compte du processus continu et évolutif de la maladie. Le document écrit est moins flexible que les volontés de la personne exprimées verbalement devant deux témoins. Le tableau 27-4 compare les principales caractéristiques du testament de vie et du mandat en cas d'inaptitude.

L'infirmière doit connaître les diverses lois ainsi que les politiques qui s'appliquent dans son établissement de soins. Les directives préalables doivent être signées en présence de deux témoins et l'intervention d'un avocat n'est pas obligatoire.

L'infirmière doit, en toutes circonstances, défendre les intérêts de la personne et, notamment dans ce cas-ci, favoriser une discussion familiale saine sur les décisions concernant la fin de la vie. L'Association des infirmières et infirmiers du Canada (AIIC, 1994, 1998) propose un énoncé de politique et décrit le rôle de l'infirmière au sujet des directives préalables : il s'agit essentiellement de mettre en application certains articles du Code de déontologie. Au Québec, l'infirmière peut donc établir ses interventions en accord avec son code de déontologie, qui stipule, aux articles 29 et 30, que l'infirmière « doit agir avec respect envers la personne, son conjoint, sa famille et ses personnes significatives » et qu'elle « doit respecter, dans les limites de ce qui est admis dans l'exercice de la profession, les valeurs et les convictions personnelles de la personne ».

ORDONNANCE DE NE PAS RÉANIMER

Le médecin peut émettre une **ordonnance de ne pas réanimer** (ou **ordre de non-réanimation**) dans le cas d'une personne en phase terminale d'une affection irréversible ou sur le point de mourir. La rédaction de l'ordonnance de ne pas réanimer intervient en général quand la personne (ou, en son nom, son mandataire) exprime le désir de ne pas être réanimée si elle subit un arrêt respiratoire ou cardiaque. Le but de l'ordonnance de ne pas réanimer est d'éviter les réanimations inappropriées, futiles ou non désirées par la personne (Béland et Bergeron, 2002). Or, ces notions sont très subjectives. L'article 13 du *Code civil* précise que « lorsque les soins sont inusités, devenus inutiles ou que les conséquences pourraient être intolérables pour la personne, le médecin a l'obligation d'obtenir un consentement de la personne pour les prodiguer », ce qui est contraire à l'idée qu'il

---

TABLEAU 27-4
CARACTÉRISTIQUES DU TESTAMENT DE VIE ET DU MANDAT EN CAS D'INAPTITUDE

Testament de vie	Mandat en cas d'inaptitude
Document écrit, daté et signé devant témoin ou pouvant adopter d'autres formes d'expression (cassette vidéo). Non reconnu dans un texte de loi.	Document écrit, daté et signé devant deux témoins ou parfois devant un notaire. ■ Homologué par le tribunal. ■ Reconnu dans un texte de loi.
La personne exprime ses volontés de fin de vie au sujet des soins et des traitements en prévision d'une inaptitude à pouvoir le faire. Concerne quiconque donne un consentement substitué.	La personne désigne un mandataire qui décidera, au moment de l'inaptitude, des soins et des traitements tout en considérant les volontés de la personne (mandat).

Les volontés de fin de vie incluent généralement :
■ Un refus de traitement prolongeant artificiellement la vie.
■ Une demande de soins palliatifs.
	Outre le fait de désigner un mandataire, la personne peut exprimer :
	■ Ses volontés de fin de vie.
	■ Des directives concernant :
	  – la protection de sa personne.
	  – et/ou l'administration de ses biens en cas d'inaptitude.

Son utilité repose sur : ■ Le désir de contrer l'acharnement thérapeutique. ■ Le désir d'inciter l'équipe soignante au respect du droit de la personne à décider par elle-même.	Son utilité repose sur : ■ Le désir de contrer l'acharnement thérapeutique. ■ La désignation d'un mandataire qui peut, en cas de doute sur l'adéquation des directives à la volonté réelle de la personne, tenir compte des intérêts de celle-ci.

Source : Cloutier, F., Moreau, D., Tremblay, N., et Bouchard, D. (1999). Le testament de vie et le mandat en cas d'inaptitude : des moyens de faire connaître ses volontés de fin de vie. *L'Infirmière du Québec*, *7*(1), 18-22.

faut toujours tenter de réanimer une personne à moins d'une recommandation contraire au dossier. Par ailleurs, nombreux sont les médecins qui hésitent à rédiger une ordonnance de ne pas réanimer quand la personne et les membres de sa famille (ou les membres de la famille entre eux) ne sont pas d'accord. L'ordonnance précise que l'objectif du traitement est d'assurer à la personne une mort paisible et digne et que la mise en œuvre de mesures complémentaires de maintien des fonctions vitales n'est pas de mise.

En la matière, voici quelques principes qui découlent des divers lois, chartes ou codes de déontologie :

- Si la personne est apte à consentir, ses choix et ses valeurs doivent prévaloir en toutes circonstances, même s'ils sont en contradiction avec ceux de sa famille ou ceux de l'équipe soignante.
- Si la personne n'est pas apte à consentir, c'est le mandataire désigné par les directives préalables ou par le mandat en cas d'inaptitude qui doit prendre les décisions relatives aux traitements.
- La personne, les membres de sa famille, le ou les mandataires (s'il y a lieu) et l'équipe soignante doivent discuter explicitement de la conduite à tenir par rapport à la réanimation.
- L'ordonnance de ne pas réanimer doit être soigneusement rédigée et archivée, puis régulièrement mise à jour en fonction de l'évolution de l'état de santé et des souhaits de la personne.
- L'ordonnance de ne pas réanimer occupe une place à part dans le plan de soins et de traitements. Elle n'implique en aucun cas que la personne renonce à d'autres types de soins, par exemple les interventions infirmières visant à maximiser le bien-être ou les traitements médicaux des affections chroniques mais non mortelles.
- Si la mise en œuvre d'une ordonnance de ne pas réanimer est contraire aux convictions personnelles de l'infirmière, celle-ci doit envisager un changement d'affectation.

Par ailleurs, le problème de la transmission des informations est bien réel : il arrive encore malheureusement que des personnes soient prises en charge par des ambulanciers ou des équipes de réanimation en salle d'urgence alors qu'une ordonnance de ne pas réanimer a été rédigée.

Tout comme c'est le cas pour l'ordonnance de ne pas réanimer, il est aussi officiellement reconnu qu'une personne a le droit de refuser un traitement même si tout laisse supposer que ce refus de traitement entraînera éventuellement sa mort. Puisque aucun traitement ne peut être donné sans consentement, le droit de la personne de refuser un traitement dégage le corps médical des conséquences de ce refus. Au Québec, Nancy B., une jeune femme de 24 ans totalement paralysée à la suite du syndrome de Guillain-Barré, avait en vain demandé à deux reprises le retrait de son respirateur ; elle s'est finalement tournée vers la Cour supérieure du Québec afin de faire respecter ses volontés. Après avoir établi qu'en tant que personne apte à choisir elle ne pouvait être traitée sans son consentement, la Cour a autorisé l'ordonnance à cet effet en 1992. Même si une personne est dans l'impossibilité de faire officiellement une demande pour cesser un traitement, le médecin est autorisé, après consultation avec les membres de la famille, à mettre fin au traitement s'il n'entraîne aucun bénéfice pour la personne.

En général, ce sont les comités d'éthique des établissements qui se chargent de résoudre les conflits qui pourraient survenir entre la personne, sa famille et les professionnels de la santé ou entre les professionnels de la santé eux-mêmes. Il est important que les infirmières soient représentées dans ces comités afin que leurs points de vue soient entendus et qu'elles participent concrètement à l'élaboration des politiques relatives aux ordonnances de ne pas réanimer ou de cesser un traitement.

EUTHANASIE

L'**euthanasie** (ou **suicide assisté**) consiste à donner la mort d'une manière indolore à une personne souffrant d'une affection incurable ou particulièrement pénible. Quels que soient le degré de compassion, la qualité des intentions et les convictions morales qui peuvent être invoqués pour la justifier, l'euthanasie reste illégale au Canada. Elle peut mener à des accusations criminelles d'homicide ou à des poursuites civiles pour privation de soins ou prestation de soins inadéquats. Les progrès technologiques permettent maintenant aux professionnels de la santé de prolonger la vie humaine presque indéfiniment, et la société s'interroge de plus en plus sur la qualité de cette vie. Pour certaines personnes, il est tout à fait acceptable, voire souhaitable, de ne pas mettre en œuvre les techniques artificielles de maintien de la vie (ou de suspendre leur utilisation) auprès des personnes en phase terminale ou auprès des personnes touchées par un handicap incurable et apparemment incapables de mener une vie heureuse et signifiante. Il faut apporter une distinction entre le suicide assisté (euthanasie) et l'aide au suicide : dans le premier cas, la personne dont on cause la mort aurait été incapable de passer elle-même à l'acte ; dans le second cas, elle aurait pu le faire.

Quand la personne mourante souhaite déterminer le moment et les modalités de sa mort, le suicide assisté est dit « volontaire », mais demeure illégal. Aux États-Unis, l'État de l'Oregon a approuvé en 1994 la première loi sur l'euthanasie pratiquée par un médecin : *Death with Dignity Act*. Entrée en vigueur en 1997, cette loi permet aux médecins de prescrire une dose mortelle de médicaments à une personne. De 1998 à 2002, 129 personnes ont ainsi succombé à l'administration de médicaments obtenus aux termes de cette loi. Les règlements sur le droit à la mort reconnaissent légalement à la personne le droit de refuser des traitements.

Au Canada, la Cour suprême a tranché dans le cas de Robert Latimer en 2001, en le reconnaissant coupable de meurtre au deuxième degré et en le condamnant à une peine d'emprisonnement à vie, sans possibilité de libération conditionnelle avant 10 ans. M. Latimer soutenait avoir tué sa fille Tracy, âgée de 12 ans et quadriplégique, par compassion. Son avocat réclamait une « exemption constitutionnelle » afin de réduire la sentence, mais le plus haut tribunal du pays a refusé. Autrement, la décision aurait fait jurisprudence et aurait ainsi pu s'appliquer dans d'autres causes semblables. M. Latimer continue de soutenir qu'il n'est pas un criminel et qu'il n'a aucun regret.

DÉCLARATION DE DÉCÈS

La mort d'un proche entraîne diverses procédures légales. L'inscription du décès au registre de l'état civil du Québec est une étape importante pour simplifier toutes ces procédures. La **déclaration de décès** est donc obligatoire en vertu du *Code civil du Québec*. Elle établit le décès et permet d'obtenir un certificat de décès ou une copie de l'acte de décès.

À l'occasion d'un décès, le médecin et le directeur de funérailles interviennent l'un après l'autre. Tout d'abord, le médecin :

- Dresse le *constat de décès*.
- Remet les deux exemplaires du constat au directeur de funérailles qui prend en charge le corps de la personne décédée.

Ensuite, le directeur de funérailles :

- Remet au déclarant un exemplaire du constat ; il lui remet aussi la déclaration de décès et l'aide à la remplir.
- Remplit et signe la partie de la déclaration concernant la disposition du corps.
- Transmet sans délai le constat et la déclaration de décès au directeur de l'état civil du Québec.

Une fois que le décès est inscrit au registre de l'état civil, le déclarant peut faire une demande de certificat de décès ou de copie d'acte de décès. Ce document est nécessaire, entre autres, pour les formalités relatives aux assurances. Le rôle de l'infirmière consiste essentiellement à renseigner la famille sur la déclaration et sur les démarches à effectuer.

AUTOPSIE

L'**autopsie** est l'examen du corps effectué après le décès et consiste à examiner les organes et les tissus corporels pour déterminer la cause exacte de la mort, pour mieux connaître une affection ou pour recueillir des statistiques. Quand le décès survient dans un établissement de soins, seul le médecin peut décider de procéder à une autopsie. Par exemple, même si la famille en fait la requête avec insistance, c'est le médecin qui en décide la pertinence. Au Québec, on ne pratique généralement pas d'autopsie quand on connaît la cause probable du décès.

Le médecin ou, dans certains cas, un membre du personnel hospitalier spécialement désigné a la responsabilité d'obtenir l'autorisation d'autopsie. Pour effectuer une autopsie (et prélever des tissus ou des organes), il faut en avoir obtenu l'autorisation de la personne avant son décès ou l'obtenir de son plus proche parent. En général, c'est la hiérarchie des liens familiaux qui détermine le plus proche parent qui signera l'autorisation : le conjoint survivant, les enfants adultes, les parents, la fratrie.

ENQUÊTE MÉDICOLÉGALE

L'enquête médicolégale vise à déterminer les causes ou les circonstances du décès. Quand la mort est accidentelle, par exemple, l'enquête définit les circonstances de l'accident et les responsabilités des personnes en cause. Elle est menée par un coroner ou un médecin légiste. Le **coroner** est un officier gouvernemental ; il n'est pas forcément médecin. Par contre, le **médecin légiste** (ou **expert médicolégal**) possède un diplôme en médecine et aussi, très souvent, en pathologie ou en médecine légale. Les établissements de soins de santé désignent les membres de leur personnel chargés de signaler les décès au coroner ou au médecin légiste.

DON D'ORGANES OU DE TISSUS HUMAINS

Conformément à l'article 43 du *Code civil du Québec*,

> une personne majeure ou un mineur âgé de 14 ans et plus peut, dans un but médical ou scientifique, donner son corps ou autoriser sur celui-ci le prélèvement d'organes ou de tissus. Le mineur de moins de 14 ans le peut également, avec le consentement du titulaire de l'autorité parentale ou de son tuteur. Cette volonté est exprimée soit verbalement devant deux témoins, soit par écrit, et elle peut être révoquée de la même manière. Il doit être donné effet à la volonté exprimée, sauf motif impérieux.

La personne peut remplir un formulaire ou signer au verso de sa carte d'assurance maladie. Elle peut révoquer le don d'organes en exprimant verbalement sa volonté de le faire en présence de deux témoins. L'infirmière peut faire office de témoin. Par ailleurs, l'article 44 du *Code civil* précise ce qui suit :

> À défaut de volontés connues ou présumées du défunt, le prélèvement peut être effectué avec le consentement de la personne qui pouvait ou aurait pu consentir aux soins. Ce consentement n'est pas nécessaire lorsque deux médecins attestent par écrit l'impossibilité de l'obtenir en temps utile, l'urgence de l'intervention et l'espoir sérieux de sauver une vie humaine ou d'en améliorer sensiblement la qualité.

Donc, en l'absence d'un document indiquant clairement les volontés de la personne dans ce domaine, les professionnels de la santé ont l'obligation d'évaluer avec l'entourage du donneur potentiel les possibilités de prélèvement d'organes ou de tissus. L'entourage doit consentir au prélèvement ou le refuser, selon ce qu'il connaît de l'opinion que la personne avait sur le sujet.

Le nombre de personnes en attente d'une transplantation d'organe est presque toujours supérieur au nombre d'organes disponibles. Au Québec, le ministère de la Santé et des Services sociaux (MSSS) a officiellement mandaté l'organisme Québec-Transplant pour assurer la coordination des dons d'organes. Sa mission consiste à « coordonner et faciliter les activités reliées à l'identification, à l'attribution et au prélèvement des organes humains afin de contribuer à l'amélioration continue de la qualité des services offerts aux personnes nécessitant une greffe d'organe » (Québec-Transplant, 2005).

Pour faciliter la tâche aux infirmières dans le processus du don d'organes, Québec-Transplant a produit un algorithme qui leur est destiné (encadré 27-2).

Pratiques religieuses et culturelles relatives à la mort

Certaines traditions et pratiques culturelles ou religieuses entourant la mort et le deuil aident les proches à mieux traverser ces épreuves. L'infirmière est souvent présente tout au long du processus qui mène à la mort ainsi qu'au moment où elle se produit. En connaissant les traditions religieuses et culturelles de la personne et de sa famille, elle sera davantage en mesure de leur prodiguer des soins personnalisés, même si elle ne participe pas aux rituels mortuaires proprement dits.

Les personnes issues de nombreuses cultures préfèrent mourir paisiblement chez elles plutôt qu'à l'hôpital. Les membres

Algorithme du don d'organes

- Identification du donneur potentiel
- Soutien à la famille
- Vérification de l'admissibilité du donneur potentiel auprès de Québec-Transplant
- Diagnostic du décès neurologique
- Approche de la famille
- Maintien du donneur

Critères pour le don d'organes

- Personne de tout âge
- Dépendant du respirateur
- Décès neurologique anticipé ou déclaré
- Accord du coroner si nécessaire
- Consentement de la famille

Si arrêt cardiorespiratoire irréversible : Donneur de tissus (exemple les yeux)

Source : Québec-Transplant. (2005). Document consulté de http://www.quebec-transplant.qc.ca/clinique.htm.

de certains groupes ethniques peuvent demander à l'équipe soignante de ne pas révéler le pronostic à la personne mourante, estimant que tout souci devrait lui être épargné dans les derniers jours de sa vie. Chez d'autres groupes ethnique, la coutume veut qu'on transmette le pronostic à un membre de la famille (dans certains cas, un homme de préférence) afin que l'entourage familial puisse le communiquer avec tact à la personne – à moins qu'il ne décide de le lui cacher jusqu'à la fin. L'infirmière doit savoir qui appeler quand la mort est proche et quel moment choisir pour le faire.

Les croyances et les attitudes liées à la mort, à ses causes et à l'existence de l'âme varient aussi grandement d'une culture à l'autre. Dans certaines cultures, on distingue les «bonnes» morts des «mauvaises» (c'est-à-dire les morts non naturelles). Dans les communautés qui croient à la réincarnation, la mort peut paraître moins terrifiante si la personne s'est bien conduite toute sa vie, car elle aura alors de meilleures chances de mener une existence heureuse lors de sa prochaine incarnation.

La religion détermine aussi les croyances et les coutumes entourant la préparation du corps, l'autopsie, le don d'organes, la crémation (ou incinération) et les mesures de maintien des fonctions vitales. Ainsi, l'autopsie peut être interdite ou susciter de vives réticences, selon que la personne est chrétienne orthodoxe, musulmane, témoin de Jéhovah ou juive orthodoxe. Certaines religions prohibent le prélèvement de toute partie du corps et exigent que celui-ci reçoive une sépulture adéquate dans toute son intégrité (y compris tous les organes et les tissus). Le don d'organes est interdit chez les témoins de Jéhovah et les musulmans, mais les bouddhistes d'Amérique le considèrent comme un acte de compassion et l'encouragent. Les mormons, les chrétiens orthodoxes, les musulmans et les juifs interdisent ou déconseillent l'incinération. À l'inverse, les hindous préfèrent la crémation à l'enterrement ; idéalement, ils répandent ensuite

les cendres dans une rivière sacrée. La plupart des religions approuvent les techniques de maintien des fonctions vitales ; cependant, certains groupes (par exemple les scientistes chrétiens) recourent peu aux moyens médicaux de prolongement de l'existence, et les juifs s'opposent en général à la mise en œuvre de ces techniques si le cerveau a été endommagé d'une manière irréversible. En cas d'affection sans espoir de guérison, les bouddhistes peuvent autoriser l'euthanasie.

L'infirmière doit connaître les rituels mortuaires propres à la culture de la personne, par exemple en ce qui concerne l'accompagnement du mourant dans ses derniers instants, les chants psalmodiés au chevet du défunt et les rites de toilette et d'habillement de la dépouille, de mise en posture funèbre et d'enveloppement dans un linceul. Certains groupes culturels ont conservé leurs coutumes voulant que les membres de la famille du même sexe que le défunt lavent sa dépouille et la préparent en vue de la mise en terre ou de la crémation. Traditionnellement, les musulmans orientent le corps vers la Mecque. L'infirmière doit s'informer auprès des proches pour déterminer les coutumes qu'ils souhaitent respecter et les responsables de leur application. Les vêtements mortuaires et les autres objets culturels ou religieux jouent souvent un rôle symbolique important dans les rites funéraires. Par exemple, les mormons portent généralement les vêtements qu'ils ont l'habitude de porter dans le temple. Certains groupes autochtones parent les défunts de vêtements et de bijoux sophistiqués, et ils les enveloppent dans des couvertures neuves avec de l'argent. L'infirmière doit s'assurer que tous les objets rituels qui se trouvent encore dans l'établissement de soins au moment de la mort seront remis à la famille ou envoyés à l'établissement funéraire.

Démarche de soins infirmiers

Collecte des données

Pour analyser avec justesse la situation de la personne mourante et de sa famille ainsi que pour formuler des diagnostics infirmiers exacts, l'infirmière doit tout d'abord définir la nature et l'étendue des informations dont la personne et sa famille disposent.

En effet, ces informations déterminent en grande partie, d'une part, la qualité de la communication que l'infirmière pourra maintenir avec la personne et les autres membres de l'équipe soignante et, d'autre part, ses possibilités d'intervention dans le processus de deuil. En matière de communication, on distingue trois cas de figure : le mutisme unilatéral, le mutisme partagé et le dialogue.

Dans le contexte du **mutisme unilatéral**, la personne n'est pas informée de l'imminence de sa mort. La famille ne comprend pas toujours les causes de son affection et pense qu'elle va se rétablir. Le médecin estime qu'il vaut mieux ne pas annoncer le diagnostic ou le pronostic à la personne. Cette situation représente un dilemme éthique pour l'infirmière. Pour en savoir davantage au sujet des questionnements de cet ordre, voir le chapitre 5 ⚭.

Dans le contexte du **mutisme partagé**, la personne, sa famille et les membres de l'équipe soignante savent que la mort

27

est prochaine, mais personne n'en parle et tous s'efforcent même d'éviter le sujet. Dans certains cas, la personne s'interdit de parler de sa mort prochaine pour épargner à sa famille le désespoir que cette discussion susciterait. Elle peut aussi sentir un certain malaise chez les professionnels de la santé et s'abstenir par conséquent d'aborder le sujet avec eux. Si le mutisme partagé apporte à la personne un certain degré d'intimité et de dignité, il constitue en revanche un lourd fardeau, car celle-ci se prive ainsi de tout confident.

Dans le contexte du **dialogue**, la personne et son entourage savent que la mort est imminente et en parlent librement, même si cela leur est difficile. Ce dialogue permet à la personne de prendre ses dernières dispositions, de mettre ses affaires en ordre, voire, dans certains cas, de participer à la planification des rituels funéraires.

L'infirmière doit savoir que la formule du dialogue ne convient pas à tout le monde. Certains pensent que la personne en phase terminale est consciente de son état de santé même si elle n'en est pas directement informée. D'autres estiment au contraire qu'elle ignore tout de son état de santé jusqu'à la fin. Il est en fait très difficile de tracer une démarcation claire entre ce que la personne sait et ce qu'elle est prête à entendre ou à accepter.

L'infirmière doit interpréter d'une manière exacte les signes physiologiques de l'imminence de la mort. Abstraction faite des signes de la maladie, certains indices physiques particuliers annoncent que la mort est proche, notamment les suivants : diminution du tonus musculaire, ralentissement de la circulation sanguine, anomalies respiratoires, détérioration des perceptions sensorielles. L'encadré 27-3 dresse la liste des signes de l'imminence de la mort clinique.

Différents niveaux de conscience peuvent précéder la mort. Certaines personnes restent parfaitement alertes ; d'autres sont somnolentes, comateuses ou dans un état de stupeur. Il semble que l'ouïe soit le sens qui persiste le plus longtemps.

À mesure que la mort approche, l'infirmière doit aider l'entourage amical et familial à se préparer à cet événement. Selon les informations dont son interlocuteur dispose, l'infir-

---

ENCADRÉ 27-3
SIGNES DE L'IMMINENCE DE LA MORT CLINIQUE

Diminution du tonus musculaire
- Détente des muscles faciaux (par exemple la mâchoire inférieure peut s'affaisser).
- Difficultés d'élocution.
- Difficultés de déglutition et disparition graduelle du réflexe pharyngé.
- Diminution de l'activité du tractus gastro-intestinal, ce qui entraîne nausées, accumulation de flatuosités, distension abdominale et constipation, surtout si la personne est sous l'effet d'opioïdes.
- Possibilité d'incontinence urinaire et fécale attribuable à la diminution de la maîtrise des sphincters.
- Diminution des mouvements corporels.

Ralentissement de la circulation sanguine
- Diminution des sensations.
- Marbrures et cyanose des membres.
- Refroidissement cutané touchant d'abord les pieds, puis les mains, les oreilles et le nez. La personne peut cependant éprouver une sensation de chaleur si sa température corporelle est élevée.
- Ralentissement et diminution de l'amplitude du pouls.
- Diminution de la pression artérielle.

Anomalies respiratoires
- Respiration rapide, superficielle, irrégulière ou anormalement lente ; inspiration et expiration bruyantes (râles agoniques) causées par l'accumulation de mucus dans la gorge ; respiration par la bouche et sécheresse des muqueuses buccales.

Détérioration des perceptions sensorielles
- Vision floue.
- Anomalies du goût et de l'odorat.

---

mière lui posera différents genres de questions pour déterminer le soutien dont il a besoin et dont il aura besoin après la mort du proche. L'infirmière doit notamment déterminer les signes que la famille s'attend à constater au moment de la mort afin de lui procurer des informations exactes à ce sujet – ni trop précises, ni trop vagues. La rubrique *Entrevue d'évaluation* –

RECHERCHE EN SCIENCES INFIRMIÈRES

NOS ASPIRATIONS PAR RAPPORT À LA FIN DE LA VIE CHANGENT-ELLES AU FIL DES ANS ?

Lockhart, Ditto, Danks, Coppola et Smucker (2001) ont invité 50 personnes âgées à évaluer la qualité de vie selon différents scénarios et leur ont demandé si elles préféreraient continuer de vivre ou mourir dans des situations telles que le coma, les douleurs chroniques importantes, la cécité, la surdité, un état grabataire, etc. Les personnes âgées ont rempli le même questionnaire 2 fois, à 5 et à 16 mois d'intervalle. Fait étonnant : dans l'intervalle entre les deux questionnaires, de 25 à 30 % des répondants se sont ravisés par rapport à la qualité de vie et ont jugé que la plupart des scénarios les plus catastrophiques « valaient mieux que la mort », alors qu'ils avaient répondu l'inverse la première fois. Plus l'intervalle entre les deux questionnaires était long, plus les réponses s'inversaient.

Implications : Cette étude porte sur un échantillon restreint et devrait être reproduite auprès d'un groupe beaucoup plus large pour donner

des résultats fiables. Néanmoins, on peut en tirer deux conclusions importantes. Premièrement, l'infirmière ne doit jamais considérer comme immuable le point de vue exprimé par une personne âgée sur sa qualité de vie et sur son désir de continuer à vivre. Elle doit refaire régulièrement le point sur l'opinion et les préférences de la personne. Deuxièmement, on constate un lien direct entre ces points de vue et le recours aux directives préalables ou aux ordonnances de ne pas réanimer. Cette observation montre qu'il est indispensable de vérifier la validité de ces documents à mesure que le temps passe ou que l'état de santé de la personne évolue.

Source : Lockhart, L. K., Ditto, P. H., Danks, J. H., Coppola, K. M., et Smucker, W. D. (2001). The stability of older adults' judgments of fates better and worse than death. *Death Studies, 25,* 299-317.

Personne mourante fournit quelques exemples de questions à poser. Quand ils savent à quoi s'attendre, les membres de la famille sont généralement mieux à même de soutenir le mourant et les autres personnes de l'entourage. Ils peuvent en outre prendre des décisions plus éclairées quant à la manière dont ils veulent aborder la mort de leur proche. Par exemple, ils détermineront plus sereinement s'ils souhaitent voir la dépouille.

Analyse et interprétation

Un certain nombre de diagnostics infirmiers peuvent s'appliquer à la personne mourante. Ils doivent être définis en fonction des données recueillies grâce à l'examen clinique. Les diagnostics infirmiers suivants sont très courants dans les heures, les jours et les semaines qui précèdent la mort : *Peur, Perte d'espoir, Sentiment d'impuissance*. De plus, il n'est pas rare que les diagnostics *Risque de tension dans l'exercice du rôle de l'aidant naturel* et *Dynamique familiale perturbée* s'appliquent aux membres de la famille du mourant.

La rubrique *Diagnostics infirmiers, résultats de soins infirmiers et interventions* fournit des exemples d'applications cliniques de certains de ces diagnostics de la NANDA-I, et précise les interventions et les résultats de soins infirmiers correspondants.

Planification

Les principaux objectifs qu'il faut viser chez une personne mourante sont les suivants : (1) maintenir un niveau satisfaisant de bien-être physiologique et psychologique ; (2) l'aider à mourir dans la paix et la dignité – ce qui suppose notamment le main-

ENTREVUE D'ÉVALUATION

PERSONNE MOURANTE

Posez les questions suivantes au conjoint ou à tout autre proche :

- Avez-vous déjà été proche d'une personne mourante ?
- Vous a-t-on déjà expliqué ce qui se passe au moment de la mort ?
- Avez-vous des questions à poser sur ce qui se passe au moment de la mort ?
- Comment aimeriez-vous faire vos adieux à la personne mourante ?
- Que faites-vous pour traverser ces moments difficiles ? Comment prenez-vous soin de vous ?
- À qui pouvez-vous vous adresser pour obtenir de l'aide et du soutien en ce moment ?
- Y a-t-il quelqu'un que vous aimeriez que nous appelions maintenant ou au moment de la mort ?

tien d'une certaine emprise sur sa vie et l'acceptation de la détérioration de son état de santé. La *Charte des droits de la personne arrivée à la fin de sa vie* (encadré 27-4) peut être d'une grande utilité dans la planification de ces soins. Par ailleurs, l'infirmière a aussi un rôle important à jouer auprès de la famille et des proches de la personne mourante. L'encadré 27-5 énumère les articles de la *Charte des droits des membres de la famille d'une personne mourante*.

Planification des soins à domicile

La personne mourante a parfois besoin d'être aidée pour accepter le fait qu'elle dépend désormais des autres. Selon le cas, son état de santé peut exiger des soins légers ou, au contraire, une

DIAGNOSTICS INFIRMIERS, RÉSULTATS DE SOINS INFIRMIERS ET INTERVENTIONS

PERSONNES MOURANTES

Collecte des données	Diagnostic infirmier : *Définition*	Exemple de résultat de soins infirmiers : *Définition*	Indicateurs	Intervention choisie : *Définition*	Exemples d'activités
Karine Wu souffre de sclérose en plaques. Elle a tout le bas du corps paralysé à partir du cou. Elle demande qu'on l'aide à se suicider. Son esprit et ses capacités d'expression orale sont intacts. « Je ne veux pas finir comme ma sœur, dit-elle. Elle aussi avait la sclérose en plaques. Elle a terriblement souffert avant de mourir. Elle est devenue aveugle et muette. »	*Perte d'espoir : État subjectif dans lequel une personne voit peu ou pas de solutions ou de choix personnels valables et est incapable de mobiliser ses forces pour son propre compte.*	Qualité de vie : *Expression de satisfaction d'un individu à propos des événements de la vie courante.*	Modérément perturbés : - Est satisfait des relations intimes. - Est satisfait des capacités d'adaptation. - Est satisfait de l'influence de son humeur.	Insufflation d'espoir : *Stimulation à adopter une attitude constructive dans une situation donnée.*	- Aider la personne et la famille à invoquer des raisons d'espérer. - Aider la personne à élargir son répertoire de mécanismes d'adaptation. - Aider la personne et la famille à revivre et à savourer des réalisations et des expériences passées. - Faciliter les rencontres entre la personne, la famille et les groupes d'entraide.

27

DIAGNOSTICS INFIRMIERS, RÉSULTATS DE SOINS INFIRMIERS ET INTERVENTIONS *(suite)*

PERSONNES MOURANTES

Collecte des données	Diagnostic infirmier: *Définition*	Exemple de résultat de soins infirmiers: *Définition*	Indicateurs	Intervention choisie: *Définition*	Exemples d'activités
Jean-Pierre Ybert, âgé de 63 ans, est atteint d'un carcinome métastatique de l'intestin. Depuis quelques semaines, il observe une détérioration rapide de son niveau d'énergie, il se sent nauséeux et il a des ballonnements. Il est aussi de plus en plus amer à l'égard de la vie. «Je n'en ai plus pour longtemps, dit-il. Pour-quoi les médecins ne me donnent-ils pas une bonne dose de morphine pour qu'on en finisse?»	*Sentiment d'impuissance: Impression que ses propres actes seront sans effet; sentiment d'être désarmé devant une situation courante ou un événement immédiat.*	Participation aux décisions de santé: *Implication personnelle dans le choix et l'évaluation des options de soins.*	Quelquefois démontrés: ■ Recherche des informations. ■ Définit des options possibles. ■ Identifie les soutiens disponibles pour obtenir les résultats escomptés.	Éducation: individuelle: *Planification, implantation et évaluation d'un programme d'éducation conçu pour répondre aux besoins particuliers de la personne.*	■ Déterminer la motivation de la personne à apprendre des informations précises. ■ Fixer conjointement avec la personne des objectifs d'apprentissages réalistes. ■ Choisir le matériel didactique approprié. ■ Choisir de nouvelles méthodes et stratégies d'enseignement si les précédentes se sont avérées inefficaces. ■ Indiquer dans le dossier médical le contenu présenté, le matériel écrit fourni et la compréhension des informations par la personne ou ses comportements qui témoignent d'un apprentissage.

ENCADRÉ 27-4
CHARTE DES DROITS DE LA PERSONNE ARRIVÉE À LA FIN DE SA VIE

En tant que personne arrivée à la fin de sa vie, j'ai les droits énumérés ci-dessous.
- Être traitée comme une personne humaine à part entière tant et aussi longtemps que je vivrai.
- Vivre sans souffrance.
- Prendre part aux décisions qui me touchent et influent sur ma qualité de vie.
- Faire respecter mes décisions et mes choix, même s'ils sont contraires aux souhaits de mes proches.
- Être traité avec franchise et honnêteté, sans mensonges ni demi-vérités.
- Recevoir de façon suivie des soins médicaux et infirmiers, même si le traitement doit être modifié de manière à viser le confort plutôt que la guérison.
- Exprimer à ma façon mes sentiments et mes émotions face à la mort.
- Conserver l'espoir, même si le sens de ce terme peut évoluer au cours de ma maladie.

- Être soignée par des gens qui m'aident à conserver l'espoir, même si le sens de ce terme peut évoluer au cours de ma maladie.
- Approfondir mes préoccupations spirituelles et religieuses, et en discuter ouvertement, même si les personnes qui m'entourent ne les partagent pas.
- Recevoir des soins de personnes compatissantes, sensibles, bien renseignées, qui cherchent à comprendre mes besoins et à y répondre.
- Recevoir l'appui de mes proches (et qu'eux-mêmes se sentent appuyés) dans ma démarche pour apprendre à accepter la mort.
- Mourir dans la dignité.

Source: Association canadienne de soins palliatifs. *Vos droits et ce que vous pouvez faire. Charte des droits des patients.* Document consulté le 18 août 2004 de http://www.living-lessons.org/francais/e.cando/e6.patient.rights_fr.html. ©GlaxoSmithKline Inc. Tous droits réservés. Reproduction autorisée.

CHARTE DES DROITS DE LA PERSONNE ARRIVÉE À LA FIN DE SA VIE

En tant que membre de la famille d'une personne qui va bientôt mourir, j'ai les droits énumérés ci-dessous.

- Goûter pleinement le fait d'être en bonne santé, sans me sentir coupable. Je ne suis pas responsable du fait qu'une personne que j'aime soit mourante.
- Choisir avec qui je veux parler de la maladie de mon proche. Je ne suis pas responsable du fait qu'une personne soit choquée par mon refus de répondre à ses questions.
- Comprendre ce qui se passe dans notre famille, même si je suis un enfant.
- Qu'on me dise la vérité, avec des mots que je peux comprendre, à propos de la maladie de mon proche, de son état et du pronostic du déroulement de sa maladie.
- Manifester mon désaccord ou ma colère, même si c'est à l'égard de la personne qui va mourir. La maladie n'empêche pas de demeurer un être humain.

- Ressentir ce que je ressens vraiment et non ce que l'on croit que je « devrais » ressentir.
- Répondre à mes propres besoins, même s'ils ne paraissent pas aussi vitaux que ceux de la personne qui va mourir. J'ai le droit de m'accorder du temps libre sans avoir le sentiment de manquer de loyauté.
- Aller chercher de l'aide extérieure pour la personne malade et pour les membres de la famille, si j'estime que nous ne sommes pas en mesure de faire face à la situation.
- Obtenir de l'aide pour moi, même si les membres de ma famille ont choisi de ne pas en demander.
- Conserver de l'espoir, quelle qu'en soit la forme. Personne n'a le droit de m'enlever mes raisons d'espérer.

Source: Association canadienne de soins palliatifs. (2007) *Vos droits et ce que vous pouvez faire. Charte des droits des membres de la famille.* Document consulté le 15 mars 2011 de http://www.living-lessons.org/francais/cando/family.asp. © GlaxoSmithKline Inc. Tous droits réservés. Reproduction autorisée.

attention et des services constants. Les gens devraient planifier le déroulement de cette période de dépendance bien avant l'imminence de leur mort. Ils doivent notamment envisager les possibilités et les circonstances (manière et lieu) qu'ils souhaitent pour leur mort. Cette tâche peut toutefois rarement s'accomplir sans une aide compétente.

La capacité d'action des proches aidants ainsi que leur volonté d'accompagner le mourant déterminent en grande partie le lieu des derniers instants et de la mort elle-même – à domicile ou dans un établissement de soins de santé. Si la personne mourante préfère rester chez elle et que son entourage (familial ou autre) peut lui procurer les soins nécessaires pour atténuer ses symptômes, l'infirmière les mettra en communication avec des services de soins palliatifs. Les infirmières et le personnel du service choisi feront une évaluation complète des possibilités du domicile et des compétences des proches aidants.

Interventions infirmières

À l'égard d'une personne mourante, la principale responsabilité de l'infirmière consiste à assurer une mort paisible, notamment:

- Soulager sa solitude, sa peur et sa dépression.
- Préserver son sentiment de sécurité, sa confiance en soi, sa dignité et son estime de soi.
- L'aider à accepter les pertes subies.
- Lui procurer un bon niveau de confort physique.

Aider la personne à mourir dans la dignité

L'infirmière doit veiller à ce que la personne soit traitée avec dignité, c'est-à-dire avec égards et respect. Souvent, la personne mourante a le sentiment d'avoir perdu toute emprise sur son existence, voire sur la vie elle-même. Pour aider une personne mourante à mourir dans la dignité, l'entourage (y compris l'infirmière) doit préserver son humanité et respecter ses valeurs,

ses convictions et sa culture. En présentant à la personne et à ses proches les différentes possibilités d'action qui s'offrent à eux, l'infirmière leur permet, au moins dans une certaine mesure, de reprendre en main une situation qui semble leur échapper complètement. La personne pourra choisir, entre autres, le lieu des soins (hôpital, domicile, unité de soins palliatifs), l'horaire des activités, le recours aux ressources en santé ainsi que le jour et l'heure des visites de la famille ou des amis.

Pour « partir en paix », les personnes tiennent en général à décider des événements qui précéderont leur mort. L'infirmière aidera le mourant à établir ses priorités physiques, psychologiques et sociales. Le plus souvent, les mourants cherchent à préserver une certaine qualité de vie plutôt qu'à prolonger leur existence à tout prix. Ils doivent, dans certains cas, retrouver un sens à leur vie pleine de souffrances. Le rôle de l'infirmière consistera aussi à abonder dans le sens de la volonté et des espoirs de la personne.

Il est certes bien compréhensible que la plupart des gens n'aiment pas parler de la mort. Certaines mesures permettent néanmoins de faciliter les discussions sur le sujet, tant pour la personne que pour l'infirmière:

- Définir ses propres sentiments au sujet de la mort, ainsi que leurs répercussions possibles sur ses relations avec la personne.
- Prendre conscience de ses craintes à l'égard de la mort et en discuter avec des amis, des collègues ou des consœurs.
- Agir en fonction des besoins de la personne. Ses peurs et ses croyances ne sont pas forcément les mêmes que celles de l'infirmière. Éviter d'imposer ses propres craintes et convictions à la personne ou à sa famille.
- Déterminer avec la personne et les membres de sa famille la manière dont ils abordent en général les situations stressantes. Devant l'imminence de la mort, nous recourons le plus souvent à nos stratégies habituelles d'adaptation. Par exemple, si la personne a toujours réagi au stress par le repli sur soi et la réflexion, elle aura tendance à se réfugier dans la solitude pendant la phase terminale de sa maladie.

27

■ Établir avec la personne une bonne communication et lui montrer que son bien-être est important et que tout sera fait pour lui venir en aide. Plusieurs stratégies de communication permettent à l'infirmière de montrer à la personne qu'elle est disposée à discuter de la mort avec elle :

1. Décrire ce qu'elle constate : «Vous avez l'air triste. Aimeriez-vous parler de ce qui vous arrive ?»

2. Préciser ses préoccupations : «J'aimerais savoir ce que vous ressentez et ce que je pourrais faire pour vous aider.»

3. Montrer qu'elle est consciente de ses problèmes : «Cette situation doit être très pénible. Je voudrais vous aider à vous sentir mieux.»

4. Établir des contacts physiques réconfortants et compatissants avec la personne. Lui toucher la main ou lui proposer un massage de détente. Cela l'incitera à exprimer ce qu'elle ressent.

■ Déterminer ce que la personne sait de son affection et du pronostic.

■ Répondre d'une manière franche et honnête à ses questions relatives à la mort.

■ Prendre le temps de la réconforter, de l'écouter, de calmer ses inquiétudes et ses préoccupations.

SOINS DE FIN DE VIE (OU SOINS PALLIATIFS)

Le mouvement des soins palliatifs a été fondé par la D^re Cecily Saunders à Londres (Angleterre) en 1967. La D^re Sylvia Lack l'a ensuite fait connaître aux États-Unis. À Montréal, en 1974, l'Hôpital Royal Victoria fonde le premier service hospitalier universitaire de soins palliatifs en Amérique du Nord. En 1979, toujours à Montréal, l'Hôpital Notre-Dame fonde la première unité francophone de soins palliatifs dans le monde. Depuis, au Québec, on a mis sur pied d'excellents programmes de formation universitaire dans le domaine, parmi lesquels on trouve ceux du Centre d'études sur la mort et le deuil de l'Université du Québec à Montréal et le certificat en soins palliatifs de l'Université Laval à Québec donné en collaboration avec la Maison Michel-Sarrazin. En 1995, le Comité spécial du Sénat sur l'euthanasie et l'aide au suicide a proposé d'utiliser une expression plus globale, soit les *soins de fin de vie*, puisque les soins palliatifs sont souvent étroitement associés à certaines formes de cancer.

Les **soins de fin de vie** (ou **soins palliatifs**) regroupent les mesures de soutien et les soins médicaux et infirmiers prodigués à la personne mourante ou à sa famille. Leur objectif est d'aider la personne à mourir dans la paix et la dignité. Les soins de fin de vie reposent sur une conception globale de la personne et visent trois objectifs : améliorer la qualité de vie du mourant (plutôt que tenter de le guérir) ; le soutenir lui et son entourage familial tout au long du cheminement vers la mort ; enfin, soutenir les proches pendant le deuil. Dans cette optique, il est tout aussi important de répondre aux besoins de l'entourage familial que de fournir des soins à la personne elle-même. En général, comme l'état de santé de la personne se dégrade, l'équipe soignante doit accorder de plus en plus d'attention aux proches aidants pour veiller à ce qu'ils bénéficient des ressources et de l'appui nécessaires pour mieux traverser cette période de détérioration. En se réunissant régulièrement, l'équipe des soins palliatifs pourra faire le point sur l'évolution des besoins et

déterminer les interventions à mettre en œuvre. Si les signes physiques sont généralement flagrants, les signes émotionnels et comportementaux sont plus subtils. Une bonne évaluation initiale et continue permet de détecter rapidement les modifications à apporter au plan d'intervention.

Les soins de fin de vie peuvent être donnés dans différents contextes, les plus courants étant le domicile et l'unité de soins. L'objectif de ces services consiste essentiellement à atténuer les symptômes et à soulager la douleur (encadré 27-6). En général, une personne peut bénéficier de soins palliatifs dès que le médecin confirme que son espérance de vie ne devrait pas dépasser six mois. Ces soins sont toujours prodigués par une équipe regroupant des professionnels de la santé et des intervenants d'autres milieux afin de fournir à la personne une gamme complète de services.

SATISFAIRE LES BESOINS PHYSIOLOGIQUES DE LA PERSONNE MOURANTE

Les besoins physiologiques de la personne mourante résultent du ralentissement des processus corporels et des déséquilibres homéostatiques. Un certain nombre d'interventions sont envisageables : mesures d'hygiène personnelle, soulagement de la douleur, atténuation des difficultés respiratoires, aide lors des déplacements ou des changements de position, alimentation, hydratation et élimination, mesures de compensation des anomalies sensorielles (voir aussi le tableau 27-5).

ENCADRÉ 27-6
DÉFINITION DES SOINS DE FIN DE VIE (SOINS PALLIATIFS) AU QUÉBEC

Les soins palliatifs sont l'ensemble des soins actifs et globaux prodigués aux patients atteints d'une maladie dont le pronostic est réservé.

Au cours de cette période de la vie, les trois principes essentiels sont :

■ l'atténuation de la douleur ;

■ le soulagement des autres symptômes physiques ;

■ la diminution des problèmes psychologiques, sociaux et spirituels.

L'objectif des soins palliatifs est d'obtenir pour les patients et leurs proches la meilleure qualité de vie possible. Les soins palliatifs sont organisés et prodigués grâce aux efforts de collaboration d'une équipe interdisciplinaire incluant le patient et ses proches. La plupart des aspects des soins palliatifs devraient également être offerts plus tôt au cours de la maladie, parallèlement aux traitements curatifs.

Les soins palliatifs :

■ soutiennent la vie et considèrent la mort comme un processus normal ;

■ ne hâtent ni ne retardent la mort ;

■ atténuent la douleur et les autres symptômes ;

■ intègrent les aspects psychologiques et spirituels des soins ;

■ offrent un système de soutien pour permettre aux patients de vivre aussi activement que possible jusqu'à la mort ;

■ offrent un système de soutien pour permettre aux proches de composer avec la maladie du patient et la période de deuil.

Source : Association québécoise de soins palliatifs : Réseau de soins palliatifs du Québec. Document consulté le 23 août 2004 de http://www.aqsp.org/index.htm.

27

TABLEAU 27-5
BESOINS PHYSIOLOGIQUES DES PERSONNES MOURANTES

Besoin	Soins infirmiers
Dégagement des voies respiratoires	Position de Fowler (personnes conscientes). Aspiration trachéale (personnes conscientes). Position latérale (personnes inconscientes). Oxygénation par voie nasale (personnes en hypoxie).
Bains et hygiène	Bains et changement fréquent des draps (sudation excessive et diaphorèse). Soins de la bouche au besoin (sécheresse buccale). Application généreuse de crème ou de lait hydratant (peau sèche). Préparations cutanées hydrofuges (personnes incontinentes).
Mobilité	Aide à la personne pour se lever régulièrement de son lit, si elle en est capable. Si la personne est grabataire, changement régulier de position. Oreillers et couvertures ou serviettes roulées pour soutenir la personne, au besoin. Légère élévation des jambes en position assise. Mise en œuvre d'un programme de prévention des plaies de pression (plaies causées par la pression sur une saillie osseuse) et atténuation, au besoin, de la pression exercée sur les différentes parties du corps.
Alimentation	Administration d'un antiémétique pour stimuler l'appétit. Incitation à prendre des aliments liquides (selon le degré de tolérance).
Constipation	Fibres alimentaires (selon le degré de tolérance). Laxatif ou émollient fécal, au besoin.
Élimination urinaire	Soins de la peau (incontinence urinaire ou fécale). Bassin de lit, bassin urinal ou chaise d'aisances à proximité. Sonnette d'appel à portée de main (pour l'utilisation du bassin de lit ou de la chaise d'aisances). Compresses absorbantes (personnes incontinentes); changement des draps, au besoin. Mise en place d'une sonde vésicale, au besoin. Entretien de la chambre: propreté, élimination des odeurs (dans la mesure du possible).
Perceptions sensorielles	Éclairage de la chambre adapté aux souhaits de la personne. Langage clair, sans murmures (ouïe intacte). Malgré la diminution des sensations tactiles, la personne continue de percevoir la pression des mains et des doigts. Application du protocole de soulagement de la douleur, selon les recommandations.

Le soulagement de la douleur s'avère indispensable parce qu'il permet à la personne de garder une certaine qualité de vie et de maintenir ses activités quotidiennes, par exemple manger, bouger et dormir. On a utilisé au fil du temps certains médicaments pour atténuer les souffrances qui affligent le mourant pendant la phase terminale d'une affection: morphine, héroïne, méthadone, etc. C'est en général le médecin qui détermine la posologie. On doit cependant tenir compte de l'opinion de la personne, car celle-ci connaît mieux que tout autre individu sa propre tolérance à la douleur et l'évolution de son état interne. Les médecins prescrivent le plus souvent des fourchettes de doses d'analgésiques; l'infirmière doit ensuite déterminer la quantité exacte et la fréquence d'administration. Comme la circulation sanguine des personnes mourantes tend à ralentir, les analgésiques sont administrés par voie intraveineuse, sublinguale, rectale ou transdermique plutôt que sous-cutanée ou intramusculaire. Les personnes auxquelles on administre des opioïdes doivent également bénéficier d'un protocole de traitement de la constipation causée par ces substances.

On discute souvent de la faim et de la soif qu'éprouvent les personnes en phase terminale, et ces aspects sont sujets à controverse. Or, plusieurs études montrent essentiellement que c'est plutôt les inconvénients liés à la déshydratation, tels que la bouche sèche et enflammée, qui causent plus de désagrément, la sensation de la faim diminuant passablement. Il semblerait que ne pas remédier à une prise insuffisante d'eau et de nourriture (alimentation par voie intraveineuse ou nasogastrique) n'augmente pas la souffrance de la personne mourante, mais que des soins palliatifs et de bons soins de bouche sont des interventions adéquates à ce stade de la vie de la personne (Comité de bioéthique de l'Institut universitaire de gériatrie de Montréal, 1998).

Apporter un accompagnement spirituel

Les personnes qui font face à la mort (la leur ou celle d'un proche) ont très souvent besoin d'un soutien spirituel. Toutes

27

les personnes n'adhèrent pas à une foi ou à des convictions religieuses bien précises, mais la plupart cherchent un sens à leur existence – surtout si elles sont atteintes d'une affection mortelle à brève échéance.

L'infirmière doit veiller à ce que les besoins spirituels du mourant soient comblés – soit par ses propres interventions, soit par le recours à des personnes-ressources. Pour ce faire, elle doit être consciente de ses propres attitudes par rapport au questionnement spirituel et mesurer avec exactitude sa capacité à donner à la personne l'appui dont elle a besoin dans ce domaine. Elle ne doit en aucun cas imposer ses propres convictions ; elle doit plutôt agir conformément aux besoins et aux antécédents religieux ou spirituels de la personne. Les compétences de communication s'avèrent d'une importance cruciale pour amener la personne à exprimer ses besoins et pour établir avec elle une relation de confiance et de soutien.

L'infirmière pourra notamment aider la personne dans les domaines suivants : expression de ses sentiments ; prières, méditation, lectures ; discussion avec des représentants du clergé ou des conseillers spirituels. Elle doit établir une relation interdisciplinaire efficace avec les spécialistes en soutien spirituel.

Soutenir la famille

Pour soutenir les proches d'une personne mourante, l'infirmière doit en premier lieu instaurer une bonne communication thérapeutique qui leur permettra d'exprimer leurs sentiments. Quand la mort s'avère inéluctable, l'infirmière peut au moins assurer à la personne et à sa famille une présence réconfortante. Elle doit aussi les informer, leur expliquer ce qui se passe et ce qui va se produire. Soumis au stress intense de la perte et du chagrin, les membres de la famille n'assimilent pas toujours du premier coup les informations qu'on leur transmet. Il convient donc de les leur répéter assez fréquemment. L'infirmière doit faire preuve à cet égard de beaucoup de calme et de patience.

L'équipe soignante devrait inciter les membres de la famille à prendre part aux soins corporels de la personne mourante – dans la mesure où ils le souhaitent et peuvent le faire. L'infirmière pourra notamment leur proposer de l'aider à donner le bain à la personne, de lui parler, de lui faire la lecture ou, simplement, de lui tenir la main. Elle ne peut cependant exiger aucune intervention en particulier. Les proches qui sont incapables de rester en présence de la personne mourante ont également besoin du soutien de l'infirmière et des autres membres de la famille. S'ils veulent rester à proximité de la personne, on devrait leur proposer une aire d'attente adéquate.

Après la mort de la personne, l'équipe soignante incitera la famille à voir le corps. Les recherches prouvent en effet que ce dernier contact facilite le deuil. Les proches peuvent demander la permission de prendre une mèche de cheveux du défunt à titre de souvenir. S'ils le souhaitent, les enfants devraient également prendre part à ces adieux et aux autres activités entourant la mort.

Soins après la mort

La **rigidité cadavérique** (ou *rigor mortis*) est le raidissement du corps, qui survient de deux à quatre heures environ après le décès. Elle est causée par un arrêt de la synthèse de l'adénosine triphosphate (ATP), ce qui entraîne la contraction des muscles. La rigidité cadavérique touche d'abord les muscles involontaires (cœur, vessie, etc.), puis la tête, le cou et le tronc et, en dernier lieu, les membres.

En général, la famille souhaite voir le corps. L'infirmière doit s'efforcer de donner au défunt une allure naturelle et détendue. Pour ce faire, elle placera la dépouille dans une position de repos, remettra en place ses prothèses dentaires s'il y a lieu et lui fermera les yeux et la bouche avant que le processus de raidissement ne commence. Généralement, la rigidité cadavérique diminue graduellement au cours des 24 heures qui suivent la mort et peut durer jusqu'à 96 heures.

Le **refroidissement cadavérique** (ou *algor mortis*) est la baisse graduelle de la température du corps après la mort. À partir du moment où la circulation sanguine s'arrête et que l'hypothalamus cesse de fonctionner, la température corporelle baisse d'environ 1 °C par heure, jusqu'à atteindre la température ambiante. En même temps que le corps refroidit, la peau perd son élasticité et peut se rompre très facilement quand l'équipe soignante retire les bandages, les pansements et les bandes adhésives.

Une fois que la circulation sanguine est arrêtée, les globules rouges se brisent et libèrent l'hémoglobine, ce qui provoque une décoloration des tissus environnants. Cette **lividité cadavérique** (ou *livor mortis*) se produit dans les zones déclives du corps.

Après la mort, les tissus se ramollissent et finissent par se liquéfier sous l'effet de la fermentation bactérienne. Plus la température ambiante est élevée, plus cette décomposition est rapide. Les cadavres sont généralement entreposés dans des lieux frais ou froids afin de retarder ce processus. L'embaumement est une mesure de prévention de la décomposition qui consiste à injecter des produits chimiques dans la dépouille pour détruire les bactéries en cause.

C'est souvent le personnel infirmier de l'établissement qui doit prodiguer à la dépouille les soins après la mort. On doit procéder à ces soins dans la plus stricte observation des politiques de l'établissement de santé. Comme les soins à donner aux cadavres sont en partie déterminés par les traditions religieuses, l'infirmière doit s'informer sur les convictions de la personne et les respecter le plus possible. Si l'entourage familial ou amical souhaite voir le corps, l'infirmière doit s'assurer que les lieux sont propres et paisibles, et veiller à ce que le défunt ait l'air naturel et détendu. Tout le matériel, les draps souillés et les fournitures médicales doivent être retirés de la chambre avant l'arrivée de la famille. On retire aussi tous les tubes et toutes les sondes qui ne sont pas indispensables en vue d'un don d'organes : dans ce cas, on laisse les appareils de soutien en place afin de préserver la qualité des tissus ou des organes. Il est alors primordial pour l'infirmière de renseigner les proches au sujet du décès neurologique afin de leur éviter de croire que la personne est toujours en vie.

En général, la dépouille doit être couchée sur le dos, les bras le long du corps, les paumes vers le sol ou sur l'abdomen. On place un oreiller sous la tête et les épaules afin d'éviter l'accumulation de sang dans ces régions et la décoloration du

27

ALERTE CLINIQUE • La personne et son entourage peuvent employer des expressions très diverses pour évoquer la mort. Certaines sont plutôt recherchées : trépasser, disparaître, décéder, rendre le dernier soupir, s'éteindre. D'autres sont parfois plutôt imagées : passer l'arme à gauche, manger les pissenlits par la racine, avoir les deux pieds dans la tombe, partir les pieds devant. •

visage. Les paupières doivent être tenues fermées pendant quelques secondes pour rester closes. Les prothèses dentaires sont généralement remises en place afin de donner une allure plus naturelle au visage. On doit ensuite refermer la bouche.

Il faut aussi nettoyer les parties souillées du corps. Il n'est cependant pas nécessaire de laver entièrement la dépouille. L'**entrepreneur de pompes funèbres** (ou **directeur de funérailles**) est un spécialiste chargé notamment de la toilette mortuaire. Des compresses absorbantes doivent toutefois être placées sous le défunt pour recueillir l'urine et les selles expulsées par le relâchement des sphincters. On doit revêtir la dépouille d'une chemise d'hôpital propre et lui brosser les cheveux. On lui retirera tous ses bijoux. Le drap du dessus doit être bien tendu et tiré de manière à couvrir la personne jusqu'aux épaules. On tamisera l'éclairage de la chambre et on y disposera des chaises pour accueillir la famille.

Une fois que les proches ont vu la dépouille, l'équipe doit non seulement laisser en place le bracelet, mais aussi placer une étiquette d'identification à un poignet et une autre au gros orteil du pied droit. Le corps est ensuite enveloppé dans un **linceul**, une grande pièce de plastique ou de coton dans laquelle on enroule le défunt. Une troisième étiquette d'identification est apposée sur la face extérieure du linceul. Le corps est ensuite emporté à la morgue, sauf si la famille a déjà demandé à un entrepreneur de pompes funèbres de le prendre en charge. L'infirmière doit manipuler le corps des personnes décédées avec respect et étiqueter les dépouilles d'une manière exacte. Toute brusquerie à l'égard du corps peut susciter de la détresse émotionnelle dans l'entourage. Toute erreur commise dans la rédaction des étiquettes peut causer des problèmes d'ordre légal, notamment si la dépouille est mal identifiée ou que les consignes de préparation pour les obsèques et l'enterrement ne sont pas respectées.

Évaluation

Pour mesurer le degré d'atteinte des objectifs relatifs à la personne, l'infirmière doit évaluer les résultats obtenus par rapport aux résultats escomptés établis à l'étape de la planification. Les activités ci-dessous peuvent s'inscrire dans cette stratégie d'évaluation.

- Écouter la personne pour déterminer ce qu'elle pense de l'emprise qu'elle exerce sur les activités entourant l'imminence de sa mort, par exemple le soulagement de la douleur, la détermination des heures de visite, l'établissement des plans de traitements, etc.
- Observer les relations de la personne avec ses proches.
- Écouter la personne exprimer ses sentiments éventuels de désespoir et d'impuissance.

La rubrique *Diagnostics infirmiers, résultats de soins infirmiers et interventions* (p. 641) fournit des exemples de résultats escomptés. La rubrique *Les âges de la vie – Personnes âgées* résume les besoins propres aux personnes âgées et à leur famille dans les jours ou les semaines précédant la mort.

LES ÂGES DE LA VIE

PERSONNES ÂGÉES

La personne âgée mourante éprouve généralement le besoin de constater que sa vie a eu un sens. Pour l'y aider, sa famille et ses amis pourront, par exemple, l'inviter à raconter des anecdotes et des moments clés de son existence et enregistrer le tout sur cassette audio ou vidéo. Cette technique rassure la personne quant à la valeur et à l'intérêt de la vie qu'elle a menée et lui garantit que son entourage bénéficiera de l'expérience qu'elle a accumulée. Il est en général préférable de réaliser ces enregistrements en présence des enfants et des petits-enfants afin de faciliter la communication et d'apporter appui et réconfort à toutes les personnes présentes.

L'entourage a également besoin d'un soutien continu et d'informations constamment mises à jour sur l'état de santé de la personne mourante. Les interventions ci-dessous peuvent être envisagées pour aider les proches à mieux traverser ces moments difficiles :

- Si la personne a du mal à avaler, montrez-leur les moyens les plus indiqués pour la nourrir.
- Montrez-leur comment modifier la position de la personne et comment la déplacer en toute sécurité.
- Si la personne a du mal à s'exprimer verbalement ou à comprendre quand on lui parle, enseignez-leur comment utiliser d'autres techniques de communication.
- Présentez-leur des méthodes non pharmacologiques de soulagement de la douleur.
- Expliquez-leur différentes mesures de réconfort (par exemple les soins de la bouche, les changements de position fréquents).

SCHÉMA

DEUIL ET CHAGRIN

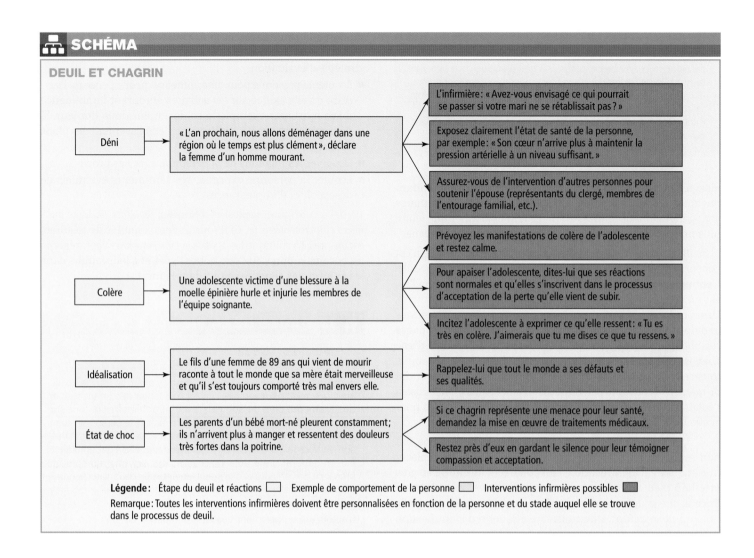

Déni	« L'an prochain, nous allons déménager dans une région où le temps est plus clément », déclare la femme d'un homme mourant.

- L'infirmière : « Avez-vous envisagé ce qui pourrait se passer si votre mari ne se rétablissait pas ? »
- Exposez clairement l'état de santé de la personne, par exemple : « Son cœur n'arrive plus à maintenir la pression artérielle à un niveau suffisant. »
- Assurez-vous de l'intervention d'autres personnes pour soutenir l'épouse (représentants du clergé, membres de l'entourage familial, etc.).

Colère	Une adolescente victime d'une blessure à la moelle épinière hurle et injurie les membres de l'équipe soignante.

- Prévoyez les manifestations de colère de l'adolescente et restez calme.
- Pour apaiser l'adolescente, dites-lui que ses réactions sont normales et qu'elles s'inscrivent dans le processus d'acceptation de la perte qu'elle vient de subir.
- Incitez l'adolescente à exprimer ce qu'elle ressent : « Tu es très en colère. J'aimerais que tu me dises ce que tu ressens. »

Idéalisation	Le fils d'une femme de 89 ans qui vient de mourir raconte à tout le monde que sa mère était merveilleuse et qu'il s'est toujours comporté très mal envers elle.

- Rappelez-lui que tout le monde a ses défauts et ses qualités.

État de choc	Les parents d'un bébé mort-né pleurent constamment ; ils n'arrivent plus à manger et ressentent des douleurs très fortes dans la poitrine.

- Si ce chagrin représente une menace pour leur santé, demandez la mise en œuvre de traitements médicaux.
- Restez près d'eux en gardant le silence pour leur témoigner compassion et acceptation.

Légende : Étape du deuil et réactions ☐ Exemple de comportement de la personne ☐ Interventions infirmières possibles ▨

Remarque : Toutes les interventions infirmières doivent être personnalisées en fonction de la personne et du stade auquel elle se trouve dans le processus de deuil.

SITUATION CLINIQUE

PERTE, DEUIL ET MORT

M. Rodrigue, âgé de 64 ans, vit seul et il n'a pas d'enfants. Il a dû être hospitalisé en raison d'une plaie infectée au mollet droit. Les notes d'évolution, depuis 5 jours, n'indiquent aucune amélioration de l'état de la plaie. Il est suivi depuis 15 ans, puisqu'il souffre de diabète de type 2. Depuis quelques mois, il a beaucoup de mal à maintenir sa glycémie dans les limites de la normale. Elle se situe continuellement entre 14 et 19 mmol/L, malgré la prise de médicaments. M. Rodrigue vous dit qu'il est sur le point de prendre sa retraite et qu'il a du mal à accepter l'idée qu'il est maintenant vieux.

Il est 13 h 30, et vous entrez dans la chambre de M. Rodrigue. Il vient de recevoir la visite de son médecin. Vous remarquez une larme sur sa joue, qu'il essuie aussitôt. Le médecin lui a dit que sa plaie s'était détériorée au point où elle présentait maintenant des signes de nécrose évidents et que l'amputation de sa jambe droite en dessous du genou était inévitable ; elle devrait avoir lieu d'ici quelques jours.

Les questions relatives à cette situation clinique sont à la disposition de tous dans l'Édition en ligne. Les enseignants y trouveront également leurs réponses.

27

Révision du chapitre

MOTS CLÉS

Autopsie, **638**

Chagrin, **622**

Chagrin anticipé, **623**

Chagrin (ou deuil) dysfonctionnel, **623**

Coroner, **638**

Décès neurologique (mort cérébrale), **634**

Déclaration de décès, **638**

Deuil, **622**

Dialogue, **640**

Directives préalables (directives de fin de vie), **634**

Entrepreneur de pompes funèbres (directeur de funérailles), **647**

Euthanasie (suicide assisté), **637**

Linceul, **647**

Lividité cadavérique (*livor mortis*), **646**

Mandat en cas d'inaptitude, **635**

Médecin légiste (expert médicolégal), **638**

Mort, **634**

Mort cardiorespiratoire, **634**

Mutisme partagé, **639**

Mutisme unilatéral, **639**

Ordonnance de ne pas réanimer (ordre de non-réanimation), **636**

Perte, **621**

Perte anticipée, **622**

Perte réelle, **622**

Perte ressentie, **622**

Refroidissement cadavérique (*algor mortis*), **646**

Rigidité cadavérique (*rigor mortis*), **646**

Rituels du deuil, **622**

Soins de fin de vie (soins palliatifs), **644**

Testament biologique (testament de vie), **634**

CONCEPTS CLÉS

- L'infirmière doit aider les personnes qu'elle soigne à affronter différentes sortes de pertes, par exemple : détérioration de l'image corporelle, disparition d'un être cher, dégradation de la qualité de vie, perte d'emploi.

- La perte, notamment la disparition d'un être cher ou la perte d'une partie du corps particulièrement valorisée, peut être d'une part circonstancielle ou développementale, et d'autre part réelle ou perçue ; elle peut être anticipée dans les deux cas.

- Le chagrin (en particulier le deuil) est une réaction émotionnelle subjective normale à une perte. Il est indispensable au maintien d'une bonne santé mentale et physique. Le chagrin permet à la personne endeuillée d'assimiler graduellement la perte subie et de l'intégrer à sa réalité.

- Pour bien comprendre les réactions et les besoins des personnes, l'infirmière doit connaître les différentes étapes du deuil et du chagrin ainsi que les facteurs qui déterminent les réactions aux pertes.

- La manière dont la personne réagit à la perte dépend en grande partie du stade de développement auquel elle se trouve, de ses ressources personnelles et de son réseau de soutien social.

- Les soins aux personnes mourantes ou endeuillées constituent l'une des responsabilités les plus complexes et les plus difficiles qui incombent à l'infirmière.

- L'attitude de l'infirmière envers la mort elle-même ou envers son imminence détermine en partie sa capacité de prodiguer des soins adéquats à la personne touchée et à son entourage.

- Dans tous les cas de perte, mais surtout quand il s'agit de la mort, l'infirmière doit considérer que l'ensemble de la famille de la personne a besoin de soins ciblés.

- L'infirmière doit avoir une idée très claire des responsabilités qui lui incombent par rapport aux aspects juridiques du décès des personnes : directives préalables, autopsie, déclaration de décès, ordonnance de ne pas réanimer, euthanasie (suicide assisté), enquête médicolégale, don d'organes, etc.

- Pour partir dans la paix et la dignité, la personne mourante a besoin d'une communication franche, d'un soutien physique ainsi que d'un appui affectif et spirituel. Il est important par ailleurs qu'elle garde une certaine emprise sur les événements qui précéderont sa mort.

Références

Association des infirmières et infirmiers du Canada (AIIC). (1994). *Énoncé de politique : prise de position conjointe sur les directives préalables.* Document consulté le 24 août 2004 de http://www.cna-nurses.ca/pages/policies/Directives%20prealables_septembre%201994.pdf.

Association des infirmières et infirmiers du Canada (AIIC). (1998). *Pour les infirmières autorisées canadiennes. Déontologie pratique. Directives préalables : le rôle de l'infirmière.* Document consulté le 19 août 2004 de http://www.cna-nurses.ca/pages/ethics/ethics%20in%20practice/Directives%20 prealables_mai%201998.pdf.

Beaudoin, L. I. (2002). Le Barreau du Québec expose ses positions au Comité sénatorial spécial. Euthanasie et aide au suicide. *Le journal du Barreau.*

Document consulté le 24 août 2004 de http://www.barreau.qc.ca/journal/vol33/no2/une.html.

Béland, G., et Bergeron, R. (2002). Les niveaux de soins et les ordonnances de ne pas réanimer. *Le médecin du Québec, 37*(4), 105-111.

Blondeau, D. (dir.). (1986). *De l'éthique à la bioéthique : repères en soins infirmiers.* Chicoutimi : Gaëtan Morin.

Bulechek, G. M., Butcher, H. K., et McCloskey Dochterman, J. (2010). *Classification des interventions de soins infirmiers CISI/NIC*, Traduction française de la 5e édition américaine. Issy-les-Moulineaux : Elsevier Masson.

Code civil du Québec. (1991, dernière modification le 1er juillet 2004). Institut canadien d'information

juridique. Document consulté le 18 octobre 2004 de http://www.canlii.org/qc/legis/loi/ccq/20040901/partie1.html.

Comité de bioéthique de l'Institut universitaire de gériatrie de Montréal. (1998). Réflexion éthique sur les problèmes d'alimentation en milieu d'hébergement et de soins de longue durée, dans La faim et la soif chez les mourants : quelques aspects cliniques. *L'infirmière du Québec, 9*(2), 61-62.

Comité spécial du Sénat sur l'euthanasie et l'aide au suicide. (1995). *De la vie à la mort. Rapport final.* Document consulté le 24 août 2004 de http://www.parl.gc.ca/english/senate/com-f/euth-f/rep-f/lad-tc-f.htm.

Davis, C., Wortman, C. B., Lehman, D. R., et Silver, R. C. (2000). Searching for meaning in loss:

Are clinical assumptions correct? *Death Studies, 24,* 497-540.

Deville, C. (2009). Les 7 étapes du deuil (physique, social ou professionnel). *Spiritualité-communauté : Pasteurs de France.* Document consulté le 6 février 2011 de http://www.cdeville.fr/article-32408659.html.

Egan, K. A., et Arnold, R. L. (2003). Grief and bereavement care. *American Journal of Nursing, 103*(9), 42-53.

Engel, G. L. (1964). Grief and grieving. *American Journal of Nursing, 64,* 93-98.

Johnson, M., et Maas, M. (dir.). (1999). *Classification des résultats de soins infirmiers CRSI/NOC.* Paris : Masson.

Kübler-Ross, E. (1969). *On death and dying.* New York : Macmillan.

Kübler-Ross, E. (1974). *Questions and answers on death and dying.* New York : Macmillan.

Kübler-Ross, E. (1975). *Death : The final stage of growth.* Englewood Cliffs, NJ : Prentice Hall.

Kübler-Ross, E. (1978). *To live until we say good-bye.* Englewood Cliffs, NJ : Prentice Hall.

Martocchio, B. C. (1985). Grief and bereavement : Healing through hurt. *Nursing Clinics of North America, 20,* 327-341.

Moules, N. J. (1999). Suffering together : Whose words where they ? *Journal of Family Nursing, 5*(3), 251-258.

NANDA International. (2010). *Diagnostics infirmiers : Définitions et classification 2009-2011.* Issy-les-Moulineaux : Elsevier Masson.

Québec-Transplant. (2005). *Notre mission.* Document consulté le 2 février 2005 de http://www.quebec-transplant.qc.ca.

Rando, T. A. (1984). *Grief, dying, and death.* Champaign, IL : Research Press.

Rando, T. A. (1986). *Loss and anticipatory grief.* Lexington, MA : Lexington.

Rando, T. A. (1991). *How to go on living when someone you love dies.* New York : Bantam.

Rando, T. A. (1993). *Treatment of complicated mourning.* Champaign, IL : Research Press.

Rando, T. A. (2000). *Clinical dimensions of anticipatory mourning : Theory and practice in working with the dying, their loved ones, and their caregivers.* Champaign, IL : Research Press.

Sanders, C. M. (1998). *Grief : The mourning after : Dealing with adult bereavement* (2e éd.). New York : John Wiley & Sons.

Shahar, D. R., Schultz, R., Shahar, A., et Wing, R. R. (2001). The effect of widowhood on weight change, dietary intake, and eating behavior in the elderly population. *Journal of Aging and Health, 13,* 186-199.

Stedman's Medical dictionary for health professions and nursing (5e éd.). (2005). Philadelphie : Lippincott Williams & Wilkins.

Wright, L. M. (1997). Suffering and spirituality : The soul of clinical work with families. *Journal of family Nursing, 3*(1), 3-14.

Wright, L. M. (1999). Spirituality, suffering and beliefs : The soul of healing with families. Dans F. Walsh (dir.), *Spiritual resources in families and family therapy* (p. 61-75). New York : Guilford Press.

Diagnostics infirmiers

Activités de loisirs insuffisantes
Alimentation déficiente
Alimentation excessive
Allaitement maternel efficace
Allaitement maternel inefficace
Allaitement maternel interrompu
Angoisse face à la mort
Anxiété
Atteinte à l'intégrité de la peau
Atteinte à l'intégrité des tissus
Atteinte de la muqueuse buccale
Automutilation
Auto-négligence
Bien-être altéré
Capacité adaptative intracrânienne diminuée
Chagrin chronique
Champ énergétique perturbé
Communication verbale altérée
Comportement à risque pour la santé
Conflit décisionnel
Conflit face au rôle parental
Confusion aiguë
Confusion chronique
Connaissances insuffisantes (préciser)
Constipation
Contamination : collectivité
Contamination : famille
Contamination : individu
Débit cardiaque diminué
Déficit de soins personnels : s'alimenter
Déficit de soins personnels : se laver/effectuer ses soins d'hygiène
Déficit de soins personnels : se vêtir et/ou soigner son apparence
Déficit de soins personnels : utiliser les toilettes
Déficit de volume liquidien
Dégagement inefficace des voies respiratoires
Déni non constructif
Dentition altérée
Désorganisation comportementale chez le nouveau-né/ nourrisson
Détresse morale
Détresse spirituelle
Deuil
Deuil problématique
Diarrhée
Difficulté à la marche
Difficulté lors d'un transfert
Diminution chronique de l'estime de soi
Diminution situationnelle de l'estime de soi
Douleur aiguë
Douleur chronique
Dynamique familiale dysfonctionnelle : alcoolisme
Dynamique familiale perturbée

Dysfonctionnement sexuel
Dysréflexie autonome
Échanges gazeux perturbés
Élimination urinaire altérée
Entretien inefficace du domicile
Errance
Excès de stress
Excès de volume liquidien
Exercice du rôle parental perturbé
Exercice inefficace du rôle
Fatigue
Habitudes de sommeil perturbées
Habitudes sexuelles perturbées
Hyperthermie
Hypothermie
Ictère néonatal
Identité personnelle perturbée
Image corporelle perturbée
Incontinence fécale
Incontinence urinaire à l'effort
Incontinence urinaire complète (vraie)
Incontinence urinaire fonctionnelle
Incontinence urinaire par besoin impérieux
Incontinence urinaire par regorgement
Incontinence urinaire réflexe
Insomnie
Interactions sociales perturbées
Intolérance à l'activité
Intolérance au sevrage de la ventilation assistée
Irrigation tissulaire périphérique inefficace
Isolement social
Maintien inefficace de l'état de santé
Mécanismes de protection inefficaces
Mobilité physique réduite
Mobilité réduite au lit
Mobilité réduite en fauteuil roulant
Mode d'alimentation inefficace chez le nouveau-né/ nourrisson
Mode de respiration inefficace
Mode de vie sédentaire
Motilité gastro-intestinale dysfonctionnelle
Motivation à accroître sa résilience
Motivation à accroître son espoir
Motivation à améliorer l'exercice du rôle parental
Motivation à améliorer la dynamique familiale
Motivation à améliorer le concept de soi
Motivation à améliorer sa communication
Motivation à améliorer sa maternité
Motivation à améliorer sa pratique religieuse
Motivation à améliorer sa prise de décision
Motivation à améliorer sa santé
Motivation à améliorer ses connaissances (préciser)
Motivation à améliorer ses relations
Motivation à améliorer ses soins personnels

Motivation à améliorer ses stratégies d'adaptation
Motivation à améliorer son alimentation
Motivation à améliorer son bien-être
Motivation à améliorer son bien-être spirituel
Motivation à améliorer son élimination urinaire
Motivation à améliorer son équilibre hydrique
Motivation à améliorer son immunisation
Motivation à améliorer son pouvoir d'action
Motivation à améliorer son sommeil
Motivation d'une collectivité à améliorer ses stratégies d'adaptation
Motivation d'une famille à améliorer ses stratégies d'adaptation
Nausée
Négligence de l'hémicorps
Non-observance (préciser)
Opérations de la pensée perturbées
Perte d'élan vital chez l'adulte
Perte d'espoir
Peur
Planification inefficace d'une activité
Pratique religieuse perturbée
Prise en charge efficace de sa santé
Prise en charge efficace du programme thérapeutique
Prise en charge inefficace de sa santé
Prise en charge inefficace du programme thérapeutique par la famille
Prise en charge inefficace du programme thérapeutique par une collectivité
Privation de sommeil
Pseudo-constipation
Réaction allergique au latex
Réceptivité du nouveau-né/nourrisson à progresser dans son organisation comportementale
Résilience individuelle réduite
Respiration spontanée altérée
Rétablissement post-opératoire retardé
Retard de la croissance et du développement
Rétention urinaire
Risque d'accident
Risque d'alimentation excessive
Risque d'altération de l'irrigation cérébrale
Risque d'altération de l'irrigation gastro-intestinale
Risque d'altération de l'irrigation rénale
Risque d'altération de la fonction hépatique
Risque d'atteinte à l'intégrité de la peau
Risque d'atteinte à la dignité humaine
Risque d'automutilation
Risque d'hémorragie
Risque d'incontinence urinaire par besoin impérieux
Risque d'infection
Risque d'intolérance à l'activité
Risque d'intolérance au sevrage de la ventilation assistée
Risque d'intoxication
Risque d'un manque de résilience
Risque de blessure en péri-opératoire
Risque de choc
Risque de chute
Risque de confusion aiguë
Risque de constipation
Risque de contamination : collectivité
Risque de contamination : famille
Risque de contamination : individu

Risque de croissance anormale
Risque de déficit de volume liquidien
Risque de déséquilibre de la glycémie
Risque de déséquilibre de volume liquidien
Risque de déséquilibre électrolytique
Risque de désorganisation comportementale chez le nouveau-né/nourrisson
Risque de détresse spirituelle
Risque de deuil problématique
Risque de diminution de l'irrigation cardiaque
Risque de diminution situationnelle de l'estime de soi
Risque de dysfonctionnement de la motilité gastro-intestinale
Risque de dysfonctionnement neurovasculaire périphérique
Risque de dysréflexie autonome
Risque de fausse route (risque d'aspiration)
Risque de perturbation dans l'exercice du rôle parental
Risque de perturbation dans la pratique religieuse
Risque de perturbation de l'attachement
Risque de perturbation du lien mère-fœtus
Risque de réaction allergique au latex
Risque de retard du développement
Risque de sentiment d'impuissance
Risque de sentiment de solitude
Risque de suffocation
Risque de suicide
Risque de syndrome d'immobilité
Risque de syndrome d'inadaptation à un changement de milieu
Risque de syndrome post-traumatique
Risque de température corporelle anormale
Risque de tension dans l'exercice du rôle de l'aidant naturel
Risque de traumatisme
Risque de traumatisme vasculaire
Risque de violence envers les autres
Risque de violence envers soi
Risque du syndrome de mort subite du nourrisson
Sentiment d'impuissance [préciser]
Stratégies d'adaptation défensives
Stratégies d'adaptation familiale compromises
Stratégies d'adaptation familiale invalidantes
Stratégies d'adaptation inefficaces
Stratégies d'adaptation inefficaces d'une collectivité
Syndrome d'inadaptation à un changement de milieu
Syndrome d'interprétation erronée de l'environnement
Syndrome du traumatisme de viol
Syndrome du traumatisme de viol : réaction mixte
Syndrome du traumatisme de viol : réaction silencieuse
Syndrome post-traumatique
Tension dans l'exercice du rôle de l'aidant naturel
Thermorégulation inefficace
Trouble de la perception sensorielle (préciser : visuelle, auditive, kinesthésique, gustative, tactile, olfactive)
Trouble de la déglutition
Troubles de la mémoire

Source : NANDA International. (2010). *Diagnostics infirmiers : Définitions et classification 2009-2011*. Issy-les-Moulineaux : Elsevier Masson.

Appendice B

Abréviations, symboles, préfixes et suffixes courants

Abréviations

A

AA	Amplitude articulaire
AAA	Amplitude articulaire active ; anévrisme de l'aorte abdominale
AAP	Amplitude articulaire passive
AAS	Acide acétylsalicylique
AB	Avant-bras ; antibiotique
abd.	Abdomen
ABD	Avant-bras droit
ABG	Avant-bras gauche
ac	Avant les repas
ACP	Analgésie contrôlée par la personne
ad	Jusqu'à
AD	Oreille droite
ad lib	À volonté
adm.	Admission
AEG	Atteinte de l'état général
AINS	Antiinflammatoire non stéroïdien
AL ; AS	Oreille gauche
AM ; am ; a.m.	Avant-midi
amp.	Ampoule
A/N	Au niveau
ant.	Antérieur
AOC	Artériopathie oblitérante chronique
APT	Alimentation parentérale totale
aq	Eau
AS ; AL	Oreille gauche
ATCD	Antécédents
AU	Chaque oreille
AV	Auriculoventriculaire
AVC	Accident vasculaire cérébral
AVD	Activités de la vie domestique
AVQ	Activités de la vie quotidienne
Avt	Avant
Ax.	Axillaire

B

B_1 ; B_2	Bruits cardiaques normaux
B_3 ; B_4	Bruits cardiaques anormaux
BB	Bébé
BD	Bras droit
BG	Bras gauche
bid	Deux fois par jour
bp	Beaucoup
bpm	Battements par minute
brady.	Bradycardie

C

$\bar{c}$	Avec
°C	Celsius
C + A	Culture et antibiogramme
c.-à-d.	C'est-à-dire
cal	Calorie
caps	Capsule
c.a.s.	Cuillère à soupe
c.a.t.	Cuillère à thé
c.a.T.	Cuillère à table
CAT	Conduite à tenir
cc	Pendant les repas
CC	Avec correction ; en mangeant, avec nourriture
CEPI	Candidate à l'exercice de la profession infirmière
cf	Reportez-vous à
chir. ; Chx	Chirurgie
Chol.	Cholestérol
cm	Centimètre
co	Comprimé
CO_2	Gaz carbonique
Comm	Communication
CT	Cholestérol total

D

D (5 %)	Dextrose (5 %)
DA	Dossier antérieur
Db	Diabète
DC	Débit cardiaque
DCD	Décédé
DDM	Date de la dernière menstruation
DEP	Débit expiratoire de pointe

DID	Diabète insulinodépendant
Die	Une fois par jour
dil	Dilué
dlr ; doul.	Douleur
DNID	Diabète non insulinodépendant
DRS	Douleur rétrosternale
Dx	Diagnostic

E

E$^+$	Électrolytes
ECG	Électrocardiogramme
EEG	Électroencéphalogramme
e.g. ; ex.	Exemple
élix.	Élixir
EMG	Électromyogramme
ERV	Entérocoque résistant à la vancomycine
exp.	Expiration
ext.	Externe ; extérieur

F

FA	Fibrillation auriculaire
FAD	Feuille au dossier
FC	Fréquence cardiaque
FID	Fosse iliaque droite
FIG	Fosse iliaque gauche
Flex.	Flexion
FR	Fréquence respiratoire
fs.	Feuille spéciale
FSC	Formule sanguine complete
FV	Fibrillation ventriculaire
Fx	Fracture

G

g	Gramme
GB	Globule blanc
glyc.	Glycémie
gluc.	Glucose
GR	Globule rouge
gr	Grain
gr. sang	Groupe sanguin
gte	Goutte

H

h ; hre	Heure
H$_2$O	Eau
HAIV	Hyperalimentation intraveineuse

Hb	Hémoglobine
HCO$_3^-$	Bicarbonates
HD	Hypocondre droit
HDB	Hémorragie digestive basse
HDH	Hémorragie digestive haute
HDL	Lipoprotéines de haute densité
HIV	Virus du sida
hs	Au coucher
Ht	Hématocrite
HTA	Hypertension artérielle
HTIC	Hypertension intracrânienne

I

IC	Insuffisance cardiaque
ICT	Ischémie cérébrale transitoire
ID ; id	Intradermique
id. ; idem	La même chose
I/E	Ingesta/excreta
i.e.	C'est-à-dire
IM	Intramusculaire ; infarctus du myocarde
IMC	Indice de masse corporelle
Inf.	Infirmière
INR	Rapport normalisé international
ins.	Inspiratoire
int.	Intérieur ou interne
IO	Intraoculaire
IR	Intrarectal ; insuffisance respiratoire ; insuffisance rénale
IRM	Imagerie par résonance magnétique
irr.	Irrégulier
ITSS	Infection transmissible sexuellement et par le sang
IV	Intraveineux
IVRS	Infection des voies respiratoires supérieures

K

K	Potassium
Kcal	Kilocalorie
KCL	Chlorure de potassium
kg	Kilogramme
Kj	Kilojoule

L

L ; l	Litre
LDL	Lipoprotéines de basse densité
LID	Lobe inférieur droit
LIG	Lobe inférieur gauche
liq.	Liquide

LM	Lobe moyen
LN	Lunette nasale
LR	Lactate Ringer
LSD	Lobe supérieur droit
LSG	Lobe supérieur gauche

m	Mètre
max.	Maximum
MCAS	Maladie cardiaque artériosclérotique
mcg	Microgramme
MCV	Maladie cardiovasculaire
Md	Médecin
MEC	Mise en charge
mg	Milligramme
MI	Membres inférieurs
MID	Membre inférieur droit
MIG	Membre inférieur gauche
min	Minute
mL	Millilitre
mm Hg	Millimètre de mercure
MPOC	Maladie pulmonaire obstructive chronique
MS	Membres supérieurs
MSD	Membre supérieur droit
MSG	Membre supérieur gauche
MV	Murmure vésiculaire
Mvnt	Mouvement

N°	Nausées
Na	Sodium
NaCl	Chlorure de sodium
nb	Nombre
NG	Nasogastrique
NPO	Rien par la bouche (*nil per os*)
NS	Normal salin
NVD	Nausées, vomissements et diarrhée

O₂	Oxygène
OAP	Œdème aigu du poumon
OD	Œil droit
OL ; OS	Œil gauche
Ong	Onguent
ORL	Otorhynolaryngologie
OT	Ordre ou ordonnance téléphonique
OU	Chaque œil, les deux yeux
OV	Ordre ou ordonnance verbal

PA	Pression artérielle
PaCO₂	Pression partielle du gaz carbonique dans le sang
PAM	Pression artérielle moyenne
pans.	Pansement
PaO₂	Pression partielle de l'oxygène dans le sang
Pap (test)	Test de Papanicolaou
pc	Après les repas
PDSB	Principes pour le déplacement sécuritaire des bénéficiaires
PIC	Pression intracrânienne
Pls ; P	Pouls
PM ; pm ; p.m.	Après-midi
PO ; po ; per os	Par la bouche
Post-op.	Postopératoire
Pré-op.	Préopératoire
PRN ; prn	Au besoin
PT	Temps de prothrombine
PTT	Temps de céphaline

q	Chaque
qAM	Chaque matin
qd ; die	Chaque jour
qh	Chaque heure
q2h	Chaque deux heures
qid	Quatre fois par jour
QID	Quadrant inférieur droit
QIG	Quadrant inférieur gauche
qod	Chaque deux jours ; un jour sur deux
qq	Quelque
QSD	Quadrant supérieur droit
QSG	Quadrant supérieur gauche

R	Rectal
R ; resp.	Respiration ; respiratoire
RC	Rythme cardiaque
RCR	Réanimation cardiorespiratoire
Rdvs	Rendez-vous
Rég.	Régulier
R-OH	Alcool
RSS	Régime sans sel
Rₓ	Ordonnance ou traitement
RX	Radiographie ; rayon X

S

s	Seconde
s	Sans
SaO$_2$	Saturation en oxygène
SARM	Staphylocoque résistant à la méthicilline
Sat.	Saturométrie
SC	Sans correction
SC ; sc	Sous-cutanée
SCA	Syndrome coronarien aigu
SL	Sublingual
SNA	Système nerveux autonome
SNC	Système nerveux central
SNP	Système nerveux périphérique
SNV	Signes neurovasculaires
sol	Solution
s.op.	Salle d'opération
SS	Sans symptôme
STAT ; stat	Immédiatement
supp.	Suppositoire
susp.	Suspension
SV	Signes vitaux

T

T°	Température
tachy.	Tachycardie
teint.	Teinture
tid	Trois fois par jour
tjrs	Toujours
Tx	Traitement

U

U	Unité

V

V°	Vomissements
Vag	Vaginal
Vfs	Voir feuille spéciale
VIH	Virus de l'immunodéficience humaine
VM	Ventimask
VR	Voie respiratoire
VRI	Voie respiratoire inférieure
VRS	Voie respiratoire supérieure

Symboles

Abréviation	Description
≈	Approximatif, presque, environ, peu différent de
↑	Augmenté
c̄	Avec
♥	Cardiaque
#	Chiffre, nombre
↓	Diminué
=	Égal
≤	Inférieure à ou égal à
<	Inférieur à, plus petit que
@ - Ad.	Jusqu'à, environ
m̂	Même
(-)	Négatif, moins, il manque
Ⓝ	Normal
/	Par
☩	Pas de manœuvre extraordinaire (pas de code)
∅	Pas de, rien, sans, nil
±	Plus ou moins
+	Plus, positif, implique l'excès
R$_x$	Prescription
s̄	Sans
♀	Sexe féminin
♂	Sexe masculin
>	Supérieur à, plus grand que
≥	Supérieur ou égal à

Quelques préfixes courants

a ; an	Absence
brady	Lent
cardio	Cœur
céphal	Tête
cérébro	Cerveau
di	Deux
dys	Difficulté
micro	Petit
novo	Nouveau
ocul	Œil
ophtalmo	Œil
ostéo	Os
oto	Oreille
péri	Autour
pneumo	Poumon
poly	Plusieurs
post	Après
pré	Avant
quadri	Quatre
sub	Sous
supra	Au-dessus de
sus	En dessous de
tachy	Vite

Quelques sufffixes courants

algie	Douleur
cèle	Hernie
ectasie	Dilatation
ectomie	Ablation
ectopie	Hors de sa place
esthésie	Sensibilité
graphie	Examen
ite	Inflammation
logie	Étude
lyse	Destruction
phagie	Manger
phasie	Langage
plégie	Paralysie
pnée	Respiration
ptysie	Cracher
scopie	Examen
stomie	Abouchement
tonie	Tonus musculaire

Sources : Amyot, A. (1999). *Ma petite mémoire* (3ᵉ éd.). Pierrefonds : Plume au vent ; Cloutier, B., et Ménard, N. (2001). *Pharma-fiches* (3ᵉ éd.). Boucherville : Gaëtan Morin ; HMR. (2003). *Lexique des abréviations médicales*. Montréal : Direction des soins infirmiers ; Laurendeau, G., Fernandes, M., et Poirier, N. (2001). *Terminologie médicale et étymologies* (3ᵉ éd.). OKA : CPPA ; Ordre des infirmières et infirmiers du Québec (OIIQ). (2010). *Comprendre pour intervener : Guide d'évaluation, de surveillance clinique et d'interventions infirmières* (2ᵉ éd.). Westmount : Auteur.

Glossaire

A

Abouchement Orifice créé dans la paroi abdominale par la stomie.

Absorption Processus par lequel un médicament passe dans le sang.

Absorption percutanée Absorption d'un médicament à travers la peau.

Accessibilité Critère de la *Loi canadienne sur la santé* en vertu duquel un accès satisfaisant aux services hospitaliers, médicaux et de chirurgie buccale assurés est garanti aux résidents d'une province ou d'un territoire.

Accoutumance Forme de dépendance psychologique légère.

Acculturation Intégration, souvent forcée, des valeurs, des attitudes, des croyances ou des habitudes d'un groupe social dominant.

Acide Substance qui libère des ions hydrogène.

Acide aminé essentiel Acide aminé que l'organisme ne peut pas produire et qu'il doit obtenir par ingestion de protéines alimentaires.

Acide aminé non essentiel Acide aminé produit par l'organisme.

Acide gras Unité structurale fondamentale de la plupart des lipides, composée d'une chaîne de carbone et d'hydrogène.

Acide gras essentiel Acide gras nécessaire à la croissance et à la réparation des tissus, que l'organisme doit obtenir par l'alimentation, car il ne peut pas le synthétiser.

Acide gras insaturé Acide gras qui peut attirer plus d'atomes d'hydrogène qu'il n'en compte.

Acide gras monoinsaturé Acide gras contenant une liaison double.

Acide gras oméga-3 Acide gras essentiel, polyinsaturé.

Acide gras oméga-6 Acide gras essentiel, polyinsaturé.

Acide gras polyinsaturé Acide gras contenant au moins deux liaisons doubles.

Acide gras saturé Acide dont tous les atomes de carbone sont saturés d'hydrogène.

Acidose État qui résulte d'une augmentation de l'acide carbonique sanguin ou d'une diminution du bicarbonate sanguin; pH sanguin inférieur à 7,35.

Acidose métabolique Déficience d'ions bicarbonate dans l'organisme par rapport à la quantité d'acide carbonique; pH inférieur à 7,35.

Acidose respiratoire (hypercapnie) État caractérisé par un excès de dioxyde de carbone dans l'organisme.

Acquisition d'habitudes d'élimination (miction minutée) Méthode d'entraînement à la continence urinaire, consistant à faire uriner la personne à intervalles réguliers.

Action communautaire pour la santé Efforts entrepris par des personnes, des groupes cibles et des communautés pour donner suite aux priorités en santé locale et accroître la maîtrise des déterminants de la santé.

Action politique Interventions dont le but est d'influer sur les décideurs qui élaborent des politiques ayant une incidence sur les conditions de santé et de bien-être de l'ensemble de la population.

Activité physique Mouvement corporel produit par les muscles squelettiques, qui requiert une dépense énergétique et qui a des avantages progressifs pour la santé.

Activités Actions infirmières nécessaires à la mise en œuvre des plans de soins et de traitements infirmiers (ou ordonnances infirmières).

Activités de la vie domestique (AVD) Tâches.

Activités de la vie quotidienne (AVQ) Activités de base accomplies tous les jours ou presque, telles que se laver et se vêtir.

Activités réservées Ensemble d'opérations ou d'interventions qui doivent être réalisées dans le cadre d'un champ d'exercice de la profession.

Activités réservées à l'infirmière Dans le cadre de l'exercice infirmier, ensemble de 14 activités réservées à l'infirmière en raison notamment de leur complexité et de leur caractère effractif.

Acuité visuelle Capacité de l'œil de discerner les détails dans une image.

Acupression (digitopuncture) Technique selon laquelle le thérapeute exerce une pression à l'aide de ses doigts sur des points spécifiques de l'organisme, semblables à ceux qui sont utilisés en acupuncture et dans le massage shiatsu.

Acupuncture Technique qui vise à restaurer l'équilibre et à libérer le flux du qi afin d'aider le corps à se guérir.

Adaptation Aptitude à modifier un comportement pour résoudre un problème ou pour accepter une situation nouvelle.

Adhésion Acceptation d'un régime de vie ou d'un traitement, ou engagement de le respecter.

Aérobie Qui nécessite la présence d'oxygène.

Aérosol-doseur Petit contenant sous pression renfermant un médicament que la personne absorbe au moyen d'un embout nasal ou buccal.

Afébrile Qui ne présente pas de fièvre.

Affectation Fait, pour une personne, de transférer à une autre personne de niveau hiérarchique inférieur ou égal la responsabilité d'une activité de même que l'obligation de rendre compte du résultat.

Affection Maladie. Anomalie détectable du fonctionnement de l'organisme ou d'une de ses parties.

Affection aiguë Apparition soudaine de signes et de symptômes qui s'atténuent assez rapidement, soit spontanément, soit à la suite d'un traitement.

Affection chronique Maladie de longue durée, habituellement de six mois ou plus.

Affection transmissible Maladie provoquée par un agent pathogène transmissible, que ce soit par contact direct ou indirect, par vecteur, par véhicule ou par voie aérienne.

Agent de changement Personne ou groupe qui amorce un changement ou qui aide d'autres personnes à apporter des changements à leur vie ou au système.

Agent stressant Facteur producteur de stress ou perturbateur de l'équilibre du corps; aussi appelé stresseur.

Agents pathogènes opportunistes Microorganismes qui provoquent des affections seulement chez les personnes sensibles (par exemple celles qui sont immunodéprimées).

Agents pathogènes transmissibles par le sang Microorganismes transmis par le sang ou d'autres liquides organiques et qui sont à l'origine d'infections comme celles par le virus de l'hépatite B, le virus de l'hépatite C ou par le VIH.

Agglutinine Anticorps préformé qui agglutine les érythrocytes portant l'antigène correspondant.

Agglutinogène Substance qui agit comme antigène et qui provoque l'agglutination des cellules sanguines.

Agoniste Médicament qui interagit avec un récepteur pour produire une réaction.

Albumine Protéine viscérale commune, mesurée au cours des évaluations nutritionnelles.

Alcalose État qui résulte d'une augmentation du bicarbonate sanguin ou d'une diminution de l'acide carbonique sanguin; pH sanguin supérieur à 7,45.

Alcalose métabolique Excès d'ions bicarbonate dans l'organisme par rapport à la quantité d'acide carbonique; pH supérieur à 7,45.

Alcalose respiratoire État caractérisé par une diminution de la concentration d'acide carbonique dans le sang et une augmentation du pH au-dessus de 7,45.

Algohallucinose Sensation douloureuse perçue dans une partie du corps absente, ou paralysée à la suite d'une lésion médullaire.

Algor mortis Voir Refroidissement cadavérique.

Alimentation à la demande Mode d'alimentation selon lequel on nourrit le nouveau-né chaque fois qu'il manifeste sa faim.

Alimentation continue Alimentation entérale généralement administrée 24 heures sur 24 au moyen d'une pompe à perfusion qui assure un débit constant.

Alimentation entérale (totale) Alimentation administrée par l'injection directe de la nourriture dans le tube digestif.

Alimentation intermittente Administration de 300 à 500 mL de liquide entéral plusieurs fois par jour, de préférence dans l'estomac.

Alimentation parentérale ([AP], alimentation parentérale totale [APT], hyperalimentation intraveineuse [HAIV]) Alimentation administrée par voie intraveineuse.

Alitement Confinement au lit (repos complet) ou confinement avec permission d'utiliser une chaise d'aisances ou d'aller aux toilettes.

Allergie médicamenteuse Réaction immunologique à un médicament.

Alopécie Chute des cheveux.

Ambiguïté du rôle Non-clarté des attentes associées à un rôle; la personne ne sait pas quoi faire ni comment accomplir ses tâches et est incapable de prédire la réaction des autres.

Amblyopie Acuité visuelle réduite d'un œil.

Amélioration de la qualité Engagement d'une organisation envers un processus d'amélioration continue de l'ensemble de ses opérations dans le but de répondre aux attentes et aux résultats attendus par les personnes et de les dépasser.

Amplitude du mouvement articulaire (AMA) Mouvement maximal accompli par une articulation.

Amplitude du pouls Force du pouls; poussée exercée par le sang à chaque battement.

Ampoule Tube de verre renfermant une dose unitaire d'un médicament.

Anabolisme Processus par lequel des substances simples sont transformées par les cellules de l'organisme en substances plus complexes (par exemple tissus d'édification, bilan azoté positif, synthèse des protéines).

Anaérobie Qui vit seulement en l'absence d'oxygène.

Analgésie contrôlée par la personne (ACP) Méthode interactive de soulagement de la douleur qui permet à la personne de s'administrer elle-même des doses d'analgésique.

Analgésique adjuvant Voir Coanalgésique.

Analgésique agoniste Agoniste complet, c'est-à-dire médicament opioïde qui se lie étroitement à des sites récepteurs mu, ce qui produit une inhibition maximale de la douleur, un effet agoniste.

Analgésique agoniste-antagoniste Médicament agoniste-antagoniste qui peut agir comme un opioïde et soulager la douleur (effet agoniste) si on l'administre à une personne qui n'a pris aucun opioïde pur.

Analgésique agoniste partiel Analgésique qui a un effet de plafonnement, car il n'active que partiellement les récepteurs mu.

Anaphrodisie Voir Baisse du désir sexuel.

Analyse critique Série de questions que l'on peut appliquer à une situation ou à un concept particuliers pour en dégager l'information et les idées essentielles et pour éliminer celles qui sont superflues.

Analyse d'urine Examen paraclinique qui permet de mesurer divers paramètres et d'évaluer l'état de santé d'un client.

Andragogie Art et science visant à aider les adultes dans leur apprentissage.

Anémie Diminution du nombre d'érythrocytes dans le sang ou de leur teneur en hémoglobine.

Anémie ferriprive Forme d'anémie causée par un apport insuffisant en fer pour la synthèse de l'hémoglobine.

Anesthésie de surface (topique) Anesthésie appliquée directement sur la peau et les muqueuses, les plaies à vif, les blessures et les brûlures.

Anesthésie épidurale (péridurale) Injection d'un agent anesthésique dans l'espace épidural.

Anesthésie générale Administration d'un agent anesthésique causant la perte de toutes les sensations et de la conscience.

Anesthésie locale (par infiltration) Injection d'un agent anesthésique dans une partie précise du corps pour des interventions chirurgicales mineures.

Anesthésie locorégionale intraveineuse (bloc de Bier) Anesthésie utilisée le plus souvent pour des interventions au bras, au poignet ou à la main.

Anesthésie par bloc nerveux (par blocage nerveux) Injection d'un agent anesthésique dans un nerf, près d'un nerf ou dans un petit groupe de nerfs qui desservent une région déterminée du corps.

Anesthésie rachidienne (rachianesthésie) Anesthésie provoquée par l'injection d'un agent anesthésique dans l'espace sous-arachnoïdien entourant la moelle épinière ; aussi appelée anesthésie sous-arachnoïdienne.

Anesthésie régionale Interruption temporaire de la transmission des influx nerveux en provenance ou en direction d'une région donnée du corps ; la personne perd ainsi toute sensation dans cette région, mais demeure consciente.

Angiogenèse Formation de nouveaux vaisseaux sanguins.

Angiographie Intervention diagnostique qui permet l'examen radioscopique ou radiographique du système vasculaire après injection d'un produit de contraste.

Angiopneumographie Angiographie qui sert à évaluer le système vasculaire pulmonaire.

Angle sternal (angle de Louis) Jonction entre le corps du sternum et le manubrium ; point de départ pour situer les côtes antérieures.

Anions Ions qui portent une charge négative ; incluent le chlorure (Cl^-), le bicarbonate (HCO_3^-), le phosphate (HPO_4^{2-}) et le sulfate (SO_4^{2-}).

Ankylose Perte de mobilité d'une articulation.

Anorexie Perte ou diminution de l'appétit.

Anorexie mentale Maladie qui se caractérise par l'incapacité ou le refus de manger, une perte de poids rapide et l'émaciation chez une personne qui continue par ailleurs de se trouver grosse.

Anorgasmie Voir Trouble de l'orgasme.

Antagoniste spécifique (pur) Médicament qui n'a pas d'action pharmacologique propre, mais qui inhibe ou bloque l'action d'un agoniste.

Anthélix Courbe antérieure du bord supérieur de l'auricule.

Anticorps (immunoglobulines) Protéines plasmatiques qui protègent l'organisme surtout durant les phases extracellulaires des infections bactériennes et virales.

Antiflatulents Médicaments qui favorisent la coalescence des bulles de gaz et facilitent leur évacuation par éructation ou leur expulsion par l'anus.

Antigène Substance capable de déclencher la formation d'anticorps.

Antiinflammatoire non stéroïdien (AINS) Médicament qui soulage la douleur en agissant sur les terminaisons nerveuses périphériques pour inhiber la formation des prostaglandines qui tendent à rendre les nerfs sensibles à la douleur ; produit des effets analgésiques, antipyrétiques et antiinflammatoires ; inclut l'aspirine et l'ibuprofène.

Antiseptique Agent qui inhibe la croissance de certains microorganismes.

Anurie Incapacité des reins de produire de l'urine, ce qui entraîne une absence totale de miction ou un débit urinaire inférieur à 100 mL par jour chez un adulte.

Anuscopie Examen visuel du canal anal.

Anxiété État mental de malaise, d'appréhension ou de peur qui accroît le niveau d'activation causé par une menace imminente ou anticipée envers soi ou envers ses proches.

Aphasie Toute incapacité ou difficulté à s'exprimer oralement ou par écrit ou de comprendre le langage parlé ou écrit, due à une affection ou à une lésion du cortex cérébral.

Apnée Absence totale de mouvements respiratoires.

Apnée du sommeil Cessation périodique de la respiration pendant le sommeil.

Appareils de surveillance Appareils électroniques qui signalent qu'une personne cherche à bouger ou à sortir de son lit.

Apparence du lit d'une plaie Paramètre d'évaluation d'une plaie, dont on indique l'état par le type de tissu présent dans le lit.

Apport maximal tolérable Quantité maximale d'un nutriment que l'on peut ingérer sans risque d'effet indésirable.

Apport nutritionnel de référence (ANREF) Évaluation de l'alimentation d'une personne selon quatre composantes : le besoin moyen estimatif (BME), l'apport nutritionnel recommandé (ANR), l'apport suffisant (AS) et l'apport maximal tolérable (AMT).

Apport nutritionnel recommandé Quantité de chaque nutriment que 97 à 98 % des individus en bonne santé doivent consommer selon leur âge et leur sexe.

Apport suffisant Quantité de nutriment souhaitable lorsqu'il n'est pas possible d'établir l'apport nutritionnel recommandé.

Apprentissage Changement d'attitude ou de capacité qui laisse des traces durables et qui ne peut être mis sur le seul compte de la croissance.

Approche céphalocaudale Examen physique pendant lequel l'examinatrice procède de la tête aux pieds.

Approche communautaire Approche qui se concentre sur les soins de santé primaires et les partenariats avec le milieu communautaire.

Approche par programme Ensemble de moyens coordonnés afin d'atteindre les objectifs déterminés par les besoins de la clientèle.

Approche populationnelle Approche utilisée auprès de différents sous-groupes ou de certaines populations.

Approches complémentaires et parallèles en santé (ACPS) Thérapeutiques ne faisant pas partie du système dominant de prise en charge de la santé et de la maladie.

Aromathérapie clinique Utilisation calculée d'huiles essentielles pour obtenir des résultats précis et mesurables.

Artères coronaires Réseau de vaisseaux qui composent la circulation coronaire.

Artériosclérose Détérioration du tissu élastique et musculaire des artères, qui est remplacé par du tissu fibreux.

Article scientifique Compte rendu de recherche ou analyse de résultats comprenant un titre, un résumé, une introduction, les méthodes utilisées pour réaliser l'étude (incluant le devis de recherche, l'échantillon, les moyens employés pour la collecte et l'analyse des données), la présentation des résultats et la discussion.

Arythmie Pouls dont le rythme est irrégulier.

Ascite Accumulation de liquide dans la cavité abdominale.

Asepsie Absence d'agents pathogènes ; méthode qui vise à prévenir l'infection ou la contamination du matériel utilisé pour les soins.

Asepsie chirurgicale (technique stérile) Ensemble des pratiques visant à maintenir un espace ou un objet exempt de tout microorganisme.

Asepsie médicale (technique propre) Ensemble des pratiques visant à circonscrire un microorganisme donné dans une zone donnée et à réduire le nombre, la croissance et la propagation des microorganismes.

Asphyxie Voir Suffocation.

Aspiration des sécrétions Aspiration faite au moyen d'un cathéter relié à une source d'aspiration et à un régulateur d'aspiration.

Assimilation Processus par lequel un individu s'identifie fortement à la société d'accueil et délaisse les valeurs et les croyances de sa société d'origine.

Assurance responsabilité (assurance responsabilité civile professionnelle) Assurance qui protège l'infirmière contre les fautes ou les négligences professionnelles qu'elle pourrait commettre.

Astigmatisme Courbure inégale de la cornée qui empêche la convergence des rayons verticaux et horizontaux sur la rétine.

Atélectasie Affaissement des alvéoles pulmonaires.

Atrophie Fonte ; diminution de volume d'un organe ou d'un tissu vivant.

Atrophie blanche Lésion atrophique blanche souvent associée à une affection veineuse.

Attitude Disposition mentale qui se compose de différentes croyances ; comporte habituellement une idée négative ou positive à l'égard d'une personne, d'un objet ou d'une idée.

Auditif Lié à l'audition.

Auricule Pavillon de l'oreille.

Auscultation Technique consistant à écouter les bruits produits par les organes du corps avec ou sans l'aide d'un stéthoscope.

Autoantigène Antigène qui appartient à l'organisme d'une personne.

Autonomie (autodétermination) État d'indépendance et d'autodirection qui permet de prendre ses propres décisions sans ingérence extérieure.

Autopsie Examen *post mortem* du corps qui vise à déterminer la cause du décès et à en savoir plus sur le processus morbide.

Autorégulation Mécanismes homéostatiques qui sont automatiques chez une personne en bonne santé.

Autorité Droit légitime de diriger les autres dans leur travail ; droit d'agir.

B

B₁ Premier bruit cardiaque produit lorsque les valvules auriculoventriculaires (valvules AV) se ferment, c'est-à-dire juste avant la contraction ventriculaire.

B₂ Second bruit cardiaque, plus intense et plus court que B₁, produit lorsque les valvules sigmoïdes se ferment, c'est-à-dire lorsque les ventricules ont chassé le sang dans l'aorte et dans le tronc pulmonaire, au début de la relaxation ventriculaire.

Baccalauréat en sciences infirmières Programme universitaire qui comporte entre 90 et 108 crédits.

Bactéricide Qui tue les bactéries.

Bactérie Microorganisme unicellulaire sans noyau. Les bactéries pathogènes constituent le groupe d'agents infectieux le plus répandu.

Bactériémie Présence de bactéries dans le sang.

Bactéries pyogènes Bactéries qui provoquent la production de pus.

Bactériocines Substances produites par certaines bactéries de la flore normale (par exemple entérobactéries) et qui peuvent être mortelles pour des souches bactériennes apparentées.

Bain à des fins d'hygiène Bain donné principalement pour des raisons d'hygiène.

Bain de siège Bain servant à laver ou à faire tremper la région pelvienne d'une personne.

Bain thérapeutique Bain administré pour ses effets physiques, par exemple pour adoucir la peau ou traiter une partie du corps (notamment le périnée).

Baisse du désir sexuel (inappétence sexuelle, anaphrodisie, trouble de la libido) Absence persistante ou récurrente de pensées sexuelles ou manque complet d'intérêt pour l'activité sexuelle.

Bandage (bande) Bande de tissu utilisée pour envelopper une partie du corps.

Base (alcali) Qui possède une faible concentration d'ions hydrogène et peut accepter des ions hydrogène dans une solution.

Bassin hygiénique Récipient servant à recueillir les urines et les fèces.

Besoin d'apprentissage Désir ou demande d'une personne d'apprendre une chose qu'elle ignore.

Besoin moyen estimatif Apport d'un nutriment qui satisfait les besoins de 50 % d'un groupe d'âge et de sexe donné.

Bien-être Perception subjective d'équilibre, d'harmonie, de vitalité.

Bienfaisance Obligation morale pour l'infirmière de faire du bien ou d'accomplir des gestes qui bénéficient aux clients et à leurs proches.

Bienveillance Devoir de ne pas vouloir causer de tort.

Bilan alimentaire complet Liste exhaustive des aliments liquides et solides consommés.

Bilan alimentaire des 24 heures Liste complète des aliments et des boissons consommés pendant une période de 24 heures.

Bilan azoté Mesure du degré d'anabolisme et de catabolisme des protéines ; résultat net de l'apport et de la perte d'azote.

Bilan hydrique Formulaire d'enregistrement systématique indiquant les quantités et les voies de l'apport et de la déperdition hydriques.

Biochimie sanguine Tests permettant de mesurer certains composants chimiques du plasma sanguin.

Bioéthique Règles ou principes éthiques qui régissent la bonne conduite à l'égard de la vie.

Biopsie Prélèvement et examen d'un tissu de l'organisme.

Biorythmes Rythmes intérieurs qui semblent commander divers processus biologiques.

Biotransformation Voir Métabolisme d'un médicament.

Biseau Partie oblique au bout de l'aiguille.

Boisson énergisante Boisson stimulante contenant de grandes quantités de caféine et de sucre.

Bords d'une plaie Paramètre d'évaluation d'une plaie, qui indique s'il s'agit d'une plaie aiguë ou chronique, et si la cicatrisation a cessé de progresser.

Boulimie Compulsion irrépressible qui incite une personne à manger de grandes quantités de nourriture pour ensuite se purger en se faisant vomir ou en prenant des laxatifs.

Bradycardie Pouls anormalement lent, inférieur à 60 battements par minute.

Bradypnée Fréquence respiratoire anormalement lente, habituellement inférieure à 10 respirations par minute.

Bronchoscopie Examen endoscopique des bronches.

Bruits de Korotkoff Les cinq bruits produits par le sang dans une artère à chaque contraction ventriculaire.

Bruits (respiratoires) surajoutés (ou adventices) Bruits qui se produisent lorsque l'air passe dans des voies respiratoires rétrécies ou remplies de liquide ou de mucosités, ou lorsque le revêtement de la plèvre est enflammé.

Brûlure Blessure causée par une exposition excessive à un agent thermique, chimique, électrique ou radioactif.

Cadence Nombre de pas à la minute.

Cadre conceptuel Groupe de concepts apparentés.

Cadre intermédiaire Cadre qui supervise un certain nombre de cadres subalternes et qui est responsable des activités dans les services qu'il supervise.

Cadre subalterne Cadre dont la responsabilité est de diriger le travail du personnel non cadre ainsi que les activités quotidiennes d'un groupe de travailleurs donné.

Cadre supérieur Gestionnaire dont la principale responsabilité est d'établir des objectifs et d'élaborer des plans stratégiques.

Calibre Diamètre de la canule de l'aiguille.

Canaux semi-circulaires Canaux situés dans l'oreille interne; renferment les organes de l'équilibre.

Candidate à l'exercice de la profession d'infirmière Statut de l'étudiante qui a terminé son programme de formation et obtenu un diplôme donnant ouverture au permis de l'Ordre des infirmières et infirmiers du Québec.

Canule (tige) Partie de l'aiguille formée d'un petit tuyau creux rattaché à l'embase; tube creux que l'on insère dans une cavité ou un conduit, souvent assorti d'un trocart durant l'insertion.

Capacité vitale Quantité maximale d'air qui peut être expirée après une inhalation profonde.

Caractéristiques de la respiration Aspects de la respiration qui diffèrent de l'eupnée, par exemple l'effort requis pour respirer et le bruit respiratoire.

Caractéristiques déterminantes Signes et symptômes qui doivent exister pour confirmer un diagnostic infirmier.

Cardex Nom commercial d'une méthode de classement qui utilise des fiches pour organiser et enregistrer de façon concise les données relatives aux personnes soignées et aux activités infirmières quotidiennes, en particulier les données relatives aux soins, qui changent fréquemment et qui nécessitent une mise à jour.

Carie dentaire Une des deux affections dentaires les plus répandues; habituellement associée aux dépôts de plaque et de tartre.

Caring Humanisme, aspect essentiel de la pratique infirmière; idéal moral de l'infirmière qui non seulement soigne, mais nourrit l'intention et la volonté de le faire; s'appuie sur un ensemble de valeurs universelles, dont la bienveillance, l'ouverture à l'autre, et l'amour de soi et des autres.

Catabolisme Réactions chimiques qui dégradent des substances complexes en substances plus simples (par exemple dégradation d'un tissu, décomposition des protéines).

Cataracte Opacification du cristallin de l'œil ou de la capsule du globe oculaire.

Cathéter veineux central Cathéter habituellement inséré dans la veine subclavière ou jugulaire, et dont l'extrémité distale repose dans la veine cave supérieure juste au-dessus de l'oreillette droite.

Cathéter veineux central introduit par voie périphérique Cathéter inséré dans la veine céphalique ou dans la veine basilique de la fosse cubitale droite, tout juste au-dessus ou au-dessous de l'espace antébrachial (pli du coude).

Cations Ions de charge positive; incluent le sodium (Na^+), le potassium (K^+), le calcium (Ca^{2+}) et le magnésium (Mg^{2+}).

Centre d'automatisme primaire Principal stimulateur du cœur.

Centre de chirurgie ambulatoire Établissement où l'on pratique des interventions chirurgicales qui ne nécessitent pas d'hospitalisation.

Centre de gravité Point correspondant au centre de toute la masse corporelle.

Centre de régulation Centre qui traite les stimuli afin qu'ils soient utiles pour le système qui les a absorbés.

Centre thermorégulateur Groupe de neurones de la région antérieure de l'hypothalamus qui régule la température corporelle.

Centres de santé et de services sociaux (CSSS) Centres nés de la fusion de centres locaux de services communautaires (CLSC), de centres d'hébergement et de soins de longue durée (CHSLD) et, dans la majorité des cas, d'un centre hospitalier. Le CSSS agit comme assise du réseau local de services (RLS), assurant l'accessibilité, la continuité et la qualité des services destinés à la population du territoire local; il crée des couloirs de services avec, d'une part, les centres hospitaliers, les centres de réadaptation et les centres de protection de l'enfance et de la jeunesse, et, d'autre part, avec les établissements privés.

Certification Processus volontaire et périodique par lequel un groupe spécialisé et organisé atteste que les compétences d'une infirmière dans sa spécialité satisfont aux normes établis par l'Association des infirmières et infirmiers du Canada.

Cérumen Cire de l'oreille qui lubrifie et protège le méat acoustique externe.

Chagrin Affliction; ensemble des réactions suscitées par l'impact affectif de la perte.

Chagrin anticipé Chagrin vécu avant l'arrivée de l'événement affligeant.

Chagrin (deuil) dysfonctionnel Chagrin ou deuil n'étant pas vécu sainement: il peut notamment être inhibé ou ne jamais se résorber.

Chaise d'aisances Structure portative semblable à une chaise et servant de toilettes.

Champ de compétence Ce qui définit une profession et la décrit de façon générale en faisant ressortir la nature et la finalité de sa pratique professionnelle et ses principales activités. Le champ d'exercice de la profession d'infirmière est décrit dans la *Loi sur les infirmières et les infirmiers*.

Champ stérile Zone exempte de microorganismes.

Champ visuel Espace qu'une personne peut voir lorsqu'elle regarde droit devant elle.

Changement développemental Tout changement anticipé et prévisible, qui se produit lorsqu'une organisation se développe et que ses opérations gagnent en complexité.

Changement non planifié Changement imposé par des individus ou des événements externes, survenant lorsque des circonstances inattendues entraînent des réactions.

Changement planifié Essai prévu et délibéré tenté par un individu, un groupe, une organisation ou un corps social plus vaste dans le but d'influer sur son propre statut ou sur celui d'une autre organisation ou situation.

Charte d'Ottawa pour la promotion de la santé Charte qui s'appuie sur la *Déclaration d'Alma-Ata* portant sur les soins primaires ; on y adopte une perspective globale de l'examen des déterminants de la santé et on y précise les conditions indispensables à la santé.

Chéloïde Cicatrice hypertrophique qui contient une quantité anormale de collagène.

Cheminement critique Démarche ou outil interdisciplinaire servant à gérer les soins prodigués à une personne.

Chi (qi) Énergie vitale du corps.

Chimiotactisme Lorsqu'il y a inflammation, mouvement des leucocytes vers les tissus, sous l'action des médiateurs chimiques libérés par les cellules atteintes.

Chiropratique Terme provenant d'un mot grec signifiant «fait à la main» et désignant un traitement qui consiste à corriger la colonne vertébrale et les articulations. La chiropratique suppose que le maintien de l'alignement de la colonne et des articulations favorise le flux d'énergie dans tout l'organisme, y compris les systèmes nerveux, circulatoire, respiratoire, gastro-intestinal et limbique.

Chirurgie majeure Chirurgie qui comporte de grands risques pour diverses raisons, notamment sa complexité ou sa durée ; des pertes de sang importantes peuvent se produire, de même que des complications postopératoires.

Chirurgie mineure Chirurgie qui comporte peu de risques, souvent pratiquée dans un service de chirurgie d'un jour.

Chirurgie non urgente (élective) Traitement choisi par le médecin pour soigner une affection qui ne met pas la vie de la personne en danger ou pour améliorer le bien-être et la qualité de vie de la personne.

Chirurgie urgente Chirurgie pratiquée sans délai afin de préserver une fonction ou la vie de la personne.

Choc (phase de) Première étape de la réaction d'alarme où l'agent stressant est perçu consciemment ou inconsciemment par la personne.

Choc de pointe (choc apexien) Zone de la pointe du cœur où le pouls apexien est le plus clairement audible et palpable.

Choc culturel Trouble qui survient en réaction à la transition d'un milieu culturel à un autre.

Cholestérol Lipide qui ne contient pas d'acide gras mais qui possède plusieurs des propriétés chimiques et physiques d'autres lipides.

Chordotomie Section chirurgicale d'un faisceau spinothalamique qui oblitère la sensation douloureuse et thermique ; habituellement pratiquée pour la douleur dans les jambes et le tronc.

Chyme Produits de la digestion qui quittent l'estomac par l'intestin grêle et passent par la valve iléocæcale.

Cicatrice Tissu fibreux, assez ferme, qui résulte du rétrécissement du tissu de granulation et de la contraction des fibres de collagène.

Cicatrisation par deuxième intention Cicatrisation d'une plaie où les tissus de surface ne sont pas rapprochés et qui présente une perte importante de tissu ; formation excessive de tissu de granulation et de tissu cicatriciel.

Cicatrisation par première intention Cicatrisation d'une plaie dont les bords ont été rapprochés ; se réalise par épithélialisation ; occasionne peu de perte de tissus, ou n'en occasionne pas, et une granulation minimale.

Cicatrisation par troisième intention Cicatrisation d'une plaie ouverte qui a fait l'objet d'un drainage temporaire ; aussi appelée cicatrisation par première intention retardée.

Cinquième signe vital Évaluation de la douleur.

Circonférence brachiale (périmètre brachial) Mesure de la graisse, des muscles et des os du bras.

Circonférence musculaire brachiale (périmètre musculaire brachial) Estimation de la masse maigre du corps (ou réserves musculaires squelettiques).

Cisaillement Pression exercée par le squelette et les muscles qui glissent vers le bas par gravité alors que la peau et les tissus sous-cutanés demeurent dans leur position initiale à cause de l'adhérence à la surface du lit.

Clairance de la créatinine Épreuve utilisant l'urine et les niveaux de créatinine sériques des 24 dernières heures pour déterminer le débit de filtration glomérulaire, un indicateur sensible de la fonction rénale.

Clarification des valeurs Processus par lequel un individu définit ses propres valeurs.

Classification des interventions de soins infirmiers (CISI/NIC) Taxinomie des interventions infirmières comprenant trois niveaux : les domaines, les classes et les interventions proprement dites.

Classification des résultats de soins infirmiers (CRSI/NOC) Systématisation des résultats de soins infirmiers visés par les interventions infirmières.

Client Personne qui reçoit les conseils ou les services d'une personne qualifiée pour le faire.

Coanalgésique Médicament qui n'appartient pas à la classe des analgésiques, mais qui a des propriétés analgésiques en monothérapie ou en association avec des analgésiques. Aussi appelé analgésique adjuvant.

Cochlée Structure de l'oreille interne, en forme de coquillage, qui est essentielle à la transmission du son et à l'audition.

Codage Processus qui consiste à choisir des signes ou des symboles particuliers (codes) pour transmettre un message (par exemple le langage, les mots, le ton et les gestes).

Code de déontologie Énoncé officiel des idéaux et des valeurs d'un groupe ; ensemble de principes éthiques qu'ont en commun les membres d'un groupe, qui reflètent leurs jugements moraux et qui servent de normes aux actes professionnels.

Code de déontologie des infirmières et infirmiers Règlement dont les dispositions décrivent l'ensemble des devoirs et des obligations d'application morale propres à la profession.

Code des professions Loi-cadre du système professionnel qui s'applique à l'ensemble des ordres et qui s'accompagne de 25 lois particulières conférant aux membres de chacun des ordres le droit exclusif d'exercer leurs activités dans un champ professionnel.

Cohérence de l'héritage culturel Concept décrivant dans quelle mesure le mode de vie d'une personne rend compte de sa culture tribale.

Colère État émotionnel qui se caractérise par un sentiment subjectif d'animosité ou de mécontentement extrême.

Collagène Protéine contenue dans le tissu conjonctif; substance protéique blanchâtre qui donne aux plaies une résistance à la traction.

Collecte des données Formulaire rempli par l'infirmière lors de l'admission de la personne dans l'unité de soins; processus consistant à recueillir, à organiser, à valider et à consigner les données au sujet de l'état de santé d'une personne.

Collectivité Ensemble de personnes ayant une caractéristique commune.

Colloïdes Substances telles que les grosses molécules de protéines qui ne forment pas des solutions vraies.

Colonisation Présence d'organismes dans les sécrétions ou les excrétions du corps, dans lesquelles des souches bactériennes s'établissent, devenant partie intégrante de la flore normale sans toutefois causer d'affection.

Colonisation critique État d'une plaie dont le nombre de bactéries est supérieur à celui de la colonisation mais inférieur à celui de l'infection.

Coloscopie Examen visuel de l'intérieur du côlon à l'aide d'un coloscope.

Colostomie Abouchement du côlon à la paroi abdominale.

Comité d'inspection professionnelle Comité de l'Ordre des infirmières et infirmiers du Québec ayant pour mandat de surveiller l'exercice de la profession par les membres de l'Ordre.

Common law (droit commun) Ensemble de principes qui émanent de la jurisprudence.

Commotion électrique (choc électrique) Choc qui se produit lorsqu'un courant électrique traverse le corps pour se rendre dans le sol ou que de l'électricité statique s'accumule dans le corps.

Communauté Groupe de personnes qui partagent certains aspects de leur vie quotidienne; système social structuré de personnes vivant à l'intérieur d'un espace géographique précis.

Communication Processus bilatéral qui comporte un émetteur et un récepteur de messages; tous les moyens d'échanger des informations ou des émotions entre deux personnes ou plus.

Communication congruente Communication dans laquelle les aspects verbaux et non verbaux d'un message concordent tout à fait.

Communication non verbale Communication autre que verbale, notamment par les gestes, l'expression faciale ou le toucher.

Communication sur la santé Démarche de mise en relation de personnes ou de groupes qui ont un intérêt certain pour la santé.

Communication thérapeutique Processus interactif entre une infirmière et un client; aide ce dernier à maîtriser un stress temporaire, à côtoyer d'autres personnes, à s'adapter aux réalités inchangeables et à surmonter les blocages psychologiques qui empêchent la réalisation de soi.

Communication verbale Communication qui utilise la parole ou l'écriture.

Compassion Attitude qui consiste à soutenir la personne soignée et ses proches devant la détresse et les multiples effets de la maladie.

Compensateur Qui vise à maintenir l'équilibre.

Compensation Mécanisme de défense qui fait qu'une personne remplace une activité par une autre qu'elle préférerait faire ou ne peut pas faire; processus destiné à corriger les déséquilibres acidobasiques.

Compétence culturelle Habileté de l'infirmière qui, consciente de son propre bagage culturel, démontre une connaissance, une acceptation et un respect de la culture de l'autre, et adapte les soins qu'elle prodigue en conséquence.

Complétude Caractère de ce qui est complet; se dit d'une information consignée au dossier d'une personne.

Compliance pulmonaire Élasticité des poumons.

Comportement de personne malade Mécanisme d'adaptation correspondant à la façon dont la personne décrit, surveille et interprète ses symptômes, prend des mesures correctives et recourt au système de soins de santé.

Comportements en matière de santé Mesures que prend la personne pour comprendre son état de santé, maintenir un état de santé optimal, prévenir les affections et les blessures, et atteindre un potentiel physique et mental maximal.

Compresse Pansement humide qu'on applique sur une plaie; peut être chaud ou froid.

Compte rendu d'entretien Rapport textuel d'une conversation entre l'infirmière et le client; peut être enregistré ou écrit et comporte également toutes les interactions non verbales.

Concept Idée abstraite ou image mentale d'un phénomène ou de la réalité.

Concept de soi Perception mentale qu'on a de soi-même.

Concept de soi global Ensemble des perceptions et des convictions ou croyances qu'une personne entretient sur elle-même, ainsi que des attitudes qui en découlent.

Conciliation Lorsqu'une plainte a été déposée contre une infirmière, mesure prise si la protection du public n'est pas compromise et que l'enquête du syndic n'a révélé aucun acte dérogatoire.

Conduction Transfert de chaleur d'une molécule à une autre par contact direct.

Conduit auditif externe Voir Méat acoustique externe.

Confiance Sentiment de pouvoir compter sur quelqu'un sans être envahi par trop de doutes ou de questions à son sujet.

Confidentialité Principe qui exige que les renseignements fournis par la personne ne soient pas divulgués sans son consentement.

Conflit de rôles Conflit qui naît des tiraillements entre des attentes opposées ou incompatibles entre elles.

Confusion Changement aigu de l'état mental.

Conjonctivite Inflammation de la conjonctive bulbaire et palpébrale.

Conscience Capacité de percevoir les stimuli externes et les réactions corporelles, auxquels nous répondons ensuite par la pensée et l'action.

Conscience culturelle Reconnaissance consciente et informée des différences et des similarités entre divers groupes culturels ou ethniques.

Conscience incarnée Désigne le fait que les souvenirs, les pensées et les processus régissant les comportements sont inscrits dans toutes les parties du corps.

Conseil de discipline Conseil de l'Ordre des infirmières et infirmiers du Québec chargé de toute plainte déposée contre un membre de l'Ordre pour une infraction aux dispositions du *Code des professions*, de la *Loi sur les infirmières et les infirmiers* et des règlements de cette dernière.

Conseil interprofessionnel du Québec Organisme reconnu en vertu du *Code des professions* comme organisme-conseil auprès de l'autorité gouvernementale; tous les ordres professionnels y sont représentés.

Consentement éclairé Autorisation que donne une personne pour accepter un traitement ou une intervention en toute connaissance de cause.

Consentement explicite Acceptation qu'une personne donne clairement (verbalement ou par écrit) au sujet de traitements ou d'interventions.

Consentement implicite Autorisation non verbale que donne une personne pour indiquer qu'elle accepte un traitement ou une intervention.

Consentement libre et éclairé Autorisation que donne une personne pour accepter un traitement ou une intervention en toute connaissance de cause; contrat entre la chercheuse et le participant.

Consignation Action d'inscrire des données dans le dossier d'une personne.

Consommateur Individu, groupe ou communauté qui utilise un service ou un produit.

Constat Élément du plan thérapeutique infirmier rassemblant les évaluations des problèmes réels ou potentiels ainsi que les besoins prioritaires.

Constipation Passage de selles petites, sèches et dures, ou absence de selles pendant une période prolongée.

Consultation en situation de crise Intervention axée sur la résolution de problèmes immédiats concernant des individus, des groupes ou des familles en crise; ligne téléphonique d'urgence.

Contact direct Transfert immédiat de microorganismes d'une personne à une autre par le toucher, une éclaboussure, une morsure, un baiser ou des relations sexuelles.

Contact indirect Transfert de microorganismes qui s'effectue soit par véhicule, soit par vecteur.

Contention Mesure de contrôle qui consiste à empêcher ou à limiter la liberté de mouvement d'une personne en utilisant la force humaine, un moyen mécanique ou en la privant d'un moyen qu'elle utilise pour pallier un handicap.

Contexte d'intervention non planifiée Intervention réalisée en réponse à un comportement inhabituel et par conséquent non prévu qui met en danger de façon imminente la sécurité de la personne et celle d'autrui.

Contexte d'intervention planifiée Utilisation de mesures de contrôle dans une situation donnée, par exemple dans le cas d'une désorganisation comportementale récente, susceptible de se répéter et pouvant comporter un danger réel pour la personne elle-même ou pour autrui.

Continuité des soins Coordination des services de soins de santé fournis par un professionnel de la santé aux personnes qui passent d'un établissement de soins à un autre et d'un professionnel de la santé à un autre.

Contractilité Capacité inhérente des fibres du muscle cardiaque de se raccourcir ou de se contracter.

Contraction Étape de la cicatrisation au cours de laquelle les myofibroblastes entament la fermeture de la lésion au moyen de protéines contractiles.

Contractions haustrales Mouvement de va-et-vient du chyme dans les haustrations.

Contracture Raccourcissement permanent d'un muscle.

Contrechoc Second stade de la réaction d'alarme, au cours duquel les changements organiques qui se sont produits au stade du choc s'inversent.

Convection Dispersion de la chaleur par déplacement d'air.

Coordination Processus qui assure l'exécution des plans et l'évaluation des résultats et du personnel.

Coping Efforts déployés par un client et (ou) sa famille afin de composer avec leur situation.

Cor Forme de kératose causée par le frottement et la pression d'une chaussure sur le pied.

Coronarographie Angiographie effectuée pour évaluer l'importance d'une coronaropathie.

Coroner Fonctionnaire qui n'est pas nécessairement médecin; nommé ou élu pour enquêter sur les causes d'un décès.

Corps du sternum Partie moyenne du sternum.

Corps-esprit (corps-psyché) État global qui intègre le corps, le psychisme et l'esprit.

Créatine kinase (CK) Enzyme libérée dans le sang durant un infarctus du myocarde.

Créatinine Déchet azoté produit par les muscles et excrété dans l'urine; la quantité dans le sang est un indicateur de la fonction rénale; la créatinine urinaire rend compte de la masse musculaire totale d'une personne.

Créativité Pensée qui engendre des idées et des produits nouveaux.

Crépitants Bruits surajoutés entendus lors de l'auscultation pulmonaire et traduisant la présence de liquide (sécrétions, sang ou pus) dans les alvéoles; les crépitants peuvent être fins ou rudes.

Crépitation Sensation de craquement ou de grincement palpable ou audible produit par le mouvement d'une articulation.

Crise convulsive Apparition subite soit de convulsions, soit d'une activité motrice ou sensorielle paroxystique.

Cristalloïde Sel qui se dissout rapidement pour former une solution vraie.

Croyances Interprétations ou conclusions qu'une personne considère comme vraies.

Croyances en matière de santé Concepts qu'une personne considère comme vrais au sujet de la santé.

Culture Combinaison de différentes caractéristiques abstraites, telles que les valeurs, les croyances, les attitudes et les coutumes, qu'un groupe de personnes partagent et se transmettent de génération en génération; méthode de laboratoire qui consiste à faire croître des microorganismes dans un milieu approprié.

Culture d'urine Examen paraclinique qui sert à identifier les microorganismes responsables d'une infection urinaire.

Culture matérielle Objets (par exemple vêtements, objets d'art, objets rituels, ustensiles de cuisine) et façon de les utiliser propres à une groupe particulier.

Culture non matérielle Ensemble des valeurs, des croyances, des normes et des comportements propres à un groupe particulier; mode de vie, façon de voir et de communiquer qui donne à une personne une manière d'être avec les autres.

Cyanose Coloration anormale de la peau et des muqueuses causée par une diminution de l'oxygène dans le sang.

Cyphose Déviation de la colonne vertébrale où la convexité formée par les vertèbres T1 à T8 est anormalement accentuée vers l'extérieur.

Cystoscope Instrument muni d'une source lumineuse que l'on insère dans l'urètre et qui permet d'examiner celle-ci et la vessie.

Cystoscopie Examen visuel de la vessie, des orifices urétéraux et de l'urètre au moyen d'un cystoscope.

Dacryocystite Inflammation du sac lacrymal.

Débit cardiaque (DC) Volume de sang éjecté par le cœur en une minute.

Débitmètre expiratoire de pointe Appareil servant à mesurer le débit aérien, c'est-à-dire la vitesse à laquelle l'air circule dans les voies aériennes.

Débridement Retrait des tissus infectés et nécrosés d'une plaie.

DEC-BAC en formation infirmière intégrée Programme de formation infirmière intégrée qui s'échelonne sur cinq ans; l'étudiante s'inscrit au programme collégial de soins infirmiers à temps complet, y suit sa formation pendant trois ans, au terme desquels elle reçoit un diplôme d'études collégiales, puis elle poursuit ses études à l'université pendant deux ans et reçoit à la fin un baccalauréat en sciences infirmières.

Décès neurologique (mort cérébrale) État où le cortex cérébral, le centre supérieur du cerveau, est définitivement détruit et où il y a arrêt total des fonctions cérébrales intégrées.

Déclaration de décès Document qui établit le décès et permet d'obtenir un certificat de décès ou une copie de l'acte de décès.

Décodage Intégration du message perçu dans les connaissances ou l'expérience emmagasinées par le récepteur, suivie d'une clarification du sens.

Décubitus dorsal Position dans laquelle la personne repose sur le dos, la tête et les épaules légèrement surélevées par un petit oreiller.

Décubitus latéral Position dans laquelle la personne est allongée sur l'un des côtés du corps.

Décubitus ventral Position dans laquelle la personne repose sur l'abdomen, la tête tournée sur le côté.

Défécation Expulsion des fèces du rectum et de l'anus.

Défenses non spécifiques Défenses du corps qui protègent la personne contre les microorganismes, quelle que soit l'exposition antérieure à ces microorganismes.

Défenses spécifiques (immunologiques) Fonctions immunitaires dirigées contre certaines souches de bactéries, de virus, de champignons et d'autres agents infectieux.

Déficit de volume liquidien (DVL) Perte d'eau et d'électrolytes du liquide extracellulaire dans des proportions semblables.

Déficit sensoriel Diminution du processus de réception ou de perception (ou les deux) affectant un ou plusieurs sens.

Déhiscence Séparation partielle ou complète des bords d'une plaie suturée.

Délai d'action Temps écoulé entre l'administration d'un médicament et le moment où celui-ci produit son effet.

Délégation Transfert à une personne compétente de la responsabilité et de l'autorité nécessaires à l'exécution d'une tâche qu'on lui confie.

Délégation d'actes Fait, pour une personne, de transférer à une autre la responsabilité de l'exécution d'une activité tout en conservant l'obligation de rendre compte du résultat.

Délire Changement aigu de l'état mental.

Demande de services interétablissements (DSIE) Outil informatisé d'échange d'information clinique conçu pour les demandes de services d'un établissement à l'autre ou dans un même établissement.

Démarche Façon dont une personne marche.

Démarche de soins infirmiers Méthode rationnelle et systématique pour la planification et la prestation des soins infirmiers.

Démence Déficit global de la fonction cognitive, en particulier de la mémoire, qui est habituellement progressif et qui peut être permanent; entrave les activités sociales et récréatives normales.

Demi-vie du médicament Temps nécessaire pour que la concentration d'un médicament dans l'organisme diminue de moitié par rapport au moment de son administration.

Démographie Étude de la population, notamment les statistiques sur la répartition selon l'âge et le lieu de résidence, la mortalité et la morbidité.

Densité urinaire Indication de la concentration de l'urine ou de la quantité de particules présentes dans l'urine.

Dénutrition (sous-alimentation) Apport nutritionnel insuffisant pour combler les besoins énergétiques quotidiens en raison d'une déficience de l'ingestion de nourriture, de la digestion ou de l'absorption.

Dépendance physique Dépendance causée par des changements biochimiques dans les tissus de l'organisme, particulièrement dans le système nerveux.

Dépendance psychologique Lien émotionnel avec un médicament qu'une personne consomme dans le but d'éprouver un sentiment de bien-être.

Dépense énergétique au repos (DER) Taux métabolique basal, sans période de jeûne de 12 heures.

Dépression Sentiment de tristesse, de désespoir, de découragement, souvent accompagné par des changements physiologiques tels qu'une diminution de la capacité de fonctionner.

Déshydratation Perte d'eau sans perte importante d'électrolytes.

Désinfectants Agents qui détruisent les agents pathogènes autres que les spores.

Désir Phase du cycle de la réponse sexuelle qui se caractérise par une attirance sexuelle consciente.

Déterminants de la santé Catégories pouvant être associées à des facteurs personnels, sociaux, économiques et environnementaux; peuvent comprendre des facteurs de risque et des facteurs de protection.

Détrusor (muscle vésical, musculeuse) Couches de muscle lisse de la vessie.

Deuil Réponse subjective de la personne qui vient de perdre un être cher. Processus de résolution du chagrin.

Deuil dysfonctionnel Voir Chagrin dysfonctionnel.

Deuxième intention Voir Cicatrisation par deuxième intention.

Développement du rôle Aspect du développement qui comporte la socialisation dans un rôle particulier.

Développement moral Processus d'apprentissage servant à faire la différence entre le bien et le mal, entre ce que l'on doit faire et ne pas faire.

Diagnostic Énoncé ou conclusion sur la nature d'un phénomène.

Diagnostic de promotion de la santé Jugement clinique sur la motivation et sur le désir d'un individu, d'une famille ou d'une collectivité à augmenter son bien-être et à améliorer son potentiel de santé.

Diagnostic infirmier Jugement clinique posé par l'infirmière au sujet des réactions d'une personne, de sa famille ou de son entourage à l'égard de problèmes de santé réels ou potentiels, et qui permet de déterminer les interventions infirmières susceptibles de produire les résultats attendus dont l'infirmière doit rendre compte.

Diagnostic infirmier actuel Diagnostic qui décrit un problème présent au moment de la collecte des données, fondé sur la présence de signes et de symptômes et confirmé cliniquement par la présence de caractéristiques essentielles.

Diagnostic infirmier de bien-être Diagnostic infirmier décrivant les réactions d'un individu, d'une famille ou d'une collectivité disposé ou motivé à atteindre un niveau supérieur de bien-être.

Diagnostic infirmier de syndrome Diagnostic infirmier associé à un ensemble d'autres diagnostics.

Diagnostic infirmier de type risque Jugement clinique relatif à la présence de facteurs de risque selon lequel une personne, une famille ou une communauté est plus susceptible de présenter un problème de santé.

Dialogue Contexte dans lequel la personne mourante et son entourage savent que la mort est imminente et en parlent librement.

Dialyse Technique par laquelle des liquides et des molécules traversent une membrane semi-perméable selon les principes de l'osmose.

Diapédèse Migration des globules blancs à travers la paroi d'un vaisseau sanguin.

Diarrhée Défécation de selles liquides et fréquentes.

Diastole Période correspondant au remplissage ventriculaire.

Diffusion Mouvement de gaz ou de particules d'une zone où la pression ou la concentration a une valeur donnée vers une zone de plus faible pression ou concentration.

Digitopuncture Voir Acupression.

Dimension Paramètre d'évaluation d'une plaie; permet de mesurer l'évolution de la cicatrisation et de déterminer le plan de traitement.

Directeur de funérailles Voir Entrepreneur de pompes funèbres.

Direction Fonction de gestion qui consiste à communiquer les tâches à accomplir et à fournir de l'aide et de la supervision.

Directive infirmière Élément du plan thérapeutique infirmier portant sur le suivi clinique dicté par le ou les constats.

Directives préalables (directives de fin de vie) Variété de documents légaux ou non qui permettent à une personne d'indiquer les soins qu'elle désire recevoir dans l'éventualité où elle serait incapable de communiquer ses préférences à cet égard.

Disaccharides Sucres composés de molécules doubles.

Discrimination Traitement inégal de personnes et de groupes selon des critères comme la race, l'ethnie, le sexe, la classe sociale ou l'atypie (manque de conformité par rapport à un groupe donné).

Discrimination tactile Capacité de sentir si la peau est stimulée en un ou deux points par une pression.

Discussion Exploration orale non structurée d'un sujet par deux professionnels de la santé ou plus et visant à définir un problème ou à établir des stratégies pour le résoudre.

Distribution Transport d'un médicament du site d'absorption vers le site d'action.

Diurétique Agent qui accroît la sécrétion d'urine.

Diversité culturelle Fait d'être différent ou état correspondant à cette différence.

Documentation des soins infirmiers Activité essentielle de la pratique infirmière consistant à consigner l'ensemble de l'information relative aux soins infirmiers de la personne dans son dossier, qu'il soit informatisé ou non.

Domaine affectif Domaine des sentiments et des attitudes; comporte des catégories qui précisent le degré de profondeur de la réponse émotionnelle d'une personne aux tâches; inclut les sentiments, les émotions, les intérêts, les attitudes et la reconnaissance.

Domaine cognitif Domaine de la pensée et des habiletés intellectuelles; compte six aptitudes mentales et processus de réflexion, soit le savoir, la compréhension, le développement d'applications, l'analyse, la synthèse et l'évaluation.

Domaine psychomoteur Domaine de l'adresse, de la dextérité; comprend, par exemple, les habiletés motrices nécessaires pour donner une injection.

Données Éléments d'information; observations brutes isolées qui n'ont pas fait l'objet d'une interprétation.

Données objectives (signes, données directes) Données observables, pouvant être mesurées ou vérifiées en fonction d'une norme reconnue.

Données subjectives (symptômes, données indirectes) Données perceptibles seulement par la personne concernée et ne pouvant être décrites ou vérifiées que par elle.

Doppler Appareil qui permet d'obtenir des renseignements sur la circulation sanguine au moyen de l'échographie.

Doses analgésiques équivalentes Doses d'un analgésique différent de celui qui a été prescrit initialement mais ayant les mêmes effets thérapeutiques; un analgésique équivalent est souvent utilisé pour contrer les effets indésirables d'un autre analgésique; des tableaux d'équivalences existent.

Dossier Document écrit ou informatisé.

Dossier clinique Document officiel, à caractère légal, qui constitue la preuve des soins prodigués à la personne.

Dossier informatisé Dossier permettant à l'infirmière d'accéder aux données, d'ajouter de nouvelles données, de créer et de réviser des plans de soins et de traitements infirmiers et de rendre compte des progrès de la personne.

Dossier orienté vers la source Dossier dans lequel chaque personne ou chaque service fait des annotations dans une section séparée de la feuille de surveillance de la personne.

Dossier orienté vers les problèmes Compte rendu où les données concernant la personne sont consignées en fonction du problème de la personne plutôt qu'en fonction de la source d'information.

Douleur Toute sensation désignée comme de la douleur par la personne qui l'éprouve, au moment où elle dit l'éprouver.

Douleur aiguë Douleur qui dure seulement pendant la durée du rétablissement prévu (moins de six mois), quels que soient son intensité et son mode d'apparition (soudain ou progressif).

Douleur chronique Douleur prolongée, habituellement récurrente ou persistant plus de six mois, et nuisant au fonctionnement normal.

Douleur cutanée Douleur qui émane de la peau ou d'un tissu sous-cutané.

Douleur irradiante Douleur ressentie à sa source ainsi que dans les tissus environnants.

Douleur neuropathique Douleur provenant d'une perturbation du système nerveux périphérique ou central, associée ou non à un processus continu de détérioration des tissus.

Douleur projetée (ou référée) Douleur dont la source perçue est différente de la source réelle.

Douleur réfractaire Douleur qui résiste fortement aux mesures de soulagement.

Douleur somatique Douleur localisée dans la peau, les ligaments, les tendons, les os et les vaisseaux sanguins.

Douleur viscérale Douleur produite par la stimulation des récepteurs de la douleur situés dans la cavité abdominale, le crâne et le thorax.

Drain de Penrose Drain flexible en caoutchouc.

Drainage postural Évacuation par gravité des sécrétions des différents segments du poumon.

Drogue Substance qui engendre une dépendance, comme l'héroïne, la cocaïne et les amphétamines.

Drogues illicites Drogues vendues dans la rue.

Droit à l'autodétermination Droit des personnes de se sentir libres de toute contrainte, coercition ou influence indue relativement à leur participation à une étude.

Droit civil Droit qui régit les litiges, tels que les fautes professionnelles et les préjudices qui touchent un individu ou un bien et qui ne constituent pas une menace pour la société.

Droit pénal Droit portant sur les comportements et les actions qui constituent une menace pour la société.

Durée Longueur d'un son (son long ou court).

Durée de l'évolution Indication permettant d'évaluer si une plaie progresse normalement ou si elle stagne dans une des phases de cicatrisation.

Durillon Masse kératosique formée par un épaississement de l'épiderme.

Dynamique de groupe Forces qui déterminent le comportement du groupe et les relations entre ses membres.

Dysfonction érectile (impuissance) Incapacité d'atteindre ou de maintenir une érection suffisante pour être satisfait sexuellement et pour satisfaire son ou sa partenaire.

Dysménorrhée Règles douloureuses.

Dysphagie Difficulté ou incapacité à avaler.

Dyspnée Respiration difficile ou douloureuse.

Dysrythmie Rythme irrégulier du pouls.

Dysurie Miction douloureuse ou difficile.

E

Ébouillantage Brûlure occasionnée par un liquide très chaud ou par de la vapeur.

Écart Objectif non atteint dans la prestation de soins; anomalie qui se répercute sur les soins planifiés ou les réactions de la personne aux soins prodigués.

Écart type Mesure de dispersion la plus utilisée; moyenne des écarts par rapport à la moyenne arithmétique d'une série statistique; habituellement notée SD ou S.

Échantillon Segment de population visé par la collecte des données.

Échocardiographie Épreuve non effractive qui utilise les ultrasons pour faire l'examen visuel des structures du cœur et pour évaluer la fonction ventriculaire gauche.

Échographie Utilisation des ultrasons pour produire l'image d'un organe ou d'un tissu.

Écocarte Diagramme ayant pour but de démontrer visuellement les liens entretenus par la personne avec sa famille et son entourage.

Écoute attentive Écoute active qui sollicite tous les sens, par opposition à une écoute passive n'utilisant que l'oreille.

Éducation pour la santé Méthodes servant à fournir des occasions d'apprentissage de connaissances, d'attitudes et de comportements favorables à la santé; méthode qui favorise les échanges entre le savoir populaire (la population) et le savoir professionnel (les intervenants).

Éducation sanitaire Enseignement donné par l'infirmière en santé communautaire.

Effet cumulatif Effet croissant obtenu par l'administration de doses répétées d'un médicament; survient lorsque le rythme d'administration dépasse le rythme de son métabolisme ou de son excrétion.

Effet idiosyncrasique Effet différent, inattendu ou individuel d'un médicament par rapport à l'effet habituellement escompté; occurrence de symptômes imprévisibles et inexplicables.

Effet inhibiteur Diminution de l'effet d'un ou de plusieurs médicaments par une autre substance.

Effet potentialisateur Augmentation de l'effet d'un ou de plusieurs médicaments par une autre substance.

Effet secondaire Effet non souhaité d'un médicament; habituellement prévisible, il est soit inoffensif, soit potentiellement nocif.

Effet synergique Effet des médicaments qui agissent en stimulant l'activité enzymatique ou la production d'hormone.

Effet thérapeutique Premier effet recherché d'un médicament et, par conséquent, raison pour laquelle le médicament est prescrit.

Efficacité Mesure de la qualité ou de la quantité des services fournis.

Efficience Mesure des ressources utilisées dans la prestation des soins infirmiers.

Éjaculation précoce Incapacité de l'homme de retarder son éjaculation suffisamment pour satisfaire son ou sa partenaire.

Éjaculation retardée Difficulté ou incapacité à éjaculer dans les temps habituellement observés.

Électrocardiogramme (ECG) Tracé de l'activité électrique du cœur.

Électroencéphalogramme (EEG) Tracé de l'activité électrique du cerveau.

Électrolytes Substances chimiques qui portent une charge électrique et qui peuvent conduire un courant électrique lorsqu'elles se trouvent dans l'eau; ions.

Électrostimulation transcutanée (TENS) Application d'une stimulation électrique de faible intensité directement sur une région douloureuse, sur un point d'acupression, le long du nerf périphérique qui parcourt la région douloureuse ou le long de la colonne vertébrale.

Embase Partie de l'aiguille à laquelle s'adapte la seringue.

Embole Objet, par exemple un caillot de sang, qui a quitté l'endroit où il se trouvait initialement et qui obstrue la circulation ailleurs.

Embout Partie de la seringue qui s'ajuste à l'embase de l'aiguille.

Emmétropie Réfraction normale qui permet aux yeux de converger l'image sur la rétine.

Empathie Capacité de comprendre ce que l'autre vit et de lui communiquer que l'on comprend ses sentiments ainsi que le comportement et l'expérience qui y sont associés.

Emphysème Affection pulmonaire chronique qui se caractérise par une dilatation et une distension des alvéoles.

Empowerment Postulat fondé sur la croyance que les personnes et les groupes possèdent ou sont en mesure d'acquérir les capacités leur permettant d'effectuer les transformations nécessaires pour favoriser leur bien-être.

Encoprésie Émission involontaire et répétée de matières fécales chez les enfants de plus de quatre ans, ayant dépassé l'âge normal d'acquisition de la propreté.

Endocarde Fine couche de cellules endothéliales qui tapisse l'intérieur des cavités du cœur et recouvre le squelette fibreux des valvules.

Endogène Qui provient de l'intérieur.

Endoscope Appareil qu'on introduit dans les cavités ou les organes creux du corps et qui permet de les visualiser et de faire des prélèvements.

Endoscopie Méthode d'exploration des cavités ou des organes creux du corps.

Énoncé d'évaluation Énoncé composé d'une conclusion et d'une justification.

Énoncé diagnostique Voir Intitulé.

Enseignement Ensemble structuré d'activités qui favorise l'apprentissage.

Ensemble de valeurs Toutes les valeurs, qu'elles soient personnelles, professionnelles ou religieuses, auxquelles une personne adhère.

Entrepreneur de pompes funèbres (directeur de funérailles) Personne qui s'occupe du corps après le décès.

Entrevue Communication ou conversation planifiée dont le but est d'obtenir ou de donner de l'information, de circonscrire les problèmes qui préoccupent l'infirmière et la personne, d'évaluer le degré d'un changement, d'enseigner, de donner du soutien ou encore de prodiguer des conseils ou un traitement; sert notamment à établir l'anamnèse de la personne lors de son admission.

Entrevue directive Entrevue fortement structurée visant l'obtention de renseignements particuliers.

Entrevue non directive Entrevue au cours de laquelle l'infirmière laisse la personne décider de l'objectif, du sujet et du rythme des échanges; axée sur l'établissement d'un rapprochement.

Énurésie Incontinence d'urine; passage involontaire d'urine chez un enfant une fois que celui-ci est propre.

Énurésie nocturne Miction involontaire pendant la nuit.

Enzymes Catalyseurs biologiques qui accélèrent les réactions chimiques.

Épicarde Lame viscérale du péricarde séreux, qui adhère à la surface du cœur.

Épistémologie Étude de la nature du savoir.

Épreuve d'effort (ECG à l'effort) Électrocardiogramme servant à évaluer la réaction d'une personne à un travail cardiaque accru pendant l'exercice.

Épuisement (phase d') Troisième étape du syndrome d'adaptation; survient lorsque l'adaptation faite à la deuxième étape ne peut être maintenue.

Épuisement professionnel Syndrome complexe de comportements qui s'apparente à la phase de l'épuisement du syndrome général d'adaptation; se caractérise par une extrême fragilité émotionnelle et physique, une attitude et une image de soi négatives et un sentiment d'impuissance et de désespoir.

Équilibre État de stabilité.

Équilibre sensoriel Seuil d'éveil optimal; niveau de vigilance confortable.

Érythème Rougeur associée à différentes éruptions.

Érythème de la cheville Plaie qui survient sur la cheville ou à proximité et est associée à l'hypertension veineuse ou aux varices.

Érythrocytes Globules rouges.

Espace personnel Distance qu'une personne souhaite conserver dans ses interactions avec les autres.

Espace sous-jacent Interstice qui se creuse sous la surface de la peau entre les bords et le lit d'une plaie.

Estime de soi Aptitude d'une personne à éprouver un sentiment favorable à son propre endroit.

Estime de soi globale Affection ou respect qu'une personne se porte dans son ensemble.

Estime de soi spécifique Acceptation ou approbation d'une personne envers une partie précise d'elle-même.

Établissement d'un ordre de priorité Regroupement des diagnostics infirmiers selon leur priorité: élevée, moyenne ou faible.

État de santé Santé d'une personne à un moment donné.

Étendue Mesure de variabilité qui représente la différence entre la valeur la plus élevée et la valeur la plus basse dans une distribution de résultats.

Éthique Étude de la nature du comportement moral et du jugement.

Éthique infirmière Questions éthiques soulevées dans la pratique infirmière.

Ethnicité Conscience d'appartenir à un groupe qui se distingue des autres par ses repères symboliques (culture, biologie, territoire); repose sur les liens établis au cours d'un passé commun et sur l'intérêt ethnique perçu.

Ethnicité biculturelle Appartenance de la personne qui a assimilé deux cultures, deux modes de vie et deux systèmes de valeurs.

Ethnie Groupe de personnes qui partagent une culture commune et distincte, et qui appartiennent à un groupe donné.

Ethnocentrisme Tendance à considérer comme supérieures les valeurs et les croyances du groupe ethnique auquel on appartient par rapport à celles d'autres cultures.

Ethnométhodologie Méthode servant à décrire un phénomène culturel du point de vue des personnes qui partagent la culture étudiée.

Ethnopharmacologie Étude de l'influence des antécédents ethniques sur la réaction aux médicaments.

Ethnorelativité Capacité d'apprécier la richesse des autres cultures et d'en respecter les points de vue.

Étiologie Cause d'une affection.

Étiologie chirurgicale Se dit d'une plaie produite intentionnellement lors d'une opération chirurgicale.

Étude phénoménologique Étude qui vise à comprendre un phénomène, à en saisir l'essence du point de vue de ceux et celles qui en font ou en ont fait l'expérience.

Eupnée Respiration normale, calme, rythmée et aisée.

Euthanasie (suicide assisté) Actes qui permettent de provoquer la mort d'une personne atteinte d'une maladie incurable ou en proie à des souffrances extrêmes.

Euthanasie active Mesures qui causent directement le décès de la personne avec ou sans son consentement.

Évaluation Activité planifiée, continuelle et systématique par laquelle le client et les professionnels de la santé déterminent le degré d'atteinte des objectifs ou d'obtention des résultats et l'efficacité du plan de soins et de traitements infirmiers.

Évaluation des processus Partie de l'assurance de la qualité qui concerne la manière dont l'infirmière utilise la démarche de soins infirmiers et la façon dont les soins sont donnés.

Évaluation des résultats Évaluation portant sur les changements vérifiables dans l'état de santé de la personne qui résultent des soins infirmiers.

Évaluation des risques pour la santé Évaluation servant à indiquer les risques pour une personne de contracter une affection ou d'être blessée au cours des 10 prochaines années.

Évaluation des structures Évaluation de l'environnement où les soins sont prodigués.

Évaporation Perte continue d'humidité provenant des voies respiratoires, des muqueuses de la bouche et de la peau.

Éviscération Extrusion des organes internes, notamment par l'ouverture d'une incision.

Exacerbation Phase d'une affection chronique où les symptômes réapparaissent après une période de rémission.

Exactitude Qualité des données d'un dossier qui expriment des faits ou des observations et non des opinions ou des interprétations.

Examen des systèmes Examen physique pendant lequel l'examinatrice procède système par système.

Excès de poids (embonpoint, surpoids, surplus de poids, surcharge pondérale) Excès correspondant à un indice de masse corporelle de 25 à 29,9.

Excès de volume liquidien (EVL) Rétention d'eau et de sodium dans des proportions semblables dans le liquide extracellulaire.

Excitation/plateau Phase du cycle de la réponse sexuelle qui se caractérise par la vasodilatation.

Excoriation Perte des couches superficielles de la peau.

Excrétion En pharmacocinétique, processus par lequel les métabolites et les médicaments sont éliminés de l'organisme.

Exercice Mouvement corporel planifié, structuré et répétitif, spécifiquement destiné à améliorer ou à maintenir un ou plusieurs éléments de l'aptitude physique.

Exercice du rôle Mesure de la pertinence des comportements de la personne par rapport aux attentes qui pèsent sur elle dans le cadre de son rôle.

Exercice infirmier Pratique professionnelle qui consiste à évaluer l'état de santé d'une personne, à déterminer et à assurer la réalisation du plan de soins et de traitements infirmiers, à prodiguer les soins et les traitements infirmiers et médicaux dans le but de maintenir la santé, de la rétablir et de prévenir la maladie, ainsi qu'à fournir les soins palliatifs.

Exercices aérobiques Activité durant laquelle l'organisme absorbe une quantité d'oxygène égale ou supérieure à celle qu'il dépense.

Exercices anaérobiques Activité durant laquelle les muscles n'ont pas accès à suffisamment d'oxygène issu de la circulation sanguine.

Exercices d'amplitude des mouvements articulaires actifs Exercices isotoniques qui consistent à bouger chaque articulation dans toute son amplitude, en étirant au maximum tous les groupes musculaires dans chaque plan de l'articulation.

Exercices d'amplitude des mouvements articulaires passifs Exercices que l'infirmière exécute et qui consistent à bouger chacune des articulations de la personne dans toute son amplitude, ce qui permet d'étirer au maximum tous les groupes musculaires dans chaque plan.

Exercices isocinétiques (contre résistance) Exercices qui font intervenir une contraction musculaire ou une tension contre une force résistante.

Exercices isométriques (statiques) Exercices qui provoquent la tension d'un muscle contre une résistance externe immobile qui ne change pas la longueur du muscle ou qui ne produit pas de mouvement articulaire.

Exercices isotoniques (dynamiques) Exercices qui produisent une tension musculaire constante et un raccourcissement du muscle qui entraîne sa contraction et le mouvement actif.

Exhalation (expiration) Mouvement des gaz qui sortent des poumons vers l'atmosphère.

Exogène Qui provient de l'extérieur.

Exophtalmie Protrusion des globes oculaires accompagnée d'une élévation des paupières supérieures.

Expectoration Expulsion des sécrétions muqueuses des poumons, des bronches et de la trachée.

Expectorer Tousser en expulsant des mucosités ou d'autres matières.

Expert médicolégal Voir Médecin légiste.

Expiration Expulsion d'air hors des poumons.

Exposition professionnelle Exposition cutanée, oculaire, muqueuse ou parentérale avec du sang ou toute autre matière potentiellement contaminée qui peut survenir dans le cadre des activités professionnelles d'un employé.

Exsudat Substance, par exemple un liquide ou des cellules, qui s'échappe des vaisseaux sanguins durant le processus inflammatoire et qui se dépose dans ou sur un tissu ; paramètre d'évaluation d'une plaie.

Exsudat purulent Exsudat composé de leucocytes, de restes de tissus liquéfiés ainsi que de bactéries vivantes et mortes.

Exsudat sanguinolent Exsudat contenant une grande quantité de globules rouges.

Exsudat séreux Substance inflammatoire composée de sérum et dérivée du sang et des membranes séreuses du corps, par exemple le péritoine, la plèvre, le péricarde et les méninges; a une apparence aqueuse et contient peu de cellules.

Exsudat sérosanguinolent Exsudat composé de liquide clair et teinté de sang.

Externat en soins infirmiers Travail d'une étudiante infirmière à titre d'externe dans un établissement de santé (du 15 mai au 31 août et du 15 décembre au 20 janvier) après qu'elle a terminé sa deuxième année de formation et que l'Ordre des infirmières et infirmiers du Québec a confirmé son admissibilité à l'externat.

Extinction Incapacité de percevoir le toucher sur un côté du corps lorsque deux endroits symétriques de celui-ci sont touchés simultanément.

F

Facteur d'écoulement (débit d'écoulement) Nombre de gouttes par millilitre de solution administrées à l'aide d'une chambre compte-gouttes donnée.

Facteur de protection Ressources internes et externes qui protègent la santé des individus.

Facteur de risque Facteur qui rend une personne vulnérable à l'apparition d'un problème de santé; habitude ayant des effets potentiellement nocifs sur la santé.

Facteur favorisant Élément d'un état ou d'une situation susceptible de contribuer à un problème de santé.

Faisceau auriculoventriculaire (faisceau de His) Branches droite et gauche des voies de conduction ventriculaire.

Famille Unité de base de la société, qui comprend les individus, de sexe masculin ou féminin, enfants ou adultes, légalement apparentés ou non, génétiquement apparentés ou non, qui sont considérés par une personne comme ses proches.

Famille élargie Famille qui inclut la parenté proche de la famille nucléaire (par exemple grands-parents, tantes, oncles).

Famille nucléaire Famille composée des parents et de leurs enfants.

Fardeau des proches aidants Forme de stress subi par les personnes qui doivent s'occuper d'un membre de leur famille à domicile.

Fasciculations Mouvements fins, rapides et saccadés touchant habituellement un petit nombre de fibres musculaires.

Fébrile Qui a rapport à la fièvre; fiévreux.

Fécalome Masse ou accumulation de selles durcies dont la consistance ressemble à du mastic et qui se trouve dans les replis du rectum.

Fèces (selles) Déchets du corps et matière non digérée éliminés par l'intestin.

Feedback Voir Rétroaction.

Fermeture par pression négative Traitement adjuvant qui stimule la formation de tissu de granulation et accélère la contraction d'une plaie.

Feuille de surveillance Feuille sur laquelle l'infirmière note certaines données comme les signes vitaux, l'équilibre liquidien ou les médicaments administrés; a souvent la forme d'un tracé.

Fiabilité Degré de constance avec lequel un instrument mesure un concept ou une variable.

Fibres de conduction cardiaque (fibres de Purkinje) Fibres des voies de conduction ventriculaire qui se terminent dans le muscle ventriculaire et stimulent sa contraction.

Fibres insolubles Glucides complexes d'origine végétale, non digestibles; facilitent le bon fonctionnement du tube digestif.

Fibres solubles Glucides complexes d'origine végétale, non digestibles; retardent l'évacuation gastrique et ralentissent l'absorption du glucose.

Fibrine Protéine insoluble formée par le fibrinogène lors de la coagulation du sang.

Fibrinogène Protéine plasmatique qui est convertie en fibrine lorsqu'elle est libérée dans les tissus et qui, avec la thromboplastine et les plaquettes, forme un réseau enchevêtré faisant office de barrière pour protéger une zone de l'organisme.

Fiche de médicaments Formulaire d'enregistrement systématique qui indique diverses données relatives à l'ordonnance et à la prise de médicaments.

Fidélité Voir Fiabilité.

Fièvre Température corporelle élevée.

Fièvre constante Température corporelle qui varie peu mais qui demeure constamment au-dessus de la normale.

Fièvre intermittente Température corporelle caractérisée par une succession de périodes de fièvre et de périodes normales ou sous la normale.

Fièvre récurrente Fièvre qui se caractérise par l'alternance de périodes fébriles de quelques jours avec des périodes afébriles de un ou deux jours.

Fièvre rémittente Fièvre qui se caractérise par de fortes fluctuations de température (plus de 2 °C) sur une période de 24 heures.

Filtration Processus par lequel un liquide et ses solutés traversent une membrane séparant deux compartiments, en se déplaçant d'une région de pression élevée vers une région de pression plus faible.

Fiole Petite bouteille de verre ou de plastique scellée par un bouchon de caoutchouc et renfermant un médicament liquide ou en poudre.

Fissures Crevasses profondes provoquées par la sécheresse et le fendillement de la peau.

Flasques Se dit des muscles qui manquent de tonus musculaire.

Flatulence Présence de quantités excessives de gaz dans l'estomac ou les intestins.

Flatuosités Gaz ou air normalement présent dans l'estomac ou les intestins.

Flore microbienne normale Microorganismes dont la présence est normale sur la peau, sur les muqueuses, dans l'arbre respiratoire et dans le tube digestif.

Fonctions autonomes Domaine des soins de santé propre à la profession d'infirmière, séparé et différent de la gestion médicale.

Force de cisaillement Mélange de friction et de pression qui, appliqué à la peau, endommage les vaisseaux sanguins et les tissus.

Formation continue Activités d'apprentissage organisées accomplies par l'infirmière après sa formation de base.

Forme PES Les trois éléments essentiels des énoncés diagnostiques, incluant la description du problème, l'étiologie du problème, et les caractéristiques déterminantes ou regroupements de signes et de symptômes.

Formulaire d'enregistrement systématique Forme de notes d'évolution servant à documenter les activités d'intervention.

Formule leucocytaire Proportion de chacun des types de leucocytes dans un échantillon de 100 globules blancs.

Formule sanguine complète (FSC, hémogramme) Analyse d'échantillons de sang veineux; comprend la mesure de l'hémoglobine, l'hématocrite, la numération érythrocytaire et leucocytaire, les indices globulaires et la formule leucocytaire.

Fosse triangulaire Dépression de l'anthélix.

Frémissement Sensation de tremblement comme celui produit par le ronronnement d'un chat ou l'eau circulant dans un tuyau d'arrosage.

Fréquence cardiaque (FC) Nombre de battements par minute.

Friction Frottement; force qui s'oppose à un mouvement; force mécanique appliquée parallèlement à la surface de la peau.

Gale Infestation contagieuse causée par un acarien, le sarcopte de la gale.

Gastroscopie Examen endoscopique de l'estomac.

Gastrostomie Abouchement de l'estomac à la paroi abdominale.

Gastrostomie percutanée endoscopique (GPE) Introduction d'un cathéter d'alimentation à travers la peau et les tissus souscutanés jusqu'à l'estomac.

Gaz du sang artériel Gaz mesurés à partir d'un échantillon de sang artériel dont l'analyse permet d'évaluer l'oxygénation, la ventilation et l'équilibre acidobasique.

Gencives Muqueuses recouvrant la racine des dents.

Génogramme Diagramme de la famille comprenant au moins trois générations.

Genre Identité sexuelle des personnes, d'un point de vue personnel ou social plutôt que strictement biologique.

Géragogie Démarche qui vise à stimuler et à favoriser l'apprentissage chez les personnes âgées.

Gestion de cas (suivi systématique de clientèles) Méthode de prestation de soins infirmiers selon laquelle l'infirmière est responsable d'une charge professionnelle dans le continuum des soins de santé; favorise l'intégration et la continuité des services de santé prodigués à une personne ou à un groupe.

Gestion des risques Mise en place d'un système de réduction des dangers qui peuvent menacer les personnes soignées ou les membres du personnel.

Gestion participative Approche qui favorise la prise de décision par l'ensemble des membres du groupe.

Gestion publique Critère de la *Loi canadienne sur la santé* en vertu duquel une autorité publique sans but lucratif doit gérer les régimes d'assurance santé provinciaux et territoriaux.

Gestionnaire Personne qui occupe un poste au sein d'une organisation lui accordant le pouvoir d'orienter et de diriger le travail d'autres personnes.

Gingivite Rougeur et tuméfaction des gencives.

Glandes apocrines Glandes sébacées situées principalement dans les régions axillaires et anogénitales; commencent à fonctionner à la puberté sous l'influence des androgènes.

Glandes eccrines Petites glandes sudoripares disséminées presque partout sur le corps.

Glandes sébacées Glandes qui sont actives sous l'influence des hormones androgènes tant chez les hommes que chez les femmes et qui sécrètent du sébum.

Glandes sudoripares (sudorifères) Glandes du derme qui sécrètent la sueur.

Glaucome Altération de la circulation de l'humeur aqueuse qui entraîne une augmentation de la pression intraoculaire.

Globule blanc Élément figuré du sang: cellule possédant un noyau.

Glomérule Bouquet de vaisseaux capillaires entouré par la capsule de Bowman.

Glossite Inflammation de la langue.

Glucagon Hormone pancréatique agissant sur le foie et déclenchant la libération de glucose à partir des réserves de glycogène.

Glucide complexe Amidons et fibres.

Glucide simple Sucre simple, par exemple glucose.

Glycémie Quantité de glucose dans le sang.

Glycéride Lipide le plus courant, qui se compose d'une molécule de glycérol pour un à trois acides gras.

Glycogène Polymère du glucose; principal glucide stocké dans l'organisme, surtout dans le foie et les muscles.

Glycogenèse Processus de formation du glycogène.

Graisses Lipides qui sont solides à température ambiante.

Gras trans Matière grasse soumise à l'hydrogénation et ayant des liaisons doubles *trans* plutôt que *cis*.

Grief Plainte faite par un employé, un syndicat ou un employeur au sujet d'un conflit, d'un différend, d'une controverse ou d'un désaccord à propos des conditions d'emploi.

Groupe Deux personnes ou plus qui partagent des besoins et des objectifs communs.

Groupe ethnique Groupe dont les membres partagent un patrimoine culturel et social commun, transmis de génération en génération.

Gustatif Qui a rapport au sens du goût.

Habiletés cognitives Habiletés intellectuelles qui comprennent la résolution de problèmes, la prise de décision, la pensée critique et la créativité.

Habiletés interpersonnelles Ensemble des activités verbales et non verbales que la personne utilise pour communiquer directement avec les autres.

Habiletés techniques Habiletés « pratiques » comme celles qui sont requises pour manipuler du matériel, faire une injection ou déplacer une personne. Aussi appelées tâches, procédures ou habiletés psychomotrices.

Habitudes en matière d'activité et d'exercice Ce que fait d'ordinaire une personne dans ce domaine (exercice, activité physique et loisirs).

Haustrations Poches qui se forment dans le gros intestin, en raison du fait que les muscles longitudinaux sont plus courts que le côlon.

Hélix Courbe postérieure du bord supérieur de l'auricule.

Hématocrite Proportion des globules rouges (érythrocytes) dans le volume sanguin total.

Hématome Accumulation de sang dans un tissu, un organe ou un espace, causée par une rupture de la paroi d'un vaisseau.

Hémoculture Méthode paraclinique utilisée pour détecter les germes infectieux dans le sang.

Hémoglobine Protéine des globules rouges qui transporte l'oxygène.

Hémoglobine A$_{1C}$ Hémoglobine glycosylée ou hémoglobine glyquée ; désigne un examen de laboratoire qui mesure le glucose lié à l'hémoglobine.

Hémogramme Voir Formule sanguine complète.

Hémoptysie Présence de sang dans les expectorations.

Hémorragie Perte excessive de sang du système vasculaire.

Hémorroïdes Veines distendues dans le rectum.

Hémostase Arrêt d'une hémorragie.

Hémothorax Accumulation de sang dans la cavité pleurale.

Henderson, Virginia En 1966, elle fut l'une des premières infirmières modernes à définir les soins infirmiers.

Hernie Saillie d'un segment d'intestin dans la paroi inguinale ou le canal inguinal.

Hippocratisme digital Élévation de la face proximale de l'ongle et ramollissement du lit unguéal.

Hirsutisme Développement excessif de la pilosité.

Holisme Théorie selon laquelle la nature tend à rapprocher les choses pour former des organismes complets, considérés comme des ensembles et non comme la somme de leurs parties.

Homéopathie Méthode thérapeutique non traditionnelle selon laquelle la maladie réside dans la maladie elle-même ; par conséquent, le traitement se fait avec des quantités extrêmement diluées des mêmes substances qui produiraient, à une concentration plus élevée, les symptômes de la maladie.

Homéostasie État d'équilibre des liquides, des électrolytes, des acides et des bases de l'organisme.

Homéostasie psychologique Équilibre ou sensation de bien-être émotionnel ou psychologique.

Hôte affaibli Personne qui présente un risque élevé d'infection.

Huiles Lipides qui sont liquides à la température ambiante.

Humidificateur Instrument qui ajoute de la vapeur d'eau à l'air inspiré.

Humour En soins infirmiers, fait d'aider une personne à percevoir, à apprécier et à exprimer ce qui peut être drôle, amusant ou ridicule afin qu'elle puisse établir des relations avec les autres, dissiper ses tensions, libérer sa colère, faciliter son apprentissage ou faire face aux sensations douloureuses.

Hygiène Ensemble des soins que s'administre une personne et qui comprend le bain, l'hygiène corporelle générale et le soin qu'elle apporte à son apparence.

Hyperalgésie Sensibilité extrême à la douleur.

Hypercalcémie Excès de calcium dans le plasma sanguin.

Hypercapnie Accumulation de dioxyde de carbone dans le sang.

Hyperchlorémie Excès de chlorure dans le plasma sanguin.

Hyperémie Augmentation localisée de l'apport sanguin.

Hyperémie réactive Vasodilatation enclenchée par l'organisme pour compenser l'insuffisance de l'apport sanguin entraîné par la compression de la peau et des tissus sous-jacents.

Hyperglycémie Quantité excessive de glucose dans le sang.

Hyperinsulinémie Excès d'insuline dans le sang.

Hyperkaliémie Excès de potassium dans le plasma sanguin.

Hypermagnésémie Excès de magnésium dans le plasma sanguin.

Hypermétropie Réfraction anormale qui fait que les rayons lumineux convergent derrière la rétine, rendant difficile la vision de près ; hyperopie.

Hypernatrémie Excès de sodium dans le plasma sanguin.

Hyperoxygénation Administration d'oxygène au moyen d'un ballon de réanimation manuel ou d'un ventilateur ; augmente l'apport d'oxygène (habituellement à 100 %) avant l'aspiration et entre deux aspirations.

Hyperphosphatémie Excès de phosphate dans le plasma sanguin.

Hyperpyrexie Très forte fièvre, atteignant par exemple 41 °C.

Hypersomnie Sommeil excessivement prolongé.

Hypersonorité Son fort qui se fait entendre sur un poumon emphysémateux.

Hypertension Pression artérielle anormalement élevée ; pression systolique supérieure à 140 mm Hg et (ou) pression diastolique supérieure à 90 mm Hg.

Hyperthermie Température corporelle très élevée (par exemple 41 °C).

Hypertonique Se dit d'une solution qui a une osmolalité plus élevée que celle des liquides organiques.

Hypertrophie Augmentation de volume d'un muscle ou d'un organe.

Hyperventilation (hyperventilation alvéolaire) Respirations très profondes et rapides.

Hypervolémie Augmentation anormale du volume sanguin.

Hypnose État de conscience modifié dans lequel la personne est concentrée et où la distraction est minimale ; utilisée pour maîtriser la douleur, modifier des fonctions physiologiques et changer des habitudes de vie.

Hypocalcémie Insuffisance de calcium dans le plasma sanguin.

Hypochlorémie Insuffisance de chlorure dans le plasma sanguin.

Hypoglycémie Quantité insuffisante de glucose dans le sang.

Hypokaliémie Insuffisance de potassium dans le plasma sanguin.

Hypomagnésémie Insuffisance de magnésium dans le plasma sanguin.

Hyponatrémie Insuffisance de sodium dans le plasma sanguin.

Hypophosphatémie Insuffisance de phosphate dans le plasma sanguin.

Hypotension Pression artérielle anormalement basse ; pression systolique qui se situe de manière constante entre 85 et 110 mm Hg chez l'adulte.

Hypotension orthostatique Diminution de la pression artérielle lorsque la personne passe de la position couchée ou assise à la position debout.

Hypothermie Abaissement de la température corporelle centrale sous la limite inférieure de la normale.

Hypotonique Se dit d'une solution qui a une osmolalité inférieure à celle des liquides organiques.

Hypoventilation Respiration lente et superficielle, occasionnant une ventilation inadéquate et insuffisante des alvéoles pulmonaires.

Hypovolémie Diminution anormale du volume sanguin.

Hypoxémie Insuffisance d'oxygène dans le sang.

Hypoxie Insuffisance d'oxygène dans l'organisme.

Ictère Coloration jaune de la peau.

Identité culturelle Sentiment acquis par un membre appartenant à un groupe ethnique.

Identité personnelle Conscience qu'une personne a des caractéristiques qui la rendent unique, lesquelles évoluent tout au long de la vie.

Identité sexuelle Image de soi en tant qu'homme ou en tant que femme; comporte une caractérisation biologique et repose sur des dimensions sociales et culturelles.

Iléostomie Abouchement de l'iléum (section distale de l'intestin grêle) à la paroi abdominale.

Iléus paralytique Interruption temporaire des mouvements intestinaux et de l'élimination intestinale.

Image corporelle Idée qu'une personne a de sa taille, de son apparence et du fonctionnement de son corps ou d'une partie de celui-ci.

Image de soi sexuelle Manière dont la personne se considère en tant qu'être sexuel.

Imagerie mentale (visualisation) Application de l'usage conscient de la puissance de l'imagination avec l'intention de déclencher une guérison biologique, psychologique ou spirituelle.

Imagerie par résonance magnétique (IRM) Technique non effractive de visualisation des structures internes d'une personne placée dans un champ magnétique.

Imitation Conduite qui consiste à copier les comportements et les attitudes d'une autre personne.

Immatriculation Enregistrement obligatoire des étudiantes en soins infirmiers à l'Ordre professionnel.

Immobilité Réduction du nombre de mouvements qu'une personne peut exécuter et diminution du contrôle qu'elle exerce sur ses mouvements.

Immunisation active Voir Vaccination.

Immunité Résistance spécifique de l'organisme à l'infection; peut être active ou passive.

Immunité active Résistance de l'organisme à l'infection dans laquelle l'hôte produit ses propres anticorps ou lymphocytes T cytotoxiques en réponse à des antigènes naturels ou artificiels.

Immunité à médiation cellulaire Réponse immunitaire déclenchée par le système des lymphocytes T.

Immunité humorale Défense liée à la présence d'anticorps; repose sur les lymphocytes B, qui produisent les anticorps.

Immunité passive Résistance du corps à une infection pour laquelle l'hôte reçoit des anticorps naturels ou artificiels produits par une autre source.

Immunoglobulines Anticorps; protéines plasmatiques dont il existe cinq classes (IgM, IgG, IgA, IgD et IgE).

Impuissance Voir Dysfonction érectile.

Inconscient Vie mentale qui se déroule à l'insu de la personne.

Incontinence fécale Perte de la capacité de maîtriser volontairement l'évacuation des gaz et des fèces par le sphincter anal.

Incontinence urinaire Incapacité temporaire ou permanente du muscle sphincter externe de freiner le débit urinaire de la vessie.

Incus Os de l'oreille moyenne; enclume.

Indicateurs Données subjectives ou objectives que l'infirmière peut observer directement.

Indice de masse corporelle (IMC) Indice qui permet d'évaluer si la masse d'une personne est appropriée à sa taille.

Indice globulaire Indications sur le volume, le poids et la concentration d'hémoglobine des globules rouges.

Indice glycémique Vitesse à laquelle l'ingestion d'un aliment contenant un glucide fait augmenter la glycémie.

Indisposition Sensation ou état subjectif dans lequel une ou plusieurs des dimensions de la personne (physique, émotionnelle, intellectuelle, sociale, développementale ou spirituelle) sont perçues comme étant diminuées.

Infarctus du myocarde (IM) Interruption de l'irrigation d'une partie du myocarde provoquée par l'artériosclérose ou un caillot sanguin; entraîne la nécrose et la mort du tissu cardiaque.

Infection Invasion des tissus par des microorganismes dont le nombre et la virulence sont tels que le système immunitaire n'arrive pas à les combattre.

Infection aiguë Infection qui apparaît généralement de manière soudaine ou qui dure peu de temps.

Infection chronique Infection lente, qui dure très longtemps, parfois des mois ou des années.

Infection généralisée Infection qui survient quand des agents pathogènes se disséminent et atteignent différentes parties du corps.

Infection iatrogène Infection qui découle directement d'une intervention diagnostique ou thérapeutique.

Infection locale Infection limitée à la partie du corps où se trouvent les microorganismes.

Infection nosocomiale Infection associée à la prestation de soins dans un établissement de santé.

Inférences Interprétations ou conclusions que l'infirmière formule à partir d'indicateurs.

Infirmière en service externe Infirmière qui aide les infirmières en service interne ainsi que les chirurgiens durant les interventions chirurgicales.

Infirmière en service interne Infirmière qui assiste le chirurgien.

Infirmière première assistante en chirurgie Infirmière qui apporte une aide clinique et technique au chirurgien; elle peut effectuer, par exemple, la suture des fascias, des tissus sous-cutanés et de la peau, et manipuler un laparoscope.

Inflammation Réaction de défense locale et non spécifique des tissus, déclenchée par une lésion ou un agent pathogène.

Influence Stratégie informelle utilisée pour obtenir la coopération des autres sans exercer d'autorité formelle.

Ingestion Acte d'absorber des aliments.

Inhalation (inspiration) Action d'inspirer ; apport d'air ou d'autres substances dans les poumons.

Injection intradermique (ID) Injection d'un médicament dans le derme.

Injection intramusculaire (IM) Injection d'un médicament dans le tissu musculaire.

Inscription Action de noter des données dans le dossier d'une personne.

Insomnie Incapacité d'avoir un sommeil en quantité suffisante ou de qualité adéquate.

Inspection Examen visuel, c'est-à-dire effectué à l'aide du sens de la vue.

Inspiration Absorption d'air dans les poumons.

Inspiromètre d'incitation Appareil servant à mesurer le volume d'air inhalé.

Insuffisance cardiaque Incapacité du cœur de maintenir les besoins des tissus en oxygène et en nutriments ; apparaît généralement après un infarctus du myocarde, mais peut également être due à un surmenage chronique du cœur.

Insulinorésistance Diminution de la sensibilité des récepteurs d'insuline des cellules.

Intégralité Critère de la *Loi canadienne sur la santé* en vertu duquel les provinces ou les territoires doivent prodiguer tous les services de santé assurés fournis par les hôpitaux, les médecins ou les dentistes.

Intensité Force d'un bruit (fort ou faible).

Interaction médicamenteuse Interaction bénéfique ou néfaste d'un médicament avec un autre médicament.

Interdisciplinarité Collaboration de diverses compétences professionnelles ciblant un même but.

Interprète Individu qui sert d'intermédiaire entre deux personnes parlant des langues différentes et qui doit traduire sans ajouter ni omettre de renseignements, et sans déformer ni reformuler le message.

Intervention en situation de crise Intervention de courte durée qui aide la personne à traverser la crise jusqu'à sa résolution et à revenir à son niveau de fonctionnement antérieur.

Intervention infirmière Traitement fondé sur le jugement clinique et les connaissances de l'infirmière et que celle-ci applique pour améliorer l'état de la personne.

Interventions Étape de la démarche de soins infirmiers qui consiste à accomplir et à documenter les activités.

Interventions autonomes Activités que l'infirmière est autorisée à amorcer en se basant sur ses connaissances et ses compétences.

Interventions en collaboration Actions que l'infirmière accomplit de concert avec d'autres membres de l'équipe de soins, tels les physiothérapeutes, les travailleurs sociaux, les diététistes et les médecins, en collaboration avec la personne et ses proches.

Interventions selon une ordonnance Activités que l'infirmière accomplit à la suite d'une ordonnance médicale, sous la surveillance du médecin et conformément à des méthodes spécifiées.

Intitulé (énoncé diagnostique) Énoncé utilisé pour formuler un diagnostic infirmier ; extrait de la taxinomie standardisée de NANDA.

Intolérance au lactose Incapacité de digérer le lait d'origine animale et ses dérivés en raison d'une déficience en lactase.

Intradermique Se dit d'une injection effectuée dans le derme, sous l'épiderme.

Intramusculaire Se dit d'une injection effectuée dans un muscle.

Intrathécale (rachidienne) Se dit d'une injection effectuée dans le canal rachidien.

Intraveineuse Se dit d'une injection effectuée dans une veine.

Intuition Compréhension ou apprentissage d'une chose sans l'utilisation consciente du raisonnement.

Ions Atomes ou groupe d'atomes qui transportent une charge électrique positive ou négative ; électrolytes.

Irrigation (lavage) Lavage ou rinçage d'une cavité, d'un organe ou d'une plaie avec une solution particulière, médicamentée ou non.

Irrigation sanguine Apport de sang aux organes et aux tissus.

Irrigation tissulaire Passage de liquides à travers un organe ou une partie du corps.

Irrigation vésicale Technique de rinçage de la vessie par instillation d'une solution appropriée.

Ischémie Insuffisance de l'apport sanguin due à une obstruction de la circulation dans la partie atteinte.

Isolement Mesure de contrôle qui consiste à confiner une personne dans un lieu d'où elle ne peut sortir librement pour un temps déterminé.

Isotonique Se dit d'une solution qui a la même osmolalité que les liquides organiques.

Jéjunostomie Abouchement du jéjunum à la paroi abdominale.

Jéjunostomie percutanée endoscopique (JPE) Introduction d'un cathéter d'alimentation à travers la peau et les tissus souscutanés jusqu'au jéjunum.

Journal alimentaire Bilan détaillé des portions de tous les aliments et de tous les liquides consommés par la personne au cours d'une période donnée, habituellement de trois à sept jours.

Justice Équité.

Justification scientifique Énoncé du principe sur lequel repose le choix d'une intervention infirmière.

Kilojoule (kJ) Unité du système international (système métrique) qui désigne la quantité d'énergie requise pour qu'une force de 1 newton (1 N) déplace 1 kg de masse sur une distance de 1 m.

Kinesthésique (proprioceptif) Qui se rapporte à la conscience de sa posture et du mouvement des parties du corps.

L

Lanugo Poil ou duvet fin et laineux sur les épaules, le dos, le sacrum et le lobe des oreilles du fœtus.

Lavage Voir Irrigation.

Lavement Solution introduite dans le rectum et le côlon sigmoïde pour éliminer les selles ou les gaz.

Lavement baryté Appellation courante de l'examen radiologique de la partie inférieure du tube digestif.

Laxatif Médicament qui stimule l'activité intestinale et favorise l'élimination fécale.

Leader Personne qui exerce une influence sur les membres de son entourage et les incite à collaborer en vue d'atteindre un objectif précis.

Leader administratif Leader qui ne fait confiance à personne; s'appuie plutôt sur les directives et les règlements pour diriger le travail du groupe.

Leader autocratique (autoritaire) Leader qui prend les décisions pour le groupe.

Leader charismatique Leader dont le style se caractérise par la relation affective qui l'unit aux membres du groupe.

Leader de type laisser-faire (non directif ou permissif) Leader qui reconnaît les besoins du groupe en matière d'autonomie et d'esprit de discipline; croit à l'approche non interventionniste.

Leader démocratique (coopératif ou participatif) Leader qui favorise les discussions et les prises de décision collectives.

Leader transactionnel Leader qui entretient des relations fondées sur l'échange de ressources précieuses aux yeux des membres du groupe et qui utilise des incitatifs pour favoriser la loyauté et la performance.

Leader transformationnel Leader qui favorise la créativité, la prise de risques, l'engagement et la collaboration en permettant au groupe de participer à la vision de l'organisation.

Leadership formel Situation où le leader est choisi par l'organisation à laquelle il appartient; celle-ci lui confie officiellement l'autorité de prendre des décisions et d'agir.

Leadership infirmier Leadership dont les objectifs sont l'amélioration de l'état de santé des personnes ou des membres de leur famille, l'accroissement de l'efficacité et du degré de satisfaction des collègues de travail, ainsi que l'amélioration de l'attitude et de la satisfaction à l'égard de la profession d'infirmière, aussi bien de la part du public que des membres du gouvernement.

Leadership informel Situation où le leader n'est pas désigné officiellement, mais où, en raison de son ancienneté, de son âge, de son charisme ou de ses habiletés particulières, il est choisi comme leader par le groupe.

Leadership partagé Théorie contemporaine du leadership qui reconnaît des capacités de leadership à chaque membre d'un groupe professionnel et qui suppose que le leadership nécessaire émergera de la résolution des problèmes auxquels le groupe se heurte.

Leadership situationnel Mode d'action du leader qui adapte son style de leadership en fonction des capacités des employés, de sa connaissance de la nature des tâches à accomplir et de sa sensibilité au contexte ou à l'environnement dans lequel ces tâches seront accomplies.

Leucocytes Globules blancs.

Leucocytose Augmentation du nombre de globules blancs.

Lieu de contrôle Concept découlant de la théorie sociale cognitive et permettant de déterminer dans quelle mesure une personne considère qu'elle peut exercer une maîtrise sur sa santé.

Ligne de gravité Ligne verticale imaginaire traversant le centre de gravité du corps.

Limite (d'un système) Ligne réelle ou imaginaire qui permet de distinguer un système d'un autre système ou de son environnement.

Linceul Grand morceau de tissu ou de plastique utilisé pour envelopper le corps après le décès.

Lipides Substances organiques grasses et insolubles dans l'eau, mais solubles dans d'autres lipides et dans l'alcool ou l'éther.

Lipodermatosclérose Affection qui touche la zone de la guêtre et qui se caractérise par une induration ligneuse causée par l'apparition de régions de tissu conjonctif dans le tissu adipeux et le derme profond.

Lipoprotéines Composés solubles faits de différents lipides et de protéines.

Lipoprotéines de basse densité (LDL) Composés qui transportent le cholestérol vers les tissus; mauvais cholestérol.

Lipoprotéines de haute densité (HDL) Composés qui transportent le cholestérol des tissus au foie, où il est dégradé; bon cholestérol.

Liquide extracellulaire Liquide se trouvant à l'extérieur des cellules de l'organisme.

Liquide interstitiel Liquide dans lequel baignent les cellules.

Liquide intracellulaire Liquide se trouvant à l'intérieur des cellules de l'organisme.

Liquide intravasculaire Plasma.

Liquide transcellulaire Compartiment de liquides extracellulaires; comprend les liquides suivants: cérébrospinal, péricardique, pancréatique, pleural, intraoculaire, biliaire, péritonéal et synovial.

Lithiase rénale (calculs urinaires) Concrétions pierreuses qui se forment dans les reins et qui peuvent migrer dans les uretères et la vessie.

Littératie en santé Capacité de trouver, de comprendre, d'évaluer et de communiquer l'information qui se rapporte à la santé de manière à promouvoir, à maintenir et à améliorer sa santé dans divers milieux au cours de la vie.

Lividité cadavérique (livor mortis) Décoloration de la peau causée par la décomposition des globules rouges; survient après la cessation de la circulation sanguine; apparaît dans les régions déclives du corps.

Lobule Lobe de l'oreille.

Localisation Paramètre d'évaluation d'une plaie; fournit des précisions sur son étiologie et son potentiel de guérison.

Loi canadienne sur la santé Loi sanctionnant la politique canadienne de la santé, dont le premier objectif est de protéger, de favoriser et d'améliorer le bien-être physique et mental des habitants du Canada et de faciliter un accès satisfaisant aux services de santé, sans obstacles d'ordre financier ou autre.

Loi modifiant le Code des professions et d'autres dispositions législatives dans le domaine de la santé Loi qui offre un nouveau cadre définissant le champ d'exercice et de nouvelles activités réservées aux infirmières; cette loi clarifie le rôle des infirmières dans les équipes soignantes, en plus de légitimer des pratiques qui s'étaient développées en marge durant les 30 années précédentes.

Loi sur la santé publique Loi qui encadre l'ensemble des actions en santé publique : surveillance de l'état de santé de la population, promotion de la santé, prévention de la maladie et protection de la santé.

Loi sur les infirmières et les infirmiers Loi qui définit l'exercice infirmier et la pratique infirmière.

Lordose Courbure physiologique du rachis lombaire, qui se creuse vers l'avant.

Loyauté Fidélité aux ententes et aux promesses.

Lymphocytes T Cellules spécialisées qui interviennent lors de la réponse immunitaire à médiation cellulaire ou qui servent d'auxiliaires lors de la réponse humorale.

Macération Atrophie ou ramollissement d'un solide ou d'un tissu par trempage ; souvent utilisée pour décrire les changements dégénératifs suivis d'une possible désintégration.

Macrominéraux Minéraux dont la dose à prendre est supérieure à 100 mg.

Macrophagocyte Type de cellule phagocytaire dérivée des monocytes.

Maîtrise du rôle Accomplissement des fonctions d'un rôle qui satisfait les attentes de la société.

Maladie Voir Affection.

Maladie iatrogénique Affection causée involontairement par une thérapie médicale.

Maldigestion du lactose Voir Intolérance au lactose.

Malleus Os de l'oreille moyenne ; marteau.

Malnutrition Alimentation insuffisante ou inadéquate.

Malnutrition protéinoénergétique Problème résultant d'une déficience à long terme de l'apport énergétique ; se caractérise par une carence en protéines viscérales (par exemple l'albumine), une perte de poids et une atrophie musculaire.

Mandat en cas d'inaptitude Document qui permet à toute personne majeure et saine d'esprit de nommer un mandataire qui verra à sa protection ou à l'administration de ses biens dans l'éventualité où elle deviendrait inapte à le faire.

Manœuvre de Credé Pression manuelle exercée sur la vessie pour pousser l'urine à l'extérieur des voies urinaires.

Manœuvre de Heimlich (poussée abdominale) Technique qui permet de dégager les voies respiratoires par l'expulsion d'un corps étranger.

Manœuvre de Valsalva Forte pression exercée lors de l'expiration, glotte fermée, ce qui augmente la pression intrathoracique et, par le fait même, perturbe le retour du sang veineux vers le cœur.

Manomètre Instrument servant à mesurer la pression d'un liquide ou d'un gaz.

Manque de sommeil Syndrome résultant de perturbations du sommeil.

Manubrium Partie supérieure du sternum qui se joint aux clavicules.

Marche Action de marcher ; fonction naturelle pour la plupart des gens.

Margination Agrégation ou alignement de substances (par exemple agrégation de globules blancs contre la paroi d'un vaisseau sanguin dans la réaction inflammatoire).

Marketing social Forme d'intervention utilisant les mêmes techniques qu'emploient les promoteurs de certains produits de consommation.

Massage thérapeutique (massothérapie) Massage qui détend les muscles tendus, libère l'acide lactique accumulé pendant l'exercice, améliore la circulation sanguine et lymphatique, étire et soulage les articulations ankylosées, soulage la douleur en libérant des endorphines et réduit la congestion.

Matité franche Bruit extrêmement mat produit par un tissu très dense, comme un muscle ou un os.

Méat Ouverture, passage ou canal.

Méat acoustique externe Conduit qui relie l'auricule au tympan.

Méat urétral Orifice externe de l'urètre.

Mécanisme d'adaptation Moyen inné ou acquis de réagir au changement ou aux problèmes.

Mécanisme de défense Toute réaction qui sert à se protéger contre une chose physiquement ou psychologiquement nuisible ; mécanisme mental qui se met en action quand la personne essaie de se défendre, de trouver un compromis entre ses pulsions conflictuelles et de soulager ses tensions internes.

Méconium Première matière fécale produite par le nouveau-né ; s'étend habituellement sur une période de 24 heures après la naissance.

Médecin légiste (expert médicolégal) Médecin habituellement spécialisé en pathologie ou en médecine légale qui détermine la cause d'un décès.

Médecine chinoise traditionnelle (MCT) Médecine qui a cours depuis des milliers d'années et qui prend naissance dans un système complexe intégrant des théories médicales, des théories philosophiques et une longue tradition empirique documentée.

Médecine traditionnelle Ensemble des croyances et des pratiques liées à la prévention et à la guérison de la maladie, qui proviennent de traditions culturelles plutôt que d'une source scientifique moderne.

Médiane Valeur située exactement au milieu d'une série statistique ; sépare la série en deux groupes de valeurs égaux.

Médicament Substance qu'on administre dans le but d'établir un diagnostic, de guérir, traiter ou soulager un ou plusieurs symptômes, ou de prévenir une affection.

Médicaments auriculaires Médicaments qui s'administrent dans le méat acoustique externe sous forme d'irrigation ou d'instillation.

Médicaments ophtalmiques Médicaments qui s'administrent dans l'œil sous forme d'irrigation ou d'instillation.

Méditation Action de focaliser ses pensées ou de s'absorber dans la contemplation ou dans la réflexion sur soi.

Membrane alvéolocapillaire Endroit où se produit l'échange gazeux entre l'air du côté alvéolaire et le sang du côté capillaire ; les parois alvéolaires et capillaires forment la membrane pulmonaire.

Membrane tympanique Voir Tympan.

Ménisque Dôme en forme de croissant d'un manomètre au mercure.

Ménopause (climatère) Arrêt de la menstruation.

Menstruation (règles) Écoulements sanguins mensuels qui commencent à la puberté.

Mentor Personne expérimentée qui agit comme guide ou conseillère et qui assume la responsabilité de promouvoir le perfectionnement et l'avancement professionnel d'individus moins expérimentés.

Mesure de contention Voir Contention.

Mesure des gaz du sang artériel Mesure servant à évaluer l'équilibre acidobasique et l'oxygénation du sang.

Mesures de contrôle Recours à la contention, à l'isolement et aux substances chimiques pour empêcher une personne de s'infliger des lésions ou d'en infliger à autrui.

Mesures de dispersion (mesures de variabilité) Mesures des séries statistiques qui comprennent l'étendue, l'écart type et la variance.

Mesures de remplacement (mesures alternatives) Mesures efficaces, efficientes et respectueuses de la personne, de son autonomie, de son environnement et de ses proches ; mesures préalables à l'utilisation d'une mesure de contrôle.

Mesures de tendance centrale Mesures des séries statistiques qui comprennent la moyenne, la médiane et le mode.

Métabolisme Somme de tous les processus physiques et chimiques qui contribuent à la formation et au maintien de la substance vivante et qui rendent disponible l'énergie dont l'organisme a besoin.

Métabolisme basal Dépense énergétique minimale requise pour maintenir les activités essentielles de l'organisme, comme la respiration.

Métabolisme d'un médicament (biotransformation) Processus par lequel l'organisme transforme un médicament en une forme moins active.

Métabolites Produits du processus de biotransformation.

Métaparadigme en sciences infirmières Terme provenant des mots grecs *meta*, qui signifie « ce qui dépasse », et *paradigma*, « exemple » ; modèle fondé sur quatre concepts théoriques des sciences infirmières : le client, l'environnement, la santé et les soins.

Méthode APIE Méthode de documentation selon laquelle on regroupe les renseignements portés au dossier d'une personne en quatre catégories : analyse, problèmes, interventions et évaluation des soins infirmiers.

Méthode de gestion de cas Méthode de documentation qui vise la prestation de soins de qualité et efficients lors d'un séjour d'une durée déterminée.

Méthode des cas Voir Méthode des soins intégrés.

Méthode des notes ciblées Méthode de documentation selon laquelle l'infirmière se concentre sur les soins et les besoins de la personne, sur ses problèmes et ses forces ainsi que sur l'évolution de sa situation de santé.

Méthode des notes d'exception Méthode de documentation selon laquelle l'infirmière note seulement les résultats anormaux ou importants, ou encore ceux qui s'écartent de la norme.

Méthode des notes narratives Méthode de documentation permettant de noter de façon continue et chronologique tous les événements, soins, traitements et autres interventions se rapportant à la personne.

Méthode des soins intégrés (méthode des cas) Modèle de distribution des soins infirmiers centré sur la personne.

Méthode fonctionnelle en soins infirmiers Modèle de distribution des soins infirmiers centré sur les tâches à accomplir.

Méthode scientifique Méthode rigoureuse d'acquisition de connaissances par l'observation et l'expérience.

Méthode SOAPIER Méthode de documentation selon laquelle on consigne au dossier de la personne les données subjectives (S), les données objectives (O), l'analyse de la situation à partir des données recueillies (A), l'intervention planifiée devant les problèmes ou les diagnostics infirmiers définis (P), les interventions (I), l'évaluation (E) et la révision (R).

Microminéraux (oligoéléments) Minéraux dont la dose à prendre est inférieure à 100 mg par jour.

Miction Processus de vidange de la vessie.

Miction impérieuse Envie d'uriner irrépressible.

Migration Passage des leucocytes des vaisseaux sanguins au liquide interstitiel des tissus endommagés.

Millimole Unité de mesure de la concentration d'un soluté dans un volume donné de solution.

Minéraux Substances présentes dans certains composés organiques, dans des composés inorganiques ou sous forme d'ions libres.

Mobilité Capacité de se mouvoir librement, facilement, de façon harmonieuse et délibérée dans l'environnement.

Mode Valeur la plus fréquente d'une série statistique.

Mode alimentaire Vogue de courte durée suivie par un nombre important de personnes et reposant sur la conviction que certains aliments possèdent des caractéristiques particulières.

Mode de vie Façon générale dont une personne vit.

Modelage Processus par lequel une personne apprend en observant le comportement des autres.

Modèle conceptuel Représentation d'un cadre conceptuel sous la forme d'une illustration ou d'un diagramme.

Modèle de pratique différenciée en soins infirmiers Modèle de distribution des soins infirmiers qui permet à l'infirmière de se perfectionner et d'assumer les fonctions et les responsabilités correspondant à son expérience, à ses capacités et à sa formation.

Modèle des événements de vie Échelle permettant d'évaluer les répercussions de certains événements sur la santé.

Modèle des partenaires de pratique Modèle de distribution des soins infirmiers qui repose sur l'association entre une infirmière autorisée expérimentée et une personne qui l'assiste sur le plan technique.

Modèle des soins infirmiers en équipe Distribution de soins infirmiers individualisés par une équipe de soins infirmiers que dirige une infirmière professionnelle.

Modèle des soins infirmiers intégraux Modèle de distribution des soins infirmiers qui met à profit les connaissances techniques et les habiletés de gestion de l'infirmière. L'infirmière en soins intégraux est la gestionnaire de premier niveau des soins prodigués aux personnes, avec toutes les responsabilités que cette tâche comporte.

Modèle des stades de changement de comportement (modèle transthéorique de changement de comportement, MTT) Modèle de changement de comportement élaboré par Prochaska, Norcross et DiClemente dans les années 1980 ; modèle qualifié de transthéorique ou de métathéorique, car il fait appel à plusieurs théories et comporte plusieurs construits.

Modèle des traditions en matière de santé Modèle en vertu duquel la santé est considérée comme un phénomène complexe comprenant trois aspects interdépendants, c'est-à-dire l'équilibre entre les dimensions corporelle, psychique et spirituelle de la personne.

Modèle du stimulus Modèle qui définit le stress comme un stimulus, un événement ou un ensemble de circonstances qui provoque des réactions physiologiques ou psychologiques susceptibles d'accroître la prédisposition d'une personne à la maladie.

Modèles centrés sur la personne Modèles cliniques individualisés destinés à répondre aux besoins ponctuels, généraux ou spécialisés d'une personne.

Modèles communautaires Modèles cliniques qui reposent sur la responsabilité envers les communautés, l'accent mis sur la santé et le bien-être des communautés, l'offre de continuums globaux de services sans rupture et la reconnaissance explicite d'une gestion en contexte de ressources limitées.

Modèles de collaboration Modèles cliniques qui visent l'intégration par la coopération entre les partenaires.

Modèles de distribution des soins infirmiers Série de méthodes différentes d'organisation et de gestion de la distribution des soins infirmiers.

Modèles de gestion de la maladie Modèles cliniques centrés sur l'amélioration des processus cliniques pour assurer que les meilleures pratiques sont incorporées avec un minimum de variations.

Modèles de soins et services coordonnés Modèles cliniques qui valorisent la coordination et le temps consacré à la personne.

Modèles de soins et services intégrés Modèles cliniques qui font le lien entre les secteurs de la santé, les secteurs sociaux et les secteurs communautaires.

Modulation de l'activité mentale Processus qui permet au cerveau, d'une part, de convertir des messages neuronaux (pensées, attitudes, sensations et émotions) en messagers moléculaires neurohormonaux et, d'autre part, de transmettre ces derniers à tous les systèmes physiologiques évoquant un état de santé ou de maladie.

Monosaccharides Sucres composés de molécules simples.

Monoxyde de carbone (CO) Gaz très toxique, inodore, incolore et insipide; l'exposition à ce gaz peut provoquer des maux de tête, des étourdissements, de la faiblesse, des nausées, des vomissements et une perte de la maîtrise musculaire; l'exposition prolongée peut entraîner une perte de conscience, des lésions cérébrales et la mort.

Moralité Ensemble de normes personnelles et individuelles qui définissent comme bons ou mauvais un geste, une conduite, une attitude ou un comportement.

Mort Absence totale de réactions aux stimuli, de mouvements musculaires, de réflexes et d'ondes cérébrales.

Mort cardiorespiratoire Ensemble des signes cliniques classiques de décès: cessation de la perception du pouls apexien, de la respiration et de la pression artérielle.

Mort cérébrale Voir Décès neurologique.

Motivation Désir d'apprendre.

Mouvements de masse Puissante onde musculaire qui se déplace dans une bonne partie du côlon; survient habituellement après les repas.

Moyenne Somme de toutes les valeurs d'une série statistique divisée par le nombre de valeurs; habituellement notée X^- ou M.

Multidisciplinarité Interaction de savoirs de différentes disciplines sans qu'il y ait nécessairement de communication entre elles.

Muscle sphincter de l'urètre Muscle volontaire entourant l'urètre, composé de fibres musculaires striées.

Musculeuse de la vessie (muscle détrusor, muscle vésical) Ensemble des lames musculaires lisses de la paroi de la vessie.

Musicothérapie Science du comportement qui repose sur l'utilisation systématique de la musique pour produire un état de relaxation et les changements souhaités sur les plans émotionnel, comportemental et physiologique.

Mutisme partagé Contexte dans lequel la personne, sa famille et les membres de l'équipe soignante savent que la mort est imminente mais n'en parlent pas.

Mutisme unilatéral Contexte dans lequel la personne n'est pas informée de l'imminence de sa mort.

Mycètes Champignons; comprennent notamment les levures et les moisissures, dont certaines sont pathogènes.

Mydriase Dilatation exagérée de la pupille.

Myocarde Tunique de la paroi cardiaque composée de cellules musculaires qui forment la principale partie du cœur et en assurent les contractions.

Myopie Réfraction anormale qui fait que les rayons lumineux convergent en avant de la rétine et que la personne voit moins bien les objets qui se situent loin d'elle.

Myosis Contraction exagérée de la pupille.

N

Narcolepsie Affection qui se caractérise par une envie irrépressible de dormir ou par des crises de sommeil pendant le jour.

Naturopathie Pratique centrée sur la nutrition, les herbes, l'homéopathie, l'acupuncture, l'hydrothérapie, la médecine physique, la relation thérapeutique et les chirurgies mineures.

Négligence Faute professionnelle qui se produit lorsqu'une infirmière administre un traitement à une personne qu'elle n'a pas suffisamment informée.

Négociation collective Processus décisionnel organisé que les représentants de l'employeur et les représentants du syndicat utilisent pour négocier les salaires et les conditions de travail.

Neuropeptides Messagers moléculaires composés d'acides aminés et produits dans différentes parties du corps.

Névrotomie Section d'un nerf périphérique ou crânien visant à soulager une douleur localisée.

Nightingale, Florence Considérée comme la fondatrice des soins infirmiers modernes, elle a contribué à développer la formation, la pratique et la gestion infirmières.

Niveau maximal Terme de pharmacovigilance désignant le niveau supérieur de la concentration sérique thérapeutique.

Niveau minimal Terme de pharmacovigilance désignant le niveau inférieur de la concentration sérique thérapeutique.

Nocicepteur Récepteur de la douleur.

Nociception Processus physiologique de perception de la douleur.

Nœud auriculoventriculaire Voies de conduction qui retardent légèrement la transmission de l'impulsion électrique des oreillettes vers les ventricules du cœur.

Nœud sinusal Principal mécanisme de régulation du cœur situé à la jonction de la veine cave supérieure et de l'oreillette droite.

Nom chimique Nom scientifique d'un médicament.

Nom commercial (marque de commerce déposée) Nom donné au médicament par le fabricant.

Nom générique Nom d'un médicament adopté d'un commun accord par les organismes de réglementation pharmaceutique.

Nom officiel Nom utilisé pour désigner un médicament dans les publications officielles.

Norme Règle, modèle, comportement ou mesure généralement acceptés.

Notation Action d'inscrire des données dans le dossier d'une personne.

Notes d'évolution Relevé descriptif des données relatives à un client et des interventions infirmières appliquées, rédigé en phrases et en paragraphes.

Noyau de gouttelette Résidu d'une gouttelette émise par un hôte infecté et ensuite évaporée.

NPO *Nil per os*. Rien par la bouche.

Nutriment Substance organique ou inorganique contenue dans les aliments et dont le corps a besoin pour fonctionner.

Nutrition Somme des interactions entre un organisme et la nourriture qu'il ingère.

Nycturie Miction fréquente (deux fois ou plus) durant la nuit.

Nystagmus Oscillations rythmiques et involontaires des yeux.

Obésité Excès de poids correspondant à un indice de masse corporelle de 30 et plus.

Objectifs de soins Ce qui devra être accompli par la personne grâce aux interventions infirmières.

Obligation de rendre compte de ses actes (responsabilisation) Capacité et volonté d'assumer la responsabilité de ses actions et d'accepter les conséquences de ses comportements.

Obligation légale (obligation juridique) Lien de droit en vertu duquel une personne peut être contrainte de donner, de faire ou de ne pas faire quelque chose.

Observance Degré d'adéquation entre la conduite d'une personne (lorsqu'elle prend des médicaments, suit un régime ou change son mode de vie) et les conseils qu'elle a reçus en matière de santé; adhésion à un traitement.

Odeur Paramètre d'évaluation d'une plaie.

Odeur désagréable Produit nauséabond de la sueur et des microorganismes sur la peau.

Œdème Excès de liquide interstitiel dans l'organisme.

Œdème qui prend le godet Œdème dans lequel une dépression qui dure plusieurs secondes se forme lorsqu'on applique une pression ferme des doigts sur la peau.

Office des professions du Québec Organisme qui dispose d'un pouvoir d'intervention et de recommandation auprès du gouvernement.

Olfactif Lié à l'odorat.

Oligoélément Voir Microminéraux.

Oligurie Production d'une quantité anormalement faible d'urine par les reins.

Ongle incarné Ongle qui s'enfonce en croissant dans les tissus mous bordant le sillon latéral contigu.

Ontologie Étude de la nature de l'être.

Ordonnance Prescription donnée à un professionnel par un médecin, un dentiste ou un autre professionnel habilité par la loi, ayant notamment pour objet les médicaments, les traitements, les examens ou les soins à prodiguer à une personne ou à un groupe de personnes, les circonstances dans lesquelles ils peuvent l'être de même que les contre-indications possibles.

Ordonnance collective Ordonnance s'adressant à un groupe de personnes.

Ordonnance de ne pas réanimer (ordre de non-réanimation) Ordonnance d'un médecin qui indique de ne prendre aucune mesure pour réanimer la personne en phase terminale ou atteinte d'une maladie irréversible dans l'éventualité d'un arrêt respiratoire ou cardiaque.

Ordonnance immédiate (STAT) Ordonnance qui indique qu'un médicament doit être donné immédiatement et à une seule reprise.

Ordonnance individuelle Ordonnance ne visant qu'une personne en particulier.

Ordonnance infirmière Demande d'exécuter les activités infirmières individualisées qui aideront la personne à atteindre les objectifs de soins établis.

Ordonnance non renouvelable Ordonnance qui ne peut être utilisée qu'une fois; médicament devant être administré une fois à un moment particulier.

Ordonnance permanente Ordonnance permettant aux infirmières de procéder à des examens paracliniques, d'administrer et d'ajuster des doses de médicaments, d'effectuer des traitements médicaux à des groupes particuliers et d'entreprendre des mesures diagnostiques et thérapeutiques, sans attendre une ordonnance individuelle. Terme remplacé par celui d'ordonnance collective.

Ordonnance PRN Ordonnance qui autorise l'infirmière à donner le médicament lorsqu'elle juge que la personne en a besoin.

Ordre de non-réanimation Voir Ordonnance de ne pas réanimer.

Oreillettes Chacune des deux cavités de la partie supérieure du cœur.

Organisation Processus continu qui consiste à déterminer le travail à accomplir, à évaluer les ressources humaines et matérielles nécessaires, puis à décomposer la somme de travail en tâches (ou unités) plus petites.

Organisation communautaire et développement organisationnel Organisation s'appuyant sur un processus éducatif qui vise à la fois les individus et les communautés.

Orgasme Phase du cycle de la réponse sexuelle qui constitue l'apogée involontaire de la tension sexuelle.

Orgelet Rougeur, œdème et sensibilité d'un follicule ciliaire et des glandes qui débouchent sur le bord des paupières.

Orientation sexuelle Attirance que l'on éprouve envers les personnes de l'autre sexe, du même sexe, ou des deux sexes.

Origine Indication des circonstances dans lesquelles une plaie a débuté; permet de déterminer les mesures préventives et curatives à prendre.

Orthopnée Capacité de respirer uniquement en position verticale (assis ou debout).

Osmolalité Concentration moléculaire de toutes les particules de soluté (osmotiquement actives) contenues dans une solution.

Osmolalité sérique Concentration de soluté dans le sang.

Osmolalité urinaire Concentration de soluté dans l'urine ; mesure plus exacte que la densité urinaire.

Osmose Passage d'un solvant à travers une membrane semi-perméable, d'un endroit où la concentration de soluté est plus faible à un endroit où la concentration de soluté est plus élevée.

Osselets de l'ouïe Nom donné aux trois os de l'oreille moyenne, qui servent à la transmission du son, soit le malleus, l'incus et le stapès.

Ostéoporose Baisse de la densité osseuse.

Otoscope Instrument servant à l'examen des oreilles.

Oxyhémoglobine Composé d'oxygène et d'hémoglobine.

P

Pâleur Absence de coloration rouge dans la peau ; facilement détectable sur la muqueuse buccale.

Palpation Examen du corps à l'aide du sens du toucher.

Paracentèse abdominale Voir Ponction d'ascite.

Paradigme Vision du monde ; compréhension et hypothèses communes portant sur la réalité et le monde.

Paramètres fondamentaux Voir Signes vitaux.

Parasites Organismes qui vivent aux dépens d'autres organismes vivants, à l'extérieur ou à l'intérieur de ceux-ci.

Parasomnie Comportement normalement associé à l'état de veille qui apparaît durant le sommeil, par exemple le somnambulisme et l'énurésie (incontinence urinaire) nocturne.

Parodontite Inflammation de la gencive associée aux dépôts de plaque et de tartre.

Parodontopathie Affection des gencives ; principale cause de la perte des dents.

Parotidite Inflammation de la glande parotide.

Partenariat Partage négocié du pouvoir entre les professionnels de la santé et les partenaires (individus, communauté), dans le but d'augmenter la capacité de ces derniers à agir plus efficacement sur leur santé et leur bien-être.

Partenariat en collaboration Modèle de prestation des soins selon lequel les intervenants sont animés par la poursuite d'objectifs centrés sur la personne, dans un processus dynamique qui demande la participation active et le consentement de tous les partenaires. Le rapport entre les parties prend la forme d'un partenariat qui s'exerce en collaboration.

Particularités culturelles Valeurs, croyances et comportements qui semblent relever d'une culture donnée.

Pathogénicité (pouvoir pathogène) Capacité de causer une affection ; un agent pathogène est un microorganisme susceptible de provoquer un problème de santé.

Patient Personne en attente d'un traitement et de soins médicaux ou qui est en train de les recevoir.

Pédagogie Discipline qui s'intéresse à l'apprentissage.

Pédiculose Infestation par des poux.

Pellicules Squames sèches ou huileuses provenant du cuir chevelu.

Pensée critique Processus intellectuel systématique qui consiste à conceptualiser, à appliquer, à analyser, à synthétiser et à évaluer, de manière active et judicieuse, l'information obtenue ou engendrée par l'observation, l'expérience, la réflexion, le raisonnement ou la communication, en vue de structurer ses croyances ou ses actions.

Pensée philosophique Pensée qui aide à mieux comprendre les valeurs, les croyances et les postulats qui nourrissent la réflexion et qui déterminent les paroles ainsi que les faits et gestes.

Perception sensorielle Fait d'organiser consciemment les stimuli et de les traduire en informations qui ont du sens.

Percussion Méthode qui consiste à percuter la surface de la peau pour produire des sons audibles ou des vibrations palpables.

Percutanée Se dit de l'absorption à travers la peau.

Perfuseur de précision Petits contenants pour liquides fixés sous le perfuseur principal pour permettre l'administration d'un médicament par voie intraveineuse.

Péricarde Membrane fibreuse à double couche qui enveloppe le cœur ; le feuillet pariétal sert à protéger le cœur et à le rattacher aux structures environnantes.

Péridurale (épidurale) Relatif à l'espace épidural.

Période périopératoire Période qui comprend les phases préopératoire, peropératoire et postopératoire.

Période peropératoire Période qui débute lorsque la personne est transférée sur la table d'opération et qui se termine lorsqu'elle est admise à la salle de réveil.

Période postopératoire Période qui débute lorsque la personne est admise à la salle de réveil et qui se termine avec le retour à la santé.

Période préopératoire Période qui débute lorsque la décision de pratiquer une intervention chirurgicale est prise et qui se termine lorsque la personne est transférée sur la table d'opération.

Péristaltisme Mouvement ondulatoire produit par les fibres musculaires circulaires ou longitudinales de la paroi intestinale ; ce mouvement fait progresser le contenu de l'intestin.

Permanence Dans le dossier d'une personne, état des données, qui sont écrites de façon qu'elles ne puissent pas être modifiées.

Perméabilité sélective Caractéristique des membranes cellulaires qui permettent aux substances de les traverser avec différents degrés de facilité.

Permis d'exercice Permis délivré par l'Ordre des infirmières et infirmiers du Québec à l'étudiante qui a réussi l'examen professionnel prévu au règlement et rempli toutes les conditions et modalités également prévues au règlement.

Personne soignée Personne qui reçoit des conseils, des services ou des soins de santé.

Personnel infirmier (PI) Membres du personnel qui ne sont pas des infirmières : brancardiers, infirmières auxiliaires, aides familiales, préposés aux bénéficiaires, etc.

Perspiration insensible Perte de liquide inapparente et non mesurable se produisant par la peau et les poumons (par la transpiration et la diffusion).

Perte Anomalie, indisponibilité ou disparition (réelle ou redoutée) d'un bien ou d'un avantage particulièrement valorisé par la personne.

Perte anticipée Sentiment de perte éprouvé avant la perte proprement dite.

Perte insensible d'eau Perte d'eau continue qui passe inaperçue.

Perte insensible de chaleur Perte de chaleur résultant de la perte insensible d'eau ; représente environ 10 % de la perte de chaleur basale.

Perte réelle Perte reconnaissable par les autres et pouvant survenir soit en réaction à un événement, soit par anticipation.

Perte ressentie Perte éprouvée par une personne, mais invérifiable pour autrui ; perte perçue.

Pertes obligatoires Pertes liquidiennes essentielles au maintien des fonctions corporelles.

Peur Sentiment d'appréhension provoqué par un danger possible ou imminent, la douleur ou une autre menace perçue.

pH Mesure de l'alcalinité ou de l'acidité d'une solution ; mesure de la concentration des ions hydrogène.

Phagocyte Cellule qui ingère les microorganismes, d'autres cellules et les corps étrangers.

Phagocytose Processus par lequel des cellules englobent des microorganismes, d'autres cellules ou des corps étrangers.

Pharmacie Art de préparer, de composer et de distribuer les médicaments ; endroit où l'on prépare et distribue les médicaments.

Pharmacien Professionnel de la santé titulaire d'un permis de pratique de son ordre professionnel l'autorisant à préparer, à conserver et à remettre des médicaments.

Pharmacocinétique Étude de l'absorption, de la distribution, du métabolisme et de l'excrétion des médicaments.

Pharmacodépendance Dépendance qu'éprouve une personne envers un médicament ou une drogue, ou besoin qu'elle ressent d'en consommer.

Pharmacodynamie Étude de l'action d'un médicament sur la physiologie cellulaire.

Pharmacogénétique Étude des facteurs génétiques et de leurs effets sur les réactions aux agents pharmaceutiques.

Pharmacologie Étude de l'effet des médicaments sur les organismes vivants.

Pharmacopée Recueil officiel qui contient la liste des produits utilisés en médecine ; décrit les produits, les tests chimiques utilisés pour en établir la nature ainsi que les formules et les modes de préparation.

Phases de cicatrisation Étapes du processus par lequel l'organisme ferme les plaies.

Philosophie Discipline scientifique qui pose des questions sur l'idée que nous nous faisons de notre expérience, de l'univers et des choses humaines, et qui explore ces questions pour tenter d'y répondre.

Phospholipide Molécule composée d'une unité de glycérol, de deux acides aminés et d'un groupement phosphate.

Pic de concentration plasmatique (pic d'action) Niveau maximal de concentration plasmatique atteint avec une seule dose de médicament lorsque le taux d'élimination est égal au taux d'absorption.

Pic de fièvre Élévation rapide de la température au-dessus de la normale suivie d'un retour à la normale en quelques heures.

Placebo Toute forme de traitement qui produit un effet en raison de l'intention plutôt qu'en raison des propriétés chimiques ou physiques du traitement.

Plaie aiguë Plaie d'origine récente.

Plaie chronique Plaie dont l'origine remonte à au moins six mois.

Plaie colonisée Plaie contenant des microorganismes qui se multiplient, mais l'hôte n'est pas affecté et ne manifeste aucun signe d'infection.

Plaie contaminée Plaie contenant des microorganismes qui ne se multiplient pas et n'affectent pas l'hôte.

Plaie de pression Lésion de la peau et des tissus sous-jacents habituellement localisée sur une proéminence osseuse et due à la compression entre deux plans durs, notamment l'os et le lit ; aussi appelée escarre de décubitus, lésion ou ulcère de pression, plaie de lit et plaie de décubitus.

Plaie fermée Atteinte des tissus sans lésion de la peau.

Plan de cheminement clinique Plan type élaboré par les membres de l'équipe interdisciplinaire, qui décrit les soins à prodiguer aux personnes pour lesquelles on a établi un diagnostic répandu et prévisible.

Plan de congé Processus qui consiste à planifier les besoins de la personne après sa sortie de l'établissement de soins.

Plan de services individualisé Outil de planification, de coordination et d'intégration de services individualisés.

Plan de soins et de traitements infirmiers Ordonnances infirmières qui se rapportent aux problèmes actuels ou possibles d'un client.

Plan de soins et de traitements infirmiers formel Guide manuscrit ou informatisé qui présente de façon structurée l'information relative aux soins de la personne.

Plan de soins et de traitements infirmiers individualisé Plan adapté aux besoins précis d'une personne en particulier, c'est-à-dire aux besoins qui ne sont pas pris en considération dans le plan de soins et de traitements infirmiers type.

Plan de soins et de traitements infirmiers informel Ensemble des stratégies que l'infirmière envisage d'utiliser.

Plan de soins et de traitements infirmiers traditionnel Plan de soins conçu sur mesure pour répondre aux besoins uniques de la personne, auxquels le plan de soins type ne répond pas entièrement.

Plan de soins et de traitements infirmiers type (standardisé) Plan formel qui décrit les soins infirmiers à prodiguer aux personnes ayant des besoins communs.

Plan d'intervention interdisciplinaire Ensemble des interventions planifiées de façon concertée par les membres de l'équipe interdisciplinaire, en collaboration avec la personne et ses proches, en vue de répondre aux besoins de la personne au cours d'un épisode de soins, dans un même établissement et d'un établissement à l'autre.

Plan thérapeutique infirmier (PTI) Note d'évolution distincte démontrant les décisions prises par l'infirmière en lien avec le suivi clinique du client. Plan qui dresse le profil clinique évolutif des problèmes et des besoins prioritaires du client et fait état du suivi clinique effectué au moyen de directives infirmières. Rédigé et modifié par l'infirmière seule, le PTI indique les besoins ou les problèmes prioritaires (constats) de la personne et les interventions (directives) axées sur les constats de l'évaluation.

Planification Processus permanent qui comporte l'évaluation d'une situation, l'établissement de buts et d'objectifs selon cette évaluation et selon les tendances, ainsi que l'élaboration d'un plan d'action qui établit les priorités, détermine les personnes responsables, précise les délais de réalisation et décrit les façons d'obtenir et d'évaluer les résultats escomptés.

Planification du congé Processus qui consiste à prévoir les besoins de la personne après sa sortie de l'établissement de santé ainsi que les moyens d'y répondre.

Plantes médicinales Plantes utilisées pour prévenir et guérir les affections, et dont les propriétés sont reconnues.

Plaque dentaire Film invisible qui adhère à l'émail des dents ; renferme des bactéries, de la salive ainsi que des débris de cellules épithéliales et de leucocytes.

Plasma Partie fluide du sang dans laquelle flottent les cellules sanguines.

Plateau Maintien de la concentration plasmatique du médicament pendant l'administration de doses successives.

Plessimètre Pendant la percussion, majeur de la main non dominante pressé fermement sur la peau de la personne examinée.

Pli cutané tricipital (PCT) Mesure servant à évaluer les réserves de tissu adipeux.

Pluridisciplinarité Association de différentes sciences pour arriver à une meilleure efficacité.

Pneumothorax Accumulation d'air dans l'espace pleural.

Poids idéal Masse corporelle qu'il est recommandé d'atteindre pour se maintenir en bonne santé.

Point de jonction en Y (piggyback) Dans une perfusion intraveineuse, type de dispositif en dérivation dans lequel un deuxième ensemble relie le second sac de solution à la tubulure du sac de solution intraveineuse principal au point de jonction principal, soit le point de jonction le plus haut.

Politiques Règles élaborées par une organisation pour régir la marche à suivre dans des situations qui se présentent fréquemment.

Pollakiurie Besoin fréquent d'uriner.

Pollution nocturne Orgasme et émission de sperme pendant le sommeil.

Polydipsie Sensation de soif exagérée qui peut entraîner un apport liquidien excessif.

Polyglobulie État d'une personne lorsque les valeurs de l'hémoglobine sont plus élevées que la normale.

Polygone de sustentation Base sur laquelle le corps repose.

Polypnée Accélération anormale de la respiration.

Polysaccharides Glucide complexe composé de douzaines, et parfois de centaines, de molécules de monosaccharides ; amidon.

Polysomnographie Méthode permettant de mesurer objectivement le sommeil dans un laboratoire spécialisé.

Polyurie Production de grandes quantités d'urine par les reins en l'absence d'une augmentation de l'apport liquidien.

Ponction Prélèvement de liquide de l'organisme.

Ponction d'ascite Prélèvement de liquide péritonéal à des fins diagnostiques ou thérapeutiques.

Ponction lombaire Opération qui consiste à prélever du liquide cérébrospinal à l'aide d'une aiguille insérée dans l'espace subarachnoïdien du canal vertébral, entre les troisième et quatrième vertèbres lombaires ou entre les quatrième et cinquième vertèbres lombaires.

Ponction pleurale (thoracentèse) Ponction de la cavité pleurale pour en extraire le liquide excédentaire ou l'air qui y est entré.

Ponction veineuse Ponction d'une veine afin de prélever un échantillon de sang.

Population Groupe de personnes qui ont en commun une ou plusieurs caractéristiques personnelles ou environnementales. En statistique, ensemble des éléments (personnes, objets, spécimens) qui présentent des caractéristiques communes (Fortin, 2010).

Porteur Personne ou animal qui abrite un agent infectieux donné, qui est une source potentielle d'infection, mais qui ne manifeste aucun signe clinique de la maladie.

Position de Fowler Position semi-assise utilisée pour les personnes alitées.

Position de Fowler haute Position dans laquelle la tête et le tronc de la personne sont élevés de 60° à 90°, les genoux fléchis ou droits.

Position de Sims Position se situant entre le décubitus latéral et le décubitus ventral.

Position dorsale Position dans laquelle la tête et les épaules de la personne ne sont pas surélevées.

Position du tripode Position debout qu'une personne doit adopter lorsqu'elle a des béquilles ; les béquilles sont placées à environ 15 cm en avant du pied et à environ 15 cm de chaque côté, créant une base large pour le soutien.

Position orthopnéique Position dans laquelle la personne est assise dans son lit ou au bord du lit et utilise une table de chevet pour appuyer le haut de son corps afin de maintenir une expansion thoracique maximale.

Position semi-Fowler (position de Fowler basse) Position dans laquelle la tête et le tronc de la personne sont surélevés et forment un angle de 15° à 45°.

Postcharge Résistance à laquelle le cœur doit s'opposer pour propulser le sang dans la circulation.

Postulat Proposition donnée comme vraie et dont l'admission est nécessaire.

Pouls Poussée du flux sanguin dans une artère, créée par la contraction du ventricule gauche du cœur.

Pouls apexien Pouls central mesuré à l'apex du cœur.

Pouls apexien-radial Compte simultané des battements à l'apex et à l'artère radiale.

Pouls déficitaire Différence entre la fréquence du pouls apexien et la fréquence du pouls radial.

Pouls périphérique Pouls situé en périphérie du corps (par exemple pied, poignet).

Poussée abdominale Voir Manœuvre de Heimlich.

Pouvoir Capacité d'influer d'une quelconque manière sur une autre personne ou de provoquer un changement.

Pouvoir accordé par la position Pouvoir fondé sur l'autorité qui émane du rôle ou du titre ; implique la capacité de diriger des groupes et de distribuer les ressources.

Pouvoir généré par la tâche Capacité d'influencer ceux qui peuvent aider à l'accomplissement d'une tâche ou d'un processus.

Pouvoir généré par les relations Pouvoir engendré par le respect qu'inspirent à autrui les habiletés personnelles, les connaissances ou les compétences.

Pouvoir inhérent à la personnalité Pouvoir qui émane de l'admiration des autres et qui s'explique par des traits comme la force de caractère, la passion, l'inspiration et la sagesse.

Pouvoir pathogène Voir Pathogénicité.

Pratique disciplinaire Exercice d'une profession (par exemple pratique infirmière, enseignement, gestion).

Pratique fondée sur des résultats probants Approche où l'infirmière utilise les meilleurs résultats probants disponibles, tout en tenant compte des préférences des clients, afin d'établir une conduite thérapeutique qui assure des soins efficaces et efficients.

Pratique infirmière s'inspirant de résultats probants Approche de la pratique infirmière qui fait appel aux résultats probants et permet d'accorder une valeur aux autres composantes de la pratique professionnelle des infirmières soignantes.

Pratique informée par des résultats probants Approche où l'infirmière fait appel non seulement aux résultats issus de la recherche, mais également aux savoirs découlant de son expertise ainsi qu'aux connaissances des clients.

Pratique relationnelle Pratique fondée sur des habiletés relationnelles destinées à consolider une relation axée sur le caring.

Pratiques de base Mesures de prévention contre les infections s'appliquant à toutes les personnes hospitalisées, indépendamment du diagnostic ou de la possibilité d'un état infectieux.

Préalbumine Protéine sérique qui réagit rapidement aux modifications de l'état nutritionnel.

Précautions additionnelles contre la transmission par contact Mesures visant à réduire l'exposition aux agents infectieux qui se transmettent facilement par contact direct avec la personne ou par contact avec des objets de son environnement.

Précautions additionnelles contre la transmission par gouttelettes Mesures visant à réduire l'exposition aux agents infectieux transmis par les gouttelettes en suspension dans l'air, dont le diamètre est supérieur ou égal à 5 μm.

Précautions additionnelles contre la transmission par voie aérienne Mesures visant à réduire l'exposition aux agents infectieux transmis par les gouttelettes en suspension dans l'air, dont le diamètre est inférieur à 5 μm.

Précautions applicables aux liquides organiques (PLO) Mesures de prévention générale contre les infections; s'appliquent à toutes les personnes, sauf à celles qui sont atteintes d'une maladie transmissible par les gouttelettes en suspension dans l'air.

Précautions universelles (PU) Techniques de prévention applicables à toutes les personnes pour réduire le risque d'infection; les précautions universelles comprennent les précautions applicables aux liquides organiques.

Préceptrice Infirmière expérimentée qui aide une infirmière novice à améliorer son jugement et ses compétences.

Précharge Degré d'étirement des fibres musculaires des ventricules à la fin de la diastole.

Prédisposition à la santé Attitude qu'une personne adopte et entretient à l'égard de sa santé et qui détermine son degré de bien-être.

Préjugé Croyance négative ou préférence généralisée à propos d'un groupe; favorise les idées préconçues.

Première intention Voir Cicatrisation par première intention.

Presbyacousie Perte de l'ouïe liée au vieillissement.

Presbytie Perte d'élasticité du cristallin, ce qui amène la perte de la capacité de voir les objets rapprochés.

Pression artérielle (PA) Mesure de la pression exercée par le sang lorsqu'il passe dans les artères.

Pression artérielle moyenne (PAM) Pression qu'exerce le débit sanguin sur les tissus au cours du cycle cardiaque.

Pression de filtration Dans un compartiment, pression qui provoque le déplacement de liquides et de substances dissoutes dans ce liquide vers l'extérieur du compartiment.

Pression diastolique Pression du sang contre les parois artérielles lorsque les ventricules du cœur sont au repos et que la valvule de l'aorte est refermée.

Pression différentielle Différence entre la pression systolique et la pression diastolique.

Pression hydrostatique Pression exercée par un liquide sur les parois du récipient qui le contient.

Pression intrapleurale Pression entre les deux plèvres des poumons.

Pression intrapulmonaire Pression à l'intérieur des poumons.

Pression osmotique Pression exercée par les solutés dans une solution; pression requise pour arrêter le passage de l'eau à travers une membrane.

Pression osmotique colloïdale (pression oncotique) Force de traction exercée par les colloïdes, qui aident à maintenir la teneur du sang en eau.

Pression partielle Pression exercée par chaque gaz dans un mélange, selon sa concentration dans le mélange.

Pression systolique Pression du sang contre les parois des artères lorsque les ventricules du cœur se contractent.

Prévention de la maladie Comportement motivé par le désir d'éviter activement la maladie, de la détecter précocement ou de fonctionner dans les limites d'une maladie.

Prière d'intercession Prière offerte en faveur d'une personne.

Principe de l'information complète Droit fondamental qui signifie qu'on ne trompera pas la personne, que ce soit en ne divulguant pas toute l'information nécessaire au sujet de sa participation à l'étude ou en lui donnant une information fausse ou trompeuse.

Prise de décision Processus inhérent à la pensée critique, qui permet de déterminer les interventions qui favoriseront le plus l'atteinte d'un objectif ou d'un résultat escompté.

Privation sensorielle Stimulation sensorielle insuffisante qui empêche une personne de fonctionner.

Procédures Conduites à tenir dans des situations fréquentes.

Processus mastoïde Saillie osseuse derrière l'oreille.

Productivité Mesure de la performance, tant sur le plan de l'efficacité que de l'efficience. On la mesure souvent par le ratio infirmière/personnes soignées ou par le ratio infirmières/nombre d'heures de soins à prodiguer.

Profession Métier qui nécessite une formation supérieure ou qui exige des connaissances, des compétences et une préparation particulières.

Programme d'assurance de la qualité (AQ) Processus systématique et continu d'évaluation des soins donnés aux personnes et de promotion de l'excellence.

Programme national de santé publique Programme proposé en 2003 par le ministère de la Santé et des Services sociaux; on y précise les activités à mettre en œuvre au cours des prochaines années afin d'agir sur les déterminants qui influent sur la santé, dans ses dimensions physique et psychosociale, de façon à favoriser la santé et à empêcher que surgissent ou se développent des problèmes de santé et des problèmes psychosociaux à l'échelle de la population québécoise.

Promotion de la santé Ensemble des activités qu'une personne accomplit pour rehausser son niveau de santé et de bien-être.

Propre Libre d'agents potentiellement infectieux.

Propriocepteurs Terminaisons nerveuses sensorielles réagissant au mouvement et sensibles à la position du corps.

Proprioception Conscience du mouvement et de la position du corps.

Protecteur des usagers en matière de santé et de services sociaux Au Québec, organisme ayant pour mandat de défendre les intérêts des personnes malades.

Protection de la santé Voir Prévention de la maladie.

Protectrice des intérêts du client Rôle de l'infirmière qui consiste à faire respecter les droits de la personne qu'elle soigne et à l'aider dans les situations où ses droits sont lésés.

Protéines complètes (protéines de haute valeur biologique) Protéines qui contiennent tous les acides aminés essentiels et de nombreux acides aminés non essentiels.

Protéines incomplètes (protéines de basse valeur biologique) Protéines auxquelles il manque au moins un acide aminé essentiel ; habituellement dérivées des légumes.

Protéines partiellement complètes Protéines qui ne contiennent pas tous les acides aminés essentiels en quantité suffisante.

Protocole Document imprimé qui indique les activités qui concernent habituellement un groupe particulier de personnes.

Proxémie Étude de l'espace qui sépare les gens au cours de leurs interactions.

Psychoneuro-immunologie Domaine qui étudie l'intégration du corps et de l'esprit, tout particulièrement les interactions entre le stress, le système immunitaire et la santé.

Pus Liquide épais accompagnant une inflammation et composé de cellules, de débris, de liquide et de microorganismes morts ou vivants.

Pyélographie intraveineuse Voir Urographie intraveineuse.

Pyorrhée Stade avancé de la parodontopathie, caractérisé par un ébranlement des dents atteintes et par une suppuration que l'on observe lorsqu'on presse la gencive.

Pyrexie Température corporelle anormale, fièvre.

Pyrogène Se dit des bactéries qui déclenchent ou entretiennent la fièvre.

Qualité Description subjective d'un son (par exemple bruissement, sifflement ou gargouillement).

Questionnement socratique Technique utilisée pour aller au-delà des apparences, poser et étudier des hypothèses, trouver les incohérences, examiner des points de vue multiples et distinguer ce que l'on sait de ce que l'on croit.

Race Groupe de personnes présentant des caractéristiques biologiques et des traits (ou marqueurs) génétiques communs.

Rachianesthésie Voir Anesthésie rachidienne.

Racisme Forme de discrimination liée à l'ethnocentrisme ; selon les théories racistes, la race est le principal déterminant des traits de caractère et des habiletés d'un individu ou d'un groupe donné d'individus, et les différences raciales confèrent une supériorité inhérente à une race donnée.

Radiation Transfert de chaleur de la surface d'un objet à la surface d'un autre objet sans contact entre les deux objets.

Raisonnement déductif Raisonnement qui aboutit à des conclusions particulières à partir de généralisations.

Raisonnement inductif Raisonnement par lequel on formule des généralisations à partir d'un ensemble de faits ou d'observations.

Rapport Communication verbale, écrite ou informatisée qui vise à transmettre de l'information.

Rapport d'incident-accident Rapport dans lequel l'infirmière doit consigner tout accident ou incident susceptible d'entraîner des conséquences sur l'état de santé ou le bien-être de la personne.

Rapport de relève Rapport que les infirmières d'un quart de travail remettent aux infirmières du quart suivant.

Rapport taille-hanche (RTH) Valeur qu'on obtient en divisant le tour de taille par le tour de hanches.

Rapport téléphonique Rapport fait ou reçu par téléphone.

Réactif Substance utilisée dans une réaction chimique pour détecter une substance spécifique.

Réaction à la douleur Réaction du système nerveux autonome ou réaction comportementale à la douleur.

Réaction anaphylactique Réaction allergique grave qui se produit immédiatement après l'exposition à un allergène, par exemple un médicament.

Réaction d'alarme Réaction initiale de l'organisme au stress, laquelle stimule les défenses du corps.

Réaction hémolytique Réaction à une transfusion sanguine, marquée par une destruction des érythrocytes transfusés et pouvant entraîner une atteinte rénale ou une insuffisance rénale.

Réactions indésirables Effets secondaires sérieux d'un médicament, qui justifient parfois l'interruption du traitement.

Récapitulatif de la fréquence de consommation des produits alimentaires Liste des groupes alimentaires ou des aliments précis consommés, accompagnés de la fréquence de consommation pendant une période donnée.

Réception sensorielle Processus de réception d'un stimulus de l'environnement.

Réceptivité Ensemble de comportements ou de signaux qui indiquent la motivation de l'apprenant à un moment précis.

Recherche appliquée Utilisation des connaissances existantes pour résoudre des problèmes concrets ; recherche qui vise à trouver des solutions à des problèmes cliniques et à amener des changements dans la pratique des soins.

Recherche en sciences infirmières Étude systématique et objective de phénomènes (expériences, événements, circonstances) qui présentent une importance pour les soins infirmiers.

Recherche fondamentale (recherche pure) Recherche qui sert à vérifier des théories, des lois scientifiques, des principes de base ; la finalité de ce genre de recherche est d'accroître le savoir et non d'améliorer les pratiques.

Recherche mixte Recherche qui combine dans une même étude, mais à des degrés divers, des approches quantitatives et des approches qualitatives. Aussi appelée devis mixte.

Recherche qualitative Approche de recherche utilisée pour étudier des phénomènes dans leur milieu naturel d'apparition et interpréter la signification que les gens y accordent.

Recherche quantitative Approche de recherche utilisée lorsque l'objet de recherche se prête à la vérification à l'aide de techniques mathématiques pour quantifier et décrire, comparer ou prédire.

Rechute Dans le modèle des stades de changement de comportement, régression qui ramène la personne au stade de précontemplation ou de contemplation.

Réconfort Ensemble d'interventions infirmières qui sont basées sur les signes de détresse de la personne et qui visent le bien-être de celle-ci.

Reconstitution Technique au cours de laquelle on ajoute un solvant à un médicament en poudre avant de l'administrer.

Rectosigmoïdoscopie Examen endoscopique du rectum et du côlon sigmoïde.

Rééducation vésicale Méthode d'entraînement à la continence urinaire par l'allongement graduel des intervalles entre les mictions.

Réflexe Réponse automatique du corps à un stimulus.

Réflexe gastrocolique Accélération du péristaltisme provoquée par l'arrivée de la nourriture dans l'estomac.

Réflexologie Traitement basé sur le massage du pied pour soulager des symptômes dans d'autres parties du corps.

Reflux Retour d'un liquide dans le sens opposé au sens physiologique.

Reflux urinaire Retour de l'urine vers la vessie ou de la vessie vers les reins.

Refroidissement cadavérique (*algor mortis*) Baisse graduelle de la température du corps après la mort.

Régénération Remplacement des cellules tissulaires détruites par des cellules identiques ou ayant une structure et une fonction similaires.

Régime à liquides clairs Régime composé seulement de liquides et de glucides.

Régime à purée Régime semi-liquide modifié.

Régime progressif Régime mis en œuvre quand des changements sont à prévoir quant aux aspects suivants : appétit, capacité de mastication, de déglutition ou de digestion, tolérance envers certains aliments.

Régime semi-liquide Régime composé d'aliments solides ou semi-liquides.

Régime tout liquide Régime composé seulement de liquides et d'aliments qui deviennent liquides à la température du corps.

Règle de soins infirmiers Ensemble de directives déterminant les activités des divers intervenants professionnels et non professionnels qui œuvrent dans le cadre de différents programmes, service ou milieux de soins.

Règles Voir Menstruation.

Règles morales Prescriptions spécifiques régissant la conduite.

Régurgitation Reflux, ou retour dans la bouche, d'aliments non digérés.

Reiki Mot japonais qui signifie « énergie vitale universelle ». Dans cette thérapie, la praticienne place ses mains sur la personne pour lui transmettre un flux d'énergie.

Relation contractuelle Relation qui varie d'un milieu de pratique à l'autre, qui peut ressembler à une relation indépendante ou employeur-employé.

Relation d'aide Relation thérapeutique entre l'infirmière et le client ; processus axé sur la croissance qui vise essentiellement à aider la personne à mieux s'aider elle-même.

Relaxation progressive Technique selon laquelle la personne tend et relâche successivement des groupes musculaires précis et concentre son attention sur ce qu'elle ressent pendant chacune de ces phases afin de distinguer clairement ses sensations.

Religion Système de croyances, de pratiques et de valeurs ethniques relatives à des pouvoirs divins ou surhumains.

Rémission Dans une maladie chronique, période durant laquelle les symptômes diminuent ou s'estompent.

Rendre des comptes Action d'assumer la responsabilité de ses actes et d'accepter les conséquences de sa conduite.

Renforcement positif Expérience agréable telle que des éloges et des encouragements favorisant la répétition d'un comportement positif.

Réparation tissulaire Remplacement d'un tissu lésé par la formation de tissu cicatriciel (fibreux).

Repas baryté Appellation courante de l'examen radiologique de la partie supérieure du tube digestif.

Réponse Énergie, matière ou information provenant d'un système à la suite du traitement des stimuli par le centre de régulation.

Repos Calme, relaxation sans stress émotionnel et sans anxiété.

Réseautage Processus par lequel les gens d'une même profession tissent des liens pour communiquer, mettre en commun des idées et de l'information, s'apporter du soutien et se conseiller mutuellement.

Réseaux locaux de services (RLS) Ensemble de 95 réseaux, dont chacun se compose d'un nouvel établissement appelé centre de santé et de services sociaux (CSSS). Chaque réseau doit responsabiliser tous les intervenants afin qu'ils assurent de façon continue, à la population de son territoire, l'accès à une large gamme de services de santé et de services sociaux généraux, spécialisés et surspécialisés.

Réservoir (source) Source de microorganismes.

Résistance (phase de) Deuxième étape du syndrome d'adaptation, qui concerne l'adaptation du corps.

Résistance périphérique (RP) Résistance qui s'oppose au débit sanguin en direction des tissus.

Résolution Phase du cycle de la réponse sexuelle qui constitue le retour au calme.

Résolution de problèmes Processus consistant à recueillir des éléments d'information pour clarifier la nature d'un problème et suggérer des solutions possibles.

Respiration Action de respirer ; processus qui comprend le transport de l'oxygène de l'atmosphère jusqu'aux cellules et le transport du dioxyde de carbone des cellules jusqu'à l'atmosphère.

Respiration abdominale Voir Respiration diaphragmatique.

Respiration costale (thoracique) Respiration qui sollicite les muscles intercostaux externes et les muscles accessoires tel le sternocléidomastoïdien.

Respiration de Biot Suite de respirations superficielles et irrégulières interrompues par des périodes d'apnée.

Respiration de Cheyne-Stokes Suite de respirations d'amplitude croissante et décroissante (de très profondes à très superficielles) entrecoupées de périodes d'apnée et souvent associées à une insuffisance cardiaque, à une hypertension intracrânienne ou une surdose de médicaments ou de drogues.

Respiration de Kussmaul Hyperventilation associée à l'acidose métabolique, au cours de laquelle l'organisme essaie de compenser en expirant du dioxyde de carbone par une respiration rapide et profonde.

Respiration diaphragmatique (abdominale) Contraction et relâchement du diaphragme qui se produisent lors du mouvement vertical du diaphragme et que l'on peut observer par le mouvement de l'abdomen.

Respiration externe Échange d'oxygène et de dioxyde de carbone entre les alvéoles des poumons et le sang pulmonaire.

Respiration interne Échange d'oxygène et de dioxyde de carbone entre le sang circulant et les cellules des tissus.

Respiration thoracique Voir Respiration costale.

Responsabilité Obligation de mener une tâche à bien.

Responsabilité civile Responsabilité dont les quatre éléments suivants constituent les fondements : capacité de discernement, dommage, faute et causalité.

Responsabilité du fait d'autrui Doctrine en vertu de laquelle un employeur est tenu responsable sur le plan juridique des fautes professionnelles commises par un employé.

Résultats escomptés Ce qui devra être accompli par la personne grâce aux interventions infirmières.

Résultats statistiquement significatifs Résultats qui font état de changements attribuables à l'intervention.

Retard à la miction Hésitation ou difficulté dans le déclenchement de la miction ; souvent associé à la dysurie.

Rétention urinaire Accumulation d'urine dans la vessie et incapacité de vider celle-ci.

Rétraction élastique Tendance des poumons à se contracter en s'éloignant de la cage thoracique.

Rétroaction (*feedback*) Mécanisme par lequel une partie de la réponse du système est retournée vers le système comme stimulus ; information qui associe la performance d'une personne à un objectif souhaité ; réponse ou message que le récepteur retourne à l'émetteur au cours d'une communication.

Rétroaction biologique (*biofeedback*) Technique de gestion du stress qui consiste à maîtriser consciemment des processus corporels normalement considérés comme involontaires.

Rétroactivation Mécanisme qui amplifie ou fait augmenter le stimulus de départ.

Rétro-inhibition Mécanisme qui met fin au stimulus de départ ou réduit son intensité.

Révocation de l'immatriculation Révocation du droit de pratique pour l'une des raisons suivantes : renvoi d'un établissement d'enseignement, conduite contraire à l'éthique en milieu clinique, condamnation criminelle, narcomanie, alcoolisme, troubles d'ordre physique ou psychologique incompatibles avec l'exercice des soins infirmiers, tout acte dérogatoire à la dignité de la profession.

Revue systématique Compilation exhaustive, opérationnelle, reproductible et objective des recherches sur un sujet.

Rhizotomie Section de la racine dorsale ou ventrale d'un nerf, entre le ganglion et la moelle épinière ; habituellement effectuée sur la racine d'un nerf cervical pour soulager la douleur de la tête et du cou.

Rien par la bouche (NPO) Mention apparaissant sur une ordonnance lorsque la personne ne peut rien prendre par voie orale, y compris la médication.

Rigidité cadavérique (*rigor mortis*) Raidissement du corps après le décès.

Risque de préjudice Exposition à une atteinte possible qui dépasse les situations de la vie quotidienne ; peut être d'ordre physique, affectif, légal, financier ou social.

Rituels du deuil Processus comportementaux qui permettent à la personne endeuillée d'atténuer ou d'éliminer l'affliction.

Rôle Ensemble des attentes quant à la façon dont une personne doit s'acquitter de ses fonctions.

Rythme du pouls Caractéristiques des intervalles entre les battements cardiaques.

Rythme respiratoire Caractéristiques des intervalles entre deux cycles respiratoires.

S

Salive Liquide clair sécrété par les glandes salivaires dans la bouche ; parfois appelée crachat.

Salle de réveil (salle postanesthésique) Salle où l'on transfère la personne après une intervention chirurgicale.

Sang occulte Sang présent en quantité microscopique dans un spécimen.

Santé État dont les fondements sont le sens des responsabilités ; un processus dynamique de croissance ; un processus décisionnel quotidien positif quant à la nutrition, à la gestion du stress, à la condition physique, aux soins de santé préventifs et à la santé émotionnelle et, surtout, à l'intégrité individuelle.

Santé communautaire Secteur dont les soins s'adressent à un groupe donné de la communauté, défini en fonction de frontières géographiques, d'un employeur, d'une commission scolaire ou d'un besoin ou d'une caractéristique de nature médicale.

Santé holistique Caractérise la personne considérée dans sa globalité ou sa totalité et la qualité générale de son mode de vie ; est constituée des composantes physiques, mentales, émotives et spirituelles de la santé, de même que de leurs interrelations.

Santé publique Secteur qui contribue à améliorer la santé, à prolonger la vie et à donner une meilleure qualité de vie à toute la population.

Santé sexuelle Intégration des dimensions somatiques, affectives, intellectuelles et sociales de l'être sexué qui favorise l'épanouissement personnel et l'enrichissement de la personnalité, de la communication et de l'amour.

Saturation en oxygène (SaO$_2$) Évaluation approximative de la teneur en oxygène dans le sang.

Saturométrie Voir Sphygmooxymétrie.

Savoir populaire Savoir qui se définit à partir de trois sources : une source non professionnelle (croyances et conceptions populaires de la santé et de la maladie), une source professionnelle (culture thérapeutique diffusée par les professionnels de la santé) et une source idiosyncrasique (savoir résultant des expériences personnelles de santé et de maladie).

Scanographie Nom courant de la tomodensitométrie.

Schéma Diagramme dans lequel les idées ou les données sont inscrites à l'intérieur de figures géométriques (cercles, rectangles, etc.) formant des ensembles reliés par des lignes ou des flèches représentant leurs rapports logiques.

Scintigraphie Méthode de médecine nucléaire qui permet d'étudier la physiologie ou la fonction d'un organe ou d'un système.

Scintigraphie pulmonaire Enregistrement des émissions des radio-isotopes qui mesurent la circulation des gaz et du sang dans les poumons.

Sébum Sécrétion grasse et lubrifiante produite par les glandes sébacées de la peau.

Sédation Dépression minimale du niveau de conscience durant laquelle la personne conserve la capacité de garder consciemment la perméabilité de ses voies respiratoires et de répondre de manière appropriée aux stimuli verbaux et physiques.

Sensation douloureuse Sensation ressentie lorsque le seuil de la douleur est atteint.

Sensibilité culturelle Reconnaissance et respect des comportements culturels de l'autre, dans le but de comprendre son point de vue.

Sepsie Présence d'organismes pathogènes ou de leurs toxines dans le sang ou les tissus de l'organisme.

Septicémie Affection qui survient lorsqu'une bactériémie entraîne une infection systémique.

Septum Séparation, par exemple entre les cavités cardiaques ou entre les deux côtés du nez.

Septum interauriculaire Cloison qui sépare les oreillettes dans le cœur.

Septum interventriculaire Cloison qui sépare les ventricules dans le cœur.

Seringue à insuline Seringue semblable à une seringue hypodermique, mais calibrée spécialement pour l'insuline, c'est-à-dire divisée en unités d'insuline.

Seringue à tuberculine Seringue conçue à l'origine pour administrer la tuberculine, calibrée en dixièmes et en centièmes de millilitre.

Seringue hypodermique Sorte de seringue offerte en format de 2 mL, de 2,5 mL et de 3 mL, généralement calibrée en millilitres et en minimes.

Seuil de la douleur Quantité de stimulation douloureuse dont une personne a besoin pour sentir de la douleur.

Sexe Terme utilisé le plus couramment pour distinguer les hommes des femmes du point de vue biologique.

Sexualité Dimension dynamique de l'être humain qui évolue tout au long de la vie ; caractéristiques collectives qui différencient l'homme et la femme, leur constitution et leur vie sexuelle.

Signe Voir Données objectives.

Signes vitaux (paramètres fondamentaux) Mesure des fonctions vitales : la température du corps, le pouls, la respiration et la pression artérielle ; peut inclure la douleur et la sphygmooxymétrie.

Sinus Tunnel qui se forme dans une plaie, où s'accumulent des débris et des microorganismes.

SMAF (système de mesure de l'autonomie fonctionnelle) Instrument d'évaluation des besoins par l'analyse de 29 paramètres, permettant de mesurer les incapacités et les handicaps pour déterminer les soins à prodiguer, apprécier les capacités résiduelles et préserver au maximum l'autonomie fonctionnelle.

Socialisation Processus par lequel une personne est éduquée dans une culture et acquiert les caractéristiques de son groupe d'appartenance.

Soi idéal Concept qui correspond à ce que la personne pense qu'elle devrait être ou à ce qu'elle aimerait être.

Soins à domicile Soins prodigués au domicile du client.

Soins culturellement adaptés Soins de santé professionnels qui tiennent compte des habitudes culturelles de la personne ; essentiels en cette ère de mondialisation.

Soins de fin de vie (soins palliatifs) Soins donnés dans les semaines ou les jours précédant la mort.

Soins de santé holistiques Système qui englobe toutes les composantes de la santé : la promotion de la santé, le maintien de la santé, l'éducation à la santé, la prévention de la maladie, les soins de rétablissement et de réadaptation.

Soins de santé primaires (SSP) Soins de santé essentiels fondés sur des méthodes et des techniques pratiques, scientifiquement valables et socialement acceptables, rendus universellement accessibles à tous les individus et à toutes les familles de la communauté par leur pleine participation et à un coût que la communauté et le pays peuvent assumer à tous les stades de leur développement dans un esprit d'autoresponsabilité et d'autodétermination.

Soins infirmiers à domicile Services et produits destinés aux personnes à domicile et nécessaires pour maintenir, rétablir ou favoriser leur bien-être physique, psychologique et social.

Soins infirmiers axés sur la famille Soins infirmiers qui considèrent la santé de la famille comme un tout en plus de viser la santé de chacun des membres de cette famille.

Soins infirmiers dans la communauté Soins communautaires destinés expressément à une population ou à un groupe de la communauté ; des soins primaires, secondaires ou tertiaires peuvent être fournis à des groupes ou à des individus.

Soins infirmiers en santé communautaire Soins infirmiers qui s'adressent à une collectivité ou à un groupe donné de la communauté : les soins sont prodigués à des personnes ou à des groupes, et ils sont conçus en fonction des personnes qui doivent se déplacer entre différents milieux de soins.

Soins infirmiers holistiques Soins s'articulant autour de cinq groupes de valeurs fondamentales : philosophie et éducation holistiques ; éthique, théories et recherche holistiques ; soins personnels holistiques de l'infirmière ; communication holistique, environnement thérapeutique et diversité culturelle ; processus de soins holistiques.

Soins infirmiers palliatifs Soins fréquemment donnés aux personnes en phase terminale à leur domicile ; souvent considérés comme une sous-spécialité des soins infirmiers de santé publique.

Soins infirmiers transculturels Domaine des soins infirmiers centré sur l'étude et l'analyse comparées des différentes cultures et sous-cultures du monde, en ce qui a trait à l'empathie, aux soins infirmiers et aux valeurs, croyances et habitudes de comportement relatifs à la santé et à la maladie. Cette approche a pour but d'élaborer un ensemble de connaissances scientifiques et humanistes visant à prodiguer des soins infirmiers axés à la fois sur les spécificités et l'universalité culturelles.

Soins médicaux primaires Soins prodigués par un seul professionnel de la santé, soit le médecin.

Soins palliatifs Voir Soins de fin de vie.

Soins primaires (SP) Soins qui reposent sur des spécialistes; ils impliquent une démarche descendante de la part des professionnels de la santé, qui conseillent les individus et les communautés sur ce qui est le mieux pour leur santé.

Solutés Substances dissoutes dans un liquide.

Solution de remplissage vasculaire Solution ayant pour fonction d'augmenter le volume sanguin après une perte de sang ou de plasma.

Solvant Substance dans laquelle se dissout un soluté.

Sommeil État de conscience modifié, marqué par une diminution des perceptions et des réactions à l'environnement.

Sommeil lent (SL) Sommeil profond et réparateur.

Sommeil paradoxal Période du sommeil caractérisée par des mouvements oculaires rapides.

Sonde nasoentérique Tube inséré par une narine jusqu'à la partie supérieure de l'intestin grêle.

Sonde nasogastrique Tube inséré dans le nasopharynx jusqu'à l'estomac pour permettre un apport nutritif ou l'évacuation des sécrétions gastriques.

Sonde vésicale suspubienne Sonde insérée dans la paroi abdominale, au-dessus de la symphyse pubienne, jusqu'à la vessie.

Sonorité Bruit creux comme celui produit par des poumons normaux remplis d'air.

Souffle Bruissement produit par une turbulence du flux sanguin.

Souillé (sale, contaminé) Qui porte des microorganismes, y compris des agents pathogènes.

Soulagement de la douleur Ensemble des mesures destinées à éliminer la douleur ou à l'apaiser jusqu'à un niveau acceptable pour la personne.

Sous-culture Sous-groupe composé habituellement de personnes possédant une identité distincte, tout en appartenant à un groupe culturel plus grand.

Sous-cutanée (hypodermique) Se dit d'une injection effectuée dans les tissus sous-cutanés, juste sous la peau.

Sous-système Composant d'un système.

Soutien à domicile Passage graduel du mode de prise en charge traditionnel, en établissement, au soutien dans le milieu de vie.

Spastiques Se dit des muscles dont le tonus musculaire est très élevé.

Sphincter lisse de l'urètre Sphincter composé de fibres musculaires lisses régies par le système nerveux autonome, entourant l'urètre au niveau de l'ostium interne de l'urètre.

Sphygmooxymètre Appareil non effractif qui mesure la saturation en oxygène dans le sang artériel au moyen d'un capteur fixé au doigt; aussi appelé saturomètre.

Sphygmooxymétrie Mesure directe de la quantité d'oxyhémoglobine dans le sang artériel; aussi appelée saturométrie.

Stade d'action Dans le modèle des stades de changement de comportement, stade où une personne applique activement des stratégies cognitives et comportementales pour rompre d'anciens modes de comportement et en adopter de nouveaux; ce stade nécessite un investissement de temps et d'énergie.

Stade de conclusion Dans le modèle des stades de changement de comportement, stade où l'objectif est atteint: la personne est intimement convaincue que son problème initial ne présente plus ni tentation ni danger.

Stade de contemplation Dans le modèle des stades de changement de comportement, stade au cours duquel une personne reconnaît avoir un problème, envisage sérieusement de changer des comportements inadaptés, recueille activement des informations et énonce des plans pour changer ses comportements dans un avenir proche.

Stade de maintien Dans le modèle des stades de changement de comportement, période où la personne intègre dans son style de vie des modèles de comportement nouvellement acquis.

Stade de précontemplation Dans le modèle des stades de changement de comportement, période durant laquelle la personne nie avoir un problème, croit que ce sont les autres qui ont un problème et, par conséquent, veut modifier le comportement des autres.

Stade de préparation Dans le modèle des stades de changement de comportement, stade au cours duquel la personne prend la décision de changer et a l'intention d'entreprendre une action dans un délai rapproché.

Stapès Os de l'oreille moyenne; étrier.

Stase urinaire Arrêt ou ralentissement du flux urinaire.

Statistique descriptive Ensemble de méthodes qui permet de synthétiser une grande quantité de données.

Stéatorrhée Quantité excessive de lipides dans les excréments; peut révéler une mauvaise absorption des matières grasses dans l'intestin grêle.

Stéréognosie Reconnaissance des objets par le toucher et la manipulation.

Stéréotypage Attitude qui consiste à déduire que tous les membres d'un groupe culturel ou ethnique sont semblables.

Stérilisation Processus qui détruit tous les microorganismes, y compris les spores et les virus.

Stérol Composé cyclique contenant du carbone, de l'hydrogène et de l'oxygène.

Stimulation de la moelle épinière (SME) Mise en place directement dans la moelle épinière d'une électrode dont le câble est relié à un appareil qui envoie des influx électriques.

Stimulation du réflexe de miction Méthode d'entraînement à la continence urinaire consistant à encourager la personne à essayer d'uriner en lui rappelant qu'il est temps d'aller aux toilettes.

Stimulus Information, matériel ou énergie qui entre dans un système.

Stomie Abouchement du tube digestif, du tractus urinaire ou des voies respiratoires à la peau.

Strabisme Déviation des yeux; mouvement non coordonné des yeux.

Stratégie d'adaptation Moyen inné ou acquis de réagir au changement ou aux problèmes.

Stress Ensemble de réactions de l'organisme à toute modification qui vient perturber son équilibre.

Stridor Bruit aigu et sifflant produit à l'inspiration et causé par la constriction des voies respiratoires supérieures.

Style de leadership Désigne les caractéristiques, les comportements, les motivations et les choix qui font qu'une personne influence efficacement d'autres personnes.

Submatité Bruit sourd produit par un tissu dense comme le foie, la rate ou le cœur.

Substance chimique Mesure de contrôle qui consiste à limiter la capacité d'action d'une personne en lui administrant un médicament.

Suffocation (asphyxie) Manque d'oxygène provoqué par l'arrêt de la respiration.

Suicide assisté Forme d'euthanasie active qui consiste à donner à la personne, à sa demande, les moyens de mettre fin à ses jours.

Suivi systématique de clientèles Voir Gestion de cas.

Suppositoire Substance médicamenteuse solide en forme de cône qui s'insère dans le rectum, le vagin ou l'urètre.

Suppuration Production et écoulement de pus.

Suprasystème Système situé au-dessus d'un autre système.

Suralimentation Voir Surnutrition.

Surcharge sensorielle Surabondance de stimulation sensorielle.

Surdité de perception (perte neurosensorielle) Surdité due à une atteinte de l'oreille interne, du nerf auditif ou du centre de l'audition situé dans le cerveau.

Surdité de transmission (perte conductive) Surdité due à l'interruption de la transmission du son à travers les structures de l'oreille externe et de l'oreille moyenne.

Surdité mixte Surdité qui combine une surdité de perception et une surdité de transmission.

Surfactant Agent tensioactif (par exemple savon ou détergent synthétique); en physiologie pulmonaire, mélange de phospholipides qui réduit la tension de surface des liquides pulmonaires.

Surhydratation (déséquilibre hypoosmolaire, intoxication par l'eau) Gain d'eau supérieur au gain d'électrolytes, entraînant une diminution de l'osmolalité sérique et de la concentration sérique de sodium.

Surnutrition (suralimentation) Apport énergétique qui excède les besoins quotidiens et qui entraîne un stockage d'énergie sous forme de tissus adipeux.

Surveillance de l'état de la peau Formulaire d'enregistrement systématique qui permet de consigner les résultats des examens de la peau.

Surveillance des signes vitaux Formulaire d'enregistrement systématique, présenté sous forme de graphique, qui indique les signes vitaux et d'autres données cliniques importantes.

Suture Technique utilisée pour coudre ensemble des tissus de l'organisme.

Sympathectomie Résection d'une voie du système nerveux sympathique; élimine le vasospasme, améliore l'irrigation périphérique et contribue au traitement d'affections vasculaires douloureuses.

Symptôme Voir Données subjectives.

Synchronisation circadienne Phénomène qui fait que la personne est éveillée au moment où les rythmes physiologiques et psychologiques sont les plus actifs, et qu'elle est endormie au moment où les rythmes physiologiques et psychologiques sont les plus inactifs.

Syndic Personne chargée de faire une enquête, de rédiger un rapport et de prendre les mesures qui s'imposent lorsqu'une plainte écrite contre la conduite d'une infirmière ou sa pratique est soumise à l'Ordre des infirmières et infirmiers du Québec.

Syndrome du biberon Caries ou problèmes de dentition causés par le contact prolongé des dents avec le liquide sucré du biberon.

Syndrome du troisième compartiment Déplacement de liquide du compartiment vasculaire vers une région où il est inaccessible.

Syndrome général d'adaptation (SGA) Réaction d'excitation générale de l'organisme à l'égard d'un agent stressant, caractérisée par certains événements physiologiques et régie par le système nerveux sympathique; aussi appelé syndrome de stress.

Syndrome local d'adaptation (SLA) Réaction d'un organe ou d'une partie du corps au stress.

Syndrome métabolique Constellation de troubles comprenant l'obésité viscérale, la dyslipidémie, l'hypertension et l'insulino-résistance, amenant un risque accru de diabète de type 2 et d'affections cardiovasculaires.

Système Ensemble d'éléments ou de composants identifiables entretenant des rapports mutuels.

Système de drainage sous vide Drain relié à un appareil d'aspiration électrique ou à un appareil de succion portatif, comme le Hemovac ou le Jackson-Pratt.

Système de santé Ensemble des soins et des services offerts à la population par les professionnels de la santé et des services sociaux.

Système de valeurs Chez un individu, organisation des valeurs sur un continuum en fonction de leur importance relative.

Système fermé Système qui n'échange pas d'énergie, de matière ou d'information avec son environnement; système d'alimentation entérale composé d'un contenant prérempli et d'une tubulure fixée à un dispositif d'administration.

Système ouvert Système où l'énergie, la matière et l'information entrent et sortent par les limites du système; système d'alimentation entérale consistant à administrer la nourriture à l'aide d'une seringue ou d'un contenant à dessus ouvert.

Système rénine-angiotensine-aldostérone Système mis en marche par les récepteurs spécialisés des cellules juxtaglomérulaires des néphrons du rein qui réagissent aux changements de la perfusion rénale.

Système tampon Système qui prévient les variations excessives du pH en captant ou en libérant des ions hydrogène.

Systèmes de doses unitaires (doses uniques) Médicaments injectables à usage unique qui se présentent sous la forme d'ampoules-seringues prêtes à l'usage ou de cartouches stériles préremplies, avec des aiguilles que l'on doit fixer à un système d'injection avant de les utiliser.

Systole Période pendant laquelle le ventricule se contracte.

Tachycardie Pouls anormalement rapide, supérieur à 100 battements par minute.

Tachypnée Respiration anormalement rapide ; habituellement supérieure à 28 respirations par minute.

Tactile Qui a rapport au toucher.

Tandem Dans une perfusion intraveineuse, type de dispositif en dérivation dans lequel on fixe un second sac de solution à la perfusion principale au point de jonction secondaire le plus bas.

Tartre dentaire Dépôt dur et visible de plaque et de bactéries mortes qui adhère au collet des dents.

Taux métabolique basal (vitesse du métabolisme basal) Quantité d'énergie requise pour entretenir les fonctions involontaires du corps au repos après un jeûne de 12 heures.

Taxinomie Système de classification ou ensemble de catégories, comme les diagnostics infirmiers, fondé sur un seul principe ou ensemble cohérent de principes.

Technique propre Voir Asepsie médicale.

Technique stérile Voir Asepsie chirurgicale.

Teigne du pied Pied d'athlète, causé par un mycète ; *tinea pedis*.

Témoin expert Personne qui possède une formation avancée, une expérience ou des compétences dans un domaine particulier et qui est autorisée par un tribunal à offrir son opinion sur certains sujets.

Température centrale Température des tissus profonds de l'organisme (par exemple de la cavité abdominale ou de la cavité pelvienne) ; se maintient à 37 °C environ.

Température corporelle Équilibre entre la chaleur produite par le corps et la chaleur perdue.

Température de surface Température de la peau, du tissu souscutané et du tissu adipeux.

Temps de remplissage capillaire Temps nécessaire pour que le sang revienne dans les vaisseaux périphériques après qu'on a exercé une pression qui se trouve à l'éjecter ; permet d'évaluer la circulation périphérique.

Teneur énergétique Quantité d'énergie qu'un aliment ou un nutriment procure à l'organisme.

Tension dans l'exercice du rôle État généralisé de frustration ou d'anxiété attribuable au stress lié à un conflit de rôle et à l'ambiguïté.

Tension dans l'exercice du rôle de proche aidant Stress physique, émotionnel, social et financier touchant les personnes qui s'occupent d'un proche à domicile.

Territorialité Concept de l'espace et des choses qu'une personne tient pour siens.

Test au gaïac Test visant à établir la présence de sang occulte.

Testament Déclaration dans laquelle une personne explique comment elle veut qu'on dispose de ses biens après sa mort.

Testament biologique (testament de vie, testament de fin de vie) Document qui stipule les traitements médicaux qu'une personne refuse d'avance de recevoir dans l'éventualité où elle serait incapable de prendre ces décisions.

Théorie Système d'idées proposées pour expliquer un phénomène donné (par exemple théorie de la gravitation universelle).

Théorie ancrée Méthode ayant pour but d'examiner un processus et de générer une théorie à partir des données recueillies sur le terrain et auprès des personnes possédant une expérience pertinente.

Théorie béhavioriste de l'apprentissage Théorie qui étudie ce qui doit être enseigné, la reconnaissance immédiate des bonnes réactions et la gratification de celles-ci.

Théorie cognitive de l'apprentissage Théorie qui précise différents niveaux développementaux pour les apprenants et qui reconnaît l'importance de la motivation et de l'environnement de l'apprenant.

Théorie humaniste de l'apprentissage Théorie qui met surtout l'accent sur les sentiments et les attitudes des apprenants, sur la nécessité pour la personne de déterminer ses besoins d'apprentissage et d'en assumer la responsabilité, ainsi que sur sa motivation, la poussant à acquérir son autonomie et son indépendance.

Théorie transactionnelle du stress Théorie selon laquelle le stress est provoqué par une demande interne ou externe, égale ou supérieure aux capacités d'adaptation de la personne ou du système social.

Théories basées sur les conséquences (téléologiques) Système éthique consistant à juger de la moralité d'une action d'après ses conséquences.

Théories basées sur les principes (déontologiques) Système éthique axé sur les droits individuels, les devoirs et les obligations.

Théories basées sur les relations humaines (humanistes) Système éthique axé sur le courage, la générosité, l'engagement, et le besoin de cultiver et de maintenir des relations.

Thérapies complémentaires Pratiques thérapeutiques qui ne font pas partie intégrante de la pratique médicale allopathique traditionnelle.

Thérapies corps-esprit Thérapies qui visent à équilibrer les pensées, les émotions ou la respiration.

Thermogenèse chimique Stimulation de la production de chaleur dans l'organisme par la libération de thyroxine, laquelle fait augmenter le métabolisme cellulaire.

Thermorégulation Mécanisme par lequel l'organisme régule la quantité de chaleur qu'il produit de façon que celle-ci soit égale à la quantité de chaleur perdue.

Thoracentèse Insertion d'une aiguille dans la cavité pleurale à des fins diagnostiques ou thérapeutiques.

Thrombophlébite Inflammation d'une veine suivie de la formation d'un caillot de sang.

Thrombose veineuse profonde Voir Thrombophlébite.

Thrombus Caillot stationnaire qui adhère à la paroi d'un vaisseau.

Tige de seringue Voir Canule.

Timbre transdermique Mode d'administration d'un médicament de nature topique ou dermatologique.

Tiques Petits parasites gris-brun qui piquent les tissus et sucent le sang ; peuvent transmettre plusieurs affections aux humains, dont la fièvre pourprée des montagnes Rocheuses, la maladie de Lyme et la tularémie.

Tissu de granulation Tissu conjonctif récent doté de nouveaux capillaires formés au cours du processus de cicatrisation.

Tissu fibreux (cicatriciel) Tissu conjonctif qui participe à la cicatrisation des plaies grâce à sa capacité de proliférer malgré une ischémie et une altération du pH.

Tolérance à l'activité Type et quantité d'exercice ou d'activités quotidiennes qu'une personne peut faire sans effets contraires, c'est-à-dire sans que cela nuise à sa santé ou à son bien-être.

Tolérance à la douleur Aptitude à supporter la douleur.

Tolérance aux médicaments Réponse physiologique aux médicaments inférieure à la normale.

Tomodensitométrie (TDM) Technique radiographique sans douleur et non effractive ; plus sensible que la radiographie, elle permet de distinguer des différences minimes de densité des tissus ; aussi appelée scanographie.

Tomographie par émission de positrons (TEP) Examen radiologique non effractif qui comprend l'injection ou l'inhalation d'un radio-isotope et qui permet d'étudier le fonctionnement des organes.

Tonalité (fréquence) Fréquence des vibrations (nombre de vibrations par seconde).

Toucher thérapeutique (TT) Méthode par laquelle de l'énergie est transmise ou transférée d'une personne à une autre dans le but de potentialiser le processus de guérison chez une personne malade ou blessée.

Tour de hanches Mesure prise au niveau de la symphyse pubienne et du renflement fessier maximal.

Tour de taille Mesure du tour de taille prise à mi-chemin entre la douzième côte et la crête iliaque.

Toxicité médicamenteuse Effets nocifs d'un médicament sur un organisme ou un tissu.

Toxicomanie Consommation inappropriée d'une substance, soit continuellement, soit périodiquement.

Tradition empiriste Paradigme en vertu duquel il n'existe qu'une seule réalité, indépendante de la connaissance que nous pouvons en avoir.

Tradition interprétative Paradigme en vertu duquel on ne peut pas mesurer les connaissances en se fondant sur l'idée d'une réalité unique et immuable.

Tragus Saillie cartilagineuse à l'entrée du méat acoustique externe.

Traits fondamentaux du concept de soi Certitudes les plus vitales à l'identité de la personne.

Transduction de l'information Conversion (ou transformation) de l'information ou de l'énergie d'une forme en une autre.

Transférabilité Critère de la *Loi canadienne sur la santé* en vertu duquel les résidents qui déménagent dans une autre province ou un autre territoire sont couverts par le régime de leur province ou de leur territoire d'origine pendant toute la période d'attente imposée par la nouvelle province ou le nouveau territoire.

Transferrine Protéine qui fixe le fer absorbé de l'intestin et le transporte dans le sang.

Transmission aérienne (transmission par voie aérienne, transmission par l'air) Transmission d'un agent infectieux par les gouttelettes ou la poussière en suspension dans l'air.

Transport actif Mouvement des substances à travers la membrane plasmique dans le sens inverse de leur gradient de concentration.

Tremblement d'attitude Tremblement observé lors du maintien d'une posture ; peut s'aggraver lors du mouvement.

Tremblement de repos Tremblement qui apparaît lorsque la personne est au repos et qu'elle diminue son activité.

Tremblement intentionnel Tremblement involontaire lors d'un mouvement volontaire.

Tremblements Agitation qui peut faire intervenir des groupes importants de fibres musculaires ou de petits faisceaux de fibres musculaires.

Triglycérides Substances qui contiennent une molécule de glycérol liée à trois acides gras ; constituent plus de 90 % des lipides dans les aliments et dans le corps humain.

Trigone Région triangulaire située à la base de la vessie délimitée par les ostiums des uretères et l'ostium interne de l'urètre.

Trocart Instrument à bout pointu qui s'insère dans une canule et qui est utilisé pour percer les tissus du corps.

Troisième intention Voir Cicatrisation par troisième intention.

Trompe auditive (trompe d'Eustache) Partie de l'oreille moyenne qui relie celle-ci au nasopharynx ; stabilise la pression de l'air entre l'atmosphère externe et l'oreille moyenne, ce qui prévient la rupture du tympan et les malaises causés par les variations de pression importantes.

Troponine Protéine libérée dans le sang pendant l'infarctus du myocarde.

Trou auscultatoire Disparition temporaire des bruits normalement perçus sur l'artère brachiale lorsque la pression indiquée par le sphygmomanomètre est élevée, suivie de la réapparition des bruits lorsque la pression est réduite.

Trouble de l'excitation sexuelle Incapacité d'atteindre ou de maintenir un niveau adéquat de lubrification vaginale, ou atténuation marquée des sensations clitoridiennes et labiales.

Trouble de l'orgasme (trouble orgasmique, trouble orgastique, anorgasmie) Difficulté ou incapacité à atteindre l'orgasme malgré la stimulation et l'excitation.

Troubles primaires du sommeil Troubles du sommeil qui constituent le principal problème de la personne ; inclut l'insomnie, l'hypersomnie, la narcolepsie, l'apnée du sommeil et le manque de sommeil.

Troubles secondaires du sommeil Perturbations du sommeil qui découlent d'un autre problème clinique.

Troubles sexuels avec douleur Troubles entraînant des rapports sexuels douloureux, par exemple la dyspareunie, le vaginisme et les douleurs génitales.

Tubule Structure en forme de petit tube.

Tympan Membrane fibreuse qui sépare le méat acoustique externe de l'oreille moyenne.

Tympanisme Bruit musical ou bourdonnant produit par exemple par un estomac rempli d'air.

Types de cicatrisation Classification des cicatrices selon qu'on décide de laisser guérir la lésion par elle-même ou d'intervenir pour faciliter le processus.

U

Universalité Critère de la *Loi canadienne sur la santé* en vertu duquel tous les résidents assurés de la province ou du territoire ont le droit de bénéficier des services de santé assurés offerts par le régime d'assurance santé provincial ou territorial.

Universalité culturelle Points communs, liés aux valeurs, aux normes de comportement et aux modes de vie, que partagent différentes cultures.

Urée Substance, produite par le catabolisme des protéines, qui se trouve dans l'urine, le sang et la lymphe ; principal composé azoté du sang.

Urine résiduelle (résidu postmictionnel) Quantité d'urine qui reste dans la vessie après la miction.

Urographie intraveineuse Examen radiographique utilisé pour examiner le tractus urinaire : la substance de contraste injectée par voie intraveineuse est filtrée par les glomérules, puis elle passe dans les tubules rénaux, les uretères et la vessie.

Utilitarisme (utilité) Théorie éthique particulière basée sur les conséquences, selon laquelle une action juste est une action qui présente le plus d'avantages et le moins d'inconvénients pour le plus grand nombre de personnes. L'utilitarisme est souvent utilisé dans les décisions concernant le financement et la prestation des soins de santé.

Vaccination Injection d'un antigène inoffensif, capable de déclencher une réaction immunitaire qui protège l'hôte contre les agents infectieux porteurs de cet antigène.

Valeur Chose considérée comme précieuse ; croyance à laquelle une personne accorde de l'importance.

Valeur nutritive Contenu en substances nutritives d'une quantité déterminée de nourriture.

Valeurs personnelles Valeurs sociétales ou culturelles intériorisées par l'individu.

Valeurs professionnelles Valeurs acquises au cours de la socialisation de l'infirmière grâce à la connaissance du code de déontologie, à ses expériences infirmières, au contact de ses enseignantes et au contact de ses pairs.

Validation Vérification des données afin de s'assurer qu'elles sont exactes et reposent sur des faits précis.

Validité Degré d'adéquation entre ce qu'un instrument mesure et ce qu'il est censé mesurer.

Valvules auriculoventriculaires Valvules situées entre les oreillettes et les ventricules du cœur ; la valvule bicuspide (ou mitrale) est à gauche, tandis que la valvule tricuspide est à droite.

Valvules semi-lunaires Valvules en forme de croissant situées entre, d'une part, les ventricules cardiaques et, d'autres part, le tronc pulmonaire (valvule sigmoïde pulmonaire) et l'aorte (valvule sigmoïde).

Variance Valeur égale au carré de l'écart type.

Vasoconstriction Diminution du calibre (lumière) d'un vaisseau sanguin.

Vasodilatation Augmentation du calibre (lumière) d'un vaisseau sanguin.

Vecteur Animal ou insecte (volant ou rampant) qui sert d'intermédiaire dans le transport d'un agent pathogène.

Véhicule Substance qui sert d'intermédiaire dans le transport d'un agent pathogène et permet son introduction dans un hôte réceptif par une porte d'entrée appropriée.

Ventilation Mouvement de va-et-vient de l'air dans les poumons ; processus d'inspiration et d'expiration.

Ventricule Chacune des deux cavités inférieures du cœur.

Véracité Principe moral qui exige de dire la vérité et de ne pas mentir.

Verrue plantaire Verrue modérément contagieuse qui apparaît sur la plante du pied ; causée par le virus *Papovavirus hominis*.

Vessie neurogène Perturbation des mécanismes normaux d'élimination de l'urine ; la personne ne sent pas que sa vessie est pleine et est incapable de maîtriser ses sphincters.

Vessie neurogène hypotonique (flaccide) Vessie dont les muscles sont affaiblis et lâches.

Vestibule Partie de l'oreille interne ; contient les organes de l'équilibre.

Vibration Série de tapes vigoureuses appliquées sur le dos pour détacher les sécrétions épaisses.

Virulence Intensité du pouvoir pathogène d'un microorganisme.

Virus Agents infectieux constitués d'acides nucléiques protégés par une capside.

Viscéral Qui se rapporte à tous les grands organes internes du corps.

Viscosité sanguine Consistance du sang lorsque l'hématocrite dépasse 0,60 à 0,65.

Vision Image mentale d'une situation future, à la fois possible et désirable.

Visuel Lié à la vue.

Vitamines Composés organiques qui pour la plupart ne sont pas produits par le corps mais qui sont absolument nécessaires pour catalyser les réactions métaboliques.

Vitamines hydrosolubles Vitamines que le corps ne peut emmagasiner et qu'il doit puiser dans le régime quotidien ; comprennent la vitamine C et les vitamines du groupe B.

Vitamines liposolubles Vitamines A, D, E et K, que le corps peut entreposer.

Vitesse du métabolisme basal Voir Taux métabolique basal.

Vitiligo Plaques d'hypopigmentation de la peau provoquées par la destruction des mélanocytes.

Voie buccogingivale Administration d'un médicament placé et gardé contre les muqueuses du côté de la bouche jusqu'à dissolution complète.

Voie de fait Administration d'un traitement à une personne sans son consentement ou après un refus de sa part.

Voie intrathécale (rachidienne) Administration d'un médicament dans le canal vertébral.

Voie orale Administration d'un médicament par la bouche (la personne avale le médicament).

Voie parentérale Toute forme d'administration d'un médicament autre que par voie orale ou respiratoire, et que l'on effectue notamment par une injection.

Voie péridurale (épidurale) Administration d'un médicament dans l'espace épidural.

Voie sublinguale Administration d'un médicament placé et maintenu sous la langue jusqu'à dissolution complète.

Voie topique Administration d'un médicament au moyen de son application localisée sur une région déterminée du corps.

Volume courant Volume d'air qui est normalement inspiré ou expiré, soit environ 500 mL.

Volume systolique (VS) Quantité de sang éjectée à chaque contraction cardiaque.

Xérostomie Affection due à une sécrétion insuffisante de salive ; sécheresse de la bouche.

Yoga Union des pouvoirs du corps, du psychisme et de l'esprit qui vise une vie équilibrée ; démarche fondée sur d'anciens enseignements qu'on trouve dans les textes spirituels hindous.

Zone de la guêtre Région de la jambe qui s'étend depuis environ 2 cm sous la malléole jusqu'au tiers inférieur du mollet.

Sources des photographies et illustrations

Toutes les photographies et illustrations qui ne sont pas accompagnées d'une source et qui ne sont pas dans la liste ci-dessous ont été réalisées à la demande de Pearson Education/Prentice Hall Health, qui en détient les droits.

Elena Dorfman:
Figures 1.4, 9.1, 9.3, 9.4, 9.5, 10.1, 11.4, 13.1, 13.4, 20.3, 20.4, 20.5, 20.6, 20.7, 21.1, 21.2, 21.3, 24.2, 25.4, 28.5, 34.10a et b, 34.14, 34.21, 34.24, 34.25, 35.18, 35.19, 37.55a, 40.11, 40.12, 41.12, 41.14, 43.14, 43.15, 43.27, 45.18.

Jenny Thomas:
Figures 28.6, 28.8, 28.12, 28.13, 28.14, 32.1, 32.2, 33.8, 34.55, 34.65, 34.66, 37.52, 41.13, 43.10, 43.13, 43.16, 43.17, 43.31, 45.24.

Université du Québec à Trois-Rivières, Services des ressources pédagogiques et des médias, Claude Demers:
Figures 28.9, 28.10, 28.11, 28.17, 28.18, 28.25, 28.26a et b, 28.28, 29.31, 29.32a et b, 29.61, 33.6, 34.46, 43.6.

Patrick Watson:
Figures 34.18, 34.20, 35.26.

Index

Les numéros de pages en caractères gras renvoient à la définition des termes dans le texte.

B

D

I

J

O

P

PA (pression artérielle), **1304**

palais, examen du –, 721

PALC (phosphatase alcaline), 877

pâleur, **695**

palier
central du système sociosanitaire québécois, 124-125
local du système sociosanitaire québécois, 126-130
régional du système sociosanitaire québécois, 125-126

palliatif, 895

palpation, 677, **688**, 688-692
d'une hernie, 749
d'une masse, caractéristiques à évaluer lors de la –, 691
de la glande thyroïde, 726
de la langue, 720
légère, 688
méthode par –, 677
profonde, 688
bimanuelle, 691
superficielle, 688

paludisme, 760

PAM (pression artérielle moyenne), **1304**

pansement(s), 971-974
absorbant
d'alginates, 972
d'hydrofibre, 972
de mousse de polyuréthane, 972
de mousse d'hydropolymères, 972
changement du –, 1366
chirurgicaux, 1014
d'hydratation, 972
de pellicule adhésive transparente, 973
de rétention de l'humidité, 972
humides
avantages de l'utilisation de –, 976
inconvénients de l'utilisation de –, 976
hydrocolloïde, 973
maintien du –, 973-974
types de –, 971-973

Papanicolaou, test de –, 743

papule, 696

paracentèse abdominale, 886-887
rôle de l'infirmière au cours d'une –, 891

para-chlorométa-xylenol (PCMX), 779

paradigme, **54**, 54-55, **213**
de l'intégration, 214
de la catégorisation, 214
de la transformation, 215

paralangage, 466

paralysie, 484

paramètres fondamentaux, **655**, 655-682

parasites, **758**

parasomnie, **1081**

paresthésie, 742

parodontite, **718**

parodontopathie, **852**, 853

paroi thoracique, repères anatomiques de la –, 727-728

parotidite, **718**, 853

Parse (Rosemarie Rizzo), 64-65
théorie de l'humain en devenir de –, 64-65

Parsons, 227, 229

partenaires de pratique, modèle des –, **137**

partenariat, **251**
en collaboration, **156**, 156-157
infirmière-client, 11

particularités culturelles, **261**

pastille, 892

pâte
médicamenteuse, 892
pour la peau, application d'une –, 933

pathogénicité, **757**

patient, 10

pattern de relation, 65

Paul et Elder, composantes de la pensée selon –, 318-319

paupière
bord osseux de la –, 703
inférieure, 703
supérieure, 703

pauvreté, 134

pavillon de l'oreille, 710

Pavlov (I.), 492

PCMX (para-chlorométa-xylenol), 779

PDF, revues scientifiques qui contiennent des articles en version –, 42

PDSB (*Principes pour le déplacement sécuritaire des bénéficiaires*), 1048

peau, 695-699, 947
application des préparations pour la –, 933
atteinte à l'intégrité de la –, 964, 965
démarche de soins infirmiers pour l'intégrité de la –, 959
diagnostics infirmiers en hygiène de la –, 839
directives générales concernant les soins de la –, 841
érosion de la –, 837
évaluation de l'hygiène de la –, 838
examen de la –, 698
hygiène de la –, 835-845
intacte, enseignement à donner pour conserver une –, 966
intégrité de la –, 947-989
maintien de l'intégrité de la –, 1245
préparation chirurgicale de la –, 1003
produits utilisés pour les soins de la –, 841
risque d'atteinte à l'intégrité de la –, 964, 965
sécheresse de la –, 837
soins de la –, 844
surveillance de l'état de la –, **438**

pédagogie, **491**

pédiculose, **858**
prévention de la –, 858

Pediculus capitis, 858

Pediculus corporis, 858

pellicule(s), 697, **857**, 857-858

pemphigoïde, 696

Pender, Murdaugh et Parsons, modèle de promotion de la santé (MPS) de –, 178-181

pénis, examen du –, 747-748

pensée
composantes de la –, 317, 318-319
critique, **311**, 311-313, 521
acquisition des attitudes propres à la –, 321-322
acquisition des habiletés propres à la –, 321-322
application de la – dans la pratique infirmière, 318-321
attitudes favorisant la –, 314-317
composantes de la – appliquées à la démarche de soins infirmiers, 318-319
création de milieux propices à la –, 323
et pratique infirmière, 311-324
modèle de la –, 313-317
normes de la –, 317
philosophique, **53**, 53-69

Q

R

T

U